Langenscheidt Taschenwörterbuch Deutsch – Englisch

Herausgegeben von der
Langenscheidt-Redaktion

Langenscheidt

Berlin · München · Wien · Zürich · New York

Autoren:

Gisela Türck, Heinz Messinger

Redaktionsteam:

Dr. Wolfgang Walther, Heike Pleisteiner, Helga Krüger

In der neuen deutschen Rechtschreibung

Als Marken geschützte Wörter werden in diesem Wörterbuch in der Regel durch das Zeichen ® kenntlich gemacht.
Das Fehlen eines solchen Hinweises begründet jedoch nicht die Annahme, eine nicht gekennzeichnete Ware oder eine Dienstleistung sei frei.

Ergänzende Hinweise, für die wir jederzeit dankbar sind, bitten wir zu richten an:
Langenscheidt Verlag, Postfach 40 11 20, 80711 München

Druck: Graph. Betriebe Langenscheidt, Berchtesgaden/Obb.
Printed in Germany · ISBN 3-468-10136-8

3. 4. 5. 6. 7. 07 06 05

Inhaltsverzeichnis

Table of Contents

Seite

Vorwort 4

Hinweise für die Benutzung des Wörterbuchs 5

Wörterverzeichnis Deutsch-Englisch -
German-English Dictionary 15

Geographische Namen (Deutsch) -
Geographical Names (German) 739

Die Länder der Bundesrepublik Deutschland -
The Countries of the Federal Republic of Germany 744

Die Länder der Republik Österreich -
The Countries of the Republic of Austria 744

Die Kantone der Schweizerischen Eidgenossenschaft -
The Cantons of the Swiss Confederation 744

Deutsche Abkürzungen - German Abbreviations 745

Zahlen - Numbers 752

Deutsche Maße und Gewichte -
German Weights and Measures 755

Temperatur-Umrechnungstabellen -
Temperature Conversion Tables 756

Land, *country*, Telefonvorwahl, Länderkennung (Internet), Autokennzeichen, Zeitunterschied zu Mitteleuropäischer (Winter)Zeit 758

Buchstabieralphabete - Phonetic Alphabets 763

Hinweise zur amerikanischen Rechtschreibung -
American spelling 764

Verzeichnis der Info-Fenster - Info Boxes 765

Vorwort

Mit dem vorliegenden ***Taschenwörterbuch Deutsch-Englisch*** präsentiert Langenscheidt seinen „Klassiker“ in aktualisierter Neuausgabe mit blauen Hauptstichwörtern und blauen Info-Fenstern zu sprachlichen und kulturellen Themen. Das Redaktionsteam hat sich bei der Arbeit an diesem Werk vor allem Aktualität, Übersichtlichkeit und optimale Benutzerfreundlichkeit zum Ziel gesetzt.

Im Mittelpunkt steht dabei der heute allgemein gebräuchliche deutsche Wortschatz und seine englischen Entsprechungen. Neu aufgenommen wurden aber auch hochaktuelle Begriffe aus so wichtigen Bereichen wie Informationstechnologie, Computer, Politik und Gesellschaft, Kultur, Medizin und Sport. Da zum lebendigen Sprachgebrauch gerade auch umgangssprachliche Floskeln und idiomatische Redewendungen gehören, wurde diesen beiden Aspekten der modernen Kommunikation ebenfalls große Aufmerksamkeit geschenkt.

Zu den zahlreichen Neuaufnahmen in diesem Wörterbuch gehören: **bauchfreies Shirt** - crop top; **das ist nicht mein Ding** - it's not my kind of thing; **Einstiegsdroge** - gateway drug, starter drug; **Elternzeit** - (extended) parental leave; **Freisprechanlage** - hands-free car kit (*im Auto*); **gentechnikfrei** - GM-free; **Internetzugang** - Internet access; **Kickboard** - scooter, kickboard; **Leitkultur** - guiding culture, defining culture; **jemandem eine SMS schicken** - text someone; **das ist schwer zu toppen** - it's hard to top; **Zugriffsmöglichkeit** - access (mode) (*Computer*).

Besonders viele Neuprägungen gibt es im Englischen wie im Deutschen auch bei den Abkürzungen. Eine übersichtliche Darstellung wichtiger aktueller Abkürzungen des Deutschen mit ihren englischen Entsprechungen befindet sich im Anhang.

Die Übersichtlichkeit der Wörterbucheinträge wird gewährleistet durch die blaue Hervorhebung der Hauptstichwörter, eindeutige Wortart- und Bedeutungsunterscheidungen sowie ein klar differenziertes Schriftbild.

LANGENSCHEIDT VERLAG

Hinweise für die Benutzung des Wörterbuchs

Wo finde ich was? – alphabetische Anordnung

Das regelmäßig aktualisierte ***Langenscheidt Taschenwörterbuch Deutsch-Englisch*** enthält rund 65.000 Stichwörter und Wendungen. Die Stichwörter sind mit Ausnahme einiger weiblicher Substantive streng alphabetisch geordnet. Sie finden also Wichtigtuer(in) vor Wichtigtuerei, obwohl Wichtigtuerin im Alphabet Wichtigtuerei folgen würde. Verlangt die weibliche Form eines Substantives eine separate englische Übersetzung (Beispiel „Leiterin"), dann erscheint sie streng alphabetisch genau an der vorgesehenen Stelle.

Die Umlaute ä, ö, ü wurden alphabetisch wie a, o, u eingeordnet: „Wärme" steht hinter „Warmblüter" und vor „Warmhalteplatte".

Wie finde ich was? – Aufbau eines Stichwortartikels

Die Unterteilung eines Stichwortartikels erfolgt im Allgemeinen durch

I römische Ziffern zur Unterscheidung der Wortarten (Substantiv, Adjektiv, Adverb, transitives, intransitives oder reflexives Verb usw.),

2. arabische Ziffern (fortlaufend im Artikel und unabhängig von den römischen Ziffern) zur Unterscheidung der einzelnen Bedeutungen,

c) Kleinbuchstaben zur weiteren Bedeutungsdifferenzierung (siehe weiter unten).

Wie sieht ein Eintrag im Allgemeinen aus?

täuschen I *v/t* mislead, deceive, *(betrügen)* cheat, fool: ***wenn mich nicht alles täuscht*** if I am not very much mistaken; ***wenn mich mein Gedächtnis nicht täuscht*** if my memory serves me right; ***sich ~ lassen*** be taken in (***von*** by) **II** *v/i* be deceptive, SPORT feint, fake a blow *etc* **III** *v/refl* ***sich ~*** be mistaken, be wrong (***in j-m*** about s.o.); ***da täuscht er sich aber!*** he's very much mistaken there!

Dieses Beispiel für das Stichwort **täuschen** soll die wichtigsten Elemente eines Eintrags veranschaulichen. Wir stellen sie Ihnen Schritt für Schritt vor:

täuschen	in Fettdruck erscheinendes **Hauptstichwort** in Blau
I	römische Ziffer zur Unterscheidung der Wortarten bzw. bestimmter Verbformen
v/t	das Stichwort als transitives Verb (, dem ein direktes Objekt folgt)
1., 2., 3. **a), b) c)**	arabische Ziffern zur Unterscheidung verschiedener Bedeutungen des Stichworts. Manchmal weisen Kleinbuchstaben auf feinere Bedeutungsuntergliederungen als die durch arabische Ziffern hin. Beide sind in diesem Beispiel nicht vorhanden.
mislead	erste englische Entsprechung des deutschen Stichworts in Normalschrift
deceive	zweite englische Entsprechung des deutschen Stichworts in Normalschrift, von der ersten Entsprechung durch Komma, bei gänzlich unterschiedlicher Bedeutung durch arabische Ziffer getrennt
(*betrügen*)	Bedeutungsumschreibung für ‚cheat' und ‚fool' in *Kursivschrift*
wenn mich nicht alles täuscht	erstes Anwendungsbeispiel in Form einer Kollokation (typische Wortverbindung), einer Phrase, eines Idioms u. a. in ***halbfett kursiver Schrägschrift***
if I am not very much mistaken	englische Entsprechung des deutschen Anwendungsbeispiels
wenn mich mein Gedächtnis nicht täuscht	zweites Anwendungsbeispiel
if my memory serves me right	englische Entsprechung zum zweiten deutschen Anwendungsbeispiel
sich ~ lassen	drittes Anwendungsbeispiel in halbfett kursiver Schrift. Die Tilde ~ ersetzt das deutsche Stichwort.

be taken in (***von*** by)	englische Entsprechung zum dritten deutschen Anwendungsbeispiel. In Klammern steht ein möglicher Präpositionsanschluss mit englischer Übersetzung, also: ***sich von jemandem/etwas täuschen lassen*** be taken in by someone/something
II	römische Ziffer zur Unterscheidung der Wortarten bzw. bestimmter Verbformen
v/i	das Stichwort als intransitives Verb (, das für sich isoliert ohne nachfolgendes direktes Objekt verwendet werden kann)
be deceptive	erste englische Entsprechung
SPORT	Sachgebietsangabe in KAPITÄLCHEN
feint	zweite englische Entsprechung, bezogen auf das Sachgebiet SPORT
fake a blow *etc*	Variante zur zweiten englischen Entsprechung, bezogen auf das Sachgebiet SPORT. *Etc* deutet an, dass anstelle von ‚blow' auch ein anderes Wort stehen kann, z. B. ‚punch'.
III	römische Ziffer zur Unterscheidung der Wortarten bzw. bestimmter Verbformen
v/refl	das Stichwort als reflexives Verb
sich ~	erstes Anwendungsbeispiel zum reflexiven Gebrauch des Verbs **täuschen**
be mistaken	erste englische Entsprechung des deutschen Anwendungsbeispiels
be wrong (***in j-m*** about s.o.)	zweite englische Entsprechung. In Klammern steht ein möglicher Präpositionsanschluss mit englischer Übersetzung, also: ***sich in jemandem täuschen*** be wrong about someone
da täuscht er sich aber!	zweites Anwendungsbeispiel zum reflexiven Gebrauch des Verbs **täuschen**
he's very much mistaken there!	englische Entsprechung des deutschen Anwendungsbeispiels

Sind alle Einträge so einfach aufgebaut?

Jeder Eintrag folgt mehr oder weniger dem eben erläuterten Schema. Da wir aber bestrebt sind, auch in einem handlichen Wörterbuch so viel Information wie irgend möglich für Sie unterzubringen, gibt es notgedrungen auch kompliziertere Fälle, von denen wir die wichtigsten an dieser Stelle nennen wollen:

Die **Tilde ~**, auch Wiederholungszeichen genannt, haben wir in der Tabelle schon erwähnt. Die Tilde ersetzte dort das ganze vorausgehende Stichwort. Sie wird aber auch bei Zusammensetzungen verwendet. Hat das vorausgehende Stichwort einen senkrechten Strich |, dann vertritt die Tilde im nächsten Stichwort nur den Teil des vorausgehenden Stichworts bis zu diesem senkrechten Strich (**System|ausfall** im folgenden Beispiel).

System|ausfall *m* IT system failure **~datei** *f* system file **~fehler** *m* system fault **~kritiker(in)** dissident **~software** *f* system software **~steuerung** *f* system control **~veränderung** *f* change in the system	= Systemdatei; Systemfehler = Systemkritiker(in); Systemsoftware = Systemsteuerung = Systemveränderung

Wenn sich der Anfangsbuchstabe eines Wortes ändert (aus einem Großbuchstaben wird ein Kleinbuchstabe und umgekehrt), wird manchmal die so genannte Kreistilde ꝏ verwendet. So oft kommt das aber gar nicht vor, denn wir wollen es Ihnen nicht unnötig kompliziert machen:

Benutzer|(in) user **ꝏfreundlich** *Adj* user-friendly **~handbuch** *n* manual **~oberfläche** *f* user (*od* system) interface	= Benutzer(in); benutzerfreundlich = Benutzerhandbuch = Benutzeroberfläche

Welche Funktion hat Kursivgeschriebenes (*Schrägschrift*)**?**

Oft geben Kommentare in *kursiver Schrift* mit oder ohne Klammern zu den einzelnen Bedeutungen des Stichworts zusätzliche präzisierende Hinweise. Es können Synonyme (bedeutungsähnliche Wörter) in Klammern, mögliche Subjekte oder Objekte u. Ä. genannt sein, die den Verwendungsbereich einer gegebenen Übersetzung verdeutlichen:

fressen **I** *v/t* **1.** eat, *Raubtier*: *a.* devour, V *Mensch*: stuff o.s. with, (*sich ernähren von*) eat, feed on: ***e-m Tier*** **(...)** ***zu ~ geben*** feed an animal (on ...); F ***er wird dich schon nicht ~*** he won't bite you; → ***Besen*** 1, ***Narr*** **2.** F *fig* (*verbrauchen*) gobble up (*money*), consume (*fuel etc*) **II** *v/refl* **3.** ***sich ~ in*** (*Akk*) *a. Säure etc*: eat into **III** *v/i* **4.** eat, V *Person*: eat like a pig **5.** *fig* ***~ an*** (*Dat*) *Rost etc*: eat away ...

drücken **I** *v/t* **1.** *allg* press, (*quetschen*) *a.* squeeze, (*Taste*) *a.* push: ***j-m die Hand ~*** shake hands with s.o.; ***j-m etw in die Hand ~*** put (*heimlich*: slip) s.th. into s.o.'s hand; ***j-n*** **(*an sich*)** ***~*** hug s.o.; → ***Daumen*** **2.** (*j-n*) *Schuh*: pinch, *Magen*: pain, hurt, *fig Sorgen, Schulden etc*: weigh heavily on *s.o.* **3.** *fig* (*Leistung, Preise etc*) bring (*od* force) down, (*Rekord*) better (***um*** by) **4.** *sl* (*Heroin etc*) shoot **II** *v/i* **5.** *allg* press, *Rucksack etc*: *a.* hurt, *Schuh*: pinch, *fig Hitze etc*: be oppressive: ***~ auf*** (*Akk*) press on, (*Knopf etc*) press, push ...

In *einfacher Schrägschrift* erscheinen auch Grammatikangaben und Elemente, die sich vom Stichwort, von der Wendung oder von der Übersetzung abheben sollen. Dazu gehören auch umschreibende Entsprechungen für ein Stichwort, für das es keine direkte Übersetzung gibt:

Assessor *m*, **Assessorin** *f civil servant (lawyer, teacher, etc) who has completed his/her second state examination*

Weitere kursive Angaben, die in einem Eintrag vorkommen können, finden Sie unter der Überschrift „Wichtige Abkürzungen und Hinweise in diesem Wörterbuch" ganz hinten am Schluss des Wörterbuchs.

Was bedeuten Stichwörter mit hochgestellten Ziffern (Exponenten)?

Haben Stichwörter mit gleicher Schreibung völlig unterschiedliche Bedeutungen (Homonyme), werden sie jeweils eigens aufgeführt und mit hochgestellten Ziffern (Exponenten) voneinander unterschieden. Solche Stichwörter stehen unmittelbar hintereinander.

Welche Funktion haben die Verweise?

Der Verweispfeil → hat verschiedene Funktionen. Er verweist zum einen von einem Stichwort auf ein anderes Stichwort, wenn sich beide Stichwörter in ihrer Bedeutung ähneln. Bei dem Stichwort, auf das verwiesen wird, finden Sie dann die Übersetzung(en) und weitere Angaben. Zum anderen führt er Sie z. B. von einem Adjektiv zu einem Adverb mit ähnlicher Bedeutung. Ein Verweis kann aber auch innerhalb eines Stichwortartikels zu einer anderen arabischen oder römischen Ziffer führen, wo Sie dann beispielsweise die Übersetzung eines Anwendungsbeispiels finden. Oder er führt Sie zu einem anderen Stichwort, unter dem Sie ein Anwendungsbeispiel finden, in dem das Stichwort, von dem aus verwiesen wird, enthalten ist.

Wozu dienen die Sachgebietsangaben?

Zur besseren Einordnung der Bedeutungen eines Stichworts dienen *Sachgebietsbezeichnungen.* Steht eine Sachgebietsbezeichnung unmittelbar hinter der Lautschriftklammer, bezieht sie sich auf alle folgenden Übersetzungen. Steht sie innerhalb des Artikels vor einer Übersetzung, so gilt sie nur für diese. Die häufigsten Sachgebiete erscheinen in diesem Wörterbuch in KAPITÄLCHEN. Sie finden sie in der Liste „Wichtige Abkürzungen und Hinweise in diesem Wörterbuch" ganz hinten am Schluss des Wörterbuchs. Ausgeschriebene Hinweise zu Sachgebieten werden *kursiv* dargestellt.

Wie sind die Stilebenen gekennzeichnet?

Die Kennzeichnung der Stilebene durch die Angaben F für familiär, Umgangssprache, V für vulgär sowie *sl* für saloppe Umgangssprache bezieht sich auf das Stichwort. Die Übersetzung wurde möglichst so gewählt, dass sie auf der gleichen Stilebene wie das Stichwort liegt.

Was bedeuten die anderen Symbole und Kürzel?

Eine Übersicht über die im Wörterbuch verwendeten Symbole, Sachgebietsangaben und Abkürzungen finden Sie zum bequemen Nachschlagen ganz am Schluss des Wörterbuchs.

Wozu dienen die blauen Info-Fenster?

Die Info-Fenster stellen wichtige sprachliche und kulturelle Besonderheiten vor und dienen als anregende Ergänzung zu den eigentlichen Stichworteinträgen, um Sie exemplarisch auf Unterschiede aufmerksam zu machen, die Sie beim Aufenthalt im englischsprachigen Land oder in der fremdsprachlichen Kommunikation beachten sollten. Ein nach Stichwörtern alphabetisch geordnetes Verzeichnis der Info-Fenster befindet sich auf der Seite 765 hinten im Buch.

Wörterverzeichnis
Deutsch-Englisch

A

A, a *n* A, a (*a.* MUS): *fig* ***das A und O*** the be-all and end-all, the essence; ***von A bis Z*** from beginning to end; ***wer A sagt, muss auch B sagen*** in for a penny, in for a pound
à *Präp* WIRTSCH (at) … each
@ *Abk* IT (= ***at***) @
Aal *m* eel: *fig* ***sich winden wie ein ~*** wriggle like an eel
aalen *v/refl* ***sich ~*** F laze, ***in der Sonne***: bask in the sun
aalglatt *Adj fig* (as) slippery as an eel
Aargau *m der* Argovia
Aas *n* **1.** carrion **2.** V beast, (*Frau*) *a.* bitch: ***kein ~*** not a blessed soul
aasen *v/i* F ***mit etw ~*** squander s.th.
Aasgeier *m a. fig* vulture
ab I *Adv* **1.** (*weg, fort*) off, away, THEAT exit, *Pl* (***beide*** *od* ***alle ~***) exeunt: ***links ~*** (to the) left; ***weit ~*** far off; F ***~ (durch die Mitte)!*** off with you! **2.** F (*los*) off, (*herunter*) *a.* down: ***der Knopf ist ~*** the button is (*od* has come) off; → ***Hut***[1] 1 **3.** from: BAHN ***Berlin ~ 16:30*** dep. (= departure from) Berlin 16:30; F ***von … ~*** from … on **4. *~ und zu*** now and then **II** *Präp* **5.** *örtlich*: from: ***~ Seite 17*** from page 17; WIRTSCH ***~ Berlin (Fabrik, Lager)*** ex Berlin (factory, warehouse) **6.** *zeitlich*: from … (on): ***~ heute*** from (VERW as of) today **7.** *Personen* ***~ 18 Jahren*** from (the age of) 18 up(wards); *Schuhe etc* ***~ € 50*** from €50 up **III** *Adj präd* **8.** F (***ganz***) ***~ sein*** be dead beat, be bushed
abändern *v/t* alter, change, modify, PARL amend, JUR commute
Abänderung *f* alteration, modification, PARL amendment, JUR commutation
Abänderungsantrag *m* PARL ***e-n ~ einbringen*** move an amendment
abarbeiten I *v/t* (*Schulden etc*) work off **II** *v/refl* ***sich ~*** slave (away)
Abart *f* BIOL *u. fig* variety **abartig** *Adj* abnormal, *sexuell*: *a.* perverse
Abbau *m* **1.** TECH dismantling **2.** BERGB working, exploitation (*of a mine*), mining (*of coal*): ***~ unter Tage*** underground working **3.** CHEM decomposition, disintegration (*a.* METEO), *im Körper, von Blutalkohol etc*: breakdown **4.** *fig der Kräfte*: decline **5.** *von Ausgaben etc*: reduction, cutback, (*Entlassung*) dismissal, (*Personal*~) *a.* retrenchment **6.** *von Missständen etc*: (gradual) removal, *von Vorurteilen etc*: (gradual) overcoming
abbaubar *Adj* ***biologisch ~*** biodegradable; ***schwer ~*** *Schadstoffe etc.*: difficult to break down
abbauen I *v/t* **1.** TECH dismantle, (*Gerüst, Kulissen*) take down, (*Zelt, Lager etc*) → ***abbrechen*** 2 **2.** BERGB work, (*Kohle, Erz*) *a.* mine **3.** CHEM (*a.* ***sich ~***) decompose, *a.* PHYSIOL (*Blutalkohol etc*) break down: ***sich ~*** be broken down **4.** (*senken*) reduce, cut back **5.** (*entlassen*) dismiss **6.** (*Missstände etc*) (gradually) remove, (*Vorurteile etc*) *a.* (gradually) overcome **II** *v/i* **7.** → ***nachlassen*** 2
abbeißen *v/t* bite off
abbeizen *v/t* remove with corrosives
Abbeizmittel *n* remover
abbekommen *v/t* **1.** get *s.th.* off **2.** get: ***etw ~*** **a)** *a.* ***sein Teil ~*** get one's share, **b)** (*verletzt werden*) get hurt, (*beschädigt werden*) be damaged
abberufen *v/t* (*Gesandten*) recall: ***j-n von e-m Amt ~*** relieve s.o. from office
abbestellen *v/t* cancel (one's order for), (*Zeitung*) discontinue: ***j-n ~*** ask s.o. not to come
abbetteln *v/t* ***j-m etw ~*** wheedle s.th. out of s.o.
abbiegen I *v/i* turn (off): (***nach***) ***links ~*** turn off left **II** *v/t* F *fig* head off, avoid
Abbieger(in) **1.** vehicle turning off **2.** driver turning off **Abbiegespur** *f* filter lane
Abbild *n* **1.** (*Nachbildung*) copy **2.** (*Bild*) picture, (*Ebenbild*) image, likeness **3.** *fig* (*Spiegelbild*) reflection **abbilden** *v/t* portray, depict, (*zeigen*) show: ***wie oben abgebildet*** as shown above
Abbildung *f* picture, illustration
abbinden I *v/t* **1.** untie, undo, (*Krawatte etc*) take off **2.** (*abschnüren*) tie off, MED ligate **II** *v/i* **3.** *Zement etc*: set
Abbitte *f* apology: ***j-m ~ leisten*** apolo-

gize to s.o. (***wegen*** for) **abbitten** *v/t* ***j-m etw*** ~ ask s.o.'s pardon for s.th.
abblasen *v/t* **1.** (*Dampf*) blow off **2.** F *fig* (*Veranstaltung etc*) call off, cancel
abblättern *v/i Farbe etc*: flake off
abblenden **I** *v/t* **1.** (*Licht etc*) dim, (*Scheinwerfer*) dip, *Am* dim **II** *v/i* **2.** MOT dip (*Am* dim) the headlights **3.** FOTO stop down
Abblendlicht *n* MOT dipped (*Am* dimmed) headlights *Pl*, low beam
abblitzen *v/i* F ***bei j-m*** ~ meet with a rebuff from s.o.; ***j-n*** ~ ***lassen*** send s.o. packing
abblocken *v/t a. fig* block
abbrausen **I** *v/t* (*a.* ***sich*** ~) shower **II** *v/i* F *Auto etc*: roar off, zoom off
abbrechen **I** *v/t* **1.** break off: F ***sich e-n*** ~ nearly kill o.s. (***bei*** doing *s.th.*) **2.** (*Haus etc*) pull down, (*Gerüst etc*) take down, (*Zelt*) strike: ***das Lager*** ~ break camp; → ***Zelt*** **3.** *fig* (*Beziehungen, Diskussion etc*) break off, (*Streik etc*) call off, (*Studium, Versuch etc*) abandon, (*Spiel, Kampf*) stop, (*Computerprogramm etc*) abort **II** *v/i* **4.** break off **5.** *fig* (*aufhören*) break off, stop, COMPUTER abort, cancel
abbremsen *v/t u. v/i* brake, slow down
abbrennen **I** *v/t* (*Haus etc*) burn down, (*Feuerwerk*) let off **II** *v/i* burn down: → ***abgebrannt***
abbringen *v/t* ***j-n von etw*** ~ put s.o. off (doing) s.th., *Person*: *a.* talk s.o. out of (doing) s.th.; ***j-n vom Rauchen*** *etc* ~ get s.o. to stop smoking *etc*; ***j-n von e-m Thema*** ~ get s.o. off a subject; ***davon lasse ich mich nicht*** ~ nothing will make me change my mind about that
abbröckeln *v/i* crumble (away), *fig Kurse, Preise*: crumble
Abbruch *m* **1.** *e-s Hauses*: demolition **2.** *fig von Beziehungen etc*: break(ing off), *bes* SPORT break-off, stop(ping) **3.** *e-r Sache* ~ ***tun*** detract from, (*schaden*) be detrimental to; ***das tut der Sache k-n*** ~***!*** that makes no difference! **abbruchreif** *Adj* due for demolition, VERW condemned **Abbruchunternehmer(in)** demolition contractor
abbuchen *v/t* **1.** ***e-e Summe von j-s Konto*** ~ debit a sum to s.o.'s account **2.** → ***abschreiben*** 2
Abbuchung *f* **1.** debit entry **2.** *per Auftrag*: payment by standing order
Abbuchungsauftrag *m* debit order
abbummeln *v/t* F (*Überstunden*) loaf away
abbürsten *v/t* (*Staub*) brush off, (*Kleidung*) brush (down)
abbüßen *v/t* (*s-e Schuld*) expiate, atone for: JUR ***s-e Strafe*** ~ serve a sentence
Abc *n* ABC, alphabet, *fig the* basics *Pl*
Abc-Schütze *m* F (school) beginner
ABC-Waffen *Pl* NBC weapons *Pl*
Abdampf *m* TECH exhaust steam **abdampfen** *v/i* **1.** *Zug etc*: steam off, F *Person*: clear off **2.** TECH (*a. v/t*) evaporate
abdanken *v/i* resign, *König*: abdicate
Abdankung *f* resignation, abdication
abdecken *v/t* **1.** take off, uncover, (*Dach*) untile, (*Haus*) unroof, (*Tisch*) clear, (*Bett*) turn down **2.** (*zudecken*) cover (up), FOTO blank out **3.** WIRTSCH (*Schulden etc*) cover, meet **4.** *fig* (*einschließen*) cover **5.** SPORT mark, cover
abdichten *v/t* TECH seal, (*Maschinenteil*) pack, ca(u)lk, make *s.th.* watertight
abdrängen *v/t* push (*od* force) *s.o., s.th.* aside
abdrehen **I** *v/t* **1.** TECH twist off **2.** (*Gas, Wasser etc*) turn off, ELEK *a.* switch off **3.** (*Film*) finish (shooting) **II** *v/i* **4.** FLUG, SCHIFF turn away, (*ausscheren*) sheer off
abdriften *v/i a. fig* drift off
Abdruck[1] *m* (*Fuß*∾, *Finger*∾) (im)print, mark, (*Wachs*∾, *Zahn*∾ *etc*) impression, (*Gips*∾) cast
Abdruck[2] *m* **1.** printing **2.** text, (*Exemplar*) copy, (*Probe*∾) proof, (*Nachdruck*) reprint **abdrucken** *v/t* print
abdrücken **I** *v/t* **1.** (*Gewehr etc*) fire (***auf*** *Akk* at) **2.** (*abformen*) make an impression of *s.th.*: ***sich*** ~ leave an imprint **3.** F ***j-n*** ~ hug s.o., squeeze s.o. **II** *v/i* **4.** pull the trigger: ***auf j-n*** ~ fire at s.o.
abduschen → ***abbrausen*** I
abdüsen *v/i* F zoom off
abebben *v/i fig* ebb away, *Zorn, Lärm etc*: *a.* die down, subside
Abend *m* evening, night (*beide a.* ~*veranstaltung*): ***am*** (***späten***) ~ (late) in the evening, (late) at night; ***heute*** ~ this evening, tonight; ***morgen*** (***gestern***) ~ tomorrow (last) night; ***Sonntag*** ~ Sun-

day evening; ***guten ~!*** good evening!; ***zu ~ essen*** have supper (*od* dinner); ***es wird ~*** it's getting dark; ***man soll den Tag nicht vor dem ~ loben*** don't count your chickens before they are hatched; ***es ist noch nicht aller Tage ~*** things may take a turn yet

Abend|andacht *f* evening prayer(s *Pl*) **~anzug** *m* evening dress **~blatt** *n* evening paper **~brot** *n* → ***Abendessen*** **~dämmerung** *f* dusk **~essen** *n* evening meal, dinner, supper **2füllend** *Adj Film etc*: full-length **~kasse** *f* box office **~kleid** *n* evening dress (*Am* gown) **~kurs** *m* evening class(es *Pl*)

Abendland *n the* Occident **abendländisch** *Adj* Western, occidental

abendlich *Adj* evening, of (*od* in) the evening

Abendmahl *n* REL *the* Holy Communion, *the* Lord's (MALEREI *the* Last) Supper: ***das ~ nehmen*** take Communion

Abendrot *n*, **Abendröte** *f* sunset glow

abends *Adv* in the evening(s): ***bis ~*** till evening; ***um 7 Uhr ~*** at seven (o'clock) in the evening, at 7 p.m.

Abend|schule *f* night school **~sonne** *f* setting sun **~stern** *m* evening star **~vorstellung** *f* THEAT evening performance **~zeitung** *f* → ***Abendblatt***

Abenteuer *n* adventure (*a. in Zssgn film, novel, playground, etc*), (*Liebes2*) (love) affair **Abenteuerferien** *Pl* adventure holidays *Pl* **Abenteuerleben** *n* adventurous life **abenteuerlich** *Adj* adventurous, *fig* (*gewagt*) risky, *Idee, Plan etc*: wild, fantastic, *Aufmachung etc*: eccentric, odd **Abenteuerlust** *f* love of adventure **Abenteurer** *m* adventurer **Abenteurerin** *f* adventuress

aber I *Konj* but: ***~ dennoch*** yet, (but) still; ***oder ~*** otherwise, or else **II** *Interj* ***~, ~!*** come, come!; ***~ ja!, ~ sicher!*** (but) of course!; ***~ nein!*** oh no!, of course not!; ***das ist ~ nett von dir*** that's really nice of you **Aber** *n* but: ***die Sache hat ein ~*** there's just one catch to it; → ***Wenn***

Aberglaube *m* superstition

abergläubisch *Adj* superstitious

aberhundert *Adj* ***hundert und ~, Hundert und 2*** hundreds and (*od* upon) hundreds

aberkennen *v/t bes* JUR ***j-m etw ~*** deprive s.o. of s.th.

abermalig *Adj* renewed, repeated

abermals *Adv* again, once more

abernten *v/t* reap, harvest, (*Obst*) pick

aberwitzig *Adj* crazy, mad

abfackeln *v/t* (*Erdgas*) burn off

abfahren I *v/i* **1.** (***nach*** for) leave, depart, start, SCHIFF sail: F ***j-n ~ lassen*** send s.o. packing **2.** *Skiläufer*: run (*eng. S.* start) downhill **3.** F ***auf j-n (etw) (voll) ~*** be wild about s.o. (s.th.), dig s.o. (s.th.) (the big way) **II** *v/t* **4.** (*Schutt etc*) cart off, remove **5.** (*e-e Strecke*) cover, travel, (*überwachen*) patrol **6.** (*Reifen etc*) wear down **7.** (*Film, Tonband etc*) start, run **8.** (*Fahrkarte*) use up **9.** ***ihm wurde ein Bein*** *etc* ***abgefahren*** he was run over and lost a leg *etc*

Abfahrt *f* **1.** (***nach*** for) start, departure **2.** (*Autobahn2*) exit **3.** *Skisport*: downhill (run), (*Hang*) slope

abfahrtbereit *Adj* ready to leave

Abfahrts|lauf *m Skisport*: downhill (run) **~läufer(in)** downhiller

Abfahrtszeit *f* time of departure

Abfall *m* **1.** *a.* ***Abfälle*** *Pl* waste (*a.* TECH), (*Müll*) refuse, rubbish, *bes Am* garbage, (*Fleisch2 etc*) offal, (*herumliegender ~*) litter **2.** (*Abnahme*) decrease, (*a.* ELEK, *a. fig Leistungs2*) drop **3.** POL defection, ***von*** *e-r Partei*: desertion (from), REL apostasy **~beseitigung** *f* waste disposal **~eimer** *m* rubbish (*od* litter) bin, *Am* trash (*od* garbage) can

abfallen *v/i* **1.** fall off, drop off: *fig* ***von j-m ~*** *Angst etc*: fall away from s.o., leave s.o. **2.** *Gelände*: fall away, slope, drop (***steil*** steeply) **3.** (*abnehmen*) fall (off), drop, decrease, (*zurückfallen*) *Läufer etc*: drop back: ***~ gegen*** compare badly with **4.** (*übrig bleiben*) be left (over) **5.** F (*herausspringen*) be gained (***bei*** by): ***was fällt für mich dabei ab?*** what's in it for me? **6.** (***von*** from) *e-r Partei*: break away, defect, REL apostatize **abfallend** *Adj Gelände*: sloping: ***steil ~*** steep, precipitous

abfällig *Adj Bemerkung*: disparaging, *Kritik*: adverse, *Meinung, Urteil etc*: unfavo(u)rable: *Adv* ***~ sprechen über*** (*Akk*) speak disparagingly of

Abfall|produkt *n* waste product, *ver-*

wertbares: spin-off, by-product **~verwertung** *f* waste recovery, recycling **~wirtschaft** *f* waste industry, waste management
abfälschen *v/t* (*Ball*) deflect
abfangen *v/t* **1.** (*Brief, Ball, Angreifer etc*) intercept, (*Person*) *a.* catch, (*Angriff, Entwicklung*) check, (*Boxhieb*) parry, (*Läufer*) catch up with **2.** (*Fahrzeug*) get *a car etc* under control, FLUG pull out **3.** TECH (*Mauer*) prop up, (*Stoß etc*) absorb, (*sammeln*) collect
Abfangjäger *m* FLUG interceptor **Abfangsatellit** *m* hunter-killer satellite
abfärben *v/i beim Waschen*: run: **~ *auf*** (*Akk*) **a)** *Farbe*: run into, **b)** *fig* rub off on
abfassen *v/t* (*Werk*) write, (*Vertrag etc*) draft, *bes* VERW draw up, (*formulieren*) formulate, word
Abfassung composition, drawing up
abfaulen *v/i* rot off
abfedern I *v/t* TECH cushion, spring **II** *v/i* SPORT bound off
abfeilen *v/t* TECH file off
abfertigen *v/t* **1.** (*Waren, a.* FLUG, BAHN) dispatch, clear, (*Passagiere*) check in: ***e-n Zug* ~** start a train **2.** (*j-n bedienen*) attend to, serve, deal with: F ***j-n kurz* ~** give s.o. short shrift **3.** F SPORT dispose of, (*besiegen*) beat **Abfertigung** *f* **1.** dispatch (*a.* FLUG, BAHN), *beim Zoll*: (customs) clearance **2.** *e-s Auftrags etc*, *von Kunden*: attendance (*Gen* to) **3.** *fig* snub **4.** → **Abfertigungsschalter** *m* dispatch counter, FLUG check-in counter
abfeuern *v/t* (*Waffe, Schuss*) fire (***auf*** *Akk* at), *Fußball*: (*Schuss*) let go with
abfinden I *v/t* (*Gläubiger*) pay (off), satisfy, (*Partner*) buy out, (*entschädigen*) pay *s.o.* compensation **II** *v/refl* ***sich* ~ *mit j-m*** (***etw***) come to terms with s.o. (s.th.), ***mit etw*** *a.* resign o.s. to s.th., put up with s.th., (*akzeptieren*) accept s.th.; ***sich mit den Tatsachen* ~** *a.* face the facts; ***damit kann ich mich nicht* ~!** I just can't accept it! **Abfindung** *f* settlement, *e-s Gläubigers*: satisfaction, paying off, *für Arbeitnehmer*: severance pay, (*Entschädigung*) compensation
abflachen *v/t* (*a.* ***sich* ~**) flatten (out)
abflauen *v/i Wind etc*: drop, *a. fig Wut etc*: die down, abate, *Krise, Verkehr etc*: ease off, WIRTSCH *Geschäfte, Konjunktur etc*: slacken (off), *Interesse etc*: flag
abfliegen I *v/i* FLUG start, take off, *Passagier*: fly, *allg* depart **II** *v/t* (*Strecke*) patrol (by plane)
abfließen *v/i* flow off (*a. Kapital*)
Abflug *m* FLUG start, takeoff, departure
abflugbereit *Adj* ready for takeoff
Abflughalle *f* departure lounge
Abflugzeit *f* (time of) departure
Abfluss *m* **1.** flowing off, discharge, *von Kapital*: outflow **2.** TECH (*~stelle*) outlet
Abflussrohr *n* TECH drainpipe
abfordern *v/t* ***j-m etw* ~** demand (*fig a.* exact) s.th. of (*od* from) s.o.
abformen *v/t* mo(u)ld, model
abfragen *v/t* **1.** ***j-n*** (***etw***) **~** test (*Am* quiz) s.o. (on s.th.) **2.** COMPUTER interrogate
abfressen *v/t* crop, *völlig*: eat bare
abfrieren *v/i* ***ihm sind drei Zehen etc abgefroren*** he lost three toes *etc* through frostbite; F ***sich e-n* ~** be freezing to death
Abfuhr *f* **1.** removal **2. a)** *fig* rebuff, F brush-off, **b)** SPORT defeat, beating: ***sich e-e* ~ *holen*** get a beating, *fig* meet with a rebuff
abführen I *v/t* **1.** lead *s.o.* away, *gewaltsam*: march *s.o.* off, (*Häftling*) take *s.o.* into custody: ***j-n* ~ *lassen*** have s.o. taken away **2. ~ *von*** *e-m Thema etc*: lead away from **3.** (*Steuern, Geld etc*) pay (over) (***an*** *Akk* to) **4.** TECH (*Wasser etc*) drain off, (*Wärme etc*) carry off **II** *v/i* **5.** MED **a)** act as a laxative, **b)** move the bowels **abführend** *Adj*, **Abführmittel** *n* MED laxative
Abfüllanlage *f* bottling plant
abfüllen *v/t* draw off, (*Flaschen etc*) fill, (*Wein*) rack (off): ***in Beutel* ~** bag; ***in*** (*od* ***auf***) ***Flaschen* ~** bottle
abfüttern[1] *v/t a. hum* feed
abfüttern[2] *v/t* (*Kleidung*) line
Abgabe *f* **1.** *allg* delivery, handing over, *des Gepäcks*: depositing, *Am* checking **2.** making (*an offer, a comment, etc*), giving (*an opinion etc*): **~ *der Wahlstimme*** casting one's vote **3.** TECH *von Wärme, Dampf etc*: emission, *von Energie etc*: release, ELEK output **4.** (*Steuer*) tax, duty, (*Kommunal*~) rate, *Am* local tax, (*Sozial*~) contribu-

tion **5.** WIRTSCH *(Verkauf)* sale **6.** *e-s Schusses*: firing **7.** *Fußball etc*: pass
abgabenfrei *Adj* **a)** tax-free, **b)** duty-free **abgabenpflichtig** *Adj Person*: liable to payment of taxes *(etc)*, *Einkommen*: taxable, *Waren*: dutiable
Abgang *m* **1.** leaving, departure, *a.* THEAT exit, ***aus*** *e-m Amt*: retirement from: ***nach dem ~ von der Schule*** after leaving school; *fig* ***sich e-n guten ~ verschaffen*** make a graceful exit **2.** *der Post, e-r Sendung*: dispatch, *(Abfahrt)* departure, SCHIFF sailing **3.** *beim Turnen vom Gerät*: dismount **4.** MED *von Blut, Eiter etc*: discharge, *von Steinen etc*: passage **5.** WIRTSCH **a)** → ***Absatz*** 3, **b)** *(Verlust)* loss, **c)** *Bankbilanz*: items *Pl* disposed of
abgängig *Adj österr.* missing
Abgangszeugnis *n* (school-)leaving certificate, *Am* diploma
Abgas *n* waste gas, MOT exhaust fumes *Pl* **℗arm** *Adj* low-emission ... **~entgiftung** *f* waste gas detoxification **℗frei** *Adj* emission-free **℗reduziert** *Adj* reduced-emission … **~(sonder)untersuchung** *f* exhaust-emission check **~test** *m* MOT fume emission test
abgearbeitet *Adj* worn out
abgeben **I** *v/t* **1.** ***(bei)*** *(Geld, Fahrkarte, Pass etc)* hand over (to), *(Brief, Waren etc)* deliver (to), *(Gepäck, Mantel etc)* deposit (at), *Am* check (at), *(einreichen)* hand in (to) **2.** ***(an*** *Akk* to) *(abtreten, schenken)* give away, *(Leitung, Macht etc)* hand over, *(Amt etc)* surrender, *(Mitarbeiter)* transfer: ***j-m etwas von etw ~*** *a.* share *s.th.* with s.o. **3.** *(verkaufen)* sell ***(an*** *Akk* to) **4.** SPORT ***(an*** *Akk* to) *(Ball)* pass, *(Spiel, Satz)* lose, *(Punkt)* concede **5.** *(Erklärung)* make, *(Urteil, Meinung)* give, *(Stimme)* cast **6.** *(Wärme, Dampf etc)* give off, emit, *(Energie)* release **7.** ***e-n Schuss ~*** fire (SPORT *a.* deliver) a shot, shoot **8.** F *(darstellen, sein)* be, *(Hintergrund, Filmstoff etc) a.* provide, serve as: ***er würde e-n guten Lehrer*** *etc* **~** he would make a good teacher *etc* **II** *v/i* **9.** SPORT pass (the ball) **III** *v/refl* **10.** ***sich ~ mit*** concern o.s. with, ***j-m*** have dealings with s.o., associate with s.o.; ***sich viel ~ mit*** spend much time on *(od* with); ***mit ihm gebe ich mich nicht ab!*** I've no time for him!; ***damit kann ich mich nicht ~!*** I can't be bothered with that!
abgebrannt *Adj* F *fig* broke
abgebrüht *Adj* F *fig* hardened
abgedroschen *Adj* F trite, hackneyed
abgefahren *Adj Reifen*: bald
abgegriffen *Adj* **1.** (well-)worn, *Buch*: well-thumbed **2.** → ***abgedroschen***
abgehackt *Adj fig Sätze etc*: disjointed, *Redeweise*: chopped
abgehangen *Adj Fleisch*: hung
abgehärmt *Adj* haggard
abgehärtet *Adj* ***(gegen)*** inured (to), *a. fig* hardened (against): ***~ sein*** *a.* be hardy
abgehen **I** *v/i* **1.** *allg* leave, FLUG, BAHN *a.* depart, SCHIFF *a.* sail *(alle*: ***nach*** for), *Brief, Funkspruch*: be sent; ***von der Schule ~*** leave school **2.** THEAT, *a. fig* make one's exit: ***... geht (gehen) ab*** exit … **3.** *Farbe, Knopf etc*: come off **4.** MED *Steine etc*: be discharged, *Fötus*: be aborted **5.** *Straße etc*: branch off **6.** → ***weggehen*** 3 **7.** *Betrag etc*: be deducted, be taken off ***(von*** from): ***hiervon gehen 7 % ab*** 7 per cent to be deducted (from this amount) **8.** *fig* ***von*** *e-m Vorhaben etc* **~** give up *a plan etc*; ***davon gehe ich nicht ab!*** nothing can change my mind about that!; ***davon kann ich nicht ~!*** I must insist on that! **9.** F *fig (fehlen)* ***was ihm abgeht, ist Mut*** what he lacks is courage; ***ihm geht jeder Humor ab*** he has no sense of humo(u)r at all **10.** ***gut (glatt*** *etc)* **~** go well (smoothly *etc*); ***es ging nicht ohne Streit ab*** there was a quarrel after all; ***sie geht mir sehr ab*** I miss her badly **II** *v/t* **11.** go *(od* walk) along, *(überwachen)* patrol
abgehetzt *Adj* **1.** *(atemlos)* breathless, *präd* out of breath **2.** *(erschöpft)* worn(-)out, exhausted
abgekämpft *Adj* exhausted, spent
abgekartet *Adj* F ***~es Spiel*** put-up job
abgeklärt *Adj Person*: mellow, *Urteil, Meinung etc*: balanced
abgelagert *Adj Wein*: matured, *Holz, Tabak etc*: seasoned
abgelegen *Adj* remote, secluded
abgelten *v/t (Ansprüche)* satisfy
abgemagert *Adj* emaciated
abgeneigt *Adj* ***nicht ~ sein, etw zu tun***

be quite prepared to do s.th.; ***ich bin nicht ~, es zu tun*** I don't mind doing it
abgenutzt *Adj a. fig* worn(-out)
Abgeordnete *m, f* delegate, representative, (*Parlaments*~) Member of Parliament, *Am* (*Kongress*~) Congressman (-woman)
Abgeordnetenhaus *n* chamber of deputies, *Am* House of Representatives
abgepackt *Adj* WIRTSCH prepacked, packaged
abgerissen *Adj* **1.** *Kleidung*: ragged, shabby, *Person*: *a.* down-at-heel, seedy **2.** *Sätze, Gedanken etc*: incoherent, disjointed
abgerundet I *Adj Zahl*: round(ed), *fig* (well-)rounded **II** *Adv* in round figures
Abgesandte *m, f* envoy, POL *a.* emissary
abgeschieden *Adj* secluded
Abgeschiedenheit *f* seclusion
abgeschlafft *Adj* F whacked, dead beat
abgeschlossen *Adj* **1.** *Ausbildung etc*: completed **2.** TECH, *a. Wohnung*: self-contained
abgeschmackt *Adj fig* tasteless, *präd* in bad taste
abgesehen *Adv* ***~ von*** apart (*bes Am* aside) from, except for; ***vom Wetter ganz ~*** to say nothing of the weather
abgespannt *Adj* worn-out, exhausted
Abgespanntheit *f* exhaustion, fatigue
abgestanden *Adj* stale (*a. fig*), *Bier*: *a.* flat
abgestorben *Adj* dead, *Glieder*: numb
abgestumpft *Adj fig Gefühle etc*: deadened, blunted, dull(ed), *Person*: insensitive (***gegen*** to)
abgetakelt *Adj* F down(-)at(-)heel
abgetragen *Adj Kleidung*: worn, shabby, *Schuhe*: worn(-)down
abgewinnen *v/t* ***j-m etw ~*** win s.th. from s.o.; ***e-r Sache Geschmack ~*** acquire a taste for s.th.
abgewirtschaftet *Adj* run(-)down
abgewöhnen *v/t* ***j-m etw ~*** cure (*od* break) s.o. of s.th.; ***j-m das Rauchen ~*** make s.o. stop smoking; ***sich das Rauchen ~*** give up smoking
abgezehrt *Adj* emaciated
abgießen *v/t* **1.** (*Flüssigkeit*) pour off, (*Gemüse etc*) strain **2.** TECH cast
Abglanz *m* (*fig* ***schwacher ~*** pale) reflection
abgleichen *v/t* **1.** TECH equalize, ELEK align **2.** WIRTSCH (*Konten*) square
abgleiten *v/i* **1.** slip (off) **2.** *fig Person, Leistung etc*: go down, *Gedanken etc*: wander away: *Vorwürfe etc* ***gleiten von ihm ab*** he is deaf to
abgöttisch *Adj* idolatrous: *Adv* ***~ lieben*** idolize, adore, (*j-n*) *a.* dote on
abgrasen *v/t* graze, F *fig* scour, comb
abgrenzen *v/t a. fig* mark off, demarcate (***gegen*** from), *fig* (*unterscheiden*) differentiate, (*Begriffe*) define
Abgrenzung *f* demarcation, *fig* differentiation, *begriffliche*: definition
Abgrund *m* abyss (*a. fig*), chasm, precipice: *fig* ***die Abgründe der Seele*** *etc* the depths of the soul *etc*; ***am Rande des ~s*** on the brink of ruin (*od* disaster) **abgründig** *Adj* **1.** (*rätselhaft*) cryptic **2.** → **abgrundtief** *Adj* abysmal (*a. fig*), *fig Hass etc*: deadly
abgucken *v/t* F ***j-m etw ~*** learn (*od* copy) s.th. from s.o.
Abguss *m* TECH casting, (*Gips*~ *etc*) cast
abhaben *v/t* F ***du kannst etw ~*** you can have some (of it)
abhacken *v/t* **1.** chop off, cut off **2.** (*Worte*) chop: → ***abgehackt***
abhaken *v/t* **1.** unhook **2.** *in e-r Liste*: tick (*Am* check) off: *fig* ***etw ~*** cross s.th. off one's list
abhalftern *v/t* F *fig* ***j-n ~*** sack s.o.
abhalten *v/t* **1.** hold *s.th.* away (***von sich*** from o.s.) **2.** (*abwehren*) keep away, keep off, (*Schlag etc*) ward off **3.** (*hindern*) stop (*od* keep, prevent) (***j-n von*** s.o. from *doing*), (*abschrecken*) deter, discourage: ***lassen Sie sich*** (***durch mich***) ***nicht ~!*** don't let me disturb you! **4.** (*Konferenz, Gottesdienst, Prüfung, Wahlen etc*) hold, (*Lehrstunde, Vorlesung*) give: ***abgehalten werden*** be held, take place **5.** ***ein Kind ~*** hold a child over the pot **6.** SCHIFF (*a. v/i*) bear off
abhandeln *v/t* **1.** ***j-m etw ~*** (*abkaufen*) buy s.th. from s.o.; ***j-m 10 Euro*** (***vom Preis***) ***~*** beat s.o. down by ten euros **2.** (*Thema etc*) deal with, treat
abhanden *Adv* ***~ kommen*** get lost; ***mir ist mein Bleistift ~ gekommen*** I have lost my pencil
Abhandlung *f* (***über*** *Akk* on) treatise, paper

Abhang *m* slope, *steiler*: precipice
abhängen I *v/t* **1.** take down, unhook, BAHN *etc* uncouple **2.** *fig* (*Konkurrenten etc*) shake off, (*Verfolger*) *a.* give *s.o.* the slip **II** *v/i* **3.** *Fleisch*: hang: → ***abgehangen*** **4.** ~ ***von*** depend on, *a. finanziell*: be dependent on: ***das hängt ganz davon ab*** it all depends; ***letztlich ~ von*** hinge on; ***es hängt von ihm ab*** it's for him to decide **5.** TEL hang up
abhängig *Adj* (**von**) dependent (on), (*drogen*~) addicted (to): LING ***~e Rede*** indirect speech; ***~er Satz*** subordinate clause; ***~ sein von*** → ***abhängen*** 4; ***~ machen von*** make *s.th.* conditional on
Abhängigkeit *f* (**von**) dependence (on), (*Drogen*≗) dependency (on), addiction (to): ***gegenseitige ~*** interdependence
abhärmen *v/refl* ***sich ~*** pine away, ***um*** grieve over: → ***abgehärmt***
abhärten *v/t* (***gegen*** to, against) toughen, *a. fig* harden (***sich*** o.s.)
Abhärtung *f* hardening
abhaspeln *v/t a. fig* reel off
abhauen I *v/t* cut off, chop off **II** *v/i* F beat it: ***hau ab!*** beat it!, get lost!
abheben I *v/t* **1.** lift off, take off, (*den Hörer*) pick up, (*Karten*) cut, (*Maschen*) slip **2.** (*Geld*) withdraw **II** *v/i* **3.** FLUG take off **4.** F *fig* flip **5.** answer the (tele)phone **6.** *Kartenspiel*: cut **7.** *fig* ***~ auf*** (*Akk*) refer to **III** *v/refl* ***sich ~*** **8.** (***gegen, von***) stand out (against), contrast (with)
abheften *v/t* file (away)
abheilen *v/i* heal (up)
abhelfen *v/i* (*e-r Sache*) remedy
abhetzen *v/refl* ***sich ~*** rush, *weit. S.* wear (*od* tire) o.s. out
Abhilfe *f* remedy: ***~ schaffen*** remedy things
abhobeln *v/t* TECH plane off
abholen *v/t* call for, come for, pick up, collect: ***~ lassen*** send for; ***j-n von der Bahn ~*** go to meet s.o. at the station
Abholmarkt *m* cash and carry
abholzen *v/t* (*Bäume*) cut down, (*Gebiet*) deforest **Abholzung** *f* deforestation
Abhöranlage *f* bugging system
abhorchen *v/t* MED auscultate, sound
abhören *v/t* **1.** → ***abfragen*** I **2.** → ***abhorchen*** **3.** (*Funkspruch etc*) intercept, ([*Telefon*]*Gespräch*) listen in on, monitor, F bug, (*Telefonleitung*) tap **4.** (*Tonaufnahme*) play back
Abi *n* F → ***Abitur***
Abitur *n* school-leaving (*Am* final) examination
Abiturient(in) a) candidate for the school-leaving examination, **b)** school-leaver with the „Abitur“
Abiturzeugnis *n* „Abitur“ certificate, *Br* GCE A-levels *Pl*, *Am* (Senior High School) graduation diploma
abjagen *v/t* ***j-m etw ~*** snatch s.th. away from s.o.; ***j-m die Kunden*** *etc* ***~*** steal s.o.'s customers *etc*
abkanzeln *v/t* F ***j-n ~*** give s.o. a dressing-down
abkapseln *v/refl* ***sich ~*** shut (*od* cut) o.s. off
abkarten *v/t* F fix, rig: → ***abgekartet***
abkassieren *v/i* F *fig* cash in
abkauen *v/t* chew (off), (*Fingernägel*) bite
abkaufen *v/t* ***j-m etw ~*** buy s.th. from s.o.; F *fig* ***das kaufe ich dir*** *etc* ***nicht ab!*** I won't buy that!
Abkehr *f* (**von**) turning away (from), break (with)
abkehren *v/t* (*a.* ***sich ~***) turn away (***von*** from): *fig* ***sich ~ von*** *a.* turn one's back on, *e-r Politik etc*: abandon
abklappern *v/t* F (*Läden etc*) scour (***nach*** for), (*Museen etc*) do
abklären *v/t* clear: → ***abgeklärt***
Abklatsch *m fig* imitation
abklemmen *v/t* pinch off, MED clamp, ELEK disconnect
abklingen *v/i Lärm etc*: abate, *Schmerz*: ease, *Fieber*, *Schwellung*: go down, *Wirkung*: wear off, *Sturm*, *Erregung etc*: subside, die down
abklopfen I *v/t* **1.** (*Putz etc*) knock off, (*Staub*) brush off **2.** *bes* MED tap, percuss **3.** F *fig* (*Argumente etc*) scrutinize (***auf*** *Akk* for) **II** *v/i* **4.** *Dirigent*: stop the orchestra
abknabbern *v/t* nibble off
abknallen *v/t* F bump *s.o.* off
abknapsen *v/t* F ***j-m etw ~*** take s.th. off s.o.; ***sich etw ~*** stint o.s. of s.th.
abknicken *v/t u. v/i* snap (off): MOT ***~de Vorfahrt*** left-hand (*od* right-hand) turn of a main road at a road junction
abknöpfen *v/t* **1.** unbutton **2.** F ***j-m etw ~***

wangle s.th. out of s.o.
abknutschen *v/t* F kiss and cuddle: ***sich ~*** snog
abkochen *v/t* boil, (*Milch*) scald
abkommandieren *v/t* MIL detach, detail, assign, (*Offizier*) second (***nach, zu*** to)
abkommen *v/i* **1.** get away (*a.* SPORT): (***nicht***) ***~ können*** (not to) be able to get away; ***vom Wege ~*** lose one's way, *fig* go astray; ***vom Kurs ~*** deviate (from one's course); MOT ***von der Straße ~*** get (*od* skid) off the road; *fig* ***vom Thema ~*** stray from the point **2.** ***von*** *e-r Idee, e-m Plan etc* ***~*** give up, drop; ***von der Ansicht bin ich abgekommen*** I've changed my views about that
Abkommen *n bes* POL agreement
abkömmlich *Adj* available: ***er ist nicht ~*** he cannot get away
Abkömmling *m* **1.** JUR descendant **2.** CHEM derivative
abkoppeln *v/t* uncouple
abkratzen I *v/t* scratch off, scrape off **II** *v/i* F (*sterben*) kick the bucket
abkühlen *v/t, v/i u. v/refl* ***sich ~*** *a. fig* cool off **Abkühlung** *f* cooling
abkupfern *v/t* F crib, copy
abkürzen I *v/t* shorten, (*Inhalt, Unterredung*) *a.* abridge, (*Wort*) *a.* abbreviate: (***den Weg***) ***~*** take a short cut **II** *v/i* take (*Weg*: be) a short cut **Abkürzung** *f* abridg(e)ment, abbreviation, *des Weges*: short cut (*a. fig*) **Abkürzungsverzeichnis** *n* list of abbreviations
abküssen *v/t* ***j-n ~*** smother s.o. with kisses
abladen *v/t* **1.** unload, (*Schutt, Müll*) dump **2.** *fig* (*Sorgen etc*) off-load: ***s-n Ärger ~ bei*** vent one's anger on; → *a.* ***abwälzen*** **Abladeplatz** *m* unloading point, *für Schutt, Müll*: dump
Ablage *f* **1.** (*Ablegen*) *von Akten*: filing **2.** place to put s.th., (*Akten*≗) file **3.** *schweiz.* branch
ablagern *v/t* **1.** (*a.* ***sich ~***) CHEM, GEOL, MED deposit **2.** (*a. v/i*) (*Holz etc*) season, (*Wein*) mature: → ***abgelagert***
Ablagerung *f* CHEM, GEOL, MED **a)** deposition, **b)** deposit, sediment
Ablass *m* **1.** TECH outflow **2.** REL indulgence
ablassen I *v/t* **1.** let *s.th.* off (*od* out), (*Flüssigkeit*) drain off, (*Kessel, Wanne etc*) drain, (*Dampf*) blow off: ***die Luft aus dem Reifen ~*** deflate the tyres (*Am* tires), let the tyres down **2.** WIRTSCH **a)** sell (*Dat* to), **b)** ***etw*** (***vom Preis***) ***~*** knock s.th. off the price **II** *v/i* **3.** ***von etw ~*** stop doing s.th., give s.th. up; ***von j-m ~*** leave s.o. alone
Ablativ *m* LING ablative (case)
Ablauf *m* **1.** TECH **a)** discharge, **b)** (*Vorrichtung*) outlet, drain **2.** (*Verlauf*) course, run, (*Programm*≗) order of events: ***der ~ der Ereignisse*** the course of events **3.** (*Ende*) end, *e-r Frist, e-s Vertrages etc*: expiration, *e-s Wechsels*: maturity: ***nach*** (*od* ***mit***) ***~*** upon expiration (*Gen* of); ***nach ~ von zwei Wochen*** after two weeks
ablaufen I *v/i* **1.** (*a.* ***~ lassen***) *Wasser etc*: run off, (*sich leeren*) drain off: *fig* ***an ihm läuft alles ab*** everything runs off him like water off a duck's back **2.** (*verlaufen*) go: ***alles ist gut abgelaufen*** everything went off (*od* turned out) well; ***was dort abläuft*** what's going on there **3.** (*enden*) run out, (*ungültig werden*) expire **4.** *Uhr*: run down, *Seil etc*: unwind, *Film, Tonband*: run: *fig* ***s-e Uhr ist abgelaufen*** his hour is come **II** *v/t* **5.** (*Strecke etc*) walk the length of **6.** (*Läden etc*) (***nach*** for) scour, comb **7.** (*Sohlen etc*) wear out, (*Absätze*) wear down: → ***Hacke***[2], ***Rang*** 1
Ablaut *m* LING ablaut
ableben *v/i* die, pass away
Ableben *n* death, decease
ablecken *v/t* lick off
ablegen I *v/t* **1.** (*Hut, Mantel etc*) take off, (*alte Kleidung*) get rid of: ***abgelegte Kleider*** cast-offs *Pl* **2.** (*e-e Last etc*) put down, (*Akten etc*) file, (*Spielkarten*) discard, ZOOL (*Eier*) deposit **3.** *fig* (*Gewohnheit etc*) give up, drop **4.** (*Eid, Gelübde etc*) take: ***e-e Prüfung ~*** take (*mit Erfolg*: pass) an examination; → ***Geständnis, Rechenschaft*** *etc* **II** *v/i* **5.** take off one's things (*od* coat, hat, *etc*): ***bitte legen Sie ab!*** take off your coat, please! **6.** SCHIFF cast off, *Raumfähre*: separate
Ableger *m* LANDW layer, scion (*a.* F *fig Sprössling*)
ablehnen I *v/t* **1.** (*Angebot, Einladung etc*) refuse, (*a. Bewerber etc*) turn down, *als unannehmbar*: reject (*a.* PARL), *höf-*

lich: decline, JUR (*Zeugen*) challenge **2.** (*missbilligen*) disapprove of, (*Buch, Stück etc*) condemn **II** *v/i* **3.** refuse, decline **ablehnend** *Adj Antwort, Haltung etc*: negative, (*missbilligend*) disapproving: *Adv* ~ ***gegenüberstehen*** (*Dat*) disapprove of

Ablehnung *f* refusal, rejection (*a. e-r Person, a.* PARL), (*Missbilligung*) disapproval (*Gen* of)

ableisten *v/t* serve: → ***Wehrdienst***

ableiten *v/t* **1.** TECH (*ablenken*) divert, (*Wasser etc*) drain off, (*Wärme*) carry off **2.** CHEM, MATHE, LING *u. fig* derive (***aus*** from): ***sich*** ~ *a.* be derived; ***s-e Herkunft*** ~ ***von*** trace one's origin back to

Ableitung *f* **1.** TECH diversion, draining off (*etc*, → ***ableiten*** 1) **2.** MATHE, LING *etc* derivation, (*das Abgeleitete*) derivative

ablenken I *v/t* **1.** divert, (*Lichtstrahlen, Ball etc*) deflect **2.** (*j-n, j-s Aufmerksamkeit etc*) divert, distract: ***den Verdacht von sich*** ~ divert suspicion from o.s.; ***j-n*** (***von s-n Sorgen***) ~ take s.o.'s mind off his worries **II** *v/i* **3.** (*das Thema wechseln*) change the subject **4.** be a diversion: ***das lenkt ab*** that takes one's mind off things

Ablenkung *f* **1.** TECH deviation, deflection **2.** (*Zerstreuung*) diversion, distraction

Ablenkungsmanöver *n* MIL diversion, *fig a.* red herring

ablesen *v/t* **1.** (*Rede*) read (from notes) **2.** (*Messgerät etc*) read: ***Gas*** (***Strom***) ~ read the gas (electricity) meter **3.** *fig* (*feststellen*) see (***an*** *Dat* from): ***j-m etw vom Gesicht*** ~ read s.th. in s.o.'s face; ***j-m e-n Wunsch von den Augen*** ~ anticipate s.o.'s wish

Ablesung *f* TECH reading

abliefern *v/t* deliver (***bei*** to, at)

ablösbar *Adj* WIRTSCH redeemable

Ablöse *f* F → ***Ablösesumme***

ablösen *v/t* **1.** remove, detach **2.** (*Posten etc*) relieve, (*Kollegen etc*) take over from, replace: ***j-n*** ~ (*vom Amt entheben*) relieve s.o. of his duties; ***sich*** (*od* ***einander***) ~ take turns (***bei*** at); ***sich bei der Arbeit*** ~ *a.* work in shifts **3.** *fig* (*folgen auf*) follow **4.** (*Hypothek etc*) redeem, (*Schuld etc*) pay off

Ablösesumme *f* SPORT transfer fee

Ablösung *f* **1.** removal, detachment **2.** *bei der Arbeit etc*: relief **3.** WIRTSCH redemption, repayment

Abluft *f* TECH waste air

ABM *Abk* (= ***Arbeitsbeschaffungsmaßnahme***) job-creation measure

abmachen *v/t* **1.** F remove, take off **2.** arrange, agree on, settle on: ***abgemacht!*** agreed!, it's a deal!, o.k.!

Abmachung *f* arrangement, agreement

abmagern *v/i* grow thin, lose weight: → ***abgemagert***

Abmagerungskur *f* (***e-e*** ~ ***machen*** go [*od* be] on a) slimming diet

Abmahnung *f* (written) warning

abmalen *v/t* paint, (*kopieren*) copy

Abmarsch *m* marching off

abmarschieren *v/i* march off

abmelden I *v/t* cancel: ***sein Auto*** ~ take one's car off the road; ***sein Telefon*** ~ have one's telephone disconnected; ***j-n*** ~ **a)** *polizeilich*: give notice of s.o.'s change of address, **b)** ***beim Verein*** *etc* cancel s.o.'s membership; F ***bei mir ist er abgemeldet!*** I'm through with him! **II** *v/refl* ***sich*** ~ **a)** *polizeilich*: give notice of one's change of address, **b)** ***bei s-m Verein*** *etc* cancel one's membership, **c)** ***bei j-m*** (***vom Dienst*** *etc*) report to s.o. that one is leaving

Abmeldung *f* **1.** cancellation **2.** notice of change of address

abmessen *v/t a. fig* measure

Abmessung *f* measurement: ***~en*** *Pl a.* dimensions *Pl*

abmontieren *v/t* TECH take off, dismount, remove

abmühen *v/refl* ***sich*** ~, ***etw zu tun*** try hard to do s.th.; ***sich mit etw*** ~ struggle with s.th.

abmurksen *v/t* F ***j-n*** ~ do s.o. in

abmustern *v/t* (*Seeleute*) pay off

abnabeln *v/t* ***ein Kind*** ~ cut the umbilical cord; *fig* ***sich*** ~ cut the cord

abnagen *v/t* gnaw off: ***e-n Knochen*** ~ *Tier*: gnaw (*Mensch*: pick) a bone

abnähen *v/t* take in, tuck

Abnäher *m* tuck

Abnahme *f* **1.** taking off (*od* down), removal, MED amputation **2.** WIRTSCH (***bei*** ~ on) purchase (***von*** of) **3.** TECH acceptance, (*~prüfung*) inspection (test) **4.** ~ ***e-r Parade*** review (of the troops) **5.** (*Verringerung*) decrease, decline, *zahlenmäßige*: *a.* drop (*alle*: *Gen* in), *des Tempos, Gewichts*: loss (*Gen* in, of), *der Sehkraft etc*: failure, *des Interesses etc*: flagging, *des Mondes*: waning

abnehmbar *Adj* removable

abnehmen I *v/t* **1.** *allg* take off, TECH *a.* remove, MED *a.* amputate, (*Bart*) *a.* shave off, (*Bild, Gardinen etc*) take down, (*Obst*) gather, TEL (*den Hörer*) pick up: ***j-m Blut ~*** take a blood sample from s.o. **2. *j-m etw ~*** **a)** *allg* relieve s.o. of s.th., (*e-e Mühe, e-n Weg etc*) *a.* save s.o. s.th., **b)** (*wegnehmen*) take s.th. (away) from s.o., **c)** (*e-n Preis abverlangen*) charge s.o. s.th.; ***j-m zu viel ~*** overcharge s.o. **3.** (*abkaufen*) (*Dat* from) buy, purchase: F *fig* ***das nimmt ihm keiner ab!*** nobody will buy that! **4.** TECH accept, (*prüfen*) inspect, test **5.** ***die Parade ~*** review the troops **6.** (*e-e Prüfung*) hold: → ***Beichte, Eid*** *etc* **7.** (*Maschen*) decrease **8.** (*10 Pfund etc*) lose, get rid of **9.** (*Fingerabdrücke etc*) take **II** *v/i* **10.** *allg Vorräte etc, a. fig Einfluss etc*: decrease, diminish, *zahlenmäßig*: *a.* drop off, *Kräfte etc*: decline, dwindle, *Sehkraft*: fail, *Interesse*: flag, *Tempo*: slacken (off), slow down, *Sturm*: abate, *Mond*: (be on the) wane, *Tage*: grow shorter **11.** lose weight, *durch Diät*: be slimming

Abnehmer(in) buyer, (*Kunde*) customer, (*Verbraucher*) consumer: ***keine Abnehmer finden*** find no market

Abneigung *f* (***gegen***) dislike (of, for), *stärker*: aversion (to)

abnorm *Adj* abnormal, (*ungewöhnlich*) exceptional, unusual

abnötigen *v/t* ***j-m Respekt ~*** command s.o.'s respect

abnutzen *v/t* (*a.* ***sich ~***) wear out

Abnutzung *f* wear and tear

Abnutzungserscheinung *f* sign of wear, MED sign of degeneration

Abo *n* F → ***Abonnement***

Abonnement *n* subscription (***auf*** *Akk* to), THEAT *a.* season ticket (***bei*** for)

Abonnent(in) subscriber (*Gen* to), THEAT season-ticket holder

abonnieren *v/t* subscribe to: *e-e Zeitung etc* ***abonniert haben*** *a.* have a subscription for, get

abordnen *v/t* delegate

Abordnung *f* delegation

Abort *m* MED miscarriage

abpacken *v/t* WIRTSCH pack(age)

abpassen *v/t* (*j-n, Gelegenheit*) wait for

abpausen *v/t* trace

abperlen *v/i* ***von etw ~*** drip off s.th.

abpfeifen *v/t u. v/i* SPORT (***das Spiel***) ~ stop the game **Abpfiff** *m* final whistle

abplacken, abplagen → ***abrackern***

abprallen *v/i* rebound, bounce off, *Geschoss*: ricochet: *fig* ***an j-m ~*** make no impression on s.o.

Abpraller *m* SPORT rebound

abputzen → ***abwischen***

abquälen *v/refl* ***sich ~*** **a)** *seelisch*: worry (o.s.), fret, **b)** → ***abrackern,*** **c)** → ***abmühen***

abqualifizieren *v/t* dismiss

abquetschen *v/t* (*e-n Finger etc*) crush

abrackern *v/refl* ***sich ~*** F slave (away)

abrahmen *v/t* (*Milch*) skim

abrasieren *v/t* shave off

abraten *v/i* ***j-m von etw ~*** advise (*od* warn) s.o. against (doing) s.th.

abräumen *v/t* clear away, remove: ***den Tisch ~*** clear the table

abreagieren I *v/t* (***an*** *Dat* on) abreact, work off **II** *v/refl* ***sich ~*** get rid of one's aggressions, F let off steam

abrechnen I *v/t* deduct, (*Spesen etc*) account for **II** *v/i* settle accounts: ***mit j-m ~*** settle up with s.o., *fig a.* get even with s.o. **Abrechnung** *f* **1.** settlement (of accounts), (*Aufstellung*) statement **2.** → ***Abzug*** 4 **3.** *fig* (*Vergeltung*) requital: ***Tag der ~*** day of reckoning

Abrede *f* ***etw in ~ stellen*** deny s.th.

abreiben *v/t* **1.** rub off, (*Körper*) rub down **2.** wipe *s.th.* clean, polish **3.** (*Zitrone etc*) grate **Abreibung** *f* **1.** MED rub-down, *nasse*: sponge-down **2.** F (*Prügel, Niederlage*) beating

Abreise *f* (***bei m-r*** *etc* ~ on my *etc*) departure (***nach*** for)

abreisen *v/i* (***nach*** for) depart, leave

Abreiß... tear-off (*pad, calendar, etc*)

abreißen I *v/t* tear (*od* pull, rip) off, (*Faden etc*) snap, (*Gebäude*) pull down, demolish **II** *v/i* come off, *Faden etc*: snap, *fig Verbindung etc*: break off: ***die Arbeit reißt nicht ab*** there's no end of work

abrichten *v/t* (*Tier*) train, (*Pferd*) break in **Abrichtung** *f* training, breaking-in

abriegeln *v/t* (*Tür etc*) bolt, bar, (*Straße*) block (off), *durch Polizei*: cordon (MIL *a.* seal) off
abringen *v/t* ***j-m etw ~*** wring (*od* wrest) s.th. from s.o.; ***sich ein Lächeln ~*** force a smile
Abriss *m* **1.** (*Zs.-fassung*) summary, outline, (*Übersicht*) survey, (*Buch*) compendium **2.** *von Gebäuden*: demolition
abrücken I *v/t* move away **II** *v/i* march off, move off: *fig* ***von j-m ~*** disassociate o.s. from s.o.
Abruf *m* **1.** recall: ***sich auf ~ bereithalten*** stand by **2.** WIRTSCH ***auf ~*** on call **abrufbereit** *Adj* on call
abrufen *v/t* **1.** (*j-n*) call *s.o.* away, recall **2.** (*Waren*) call **3.** (*Daten*) retrieve
abrunden *v/t a. fig* round off: *e-e Zahl* ***nach oben*** (***unten***) ~ round up (down); → ***abgerundet*** I
abrupt *Adj* abrupt, sudden
abrüsten *v/i* MIL disarm
Abrüstung *f* disarmament (*a. in Zssgn conference, talks, etc*)
abrutschen *v/i* **1.** slip off, slip down, *Messer*: slip **2.** *fig Person, Leistungen*: go down, sag
ABS *Abk* (= ***Antiblockiersystem***) ABS, anti-lock braking
absacken *v/i* F **1.** sag, *a.* SCHIFF sink, FLUG pancake **2.** → ***abrutschen*** 2
Absage *f* cancellation, (*Ablehnung*) refusal, *fig* rejection (***an*** *Akk* of)
absagen I *v/t* cancel, call off **II** *v/i* beg off, cry off: ***j-m ~*** tell s.o. that one can't come
absägen *v/t* **1.** saw off **2.** F *fig* (*j-n*) ax(e), fire
absahnen *v/t* F *fig* cream off
absatteln *v/t* (*Pferd*) unsaddle
Absatz *m* **1.** heel: ***Schuhe mit hohen Absätzen*** high-heeled shoes **2.** JUR, BUCHDRUCK paragraph: ***neuer ~*** new line **3.** WIRTSCH sale(s *Pl*): ***guten*** (***reißenden***) ***~ finden*** find a ready market (F sell like hot cakes) **4.** (*Treppen*~) landing, *im Gelände*: terrace **~gebiet** *n* WIRTSCH market(ing area) **~markt** *m*, **~möglichkeit** *f* WIRTSCH market, outlet **~steigerung** *f* WIRTSCH sales increase **~stockung** *f* stagnation of trade **~trick** *m Fußball*: backheel trick
absaufen *v/i* F BERGB, MOT be flooded, SCHIFF go down, *Person*: drown
absaugen *v/t* **1.** TECH suck off, *a.* MED aspirate **2.** (*Teppich etc*) vacuum
abschaben *v/t* scrape off
abschaffen *v/t* abolish, do away with, (*loswerden*) get rid of, (*Auto etc*) give up **Abschaffung** *f* abolition
abschalten I *v/t* switch off, turn off, ELEK cut off, disconnect **II** *v/i* F *fig* switch off, relax
abschätzen *v/t* estimate, *a. fig* (*j-s Fähigkeiten, die Lage etc*) assess, F *fig* size *s.o., s.th.* up **abschätzend** *Adj* assessing, speculative **abschätzig** *Adj* contemptuous, disparaging
Abschaum *m* scum (*fig* ***der Menschheit*** of the earth)
Abscheu *m* (***vor*** *Dat*, ***gegen***) horror (of), disgust (at, for), abhorrence (of), loathing (for): ***~ haben vor*** (*Dat*) abhor, detest, loathe
abscheuern *v/t* **1.** scrub (off) **2.** (*Haut*) rub off, scrape **3.** (*a.* ***sich ~***) (*abnutzen*) wear thin
abscheulich *Adj* dreadful, abominable, *Verbrechen*: *a.* heinous, atrocious
abschicken → ***absenden***
abschieben I *v/t* **1.** push away (***von*** from) **2.** (*ausweisen*) deport **3.** F (*loswerden*) get rid of **II** *v/i* **4.** F push off
Abschiebung *f* JUR deportation
Abschiebungshaft *f* (***j-n in ~ nehmen*** put s.o. on) remand pending deportation
Abschied *m* **1.** (*~nehmen*) parting, farewell, leave-taking, (*Abreise*) departure: ***~ nehmen*** (***von***) take leave (of), say goodby(e) (to); ***beim ~, zum ~*** on parting **2.** (*Entlassung*) dismissal, MIL discharge, (*Rücktritt*) resignation
Abschieds... farewell (*letter, visit, etc*) **~kuss** *m* goodby(e) kiss: ***j-m e-n ~ geben*** kiss s.o. goodby(e) **~schmerz** *m* wrench **~stunde** *f* hour of parting **~worte** *Pl* words *Pl* of farewell
abschießen *v/t* **1.** (*Waffe*) fire, (*Kugel, Pfeil etc*) shoot, (*Rakete etc*) launch **2.** (*töten*) shoot, (*j-n*) *a.* pick *s.o.* off, (*Flugzeug*) shoot (*od* bring) down: F *fig* ***j-n ~*** put the skids under s.o.; → ***Vogel*** 1
Abschirmdienst *m* counterintelligence
abschirmen *v/t* (***gegen***) shield (from), protect (against)
Abschirmung *f* screen(ing), shield(ing)
abschlachten *v/t a. fig* slaughter

abschlaffen *v/i* F wilt: → ***abgeschlafft***
Abschlag *m* **1.** *Fußball*: goal kick, *Golf*: tee(-off) **2.** WIRTSCH (*Preisrückgang*) drop (in prices), (*Preisnachlass*) reduction, (*Teilzahlung*) part payment: ***auf ~*** on account
abschlagen *v/t* **1.** knock off (*od* down), (*Kopf*) cut off, (*Baum*) cut down **2.** *a. v/i* SPORT (*Ball*) kick off, *aus der Hand*: punt, *Golf*: tee off **3.** (*Angriff etc*) beat off **4.** *fig* (*ablehnen*) refuse, turn down
abschlägig *Adj* negative: ***~e Antwort*** refusal, denial; *Adv* ***j-n*** (***j-s Bitte*** *etc*) ***~ bescheiden*** reject s.o. (s.o.'s request)
Abschlagszahlung *f* part payment
abschleifen *v/t* TECH grind off, *a. fig* polish: ***sich ~*** *a. fig* wear off
Abschleppdienst *m* breakdown (*Am* wrecking) service **abschleppen** *v/t* FLUG, MOT tow off: F ***j-n ~*** drag s.o. off **Abschleppseil** *n* tow-rope **Abschleppwagen** *m* breakdown lorry, *Am* wrecker (truck)
abschließbar *Adj* lockable
abschließen I *v/t* **1.** lock (up) **2.** (*isolieren*) shut off, TECH *a.* seal (off): → ***abgeschlossen*** 2 **3.** (*beenden*) end, close, finish, (*vollenden*) complete **4.** WIRTSCH (*Konten etc*) settle, (*Bücher etc*) close, balance, (*Vertrag etc*) conclude, sign, (*Verkauf*) effect: ***e-n Handel ~*** strike a bargain, close a deal; ***e-e Versicherung ~*** take out a policy; → ***Vergleich*** 1, ***Wette*** **II** *v/i* **5.** end, close (*a.* WIRTSCH), finish: ***mit dem Leben abgeschlossen haben*** have done with life
abschließend I *Adj* concluding, closing, final **II** *Adv* in conclusion, finally: ***~ sagte er*** *a.* he wound up by saying
Abschluss *m* **1.** *allg* conclusion, WIRTSCH *der Bücher etc*: closing, *der Konten etc*: settlement, *weit. S.* (*Geschäft*) deal, (*Verkauf*) sale: ***zum ~*** → ***abschließend*** II; ***etw zum ~ bringen*** bring s.th. to a close **2.** F PÄD, UNI final examination **~prüfung** *f* **1.** PÄD, UNI final examination, finals *Pl*, *Am a.* graduation: ***s-e ~ machen*** (***an*** *Dat*) graduate (at, *Am* from) **2.** WIRTSCH *der Bücher*: audit
Abschlusszeugnis *n* (school-)leaving certificate, *Am* (high-school) diploma
abschmecken *v/t* (*würzen*) season
abschmieren *v/t* TECH grease
abschminken *v/t* (*a.* ***sich ~***) take off (*od* remove) *s.o.'s* (one's) make-up: F ***schmink dir das ab!*** forget it!
abschnallen *v/t* undo, (*Skier*) take off: MOT *etc* ***sich ~*** unfasten one's seatbelt
abschneiden I *v/t* **1.** cut off (*a. fig Zufuhr etc*): ***j-m den Weg ~*** bar s.o.'s way; ***j-m das Wort ~*** cut s.o. short **II** *v/i* **2.** (***den Weg***) **~** take a short cut **3.** ***gut*** (***schlecht***) **~** do (*od* come off) well (badly) **III** ≈ *n* **4.** performance
Abschnitt *m* **1.** *e-s Buches etc*: section, paragraph **2.** BIOL, MATHE segment **3.** (*Gebiet*) sector **4.** (*Zeit*≈) period, phase, *bes e-r Reise*: stage **5.** (*Kontroll*≈) counterfoil, coupon
abschnüren *v/t* **1.** → ***abbinden*** 2 **2.** *bes* MIL cut off **3.** ***j-m die Luft ~*** choke s.o.
abschöpfen *v/t* skim off (*a.* WIRTSCH *Gewinne*), (*Kaufkraft*) absorb: *fig* ***den Rahm ~*** take the cream off
abschotten *v/refl* ***sich ~*** *fig* batten down the hatches, seal o.s. off
abschrägen *v/t* slope, bevel
abschrauben *v/t* screw off
abschrecken *v/t* **1.** deter, put *s.o.* off **2.** TECH quench, GASTR rinse with cold water
abschreckend I *Adj* deterrent: ***~es Beispiel*** warning; ***~e Strafe*** exemplary punishment **II** *Adv* ***~ wirken*** act as a deterrent **Abschreckung** *f* deterrence: ***zur ~ dienen*** act as a deterrent
Abschreckungs|politik *f* policy of deterrence **~waffe** *f* deterrent (weapon)
abschreiben I *v/t* **1.** copy (out), PÄD crib **2.** WIRTSCH (*Maschine etc*) depreciate, write down, *vollständig*: write off (*a.* F *fig j-n, etw*), (*Betrag*) deduct **II** *v/i* **3.** PÄD crib **4.** ***j-m ~*** write (to s.o.) to say one can't come **Abschreibung** *f* WIRTSCH depreciation, write-off
Abschrift *f* copy: → ***beglaubigt***
abschrubben *v/t* F scrub
abschuften → ***abrackern***
abschürfen *v/t*, **Abschürfung** *f* MED graze
Abschuss *m* **1.** *e-r Waffe*: discharge **2.** *e-r Rakete etc*: launching
abschüssig *Adj* steep
Abschussliste *f* F hit list: ***j-n auf die ~ setzen*** put the skids under s.o.; ***auf der ~ stehen*** be a marked man

Abschussrampe *f* launching pad
abschütteln *v/t a. fig* shake off
abschwächen I *v/t* weaken, (*Aufprall etc*) soften, (*mildern*) tone down (*a. fig Bemerkung etc*) **II** *v/refl* ***sich ~*** weaken, *Sturm, Lärm etc*: subside
abschweifen *v/i mst fig* deviate, stray, *Blick, Gedanken*: wander: ***vom Thema ~*** digress (from one's subject)
abschwellen *v/i* **1.** MED go down **2.** *Lärm*: die down
abschwirren *v/i* F buzz off
abschwören *v/i* (*s-m Glauben etc*) renounce
Abschwung *m* WIRTSCH downturn
absegnen *v/t* F give one's blessing to
absehbar *Adj* ***in ~er Zeit*** in the foreseeable future; ***nicht ~ sein*** be impossible to predict (*Schaden*: to estimate)
absehen I *v/t* **1.** → ***abgucken*** **2.** foresee: ***es ist kein Ende abzusehen*** there's no end in sight **3.** ***es abgesehen haben auf*** (*Akk*) **a)** be out to get, have an eye on, **b)** ***j-n*** F have it in for s.o. **II** *v/i* **4.** ***~ von*** **a)** (*unterlassen*) refrain from, **b)** (*außer Acht lassen*) disregard: → ***abgesehen***
abseifen *v/t* soap down
abseilen I *v/t* (*a.* ***sich ~***) *mount.* rope down **II** *v/refl* ***sich ~*** F *fig* (*sich absetzen*) make off
absein *v/i* F → ***ab*** 1, 2
abseits I *Präp* (*Gen*) off *the road etc* **II** *Adv* ***~ stehen*** stand aside, SPORT be offside; ***~ liegen*** be out of the way; *fig* ***sich ~ halten*** keep aloof
Abseits *n* SPORT (***im ~ stehen*** be) offside; *fig* ***sich ins ~ manövrieren, ins ~ geraten*** get (o.s.) isolated **Abseitsfalle** *f* offside trap **Abseitstor** *n* goal scored from an offside position
absenden *v/t* send (off), *bes* WIRTSCH dispatch, forward, (*Brief etc*) post, *Am* mail **Absender(in)** sender
Absenker *m* LANDW layer
absetzbar *Adj* **1.** *Ware*: sal(e)able **2.** *Ausgaben*: (***steuerlich ~***) deductible (for taxation) **3.** *Beamter*: removable
absetzen I *v/t* **1.** (*Last etc*) set down, put down, (*Hut, Brille etc*) take off, (*Geigenbogen*) lift **2.** (*Fahrgäste etc*) set down, (*a. Fallschirmspringer*) drop **3.** (*Beamten*) remove (from office), (*Herrscher*) depose **4.** (*Veranstaltung etc*) cancel, (*Film etc*) take off, (*Tagesordnungspunkt etc*) remove **5.** (*Betrag etc*) deduct, (*Waren*) sell; ***steuerlich ~*** deduct from tax **6.** MED (*Medikament*) stop taking (*a medicament*), go off (*a drug*), (*Behandlung*) break off **7.** BUCHDRUCK set (up) in type: ***e-e Zeile ~*** begin a new paragraph **8.** CHEM *etc* deposit **II** *v/i* **9.** stop, break off: ***ohne abzusetzen*** in one go, *trinken*: in one gulp **III** *v/refl* ***sich ~*** **10.** MIL retreat, SPORT *Läufer etc*: break away, F *fig* make off
Absetzung *f* **1.** removal (from office), *e-s Herrschers*: deposition **2.** *e-s Films etc*: withdrawal, *e-r Veranstaltung etc*: cancel(l)ation
absichern I *v/t* → ***sichern*** 1 **II** *v/refl* ***sich ~*** cover o.s
Absicht *f* intention, *a.* JUR intent, (*Ziel*) aim, object: ***in der ~ zu*** *Inf* with the intention of *Ger*; ***ich habe die ~ zu kommen*** I intend (*od* I'm planning) to come; ***mit e-r bestimmten ~*** for a purpose; ***mit ~*** on purpose **absichtlich I** *Adj* intentional, deliberate, *bes* JUR wil(l)ful **II** *Adv* intentionally *etc*, on purpose **Absichtserklärung** *f* declaration of intent
absitzen I *v/i Reiter*: dismount **II** *v/t* F (*Zeit*) sit out, (*Strafe etc*) do, serve
absolut *Adj allg* absolute, (*völlig*) *a.* complete, total: ***~ nicht*** by no means; → ***Gehör***
Absolution *f* REL absolution
Absolutismus *m* absolutism
absolutistisch *Adj* absolutist
Absolvent(in) school-leaver, *Am* graduate **absolvieren** *v/t* **1.** (*Schule etc*) finish, *Am* graduate from **2.** (*Kurs etc*) attend, complete **3.** (*Prüfung*) pass **4.** F (*leisten*) do, *mühsam*: get through
absondern I *v/t* **1.** separate, (*Kranke etc*) isolate **2.** BIOL secrete **II** *v/refl* ***sich ~*** **3.** cut o.s. off **Absonderung** *f* **1.** separation, isolation **2.** BIOL secretion
absorbieren *v/t a. fig* absorb
abspalten *v/t* (*a.* ***sich ~***) split off
Abspann *m* FILM, TV end titles (and credits) *Pl*
absparen *v/t* ***sich etw*** (***vom Mund***) ***~*** pinch and scrape for s.th.
abspecken F → ***abnehmen*** 8, 11
abspeichern *v/t u. v/i* COMPUTER (*Daten*) store, (*sichern*) save

abspeisen *v/t* F feed, *fig* fob *s.o.* off
abspenstig *Adj* ~ ***machen*** (*Dat*) lure away (from); ***j-m die Freundin ~ machen*** steal s.o.'s girl(friend)
absperren *v/t* **1.** (*Straße etc*) block off, *durch Polizei*: cordon off **2.** (*Strom, Wasser etc*) turn (*amtlich*: cut) off **3.** *Dialekt* lock (up) **Absperrung** *f* **1.** barrier, (*Polizei*~) cordon **2.** blocking off (*etc*, → ***absperren***)
abspielen I *v/t* **1.** (*Platte, Band etc*) play **2.** (*Ball*) pass **II** *v/refl* ***sich ~*** **3.** happen, take place, (*los sein*) be going on: F ***da spielt sich nichts ab!*** nothing doing!
absplittern *v/i u. v/t* (*a.* ***sich*** ~ *fig Gruppe*) splinter off
Absprache *f* arrangement: ***laut*** ~ → **absprachegemäß** *Adv* as agreed
absprechen I *v/t* **1.** ***j-m etw*** ~ deny (*od* dispute) s.o.'s *talent etc*; JUR ***j-m ein Recht*** ~ deprive s.o. of a right **2.** (*vereinbaren*) agree (up)on, arrange **II** *v/refl* **3.** ***sich mit j-m*** ~ agree with s.o. (***über*** *Akk* about)
abspringen *v/i* **1.** jump off, SPORT *a.* take off, FLUG jump, *im Notfall*: bail out, *Lack etc*: come off, *Ball etc*: bounce off **2.** F *fig* quit, get (*od* back) out (***von*** of) **3.** F *fig* ***und was springt für mich ab?*** what's in it for me?
abspritzen *v/t* hose down
Absprung *m* jump, SPORT take-off
Absprungbalken *m* take-off board
abspulen *v/t allg* unreel
abspülen *v/t* rinse (off)
abstammen *v/i* (***von*** from) be descended, LING be derived **Abstammung** *f* **1.** descent, origin: ***deutscher*** ~ of German extraction **2.** LING derivation
Abstammungslehre *f* theory of evolution
Abstand *m* **1.** distance (*a. fig*), (*Zwischenraum*) space, (*a. Zeit*~) interval, *fig* (*Unterschied*) difference, gap, (*Vorsprung*) margin: ***mit ~*** **a)** ***besser*** far better, **b)** ***gewinnen*** win by a wide margin; ***in regelmäßigen Abständen*** *a. zeitlich*: at regular intervals; *fig* ***~ halten, ~ wahren*** keep one's distance; ***~ nehmen von*** refrain from (doing) **2.** → **Abstandssumme** *f* indemnity
abstatten *v/t* ***j-m e-n Besuch*** ~ pay s.o. a visit; → ***Dank***

abstauben I *v/t* **1.** dust **2.** F (*stehlen*) swipe **II** *v/i* **3.** *Fußball*: tap (the ball) in
abstechen I *v/t* (*Schwein etc*) stick **II** *v/i* ***~ von*** stand out against (*fig* from)
Abstecher *m a. fig* excursion
abstecken *v/t* **1.** (*Kleid etc*) fit **2.** (*Gelände, Kurs etc*) mark out, *mit Pfählen*: stake out, (*Grenzen etc*) mark, *fig* (*Positionen*) define
abstehen *v/i Ohren etc*: stick out
Absteige *f* F *pej* dosshouse, *Am* flophouse
absteigen *v/i* **1.** climb down, *vom Fahrrad etc*: get off, *vom Pferd*: *a.* dismount **2.** (***in*** *Dat* at) stay, put up **3.** SPORT go down, be relegated **Absteiger** *m* SPORT relegated team (*od* club)
abstellen *v/t* **1.** (*Koffer etc*) put down **2.** (*Möbel, Fahrrad etc*) leave (***bei*** with), (*Auto etc*) park **3.** (*Wasser, Gas etc*) turn (*amtlich*: cut) off, (*Maschine etc*) stop, (*Radio, Motor etc*) switch off **4.** *fig* (*Missstand etc*) remedy, stop **5.** *fig* (*ausrichten*) (***auf*** *Akk*) gear (to), aim (at) **6.** → ***abkommandieren***
Abstell|fläche *f* MOT parking space **~gleis** *n* BAHN siding: *fig* ***j-n aufs ~ schieben*** shelve s.o. **~hahn** *m* TECH stopcock **~raum** *m* storeroom
abstempeln *v/t* stamp (*a. fig*), (*Brief etc*) postmark
absterben *v/i* **1.** die (*a. fig*), *Zehen etc*: go numb **2.** F *Motor*: stall
Abstieg *m* **1.** descent, way down **2.** *fig* decline, F comedown **3.** SPORT (***vom ~ bedroht*** threatened by) relegation
abstillen *v/t* (*Kind*) wean
abstimmen I *v/i* **1.** vote (***über*** *Akk* on): ***über etw ~ lassen*** put s.th. to the vote **II** *v/t* **2.** (***auf*** *Akk*) *allg* tune (to), *fig* (*Farben etc*) match (with), (*Interessen etc*) coordinate (with), (*anpassen*) adjust (to): ***zeitlich aufeinander*** ~ synchronize **3.** (*Konten etc*) balance **III** *v/refl* ***sich*** ~ **4.** come to an agreement (***mit*** with)
Abstimmung *f* **1.** voting, vote (***über*** *Akk* on), poll: ***die ~ ist geheim*** voting is by ballot; ***e-e ~ vornehmen*** take a vote **2.** tuning (*etc*, → ***abstimmen*** II)
abstinent *Adj* abstinent, abstemious
Abstinenz *f* (total) abstinence
Abstinenzler(in) teetotal(l)er
Abstoß *m Fußball*: goal kick **abstoßen**

I *v/t* **1.** (*Boot etc*) push off (*a. v/i*) **2.** (*Möbel*) knock, batter, (*Schuhe*) scuff **3.** (*Geweih, Haut etc*) shed: → ***Horn*** 1 **4.** MED (*Gewebe etc*) reject **5.** PHYS repel **6.** *fig* get rid of **7.** (*Ware*) sell off, (*Schulden*) get out of **8.** *fig* (*anwidern*) repel (*a. v/i*), revolt, disgust **II** *v/i* **9.** *Fußball*: take a goal kick **abstoßend** **I** *Adj fig* repulsive (*a.* PHYS) **II** *Adv*: ~ ***hässlich*** revolting, repulsive **Abstoßung** *f* PHYS *u. fig* repulsion, MED rejection

abstottern *v/t* ***etw*** ~ pay for s.th. in instal(l)ments

abstrahieren *v/t u. v/i* abstract

abstrakt *Adj* abstract

Abstraktion *f* abstraction

Abstraktum *n* LING abstract noun

abstreifen *v/t* **1.** (*Ring etc*) slip off, (*Haut, Geweih*) shed **2.** (*Schuhe*) wipe **3.** (*absuchen*) search, scour

abstreiten *v/t* **1.** (*Schuld, Tatsache etc*) deny **2.** → ***absprechen*** 1

Abstrich *m* **1.** (*Kürzung*) (***an*** *Dat* in) cut, curtailment: *fig* ***~e machen müssen*** have to lower one's sights **2.** MED (***e-n ~ machen*** take a) smear (*von den Mandeln*: swab)

abstrus *Adj* abstruse

abstufen *v/t* **1.** (*Gelände*) terrace **2.** (*Farben*) shade off **3.** *fig* (*Löhne etc*) grade, graduate **Abstufung** *f* **1.** (*Farb*2) shade **2.** *fig* gradation

abstumpfen **I** *v/t a. fig* blunt, dull: ***j-n*** ~ make s.o. insensible **II** *v/i u. v/refl* ***sich*** ~ become blunt (*fig* dulled, *Person*: insensible); → ***abgestumpft***

Absturz *m* **1.** plunge, FLUG, COMPUTER crash **2.** *fig* downfall **~stelle** *f* site (*od* scene) of the crash

abstürzen *v/i* plunge (down), FLUG, COMPUTER crash

abstützen *v/t* ARCHI prop, support

absuchen *v/t* (***nach*** for) search all over, (*Gelände*) scour, comb, *mit Scheinwerfer*: sweep, (*Himmel, Horizont*) scan

absurd *Adj* absurd

Absurdität *f* absurdity

Abszess *m* MED abscess

Abszisse *f* MATHE abscissa

Abt *m* abbot

abtanzen *v/i* dance one's socks (*sl* butt) off

abtasten *v/t* **1.** feel (***nach*** for), MED palpate: *fig* ***j-n*** ~ feel s.o. out, size s.o. up **2.** ELEK, TV scan

abtauchen *v/i* **1.** dive under **2.** F *fig* go to earth

abtauen **I** *v/t* (*Eis*) thaw, (*Kühlschrank*) defrost **II** *v/i* thaw

Abtei *f* abbey

Abteil *n* BAHN compartment

abteilen *v/t* divide, *durch e-e Wand*: partition off

Abteilung[1] *f* division, partitioning

Abteilung[2] *f* **1.** department, MED ward **2.** MIL detachment **3.** SPORT section, squad **Abteilungsleiter(in)** head of a department, *im Kaufhaus*: floor manager(ess)

abtippen *v/t* F type (out)

Äbtissin *f* abbess

abtöten *v/t* (*Bakterien, Nerv, fig Gefühle etc*) kill, deaden

abtragen *v/t* **1.** *allg* clear away, (*Gebäude etc*) pull down, (*Erhebung*) level: (***die Speisen***) ~ clear the table **2.** (*a.* ***sich*** ~) (*Kleidung etc*) wear out **3.** (*Schuld*) pay off

abträglich *Adj* detrimental (*Dat* to)

abtrainieren *v/t* (*Pfunde etc*) work off

Abtransport *m* transportation

abtransportieren *v/t* transport, take away

abtreiben **I** *v/t* **1.** (*Kind*) abort **II** *v/i* **2.** have an abortion **3.** *Boot, Floß etc*: drift off (course)

Abtreibung *f* MED (***e-e ~ vornehmen lassen*** have an) abortion **Abtreibungspille** *f* abortion pill

abtrennen *v/t* **1.** separate, (*Raum*) *a.* partition off **2.** (*Kupon etc*) detach **3.** (*Ärmel etc*) take off, (*Futter*) take out **4.** (*Glied*) *durch Unfall*: sever

abtreten **I** *v/t* **1.** (*Dat*, ***an*** *Akk* to) give up, JUR cede: ***j-m etw*** ~ *a.* let s.o. have s.th. **2.** (*Teppich etc*) wear (out), (*Absätze etc*) wear down **3.** (*Schnee etc*) wipe off: F (***sich***) ***die Füße*** ~ wipe one's shoes **II** *v/i* **4.** go off, THEAT (make one's) exit (*a.* F *fig sterben*), *Regierung etc*: resign **5.** MIL ***~!*** dismiss!

Abtretung *f* (***an*** *Akk* to) JUR transfer, cession (*a.* POL *e-s Gebiets*)

abtrocknen *v/t u. v/i* dry: (***Geschirr***) ~ dry up

abtrünnig *Adj* unfaithful, disloyal, REL apostate: ~ ***werden*** → ***abfallen*** 6

Abtrünnige *m, f* deserter, renegade, REL apostate **abtun** *v/t fig* (*Argumente, a. j-n*) dismiss (***als*** as)
abtupfen *v/t* dab, MED *a.* swab
abverlangen → ***abfordern***
abwägen *v/t fig* (*Worte etc*) weigh
abwählen *v/t* **1.** ***j-n*** ~ vote s.o. out of office **2.** PÄD (*Fach*) drop
abwälzen *v/t* (***auf*** *Akk* on[to]) shuffle off, off-load: ***die Verantwortung auf e-n anderen*** ~ shift the responsibility (F pass the buck) to s.o. else
abwandeln *v/t* modify
abwandern *v/i Bevölkerung etc*: move, migrate, WIRTSCH *Kapital*: be drained off, SPORT *Spieler*: leave (the club), *Zuschauer*: drift off: ***ins Ausland*** ~ *Wissenschaftler*: brain-drain
Abwanderung *f* migration, *a.* WIRTSCH exodus, *von Wissenschaftlern*: brain drain
Abwandlung *f* modification
Abwärme *f* waste heat
Abwart(in) *schweiz.* caretaker
abwarten I *v/t* wait for: ***das bleibt abzuwarten*** that remains to be seen **II** *v/i* wait (and see): F ~ ***(und Tee trinken)!*** (let's) wait and see!
abwartend *Adj* ***e-e ~e Haltung einnehmen*** decide to wait and see, POL adopt a wait-and-see policy
abwärts *Adv* down, downward(s); ***es geht ~ mit j-m*** (***etw***) s.o. (s.th.) is going downhill
Abwärtstrend *m* downward trend
Abwasch *m* **1.** washing-up: F ***das ist 'ein ~!*** that can be done in one go! **2.** dirty dishes *Pl* **abwaschbar** *Adj* washable **abwaschen I** *v/t* wash off, (*Geschirr*) wash up **II** *v/i* do the dishes (*od* washing-up) **Abwaschwasser** *n* dishwater
Abwasser *n* waste water, sewage **~kanal** *m* sewer **~leitung** *f* sewerage
abwechseln *v/i* alternate, *Personen*: (*a.* ***sich*** ~) *a.* take turns (***bei*** in), *turnusmäßig*: rotate **abwechselnd I** *Adj* alternate, alternating **II** *Adv* alternately, by turns **Abwechslung** *f* change, (*Zerstreuung*) diversion: ~ ***brauchen*** need a change; ~ ***bringen in*** (*Akk*) vary, liven up; ***zur*** ~ for a change **abwechslungsreich** *Adj* varied, *Leben*: eventful
Abweg *m fig* ***auf ~e geraten*** (***führen***) go (lead) astray **abwegig** *Adj* (*irrig*) wrong, (*unsinnig*) absurd
Abwehr *f* **1.** *e-s Angriffs etc*: repulse, SPORT (*Ball*~, *Schlag*~) block, *durch Torwart*: save, (*Verteidigung*) defen/ce (*Am* -se) (*a.* SPORT), *fig* warding off **2.** (*Ablehnung*) refusal, rejection, (*Widerstand*) resistance: ***auf ~ stoßen*** meet with resistance **3.** F MIL counterintelligence **abwehren I** *v/t* **1.** (*Angriff etc*) beat back, repulse, SPORT (*Ball, Schuss*) block, (*Schlag*) *a.* parry, *durch Torwart*: save **2.** *fig* (*Gefahr etc*) avert, ward off, (*Dank etc*) refuse, (*Ansinnen*) reject **II** *v/i* **3.** *fig* refuse **4.** *Boxer etc*: parry, *Fußball etc*: clear, *Torwart*: save
Abwehr|haltung *f* PSYCH defensiveness **~kräfte** *Pl* MED resistance *Sg* **~mechanismus** *m* defen/ce (*Am* -se) mechanism **~reaktion** *f* defensive reaction (***gegen*** to) **~spieler(in)** defender, *Pl* defen/ce (*Am* -se) **~stoffe** *Pl* MED antibodies *Pl*
abweichen *v/i* deviate (***vom Kurs*** from the course), depart (***von der Regel*** from the rule): (***voneinander***) ~ differ, vary; ***vom Thema*** ~ digress from the subject **abweichend** *Adj* divergent: (***voneinander***) ~ differing, varying
Abweichler(in) POL deviationist
Abweichung *f* **1.** difference **2.** (***von*** from) *allg* deviation, *vom Thema*: digression, *von der Regel etc*: departure
abweiden *v/t* (*Wiese etc*) graze (down)
abweisen *v/t* (*j-n*) turn *s.o.* away, refuse to see, *schroff*: rebuff, (*Antrag etc*) reject, refuse, JUR dismiss, MIL (*Angriff etc*) repulse **abweisend** *Adj* unfriendly, cool, *Antwort*: dismissive
Abweisung *f e-r Bitte etc*: rejection, refusal, *e-r Person*: *a.* rebuff, *e-r Klage etc*: dismissal, *e-s Angriffs*: repulse
abwenden *v/t* (*Kopf etc, a.* ***sich*** ~) turn away, (*a. fig Gefahr etc*) avert, (*Schlag etc*) ward off: ***sich*** (***innerlich***) ~ ***von*** turn one's back on
abwerben *v/t* entice away
abwerfen *v/t* **1.** (*Kleidung, Decke etc*) throw off, (*Bomben etc*) drop, (*Reiter*) throw, (*Blätter, Geweih, Haut etc*) shed, (*Spielkarte*) discard **2.** *fig* (*Gewinn*) yield, (*Zinsen*) bear
abwerten *v/t* (*Währung*) devalue

abwertend *Adj fig* depreciative
Abwertung *f* **1.** WIRTSCH devaluation **2.** *fig* depreciation
abwesend *Adj* **1.** absent, *präd* away, out, not in **2.** *fig* (*geistesabwesend*) absent-minded, *Blick*: faraway **Abwesende** *m*, *f* absentee: ***die ~n*** those absent
Abwesenheit *f* **1.** (***während m-r*** *etc* **~** during my *etc*) absence: ***durch ~ glänzen*** be conspicuous by one's absence **2.** *fig* (*Geistes*♀) absent-mindedness
abwetzen *v/t* wear out
abwickeln *v/t* **1.** unwind, MED (*Verband*) *a.* take off **2.** WIRTSCH (*Auftrag etc*) deal with, handle, (*Geschäfte etc*) transact, settle, JUR (*liquidieren*) wind up, (*Veranstaltung etc*) carry out (*od* through), conduct **Abwicklung** *f* handling, *e-s Geschäfts etc*: transaction, settlement, JUR winding-up, *Am* wind-up
abwiegen *v/t* weigh out
abwimmeln *v/t* F ***j-n ~*** brush s.o. off
abwinkeln *v/t* (*Arm etc*) bend
abwinken I *v/t Motorsport*: flag down **II** *v/i* give a sign of refusal, decline
abwischen *v/t* ***etw ~*** **a)** wipe s.th. (clean), **b)** wipe s.th. off
abwracken *v/t* break up, scrap
abwürgen *v/t* **1.** (*den Motor*) stall, kill **2.** *fig* (*Diskussion etc*) choke off
abzahlen *m* pay off, *in Raten*: pay by instal(l)ments
abzählen *v/t* count, (*Geld*) *a.* count out: F ***das kann man sich an den Fingern ~*** that's not hard to guess
Abzahlung *f* payment (in full), *in Raten*: payment by (*Am* on) instal(l)ments, (*Rate*) instal(l)ment: ***auf ~*** on hire purchase, *bes Am* on the instal(l)ment plan
abzapfen *v/t* (*Bier etc*) tap, draw (off)
abzäunen *v/t* fence off (*od* in)
Abzeichen *n allg* badge, MIL *a.* insignia *Pl*, FLUG marking
abzeichnen I *v/t* **1.** (***von*** from) copy, draw **2.** (*Brief etc*) initial, sign **II** *v/refl* ***sich ~*** **3.** stand out (***gegen*** against), show **4.** *fig* be emerging, be in the offing, *Gefahr etc*: loom
abziehen I *v/t* **1.** (*Ring etc*) take off, pull off, (*Haut, Bettbezug*) strip off, (*Bett*) strip, (*Hasen, Tomate etc*) skin **2.** (*Schlüssel*) take out **3.** (***von*** from) MATHE subtract, WIRTSCH deduct **4.** (*vervielfältigen*) make a copy (*od* copies) of, FOTO print **5.** (*Messer etc*) whet, sharpen, (*Parkett*) surface **6.** *bes* MIL (*Truppen etc*) withdraw **7.** (*Flüssigkeiten*) draw off **8.** F (*e-e Party etc*) give, throw: → ***Schau*** 2 **II** *v/i* **9.** *allg* move off, F *a.* go off, clear out (*od* off), *bes* MIL *a.* withdraw, *Rauch etc*: escape, *Gewitter*: pass
abzielen *v/i* **~ *auf*** (*Akk*) aim at
abzocken *v/t* fleece, rip off, screw
Abzug *m* **1.** *bes* MIL withdrawal **2.** TECH outlet, escape **3.** (*Kopie*) copy, FOTO print, BUCHDRUCK proof **4.** (*Lohn*♀ *etc*) deduction, (*Rabatt*) discount: ***nach ~ aller Kosten*** all charges deducted; ***vor*** (***nach***) ***~ der Steuern*** before (after) taxation **5.** *e-r Schusswaffe*: trigger
abzüglich *Präp* (*Gen*) less, deducting
abzugsfähig *Adj Betrag*: deductible
Abzugshaube *f* cooker hood
Abzugsrohr *n* TECH offlet
abzweigen I *v/i Weg etc*: branch off **II** *v/t* (*Gelder etc*) set aside
Abzweigung *f* turn-off
abzwicken *v/t* nip off
Accessoires *Pl* accessories *Pl*
Acetat *n* CHEM acetate
Aceton *n* CHEM acetone
ach *Interj* oh!: ***~ je!*** oh dear!; ***~ komm!*** come on!; ***~ nein?*** you don't say so?; ***~ so!*** oh, I see!; ***~ was!, ~ wo!*** of course not!; ***~ und weh schreien*** wail
Ach *n* F ***mit ~ und Krach*** barely; ***mit ~ und Krach e-e Prüfung bestehen*** scrape through an exam
Achat *m* agate
Achilles|ferse *f fig* Achilles' heel **~sehne** *f* ANAT Achilles' tendon
Achse *f* axis, *Pl* axes, TECH axle: F ***auf*** (***der***) ***~ sein*** be on the move
Achsel *f* shoulder: ***die ~*** (*od* ***mit den ~n***) ***zucken*** shrug one's shoulders **~höhle** *f* armpit **~zucken** *n* shrug (of one's shoulders)
Achsschenkel *m* MOT stub axle, *Am* steering knuckle
Achsschenkelbolzen *m* MOT kingpin
acht *Adj* eight: ***in ~ Tagen*** in a week('s time); ***heute in ~ Tagen*** today week; ***vor ~ Tagen*** a week ago; ***alle ~ Tage*** every other week
Acht[1] *f* (*Ziffer etc*) eight
Acht[2] *f hist* outlawry

Acht[3] *f* **~ *geben auf*** (*Akk*) **a)** pay attention to, **b)** (*aufpassen*) keep an eye on; ***gib ~!*** look out!, be careful!; ***außer ~ lassen*** disregard; ***etw in ~ nehmen*** take care of s.th., watch s.th; ***sich in ~ nehmen vor*** (*Dat*) beware of, watch out for
achtbar *Adj* respectable, *Firma etc*: reputable, *Leistung etc*: creditable
Achtbarkeit *f* respectability
achte *Adj* eighth: ***am ~n Mai*** on the eighth of May, on May the eighth
Achteck *n* MATHE octagon
Achtel *n* eighth (part) **~finale** *n* SPORT round before the quarter final: ***das ~ erreichen*** reach the last sixteen **~note** *f* MUS quaver, *Am* eighth note
achten I *v/t* respect, (*Gesetz etc*) observe **II** *v/i* **~ *auf*** (*Akk*) **a)** pay attention to, **b)** (*aufpassen*) keep an eye on, watch, **c)** (*schonend behandeln*) be careful with, **d)** (*Wert legen auf*) attach importance to; ***~ Sie darauf, dass ...*** see to it that …
ächten *v/t hist* outlaw, *fig* ostracize, (*verbieten*) ban
achtens *Adv* eighthly
Achter *m Rudern*: eight **~bahn** *f* roller coaster **~deck** *n* SCHIFF quarterdeck
achtfach *Adj u. Adv* eightfold
achthundert *Adj* eight hundred
achtjährig *Adj* **1.** eight-year-old: ***ein ~es Kind*** *a.* a child of eight **2.** *Zeitraum*: of eight years
achtlos *Adj* careless, thoughtless
Achtlosigkeit *f* carelessness
achtmal *Adv* eight times
achtsam *Adj* attentive, (*sorgsam*) careful **Achtsamkeit** *f* carefulness
Achtstundentag *m* eight-hour day
achtstündig *Adj* eight-hour **achttägig** *Adj* lasting a week, a week's *trip etc*
Achtung *f* **1.** (***vor*** for) respect, esteem, regard: ***~ genießen*** be highly regarded; ***in j-s ~ steigen*** rise in s.o.'s esteem; ***sich ~ verschaffen*** make o.s. respected; F ***alle ~!*** hats off! **2.** ***~!*** look out!, *bes* VERW *u.* MIL attention!, (*Aufschrift*) danger!, caution!; ***~, Stufe!*** mind the step!
Achtungserfolg *m* succès d'estime: ***sie erzielten einen ~*** they put up a good (*od* reasonable) show
achtungsvoll *Adj* respectful
achtzehn *Adj* eighteen
achtzig I *Adj* eighty: F ***auf ~ sein*** be hopping mad; ***er ist Mitte ~*** he is in his mid-eighties **II** ♀ *f* eighty **achtziger** *Adj* ***die ~ Jahre*** *e-s Jahrhunderts*: the eighties *Pl* **Achtziger(in)** octogenarian, man (woman) in his (her) eighties
Achtzigerjahre → ***achtziger***
Achtzylindermotor *m* eight-cylinder engine
ächzen *v/i* groan (***vor*** with)
Acker *m* field, (*~land*) farmland **~bau** *m* agriculture, farming **~gerät** *n* agricultural implements *Pl* **~land** *n* farmland
ackern *v/i* **1.** plough, *Am* plow **2.** F (*schuften*) slog (away)
a conto *Adv* WIRTSCH on account
Acryl *n* (*Chemiefaser*) acrylic
Acrylfarbe *f* acrylic paint
Acrylglas *n* acrylic glass
Action *f* action
a. D. *Abk* (= ***außer Dienst***) retired
ad absurdum: ***etw ~ führen*** reduce s.th. to absurdity
ad acta: *fig* ***etw ~ legen*** consider s.th. closed
Adam *m* BIBEL *u. fig* Adam: F ***seit ~s Zeiten*** from the beginning of time
Adam Riese: *hum* ***nach ~*** according to Cocker
Adamsapfel *m* ANAT Adam's apple
Adamskostüm *n hum* ***im ~*** in one's birthday suit
Adapter *m* ELEK adapter
adäquat *Adj* adequate
addieren *v/t* add (up)
Addiermaschine *f* adding machine
Addition *f* addition
ade *Interj* goodby(e) (*a. fig*), so long
Adel *m* aristocracy, nobility (*a. fig*), (*Adelstitel*) title: ***von ~ sein*** be of noble birth **ad(e)lig** *Adj* noble (*a. fig*), titled **Ad(e)lige** *m, f* aristocrat, nobleman (noblewoman): ***die ~n*** *Pl* the nobility *Sg* **adeln** *v/t* make *s.o.* a peer, *a. fig* ennoble
Adelskrone *f* coronet
Adelsstand *m* nobility, peerage
Ader *f allg* vein, (*Schlag*♀) artery, *fig a.* bent: ***er hat e-e humoristische ~*** he has a streak of humo(u)r
Aderlass *m a. fig* bloodletting
ädern *v/t* vein
adieu → ***ade***

Adjektiv *n* adjective
adjektivisch *Adj* adjectival
Adjutant *m* MIL adjutant
Adler *m* eagle **Adlerauge** *n* eagle eye: *fig* **~n haben** be eagle-eyed
Adlernase *f* aquiline nose
Admiral *m* SCHIFF, MIL admiral
Admiralität *f* admiralty
Admiralstab *m* naval staff
adoptieren *v/t* adopt
Adoption *f* adoption
Adoptiveltern *Pl* adoptive parents *Pl*
Adoptivkind *n* adopted child
Adrenalin *n* adrenalin(e)
Adressat(in) addressee
Adressbuch *n* directory, *privat*: address book
Adresse *f* address: WIRTSCH ***erste ~*** first-class borrower; *fig* ***an die falsche ~ geraten*** come to the wrong person; ***an die richtige ~ geraten*** come to the right shop
Adressenverzeichnis *n* mailing list
adressieren *v/t* (**an** *Akk* to) address, direct, (*Waren*) consign: ***falsch ~*** misdirect
adrett *Adj* neat
Adria *f the* Adriatic Sea
Advent *m* Advent
Advents… Advent (*wreath, season, etc*)
Adverb *n* adverb
adverbial *Adj* adverbial
Aerobic *n* SPORT aerobics *Pl* (*a. Sg konstr*) **~training** *n* aerobic workout
aerodynamisch *Adj* aerodynamic
Affäre *f* (*a. Liebes*≈) affair: ***sich aus der ~ ziehen*** get out of it; ***sich gut aus der ~ ziehen*** master the situation
Affe *m* monkey, (*Menschen*≈) ape: F (***blöder***) **~** twit; ***eingebildeter ~*** conceited ass
Affekt *m* emotion: ***im ~*** in the heat of passion **Affekthandlung** *f* JUR act committed in the heat of passion
affektiert *Adj* affected
Affektiertheit *f* affectation
affenartig *Adj* apelike, simian: F ***mit ~er Geschwindigkeit*** like a greased lightning
Affen|brotbaum *m* baobab **~liebe** *f* F doting love **~schande** *f* F crying shame **~theater** *n* F hell of a fuss
Affenzahn *m* F (***e-n ~ draufhaben*** go at) breakneck speed
affig *Adj* F silly, (*geziert*) affected
Äffin *f* she-ape, she-monkey
Afghane *m*, **Afghanin** *f*, **afghanisch** *Adj* Afghan
Afghanistan *n* Afghanistan
Afrika *n* Africa
Afrikaner(in), **afrikanisch** *Adj* African
Afro-Look *m* (***im ~*** with an) Afro hairstyle
After *m* ANAT anus
Ägäis *f the* Aegean Sea
Agave *f* BOT agave
Agent(in) agent **Agentur** *f* agency
Aggregat *n allg* aggregate, TECH unit **~zustand** *m* PHYS aggregate (state)
Aggression *f* aggression **aggressiv** *Adj* aggressive **Aggressivität** *f* aggressiveness
Agitation *f* political agitation **Agitator** *m*, **Agitatorin** *f* (political) agitator **agitatorisch** *Adj* rabble-rousing **agitieren** *v/i* agitate
Agonie *f* MED death throes *Pl*
Agrar… agrarian, agricultural **~erzeugnisse** *Pl* agricultural produce *Sg* **~wirtschaft** *f* rural economy
Ägypten *n* Egypt
Ägypter(in), **ägyptisch** *Adj* Egyptian
ah *Interj* oh!, ah! **äh** *Interj* **1.** *angeekelt*: ugh! **2.** *stotternd*: er! **aha** *Interj* aha!, I see!
Aha-Erlebnis *n* aha-experience
Ahle *f* awl, pricker
Ahn *m* ancestor
ähneln *v/i* (*Dat*) be (*od* look) like, resemble, take after *one's father etc*: ***sich*** (*od* ***einander***) **~** be (*od* look) alike
ahnen I *v/t* (*vorhersehen*) foresee, (*Unglück etc*) have a presentiment (*od* foreboding) of, (*vermuten*) suspect, (*spüren*) sense, guess: ***ohne zu ~, dass …*** without dreaming that …; ***wie konnte ich ~, dass …*** how was I to know that …; ***ich habe es geahnt!*** I knew it! **II** *v/i* ***mir ahnt Böses*** (***nichts Gutes***) I fear the worst
Ahnentafel *f* genealogical table
ähnlich *Adj* similar (*Dat* to): ***~ sein*** → ***ähneln***; F ***das sieht ihm ~!*** that's just like him!; ***so etw ≈es*** s.th. like that
Ähnlichkeit *f* (***mit*** to) likeness, resemblance, similarity: ***~ haben mit*** → ***ähneln***
Ahnung *f* presentiment, F hunch, *böse*:

a. foreboding, misgiving, (*Vermutung*) suspicion: F ***k-e ~!*** no idea!; ***k-e* (*blasse*) *~ haben von*** have not the faintest idea of; ***er hat von Tuten und Blasen k-e ~*** he doesn't know the first thing about it, he hasn't got a clue

ahnungslos *Adj* unsuspecting, (*unwissend*) ignorant

Ahorn *m* maple

Ähre *f* ear: ***~n lesen*** glean

Aids *n* AIDS

aidskrank *Adj*: ***~ sein*** have AIDS

Aidskranke *m, f* AIDS sufferer (*od* patient), person suffering from AIDS **Aidsopfer** *n* AIDS victim **Aidstest** *m* AIDS test: ***e-n ~ machen lassen*** have (*od* go for) an AIDS test

Airbag *m* MOT airbag

Ajatollah *m* ayatollah

Akademie *f* academy, (*Fachschule*) *a.* college

Akademiker(in) university man (woman) **akademisch** *Adj* academic(ally *Adv*): ***~e Bildung*** university education

Akazie *f* BOT acacia

akklimatisieren *v/t* ***sich ~*** *a. fig* acclimatize (***an*** *Akk* to)

Akkord[1] *m* MUS chord

Akkord[2] *m* WIRTSCH (***im ~ arbeiten*** do) piecework **Akkordarbeit** *f* → ***Akkord***[2]

Akkordarbeiter(in) pieceworker

Akkordeon *n* accordion

Akkordsatz *m* piece rate

akkreditieren *v/t* **1.** (*Gesandten etc*) accredit (***bei*** to) **2.** WIRTSCH open a credit for

Akkreditiv *n* **1.** POL credentials *Pl* **2.** WIRTSCH letter of credit (*Abk L/C*): ***j-m ein ~ eröffnen*** open a credit in favo(u)r of s.o.

Akku *m* F, **Akkumulator** *m* accumulator, storage battery

Akkusativ *m* accusative (case)

Akkusativobjekt *n* direct object

Akne *f* MED acne

Akontozahlung *f* payment on account

Akquisiteur(in) WIRTSCH canvasser, agent

Akribie *f* meticulousness

Akrobat(in) acrobat

akrobatisch *Adj* acrobatic

Akt *m* **1.** act (***der Verzweiflung*** *etc* of despair *etc*) **2.** THEAT act: ***in drei ~en*** *a.* three-act *play etc* **3.** (*Geschlechts*~) (sexual) act **4.** KUNST, FOTO nude

Akte *f mst Pl* file, record: ***e-e ~ anlegen*** open a file (***über*** *Akk* on); ***zu den ~n legen*** file, *fig* shelve

Akten|deckel *m* folder **~koffer** *m* attaché case **~kundig** *Adj* on record **~mappe** *f* **1.** folder **2.** → ***Aktentasche*** **~notiz** *f* note, memorandum, F memo **~ordner** *m* file **~schrank** *m* filing cabinet **~tasche** *f* briefcase **~wolf** *m* (paper) shredder **~zeichen** *n* file (*im Brief*: reference) number

Aktfoto *n* nude (photograph)

Aktie *f* share, *Am* stock: ***~n besitzen*** hold shares (*Am* stock) (*Gen* in, of); *a. fig* ***s-e ~n sind gestiegen*** his stock has gone up; F ***wie stehen die ~n?*** how are things?

Aktien|gesellschaft *f* limited company, *Am* (stock) corporation **~index** *m* share index **~kapital** *n* share capital, (joint) stock **~kurs** *m* share price **~markt** *m* stock market, equity market **~mehrheit** *f* majority of stock: ***die ~ besitzen*** hold the controlling interest **~paket** *n* block of shares **~tausch** *m* stock swap(ping)

Aktion *f* (*Handlung*) action, (*Werbe*~) campaign, drive, (*Hilfs*~ *etc*) operation(s *Pl*), (*Maßnahme*) measure(s *Pl*): ***~en*** *Pl* activities *Pl*; ***in ~ treten*** act

Aktionär(in) WIRTSCH shareholder, *Am* stockholder

Aktionsradius *m a.* MIL range (of action)

aktiv *Adj allg* active, *Bilanz*: favo(u)rable, MIL regular: ***~es Wahlrecht*** right to vote; ***~er Wortschatz*** *a.* using vocabulary **Aktiv** *n* LING active (voice) **Aktiva** *Pl* WIRTSCH assets *Pl*: ***~ und Passiva*** assets and liabilities

Aktivbox *f* COMPUTER active speaker

aktivieren *v/t a. fig* activate **Aktivist(in)** POL activist

Aktivposten *m* WIRTSCH *u. fig* asset

Aktivurlaub *m* activity holiday

Aktmodell *n* nude model

aktualisieren *v/t* make topical, *Programm, Buch*: update **aktuell** *Adj* (*zeitnah*) topical, current, present-day, (*modern*) up(-)to(-)date, *the* latest ...: ***ein ~es Problem*** an acute (*od* immediate) problem; ***e-e ~e Sendung*** RADIO, TV a current-affairs program(me *Br*)

⚠ aktuell	≠	actual
aktuell	=	current, *the* latest
actual	=	eigentliche(r,-s); tatsächliche(r, -s)

Akupressur *f* acupressure
Akupunkteur(in) acupuncturist
Akupunktur *f* acupuncture
Akustik *f* acoustics *Pl* (*a. Sg konstr*)
akustisch *Adj* acoustic(ally *Adv*)
akut *Adj* MED acute, *fig a.* urgent
AKW *Abk* = ***Atomkraftwerk***
Akzent *m* accent, (*Betonung, a. fig*) *a.* stress: ***besonderen ~ legen auf*** (*Akk*) stress, emphasize
akzentfrei *Adj u. Adv* without an accent
Akzept *n* WIRTSCH acceptance **akzeptabel** *Adj* acceptable (**für** to), *Preis etc*: *a.* fair
Akzeptanz *f fig* acceptance
akzeptieren *v/t* accept (*a.* WIRTSCH), agree to
Alabaster *m* alabaster
Alarm *m* (***blinder ~*** false) alarm: *a. fig* ***~ schlagen*** sound the alarm **~anlage** *f* alarm system **≈bereit** *Adj* on the alert **~bereitschaft** *f* (***in ~*** on the) alert
alarmieren *v/t* alarm (*a. fig*), (*Polizei etc*) alert, call **~d** *Adj a. fig* alarming
Alarm|stufe *f* alert phase **~zustand** *m* (***in den ~ versetzen*** put on the) alert
Albaner(in), **albanisch** *Adj* Albanian
Albanien *n* Albania
albern I *Adj* silly **II** *v/i* fool around
Albernheit *f* **1.** silliness **2.** silly remark
Albtraum *m a. fig* nightmare
Album *n* album
Alge *f* seaweed, alga, *Pl* algae
Algebra *f* algebra
algebraisch *Adj* algebraic(al)
Algerien *n* Algeria
Algerier(in), **algerisch** *Adj* Algerian
Algorithmus *m* algorithm
Alibi *n* (***ein ~ beibringen*** produce an) alibi **Alibifrau** *f* token woman
Alibifunktion *f* cover-up function
Alimente *Pl* maintenance *Sg*
alkalisch *Adj* CHEM alkaline
Alkohol *m* alcohol, (*Getränk*) *a.* liquor, drink **~einfluss** *m* ***unter ~*** under the influence of alcohol **≈frei** *Adj* nonalcoholic, soft *drink* **~gehalt** *m* alcoholic content **~genuss** *m* consumption of alcohol
Alkoholiker(in), **alkoholisch** *Adj* alcoholic **alkoholisieren** *v/t* alcoholize: ***alkoholisiert*** drunk, JUR under the influence of alcohol
Alkoholismus *m* alcoholism
Alkohol|missbrauch *m* excessive drinking **~nachweis** *m* MOT alcohol (*od* breathalyzer) test **~problem** *n*: ***ein ~ haben*** have a drink problem **~spiegel** *m* blood alcohol concentration **≈süchtig** *Adj* addicted to alcohol **~sünder(in)** F MOT drunken driver **~vergiftung** *f* alcoholic poisoning
all *Indefinitpron* all, (*jeder*) every: ***~e beide*** both (of them); ***wir ~e*** all of us; ***fast ~e*** almost everyone; ***~(e) und jeder*** all and sundry; ***~e Menschen*** all men, everybody; ***~e Welt*** all the world; ***~e zwei Tage*** every (other) day; ***auf ~e Fälle*** at all events; ***ohne ~en Zweifel*** without any doubt; → ***alle, alles***
All *n* universe, (*Weltraum*) (outer) space
allabendlich *Adv* every evening
allbekannt *Adj* well-known, *pej* notorious
alle *Adj präd* F **1.** (*aufgebraucht*) all gone, finished, *Geld*: all spent: ***~ machen*** finish **2.** (*erschöpft*) dead beat, whacked: ***j-n ~ machen*** let s.o. have it
Allee *f* avenue

⚠ Allee	≠	alley
Allee	=	avenue
alley	=	Gasse; Weg

Allegorie *f* allegory
allein I *Adj präd u. Adv allg* alone, (*ohne Hilfe*) *a.* by oneself, on one's own, (*ohne Zeugen*) *a.* in private, (*nur*) only: ***ganz ~*** all alone; ***~ stehen*** *Person*: be unattached, be single; ***einzig und ~*** (simply and) solely; ***du ~ bist schuld!*** it's all your fault!; (***schon***) ***~ der Gedanke*** the very (*od* mere) thought **II** *Konj* (*aber*) but, however; ***~ erziehend*** *Adj* single; ***~ reisende Kinder*** unaccompanied minors; ***~ stehend*** unmarried, single, *weit. S.* unattached
Allein|erbe *m* sole heir **~erbin** *f* sole heiress **~erziehende** *m, f* single parent

(*od* father, mother) **~gang** *m* solo: ***im ~*** SPORT solo, *fig a.* single-handed **~herrschaft** *f* autocracy **~herrscher(in)** autocrat
alleinig *Adj* only, sole, exclusive
Alleininhaber(in) sole owner
Alleinschuld *f* sole responsibility
Alleinsein *n* loneliness: ***Angst vor dem ~*** fear of being alone
Alleinstehende *m*, *f* single
Allein|unterhalter(in) THEAT solo entertainer **~verdiener(in)** sole earner **~verkaufsrecht** *n* monopoly **~vertretung** *f* sole agency **~vertrieb** *m* ***den ~ haben für*** be the sole distributors of
allemal *Adv* F (*leicht*) easily, any time; → ***Mal***
allenfalls *Adv* (*zur Not*) if need be, (*vielleicht*) possibly, perhaps, (*höchstens*) at (the) most, at best
allenthalben *Adv* everywhere
aller… *vor Sup best*, *highest*, *etc* of all, very *best*, *prettiest*, *etc*
allerdings *Adv* **1.** (*jedoch*) but, though, however **2.** F (*gewiss*) indeed, certainly
allererst *Adj* first of all
allergen *Adj*, **Allergen** *n* MED allergenic
Allergie *f* MED allergy: ***e-e ~ gegen etw haben*** be allergic to s.th.
Allergiker(in) MED allergy sufferer
allergisch *Adj* MED allergic (***gegen*** to)
allerhand *Adj* F quite a lot, a good deal: ***das ist (ja) ~!*** *lobend*: not bad!, *tadelnd*: that's a bit thick!
Allerheiligen *n* All Saints' Day
allerhöchstens *Adv* at the very most
allerlei **I** *Adj* all kinds of **II** ♀ *n* medley
allerletzt *Adj* very latest: F ***das ist das ♀e!*** that really is the limit! **allerliebst** *Adj* (very) lovely, sweet **allerneu(e)st** *Adj* very latest: ***die ~e Mode*** the latest fashion (F thing) **allernötigst** *Adj* most necesssary: ***das ♀e*** only what is (*od* was) absolutely necessary
Allerseelen *n* All Souls' Day
allerseits *Adv* F ***guten Morgen ~!*** good morning everybody!
Allerwelts… ordinary, common
Allerwerteste *m* F posterior
alles *Indefinitpron* **1.** all, everything, the lot: ***~ in allem*** (taken) all in all; ***vor allem*** above all; ***er kann ~*** he can do anything; ***auf ~ gefasst sein*** be prepared for the worst; ***j-n über ~ lieben*** love s.o. more than anything; F ***um ~ in der Welt!*** for heaven's sake!; → ***Mädchen 2.*** F everybody: ***~ aussteigen!*** get out everybody, please!
allesamt *Adv* F all (of them *od* us *etc*)
Alleskleber *m* all-purpose glue
Allesschneider *m* food slicer
allgegenwärtig *Adj* omnipresent
allgemein **I** *Adj* general, (*öffentlich*) public: ***von ~em Interesse*** of general interest; ***auf ~en Wunsch*** by popular request; ***unter ~er Zustimmung*** by common consent; ***zur ~en Überraschung*** to everybody's surprise; WIRTSCH ***~e Unkosten*** *Pl* overhead *Sg*; ***~es Wahlrecht*** universal suffrage; ***~e Wehrpflicht*** compulsory military service; ***im ♀en*** → **II** *Adv* generally, in general, (*im ganzen*) on the whole: ***es ist ~ bekannt, dass*** it is a well-known fact that; ***~ beliebt*** popular with everyone; ***~ gesprochen*** generally speaking; ***~ gültig*** universally valid; ***es ist ~ üblich*** it is common practice; ***~ verbreitet*** widespread; ***~ verbindlich*** *Adj* generally binding ***~ verständlich*** *Adj* (easily) intelligible
Allgemein|befinden *n* general state of health **~bildung** *f* general education **~gut** *n fig* common knowledge
Allgemeinheit *f* (general) public
Allgemeinmedizin *f* general medicine: ***Arzt für ~*** general practitioner
Allgemeinwissen *n* general knowledge
Allgemeinwohl *n* public welfare
Allheilmittel *n a. fig* cure-all
Allianz *f* alliance
Alligator *m* alligator
alliiert *Adj* allied: *hist* ***die Alliierten*** the Allies *Pl*
alljährlich *Adj* annual(ly *Adv*), yearly, *Adv a.* every year
Allmacht *f* omnipotence **allmächtig** *Adj* omnipotent, *bes Gott*: almighty
allmählich *Adj* gradual(ly *Adv*), *Adv a.* by degrees, slowly
allmonatlich *Adj u. Adv* monthly
allnächtlich *Adj u. Adv* nightly
Allopathie *f* MED allopathy
Allparteien… all-party …
Allrad… all-wheel (*drive etc*)
Allroundsportler(in) allrounder
allseitig *Adj* (*allgemein*) general, universal, (*vielseitig*) allround: ***zur ~en Zu-***

friedenheit to the satisfaction of everybody **allseits** *Adv* on (*od* from) all sides: ***~ beliebt*** very popular
Alltag *m* everyday life: (***grauer***) ~ daily routine **alltäglich** *Adj* everyday, (*üblich*) usual, (*durchschnittlich*) ordinary, (*banal*) banal, trivial
alltags *Adv* on workdays
Alltags... everyday (*clothes etc*)
allumfassend *Adj* all-embracing
Allüren *Pl mst pej* affectation *Sg*, airs (and graces) *Pl*
Allwetter... all-weather (*flying etc*)
allwissend *Adj* omniscient
allwöchentlich *Adj u. Adv* weekly
allzu *Adv* far too: ***nicht ~ spät*** not too late. ***~ gut*** only too well; ***~ sehr*** all too much; ***~ viel*** too much: ***~ viel ist ungesund*** enough is as good as a feast; ***~ viele Fehler*** far too many mistakes
Allzweck... all-purpose
Alm *f* alpine pasture, alp
Almosen *n* alms *Pl*, *fig pej* pittance, *Am* handout
Almosenempfänger(in) pauper
Alpaka *n* (*~wolle*) alpaca
Alpen *Pl* Alps *Pl* **~rose** *f* Alpine rose **~veilchen** *n* cyclamen **~vorland** *n* foothills *Pl* of the Alps
Alphabet *n* alphabet
alphabetisch *Adj* alphabetical: ***~ ordnen*** → **alphabetisieren** *v/t* arrange in alphabetical order
alphanumerisch *Adj* alphanumeric
alpin *Adj* Alpine: → ***Kombination*** 4
Alpinismus *m* alpinism
Alpinist(in) alpinist
Alptraum → ***Albtraum***
als *Konj* **1.** *im Vergleich*: as, *verneint*: but, *nach Komp*: than: ***sobald ~ möglich*** as soon as possible; ***mehr ~ genug*** more than enough; ***sie ist alles andere ~ hübsch*** she is anything but pretty **2.** *zur Bezeichnung e-r Eigenschaft*: as, in one's capacity of: ***~ Entschuldigung*** as (*od* by way of) excuse; ***er starb ~ Bettler*** he died (as) a beggar; ***~ Mädchen*** (*bzw*. ***als Kind***) as a girl (*bzw*. as a child) **3.** ***~ ob*** as if, as though **4.** ***er ist zu jung, ~ dass er es verstehen könnte*** he is too young to understand it **5.** *zeitlich*: when, as, (*während*) while: ***damals, ~*** at the time when; ***gerade ~*** just as
also *Konj* **1.** (*folglich*) so, therefore **2.** F (*nun*) then: ***~ gut!*** very well (then)!; ***na ~!*** there you are!; ***~ los!*** let's get going, then!; ***du kommst ~ nicht?*** you're not coming then?
alt *Adj* **1.** *allg* old, (*bejahrt*) *a.* aged, (*geschichtlich ~*) *a.* ancient, (*lange bestehend*) *a.* long-standing (*friendship etc*), (*ehemalig*) *a.* former (*pupil etc*), (*unverändert*) unchanged, unchanging: ***~ werden*** → ***altern***; ***das ~e Rom*** ancient Rome; ***die ~en Sprachen*** the classical languages; ***wie ~ bist du?*** how old are you?; ***ein zehn Jahre ~er Junge*** a ten-year-old boy, a boy of ten; ***er ist*** (***doppelt***) ***so ~ wie ich*** he is (twice) my age; *fig* ***das ~e Lied*** the same old story; ***auf m-e ~en Tage*** in my old age; ***in ~en Zeiten*** in former times; ***es bleibt alles beim Sen*** everything remains as it was (before); *hum* ***hier werde ich nicht ~*** I won't be here much longer; F ***~ aussehen*** look a right fool; → ***älter, Hase*** **2.** (*Ggs. frisch*) *allg* old, (*altbacken, schal*) *a.* stale, (*gebraucht*) *a.* second-hand, used: → ***Eisen***
Alt *m* MUS alto
Altar *m* altar **~bild** *n*, **~blatt** *n*, **~gemälde** *n* altarpiece
altbacken *Adj* **1.** stale **2.** F *fig* antiquated
Altbau *m* old building **Altbausanierung** *f* rehabilitation of old housing
Altbauwohnung *f* flat (*Am* apartment) in an old building
altbekannt *Adj* well-known
altbewährt *Adj* well-tried
Alte[1] *m* old man: ***die ~n*** old people; F ***der ~*** (*Vater, Ehemann*) the old man, (*Chef*) the boss; ***er ist wieder ganz der ~*** he is quite himself again
Alte[2] *f* **1.** old woman: F ***die ~*** (*Mutter, Ehefrau*) the old lady (*od* woman), (*Chefin*) the boss **2.** ZOOL mother
altehrwürdig *Adj* time-hono(u)red
alteingesessen *Adj* old-established
Alteisen *n* scrap iron
Altenheim *n* → ***Altersheim*** **Altenpfleger(in)** geriatric nurse **Altenteil** *n fig* ***sich aufs ~ zurückziehen*** retire
Alter *n* **1.** age, (*Bejahrtheit*) (old) age: ***im ~ von 20 Jahren*** at the age of 20; ***er ist in m-m ~*** he is my age; ***mittleren ~s*** middle-aged **2.** (*alte Leute*) old people

älter *Adj* older: ***mein ~er Bruder*** my elder brother; ***e-e ~e Dame*** an elderly lady; ***er ist (3 Jahre) ~ als ich*** he is my senior (by three years); ***er sieht (10 Jahre) ~ aus, als er ist*** he looks (10 years) more than his age
altern *v/i* grow old, *a.* TECH age
alternativ *Adj*, **Alternative** *f* alternative
Alternativmedizin *f* alternative medicine
Alters|erscheinung *f* sign of old age **~genosse** *m*, **~genossin** *f* contemporary **~grenze** *f* age-limit: ***flexible ~*** *für Beamte*: flexible retirement age **~gründe** *Pl* ***aus ~n*** for reasons of age **~gruppe** *f* age group **~heim** *n* old people's home **~klasse** *f bes* SPORT age group **~pyramide** *f* SOZIOL age pyramid **~rente** *f* old-age pension **Ꝏschwach** *Adj* infirm, *a.* F *fig* decrepit, *Stuhl etc*: rickety **~schwäche** *f* infirmity (of old age): ***an ~ sterben*** die of old age **~unterschied** *m* age difference **~versorgung** *f* old-age pension (scheme) **~vorsorge** *f* provision for (one's) old age
Altertum *n* antiquity **altertümlich** *Adj* ancient, (*veraltet*) antiquated
ältest *Adj* oldest, *in der Familie*: eldest
Älteste *m*, *f* oldest, eldest: ***mein ~r*** my eldest son
Altglas *n* TECH used glass **~container** *m* bottle bank
Altgriechisch *n* Old Greek
althergebracht *Adj* traditional
Althochdeutsch *n* Old High German
Altist(in) MUS alto(-singer)
altjüngferlich *Adj* old-maidish
altklug *Adj* precocious
Altlasten *Pl* old neglected deposits *Pl* of toxic waste
ältlich *Adj* elderly, oldish
Altmaterial *n* TECH salvage
Altmeister(in) SPORT ex-champion, *fig* past master
Altmetall *n* scrap metal
altmodisch *Adj* old-fashioned
Altöl *n* TECH waste oil, used oil
Altpapier *n* TECH waste (*od* used) paper
Altphilologe *m*, **Altphilologin** *f* classical philologist
altruistisch *Adj* altruistic
altsprachlich *Adj* classical
Altstadt *f* old town
Altstimme *f* MUS alto (voice)
Altweibersommer *m* Indian summer
Alufolie *f* alumin(i)um foil
Aluminium *n* aluminium, *Am* aluminum
Alzheimerkrankheit *f* Alzheimer's disease
am (*aus*: ***an dem***) *Präp* **1.** at the, on the, *zeitlich*: *a.* in the: ***~ Fenster*** at the window; ***~ Ufer*** on the shore; ***~ 1. Mai*** (on) May 1st, (on) the first of May; ***~ Anfang*** at the beginning; ***~ Himmel*** in the sky; ***~ Leben*** alive; ***~ Morgen*** in the morning; ***~ Wege*** by the wayside **2.** *vor Sup* ***er war ~ tapfersten*** he was (the) bravest; ***~ besten*** best
Amalgam *n* CHEM amalgam
amalgamieren *v/t a. fig* amalgamate
Amaryllis *f* BOT amaryllis
Amateur(in) amateur
Ambiente *n* ambience
Ambition *f* ambition
ambivalent *Adj* ambivalent
Amboss *m* anvil
ambulant *Adj* **1.** MED ambulant, (*a.* ***~ behandelter Patient***) outpatient: *Adv* ***~ behandelt werden*** receive outpatient treatment **2.** WIRTSCH *Gewerbe etc*: itinerant
Ambulanz *f* (*Krankenwagen*) ambulance, (*Klinik*) outpatients' department, (*Unfallstation*) casualty ward, *e-s Betriebes*: first-aid room
Ameise *f* ant
Ameisen|bär *m* anteater **~haufen** *m* anthill **~säure** *f* formic acid **~staat** *m* colony of ants
amen *Interj* amen: *fig* ***zu allem Ja und Ꝏ sagen*** agree (meekly) to everything
Amerika *n* America
Amerikaner(in), **amerikanisch** *Adj* American
amerikanisieren *v/t* Americanize
Amerikanismus *m allg* Americanism
Amethyst *m* amethyst
Ami *m* F Yank
Aminosäure *f* CHEM amino acid
Amme *f* (wet) nurse **Ammenmärchen** *n pej* old wives' tale
Ammer *f* ZOOL bunting
Ammoniak *n* CHEM ammonia
Amnesie *f* MED amnesia
Amnestie *f*, **amnestieren** *v/t* JUR amnesty

Amöbe *f* BIOL am(o)eba
Amok: *~ **laufen** (**fahren**)* run (drive) amok **Amokfahrt** *f* mad drive
Amokläufer(in) person running amok
Amor *m* Cupid
amortisieren **I** *v/t* amortize **II** *v/refl* ***sich ~*** pay for itself
Ampel *f* **1.** hanging lamp **2.** (*Verkehrs*2) traffic light(s *Pl*)
Amperemeter *n* ELEK ammeter
Amperestunde *f* ELEK ampere-hour
Amphibien... amphibian (*tank etc*)
Amphitheater *n* amphitheat/re (*Am* -er)
Ampulle *f* PHARM ampoule
Amputation *f* MED amputation
amputieren *v/t* MED amputate
Amputierte *m, f* MED amputee
Amsel *f* ZOOL blackbird
Amt *n* **1.** (*Posten*) post, office, (*Pflicht*) (official) duty, function, (*Aufgabe*) task: ***von ~s wegen*** ex officio, officially; → ***antreten*** 1, ***bekleiden*** 2, ***entheben*** *etc* **2.** (*Dienststelle*) office, agency, department **3.** TEL exchange
amtieren *v/i* hold office: ***~ als*** act (*od* officiate) as **amtierend** *Adj* **a)** acting *mayor etc*, **b)** reigning *champion etc*
amtlich *Adj* official
Amts|antritt *m* ***bei s-m*** *etc* ***~*** upon his *etc* assuming office **~arzt** *m*, **~ärztin** *f* public-health officer **~bereich** *m* competence **~blatt** *n* official gazette **~eid** *m* ***den ~ ablegen*** take the oath of office, be sworn in **~enthebung** *f* removal from office, dismissal **~führung** *f* administration (of [an] office) **~geheimnis** *n* official secret, (*Schweigepflicht*) official secrecy **~gericht** *n lower district court* **~geschäfte** *Pl* official duties *Pl* **~gewalt** *f* (official) authority **~handlung** *f* official act **~missbrauch** *m* abuse of (official) authority **2müde** *Adj* weary of one's office **~periode** *f* term (of office) **~schimmel** *m hum* red tape **~stunden** *Pl* office hours *Pl* **~träger(in)** office holder **~vorgänger(in)** predecessor (in office) **~vormund** *m* public guardian **~vorsteher(in)** head official **~zeichen** *n* TEL dial(ling) tone **~zeit** *f* term (of office)
Amulett *n* charm
amüsant *Adj* amusing **amüsieren** **I** *v/t* amuse, entertain **II** *v/refl* ***sich ~*** **a)** amuse o.s., have a good time, **b)** (***über*** *Akk*) laugh (at), make fun (of) **Amüsierviertel** *n* nightclub district
an **I** *Präp* (*Dat*) **1.** *zeitlich*: on: ***~ e-m kalten Tag*** on a cold day **2.** *örtlich*: on, at, (*nahe*) by, near, (*neben*) next to: ***~ der Themse*** on the Thames; ***~ der Wand*** on the wall; ***~ der Kreuzung*** at the crossing; ***alles ist ~ s-m Platz*** everything is in its place; ***Tür ~ Tür wohnen*** live door to door; *fig* ***Kopf ~ Kopf*** neck and neck; ***er hat so etw ~ sich*** there is s.th. about him; ***es ist ~ ihm zu reden*** it is up to him to speak; ***~ s-r Stelle*** in his place **3.** (*bei*) by: ***j-n ~ der Hand führen*** lead s.o. by the hand; ***j-n ~ der Stimme erkennen*** recognize s.o. from (*od* by) his voice **4.** ***~ (und für) sich*** in itself, as such **II** *Präp* (*Akk*) **5.** (*bestimmt für*) to, for: ***ein Brief ~ mich*** a letter for me **6.** (*gegen*) at, *stärker*: against: ***~ die Tür klopfen*** knock at the door **III** *Adv* **7.** ***von ... ~*** from ... (on *od* onward); ***von heute ~*** from today (on); ***von nun ~*** from now on, henceforth **8.** F ***~ - aus*** on - off; ***das Licht ist ~*** the light is on; ***er hatte noch s-n Mantel ~*** he still had his coat on **9.** F ***~ die 100 Euro kosten*** cost about 100 euros
Anabolikum *n* MED anabolic steroid
Anachronismus *m* anachronism
anal *Adj* MED, PSYCH anal
Analgetikum *n* MED analgesic
analog *Adj* **1.** analogous (***zu*** to) **2.** IT analog(ue)
Analogie *f* analogy
Analog|armbanduhr *f* analog(ue) watch **~rechner** *m* analog(ue) computer **~uhr** *f* analog(ue) clock
Analphabet(in) illiterate (person)
Analphabetentum *n* illiteracy
Analverkehr *m* anal intercourse
Analyse *f* analysis **analysieren** *v/t* analy/se (*Am* -ze) **Analysis** *f* analysis **Analytiker(in)** PSYCH analyst **analytisch** *Adj* analytic(al)
Anämie *f* MED an(a)emia
Ananas *f* BOT pineapple
Anarchie *f* anarchy **Anarchismus** *m* anarchism **Anarchist(in)** anarchist **anarchistisch** *Adj* anarchic(al)
Anästhesie *f* MED an(a)esthesia
Anästhesist(in) MED an(a)esthetist
Anatomie *f* **1.** anatomy **2.** institute of

anatomy **~saal** *m* dissecting room
anatomisch *Adj* anatomical
anbahnen I *v/t* pave the way for, (*Gespräch etc*) open, begin **II** *v/refl* ***sich*** ~ be developing
anbändeln *v/i* F ***mit j-m ~*** **a)** make up to s.o., **b)** → ***anlegen*** 14
Anbau *m* **1.** LANDW cultivation **2.** ARCHI annex, extension **anbauen** *v/t* **1.** LANDW cultivate, grow **2.** (***an*** *Akk* to) build, add
Anbau|fläche *f* LANDW **a)** arable land, **b)** area under cultivation **~küche** *f* unit kitchen **~möbel** *Pl* sectional (*od* unit) furniture *Sg* **~schrank** *m* cupboard unit **~wand** *f* wall unit
anbehalten *v/t* (*Kleid etc*) keep on
anbei *Adv* WIRTSCH ***~ erhalten Sie*** enclosed please find; ***~ schicke ich*** I am enclosing
anbeißen I *v/t* bite into **II** *v/i Fisch*: bite, *a. fig* take the bait
anbellen *v/t a. fig* bark at
anberaumen *v/t* fix, appoint
anbeten *v/t a. fig* worship, adore
Anbeter(in) worship(p)er, (*Verehrer*) admirer
Anbetracht: ***in ~*** (*Gen*) considering, in view of
anbetteln *v/t* ***j-n ~*** beg s.o. (***um*** for)
Anbetung *f* worship, adoration
anbiedern *v/refl* ***sich ~*** *pej* ingratiate o.s. (***bei*** with)
anbieten I *v/t* offer **II** *v/refl* ***sich ~*** *Person*: offer one's services, *Gelegenheit*: present itself
Anbieter(in) 1. (*Händler*) supplier **2.** WIRTSCH (potential) seller **3.** TEL carrier **4.** IT provider
anbinden *v/t* (***an*** *Dat od Akk* to) tie (up), bind, (*Boot*) moor, (*Tier*) *a.* tether, *fig verkehrsmäßig, politisch etc*: link: → ***angebunden***
Anblick *m* (***beim ersten ~*** at first) sight
anblicken *v/t* look at, *flüchtig*: glance at: ***j-n finster ~*** scowl at s.o.
anblinken *v/t* flash one's headlights at
anbraten *v/t* GASTR roast briefly
anbrechen I *v/t* (*Vorräte etc*) break into, (*Dose, Packung etc*) start (on), (*Flasche*) *a.* open **II** *v/i* begin, *Tag, fig neue Zeit*: dawn, *Nacht*: fall
anbrennen *v/i* (*a.* ***~ lassen***) burn: F ***er lässt nichts ~*** he doesn't miss a trick
anbringen *v/t* **1.** (*Schild, Vorhang etc*) put up, (***an*** *Dat* to) fix, fasten **2.** F bring (along) **3.** (*Bitte etc, a. Verbesserungen*) make, (*Gründe*) give, (*Bemerkung etc*) get in, (*Wissen*) display, (*Schlag*) land: ***Kritik ~*** criticize; → ***angebracht***
Anbruch *m* beginning, dawn
anbrüllen *v/t* ***j-n ~*** bawl at s.o.
Andacht *f* REL **a)** devotion, **b)** (*Gebet*) prayers *Pl*, **c)** (short) service
andächtig *Adj* **1.** devout, pious **2.** *fig* rapt, attentive, *Stille etc*: solemn: *Adv* ***~ zuhören*** listen with rapt attention
andauern *v/i* last, continue, go on, *hartnäckig*: persist **andauernd I** *Adj* constant, continual, (*ständig*) incessant, (*hartnäckig*) persistent **II** *Adv* constantly *etc*: ***etw ~ tun*** keep doing s.th.
Andenken *n* **1.** (***zum ~*** in) memory (***an*** *Akk* of) **2.** (*Geschenk*) keepsake, (*Reise*~) souvenir (***an*** *Akk* of)
ander I *Adj* **1.** *allg* other, (*weitere*) *a.* further, (*nächste*) *a.* next, (*zweite*) *a.* second, (*übrig*) *a.* the rest of, (*verschieden*) *a.* different: ***ein ~es Buch*** another book; ***die ~en*** (*übrigen*) ***Bücher*** the rest of the books; ***am ~en Tag*** (on) the next day; ***ein ~es Hemd anziehen*** put on a new shirt; ***das ~e Geschlecht*** the opposite sex; ***er ist ein ganz ~er Mensch*** he is a changed man; → ***Ansicht*** 1 **II** *Indefinitpron* **2.** ***ein ~er, e-e ~e*** someone else; ***die ~en*** the others; ***der eine oder ~e*** someone or other; ***kein ~er als*** no one else (*od* none) but, (*kein Geringerer als*) no less than **3.** ***~es, andres*** other things *Pl*; ***alles ~e*** everything else; ***alles ~e als*** anything but, far from; ***unter ~em*** among other things; ***eins nach dem ~en*** one thing after the other; ***das ist etw ganz ~es*** that's a different thing altogether
anderenfalls *Adv* otherwise
andererseits *Adv* on the other hand
Anderkonto *n* WIRTSCH third-party account
andermal *Adv* ***ein ~*** some other time
ändern I *v/t* change, (*a. Kleidungsstück*) alter, (*variieren*) vary: ***sein Testament ~*** alter one's will; ***es lässt sich nicht ~*** it can't be helped; ***ich kann es nicht ~*** I cannot help it; ***das ändert nichts an der Tatsache, dass …*** that doesn't alter the fact that … **II** *v/refl* ***sich ~*** alter,

change: ***die Zeiten ~ sich*** times are changing; ***das Wetter ändert sich*** there will be a change in the weather
anders *Adv* **1.** differently (***als*** from): ***~ werden*** change; ***~ als s-e Freunde*** unlike his friends; ***~ gesagt*** in other words; ***~ denkend*** thinking differently, POL *a.* dissident **2.** *bei Pron*: else: ***jemand ~*** somebody (*od* anybody) else; ***niemand ~ als er*** nobody but he; ***wer ~?*** who else? **andersartig** *Adj* different **andersgläubig** *Adj* of a different faith, heterodox
andersherum I *Adv* the other way round **II** *Adj* F (*homosexuell*) queer
anderswo *Adv*, **anderswohin** *Adv* elsewhere, somewhere else
anderthalb *Adj* one and a half: ***~ Pfund*** a pound and a half
Änderung *f* change, *a. von Kleidung*: alteration, (*Ab*~) modification
Änderungsantrag *m* POL amendment
anderweitig I *Adj* **1.** other, further **II** *Adv* **2.** otherwise: ***wir haben die Stellung ~ vergeben*** we have given the job to s.o. else **3.** elsewhere
andeuten I *v/t* **1.** hint at, suggest, intimate, (*kurz erwähnen*) mention *s.th.* briefly, indicate **2.** KUNST *u. fig* outline **II** *v/refl* ***sich ~*** **3.** *Veränderung etc*: be in the offing **Andeutung** *f* hint, suggestion (*beide a. fig Spur*), *versteckte*: insinuation **andeutungsweise** *Adv* ***~ zu verstehen geben*** → ***andeuten*** 1
Andorra *n* Andorra
Andrang *m* crush, press, (*Ansturm*) rush, WIRTSCH run (***auf*** *Akk* on)
andrehen *v/t* **1.** (*Gas etc*) turn on, (*Licht etc*) *a.* switch on **2.** F *fig* ***j-m etw ~*** fob s.th. off on s.o.
androhen *v/t* ***j-m etw ~*** threaten s.o. with s.th. **Androhung** *f* threat: JUR ***unter ~ von*** (*od Gen*) under penalty of
Androide *m* android
anecken *v/i* F give offen/ce (*Am* -se) (***bei*** to)
aneignen *v/t* ***sich ~*** **1.** appropriate *s.th.* to o.s., take possession of, *widerrechtlich*: misappropriate, usurp **2.** (*Kenntnisse etc*) acquire, (*Meinung etc*) adopt
Aneignung *f* **1.** appropriation **2.** acquisition
aneinander *Adv* (to, of, *etc*) each other: ***~ denken*** think of each other; ***~ geraten*** (***mit*** with) clash, (*handgemein werden*) come to blows; ***~ grenzen*** border on each other; ***~ reihen*** line up, *fig* string *words etc* together
Anekdote *f* anecdote
anekeln *v/t* disgust, sicken: ***es ekelt mich an*** it makes me sick
Anemone *f* BOT anemone
anerkannt *Adj* recognized, (*allgemein ~*) accepted, *Tatsache*: established
anerkennen *v/t* acknowledge, recognize, (*Ansprüche etc*) admit, (*lobend ~*) appreciate, (*billigen*) approve (*Wechsel*) hono(u)r: *ein Tor* (***nicht***) *~* (dis)allow; ***~de Worte*** appreciative words
anerkennenswert *Adj* commendable
Anerkennung *f* acknowledgement, recognition (*a.* POL), (*lobende ~*) appreciation, (*Billigung*) approval, WIRTSCH *e-s Wechsels*: acceptance: ***in ~*** (*Gen*) in recognition of; ***~ verdienen*** deserve credit
anerziehen *v/t* ***j-m etw ~*** instil(l) s.th. into s.o. **anerzogen** *Adj* acquired
anfachen *v/t* fan, *fig* kindle, stir up
anfahren I *v/i* **1.** start (up) **II** *v/t* **2.** (*Güter etc*) deliver, F (*Getränke etc*) bring on **3.** (*rammen*) run into, (*a. Person*) hit, MOT collide with **4.** (*ansteuern*) stop (SCHIFF call) at **5.** TECH start **6.** F ***j-n ~*** snap at s.o.
Anfahrt *f* **1.** journey, ride **2.** (*Zufahrt*) approach, *vor e-m Haus*: drive
Anfall *m* **1.** MED attack, fit (*a. fig*), *leichter*: touch: *hum* ***in e-m ~ von Großzügigkeit*** in a fit (*od* burst) of generosity **2.** WIRTSCH, JUR accrual (*of a dividend etc*)
anfallen I *v/t* attack **II** *v/i* (*sich ergeben*) result, *Arbeit etc*: come up, *Kosten etc*: arise, *Gewinn etc*: accrue
anfällig *Adj* ***~ für*** *a. fig* susceptible (*od* prone) to **Anfälligkeit** *f* proneness (***für*** to), *weit. S.* delicacy
Anfang *m* beginning, start: ***am ~, im ~, zu ~*** → ***anfangs***; ***von ~ an*** (right) from the beginning (*od* start); ***~ Mai*** early in May; ***den ~ machen*** begin, lead off; ***ein ~ ist gemacht*** a start has been made; ***in den Anfängen stecken*** be in its infancy
anfangen I *v/t* begin, start, (*machen*) do: ***ein neues Leben ~*** turn over a new

leaf; ***was soll ich bloß ~?*** what on earth am I to do?; ***er hat wieder angefangen zu rudern*** he has taken up rowing again; ***etw schlau ~*** set about s.th. cleverly; ***mit ihm ist nichts anzufangen*** he's hopeless **II** *v/i* begin, start: ***mit der Arbeit ~*** begin (*od* start) (to) work; ***bei e-r Firma ~*** start work(ing) with a firm; ***immer wieder von etw ~*** keep harping on s.th.; ***ich weiß nichts damit anzufangen*** I don't know what to do with (*fig* make of) it; ***das fängt ja gut an!*** that's a fine start; ***du hast angefangen!*** you started it!; ***fängst du schon wieder an?*** are you at it again?

Anfänger(in) beginner

Anfängerkurs(us) *m* beginners' course

anfänglich I *Adj* initial, (*ursprünglich*) original **II** *Adv* → **anfangs** *Adv* at first, at (*od* in) the beginning

Anfangs|buchstabe *m* initial letter: ***großer*** (***kleiner***) ~ capital (small) letter **~gehalt** *n* starting (*od* initial) salary **~gründe** *Pl* rudiments *Pl* **~kapital** *n* opening capital **~stadium** *n* initial stage **~zeit** *f* starting time

anfassen I *v/t* **1.** seize, grab (***an*** *Dat* by), (*berühren*) touch: ***j-n ~*** take s.o. by the hand; *fig Politiker etc* ***zum*** ꝸ ... of the people, popular **2.** *fig* (*behandeln*) treat, handle, (*Problem etc*) tackle **II** *v/i* **3.** (***mit***) ~ lend a hand, help

anfauchen *v/t Katze*: spit at: *fig* ***j-n ~*** snap at s.o.

anfechtbar *Adj a.* JUR contestable

anfechten *v/t* contest (*a.* JUR), (*Urteil*) appeal from **Anfechtung** *f* **1.** contesting, *e-s Urteils*: appeal (*Gen* from) **2.** (*Versuchung*) temptation

anfeinden *v/t* be hostile to: ***angefeindet werden*** meet with hostility

Anfeindung *f* hostility (*Gen* to)

anfertigen *v/t allg* make, WIRTSCH, TECH *a.* manufacture, PHARM prepare, (*Übersetzung, Zeichnung etc*) do: ***ein Gutachten ~*** deliver an expert opinion (***über*** *Akk* on)

Anfertigung *f* making *etc*, manufacture

anfeuchten *v/t* moisten

anfeuern *v/t fig* encourage, *durch Zurufe*: cheer (on), *Am* F root for

anflehen *v/t* implore

anfliegen I *v/t planmäßig*: fly to, *weit. S.* land at **II** *v/i* approach: ***angeflogen kommen*** come flying (along)

Anflug *m* **1.** FLUG approach: ***im ~ sein auf*** (*Akk*) be approaching **2.** *fig* (*Spur*) touch, trace, hint

Anflugschneise *f* FLUG approach lane

anfordern *v/t* ask for, demand, request

Anforderung *f* demand, request (*beide*: *Gen* for), (*Leistungs*ꝸ) demands *Pl*, standard: ***auf ~*** on request; ***allen ~en genügen*** meet all requirements, *Am* fill the bill; ***den ~en nicht genügen*** not to be up to standard; ***hohe ~en stellen*** make high demands (***an*** *Akk* on), *Aufgabe etc*: *a.* be very exacting

Anfrage *f* inquiry, *a.* PARL question

anfragen *v/i* inquire (***bei j-m wegen etw*** of s.o. about s.th.)

anfreunden *v/refl* ***sich ~*** become friends; ***sich mit j-m ~*** make friends with s.o.; ***sich mit e-m Gedanken*** *etc* ~ get to like the idea *etc*

anfügen *v/t* **1.** add **2.** (*beilegen*) enclose (*Dat* with) **3.** TECH join, attach

anfühlen *v/t* (*a.* ***sich ~***) feel

anführen *v/t* **1.** lead, (*Tabelle etc*) *a.* be at the head of, MIL command **2.** (*erwähnen*) state, mention, *einzeln*: specify, (*Gründe, Fakten etc*) give, (*Zeugen, Beweise etc*) produce, (*Beispiel, Buch etc*) quote: ***zur Entschuldigung ~*** plead (as an excuse) **3.** F ***j-n ~*** dupe s.o., fool s.o.

Anführer(in) leader

Anführungs|striche, **~zeichen** *Pl* quotation marks *Pl*, inverted commas *Pl*

Angabe *f* **1.** statement, declaration, *genaue*: specification, (*Preis*ꝸ) quotation: ***~n*** *Pl* information *Sg*; ***nähere ~n machen*** give (further) details; ***~n zur Person*** personal data; ***ohne ~ von Gründen*** without giving reasons **2.** F showing-off **3.** *Tennis etc*: service

angaffen *v/t* F gawk at, gape at

angeben I *v/t* **1.** give, state, *genau*: specify, (*Wert etc*) declare, (*Preise etc*) quote, (*Termin etc*) fix, (*Zeugen etc*) name, (*Richtung etc*) indicate, (*Tempo etc*) set: ***zu niedrig ~*** understate **II** *v/i* **2.** F (***mit***) show off ([with] *s.o., s.th.*), brag (about, of) **3.** *Kartenspiel*: deal first **4.** *Tennis etc*: serve

Angeber(in) F show-off **Angeberei** *f* F showing-off **angeberisch** *Adj* F bragging, (*protzig*) showy

angeblich I *Adj* alleged, *pej* would-be **II**

Adv allegedly: ~ ***ist er reich*** he is said to be rich
angeboren *Adj* innate, inborn (*beide*: *Dat* in), MED congenital, hereditary
Angebot *n* offer, *Auktion*: bid, (*Waren*≈) supply, (*Ausschreibungs*≈) tender, *Am* bid: ~ ***und Nachfrage*** supply and demand
angebracht *Adj* (*ratsam*) advisable, (*angemessen*) appropriate, proper: ***nicht*** ~ → ***unangebracht***; ***es für*** ~ ***halten zu*** *Inf* see fit to *Inf*
angebunden *Adj fig* ***kurz*** ~ curt, short, brusque
angegossen *Adj* F ***wie*** ~ ***passen*** (*od* ***sitzen***) fit like a glove
angegriffen *Adj* exhausted, *Gesundheit etc*: impaired, *Organ*, *Nerven*: affected: ~ ***aussehen*** look worn out
angehaucht *Adj* F *fig* ***er ist kommunistisch*** (***künstlerisch***) ~ he has Communist leanings (an artistic bent)
angeheiratet *Adj* (related) by marriage: ~***er Vetter*** cousin by marriage
angeheitert *Adj* (a bit) tipsy, merry
angehen **I** *v/i* **1.** F begin, start, *Licht etc*: go on, *Feuer etc*: (begin to) burn **2.** *Pflanze etc*: take root **3.** ~ ***gegen*** fight against **II** *v/t* **4.** (*Gegner etc*, *a.* SPORT) attack, (*a. fig Problem etc*) tackle **5.** *fig* (*betreffen*) concern: ***das geht dich nichts an!*** that's none of your business!; ***was geht mich das an?*** what's that got to do with me? **6.** F ***j-n um etw*** ~ ask s.o. for s.th. **III** *v/unpers* **7.** ***es geht an*** it's passable; ***es kann nicht*** ~, ***dass ...*** it can't be true that ...
angehend *Adj* future, *Künstler etc*: budding: ~***er Vater*** father to be
angehören *v/i* (*Dat*) belong (to) (*a. fig*), *e-m Verein etc*: *a.* be a member (of): *fig* ***das gehört der Vergangenheit an*** that's a thing of the past
Angehörige *m*, *f* **1.** (*Familien*≈) relative, *abhängig*: dependant: ***m-e*** ~***n*** my family; ***die nächsten*** ~***n benachrichtigen*** notify the next of kin **2.** (*Mitglied*) member
Angeklagte *m*, *f* JUR defendant
angeknackst *Adj* F *fig* → ***angeschlagen*** 3
Angel[1] *f* (*Tür*≈) hinge: *a. fig* ***aus den*** ~***n heben*** unhinge; ***zwischen Tür und*** ~ **a)** in passing, **b)** in a hurry
Angel[2] *f* fishing rod
Angelegenheit *f* affair, matter: ***das ist m-e*** ~ that's my business; ***kümmere dich um d-e*** ~***en!*** mind your own business!
angelehnt *Adj Tür etc*: ajar
angelernt *Adj Arbeiter*: semiskilled
Angelgerät *n* fishing tackle
Angelhaken *m* fish(ing) hook
angeln **I** *v/i* (***nach*** for) fish, angle **II** *v/t* (*a.* F *fig* ***sich*** ~) catch, hook
Angelpunkt *m fig* pivot, central issue
Angelrute *f* fishing rod
Angelsachse *m*, **Angelsächsin** *f*, **angelsächsisch** *Adj* Anglo-Saxon
Angelschein *m* fishing permit
Angelschnur *f* fishing line
angemessen *Adj* suitable, appropriate, adequate (*alle*: *Dat* to), *Preis etc*: reasonable, fair, *Strafe*: just
angenehm *Adj* (*Dat* to) pleasant, agreeable: → ***verbinden*** 2
angenommen **I** *Adj Kind etc*: adopted, *Name*: *a.* assumed **II** *Konj* suppose, supposing
angepasst *Adj* PSYCH adjusted
Angepasstheit *f* adjustment
angeregt **I** *Adj* animated, lively **II** *Adv* animatedly: ***sich*** ~ ***unterhalten*** *a.* have a lively conversation
angereichert *Adj* CHEM enriched
angeschlagen *Adj* **1.** *Geschirr etc*: chipped **2.** *Boxer*: groggy **3.** *fig seelisch*: shaken, *Gesundheit etc*: shaky
angeschlossen *Adj Sender etc*: connected, linked-up
angeschmutzt *Adj* soiled
angesehen *Adj* respected, *Firma etc*: reputable, *Person*: distinguished
Angesicht *n* face: ***von*** ~ by sight; ***von*** ~ ***zu*** ~ face to face; ***im*** ~ (*Gen*) → ***angesichts*** 2 **angesichts** *Präp* (*Gen*) **1.** at the sight of **2.** *fig* in view of
angespannt *Adj Nerven etc*: strained, *a. Lage etc*: tense, *Person*: tense(d up), *Aufmerksamkeit*: close: *Adv* ~ ***zuhören*** listen intently
Angestellte *m*, *f* (salaried) employee: WIRTSCH ***die*** ~***n*** *a.* the staff **Angestelltenversicherung** *f* employees' insurance
angestrengt *Adj* strained, *Aufmerksamkeit etc*: close: *Adv* ~ ***nachdenken*** think hard

angetan *Adj* **~ sein von** be taken with; → **antun** 2
angetrunken *Adj* slightly drunk
angewandt *Adj Künste etc*: applied
angewiesen *Adj* **~ sein auf** (*Akk*) depend on
angewöhnen *v/t* **j-m etw ~** get s.o. used to s.th.; **sich** *etw* **~** get into the habit of, take to *smoking etc*
Angewohnheit *f* (**aus ~** from) habit
angewurzelt *Adj* **wie ~ dastehen** stand rooted to the spot
Angina *f* MED tonsillitis
angleichen *v/t* (*a.* **sich ~**) (*Dat*, **an** *Akk* to) adapt, adjust **Angleichung** *f* (**an** *Akk* to) adaptation, adjustment
Angler(in) angler
angliedern *v/t* (**an** *Akk* to) affiliate, POL (*Gebiet etc*) annex **Angliederung** *f* affiliation, POL annexation
Anglikaner(in), **anglikanisch** *Adj* Anglican
Anglist(in) professor (*od* student) of English **Anglistik** *f* English language and literature, *Am* English philology
Anglizismus *m* Anglicism
Anglo... Anglo-...
anglotzen *v/t* F stare at, gape at
Angola *n* Angola
Angorawolle *f* angora wool
angreifbar *Adj* open to attack, *fig a.* vulnerable **angreifen I** *v/t* **1.** attack (*a.* SPORT *u. fig*), CHEM corrode: JUR (**tätlich**) **~** assault **2.** (*schwächen*) weaken, (*Augen etc*) affect, (*Nerven*) strain: → **angegriffen 3.** (*Vorräte etc*) break into **4.** *fig* tackle **II** *v/i* **5.** attack
Angreifer(in) attacker (*a.* SPORT *u. fig*), POL aggressor
angrenzen *v/i* **~ an** (*Akk*) border on
angrenzend *Adj* adjacent, adjoining, *fig Gebiet etc*: related
Angriff *m* attack (*a.* SPORT *u. fig*): JUR (**tätlicher**) **~** assault (and battery); **zum ~ übergehen** take the offensive, SPORT begin to attack; *fig* **etw in ~ nehmen** tackle s.th.
Angriffs|fläche *f fig* point of attack: **j-m e-e ~ bieten** give s.o. a handle **~krieg** *m* war of aggression **≈lustig** *Adj* aggressive **~spiel** *n* SPORT attacking play **~waffe** *f* offensive weapon
angrinsen *v/t* grin at
Angst *f* fear, *große*: dread, terror (*alle*: **vor** *Dat* of), (*Unruhe*, *a.* PSYCH) anxiety (**um** about): (**nur**) **k-e ~!** don't be afraid!; **aus ~ lügen** lie out of fear; **aus ~, bestraft zu werden** for fear of being punished; **~ haben** be scared (*od* afraid) (**vor** *Dat* of); **um j-n ~ haben** be worried about s.o.; **j-n in ~** (**und Schrecken**) **versetzen** frighten s.o. (to death); F **es mit der ~** (**zu tun**) **bekommen** get the wind up; **mir ist ≈ und bange** I'm scared stiff

⚠ **Angst haben**	≠	**be anxious**
Angst haben	=	be scared/ frightened/ afraid (vor of)
be anxious	=	besorgt sein

Angstgegner *m* SPORT bogy team
Angsthase *m* scaredy-cat
ängstigen *v/t* alarm, frighten, (*besorgt machen*) worry: **sich ~** be afraid (**vor** *Dat* of), (*sich sorgen*) be worried (**um** about)
Angstkäufe *Pl* WIRTSCH panic buying *Sg*
ängstlich *Adj* timid, nervous, (*besorgt*) anxious: *Adv* **~ gehütet** jealously guarded; **~ bemüht zu** *Inf* anxious to *Inf*
Ängstlichkeit *f* nervousness, timidity, anxiety
Angstneurose *f* anxiety neurosis **Angstschrei** *m* cry of fear **Angstschweiß** *m* cold sweat **angstvoll** *Adj* anxious, fearful **Angstzustand** *m* (state of) anxiety: F **Angstzustände kriegen** get hysterical with fear
angucken *v/t* F look at
anhaben *v/t* **1.** F (*Kleidung*) wear, (*a. Licht etc*) have on **2. j-m nichts ~ können** be unable to get at s.o.
anhaften *v/i* **1.** (*Dat* to) stick, cling **2.** *fig Mängel etc*: be inherent (*Dat* in)
anhalten I *v/t* **1.** *allg* stop, (*Pferd, Auto etc*) *a.* pull up: **den Atem ~** hold one's breath; **mit angehaltenem Atem** with bated breath **2. j-n zu Fleiß** *etc* **~** urge s.o. to be *diligent etc* **II** *v/i* **3.** stop, pull up **4.** (*andauern*) last, continue, go on, *Wetter*: hold **anhaltend** *Adj* constant,

Regen etc: persistent, *Bemühungen etc*: sustained **Anhalter(in)** F hitchhiker: ***per Anhalter fahren*** hitchhike
Anhaltspunkt *m* clue: ***k-e ~e haben*** have nothing to go by
Anhang *m* **1.** *e-s Buches etc*: appendix, (*Ergänzung*) supplement, (*Nachtrag*) annex **2.** (*Angehörige*) dependants *Pl*, family *Sg*, (*Gefolgschaft*) followers *Pl*
anhängen I *v/t* **1.** hang up, (***an*** *Akk* to) MOT, BAHN couple, *fig* (*anfügen*) add **2.** F ***j-m etw ~*** → ***andrehen*** 2; ***j-m e-n Mord*** *etc* **~** pin a murder *etc* on s.o. **II** *v/i* **3.** *e-r Mode, Sekte etc*: follow, *e-r Idee*: believe in: *fig* ***j-m ~*** *Ruf etc*: cling to s.o. **III** *v/refl* **4.** ***sich ~*** (***an*** *Akk* to) hold on, cling; F *fig* ***sich ~ an*** (*Akk*) *beim Fahren, Laufen etc*: follow
Anhänger *m* **1.** (*Schmuck*) pendant **2.** MOT trailer **3.** (*Koffer*♀ *etc*) tag, label
Anhänger(in) follower, supporter, (*Jünger*) disciple, SPORT *etc* fan
Anhängerkupplung *f* trailer coupling
Anhängerschaft *f* followers *Pl*, following, SPORT *etc* fans *Pl*
anhängig *Adj Prozess etc*: pending: ***e-e Klage ~ machen*** institute legal proceedings
anhänglich *Adj* (*treu*) devoted, (*zärtlich*) affectionate
Anhängsel *n* appendage (*a.* F *Person*)
anhauchen *v/t* → ***angehaucht***
anhauen *v/t* F → ***angehen*** 6
anhäufen *v/t* (*a.* ***sich ~***) accumulate, pile up **Anhäufung** *f* accumulation
anheben *v/t* lift (up), *a. fig* (*Löhne etc*) raise
anheften *v/t* (***an*** *Akk* to) fasten, (*annähen*) tack, baste, *mit Nadeln etc*: pin
anheim *Adv* ***es j-m ~ stellen*** leave it to s.o.('s discretion)
anheimelnd *Adj* hom(e)y, (*gemütlich*) cosy, (*vertraut*) familiar
anheizen *v/t* (*Kessel*) fire, F *fig* fuel, (*Konjunktur etc*) heat up: ***die Stimmung ~*** whip up emotions
anheuern *v/t* (*a.* ***sich ~ lassen***) sign on
Anhieb *m* F ***auf ~*** at the first go, (*sofort*) right off, *sagen können*: *a.* off the cuff
anhimmeln *v/t* F idolize, adore
Anhöhe *f* rise, hill, elevation
anhören I *v/t* (*Vortrag etc*) listen to (*a.* ***sich ~***), (*Zeugen etc*) hear: ***mit ~*** overhear; ***j-n bis zu Ende ~*** hear s.o. out; ***das hört man ihm an!*** you can tell by the way he talks! **II** *v/refl* ***sich ~*** F ***das hört sich gut an!*** that sounds good! **Anhörung** *f* JUR, PARL hearing
Anilinfarbe *f* anilin(e) dye
animalisch *Adj* animal, *pej* brutish
Animateur(in) (guest) host, entertainments officer
Animierdame *f* hostess **animieren** *v/t* (*j-n*) encourage, *a.* FILM animate
Animosität *f* animosity
Anis *m* BOT anise, (*Gewürz*) aniseed
ankämpfen *v/i* **~ *gegen*** fight against
Ankauf *m* buying, purchase
ankaufen *v/t* buy, purchase
Anker *m* **1.** SCHIFF anchor (*a.* TECH): ***vor ~ gehen*** drop anchor; ***den ~ lichten*** weigh anchor; ***vor ~ liegen*** ride at anchor **2.** ELEK armature **Ankerkette** *f* cable
ankern *v/i* **a)** (cast) anchor, **b)** ride at anchor
Ankerplatz *m* anchorage **Ankertau** *n* cable **Ankerwinde** *f* windlass
anketten *v/t* chain (***an*** *Akk* to)
Anklage *f* accusation, charge, JUR *a.* indictment (***wegen*** for): **~ *erheben*** bring (*od* prefer) a charge (***wegen*** of); ***unter ~ stehen*** (***wegen***) **a)** be accused (of), **b)** be on trial (for)
Anklagebank *f* (***auf der ~*** in the) dock
anklagen *v/t* (*Gen od* ***wegen***) accuse (of), charge (with) **anklagend** *Adj* accusing **Ankläger(in)** JUR accuser: ***öffentlicher Ankläger*** Public Prosecutor
Anklageschrift *f* (bill of) indictment
Anklagevertreter(in) counsel for the prosecution
anklammern (***an*** *Akk* to) **I** *v/t* (*Wäsche*) peg (on), TECH cramp, *mit Büroklammern*: clip **II** *v/refl* ***sich ~*** *a. fig* cling
Anklang *m* (***großen***) **~ *finden*** (***bei***) be well received (by), go down well (with); ***k-n ~ finden*** fall flat
ankleben *v/t* stick on (***an*** *Akk* to)
Ankleidekabine *f* cubicle
ankleiden *v/t* (*a.* ***sich ~***) dress
Ankleideraum *m* dressing room
anklicken *v/t* COMPUTER click (on)
anklopfen *v/i* knock (***an*** *Akk od Dat* at)
Anklopfen *n* TEL call wait(ing)
anknabbern *v/t* nibble (at)
anknacksen *v/t* F crack (***sich den Arm*** *etc* one's arm *etc*)

anknipsen *v/t* F (*Licht etc*) switch on
anknüpfen I *v/t* **1.** (**an** *Akk* to) tie, knot **2.** *fig* (*Unterhaltung etc*) begin, start: ***Beziehungen ~*** establish contacts (***mit*** with) II *v/i* **3.** *fig* ***~ an*** (*Akk od Dat*) go on from, *j-s Worte etc*: go back to, *e-e Erzählung etc*: pick up the thread of, *e-e Tradition etc*: continue
Anknüpfungspunkt *m fig* starting point
ankommen I *v/i* **1.** arrive (***in*** *Dat* at, in): ***~ in*** (*Dat*) *a.* reach; ***~ um*** *Zug etc*: arrive at, be due at **2.** F ***~*** (***bei*** with) **a**) (*angestellt werden*) get a job, **b**) (*Anklang finden*) go down well, *a. Person*: be a success; ***nicht ~*** *a.* be a flop; ***damit kommt er bei mir nicht an*** that cuts no ice with me **3.** ***~ gegen*** cope (*od* deal) with, ***j-n*** *a.* get the better of s.o.; ***nicht ~ gegen*** *a.* be powerless against II *v/unpers* **4.** ***~ auf*** (*Akk*) (*abhängen von*) depend on; ***es kommt*** (***ganz***) ***darauf an*** it (all) depends **5.** ***~ auf*** (*Akk*) (*wichtig sein*) matter; ***worauf es*** (***ihm***) ***ankommt, ist zu gewinnen*** the important thing (to him) is to win; ***darauf kommt es an*** that's the point; ***es kommt nicht auf den Preis an*** money is no object; ***darauf soll es*** (***mir***) ***nicht ~*** never mind that **6.** ***es auf etw ~ lassen*** risk s.th.; ***ich lasse es darauf ~*** I'll risk it, I'll take a chance **7.** ***es kommt mich hart an*** I find it hard III *v/t* **8.** → ***überkommen***
Ankömmling *m* arrival
ankoppeln *v/t* (***an*** *Akk*) couple (to), (*Raumfähre*) dock (with)
Ankopplungsmanöver *n* docking manoeuvre (*Am* maneuver)
ankotzen *v/t* V ***es kotzt e-n an*** it makes you sick
ankreiden *v/t* F ***j-m etw ~*** blame s.o. for s.th.
ankreuzen *v/t* mark with a cross
ankündigen I *v/t* announce, *durch Plakate*: bill, *in der Presse*: advertize, *fig* (*Frühling etc*) herald II *v/refl* ***sich ~*** *Person*: announce one's visit, *fig Frühling etc*: announce itself
Ankündigung *f* announcement (*a. fig*), *in der Presse*: advertisement
Ankunft *f* (***bei s-r*** *etc* ***~*** on his *etc*) arrival
Ankunfts... arrival (*airport, lounge, etc*)
Ankunftszeit *f* time of arrival
ankurbeln *v/t fig* (*Produktion etc*) step up, boost
anlächeln *v/t* smile at
anlachen *v/t* smile (*od* laugh) at: F ***sich j-n ~*** pick s.o. up
Anlage *f* **1.** (*das Anlegen*) *e-s Gartens etc*: laying out, (*Bau*) construction, (*Art der ~*) arrangement, layout **2.** (*Einrichtung*) installation, facility, (*Fabrik*~) plant, work(s *Pl*): ***sanitäre ~n*** *Pl* sanitary facilities *Pl* **3.** (*Grün*~) (public) garden(s *Pl*) (*od* park), grounds *Pl*, (*Sport*~) sports facilities *Pl* **4.** F (*Stereo*~) (hi-fi) set **5.** (*EDV-~*) system **6.** (*Entwurf*) draft, design, *e-s Romans etc*: structure **7.** *mst Pl* (*Begabung*) (***zu*** for) talent, gift **8.** (*Veranlagung*) (***zu***) (natural) tendency (of), *a.* MED disposition (to) **9.** (*Kapital*~) investment: ***~n*** *Pl Bilanz*: assets *Pl* **10.** WIRTSCH (*Beilage*) enclosure: ***in der*** (*od* ***als***) ***~ sende ich Ihnen*** enclosed please find
anlagebedingt *Adj* inherent
Anlage|berater(in) investment consultant **~kapital** *n* invested capital **~vermögen** *n* fixed assets *Pl*
Anlass *m* **1.** (*Gelegenheit*) occasion: ***aus ~*** (*Gen*) → ***anlässlich*** **2.** (*Grund*) cause, reason: ***aus diesem ~*** for this reason; ***beim geringsten ~*** at the slightest provocation; ***ohne jeden ~*** for no reason at all; ***~ geben zu*** give rise to; ***j-m ~ geben zu*** *Inf* give s.o. cause to *Inf*; ***ich sehe k-n ~ zu gehen*** I see no reason to go; ***etw zum ~ nehmen zu*** *Inf* take occasion to *Inf*
anlassen I *v/t* **1.** F → ***anbehalten*** **2.** (*Licht, Radio etc*) leave on **3.** (*Motor etc*) start (up) II *v/refl* **4.** ***sich gut ~*** make a good start, *Geschäft, Wetter etc*: promise well; ***wie lässt er sich an?*** how is he making out?
Anlasser *m* MOT starter
anlässlich *Präp* (*Gen*) on the occasion of
anlasten *v/t* ***j-m etw ~*** blame s.o. for s.th.
Anlauf *m* **1.** SPORT run-up, *bes Skispringen*: approach: (***e-n***) ***~ nehmen*** take a run **2.** *fig* (***beim ersten ~*** at the first) attempt: ***e-n neuen ~ nehmen*** have another go **3.** *a.* TECH start
anlaufen I *v/i* **1.** SPORT run up (for the jump): *allg* ***angelaufen kommen*** come

running along; **~ gegen → anrennen 2.** (*a.* **~ lassen**) start (up) **3.** *fig* start, get under way, FILM be shown **4.** *Kosten etc*: mount up, *Zinsen etc*: accrue **5.** (*beschlagen*) fog, (*sich verfärben*) tarnish: **blau ~** go blue **II** *v/t* **6.** (*Hafen etc*) call at
Anlauf|schwierigkeiten *Pl* initial problems *Pl* **~stelle** *f* address (*od* office) to turn to **~zeit** *f* initial period
Anlaut *m* LING initial sound
anlauten *v/i* begin (**mit** with)
Anlegebrücke *f* landing stage
anlegen I *v/t* **1.** (*Schmuck etc*) put on **2.** (**an** *Akk*) (*Leiter etc*) put up (against), (*Lineal etc*) line up (against), (*Karte, Spielstein etc*) lay down (next to): *fig* **e-n strengen Maßstab ~** apply a strict standard; → **Hand 3.** (*Garten etc*) lay out, (*bauen*) construct, set up, (*einrichten*) instal(l), (*planen*) plan, design **4.** (*Akte etc*) start, (*Kartei*) *a.* set up **5.** (*Vorräte*) get in **6.** (*Kapital*) invest, (*Summe*) spend (**für** on) **7. e-n Säugling ~** give a baby the breast **8. die Ohren ~** *Hund etc*: set back its ears **9.** (*Holz, Kohle*) put on **10.** (*e-n Verband*) apply **11. es ~ auf** (*Akk*) be out for (*od* to *Inf*); **darauf angelegt sein zu** *Inf* be designed to *Inf* **II** *v/i* **12.** SCHIFF land: **im Hafen** (*od* **am Kai**) **~** dock **13. ~ auf** (*Akk*) *Schütze*: (take) aim at **III** *v/refl* **14. sich mit j-m ~** tangle (*od* pick a quarrel) with s.o., start a fight (*od* an argument) with s.o.
Anleger(in) WIRTSCH investor
Anlegestelle *f* SCHIFF landing place
anlehnen I *v/t* **1.** lean (**an** *Akk* against), (*Tür etc*) leave ajar **II** *v/refl* **sich ~ an** (*Akk*) **2.** lean against **3.** *fig* be model(l)ed on
Anlehnung *f* POL dependence (**an** *Akk* on): **in ~ an** (*Akk*) following
anleiern *v/t* F get on the road
Anleihe *f* WIRTSCH loan: **e-e ~ bei j-m machen** borrow money from s.o., *fig* borrow from s.o.
anleimen *v/t* glue on (**an** *Akk* to)
anleiten *v/t* **1.** guide, instruct **2.** → **anhalten** 2
Anleitung *f* **1.** guidance, direction **2.** directions *Pl*, instructions *Pl*
anlernen *v/t* teach, train: → **angelernt**
anliegen *v/i* **1.** (**eng**) **~** fit (tightly), cling (**an** *Dat* to) **2.** F **was liegt an?** what's on the agenda?
Anliegen *n* request, *weit. S.* concern
anliegend *Adj* **1.** tight(-fitting), clinging **2.** adjacent, neighbo(u)ring **3.** WIRTSCH enclosed (**senden wir Ihnen** please find)
Anlieger(in) neighbo(u)r, resident: MOT **Anlieger frei!** residents only!
Anlieger|staat *m* POL neighbo(u)ring (*an Gewässern*: riparian) state **~verkehr** *m* resident traffic
anlocken *v/t* lure, *fig* attract
anlöten *v/t* solder (**an** *Akk* to)
anlügen *v/t* **j-n ~** lie to s.o.
anmachen *v/t* F **1.** fasten (**an** *Dat* to) **2.** (*Licht etc*) switch on, (*Feuer*) light **3.** (*mischen*) prepare, (*Salat*) dress, (*Mörtel etc*) temper **4. j-n ~ a)** (*bes Frau*) give s.o. the come-on, **b)** (*anschnauzen*) snap at s.o.; **das** (**sie**) **macht mich an** *erotisch*: it (she) turns me on
anmalen *v/t* paint: F **sich ~** paint one's face
Anmarsch *m* MIL **im ~ sein** be advancing (**auf** *Akk* towards)
anmaßen *v/t* **sich etw ~** arrogate s.th. to o.s., *stärker*: usurp s.th.; **sich ~ zu** *Inf* presume to *Inf*
anmaßend *Adj* arrogant, overbearing
Anmaßung *f* arrogance
Anmeldeformular *n* application form
anmelden I *v/t* **1.** (*Besucher etc*) announce **2.** (*j-n*) **in** *der Schule*, **zu** *e-m Kursus etc*: enrol(l) (at *school*, for *a course etc*), **beim** *Arzt etc*: make an appointment for *s.o.* with: **j-n polizeilich ~** register s.o. (with the police) **3.** TEL (*Gespräch*) book, *Am* place: **den Fernseher** (**das Radio**) **~** get a television (radio) licen/ce (*Am* -se) **4.** (*Rechte, Forderungen etc*) put forward, (*Bedenken etc*) raise: → **Konkurs, Patent** 1 **II** *v/refl* **sich ~ 5.** announce o.s. (*a. fig*), enrol(l) (**zu** for, **in** *Dat* at), **beim** *Arzt etc*: make an appointment with: **sich polizeilich ~** register (with the police)
Anmeldung *f* **1.** announcement **2.** enrol(l)ment: (**polizeiliche**) **~** registration (with the police); **nur nach vorheriger ~** by appointment only **3.** reception (desk)
anmerken *v/t* **1.** (*anstreichen*) mark, (*notieren*) make a note of **2.** (*äußern*) re-

mark, observe **3.** ***j-m s-e Verlegenheit*** *etc* ~ notice s.o.'s embarrassment *etc*; ***sich nichts ~ lassen*** not to show one's feelings; ***man merkte ihr sofort an, dass ...*** you only had to look at her to see that ...; ***lass dir nichts ~!*** don't let on! **Anmerkung** *f* (***über*** *Akk* on) remark, *kritische*: comment, *schriftliche*: (foot)note, *erläuternde*: annotation: *e-n Text* ***mit ~en versehen*** annotate
Anmut *f* grace(fulness), charm, sweetness
anmuten *v/t* ***j-n seltsam*** *etc* ~ strike s.o. as (being) odd *etc*
anmutig *Adj* graceful, *a. Gegend etc*: charming
annageln *v/t* nail on (***an*** *Akk* to)
annähen *v/t* sew on (***an*** *Akk* to)
annähernd **I** *Adj* approximate **II** *Adv* (***nicht*** ~ not) nearly **Annäherung** *f* approximation (*a. fig*), POL rapprochement **Annäherungsversuche** *Pl* approaches *Pl*, *amouröse*: advances *Pl*
Annahme *f* **1.** acceptance, *e-s Kindes*, *a. e-s Antrags etc*: adoption, *e-s Gesetzes*: passing, *bes Am* passage **2.** (*Vermutung*) assumption: ***ich habe Grund zu der ~, dass ...*** I have reasons to believe that ...; ***in der ~, dass ...*** on the assumption (*od* assuming) that ...; ***gehe ich recht in der ~, dass ...?*** am I right in thinking that ...? **3.** → **Annahmestelle** *f* receiving office **Annahmeverweigerung** *f* nonacceptance
Annalen *Pl* annals *Pl*
annehmbar *Adj* acceptable (***für*** to), *Preis etc*: *a.* fair, reasonable, (*leidlich*) passable **annehmen** **I** *v/t* **1.** *allg* accept, (*a. den Ball*) receive, (*e-e Bestellung etc*) take, (*Namen, Titel etc*) adopt (*a.* F *Kind*), assume, PARL (*Antrag*) carry, (*Gesetzesvorlage*) pass, (*Schüler*) admit **2.** (*Aussehen, Form etc*) assume, (*Farbe, Geruch*) take (on), (*Gewohnheit etc*) acquire **3.** (*vermuten*) assume, suppose, *bes Am* guess: ***das ist nicht anzunehmen*** that's unlikely; *kommt er?* ***ich nehme*** (***es***) ***an*** I suppose so; ***nehmen wir an*** (*od* ***angenommen***), ***er kommt*** suppose (*od* supposing) he comes **II** *v/i* **4.** (***dankend***) ~ accept (with thanks) **III** *v/refl* **5.** ***sich j-s*** (***e-r Sache***) ~ take care of s.o. (s.th.)
Annehmlichkeit *f* amenity: ***~en*** *Pl* ***des Lebens*** *a.* comforts *Pl* of life
annektieren *v/t* POL annex
Annonce *f* advertisement, F ad
annoncieren *v/t u. v/i* advertise
annullieren *v/t* annul, WIRTSCH (*Auftrag*) cancel, SPORT (*Treffer*) disallow
Anode *f* ELEK anode, plate
anöden *v/t* F ***j-n*** ~ bore s.o. stiff
anomal *Adj* anomalous
Anomalie *f* anomaly
anonym *Adj* anonymous
Anonymität *f* anonymity
Anorak *m* anorak, parka
anordnen *v/t* **1.** arrange: ***neu*** ~ rearrange **2.** (*verfügen*) order, direct
Anordnung *f* **1.** arrangement, (*Gruppierung*) grouping **2.** order, direction: ***auf ~ von*** (*od Gen*) by order of; ***~en treffen*** give orders
Anorexie *f* MED anorexia (nervosa)
anorganisch *Adj* inorganic
anormal *Adj* abnormal
anpacken **I** *v/t* **1.** → ***packen*** 2 **2.** F *fig* (*j-n*) treat, (*Problem etc*) tackle **II** *v/i* **3.** → ***anfassen*** 3
anpassen **I** *v/t* **1.** (*Anzug etc*) fit (on) **2.** (*Dat od* ***an*** *Akk*) *allg* adapt (to), *a.* WIRTSCH, TECH adjust (to), *farblich*: match (with) **II** *v/refl* ***sich*** ~ **3.** (*Dat od* ***an*** *Akk* to) adapt (o.s.), adjust (o.s.): → ***angepasst***
Anpassung *f* (***an*** *Akk* to) *allg* adaptation, adjustment **anpassungsfähig** *Adj* adaptable (***an*** *Akk* to) **Anpassungsfähigkeit** *f* adaptability
Anpassungsschwierigkeiten *Pl* difficulties *Pl* in adapting
anpeilen *v/t* **1.** FLUG, SCHIFF take a bearing of **2.** *fig* aim at
anpfeifen *v/t* SPORT ***ein Spiel*** ~ give the starting whistle; F ***j-n*** ~ blow s.o. up
Anpfiff *m* SPORT (starting) whistle: F ***e-n ~ kriegen*** get ticked off
anpflanzen *v/t* plant, cultivate, grow
anpflaumen *v/t* F ***j-n*** ~ pull s.o.'s leg
anpöbeln *v/t* molest, mob
Anprall *m* impact (***gegen*** [up]on)
anprangern *v/t* denounce
anpreisen *v/t* (*Waren*) (re)commend, praise, *durch Reklame*: boost
Anprobe *f* (***zur ~ kommen*** come for a) fitting
anprobieren *v/t u. v/i* try on, fit on
anpumpen *v/t* F ***j-n*** ~ touch s.o. (***um*** for)

Anrainer *m Staat*: neighbo(u)ring country
Anraten *n* ***auf ~ des Arztes*** *etc* on the doctor's *etc* advice
anrechnen *v/t* (*berechnen*) charge, (*gutschreiben*) credit, allow, (*berücksichtigen*) take into account, (*abziehen*) deduct: PÄD ***etw als Fehler ~*** count s.th. as a mistake; *fig* ***j-m etw als Verdienst ~*** give s.o. credit for s.th.; ***j-m etw hoch ~*** think highly of s.o. for s.th.
Anrecht *n* (***auf*** *Akk* to) right, claim
Anrede *f*, **anreden** *v/t* address
anregen *v/t* **1.** *allg* stimulate (*a. v/i*), (*den Appetit*) *a.* whet, (*ermuntern*) *a.* encourage: ***j-n zum Nachdenken ~*** give s.o. food for thought **2.** (*vorschlagen*) suggest **anregend** *Adj* stimulating: *Adv* ***~ wirken*** have a stimulating effect
Anregung *f* **1.** stimulation, *fig a.* encouragement **2.** (*Vorschlag*) (***auf ~*** at the) suggestion (***von*** *od Gen* of)
anreichern I *v/t* CHEM, TECH enrich **II** *v/refl* ***sich ~*** accumulate
Anreicherung *f* CHEM concentration
Anreise *f* **a)** journey there, **b)** (*Ankunft*) arrival
anreisen *v/i* **a)** travel, **b)** arrive
anreißen *v/t* **1.** F → ***anbrechen*** I **2.** *fig* (*Problem etc*) raise
Anreiz *m* incentive
anrennen *v/i* ***~ gegen*** run against, MIL attack; ***angerannt kommen*** come running (up)
Anrichte *f* sideboard
anrichten *v/t* **1.** (*Speisen*) prepare, dress: ***es ist angerichtet!*** dinner *etc* is served! **2.** (*Unheil etc*) cause, (*Schaden*) do
anrüchig *Adj* dubious, F shady
anrücken *v/i* approach, MIL advance
Anruf *m* call **Anrufbeantworter** *m* TEL answerphone, *Am* answerer; → *Info bei* ***answerphone***
anrufen I *v/t* ***j-n ~*** **a)** call s.o., **b)** TEL call (*od* ring) s.o. (up), **c)** *fig* appeal to s.o. (***um Hilfe*** *etc* for help *etc*); ***ein Gericht ~*** appeal to a court **II** *v/i* make a phone-call: ***bei j-m ~*** → I b
Anrufweiterschaltung *f* call diversion, call transfer
anrühren *v/t* **1.** touch (*a. fig*) **2.** (*Farbe etc*) mix **3.** F *fig* ***etw ~*** start s.th.
ans = ***an das***: → ***Herz, Licht*** *etc*
Ansage *f* **1.** RADIO, TV announcement **2.** *Kartenspiel*: bid(ding)
ansagen *v/t u. v/i* announce, *Kartenspiel*: bid: ***Trumpf ~*** declare trumps; F *fig* ***Sparen*** *etc* ***ist angesagt!*** saving *etc* is the word!; → ***Kampf*** 1
Ansager(in) announcer
ansammeln *v/t* collect, gather, assemble (*alle a.* ***sich ~***), (*anhäufen*) accumulate, amass **Ansammlung** *f* accumulation, (*Menschen*≈) gathering, crowd
ansässig *Adj* resident (***in*** *Dat* at, in): ***~ werden*** take up (one's) residence
Ansatz *m* **1.** TECH (*Kruste*) deposit, crust **2.** ANAT base: → ***Haaransatz*** **3.** *fig* (*Beginn*) first sign(s *Pl*), (*Versuch*) attempt, (*Methode*) approach: ***im ~ richtig*** basically right; ***gute*** (***gewisse***) ***Ansätze zeigen*** show good (some) promise; ***in den Ansätzen stecken bleiben*** get stuck at the beginning **4.** MATHE statement **5.** MUS *e-s Bläsers*: embouchure, *e-s Sängers*: intonation **6.** WIRTSCH estimate
Ansatzpunkt *m fig* point of departure
ansaugen *v/t* take in, suck in
anschaffen *v/t* buy: ***sich etw ~*** *a.* get o.s. s.th.; F ***sich Kinder ~*** have children
Anschaffung *f* **1.** buying, purchase **2.** (*das Angeschaffte*) acquisition
Anschaffungskosten *Pl* purchase cost *Sg* **Anschaffungspreis** *m* cost price
anschalten *v/t* switch on, turn on
anschauen → ***ansehen***
anschaulich *Adj* (*deutlich*) clear, (*lebendig*) vivid, graphic
Anschauung *f* view, opinion, idea
Anschauungs|material *n* illustrative material, *eng. S.* audiovisual aids *Pl* **~unterricht** *m* visual instruction, object-teaching, *fig* object-lesson
Anschein *m* appearance: ***allem ~ nach*** to all appearances; ***den ~ erwecken*** give the impression; ***sich den ~ geben*** pretend, make believe; ***es hat den ~, als ob*** it looks as if
anscheinend *Adj* apparent: *Adv* ***er ist ~ krank*** he seems to be ill
anschicken *v/refl* ***sich ~ zu*** *Inf* get ready to *Inf*, *gerade*: be going to *Inf*
anschieben *v/t* (*Auto*) push-start
anschirren *v/t* (*Zugtier*) harness
Anschlag *m* **1.** (*Plakat*) poster, bill, (*Bekanntmachung*) notice **2.** (*Überfall, Bomben*≈) attack (***auf*** *Akk* on): ***~ auf***

j-n (***j-s Leben***) attempt on s.o.'s life; ***e-m ~ zum Opfer fallen*** be assassinated **3.** MUS, TECH touch, *auf der Schreibmaschine*: stroke: ***sie schreibt 400 Anschläge in der Minute*** she types 400 strokes per minute **4.** WIRTSCH (*Kosten**~*) estimate **5.** TECH (*Sperre*) (limit) stop **6.** ***das Gewehr im ~ halten*** point the gun (***auf*** *Akk* at) **7.** (*Auftreffen*) impact, *beim Schwimmen*: touch **Anschlagbrett** *n* notice (*Am* bulletin) board

anschlagen I *v/t* **1.** (*befestigen*) fasten (***an*** *Akk* to), (*Zettel etc*) stick up, put up **2.** (*Taste*, *Ton etc*) strike, hit, (*Glocke*) ring: *fig* ***e-n anderen Ton ~*** change one's tune; ***ein schnelleres Tempo ~*** quicken one's pace **3.** (*anstoßen*) strike, hit, knock, (*Geschirr*) chip **II** *v/i* **4.** ***~ an*** (*Akk*) hit (*Wellen*: break) against; ***mit dem Kopf an die Wand ~*** hit one's head against the wall **5.** *Klingel etc*: (begin to) ring, *Hund*: bark **6.** *Schwimmen*: touch **7.** (*wirken*) (***bei*** on) *Kur etc*: take effect, F *gutes Essen etc*: show

Anschlagzettel *m* bill, poster

anschleppen *v/t* (*a.* ***angeschleppt bringen***) drag along

anschließen I *v/t* **1.** (***an*** *Akk* to) lock, *mit Kette*: chain **2.** (***an*** *Akk*) ELEK, TECH connect (to, with), link up (with), ELEK *mit Stecker*: plug in: → ***angeschlossen*** **3.** (*hinzufügen*) add (*Dat* to) **II** *v/refl* ***sich ~*** **4.** (***an*** *Akk*) (*angrenzen*) adjoin (*s.th.*), border (on) **5.** *fig* (*folgen*) follow: ***an den Vortrag schloss sich e-e Diskussion an*** the lecture was followed by a discussion **6.** ***sich j-m ~*** follow s.o., join s.o., *fig* take s.o.'s side; ***sich j-s Meinung ~*** agree with s.o.; ***ich schließe mich an!*** I agree, (*mache mit*) I'll join you! **7.** ***sich an j-n ~*** befriend s.o.; ***er schließt sich leicht an*** he makes friends easily **III** *v/i* **8.** *Kragen etc*: fit closely

anschließend I *Adj* **1.** adjacent, next **2.** following **3.** close-fitting **II** *Adv* **4.** afterward(s): ***~ an die Vorstellung*** following the performance

Anschluss *m* **1.** ELEK, BAHN, TECH *etc* connection, telephone (connection), (*Leitung*) line: TEL ***k-n ~ bekommen*** not to get through; BAHN ***~ haben*** have a connection (***nach*** to); ***s-n ~ verpassen*** miss one's connection; *fig* ***den ~ verpassen*** miss the boat; ***den ~ finden an*** (*Akk*) catch up with **2.** *fig* (***an*** *e-e Partei etc*) affiliation (with), POL union **3.** ***im ~ an*** (*Akk*) after, following **4.** F (*Bekanntschaft*) contact, acquaintance: ***~ finden*** make contact (*od* friends) (***bei*** with); ***~ suchen*** look for company **~dose** *f* ELEK wall socket **~flug** *m* connecting flight **~schnur** *f* ELEK flexible cord, flex **~treffer** *m goal that leaves one more to level the score* **~zug** *m* connecting train

anschmiegen *v/refl* ***sich ~ an*** (*Akk*) nestle against, *Kleid etc*: cling to

anschmiegsam *Adj* affectionate

anschmieren *v/t* F (*betrügen*) cheat

anschnallen I *v/t* buckle on, (*Skier*) put on **II** *v/refl* ***sich ~*** FLUG, MOT fasten one's seat belt

Anschnallpflicht *f* compulsory wearing of seat belts

anschnauzen *v/t* F ***j-n ~*** blow s.o. up

anschneiden *v/t* **1.** (*Brot etc*) cut into **2.** (*Kurve*, *Ball etc*) cut **3.** *fig* (*Thema etc*) broach: ***ein anderes Thema ~*** change the subject **Anschnitt** *m* first slice

anschrauben *v/t* screw on (***an*** *Akk* to)

anschreiben I *v/t* **1.** write down, (*Spielstand*) score (*a. v/i*): ***j-m etw ~*** charge s.o. with s.th.; ***etw ~ lassen*** buy s.th. on credit; *fig* ***bei j-m gut*** (***schlecht***) ***angeschrieben sein*** be in s.o.'s good (bad) books **2.** ***j-n ~*** write (a letter) to s.o. **II** ~ *n* **3.** covering letter

anschreien *v/t* shout at, scream at

Anschrift *f* address

Anschuldigung *f* accusation: ***~en gegen j-n erheben*** denounce s.o.

anschwärzen *v/t* F ***j-n ~*** run s.o. down, (*denunzieren*) denounce s.o. (***bei*** to)

anschwellen *v/i allg* swell, *fig* (*zunehmen*) increase, rise

anschwemmen *v/t* wash ashore, (*Land*) deposit

ansehen I *v/t* look at: ***sich*** *etw* ***~*** *a.* take a look at, (*prüfen*) examine, (*beobachten*) watch; ***sich e-n Film*** (***ein Fernsehprogramm***) ***~*** see a film (watch a TV program[me]); ***sich etw genau ~*** have a close look at s.th.; ***man sieht es ihr an, dass …*** you can tell by her face that

…; ***man sieht ihm sein Alter nicht an*** he doesn't look his age; ***j-n ~ für*** regard s.o. as, *fälschlich*: take s.o. for; ***ich sehe es für*** (*od* ***als***) ***m-e Pflicht an zu*** *Inf* I consider it my duty to *Inf*; ***etw mit ~*** watch (*od* witness) s.th.; ***ich kann es nicht länger mit ~!*** I can't stand it any longer!; F ***sieh mal einer an!*** fancy that!; → ***finster*** 2, ***schief*** 3 **II** ♀ *n* ***j-n vom*** ♀ ***kennen*** know s.o. by sight; ***ohne*** ♀ ***der Person*** without respect of persons

Ansehen *n* (*Achtung*) reputation, standing, prestige: ***von hohem ~*** of high standing; ***großes*** (*od* ***ein hohes***) ***~ genießen*** be highly esteemed; ***an ~ verlieren*** lose credit **ansehnlich** *Adj* handsome, considerable

anseilen *v/t* (*a.* ***sich ~***) rope (up)

ansetzen I *v/t* **1.** (***an*** *Akk*) (*Bohrer etc*) apply (to), put (on, to), (*Flöte, Glas etc*) put to one's lips **2.** (***an*** *Akk* to) (*anfügen*) add, join, (*annähen*) sew on **3.** (*Termin etc*) fix, set, (*Kosten etc*) assess, (*Preis*) quote, MATHE (*Gleichung*) set up **4.** (*entwickeln*) develop, (*Knospen etc*) *a.* put forth, (*Rost, Patina etc*) put on: ***Fett ~*** put on weight **5.** (*Bowle, Teig etc*) prepare (*a.* CHEM), make, mix **6.** (*einsetzen*) bring in: ***j-n ~ auf*** (*Akk*) put s.o. onto; ***e-n Hund*** (***auf e-e Spur***) ***~*** set a dog on the trail **II** *v/i* **7.** begin, (make a) start, *fig Kritik, Reform etc*: set in: *a. fig* ***zum Endspurt ~*** set o.s. for the final spurt; ***zur Landung ~*** come in (to land); ***zum Sprechen ~*** start to speak; ***zum Sprung ~*** get ready for the jump **III** *v/refl* ***sich ~*** **8.** *Kalk etc*: accumulate, deposit

Ansicht *f* **1.** (***über*** *Akk*) opinion (on), view (of): ***m-r ~ nach*** in my opinion, as I see it; ***der ~ sein*** (*od* ***die ~ vertreten***), ***dass …*** take the view that …; ***anderer ~ sein*** take a different view, *weit. S.* disagree; ***die ~en sind geteilt*** opinion differs; ***zu der ~ gelangen*** (*od* ***kommen***), ***dass …*** decide that … **2.** (*Bild*) view (*a.* TECH) **3.** WIRTSCH ***zur ~*** on approval

Ansichts(post)karte *f* picture postcard

Ansichtssache *f* ***das ist ~*** that's a matter of opinion

ansiedeln *v/t* **1.** settle (*a.* ***sich ~***), WIRTSCH base, site: ***in London angesiedelt*** *Firma etc*: London-based **2.** *fig* place, (*Handlung etc*) set **Ansiedler(in)** settler **Ansiedlung** *f* settlement

Ansinnen *n* request, demand

anspannen *v/t* **1.** (*Zugtier*) harness (***an*** *Akk* to) **2.** (*Seil etc*) tighten, stretch, (*Muskeln*) flex, tense **3.** *fig* (*Geist etc*) strain: ***alle Kräfte ~*** strain every nerve

Anspannung *f* strain

anspielen I *v/i* **1.** *Kartenspiel*: (have the) lead, SPORT lead off, *Fußball*: kick off **2.** *fig* ***~ auf*** (*Akk*) allude to, insinuate (*s.th.*) **II** *v/t* **3.** (*Karte*) lead: SPORT ***j-n ~*** pass to s.o. **Anspielung** *f* (***auf*** *Akk*) allusion (to), insinuation (about)

anspitzen *v/t* point, sharpen

Ansporn *m* incentive (***für*** to)

anspornen *v/t a. fig* spur (on)

Ansprache *f* **1.** (***e-e ~ halten*** deliver an) address (***an*** *Akk* to) **2.** F ***k-e ~ haben*** have no one to talk to

ansprechbar *Adj Person*: responsive: F ***er war nicht ~*** you couldn't talk to him

ansprechen I *v/t* **1.** (*j-n*) speak to, address, *bes pej* accost, (*sich wenden an*) appeal to *s.o.* (***wegen*** for) **2.** (*gefallen*) please, appeal to **3.** (*Problem etc*) touch (up)on **II** *v/i* **4.** (*reagieren*) *a.* TECH respond (***auf*** *Akk* to) **5.** (*gefallen*) appeal (to the public) **ansprechend** *Adj* pleasing, attractive **Ansprechpartner(in)** person to turn to

anspringen I *v/i Motor*: start (up) **II** *v/t* jump at

Anspruch *m* (***auf*** *Akk* to) *a.* JUR claim, right, *bes unbegründeter*: pretension: ***hohe Ansprüche stellen*** be very demanding, ***an j-n*** make heavy demands on s.o.; ***~ haben auf*** (*Akk*) be entitled to; ***in ~ nehmen*** **a)** *a.* ***~ erheben auf*** (*Akk*) lay claim to, **b)** (*j-n, j-s Hilfe etc*) call on, (*j-s Zeit etc*) take up; ***j-n in ~ nehmen*** *Arbeit etc*: keep s.o. busy, ***ganz*** claim s.o.'s full attention

anspruchslos *Adj* undemanding (*a. fig Buch, Musik etc*), *geistig*: *a.* lowbrow, (*genügsam*) easily satisfied, (*schlicht*) plain, simple

Anspruchslosigkeit *f* undemandingness, (*Genügsamkeit*) modesty

anspruchsvoll *Adj* demanding (*a. fig*), *geistig*: *a.* highbrow, *Geschmack etc*: sophisticated, (*wählerisch*) particular

anspucken *v/t* spit (up)on, spit at

anstacheln *v/t* goad on, prod
Anstalt *f* **1.** establishment, institution, (*Lehr*2) institute, school **2.** (*Heil*2) sanatorium, *Am* sanitarium, F (*Nervenheil*2) mental home: ***j-n in e-e ~ einweisen*** institutionalize s.o. **3.** ***~en treffen zu*** make arrangements for; ***~en machen zu*** *Inf* get ready to *Inf*
Anstand *m* (sense of) decency, (*Benehmen*) (good) manners *Pl* **anständig** *Adj* **1.** (*schicklich*) proper, decent, (*achtbar*) respectable: *Adv* ***benimm dich ~!*** behave yourself! **2.** F *Preis etc*: fair: ***ein ~es Essen*** a decent meal; ***e-e ~e Arbeit*** a good (*od* proper) job
Anstands|besuch *m* formal call **~dame** *f* chaperon **~gefühl** *n* tact
anstandshalber *Adv* for decency's sake
anstandslos *Adv* unhesitatingly, (*ungehindert*) freely
anstarren *v/t* gape at, stare at
anstatt I *Präp* (*Gen*) instead of **II** *Konj* ***~ zu arbeiten*** *etc* instead of working *etc*
anstauen *v/t* dam up: ***sich ~*** accumulate, *fig Wut etc*: build up; ***s-e angestaute Wut*** his pent-up rage
anstechen *v/t* prick, (*Fass*) tap
anstecken I *v/t* **1.** pin on, (*Ring*) put on, slip on **2.** (*anzünden*) set on fire, (*Kerze, Zigarre etc*) light **3.** MED *u. fig* infect (***mit*** with): ***er hat mich*** (***mit s-m Schnupfen***) ***angesteckt*** he has given me his cold **II** *v/i* **4.** MED *u. fig* be infectious **III** *v/refl* ***sich ~*** **5.** ***ich habe mich bei ihm*** (***mit Grippe***) ***angesteckt*** I have caught the flu from him
ansteckend *Adj* MED *u. fig* infectious
Anstecknadel *f* pin, (*Abzeichen*) badge
Ansteckung *f* MED infection **Ansteckungsgefahr** *f* danger of infection
anstehen *v/i* **1.** queue (*bes Am* line) up (***nach*** for) **2.** WIRTSCH, JUR be up (***zur Entscheidung*** for decision), *Termin etc*: be fixed, *Punkt etc*: be on the agenda
ansteigen *v/i* rise, *fig a.* increase
anstelle *Präp* ***~ von*** (*od Gen*) instead of
anstellen I *v/t* **1.** (*Leiter etc*) put (*od* lean) (***an*** *Akk* against) **2.** (*Wasser, Heizung etc*) turn on, (*Radio etc*) *a.* switch on, (*Maschine*) start **3.** (*einstellen*) employ, *bes Am* hire: ***angestellt sein bei*** work for; F ***j-n zu etw ~*** have s.o. do s.th. **4.** (*durchführen*) make, carry out, F (*bewerkstelligen*) do, manage: ***Nachforschungen ~*** make inquiries; F ***was haben sie mit dir angestellt?*** what have they done to you?; ***Dummheiten ~, etw*** (***Dummes***) ***~*** get up to mischief; ***was hast du*** (***da***) ***wieder angestellt?*** what have you been up to (again)?; ***wie hast du das angestellt?*** how did you manage that?; → ***Überlegung*** **II** *v/refl* ***sich ~*** **5.** queue (*bes Am* line) up (***nach*** for) **6.** F act, make (***als ob*** as if): ***sich bei etw ungeschickt ~*** go about s.th. clumsily; ***stell dich nicht so an!*** don't make such a fuss!; ***stell dich nicht so dumm an!*** don't act stupid!
anstellig *Adj* handy, clever
Anstellung *f* place, employment, job
Anstieg *m* **1.** ascent **2.** *fig* (*Gen*) rise (in), increase (of)
anstiften *v/t* **1.** → ***anzetteln*** **2.** ***j-n ~ zu*** put s.o. up to, incite s.o. to (do) **Anstifter(in)** instigator
anstimmen *v/t* MUS strike up
Anstoß *m* **1.** *Fußball*: kickoff **2.** *fig* impulse: ***den ~ geben zu*** start off, initiate **3.** F ***bei j-m ~ erregen*** scandalize s.o., give offen/ce (*Am* -se) to s.o.; ***~ nehmen an*** (*Dat*) take exception to
anstoßen I *v/t* **1.** (*j-n, etw*) knock (*od* bump) against: ***sich den Kopf ~*** bump one's head (***an*** *Dat* against); ***j-n*** (***mit dem Ellbogen***) ***~*** nudge s.o. (with the elbow) **II** *v/i* **2.** *mit den Gläsern*: clink glasses: ***~ auf*** (*Akk*) drink to **3.** (***an*** *Dat*) knock (against), bump (into): ***mit dem Kopf ~*** → 1 **4.** ***mit der Zunge ~*** lisp **5.** *Fußball*: kick off
Anstößer(in) *schweiz.* resident, (*Nachbar*) neighbour
anstößig *Adj* offensive, scandalous, (*unanständig*) indecent
anstrahlen *v/t* (*Gebäude etc*) illuminate: ***mit Scheinwerfern ~*** floodlight; F *fig* ***j-n ~*** beam on s.o.
anstreben *v/t* aim at, strive for
anstreichen *v/t* **1.** paint **2.** (*Fehler etc*) mark: ***etw rot ~*** mark s.th. in red
Anstreicher(in) house painter
anstrengen I *v/t* **1.** strain, be a strain on, (*ermüden*) exhaust: → ***angestrengt*** **2.** → ***Prozess*** 2 **II** *v/i* **3.** be exhausting, be a strain **III** *v/refl* ***sich ~*** **4.** make

an effort, try (hard), exert o.s.: ***streng dich mal an!*** you could try a bit harder!
anstrengend *Adj* strenuous, trying (***für*** to) **Anstrengung** *f* **1.** (***mit äußerster ~*** with a supreme) effort **2.** (*Strapaze*) strain, exertion
Anstrich *m* **1.** painting, (*Farbe*) paint **2.** *fig* (*Anschein*) air, semblance
Ansturm *m* onrush (*a. fig*), MIL assault, *a.* SPORT attack, WIRTSCH (***auf*** *Akk*) run (on), rush (for)
Antagonismus *m* antagonism
Antarktis *f the* Antarctic
antarktisch *Adj* Antarctic
antasten *v/t* **1.** *allg* touch, (*Vorräte etc*) *a.* break into **2.** *fig* (*Rechte etc*) infringe (up)on
Anteil *m* **1.** (***an*** *Dat*) share (of, in), WIRTSCH (*Beteiligung*) *a.* participation (of), interest (in): *fig* ***er hatte k-n ~ am Erfolg*** he had no part in the success **2.** (*Interesse*) interest, (*Mitgefühl*) sympathy: ***~ nehmen an*** (*Dat*) take an interest in, ***j-s Unglück*** sympathize with s.o. in his misfortune, ***j-s Freude*** share in s.o.'s joy **anteilig, anteilmäßig** *Adj u. Adv* proportionate(ly)
Anteilnahme *f* sympathy (***an*** *Dat* with): ***s-e ~ aussprechen*** *bei Todesfall*: express one's sympathy
Anteilschein *m* → ***Aktie***
antelefonieren F → ***anrufen*** I b
Antenne *f* aerial, *bes Am* antenna (*a. fig*)
Anthologie *f* anthology
Anthrazit *m* MIN anthracite **anthrazitfarben** *Adj Stoff*: charcoal grey (*Am* gray)
anthropisch *Adj* BIOL, *Umwelt etc*: anthropic: ***~es Prinzip*** anthropic principle
anthropogen *Adj* BIOL, *Umwelt etc*: anthropic, anthropogenic
Anti..., anti... anti...
Antialkoholiker(in) teetotal(l)er
Antibabypille *f* F *the* pill
Antibiotikum *n* MED antibiotic
Antiblockiersystem *n* MOT (*Abk* ***ABS***) anti-lock braking (system)
Antidepressivum *n* MED antidepressant
Antifaschismus *m* antifascism
Antifaschist(in), **antifaschistisch** *Adj* antifascist
Antigen *n* MED antigen
Antihaftbeschichtung *f* ***mit ~*** *Pfanne etc*: nonstick
Antihistamin *n* MED antihistamine
antik *Adj* classical, ancient, *a. Möbel etc*: antique **Antike** *f* **1.** (classical) antiquity **2.** *mst Pl* antique
Antikörper *m* MED antibody
Antilope *f* ZOOL antelope
Antipathie *f* (***gegen***) antipathy (to, against), dislike (of, for)
Antipersonenmine *f* anti-personnel mine
Antiqua *f* BUCHDRUCK Roman (type)
Antiquar(in) **1.** second-hand bookseller **2.** antique dealer
Antiquariat *n* second-hand bookshop
antiquarisch *Adj u. Adv* second-hand
antiquiert *Adj* antiquated
Antiquität *f* antique
Antiquitäten|händler(in) antique dealer **~laden** *m* antique shop
Antisemit(in) anti-Semite
antisemitisch *Adj* anti-Semitic
Antisemitismus *m* anti-Semitism
antiseptisch *Adj* antiseptic
antistatisch *Adj* antistatic
Antivirusprogramm *n* anti-virus program
antörnen *v/t* F turn on: ***j-n ~*** turn s.o. on; ***das törnt mich an*** it turns me on
Antrag *m* **1.** application (***auf*** *Akk* for), JUR petition, PARL motion, bill: ***e-n ~ stellen auf*** (*Akk*) apply (JUR petition, PARL move) for; ***auf ~ von*** (*od Gen*) on the application *etc* of **2.** ***er machte ihr e-n ~*** he proposed to her **3.** → **Antragsformular** *n* application form **Antragsteller(in)** applicant, PARL mover
antreffen *v/t* find, *zufällig*: come across
antreiben *v/t* **1.** *a. fig* drive (on), urge (on) **2.** TECH drive **3.** *a. v/i* drift ashore
antreten **I** *v/t* **1.** ***ein Amt ~*** take up an office; ***die Arbeit*** (***den Dienst***) ***~*** report for work (duty); ***e-e Reise ~*** start off on a journey; ***e-e Strafe ~*** begin to serve a sentence; → ***Erbschaft*** **2.** (*Motorrad*) kick **II** *v/i* **3.** (*sich aufstellen*) line up **4.** (*sich einfinden*) report (***bei*** to) **5.** SPORT enter (***bei, zu*** for), (*zum Kampf ~*) compete (***gegen*** against)
Antrieb *m* **1.** *fig* impulse, urge, (*Beweggrund*) motive, (*Anreiz*) incentive: ***aus eigenem ~*** of one's own accord; ***neuen***

~ ***geben*** **a)** ***e-r Sache*** give a fresh impetus to s.th., **b)** ***j-m*** give s.o. a new interest **2.** TECH drive
Antriebs|aggregat *n* TECH drive assembly **~kraft** *f* driving power **~schwäche** *f* PSYCH lack of drive
antriebsstark *Adj* PSYCH full of drive
Antriebswelle *f* MOT axle-drive shaft
antrinken *v/t* F ***sich e-n ~*** get drunk; ***sich Mut ~*** give o.s. Dutch courage
Antritt *m* ***bei ~*** **a)** ***s-r Reise*** upon setting out on his journey, **b)** ***s-s Amtes*** on entering upon his office, **c)** ***der Macht*** on coming into power, **d)** ***e-r Erbschaft*** upon accession to an inheritance
Antritts|besuch *m* first call **~rede** *f* inaugural speech, PARL maiden speech
antun *v/t* **1.** ***j-m etw ~*** do s.th. to s.o.; ***j-m etw Gutes ~*** do s.o. a good turn; ***sich etw ~*** lay hands upon o.s **2.** ***es j-m ~*** take s.o.'s fancy; → ***angetan***
anturnen *v/t* F turn on; → ***antörnen***
Antwort *f* (***auf*** *Akk* to) answer, *fig* (*Reaktion*) *a.* response **antworten** *v/i u. v/t* answer, reply, *fig* respond: ***auf e-e Frage ~*** answer a question; ***j-m ~*** answer s.o., reply to s.o. **Antwortschein** *m* *Post*: (international) reply coupon
anvertrauen I *v/t* ***j-m etw ~*** **a)** entrust s.o. with s.th., **b)** (*mitteilen*) confide s.th. to s.o. **II** *v/refl* ***sich j-m ~*** **a)** confide in s.o., **b)** entrust o.s. to s.o.
anwachsen I *v/i* **1.** grow on (***an*** *Akk* to), (*Wurzeln schlagen*) take root **2.** *fig* increase (***auf*** *Akk* to)
Anwalt *m*, **Anwältin** *f* **1.** JUR lawyer, *bes Am* attorney(-at-law), *beratender*: solicitor, *plädierender*: barrister, *Am* counselor-at-law, *vor Gericht*: counsel (***des Angeklagten*** for the defence) **2.** *fig* advocate **Anwaltschaft** *f* *the* Bar
Anwalts|honorar *n* lawyer's fee **~kammer** *f* Bar Council (*Am* Association) **~kosten** *Pl* lawyer's fees *Pl*
Anwandlung *f* (***aus e-r ~ heraus*** on an) impulse: ***in e-r ~ von Freigebigkeit*** in a fit of generosity
anwärmen *v/t* warm (up), preheat
Anwärter(in) (***auf*** *Akk*) candidate (for), aspirant (to) **Anwartschaft** *f* (***auf*** *Akk*) candidacy (for), qualification (for), JUR expectancy (of)
anweisen *v/t* **1.** (*j-n*) instruct, direct, (*anleiten*) guide, train **2.** (*zuweisen*) assign (*Dat* to): ***j-m e-n Platz ~*** show s.o. to his seat **3.** (*Betrag etc*) remit (*Dat* to), (*Honorar etc*) order the payment of
Anweisung *f* **1.** instruction, direction **2.** (*Zuweisung*) assignment **3.** *e-s Betrages etc*: remittance, transfer
anwendbar *Adj* applicable (***auf*** *Akk* to)
anwenden *v/t* use, make use of, (*a. Gesetz etc, Heilmittel*) apply (***auf*** *Akk* to): ***falsch ~*** misapply; ***nutzbringend ~*** make good use of; → ***äußerlich, Gewalt*** 1 **Anwender(in)** IT user
Anwendung *f* **1.** use, application (***auf*** *Akk* to): ***unter ~ von Zwang*** by (using) force **2.** MED (hydrotherapeutic) treatment
Anwendungs|beispiel *n* example of use **~programm** *n* IT application program **~vorschrift** *f* directions *Pl* for use
anwerben *v/t allg* recruit
Anwerbung *f* recruitment
Anwesen *n* property, estate
anwesend *Adj* present (***bei*** at): ***nicht ~ sein*** be absent **Anwesende** *m, f* person present: ***~ ausgenommen*** present company excepted **Anwesenheit** *f* (***in ~*** in the) presence (***von*** *od Gen* of)
Anwesenheitsliste *f* attendance list
anwidern *v/t* → ***anekeln***
Anwohner(in) → ***Anlieger***
Anzahl *f* number
anzahlen *v/t* (pay *a sum* as a) deposit, make a down payment (on)
Anzahlung *f* deposit, *bei Ratenkäufen*: down payment
anzapfen *v/t* tap (*a.* ELEK, TEL)
Anzeichen *n* (***für*** of) sign, *a.* MED symptom: ***alle ~ sprechen dafür, dass …*** there is every indication that …
Anzeige *f* **1.** announcement, notice, *bes* WIRTSCH advice, (*Inserat*) advertisement, F ad(vert): ***e-e ~ aufgeben*** *a.* advertise **2.** *bei e-r Behörde*: notification, (*Straf*≈) information: (***bei der Polizei***) ***~ erstatten*** → ***anzeigen*** 3
anzeigen *v/t* **1.** ***j-m etw ~*** notify s.o. of s.th. **2.** (*angeben*) indicate, TECH *a.* register **3.** denounce: ***j-n*** (***etw***) (***bei der Polizei***) ***~*** report s.o. (s.th.) to the police **4.** (*deuten auf*) indicate: ***es erscheint angezeigt zu*** *Inf* it seems advisable to *Inf*
Anzeigen|blatt *n* advertising paper **~teil** *m e-r Zeitung*: advertisements *Pl*

Anzeiger *m* **1.** gazette **2.** TECH indicator
Anzeigetafel *f* SPORT scoreboard
anzetteln *v/t* (*Streik*, *Revolte etc*) instigate: ***e-e Verschwörung ~*** plot (***gegen*** against)
anziehen I *v/t* **1.** (*Kleidung*) put on: ***j-n ~*** dress s.o. **2.** PHYS attract (*a. fig*), (*Feuchtigkeit*, *Geruch etc*) absorb, *fig* (*Besucher etc*) draw **3.** (*Seil*, *Schraube etc*) tighten, (*Bremse*) apply, (*Zügel*) draw in **4.** (*Bein etc*) draw up **II** *v/i* **5.** *Pferd etc*: pull away **6.** *Preise etc*: go up **III** *v/refl* ***sich ~*** **7.** dress (o.s.), get dressed **anziehend** *Adj fig* attractive, charming: *Adv* ***~ wirken auf*** (*Akk*) attract **Anziehung** *f a. fig* attraction
Anziehungskraft *f* **1.** PHYS attraction, *der Erde*: gravitational pull **2.** *fig* (***auf*** *Akk*) attraction (for), appeal (to)
Anziehungspunkt *m fig* cent/re (*Am* -er) of attraction
Anzug *m* **1.** suit **2.** F ***im ~ sein*** *Feind*: be approaching, *Gewitter*: be coming up
anzüglich *Adj Bemerkung etc*: personal, *Witz*: suggestive: ***~ werden*** get personal **Anzüglichkeit** *f mst Pl* personal remark
anzünden *v/t* (*Zigarette etc*) light, (*Streichholz*) strike, (*Haus*) set on fire
Anzünder *m* lighter
anzweifeln *v/t* doubt, question
Aorta *f* ANAT aorta
apart *Adj* striking, unusual
Apartheid *f* apartheid **Apartheidpolitik** *f* apartheid policy
Apartment *n* flatlet, *Am* apartment
Apartmenthaus *n* block of flatlets, *Am* apartment building
Apathie *f* apathy
apathisch *Adj* apathetic
aper *Adj österr.*, *schweiz.* snow-free
Aperitif *m* aperitif
Apfel *m* apple: → ***sauer*** 1
Apfel|baum *m* apple tree **~kuchen** *m* ***gedeckter ~*** apple pie **~mus** *n* apple sauce **~saft** *m* apple juice
Apfelsine *f* orange
Apfelstrudel *m* GASTR apfelstrudel
Apfelwein *m* cider
Aphorismus *m* aphorism
Apokalypse *f* apocalypse
Apostel *m a. fig* apostle **~geschichte** *f* BIBEL *the* Acts *Pl* (of the Apostles)
Apostroph *m* apostrophe

Der Apostroph

Der Apostroph wird vor allem in folgenden Fällen verwendet:

1. um bei abgekürzten Formen einen oder mehrere weggelassene(n) Buchstaben zu ersetzen:

I am	→	**I'm**
you are	→	**you're**
do not	→	**don't**
it is	→	**it's**
fish and chips	→	**fish 'n'chips**

2. um Besitz anzuzeigen:

Mr Brown's jacket
my mother's car
our friends' house (*Plural*: Apostroph nach dem -**s**)

bei Wörtern, die auf -**s** enden:

James' pen *oder* **James's pen**, *beide gesprochen*: ['dʒeɪmzɪzˌpen]

3. bei Zeitangaben wie folgenden:

Saturday's newspaper
today's special offer

Vorsicht bei folgenden „Fallen“:

it's a poodle	=	es ist ein Pudel
it's lost its lead	=	er hat seine Leine verloren
it's	→	**it is** oder **it has**
its	=	Besitzform von **it** (= sein, ihr)

Apotheke *f* chemist's (shop), pharmacy, *Am* drugstore
apothekenpflichtig *Adj* obtainable in a chemist's shop (*Am* drugstore) only
Apotheker(in) pharmacist, (dispens-

ing) chemist, *Am* druggist

Apparat *m allg* apparatus (*a. fig*), *fig a.* machinery, (*Gerät*) instrument, (*Vorrichtung*) device, (*Foto*♀) camera, (*Radio*♀) radio, (*Fernseh*♀) (TV) set, (*Telefon*♀) F phone: TEL ***am ~!*** speaking!; ***am ~ bleiben*** hold the line

Apparatur *f* equipment

Appartement *n* **1.** → ***Apartment*** **2.** (hotel) suite

Appell *m* MIL roll call: *fig* ***e-n ~ richten an*** (*Akk*) → **appellieren** *v/i* ***~ an*** (*Akk*) (make an) appeal to

Appenzell *n* Appenzell

Appetit *m* (***j-m ~ machen*** give s.o. an) appetite (***auf*** *Akk* for); ***ich habe ~ auf Schokolade*** I feel like some chocolate

Guten Appetit

Während es im Deutschen höflich ist, vor dem Essen einen „Guten Appetit!" zu wünschen, ist im Englischen ein solches Startsignal zu Beginn der Mahlzeit nicht so üblich. Man hört aber gelegentlich Folgendes:

Bon appetit! (*etwas förmlich*)
Enjoy your meal! (*vorwiegend von Kellnerinnen und Kellnern verwendet*)
Enjoy! (*besonders in den USA*)

appetitanregend *Adj*, **appetitlich** *Adj a. fig* appetizing

Appetitlosigkeit *f* loss of appetite

Appetitzügler *m* appetite suppressant

applaudieren *v/i* (*j-m*) applaud, cheer

Applaus *m* applause

approbiert *Adj Arzt*: qualified

Aprikose *f* BOT apricot

April *m* April: ***j-n in den ~ schicken*** make an April fool of s.o.; ***~, ~!*** April fool! **Aprilscherz** *m* April-fool joke; → *Info in Teil E-D bei* ***April***

Aprilwetter *n* April weather

Aquaplaning *n* MOT aquaplaning

Aquarell *n*, **~farbe** *f* water colo(u)r **~maler(in)** water colo(u)rist

Aquarium *n* aquarium

Äquator *m* equator **Äquatortaufe** *f* crossing-the-line ceremony

äquivalent *Adj*, **Äquivalent** *n* equivalent

Ära *f* era

Araber *m* Arab (*a. Pferd*)

Araberin *f* Arab (woman)

Arabien *n* Arabia

arabisch *Adj* Arab *states etc*, Arabian *nights etc*, Arabic *language etc*

Arbeit *f* **1.** work (*a.* PHYS), (*Schwer*♀) hard work, labo(u)r (*a.* POL), (*Aufgabe*) task, job: ***Tag der ~*** May Day, *Am* Labor Day; ***geistige ~*** brainwork; ***an*** (*od* ***bei***) ***der ~*** at work; ***an die ~ gehen*** start work; ***zur*** (F ***auf***) ***~ gehen*** go to work; ***etw in ~ haben*** be working on s.th.; ***e-e undankbare ~*** a thankless task **2.** (*Mühe*) (***j-m viel ~ machen*** give s.o. a lot of) trouble **3.** (*Beschäftigung*) work, employment, job: ***~ haben*** be in work, have a job; ***k-e ~ haben*** be out of work, be without a job; ***~ suchen*** look for a job **4.** (piece of) work, (*Qualitäts*♀) workmanship: ***künstlerische ~*** work of art **5.** (*Prüfungs*♀) paper: ***wissenschaftliche ~*** treatise

arbeiten I *v/i allg* work, TECH function (*beide a. Herz etc*), run, *a.* WIRTSCH operate: ***~ an*** (*Dat*) be working on; ***~ bei*** work for; (***geschäftlich***) ***~ mit*** deal with, do business with; ***mit Verlust ~*** operate at a loss; ***sein Geld ~ lassen*** invest one's money **II** *v/t* (*anfertigen*) make **III** *v/refl* ***sich ~ durch*** work one's way through *the snow etc*

Arbeiter *m* worker, workman, *ungelernt*: labo(u)rer: ***die ~*** → ***Arbeiterschaft***; ***~ und Unternehmer*** labo(u)r and management; → ***angelernt***

Arbeiter... workers' ..., working-class ... (*family, area, etc*)

Arbeiterin *f* **1.** (female) worker **2.** ZOOL worker (bee *od* ant)

Arbeiterklasse *f* working class(es *Pl*)

Arbeiterschaft *f* working class(es *Pl*), *a.* POL Labo(u)r

Arbeitgeber(in) employer

Arbeitgeber|anteil *m Sozialversicherung*: employer's contribution **~verband** *m* employers' association

Arbeitnehmer(in) employee

Arbeitnehmeranteil *m* employee's contribution

Arbeitsablauf *m* work routine (*od* flow)

arbeitsam *Adj* industrious, diligent
Arbeits... *mst* TECH working (*table etc*) **~amt** *n* employment office, *Br* job centre **~bedingungen** *Pl* working (TECH operating) conditions *Pl* **~beschaffungsmaßnahme** *f* (*Abk* ***ABM***) job-creation measure, *Pl.* job-creation scheme **~beschaffungsprogramm** *n* job-creation scheme **~bescheinigung** *f* certificate of employment **~bogen** *m* PÄD work folder **~eifer** *m* zeal **~einkommen** *n* earned income **~einstellung** *f* stoppage of work, *e-s Betriebs*: shutdown, (*Streik*) strike **~erlaubnis** *f* work (*od* employment) permit **~essen** *n* working lunch (*od* dinner) **&fähig** *Adj* fit for work: POL ***~e Mehrheit*** working majority **~fläche** *f in der Küche*: worktop **~frieden** *m* industrial peace **~gang** *m* TECH working cycle: ***in einem ~*** in a single pass **~gebiet** *n* sphere of work **~gemeinschaft** *f* working pool, PÄD *etc* study group **~genehmigung** *f* (*Recht*) permission to work, (*Bescheinigung*) work permit **~gericht** *n* industrial tribunal **~grundlage** *f* work(ing) basis **&intensiv** *Adj* labo(u)r-intensive **~kampf** *m* labo(u)r dispute **~kleidung** *f* work clothes *Pl* **~klima** *n* work climate **~kraft** *f* **1.** capacity for work **2.** (*Person*) worker, *Pl* manpower *Sg* **~kräftemangel** *m* manpower shortage **~last** *f fig* workload **~leistung** *f* efficiency, TECH *a.* output **~lohn** *m* wages *Pl*, pay
arbeitslos *Adj* unemployed, jobless
Arbeitslose *m, f* unemployed person: ***die ~n*** the unemployed, the jobless
Arbeitslosen|geld *n* unemployment benefit **~hilfe** *f* unemployment relief **~unterstützung** *f* job-seeker's allowance **~zahl** *f* unemployment figures *Pl*
Arbeitslosigkeit *f* unemployment
Arbeits|markt *m* labo(u)r (*od* job) market: ***die Lage auf dem ~*** the job situation **~moral** *f* (working) morale **~nachweis** *m* employment agency
Arbeitsniederlegung *f* strike, walkout
arbeitsparend *Adj* labo(u)r-saving
Arbeitsplatz *m* **1.** job: ***freie Arbeitsplätze*** vacancies *Pl*; ***Schaffung von Arbeitsplätzen*** job creation **2.** working place **~beschreibung** *f* job description **~sicherung** *f* job security **~teilung** *f* job sharing **~vernichter** *m* job killer
Arbeits|prozess *m* ***j-n wieder in den ~ eingliedern*** put s.o. back to work **~raum** *m* workroom **~recht** *n* industrial law **&reich** *Adj* busy **&scheu** *Adj* work-shy **~schluss** *m* end of work: ***~ ist um ...*** work finishes at ...; ***nach ~*** after work **~schutz** *m* industrial safety **~speicher** *m* COMPUTER main memory **~stunde** *f* (*Maßeinheit*) manhour, *Pl* working hours *Pl* **~suche** *f* search for work: ***auf ~ sein*** be job hunting **&süchtig** *Adj* ***~ sein*** be a workaholic **~tag** *m* working day, workday **~teilung** *f* division of labo(u)r **~tier** *n* F *fig* demon for work
Arbeit|suche *f* (***auf ~ sein*** be) job hunting **~suchende** *m, f* job seeker
arbeitsunfähig *Adj* unfit for work, *dauernd*: permanently disabled
Arbeits|unfall *m* industrial accident **~vermittlung** *f* employment agency **~vertrag** *m* employment contract **~vorbereitung** *f* TECH operations scheduling **~weise** *f* (working) method, TECH *a.* procedure
Arbeitszeit *f* (***gleitende ~*** flexible) working hours *Pl*: ***gleitende ~ haben*** be on flexitime **~verkürzung** *f* reduction in working hours
Arbeitszimmer *n* study
Archäologe *m*, **Archäologin** *f* arch(a)eologist
Archäologie *f* arch(a)eology
archäologisch *Adj* arch(a)eological
Arche *f* ark: ***die ~ Noah*** Noah's ark
Archipel *m* archipelago
Architekt(in) architect
architektonisch *Adj* architectural
Architektur *f* architecture
Archiv *n* archives *Pl*
Areal *n* area
Arena *f* arena
arg I *Adj* bad: ***mein ärgster Feind*** my worst enemy; ***im &en liegen*** be in a bad way **II** *Adv* badly, F (*sehr*) *a.* awfully
Argentinien *n the* Argentine
Argentinier(in), **argentinisch** *Adj* Argentine
Ärger *m* **1.** (***über*** *Akk* at, about *s.th.*, with *s.o.*) annoyance, irritation, (*Zorn*) anger: ***zu m-m ~*** to my annoyance **2.** (***j-m ~ machen*** cause s.o.) trouble: ***das gibt ~*** there will be trouble **ärger-**

lich *Adj* **1.** *Person*: (***über*** *Akk* at, about *s.th.*, with *s.o.*) annoyed, angry, F cross **2.** *Sache*: annoying: ***wie ~!*** *a.* what a nuisance!
ärgern I *v/t* annoy, make *s.o.* angry **II** *v/refl* ***sich ~*** (***über*** *Akk* at, about *s.th.*, with *s.o.*) be (*od* get) annoyed, be angry: ***ärgere dich nicht!*** take it easy!
Ärgernis *n* annoyance: JUR ***öffentliches ~ erregen*** cause a public nuisance; ***~ erregen*** give offen/ce (*Am* -se)
arglistig *Adj* malicious, JUR fraudulent: ***~e Täuschung*** wilful deceit
arglos *Adj* innocent, (*nichts ahnend*) unsuspecting **Arglosigkeit** *f* innocence
Argument *n* argument
Argumentation *f* argumentation
argumentieren *v/i* argue, reason
Argwohn *m* suspicion (***gegen*** of): ***~ schöpfen*** grow suspicious **argwöhnisch** *Adj* suspicious (***gegen*** of)
Arie *f* MUS aria
Arier(in), **arisch** *Adj* Aryan
Aristokrat(in) aristocrat **Aristokratie** *f* aristocracy **aristokratisch** *Adj* aristocratic(ally *Adv*)
Arithmetik *f* arithmetic
Arktis *f the* Arctic (regions *Pl*)
arktisch *Adj a. fig* arctic
arm *Adj* poor (***an*** *Dat* in)
Arm *m allg* arm (*a.* TECH *u. fig*), (*Ärmel*) *a.* sleeve, *e-s Flusses*, *Leuchters*: *a.* branch: ***in die ~e nehmen*** embrace, hug; ***j-n auf den ~ nehmen*** **a)** pick s.o. up, **b)** F *fig* pull s.o.'s leg; ***j-m in die ~e laufen*** bump into s.o.; ***j-m unter die ~e greifen*** (***mit***) help s.o. (out with)
Armatur *f* armature, *Pl* fittings *Pl*
Armaturenbrett *n* MOT dashboard
Armband *n* bracelet **Armbanduhr** *f* wrist watch **Armbinde** *f* armlet, MED sling **Armbruch** *m* fractured arm
Arme *m, f* poor man (woman): ***die ~n*** the poor; ***ich ~(r)!*** poor me!
Armee *f* army **~korps** *n* army corps
Ärmel *m* sleeve: ***ohne ~*** sleeveless; F ***etw aus dem ~ schütteln*** **a)** pull s.th. out of a hat, **b)** do s.th. off the cuff
Ärmelaufschlag *m* cuff
Ärmelkanal *m the* Channel
ärmellos *Adj* sleeveless
Armenien *n* Armenia
armieren *v/t* ELEK (*Kabel*) armo(u)r, TECH (*Beton*) reinforce
...armig ...-armed, ...-branched
Armlehne *f* arm **Armleuchter** *m* **1.** chandelier **2.** F *pej* idiot, twerp
ärmlich *Adj* poor, (*dürftig*) *a.* shabby: ***in ~en Verhältnissen leben*** be poorly off; ***aus ~en Verhältnissen stammen*** come from a poor family
armselig *Adj* wretched, *a. fig* miserable
Armut *f* poverty (*a. fig* ***an*** *Dat* in, of)
Armuts|grenze *f* ***an*** (***unter***) ***der ~ liegen*** be on (under) the poverty line **~zeugnis** *n* ***j-m*** (***sich***) ***ein ~ ausstellen*** show s.o.'s (one's) incompetence
Aroma *n* (*Duft*) aroma, (*Geschmack*) flavo(u)r **Aromatherapie** *f* MED aromatherapy **aromatisch** *Adj* aromatic
arrangieren I *v/t* arrange **II** *v/refl* ***sich ~*** come to an arrangement (*od* agreement) (***mit*** with)
Arrest *m* detention
arretieren *v/t* TECH arrest, stop
arrogant *Adj* arrogant
Arsch *m* V **1.** arse, *Am a.* ass: ***leck mich am ~!*** fuck you!; ***er*** (***es***) ***ist im ~*** he (it) has had it; ***j-m in den ~ kriechen*** suck up to s.o. **2.** → ***Arschloch***
Arschkriecher(in) V arse licker
Arschloch *n* V arsehole, *Am a.* asshole, (*Person*) *a.* (stupid) bastard, shit
Arsen *n* CHEM arsenic
Arsenal *n a. fig* arsenal
Art *f* **1.** (*Wesen*) nature, (*Beschaffenheit*) *a.* kind: ***sie hat e-e nette ~*** she is a nice person, ***mit Kindern*** she has a way with children; ***es ist nicht s-e ~ zu*** *Inf* he's not the sort to *Inf*; ***es ist*** (***sonst***) ***nicht ihre ~*** (***zu*** *Inf*) it's not like her (to *Inf*); ***Fragen allgemeiner ~*** questions of general interest **2.** *a.* ***~ und Weise*** way, manner, (*Verfahren*) method: ***auf diese ~*** in this way; ***s-e ~ zu sprechen*** the way he talks; GASTR ***nach ~ des Hauses*** à la maison **3.** F (*Benehmen*) behavio(u)r, manners *Pl* **4.** (*Sorte*) kind, sort, type, BIOL species: *iron* ***e-e ~ Dichter*** a poet of sorts; *fig* ***aus der ~ schlagen*** go one's own way
Artenschutz *m* protection of species
Arterie *f* artery
Arteriosklerose *f* MED arteriosclerosis
artfremd *Adj* BIOL, MED alien, foreign

Arthrose *f* osteoarthritis, *seltener*: arthrosis
artig *Adj* well-behaved: ***sei ~!*** be good!, be a good boy (girl)!
Artikel *m allg* article, WIRTSCH *a.* item
artikulieren I *v/t* articulate **II** *v/refl* ***sich ~*** express o.s
Artillerie *f* artillery
Artischocke *f* BOT artichoke **Artischockenboden** *m* GASTR artichoke heart
Artist(in) (variety) artist
artistisch *Adj* artistic, acrobatic
Arznei *f* (***gegen*** for) medicine, medicament, drug **Arzneikunde** *f* pharmaceutics *Sg*
Arzneimittel *n* → ***Arznei*** **~abhängigkeit** *f* drug dependence **~missbrauch** *m* drug abuse
Arzneipflanze *f* medicinal plant
Arzneischrank *m* medicine cabinet
Arzt *m* doctor, *formell*: physician: ***zum ~ gehen*** (go to) see the doctor; → ***Allgemeinmedizin***
Arztberuf *m* medical profession
Ärztekammer *f* medical association
Ärzteschaft *f* medical profession
Arzthelfer(in) doctor's assistant
Ärztin *f* lady doctor (*od* physician)
ärztlich I *Adj* medical: → ***Attest*** **II** *Adv* ***j-n ~ behandeln*** attend s.o.
As *n* → ***Ass***
Asbest *m* asbestos
ASCII-Code *m* ASCII code
Asche *f* ashes *Pl* (*a. fig*), (*Zigaretten*♀ *etc*) ash: ***glühende ~*** embers *Pl*
Aschenbahn *f* SPORT cinder (MOT dirt) track **Aschenbecher** *m* ashtray
Aschenputtel *n a. fig* Cinderella
Aschermittwoch *m* Ash Wednesday
Ascorbinsäure *f* CHEM ascorbic acid
äsen *v/i* graze, browse
aseptisch *Adj* aseptic
Asiat(in), **asiatisch** *Adj* Asian
Asien *n* Asia
Asket(in), **asketisch** *Adj* ascetic
asozial *Adj* antisocial
Aspekt *m* aspect: ***unter diesem ~ betrachtet*** seen from this angle
Asphalt *m*, **asphaltieren** *v/t* asphalt
Ass *n* (*a. Tennis etc, a.* F *Person*) ace
Assessor *m*, **Assessorin** *f civil servant (lawyer, teacher, etc) who has completed his/her second state examination*
Assistent(in) assistant
Assistenz|arzt *m*, **~ärztin** *f* junior doctor, assistant physician, medical assistant
assistieren *v/i* assist (***bei*** in)
Assoziation *f* association
assoziieren *v/t* associate
Ast *m allg* branch, *im Holz*: knot: F ***auf dem absteigenden ~ sein*** be going downhill
Aster *f* BOT aster
Ästhet(in) (a)esthete
ästhetisch *Adj* (a)esthetical
Asthma *n* MED asthma **Asthmatiker(in)**, **asthmatisch** *Adj* asthmatic
Astrologe *m*, **Astrologin** *f* astrologer **Astrologie** *f* astrology **Astronaut(in)** astronaut **Astronomie** *f* astronomy **astronomisch** *Adj a.* F *fig* astronomic(al) **Astrophysik** *f* astrophysics *Sg*
ASU *Abk* = ***Abgassonderuntersuchung***
Asyl *n allg* asylum: ***um (politisches) ~ bitten*** ask for (political) asylum
Asylant(in) person seeking (*od* having been granted) (political) asylum
Asylrecht *n* right of asylum
asymmetrisch *Adj* asymmetric(al)
asynchron *Adj* asynchronous
Atelier *n* studio
Atem *m* breath: ***außer ~*** (***kommen*** get) out of breath; (***tief***) ***~ holen*** take a (deep) breath; *fig* ***mir stockte der ~*** my heart stood still; ***das verschlug mir den ~*** that took my breath away; F ***j-n in ~ halten*** keep s.o. on the jump (*in Spannung*: in suspense); → ***anhalten*** 1
atemberaubend *Adj fig* breathtaking
Atembeschwerden *Pl* difficulty *Sg* in breathing **Atemgerät** *n* breathing apparatus, MED respirator **atemlos** *Adj a. fig* breathless **Atempause** *f* F breather **Atemübungen** *Pl* breathing exercises *Pl* **Atemwege** *Pl* respiratory tract *Sg* **Atemzug** *m* (*fig* ***im gleichen ~*** in one) breath: ***bis zum letzten ~*** to the last gasp
Atheismus *m* atheism **Atheist(in)** atheist **atheistisch** *Adj* atheistic(al)
Äther *m* CHEM ether
ätherisch *Adj* ethereal, etheric: ***~es Öl*** essential (*od* volatile) oil
Äthiopien *n* Ethiopia

Äthiopier(in), **äthiopisch** *Adj* Ethiopian
Athlet(in) athlete
athletisch *Adj* athletic
Äthyl *n* CHEM ethyl **Äthylen** *n* ethylene
atlantisch *Adj* Atlantic: ***der ≈e Ozean*** the Atlantic (Ocean)
Atlas *m* **1.** ANAT, GEOG atlas **2.** (*Seiden≈*) satin, (*Baumwoll≈*) sateen
atmen I *v/i u. v/t* breathe: ***schwer*** (***tief***) **~** breathe hard (deep) **II ≈** *n* breathing
Atmosphäre *f a. fig* atmosphere
atmosphärisch *Adj* atmospheric
Atmung *f* breathing, respiration: ***künstliche ~*** artificial respiration
Atom *n* atom
atomar *Adj* atomic, nuclear
Atom|ausstieg *m* POL opting out of nuclear energy, *allmählicher*: nuclear phaseout **~bombe** *f* atom(ic) bomb, A-bomb **~bunker** *m* nuclear shelter **~energie** *f* atomic energy **~explosion** *f* atomic explosion **~forschung** *f* atomic research **≈getrieben** *Adj* nuclear-powered **~gewicht** *n* atomic weight **~hülle** *f* atomic shell
atomisieren *v/t a. fig* atomize
Atom|kern *m* atomic nucleus **~kontrolle** *f* atomic control **~kraft** *f* nuclear power **~kraftwerk** *n* nuclear power station **~krieg(führung** *f*) *m* nuclear war(fare) **~macht** *f* POL nuclear power **~modell** *n* atomic model **~müll** *m* radioactive waste **~physik** *f* atomic physics *Sg* **~reaktor** *m* atom reactor **~spaltung** *f* atom splitting **~sperrvertrag** *m* POL nonproliferation treaty **~sprengkopf** *m* nuclear warhead **~test** *m* nuclear test **~teststopp(abkommen** *n*) *m* test ban (treaty) **~tod** *m* nuclear death
Atom-U-Boot *n* nuclear(-powered) submarine
Atomwaffen *Pl* atomic (*od* nuclear) weapons *Pl* **≈frei** *Adj* nuclear-free *zone* **~gegner(in)** anti-nuclear protester
Atomzahl *f* atomic number **Atomzeitalter** *n* atomic age
Atrophie *f*, **atrophieren** *v/i* MED atrophy
ätsch *Interj* there!, serves you right!
Attaché *m* attaché
Attacke *f*, **attackieren** *v/t u. v/i* attack
Attentat *n* (***ein ~ auf j-n verüben*** make an) attempt on s.o.'s life, (**~** *mit Todesfolge*) assassination
Attentäter(in) assassin
Attest *n* (***ärztliches ~*** medical *od* doctor's) certificate
Attraktion *f* attraction
attraktiv *Adj* attractive
Attrappe *f* dummy
Attribut *n allg* attribute
attributiv *Adj* LING attributive
ätzen *v/t* **1.** CHEM corrode, eat into **2.** MED cauterize **3.** KUNST etch
ätzend 1. *Adj* corrosive, *a. fig* caustic **2.** F (*schlecht*) lousy, the pits
au *Interj* **1.** ouch! **2. *~ ja!*** oh yes!
AU *Abk* = ***Abgasuntersuchung***
Aubergine *f* BOT aubergine, eggplant
auch *Adv* **1.** (*ebenfalls*) also, too, as well: ***ich habe Hunger - ich ~*** I am hungry - so am I (F me too); ***ich glaube es - ich ~*** I believe it - so do I; ***ich kann es nicht - ich ~ nicht*** I can't do it - nor (*od* neither) can I **2.** (*sogar*) even: ***ohne ~ nur zu fragen*** without so much as asking **3.** *zugestehend*: ***wenn ~*** even if, although; ***sosehr ich es ~ bedauere*** however much I regret it **4.** *verallgemeinernd*: ***wann ~*** (***immer***) whenever; ***wer es ~*** (***immer***) ***sei*** whoever it may be; ***was er ~*** (***immer***) ***sagt*** whatever he may say; ***so schwierig es ~ sein mag*** difficult as it may be **5.** *verstärkend*: ***wirst du es ~ tun?*** are you really going to do it?; ***so schlimm ist es ~ wieder nicht!*** it's not all that bad!
Audienz *f* audience (***bei*** with)
Audiokassette *f* audio cassette
audiovisuell *Adj* audiovisual
Auditorium *n* **1.** UNI (***~ maximum*** main) lecture hall **2.** (*Zuhörerschaft*) audience
auf I *Präp* (*Dat*) **1.** *räumlich*: on, in, at: ***~ dem Tisch*** on the table; ***~ der Straße*** in (*Am* on) the street, on the road; ***~ See*** at sea; ***~ der Post*** at the post office; ***~ der Welt*** in the world; ***~ dem Land*** in the country; ***er ist ~ s-m Zimmer*** he is in his room **2.** (*bei*) at, during, on: ***~ dem Ball*** at the ball; ***~ s-r Reise*** during (*od* on) his journey; ***~ Urlaub*** on vacation, *bes Br* on holiday **II** *Präp* (*Akk*) **3.** *räumlich*: (down) on, onto, into, (*hin~*) up, *Richtung*: to, toward(s): ***er setzte sich ~ e-n Stuhl*** he sat down on a chair; ***~ die Erde fallen*** fall (on)to

the ground; ***er ging ~ die Straße*** he went (out) into the street; ***ich ging ~ die Post*** I went to the post office; ***geh ~ dein Zimmer!*** go to your room!; ***sie zogen ~ das Land*** they moved (in)to the country; *fig* ***~ Besuch kommen*** come for a visit; ***~ Reisen gehen*** go on a journey **4.** *zeitlich*: **a)** for: ***~ ein paar Tage*** for a few days; ***~ Jahre hinaus*** for years to come; ***es geht ~ 9*** **(*Uhr*)** it's getting on for nine (o'clock); F ***~ e-e Tasse Kaffee*** for a cup of coffee, **b)** after: ***Stunde ~ Stunde verging*** hour after hour went by, **c)** until: ***~ morgen verschieben*** postpone until tomorrow; F ***~ bald!*** see you soon! **5.** ***~ diese Weise*** (in) this way; ***~ Deutsch*** in German; ***~ s-n Befehl*** by (*od* at) his order; ***~ m-e Bitte*** **(*hin*)** on my request **6.** *bei Mengenangaben*: ***von 80 Tonnen ~ 100 erhöhen*** increase from 80 tons to 100; ***~ jeden entfallen …*** there is/are … (for) each; ***~ die Sekunde*** to the second; ***~ 100 m*** *sehen, hören etc*: at (*od* from) a hundred metres, *herankommen etc*: as close as 100 metres **III** *Adv* **7.** F **a)** (*offen*) open: ***Augen ~!*** *a.* watch out!, **b)** (*wach*) awake, (*auf den Beinen*) up (and going); ***~ sein*** **a)** *Tür etc*: be open, **b)** *Person*: be up; ***ich war die ganze Nacht ~*** I was up all night **8.** ***~ und ab gehen*** walk up and down (*od* to and fro); ***~ und davon gehen*** run away **IV** *Interj* **9.** ***~!*** **a)** (get) up!, **b)** F *a.* ***~ gehts!*** let's go!, **c)** (*los*) come on!

Auf *n* ***das ~ und Ab des Lebens*** the ups and downs of life

aufarbeiten *v/t* **1.** (*Rückstände*) work (*od* clear) off, catch up on **2.** (*Möbel etc*) furbish up, do up **3.** *fig* work *s.th.* up, (*Eindrücke etc*) digest

aufatmen *v/i* draw a deep breath, *fig* breathe again (*od* freely), recover

aufbahren *v/t* (*Sarg*) put on the bier, (*Leiche*) lay out (in state)

Aufbau *m* **1.** (*das Aufbauen*) building, erection, construction, TECH assembly: *fig* ***im ~*** **(*begriffen*)** ***sein*** be in its initial stages **2.** (*Struktur*) *a. fig* structure **3.** MOT car body

aufbauen I *v/t* **1.** build, erect, construct, TECH assemble, (*errichten*) set up, (*arrangieren*) arrange: ***wieder ~*** rebuild, reconstruct **2.** (*ein Reich, Geschäft etc, den Angriff, Eiweiß,* F *e-n Politiker, Sportler etc*) build up, (*schaffen*) organize, set up: ***sich e-e Existenz ~*** build o.s. an existence; ***e-e Theorie*** *etc* ***~ auf*** (*Dat*) base (*od* found) a theory *etc* on **II** *v/i* **3.** (*a.* ***sich***) ***~ auf*** (*Dat*) be based (*od* founded) on **III** *v/refl* ***sich ~*** **4.** be composed (***aus*** of) **5.** F ***sich ~ vor*** (*Dat*) plant o.s. (*mehrere*: line up) in front of

aufbäumen *v/refl* ***sich ~*** *Pferd*: rear; *fig* ***sich ~*** make a (last) desperate effort; ***sich ~ gegen*** rebel against

aufbauschen *v/t fig* exaggerate

Aufbauten *Pl* SCHIFF superstructure *Sg*

aufbegehren *v/i* rebel (***gegen*** against)

aufbehalten *v/t* F ***den Hut ~*** keep one's hat on

aufbekommen *v/t* F **1.** (*Tür etc*) get open, (*Knoten etc*) get undone **2.** (*Aufgabe*) be given *a task* (to do)

aufbereiten *v/t* **1.** *allg* prepare, (*Nahrungsmittel etc, a. fig Material etc*) *a.* process **2.** TECH *a.* treat **3.** (*Computertext*) edit **4.** *fig* work *s.th.* up

aufbessern *v/t allg* improve, (*Kenntnisse etc*) *a.* F brush up, (*Gehalt etc*) raise

aufbewahren *v/t* keep, preserve, (*lagern*) store (up) **Aufbewahrung** *f* (***sichere ~***) safekeeping: ***j-m etw zur ~ geben*** leave s.th. with s.o.

aufbieten *v/t* **1.** (*Kräfte, Mut etc*) muster, summon (up), (*Einfluss etc*) use **2.** (*Truppen*) mobilize **3.** (*Brautpaar*) publish (*od* call) the banns of

Aufbietung *f* ***unter ~ aller Kräfte*** by (a) supreme effort

aufbinden *v/t* undo, untie: → ***Bär***

aufblähen I *v/t* **1.** (*a.* ***sich ~***) blow out, swell **2.** WIRTSCH, MED inflate **II** *v/refl* ***sich ~*** → ***aufblasen*** II

aufblasbar *Adj* inflatable

aufblasen I *v/t* blow up, inflate **II** *v/refl* ***sich ~*** F *pej* puff o.s. up

aufbleiben *v/i* **1.** (*wachen*) sit up, stay up **2.** *Tür etc*: remain open

aufblenden *v/i* **1.** MOT turn on the headlights full beam **2.** FOTO open the diaphragm

aufblicken *v/i* look up: ***zu j-m ~*** look up at s.o. (*bes fig* to s.o.)

aufblitzen *v/i* flash (up)

aufblühen *v/i* (begin to) bloom, *fig*

Mädchen: blossom (out), *Stadt, Wirtschaft etc*: (begin to) flourish
aufbocken *v/t* MOT jack up
aufbohren *v/t* TECH bore open, (*Motor*) rebore, (*Zahn*) drill
aufbrauchen *v/t* use up, consume
aufbrausen *v/i* **1.** CHEM effervesce **2.** *Person*: flare up
aufbrausend *Adj fig* quick-tempered
aufbrechen I *v/t* **1.** (*Tür, Schloss etc*) break open, (*Kiste etc*) prize open, (*Pflaster etc*) break up **II** *v/i* **2.** *Knospe, Geschwür etc*: (burst) open, *Eis*: break up **3.** (***nach*** for) start, set out
aufbringen *v/t* **1.** → ***aufbekommen*** 1 **2.** (*Geld*) raise, (*Mittel*) find, *fig* (*Mut, Energie etc*) muster, summon (up) **3.** (*Gerücht, Mode etc*) start **4.** (*erzürnen*) anger, *stärker*: incense: ***j-n gegen sich ~*** get s.o.'s back up; → ***aufgebracht*** **5.** (*ein Schiff*) capture
Aufbruch *m* (***nach, zu*** for) departure, start: ***das Zeichen zum ~ geben*** give the sign to leave
aufbrühen *v/t* (*Kaffee etc*) make, (*Tee*) *a.* brew
aufbügeln *v/t* **1.** (*Muster*) transfer (***auf*** *Akk* on) **2.** (*Hose etc*) iron, press
aufbürden *v/t fig* ***j-m etw ~*** saddle s.o. with s.th.
aufdecken I *v/t* **1.** uncover, *fig a.* reveal, expose **2.** ***das Bett ~*** turn down the bed **3.** (*Tischtuch*) put on **II** *v/i* **4.** lay the table
aufdonnern *v/refl* ***sich ~*** F get (all) dolled up
aufdrängen I *v/t* ***j-m etw ~*** force s.th. on s.o. **II** *v/refl* ***sich ~*** *Gedanke etc*: suggest itself; ***sich j-m ~*** impose o.s. on s.o.; ***ich will mich nicht ~*** I don't want to intrude
aufdrehen I *v/t* **1.** (*Ventil, Gas etc*) turn on **2.** (*Seil*) untwist **3.** F (*Radio*) turn up **4.** (*Haare*) put up in curlers **II** *v/i* **5.** F MOT step on the gas **6.** F *fig Person*: get going: → ***aufgedreht***
aufdringlich *Adj* obtrusive, *Person*: *a.* importunate, pushing, *Farbe*: *a.* loud, *Musik*: noisy, *Geruch*: overpowering
Aufdringlichkeit *f* obtrusiveness
Aufdruck *m* imprint, *philat.* overprint
aufdrucken *v/t* print (***auf*** *Akk* on)
aufdrücken *v/t* **1.** (*Tür etc*) push (*od* press) open **2.** F (*Pickel etc*) squeeze open **3.** (*Stempel etc*) impress (*Dat od* ***auf*** *Akk* on)
aufeinander *Adv* **1.** (*übereinander*) one on top of another (*od* the other) **2.** (*gegenseitig*) one another, each other: ***~ angewiesen sein*** depend on each other; ***~ abgestimmte Farben*** matching colo(u)rs **3.** (*nacheinander*) one after the other; ***~ folgen*** succeed (one another); ***~ folgend*** successive, consecutive: ***an drei ~ folgenden Tagen*** on three days running; ***~ prallen, ~ stoßen*** collide, *fig Meinungen, Personen*: *a.* clash; ***~ treffen*** meet (one another)
Aufenthalt *m* **1.** stay **2.** BAHN *etc* (***fünf Minuten ~*** five minutes') stop: ***ohne ~*** nonstop; ***wir hatten zwei Stunden ~ in …*** we stopped in … for two hours
Aufenthalts|erlaubnis *f* residence permit **~ort** *m* whereabouts *Sg*, (*Wohnsitz*) residence **~raum** *m Hotel etc*: lounge, *Schule etc*: common room
auferlegen *v/t* ***j-m etw ~*** impose s.th. on s.o.; ***sich k-n Zwang ~*** be free and easy
auferstehen *v/i* REL rise (from the dead)
Auferstehung *f* resurrection
aufessen *v/t* eat up, finish
auffädeln *v/t* thread, string
auffahren I *v/i* **1.** ***~ auf*** (*Akk*) MOT crash into, SCHIFF run on; MOT ***zu dicht ~*** tailgate **2.** *erschreckt*: (give a) start, *zornig*: flare up: ***aus dem Schlaf ~*** wake with a start **II** *v/t* **3.** F (*Speisen etc*) bring on
Auffahrt *f* **1.** *der Wagen*: driving up **2.** (*Zufahrt*) approach, (*Autobahn*~) slip road, *zu e-m Haus*: drive(way *Am*)
Auffahrunfall *m* MOT rear-end collision
auffallen *v/i* be conspicuous, attract attention: ***j-m ~*** strike s.o.; ***das fällt nicht auf*** nobody will notice; ***unangenehm ~*** make a bad impression
auffallend *Adj* noticeable, *Schönheit, Ähnlichkeit etc*: remarkable, striking
auffällig *Adj* **1.** → ***auffallend*** **2.** conspicuous, *Benehmen etc*: odd, strange, *Farben, Kleidung etc*: loud, F flashy
auffangen *v/t* **1.** (*Ball etc, a. fig Worte etc*) catch, *fig* (*Nachrichten etc*) pick up, (*Funkspruch*) *a.* intercept **2.** (*mildern*) (*Fall, Stoß, a. fig Preissteigerung etc*) cushion, (*Schlag*) parry, *Boxen*: block, (*Angriff etc*) stop **3.** (*sammeln*) collect,

fig (*Flüchtlinge etc*) receive **4.** FLUG pull out
Auffanglager *n* reception camp
auffassen I *v/t* **1.** (*begreifen*) understand, grasp **2.** (*deuten*) interpret: ***falsch ~*** misunderstand, misinterpret; ***etw als Scherz ~*** take s.th. as a joke **II** *v/i* **3.** ***leicht*** (***schwer***) ~ F be quick (slow) on the uptake **Auffassung** *f* **1.** (*Ansicht*) view, opinion: ***nach m-r ~*** in my view, as I see it **2.** (*Deutung*) interpretation **3.** → **Auffassungsgabe** *f* grasp, intelligence
auffindbar *Adj* ***nicht ~*** not to be found
auffinden *v/t* find, discover
auffischen *v/t* F **1.** (*Schiffbrüchige etc*) fish out (of the water) **2.** → ***aufgabeln***
aufflackern *v/i a. fig* flicker up
aufflammen *v/i a. fig* flare up
auffliegen *v/i* **1.** *Vogel*: fly up **2.** *Tür etc*: fly open **3.** F *Plan etc*: blow up: ***~ lassen*** (*j-n*) expose, (*Bande*) bust, (*Veranstaltung*) break up
auffordern *v/t* **1.** ***j-n ~*** (***, etw zu tun***) ask (*stärker*: order, JUR summon) s.o. (to do s.th.); ***j-n dringend ~*** urge s.o. **2.** (*bitten*) invite: ***e-e Dame*** (***zum Tanz***) ***~*** ask a lady to dance **Aufforderung** *f* request, call, *stärker*: order, JUR summons, (*Ersuchen*) invitation
aufforsten *v/t* reafforest
auffressen *v/t* eat up, devour: F *fig* ***die Arbeit frisst mich auf*** I'm drowning in work
auffrischen I *v/t* freshen up, (*Farben etc, a. fig Gedächtnis etc*) refresh, (*Vorräte*) replenish, *fig* (*Kenntnisse*) brush up, (*Bekanntschaft*) revive **II** *v/i Wind*: freshen
Auffrischungskurs *m* refresher course
aufführen I *v/t* **1.** MUS, THEAT *etc* perform, present, (*Film*) *a.* show, (*Stück*) *a.* put on **2.** (*nennen*) state, show, *in e-r Liste*: list: ***einzeln ~*** specify, itemize; ***namentlich ~*** name **II** *v/refl* ***sich ~*** **3.** behave: ***sich schlecht ~*** *a.* misbehave
Aufführung *f* THEAT *etc* performance, FILM *a.* showing, (*Darbietung*) show
Aufführungsrechte *Pl* performing rights *Pl*
auffüllen *v/t* fill up, top up, (*Vorräte etc*) replenish
Aufgabe *f* **1.** *e-s Briefs*: posting, *Am* mailing, *e-s Telegramms*: sending, *des Gepäcks*: registering, *Am* checking, *e-r Annonce*: insertion, *e-r Bestellung*: giving, placing **2.** *allg e-s Plans, e-r Wohnung etc*: giving up (*a. Sport*), *e-s Geschäfts etc*: *a.* closing down, *e-s Amts etc*: resignation (*Gen* from) **3.** task, assignment, job, (*Pflicht*) duty, (*Zweck*) purpose, function: ***es ist nicht m-e ~ zu*** *Inf* it's not my job to *Inf*; ***es sich zur ~ machen zu*** *Inf* make it one's business to *Inf* **4.** (*Denk*♀) problem, (*Schul*♀) homework, lesson, exercise: ***s-e ~n machen*** do one's homework **5.** *bes Volleyball*: service
aufgabeln *v/t* F pick up
Aufgabenbereich *m* (***das fällt nicht in m-n ~*** that is outside my) scope of duties
Aufgang *m* **1.** *der Gestirne*: rising **2.** (*Treppen*♀) stairway
aufgeben I *v/t* **1.** (*Brief etc*) post, *bes Am* mail, (*Telegramm*) send, (*Gepäck*) register, *Am* check, (*Annonce*) insert, (*Bestellung*) give, place **2.** *allg* (*Wohnung, Beruf, Hoffnung, e-n Patienten etc*) give up, (*Amt etc*) *a.* retire from, (*Plan etc*) *a.* abandon, (*Wettkampf etc*) stop: ***das Rauchen ~*** give up (*od* stop) smoking; F ***gibs auf!*** give (it) up! **3.** (*Rätsel*) ask, (*Schularbeit*) set, give **4.** (*den Ball*) serve **II** *v/i* **5.** give up, *Boxen u. fig* throw in the towel
aufgeblasen *Adj* F bumptious
Aufgebot *n* **1.** ***das ~ bestellen*** give notice of an intended marriage, *kirchlich*: ask the banns **2.** (*Menge*) array, crowd, (*Polizei*♀) force, SPORT team, (*Spielerkader*) squad, pool of players: ***mit starkem ~ erscheinen*** turn out (*od* up) in full force; ***das letzte ~*** the last reserves *Pl*
aufgebracht *Adj* (***gegen*** with, ***über*** *Akk* at, about) angry, *stärker*: furious
aufgedonnert *Adj* F dolled up
aufgedreht *Adj* F *fig* in high spirits
aufgedunsen *Adj* bloated, swollen
aufgehen *v/i* **1.** *Sonne etc, a. Teig*: rise, *Vorhang*: *a.* go up **2.** *Saat etc*: come up **3.** (*sich öffnen*) *allg* open, *Schleife etc*: *a.* come undone, *Naht*: come open, *Geschwür etc*: burst **4.** MATHE come out even: ***die Aufgabe geht nicht auf*** the sum doesn't work out; → ***Rechnung*** 1 **5.** ***~ in*** (*Dat*) be (all) wrapped up in

one's work etc **6. *j-m ~*** (*klar werden*) dawn on s.o.; ***jetzt geht mir die Bedeutung s-r Worte auf*** now I realize what he meant; → ***Licht*** 2 **7. *in Flammen ~*** go up in flames
aufgehoben *Adj fig* ***gut ~ sein*** be in good hands (***bei j-m*** with s.o.)
aufgeilen V **I** *v/t* turn *s.o.* on **II** *v/refl* ***sich ~ an*** (*Dat*) get turned on by
aufgeklärt *Adj* enlightened: (***sexuell***) ***~ sein*** know the facts of life
aufgeknöpft *Adj* F *fig* chatty
aufgekratzt *Adj* F *fig* chirpy
aufgelegt *Adj* ***zu etw ~ sein*** be in the mood for s.th., feel like (doing) s.th.; ***gut*** (***schlecht***) ***~ sein*** be in a good (bad) mood
aufgelöst *Adj fig* **1.** distraught: ***in Tränen ~*** in tears **2.** (*erschöpft*) all in
aufgeräumt *Adj fig* cheerful
aufgeregt *Adj* excited, nervous, upset
aufgeschlossen *Adj fig* open (***für*** to), *Person*: open-minded **Aufgeschlossenheit** *f* open-mindedness
aufgeschmissen *Adj* F ***~ sein*** be (really) stuck
aufgeschossen *Adj* ***hoch ~*** *Person*: lanky, gangling
aufgesetzt *Adj fig* artificial
aufgesprungen *Adj Lippen, Hände etc*: chapped
aufgestaut *Adj Ärger etc*: pent-up
aufgeweckt *Adj fig* bright, clever
aufgießen → ***aufbrühen***
aufgliedern *v/t* (sub)divide, *nach Klassen*: classify, *statistisch etc*: break down (***nach*** *Alter etc* by), (*e-n Satz*) analyze
aufgraben *v/t* dig up
aufgreifen *v/t* **1.** (*j-n*) pick up, seize **2.** (*Idee etc*) take up
aufgrund → ***Grund*** 3
Aufguss *m* **1.** infusion **2.** *fig* rehash
aufhaben F **I** *v/t* **1.** (*Hut etc*) have on **2.** (*Tür etc*) have open **3.** (*Schulaufgaben*) have to do: ***wir haben heute nichts auf*** we have no homework today **II** *v/i* **4.** *Geschäft etc*: be open
aufhacken *v/t* pick up, break up
aufhaken *v/t* unhook, undo
aufhalsen *v/t* F ***j-m etw ~*** land s.o. with s.th.
aufhalten I *v/t* **1.** keep open **2.** (*anhalten*) stop, (*j-n*) detain, hold up (*a. Auto, Verkehr*), (*hemmen*) check, stay, (*verzögern*) delay: ***ich wurde durch den Regen aufgehalten*** I was delayed by the rain; ***ich will Sie nicht länger ~*** don't let me keep you **II** *v/refl* ***sich ~*** **3.** stay (***im Ausland*** abroad, ***bei Freunden*** with friends) **4. *sich ~ mit*** spend (*unnütz*: waste) one's time on
aufhängen I *v/t* **1.** (***an*** *Dat*) hang (up) (on), TECH suspend (from): ***j-n ~*** hang s.o. **2.** F → ***aufbürden*** **II** *v/refl* ***sich ~*** **3.** hang o.s **Aufhänger** *m* **1.** *am Mantel etc*: tab **2.** F *fig* ***~*** (***für e-n Artikel*** *etc*) peg (on which to hang a story *etc*)
Aufhängung *f* TECH suspension
aufhäufen *v/t* (*a.* ***sich ~***) pile up, heap up, accumulate
aufheben *v/t* **1.** pick up, (*hochheben*) lift (up), (*Hand*) raise: ***j-n ~*** help s.o. up **2.** (*aufbewahren*) keep (***für später*** for later): → ***aufgehoben*** **3.** (*Sitzung etc*) close, (*Belagerung*) raise, (*Boykott etc*) call off **4.** (*rückgängig machen*) abolish, (*Vertrag*) cancel, (*a. Ehe*) annul, (*Gesetz*) abrogate, (*Urteil*) quash: ***ein Verbot ~*** lift a ban **5.** (*ausgleichen*) compensate, (*e-e Wirkung*) cancel, neutralize: ***sich*** (*od* ***einander***) ***~*** cancel each other out (*a.* MATHE), neutralize each other **Aufheben** *n* fuss, ado: ***viel ~(s) machen*** make a big fuss (***von*** about)
Aufhebung *f* **1.** abolition (***der Todesstrafe*** of capital punishment), *e-s Gesetzes*: abrogation, *e-s Vertrags*: cancel(l)ation, *a. e-r Ehe*: annulment **2.** (*Beendigung*) termination, *e-r Belagerung*: raising, *e-s Boykotts etc*: calling-off **3.** *e-r Wirkung*: neutralization
aufheitern I *v/t* ***j-n ~*** cheer s.o. up **II** *v/refl* ***sich ~*** *Wetter*: clear (up), *a. fig Gemüt etc*: brighten (up) **Aufheiterungen** *Pl* METEO sunny spells *Pl*
aufhellen I *v/t* **1.** (*Farbe*) lighten (*a.* FOTO) **2.** *fig* → ***erhellen*** 2 **II** *v/refl* ***sich ~*** → ***aufheitern*** II
aufhetzen *v/t* ***j-n ~*** incite s.o. (***zu etw*** to [do] s.th.), ***gegen*** set s.o. against **Aufhetzung** *f* instigation, POL agitation
aufheulen *v/i* (give a) howl, MOT roar
aufholen I *v/t* (*Arbeit etc*) catch up on: ***e-n Rückstand*** (*od* ***Zeitverlust***) ***~*** make up leeway **II** *v/i* (***gegenüber***) catch up (with, on), gain (on)
aufhorchen *v/i* **1.** prick (up) one's ears

2. *fig* sit up (and take notice)
aufhören *v/i* stop (*a.* **~ mit**), (come to an) end: ***sie hörte nicht auf zu reden*** she didn't stop talking; ***wo haben wir aufgehört?*** where did we leave off?; ***hör auf*** (***damit***)***!*** stop it!; **~ *zu arbeiten*** F knock off (work[ing]); ***ohne aufzuhören*** without letup
aufkaufen *v/t* buy up
Aufkäufer(in) (wholesale) buyer
aufklappen *v/t u. v/i* open
aufklaren *v/i Wetter*: clear (up)
aufklären I *v/t* **1.** (*Geheimnis etc*) clear up, (*Mord etc*) *a.* solve, (*Irrtum etc*) correct **2.** (*j-n*) enlighten, inform (***über*** *Akk* of): ***j-n*** (***sexuell***) **~** explain the facts of life to s.o. **3.** MIL reconnoit/re (*Am* -er) **II** *v/refl* ***sich* ~ 4.** be cleared up, be solved **5.** → ***aufklaren***
Aufklärung *f* **1.** *e-s Falls etc*: clearing up, solution, *e-s Irrtums etc*: correction: **~ *verlangen*** demand an explanation **2.** (*Belehrung*) enlightenment (*a.* PHIL), education, information: ***sexuelle* ~** sex education **3.** MIL reconnaissance
Aufklärungs|film *m* sex education film **~flugzeug** *n* reconnaissance (*od* scout) plane **~quote** *f von Verbrechen*: clear-up rate **~satellit** *m* reconnaissance satellite **~zeit** *f hist* Age of Enlightenment
Aufklebeadresse *f* gummed address label
aufkleben *v/t* stick on (***auf*** *Akk* to), FOTO mount **Aufkleber** *m* sticker
aufknöpfen *v/t* unbutton, undo
aufkochen *v/t* (*a.* **~ *lassen***) bring *s.th.* to the boil
aufkommen I *v/i* **1.** (*entstehen*) arise (*a. Zweifel, Verdacht etc*), *Wind*: spring up, *Nebel etc*: come up, *Mode etc*: come into fashion, *Gerücht*: start: ***Zweifel* ~ *lassen*** give rise to doubt; ***nicht* ~ *lassen*** suppress **2. ~ *für*** (*einstehen*) answer for, be responsible for, (*bezahlen*) pay; ***für den Schaden* ~** compensate for the damage **3. ~ *gegen*** prevail against; ***er kommt gegen sie nicht auf*** he is no match for her; ***niemanden neben sich* ~ *lassen*** suffer no rival **4.** → ***aufholen*** II **II** ♀ *n* **5.** (*Entstehung*) rise **6.** WIRTSCH yield
aufkratzen *v/t* scratch open: ***sich* ~** scratch o.s. sore
aufkrempeln *v/t* (*Hose*) turn up, (*Ärmel*) roll up
aufkreuzen *v/i* F *fig* turn up
aufkriegen F → ***aufbekommen***
auflachen *v/i* (give a) laugh
aufladen I *v/t* **1.** load (***auf*** *Akk* onto): F *fig* ***j-m*** (***sich***) ***etw* ~** saddle s.o. (o.s.) with s.th. **2.** (*Batterie*) charge, (*Motor*) supercharge, boost **II** *v/refl* ***sich* ~ 3.** *elektrisch*: become charged
Auflader *m* MOT supercharger
Auflage *f* **1.** *e-s Buches*: edition, *e-r Zeitung*: circulation **2.** (*Bedingung*) ([***j-m***] ***etw zur* ~ *machen*** make s.th. a) condition (for s.o.) **3.** TECH (*Stütze*) rest, support, (*Schicht*) layer, (*Belag*) coating, lining
Auflagenhöhe *f e-s Buches*: number of copies, *e-r Zeitung*: circulation
auflassen *v/t* F **1.** (*Tür etc*) leave open **2.** (*Hut etc*) keep on **3.** ***j-n*** (***lange***) **~** let s.o. stay up (late) **4.** (*Grundstück*) convey
auflauern *v/i* ***j-m* ~** waylay s.o.
Auflauf *m* **1.** (*Menschen*♀) crowd, (*Tumult*) riot **2.** GASTR soufflé
auflaufen *v/i* **1.** SCHIFF run aground: ***auf e-e Mine* ~** hit a mine **2.** run (*od* bump) (***auf*** *Akk* into): ***j-n* ~ *lassen*** **a)** SPORT obstruct s.o. unfairly, **b)** *fig* give s.o. what for **3.** *Gelder etc*: accumulate, run up, *Zinsen*: *a.* accrue
Auflaufform *f* ovenproof dish
aufleben *v/i* (***wieder***) **~** *a. fig* revive; ***er lebte förmlich auf*** he really livened up
auflegen I *v/t* **1.** (*Kohlen, Schallplatte, Make-up etc*) put on, (*Tischtuch, Gedeck*) lay: ***den*** (***Telefon***)***Hörer* ~** → 4 **2.** (*Buch*) publish, print: ***wieder* ~** reprint **3.** (*Aktien etc*) issue **II** *v/i* **4.** TEL replace the receiver, hang up
auflehnen *v/refl* ***sich* ~** (***gegen***) rebel (against), oppose (*s.o., s.th.*) **Auflehnung** *f* rebellion (***gegen*** against)
auflesen *v/t* pick up (*a.* F *fig j-n*)
aufleuchten *v/i a. fig* light up
aufliegen I *v/i* lie (*od* rest, lean) (***auf*** *Dat* on) **II** *v/refl* ***sich* ~** F MED get bedsore(s)
auflisten *v/t* list, make a list of
auflockern *v/t allg, a. fig* loosen up, (*Muskeln*) *a.* limber up, *fig* (*Unterricht etc*) *a.* liven up, (*Atmosphäre*) relax, (*Wohngebiet*) disperse
auflodern *v/i a. fig* flare up
auflösen I *v/t* **1.** *allg* dissolve, (*Versamm-*

lung etc) a. break up, *(Verlobung)* break off, MIL *(Einheit)* disband: (**[sich] in s-e Bestandteile**) ~ disintegrate **2.** MATHE *(Gleichung, a.* MUS *Dissonanz)* resolve *(a. Rätsel etc), (Klammern)* remove, MUS *(Vorzeichen)* cancel **3.** *(Vertrag)* cancel, annul, *(Firma etc)* liquidate, wind up **II** *v/refl* **sich** ~ **4.** *allg* dissolve, *Versammlung etc: a.* break up, MIL *Einheit*: disband: **sich in nichts** ~ vanish (into thin air), *Hoffnung etc*: go up in smoke; → **Luft** 1

Auflösung *f allg* dissolution, *e-r Versammlung: a.* breakup, *e-r Firma*: liquidation, *e-s Vertrags*: annulment, MIL disbandment, MATHE, MUS, FOTO resolution, *(Zerfall)* disintegration *(a. fig)*

Auflösungszeichen *n* MUS natural

aufmachen I *v/t* F **1.** *allg* open: **mach d-e Augen auf!** watch out! **2.** *(zurechtmachen)* make up, get up, design: **etw** *in der Presse* **groß** ~ splash s.th.; **e-e Rechnung** ~ write out *(fig* present) a bill **II** *v/i* **3.** F open, *auf Klingelzeichen*: answer the door: **j-m** ~ let s.o. in **III** *v/refl* **sich** ~ **4.** set out (**nach** for)

Aufmacher *m* F *Zeitung*: lead, *eng. S.* feature story *(od* photo)

Aufmachung *f* **1.** presentation, getup, BUCHDRUCK layout: **etw in großer** ~ **herausbringen** feature s.th. prominently **2.** F *(Kleidung)* outfit, getup

Aufmarsch *m* marching up, *von Truppen*: deployment

aufmarschieren *v/i a. fig* march up

aufmerksam *Adj* attentive *(a. höflich), (wachsam)* watchful, *(zuvorkommend)* obliging: **j-n** ~ **machen auf** *(Akk)* call *(od* draw) s.o.'s attention to; ~ **werden auf** *(Akk)* notice, become aware of; *Adv* ~ **zuhören** listen attentively; **etw** ~ **verfolgen** follow s.th. closely

Aufmerksamkeit *f* **1.** attention, *(Zuvorkommenheit)* attentiveness: ~ **erregen** attract attention; *(Dat)* ~ **schenken** pay attention (to) **2.** *(kleines Geschenk)* small gift

aufmischen *v/t* F **j-n** ~ mess s.o. up

aufmöbeln *v/t* F jazz up, *(a. j-n)* pep up

aufmuntern *v/t* **1.** → **ermuntern** 1 **2. j-n** ~ cheer (F pep) s.o. up; **~de Worte** *Pl* pep talk *Sg* **Aufmunterung** *f* **ich brauche e-e** ~ I need cheering up

aufmüpfig *Adj* F rebellious

aufnähen *v/t* sew on (**auf** *Akk* to)

Aufnahme *f* **1.** *e-r Tätigkeit etc*: taking up, *von Beziehungen etc: a.* establishing, *von Nahrung*: intake, *von Wissen etc*: absorption *(a.* PHYS), *von Eindrücken etc*: reception, taking in **2.** (**in** *Akk*) *(Eingliederung)* integration (within), *(Einbeziehung)* inclusion (into), *(Zulassung)* admission (in[to]), *(Einschreibung)* registration: ~ **finden** be admitted (**bei** [in]to) **3.** *(Empfang) (a. fig* **e-e kühle** *etc* ~ **finden** meet with a cool *etc)* reception (**bei** from) **4. a)** *(Unterbringung)* accommodation, *ins Krankenhaus*: admission (**in** *Akk* to), **b)** *(Büro)* reception (office) **5.** WIRTSCH *von Kapital etc*: raising, *e-s Schadens*: assessment **6.** FILM *etc* taking, shooting, *(Bild)* photo(graph), shot, *(Ton*≗) (sound) recording, pickup: **e-e** ~ **machen** (**von** of) take a picture, *auf Band*: make a (tape-)recording; **Achtung, ~!** FILM Action!, Camera!

aufnahmefähig *Adj* receptive (**für** to)

Aufnahmefähigkeit *f* receptivity

Aufnahme|gebühr *f* admission fee **~gerät** *n* RADIO, TV pickup (unit), *(Ton*≗) recorder, FOTO camera **~leiter** *m* FILM production (RADIO recording) manager **~prüfung** *f* entrance examination **~raum** *m* FILM *etc* studio **~wagen** *m* recording van *(Am* truck)

aufnehmen *v/t* **1.** *(Last, fig Fährte etc)* pick up, *(Maschen)* take up **2.** *(empfangen)* receive *(a. fig Nachricht), (unterbringen)* accommodate, **in** *e-n Verein, ein Krankenhaus etc*: admit (to), **in** *e-e Liste etc*: enter (into), *(einbeziehen)* include (**in** *Akk* into): **j-n bei sich** ~ put s.o. up; *fig* **etw übel** ~ take s.th. amiss **3.** *(fassen)* hold, *(Passagiere etc)* seat **4.** *(Eindrücke etc)* take in, *(a.* **in sich** ~ *Wissen etc)* absorb, *(begreifen)* grasp **5.** MED, PHYS absorb, *(Nahrung)* take in **6.** *(Tätigkeit, Gespräch etc)* take up, *(Beziehungen)* enter into, *(Verkehr etc)* open: **wieder** ~ resume; *fig* **den Kampf mit j-m** ~ take s.o. on; **ich kann es mit ihm nicht** ~ I'm no match for him; → **Kontakt 7.** *(aufzeichnen)* record, *auf Band: a.* tape(-record), *(Protokoll)* draw up, *(Inventar)* make an inventory of, *(Schaden)* assess, *(Diktat, Personalien etc)* take (down), *(Tele-*

gramm, Bestellung, Bild) take, (*Film*) shoot: ***j-n** ~* take s.o.'s picture **8.** WIRTSCH (*Geld etc*) borrow, (*a. Hypothek*) raise (***auf** Akk* on)
aufnötigen *v/t **j-m etw** ~* force s.th. upon s.o.
aufopfern *v/t* sacrifice (***sich*** o.s.)
aufopfernd *Adj* self-sacrificing
aufpäppeln *v/t* F ***j-n** ~* feed s.o. up
aufpassen *v/i* **1.** pay attention: ***pass(t) auf!*** (*Vorsicht*) look out!, watch out!; F ***pass(t) mal auf!*** listen! **2.** *~ **auf*** (*Akk*) look after, take care of, (*beobachten*) watch (over); F ***pass gut auf dich auf!*** take care (of yourself)! **Aufpasser(in)** *pej* watchdog, (*Spitzel*) spy
aufpeitschen *v/t a. fig* whip up (***sich*** o.s.)
aufpflanzen *v/t* plant: *fig **sich** ~* plant o.s. (***vor** Dat* before)
aufpfropfen *v/t fig* graft (*Dat* on)
aufplatzen *v/i* burst (open)
aufplustern *v/refl **sich** ~* **a)** *Vogel*: ruffle its feathers, **b)** F *fig* puff o.s. up
aufpolieren *v/t a. fig* polish up
Aufprall *m* impact **aufprallen** *v/i ~ **auf*** (*Akk*) hit, *Auto etc*: *a.* crash into
Aufpreis *m* WIRTSCH extra charge
aufpumpen *v/t* pump up
aufputschen *v/t* **1.** → ***aufhetzen*** **2.** *durch Drogen etc*: F pep up (***sich*** o.s.), *fig* hype up, psych up **Aufputschmittel** *n* stimulant, F pep pill, *sl* upper
aufraffen I *v/t* snatch up **II** *v/refl **sich** ~ fig* pull o.s. together; ***sich** ~, **etw zu tun*** bring o.s. to do s.th.
aufragen *v/i* loom (up)
aufräumen *v/t u. v/i* tidy (up): *fig ~ **mit** Missständen etc*: do away with
aufrechnen *v/t **etw** ~* set s.th. off (***gegen*** against)
aufrecht *Adj* upright (*a. fig redlich*), erect: *Adv ~ **sitzen*** sit up **~erhalten** *v/t* maintain, (*Meinung etc*) adhere to **~erhaltung** *f* maintenance
aufregen I *v/t* excite, (*beunruhigen*) worry, upset, (*ärgern*) annoy **II** *v/refl **sich** ~* (***über** Akk* about) get excited, be upset **aufregend** *Adj* exciting, (*beunruhigend*) upsetting **Aufregung** *f* excitement: ***nur k-e ~!*** don't panic!
aufreiben I *v/t* **1.** (*Kräfte etc*) wear down: ***j-n** ~* wear s.o. down **2.** MIL wipe out **II** *v/refl **sich** ~* **3.** wear o.s. out
aufreibend *Adj* exhausting, (*nerven~*) trying, stressful
aufreihen *v/t* (*a. **sich** ~*) line up, (*Bücher etc*) put *s.th.* in a row
aufreißen I *v/t* **1.** (*Packung etc*) tear open, (*Straße etc*) tear up, (*Fenster, Tür*) fling open, F (*Mund, Augen*) open wide **2.** F **a)** ***j-n** ~* pick s.o. up, **b)** (*e-n Job etc*) land **II** *v/i* **3.** *Naht etc*: burst, *Wolken etc*: break up
aufreizen *v/t* **1.** → ***aufhetzen*** **2.** (*provozieren*) provoke **3.** (*Sinne*) excite **aufreizend** *Adj* (*a. sexuell ~*) provocative
aufrichten I *v/t* **1.** → ***errichten*** **2.** set upright, (*den Oberkörper*) straighten up, (*j-n*) *im Bett*: raise, *vom Boden*: help *s.o.* up **3.** *fig* (*trösten*) comfort, (*ermutigen*) encourage **II** *v/refl **sich** ~* **4.** straighten o.s. (up), *im Bett etc*: sit up **5.** *fig* take heart (***an** Dat* from)
aufrichtig *Adj* sincere, *Bedauern*: heartfelt, (*offen*) frank, (*ehrlich*) honest: *Adv **es tut mir** ~ **Leid*** I really am sorry
Aufrichtigkeit *f* sincerity, honesty
aufriegeln *v/t* unbolt
Aufriss *m* ARCHI, MATHE elevation
aufrollen *v/t* **1.** (*zs.-rollen*) roll up, (*Fahne*) furl **2.** (*entrollen*) unroll, (*Fahne*) unfurl **3.** *fig* (***wieder***) *~* bring up (again), (*Prozess etc*) reopen
aufrücken *v/i* move up, *im Rang*: *a.* be promoted, MIL close the ranks
Aufruf *m allg* call, (*Appell*) appeal (***an** Akk* to), (*Namens~*) roll call
aufrufen I *v/t **j-n** ~* call (out) s.o.'s name; ***j-n** ~, **etw zu tun*** call (up)on s.o. to do s.th. **II** *v/i*: ***zum Streik** ~* call a strike
Aufruhr *m* turmoil (*a. fig*), (*Rebellion*) uprising, revolt, (*Tumult*) riot (*a.* JUR)
aufrühren *v/t fig* **1.** (*Gefühle etc*) rouse, (*alte Geschichten*) rake up **2.** → ***aufwühlen*** 2 **Aufrührer(in)** rebel, POL agitator **aufrührerisch** *Adj* rebellious, *Reden etc*: seditious
aufrunden *v/t* round up (***auf** Akk* to)
aufrüsten *v/t u. v/i* **1.** MIL arm: ***wieder** ~* rearm **2.** COMPUTER upgrade **Aufrüstung** *f* armament
aufs = ***auf das***
aufsagen *v/t* (*Gedicht etc*) recite
aufsammeln → ***auflesen***
aufsässig *Adj* rebellious (***gegen*** to)
Aufsatz *m* **1.** essay, PÄD *a.* composition, (*Abhandlung*) paper, (*Zeitungs~*) arti-

cle **2.** TECH top, (*Kappe*) *a.* cap
aufsaugen *v/t a. fig* absorb
aufschauen → ***aufblicken***
aufscheuchen *v/t a. fig* startle
aufschieben *v/t* **1.** push open **2.** *fig* (***auf*** *Akk*, ***bis*** till) put off, postpone
Aufschlag *m* **1.** impact (***auf*** *Akk od Dat* on): ***dumpfer ~*** thud **2.** (*Ärmel*♀, *Am a. Hosen*♀) cuff, (*Hosen*♀) turnup, (*Jacken*♀) lapel **3.** WIRTSCH extra charge **4.** *Tennis*: service: ***~ haben*** serve; ***j-m den ~ abnehmen*** break s.o.'s serve
Aufschlagball *m Tennis*: service (ball)
aufschlagen I *v/i* **1.** hit: ***auf den*** (*od* ***dem***) ***Boden ~*** hit the ground; ***dumpf ~*** thud **2.** *Tennis*: serve **II** *v/t* **3.** break (open), (*Ei*) crack **4.** (*Buch etc, a. Augen*) open, (*Bett*) turn down: ***Seite 10 ~*** open at page 10 **5.** (*Ärmel etc*) roll up **6.** ***sich das Knie*** *etc* ***~*** bruise one's knee *etc* **7.** (*Gerüst etc*) mount, (*Zelt etc*) pitch: ***s-n Wohnsitz in X ~*** take up residence in X; → ***Zelt*** **8.** (*Prozente etc*) add (***auf*** *Akk* to)
Aufschläger(in) *Tennis*: server
aufschließen I *v/t* **1.** unlock, open **2.** BIOL, CHEM break down (*od* up) **3.** (*Bodenschätze*, *Bauland*) develop **II** *v/i* **4.** open the door *etc* (***j-m*** for s.o.) **5.** MIL close (the) ranks, SPORT move up: ***~ zu*** catch up with
aufschlitzen *v/t* slit open, slash
Aufschluss *m* ***~ geben*** (***über*** *Akk*) give information (on), explain (*s.th.*), ***j-m*** inform s.o. (about)
aufschlüsseln *v/t* (*Kosten*) allocate, *statistisch*: break down
aufschlussreich *Adj* informative, *weit. S.* revealing
aufschnallen *v/t* **1.** (*Gürtel etc*) unbuckle **2.** (*Decke etc*) strap on (***auf*** *Akk* to)
aufschnappen *v/t* F *fig* pick up
aufschneiden I *v/t* cut open, (*Brot etc*) slice, (*Braten*) carve, MED (*Geschwür*) open, lance **II** *v/i* F brag, boast, show off **Aufschneider(in)** F show-off
Aufschnitt *m* cold cuts *Pl*
aufschnüren *v/t* untie, undo, (*Schuh etc*) unlace
aufschrauben *v/t* **1.** unscrew **2.** (*festschrauben*) screw on (***auf*** *Akk* to)
aufschrecken I *v/t* startle: ***j-n ~ aus*** *s-n Gedanken etc*: rouse s.o. from **II** *v/i* (give a) start: ***aus dem Schlaf ~*** wake with a start
Aufschrei *m* cry, *fig* outcry
aufschreiben *v/t* write down, (*notieren*) take a note of: ***j-n ~*** *Polizei*: book s.o.
aufschreien *v/i* cry out (***vor*** with)
Aufschrift *f* inscription, (*Etikett*) label
Aufschub *m* postponement, (*Verzögerung*) delay, WIRTSCH (*Zahlungs*♀) respite, JUR *u. fig* reprieve: ***die Sache duldet k-n ~*** the matter bears no delay
aufschürfen *v/t* (*Haut*) graze: ***sich das Knie ~*** bark one's knee
aufschütteln *v/t* shake up
aufschütten *v/t* heap up, (*Damm*) raise
aufschwatzen *v/t* F ***j-m etw ~*** talk s.o. into buying s.th.
aufschweißen *v/t* TECH weld open
aufschwemmen *v/t* bloat
aufschwingen *v/refl* ***sich ~*** **1.** soar (up) **2.** *fig* → ***aufraffen*** II
Aufschwung *m* **1.** *Turnen*: swing-up **2.** *fig* (*Auftrieb*) (fresh) impetus, WIRTSCH upswing, recovery, *seelisch*: uplift
aufsehen → ***aufblicken***
Aufsehen *n* ***~ erregen*** attract attention, *weit. S.* cause a stir (*od* sensation); ***um ~ zu vermeiden*** to avoid notice; ***~ erregend*** sensational
Aufseher(in) attendant, (*Gefängnis*♀) warder
aufsein → ***auf*** 7
auf'seiten *Adv* ***~ von*** on the part of
aufsetzen I *v/t* **1.** *allg, a. fig* put on: ***aufgesetzte Tasche*** patch pocket **2.** (*Brief, Rede etc*) draft **3.** ***j-n ~*** *im Bett etc*: set s.o. up **4.** *a. v/i* FLUG land: ***weich ~*** make a soft landing **II** *v/refl* ***sich ~*** **5.** sit up (***im Bett*** in bed)
Aufsetzer *m Fußball etc*: bounce shot
aufseufzen *v/i* heave a sigh
Aufsicht *f* **1.** supervision, (*Polizei*♀) surveillance, JUR custody: ***die ~ haben*** (*od* ***führen***) PÄD be on duty, be in charge (***über*** *Akk* of), *bei e-r Prüfung*: invigilate (*an exam*); ***~ führend*** supervisory, *teacher etc* in charge; ***unter ärztlicher ~*** under medical supervision; ***ohne ~*** *Kinder*: unattended **2.** supervisor, person in charge
Aufsichts|beamte *m*, **~beamtin** *f* supervisor, *im Gefängnis*: warder **~behörde** *f* supervisory board **~rat** *m* WIRTSCH supervisory board

aufsitzen *v/i* **1.** *auf Pferd, Fahrzeug*: get on, mount **2.** (*hereinfallen*) be taken in (*Dat* by) **3.** F ***j-n ~ lassen*** let s.o. down
aufsparen *v/t a. fig* save (***für*** for)
aufsperren *v/t* (*Schnabel etc*) open wide: F ***Mund und Nase ~*** gape
aufspielen I *v/t u. v/i* play **II** *v/refl* ***sich ~*** F give o.s. airs; ***sich als Held*** *etc* ***~*** play the hero *etc*
aufspießen *v/t* spear, *mit der Gabel*: *a.* fork, *mit e-r Nadel*: pin, *mit den Hörnern*: gore, (*Fleisch, a. fig Missstände etc*) skewer
aufspringen *v/i* **1.** jump up, leap up, *Ball*: bounce: ***~ auf*** (*Akk*) jump on to (*a train etc*) **2.** *Tür, Knospen*: burst open, *Haut*: chap, *Lippen*: crack
aufspulen *v/t* wind (up)
aufspüren *v/t a. fig* track down
aufstampfen *v/i* (***mit dem Fuß***) ***~*** stamp one's foot
Aufstand *m* **1.** revolt, rebellion **2.** F *fig* (*Getue*) (big) fuss
Aufständische *m, f* rebel, insurgent
aufstapeln *v/t* stack (up)
aufstauen → ***aufgestaut, stauen***
aufstechen *v/t* puncture, MED lance
aufstecken *v/t* **1.** (*Haar etc*) put up, pin up **2.** (*Kerzen*) put on: → ***Licht*** 2 **3.** *a. v/i* F (*aufgeben*) give *s.th.* up: ***es ~*** pack it in
aufstehen *v/i* **1.** rise, get up (***vom Tisch*** from the table): ***~ dürfen*** *Kranke(r)*: be allowed (to get) up **2.** *fig Volk etc*: rise (in arms), rebel
aufsteigen *v/i* **1.** *allg* rise, *Vogel*: *a.* soar (up), FLUG take off, *Bergsteiger*: go up **2.** *fig* rise, be promoted (SPORT to the next higher division) **3.** ***~ auf*** *ein Pferd, Fahrzeug*: get on, mount **4.** *fig Gefühle, a. Tränen*: rise, well up: ***ein Verdacht stieg in mir auf*** I had a suspicion (***dass*** that)
Aufsteiger(in) 1. F (***sozialer***) ***~*** social climber, *beruflicher*: success, F whiz kid **2.** SPORT (newly-)promoted team
aufstellen I *v/t* **1.** set up, (*Kragen etc*) put up, (*anordnen*) arrange, (*aufreihen*) line up, (*postieren*) place, (*a. Wachtposten*) post, (*Denkmal*) erect, (*Falle*) set, (*Leiter*) raise, (*Maschine etc*) install, (*Zelt*) pitch: ***die Ohren ~*** *Tier*: prick its ears **2.** (*Kandidaten, Spieler etc*) nominate, (*Mannschaft*) compose, (*Truppe etc*) activate: POL ***sich*** (***als Kandidaten***) ***~ lassen*** stand (*Am* run) for *election etc* **3.** (*Liste, Tabelle etc*) make (up), prepare, (*Bilanz etc*) *a.* draw up, (*Theorie etc*) advance, (*Regeln etc*) lay down, state, MATHE (*Gleichung*) form: ***e-n Rekord ~*** set (up) (*od* establish) a record **II** *v/refl* ***sich ~*** **4.** place o.s. (***vor*** *Dat* before), MIL form up: ***sich hintereinander ~*** line up
Aufstellung *f* **1.** setting up (*etc*, → ***aufstellen*** 1), *e-r Maschine etc*: installation **2.** *e-s Kandidaten, Spielers*: nomination, (*Mannschaft*) line-up **3.** (*Liste*) list, (*Tabelle*) table, (*Übersicht*) survey, WIRTSCH statement: ***~ e-r Bilanz*** preparation of a balance sheet
aufstemmen *v/t* prize open
Aufstieg *m* **1.** ascent (*a.* FLUG), (*Weg*) way up **2.** *fig* rise, (*Beförderung*) promotion (*a. Sport*): ***im ~ begriffen sein*** be on the rise, be rising; SPORT ***den ~ schaffen*** be promoted
Aufstiegs|chancen *Pl* promotion prospects *Pl* **~spiel** *n* SPORT promotion tie
aufstöbern *v/t* track down, *fig a.* unearth
aufstocken *v/t* **1.** ARCHI raise **2.** (*Kapital etc*) increase
aufstöhnen *v/i* (give a loud) groan
aufstoßen I *v/t* **1.** push open **II** *v/i* **2.** burp, belch: ***j-m ~*** *Speise*: repeat on s.o. **3.** F *fig* ***j-m ~*** (*auffallen*) strike s.o.
aufstrebend *Adj fig* up-and-coming, rising, *bes Nation*: emergent
Aufstrich *m* (*Brot*&) spread
aufstülpen *v/t* F (*Hut etc*) clap on
aufstützen I *v/t* (*Arm etc*) prop up (***auf*** *Dat, Akk* on) **II** *v/refl* ***sich ~ auf*** (*Dat, Akk*) lean (up)on
aufsuchen *v/t allg* visit, (*e-n Arzt etc*) (go and) see, (*Lokal, Toilette etc*) go to
auftakeln I *v/t* SCHIFF rig out **II** *v/refl* ***sich ~*** F get dolled up
Auftakt *m* **1.** MUS upbeat **2.** *fig* (***den ~ bilden*** be a) prelude (***zu*** to)
auftanken *v/t u. v/i* fill up, refuel
auftauchen *v/i* come up, emerge (*beide a. fig Problem etc*), *U-Boot*: surface, *fig Person, Sache*: turn up, *Zweifel etc*: arise
auftauen I *v/t* thaw, (*Tiefkühlkost*) defrost **II** *v/i a. fig* thaw
aufteilen *v/t* **1.** distribute, share (out) **2.** (*einteilen*) divide (***in*** *Akk* into)

auftischen *v/t a. fig* dish up
Auftrag *m* **1.** WIRTSCH order, *a. künstlerischer*: commission: ***etw in ~ geben*** order (*od* commission) s.th. (***bei j-m*** from s.o.); ***im ~ und auf Rechnung von*** by order and for account of **2.** (*Anweisung*) order(s *Pl*) (*a.* MIL), instructions *Pl*, (*Mission*, *a.* MIL *Kampf*~) mission, (*Besorgung*) errand: ***im ~ von*** (*od Gen*) by order of, ***handeln*** act on behalf of
auftragen I *v/t* **1.** (*Speisen etc*) serve (up) **2.** (*Salbe*, *Make-up etc*) apply, put on **3.** ***j-m etw ~, j-m ~, etw zu tun*** instruct (*od* tell) s.o. to do s.th. **4.** (*Kleidung*) wear out **II** *v/i* **5.** ***dieser Pullover trägt auf*** this pullover makes you look fat(ter); F *fig* ***dick ~*** lay it on thick
Auftraggeber(in) client, customer
Auftrags|bestätigung *f vom Kunden*: confirmation (*vom Lieferanten*: acknowledg[e]ment) of (an) order **~buch** *n* order book **~dienst** *m* TEL absent-subscriber service
auftragsgemäß *Adv* according to instructions, WIRTSCH as per order
Auftrags|lage *f* order situation **~werk** *n e-s Künstlers*: commissioned work
auftreffen *v/i* hit (***auf*** *Dat*, *Akk* on)
auftreiben *v/t* F get hold of, find
auftrennen *v/t* (*Naht etc*) undo, (*Gestricktes*) unravel
auftreten I *v/i* **1.** ***leise ~*** tread softly; ***er kann mit dem verletzten Fuß nicht ~*** he can't walk on his injured foot **2.** THEAT make one's entrance, (*spielen*) appear (on stage) (***als*** as), *a. Musiker*: perform: ***Hamlet tritt auf*** enter Hamlet; ***zum ersten Mal ~*** make one's debut **3.** (*erscheinen*) appear (***öffentlich*** in public, ***als Zeuge*** as a witness, ***vor Gericht*** in court), (*hervortreten*) present o.s. (***als*** as), (*sich benehmen*) behave: ***als Vermittler ~*** act as go-between **4.** *fig Problem*, *Zweifel etc*: arise, *plötzlich*: crop up, *Seuche etc*: occur **II** ~ *n* **5.** appearance, THEAT *a.* performance, (*Vorkommen*) occurrence, *von Schwierigkeiten etc*: arising: THEAT ***erstes ~*** debut **6.** (*Benehmen*) behavio(u)r
Auftrieb *m* **1.** PHYS buoyancy, FLUG *a.* lift **2.** *fig* (fresh) impetus, WIRTSCH upswing: (***neuen***) ***~ verleihen*** give (a fresh) impetus (*Dat* to)
Auftritt *m* THEAT entrance, (*Szene*) scene (*a. fig Streit*)
auftrumpfen *v/i fig* come it strong: ***~ gegen*** make a strong showing against
auftun *v/refl* ***sich ~*** *a. fig* open
auftürmen I *v/t* pile up **II** *v/refl* ***sich ~*** loom (up), *fig Arbeit etc*: pile up
aufwachen *v/i a. fig* wake (up)
aufwachsen *v/i* grow up
aufwallen *v/i fig* surge, well up
Aufwand *m* **1.** expenditure (***an*** *Dat* of), (*Kosten*) cost, expense: ***e-n großen ~ an Energie*** *etc* ***erfordern*** require a great deal of energy *etc*; ***der ganze ~ war umsonst*** it was a waste of time (energy, money, *etc*) **2.** (*Luxus*) luxury, (*Verschwendung*) extravagance: ***e-n großen ~ treiben*** be very extravagant
aufwändig *Adj* → ***aufwendig***
Aufwandsentschädigung *f* expense allowance
aufwärmen I *v/t* **1.** warm up, heat up **2.** *fig* rehash, F drag up **II** *v/refl* ***sich ~*** **3.** warm o.s. up, SPORT warm up, limber up **Aufwärmen** *n* SPORT warm-up
Aufwartefrau *f* charwoman
aufwarten *v/i fig* ***~ mit*** come up with
aufwärts *Adv* up, upward(s); ***es geht ~*** (***mit ihm***) things are looking up (with him); ***mit dem Geschäft geht es ~*** business is improving
Aufwärtsentwicklung *f* upward trend
Aufwärtshaken *m Boxen*: uppercut
Aufwasch *m* → ***Abwasch***
aufwaschen → ***abwaschen***
aufwecken *v/t* wake (up)
aufweichen I *v/t* **1.** soak, (*Boden*) make soggy **2.** *fig* (*System etc*) undermine **II** *v/i* **3.** become soggy, *a. fig* soften
aufweisen *v/t* ***etw ~, etw aufzuweisen haben*** have (*od* show) s.th.; ***große Mängel ~*** have many defects
aufwenden *v/t* use, apply, (*Geld*, *Zeit*) spend (***für*** on): (***viel***) ***Mühe ~*** take (great) pains **aufwendig** *Adj* large-scale, (*kostspielig*) expensive, extravagant **Aufwendungen** *Pl* expenditure *Sg*, expense *Sg*
aufwerfen I *v/t* **1.** (*Damm etc*) throw up **2.** *fig* (*Frage etc*) raise **II** *v/refl* ***sich ~*** **3.** set o.s. up (***zum Richter*** *etc* as judge *etc*)
aufwerten *v/t* WIRTSCH (*Währung*) revalue (upward), *a. fig* upvalue **Aufwer-**

tung *f* WIRTSCH revaluation (upward), *fig* upgrading
aufwickeln *v/t* **1.** roll (*od* coil) up (*a.* ***sich ~***) **2.** F (*Haare*) put up in curlers **3.** → ***auswickeln***
aufwiegeln → ***aufhetzen***
aufwiegen *v/t fig* offset, make up for
Aufwind *m* **1.** FLUG upwind **2.** → ***Auftrieb*** 2: WIRTSCH ***im ~*** on the upswing
aufwinden *v/t* wind up, (*heben*) hoist
aufwirbeln *v/t* whirl up (*a. v/i*), (*Staub*) raise: *fig* **(*viel*) *Staub ~*** cause quite a stir
aufwischen *v/t* (*Wasser etc*) mop up, (*Boden etc*) wipe, mop
aufwühlen *v/t* **1.** (*Erde etc*) turn up, (*Meer etc*) churn up **2.** ***j-n ~*** stir s.o. deeply **aufwühlend** *Adj fig* stirring
aufzählen *v/t* enumerate, *einzeln*: specify, (*nennen*) name, give
Aufzählung *f* enumeration
aufzäumen *v/t* bridle: → ***Pferd*** 1
aufzehren *v/t* eat up, *fig a.* use up, (*Ersparnisse etc*) spend
aufzeichnen *v/t* **1.** *allg* record, *schriftlich*: *a.* write down, *auf Tonband*: *a.* tape(-record), TV (video-)tape **2.** draw (***auf*** *Akk* on), sketch, TECH trace
Aufzeichnung *f* **1.** *a.* TECH, TV recording **2.** *Pl* notes *Pl*, record *Sg*, *weit. S.* papers *Pl*: ***sich ~en machen*** make notes (***über*** *Akk* of)
aufzeigen *v/t* show, demonstrate, (*Fehler etc*) point out
aufziehen I *v/t* **1.** (*Uhr etc*) wind up: ***Spielzeug zum ~*** clockwork toys *Pl* **2.** (*hoch ziehen*) draw up, pull up, (*Fahne etc*) hoist, THEAT (*Vorhang*) raise **3.** (*öffnen*) (*Gardine etc*) open, draw, (*Schublade*) (pull) open, (*Schleife*) undo **4.** (*Reifen*) mount, (*Saiten*) put on, (*Bild etc*) mount (on cardboard): *fig* ***andere Saiten ~*** change one's tune **5.** (*großziehen*) *allg* raise, (*Kind*) *a.* bring up, (*Tier*) *a.* rear **6.** F (*organisieren*) organize, mount, (*Unternehmen*) set up **7.** F ***j-n ~*** tease s.o., pull s.o.'s leg **8.** MED (*Spritze*) fill **II** *v/i* **9.** *Wolken*: gather, *Gewitter*: *a.* be brewing (*a. fig Gefahr*) **10.** MIL march up
Aufzucht *f* breeding, raising
Aufzug *m* **1.** procession, parade **2.** (*Fahrstuhl*) lift, *Am* elevator **3.** F *pej* (*Aufmachung*) getup **4.** THEAT act
aufzwingen *v/t* ***j-m etw ~*** force s.th. (up)on s.o.
Augapfel *m* ANAT eyeball: *fig* ***etw wie s-n ~ hüten*** guard s.th. like gold
Auge *n* **1.** ANAT eye: ***gute*** (***schlechte***) ***~n haben*** have good (bad) eyesight (*od* eyes); ***vor aller ~n*** openly, in full view; ***unter vier ~n*** in private; ***nur fürs ~*** just for show; ***~ um ~!*** an eye for an eye!; F *fig* ***blaues ~*** black eye; ***mit e-m blauen ~ davonkommen*** get off cheaply; ***mit bloßem ~*** with the naked eye; ***vor m-m geistigen ~*** in my mind's eye; *a. fig* ***mit verbundenen ~n*** blindfold; ***das ~ des Gesetzes*** the law; ***im ~ behalten*** keep an eye on, *fig* keep *s.th.* in mind; F ***j-m etw aufs ~ drücken*** land s.o. with s.th.; F ***etw aufs ~ gedrückt bekommen*** get landed with s.th.; ***ins ~ fallen*** catch the eye; ***ins ~ fallend*** **a)** striking, **b)** (*offensichtlich*) obvious; ***ins ~ fassen*** consider; ***j-m etw vor ~n führen*** make s.th. clear to s.o.; F ***das kann leicht ins ~ gehen*** that can easily go wrong; ***das hätte leicht ins ~ gehen können!*** that was close!; ***etw im ~ haben*** have s.th. in mind; ***ein ~ haben auf*** (*Akk*) have an eye on *s.o.*, *s.th.*; ***s-e ~n überall haben*** see everything; ***sich etw vor ~n halten*** bear s.th. in mind; ***nicht aus den ~n lassen*** keep one's eyes on; ***große ~n machen*** gape; F ***er wird ~n machen!*** he's in for a surprise!; ***sie hat*** (***vielleicht***) ***~n gemacht!*** you should have seen her face!; ***j-m*** (***schöne***) ***~n machen*** make eyes at s.o.; *fig* ***j-m die ~n öffnen*** open s.o.'s eyes; ***so weit das ~ reicht*** as far as the eye can see; F ***ein ~ riskieren*** risk a glance; *dem Tod, e-r Gefahr etc* ***ins ~ sehen*** look *s.th.* in the eye, face; ***j-m in die ~n sehen*** look s.o. full in the face; *fig* ***in die ~n springen*** leap to the eye, be obvious; ***das stach mir ins ~*** it caught my fancy; ***ich traute m-n ~n kaum*** I could hardly believe my eyes; ***aus den ~n verlieren*** lose sight of; *fig* ***die ~n verschließen vor*** (*Dat*) close one's eyes to; F ***ein ~ zudrücken*** turn a blind eye; ***ich habe kein ~ zugetan*** I didn't sleep a wink **2.** *auf Würfeln, Karten etc*: pip **3.** BOT eye **4.** (*Fett~*) globule of fat
äugen *v/i bes* JAGD look

Augenarzt *m*, **Augenärztin** *f* eye specialist, ophthalmologist **Augenbank** *f* MED eye bank **Augenbinde** *f* MED (eye) patch

Augenblick *m* moment: ***e-n ~ bitte!*** just a moment, please!; ***im ~*** at the moment; ***im ersten ~*** for a moment; ***im letzten ~*** at the (very) last moment; ***alle ~e*** every (*unbestimmt*: any) moment; ***er zögerte k-n ~*** he didn't hesitate for a moment

augenblicklich **I** *Adj* **1.** (*sofortig*) immediate **2.** (*derzeitig*) present, current **3.** (*vorübergehend*) momentary **II** *Adv* **4.** (*sofort*) immediately **5.** at the moment, (just) now

Augen|braue *f* eyebrow **~brauenstift** *m* eyebrow pencil **~fältchen** *Pl* crow's-feet *Pl* **~farbe** *f* colo(u)r of eyes **~heilkunde** *f* ophthalmology **~höhe** *f* (***in ~*** at) eye level **~höhle** *f* ANAT eye socket, orbit **~innendruck** *m* MED intra-ocular pressure **~klappe** *f* eye patch **~klinik** *f* eye clinic **~leiden** *n* eye disease **~licht** *n* (eye)sight **~lid** *n* eyelid

Augenmaß *n* **1.** ***ein gutes ~ haben*** have a sure eye **2.** *fig* (good) *political etc* judg(e)ment

Augenmerk *n* ***sein ~ richten auf*** (*Akk*) direct one's attention to

Augenschein *m* appearance(s *Pl*): ***dem ~ nach*** to all appearances; ***in ~ nehmen*** inspect closely **augenscheinlich** *Adj* evident, apparent, obvious

Augen|spiegel *m* MED ophthalmoscope **~tropfen** *Pl* MED eyedrops *Pl* **~weide** *f fig* feast for the eyes **~wimper** *f* eyelash **~winkel** *m* ***aus den ~n*** *betrachten etc* out of the corner of one's eye

Augenwischerei *f* F eyewash

Augen|zahn *m* eyetooth **~zeuge** *m*, **~zeugin** *f* eyewitness **~zeugenbericht** *m* eyewitness report **~zwinkern** *n* (***mit e-m ~*** with a) wink

August *m* (***im ~*** in) August

Auktion *f* WIRTSCH auction (sale), public sale

Auktionator(in) auctioneer

Auktionshaus *n* auctioneers *Pl*

Aula *f* PÄD, UNI assembly hall

Aupairmädchen *n* au pair (girl)

aus **I** *Präp* (*Dat*) **1.** out of, from: ***~ dem Fenster sehen*** look out of (*Am* out) the window; ***~ dem Haus gehen*** leave the house; BAHN ***~ Berlin*** from Berlin; ***~ unserer Mitte*** from among us; ***~ der Flasche*** *trinken* from the bottle **2.** (*Herkunft*) from, *zeitlich*: *a.* of: ***er ist ~ Berlin*** he comes from Berlin; ***~ ganz Spanien*** from all over Spain; ***~ dem 19. Jh.*** of the 19th century; ***er liest ~ s-m Roman*** he reads from his novel; ***~ dem Deutschen*** *übersetzen* from (the) German **3.** (*Material*) (made) of, from: *fig* ***~ ihm wurde ein guter Arzt*** he became a good doctor **4.** (*Grund*) ***~ Mitleid*** (***Neugier*** *etc*) out of pity (curiosity *etc*); ***~ Liebe*** from love; ***~ Liebe zu*** for the love of; ***~ Prinzip*** on principle; ***~ Spaß*** for fun; ***~ Versehen*** by mistake; ***~ der Mode*** out of fashion **II** *Adv* **5.** ***von … ~*** from; ***von hier ~*** from here; *fig* ***von Natur ~*** by nature; ***von mir ~ kann er gehen*** he may go, for all I care; F ***von mir ~!*** I don't care!; ***von sich ~*** of one's own accord **6.** F (*ausgeschaltet*) off, out: ***ein – aus*** on – off **7.** ***~ und ein*** in and out; *fig* ***bei j-m ein und ~ gehen*** be a frequent visitor at s.o.'s house; ***ich weiß nicht mehr ein noch ~*** I'm at my wits' end **8.** ***~ sein*** **a)** *Licht, Radio etc*: be off, *Feuer etc*: be out, **b)** (*zu Ende sein*) be over; ***die Schule ist ~*** school is over; *fig* ***mit ihm ist es ~*** he has had it; ***damit ist es*** (***jetzt***) ***~!*** that's all over now, **c)** SPORT be out, *Ball*: *a* be out of play **9.** ***wir waren gestern Abend ~*** we were out last night **10.** ***~ sein auf*** (*Akk*) be out for (*od* to get); ***sie ist auf sein Geld ~*** she is after his money

Aus *n* out: SPORT ***im*** (***ins***) ***~*** out (of play); *a. fig* ***das bedeutete das ~ für ihn*** with that he was out (of the game)

ausarbeiten *v/t* work out, *sorgfältig*: elaborate, (*entwickeln*) develop, (*entwerfen*) draw up

Ausarbeitung *f* working out, elaboration, development, *schriftliche*: draft

ausarten *v/i* degenerate (***in*** *Akk*, ***zu*** into), *Party, Spiel etc*: get out of hand

ausatmen *v/i u. v/t* breathe out, exhale

ausbaden *v/t* F ***etw ~ müssen, etw auszubaden haben*** have to carry the can

ausbalancieren *v/t a. fig* balance (out)

Ausbau *m* **1.** TECH disassembly, removal **2.** ARCHI extension, (*Innen*~) interior works *Pl* **3.** (*Erweiterung*) *a. fig* expansion, development **4.** *fig* (*Festigung*) consolidation **ausbauen** *v/t* **1.** TECH dismantle, remove **2.** ARCHI extend: ***das Dach ~*** build rooms into the attic **3.** (*erweitern*) *a. fig* extend, expand, develop: SPORT ***s-n Vorsprung ~*** increase one's lead **4.** (*festigen*) strengthen, consolidate **ausbaufähig** *Adj* capable of development: *fig* ***e-e ~e Stellung*** a position with good prospects

ausbedingen *v/t* ***sich etw ~*** reserve (o.s.) s.th.; ***sich ~, dass …*** make it a condition that …

ausbessern *v/t* mend, repair

Ausbesserung(sarbeit) *f* repair(s *Pl*)

ausbeulen I *v/t* **1.** TECH beat out **2.** (*Hose etc*) make baggy **II** *v/refl* ***sich ~*** **3.** go baggy

Ausbeute *f* profit, *a.* BERGB, TECH yield, output, *fig* result(s *Pl*) **ausbeuten** *v/t* exploit (*a. pej Arbeiter*), BERGB *a.* work

Ausbeuter(in) *pej* exploiter

Ausbeutung *f a. pej* exploitation

ausbilden I *v/t* **1.** *allg* train, (*schulen*) *a.* instruct, (*bilden*) educate, (*entwickeln*) develop: ***j-n zum Sänger ~*** train s.o. to be a singer **2.** BIOL form, develop **II** *v/refl* ***sich ~*** **3.** *a.* ***sich ~ lassen zu*** train (*od* be trained, study) to be: → ***ausgebildet*** **4.** → 2 **Ausbilder(in)** *a.* MIL instructor **Ausbildung** *f allg* training, PÄD, UNI education: (***noch***) ***in der ~ stehen*** be undergoing training

Ausbildungs|beihilfe *f* grant **~gang** *m* training **~platz** *m* training post **~zeit** *f* period of training

ausbitten *v/t* ***sich etw ~*** ask for s.th.

ausblasen *v/t* blow out

ausbleiben I *v/i* fail to come, (*fernbleiben*) stay away, (*aussetzen*) stop: MED ***die Periode blieb bei ihr aus*** she missed her period; *fig* ***es konnte nicht ~, dass …*** it was inevitable that …; (***nicht***) ***lange ~*** (not to) be long in coming **II** ♀ *n* failure to come, (*Abwesenheit*) absence: MED ♀ ***der Periode*** absence of the period

ausblenden *v/t* FILM, RADIO fade out

Ausblick *m* (***auf*** *Akk*) **1.** view (of): ***Zimmer mit ~ auf den See*** room(s) overlooking the lake **2.** *fig* outlook (on)

ausbomben *v/t* bomb out

ausbooten *v/t* **1.** SCHIFF disembark **2.** F *fig* ***j-n ~*** oust s.o., get rid of s.o.

ausbrechen I *v/t* **1.** break out (*od* off) **2.** → ***erbrechen*** 2 **II** *v/i* **3.** ***~ aus*** (*Dat*) break out of, escape from, *fig* break away from (*a. Sport*): F ***aus der Gesellschaft ~*** drop out of society **4.** *Krieg, Feuer, Krankheit etc*: break out, *Vulkan*: *a.* erupt **5.** ***in Tränen ~*** burst into tears; ***ihm brach der Schweiß aus*** he broke into a sweat; ***in Gelächter ~*** burst out laughing **6.** MOT swerve out of line

Ausbrecher(in) escaped prisoner

ausbreiten I *v/t* **1.** *allg* spread (out), *fig* (*Macht etc*) extend, expand, (*Wissen etc*) display **II** *v/refl* ***sich ~*** **2.** *Feuer, Seuche etc, a. Gerücht etc*: spread **3.** *Gelände*: spread (out), stretch (out), *Panorama*: open up (***vor j-m*** before s.o.) **4.** F (*sich breit machen*) spread (o.s.) out **Ausbreitung** *f* spread(ing), extension, expansion

ausbrennen I *v/t* burn out, MED (*Wunde*) cauterize: → ***ausgebrannt*** **II** *v/i* burn out

Ausbruch *m* **1.** (*Flucht*) escape: ***~ aus dem Gefängnis*** jailbreak, breakout **2.** *fig e-s Kriegs, e-r Krankheit etc*: outbreak, *e-s Vulkans*: *a.* eruption, (*Gefühls*♀) *a.* (out)burst: ***zum ~ kommen*** break out

ausbrüten *v/t a. fig* hatch, F (*e-e Krankheit*) be sickening for

ausbuchen *v/t* **1.** WIRTSCH cancel **2.** → ***ausgebucht***

ausbuchten *v/refl* ***sich ~*** bulge (*od* curve) out(wards)

ausbuddeln *v/t* F dig up, dig out

ausbügeln *v/t a.* F *fig* iron out

ausbürgern *v/t* denaturalize

ausbürsten *v/t* brush (out)

Ausdauer *f* perseverance, *a.* TECH endurance, (*Zähigkeit*) tenacity, (*Stehvermögen*) *bes* SPORT staying power, stamina, (*Geduld*) patience

ausdauernd *Adj* **1.** persevering, *körperlich*: tireless, (*geduldig*) enduring **2.** LANDW perennial

ausdehnen *v/t u. v/refl* ***sich ~*** *a.* PHYS, TECH stretch, expand, extend (***auf*** *Akk* to): → ***ausgedehnt***

Ausdehnung *f* extension (***auf*** *Akk* to), expansion, (*Verbreitung*) spread(ing), (*Ausmaß*) extent, (*Umfang*) size

ausdenken *v/t* ***sich*** *etw* **~** think *s.th.* up,

F come up with, (*sich vorstellen*) imagine, (*erfinden*) invent, devise; ***nicht auszudenken sein*** be inconceivable; ***die Folgen sind nicht auszudenken*** the consequences could be disastrous
ausdiskutieren *v/t* thresh out
ausdörren *v/t* dry up, parch
ausdrehen *v/t* F (*Gas etc*) turn off, (*Licht*) *a.* switch off
Ausdruck[1] *m allg* expression (*a. Gesichts*~, *a.* MATHE *etc*), (*Wort*) *a.* word, term, (*Redewendung*) *a.* phrase: ***idiomatischer*** ~ idiom; ***juristischer*** ~ legal term; ***zum ~ bringen*** express; ***zum ~ kommen*** be expressed; F ***das ist gar kein ~!*** that's putting it mildly!
Ausdruck[2] *m* (*Computer*~) printout
ausdrucken *v/t* (*Text etc*) print out
ausdrücken I *v/t* **1.** (*Frucht etc*) squeeze (out) **2.** (*Zigarette etc*) stub out **3.** (*formulieren*) express, put into words, (*zeigen*) show, reveal: ***ich weiß nicht, wie ich es ~ soll*** I don't know how to put it; ***anders ausgedrückt*** in other words **II** *v/refl* ***sich ~*** **4.** express o.s **5.** (*sich zeigen*) reveal itself, be revealed
ausdrücklich I *Adj* express: ***~er Befehl*** strict order **II** *Adv* expressly, (*besonders*) specially
Ausdruckskraft *f* expressiveness
ausdruckslos *Adj* expressionless, *Blick*, *Miene*: *a.* blank **ausdrucksvoll** *Adj* expressive **Ausdrucksweise** *f* style, diction, *weit. S.* language
ausdünsten *v/t* (*Geruch etc*) give off
Ausdünstung *f* odo(u)r, perspiration
auseinander *Adv* apart, separated, F *Personen*: *a.* no longer together, *Ehe*: on the rocks: ***... schreibt man ~*** ... is written in two words; ***die Kinder sind zwei Jahre ~*** the children are two years apart in age; ***~ brechen*** break asunder; ***~ bringen*** (*Kämpfende, Freunde*) separate; ***~ dividieren*** F *fig* split (up); ***~ fallen*** fall apart, *fig a.* break up; ***~ falten*** unfold; ***~ gehen*** **a)** separate, part, *Menge*: disperse, **b)** *fig Meinungen etc*: be divided (***über*** *Akk* on), **c)** F (*entzweigehen*) come apart, *fig Verbindung etc*: break off, *Verlobung*: be broken off, *Ehe*: go on the rocks, **d)** F (*dick werden*) grow fat; ***~ gehend*** *fig Ansichten etc*: differing, divergent; ***~ halten*** tell apart, distinguish between; ***sich ~ leben*** drift apart; ***~ nehmen*** **a)** take apart, TECH *a.* dismantle, **b)** F *fig* (*fertig machen*) *bes* SPORT clobber; ***~ reißen*** tear apart, *fig a.* separate; ***j-m etw ~ setzen*** explain s.th. to s.o.; ***sich ~ setzen mit*** *e-r Frage etc*: deal with, *stärker*: tackle (*a problem etc*); ***~ treiben*** disperse, scatter
Auseinandersetzung *f* **1.** dealing (**mit** with) **2.** argument: *bes* POL ***kriegerische ~*** armed conflict
ausersehen, auserwählen *v/t* choose, select **auserwählt** *Adj* REL ***das ~e Volk*** the chosen people
ausfahrbar *Adj* telescopic
ausfahren I *v/t* **1.** TECH extend, (*Fahrgestell*) *a.* lower **2.** MOT run *the engine* at top speed, (*Kurve*) round **3.** (*j-n*) take *s.o.* out for a drive, (*Baby etc*) take out **4.** (*Waren*) deliver **5.** wear out, rut: → ***ausgefahren*** **II** *v/i* **6.** go for a drive
Ausfahrt *f* **1.** drive **2.** (*Tor*~) gateway, (*Autobahn*~) exit, (*Hafen*~) mouth: MOT ***~ freihalten!*** keep exit clear!
Ausfall *m* **1.** TECH (*Versagen*) failure, breakdown **2.** (*Verlust*) loss, (*Fehlen*) absence, *des Unterrichts etc*: cancel(l)ation: SPORT ***ein glatter ~*** (*Spieler*) F a dead loss **3.** *Fechten*: lunge: *fig* ***Ausfälle*** attacks (***gegen*** on) **4.** (*Ergebnis*) outcome
ausfallen *v/i* **1.** TECH fail, break down **2.** *Haare etc*: fall out **3.** not to take place: *Vortrag etc* ***~ lassen*** call off, cancel; ***morgen fällt die Schule aus*** there is no school tomorrow **4.** *Person*: be absent, be unavailable **5.** ***gut*** (***schlecht***) ***~*** turn out well (badly); ***der Sieg fiel knapp aus*** it was a close victory
ausfällen *v/t* CHEM precipitate
ausfallend → **ausfällig** *Adj* (***er wurde ~*** he became) abusive
Ausfall|muster *n* WIRTSCH production (*od* proof) sample **~(s)erscheinung** *f* MED deficiency (*bei Sucht*: withdrawal) symptom **~straße** *f* arterial road
ausfasern *v/i* ravel out, fray (out)
ausfechten *v/t fig* fight out
ausfertigen *v/t* (*Schriftstück*) draw up, (*Urkunde*) execute, VERW (*Pass etc*) issue
Ausfertigung *f* **1.** drawing up, JUR execution **2.** (*Kopie*) (JUR certified) copy: → ***doppelt*** I, ***dreifach***
ausfindig *Adv* ***~ machen*** find, discover

ausfliegen *v/i* fly out (*a. v/t* MIL), *Vögel*: leave the nest
ausfließen *v/i* flow out
ausflippen *v/i* F freak out, flip (out)
Ausflucht *f mst Pl* excuse
Ausflug *m* (***e-n ~ machen***) (make an) excursion (*a. fig*), (go on a) trip, (go for an) outing **Ausflügler(in)** (day) tripper, excursionist
Ausfluss *m* **1.** TECH **a)** outflow, **b)** outlet **2.** MED discharge
ausfragen *v/t* (*j-n*) (**über** *Akk* about) question, quiz, *neugierig*: pump
ausfransen *v/i* fray (out)
ausfressen *v/t* F ***was hat er*** *etc* ***ausgefressen?*** what has he *etc* been up to?
Ausfuhr *f* export, (*~güter*) exports *Pl*
ausführbar *Adj* **1.** *Plan etc*: practicable **2.** WIRTSCH exportable
ausführen *v/t* **1.** WIRTSCH export **2.** (*Plan, Arbeit, Gesetz, Befehl etc*) carry out, (*a. Gemälde etc*) execute, (*Auftrag etc*) fill: ***Reparaturen ~*** *a.* make repairs **3.** (*darlegen*) explain, argue **4.** take *s.o.* out, (*Hund*) take *a dog* for a walk
Ausführende *m, f* MUS performer
Ausfuhr|genehmigung *f* WIRTSCH export licen/ce (*Am* -se) **~handel** *m* export trade **~land** *n* exporting country
ausführlich I *Adj* detailed, full **II** *Adv* in detail: ***sehr*** (***ziemlich***) ***~*** at great (some) length; ***~ beschreiben*** give a detailed description (*od* account) of
Ausfuhrprämie *f* export bounty
Ausfuhrquote *f* export quota
Ausfuhrsperre *f* embargo on exports
Ausführung *f* **1.** *e-s Vorhabens, Befehls etc*: carrying out, *a. e-s Gemäldes etc*: execution, *weit. S.* (*Fertigstellung*) completion **2.** (*Qualität*) quality, (*Typ*) type, model, (*Konstruktion*) design **3.** *Pl* remarks *Pl*, comments *Pl*
Ausfuhrzoll *m* export duty
ausfüllen *v/t* **1.** fill, *fig a.* occupy: ***ihre Arbeit füllt sie nicht aus*** she is not satisfied by her work **2.** (*Formular*) fill in, *Am* fill out, complete
Ausgabe *f* **1.** handing out, distribution, *e-s Befehls, von Material etc, a.* WIRTSCH *von Aktien etc*: issue, *von Banknoten*: emission **2.** *e-s Buchs*: edition, (*Exemplar*) copy, *e-r Zeitschrift*: issue, number **3.** *Pl* expenditure *Sg*, (*Kosten*) expense(s *Pl*) **~kurs** *m* WIRTSCH issue price **~stelle** *f* issuing office
Ausgang *m* **1.** way out, exit: ***am ~ des Dorfs*** at the end of the village **2.** (*Ende*) end, close, (*Ergebnis*) outcome, result: ***Unfall mit tödlichem ~*** fatal accident **3.** (*Anfang*) beginning: ***s-n ~ nehmen von*** start from **4.** outing: ***~ haben*** have the day *etc* off, MIL have a pass
Ausgangspunkt *m a. fig* starting point
Ausgangssperre *f* → ***Ausgehverbot***
Ausgangssprache *f* source language
ausgeben I *v/t* **1.** hand out, distribute, *a.* WIRTSCH (*Aktien etc*) issue, (*Geld*) spend **2.** F ***e-n*** (*od* ***e-e Runde***) ***~*** stand a round (of drinks) **3.** ***~ für, ~ als*** pass *s.o., s.th.* off as **II** *v/refl* ***sich ~*** **4.** pose (***für, als*** as)
ausgebeult *Adj Hose etc*: baggy
ausgebildet *Adj* trained
ausgebombt *Adj* bombed(-)out
ausgebrannt *Adj* gutted (by fire), *a. fig* burnt(-)out
ausgebucht *Adj* booked(-)up
ausgedehnt *Adj* extensive (*a. fig*), *zeitlich*: long
ausgedient *Adj* useless, discarded
ausgefahren *Adj* worn(-)out, rutty: → ***Gleis***
ausgefallen *Adj fig* unusual, F off-beat
ausgefeilt *Adj fig* polished
ausgeglichen *Adj fig* (well-)balanced, *a. Klima*: equable
ausgehen *v/i* **1.** go out: ***er ist ausgegangen*** *a.* he is not in **2.** (*enden*) end: ***gut ~*** *a.* turn out well; LING ***auf e-n Vokal ~*** end in a vowel; SPORT ***unentschieden ~*** end in a draw **3.** *Geld, Vorräte etc*: run out, *Licht, Zigarette etc*: go out: ***mir ging das Geld aus*** I ran out of money; *fig* ***ihr ging die Geduld aus*** she lost all patience; F ***ihm ging die Puste aus*** he ran out of steam **4.** → ***ausfallen*** 2 **5.** ***~ von*** **a)** → ***abgehen*** 5, **b)** *Anregung, Idee etc*: come from, *Wärme, Ruhe etc*: be radiated by, **c)** proceed from, (*annehmen*) assume: ***wenn wir davon ~, dass …*** proceeding on the assumption that …; ***man kann*** (***ruhig***) ***davon ~, dass …*** it is safe to assume that …; ***ich gehe davon aus, dass …*** *a.* I would think (that) … **6.** ***~ auf*** (*Akk*) be bent on; ***auf Abenteuer***

~ seek adventure; ***auf Betrug ~*** be out to cheat **7.** ***leer ~*** come away empty-handed, *weit. S. a.* be left out in the cold; ***(straf)frei ~*** get off scot-free
ausgehend *Adj* ***das ~e Mittelalter*** the late Middle Ages *Pl*; ***im ~en 19. Jh.*** toward(s) the end of the 19th century
ausgehungert *Adj* starved (*fig* ***nach*** for)
Ausgehverbot *n* curfew: MIL ***~ bekommen (haben)*** be confined to barracks
ausgeklügelt *Adj* ingenious, clever
ausgekocht *Adj* F *fig* shrewd, crafty
ausgelassen *Adj* gay, exuberant, (*laut*) boisterous: ***~ sein*** *a.* be in high spirits
ausgelastet *Adj a.* ***voll~*** WIRTSCH, TECH working to capacity, *Person*: fully stretched
ausgelaugt *Adj* F *fig* washed(-)out
ausgemacht *Adj* **1.** (*sicher*) settled: ***e-e ~e Sache*** a foregone conclusion **2.** *Gauner, Narr etc*: utter, perfect: ***~er Blödsinn*** utter nonsense
ausgenommen **I** *Konj* (*a.* ***~, wenn***) unless *it rains etc*: ***~, dass …*** except that… **II** *Präp* except(ing), with the exception of: → ***Anwesende***
ausgeprägt *Adj* marked: ***~es Pflichtgefühl*** strongly developed sense of duty
ausgepumpt *Adj* F *fig* bushed, *Am* pooped
ausgerechnet *Adv* F *fig* ***~ er*** he of all people; ***~ Bananen*** bananas of all things; ***~ heute*** today of all days; ***~ jetzt*** just now
ausgereift *Adj* mature(d) (*a. fig*), *Konstruktion etc*: perfected
ausgeschlossen *Adj* **1.** ***sich ~ fühlen*** feel left out of things **2.** impossible: ***das ist ~!*** that's out of the question!; ***jeder Zweifel ist ~*** there is no doubt about it
ausgeschnitten *Adj* ***(tief) ~*** *Kleid etc*: low-necked
ausgesprochen *Adj fig* pronounced, decided, marked: ***das war ~es Pech*** that really was bad luck; *Adv* ***~ falsch*** positively wrong
ausgestorben *Adj* extinct: *fig* ***wie ~*** completely deserted
ausgesucht *Adj fig* select, exquisite: ***~e Qualität*** choice quality
ausgewachsen *Adj* **1.** full(y)-grown **2.** F *fig Skandal etc*: full-blown
Ausgewiesene *m, f* expellee
ausgewogen *Adj fig* (well-)balanced
ausgezeichnet *Adj* excellent: *Adv* ***das passt mir ~*** that suits me fine
ausgiebig **I** *Adj* ***~en Gebrauch machen von*** make full use of **II** *Adv* ***~ duschen (frühstücken*** *etc*) have a good long shower (breakfast *etc*)
ausgießen *v/t* pour out, (*leeren*) empty
Ausgleich *m* **1.** balance, WIRTSCH *e-s Kontos, e-r Rechnung*: settlement, (*Entschädigung*) compensation: ***als ~ für*** by way of compensation for; ***zum ~*** (*Gen*) in settlement of **2.** SPORT (*Treffer, Punkt*) equalizer: ***den ~ erzielen*** → ***ausgleichen*** 3 **ausgleichen** **I** *v/t* **1.** compensate (for), offset: ***~de Gerechtigkeit*** poetic justice **2.** WIRTSCH (*Konten etc*) balance, settle, (*Verlust*) cover, (*Defizit*) make good **II** *v/i* **3.** SPORT equalize
Ausgleichs|getriebe *n* MOT differential (gear) **~sport** *m* ***ich schwimme*** *etc* ***als ~*** to keep fit **~tor** *n*, **~treffer** *m* equalizer
ausgleiten *v/i a. fig* slip
ausgraben *v/t a. fig* dig up **Ausgrabung** *f mst Pl* excavation, F dig
ausgrenzen *v/t fig* exclude
Ausguck *m* SCHIFF, MIL lookout
Ausguss *m* sink, TECH outlet
aushacken *v/t* (*Augen etc*) pick out: → ***Krähe***
aushaken **I** *v/t* unhook **II** *v/unpers* F ***es hakte bei ihm aus*** **a**) he lost the thread, **b**) he lost his cool, **c**) he flipped; ***da hakts bei mir aus!*** I just don't get it!
aushalten **I** *v/t* **1.** (*Schmerzen etc*) bear, stand, (*standhalten*) sustain: ***es ist nicht auszuhalten*** (*od* ***zum*** ♀) it is unbearable **2.** F (*e-e Frau*) keep **3.** MUS (*Ton*) hold **II** *v/i* **4.** hold out: ***er hält (es) nirgends lange aus*** he never lasts long in any place (*od* job)
aushandeln *v/t* (*Tarif etc*) negotiate
aushändigen *v/t* hand over
Aushang *m* notice, bulletin
aushängen *v/t* **1.** (*Tür etc*) take off its hinges **2.** (*Anschlag etc*) put up, (*Bild*) show
Aushängeschild *n* **1.** sign **2.** *fig* (*Person*) figurehead
ausharren *v/i* hold out, wait

ausheben *v/t* **1.** (*Grube etc*) dig **2.** → ***aushängen*** 1 **3.** (*Nest*) rob **4.** *fig* (*Bande etc*) round up
aushecken *v/t* F hatch, cook up
ausheilen *v/i* be cured, *Wunde*: heal up
aushelfen *v/i* ***j-m ~*** help s.o. out (***mit*** with) **Aushilfe** *f* **1.** temporary help: ***zur ~*** (***bei j-m***) ***arbeiten*** → ***aushilfsweise*** **2.** → **Aushilfskraft** *f* temporary worker **aushilfsweise** *Adv* ***~ arbeiten*** work temporarily (***in*** *Dat* at), ***bei j-m a.*** help s.o. out
aushöhlen *v/t* hollow out, GEOL *u. fig* erode, undermine
ausholen I *v/i* (***weit***) ***~*** **a)** *zum Schlag etc*: swing back, **b)** *fig Erzähler*: go far back; ***mit der Axt*** (***zum Schlag***) ***~*** raise the axe (to strike) **II** *v/t* F → ***ausfragen***
aushorchen → ***ausfragen***
aushungern *v/t* starve (out): → ***ausgehungert***
auskennen *v/refl* ***sich ~*** **a)** ***in*** *e-m Ort*: know (one's way around) *a place*, **b)** ***in*** (*Dat*), ***mit*** know all about
ausklammern *v/t fig* leave *s.th.* out of consideration, ignore
Ausklang *m a. fig* finale
auskleiden *v/t* TECH line
ausklingen *v/i fig* end (***in*** *Dat* with)
ausklinken *v/t* TECH release
ausklopfen *v/t* (*Staub etc*) beat out (***aus*** *Dat* of), (*Pfeife*) knock out
ausknipsen *v/t* F switch off
ausknobeln *v/t* F *fig* figure out
auskochen *v/t* **1.** boil, MED sterilize (by boiling) **2.** → ***ausgekocht***
auskommen *v/i* **1.** ***~ mit*** make do (*od* manage) with; ***mit s-m Geld ~*** make both ends meet; ***~ ohne*** manage (*od* do) without **2.** ***mit j-m ~*** get on (*od* along) with s.o. **Auskommen** *n* **1.** livelihood: ***sein ~ haben*** make a (decent) living **2.** ***mit ihm*** *etc* ***ist kein ~*** you can't get on with him *etc*
auskosten *v/t fig* enjoy to the full
auskratzen *v/t* **1.** (*Topf etc*) scrape out **2.** MED curette
auskugeln → ***ausrenken***
auskühlen *v/t* cool, (*Körper*) chill through
auskundschaften *v/t* spy out
Auskunft *f* **1.** information (***über*** *Akk* on, about): ***nähere ~*** further particulars *Pl*; ***Auskünfte einholen*** make inquiries **2.** (*Stelle*) information office (*od* desk), *a.* TEL Inquiries *Pl*
Auskunftei *f* WIRTSCH inquiry office
Auskunftsbeamte *m*, **Auskunftsbeamtin** *f* inquiry clerk
Auskunftsbüro *n* inquiry office
auskuppeln *v/i* MOT declutch
auskurieren *v/t* heal, cure
auslachen *v/t* laugh at, deride
ausladen *v/t* **1.** unload, SCHIFF (*Passagiere etc*) disembark **2.** F disinvite: ***j-n ~ a.*** ask s.o. not to come
ausladend *Adj* **1.** projecting, jutting out **2.** *fig Gebärde etc*: sweeping
Auslage *f* **1.** (*Waren*~) (window) display, (*Schaufenster*) shopwindow **2.** *Pl* (***j-m s-e ~n ersetzen*** refund s.o.'s) expenses *Pl*
Ausland *n* foreign countries *Pl*: ***im ~, ins ~*** abroad; ***aus dem ~*** from abroad; ***die Reaktion des ~s*** reactions abroad
Ausländer(in) foreigner
ausländerfeindlich *Adj* hostile to foreigners **Ausländerfeindlichkeit** *f* anti-alien feeling
ausländerfreundlich *Adj* foreigner-friendly, *präd* friendly to foreigners
ausländisch *Adj* foreign: ***~e Besucher*** *a.* visitors from abroad
Auslands… foreign (*department etc*) **~aufenthalt** *m* stay abroad **~flug** *m* international flight **~gespräch** *n* TEL international call **~korrespondent(in)** foreign correspondent **~reise** *f* journey (*od* trip) abroad **~schutzbrief** *m* MOT (certificate of) international travel cover **~tournee** *f* tour abroad **~verschuldung** *f* WIRTSCH foreign debts *Pl*
auslassen I *v/t* **1.** (*Wort etc*) leave out, omit, (*Gelegenheit etc*) miss, (*überspringen*) skip **2.** (*Ärger, Zorn etc*) vent (***an*** *Dat* on): ***s-n Ärger an j-m ~*** *a.* take it out on s.o. **3.** (*Butter etc*) melt **4.** (*Naht, Saum*) let out **II** *v/refl* ***sich ~*** **5.** talk (at length) (***über*** *Akk* about)
Auslassung *f* omission
auslasten *v/t* TECH use to capacity: → ***ausgelastet***
Auslauf *m* **1.** SPORT run-out **2.** (chicken *etc*) run: ***die Kinder haben k-n ~*** the children have nowhere to play **auslaufen** *v/i* **1.** *Flüssigkeit, Tank etc*: run out **2.** SCHIFF sail **3.** (*enden*) end, *Vertrag*,

Amtszeit etc: expire, *a. Produktion*: run out: WIRTSCH **~ *lassen*** phase out, (*Modell*) discontinue **4.** *Farbe*: run, bleed
Ausläufer *Pl e-s Gebirges*: foothills *Pl*
Auslaufmodell *n* WIRTSCH phase-out model
Auslaut *m* LING final sound
ausleben *v/refl* ***sich ~*** live it up
auslecken *v/t* lick out, lick clean
auslegen *v/t* **1.** *allg* lay out, (*Kabel etc*) *a.* pay out, (*Waren*) *a.* display **2.** (*bedecken*) cover, (*verzieren*) inlay: ***mit Teppich ~*** *a.* carpet; ***mit Papier ~*** line with paper **3.** (*e-e Summe*) advance **4.** (*deuten*) interpret: ***falsch ~*** misinterpret **5.** TECH design (***auf*** *Akk* for)
Ausleger *m* **1.** *e-s Krans*: jib, boom **2.** *a* **Auslegerboot** *n* outrigger
Auslegeware *f* floor coverings *Pl*
Auslegung *f* interpretation
ausleiern *v/t* (*a.* ***sich ~***) wear out
ausleihen *v/t* **1.** lend (out), loan **2.** ***sich etw ~ von*** borrow s.th. from
auslernen *v/i* complete one's training: ***man lernt nie aus*** (we) live and learn
Auslese *f* **1.** choice, selection: BIOL ***natürliche ~*** natural selection **2.** *fig* (*Elite*) flower **3.** wine made from selected grapes
auslesen[1] *v/t* select, TECH sort
auslesen[2] *v/t* finish (reading)
ausleuchten *v/t a. fig* illuminate
ausliefern *v/t* **1.** hand over (*Dat* to), WIRTSCH deliver: *fig* ***j-m ausgeliefert sein*** be at s.o.'s mercy **2.** POL extradite
Auslieferung *f* **1.** WIRTSCH delivery **2.** POL extradition **Auslieferungsvertrag** *m* JUR, POL extradition treaty
ausliegen *v/i Waren*: be on display, *Zeitungen*: be available
auslöffeln *v/t* spoon up: → ***Suppe***
ausloggen *v/i* COMPUTER log out (*od* off)
auslöschen *v/t* **1.** → ***löschen***[1] 1 **2.** *fig* (*vernichten*) wipe out, (*töten*) *a.* kill
auslosen *v/t* draw (lots) for
auslösen *v/t* **1.** FOTO, TECH release, *a. fig* trigger (off), *fig* (*Wirkung etc*) produce, (*Begeisterung etc*) cause, (*Beifall*) arouse **2.** (*Pfand etc*) redeem
Auslöser *m* release, *a. fig* trigger
Auslosung *f* draw
Auslösung *f* **1.** releasing, triggering (*etc*, → ***auslösen***). **2.** WIRTSCH compensation
ausloten *v/t* plumb, SCHIFF *u. fig* sound
ausmachen *v/t* **1.** F → **a)** ***löschen*** 1, **b)** ***ausschalten*** 1 **2.** (*sichten*) make out, spot, (*orten*) locate **3.** → ***abmachen*** 2 **4.** (*betragen*) amount to **5.** *fig* make up, form (part of): ***das macht den Reiz s-r Bilder aus*** this is what makes his pictures so attractive **6.** ***das macht nichts*** (***viel***) ***aus*** that doesn't matter (it matters a great deal); ***wenn es Ihnen nichts ausmacht*** if you don't mind; ***macht es Ihnen etw aus, wenn ich rauche?*** do you mind my smoking?; ***die Kälte macht mir nichts aus*** I don't mind the cold
ausmalen *v/t* **1.** paint, (*Bild*) colo(u)r **2.** *fig* depict (*Dat* to): ***sich etw ~*** picture s.th. (to o.s.)
Ausmaß *n* dimensions *Pl*, *a. fig* extent: ***das ~ des Schadens*** the extent of the damage; ***gewaltige ~e annehmen*** assume horrendous proportions
ausmergeln *v/t* emaciate
ausmerzen *v/t* (*Fehler*) eliminate
ausmessen *v/t* measure
ausmisten *v/t* muck out
Ausnahme *f* exception: ***mit ~ von*** (*od Gen*) with the exception of, except (for); ***e-e ~ bilden*** *a.* be exceptional; ***bei j-m e-e ~ machen*** make an exception in s.o.'s case **Ausnahme...** exceptional (*athlete, case, etc*) **Ausnahmezustand** *m* (***den ~ verhängen*** declare a) state of emergency (***über*** *Akk* in)
ausnahmslos *Adv u. Adj* without exception **ausnahmsweise** *Adv* by way of exception, (*diesmal*) for once
ausnehmen *v/t* **1.** (*Wild, Fisch*) gut, (*Geflügel*) draw: F *fig* ***j-n ~*** fleece s.o. **2.** (*ausschließen*) except, exclude
ausnüchtern *v/i* sober up
Ausnüchterungszelle *f* drying-out cell
ausnutzen *v/t a. pej* use, take advantage of, *a.* TECH exploit
Ausnutzung *f* use, *a. pej* exploitation
auspacken **I** *v/t* unpack, (*Geschenk*) unwrap **II** *v/i* F *fig* spill the beans
auspeitschen *v/t* whip, flog
auspfeifen *v/t* boo
ausplaudern *v/t* blab out
ausposaunen *v/t* F trumpet (forth)
auspreisen *v/t* WIRTSCH price

auspressen *v/t* squeeze (out)
ausprobieren *v/t* try (out), test
Auspuff *m* MOT exhaust
Auspufftopf *m* silencer, *Am* muffler
auspumpen *v/t* pump out
ausquartieren *v/t* lodge *s.o.* elsewhere
ausquetschen *v/t* F *fig* ***j-n ~*** grill s.o.
ausradieren *v/t* erase, *fig a.* wipe out
ausrangieren *v/t* discard
ausrasten *v/i* **1.** TECH be released **2.** F *fig* flip out
ausrauben *v/t* rob
ausräuchern *v/t* fumigate, JAGD *u. fig* smoke out
ausräumen *v/t* **1.** (*Raum etc*) clear, (*Möbel*) remove (***aus*** *Dat* from) **2.** *fig* (*Missverständnis etc*) clear up, (*Bedenken*) dispel
ausrechnen *v/t* (*fig* ***sich***) ***etw ~*** work s.th. out (for o.s.); F ***er ist leicht auszurechnen*** he is quite predictable; → ***ausgerechnet***
Ausrede *f* (***faule ~*** lame) excuse
ausreden I *v/i* finish (speaking): ***j-n ~ lassen*** hear s.o. out; ***j-n nicht ~ lassen*** cut s.o. short **II** *v/t* ***j-m etw ~*** talk s.o. out of s.th.
ausreichen *v/i* be enough: ***e-e Woche*** *etc* ***~*** last a week *etc* **ausreichend** *Adj* **1.** sufficient, enough **2.** PÄD (*Note*) D
Ausreise *f* departure: ***bei der ~*** on leaving the country; ***j-m die ~ verweigern*** refuse s.o. permission to leave the country **Ausreisevisum** *n* exit visa
ausreißen I *v/t* pull out, tear out **II** *v/i* F run away (***vor j-m*** before s.o., ***von zu Hause*** from home)
Ausreißer(in) F runaway
ausreiten *v/i* ride out
ausrenken *v/t* ***sich den Arm*** *etc* ***~*** dislocate one's arm *etc*
ausrichten *v/t* **1.** straighten, *in Linie*: align, (*anpassen*) adjust (*a. fig*, ***nach*** to): ***sich ~*** line up; *fig* ***sich*** (*od* ***sein Verhalten***) ***~ nach*** orientate o.s. to; ***ausgerichtet auf*** (*Akk*) aimed at **2.** (*erreichen*) achieve: ***er wird*** (***bei ihr***) ***nichts ~*** (***können***) he won't get anywhere (with her) **3.** (*mitteilen*) tell: ***kann ich etw ~?*** can I take a message?; ***bitte richten Sie ihm m-e Grüße aus*** please give him my (kind) regards **4.** (*Veranstaltung*) organize, (*Hochzeit etc*) arrange **Ausrichter(in)** organizer
Ausritt *m* ride
ausrollen I *v/t* (*Teppich etc*) unroll, (*Teig*) roll (out) **II** *v/i* MOT coast (FLUG taxi) to a standstill
ausrotten *v/t a. fig* root out, (*Ungeziefer, a. Volk*) exterminate
Ausrottung *f* extermination
ausrücken I *v/i* **1.** *Feuerwehr etc*: turn out, MIL march out **2.** F → ***ausreißen*** II **II** *v/t* **3.** (*Wort etc*) move out
Ausruf *m* cry, exclamation **ausrufen** *v/t* cry, (*Namen etc*) call out, (*Streik*) call, POL proclaim: ***j-n zum König ~*** proclaim s.o. king; ***j-n ~ lassen*** page s.o.
Ausrufungszeichen *n* exclamation mark
ausruhen *v/i* (*a.* ***sich ~***) rest
ausrüsten *v/t* (***mit*** with) equip (*a. fig*), supply, (*Expedition etc*) fit out
Ausrüstung *f allg* equipment, (*Sport*2) *a.* outfit, (*Gerät*) gear, (*Zubehör*) accessories *Pl*
ausrutschen *v/i* slip (***auf*** *Dat* on)
Ausrutscher *m* F *fig* slip, gaffe
Aussaat *f* **a**) sowing, **b**) seed
Aussage *f allg* statement, *künstlerische*: *a.* message, JUR *a.* testimony: ***nach Ihrer ~*** according to what you said; JUR ***die ~ verweigern*** refuse to give evidence; ***hier steht ~ gegen ~*** it's his word against hers *etc* **aussagen I** *v/i* JUR give evidence (***unter Eid*** upon oath) **II** *v/t* state, say, *bes fig* express
Aussagesatz *m* clause of statement
Aussatz *m* MED leprosy
Aussätzige *m, f a. fig* leper
aussaugen *v/t* suck: *fig* ***j-n*** (***bis aufs Blut***) ***~*** bleed s.o. (white)
Ausschabung *f* MED curettage
ausschachten *v/t* dig, excavate
ausschaffen *v/t schweiz.* expel
ausschalten *v/t* **1.** (*Licht, Radio etc*) switch off, ELEK (*Strom*) cut out, (*Motor etc*) stop **2.** *fig* (*Gegner, Fehler etc*) eliminate, (*Gefahr*) *a.* avoid, (*Gefühle*) exclude, *bes* SPORT neutralize
Ausschaltung *f fig* elimination
Ausschau *f* ***~ halten*** → **ausschauen** *v/i* look out (***nach*** for)
ausscheiden I *v/t* **1.** eliminate, exclude, (*aussondern*) sort out, remove **2.** PHYSIOL excrete **II** *v/i* **3.** (*nicht in Frage kommen*) be ruled out, *Person*: be not eligible **4.** ***~ aus*** *e-m Amt etc*: retire

from, *e-r Firma etc*: leave, SPORT be eliminated from, *e-m Rennen etc*: drop out of **Ausscheidung** *f* **1.** elimination **2.** PHYSIOL excretion, excrements *Pl* **3.** → **Ausscheidungskampf** *m* SPORT qualifying contest

ausschenken *v/t* pour (out), *als Wirt*: sell

ausscheren *v/i* **1.** MOT swing out **2.** *fig* deviate (***aus*** from)

ausschicken *v/t* send

ausschiffen *v/t* (*a.* ***sich ~***) disembark

ausschlachten *v/t* **1.** (*Tier*) cut up **2.** F *fig* (*Auto etc*) cannibalize, *pej* (*e-n Fall etc*) exploit

ausschlafen I *v/t* (*Rausch*) sleep off **II** *v/i* (*a.* ***sich ~***) get a good night's sleep, *morgens*: sleep late

Ausschlag *m* **1.** MED (***e-n ~ bekommen*** break out into a) rash **2.** *fig* ***den ~ geben für*** be decisive of; ***das gab den ~*** that decided (*od* settled) it **3.** PHYS *e-s Pendels etc*: swing, *e-s Zeigers etc*: deflection, (*~weite*) amplitude

ausschlagen I *v/i* **1.** *Pferd*: kick out **2.** *Pendel etc*: swing, *Zeiger etc*: deflect **3.** BOT sprout, *Baum*: come into leaf **II** *v/t* **4.** (*Zahn etc*) knock out: → ***Fass*** **5.** → ***auskleiden*** **6.** (*ablehnen*) refuse, turn *s.th.* down

ausschlaggebend *Adj* (*a.* ***von ~er Bedeutung***) decisive: ***~ sein*** be decisive (***für*** of)

ausschließen I *v/t* **1.** → ***aussperren*** **2.** *fig* (*j-n*) (***aus*** from) exclude, *aus der Partei etc*: expel, (*nicht zulassen*) bar, SPORT disqualify: ***zeitweilig ~*** suspend; JUR ***die Öffentlichkeit ~*** exclude the public **3.** (*Möglichkeit, Irrtum etc*) rule out, (*ausnehmen*) exclude, except: → ***ausgeschlossen*** **II** *v/refl* ***sich ~*** **4.** exclude o.s. (***von*** from)

ausschließlich *Adj* exclusive

ausschlüpfen *v/i* ZOOL hatch (out)

Ausschluss *m* (***aus*** from) exclusion, *aus der Partei etc*: expulsion, SPORT disqualification: ***zeitweiliger ~*** suspension; JUR ***unter ~ der Öffentlichkeit*** in closed session

ausschmücken *v/t* **1.** decorate **2.** *fig* (*Erzählung etc*) embroider

ausschneiden *v/t* cut out, (*Bäume etc*) prune: → ***ausgeschnitten***

Ausschnitt *m* **1.** neck(line): ***mit tiefem ~*** décolleté, low-necked **2.** (*Zeitungs*~) cutting, *Am* clipping **3.** (*Bild*~) detail, *Sport*, TV scene **4.** *fig* (*Teil*) (***aus***) part (of), extract (from)

ausschöpfen *v/t* **1.** (*Wasser, Boot*) bail out **2.** *fig* (*Thema etc*) exhaust

ausschreiben *v/t* **1.** (*Wort etc*) write out, (*Zahl*) write out (in words) **2.** → ***ausstellen*** 2 **3.** (*bekannt geben*) announce, (*e-e Stelle*) advertise, WIRTSCH invite tenders for: ***e-n Wettbewerb ~*** invite entries (WIRTSCH tenders) for a competition; ***Wahlen ~*** go to the country

Ausschreibung *f* WIRTSCH invitation to bid, SPORT invitation to a competition

Ausschreitung *f mst Pl* riot

Ausschuss *m* **1.** (***in e-m ~ sein*** be *od* sit on a) committee **2.** WIRTSCH rejects *Pl*, TECH waste, scrap **Ausschussmitglied** *n* committee member

Ausschusssitzung *f* committee meeting

ausschütteln *v/t* shake out

ausschütten I *v/t* **1.** pour out, (*verschütten*) spill: *fig* ***j-m sein Herz ~*** unburden o.s. to s.o. **2.** WIRTSCH (*Dividende*) pay **II** *v/refl* **3.** ***sich*** (***vor Lachen***) ***~*** split one's sides laughing

ausschweifend *Adj Fantasie etc*: unbridled, *Leben etc*: dissolute

Ausschweifungen *Pl* excesses *Pl*

ausschweigen *v/refl* ***sich ~*** remain silent (***über*** *Akk* about)

ausschwitzen *v/t* exude

aussehen I *v/i* look: ***gut ~*** **a**) be good-looking, **b**) (*gesund*) look well; ***schlecht*** (*krank*) ***~*** look ill; ***wie sieht er aus?*** what does he look like?; F ***sie sah vielleicht aus!*** she did look a sight!; ***so siehst du aus!*** nothing doing! **II** *v/unpers* F ***es sieht nach Regen aus*** it looks like rain; ***damit es nach etw aussieht*** to make it look impressive

Aussehen *n* looks *Pl*, appearance

aus sein → ***aus*** 8, 9, 10

außen *Adv* outside: ***von ~*** from (the) outside, from without; ***nach ~*** outward(s), *fig* outwardly (*calm etc*); F ***er bleibt ~ vor*** he's (left) out of it

Außenaufnahmen *Pl* FILM location shooting *Sg* **Außenbezirke** *Pl e-r Stadt*: outskirts *Pl* **Außenbordmotor** *m* outboard motor

aussenden *v/t* send out
Außendienst *m* field work: ***im ~*** in the field **~mitarbeiter(in)** field worker, WIRTSCH (*Vertreter*) *a.* sales representative
Außen|handel *m* foreign trade, *Am* foreign commerce **~kante** *f* outer edge **~minister(in)** Foreign Minister (*Br* Secretary), *Am* Secretary of State **~ministerium** *n* Foreign Ministry (*Br* Office), *Am* State Department **~politik** *f* foreign politics *Pl* (*bestimmte*: policy) **℞politisch** *Adj* foreign: ***~e Debatte*** debate on foreign affairs **~seite** *f* outside
Außenseiter(in) outsider
Außenspiegel *m* MOT outside rear-view mirror
Außenstände *Pl* WIRTSCH outstanding debts *Pl*
Außen|stelle *f* branch (office) **~stürmer(in)** *Fußball etc*: winger, outside **~tasche** *f* outer pocket **~wand** *f* outer wall **~welt** *f* outside world
außer I *Präp* (*Dat*) **1.** out of: → ***Atem, Betrieb*** 3, ***Dienst, Reichweite***; *fig* ***~ sich sein*** be beside o.s. (***vor*** with); ***~ sich geraten*** lose control of o.s **2.** (*abgesehen von*) apart (*bes Am* aside) from, except (for): ***alle ~ dir*** all except (*od* but) you **3.** (*neben*) besides, in addition to **II** *Konj* **4.** ***~*** (***wenn***) unless; ***~ dass*** except that
außerberuflich *Adj* private
außerbetrieblich *Adj* external
außerdem *Adv* besides
äußere *Adj* outer, outside, external, WIRTSCH, POL foreign: ***k-e ~n Verletzungen*** no external injuries; POL ***~ Angelegenheiten*** foreign affairs **Äußere** *n* outside, *e-r Person*: (outward) appearance, *s.o.'s* looks *Pl*: ***von angenehmem ~n*** personable; ***auf sein ~s achten*** be particular about one's appearance
außerehelich *Adj Kind*: illegitimate, *Beziehungen etc*: extramarital
außergerichtlich *Adj* extrajudicial: ***~er Vergleich*** out-of-court settlement
außergewöhnlich *Adj* exceptional, uncommon, WIRTSCH *Belastungen etc*: extraordinary
außerhalb I *Präp* (*Gen*) out of: ***~ des Hauses*** outdoors, outside **II** *Adv* outside, (*~ der Stadt*) out of town
außerirdisch *Adj* (*a.* ***~es Wesen***) extraterrestrial
äußerlich *Adj a. fig* outward, external, (*oberflächlich*) superficial: *Adv* MED ***~ anzuwenden*** for external application only; ***~ betrachtet*** on the face of it
Äußerlichkeit *f fig* superficiality: ***bloße ~en*** mere formalities
äußern I *v/t* utter, express, (*Verdacht, Kritik etc*) voice **II** *v/refl* ***sich ~*** **a)** express o.s. (*od* give one's opinion) (***über*** *Akk* on), **b)** (***in*** *Dat* in) *Sache*: be shown, *Krankheit etc*: manifest itself
außerordentlich I *Adj* extraordinary, unusual, (*erstaunlich*) remarkable, (*hervorragend*) outstanding: ***~er Professor*** senior lecturer, *Am* asscociate professor **II** *Adv* (*sehr*) extremely
außerparlamentarisch *Adj* extraparliamentary **außerplanmäßig** *Adj* extraordinary, *Beamte*: supernumerary
außersinnlich *Adj* ***~e Wahrnehmung*** extrasensory perception
äußerst I *Adj* **1.** *räumlich*: outermost, remotest: *fig* POL ***die ~e Linke*** the extreme left **2.** *zeitlich*: latest, final: ***der ~e Termin*** *a.* the deadline **3.** *fig* extreme, utmost: ***von ~er Wichtigkeit*** of utmost importance; ***im ~en Fall*** at worst; ***mit ~er Kraft*** by a supreme effort **II** *Adv* **4.** extremely **III ℞e, das 5.** the limit, the most, (*das Schlimmste*) the worst: ***zum ℞en entschlossen sein*** be desperate; ***bis zum ℞en gehen*** go to the last extreme; ***sein ℞es tun*** do one's utmost; ***auf das ℞e gefasst sein*** be prepared for the worst
außerstande *Adj* ***~ sein*** be unable
Äußerung *f* **1.** statement, remark **2.** *fig* (*Ausdruck*) expression, sign
aussetzen I *v/t* **1.** expose (*Dat* to, *a. fig e-r Gefahr, der Kritik etc*), (*Kind*) *a.* abandon, (*Tiere*) release **2.** SCHIFF (*Boot*) lower, (*Passagiere*) disembark, *pej* maroon **3.** (*Belohnung etc*) offer (*Dat* to): ***e-n Preis auf j-s Kopf ~*** put a price on s.o.'s head **4.** (*unterbrechen*) interrupt, (*Urteil, Verfahren, Zahlungen*) suspend: → ***Bewährung*** 2 **5.** ***etw ~*** (*od* ***auszusetzen haben***) ***an*** (*Dat*) object to, criticize; ***was ist daran auszusetzen?*** what's wrong with it?; ***er hat an allem etw auszusetzen*** he finds fault with everything **II** *v/i* **6.** (*ver-*

sagen) fail, MOT misfire, *Herz*: miss a beat **7.** (*abbrechen*) stop, break off, (*e-e Pause machen*) take a rest, *bei e-m Spiel*: sit out: **~ *mit*** *e-r Behandlung etc*: interrupt; ***ohne auszusetzen*** without interruption; *Spiel*: **(*e-e Runde*) ~** miss a turn

Aussetzer *m* **1.** MOT misfire **2.** F *fig* blackout

Aussicht *f* (***auf*** *Akk* of) **1.** view: ***ein Zimmer mit ~ auf das Meer*** a room overlooking the sea **2.** *fig* chance, prospect: ***Aussichten*** *Pl a.* outlook *Sg*; ***er hat ~en zu gewinnen*** he stands a chance to win; ***gute ~en auf Erfolg haben*** stand a good chance of success

aussichtslos *Adj* hopeless: ***e-e ~e Sache*** a lost cause; ***e-n ~en Kampf führen*** fight a losing battle

Aussichtslosigkeit *f* hopelessness

Aussichtsplattform *f* observation platform

aussichtsreich *Adj* promising

Aussichtsturm *m* observation tower

Aussiedler(in) emigrant

aussitzen *v/t* F ***etw ~*** sit s.th. out

aussöhnen *v/t* reconcile (***sich*** o.s.) (***mit*** with, to)

Aussöhnung *f* reconciliation

aus|sondern, ~sortieren *v/t* sort out

ausspannen I *v/t* **1.** (*Pferde etc*) unharness: F *fig* ***j-m die Freundin ~*** steal s.o.'s girl(friend) **2.** spread out, stretch out **II** *v/i* **3.** relax, (take a) rest

aussparen *v/t* **1.** TECH leave open **2.** *fig* (*Thema etc*) leave out, avoid

aussperren *v/t* ***j-n ~*** *a.* WIRTSCH lock s.o. out (***aus*** of) **Aussperrung** *f* WIRTSCH lockout

ausspielen I *v/t* (*Karte*) play, *fig* (*Können*) bring to bear: ***j-n gegen j-n ~*** play s.o. off against s.o. **II** *v/i Kartenspiel*: lead: ***wer spielt aus?*** *a.* whose lead (is it)?; *fig* ***er hat ausgespielt*** he's finished

ausspinnen *v/t fig* spin out

ausspionieren *v/t* spy out, spy on *s.o.*

Aussprache *f* **1.** pronunciation **2.** discussion, *a.* PARL debate

aussprechen I *v/t* **1.** (*Wort*) pronounce: → ***ausgesprochen*** **2.** (*Beileid, Meinung etc*) express: → ***Vertrauen*** **3.** JUR (*Scheidung*) grant **II** *v/i* **4.** → ***ausreden*** I **III** *v/refl* ***sich ~*** **5.** express one's views (***über*** *Akk* on, about): ***sich für*** (***gegen***) ***etw ~*** speak for (against) s.th. **6. a)** ***bei j-m*** unburden o.s. to s.o., **b)** ***mit j-m*** F have it out with s.o.

Ausspruch *m* remark, saying

ausspucken *v/t u. v/i* spit out

ausspülen *v/t* rinse

ausstaffieren *v/t* F rig out

Ausstand *m* WIRTSCH strike, F walkout: ***in den ~ treten*** go on strike, walk out

ausstanzen *v/t* TECH punch out

ausstatten *v/t* (***mit*** with) **1.** fit out, equip, (*Wohnung*) *a.* furnish, (*Buch etc*) get up **2.** WIRTSCH *mit Kapital etc*: endow (*a. fig mit Talent etc*), JUR *mit Befugnissen etc*: vest **Ausstattung** *f allg* outfit, equipment, *e-r Wohnung*: furnishing, décor, THEAT *etc* sets and costumes *Pl*, (*Gestaltung*) design, (*Aufmachung*) get-up **Ausstattungsstück** *n* THEAT spectacular (show)

ausstechen *v/t* **1.** GASTR cut out **2.** *fig* (*j-n*) outdo, (*Rivalen*) cut out

ausstehen I *v/t* stand, bear, suffer: ***es ist noch nicht ausgestanden*** it's not over yet; F ***ich kann ihn*** (***es***) ***nicht ~*** I can't stand him (it) **II** *v/i Entscheidung*: be pending, *Zahlung*: be outstanding: ***s-e Antwort steht noch aus*** he hasn't answered yet

aussteigen *v/i* (***aus***) get out (of) (*a. fig e-m Unternehmen etc*), get off (*a train, bus, etc*), FLUG, SCHIFF disembark, F FLUG (*abspringen*) bail out (of), SPORT *aus e-m Rennen, fig aus der Kernenergie, e-m Geschäft etc*: opt out (of), *aus der Gesellschaft etc*: drop out (of)

Aussteiger(in) F dropout

ausstellen I *v/t* **1.** (*Waren, Bilder etc*) display, show, exhibit **2.** (*Rechnung, Attest, Scheck etc*) make out (***auf j-s Namen*** in s.o.'s name), (*Pass*) issue, (*Wechsel*) draw (***auf*** *Akk* on) **II** *v/i* **3.** exhibit

Aussteller(in) **1.** exhibitor **2.** WIRTSCH drawer

Ausstellfenster *n* MOT ventipane

Ausstellung **1.** exhibition, show, (*Messe*) fair **2.** *e-r Urkunde etc*: issue

Ausstellungs|datum *n* date of issue **~gelände** *n* exhibition grounds *Pl* **~halle** *f* exhibition hall **~raum** *m* show-room **~stück** *n* exhibit **~zentrum** *n* exhibition centre

ausstempeln *v/i* clock out
aussterben *v/i a. fig* die out: → ***ausgestorben***
Aussteuer *f* trousseau
aussteuern *v/t* ELEK modulate
Ausstieg *m* **1.** *im Bus etc*: exit (door) **2.** (*das Aussteigen*) (***aus***) exit (from), getting out (of), *fig a.* opting out (of *nuclear energy, a business, etc*)
Ausstiegluke *f* (escape) hatch
ausstopfen *v/t* stuff
Ausstoß *m* WIRTSCH output, production
ausstoßen *v/t* **1.** TECH eject, blow off, exhaust **2.** WIRTSCH turn out, produce **3.** (*Worte etc*) utter, (*Schrei*) *a.* give, (*Seufzer*) heave **4.** ***j-n ~*** expel s.o. (***aus*** from): ***j-n aus der Gesellschaft ~*** ostracize s.o.
ausstrahlen *v/t* **1.** *a. fig* radiate **2.** RADIO broadcast, TV *a.* televise
Ausstrahlung *f* **1.** *fig* radiation, *e-r Person*: charisma **2.** broadcast(ing)
Ausstrahlungskraft *f* charisma
ausstrecken *v/t* (*a.* ***sich ~***) stretch out: ***die Hand ~ nach*** reach (out) for; → ***Fühler*** 1
ausstreichen *v/t* cross out
ausströmen I *v/i* (***aus*** from) *Wärme etc, a. fig Ruhe etc*: radiate, *Geruch*: emanate, *Gas etc*: escape **II** *v/t* radiate (*a. fig*), (*Geruch*) give off
aussuchen *v/t* choose, select: → ***ausgesucht***
Austausch *m* (***im ~*** in) exchange (***für*** for) **Austausch...** PÄD, UNI exchange (*teacher, student, etc*) **austauschbar** *Adj* interchangeable **austauschen** *v/t* (***gegen***) exchange (for), (*ersetzen*) replace (by) **Austauschmotor** *m* replacement engine
austeilen *v/t* distribute (***an*** *Akk* to, ***unter*** *Akk* among), (*Karten*, F *Schläge*) deal (out)
Auster *f* oyster
Austernbank *f* oyster bed
austoben *v/refl* ***sich ~*** *Person*: have one's fling, *Kinder*: have a good romp
austragen I *v/t* **1.** (*Briefe etc*) deliver: ***Zeitungen ~*** do a newspaper round (*Am* route) **2.** MED (*Kind*) carry to (full) term, *weit. S.* have **3.** (*Streit etc*) settle: ***die Sache ~*** F have it out **4.** (*Turnier etc*) hold, (*Spiel*) play **5.** (*Daten etc*) remove, cancel **II** *v/refl* ***sich ~*** **6.** *aus e-r Anwesenheitsliste*: sign out
Austragungsort *m* SPORT venue
Australien *n* Australia
Australier(in), **australisch** *Adj* Australian
austreiben I *v/t* **1.** → ***vertreiben*** **2.** (*Teufel etc*) exorcize: *fig* ***j-m etw ~*** cure s.o. of s.th. **II** *v/i* **3.** BOT sprout
austreten I *v/t* **1.** (*Feuer etc*) stamp out **2.** (*Pfad*) tread **3.** (*Schuhe*) wear out **4.** (*Stufen*) wear down **II** *v/i* **5.** (***aus***) come out (of), *Gas etc*: escape (from) **6.** ***~ aus*** *e-m Verein etc*: leave **7.** F (go and) spend a penny
austricksen *v/t* F *a.* SPORT trick
austrinken *v/t u. v/i* drink up, finish (one's drink)
Austritt *m* (***aus*** *Dat*) leaving (*a club etc*)
austrocknen *v/t u. v/i* dry up
austüfteln *v/t* F (*Plan etc*) work out
ausüben *v/t* **1.** (*Tätigkeit, Gewerbe*) carry on, (*Beruf etc*) practise, (*Funktion*) perform, (*Amt*) hold, (*Sport*) go in for **2.** (*Macht, Recht etc*) exercise, (***auf*** *Akk* on) (*Einfluss etc*) exert, (*Wirkung, Reiz etc*) have, (*Zwang etc*) use: → ***Druck***[1]
Ausübung *f* carrying on (*etc*), exercise: ***in ~ s-r Pflicht*** in the execution of his duty
ausufern *v/i fig* get out of hand
Ausverkauf *m* WIRTSCH **a)** selling off, **b)** (***im ~ kaufen*** buy at a) sale, **c)** *fig* sell-out
ausverkaufen *v/t* sell off: ***ausverkauft*** sold out, THEAT *etc. a.* full (*house etc*)
auswachsen I *v/t* (*Kleidung*) grow out of **II** *v/i* BOT go to seed **III** *v/refl* ***sich ~*** *fig* develop (***zu*** into): → ***ausgewachsen*** **IV** ☐ *n* F ***es ist zum ☐!*** **a)** it's enough to drive you crazy, **b)** (*langweilig*) it's dreadfully boring
Auswahl *f* **1.** selection, WIRTSCH *a.* choice, range: ***... in großer ~*** a large assortment of ...; ***... zur ~*** ... to choose from; ***e-e ~ treffen*** select (***aus*** from) **2.** → ***Auswahlmannschaft*** **auswählen** *v/t* choose, select **Auswahlmannschaft** *f* SPORT representative team
Auswanderer *m*, **Auswanderin** *f* emigrant
auswandern *v/i* emigrate
Auswanderung *f* emigration
auswärtig *Adj* **1.** nonlocal, *a.* WIRTSCH

out-of-town **2.** POL foreign (*affairs, office, etc*): **~er Dienst** *a.* diplomatic service

auswärts *Adv* **1.** out, (*außer Haus*) away (from home), (*außerhalb der Stadt*) out of town: **~ essen** eat out; SPORT **~ spielen** play away from home; **~ wohnen** live out of town **2.** outward(s)

Auswärtsspiel *n* SPORT away match

auswaschen *v/t* wash out

Auswechselbank *f* SPORT substitutes' bench

auswechselbar *Adj* (**gegen**) exchangeable (for), (*ersetzbar*) replaceable (by)

auswechseln *v/t* (**gegen**) exchange (for), (*ersetzen*) replace (by), (*Rad etc*) change, SPORT (*Spieler*) substitute

Auswechselspieler(in) substitute

Auswechs(e)lung *f* exchange, (*Ersatz*) replacement, SPORT substitution

Ausweg *m fig* way out (**aus** of): **als letzter ~** as a last resort

ausweglos *Adj* hopeless

ausweichen *v/i* **1.** (*Dat*) make way (for), get out of the way (of), (*e-m Auto, Schlag etc, a. fig e-r Sache*) dodge: **j-s Blicken ~** avoid s.o.'s eyes; **e-r Frage ~** evade a question **2.** (**~d** *antworten*) be evasive **3. ~ auf** (*Akk*) switch to

ausweichend *Adj fig* evasive

Ausweich|manöver *n fig* evasive action **~möglichkeit** *f* alternative

ausweinen *v/refl* **sich ~** have a good cry (**bei j-m** on s.o.'s shoulder)

Ausweis *m* (*Personal*♀) identity (*Abk* ID) card, (*Mitglieds*♀ *etc*) card, *weit. S.* pass **ausweisen I** *v/t* **1.** (**aus** from) expel, (*Ausländer*) deport **2.** *fig* **j-n ~ als** show s.o. to be (*an expert etc*) **II** *v/refl* **sich ~ 3.** prove one's identity: *fig* **sich als Experte** *etc* **~** prove o.s. an expert *etc*

Ausweiskontrolle *f* identity (*Abk* ID) check **Ausweispapiere** *Pl* (identification) papers *Pl*

Ausweisung *f* (**aus** from) expulsion, *von Ausländern*: deportation

ausweiten *v/t* (*a.* **sich ~**) expand (*a. fig* **zu** into) **Ausweitung** *f* expansion

auswendig *Adv* by heart: MUS **~ spielen** play from memory; **etw in- und ~ kennen** know s.th. inside out

auswerfen *v/t* (*Anker etc*) cast

auswerten *v/t allg* evaluate, (*nutzen*) utilize, WIRTSCH *a.* exploit

Auswertung *f* evaluation, utilization

auswickeln *v/t* unwrap

auswiegen *v/t* weigh out

auswirken *v/refl* **sich ~ a)** have consequences, **b) auf** (*Akk*) affect, **c) in** (*Dat*) result in: **sich positiv (negativ) ~** have a favo(u)rable (negative) effect

Auswirkung *f* **1.** effect (**auf** *Akk* on) **2.** → **Rückwirkung**

auswischen *v/t* wipe out: F **j-m eins ~** play a nasty trick on s.o.

auswringen *v/t* wring out

Auswuchs *m* **1.** MED outgrowth **2.** *fig* **a)** *Pl* excesses *Pl*, **b)** *der Fantasie*: product

Auswurf *m* **1.** MED sputum **2.** → **Abschaum**

auszahlen I *v/t* (*Summe*) pay (out), (*j-n*) pay off, (*Teilhaber*) buy out **II** *v/refl* **sich ~** *fig* pay

auszählen *v/t* (*a. e-n Boxer*) count out

Auszahlung *f* payment

auszeichnen I *v/t* **1.** distinguish, (*ehren*) hono(u)r: *j-n, etw* **mit e-m Preis ~** award a prize to; *e-n Soldaten* (**mit e-m Orden**) **~** decorate **2.** WIRTSCH (*Waren*) price **II** *v/refl* **sich ~ 3.** distinguish o.s.

Auszeichnung *f* **1.** (mark of) distinction, (*Orden*) decoration, (*Preis*) award: *e-e Prüfung* **mit ~ bestehen** pass with distinction **2.** WIRTSCH pricing

ausziehbar *Adj* pull-out, *Antenne etc*: telescopic **ausziehen I** *v/t* **1.** (*Kleidung*) take off: **j-n ~** undress s.o. **2.** (*Tisch etc*) pull out **3.** CHEM, TECH extract **II** *v/i* **4.** set out **5.** (**aus e-r Wohnung**) **~** move out (of a flat) **III** *v/refl* **sich ~ 6.** undress, take one's clothes off

Auszieh|feder *f* drawing pen **~platte** *f e-s Tisches*: leaf **~tisch** *m* pull-out table **~tusche** *f* drawing ink

Auszubildende *m, f* trainee

Auszug *m* **1.** departure, *demonstrativ*: walkout: **~ (aus e-r Wohnung)** move (from a flat) **2. a)** CHEM extraction, **b)** *a. fig* extract (**aus** from), **c)** MUS arrangement **3.** WIRTSCH (*Konto*♀) statement (of account) **auszugsweise** *Adv* in parts: **~ vorlesen** read extracts from

auszupfen *v/t* pluck out

autark *Adj* WIRTSCH autarkic

Autarkie *f* autarky

authentisch *Adj* authentic(ally *Adv*)
Autismus *m* autism
autistisch *Adj* autistic
Auto *n* (motor)car, *bes Am* auto(mobile): **~ *fahren*** drive (a car); ***mit dem ~ fahren*** go by car; ***können Sie ~ fahren?, fahren Sie ~?*** do you drive?; → ***mitnehmen*** 1
Autoabgase *Pl* (car) exhaust fumes (*od* emissions) *Pl*
Autoapotheke *f* (driver's) first-aid kit
Autoatlas *m* road atlas
Autobahn *f* motorway, *Am* highway, freeway **~auffahrt** *f* motorway *etc* approach, slip road **~ausfahrt** *f* exit **~dreieck** *n* motorway junction **~gebühr** *f* toll **~kreuz** *n* motorway *etc* intersection **~meisterei** *f* motorway maintenance authority **~raststätte** *f* motorway service area **~zubringer** *m* slip road
Autobiografie *f* autobiography
Autobombe *f* car bomb
Autodidakt(in) autodidact
Auto|dieb(in) car thief **~diebstahl** *m* car theft **~fähre** *f* car ferry **~fahrer(in)** motorist, (car) driver **~fahrt** *f* drive
autofrei *Adj* traffic-free
Autofriedhof *m* F *fig* car dump
autogen *Adj* MED, TECH autogenous: MED ***~es Training*** autogenic training
Autogramm *n* autograph **~jäger(in)** F autograph hunter **~stunde** *f* autograph(ing) session
Autohändler(in) car dealer
Autoindustrie *f* car (*od* automobile, automotive) industry
Autokino *n* drive-in (cinema)
Autoknacker(in) F car burglar
Autokolonne *f* line of cars, convoy
Automarke *f* make (of car)
Automat *m* **1.** (*Verkaufs*②) vending machine, (*Spiel*②) slot machine, (*Musik*②) juke box, TECH automatic machine **2.** *fig* (*Person*) robot
Automatenrestaurant *n* automat
Automatik *f* automatism, TECH automatic system, MOT automatic transmission
Automatikgetriebe *n* automatic transmission **Automatikgurt** *m* reel seat belt **Automatikschaltung** *f* automatic gear change (*Am* gearshift) **Automatikwagen** *m* automatic
Automation *f* automation
automatisch *Adj* automatic(ally *Adv*)
automatisieren *v/t* automate
Automechaniker(in) car mechanic
Automobil *n* automobile; → ***Auto*(...)** **~ausstellung** *f* motor show **~klub** *m* automobile association
autonom *Adj* autonomous
Autonomie *f* autonomy
Autonummer *f* (car) number
Autopilot *m* FLUG autopilot
Autopsie *f* MED autopsy, post-mortem
Autor *m*, **Autorin** *f* author, writer
Auto|radio *n* car radio **~reifen** *m* tyre, *Am* tire **~reisezug** *m* motorail train, *Am* autotrain **~rennen** *n* car (*od* motor) race **~rennsport** *m* motor racing **~reparatur(werkstatt)** *f* garage, repair (shop)
autorisieren *v/t* authorize
autoritär *Adj* authoritarian
Autorität *f* authority (*a.* = *Experte*)
Autoschalter *m e-r Bank*: drive-up counter **Autoschlosser(in)** car mechanic **Autoschlüssel** *m* car key
Autoskooter *m* dodgem
Autostopp *m* ***~ machen*** hitchhike
Autosuggestion *f* autosuggestion
Autotelefon *n* car telephone
Autounfall *m* car accident: ***er kam bei e-m ~ ums Leben*** he died in a car crash **Autoverleih** *m* car hire (*Am* car rental) service, *bes Am* rent-a-car (service) **Autowaschanlage** *f* carwash **Autowerkstatt** *f* garage, repair shop
Avantgarde *f*, **avantgardistisch** *Adj* avant-garde
Aversion *f* aversion (***gegen*** to)
Avitaminose *f* MED avitaminosis
Avocado *f* BOT avocado
Axt *f* axe, *Am* ax
Azalee *f* BOT azalea
Azteke *m hist* Aztec
Azubi *m*, *f* F → ***Auszubildende***
azurblau *Adj* azure (blue)

B

B, b *n* B, b, MUS B flat
babbeln *v/t u. v/i* F babble
Baby *n* baby **~ausstattung** *f* layette **~nahrung** *f* baby food **~pause** *f* baby break **~ruf** *m Wechselsprechanlage*: baby monitor, intercom **~sitter(in)** babysitter **~speck** *m* F puppy fat **~sprache** *f* babytalk **~tragetasche** *f* carrycot
Bach *m* stream, brook
Bache *f* ZOOL (wild) sow
Bachforelle *f* river trout
Bachstelze *f* ZOOL (water) wagtail
Backblech *n* baking tray
backbord *Adv* SCHIFF to port
Backbord *n, m* SCHIFF port (side)
Backe *f* **1.** cheek **2.** TECH (*Spann*2) jaw, (*Schneid*2) die **3.** *am Schi*: toe piece
backen I *v/t, a. v/i* bake, *Dialekt* (*braten*) fry **II** *v/i Lehm, Schnee etc*: cake, stick
Backen|bart *m* sideburns *Pl* **~knochen** *m* cheekbone **~zahn** *m* molar
Bäcker *m* baker: ***beim ~*** at the baker's
Bäckerei *f* **1.** baker's (shop) **2.** (*das Backen*) baking **3.** baker's trade
Bäckerladen *m* → ***Bäckerei*** 1
Bäckermeister(in) master baker
Back|fett *n* GASTR shortening **~form** *f* baking tin **~hefe** *f* baker's yeast **~obst** *n* dried fruit **~ofen** *m* oven **~pflaume** *f* prune **~pulver** *n* baking powder **~röhre** *f* oven **~stein** *m* brick **~waren** *Pl* bread, cakes and pastries *Pl*
Bad *n* **1.** bath (*a.* CHEM *u.* MED), *im Freien*: swim: ***ein ~ nehmen*** → ***baden*** 1 **2.** → **a)** ***Badeanstalt***, **b)** ***Badeort***, **c)** ***Badezimmer***; → *Info bei* ***bath***
Bade|anstalt *f* swimming pool, public baths *Pl* **~anzug** *m* swimsuit **~gast** *m* **1.** bather **2.** → ***Kurgast*** **~hose** *f* swimming trunks *Pl* **~kappe** *f* bathing cap **~mantel** *m* bathrobe **~matte** *f* bath mat **~meister(in)** pool attendant, *am Strand*: lifeguard
baden I *v/i* **1.** have (*od* take) a bath **2.** swim: ***~ gehen*** **a)** go swimming, **b)** F *fig* come a cropper, *Sache*: go phut **II** *v/t* **3.** bath, *Am* bathe **III** *v/refl* ***sich ~*** **4.** → 1 **5.** *fig* bask (***in*** *Dat* in)
Bade|ort *m* seaside resort, (*Kurort*) health resort, spa **~sachen** *Pl* swimming things *Pl* **~salz** *n* bath salts *Pl* **~schuhe** *Pl* beach shoes *Pl* **~tuch** *n* bath towel **~wanne** *f* bath(tub) **~zimmer** *n* bathroom; → *Info bei* ***bath*** **~zimmerschrank** *m* bathroom cabinet
Badreiniger *m* bath cleaner
baff *Adj* F ***~ sein*** be flabbergasted
BAföG *n financial assistance scheme for students*: ***sie kriegt ~*** she gets a grant
Bagage *f pej* bunch, lot: ***die ganze ~!*** the whole lot of them!
Bagatelle *f* trifle **bagatellisieren** *v/t* play down **Bagatellschaden** *m* petty damage(s *Pl*)
Bagger *m* TECH excavator
baggern *v/i u. v/t* excavate, *nass*: dredge
Baggersee *m* flooded quarry
Baggy-Pants *Pl* baggy pants *Pl*
Baguette *f* baguette
Bahn *f* **1.** (*Weg*) path, course: *fig* ***sich ~ brechen*** forge ahead; ***auf die schiefe ~ geraten*** go astray; ***~ frei!*** make way! **2.** (*Straße*) road, (*Fahr*2) lane, (*Renn*2) track, (*Piste*) course, piste **3.** *e-s Läufers, Schwimmers*: lane **4.** (*Flug*2) trajectory, ASTR course, (*Umlauf*2) orbit **5.** (*Eis*2) rink, (*Kegel*2) alley **6.** (*Eisen*2) railway, *Am* railroad, (*Zug*) train, (*Straßen*2) tram, *Am* streetcar: ***mit der ~*** by train, WIRTSCH by rail; ***j-n zur ~ bringen*** see s.o. off (at the station) **7.** (*Papier*2 *etc*) web, (*Tuch*2 *etc*) width
Bahn… railway (*Am* railroad) (*official etc*) **bahnbrechend** *Adj* pioneer(ing), *Erfindung etc*: revolutionary, epoch-making **BahnCard®** *f* railcard *allowing half-price travel throughout Germany for one year* **Bahndamm** *m* railway (*Am* railroad) embankment
bahnen *v/t* (*Weg*) clear: ***sich e-n Weg ~*** force one's way (***durch*** through); *fig* ***den Weg ~ für*** pave the way for
Bahn|fahrt *f* train journey **~fracht** *f* WIRTSCH rail carriage (*Am* freight) **2frei** *Adj u. Adv* WIRTSCH free on rail (*od* board) (*Abk* f.o.r., f.o.b.) **~hof** *m* railway (*Am* railroad) station: ***auf dem ~*** at the station; F *fig* ***großer ~*** red-carpet treatment
Bahnhofshalle *f* concourse **Bahnhofs-**

restaurant *n* station restaurant
Bahn|körper *m* permanent way **2lagernd** *Adv* WIRTSCH to be called for at the station **~linie** *f* railway line **~polizei** *f* railway police **~reise** *f* train journey
Bahnsteig *m* platform
Bahn|strecke *f* line, *Am* track **~übergang** *m* level (*Am* grade) crossing
Bahnverbindung *f* train connection
Bahre *f* (*Kranken2*) stretcher, (*Toten2*) bier: → ***Wiege***
Baiser *n* GASTR meringue
Baisse *f* WIRTSCH slump **Baissier** *m* bear
Bajonett *n* bayonet **~verschluss** *m* TECH bayonet joint (FOTO mount)
Bakterie *f* bacterium (*Pl* -ia), germ
bakteriell *Adj* bacterial
Bakteriologe *m*, **Bakteriologin** *f* bacteriologist
Balance *f* balance
Balanceakt *m fig* balancing act
balancieren *v/t u. v/i* balance
bald *Adv* **1.** soon: ***~ darauf*** shortly afterwards; ***so ~ wie möglich*** as soon as possible; ***bis ~!*** see you soon! **2.** F (*beinahe*) almost, nearly
Baldachin *m* canopy
baldig *Adj* speedy: ***~e Antwort*** early reply
Baldrian *m* BOT valerian
Balearen *Pl the* Balearic Islands
Balg *m* **1.** skin **2.** *e-r Orgel*, FOTO bellows *Pl* **3.** F (*Kind*, *Pl* ***Bälger***) brat
balgen *v/refl* ***sich ~***, **Balgerei** *f* (***um*** for) scuffle, tussle
Balkan *m the* Balkans
Balken *m* **1.** beam: F ***lügen, dass sich die ~ biegen*** lie in one's teeth **2.** ARCHI crossbar **3.** → ***Schwebebalken***
Balkendiagramm *n* bar chart
Balkenüberschrift *f* banner headline
Balkon *m* balcony, THEAT *a.* dress circle **~tür** *f* French window(s *Pl*) (*Am* door)
Ball[1] *m* ball: F *fig* ***am ~ bleiben*** keep at it
Ball[2] *m* (***auf e-m ~*** at a) ball (*od* dance)
Ballast *m a. fig* ballast
Ballaststoffe *Pl* MED roughage *Sg*
ballen **I** *v/t* **1.** make into a ball **2.** ***die Faust ~*** clench one's fist **II** *v/refl* ***sich ~*** **3.** form into a ball (*od* balls), *Wolken*: gather
Ballen *m* **1.** ANAT ball (of one's foot *od* hand) **2.** WIRTSCH bale
Ballerina *f* ballerina
Ballermann *m* F (*Pistole*) shooter, *Am sl* rod **ballern** *v/i* F bang (away)
Ballett *n* ballet, (*Truppe*) ballet company **Ballettschule** *f* ballet school **Balletttänzer(in)** ballet dancer
Ballistik *f* ballistics *Pl* (*a. Sg konstr*)
ballistisch *Adj* ballistic
Balljunge *m* ball boy
Ballkleid *n* ball dress
Ballmädchen *n* ball girl
Ballon *m* **1.** balloon **2.** (*große Flasche*) carboy, *für Wein*: demijohn **Ballonreifen** *m* balloon tyre (*Am* tire)
Ballspiel *n* ball game
Ballungs|gebiet *n*, **~raum** *m*, **~zentrum** *n* conurbation, WIRTSCH area of industrial concentration
Ballwechsel *m Tennis*: rally
Balsam *m a. fig* balm
balsamieren *v/t* embalm
Baltikum *n the* Baltic States *Pl*
baltisch *Adj* Baltic
Balz *f* ZOOL courting, (*~zeit*) mating season
balzen *v/i* court, (*sich paaren*) mate
Bambus(rohr *n*) *m* bamboo (cane)
Bambussprossen *Pl* GASTR bamboo sprouts *Pl*
Bammel *m* F ***~ haben*** (***vor*** *Dat*) be in a blue funk (of), be scared stiff (of)
banal *Adj* trite, banal **Banalität** *f* banality (*a. banale Bemerkung*)
Banane *f* banana
Bananenrepublik *f* banana republic
Bananenstecker *m* ELEK banana plug
Banause *m*, **Banausin** *f* Philistine, lowbrow
Band[1] *m* (*Buch*) volume: *fig* ***das spricht Bände*** that speaks volumes
Band[2] *n* **1.** (*Farb2*, *Zier2*, *Ordens2*) ribbon, (*Schürzen2 etc*) string, (*Hut2*) band, (*Isolier2*, *Klebe2*, *Maß2*, *Ton2*, *Video2*, *Ziel2*) tape: ***auf ~ aufnehmen*** tape(-record) **2.** TECH (*Förder2*) (conveyor) belt, (*Fließ2*) assembly line: *fig* ***am laufenden ~*** one after the other, (*pausenlos*) nonstop **3.** ANAT ligament **4.** RADIO wave band **5.** *mst Pl* ***Bande der Liebe etc***: bond, link
Band[3] *f* MUS band, group
Bandage *f* bandage: *fig* ***mit harten ~n***

B

with one's gloves off
bandagieren *v/t* bandage
Bandaufnahme *f* tape recording
Bandbreite *f* **1.** ELEK band width **2.** *Statistik etc*: spread **3.** *fig* spectrum
Bande[1] *f* (*Diebes*≗ *etc*) gang, F *pej a.* bunch: ***die ganze ~*** the whole lot
Bande[2] *f Billard, Kegeln*: cushion, *Eishockey etc*: boards *Pl*
Bandeisen *n* band iron
Bandenkriminalität *f* gang crime
Bänderriss *m* MED torn ligament
Bänderzerrung *f* MED pulled ligament
Band|filter *n, m* RADIO band(-pass) filter **~förderer** *m* TECH belt conveyor
bändigen *v/t* (*zähmen*) tame, *fig a.* subdue, restrain, (*a. Naturkräfte*) control
Bändigung *f* taming (*etc*)
Bandit(in) bandit
Bandmaß *n* measuring tape
Bandnudeln *Pl* tagliatelle *Pl*
Bandscheibe *f* ANAT (intervertebral) disc **Bandscheibenschaden** *m* MED **1.** damaged disc **2.** → **Bandscheibenvorfall** *m* slipped disc
Bandwurm *m* tapeworm **Bandwurmsatz** *m hum* endless sentence
bange *Adj* (**um** about) anxious, (*besorgt*) worried **Bange** *f* (**nur**) ***k-e ~!*** don't worry! ***j-m*** (*od* ***j-n***) ***~ machen*** frighten s.o. **bangen** *v/i u. v/refl* ***sich ~*** be worried (**um** about): ***es bangt ihm vor …*** he is afraid of …
Bangladesch *n* Bangladesh
Bank[1] *f* **1.** (*Sitz*≗) bench, (*Schul*≗) desk, (*Kirchen*≗) pew: *fig* ***etw auf die lange ~ schieben*** put s.th. off; F ***durch die ~*** without exception, down the line **2.** → ***Drehbank, Werkbank***
Bank[2] *f* **1.** WIRTSCH bank: ***Geld auf der ~ haben*** have money in the bank **2.** (*Spiel*≗) bank: ***die ~ halten*** (***sprengen***) hold (break) the bank; ***auf ~ setzen*** go bank **~angestellte** *m, f* bank clerk **~anweisung** *f* banker's order **~ausweis** *m* bank return (*Am* statement) **~diskont** *m* bank discount, (*~satz*) bank rate **~einlage** *f* (bank) deposit
Bankett *n* **1.** banquet **2.** *e-r Straße*: shoulder: ***~e nicht befahrbar*** soft verges (*Am* shoulder)
Bank|fach *n* **1.** banking **2.** (*Stahlfach*) safe(-deposit) box **≗fähig** *Adj* bankable **~geheimnis** *n* banker's secrecy **~geschäft** *n* **1.** banking transaction **2.** banking (business) **~guthaben** *n* **1.** bank balance **2.** → ***Bankkonto***
Bankhalter(in) banker
Bankier *m* banker
Bank|kauffrau *f*, **~kaufmann** *m* bank clerk **~konto** *n* bank account **~leitzahl** *f* bank code (number) **~note** *f* (bank)note, *Am* bill **~raub** *m* bank robbery **~räuber(in)** bank robber
bankrott *Adj* bankrupt (*a. fig*), F broke
Bankrott *m* (*a. fig* ***den ~ erklären*** declare) bankruptcy; ***~ machen*** go bankrupt **Bankrotterklärung** *f a. fig* declaration of bankruptcy
Banküberfall *m* bank holdup
Banküberweisung *f* bank transfer
Bankverbindung *f* **1.** (*Konto*) bank account **2.** *e-r Bank*: correspondent
Bankwesen *n* banking
Bann *m* **1.** ban, (*Kirchen*≗) excommunication: ***in den ~ tun*** outlaw, REL excommunicate **2.** spell: ***in s-n ~ schlagen*** (*od* ***ziehen***) → ***bannen*** 4; ***unter dem ~ stehen von*** (*od Gen*) be under the spell of **bannen** *v/t* **1.** banish (*a. fig Sorgen etc*), (*Gefahr*) ward off **2.** (*böse Geister*) exorcize **3.** REL excommunicate **4.** (*j-n*) (*fest~*) transfix, (*fesseln*) captivate, spellbind: → ***gebannt*** **5.** *fig* capture (***auf*** *ein Foto etc* on)
Banner *n* banner (*a. fig*), standard
Bannkreis *m fig* sphere (of influence)
Bannmeile *f* neutral zone
Bantamgewicht(ler *m*) *n* SPORT bantamweight
bar *Adj* **1.** ***~es Geld*** (ready) cash; (**in**) ***~ bezahlen*** pay cash; ***gegen ~*** for cash; ***~ ohne Abzug*** net cash **2.** (*echt*) pure (*gold etc*), *pej a.* downright: ***~er Unsinn*** sheer nonsense; → ***Münze*** 1 **3.** ***~ jeglicher Vernunft*** devoid of any sense
Bar *f* bar, nightclub: ***an der ~*** at the bar
Bär *m* bear (*a.* WIRTSCH *Baissier*): ASTR ***der Große*** (***Kleine***) ***~*** the Great (Little) Bear; *fig* ***j-m e-n ~en aufbinden*** tell s.o. a whopping lie
Baracke *f* hut, *pej* shack
Barauszahlung *f* cash payment
Barbar(in) *a. fig* barbarian
Barbarei *f* barbarism, (*Tat*) barbarity
barbarisch *Adj* barbarian, *a. fig pej* barbarous, (*grausam*) atrocious, F (*schlimm*) awful

bärbeißig *Adj* gruff
Barbestand *m* cash in hand, *e-r Bank*: cash reserve
Bardame *f* barmaid
Bareinnahmen *Pl* cash receipts *Pl*
Bärendienst *m* ***j-m e-n ~ erweisen*** do s.o. a disservice **Bärenhunger** *m* F ***e-n ~ haben*** be ravenous
Barett *n* beret, *e-s Richters etc*: cap
barfuß, **barfüßig** *Adj u. Adv* barefoot(ed)
Bargeld *n* cash
bargeldlos *Adj u. Adv* cashless
barhäuptig *Adj* bareheaded
Barhocker *m* barstool
bärig *Adj österr.* great
Bärin *f* she-bear
Bariton *m* baritone (*a. Sänger*)
Barkasse *f* (motor) launch
Barkauf *m* cash purchase
Barkeeper *m* barman
Barkredit *m* cash loan
barmherzig *Adj* (***gegen*** to) merciful, (*mildtätig*) charitable: → ***Samariter***
Barmherzigkeit *f* mercy, charity
Barmittel *Pl* cash *Sg*
Barmixer *m* bartender
barock *Adj* baroque (*a. fig*), *fig* (*seltsam*) bizarre **Barock** *n, m* baroque period, (*~stil*) baroque style
Barometer *n a. fig* barometer **~stand** *m* barometric pressure
Baron *m* baron **Baronin** *f* baroness
Barren *m* **1.** (*Gold*~ *etc*) bullion, ingot **2.** *sport* parallel bars *Pl*
Barrengold *n* gold bullion
Barriere *f a. fig* barrier
Barrikade *f* barricade: ***auf die ~n gehen*** *a. fig* mount the barricades (***für*** for)
barsch *Adj* gruff, brusque
Barsch *m* ZOOL perch, *a.* bass (*Pl mst* bass)
Barscheck *m* uncrossed cheque (*Am* check)
Bart *m* **1.** beard: ***sich e-n ~ wachsen lassen*** (*od* ***stehen lassen***) grow a beard; F ***so ein ~!*** that's an old one! **2.** (*Schlüssel*~) bit **bärtig** *Adj* bearded
Bartstoppeln *Pl* stubble *Sg*
Barvermögen *n* liquid funds *Pl*
Barzahlung *f* cash payment: ***gegen ~*** cash down **Barzahlungsrabatt** *m* WIRTSCH cash discount
Basar *m* bazaar
Base[1] *f* female cousin
Base[2] *f* CHEM base
Basel *n* Basle, Basel
basieren *v/i* ***~ auf*** (*Dat*) be based on
Basilika *f* ARCHI basilica
Basilikum *n* BOT basil
Basis *f* **1.** ARCHI, MATHE, MIL *etc* base **2.** *fig* (*Grundlage*) basis, foundation: POL (***an der***) ~ (at the) grassroots *Pl*
basisch *Adj* CHEM basic
Basis|demokratie *f* grassroots democracy **~lager** *n mount.* base camp **~station** *f* TEL base station
Baskenland *n the* Basque Provinces *Pl*
Baskenmütze *f* beret
Basketball(spiel *n*) *m* basketball
Bass *m allg* bass **Bassgeige** *f* (double) bass **Bassgitarre** *f* bass guitar
Bassin *n* tank, basin, (*Schwimm*~) pool
Bassist(in) **1.** bass (singer) **2.** bass player
Bassschlüssel *m* MUS bass clef
Bassstimme *f* bass (voice, MUS *a.* part)
Bast *m* bast, raffia
basta *Interj* (***und damit***) ***~!*** and that's that!
Bastard *m* BOT, ZOOL hybrid, cross(breed), (*Hund*) mongrel
Bastei *f* bastion
Bastelarbeit *f* **1.** handicraft (work) **2.** → ***basteln*** III
basteln **I** *v/t* make, (*bauen*) rig up, build **II** *v/i* do handicrafts: ***~ an*** (*Dat*) *a. fig* tinker at **III** ~ *n* handicrafts *Pl*, home mechanics *Pl*, *a. fig* tinkering
Bastion *f a. fig* bastion
Bastler(in) home mechanic, hobbyist
Bataillon *n* MIL battalion
Batik *f*, **batiken** *v/t u. v/i* batik
Batist *m* batiste, cambric
Batterie *f* ELEK, MIL, TECH *u. fig* battery **~betrieben** *Adj* battery-operated **~ladegerät** *n* MOT battery charger
Bau *m* **1.** construction: ***im ~*** under construction, being built **2.** (*~werk*) building: → ***Bauten*** **3.** TECH design, (*a. Auf*~) structure **4.** → ***Baugewerbe***: F *fig* ***er ist vom ~*** he is an expert **5.** (*Fuchs*~) earth, (*Kaninchen*~) burrow **6.** F MIL (*Arrest*) detention: ***3 Tage ~*** 3 days in the guardhouse **~amt** *n* Building Authorities *Pl* **~arbeiten** *Pl* construction work *Sg*, *an e-r Straße*: roadworks *Pl* **~arbeiter(in)** construction worker

B

~art *f* style, TECH design, (*Typ*) model, type
Bauaufsichtsbehörde *f* building supervisory board
Bauch *m* belly (*a. fig*), stomach, F tummy, ANAT abdomen, (*Dick*&) paunch: ***sich den ~ halten vor Lachen*** split one's sides laughing; ***ich hab aus dem ~ heraus reagiert*** *fig* it was a gut reaction **~ansatz** *m* beginnings *Pl* of a paunch **~entscheidung** *f fig* gut decision **~fell** *n* ANAT peritoneum **~fellentzündung** *f* MED peritonitis
bauchfrei *Adj*: ***~es Shirt*** (*od* ***Top***) crop(ped) top
bauchig *Adj* bulbous
Bauch|klatscher *m* F belly flop **~landung** *f* FLUG belly landing: ***e-e ~ machen*** bellyland **~muskel** *m* stomach muscle **~nabel** *m* navel, F belly button **&reden I** *v/i* ventriloquize **II** & *n* ventriloquism **~redner(in)** ventriloquist **~schmerzen** *Pl* stomach-ache *Sg* **~speicheldrüse** *f* pancreas **~tanz** *m* belly dance **~tänzerin** *f* belly dancer
Bauchweh *n* F stomach-ache
Baudenkmal *n* historical monument
bauen I *v/t* **1.** build, construct, TECH *a.* make **2.** F *fig* (*machen*) make, (*Prüfung*) take, pass, (*verursachen*) cause: ***e-n Unfall ~*** have an accident **II** *v/i* **3.** build (a house) **4.** *fig* **~ *auf*** (*Akk*) rely on
Bauer[1] *n* (bird)cage
Bauer[2] *m* **1.** farmer, *fig pej* peasant, boor **2.** *Schach*: pawn, *Kartenspiel*: jack
Bäuerin *f* farmer's wife
bäuerlich *Adj* rustic
Bauernbrot *n* (coarse) brown bread
Bauernfänger(in) confidence trickster
Bauernfängerei *f* con game
Bauern|haus *n* farmhouse **~hof** *m* farm **~möbel** *Pl* rustic furniture *Sg* **~regel** *f* country saying
bauernschlau *Adj* crafty
Bauerwartungsland *n* development area **Baufach** *n* **1.** architecture **2.** building trade
baufällig *Adj* dilapidated
Bau|firma *f* builders and contractors *Pl* **~gelände** *n* **1.** building area **2.** → ***Baustelle*** 1 **~genehmigung** *f* planning (and building) permission **~genossenschaft** *f* cooperative building association **~gerüst** *n* scaffolding **~gewerbe** *n* building trade **~grund(stück** *n*) *m* (building) site **~handwerker** *m* workman in the building trade **~herr(in)** client, building owner **~ingenieur(in)** civil engineer **~jahr** *n* construction year: MOT ~ ***1987*** (a) 1987 model
Baukasten *m* box of bricks, (*Stabil*&) construction set **Baukastensystem** *n* TECH unit construction system
Bauklotz *m* building block: F ***da staunt man Bauklötze!*** it's mind-boggling!
Bau|kunst *f* architecture **~land** *n* building land **~leiter(in)** site manager
baulich *Adj* architectural, structural: ***in gutem ~en Zustand*** in good repair
Baum *m* tree: *er sitzt* ***auf dem ~*** in the tree; *Geld etc* ***wächst nicht auf Bäumen*** doesn't grow on trees
Baumarkt *m* DIY cent/re (*Am* -er)
Baumbestand *m* stock of trees
Baumeister(in) master builder, *weit. S.* architect
baumeln *v/i* **1.** (***an*** *Dat* from) dangle, swing: ***mit den Beinen ~*** dangle one's legs **2.** F (*am Galgen ~*) swing
Baumgrenze *f* timberline
Baumschere *f* LANDW pruning shears *Pl*
Baumschule *f* (tree) nursery
Baumstamm *m* trunk, *gefällter*: log
baumstark *Adj fig* (as) strong as an ox
Baumsterben *n* death of trees
Baumwolle *f*, **baumwollen** *Adj* cotton
Bauplan *m* architect's plan, TECH blueprint **Bauplatz** *m* (building) site
Bauprojekt *n* building project
Bausch *m* wad (*a.* MED *Watte*&): *fig* ***in ~ und Bogen*** lock, stock and barrel
bauschen I *v/i u. v/refl* ***sich ~*** billow **II** *v/t* puff out
bauschig *Adj* puffed out
Bauspar|kasse *f* building society **~vertrag** *m* building savings agreement
Bau|stahl *m* structural steel **~stein** *m* **1.** brick (*a. Spiel*&), (*als Material*) stone (for building) **2.** *fig* element, component, (*Beitrag*) contribution **3.** ELEK module: ***elektronischer ~*** electronic chip **~stelle** *f* **1.** building site **2.** *auf Straßen*: roadworks *Pl* **~stil** *m* (architectural) style **~stoff** *m* building material **~stopp** *m* ***e-n ~ verhängen*** impose a halt on building **~substanz** *f* fabric

(of a building) **~techniker(in)** constructional engineer **~teil** *n* structural member, component part
Bauten *Pl* **1.** building *Pl*, structures *Pl* **2.** THEAT *etc* setting *Sg*
Bau|träger(in) 1. builder **2.** institution *etc* responsible for the building project **~unternehmer(in)** building contractor **~vorhaben** *n* building project **~weise** *f* (method of) construction, ARCHI style (of architecture) **~werk** *n* building **~zeichnung** *f* construction drawing
Bayer(in), **bay(e)risch** *Adj* Bavarian
Bayern *n* Bavaria
Bazi *m österr.* scoundrel, rascal
Bazillenträger(in) MED germ carrier
Bazillus *m* bacillus (*Pl* -cilli), germ, F bug
beabsichtigen *v/t* intend (***zu tun*** to do, doing): ***das war beabsichtigt*** that was intentional
beachten *v/t* pay attention to, note, (*berücksichtigen*) take into account, consider, (*bemerken*) notice, (*Vorschrift etc*) observe: ***nicht ~*** ignore, disregard; ***bitte zu ~*** please note **beachtenswert** *Adj* noteworthy **beachtlich** *Adj* considerable **Beachtung** *f* (*Gen*) attention (to), (*Befolgung*) observing (of), (*Berücksichtigung*) consideration (of): ***~ schenken*** (*Dat*) → ***beachten***
Beamte *m* official, (*Staats*≈) government official, *Br* civil (*Am* public) servant, (*Polizei*≈, *Zoll*≈) officer **Beamtenlaufbahn** *f* civil service career
Beamtin *f* → ***Beamte***
beängstigen *v/t* worry, alarm
beängstigend *Adj* worrying, alarming
beanspruchen *v/t* **1.** (*Recht etc*) claim **2.** (*erfordern*) demand, require, (*Platz, Zeit*) take up: ***j-n ganz ~*** keep s.o. busy **3.** (*j-s Hilfe etc*) avail o.s. of **4.** TECH stress
Beanspruchung *f* (*Gen* on) **1.** claim **2.** *j-s Zeit, der Kräfte etc*: demand **3.** *a.* TECH strain, stress
beanstanden *v/t* object to, criticize, *a.* WIRTSCH complain about, (*Waren*) reject
Beanstandung *f* (*Gen*) objection (to), complaint (about)**beantragen** *v/t* **1.** apply for (***bei j-m*** to s.o.) **2.** (*vorschlagen*) propose, JUR, PARL move (for)
beantworten *v/t a. fig* answer (***mit*** with), reply to: ***mit Ja*** (***Nein***) ***~*** answer yes (no) **Beantwortung** *f* answer, reply
bearbeiten *v/t* **1.** *allg* work, LANDW *a.* cultivate, till, TECH *maschinell*: *a.* machine, (*verarbeiten*) process, (*behandeln*) treat **2.** (*Sachgebiet etc*) work on, (*erledigen*) deal with, VERW *a.* process, *verantwortlich*: be in charge of **3.** (*Buch*) edit, *neu*: revise, *für die Bühne etc*: adapt **4.** MUS arrange **5.** ***j-n ~*** **a)** (*beeinflussen*) work on s.o., **b)** F (*verprügeln*) give s.o. a working over; ***mit den Fäusten*** (***mit Fußtritten***) ***~*** pound (kick)
Bearbeitung *f* **1.** working (*etc*, → ***bearbeiten***), treatment, LANDW cultivation, VERW processing **2.** *e-s Buches*: **a)** revision, **b)** revised edition, THEAT *etc* adaptation **3.** MUS arrangement
beargwöhnen *v/t* be suspicious of
Beatmung *f* (***künstliche***) ***~*** artificial respiration
beaufsichtigen *v/t* supervise, (*Kind*) look after
Beaufsichtigung *f* supervision
beauftragen *v/t* (*anweisen*) instruct, (*Künstler etc*) commission, (*berufen*) appoint: ***j-n mit e-m Fall ~*** put s.o. in charge of a case **Beauftragte** *m, f* representative, VERW commissioner
bebauen *v/t* **1.** build on **2.** LANDW cultivate
Bebauung *f* **1.** development **2.** LANDW cultivation
beben I *v/i* shake, tremble (*a. Stimme etc*, ***vor*** *Dat* with) **II** ≈ *n* trembling, GEOL tremor, *stärker*: earthquake
bebildern *v/t* illustrate
bebrillt *Adj* spectacled
Becher *m* **1.** tumbler, mug, (*Plastik*≈) beaker, (*Eis*≈ *etc*) cup **2.** BOT cup, calix
bechern *v/i* F booze
Becken *n* **1.** basin (*a.* TECH), (*Spül*≈) sink, (*Klosett*≈) bowl, (*Schwimm*≈) pool **2.** ANAT pelvis **3.** MUS cymbal
Beckenbruch *m* MED fractured pelvis
Beckenknochen *m* pelvic bone
Becquerel *n* PHYS Becquerel
Bedacht *m* ***mit ~*** (*überlegt*) with deliberation, (*vorsichtig*) carefully, (*umsichtig*) circumspectly **bedacht** *Adj* ***~ sein auf*** (*Akk*) be intent on; ***darauf ~ sein zu*** *Inf* be anxious (*od* careful) to *Inf*
bedächtig *Adj* (*überlegt*) careful, (*um-

B

sichtig) circumspect, (*langsam*) slow
bedanken *v/refl* ***sich ~*** say thank you, express one's thanks (***bei j-m*** to s.o.): ***ich bedanke mich!*** thank you!; *iron* ***dafür bedanke ich mich!*** no, thank you very much!
Bedarf *m* (**an** *Dat*) need (of), *bes* WIRTSCH (*Nachfrage*) demand (for), (*Verbrauch*) consumption (of), (*Erfordernisse*) requirements *Pl* (of): ***bei*** (***nach***) ~ if (as) required; ~ ***haben an*** (*Dat*) need; ***den ~ decken*** meet the demand; ***s-n ~ decken*** get everything one needs
Bedarfs|artikel *m* commodity, *Pl a.* consumer goods *Pl* **~fall** *m* ***im ~*** if required **~güter** *Pl* consumer goods *Pl* **~haltestelle** *f* request stop
bedauerlich *Adj* regrettable, unfortunate **bedauerlicherweise** *Adv* unfortunately **bedauern I** *v/t* (*etw*) regret, (*j-n*) feel sorry for: ***ich bedaure sehr, dass ...*** I am very sorry that ... **II** *v/i* ***bedaure!*** sorry! **Bedauern** *n* regret (***über*** *Akk* for), (*Mitleid*) pity (***mit*** with): ***zu m-m*** (***großen***) ~ (much) to my regret **bedauernswert** *Adj* **1.** pitiable **2.** → ***bedauerlich***
bedecken I *v/t* cover (up) **II** *v/refl* ***sich ~*** cover o.s., *Himmel*: cloud over
bedeckt *Adj* **1.** *Himmel*: overcast **2.** *fig* ***sich ~ halten*** keep a low profile
Bedeckung *f* **1.** covering **2.** (*Bewachung*) escort, *bes* SCHIFF convoy
bedenken *v/t* **1.** consider, think *s.th.* over, (*beachten*) bear *s.th.* in mind **2.** ***j-n mit etw ~*** give s.o. s.th.; ***j-n in s-m Testament ~*** remember s.o. in one's will **Bedenken** *n mst Pl* (*Einwand*) objection, (*Zweifel*) doubt: ***k-e ~ haben*** have no reservations (***wegen*** about)
bedenkenlos I *Adj* unscrupulous **II** *Adv* (*ohne zu zögern*) without hesitation, (*blindlings*) without thinking
bedenklich *Adj* **1.** (*zweifelhaft*) dubious **2.** (*Besorgnis erregend*) alarming, (*ernst*) serious, critical, (*gefährlich*) dangerous **3.** (*besorgt*) worried, sceptical
Bedenkzeit *f* time to think it over: ***ich gebe dir bis morgen ~*** I'll give you till tomorrow
bedeuten *v/t* **1.** mean, *Symbol*, *Wort etc*: *a.* stand for: ***was soll das*** (***denn***) ***~?*** what's the meaning of this?, *Bild etc*: what's that supposed to be?, *pej* what's the idea?; ***das hat nichts zu ~!*** it doesn't mean a thing!, (*macht nichts*) it doesn't matter!; ***das bedeutet nichts Gutes!*** that's a bad thing!; ***das bedeutet mir viel*** that's very important to me **2.** ***j-m etw ~*** (*zu verstehen geben*) point s.th. out to s.o.; ***j-m ~, dass ...*** give s.o. to understand that ... **bedeutend I** *Adj* important, (*beträchtlich*) *a.* considerable, (*namhaft*) great, outstanding **II** *Adv* considerably, a great deal *better*
bedeutsam → ***bedeutungsvoll***
Bedeutung *f* **1.** meaning **2.** (*Wichtigkeit*) importance, (*Tragweite*) import: ***von ~*** important, significant, *sachlich*: relevant (***für*** to); ***nichts von ~*** nothing important; → ***beimessen*** b
bedeutungsvoll *Adj* **1.** significant **2.** (*viel sagend*) meaningful
bedienen I *v/t* **1.** (*Kunden etc*) serve: *iron* ***ich bin bedient!*** I've had enough! **2.** (*Maschine etc*) operate **3.** F SPORT pass (the ball) to **II** *v/refl* ***sich ~*** **4.** *bei Tisch u. weit. S.* help o.s.: ***~ Sie sich!*** help yourself!; ***sich e-r Sache ~*** use s.th. **III** *v/i* **5.** *bei Tisch etc*: serve
Bedienung *f* **1.** service **2.** waiter, waitress **3.** TECH operation
Bedienungs|anleitung *f* instructions *Pl* for use, *für Geräte*: operating instructions *Pl* **~knopf** *m* control knob **~komfort** *m* easy operation
bedingen *v/t* (*erfordern*) require, (*in sich schließen*) imply, (*nach sich ziehen*) entail, (*bestimmen*) determine, (*bewirken*) cause **bedingt I** *Adj* **1.** ***~ durch***, ***~ von*** conditional on, (*abhängig*) *a.* dependent on; ***~ sein durch*** *a.* be determined by **2.** (*eingeschränkt*) *Erfolg*, *Zustimmung etc*: qualified **II** *Adv* **3.** conditionally, (*nicht ganz*) up to a point, partly
Bedingung *f* condition: ***~en*** *Pl* terms *Pl*, (*Verhältnisse*) conditions *Pl*, (*Umstände*) *a.* circumstances *Pl*; ***~en stellen*** make stipulations; (***es***) ***zur ~ machen, dass ...*** make it a condition that ...; ***unter der ~, dass ...*** provided (that) ...; ***unter diesen ~en*** under these circumstances; ***unter k-r ~*** on no account;

WIRTSCH ***zu günstigen ~en*** on easy terms
bedingungslos *Adj* unconditional, *Gehorsam etc*: unquestioning
Bedingungssatz *m* conditional clause
bedrängen *v/t* press *s.o.* hard, *mit Bitten etc*: pester, *Sorgen, Zweifel etc*: beset: (***schwer***) ***bedrängt*** (*od* ***in e-r bedrängten Lage***) ***sein*** be hard-pressed, be in (bad) trouble
bedrohen *v/t* threaten: ZOOL ***bedrohte Arten*** endangered species **bedrohlich** **I** *Adj* threatening, menacing, *Ausmaß, Lage etc*: alarming, (*unheilvoll*) ominous **II** *Adv* threateningly (*etc*)
Bedrohung *f* (*Gen* to) threat, menace (*beide a. fig Sache, Person etc*)
bedrucken *v/t* print
bedrücken *v/t* oppress, *seelisch*: depress **bedrückend** *Adj* depressing
Bedrückung *f* oppression, *seelische*: depression
bedürfen *v/i* (*Gen*) need, require, take: ***es bedarf k-r weiteren Beweise*** no further evidence is required
Bedürfnis *n* need (***nach*** for), requirement, (*inneres ~*) urge
Bedürfnisanstalt *f* public convenience
bedürfnislos *Adj* ***er ist ~*** he doesn't need much
bedürftig *Adj* needy, poor
Bedürftigkeit *f* neediness, poverty
Beefsteak *n* steak: ***deutsches ~*** beefburger
beehren *v/t* hono(u)r
beeiden, **beeidigen** *v/t* (*etw*) swear to
beeidigt *Adj* JUR sworn
Beeidigung *f* confirmation by oath
beeilen *v/refl* ***sich ~*** hurry: ***beeil dich!*** hurry up!, F get a move on!
beeindrucken *v/t* impress
beeinflussen *v/t* influence, *nachteilig*: affect
Beeinflussung *f* influence (*Gen* on)
beeinträchtigen *v/t* impair, affect (adversely), (*Ruf, Schönheit etc*) detract from, (*behindern*) impede, (*vermindern*) reduce **Beeinträchtigung** *f* (*Gen*) impairment (of), detraction (from), impeding (of), reduction (in)
beenden *v/t* **1.** *allg* (bring *s.th.* to an) end, conclude, close **2.** IT (*Anwendung*) close
Beendigung *f* conclusion, close
beengen *v/t* cramp
beerben *v/t* ***j-n ~*** be s.o.'s heir
beerdigen *v/t* bury **Beerdigung** *f* burial, funeral **Beerdigungsinstitut** *n* undertaker's, funeral directors *Pl*
Beere *f* berry, (*Wein*~) grape
Beerenauslese *f* quality wine made from selected grapes
Beet *n* bed
Beete *f* BOT → ***Bete***
befähigen *v/t* enable, qualify (***für, zu*** for): ***j-n*** (***dazu***) ***~, etw zu tun*** enable s.o. to do s.th. **befähigt** *Adj* (***zu***) capable (of), *zu e-m Amt etc*: qualified (for)
Befähigung *f* qualification (***zu*** for), (*Fähigkeit*) ability
Befähigungsnachweis *m* certificate of qualification
befahrbar *Adj* passable, SCHIFF navigable
befahren **I** *v/t* drive on, (*benutzen*) use (*a road*), (*Strecke*) cover **II** *Adj* ***e-e sehr*** (*od* ***stark***) ***~e Straße*** a busy road
befallen *v/t* attack (*a.* MED), *fig* seize: ***~ werden von*** *Furcht etc*: be seized by, *Insekten etc*: be infested by
befangen *Adj* **1.** inhibited, shy, self-conscious **2.** (*voreingenommen, a.* JUR) bias(s)ed: ***in e-m Irrtum ~ sein*** be labo(u)ring under a delusion
Befangenheit *f* **1.** self-consciousness, shyness **2.** JUR *etc* (***wegen ~*** for) bias
befassen *v/refl* ***sich ~ mit*** concern o.s. with, *a. mit e-m Problem etc*: deal with
Befehl *m* order, (*a. Befehlsgewalt, Computer*~) command: ***auf ~ von*** (*od Gen*) by order of; (***den***) ***~ haben zu*** *Inf* be under orders to *Inf*; ***den ~ haben*** (***übernehmen***) be in (take) command (***über*** *Akk* of)
befehlen **I** *v/t* ***j-m etw ~*** order s.o. to do s.th. **II** *v/i* give the orders
befehligen *v/t* be in command of
Befehls|bereich *m* MIL (area of) command **~form** *f* LING imperative
Befehlshaber(in) commander
Befehlsverweigerung *f* refusal to obey an order
befestigen *v/t* **1.** (***an*** *Dat* to) fasten, fix **2.** (*Straße*) pave **3.** MIL fortify **4.** *fig* (*stärken*) strengthen
Befestigung *f* **1.** fastening, fixing **2.** MIL fortification **3.** *fig* strengthening

B

befeuchten *v/t* moisten
befinden I *v/t* ***etw für gut*** *etc* ~ think s.th. is good *etc* II *v/refl* ***sich*** ~ **a)** be, *Gebäude etc*: *a.* be located, **b)** (*sich fühlen*) be, feel III *v/i* (*entscheiden*) decide
Befinden *n* (state of) health
befindlich *Adj* ***alle im Haus ~en Möbel*** all furniture in the house
beflaggen *v/t* flag
beflecken *v/t* stain, soil, *fig* sully
befliegen *v/t* (*Strecke*) fly
beflügeln *v/t* *fig* (*j-n*) inspire, (*anspornen*) spur *s.o.* on, (*j-s Fantasie*) fire
befolgen *v/t* follow, (*Rat*) *a.* take, (*Vorschrift*) observe **Befolgung** *f* following (*etc*), observance (*Gen* of)
befördern *v/t* **1.** convey, transport, (*Güter*) *a.* forward, *Am od* SCHIFF ship **2.** *im Rang*: promote: ***er wurde zum Direktor*** (***Major***) ***befördert*** he was promoted manager (major) **Beförderung** *f* **1.** conveyance, transport(ation), forwarding, *Am od* SCHIFF shipment **2.** *im Rang*: promotion **Beförderungsmittel** *n* (means of) transportation
befrachten *v/t* load, SCHIFF *u. fig* freight
befragen *v/t* **1.** (***nach, über*** *Akk* about) question, ask, *Meinungsforschung*: poll, interview **2.** (*zu Rate ziehen*) consult **Befragung** *f* interview, *der Öffentlichkeit*: (public opinion) poll
befreien I *v/t* (***von*** from) *allg* free, *bes* POL *u.* SOZIOL liberate, (*retten*) rescue, *von Steuern etc*: exempt, *von Haftung, Verpflichtungen*: release, *vom Unterricht*: excuse, *von e-r Last, von Sorgen, Schmerzen etc*: relieve, *von e-m Verdacht etc*: clear (of) II *v/refl* ***sich*** ~ (***von***) free (*od* liberate) o.s. (from), *von etw Lästigem*: get rid of, *von e-m Verdacht etc*: clear o.s. (of)
Befreier(in) liberator
Befreiung *f* (***von*** from) freeing (*etc*, → ***befreien*** I), liberation, (*Rettung*) rescue, *von Steuern etc*: exemption, *von Verpflichtungen etc*: release
Befreiungs|bewegung *f* liberation movement **~kampf** *m* fight for independence **~krieg** *m* war of liberation (*od* independence) **~versuch** *m e-s Gefangenen*: attempt to escape
befremden I *v/t* take *s.o.* aback II ♀ *n* astonishment (***über*** *Akk* at)
befremdlich *Adj* strange
befreunden *v/refl* ***sich*** ~ become friends; ***sich ~ mit*** make friends with, *fig* get used to *s.th.*
befreundet *Adj* *a.* POL *Nationen*: friendly: ~ ***sein*** be friends (***mit*** with)
befrieden *v/t* POL pacify
befriedigen *v/t* (*j-n, j-s Hunger, Neugier etc*) satisfy, (*j-n*) *a.* please, (*Nachfrage, Wunsch*) meet, (*Erwartungen*) *a.* come up to: ***schwer zu*** ~ hard to please **befriedigend** *Adj* satisfactory (*a.* PÄD *Note*) **befriedigt** *Adj u. Adv* satisfied, pleased **Befriedigung** *f* satisfaction
befristen *v/t* set a time limit on
befristet *Adj* limited (in time)
Befristung *f* (setting of a) time limit
befruchten *v/t* BIOL fertilize (*a. fig*), BOT pollinate, *fig* (*anregen*) stimulate: (***künstlich***) ~ inseminate (artificially)
Befruchtung *f* BIOL fertilization (*a. fig*), BOT pollination: ***künstliche*** ~ artificial insemination
Befugnis *f a. Pl* authority, power(s *Pl*): ***j-m*** (***die***) ~ ***erteilen*** (***zu*** *Inf*) authorize s.o. (to *Inf*) **befugt** *Adj* authorized
befühlen *v/t* feel, touch
Befund *m allg* findings *Pl*: MED ***ohne*** ~ negative; ***der*** (***sein, ihr*** *etc*) ~ ***war negativ*** his (her *etc*) test was negative
befürchten *v/t* fear: ***es ist zu ~, dass ...*** it is feared that ...; ***wir müssen das Schlimmste*** ~ we must be prepared for the worst
Befürchtung *f* fear, *Pl a.* misgivings *Pl*
befürworten *v/t* advocate, (*empfehlen*) recommend, (*unterstützen*) support **Befürworter(in)** advocate **Befürwortung** *f* recommendation, support
begabt *Adj* gifted, talented
Begabung *f* gift, (*a. Person*) talent
begatten *v/t* copulate with, ZOOL mate with
Begattung *f* copulation, ZOOL mating
begeben I *v/refl* **1.** ***sich ~ nach*** (*od* ***zu***) go to, ***zu*** *j-m*: *a.* join, see; ***sich an die Arbeit*** ~ set to work; ***sich auf die Reise*** ~ set out (on one's journey); → ***Gefahr*** **2.** ***sich*** ~ (*sich ereignen*) happen, occur II *v/t* **3.** (*Wechsel etc*) negotiate
Begebenheit *f* occurrence, incident
begegnen *v/i* (*Dat*) **1.** meet, F bump into, (*a. e-r Sache*) come across: ***sich*** ~ meet **2.** (*Schwierigkeiten etc*) meet with, (*entgegentreten*) face, (*vorbeugen*)

obviate **3.** (*vorkommen*) be found (***bei*** in) **4.** ***j-m freundlich ~*** treat s.o. kindly
Begegnung *f* meeting, (*a. feindliche ~*) encounter, SPORT bout, (*Spiel*) match
begehbar *Adj Weg*: passable **begehen** *v/t* **1.** walk on **2.** (*besichtigen*) inspect **3.** (*Fehler*) make, (*Verbrechen*) commit **4.** (*feiern*) celebrate, (*Feiertag*) observe
begehren *v/t* desire (*a. j-n*), *heftig*: crave for, (*verlangen*) demand: (***sehr***) ***begehrt*** (much) sought after, (very) much in demand **Begehren** *n* desire (***nach*** for) **begehrenswert** *Adj* desirable
begehrlich *Adj* covetous, greedy
Begehung *f* **1.** inspection **2.** *e-s Verbrechens*: commission **3.** *e-s Festes*: celebration
begeistern I *v/t* fill *s.o.* with enthusiasm (***für*** about), inspire **II** *v/refl* ***sich ~ für*** be (*od* get) enthusiastic about, *in Worten*: *a.* rave (F enthuse) about **III** *v/i* arouse enthusiasm (***durch*** by)
begeisternd *Adj* rousing, inspiring, (*großartig*) marvel(l)ous
begeistert I *Adj* (***von***) enthusiastic (about), keen (on), (*leidenschaftlich*) fervent: ***~er Anhänger*** (*Gen od* ***von***) fan (of); ***...begeistert*** ...-minded, F ...-mad **II** *Adv* enthusiastic(ally): ***~ sprechen von*** *a.* rave about
Begeisterung *f* enthusiasm (***für*** for, about): ***mit ~*** *a.* enthusiastically
Begierde *f* (***nach*** for) appetite, *bes sinnliche*: desire, lust **begierig** *Adj* eager (***nach, auf*** *Akk* for): ***ich bin ~ zu erfahren*** I am anxious to know
begießen *v/t* **1.** pour water *etc* over (*od* on), (*Blumen*) water **2.** F *fig* celebrate (with a drink): ***das müssen wir ~!*** that calls for a drink!
Beginn *m* (***zu ~*** at the) beginning
beginnen *v/t u. v/i* begin, start, *förmlich*: commence
beglaubigen *v/t* certify, (*Diplomaten*) accredit (***bei*** to) **beglaubigt** *Adj* (***öffentlich***) ~ certified (by a notary public); ***~e Abschrift*** certified copy, *als Vermerk*: a true copy **Beglaubigung** *f* certification, *e-s Gesandten*: accreditation **Beglaubigungsschreiben** *n* credentials *Pl*
begleichen *v/t* WIRTSCH pay, settle
Begleichung *f* settlement, payment
Begleitbrief *m* covering letter
begleiten *v/t* accompany (*a.* MUS *u. fig*), (*eskortieren*) *a.* SCHIFF, MIL, MOT escort
Begleiter *m* **1.** companion, *dienstlicher*: attendant **2.** *e-r Dame etc*: escort **3.** MUS accompanist
Begleiterin *f* → ***Begleiter*** 1, 3
Begleit|erscheinung *f* concomitant, MED attendant symptom **~flugzeug** *n* escort plane **~musik** *f* incidental music, *fig* accompaniment **~person** *f* escort **~schein** *m* WIRTSCH waybill, *zollamtlicher*: (custom's) permit **~schiff** *n* escort vessel **~schreiben** *n* covering letter **~umstände** *Pl* attendant circumstances *Pl*
Begleitung *f* **1.** company, *a.* SCHIFF, MIL escort, (*Gefolge*) entourage: ***ohne ~*** unaccompanied (*a.* MUS); ***in ~ von*** (*od Gen*) accompanied by **2.** MUS accompaniment
beglücken *v/t* ***j-n ~*** make s.o. happy
beglückwünschen *v/t* congratulate (***zu*** on)
begnadet *Adj* inspired, highly gifted: ***~ mit*** blessed with
begnadigen *v/t*, **Begnadigung** *f* pardon, POL amnesty
begnügen *v/refl* ***sich ~*** (***mit*** with) be content, (*auskommen*) make do
Begonie *f* BOT begonia
begraben *v/t a. fig* bury **Begräbnis** *n* burial, *feierliches*: *a.* funeral
begradigen *v/t* straighten
begreifen *v/t* understand (*a. v/i*), (*erfassen*) grasp: ***du musst ~, dass ...*** you must realize that ...; ***das begreife ich nicht!*** that's beyond me!; ***schnell ~*** F catch on quickly, be quick on the uptake
begreiflich *Adj* understandable: ***j-m etw ~ machen*** make s.th. clear to s.o.
begreiflicherweise *Adv* understandably (enough)
begrenzen *v/t* **1.** mark off, (*die Grenze bilden von*) form the boundary of **2.** *fig* (***auf*** *Akk* to) limit, restrict
Begrenztheit *f* limitations *Pl*
Begrenzung *f* **1.** (***auf*** *Akk* to) limiting, restriction **2.** (*Grenze*) bounds *Pl*, limit
Begrenzungslicht *n* MOT sidelight
Begriff *m* **1.** idea, notion, PHIL concept, (*Ausdruck*) term: ***sich e-n ~ machen von*** get an idea of, imagine; ***du machst dir k-n ~!*** you have no idea!;

B

ist dir das ein ~? does that mean anything to you?; ***nach m-n ~en*** as I see it **2.** F ***schwer von ~*** slow (in the uptake) **3.** ***im ~ sein, etw zu tun*** be about to do s.th.

begriffen *Adj* ***er war im Fortgehen ~*** he was leaving (*od* about to leave)

begrifflich *Adj* conceptual, *Denken*: abstract

Begriffsbestimmung *f* definition

Begriffsinhalt *m* PHIL connotation

begriffsstutzig *Adj* dense, slow

Begriffsverwirrung *f* confusion

begründen *v/t* **1.** (*Behauptung etc*) give reasons for, (*Handlung*) explain, (*rechtfertigen*) justify **2.** (*gründen*) found, (*a. j-s Ruf, Rechte etc*) establish, (*Geschäft, Hausstand etc*) *a.* set up, *fig* lay the foundations of **begründet** *Adj* well-founded, (*gerechtfertigt*) justified: ***~er Verdacht*** *bes* JUR reasonable suspicion **Begründung** *f* **1.** reason(s *Pl*), argument(s *Pl*), (*Erklärung*) explanation: ***mit der ~, dass …*** on the grounds that …; ***ohne jede ~*** without giving any reasons **2.** (*Gründung*) establishment, foundation, setting up

begrüßen *v/t* greet, *freudig*: welcome (*a. fig*) **begrüßenswert** *Adj* welcome **Begrüßung** *f* greeting, welcome

Begrüßungs|ansprache *f* welcoming speech **~geld** *n* POL welcome money

begünstigen *v/t* favo(u)r, (*Sache*) *a.* promote **Begünstigte** *m, f* WIRTSCH, JUR beneficiary **Begünstigung** *f* favo(u)ring, promotion, (*Bevorzugung*) preferential treatment, *finanzielle*: benefit, JUR acting as accessory after the fact

begutachten *v/t* give an (expert's) opinion on, (*prüfen*, F *besichtigen*) examine: ***etw ~ lassen*** obtain an expert's opinion on s.th.

begütert *Adj* wealthy, well-to-do

behaart *Adj* hairy, hirsute

behäbig *Adj* sedate, *Gestalt*: portly

behaftet *Adj* ***~ mit*** *e-r Krankheit*: afflicted with, *Fehlern etc*: full of, *e-m Makel*: tainted with

behagen *v/i* ***j-m ~*** suit s.o., (*gefallen*) please s.o.: ***das behagt mir*** (***ganz und gar***) ***nicht*** I don't like that (at all)

Behagen *n* ease, comfort, (*Vergnügen*) pleasure, (*Zufriedenheit*) contentment

behaglich I *Adj* comfortable, (*gemütlich*) cosy **II** *Adv* comfortably, (*zufrieden*) contentedly

Behaglichkeit *f* comfort, cosiness

behalten *v/t* keep, (*im Gedächtnis ~*) remember: ***Recht ~*** be right (in the end); *Geheimnis etc* ***für sich ~*** keep to o.s.; ***behalte das für dich!*** keep it under your hat!; *Nahrung* ***bei sich ~*** retain

Behälter *m* container, receptacle, *für Öl etc*: tank

behämmert *Adj* F → ***bekloppt***

behänd(e) *Adj* nimble, agile (*a. geistig*), (*gewandt*) dexterous

behandeln *v/t allg* treat (*a.* MED, TECH), (*Thema, Problem etc, a. schwierige Person*) deal with, handle **Behandlung** *f* treatment, (*Handhabung*) handling: ***in*** (***ärztlicher***) ***~*** under medical treatment

behängen *v/t* hang, (*drapieren*) drape, (*schmücken*) decorate: F *pej* ***sie war mit Schmuck behängt*** she was decked (out) with jewels

beharren *v/i* (***auf*** *Dat*) persist (in), F stick (to): ***darauf ~, dass …*** insist that …

beharrlich *Adj* persistent, steadfast, (*hartnäckig*) stubborn **Beharrlichkeit** *f* perseverance, stubbornness

behauen *v/t* hew

behaupten I *v/t* **1.** maintain, claim, say (***dass*** that): F ***steif und fest ~, dass …*** insist that … **2.** (*Recht etc*) maintain, assert **II** *v/refl* ***sich ~*** **3.** hold one's own, WIRTSCH *Kurse, Preise*: remain firm **Behauptung** *f* **1.** claim, assertion **2.** *von Rechten etc*: maintenance, assertion

Behausung *f* dwelling

beheben *v/t allg* remove, (*Schaden*) *a.* repair, (*Missstand*) *a.* remedy

Behebung *f* removal, repair

beheimatet *Adj* ***~ in*** (*Dat*) resident in, living in, coming from

beheizbar *Adj* heatable

beheizen *v/t* heat

Behelf *m* makeshift

behelfen *v/refl* ***sich ~*** (***mit*** with) make do, manage; ***sich ~ ohne*** do without

Behelfs… temporary (*bridge, home, etc*)

behelfsmäßig I *Adj* makeshift, temporary **II** *Adv* as a makeshift, temporarily

behelligen *v/t* bother, trouble, *stärker*: molest
behend(e) *Adj* → ***behänd(e)***
beherbergen *v/t* put up, accommodate, *a. fig* house
beherrschen I *v/t* **1.** rule (over), govern **2.** *fig* (*die Lage*, WIRTSCH *den Markt*, *s-e Gefühle etc*) control: ***j-n ~*** dominate s.o. **3.** have complete command of, (*Sprache*) have a good command of, speak, know: ***sein Handwerk ~*** know one's trade **II** *v/refl* ***sich ~*** **4.** control o.s
beherrschend *Adj* dominating
Beherrschung *f* **1.** rule, domination (*a. fig*) **2.** *fig* (*Gen* of) control, (*Können*) mastery, command **3.** → ***Selbstbeherrschung***
beherzigen *v/t* ***etw ~*** bear s.th. in mind
beherzt *Adj* courageous, F plucky
behilflich *Adj* ***j-m ~ sein*** help (*od* assist) s.o. (***bei*** in)
behindern *v/t* (***bei*** in) hinder, hamper, (*a. Sicht, Verkehr*, SPORT *Gegner*) obstruct **behindert** *Adj* (***körperlich*** *od* ***geistig***) **~** (physically *od* mentally) handicapped **Behinderte** *m, f* handicapped person **behindertengerecht** *Adj* suitable for disabled persons; (*Gebäude*) with wheelchair access **Behinderung** *f* **1.** hindrance, impediment, *a.* SPORT obstruction **2.** MED handicap
Behörde *f* (public) authority, (*Amt*) *a.* administrative body
behördlich *Adj* official
behüten *v/t* protect (***vor*** *Dat* from)
behutsam *Adj* cautious, careful, gentle
Behutsamkeit *f* caution, gentleness
bei *Präp* (*Dat*) **1.** *räumlich*: ***~ Berlin*** near Berlin; ***die Schlacht ~ Waterloo*** the Battle of Waterloo; ***~ Hofe*** at court; ***~m Bäcker*** at the baker's; ***~ Familie Braun, ~ Brauns*** at Braun's; **~** (*per Adresse*) ***Braun*** c/o (= care of) Braun; ***~ j-m sitzen*** sit with s.o.; ***arbeiten ~*** work for; ***e-e Stellung ~*** a job with; ***~m Heer*** (***~ der Marine***) in the army (navy); ***~ uns*** **a)** with us, **b)** (***zu Hause***) at home, **c)** (***in Deutschland***) in Germany, at home; ***ich habe kein Geld ~ mir*** I have no money on me; ***er hatte s-n Hund ~ sich*** he had his dog with him **2.** *zeitlich od e-n Zustand ausdrückend*: ***~ s-r Geburt*** (***Hochzeit***) at his birth (wedding); ***~ Tag*** (***Nacht***) by day (night), during the day (night); ***~ Licht*** by light; ***~ 70 Grad*** at 70 degrees; ***~ schönem Wetter*** when the weather is fine; ***~m Arbeiten*** while working; ***~ offenem Fenster*** with the window open; ***~ Regen*** (***Gefahr***) in case of rain (danger); F ***er ist nicht ganz ~ sich*** he's not all there **3.** (*angesichts*) ***~ so vielen Problemen*** with (*od* considering) all the problems; ***~ solcher Hitze*** in such heat; ***~ all s-n Bemühungen*** for all his efforts; → *a. die Verbindungen mit den entsprechenden Stichwörtern*
beibehalten *v/t* retain, maintain, (*Richtung, Tempo*) keep
Beiblatt *n* supplement (*Gen* to)
Beiboot *n* dinghy
beibringen *v/t* **1.** ***j-m etw ~*** teach s.o. s.th., (*verständlich machen*) get s.th. across to s.o.; ***j-m etw schonend ~*** break s.th. gently to s.o. **2.** ***j-m*** *e-e Niederlage* **~** inflict *s.th.* on s.o. **3.** (*vorlegen*) furnish, (*Beweise etc*) produce
Beichte *f a. fig* confession: ***j-m die ~ abnehmen*** confess s.o.
beichten *v/t u. v/i a. fig* confess
Beicht|geheimnis *n* confessional secret **~kind** *n* penitent **~stuhl** *m* confessional **~vater** *m* (father) confessor
beide *Adj* both, *unbetont*: the two, (*der, die, das eine od andere*) either: ***m-e ~n Brüder*** both my brothers, my two brothers; ***wir ~*** both of us, we two; ***alle ~*** both of them; ***in ~n Fällen*** in either case; ***kein(e)s von ~n*** neither (of the two); ***~ Mal*** both times
beiderlei *Adj* (of) both kinds: ***~ Geschlechts*** of either sex
beiderseitig *Adj u. Adv* on both sides, (*gegenseitig*) mutual(ly *Adv*) **beiderseits I** *Adv* on both sides, *fig a.* mutually **II** *Präp* (*Gen*) on both sides (of)
beidhändig *Adj* ambidextrous, SPORT two-handed
beidrehen *v/t* SCHIFF heave to
beieinander *Adv* together: (***dicht***) **~** next to each other; ***~ haben*** F have *s.th.* together; ***du hast wohl nicht alle ~!*** you must be out of your mind!; ***~ halten*** F keep *s.th.* together; F ***gut ~ sein*** be in good shape; F ***er ist nicht ganz ~*** he's not all there
Beifahrer(in) *im Pkw*: front passenger, *im Lkw*: driver's mate, *beim Rennen*:

B

co-driver **Beifahrersitz** *m* front-passenger seat
Beifall *m* applause, (*Zurufe*) (loud) cheers *Pl*, *fig* approval: ***~ ernten, ~ finden*** draw applause, *fig* meet with approval, be acclaimed; ***~ klatschen, ~ spenden*** applaud (***j-m*** s.o.)
beifällig *Adj* approving(ly *Adv*)
Beifallsruf *m* cheer(s *Pl*)
Beifallssturm *m* thunderous applause
Beifilm *m* supporting film
beifügen *v/t* (*Dat*) add (to), *e-m Brief*: enclose (with)
Beifügung *f* LING apposition
Beigabe *f* **1.** addition, extra: ***als ~*** *a.* into the bargain **2.** → ***Beilage*** 2
beige *Adj*, **Beige** *n* beige
beigeben I *v/t* add (*Dat* to) **II** *v/i* F ***klein ~*** knuckle under, climb down
Beigeordnete *m*, *f* assistant, POL town council(l)or
Beigeschmack *m* (unpleasant) taste, *fig* smack (***von*** of)
Beihilfe *f* **1.** aid, *staatliche*: grant, (*Subvention*) subsidy **2.** JUR aiding and abetting: (***j-m***) ***~ leisten*** aid and abet (s.o.)
beikommen *v/i* (*j-m*) get at, (*e-r Sache*) cope with
Beil *n* ax(e), hatchet, (*Fleischer*2) chopper
Beilage *f* **1.** (*Zeitungs*2) supplement, insertion, inset **2.** GASTR side dish: ***Fleisch mit ~*** meat and vegetables *Pl*
beiläufig I *Adj* casual **II** *Adv* casually, (*übrigens*) by the way: ***etw ~ erwähnen*** mention s.th. in passing
beilegen *v/t* **1.** (*Dat*) add (to), *e-m Brief*: enclose (with) **2.** (*Namen*) give **3.** (*Streit*) settle
Beilegung *f e-s Streits*: settlement
beileibe *Adv* ***~ nicht***(!) certainly not(!), by no means(!)
Beileid *n* (***j-m sein ~ aussprechen*** offer s.o. one's) condolences *Pl*: (***mein***) ***herzliches ~!*** *a. iron* my heartfelt sympathy!
Beileidsbesuch *m* visit of condolence
Beileidsbrief *m* letter of condolence
Beileidskarte *f* condolence card
beiliegen *v/i* be enclosed (*e-m Brief etc* with) **beiliegend** *Adj u. Adv* enclosed: ***~ übersenden wir Ihnen ...*** enclosed please find ...
beim = ***bei dem***
beimengen → ***beimischen***
beimessen *v/t e-r Sache* **a)** ***Glauben ~*** give credence to, **b)** ***Bedeutung*** *etc* **~** attach importance *etc* to
beimischen *v/t* ***e-r Sache etw ~*** mix s.th. with s.th., add s.th. to s.th.
Beimischung *f* admixture
Bein *n* leg (*a. Hosen*2, *Tisch*2 *etc*): (***früh***) ***auf den ~en sein*** be up and about (early); ***dauernd auf den ~en sein*** be always on the go; ***wieder auf den ~en sein*** be back on one's feet (again); F ***j-m ~e machen*** make s.o. get a move on; ***ich muss mich auf die ~e machen!*** I must be off!; F ***die ~e in die Hand nehmen*** take to one's heels, run; *fig* ***auf eigenen ~en stehen*** stand on one's own two feet; *fig* ***j-n*** (***etw***) ***auf die ~e stellen*** set s.o. (s.th.) up; ***j-m ein ~ stellen*** *a. fig* trip s.o. up; ***sich die ~e vertreten*** stretch one's legs; → ***Grab***
beinahe, F **beinah** *Adv* almost, nearly: ***~ etw tun*** come near doing s.th.
Beinahezusammenstoß *m* near miss
Beiname *m* epithet
Bein|arbeit *f Boxen*: footwork, *Schwimmen*: legwork **~bruch** *m* MED fractured leg: F *fig* ***das ist kein ~!*** that's no tragedy! **~freiheit** *f* MOT legroom
beinhalten *v/t* contain, (*besagen*) say, *stillschweigend*: imply
Beinprothese *f* artificial leg
Beinschiene *f* MED splint
beiordnen *v/t* **1.** ***j-m j-n ~*** assign s.o. to s.o. **2.** LING coordinate
Beipackzettel *m* instructions *Pl*
beipflichten *v/i* agree (*Dat* to)
Beiprogramm *n* FILM supporting program(me *Br*)
Beirat *m* advisory board
beirren *v/t* disconcert: ***er lässt sich nicht ~*** he stands firm, F he sticks to his guns
beisammen *Adv* together **2sein** *n* being together: ***geselliges ~*** get-together
Beischlaf *m* sexual intercourse
Beisein *n* ***im ~ von*** (*od Gen*) in the presence of
beiseite *Adv* aside: ***~ lassen*** disregard; ***~ legen*** set aside (*a. Geld*); ***~ schaffen*** remove, (*j-n*) get rid of; ***~ schieben*** push (*Argument*: brush) aside; ***~ treten*** step aside
beisetzen *v/t* **1.** (*Leiche*) bury **2.** (*Segel*)

set **Beisetzung** *f* burial, funeral
Beispiel *n* example, (*Vorbild*) model: (***wie***) ***zum ~*** for example, for instance (*Abk* e.g.); ***ein ~ geben, mit gutem ~ vorangehen*** set an example; ***sich ein ~ an j-m*** (***etw***) ***nehmen*** take s.o. (s.th.) as an example **beispielhaft** *Adj* exemplary, model ... **beispiellos** *Adj* unprecedented, unheard-of **beispielsweise** *Adv* for example, (as) for instance
beispringen → ***beistehen***
beißen *v/t u. v/i* (***auf*** *Akk*, ***in*** *Akk* s.th.) bite, *Rauch*, *Pfeffer etc*: *a.* burn: ***nach j-m ~*** snap at s.o.; F *fig* ***die Farben ~ sich*** the colo(u)rs clash; F ***er wird dich schon nicht ~!*** he won't eat you!
beißend *Adj Wind etc*, *a. fig Kritik etc*: biting, *Geruch*: acrid
Beißring *m für Babys*: teething ring
Beißzange *f* (***e-e ~*** a pair of) pliers *Pl*
Beistand *m* **1.** help, aid, support: ***j-m ~ leisten*** → ***beistehen*** **2.** → ***Rechtsbeistand*** **Beistandspakt** *m* POL mutual assistance pact **beistehen** *v/i* ***j-m ~*** help (*od* assist, stand by) s.o., come to s.o.'s aid, MED attend s.o.
beisteuern *v/t u. v/i* contribute (***zu*** to)
beistimmen → ***zustimmen***
Beistrich *m* comma
Beitrag *m* contribution (*a. fig*), (*Mitglieds*♀) subscription (fee), fee: ***e-n ~ leisten*** make a contribution (***zu*** to)
beitragen *v/t u. v/i* contribute (***zu*** to)
Beitrags|erhöhung *f* increase in contributions, increased contributions *Pl* **♀frei** *Adj* noncontributary
beitragspflichtig *Adj* liable to subscription
beitreiben *v/t* JUR (*Steuern etc*) collect, (*Schulden*) recover
beitreten *v/i e-m Verein etc*: join, *e-m Vertrag*: *a.* accede to **Beitritt** *m* joining (***zu*** of *a club etc*) **Beitrittserklärung** *f* application for membership
Beiwagen *m* MOT sidecar
beiwohnen *v/i* (*Dat*) **1.** be present at, attend, *als Zeuge*: witness **2.** JUR have sexual intercourse with
Beiwort *n* epithet
Beize *f* **1.** corrosive, (*Holz*♀) stain, *Färberei*: mordant, *Gerberei*: bate, METAL pickle **2.** (*Tabak*♀) sauce **3.** GASTR marinade
beizeiten *Adv* in good time
beizen *v/t* **1.** TECH (*ätzen*) corrode, (*Holz*) stain, (*Häute*) bate, METAL pickle **2.** (*Tabak*) sauce **3.** GASTR marinate
bejahen *v/t* answer in the affirmative (*a. v/i*), *a. fig* say yes to **bejahend** *Adj* affirmative **Bejahung** *f* affirmation, *fig* positive attitude (*Gen* towards)
bejahrt *Adj* old, advanced in years
bejammern *v/t* lament
bekämpfen *v/t* fight (against), combat
Bekämpfung *f* fight (*Gen* against)
bekannt *Adj* known, (*wohl*~) well-known (***wegen*** for): ***~ mit*** acquainted with, ***e-r Sache*** *a.* familiar with s.th.; ***~ geben*** announce (*Dat* to); ***j-n ~ machen mit*** introduce s.o. to; ***~ machen*** announce, make *s.th.* known; ***sich mit etw ~ machen*** familiarize o.s. with s.th.; ***das ist mir ~*** I know (that); ***dafür ~ sein, dass ...*** have a reputation for *Ger*; ***~ werden*** become known, come out
Bekannte *m, f* friend, acquaintance
Bekanntenkreis *m* (circle of) friends *Pl*
Bekanntgabe *f* announcement
Bekanntheitsgrad *m* name recognition (rating)
bekanntlich *Adv* as everybody knows
Bekanntmachung *f* announcement, publication, *offizielle*: bulletin
Bekanntschaft *f* **1.** (***bei näherer ~*** on closer) acquaintance: ***j-s ~ machen*** become acquainted with s.o. **2.** → ***Bekanntenkreis***
bekehren *v/t a. fig* convert (***zu*** to): ***sich ~*** (***zu*** to) become a convert, *fig a.* come round **Bekehrte** *m, f* convert
Bekehrung *f* conversion
bekennen I *v/t* confess (to) **II** *v/refl* ***sich ~ zu*** **a)** *e-r Tat*: confess, **b)** *e-m Glauben etc*: profess, **c)** ***j-m*** stand by s.o., (*eintreten für*) stand up for s.o.; → ***Farbe*** 3, ***schuldig*** 1
Bekennerbrief *m* letter claiming responsibility
Bekenntnis *n* **1.** confession **2.** (*Glaubens*♀) creed, (*Konfession*) denomination **~schule** *f* denominational school
bekiffen *v/refl* F ***sich ~*** get stoned; ***bekifft sein*** be stoned
beklagen I *v/t* lament, deplore, (*Tod etc*) mourn **II** *v/refl* ***sich ~*** complain (***über***

B

Akk of) **beklagenswert** *Adj* **1.** deplorable **2.** *Person*: pitiable
Beklagte *m*, *f* JUR defendant
beklauen *v/t* F ***j-n* ~** steal from s.o.
bekleben *v/t* **1.** paste *s.th.* over **2.** ***etw* ~ *mit*** stick (*od* paste) *s.th.* on s.th.
bekleckern I *v/t* stain, mess up **II** *v/refl* ***sich* ~ *mit* ...** spill ... over o.s
bekleiden *v/t* **1.** dress: *fig* **~ *mit*** (in)vest with **2.** (*Amt etc*) hold **Bekleidung** *f* clothing, clothes *Pl* **Bekleidungsindustrie** *f* clothing industry
beklemmen *v/t* oppress **beklemmend** *Adj* oppressive, *fig a.* eerie **Beklemmung** *f* oppression, *fig a.* anxiety
beklommen *Adj* uneasy, anxious
Beklommenheit *f* uneasiness, anxiety
bekloppt, **beknackt** *Adj* F nutty, batty, crazy, *präd* nuts
bekommen I *v/t allg* get, MED *a.* catch (*a.* F *Zug*, *Bus etc*), (*erhalten*) *a.* receive, (*erlangen*) obtain, (*Kind*, *Junge*) have: ***Hunger* (*Durst*) ~** get hungry (thirsty); ***sie bekommt ein Kind*** she's going to have a baby; ***Zähne* ~** cut one's teeth; ***etw geschenkt* ~** be given s.th. (as a present); ***wie viel* ~ *Sie* (*von mir*)?** how much do I owe you?; F **~ *Sie schon?*** are you being served? **II** *v/i* ***j-m* (*gut*) ~** agree with s.o.; ***j-m nicht*** (*od* ***schlecht***) **~** disagree with s.o.; ***wohl bekomms!*** cheers!; *fig* ***es wird ihm schlecht* ~** he will regret it **bekömmlich** *Adj* wholesome, *Essen*: *a.* easily digestible, light, *Klima*, *Luft*: salubrious
beköstigen *v/t* feed: ***sich selbst* ~** cook for o.s **Beköstigung** *f* feeding, (*Essen*) food: ***bei voller* ~** with full board
bekräftigen *v/t* confirm, (*erhärten*) corroborate **Bekräftigung** *f* confirmation, corroboration
bekreuzigen *v/refl* ***sich* ~** cross o.s
bekriegen *v/t* make war on: ***sich* ~** be at war with one another
bekritteln *v/t pej* criticize
bekritzeln *v/t* scribble on
bekümmern *v/t* grieve, worry
bekunden *v/t* **1.** (*zeigen*) show, demonstrate **2.** (*erklären*) state, JUR *a.* testify
belächeln *v/t* smile (condescendingly) at
beladen *v/t* load, *fig a.* burden
Belag *m* **1.** covering, TECH (*Überzug*) *a.* coat(ing), (*Straßen*⁀) surface, (*Brems*⁀ *etc*) lining **2.** (*Brot*⁀) (sandwich) filling, (*Aufstrich*) spread **3.** MED (*Zungen*⁀) coating, (*Zahn*⁀) tartar
belagern *v/t a. fig* besiege
Belagerung *f* siege
Belang *m* **1.** ***von* ~** of importance (***für*** to); ***ohne* ~** unimportant, *sachlich*: irrelevant **2.** *Pl* interests *Pl* **belangen** *v/t* JUR sue, *bes strafrechtlich*: prosecute
belanglos *Adj* unimportant, *sachlich*: irrelevant (***für*** to), (*gering*) negligible
Belanglosigkeit *f* insignificance, *sachliche*: irrelevance
belassen *v/t* ***etw an s-m Platz* ~** leave s.th. in its place; ***es dabei* ~** leave it at that; ***alles beim Alten* ~** leave things as they are
Belastbarkeit *f allg* (maximum) capacity, *a.* MED *etc* resistance, *a. fig* (relative) strength **belasten** *v/t* **1.** load (*a.* ELEK, TECH), (*beanspruchen*) stress, (*beschweren*) weight **2.** *fig* burden (***mit*** with, ***sich*** o.s.), (*anstrengen*, *a.* WIRTSCH, MED, *a. Beziehungen etc*) put (*od* be) a strain on, *seelisch*: weigh on, worry, (*die Umwelt*) pollute, (*verseuchen*) TECH contaminate: ***das belastet mich sehr*** that's a great burden (*Sorge*: worry) to me; ***damit kann ich mich jetzt nicht* ~** I can't be bothered with that now; → ***erblich*** **3.** (*Konto*) charge, (*Grundstück etc*) encumber: ***j-n*** (*od* ***j-s Konto***) (***mit e-m Betrag***) **~** charge a sum to s.o.'s account **4.** JUR *u.* POL incriminate
belästigen *v/t* molest, (*plagen*, *stören*) (***mit*** with) pester, bother **Belästigung** *f* **1.** molestation, pestering: ***sexuelle* ~** sexual harassment **2.** nuisance
Belastung *f* **1.** loading (*etc*, → ***belasten***) **2.** (*Last*) load (*a.* ELEK, TECH), TECH (*Beanspruchung*) stress (*Gen* on), (*Gewicht*) weight: ***zulässige* ~** safe load **3.** *fig* (*Gen od* ***für***) *allg* (*financial etc*) burden (to, on), (*Sorge*) worry (to), (*Mühe*, *Ärger*) trouble (to), *seelische od nervliche*: stress (on), (*Anstrengung*, *a.* MED, *a. von Beziehungen etc*) strain (on), *der Umwelt*: pollution (of), (*Verseuchung*) *a.* contamination (of): ***er ist zu e-r* ~ *geworden*** *Mitarbeiter etc*: he has become a liability **4.** WIRTSCH *e-s Kontos*: charge (to), *e-s*

Grundstücks etc: encumbrance (of) **5.** JUR *u.* POL incrimination
Belastungs|material *n* JUR incriminating evidence **~probe** *f* **1.** TECH load test **2.** *fig* (severe) test **~zeuge** *m*, **~zeugin** *f* witness for the prosecution
belaubt *Adj* leafy, in leaf
belaufen *v/refl* ***sich ~ auf*** (*Akk*) amount to, run up to, total
belauschen *v/t* eavesdrop on, listen to
beleben I *v/t* liven up, stimulate, *Getränk etc*: *a.* revive, get *s.o.* going (again), (*Zimmer etc*) brighten: ***neu ~*** put new life into **II** *v/refl* ***sich ~*** *Straße etc*: come to life, *Gesicht*: brighten up **belebt** *Adj* animated, lively, *Straße etc*: busy
Beleg *m* **1.** *bes* WIRTSCH record, (*Beweis*) proof, (*~schein*, *Unterlage*) voucher, (*Quittung*) receipt **2.** LING (*Beispiel*) example, (*Quelle*) reference
belegen *v/t* **1.** (*bedecken*) cover, (*auskleiden*, *a. Bremsen etc*) line: ***mit Teppichboden ~*** carpet; *Brot* ***mit Schinken*** *etc* ***~*** put ham *etc* on; → ***belegt*** 4 **2.** (*Zimmer etc*) occupy, (*buchen*) book, (*e-n Platz*) reserve **3.** UNI (*Fach*, *Vorlesungen*) enrol(l) for **4.** SPORT ***den ersten*** (***zweiten*** *etc*) ***Platz ~*** be placed (*od* come in) first (second *etc*) **5.** ***mit e-r Strafe*** (***Steuer*** *etc*) ***~*** impose a penalty (tax *etc*) on **6.** (*beweisen*) supply evidence for, verify, (*Textstelle*, *Wort*) give a reference for; → ***belegt*** 5
Belegexemplar *n* author's copy
Belegschaft *f* personnel, staff, employees *Pl*, TECH workers *Pl*, work force
Belegschein *m* voucher
belegt *Adj* **1.** *Raum*, *Platz*: taken, occupied, (*voll ~*) full (up) **2.** MED *Stimme*: husky, *Zunge*: coated **3.** TEL engaged, *Am* busy **4.** GASTR ***~es Brot*** sandwich; ***~es Brötchen*** filled roll **5.** documented: ***das ist nirgends ~*** there is no evidence for it
belehren *v/t* instruct, (*aufklären*) inform (***über*** *Akk* of): ***sich ~ lassen*** listen to reason; ***j-n e-s Besseren ~*** set s.o. right, *weit. S.* open s.o.'s eyes
belehrend *Adj* instructive
Belehrung *f* instruction, (*Rat*) advice
beleibt *Adj* corpulent, stout
beleidigen *v/t* offend (*a. fig*), *gröblich*: insult: ***ich wollte Sie nicht ~!*** no offen/ce (*Am* -se) meant! **beleidigend** *Adj* insulting **Beleidigung** *f* insult, JUR slander, *schriftliche*: libel
belesen *Adj* well-read
Belesenheit *f* wide reading
beleuchten *v/t* light (up), *a. festlich*: illuminate, *fig* throw light on **Beleuchter** *m* THEAT *etc* lighting technician
Beleuchtung *f* lighting, illumination (*a. fig*), (*Lichter*) *a.* light(s *Pl*) **Beleuchtungskörper** *m* lighting fixture, lamp
Belgien *n* Belgium
Belgier(in), **belgisch** *Adj* Belgian
belichten *v/t* FOTO expose
Belichtung *f* exposure
Belichtungs|automatik *f* automatic exposure **~messer** *m* light meter
Belichtungszeit *f* exposure (time)
belieben I *v/t bes iron* deign **II** *v/i* please: ***wie es Ihnen beliebt*** as you wish **III** ♀ *n* ***nach*** ♀ at will; ***ganz nach*** ♀ as you like **beliebig I** *Adj* any … (you like): ***jeder ♀e*** anyone; ***in ~er Reihenfolge*** in any order (you *etc* like) **II** *Adv* at will: ***~ viele*** as many as you *etc* like
beliebt *Adj* popular (***bei*** with), *Ware*: very much in demand: ***sich bei j-m ~ machen*** ingratiate o.s. with s.o.
Beliebtheit *f* popularity (***bei*** with)
Beliebtheitsgrad *m* popularity (rating)
beliefern *v/t*, **Belieferung** *f* supply
bellen *v/i u. v/t a. fig* bark
Belletristik *f* fiction
belletristisch *Adj* belletristic
Belobigung *f* praise, commendation
belohnen *v/t*, **Belohnung** *f* reward
belüften *v/t* ventilate
Belüftung *f* ventilation
Belüftungsanlage *f* ventilation system
belügen *v/t* ***j-n ~*** lie to s.o.; ***sich selbst ~*** deceive o.s
belustigen I *v/t* amuse **II** *v/refl* ***sich ~ über*** (*Akk*) be amused at
Belustigung *f* amusement
bemächtigen *v/refl* ***sich j-s*** (***e-r Sache***) ***~*** seize s.o. (s.th.)
bemalen *v/t* paint
bemängeln *v/t* criticize, fault: ***daran ist nichts zu ~*** it can't be faulted
bemannen *v/t* man: ***bemannter Raumflug*** manned space flight
bemänteln *v/t* cover up, (*beschönigen*) palliate

B

bemerkbar *Adj* noticeable: ***sich ~ machen*** draw attention to o.s., *Sache*: show, make itself felt **bemerken** *v/t* **1.** (*wahrnehmen*) notice **2.** (*äußern*) remark **bemerkenswert** *Adj* remarkable (***wegen*** for)
Bemerkung *f* remark, comment, *schriftliche*: note, (*Anmerkung*) annotation
bemessen I *v/t* **1.** proportion (***nach*** to), (*berechnen*) calculate, *zeitlich*: *a.* time, TECH dimension, (*Leistung*) rate, (*Strafe*, *Preis etc*) fix **2.** *fig* (*bewerten*) measure (***nach*** by) **II** *v/refl* ***sich ~*** **3.** be proportioned (*etc*, → I) **III** *Adj* **4.** (***knapp***) **~** limited; ***m-e Zeit ist knapp ~*** I am pressed for time
bemitleiden *v/t* pity
bemitleidenswert *Adj* pitiable
bemittelt *Adj* well(-)off, well-to-do
bemogeln *v/t* F cheat
bemühen I *v/t* trouble (***mit*** with, ***um*** for), (*Arzt*, *Fachmann etc*) call in **II** *v/refl* ***sich ~*** take trouble (*od* pains) (***mit*** over), make an effort, try (hard); ***sich ~ um*** **a)** try to get, (*e-e Stellung*) apply for, **b)** (*e-n Verletzten etc*) try to help *s.o.*, **c)** ***j-n*** (*od* ***j-s Gunst***) court s.o.'s favo(u)r; ***bemüht sein zu*** *Inf* endeavo(u)r to *Inf*, *eifrig*: be anxious to *Inf*; ***~ Sie sich nicht!*** don't trouble (*od* bother)! **Bemühung** *f* effort(s *Pl*), endeavo(u)r(s *Pl*), trouble
bemüßigt *Adj* ***sich ~ fühlen zu*** *Inf* feel bound (*od* obliged) to *Inf*
bemuttern *v/t* mother
benachbart *Adj* neighbo(u)ring
benachrichtigen *v/t* (***von*** of) inform, notify, WIRTSCH advise **Benachrichtigung** *f* notification, WIRTSCH advice
benachteiligen *v/t* put *s.o.* at a disadvantage, *bes sozial etc*: discriminate against: (***sozial***) ***benachteiligt*** underprivileged **Benachteiligung** *f* discrimination (*Gen* against), (*Nachteil*) disadvantage, handicap
benebelt *Adj* F *fig* fuddled
Benefiz|spiel *n* SPORT charity match **~vorstellung** *f* charity performance
benehmen *v/refl* ***sich ~*** behave (***gegenüber*** towards): ***sich gut ~*** behave well, behave o.s.; ***sich schlecht ~*** misbehave, behave badly; ***benimm dich!*** behave yourself! **Benehmen** *n* **1.** behavio(u)r, conduct, manners *Pl* **2.** VERW ***im ~ mit*** in agreement with; ***sich ins ~ setzen mit*** get in touch with
beneiden *v/t* envy (***j-n um etw*** s.o. s.th.)
beneidenswert *Adj* enviable
Beneluxstaaten *Pl* Benelux countries *Pl*
benennen *v/t* **1.** name, call **2.** (*Termin*) fix, (*Kandidaten*) nominate: ***j-n als Zeugen ~*** call s.o. as a witness
Bengel *m* rascal
benommen *Adj* dazed
Benommenheit *f* daze, numbness
benoten *v/t* PÄD mark, *Am* grade
Benotung *f* **a)** marking, *Am* grading, **b)** marks *Pl*, *Am* grades *Pl*
benötigen *v/t* need: ***dringend ~*** be in urgent need of, need *s.th.* badly
benutzen *v/t* use, make use of, (*sich zunutze machen*) *a.* profit by: → ***Gelegenheit*** 1
Benutzer|(in) user **≗freundlich** *Adj* user-friendly **~handbuch** *n* manual **~oberfläche** *f* user (*od* system) interface
Benutzung *f* use
Benutzungs|gebühr *f* fee, charge **~recht** *n* JUR right to use, user
Benzin *n* **1.** MOT petrol, *Am* gasoline, F gas; → *a.* ***Kraftstoff(…)*** **2.** CHEM benzine, (*Test≗*) white spirit **~feuerzeug** *n* fuel lighter **~fresser** *m* F (*Auto*) fuel guzzler **~gutschein** *m* petrol (*Am* gas) coupon **~hahn** *m* fuel cock **~kanister** *m* petrol can, F jerry can **~motor** *m* petrol (*Am* gasoline) engine **~pumpe** *f* fuel pump **~tank** *m* fuel tank **~uhr** *f* fuel ga(u)ge **~verbrauch** *m* petrol (*Am* gasoline) consumption
Benzol *n* benzene, benzol
beobachten *v/t* **1.** watch, observe **2.** (*wahrnehmen*) notice **3.** (*Feiertag*, *Gesetz etc*, *Stillschweigen etc*) observe
Beobachter(in) observer (*a.* MIL, POL *etc*), (*Zuschauer*) onlooker
Beobachtung *f* **1.** observation **2.** (*Einhaltung*) observance (*Gen* of)
Beobachtungsgabe *f* powers *Pl* of observation **Beobachtungsstation** *f* observation station (MED ward)
bepacken *v/t* load (***mit*** with)
bepflanzen *v/t* plant (***mit*** with)
bequatschen *v/t* F **1.** thrash *s.th.* out **2.** ***j-n zu etw ~*** talk s.o. into doing s.th.

bequem **I** *Adj* **1.** comfortable, (*günstig*) easy (*a.* WIRTSCH *Bedingungen, Raten etc*), convenient: ***es sich ~ machen*** make o.s. comfortable (*od* at home), *fig* take the easy way out **2.** *Person*: comfort-loving, (*träge*) lazy **II** *Adv* **3.** (*leicht*) easily **bequemen** *v/refl* ***sich dazu ~, etw zu tun*** deign (*od* bring o.s.) to do s.th.; ***sich zu e-r Antwort*** *etc* **~** deign to give an answer *etc*

Bequemlichkeit *f* **1.** comfort, ease **2.** (*Trägheit*) indolence **3.** (*Einrichtung*) convenience, *Pl a.* amenities *Pl*

berappen *v/t u. v/i* pay

beraten **I** *v/t* (*j-n*) advise (***bei*** on), (*etw*) discuss: ***sich ~ lassen von*** consult; ***gut*** (***schlecht***) ***~ sein*** be well (ill-)advised (***zu*** *Inf* to *Inf*) **II** *v/refl* ***sich mit j-m über etw ~*** discuss s.th. with s.o.

beratend *Adj* advisory

Berater(in) adviser: ***fachmännischer*** (*od* ***fachärztlicher***) **~** consultant

Beratung *f* **1.** discussion (***über*** *Akk* of), (*Besprechung*) consultation **2.** → **Beratungsstelle** *f* advisory board, information cent/re (*Am* -er)

berauben *v/t* (*Gen* of) rob, *fig a.* deprive

berauschen *v/t* intoxicate: *fig* ***sich ~*** get intoxicated (***an*** *Dat* with)

berauschend *Adj a. fig* intoxicating: *iron* ***nicht gerade ~*** not so hot

berechenbar *Adj* calculable, *fig* predictable **berechnen** *v/t* calculate (*a. fig*), (*schätzen*) estimate (***auf*** *Akk* at), WIRTSCH (*in Rechnung stellen*) charge (***j-m etw*** s.o. s.th.) **berechnend** *Adj fig* calculating **Berechnung** *f* calculation: *fig* ***mit ~*** with deliberation

berechtigen **I** *v/t* ***j-n*** (***zu e-r Sache***) **~** entitle s.o. (to [do] s.th.), (*ermächtigen*) authorize s.o. (to do s.th.), (*befähigen*) qualify s.o. (to s.th.) **II** *v/i* ***zu e-r Sache ~*** entitle to s.th.; ***zu der Annahme*** (***Hoffnung***) ***~, dass …*** warrant the assumption (hope) that …

berechtigt *Adj* (***zu*** to) entitled, authorized, (*gerechtfertigt*) justified, *Anspruch etc*: legitimate

Berechtigung *f* right (***zu*** to), (*Ermächtigung*) authorization, (*Vollmacht*) authority, (*Rechtmäßigkeit*) legitimacy

bereden *v/t* **1.** ***etw ~*** discuss s.th. **2.** → ***überreden*** **Beredsamkeit** *f* eloquence **beredt** *Adj a. fig* eloquent

Bereich *m* **1.** area **2.** *fig* field, sphere, sector: ***im ~ des Möglichen liegen*** be within the bounds of possibility, be possible; ***im sozialen ~*** in the social sector, socially; ***im persönlichen ~*** on the personal side, personally **3.** MIL (*Reichweite*) range

bereichern *v/t a. fig* enrich (***sich*** o.s.)

Bereicherung *f a. fig* enrichment

bereift *Adj Bäume etc*: rimy

Bereifung *f* MOT tyres *Pl*, *Am* tires *Pl*

bereinigen *v/t* (*Streit, a.* WIRTSCH *Konto*) settle, (*Missverständnis etc*) iron out, (*Statistik*) adjust

Bereinigung *f* settlement, adjustment

bereisen *v/t* travel around, tour, WIRTSCH *a.* cover

bereit *Adj* ready, (*gewillt*) *a.* prepared, willing: ***sich ~ erklären*** (*od* ***finden***) ***zu*** *Inf* agree (*freiwillig*: *a.* volunteer) to *Inf*; ***zu allem ~*** game for anything; ***bist du ~?*** (are you) ready?

bereiten *v/t* **1.** prepare, (*Tee etc*) *a.* make **2.** (*zufügen*) give, (*verursachen*) cause: ***Ärger ~*** cause trouble; ***j-m Vergnügen ~*** give s.o. pleasure

bereithalten **I** *v/t* ***etw ~*** have s.th. ready **II** *v/refl* ***sich ~*** be ready (***für*** for)

bereitliegen *v/i* be ready

bereitmachen *v/t* (*a.* ***sich ~***) (***zu*** for) get ready, prepare (o.s.)

bereits *Adv* already

Bereitschaft *f* **1.** readiness: ***in ~ sein*** → ***bereitstehen***; (***sich***) ***in ~ halten*** → ***bereithalten*** **2.** (*Polizeieinheit etc*) squad

Bereitschafts|arzt *m*, **~ärztin** *f* duty doctor **~dienst** *m* standby duty: ***~ haben*** *Arzt etc*: be on call **~polizei** *f* riot police **~tasche** *f* carrying (FOTO camera) case

bereitstehen *v/i* **1.** be ready, MIL stand by **2.** (*verfügbar sein*) be available

bereitstellen *v/t* provide, make available **Bereitstellung** *f* provision

bereitwillig *Adj* willing, (*eifrig*) eager

Bereitwilligkeit *f* readiness, eagerness

bereuen *v/t* regret

Berg *m* mountain (*a. fig*), *kleiner*: hill: *fig* ***~e von*** piles of; ***~e versetzen*** move mountains; ***j-m goldene ~e versprechen*** promise s.o. the moon; ***über den ~ sein*** be over the worst; ***über alle ~e*** off and away; ***die Haare standen ihm zu ~e*** his hair stood on end; ***er***

B

hielt damit nicht hinterm ~ he made no bones about it
bergab *Adv a. fig* downhill
Bergakademie *f* mining college
Bergamt *n* mining office
Bergarbeiter(in) miner
bergauf *Adv* uphill: *fig* ***es geht wieder ~*** things are looking up
Bergbahn *f* mountain railway
Bergbau *m* mining (industry)
bergen *v/t* **1.** (*retten*) rescue, (*Leichen, Fahrzeuge, Güter*) recover, SCHIFF salvage, (*Segel*) take in **2.** (*enthalten*) contain, hold, *fig* harbo(u)r: ***e-e gewisse Gefahr*** (***in sich***) **~** involve a certain danger
Bergführer(in) mountain guide
bergig *Adj* mountainous
Berg|kette *f* mountain range **~kristall** *m* crystallized quartz **~land** *n* mountainous country **~massiv** *n* massif **~predigt** *f* BIBEL Sermon on the Mount **~rücken** *m* (mountain) ridge **~schuh** *m* mountaineering boot **~spitze** *f* mountain peak **~steigen** *n* mountaineering **~steiger(in)** mountain climber, mountaineer **~stiefel** *m* → ***Bergschuh*** **~straße** *f* mountain road **~tour** *f* mountain tour
Berg-und-Tal-Bahn *f* switchback (railway), *Am* roller coaster
Bergung *f* (*Rettung*) rescue, *von Toten, Fahrzeugen etc*: recovery, SCHIFF salvage
Bergungs|arbeiten *Pl* rescue work *Sg*, SCHIFF salvage operations *Pl* **~dienst** *m* recovery (SCHIFF salvage) service **~fahrzeug** *n* recovery (FLUG crash) vehicle **~mannschaft** *f* rescue party, SCHIFF salvage crew
Bergwacht *f* mountain rescue service
Bergwanderung *f* mountain hike
Bergwerk *n* mine
Bericht *m* (***über*** *Akk*) report (on), (*a. Erzählung*) account (of): ***~ erstatten*** report (***über*** *Akk* on, ***j-m*** to s.o.)
berichten *v/t u. v/i* report (***über*** *Akk* on, ***j-m*** to s.o.), (*erzählen*) relate: ***j-m etw ~*** (*melden*) inform s.o. of s.th.
Berichterstatter(in) reporter, RADIO, TV *a.* commentator, *im Ausland*: correspondent
Berichterstattung *f* reporting, (*Presse*≈) *a.* coverage, (*Bericht*) report
berichtigen *v/t* (*etw*) rectify, (*a. j-n*) correct (***sich*** o.s.), TECH *a.* adjust
beriechen *v/t* sniff at
Beringstraße *f the* Bering Strait
beritten *Adj* mounted, on horseback
Berliner[1] **I** *m* Berliner **II** *Adj* (of) Berlin
Berliner[2] *m* GASTR doughnut
Bermuda|dreieck *n* Bermuda triangle **~inseln** *Pl the* Bermudas *Pl* **~shorts** *Pl* bermudas *Pl*
Bern *n* Bern(e)
Bernhardiner *m* (*Hund*) St. Bernard
Bernstein *m* amber
bersten *v/i* burst (*fig* ***vor*** *Dat* with)
berüchtigt *Adj* notorious (***wegen*** for)
berücksichtigen *v/t* consider (*a. j-n*), take into consideration, (*bedenken*) *a.* bear in mind, allow for **Berücksichtigung** *f* consideration: ***unter ~ s-s Alters*** *etc* considering his age *etc*
Beruf *m* occupation, F job, *akademischer od freier*: profession, (*Gewerbe*) trade, (*Geschäft*) business, (*Fach*) line: ***von ~*** by profession, by trade
berufen I *v/t* ***j-n ~*** appoint s.o. (***zu*** *e-m Amt* to, ***zum Vorsitzenden*** chairman) **II** *v/refl* ***sich ~ auf*** (*Akk*) (*zitieren*) cite; ***sich auf etw ~*** rely on, *entschuldigend*: plead (*ignorance etc*); ***sich darauf ~, dass …*** plead that …; ***darf ich mich auf Sie ~?*** may I mention your name? **III** *Adj* (*befähigt*) qualified: ***sich ~ fühlen zu*** *Inf* feel called upon to *Inf*; ***aus ~em Munde*** from a competent authority
beruflich *Adj* professional, vocational; → *a.* ***Berufs…***
Berufs|ausbildung *f* vocational training **~aussichten** *Pl* career prospects *Pl* **~berater(in)** vocational (*od* careers) adviser **~beratung** *f* vocational (*od* careers) guidance **~bild** *n* job description **~erfahrung** *f* (vocational) experience **~fachschule** *f* vocational college **~geheimnis** *n* professional secret (*Schweigepflicht*: secrecy) **~krankheit** *f* occupational disease **~leben** *n* professional (*od* active) life **~risiko** *n* occupational hazard **~schule** *f* vocational school **~soldat(in)** regular (soldier) **~spieler(in)** SPORT professional (player) **~sportler(in)** professional **≈tätig** *Adj* working, (*angestellt*) employed **~tätige**

m, *f* working person **~verbot** *n* ban on pursuing one's career **~verkehr** *m* rush-hour traffic

Berufung *f* **1.** *innere*: calling **2.** (*Ernennung*) appointment (***zu*** to) **3.** ***unter ~ auf*** (*Akk*) with reference to **4.** JUR (***~ einlegen*** file an) appeal (***bei*** with, ***gegen*** from)

Berufungs|gericht *n*, **~instanz** *f* JUR court of appeal **~verfahren** *n* JUR **1.** appeal proceedings *Pl* **2.** (*Modus*) appellate procedure

beruhen *v/i* **1.** ***~ auf*** (*Dat*) rest on, be based on, (*zurückzuführen sein*) be due to **2.** ***etw auf sich ~ lassen*** let s.th. rest; ***lassen wir die Sache auf sich ~!*** let's leave it at that!

beruhigen I *v/t* reassure, (*besänftigen*) calm (down): ***~ Sie sich doch!*** calm down!; ***seien Sie beruhigt, ich werde …*** rest assured I'll …; ***wenn Sie das beruhigt*** if that puts your mind at rest **II** *v/refl* ***sich ~*** *allg* calm down, *Lage*: quieten down **beruhigend** *Adj* **1.** reassuring **2.** MED sedative **Beruhigung** *f* calming (down) (*etc*), *der Lage*: stabilization, (*Gefühl der ~*) reassurance: ***zu m-r ~*** much to my relief; ***zu d-r ~*** *sei gesagt etc* to put your mind at rest

Beruhigungs|mittel *n*, **~pille** *f* MED sedative, *fig* soporific **~spritze** *f* sedative injection

berühmt *Adj* famous (***wegen*** for): F *fig* ***das ist nicht gerade ~!*** that's nothing to write home about!

Berühmtheit *f* **1.** fame: ***~ erlangen*** become famous **2.** (*Person*) celebrity

berühren I *v/t* **1.** touch, *fig seelisch*: *a.* affect: ***j-n (un)angenehm ~*** (dis)please s.o.; → ***peinlich*** 3 **2.** *fig* (*Thema etc*) touch (up)on, (*j-s Interessen etc*) concern **II** *v/refl* ***sich ~*** **3.** touch, *fig a.* meet **Berührung** *f* touch, (*Kontakt*) contact: ***in ~ kommen mit*** come into contact with

Berührungsängste *Pl* ***~ haben*** be scared at the idea of contact

Berührungspunkt *m* point of contact

besagen *v/t* say, (*bedeuten*) mean: ***das besagt gar nichts!*** that doesn't mean anything!

besagt *Adj bes* JUR aforesaid

besamen *v/t* inseminate, BOT pollinate

Besan *m* (*Segel*) mizzen

besänftigen *v/t* (*a.* ***sich ~***) calm down: ***j-n ~*** placate s.o. **Besänftigung** *f* calming (down), placating

Besanmast *m* mizzenmast

besät *Adj fig* ***~ mit*** covered with

Besatz *m Mode*: trimming(s *Pl*)

Besatzung *f* **1.** MIL **a)** occupying forces *Pl*, **b)** garrison **2.** FLUG, SCHIFF crew

Besatzungs|macht *f* occupying power **~streitkräfte** *Pl* occupying forces *Pl*

besaufen *v/refl* ***sich ~*** F get sloshed

Besäufnis *n* F booze-up

beschädigen *v/t* damage

Beschädigung *f* **1.** damaging **2.** (*Schaden*) *a. Pl* damage (*Gen* to)

beschaffen[1] *v/t* ***j-m etw ~*** get (*od* procure) s.o. s.th.; (***sich***) ***etw ~*** get s.th., *mit Mühe*: get hold of s.th.

beschaffen[2] *Adj* ***gut*** (***schlecht***) ***~*** in good (bad) condition, good (bad)

Beschaffenheit *f* condition, state, (*Eigenschaft*) quality, (*Art*) nature

Beschaffung *f* procurement

Beschaffungskriminalität *f* drug-related crime

beschäftigen I *v/t* **1.** ***j-n ~*** occupy s.o., keep s.o. busy, (*j-m etw zu tun geben*) find s.o. s.th. to do **2.** (*Arbeitnehmer*) employ **3.** (*j-n, j-s Geist etc*) occupy, *Problem*: preoccupy, be on *s.o.'s* mind **II** *v/refl* **4.** ***sich ~*** (***mit***) be busy (with), work (at); ***sich mit e-m Problem*** *etc* ***~*** deal with a problem *etc*

beschäftigt *Adj* **1.** busy **2.** employed (***bei*** with)

Beschäftigte *m*, *f* employee

Beschäftigung *f* **1.** occupation, work, activity: ***sie muss ~ haben*** she must have s.th. to do **2.** employment, job: ***ohne ~*** unemployed, out of work

Beschäftigungs|politik *f* employment (*od* manpower) policy **~programm** *n* POL job creation program(me *Br*), job creation scheme **~therapie** *f* occupational therapy

beschälen *v/t* (*Stute*) cover

beschämen *v/t* ***j-n ~*** shame s.o., (*übertreffen*) put s.o. to shame **beschämend** *Adj* shameful **beschämt** *Adj* ashamed (***über*** *Akk* of) **Beschämung** *f* shame: ***zu m-r ~*** to my shame

beschatten *v/t* (*verfolgen*) shadow

beschauen *v/t* (*a.* ***sich*** *etw* ***~***) (have a) look at **beschaulich** *Adj* contempla-

tive, (*friedlich*) tranquil
Bescheid *m* (*Antwort*) answer, VERW notice, (*Mitteilung*) information (***über*** *Akk* about): ***~ bekommen*** be informed; ***j-m ~ geben*** let s.o. know (***über*** *Akk* about); F ***j-m gehörig ~ sagen*** give s.o. a piece of one's mind; ***~ wissen*** **a)** be informed (***über*** *Akk* of), **b)** ***mit, in*** (*Dat*) know all about, **c)** (*eingeweiht sein*) be in the know, *iron* know the score; ***in e-r Sache genau ~ wissen*** know the ins and outs of s.th.
bescheiden[1] **I** *v/t* **1.** *bes* VERW, JUR notify: → ***abschlägig*** **2.** ***es war ihm nicht beschieden zu*** *Inf* it was not granted to him to *Inf* **II** *v/refl* **3.** ***sich ~ mit*** be content with
bescheiden[2] *Adj* modest (*a. fig*), (*einfach*) *a.* simple
Bescheidenheit *f* modesty
bescheinen *v/t* shine on: ***von der Sonne beschienen*** sunlit
bescheinigen *v/t* certify: ***j-m etw ~*** *a. iron* attest s.o. s.th.; ***den Empfang ~*** (*Gen od* ***von***) acknowledge receipt of, *e-s Geldbetrages*: give a receipt for; ***hiermit wird bescheinigt, dass ...*** this is to certify that ...
Bescheinigung *f* **1.** attestation, certification **2.** (*Urkunde*) certificate
bescheißen *v/t* V ***j-n*** (***um etw***) ***~*** cheat (*od* do) s.o. (out of s.th.)
beschenken *v/t* ***j-n ~*** give s.o. a present (*od* presents); ***j-n mit etw ~*** give s.o. s.th.
bescheren *v/t* ***j-m etw ~*** give (*fig* bring) s.o. s.th. **Bescherung** *f* distribution of (Christmas) presents: *fig* ***e-e schöne ~!*** a fine mess!; ***da haben wir die ~!*** there you are!; F ***die ganze ~*** the whole bag of tricks
bescheuert → ***bekloppt***
beschichten *v/t* TECH coat
beschicken *v/t* **1.** (*Messe etc*) exhibit at **2.** (*Kongress etc*) send delegates to **3.** TECH charge
beschießen *v/t* fire at, *mit Artillerie*: shell, bombard (*a.* PHYS)
beschildern *v/t* (*Straßen etc*) signpost
Beschilderung *f* **1.** signposting **2.** (*Schilder*) signposts *Pl*
beschimpfen *v/t* ***j-n ~*** call s.o. names
Beschimpfung *f a. Pl* abuse
Beschiss *m* V swindle, rip-off, (*Reinfall*) frost **beschissen** *Adj* V shitty
beschlafen *v/t fig* ***etw ~*** sleep on s.th.
Beschlag *m* **1.** (*mst* ***Beschläge*** *Pl*) metal fitting(s *Pl*), (*Huf*≈) shoeing **2.** (*Feuchtigkeit*) condensation, (*Überzug*) film **3.** ***in ~ nehmen, mit ~ belegen*** (*Plätze etc*) F grab, (*j-n, Unterhaltung etc*) monopolize **beschlagen I** *v/t* **1.** put metal fittings on, (*Pferd*) shoe **2.** (*Spiegel etc*) steam up **II** *v/refl* ***sich ~*** **3.** *Glas etc*: steam up, *Metall*: oxidize, (*schimmeln*) go mo(u)ldy **III** *Adj* **4.** ***gut ~ sein in*** (*Dat*) be well up in **Beschlagenheit** *f* sound knowledge (***in*** *Dat* of)
Beschlagnahme *f* seizure, confiscation
beschlagnahmen *v/t* seize, confiscate, *fig* monopolize
beschleichen *v/t fig* ***j-n ~*** *Furcht etc*: creep up on s.o.
beschleunigen *v/t u. v/i* accelerate (*a.* MOT, PHYS), speed up (*beide a.* ***sich ~***): ***das Tempo ~*** speed up
Beschleuniger *m* TECH, PHYS accelerator
Beschleunigung *f* MOT acceleration (*a.* PHYS *u. fig*), speeding up
Beschleunigungs|spur *f* MOT acceleration lane **~vermögen** *n* acceleration
beschließen *v/t* **1.** (***zu*** *Inf* to *Inf*) decide, *endlich*: make up one's mind **2.** (*beenden*) close, end, *endgültig*: *a.* settle
beschlossen *Adj* agreed, settled
Beschluss *m* decision, resolution: PARL ***e-n ~ fassen*** pass a resolution
beschlussfähig *Adj* ***~ sein*** constitute a quorum; ***die Versammlung*** *etc* ***ist*** (***nicht***) ***~*** there is a (no) quorum
beschmieren *v/t* smear
beschmutzen *v/t* dirty, soil, *fig* sully
beschneiden *v/t* **1.** trim, (*Baum*) prune, (*Fingernägel etc*) cut **2.** MED circumcise **3.** *fig* (*kürzen*) cut (down), curtail
Beschneidung *f* **1.** trimming (*etc*) **2.** MED circumcision **3.** *fig* curtailment
beschnüffeln, beschnuppern *v/t* sniff at: F *fig* ***sich*** (***gegenseitig***) ***~*** take stock of each other
beschönigen *v/t* palliate, gloss over
Beschönigung *f* palliation
beschränken I *v/t* (***auf*** *Akk* to) limit, restrict **II** *v/refl* ***sich ~ auf*** (*Akk*) confine o.s. to, *Sache*: be confined to
beschränkt *Adj* **1.** limited, restricted **2.**

pej geistig: dense, (*engstirnig*) narrow-minded **Beschränktheit** *f* **1.** limitedness **2.** *pej* stupidity, narrow-mindedness **Beschränkung** *f* (***auf*** *Akk* to) limitation, restriction

beschreiben *v/t* **1.** (*Blatt etc*) write on **2.** (*schildern*) describe (*a.* MATHE): ***nicht zu ~*** indescribable **Beschreibung** *f* **1.** (***das spottet jeder ~*** that beggars) description **2.** TECH specification

beschreiten *v/t* walk on: *fig* ***neue Wege ~*** tread new paths

beschriften *v/t* inscribe, (*Umschlag*) address, (*Kiste etc*) mark, (*Ware etc*) label **Beschriftung** *f* inscription

beschuldigen *v/t* ***j-n e-r Sache ~*** accuse s.o. of s.th. **Beschuldigte** *m, f* accused

Beschuldigung *f* accusation, charge

beschummeln *v/t* F cheat (***um*** out of)

Beschuss *m* fire, bombardment (*a.* PHYS): ***unter ~ geraten*** *a. fig* come under fire; ***unter ~ nehmen*** **a)** → ***beschießen***, **b)** *fig* attack

beschützen *v/t* protect (***vor*** *Dat*, ***gegen*** from) **Beschützer(in)** protector, protectress

beschwatzen *v/t* ***j-n ~, etw zu tun*** coax s.o. to do (*od* into doing) s.th.

Beschwerde *f* **1.** (*Mühe*) trouble, hardship **2.** MED complaint: ***sein Herz macht ihm ~n*** his heart is giving him trouble **3.** (*Klage*) complaint (***über*** *Akk* about), JUR appeal (***gegen*** from), (*~grund*) grievance **~buch** *n* complaints book **~führer(in)** JUR complainant

beschweren I *v/t* weight, *fig* weigh down **II** *v/refl* ***sich ~*** complain (***über*** *Akk* about, of, ***bei*** to)

beschwerlich *Adj* onerous, (*ermüdend*) tiring

beschwichtigen *v/t* appease (*a.* POL), (*beruhigen*) calm down, placate

Beschwichtigungspolitik *f* policy of appeasement

beschwindeln *v/t* ***j-n ~*** lie to s.o.

beschwingt *Adj fig* elated, buoyant, *Melodie*: bouncy

beschwipst *Adj* F tipsy, merry

beschwören *v/t* **1.** *bes* JUR swear to **2.** (*Geister*) conjure up (*a. fig*), (*bannen*) exorcise **3.** ***j-n ~*** (*anflehen*) implore s.o.

Beschwörung *f* **1.** (*Flehen*) entreaty **2.** (*Geister*~) invocation, exorcism

beseelen *v/t fig* inspire, (*Dinge*) bring to life

beseelt *Adj* inspired, *Dinge*: animate

besehen *v/t* (*a.* ***sich*** *etw* ***~***) have a look at, *prüfend*: *a.* examine

beseitigen *v/t* **1.** *allg* remove, (*Abfälle*) *a.* dispose of, *fig a.* eliminate, (*Missstände etc*) *a.* redress **2.** ***j-n ~*** (*töten*) do away with s.o.

Beseitigung *f allg* removal, (*Abfall*~) disposal, *fig a.* elimination

Besen *m* **1.** broom, *kleiner*: brush: *fig* ***neue ~ kehren gut*** a new broom sweeps clean; F ***ich fresse e-n ~, wenn ...*** I'll eat my hat if ... **2.** *pej* (*Frau*) (old) hag **Besenstiel** *m* broomstick

besessen *Adj* (***von***) possessed (by), *fig a.* obsessed (with), (*rasend*) frantic: ***wie ~*** like mad **Besessenheit** *f fig* obsession, (*Raserei*) frenzy

besetzen *v/t* **1.** (*Platz*) take, (*a. Haus, Land etc*) occupy **2.** (*Stelle etc*) fill: ***wir wollen diesen Posten mit e-r Frau ~*** we want to put a woman in this position **3.** (*Rolle, Stück etc*) cast: ***neu ~*** recast **4.** (*Kleid etc*) trim (***mit*** with) **besetzt** *Adj* **1.** occupied (*a.* MIL, POL), *Platz*: *a.* taken, *Bus etc*: full (up) **2.** THEAT ***das Stück ist gut besetzt*** the play is well cast **3.** TEL engaged, *Am* busy **4.** JUR *Gericht etc* ***~ mit*** composed of **Besetztzeichen** *n* TEL engaged (*Am* busy) signal

Besetzung *f* **1.** occupation **2. a)** *e-r Stelle etc*: filling, **b)** (*Personal*) staff, *des Gerichts, a. e-r Sportmannschaft*: composition, (*Wettkampfteilnehmer*) entrants *Pl* **3.** THEAT **a)** casting, **b)** cast

besichtigen *v/t* view, inspect, (*Stadt etc*) visit, see: ***zu ~ sein*** be on view

Besichtigung *f* inspection (*a.* MIL), visit (*Gen* to): ***~ von Sehenswürdigkeiten*** sight-seeing

besiedeln *v/t* settle, colonize: ***dicht*** (***dünn***) ***besiedelt*** densely (sparsely) populated **Besied(e)lung** *f* settlement, colonization

besiegeln *v/t a. fig* seal

besiegen *v/t* defeat, beat, *fig* overcome, conquer **Besiegte** *m, f* the defeated, loser: ***die ~n*** *a.* the vanquished

besingen *v/t* sing (of)

besinnen *v/refl* ***sich ~*** **1.** (*überlegen*) re-

B

flect, think: ***ohne sich zu ~*** without thinking twice; ***sich anders ~*** change one's mind; ***sich e-s Besseren ~*** think better of it **2.** ***sich auf j-n*** (***etw***) ***~*** remember s.o. (s.th.) **besinnlich** *Adj* contemplative **Besinnung** *f* **1.** (*Bewusstsein*) consciousness: ***die ~ verlieren*** lose consciousness, *fig* lose one's head; ***wieder zur ~ kommen*** regain consciousness, *fig* come to one's senses; *fig* ***j-n zur ~ bringen*** bring s.o. to his senses **2.** (*Überlegung*) (**auf** *Akk*) contemplation (of), reflection (on)
besinnungslos *Adj* unconscious, *fig* blind **Besinnungslosigkeit** *f* unconsciousness, *fig* blindness
Besitz *m* **1.** possession (*Gen*, **an** *Dat*, ***von*** of): ***~ ergreifen von*** **a)** *a.* ***in ~ nehmen*** take possession of, **b)** *fig* take hold of *s.o.*; ***im ~ sein von*** (*od Gen*) be in possession of; → ***gelangen*** 1 **2.** (*~tum*) possession(s *Pl*), property, estate
besitzanzeigend *Adj* ***~es Fürwort*** possessive pronoun
besitzen *v/t* possess, own, (*a. Eigenschaft etc*) have **Besitzer(in)** possessor, owner, *e-s Passes etc*: holder: ***den Besitzer wechseln*** change hands
Besitzergreifung *f*, **Besitznahme** *f* taking possession (***von*** of), *gewaltsame*: seizure
besitzlos *Adj* unpropertied
Besitzstand *m Geschäft*: acquired (*od* vested) rights, JUR status of possession, ownership
Besitztum *n*, **Besitzung** *f* possession(s *Pl*), estate
besoffen *Adj* F sloshed, plastered
besohlen *v/t* (***neu ~*** re)sole
besolden *v/t* pay **besoldet** *Adj* salaried
Besoldung *f* pay, salary
besonder *Adj* **1.** special, particular, (*bestimmt*) *a.* specific, (*außergewöhnlich*) exceptional, *Freude*, *Ehre etc*: great: ***nichts* 2*es*** nothing unusual; ***in diesem ~en Fall*** in this particular case **2.** (*gesondert*) separate **Besonderheit** *f* special quality (*od* feature) **besonders** *Adv* especially, particularly, (*hauptsächlich*) *a.* above all, (*außergewöhnlich*) exceptionally, (*sehr*) very much
besonnen *Adj* sensible, level-headed, (*ruhig*) calm **Besonnenheit** *f* level-headedness, (*Ruhe*) calmness
besorgen *v/t* **1.** ***j-m etw ~*** get s.o. s.th., provide s.o. with s.th.; ***sich etw ~*** get (*od* buy) s.th.; F ***dem werde ichs ~!*** I'll give him what for! **2.** (*erledigen*) see to, deal with, (*Haushalt*) manage: F ***wird besorgt!*** will do!
Besorgnis *f* concern, anxiety: ***~ erregend*** alarming, worrying
besorgt *Adj* (***um*** about) concerned, worried **Besorgtheit** *f* **1.** → ***Besorgnis*** **2.** (***um*** for) solicitude, concern
Besorgung *f* **1.** (*Beschaffung*) procurement **2.** (*Einkauf*) purchase, (*Auftrag*, *Weg*) errand: ***~en machen*** go shopping **3.** (*Erledigung*) dealing (*Gen* with), *des Haushalts etc*: management
bespannen *v/t mit Stoff etc*: cover, *mit Saiten*: string **Bespannung** *f* (*Überzug*) cover, (*Saiten*) strings *Pl*
bespielen *v/t* ***ein Tonband*** *etc* (***mit etw***) ~ record (s.th.) on tape *etc*
bespielt *Adj Kassette etc*: prerecorded
bespitzeln *v/t* ***j-n ~*** spy on s.o.
bespötteln *v/t* scoff at
besprechen *v/t* **1.** discuss, talk *s.th.* over: ***sich mit j-m ~*** discuss the matter with s.o **2.** (*Buch*, *Film etc*) review **3.** (*Tonband etc*) record *s.th.* on **4.** MED cure by magic formulas **Besprechung** *f* **1.** discussion, *weit. S.* conference: ***er ist in e-r ~*** he is in conference **2.** (*Buch*2 *etc*) review **Besprechungsexemplar** *n* review copy
besprengen *v/t* sprinkle, spray
bespritzen *v/t* spatter, splash
bespucken *v/t* spit at, spit on
besser *Adj u. Adv* better (***als*** than): ***immer ~*** better and better; ***umso ~*** so much the better; (***oder***) ***~ gesagt*** or rather; ***~ gestellt*** better-off; ***~ ist ~*** let's keep on the safe side; ***~ werden*** improve, get better; ***es geht ihm heute ~*** he is better today; ***es geht*** (***wirtschaftlich***) ~ things are looking up; ***er ist ~ dran als ich*** he is better off than me; ***ich weiß es ~*** I know better; ***er täte ~*** (***daran***) ***zu gehen*** he had better go; ***etw* 2*es*** something better; ***j-n e-s* 2*en belehren*** set s.o. right, *weit. S.* open s.o.'s eyes; → ***besinnen*** 1, ***Hälfte***
bessern **I** *v/t* improve, (*j-n moralisch*) reform **II** *v/refl* ***sich ~*** improve, *mora-*

lisch: mend one's ways
Besserung *f* improvement: MED ***auf dem Wege der ~*** on the way to recovery, F on the mend; ***gute ~!*** hope you feel better soon!
Besserverdienende *Pl* higher-paid *employees, managers etc*
Besserwisser(in), **besserwisserisch** *Adj* know-(it-)all
Bestallung *f* appointment
Bestand *m* **1.** (continued) existence, (*Fortdauer*) duration: ***von ~ sein, ~ haben*** be lasting, last; ***k-n ~ haben*** be short-lived, JUR not to be valid (in law) **2.** (*Vorrat*) *a. Pl* (**an** *Dat* of) stock, supplies *Pl*: ***~ an Bäumen*** (***Fischen, Vieh*** *etc*) tree (fish, cattle, *etc*) population; → ***eisern*** **3.** (*Kapital*~) assets *Pl*, (*Aktien*~ *etc*) holdings *Pl*, (*Kassen*~) cash in hand, (*Waren*~) stock on hand, *Bilanz*: inventory **4.** (*Fahrzeug*~) rolling stock, fleet **5.** MIL (effective) strength
beständig I *Adj* **1.** constant, (*dauerhaft*) *a.* lasting, (*beharrlich*) steady (*a.* WIRTSCH *Markt, Nachfrage*), (*stabil*) stable **2.** (*zuverlässig*) reliable, *Leistung etc*: consistent, *Wetter*: settled **3.** (*widerstandsfähig*) *a.* TECH resistant (***gegen*** to), *Farben*: fast **II** *Adv* **4.** constantly (*etc*)
Beständigkeit *f* **1.** constancy, lastingness, steadiness, stability **2.** (*Zuverlässigkeit*) reliability **3.** (*Widerstandsfähigkeit*) *a.* TECH resistance (***gegen*** to), (*Farbechtheit*) fastness
Bestandsaufnahme *f* WIRTSCH stocktaking, *Am* inventory: ***e-e ~ machen*** *a. fig* take stock
Bestandteil *m* part, component, constituent (part), (*Grund*~) element, *e-r Mischung*: ingredient: → ***auflösen*** 1
bestärken *v/t* (**in** *Dat* in) strengthen, confirm, (*ermutigen*) encourage
bestätigen I *v/t* (*a.* WIRTSCH *Auftrag*) confirm, (*den Empfang*) acknowledge (receipt of), (*bescheinigen*) certify **II** *v/refl* ***sich ~*** be confirmed, prove true
Bestätigung *f* **1.** confirmation, (*Empfangs*~) acknowledgement **2.** (*Schreiben*) letter of confirmation, (*Bescheinigung*) certificate
bestatten *v/t* bury **Bestattung** *f* funeral, burial **Bestattungsinstitut** *n* undertakers *Pl*, *Am* funeral home
bestäuben *v/t* **1.** dust, spray **2.** BOT pollinate **Bestäubung** *f* **1.** spraying, dusting **2.** BOT pollination
bestaunen *v/t* marvel at
beste *Adj u. Adv* best: ***mein ~r Freund*** my best friend; ***der*** (***die***) ***erste*** ~ the first comer; ***das erste*** ~ the first thing; ***am ~n wissen*** *etc* know *etc* best; ***am ~n, wir besuchen ihn*** the best thing to do would be to call on him; ***im ~n Fall*** at best; ***im ~n Alter, in den ~n Jahren*** in the prime of life; ***in ~m Zustand*** in perfect condition; ***mit ~m Dank*** with many thanks; (***von***) ***~r Qualität*** of first--class (*od* prime) quality; ***e-e Geschichte*** (***ein Lied***) ***zum ~n geben*** tell a story (oblige with a song); ***j-n zum ~n haben*** pull s.o.'s leg; ***sein ~s tun*** (*od* ***geben***) do one's best; ***das ~ herausholen*** (*od* ***daraus machen***) make the best of it; *unsere Beziehungen etc* ***sind nicht die ~n*** are not of the best; → ***bestens, Kraft*** 1
bestechen *v/t* **1.** bribe: ***sich ~ lassen*** take bribes **2.** *fig a. v/i* impress (***durch*** by) **bestechend** *Adj fig* impressive, *Leistung*: brilliant **bestechlich** *Adj* corrupt(ible): ***~ sein*** *a.* be open to bribery **Bestechlichkeit** *f* corruptibility **Bestechung** *f* bribery: ***passive ~*** taking of bribes
Bestechungs|affäre *f* corruption scandal **~geld** *n* bribe money **~versuch** *m* attempted bribery
Besteck *n* **1.** (*Ess*~) knife, fork and spoon, *Koll od* **~e** *Pl* cutlery *Sg* **2.** MED (set of) instruments *Pl*
bestehen I *v/t* **1.** (*durchmachen*) go (*od* come) through, (*Kampf*) win, (*Prüfung etc*) pass: ***nicht ~*** fail; *fig* ***die Probe ~*** stand the test **II** *v/i* **2.** exist, *weit. S. Bedenken, Grund etc*: *a.* be, (*fort*~) continue, last, (*noch* ~) remain, (have) survive(d); ***~ bleiben*** continue (to exist), survive **3.** ***~ aus*** be made of, *a. weit. S.* consist of **4.** ***~ auf*** (*Dat*) insist on; ***ich bestehe darauf***(***, dass du kommst***) I insist (on your coming) **5.** *in e-r Prüfung*: pass **Bestehen** *n* **1.** existence: ***seit ~ der Firma*** ever since the firm was founded; ***das 50-jährige ~ feiern*** celebrate the fiftieth anniversary **2.** *e-r Prüfung*: passing **3.** ***sein ~ auf*** (*Dat*)

B

his insistence on **bestehend** *Adj* existing, (*gegenwärtig*) present
bestehlen *v/t* rob, steal from
besteigen *v/t* (*Berg, Turm etc*) climb (up), (*a. Thron*) ascend, (*Pferd, Fahrrad*) mount, (*Schiff, Zug etc*) board
Besteigung *f* ascent
Bestellbuch *n* WIRTSCH order book
bestellen *v/t* **1.** order (*a.* WIRTSCH), (*Zimmer etc*) book, (*Taxi*) call **2.** ***j-n*** (***zu sich***) ~ ask s.o. to come, send for s.o. **3.** ***j-m e-e Nachricht*** *etc* ~ give (*od* send) s.o. a message *etc*; ***kann ich etw ~?*** can I take a message? **4.** LANDW cultivate **5.** → ***ernennen*** **6.** ***es ist schlecht um ihn*** *etc* ***bestellt*** things are looking bad for him *etc* **7.** F *fig* ***er hat nicht viel zu ~*** he doesn't rate high (***bei*** with)
Besteller(in) WIRTSCH orderer, (*Käufer*) buyer
Bestell|karte *f*, **~schein** *m* order form
Bestellung *f* **1.** order: ***auf ~ gemacht*** made to order, *Am* custom-made **2.** (*Nachricht*) message **3.** LANDW cultivation **4.** → ***Ernennung***
bestenfalls *Adv* at best
bestens *Adv* extremely well: (***ich***) ***danke ~!*** thank you very much!; F ***ist ja ~!*** that's just great!
besteuern *v/t* tax
Besteuerung *f* taxation
bestialisch *Adj* atrocious, F *fig a.* awful
Bestie *f* beast, *fig* brute
bestimmen **I** *v/t* **1.** (*festsetzen*) determine, (*entscheiden*) decide, (*Preis, Ort, Termin etc*) fix **2.** (*anordnen*) order, decide: ***er hat*** (***dabei***) ***nichts zu ~*** he has no say (in this matter) **3.** *bes durch Vertrag, Gesetz*: provide **4.** (*~d beeinflussen*) determine (*a policy etc*): ***bestimmt werden durch*** (*od* ***von***) be determined by, depend on **5.** (*ausersehen*) intend (***für, zu*** for): ***j-n zu s-m Nachfolger ~*** name s.o. as one's successor; → ***bestimmt*** 3 **6.** (*ermitteln*) determine (*a.* MATHE, PHYS *etc*), (*Begriff*) define **II** *v/i* **7.** (*anordnen*) give orders: ***hier bestimme ich!*** F I'm the boss here! **8.** ~ ***über*** (*Akk*) dispose over
bestimmend *Adj* determinant (*factor etc*), LING determinative
bestimmt **I** *Adj* **1.** *Anzahl, Tag etc*: certain, *Absicht, Plan etc*: special, *Verdacht etc*: definite: ***etw ~es*** **a)** (*etw Besonderes*) something (*od* anything) special, **b)** (*etw Genaues*) something (*od* anything) definite **2.** (*entschlossen*) determined, firm **3.** ***~ sein*** **a)** ***für*** be meant for, **b)** ***zu etw*** be destined for (*od* to be), **c)** ***nach*** WIRTSCH be destined for, FLUG, SCHIFF be bound for **II** *Adv* **4.** (*gewiss*) certainly, for certain: (***ganz***) ~ definitely; ***~ wissen, dass …*** know for sure that …; ***er kommt ~*** he is sure to come; ***ich kann es nicht ~ sagen*** I can't tell with certainty **5.** (*mit Nachdruck*) firmly, categorically
Bestimmtheit *f* certainty, (*Entschlossenheit*) firmness: ***mit ~*** → ***bestimmt*** II
Bestimmung *f* **1.** (*Festsetzung*) fixing (*of a date etc*), (*Entscheidung*) decision (*Gen* on) **2.** (*Vorschrift*) regulation, rule, *im Gesetz, Vertrag*: provision **3.** (*Ermittlung*) determination (*a.* MATHE, PHYS *etc*), (*Begriffs~*) definition **4.** (*Zweck*) intended purpose: *e-n Bau etc* ***s-r ~ übergeben*** inaugurate, open *s.th.* to the public **5.** LING qualification: ***adverbiale ~*** adverbial element **6.** (*Berufung*) vocation, (*Schicksal*) destiny **7.** → ***Bestimmungsort***
Bestimmungsbahnhof *m* station of destination **Bestimmungsflughafen** *m* airport of destination
bestimmungsgemäß *Adj u. Adv* as directed
Bestimmungsort *m* (place *od* point of) destination
Bestleistung *f* record, best performance **bestmöglich** *Adj* best possible
bestrafen *v/t* punish (***wegen, für*** for), JUR (*verurteilen*) *a.* sentence (***mit*** to)
Bestrafung *f* punishment, (*Strafe*) *a.* penalty (*a. Sport*)
bestrahlen *v/t* **1.** (*erleuchten*) shine on, illuminate **2.** PHYS irradiate, MED *a.* give *s.o.* ray treatment **Bestrahlung** *f* PHYS irradiation, MED *a.* ray treatment
bestrebt *Adj* ***~ sein zu*** *Inf* endeavo(u)r (*od* strive) to *Inf*, *eifrig*: be anxious to *Inf* **Bestrebung** *f* effort, endeavo(u)r, (*Versuch*) attempt
bestreichen *v/t Brot etc* ***~ mit*** spread *s.th.* on; ***mit Butter ~*** butter
bestreiken *v/t* go out (*od* be) on strike against **bestreikt** *Adj* strike-bound
bestreiten *v/t* **1.** (*anfechten*) dispute,

contest, (*leugnen*) deny **2.** (*Kosten etc*) bear, meet, pay (for) **3.** (*Programm*) fill: ***sie bestritt die ganze Unterhaltung allein*** she did all the talking
bestreuen *v/t* strew: ***mit Salz*** *etc* **~** sprinkle with salt *etc*
Bestseller(liste *f*) *m* best seller (list)
bestücken *v/t* SCHIFF, MIL arm (with guns), *weit. S.* equip, *a. fig* provide (***mit*** with)
Bestuhlung *f* seating
bestürmen *v/t* **1.** storm **2.** *fig* (*drängen*) urge, (*anflehen*) implore, *mit Fragen*: bombard
bestürzen *v/t* dismay **bestürzend** *Adj* dismaying **bestürzt** *Adj* dismayed (***über*** *Akk* at) **Bestürzung** *f* (***zu s-r*** *etc* **~** to his *etc*) dismay
Besuch *m* **1.** visit (*Gen*, ***bei, in*** *Dat* to), *kurzer*: call (***bei j-m*** on s.o., at s.o.'s house *etc*), (*Aufenthalt*) stay (***bei*** at): ***auf ~, zu ~*** on a visit; ***bei j-m zu ~ sein*** be staying with s.o.; ***e-n ~ machen bei*** → ***besuchen*** 1 **2.** *e-r Schule etc*: attendance (at) **3.** (*Besucher*) visitor(s *Pl*), guest(s *Pl*), company **besuchen** *v/t* **1.** (*j-n*) go and see, *formell*: visit, pay a visit to, *kurz*: call on **2.** (*Ort*) visit, (*Lokal etc*) go to, *häufig*: frequent, (*Schule, Veranstaltung etc*) go to, attend: ***gut besucht*** well attended
Besucher(in) visitor (*Gen* to), caller, (*Gast*) guest, *häufiger*: patron, (*Zuschauer*) spectator
Besuchszeit *f* visiting hours *Pl*
besudeln *v/t* soil, *fig a.* sully, (*entweihen*) defile
Betablocker *m* MED beta blocker
betagt *Adj* aged, old
betasten *v/t* feel, touch
betätigen I *v/t* TECH (*bedienen*) operate, (*Knopf, Hebel etc*) actuate, (*Bremse*) apply, (*in Gang setzen*) put into action, (*steuern*) control **II** *v/refl* ***sich ~*** (***in*** *Dat* in) be active, *im Haushalt etc*: work, busy o.s.; ***sich ~ als*** act (*od* work) as; ***sich politisch ~*** be active in politics; ***sich sportlich ~*** do sports **Betätigung** *f* **1.** activity, (*Arbeit*) work, job: ***körperliche ~*** (physical) exercise **2.** TECH actuation, operation **Betätigungsfeld** *n* field (of activity), *weit. S.* outlet
betäuben I *v/t a. fig* stun, daze, *völlig*: make *s.o.* unconscious, F knock *s.o.* out, *durch Lärm*: deafen, (*berauschen*) intoxicate, MED an(a)esthetize, (*Nerven, Schmerz*) deaden: *fig* ***wie betäubt*** stunned **II** *v/refl* ***sich ~*** *fig* seek consolation (***mit, durch*** in) **Betäubung** *f* **1.** stunning (*etc*) **2.** (*Benommenheit*) daze **3.** MED **a)** an(a)esthetization, **b)** (***örtliche***) **~** (*Narkose*) (local) an(a)esthesia
Betäubungsmittel *n* narcotic, MED *a.* an(a)esthetic
Bete *f* BOT beet: ***Rote ~*** beetroot
beteiligen I *v/t* ***j-n ~*** (***an*** *Dat* in) **a)** *a.* WIRTSCH give s.o. a share, **b)** (*mitmachen lassen*) let s.o. take part; ***beteiligt sein*** (***an*** *Dat*) participate (in), WIRTSCH have a share (in), *am Gewinn*: share (in), *an e-m Unfall etc*: be involved (in), JUR be a party (to) **II** *v/refl* ***sich ~*** (***an*** *Dat*) **a)** take (a) part (in), participate (in), **b)** WIRTSCH take an interest (in), **c)** contribute (to), help (in); ***sich an den Kosten ~*** share (in) the expenses **Beteiligte** *m, f* person concerned (*od* involved)
Beteiligung *f* **1.** participation **2.** (*Anteil*) (***an*** *Dat* in) share, interest **3.** (*Kapitalanlage*) investment, (*Aktienbesitz*) holding(s *Pl*), (*Teilhaberschaft*) partnership **4.** (*Teilnahme*) (***an*** *Dat* at) attendance, (*Wahl*♀ *etc*) turnout
beten *v/i* pray (***um*** for), say a prayer, *bei Tisch*: say grace
beteuern *v/t* protest (***s-e Unschuld*** one's innocence), swear to, (*versichern*) affirm (solemnly) **Beteuerung** *f* protestation, solemn affirmation (*a.* JUR)
betiteln *v/t* **1.** (*Buch etc*) give a title to **2.** F *pej* ***j-n ... ~*** call s.o. …
Beton *m* concrete
betonen *v/t a. fig* stress, emphasize
betonieren *v/t* concrete
Betonklotz *m* **1.** concrete block **2.** *pej* (*Haus*) concrete pile **Betonkopf** *m* F *pej* hardliner **Betonmischmaschine** *f* cement mixer
betont I *Adj fig* emphatic, marked: ***mit ~er Gleichgültigkeit*** with studied (*od* marked) indifference **II** *Adv* markedly
Betonung *f a. fig* stress, emphasis
betören *v/t* bewitch, turn *s.o.'s* head
Betracht *m* ***in ~ ziehen*** take into consideration; ***außer ~ lassen*** disregard; ***in ~ kommen*** be a possibility; ***nicht in ~ kommen*** be out of the question

B

betrachten *v/t* look at, *fig a.* view: *fig* ***j-n als Freund*** *etc* ~ look upon s.o. as (*od* consider s.o.) a friend *etc*; ***genau betrachtet*** strictly speaking
beträchtlich *Adj* considerable
Betrachtung *f* view (*Gen* of), *besinnliche*: contemplation, (*Erwägung*) consideration: ***~en anstellen über*** (*Akk*) reflect on; ***bei näherer ~*** on closer inspection
Betrag *m* amount, sum: ***im ~ von*** to the amount of **betragen I** *v/i* amount to, *insgesamt*: total **II** *v/refl* ***sich ~*** behave **III** ♀ *n* behavio(u)r, conduct
betrauen *v/t* entrust (***mit*** with)
betrauern *v/t* mourn
Betreff *m* WIRTSCH reference, *im Brief*: re: …
betreffen *v/t* **1.** (*angehen*) concern, (*sich beziehen auf*) refer to: ***was mich betrifft*** as for me, as far as I am concerned; ***was das betrifft*** as to that **2.** (*berühren*) affect: → ***betroffen*** 2 **betreffend** *Adj* **1.** concerning **2.** (*fraglich*) concerned: ***die ~e Person*** (***Sache***) the person (matter) concerned (*od* in question); ***das ~e Buch*** the book referred to
betreiben I *v/t* **1.** pursue, (*Unternehmen*) manage, run, (*Sport, Hobby*) go in for, do **2.** TECH operate, run **II** ♀ *n* **3.** ***auf ♀ von*** (*od Gen*) at the instigation of
Betreiber(in) WIRTSCH *etc* person (*Pl* body *Sg*) running an enterprise *etc*
betreten[1] **I** *v/t* step on (to), (*Gebiet*) set foot on, (*Raum*) enter **II** ♀ *n* ***♀ verboten!*** keep off!, no entrance!
betreten[2] *Adj* embarrassed: ***~es Schweigen*** awkward silence
betreuen *v/t* look after, *a.* (*Kunden*) attend to, (*Sportler*) coach, WIRTSCH (*Gebiet etc*) serve **Betreuer(in)** s.o. who looks after s.o. (*od* s.th.), SPORT coach
Betreuung *f* care (***von*** *od Gen* of, for)
Betrieb *m* **1.** (*Unternehmen*) enterprise, company, business, firm, (*Fabrik*) factory, works *Sg*, plant: ***öffentliche ~e*** public utilities **2.** (*Leitung*) management, running **3.** TECH (*Bedienung*) operation: ***in ~*** working, in operation; ***außer ~*** not working, (*defekt*) out of order; ***in ~ setzen*** put into operation, start; ***außer ~ setzen*** put out of action **4.** *fig* activity, (*Trubel*) bustle, (*Verkehr*) (heavy) traffic: ***wir hatten heute viel ~*** we were very busy today **betrieblich** *Adj* internal, company **betriebsam** *Adj* active, busy **Betriebsamkeit** *f* activity, (*Geschäftigkeit*) bustle
Betriebs|angehörige *m, f* employee **~anleitung** *f* operating instructions *Pl* **~ausflug** *m* (annual) work outing **♀blind** *Adj* routine-blinded **~direktor(in)** production manager **♀eigen** *Adj* company(-owned) **♀fähig** *Adj* in (good) working condition **~ferien** *Pl* works holidays *Pl* **~fest** *n* company fête **~geheimnis** *n* trade secret **♀intern** *Adj* internal **~kapital** *n* working capital **~klima** *n* work climate **~kosten** *Pl* running costs *Pl* **~leiter(in)** works (*od* production) manager **~rat** *m* (*Person*: member of the) works council **♀sicher** *Adj* fail-safe, reliable (in service) **~sicherheit** *f* safety (in operation), reliability **~stilllegung** *f* closure, shutdown **~störung** *f* stoppage, *e-r Maschine etc*: breakdown **~system** *n* operating system **~unfall** *m* industrial accident **~verfassung** *f* industrial relations scheme
Betriebswirt(in) graduate in business management **Betriebswirtschaft(slehre)** *f* business management
betrinken *v/refl* ***sich ~*** get drunk
betroffen *Adj* **1.** (*bestürzt*) shocked, dismayed, *präd* taken aback **2.** (*berührt*) affected (***von*** by): ***die ~en Personen*** the persons concerned **Betroffenheit** *f* (***über*** *Akk* at) dismay, shock
betrüben *v/t* sadden
betrüblich *Adj* sad
betrübt *Adj* sad (***über*** *Akk* at, about)
Betrug *m* cheat, swindle, JUR fraud, (*Täuschung*) deception **betrügen** *v/t u. v/i* cheat, swindle, JUR defraud, (*Ehepartner etc*) deceive: ***j-n um etw ~*** cheat (*od* do) s.o. out of s.th.; ***sich*** (***selbst***) ***~*** deceive o.s **Betrüger(in)** fraud, swindler
Betrügerei *f* cheating, (*Tat*) deceit, *a.* JUR fraud
betrügerisch *Adj* deceitful, fraudulent
betrunken *Adj* drunken, *präd* drunk
Betrunkene *m, f* drunk
Betrunkenheit *f* drunkenness
Bett *n* bed (*a.* GEOL, TECH): ***im ~*** in bed; ***j-n zu ~ bringen*** put s.o. to bed; ***ins ~***

gehen go to bed (F ***mit j-m*** with s.o.), F turn in; ***das ~ hüten (müssen)*** be laid up (***wegen*** with) **Bettbezug** *m* duvet cover **Bettcouch** *f* sofa-bed **Bettdecke** *f* (*Wolldecke*) blanket, (*Steppdecke*) quilt, (*Tagesdecke*) bedspread

Bettel *m* ***der ganze ~*** the whole (wretched) business

bettelarm *Adj* desperately poor **Bettelbrief** *m* begging letter **betteln** *v/i* beg (***um*** for): ***~ gehen*** go begging

Bettelstab *m* ***j-n an den ~ bringen*** reduce s.o. to poverty

betten *v/t* bed (*a.* TECH): ***wie man sich bettet, so liegt man*** as you make your bed, so you must lie on it

Bett|flasche *f österr., südd.* hot-water bottle **~jacke** *f* bed jacket **~lägerig** *Adj* laid up **~laken** *n* sheet **~lektüre** *f* bedtime reading

Bettler(in) beggar

Bettnässen *n* bed-wetting

Bettnässer(in) bed-wetter

Bettruhe *f* (period of) bed rest: ***j-m ~ verordnen*** order s.o. to stay in bed

Bettung *f* TECH bed(ding)

Bettvorleger *m* bedside rug

Bettwäsche *f*, **Bettzeug** *n* bed linen

betucht *Adj* F well-heeled, well-to-do

betupfen *v/t* dab, MED swab

beugen I *v/t* **1.** bend (*a. fig das Recht*), (*den Kopf*) bow: *fig* ***vom Alter gebeugt*** bowed with age **2.** LING inflect, (*Substantiv*) decline, (*Verb*) conjugate **II** *v/refl* ***sich ~*** **3.** bend **4.** *fig* (*Dat* to) bow, submit

Beule *f* bump, *in Blech etc*: dent

beunruhigen I *v/t* disturb, *stärker*: alarm **II** *v/refl* ***sich ~*** be worried (***über*** *Akk*, ***wegen*** about) **Beunruhigung** *f* anxiety, (*Sorge*) worry

beurkunden *v/t* record, (*beglaubigen*) certify, (*Geburt etc*) register

Beurkundung *f* recording, registration, certification

beurlauben *v/t* give *s.o.* leave (*od* time off), *vom Amt*: suspend (from office): ***beurlaubt*** on leave

Beurlaubung *f* (granting of a) leave, *vom Amt*: suspension (from office)

beurteilen *v/t* judge (***nach*** by): ***falsch ~*** misjudge; ***das kann ich (kannst du) nicht ~!*** I am (you are) no judge (of this)! **Beurteilung** *f* judg(e)ment, (*Einschätzung*) assessment, *in Personalakten*: confidential report

Beute *f* booty, (*a. Diebes*~) loot, *e-s Tieres*: prey (*a. fig Gen* to), JAGD bag: ***zur ~ fallen*** (*Dat*) *a. fig* fall a prey to

Beutel *m* bag, F (*Geld*~) purse, ZOOL pouch (*a. Tabaks*~), sac **beuteln** *v/t* F *fig* shake (up) **Beuteltier** *n* marsupial

bevölkern *v/t* populate, (*bewohnen*) inhabit: ***dicht bevölkert*** densely populated **Bevölkerung** *f* population

Bevölkerungs|dichte *f* population density **~explosion** *f* population explosion **~politik** *f* population policy **~rückgang** *m* decline in population **~schicht** *f* social stratum (*od* class)

bevollmächtigen *v/t* ***j-n ~*** authorize s.o. (***etw zu tun*** to do s.th.), JUR give s.o. power of attorney **Bevollmächtigte** *m, f* authorized person (WIRTSCH, JUR representative), POL plenipotentiary

Bevollmächtigung *f* authorization, (*Vollmacht*) authority, power, JUR power of attorney

bevor *Adv* before: ***nicht ~*** not until

bevormunden *v/t* ***j-n ~*** keep s.o. in leading strings, *geistig*: *a.* spoon-feed s.o.

bevorraten *v/t* VERW stock up

bevorrechtigt *Adj* privileged

bevorstehen *v/i* **1.** be approaching, be forthcoming, *Probleme etc*: lie ahead, *Krise etc*: be imminent **2.** ***j-m ~*** be in store for s.o., await s.o. **bevorstehend** *Adj* forthcoming, *pleasures etc* to come, (*drohend*) impending, imminent

bevorzugen *v/t* (***vor*** *Dat*) prefer (to), (*begünstigen*) favo(u)r (above) **bevorzugt** *Adj* privileged, (*Lieblings…*) favo(u)rite, (*beliebt*) (most) popular: ***~e Behandlung*** preferential treatment

Bevorzugung *f* preference (*Gen* given to)

bewachen *v/t* guard, watch, SPORT mark **Bewachung** *f* **1.** guarding (*etc*) **2.** (*Mannschaft*) guard(s *Pl*)

bewachsen *Adj* ***~ mit*** overgrown with, covered with

bewaffnen *v/t* arm (***sich*** o.s., *a. fig*)

bewaffnet *Adj a. fig* armed (***mit*** with)

Bewaffnung *f* arming, (*Waffen*) arms *Pl*, weapons *Pl*

bewahren *v/t* **1.** (*erhalten*) keep: ***die Fassung ~*** keep one's head, keep cool

B

2. *(behüten)* (***vor*** *Dat* from) keep, preserve, protect: → ***Gott***
bewähren *v/refl* ***sich ~*** prove one's (*od* its) worth, stand the test, *Sache*: *a.* prove a success, *Grundsatz*: hold good: ***sich ~ als*** prove to be *a good remedy etc*; ***sich nicht ~*** prove a failure; ***sich in e-r Krise ~*** show up well in a crisis
bewahrheiten *v/refl* ***sich ~*** prove (to be) true, *(sich erfüllen)* come true
bewährt *Adj (erprobt)* well-tried, *(zuverlässig)* reliable, *(erfahren)* experienced
Bewahrung *f* (***vor*** *Dat* from) preservation, *(Schutz) a.* protection
Bewährung *f* **1.** trial, (crucial) test **2.** JUR (release on) probation: ***3 Monate Gefängnis auf ~*** a suspended sentence of three months; ***die Strafe wurde zur ~ ausgesetzt*** the defendant was placed on probation
Bewährungs|frist *f* JUR (period of) probation **~helfer(in)** probation officer
Bewährungsprobe *f fig* (acid) test
bewaldet *Adj* wooded, woody
bewältigen *v/t* cope with, master, manage, *(Strecke)* cover **Bewältigung** *f* *(Gen)* coping (with), mastering *(s.th.)*
bewandert *Adj* (***gut***) ***~ in*** *(Dat)* well versed (*od* well up) in
Bewandtnis *f* ***damit hat es folgende ~*** the case is this; ***das hat s-e eigene ~*** thereby hangs a tale
bewässern *v/t* irrigate
Bewässerung *f* irrigation
bewegen I *v/t* **1.** move, TECH *a.* work, set *s.th.* going: *fig* ***etw ~*** move s.th., get things moving **2.** *fig (rühren)* move, touch: ***sage mir, was dich bewegt!*** tell me what's on your mind! **3.** ***j-n ~ zu*** *Inf* prompt (*od* get) s.o. to *Inf*; ***was hat ihn (bloß) dazu bewogen?*** what(ever) made him do it?; ***er ließ sich nicht ~*** he was adamant **II** *v/refl* ***sich ~*** **4.** *a. fig* move: ***sich nicht von der Stelle ~ (lassen)*** not to budge; *fig die Preise* ***~ sich zwischen ...*** range between ...
bewegend *Adj fig* moving
Beweggrund *m* (***tieferer ~*** real) motive
beweglich *Adj* **1.** movable *(a. Feiertag)*, mobile, TECH *a.* flexible: ***~e Teile*** (***~es Ziel***) moving parts (target); JUR ***~e Sachen*** movables **2.** *körperlich, geistig*: agile, *Politik etc*: flexible
Beweglichkeit *f* mobility, flexibility, *geistige, körperliche*: agility
bewegt *Adj* **1.** *See*: rough **2.** *fig Zeiten, Leben etc*: turbulent **3.** *fig (gerührt)* moved, touched: ***mit ~er Stimme*** in a choked voice
Bewegung *f* **1.** movement, motion (*a.* PHYS), *absichtsvolle*: move: ***k-e ~!*** don't move!; ***in ~*** TECH in motion, *fig* astir; ***in ~ kommen*** get moving; ***in ~ setzen*** *a. fig* start; ***sich in ~ setzen*** start to move; *fig* ***in e-e Sache ~ bringen*** get s.th. moving **2.** (***körperliche***) ***~*** (physical) exercise **3.** POL *etc* movement **4.** *(Gemüts*≈*)* emotion
Bewegungsfreiheit *f* freedom of movement (TECH motion, *fig* action), *fig* elbowroom
bewegungslos *Adj u. Adv* motionless, immobile
Bewegungs|studie *f* motion study **~therapie** *f* therapeutic exercises *Pl* **≈unfähig** *Adj* unable to move
beweihräuchern *v/t fig* adulate
beweinen *v/t* mourn, lament
Beweis *m* (***für*** of) proof, (*a.* JUR ***Beweise***) evidence: ***als ~, zum ~*** as proof; ***zum ~ e-r Sache*** to prove s.th.; ***bis zum ~ des Gegenteils*** pending proof to the contrary; ***den ~ erbringen*** (*od* ***liefern***) ***für etw, etw unter ~ stellen*** prove s.th.; ***als ~ s-r Zuneigung*** as a token of his affection **Beweisaufnahme** *f* JUR hearing of evidence
beweisbar *Adj* provable: ***ist es ~?*** can it be proved? **beweisen** *v/t* **1.** prove (***j-m etw*** s.th. to s.o.) **2.** *(zeigen)* show
Beweis|führung *f* argumentation, JUR presentation of (the) evidence **~kraft** *f* conclusiveness **≈kräftig** *Adj* conclusive **~lage** *f* ***nach der ~*** on the evidence **~last** *f* ***die ~ obliegt dem Kläger*** the onus (of proof) is on the plaintiff **~material** *n* evidence **~mittel** *n* (piece of) evidence: ***die ~*** *Pl* the evidence *Sg* (***für*** of) **~stück** *n* (piece of) evidence, *vom Gericht zugelassenes*: exhibit
bewenden *v/i* ***es dabei ~ lassen*** leave it at that
bewerben *v/refl* ***sich ~ um*** apply for (***bei*** to), *(kandidieren)* stand for, *Am a.* run for, *e-n Preis etc*: compete for
Bewerber(in) applicant, candidate, *(Wett*≈*, a.* WIRTSCH *bei Ausschreibun-*

gen) competitor, SPORT *a.* entrant **Bewerbung** *f* application (***um*** for) **Bewerbungsformular** *n* application form **Bewerbungsschreiben** *n* (letter of) application **Bewerbungsunterlagen** *Pl* application documents *Pl*
bewerfen *v/t* ***j-n ~ mit*** pelt s.o. with
bewerkstelligen *v/t* manage
bewerten *v/t* **1.** (*Leistung etc*) assess, (*a. j-n*) judge, rate: *der Sprung* ***wird mit 7 Punkten bewertet*** rates (*od* scores) 7 points **2.** WIRTSCH (***mit*** at) value, assess: ***zu hoch*** (***niedrig***) ~ overrate (underrate)
Bewertung *f* assessment, WIRTSCH *a.* valuation, PÄD mark(s *Pl*), *Am* grade(s *Pl*), SPORT point(s *Pl*), score(s *Pl*)
bewilligen *v/t* **1.** allow (***j-m etw*** s.o. s.th.) **2.** (*Antrag*, *Mittel etc*) grant, PARL appropriate **Bewilligung** *f* **1.** *von Mitteln etc*: grant(ing), PARL appropriation **2.** (*Erlaubnis*) permission
bewirken *v/t* bring *s.th.* about, give rise to, result in: ***~, dass jemand etw tut*** cause s.o. to do s.th.; ***das Gegenteil*** ~ produce the opposite effect
bewirten *v/t* entertain
bewirtschaften *v/t* **1.** (*Gut etc*) run: ***bewirtschaftet*** *Berghütte etc*: open (to the public) **2.** LANDW cultivate **3.** WIRTSCH (*Mangelware*) ration
Bewirtschaftung *f* **1.** running **2.** LANDW cultivation **3.** WIRTSCH rationing
Bewirtung *f* entertainment, hospitality, *im Gasthaus*: food and service
bewohnbar *Adj* (in)habitable
bewohnen *v/t* live in, inhabit
Bewohner(in) occupant, (*Mieter*) tenant, *e-s Gebietes etc*: inhabitant
bewölken *v/refl* ***sich ~*** get cloudy, *völlig*: cloud over **bewölkt** *Adj* cloudy
Bewölkung *f* clouding over, (*Wolken*) clouds *Pl*
Bewölkungsauflockerung *f* cloud dispersal **Bewölkungszunahme** *f* increasing cloudiness
Bewunderer *m*, **Bewunderin** *f* admirer **bewundern** *v/t* admire (***wegen*** for) **bewundernswert** *Adj* admirable **Bewunderung** *f* admiration
bewusst *Adj* **1.** conscious (*Gen* of): ***sich e-r Sache ~ sein*** (***werden***) be aware of (realize) s.th. **2.** (*absichtlich*) deliberate **3.** (*besagt*) said: ***die ~e Person*** *a.* the person in question **bewusstlos** *Adj* unconscious: ***~ werden*** lose consciousness **Bewusstlosigkeit** *f* unconsciousness **Bewusstsein** *n* consciousness, *fig a.* awareness: ***bei*** (***vollem***) ~ (fully) conscious; ***das ~ verlieren*** lose consciousness; ***j-n zum ~ bringen*** bring s.o. round; *fig* ***j-m etw zum ~ bringen*** bring s.th. home to s.o.; ***wieder zu(m) ~ kommen*** come to, regain consciousness; *fig* ***j-m zum ~ kommen*** dawn on s.o.; *fig* ***in dem ~ zu*** *Inf* (*od* ***dass***) conscious of *Ger* **bewusstseinserweiternd** *Adj Droge*: mind-expanding
bezahlen *v/t u. v/i* pay, (*Ware*) pay for: *fig* ***etw teuer ~*** pay dearly for s.th.; ***sich bezahlt machen*** pay (off)
Bezahlfernsehen *n* pay TV
Bezahlung *f* (***gegen ~*** for) payment, (*Entgelt*) pay
bezähmen *v/t* (*Neugier etc*) restrain
bezaubern *v/t* bewitch, enchant, *fig a.* charm: ***~d*** charming, delightful
bezeichnen *v/t* **1.** (*kennzeichnen*) mark **2.** (*benennen*) designate (***als*** as), call, (*beschreiben*) describe, (*angeben*) indicate, (*bedeuten*) stand for **bezeichnend** *Adj* typical, characteristic (***für*** of) **bezeichnenderweise** *Adv* typically (enough) **Bezeichnung** *f* **1.** marking **2.** (*Benennung*) designation, (*Name*) *a.* name, term, (*Zeichen*) sign
bezeugen *v/t* JUR *u. fig* testify (to)
bezichtigen *v/t* accuse (*Gen* of)
beziehbar *Adj* **1.** *Wohnung etc*: ready for occupation **2.** WIRTSCH *Ware*: obtainable
beziehen **I** *v/t* **1.** (*Bett*) put clean sheets on, (*Sessel etc*) (***neu ~*** re-)cover **2.** (*Wohnung etc*) move into **3.** ***Posten ~*** take up one's post **4.** (*Informationen etc*) get, obtain, (*Ware*) *a.* buy, (*Gehalt*) draw, (*Zeitung*) take **5.** ***etw ~ auf*** (*Akk*) relate (*od* apply) s.th. to; ***er bezog es auf sich*** he took it personally **II** *v/refl* ***sich ~*** **6.** *Himmel*: cloud over **7.** ***sich ~ auf*** (*Akk*) refer to, *Sache*: relate to; ***sich auf j-n ~*** use s.o.'s name (as a reference)
Bezieher(in) WIRTSCH buyer, customer, *e-r Zeitung*: subscriber (*Gen* to)
Beziehung *f* (***zu***) (*a. persönliche ~*) relation (to), relationship (with), connection (with), *Pl* (*Verbindungen*) connec-

B

tions *Pl* (with): ***diplomatische ~en*** diplomatic relations; ***gute ~en haben*** **a)** have good connections, **b)** ***zu j-m*** be on good terms with s.o., have a good relationship with s.o.; ***in dieser*** (***jeder***) **~** in this (every) respect; ***in gewisser ~*** in a way; ***in politischer ~*** politically; ***in wirtschaftlicher ~*** economically
Beziehungskiste *f* F *fig* relationship
Beziehungskomödie *f* THEAT relationship comedy
Beziehungssatz *m* LING relative clause
beziehungsvoll *Adj* suggestive
beziehungsweise *Konj* **1.** (*oder vielmehr*) or rather **2.** or … respectively (*nachgestellt*): ***mit dem Auto ~ mit der Bahn*** by car or train respectively
Beziehungswort *n* LING antecedent
beziffern *v/t* number, (*schätzen*) estimate (***auf*** *Akk* at): ***sich ~ auf*** (*Akk*) amount to
Bezirk *m* district, (*a. Wahl*♀) ward, *Am* precinct
Bezug *m* **1.** (*Überzug*) cover, (*Kissen*♀) *a.* slip **2.** *e-r Wohnung etc*: moving in(to *a flat etc*) **3.** *von Waren*: purchase, *e-r Zeitung*, *von Aktien*: subscription (*Gen* to): ***bei ~ von*** *100 Stück* on orders of **4.** *fig* reference (***auf*** *Akk* to): ***in ~ auf*** (*Akk*) → ***bezüglich*** II; ***~ nehmen auf*** (*Akk*) refer to **5.** ***Bezüge*** *Pl* income *Sg*, (*Gehalt*) salary *Sg* **bezüglich I** *Adj* ***~ auf*** (*Akk*) relating to; LING ***~es Fürwort*** relative pronoun **II** *Präp* concerning: ***~ Ihres Schreibens*** with reference to your letter **Bezugnahme** *f* ***unter ~ auf*** (*Akk*) with reference to
Bezugs|bedingungen *Pl* terms *Pl* of sale **~person** *f* ***j-s ~*** person to whom s.o. relates most closely, parent person **~preis** *m* purchase (*e-r Zeitung*: subscription) price **~punkt** *m* reference point **~quelle** *f* source (of supply)
bezwecken *v/t* ***etw ~*** be aiming at s.th.
bezweifeln *v/t* doubt, question
bezwingen *v/t* overcome, conquer, (*schlagen*) *a.* SPORT defeat: ***sich ~*** restrain o.s **Bezwinger(in)** conqueror, SPORT winner (*Gen* over) **Bezwingung** *f* overcoming, defeat(ing), conquest
BH *m* F bra
Bibel *f* Bible **bibelfest** *Adj* well versed in the Scriptures
Bibelspruch *m* verse from the Bible
Biber *m* ZOOL beaver
Biberpelz *m* beaver (fur)
Bibliographie *f* bibliography
Bibliothek *f* library **Bibliothekar(in)** librarian **Bibliothekswissenschaft** *f* library science
bieder *Adj* honest, upright, *iron* simple
biegen I *v/t* bend **II** *v/refl* ***sich ~*** bend; → ***lachen*** II **III** *v/i* ***nach links*** (***rechts***) **~** turn left (right); ***um e-e Ecke ~*** turn (round) a corner **IV** ♀ *n* ***auf*** ♀ ***oder Brechen*** by hook or by crook
biegsam *Adj* pliable, flexible, *Körper*: supple **Biegsamkeit** *f* pliability, flexibility, *körperliche*: suppleness
Biegung *f* bend
Biene *f* **1.** ZOOL bee **2.** F (*Mädchen*) chick
Bienen|fleiß *m* assiduity **~haus** *n* apiary, beehouse **~königin** *f* queen bee **~korb** *m* beehive **~schwarm** *m* swarm of bees **~staat** *m* colony of bees **~stich** *m* bee-sting **~stock** *m* beehive **~wabe** *f* honeycomb **~wachs** *n* beeswax
Bienenzucht *f* beekeeping
Bienenzüchter(in) beekeeper
Bier *n* beer: ***helles ~*** lager, *Am* light beer; ***dunkles ~*** *etwa* brown ale, *Am* dark beer; ***~ vom Fass*** beer on draught; F ***das ist dein ~!*** that's your problem! **~brauerei** *f* brewery **~deckel** *m* beer mat **~dose** *f* beer can **♀ernst** *Adj* F deadly serious **~fass** *n* beer barrel **~flasche** *f* beer bottle **~garten** *m* beer garden **~glas** *n* beer glass **~hefe** *f* brewer's yeast **~keller** *m* (*Lokal*) beer tavern **~krug** *m* beer mug, *Am* stein **~stube** *f* beer tavern **~zelt** *n* beer tent
Biest *n a.* F *fig* beast
bieten I *v/t* **1.** offer (***j-m etw*** s.o. s.th.), (*Anblick*, *Schwierigkeiten etc*) present, (*Leistung*, *Programm etc*) *a.* show: ***das lässt sie sich nicht ~*** she won't stand for that; → ***Stirn*** **2.** WIRTSCH bid **II** *v/refl* ***sich ~*** **3.** *Anblick*, *Gelegenheit etc*: present itself **Bieter(in)** WIRTSCH bidder
Bigamie *f* bigamy
bigott *Adj* bigoted
Bikarbonat *n* CHEM bicarbonate
biken *v/i* bike, cycle
Bikini *m* bikini
Bilanz *f* balance, (*Aufstellung*) balance sheet: ***die ~ ziehen*** strike the balance (*Gen* of), *fig a.* take stock (*Gen* of);

fig **negative ~** negative record
Bilanzjahr *n* financial year
Bilanzposten *m* balance-sheet item
Bild *n allg* picture (*a.* TV *u. fig*), (*Foto*) *a.* photo, *in Büchern*: *a.* illustration, (*Ab*♀, *Eben*♀) image (*a.* OPT, TV), (*Gemälde*) painting, (*Porträt*) portrait, (*Anblick*) *a.* sight, (*Vorstellung*) idea, RHET image, metaphor: *fig* ***~ der Zerstörung*** *etc* scene of destruction *etc*; ***im ~e sein*** be in the picture, ***über*** (*Akk*) know about; ***sich ein ~ machen von*** get an idea of, visualize; ***du machst dir kein ~!*** you have no idea!; ***j-n ins ~ setzen*** inform s.o., put s.o. in the picture; ***ein falsches ~ bekommen*** get a wrong impression **~archiv** *n* photographic archives *Pl* **~ausfall** *m* TV picture loss, blackout **~band** *m* illustrated book **~bericht** *m* photo-report
bilden I *v/t* **1.** form, shape (*a. fig*), (*Satz*) make up **2.** (*schaffen*) create, (*gründen*) establish, set up, (*Regierung*) form **3.** (*hervorbringen*) form, develop **4.** (*e-n Bestandteil etc*) form, (*a. Attraktion, Grenze, Gefahr etc*) be **5.** (*j-n*) *geistig*: educate, (*j-s Geist*) *a.* cultivate; → ***gebildet*** **II** *v/i* **6.** broaden the mind **III** *v/refl* **sich ~ 7.** form, develop **8.** *geistig*: educate o.s., improve one's mind
bildend *Adj* educational, (*lehrreich*) informative: ***~e Künste*** fine arts
Bilder|buch *n* picture book **~buch...** F *fig* storybook ..., perfect **~galerie** *f* picture gallery **~rätsel** *n* picture puzzle **♀reich** *Adj* richly illustrated, *Sprache etc*: rich in images **~schrift** *f* pictographic script **~sprache** *f* imagery
Bildfläche *f* TV image area: F *fig* ***auf der ~ erscheinen*** turn up; ***von der ~ verschwinden*** disappear
bildhaft *Adj fig* graphic
Bildhauer(in) sculptor
Bildhauerei *f* sculpture
bildhauern *v/i u. v/t* F sculpt
bildhübsch *Adj* (very) lovely
bildlich *Adj* pictorial, graphic, *Ausdruck etc*: figurative
Bildnis *n* portrait
Bild|punkt *m* IT pixel **~qualität** *f* FOTO, TV picture quality **~redakteur(in)** picture editor **~regie** *f* camera-work **~röhre** *f* picture tube **~schärfe** *f* definition
Bildschirm *m* screen, IT *a.* monitor, VDU **~arbeit** *f* VDU work **~arbeitsplatz** *m* work station **~schoner** *m* screen saver
bildschön *Adj* (very) beautiful
Bildstörung *f* TV image interference
Bildtelefon *n* videophone
Bildung *f* **1.** (*das Bilden*) forming, formation, (*Entwicklung*) *a.* development, (*Schaffung*) *a.* creation, (*Gründung*) establishment, *e-s Ausschusses etc*: setting-up: LING ***~ des Perfekts*** forming (of) the perfect **2.** (*Geistes*♀) education, culture, (*Schul*♀ *etc*) formal education: ***etw für s-e ~ tun*** improve one's mind **3.** (*Benehmen*) (good) breeding
Bildungs... educational (*reform etc*)
Bildungs|gang *m* (course of) education **~grad** *m* educational level **~lücke** *f* gap in one's education **~notstand** *m* education crisis **~urlaub** *m* educational leave **~weg** *m* (course of) education: ***zweiter ~*** *the second way of obtaining university qualification through evening classes and correspondence courses* **~wesen** *n* education
Billard *n* billiards *Sg* **~kugel** *f* billiard ball **~stock** *m* cue
Billett *n schweiz.* ticket
Billiarde *f* quadrillion
billig *Adj* **1.** cheap, *Preis*: low **2.** *fig* cheap, *Ausrede, Rat etc*: poor **3.** (*angemessen*) fair
Billig|... cut-price, *Am* cut-rate (*offer etc*) **~anbieter** *m* cheap (*od* cut-price) supplier
billigen *v/t* approve of, VERW approve
billigend *Adj* approving(ly *Adv*)
Billig|flug *m* cheap flight **~lohnland** *n* low-wage(s) country
Billigung *f* approval
Billion *f* trillion
bimmeln *v/i* ring, tinkle
Bimsstein *m* pumice (stone)
binär *Adj*, **Binär...** binary
Binde *f* **1.** (*Arm*♀) armband, bandage, (*Schlinge*) sling, (*Augen*♀) blindfold, F (*Damen*♀) sanitary towel (*Am* napkin) **2.** F *fig* ***e-n hinter die ~ gießen*** hoist one **~gewebe** *n* ANAT connective tissue **~glied** *n* (connecting) link **~haut** *f* ANAT conjunctiva **~hautentzündung** *f* MED conjunctivitis **~mittel** *n* **1.** TECH bonding agent **2.** GASTR thickening

B

binden I *v/t* **1.** tie (***an*** *Akk* to), (*zs.-~*) tie (up), (*Strauß*) make, (*Knoten, Schlips etc*) tie **2.** (*Buch*) bind **3.** TECH bind **4.** GASTR bind, thicken **5.** MUS tie, *legato*: slur **6.** WIRTSCH (*Geldmittel*) tie up, (*Preise*) fix **7.** *Fechten, a.* MIL (*Truppen*) bind **8.** *fig* (*j-n verpflichten*) bind, commit; → ***gebunden*** **II** *v/i* **9.** bind **10.** GASTR bind, thicken **11.** TECH *Zement etc*: harden, set, *Kunststoff*: bond **III** *v/refl* ***sich ~*** **12.** *fig* commit o.s., tie o.s. down
bindend *Adj fig* binding (***für*** upon)
Binde|strich *m* hyphen: ***mit ~ schreiben*** hyphen(ate) **~wort** *n* conjunction
Bindfaden *m* string
Bindis *Pl* (*Schmuck*) bindis *Pl*
Bindung *f* **1.** *fig* tie (*a.* POL), bond, (*Beziehung*) (lasting) relationship, (*Verpflichtung*) commitment **2.** (*Ski*≈) binding **3.** MUS ligature
Bingo *n Spiel*: bingo
binnen *Präp* (*Dat od Gen*) within: ***~ kurzem*** before long
Binnen|gewässer *n* inland water **~hafen** *m* inland port **~handel** *m* domestic trade **~land** *n* interior
Binnen|markt *m* home (*der EU*: single) market **~meer** *n* inland sea **~schifffahrt** *f* inland navigation
Binse *f* BOT rush: F ***in die ~n gehen*** go to pot **Binsenweisheit** *f* truism
Biochemie *f* biochemistry
Biochemiker(in) biochemist
biodynamisch *Adj* biodynamic
Bioerzeugnis *n* organic product
Biogas *n* biogas
Biogenetik *f* biogenetics *Sg*
Biograph(in), **Biograf(in)** biographer
Biographie *f*, **Biografie** *f* biography
biographisch, **biografisch** *Adj* biographical
Bioladen *m* whole food shop
Biologe *m*, **Biologin** *f* biologist
Biologie *f* biology
biologisch *Adj* biological
Biomasse *f* biomass
Biomüll *m* organic waste
Biophysik *f* biophysics *Pl* (*a. Sg konstr*)
Biopsie *f* MED biopsy
Biorhythmus *m* biorhythm
Biosphäre *f* biosphere
Biotechnik *f* bioengineering
Biotop *n* biotope
Birke *f* birch (tree)
Birma *n* Burma
Birnbaum *m* pear-tree **Birne** *f* **1.** BOT pear **2.** (*Glüh*≈) bulb **3.** F (*Kopf*) noodle **birnenförmig** *Adj* pear-shaped
bis I *Präp* **1.** *zeitlich*: till, until, (*~ spätestens*) by: ***~ heute*** so far, to date; ***~ jetzt*** up to now; ***~ jetzt*** (***noch***) ***nicht*** not as yet; ***~ auf weiteres*** for the present, *bes* VERW until further notice; ***~ in die Nacht*** into the night; ***~ vor einigen Jahren*** until a few years ago; ***~ zum Ende*** (right) to the end; (***in der Zeit***) ***vom ... ~*** between … and; F ***~ dann*** (***~ morgen***)***!*** see you later (tomorrow)! **2.** *räumlich*: (up) to, as far as: ***~ hierher*** up to here; ***~ wohin?*** how far?; (***von hier***) ***~ London*** (from here) to London **3.** *vor Zahlen*: ***7 ~ 10 Tage*** from 7 to 10 days, between 7 and 10 days; ***~ zu 10 Meter hoch*** as high as ten metres; ***~ zu 100 Personen*** as many as 100 persons; ***~ drei zählen*** count up to three **4.** ***~ auf das letzte Stück*** down to the last bit **5.** ***~ auf*** (*Akk*) except, but: ***alle ~ auf einen*** all but one **II** *Konj* **6.** till, until
Bisam *m* **1.** ZOOL musk **2.** (*Pelz*) musquash **Bisamratte** *f* ZOOL muskrat
Bischof *m*, **Bischöfin** *f* bishop **bischöflich** *Adj* episcopal **Bischofssitz** *m* episcopal see
bisexuell *Adj* bisexual
bisher *Adv* up to now, so far: ***~*** (***noch***) ***nicht*** not (as) yet; ***wie ~*** as before; ***die ~ beste Leistung*** the best performance so far **bisherig** *Adj* past, previous, (*derzeitig*) present: ***die ~en Ergebnisse*** results so far
Biskaya: ***der Golf von ~*** the Bay of Biscay
Biskuit *m* GASTR sponge **~kuchen** *m* sponge cake **~rolle** *f* Swiss roll
bislang → ***bisher***
Biss *m a.* F *fig* bite
bisschen *Adj u. Adv* ***ein*** (***kleines***) ***~*** a (little) bit, a little; ***kein ~*** not a bit
Bissen *m* **1.** bite, morsel, mouthful **2.** (*Imbiss*) bite, snack
bissig *Adj* **1.** vicious: ***ein ~er Hund*** *a.* a dog that bites **2.** *fig Bemerkung*: cutting, *Person*: snappish
Bisswunde *f* bite
Bistum *n* bishopric

Bit *n* IT bit
bitte *Adv* **1.** *bei Bitten und Aufforderungen*: please: **~, gib mir die Zeitung!** would you pass me the paper, please; **~ nicht!** please don't; (**aber**) **~!** (*gern*) certainly, go ahead **2. ~** (**sehr** *od* **schön**)! **a**) *nach „danke"* (*oft unübersetzt*): not at all, you're welcome, that's all right, **b**) *nach „Entschuldigung"*: it's all right, that's okay, *bes Am* F no problem, **c**) *beim Anbieten* (*oft unübersetzt*): here you are, F there you go **3. wie ~?** pardon?, sorry?, *Am* excuse me? **4. ~ schön?** (*was wünschen Sie?*): can I help you?, *Am* may I help you?
Bitte *f* request, *dringende*: entreaty: **auf j-s ~** at s.o.'s request; **ich habe e-e ~ an Sie** I have a favo(u)r to ask of you
bitten *v/t u. v/i* ask (**j-n um etw** s.o. for s.th.), (*ersuchen*) request, (*dringend* ~) beg, (*anflehen*) implore: **um j-s Namen** (**Erlaubnis**) **~** ask s.o.'s name (permission); **j-n zu sich ~** ask s.o. to come; **für j-n ~** intercede for s.o.; **es wird gebeten, dass ...** it is requested that ...; **wenn ich ~ darf** if you don't mind; **darf ich ~? a**) this way, please!, **b**) may I have this dance?, **c**) dinner is served!
bitter *Adj u. Adv a. fig* bitter: **es ist mein ~er Ernst** I mean it!; **er hat es ~ nötig** he badly needs it; **das ist ~!** that's hard! **bitterböse** *Adj* furious, (*schlimm*) wicked **bitterernst** *Adj* dead serious
Bitterkeit *f a. fig* bitterness
bitterlich *Adv* **~ weinen** weep bitterly
Bittgesuch *n*, **Bittschrift** *f* petition
Bittsteller(in) petitioner
Biwak *n*, **biwakieren** *v/i* bivouac
bizarr *Adj* bizarre
Bizeps *m* biceps
Black-out *m* blackout
blähen I *v/i Zwiebeln etc*: give you wind **II** *v/t u. v/refl* **sich ~** fill out
Blähungen *Pl* wind *Sg*, flatulence *Sg*
blamabel *Adj* embarrassing, *stärker*: disgraceful **Blamage** *f* disgrace, fiasco
blamieren I *v/t* **j-n ~** make s.o. look like a fool, *weit. S.* compromise s.o. **II** *v/refl* **sich ~** make a fool of o.s., *weit. S.* compromise o.s.; → **Knochen**
blank *Adj* **1.** shining, (~ *geputzt*) polished, *Schuhe*: shiny **2.** (*bloß*) naked, bare (*a.* TECH) **3.** (*abgetragen*) shiny **4.** F (*pleite*) broke **5.** F **~er Unsinn** *etc* sheer nonsense *etc*
blanko *Adj* WIRTSCH (*Adv* in) blank
Blankoscheck *m* blank cheque (*Am* check) **Blankovollmacht** *f* full discretionary power, *fig* carte blanche
Bläschen *n* **1.** small bubble **2.** MED (*Haut*≈) small blister, (*Eiter*≈) pustule
Blase *f* **1.** (*Luft*≈) bubble, *im Glas etc*: flaw. **~n ziehend** vesicant **2.** (*Sprech*≈) balloon **3. a**) ANAT bladder, **b**) MED (*Haut*≈) blister **4.** F *pej* bunch, lot **~balg** *m* bellows *Pl*
blasen *v/i u. v/t allg* blow, MUS play
Blasen|entzündung *f*, **~katarr(h)** *m* cystitis **~leiden** *n* bladder trouble
Bläser(in) MUS wind player: **die ~** *Pl* the wind (section) *Sg*
blasiert *Adj* conceited
Blasinstrument *n* MUS wind instrument
Blaskapelle *f* brass band
Blasmusik *f* **1.** music for brass instruments **2.** (playing of a) brass band
Blasphemie *f* blasphemy
blass *Adj* pale (**vor** with), *fig* colo(u)rless: **~ werden** (turn) pale, *Farbe*: fade; **blasser Neid** sheer envy; **~ vor Neid** green with envy; → **Ahnung**
Blässe *f* paleness, pallor
Blatt *n* **1.** BOT leaf: *fig* **kein ~ vor den Mund nehmen** not to mince matters **2.** (*Papier*≈) leaf, sheet, (*Seite*) page: MUS **vom ~ spielen** sight-read; *fig* **das steht auf e-m anderen ~** that's a different matter altogether; **das ~ hat sich gewendet** the tide has turned **3.** (*Zeitung*) (news)paper **4.** KUNST (*Druck*) print, (*Zeichnung*) drawing, (*Stich*) engraving **5.** (*Spielkarte*) card, (*gezogene Karten*) *a good etc* hand **6.** (*Säge*≈, *Ruder*≈ *etc*) blade
Blättchen *n* **1.** small leaf (*etc*, → **Blatt**) **2.** ANAT, BOT, CHEM lamella, TECH membrane **3.** slip (of paper) **4.** (*Zeitung*) local paper
blättern *v/i* **1. in e-m Buch** *etc* **~** leaf through a book *etc* **2.** COMPUTER scroll **3.** → **abblättern**
Blätterteig *m* flaky pastry
Blatt|feder *f* TECH leaf spring **~gold** *n* gold leaf **~grün** *n* chlorophyll **~laus** *f* greenfly **~säge** *f* pad saw **~salat** *m* green salad **~werk** *n* foliage
blau *Adj* **1.** blue: **~er Fleck** bruise; F **~er**

B

Brief a) (letter of) dismissal, **b)** PÄD letter of warning; → ***Auge*** 1, ***Blut*** 2. F (*betrunken*) tight, sloshed **Blau** *n* blue
blauäugig *Adj a. fig* blue-eyed
Blaubeere *f* BOT bilberry, *Am* blueberry
blaublütig *Adj* blue-blooded
Blaue *n* ***Fahrt ins ~*** mystery tour
Bläue *f* blue(ness) **bläuen** *v/t* dye blue
Blaufuchs *m* ZOOL arctic (WIRTSCH blue) fox
Blauhelm *m* UN soldier
Blaukohl *m*, **Blaukraut** *n* GASTR red cabbage
bläulich *Adj* bluish
Blaulicht *n* ***mit ~*** with its lights flashing
blaumachen *v/i* F stay away (from work), *sl* skive
Blaumeise *f* ZOOL blue tit
Blaupause *f* blueprint
Blausäure *f* CHEM prussic acid
Blaustrumpf *m fig* bluestocking
Blazer *m* blazer
Blech *n* **1.** sheet metal, (*~tafel*) metal sheet **2.** (*Back*≈) baking tray **3.** F (*Unsinn*) rubbish **Blechbüchse** *f*, **Blechdose** *f* tin, (tin) can
blechen *v/t u. v/i* F cough up
blechern *Adj* (of) tin, *Klang*: tinny
Blechinstrument *n* MUS brass instrument
Blechschaden *m* MOT bodywork damage, dent(s *Pl*)
Blechschere *f* plate shears *Pl*
blecken *v/t* ***die Zähne ~*** *Tier*: bare its fangs
Blei *n* **1.** lead: ***aus ~*** (made of) lead; *fig* (***schwer***) ***wie ~*** leaden **2.** JAGD shot, (*Kugel*) bullet
Bleibe *f* F place to stay
bleiben *v/i* **1.** stay (***im Bett*** in bed, ***zu Hause*** at home, ***draußen*** out, ***zum Essen*** for dinner); ***wo bleibt er denn nur?*** what has taken him?; F *fig* ***und wo bleibe ich?*** and where do I come in?; → ***Ball***[1] **2.** ***~ bei*** stick to (***der Wahrheit*** the truth); ***etw ~ lassen*** not to do s.th., (*aufhören mit*) stop (doing) s.th.; ***lass das ~!*** stop it!; ***das werde ich schön ~ lassen!*** I'll do nothing of the kind! → ***Sache*** 2 **3.** *in e-m Zustand*: remain, keep: ***geschlossen*** (***gesund, trocken, kalt*** *etc*) ***~*** stay closed (healthy, dry, cold); ***für sich ~*** keep to o.s.; ***das bleibt unter uns!*** F keep it under your hat!; ***~ Sie*** (***doch***) ***sitzen!*** don't get up!; ***es bleibt dabei!*** that's final!; ***und dabei bleibt es!*** and that's that! **4.** (*übrig~*) be left (*Dat* to), remain
bleibend *Adj* lasting, *a. Schaden etc*: permanent
bleich *Adj* pale (***vor*** with): ***~ werden*** (turn) pale
bleichen *v/t u. v/i* bleach
Bleichgesicht *n* paleface
Bleichmittel *n* bleach(ing agent)
bleiern *Adj a. fig* leaden
Bleifarbe *f* lead paint **bleifrei** *Adj Benzin*: unleaded **Bleigehalt** *m* lead content **bleihaltig** *Adj* containing lead, *Benzin*: leaded **Bleikristall** *n* lead crystal **Bleistift** *m* (lead) pencil
Bleistiftspitzer *m* pencil sharpener
Bleivergiftung *f* lead poisoning
Blendautomatik *f* FOTO automatic aperture control
Blende *f* **1.** (*Schirm*) screen **2.** FOTO diaphragm, (*Öffnung*) aperture, (*Öffnungsweite*) f-stop: (***bei***) ***~ 8*** at f-8 **3.** *am Kleid etc*: facing
blenden I *v/t* **1.** (*j-n, j-s Augen*) dazzle (*a. fig*) **2.** (*j-s Augen ausstechen*) blind **II** *v/i* **3.** dazzle, be dazzling (*a. fig beeindrucken*) **4.** *fig* (*täuschen*) deceive **III** ≈ *n* **5.** MOT glare
blendend I *Adj* dazzling (*a. fig*), *fig* brilliant (*Leistung etc*): ***~ aussehen*** look great **II** *Adv* dazzlingly (*etc*): ***sich ~ amüsieren*** have a great time; ***~ weiß*** dazzling white
Blendeneinstellung *f* FOTO aperture setting **Blendenskala** *f* aperture ring
Blendenzahl *f* FOTO f-stop
Blender(in) *fig* fake
blendfrei *Adj* antiglare
Blendschutz|scheibe *f* MOT antiglare screen **~zaun** *m* MOT antiglare barrier
Blendung *f* **1.** blinding, MOT *etc* dazzle, glare **2.** *fig* (*Täuschung*) deception
Blick *m* **1.** (***auf*** *Akk* at) look, *flüchtiger*: (quick) glance: ***auf den ersten ~*** at first sight; ***mit einem ~*** at a glance; ***e-n ~ werfen auf*** (*Akk*) have a look at **2.** (*Aussicht*) view (***auf*** *Akk* of): ***mit ~ auf*** (*Akk*) with a view of, overlooking *the lake etc*
blicken *v/i* look (***auf*** *Akk* at): ***um sich ~*** look around; ***sich ~ lassen*** show o.s.; ***das lässt tief ~!*** that's very revealing!

Blick|fang *m* eyecatcher **~feld** *n a. fig* field of vision **~kontakt** *m* eye contact **~punkt** *m* **1.** OPT visual focus: *fig* ***im ~ stehen*** be in the centre of interest **2.** *fig* point of view **~richtung** *f* **1.** line of vision **2.** *fig* direction **~winkel** *m* **1.** angle of view **2.** *fig* point of view

blind I *Adj* **1.** blind (*a. fig* ***gegen, für*** to, ***vor*** *Dat* with): ***auf einem Auge ~*** blind in one eye; *fig* ***j-n ~ machen gegen*** blind s.o. to; → ***Passagier*** **2.** *Spiegel*: cloudy, *Metall*: tarnished **3.** ARCHI, TECH blind **II** *Adv* **4.** *fliegen etc* blind, *fig vertrauen etc* blindly; ***~ schreiben*** touch-type

Blindbewerbung *f* speculative application

Blinddarm *m* appendix **Blinddarmentzündung** *f* appendicitis **Blinddarmoperation** *f* appendectomy

Blinde *m, f* blind man (woman): ***die ~n*** the blind; ***das sieht doch ein ~r!*** you can see that with half an eye!

Blindenheim *n* home for the blind

Blindenhund *m* guide dog, *Am* seeing-eye dog **Blindenschrift** *f* braille

Blindenstock *m* blind man's cane

Blindflug *m* instrument (*od* blind) flying

Blindgänger *m* **1.** MIL dud **2.** F *fig* dud, washout

Blindheit *f* (*a. fig* ***mit ~ geschlagen*** struck with) blindness

blindlings *Adv* blindly

Blindschleiche *f* ZOOL blindworm

Blindversuch *m* blind test

blinken *v/i* **1.** sparkle, *Sterne*: twinkle, (*aufleuchten*) flash **2.** *a. v/t* (*signalisieren*) (flash a) signal, flash **Blinker** *m* **1.** MOT indicator **2.** *Angeln*: spoon bait

Blinklicht *n* MOT **a)** flashing light (*a. Ampel*), **b)** → ***Blinker*** 1 **Blinkzeichen** *n* flashing (MOT indicator) signal

blinzeln *v/i* **1.** blink **2.** → ***zublinzeln***

Blitz *m* **1.** lightning, (*~strahl*) flash (of lightning): ***vom ~ getroffen*** struck by lightning; *fig* ***wie vom ~ getroffen*** thunderstruck; ***wie der ~*** → ***blitzschnell*** II **2.** FOTO flash **Blitzableiter** *m* lightning conductor **blitzartig** → ***blitzschnell*** **Blitzaufnahme** *f* FOTO flash shot **Blitzbesuch** *m* lightning visit **Blitzbirne** *f* FOTO flashbulb

blitzblank *Adj u. Adv* sparkling clean

blitzen I *v/i* **1.** ***es hat geblitzt*** there was (a flash of) lightning **2.** (*auf~*) flash **3.** *fig* flash, (*glänzen*) sparkle **II** *v/t* **4.** FOTO F flash

Blitzgerät *n* (electronic) flash (gun)

blitzgescheit *Adj* F very bright

Blitz|krieg *m* blitzkrieg **~lampe** *f* FOTO flashbulb **~licht** *n* FOTO flashlight: ***mit ~ fotografieren*** (use a) flash **~lichtwürfel** *m* flashcube

blitzsauber *Adj* F (as) clean as a whistle

Blitz|schlag *m* lightning **⁓schnell I** *Adj* lightning … **II** *Adv* with lightning speed, like a flash (*od* shot) **~start** *m* lightning start **~strahl** *m* streak of lightning **~würfel** *m* FOTO flashcube

Block *m* **1.** *allg* block (*a. Häuser⁓, Briefmarken⁓ etc, a. hist Richt⁓*), (*Schreib⁓*) *a.* pad, (*Fahrkarten⁓*) book (of tickets) **2.** (*Fels⁓*) boulder **3.** WIRTSCH, PARL, POL bloc

Blockade *f* blockade

Blockbuchstabe *m* block letter **Blockflöte** *f* recorder **blockfrei** *Adj* POL non-aligned **Blockhaus** *n* log cabin

blockieren *v/t* block, (*a. v/i Räder*) lock, TECH jam

Blockschokolade *f* cooking chocolate

Blockschrift *f* block letters *Pl*

Blockstaat *m* POL aligned state

blöd *Adj* F (*dumm*) stupid, (*albern*) silly, (*unangenehm*) awkward **Blödel…** slapstick (*show etc*) **blödeln** *v/i* fool around **Blödheit** *f* F stupidity, silliness **Blödmann** *m* F idiot, silly ass **Blödsinn** *m* F (*Unsinn*) rubbish, (*a. Unfug*) nonsense **blödsinnig** *Adj* idiotic

blöken *v/i Schaf*: bleat, *Rind*: low

blond *Adj* blond(e), fair, fair-haired

blondieren *v/t* dye *one's hair* blond

Blondine *f* blonde

bloß I *Adj* **1.** bare, naked: ***mit ~en Füßen*** barefoot(ed); ***mit ~en Händen*** with one's bare hands; ***mit dem ~en Auge*** with the naked eye **2.** (*nichts als*) mere: ***der ~e Gedanke*** the mere thought **II** *Adv* **3.** only, simply, merely: ***komm ~ nicht rein!*** don't you dare come in!

Blöße *f* **1.** bareness, nakedness **2.** *Sport u. fig* opening: ***sich e-e ~ geben*** leave o.s. wide open

bloßlegen *v/t* lay bare, expose (*a. fig*)

bloßstellen *v/t* expose, show *s.o.* up

Bloßstellung *f* exposure
Blouson *m*, *n* blouson
Bluff *m*, **bluffen** *v/i u. v/t* bluff
blühen *v/i* blossom (*a. fig*), be in bloom, *fig* (*gedeihen*) thrive: F ***wer weiß, was uns noch blüht!*** who knows what's in store for us! **blühend** *Adj* flowering, *fig* flourishing, *Aussehen*: healthy, *Gesundheit*: glowing, *Fantasie*: lively
Blume *f* **1.** flower: ***j-m etw durch die ~ sagen*** hint to s.o. that; ***lasst ~n sprechen!*** say it with flowers! **2.** *des Weins*: bouquet, *des Biers*: head, froth
Blumen|beet *n* flower bed **~erde** *f* garden mo(u)ld **~händler(in)** florist **~kohl** *m* cauliflower **~laden** *m* flower shop **~muster** *n* floral design **≗reich** *Adj fig* flowery **~strauß** *m* bunch of flowers, bouquet **~topf** *m* flowerpot, plant pot **~zwiebel** *f* flower bulb
blumig *Adj* flowery (*a. fig*), *Wein*: with a fine bouquet
Bluse *f* blouse
Blut *n* blood: ***sie kann kein ~ sehen*** she can't stand the sight of blood; ***~ spenden*** donate (*od* give) blood; *fig* ***blaues*** (***junges***) ***~*** blue (young) blood; ***j-n bis aufs ~ reizen*** drive s.o. wild; F ***~*** (***und Wasser***) ***schwitzen*** sweat blood; ***~ vergießen*** shed blood; ***böses ~ machen*** breed bad blood; (***nur***) ***ruhig ~!*** take it easy!; ***die Musik liegt ihm im ~*** music is in his blood **~alkohol(gehalt)** *m* blood alcohol **≗arm** *Adj* **1.** MED an(a)emic **2.** *fig* very poor **~armut** *f* MED an(a)emia **~bad** *n fig* massacre **~bank** *f* MED blood bank **~bild** *n* MED blood count **~blase** *f* MED blood blister
Blutdruck *m* MED (***j-s ~ messen*** take s.o.'s) blood pressure **blutdrucksenkend** *Adj* MED hypotensive
blutdürstig *Adj* bloodthirsty
Blüte *f* **1.** blossom, flower **2.** (*~zeit*) flowering time, *bes bei Bäumen*: blossom: ***in voller ~*** in (full) bloom **3.** *fig* (*~zeit*) heyday, WIRTSCH time of prosperity: ***in voller*** (*od* ***höchster***) ***~ stehen*** be flourishing; ***in der ~ s-r Jahre*** in his prime **4.** *fig* (*Elite*) flower, élite **5.** (*Stil≗ etc*) howler **6.** F (*Falschgeld*) dud
Blutegel *m* ZOOL leech
bluten *v/i* bleed (***aus*** from): F *fig* ***schwer ~ müssen*** have to pay through the nose; ***~den Herzens*** with a heavy heart
Blüten|honig *m* honey made from blossoms and flowers **~knospe** *f* (flower) bud **~lese** *f fig* anthology **~staub** *m* pollen **≗weiß** *Adj* snow-white
Bluter *m* MED h(a)emophiliac
Blut|erguss *m* MED h(a)ematoma, bruise **~farbstoff** *m* h(a)emoglobin **~fleck** *m* bloodstain **~gefäß** *n* blood vessel **~gerinnsel** *n* MED blood clot **~gruppe** *f* blood group **~hochdruck** *m* MED high blood pressure **~hund** *m* bloodhound
blutig *Adj* bloody (*a. fig*), (*blutbefleckt*) bloodstained, GASTR *Steak*: rare: *fig* ***~er Anfänger*** rank beginner; ***es ist mein ~er Ernst*** I'm dead serious
blutjung *Adj* very young
Blutkonserve *f* unit of stored blood
Blutkörperchen *n* blood corpuscle
Blutkreislauf *m* (blood) circulation
Blutlache *f* pool of blood
blutleer, **blutlos** *Adj a. fig* bloodless
Blutorange *f* blood orange **Blutplasma** *n* blood plasma **Blutprobe** *f* **1.** blood (JUR alcohol) test **2.** MED blood sample
Blutrache *f* vendetta
blutrot *Adj* (dark) crimson
blutrünstig *Adj fig* gory, *Geschichte etc*: blood-curdling
Blutsauger *m a. fig* bloodsucker
Blutschande *f* incest
Blutsenkung *f* MED blood sedimentation
Blutspender(in) blood donor
blutstillend *Adj* (*a.* ***~es Mittel***) styptic
blutsverwandt *Adj* related by blood (***mit*** to) **Blutsverwandte** *m*, *f* blood relation **Blutsverwandtschaft** *f* consanguinity
Bluttat *f* bloody deed
Bluttransfusion *f* blood transfusion
bluttriefend *Adj* dripping with blood
blutüberströmt *Adj* covered with blood
Blutübertragung *f* blood transfusion
Blutung *f* bleeding, *starke, a. innere*: h(a)emorrhage
blutunterlaufen *Adj* bloodshot
Blutvergießen *n* bloodshed
Blutvergiftung *f* blood poisoning
Blutverlust *m* loss of blood
Blutwäsche *f* MED (h[a]emo)dialysis

Blutwurst *f* GASTR black pudding
Blutzucker(spiegel) *m* MED blood sugar (level) **Blutzufuhr** *f* blood supply
BLZ *Abk* = ***Bankleitzahl***
BND *m* = ***Bundesnachrichtendienst***
Bö *f* gust, squall
Bob *m* SPORT bob(sleigh)
Bobbahn *f* bob(sleigh) run
Bock *m* **1.** ZOOL buck, (*Widder*) ram, (*Ziegen*♀) he-goat: F ***alter ~*** old goat; *fig* ***e-n ~ schießen*** make a blunder; ***den ~ zum Gärtner machen*** set the fox to keep the geese; F ***~ haben, etw zu tun*** feel like doing s.th.; F ***~ auf etw haben*** feel like s.th.; → ***null*** **2.** (*Gestell*) stand, (*Hebe*♀) jack **3.** *Turnen*: buck: ***~ springen*** leapfrog **4.** bock (beer) **bockbeinig** *Adj fig* stubborn **Bockbier** *n* bock (beer)
bockig *Adj fig* stubborn, sulky
Bockshorn *n* ***j-n ins ~ jagen*** scare s.o.
Bockspringen *n* leapfrog
Boden *m* **1.** (*Erd*♀) ground, LANDW *u. fig* soil, *e-s Gefäßes, des Meeres*: bottom, (*Fuß*♀ *etc*) floor: ***am ~, auf dem ~*** on the ground (*od* floor); SPORT ***am ~ sein*** be down; ***zu ~ fallen*** fall to the ground; F *fig* ***(völlig) am ~ zerstört*** absolutely shattered; ***auf britischem ~*** on British soil; ***den ~ unter den Füßen verlieren*** *a. fig* get out of one's depth; ***(an) ~ gewinnen (verlieren)*** gain (lose) ground; *fig* ***aus dem ~ schießen*** mushroom (up); ***etw aus dem ~ stampfen*** conjure s.th. up **2.** (*Dach*♀) attic
Boden|abstand *m* MOT ground clearance **~belag** *m* floor covering **~fläche** *f* **1.** LANDW acreage **2.** ARCHI floor space **~frost** *m* ground frost **~haftung** *f* MOT road holding **~haltung** *f Eier* ***aus ~*** free-range
bodenlos *Adj* **1.** bottomless **2.** F *fig* incredible, shocking
Boden|nebel *m* ground fog **~personal** *n* FLUG ground crew **~radar** *n* ground-based radar **~reform** *f* land reform **~satz** *m* **1.** sediment **2.** *fig pej* dregs *Pl* **~schätze** *Pl* mineral resources *Pl* **~see** *m der* Lake Constance
bodenständig *Adj* native, (*örtlich*) local
Bodenstation *f Raumfahrt*: earth (*od* tracking) station
Bodenstewardess *f* ground hostess
Bodenstreitkräfte *Pl* ground forces *Pl*
Bodenturnen *n* floor exercises *Pl*
Body *m* **1.** (*Körper*) body **2.** *Kleidung*: body(stocking), *Am* body suit
Bodyguard *m* bodyguard
Bodypainting *n* body painting, body art
Bogen *m* **1.** *allg* bow, (*Biegung*) bend, curve, ELEK, MATHE arc, ARCHI arch, vault, TECH bend, *Eislauf*: curve, *Skisport*: turn: *fig* ***e-n großen ~ um j-n machen*** give s.o. a wide berth; ***den ~ überspannen*** overdo it **2.** (*Papier*♀) sheet
bogenförmig *Adj* arched
Bogengang *m* arcade **Bogenlampe** *f* arc lamp **Bogenschießen** *n* archery
Bogen|schütze *m*, **~schützin** *f* archer
Bohle *f* plank
Böhmen *n* Bohemia
Böhme *m*, **Böhmin** *f*, **böhmisch** *Adj* Bohemian: ***das sind für mich böhmische Dörfer*** that's (all) Greek to me
Bohne *f* BOT bean, (*Sau*♀) broad bean: ***Grüne ~n*** French (*od* string) beans; ***Weiße ~n*** haricot beans; F *fig* ***blaue ~n*** bullets; F ***nicht die ~!*** not a bit!
Bohnen|kaffee *m* (F real) coffee **~stange** *f* beanpole (*a.* F *fig Person*) **~stroh** *n* F ***dumm wie ~*** as thick as a plank
Bohner *m* floor polisher **bohnern** *v/t* polish **Bohnerwachs** *n* floor polish
bohren **I** *v/t* **1.** TECH drill, (*aus~*) bore, (*Tunnel etc*) drive **II** *v/i* **2.** *allg* drill (**nach** for), *mit dem Finger etc*: bore: → ***Nase*** **3.** *fig Schmerz, Reue etc*: gnaw (***in*** *Dat* at) **4.** *fig* (*forschen*) probe, (*nicht lockerlassen*) keep at it (***bis*** until) **III** *v/refl* **5.** ***sich ~ in*** (*Akk*) bore into
bohrend *Adj fig Schmerz etc*: gnawing, *Blick*: piercing, *Fragen*: probing
Bohrer *m* drill
Bohrinsel *f* oil rig **Bohrloch** *n* drill hole **Bohrmaschine** *f* drill(ing machine) **Bohrmeißel** *m*, **Bohrstahl** *m* boring tool **Bohrturm** *m* derrick
Bohrung *f* drilling, (*Loch*) (drill) hole, MOT bore
Bohrversuch *m* trial drilling
böig *Adj* gusty, FLUG bumpy
Boiler *m* water heater, TECH boiler
Boje *f* buoy
Bolivien *n* Bolivia

B

Bollwerk *n a. fig* bulwark
Bolschewismus *m* Bolshevism
Bolzen *m* TECH bolt
bombardieren *v/t* bomb, *a.* PHYS *u. fig* bombard
bombastisch *Adj* bombastic(ally *Adv*)
Bombe *f* **1.** bomb: → ***einschlagen*** 6 **2.** F *Fußball*: rocket
Bomben|alarm *m* bomb alert **~angriff** *m* bomb attack, air raid **~anschlag** *m* **1.** bomb attack **2.** → **~attentat** *n* bomb attempt (***auf j-n*** on s.o.'s life) **~besetzung** *f* F THEAT *etc* star cast **~drohung** *f* bomb threat **~erfolg** *m* F huge success, smash hit **♀fest I** *Adj* bombproof **II** *Adv* F *fig* **~ *überzeugt*** dead sure **~gehalt** *n* F fantastic salary **~geschäft** *n* F roaring business **~sache** *f* F knockout **♀sicher** *Adj* **1.** bombproof **2.** F sure-fire: ***es ist e-e ~e Sache*** it's a dead cert **~stimmung** *f* F ***es herrschte e-e ~*** everybody was in roaring high spirits
Bomber *m* bomber (*a.* F *fig Sport*)
Bomberjacke *f* bomber jacket
bombig *Adj* F great, terrific
Bon *m* voucher, (*Kassen♀*) receipt
Bonbon *m, n* **1.** sweet (*a. Pl*), *Am* candy **2.** F *fig* bonbon
Bond *m* WIRTSCH bond
Bonus *m* WIRTSCH **1.** bonus, premium **2.** special dividend
Bonze *m pej* bigwig
boomen *v/i* boom
Boot *n* boat: **~ *fahren*** go boating; *fig* ***wir sitzen alle im gleichen ~*** we are all in the same boat
booten *v/t u. v/i* IT boot up
Boots|fahrt *f* boat trip **~flüchtlinge** *Pl* boat people *Pl* **~haus** *n* boathouse **~mann** *m* SCHIFF **1.** boatswain **2.** MIL petty officer **~verleih** *m* boat hire
Bord[1] *m* **1.** FLUG, SCHIFF ***an ~*** on board, aboard; ***an ~ gehen*** go aboard, FLUG board the plane; ***an ~ nehmen*** take aboard; ***über ~ gehen*** *a. fig* go by the board; ***über ~ werfen*** *a. fig* throw overboard **2.** (*Rand*) edge
Bord[2] *n* (*Bücher♀*) shelf
Bordbuch *n* SCHIFF logbook
Bordcomputer *m* on-board (MOT *a.* dashboard) computer
Bordell *n* brothel
Bord|funk *m* **a)** ship's radio, **b)** aircraft radio (equipment) **~karte** *f* FLUG boarding pass **~mechaniker(in)** FLUG flight mechanic **~radar** *n* airborne radar **~stein** *m* kerb(stone), *Am* curb(stone) **~verpflegung** *f* in-flight meals *Pl*
Borg *m* ***auf ~*** on credit
borgen *v/t* **1.** borrow: ***sich etw ~*** borrow s.th. **2.** (*leihen*) lend, *bes Am* loan
Borke *f* bark, (*Kruste, a.* MED *Schorf*) crust
borniert *Adj* narrow-minded
Börse *f* **1.** (*Geld♀, a. Boxen*) purse **2.** WIRTSCH (***an*** [***auf***] ***der ~*** on the) stock exchange: ***an die ~ gehen*** *Firma*: go public
Börsen|bericht *m* market report **~blatt** *n* financial (news)paper **♀fähig** *Adj* marketable, listed: ***~e Wertpapiere*** listed securities **~geschäft** *n* stock market transaction **~krach** *m* F (stock exchange) crash **~kurs** *m* market price, quotation **~makler(in)** stockbroker **~notierung** *f* quotation **~spekulant(in)** stock exchange speculator **~zettel** *m* stock list
Borste *f* bristle
borstig *Adj* **1.** bristly **2.** F *fig* gruff
Borte *f* border, (*Besatz♀*) braid, (*Tresse*) galloon
bösartig *Adj* **1.** vicious (*a. Tier*) **2.** MED malignant **Bösartigkeit** *f* **1.** viciousness **2.** MED malignancy
Böschung *f* slope, (*Ufer♀*) embankment
böse I *Adj* **1.** (*schlimm*) bad, (*verrucht*) *a.* evil, wicked, F (*scheußlich*) *a.* nasty: ***e-e ~ Sache*** a bad business **2.** (*bösartig*) vicious, nasty **3.** (*unartig*) naughty, bad **4.** (*zornig*) angry: ***j-m*** (*od* ***auf j-n***) ***~ sein*** be angry (F mad) at s.o., be cross with s.o.; ***~ werden*** get angry; ***bist du mir ~, wenn …?*** would you mind terribly if …? **5.** F MED bad, (*entzündet*) sore: ***e-e ~ Erkältung*** a bad cold; ***ein ~r Finger*** a sore finger **II** *Adv* **6.** badly (*etc*): ***es sieht ~ aus*** things look bad; ***ich habe es nicht ~ gemeint*** I meant no harm **Böse I** *m, f* bad person **II** *n* evil, harm: ***~s im Sinn haben*** be up to no good; ***~s reden über*** (*Akk*) speak ill of
Bösewicht *m a. fig iron* villain
boshaft *Adj* malicious **Bosheit** *f* malice,

(*Bemerkung*) snide remark, (*Tat*) nasty trick: ***aus ~*** out of spite
Bosnien *n* Bosnia **~-Herzegowina** *n* Bosnia-Herzegovina
Bosnier(in), **bosnisch** *Adj* Bosnian
Boss *m* F boss
böswillig *Adj* malicious, JUR *a.* wilful
Böswilligkeit *f* malevolence, JUR wilfulness
Botanik *f* botany **Botaniker(in)** botanist **botanisch** *Adj* botanic(al)
Bote *m* messenger, (*Kurier*) courier
Botengang *m* (***e-n ~ machen*** run an) errand
Botin *f* → ***Bote***
Botschaft *f* **1.** message (*a. fig*), (*Nachricht*) news **2.** POL embassy
Botschafter(in) ambassador
Bottich *m* vat, tub
Bouillon *f* clear soup, consommé
Bouillonwürfel *m* stock cube
Boulevard *m* boulevard **~presse** *f* gutter press **~zeitung** *f* tabloid
Boutique *f* boutique
Bowle *f* punch bowl, (*Getränk*) (cold) punch
Box *f* **1.** (*Pferde*≈) box **2.** *für Rennwagen*: pit **3.** (*Park*≈) parking space **4.** FOTO box camera **5.** (*Lautsprecher*≈) speaker
Boxe *f* → ***Box*** 1
boxen I *v/i* box, *a. weit. S.* fight **II** ≈ *n* boxing **Boxer** *m* (*Hund*) boxer **Boxer(in)** boxer
Boxershorts *Pl* boxer shorts *Pl*
Boxhandschuh *m* boxing glove **Boxkampf** *m* fight, boxing match **Boxring** *m* ring **Boxsport** *m* boxing
Boygroup *f* MUS boy band
Boykott *m*, **boykottieren** *v/t* boycott
brachliegen *v/i* **1.** lie fallow **2.** *fig Talent etc*: go to waste
Brahmane *m*, **brahmanisch** *Adj* Brahman
Branche *f* WIRTSCH **1.** industrial sector, trade **2.** line (of business)
Branchen|kenntnis *f* knowledge of the trade **≈üblich** *Adj* usual in the trade **~verzeichnis** *n* classified directory
Brand *m* **1.** (***in ~*** on) fire: ***in ~ geraten*** catch fire; ***in ~ stecken*** set fire to; F ***e-n ~ haben*** be dying of thirst **2.** BOT blight, mildew **3.** MED gangrene **~anschlag** *m* arson attack **~blase** *f* blister **~bombe** *f* incendiary bomb
branden *v/i a. fig* surge: ***~ gegen*** *a.* break against
Brandenburg *n* Brandenburg
Brand|gefahr *f* fire hazard **~geruch** *m* burnt smell **~herd** *m* **1.** source of (the) fire **2.** *fig* trouble spot
Brandkatastrophe *f* fire disaster
Brandmal *n* **1.** brand **2.** *fig* stigma
brandmarken *v/t a. fig* brand
Brand|mauer *f* fire wall **~schaden** *m* fire damage **~sohle** *f* insole **~stelle** *f* scene of the fire **~stifter(in)** arsonist **~stiftung** *f* arson
Brandung *f* surf, breakers *Pl*
Brand|ursache *f* cause of the fire **~wunde** *f* burn **~zeichen** *n* brand
Branntwein *m* spirits *Pl*
Brasilianer(in), **brasilianisch** *Adj* Brazilian
Brasilien *n* Brazil
Bratapfel *m* baked apple
braten *v/t u. v/i* roast, *auf dem Rost*: grill, broil, barbecue, *in der Pfanne*: fry, *im Ofen*: bake: F (***in der Sonne***) ***~*** roast (in the sun)
Braten *m* roast, (*Keule*) joint: F *fig* ***fetter ~*** fine catch; ***den ~ riechen*** smell a rat **~fett** *n* dripping **~soße** *f* gravy
bratfertig *Adj* oven-ready
Brat|fett *n* cooking fat **~fisch** *m* fried fish **~hering** *m* grilled (and pickled) herring **~huhn** *n* roaster, broiler
Bratkartoffeln *Pl* fried potatoes *Pl*
Bratofen *m* oven **Bratpfanne** *f* frying pan **Bratröhre** *f* oven
Bratsche *f* MUS viola
Bratspieß *m* spit
Bratwurst *f* fried (*od* grilled) sausage
Brauch *m* custom, (*alter ~*) tradition, (*Gewohnheit*) practice, WIRTSCH usage
brauchbar *Adj* usable, (*nützlich*) useful, *Plan etc*: practicable
brauchen I *v/t* **1.** need, (*erfordern*) require, (*bes Zeit*) take: ***wie lange wird er ~?*** how long will it take him?; ***ich brauche drei Tage dazu*** it will take me three days **2.** → **a)** ***gebrauchen***, **b)** ***verbrauchen*** **II** *v/hilf* **3.** need, have to: ***du brauchst es nicht zu tun*** you needn't (*od* you don't have to) do it; ***du brauchst es nur zu sagen!*** just say so!
Braue *f* (eye)brow
brauen *v/t* brew **Brauer(in)** brewer

B

Brauerei *f* brewery
braun *Adj* brown, (*von der Sonne*) *a.* tanned: **~ *werden*** tan, get a tan; **~ *gebrannt*** tanned **Bräune** *f* brownness, (*Sonnen*~) (sun)tan
bräunen I *v/t* brown, *Sonne*: tan **II** *v/i u. v/refl* **sich ~** get brown, *Haut, Person*: *a.* tan, get a tan
Braunkohle *f* brown coal, lignite
bräunlich *Adj* brownish
Bräunungs|creme *f* liquid tan (make-up) **~studio** *n* solarium
Brause *f* **1.** sprinkler, rose **2.** → ***Dusche*** **3.** F pop **Brausebad** *n* shower
Brauselimonade *f* (fizzy) lemonade, *Am* lemon soda
brausen *v/i* **1.** *Wind, Auto etc*: roar, *Brandung, Orgel etc*: surge: **~*der Beifall*** thunderous applause **2.** F (*flitzen*) zoom **3.** → ***duschen***
Brausepulver *n* sherbet powder
Brausewürfel *m* effervescent tablet
Braut *f* bride, (*Verlobte*) fiancée, F (*Freundin*) (*my etc*) girl **Bräutigam** *m* (bride)groom, (*Verlobter*) fiancé
Braut|jungfer *f* bridesmaid **~kleid** *n* wedding dress **~paar** *n* engaged couple, *am Hochzeitstag*: bride and bridegroom **~schau** *f* F ***auf ~ gehen*** look out for a wife **~schleier** *m* bridal veil
brav *Adj* **1.** good, well-behaved: ***sei(d) ~!*** be good!; ***sei (schön) ~ und geh zu Bett!*** go to bed like a good boy (*od* girl)! **2.** honest, good, *a. iron* worthy
bravo *Interj* well done!, bravo!
Bravo(ruf *m*) *n* bravo, *Pl* cheers *Pl*
BRD *f* (= ***Bundesrepublik Deutschland***) FRG
Brechdurchfall *m* MED diarrh(o)ea with vomiting
Brecheisen *n* TECH crowbar
brechen I *v/t* **1.** *allg* break (*a. fig Eid, Rekord, Schweigen, Widerstand, Willen etc*), *fig* (*Gesetz, Vertrag*) *a.* violate, PHYS (*Strahlen*) *a.* refract: ***(sich) den Arm ~*** break one's arm; ***die Ehe ~*** commit adultery **2.** F MED (*er~*) vomit **II** *v/i* **3.** break (*a. fig Stimme, Widerstand etc*) **4. *~ aus*** (*Dat*) burst out of **5.** *fig* ***~ mit*** *j-m, e-r Gewohnheit etc*: break with **6.** F MED be sick, vomit **III** *v/refl* ***sich ~*** **7.** *Wellen*: break, PHYS *Licht etc*: be refracted **Brecher** *m* breaker
Brech|mittel *n* **1.** MED emetic **2.** F *fig* ***ein ~ sein*** *Person*: be a (real) pest, *Sache*: be a dreadful thing **~reiz** *m* MED nausea
Brechstange *f* TECH crowbar
Brechung *f* PHYS refraction **Brechungswinkel** *m* angle of refraction
Brei *m* **1.** mush (*a. fig*), (*Hafer*~) porridge, (*Kinder*~ *etc*) mash, pudding: F ***j-n zu ~ schlagen*** beat s.o. to a pulp; → ***Katze, Koch*** **2.** TECH (*Papier*~) pulp
breiig *Adj* mushy
breit I *Adj* broad (*a. fig Akzent, Lachen etc*), *a.* TECH wide, (*flach*) flat, *fig Interesse etc*: widespread: ***die ~e Öffentlichkeit*** the public at large; ***ein ~es Publikum*** a wide public; → ***Masse*** 4 **II** *Adv* **~ *gefächert*** wide-ranging; ***sich ~ machen*** F *Person*: spread o.s. out, *fig Angst etc*: spread; ***sie haben sich im ganzen Haus ~ gemacht*** they behaved as if they owned the place
Breitband... RADIO, TV broadband ..., wideband ...
Breitbandkabelnetz *n* RADIO, TV broadband (*od* wideband) cable network
breitbeinig *Adj u. Adv* with legs apart
Breite *f* width, breadth (*a. fig*), ASTR, GEOG latitude: ***der ~ nach*** breadthwise; F ***in die ~ gehen*** put on weight
Breiten|grad *m* (degree of) latitude: ***der 30. ~*** the 30th parallel **~kreis** *m* parallel **~sport** *m* mass sport(s *Pl*)
breitschlagen *v/t* F ***j-n ~*** talk s.o. round, ***zu etw*** talk s.o. into (doing) s.th.; ***sich ~ lassen*** give in
breitschult(e)rig *Adj* broad-shouldered
Breitseite *f a. fig* broadside
Breitspur *f* BAHN broad ga(u)ge
breittreten *v/t* F enlarge (up)on (*a subject etc*): ***etw überall ~*** talk about s.th. too much
Breitwandfilm *m* wide-screen film
Bremen *n* Bremen
Bremsbelag *m* MOT brake lining
Bremse[1] *f* ZOOL horsefly
Bremse[2] *f* MOT *etc* brake
bremsen I *v/t* **1.** brake, (*Fall*) cushion **2.** F *fig* check, (*verlangsamen*) slow down **II** *v/i* **3.** brake, apply the brakes **III** *v/refl* ***sich ~*** **4.** F restrain o.s.: ***sich mit etw ~*** cut down on s.th.
Brems|fallschirm *m* brake parachute **~flüssigkeit** *f* brake fluid **~kraftver-**

stärker *m* brake booster **~leuchte** *f*, **~licht** *n* stop light **~pedal** *n* brake pedal **~scheibe** *f* brake disc
Bremsspur *f* skid mark(s *Pl*)
Bremstrommel *f* MOT brake drum
Bremsung *f* braking, PHYS retardation
Bremsvorrichtung *f* brake mechanism
Bremsweg *m* braking distance
brennbar *Adj* combustible **Brennelement** *n* fuel element
brennen **I** *v/t allg* burn, (*Porzellan etc*) *a.* fire, (*Schnaps*) distil(l), (*Kaffee etc*) roast, *fig* (*CD*) *a.* write **II** *v/i* burn (*a. Sonne, Augen, Haut*), *Haus etc*: *a.* be on fire, *fig Wunde, Nessel*: sting, *Pfeffer etc*: be hot, *Licht, Lampe*: be on: ***es brennt!*** fire!; F *fig* ***wo brennt's denn?*** what's wrong?; *fig* ***vor Ungeduld ~*** be burning with impatience; F ***darauf ~ zu*** *Inf* be dying to *Inf*
brennend **I** *Adj* burning (*a. fig Hitze, Frage, Interesse etc*) **II** *Adv* ***es interessiert mich ~*** I'm terribly interested in it, ***ob*** I'm dying to know if
Brenner *m* **1.** (*Schnaps*≈) distiller **2.** TECH (*Schweiß*≈) torch, (*Gas*≈, *Öl*≈) burner
Brennerei *f* distillery
Brenn|holz *n* firewood **~material** *n* fuel **~nessel** *f* BOT (stinging) nettle **~ofen** *m* kiln, METAL furnace **~punkt** *m a. fig* focal point, focus: *fig* ***in den ~ rücken*** focus attention on; ***im ~ des Interesses stehen*** be in the focus of attention **~spiegel** *m* burning mirror **~spiritus** *m* methylated spirit **~stab** *m* KERNPHYSIK fuel rod **~stoff** *m* fuel **~stoffzelle** *f* TECH fuel cell
Brennweite *f* OPT focal distance
brenzlig *Adj* **1.** burnt **2.** F *fig* ticklish
Bresche *f* breach: ***e-e ~ schlagen*** *a. fig* clear the way (***für*** for); *fig* ***in die ~ springen*** step into the breach
Brett *n* board (*a. Spiel*≈), (*Regal*≈) shelf, (*Tablett*) tray, SPORT springboard: ***schwarzes ~*** notice (*Am* bulletin) board; F ***~er*** *Pl* skis *Pl*; F *fig* ***ein ~ vor dem Kopf haben*** be very dense
Brettspiel *n* board game
Brezel *f* pretzel
Brief *m* letter: → ***blau*** **~beschwerer** *m* paperweight **~bogen** *m* sheet of writing paper **~bombe** *f* letter bomb **~freund(in)** pen friend **~geheimnis** *n* privacy of correspondence **~kasten** *m am Haus*: letterbox, *Am* mailbox, *der Post*: postbox, *Am* mailbox, *für Vorschläge etc*: suggestion box, *Zeitung*: Question and Answer Column: ***elektronischer ~*** electronic mailbox; ***toter ~*** *Spionage*: letter drop **~kastenfirma** *f* letter-box company **~kopf** *m* letterhead; → *Info bei* ***official*** *u. bei* ***compliment***
brieflich *Adj u. Adv* in writing, by letter(s)
Briefmarke *f* (postage) stamp
Briefmarken|album *n* stamp album **~automat** *m* stamp machine **~sammler(in)** stamp collector, philatelist **~sammlung** *f* stamp collection
Brief|öffner *m* letter opener, paper knife **~papier** *n* notepaper **~post** *f* mail, post, *Am* first-class mail **~tasche** *f* wallet, *Am* billfold

⚠ Brieftasche ≠ briefcase

Brieftasche	=	wallet, *Am* billfold
briefcase	=	Aktentasche

Brief|taube *f* ZOOL carrier pigeon **~telegramm** *n* letter telegram, *Am* lettergram **~träger(in)** postman (postwoman) **~umschlag** *m* envelope **~waage** *f* letter balance **~wahl** *f* postal vote, absentee voting **~wechsel** *m* correspondence
Bries *n* GASTR sweetbread
Brigade *f* brigade
Brikett *n* briquette
brillant *Adj* brilliant
Brillant *m* diamond
Brille *f* **1.** (***e-e ~*** a pair of) glasses (*od* spectacles) *Pl*, F specs *Pl*, (*Schutz*≈) goggles *Pl* **2.** (*Klosett*≈) toilet seat
Brillen|etui *n* spectacle case **~fassung** *f*, **~gestell** *n* spectacle frame **~glas** *n* lens, glass **~schlange** *f* **1.** ZOOL spectacled cobra **2.** F foureyes *Pl* (*Sg konstr*)
Brillenträger(in) ***~ sein*** wear glasses
bringen *v/t* **1.** (*her~*) bring, (*holen*) get, fetch (*alle*: ***j-m etw*** s.o. s.th.) **2.** (*weg~, hin~*) take ([***zu***] ***j-m*** to s.o.), (*setzen, stellen, legen*) put: ***j-n ins Krankenhaus ~*** take s.o. to the hospital **3.** (*geleiten*)

B

take: ***j-n nach Hause*** (***zur Bahn*** *etc*) ~ see s.o. home (to the station *etc*) **4.** (*verursachen*) cause, (*Gewinn, Glück, Linderung etc*) bring, (*Zinsen*) bear: ***j-n dazu ~, dass er etw tut*** make s.o. do s.th. **5.** (*Film etc*) show, present, THEAT *a.* bring, MUS play, (*Lied*) sing, *Zeitung etc*: bring, have, carry (*an article etc*) **6.** (*leisten*) do, (*erreichen*) manage: ***es zu etw ~*** make one's mark (in life); F ***das bringts!*** that's the stuff!; ***das bringts*** (***auch***) ***nicht!*** that's no use!; ***er bringt es nicht!*** **a**) he just can't do it!, **b**) he's no good!; → ***Leistung*** 1, ***weit*** II **7.** *mit Präp* ***an sich ~*** get hold of; ***er brachte es auf 7 Punkte*** he managed seven points; ***es bis zum Major*** *etc* ~ make it to major *etc*; ***mit sich ~*** involve, (*erfordern*) require, make it necessary; ***ich kann es nicht über mich*** (*od* ***übers Herz***) ~, ***das zu tun*** I can't bring myself to do it; ***j-n um etw ~*** rob s.o. of s.th., (*betrügen*) do s.o. out of s.th.; ***j-n wieder zu sich ~*** bring s.o. round (*od* to); ***j-n zum Lachen*** *etc* ~ make s.o. laugh *etc*; → ***hinter*** I

brisant *Adj* high-explosive, *fig* explosive **Brisanz** *f* explosive effect, *fig* explosiveness

Brise *f* (***steife ~*** strong) breeze

Brite *m* British man, Briton, F Brit: ***die ~n*** *Pl* the British **Britin** *f* British woman **britisch** *Adj* British: ***die ≈en Inseln*** the British Isles

bröck(e)lig *Adj* crumbly

bröckeln *v/t u. v/i* crumble

Brocken *m* **1.** piece, *großer*: hunk, (*Bissen*) morsel, bit, (*Klumpen*) lump: F ***ein ~*** (***von Mann***) a hulk of a man; *fig* ***ein harter ~*** a toughie **2.** *Pl e-r Sprache*: scraps *Pl*, *e-r Unterhaltung*: snatches *Pl*

brodeln *v/i* bubble, simmer, *fig* seethe (***vor*** *Dat* with)

Brokat *m* brocade

Broker *m* WIRTSCH broker

Brokkoli *Pl* broccoli *Sg*

Brom *n* CHEM bromine

Brombeere *f* blackberry

Bromid *n* CHEM bromide

Bromsäure *f* CHEM bromic acid

Bromsilber *n* CHEM bromide of silver

Bronchial|asthma *n* MED bronchial asthma **~katarr(h)** *m* MED bronchial catarrh

bringen	**bring/take**
irgendwohin bringen; vom Standort des Sprechers weg	**take** **He was taken to** (*Am* **to the**) **hospital.** Er wurde ins Krankenhaus gebracht.
herbringen; zum Standort des Sprechers oder Entgegenneh-menden hin	**bring** **Would you bring me another glass of beer, please.** Bringen Sie mir bitte noch ein Glas Bier.
holen, herbringen	**get**, **fetch** **Would you fetch me my shoes from the bedroom, please?** Würdest du mir bitte die Schuhe aus dem Schlafzimmer bringen?

Bronchien *Pl* bronchi *Pl*

Bronchitis *f* MED bronchitis

Bronze *f* bronze **~medaille** *f* bronze medal **~zeit** *f archeol.* Bronze Age

Brosame *f mst Pl fig* crumb

Brosche *f* brooch

broschiert *Adj* paperback

Broschüre *f* pamphlet

Brot *n* bread, (*Laib*) loaf: (***belegtes***) ~ sandwich; *fig* ***das tägliche ~*** one's daily bread; ***sein ~ verdienen*** earn a living **Brotaufstrich** *m* spread

Brötchen *n* roll **~geber(in)** F boss

Brot|getreide *n* breadgrain **~kasten** *m* bread bin, *Am* breadbox **~korb** *m* bread basket: ***j-m den ~ höher hängen*** put s.o. on short commons **~krume** *f*, **~krümel** *m* (bread)crumb

brotlos *Adj fig* jobless, *Tätigkeit*: unprofitable: ***das ist e-e ~e Kunst!*** there is

no money in it!
Brotmesser *n* bread knife **Brotneid** *m* professional jealousy **Brotröster** *m* toaster **Brotschneidemaschine** *f* bread slicer **Brotzeit** *f Dialekt* (break for a) snack
browsen *v/i*: ***im Web browsen*** browse on the web
Browser *m* IT browser
brr *Interj* **1.** (*halt*) whoa! **2.** (*pfui*) ugh!
Bruch *m* **1.** breaking, (*~schaden*) breakage: ***zu ~ gehen*** break, be smashed; ***~ machen*** crash; *ein Auto etc* ***zu ~ fahren*** smash up **2.** *fig* breaking-off, rupture, *des Eides, Friedens etc*: breach, *e-s Gesetzes etc*: violation: ***~ mit der Vergangenheit*** (clean) break with the past; ***in die Brüche gehen*** break up, *Ehe*: *a.* go on the rocks **3.** MED (*Knochen*≈) fracture, (*Eingeweide*≈) rupture, hernia: ***sich e-n ~ heben*** rupture o.s **4.** F (*Schund*) junk **5.** MATHE fraction **~band** *n* MED truss
Bruchbude *f* F ramshackle place, dump, *fig sl* lousy joint
brüchig *Adj* **1.** fragile, (*spröde*) brittle **2.** *fig Stimme*: cracked, *Ehe etc*: shaky
Bruch|landung *f* crash landing **~rechnung** *f* fractions *Pl* **~schaden** *m* breakage **≈sicher** *Adj* breakproof **~stelle** *f* crack, MED point of fracture
Bruchstrich *m* MATHE fraction stroke
Bruchstück *n* fragment (*a. fig*), *Pl fig a.* snatches *Pl* **bruchstückhaft I** *Adj* fragmentary **II** *Adv* in fragments
Bruch|teil *m* fraction: ***im ~ e-r Sekunde*** in a split second **~zahl** *f* fraction
Brücke *f* **1.** bridge (*a.* ELEK, SCHIFF, *Turnen, a. Zahn*≈): ***e-e ~ bauen*** (*od* ***schlagen***) ***über*** (*Akk*) build a bridge across; *fig* ***alle ~n hinter sich abbrechen*** burn one's boats **2.** (*kleiner Teppich*) rug
Brückenkopf *m* bridgehead
Brückenpfeiler *m* bridge pier
Bruder *m* brother (*a.* REL, *Pl* brethren), (*Mönch*) monk, F (*Kerl*) guy: F ***unter Brüdern*** among friends
Bruderkrieg *m* fratricidal war
brüderlich *Adj* brotherly
Brüderlichkeit *f* brotherliness
Brudermord *m*, **Brudermörder(in)** fratricide
Brüderschaft *f* brotherhood: (***mit j-m***) ***~ trinken*** drink the pledge of close friendship
Brühe *f* **1.** *für Suppen etc*: stock, (*Fleisch*≈ *etc*) broth **2.** F *pej* **a)** dirty water, **b)** (*Getränk*) slop, swill, dishwater **3.** F (*Schweiß*) sweat
brühen *v/t* scald
brüh|heiß *Adj* scalding (hot) **~warm** *Adj fig* hot (*news etc*): *Adv* ***j-m etw ~ wieder erzählen*** tell s.th. straightaway to s.o.
Brühwürfel *m* stock cube
brüllen I *v/i u. v/t* roar (*a. fig Geschütz, Motor etc*), *Rind*: bellow, (*muhen*) low, *Kinder*: shout, (*heulen*) howl, bawl: ***vor Lachen ~*** roar with laughter **II** ≈ *n* roar: F ***er*** (***es***) ***ist zum ≈!*** he's (it's) a scream!
Brummbär *m fig* grumbler
brummen *v/i* **1.** *Bär etc*: growl **2.** (*summen*) *a.* ELEK hum: *fig* ***mir brummt der Kopf*** my head is throbbing **3.** *fig Person*: (***über*** *Akk* about) growl, grumble **4.** F *fig im Gefängnis*: do time **Brummer** *m* **1.** (*Fliege*) bluebottle, (*Hummel*) bumblebee **2.** F (***dicker***) **~** → **Brummi** *m* F (*Lastwagen*) truck, *Br a.* lorry, *Br a.* juggernaut **brummig** *Adj* grumpy
Brummkreisel *m* humming top
Brummschädel *m* F headache, (*Kater*) hangover
Brunch *m* brunch
brünett *Adj*, **Brünette** *f* brunette
Brunft *f*, **brunften** *v/i* JAGD rut
Brunftzeit *f* rutting season
Brunnen *m* well, (*Quelle*) spring, (*Spring*≈, *Trink*≈) fountain (*a. fig*), MED (mineral) waters *Pl* **~kresse** *f* BOT watercress **~kur** *f* mineral-water cure
Brunst *f* ZOOL rut, *des Weibchens*: heat, (*~zeit*) rutting season
brünstig *Adj* ZOOL rutting, in heat
brüsk *Adj* brusque
brüskieren *v/t* snub
Brüssel *n* Brussels
Brust *f* **1.** breast, chest, (*Busen*) bosom, *sl* boob(y), breasts *Pl*: *e-m Kind* ***die ~ geben*** breastfeed; *Schwimmen*: ***100 m ~*** 100 m breaststroke; F *fig* ***e-n zur ~ nehmen*** have a quick one; ***sich j-n zur ~ nehmen*** give s.o. hell **2.** → ***Bruststück*** **Brust-an-Brust-Rennen** *n* neck-

B

and-neck race **Brustbein** *n* **1.** ANAT breastbone **2.** *beim Geflügel*: wishbone **Brustbeutel** *m* money bag **Brustbild** *n* head-and-shoulder portrait
brüsten *v/refl* ***sich* ~** boast (***mit*** about)
Brust|fell *n* ANAT pleura **~fellentzündung** *f* MED pleurisy **~kasten** *m*, **~korb** *m* rib cage, chest **~krebs** *m* MED breast cancer **~schwimmen** *n* breaststroke **~stimme** *f* MUS chest voice **~stück** *n* GASTR brisket, *von Lamm, Kalb, Geflügel*: breast **~tasche** *f* breast pocket
Brustton *m fig* ***im ~ der Überzeugung*** with deep conviction
Brüstung *f* parapet, (*Balkon*≈ *etc*) balustrade, (*Fenster*≈) breast
Brustwarze *f* nipple **Brustweite** *f* chest measurement, *e-r Frau*: bust
Brut *f* **1.** (*Brüten*) brooding **2.** (*Junge*) brood, (*Fisch*≈) spawn **3.** F *fig* (*Kinder*) brood, (*Gesindel*) scum
brutal *Adj* brutal **Brutalität** *f* brutality
Brutapparat *m* incubator
brüten I *v/i* brood (*fig* ***über*** *Dat* over), hatch, *Henne*: sit **II** *v/t* → ***Rache*** **brütend** *Adj fig* ***~e Hitze*** sweltering heat
Brüter *m* PHYS ***schneller ~*** fast breeder (reactor)
Brutstätte *f fig* hotbed
brutto *Adj*, **Brutto...** gross (*income, weight, etc*) **Bruttoinlandsprodukt** *n* gross domestic product **Bruttoregistertonne** *f* gross register ton **Bruttosozialprodukt** *n* gross national product
BSE *Abk* (*Rinderwahnsinn*) BSE: ***Verbreitung von ~*** BSE spread; ***ein Tier auf ~ testen*** test an animal for BSE **~-frei** *Adj* BSE-free **~-infiziert** *Adj* BSE-infected **~-Krise** *f* BSE crisis **~-negativ** *Adj* BSE-negative **~-positiv** *Adj* BSE-positive **~-Verdacht** *m* suspicion of BSE
Btx *Abk* = ***Bildschirmtext***
Bub *m Dialekt* boy **Bube** *m Kartenspiel*: jack **Bubi** *m* F *pej* pipsqueak
Buch *n* book (*a.* WIRTSCH), (*Dreh*≈) script: ***~ führen*** keep accounts, do the bookkeeping; ***~ führen über*** (*Akk*) keep a record of; *fig* ***wie er*** **(*es*)** ***im ~e steht*** typical **~besprechung** *f* book review
Buchbinder(in) bookbinder **Buchdruck** *m* printing **Buchdrucker(in)** printer
Buchdruckerei *f* **1.** printing plant, press **2.** (*Gewerbe*) printing
Buche *f* beech (tree)
buchen *v/t* **1.** (*Flug, Reise, Zimmer etc*) book, reserve **2.** WIRTSCH (*ver~*) book: *fig* ***etw als Erfolg ~*** put s.th. down as a success
Bücherei *f* library
Bücher|freund(in) book lover **~gutschein** *m* book token **~narr** *m*, **~närrin** *f* bibliomaniac **~regal** *n* bookshelf **~revision** *f* WIRTSCH audit **~schrank** *m* bookcase **~ständer** *m* bookstand **~stütze** *f* bookend **~wand** *f* wall of bookshelves
Bücherwurm *m hum* bookworm
Buchfink *m* ZOOL chaffinch
Buch|forderungen *Pl* WIRTSCH book claims *Pl* **~führung** *f* WIRTSCH bookkeeping, accountancy: ***doppelte ~*** double-entry bookkeeping **~gemeinschaft** *f* book club **~halter(in)** accountant
Buchhaltung *f* **1.** accounts department **2.** → ***Buchführung***
Buchhandel *m* book trade **Buchhändler(in)** bookseller **Buchhandlung** *f* bookshop, *Am* bookstore
Buchmacher(in) bookmaker
buchmäßig *Adj u. Adv* WIRTSCH according to the books
Buchmesse *f* book fair
Buchprüfer(in) WIRTSCH auditor, accountant
Buchprüfung *f* WIRTSCH audit
Buchsbaum *m* BOT box (tree)
Buchse *f* TECH bush(ing), liner, ELEK socket
Büchse *f* **1.** tin, can, *große*: *a.* box **2.** (*Gewehr*) gun, rifle
Büchsen|bier *n* canned beer **~fleisch** *n* tinned (*od* canned) meat **~milch** *f* tinned (*od* canned) milk
Büchsenöffner *m* tin (*od* can) opener
Buchstabe *m* letter: ***großer*** **(*kleiner*)** **~** capital (small) letter **buchstabengetreu** *Adj* literal **buchstabieren I** *v/t* spell, (*mühsam lesen*) spell out: ***falsch ~*** misspell **II** ≈ *n* spelling
buchstäblich *Adj a. fig* literal
Bucht *f* bay, *kleine*: inlet
Buchumschlag *m* (book) jacket
Buchung *f* **1.** booking, reservation **2.** WIRTSCH booking, (*Posten*) entry

Buchweizen *m* BOT buckwheat
Buckel *m* **1.** hump (*a. fig*), (*buckliger Rücken*) hunchback, (*schlechte Haltung*) stoop: ***e-n ~ machen*** stoop, *Katze*: arch its back **2.** F (*Rücken*) back **3.** F (*Hügel*) hillock
bücken *v/refl* ***sich ~*** bend (down) (***nach etw*** to pick up s.th.)
bucklig *Adj* hunchbacked **Bucklige** *m, f* hunchback
Bückling *m* **1.** GASTR smoked herring **2.** F (*Verbeugung*) bow
buddeln *v/i u. v/t* F dig
Buddhismus *m* Buddhism
Buddhist(in), **buddhistisch** *Adj* Buddhist
Bude *f* **1.** (*Verkaufs*♀) kiosk, (*Markt*♀) stall **2.** (*Hütte*) shack **3.** F (*Zimmer etc*) place, *pej* dump, (*Studenten*♀) digs *Pl*, *Am* pad **4.** F (*Lokal*) *sl* joint: ***Leben in die ~ bringen*** liven things up
Budget *n* budget: ***etw im ~ vorsehen*** budget for s.th.
Büfett *n* **1.** sideboard **2.** (*Schanktisch*) counter, bar **3.** GASTR buffet
Büffel *m* ZOOL buffalo **büffeln** *v/t u. v/i* F swot, cram **Büffler(in)** F swot
Bug *m* **1.** SCHIFF bow, FLUG nose: *fig* ***Schuss vor den ~*** warning shot **2.** ZOOL shoulder (*a.* GASTR)
Bügel *m* **1.** (*Kleider*♀) hanger **2.** (*Steig*♀) stirrup **3.** (*Brillen*♀) ear piece **4.** TECH bow, (*Metall*♀) shackle **~brett** *n* ironing board **~eisen** *n* iron **~falte** *f* crease **♀frei** *Adj* noniron, drip-dry
bügeln *v/t u. v/i* iron, (*Hose etc*) press
Buggy *m* **1.** (*Kinderwagen*) buggy **2.** (*Auto*) beach buggy
bugsieren *v/t* SCHIFF tow, F *fig* steer
buh I *Interj* boo! **II** ♀ *n* boo
buhen *v/i* F boo
buhlen *v/i* ***~ um*** court (*od* woo) *s.o., s.th.*, strive after *s.th.*; ***um j-s Gunst ~*** court s.o.'s favo(u)r
Buhmann *m fig* bogey man
Buhne *f* TECH groyne
Bühne *f* **1.** THEAT stage, *weit. S.* theat/re (*Am* -er): ***hinter der ~*** *a. fig* backstage; F *fig* ***etw über die ~ bringen*** bring s.th. off; ***glatt über die ~ gehen*** go off smoothly; ***von der politischen*** *etc* ***~ abtreten*** quit the political *etc* scene **2.** (*Podium, a.* TECH) platform
Bühnen|anweisung *f* stage direction **~arbeiter(in)** stage hand **~bearbeitung** *f* stage adaptation **~beleuchtung** *f* stage lighting **~bild** *n* (stage) set **~bildner(in)** stage designer **~fassung** *f* stage version **~künstler(in)** stage artist **~laufbahn** *f* stage career **~meister(in)** stage manager **~rechte** *Pl* stage rights *Pl* **♀reif** *Adj* ready for the stage **~stück** *n* (stage) play **~werk** *n* drama
bühnenwirksam *Adj* stageworthy
Buhrufe *Pl* boos *Pl*
Bukett *n* bouquet (*a. des Weins*)
Bulette *f* GASTR meatball
Bulgare *m* Bulgarian **Bulgarien** *n* Bulgaria **Bulgarin** *f*, **bulgarisch** *Adj* Bulgarian
Bulimie *f* bulimia
Bullauge *n* SCHIFF porthole
Bulldogge *f* ZOOL bulldog
Bulle *m* **1.** ZOOL bull (*a.* F *pej Mann*) **2.** F *pej* (*Polizist*) cop, bull: ***die ~n*** *a.* the fuzz
Bullenhitze *f* F scorching heat
Bulletin *n* bulletin
bullig *Adj* **1.** *Person*: bull-like, hefty **2.** F *Hitze*: scorching
Bully *n* **1.** *Hockey*: bully **2.** *Eishockey*: face-off
bum *Interj* bang!
Bumerang *m* boomerang
Bummel *m* (***e-n ~ machen*** go for a) stroll **Bummelant(in)** dawdler, slowcoach, *Am* slowpoke
Bummelei *f* dawdling, (*Faulenzen*) loafing **bumm(e)lig** *Adj* (*langsam*) slow, dawdling **bummeln** *v/i* F **1.** (*schlendern*) (go for a) stroll: ***~ gehen*** go for a stroll, *weit. S.* go on a binge **2.** (*trödeln*) dawdle, (*faulenzen*) loaf
Bummelstreik *m* go-slow
Bummelzug *m* F slow train
bums *Interj* bang! **Bums** *m* bang, crash
bumsen *v/i* **1.** bang, crash **2.** V ***mit j-m*** (*v/t* ***j-n***) ***~*** bang s.o., screw s.o., have it off with s.o. **Bumslokal** *n* F low dive
Bund[1] *n* bundle, *Schlüssel, Radieschen etc*: bunch
Bund[2] *m* **1.** *von Personen*: union, (*Band*) bond: ***~ der Ehe*** union, bond of marriage **2.** (*Pakt*) pact **3.** POL alliance, (*Staaten*♀) federation: ***der ~*** **a)** the Federal Government, **b)** → ***Bundesrepublik***, **c)** F *für* ***Bundeswehr*** **4.** (*Verband*) association, union

B

Bund[3] *m* (*Hosen*≈ *etc*) waistband
Bündel *n* bundle **bündeln** *v/t* bundle up, ELEK bunch, OPT, PHYS focus
bündelweise *Adv* in bundles
Bundes... POL (German) Federal ..., German **~bahn** *f österr., schweiz.* Federal Railway(s *Pl*) **~bürger(in)** German citizen **≈deutsch** *Adj* German **~ebene** *f*: ***auf ~*** on a national level **~gebiet** *n* Federal territory **~genosse** *m*, **~genossin** *f* ally **~gerichtshof** *m* Federal Supreme Court **~kanzler(in)** Chancellor, *schweiz.* head of the Federal Chancellery **~land** *n* (federal) state: ***die alten Bundesländer*** former West Germany, the old Laender; ***die neuen Bundesländer*** former East Germany, the new Laender **~liga** *f* SPORT Bundesliga, Federal league: ***erste (zweite) ~*** First (Second) Division **~minister(in)** (German) Federal minister (***für*** of) **~nachrichtendienst** *m* Federal Intelligence Service **~präsident(in)** President of the German Federal Republic, *österr.* (Federal) President, *schweiz.* President of the Federal Council **~rat** *m* Bundesrat, Upper House (of the Federal Parliament), *schweiz.* Swiss government, Council of Ministers **~regierung** *f* Federal Government **~republik** *f* **(Deutschland)** Federal Republic (of Germany) **~staat** *m* federal state, (*Staatsform*) (con)federation **~straße** *f* Federal road **~tag** *m* Bundestag, Lower House (of the German parliament) **~tagsabgeordnete** *m, f* member of the Bundestag **~tagspräsident(in)** speaker of the Bundestag **~trainer(in)** coach of the (German) national team **~verfassungsgericht** *n* Federal Constitutional Court **~wehr** *f* (German) Armed Forces *Pl*
bundesweit *Adj u. Adv* nationwide
Bundfaltenhose *f* pleated trousers *Pl*
bündig *Adj Stil, Rede*: concise, (*genau*) precise, (*knapp*) curt: → ***kurz*** 4
Bündnis *n* alliance: ***~ für Arbeit*** alliance for jobs **≈frei** *Adj* POL nonaligned **~partner(in)** ally
Bundweite *f* waist (size)
Bungalow *m* bungalow
Bungeejumping *n* bungee jumping
Bunker *m* MIL bunker (*a. Kohlen*≈, *a. Golf*), (*Luftschutz*≈) air-raid shelter
Bunsenbrenner *m* CHEM Bunsen burner
bunt *Adj* **1.** colo(u)rful (*a. fig*), multicolo(u)red, *Glas*: stained, (*gefärbt*) colo(u)red: → ***Hund*** **2.** *fig* (*~gewürfelt*) chequered, *Am* checkered, motley, mixed, (*abwechslungsreich*) varied: ***~er Abend*** evening of entertainment, variety show; F *Adv* ***er treibt es zu ~*** he goes too far; ***es ging ~ zu*** things were pretty lively
Buntdruck *m* **1.** colo(u)r printing **2.** colo(u)r print **Buntstift** *m* crayon
Buntwäsche *f* colo(u)reds *Pl*
Bürde *f a. fig* burden
Burg *f* castle
Bürge *m* JUR guarantor (*a. fig*), *bes Strafrecht*: surety, *weit. S.* (*Referenz*) reference **bürgen** *v/i* ***~ für*** JUR stand surety for, *weit. S.* guarantee, vouch for
Bürger(in) citizen, (*Einwohner*) inhabitant, resident
Bürgerinitiative *f* POL citizens' action group, local pressure group
Bürgerkrieg *m* civil war
bürgerlich *Adj* **1.** middle-class, *pej* bourgeois: ***~e Küche*** home cooking **2.** (*nichtadlig*) untitled **3.** (*staats~*) civil, civic: ***≈es Gesetzbuch*** Civil Code; ***~es Recht*** civil law
Bürgerliche *m, f* commoner
Bürgermeister(in) mayor
bürgernah *ad* people-oriented, grassroots (*politician, politics, etc*)
Bürgerpflicht *f* civic duty
Bürgerrecht *n mst Pl* civil rights *Pl*
Bürgerrechtler(in) civil rights activist
Bürgerrechtsbewegung *f* civil rights movement
Bürgerschaft *f* citizens *Pl*
Bürgersteig *m* pavement, *Am* sidewalk
Bürgertum *n the* middle classes *Pl*
Bürgin *f* → ***Bürge***
Bürgschaft *f* JUR (*Sicherheit*) surety, guarantee (*a. fig*), *im Strafrecht*: bail: ***~ leisten, die ~ übernehmen*** stand surety, *im Strafrecht*: **a)** *Bürge*: go bail, **b)** *Angeklagter*: give bail, **c)** ***für e-n Wechsel*** *etc* guarantee a bill *etc*
Burgund *n* Burgundy
Burgunder(wein) *m* burgundy
Büro *n* (***im ~*** at the) office **~angestellte** *m, f* office employee (*od* worker, clerk) **~arbeit** *f* office work **~automation** *f* of-

fice automation **~bedarf** *m* office supplies *Pl* **~chef(in)** head clerk **~computer** *m* office computer, office PC **~gebäude** *n* office building
Bürohengst *m* F desk jockey
Büroklammer *f* paper clip
Bürokrat(in) bureaucrat **Bürokratie** *f* **1.** bureaucracy **2.** → ***Bürokratismus*** **bürokratisch** *Adj* bureaucratic(ally *Adv*) **Bürokratismus** *m* red tape
Büromaschine *f* office machine
Büromöbel *Pl* office furniture *Sg*
Büropersonal *n* office staff
Bürostunden *Pl*, **Bürozeit** *f* office hours *Pl*
Bursche *m* **1.** (*Junge*) boy, lad **2.** (*Kerl*) fellow, F guy: ***ein übler ~*** a bad egg
Burschenschaft *f* (students') fraternity
burschikos *Adj* tomboyish, (*unbekümmert*) casual
Bürste *f* brush (*a.* ELEK, TECH) **bürsten** *v/t* brush: ***sich die Haare ~*** brush one's hair **Bürstenschnitt** *m* crew cut
Bürzel *m* ZOOL rump, GASTR parson's nose
Bus *m* (*a.* IT) bus, (*Reise*≈) coach: ***mit dem ~ fahren*** go by bus
Busbahnhof *m* bus terminal
Busch *m* **1.** bush (*a. Urwald*), (*Strauch*) shrub, (*Gehölz*) copse, thicket: F *fig* ***bei j-m auf den ~ klopfen*** sound s.o.; ***hinterm ~ halten mit*** be quiet about; ***etw ist im ~!*** there's s.th. going on! **2.** (*großer Strauß*) bunch
Büschel *n* **1.** bunch, (*Haar*≈) tuft, wisp, (*Blüten*≈ *etc*) cluster **2.** PHYS pencil, brush
buschig *Adj* bushy (*a. Haar*)
Buschwindröschen *n* wood anemone
Busen *m* breast(s *Pl*), bust, bosom (*a. fig*) **Busenfreund(in)** bosom friend
Busfahrer(in) bus driver
Busfahrt *f* bus ride, (*Reise*) coach tour
Bushaltestelle *f* bus stop **Buslinie** *f* bus route: ***die ~ 8*** (bus) number 8
Bussard *m* ZOOL buzzard
Buße *f* **1.** penance, (*Sühne*) atonement: ***~ tun*** → ***büßen*** **2.** JUR (*Strafe*) penalty, (*Geld*≈) fine: ***zu e-r ~ von 100 Euro verurteilt werden*** be fined 100 euros
büßen *v/t u. v/i* (*Buße tun*) do penance: ***~ für*** atone for, *fig* pay (*od* suffer) for; ***das sollst du mir ~!*** you'll pay for that!
Büßer(in) penitent
busserln *v/t österr.* kiss
Bußgeld *n* fine **~bescheid** *m* notice of fine due **~katalog** *m* list of fines
Busspur *f* bus lane
Buß- und Bettag *m* Day of Prayer and Repentance
Büste *f* bust
Büstenhalter *m* brassière, F bra
Butan *n* CHEM butane
Butt *m* (*Fisch*) flounder
Bütte *f* tub, vat
Büttenpapier *n* handmade paper
Büttenrede *f* carnival speech
Butter *f* butter: F ***alles in ~!*** everything's okay! **~berg** *m* F *fig* butter mountain **~blume** *f* BOT buttercup **~brot** *n* (slice of) bread and butter: F ***für ein ~*** **a)** (*bekommen*) for a song, **b)** (*arbeiten*) for peanuts **~brotpapier** *n* greaseproof paper **~creme** *f* GASTR butter cream **~dose** *f* butter dish **~messer** *n* butter knife **~milch** *f* buttermilk
buttern I *v/t* **1.** (spread with) butter **2.** F ***Geld in etw ~*** sink money into s.th. **II** *v/i* **3.** make butter
butterweich *Adj a.* F *fig* very soft
Butzenscheibe *f* bull's-eye (pane)
Bypass *m* MED bypass
Byte *n* IT byte
bzw. *Abk* = ***beziehungsweise***

C

C, c *n a.* MUS C, c
Cabrio(let) *n* MOT convertible, *bes Am a.* cabriolet
Cadmium *n* CHEM cadmium
Café *n* café
Cafeteria *f* cafeteria
Callboy *m* male prostitute
Callgirl *n* call girl
Call-Center *n* call cent/er (*Br a.* -re)
campen *v/i* camp

C

Camper(in) camper
Camping|ausrüstung *f* camping gear **~bus** *m* camper, *Am* RV **~führer** *m* camping guide **~platz** *m* camping site, campsite **~tisch** *m* folding table
Campus *m* campus
canceln *v/t* (*Flug etc*) cancel
Cape *n* cape
Car|port *m* carport **~-Sharing** *n* car sharing
Cashewnuss *f* BOT cashew (nut)
Cäsium *n* CHEM c(a)esium
Casting *n* FILM, TV (*Rollenbesetzung*) casting
Catcher(in) all-in wrestler
CB-Funk *m* CB (= citizens' band) radio
CD *f* IT CD **CD-Brenner** *m* CD burner, CD writer **CD-Player** *m* CD player **CD-ROM** *f* CD-ROM **CD-ROM-Laufwerk** *n* CD-ROM drive **CD-Spieler** *m* CD player
C-Dur *n* MUS C major
Cellist(in) cellist **Cello** *n* cello
Celsius *n* celsius: ***20 Grad ~*** *a.* 20 degrees centigrade
Cembalo *n* harpsichord
Cent *m* cent (*auch Eurocent*)
Chalet *n* chalet
Chamäleon *n* ZOOL *u. fig* chameleon
Champagner *m* champagne
Champignon *m* (button) mushroom
Chance *f* chance, *Pl* (*Aussichten*) *a.* prospects *Pl*: ***k-e ~, nicht die geringste ~*** not a chance; ***bei j-m ~n haben*** stand a chance with s.o. **Chancengleichheit** *f* equal opportunities *Pl*
Chanson *n* chanson
Chaos *n* chaos **Chaot(in)** F chaotic person, POL violent anarchist, *weit. S.* yob **chaotisch** *Adj* chaotic(ally *Adv*)
Charakter *m allg* character, *e-r Sache*: *a.* nature: *Gespräche etc* ***vertraulichen ~s*** of a confidential nature **~darsteller(in)** THEAT character actor (actress)
Charaktereigenschaft *f* trait
Charakterfehler *m* weakness, flaw
charakterfest *Adj* of strong character
charakterisieren *v/t* **1.** (*kennzeichnen*) characterize, mark **2.** (*beschreiben*) describe (***als*** as) **Charakterisierung** *f* **1.** characterization **2.** (*Beschreibung*) description **Charakteristik** *f* **1.** characterization **2.** MATHE, TECH characteristic **charakteristisch** *Adj* (***für*** of) characteristic, typical **charakterlich I** *Adj* of (one's) character, moral **II** *Adv* in character **charakterlos** *Adj* **1.** unprincipled, weak **2.** (*nichtssagend*) colo(u)rless **Charakterlosigkeit** *f* lack of character
Charakter|rolle *f* THEAT character part **~schwäche** *f* weakness (of character) **~stärke** *f* strength (of character) **&voll** *Adj* full of character, *Gesicht etc*: *a.* striking **~zug** *m* trait
Charge *f* **1.** THEAT supporting part **2.** METAL charge
Charisma *n* charisma **charismatisch** *Adj* charismatic(ally *Adv*)
charmant *Adj* charming
Charme *m* (***s-n ~ spielen lassen*** turn on the old) charm
Charta *f* POL charter
Charter *m* charter **~flug** *m* charter flight **~maschine** *f* charter plane
chartern *v/t* charter
Chassis *n* chassis
Chat *m* *Internet*: chat **~raum** *m* chat room **chatten** *v/i* chat
Chauffeur(in) driver, chauffeur
Chauvi *m* F male chauvinist (pig)
Chauvinismus *m* (***männlicher ~*** male) chauvinism **Chauvinist(in)** **1.** chauvinist **2.** → ***Chauvi***
chauvinistisch *Adj* chauvinistic
checken *v/t* check
Checkliste *f* check list
Chef *m* **1.** head, F boss **2.** (*Küchen&*) chef **~arzt** *m*, **~ärztin** *f* senior consultant **~etage** *f* (***in der ~*** on the) executive floor **~ideologe** *m*, **~ideologin** *f* chief ideologue
Chefin *f* **1.** → ***Chef*** **2.** F the boss's wife

Chef

Obwohl man besonders in den USA das Wort **chief** (neben dem sehr geläufigen **boss**) salopp für einen Vorgesetzten, Abteilungsleiter bzw. Firmenchef verwendet, sollte man als „Nicht-Muttersprachler" den Gebrauch dieses Wortes im Sinne von „Chef" vermeiden, denn **chief** bezeichnet in erster Linie einen „Häuptling" (bei den Indianern *etc*). Nur in bestimmten Amtstiteln ist das Wort üblich, z. B. **Chief of Police** (Polizeipräsident), **Chief of Staff** (Generalstabschef). Ansonsten sollte man **boss** verwenden.

Chefredakteur(in) editor in chief
Chefsekretär(in) executive (*od* personal) assistant, *Am* executive (*od* private) secretary
Chemie *f* chemistry **Chemiefaser** *f* synthetic fibre (*Am* fiber) **Chemieindustrie** *f* chemicals industry
Chemikalien *Pl* chemicals *Pl*
Chemiker(in) (analytical) chemist
chemisch *Adj* chemical: ***~e Reinigung*** dry cleaning; *Adv* ***etw ~ reinigen lassen*** have s.th. dry-cleaned
Chemotechniker(in) laboratory technician
Chemotherapie *f* MED chemotherapy
Chester(käse) *m* Cheshire (cheese)
Chicorée *m* BOT chicory
Chiffre *f* cipher, code, *e-r Anzeige*: box number **~anzeige** *f* box-number advertisement **~nummer** *f* box number
chiffrieren *v/t* (en)code
Chile *n* Chile
Chilene *m*, **Chilenin** *f*, **chilenisch** *Adj* Chilean
chillen *v/i* (*entspannen*) chill (out)
China *n* China
Chinakohl *m* Chinese leaves *Pl*
Chinese *m*, **Chinesin** *f*, **chinesisch** *Adj* Chinese
Chinin *n* quinine
Chintz *m* chintz
Chip *m* **1.** *a.* IT chip **2.** *Pl* GASTR crisps, *Am* potato chips *Pl*

⚠ Chips	≠	*Br* chips
Chips	=	crisps, *Am* potato chips
Br chips	=	Pommes frites

Chipkarte *f* chip card, smart card
Chirurg(in) surgeon **Chirurgie** *f* surgery **chirurgisch** *Adj* surgical
Chlor *n* CHEM chlorine **~gas** *n* chloric gas
Chlorid *n* CHEM chloride
Chloroform *n* MED chloroform
Chlorophyll *n* BOT chlorophyll
Choke *m* MOT choke
Cholera *f* MED cholera
cholerisch *Adj* choleric
Cholesterin *n* MED cholesterol **Cholesterinspiegel** *m* MED cholesterol level
Chor *m* choir (*a.* ARCHI), (*~gesang*) chorus (*a.* THEAT): *fig* ***im ~*** in chorus
Choral *m* hymn, chorale
Choreograph(in) choreographer
Choreographie *f* choreography
Chor|gesang *m* choral singing (*od* music) **~gestühl** *n* (choir) stalls *Pl* **~knabe** *m* choirboy **~sänger(in)** chorister
Christ... → ***Weihnachts...***
Christ(in) Christian **Christenheit** *f* Christendom **Christentum** *n* Christianity **Christkind** *n* **1.** infant Jesus **2.** F Father Christmas, Santa Claus
christlich *Adj* (*Adv* like a) Christian
Chrom *n* chromium, METAL *a.* chrome
chromatisch *Adj* MUS chromatic
Chromosom *n* chromosome
Chronik *f* chronicle
chronisch *Adj* MED *u.* *fig* chronic(ally *Adv*)
Chronist(in) chronicler
Chronologie *f* chronology
chronologisch *Adj* chronological
circa *Adv* about, approximately
City *f* city (*od* town) centre, *Am* downtown

⚠ City	≠	city
City	=	city centre, *Am* downtown
city	=	(Groß)Stadt
the City	=	*die* Londoner City (= Bankenviertel)

Clique *f* clique, F crowd
Clou *m* high spot, (*Höhepunkt*) climax, (*Pointe*) point
Clown *m* clown (*a.* *fig*)
Cockpit *n* cockpit, FLUG *a.* flight deck
Cocktail *m* cocktail **~kleid** *n* cocktail dress **~party** *f* cocktail party **~tomate** *f* cocktail tomato
Code *m* code **codieren** *v/t* (en)code
Codierung *f* (en)coding
Cola *f* Coke®

Computer *m* computer **Computerarbeitsplatz** *m* work station **computergesteuert** *Adj* computer-controlled **computergestützt** *Adj* computerized, computer-controlled **Computergrafik** *f* computer graphics *Pl*

Rund um den Computer

abbrechen	**abort, cancel**
abspeichern	**save**
abstürzen	**crash**
anklicken	**click (on)**
Ausdruck	**printout**
Befehl	**command**
Bildschirm	**monitor, screen**
Bildschirmschoner	**screen saver**
booten	**boot up**
CD-ROM	**CD-ROM**
CD-ROM-Laufwerk	**CD-ROM drive**
Datei	**file**
Diskette	**diskette, floppy (disk)**
Diskettenlaufwerk	**disk drive**
Drucker	**printer**
entfernen	**delete**
Fenster	**window**
Festplatte	**hard disk**
formatieren	**format**
Laufwerk	**drive**
Lautsprecher	**speaker**
Maus	**mouse**
Mauspad	**mouse mat, mousepad**
Menüleiste	**menu bar**
Modem	**modem**
Ordner	**folder**
Pfad	**path**
Schnittstelle	**interface**
Sicherungskopie	**backup (copy)**
Softwarepaket	**software package**
Sonderzeichen	**symbol**
Soundkarte	**sound card**
Speicher	**memory**
speichern	**save (auf to)**
Statuszeile	**status bar**
Symbolleiste	**toolbar**
Tastatur	**keyboard**
Treiber	**driver**
Zeichen	**character**
Zwischenablage	**clipboard**

computerisieren *v/t* computerize
Computer|programm *n* computer program **~spiel** *n* computer game **~tomographie** *f* computer(ized axial) tomography **²unterstützt** *Adj* computer-aided, computer-assisted **~virus** *m* computer virus
Container *m* container
Containerschiff *n* container ship
Contergankind *n* F thalidomide child
cool *Adj sl* (*gefasst*) cool, laid-back: **~ *bleiben*** stay cool
Cookie *n* IT cookie
Cooldown *n* SPORT cool-down
Copyshop *m* copy shop
Couch *f* couch **~garnitur** *f* three-piece suite **~tisch** *m* coffee table
Coup *m* coup
Coupé *n* MOT coupé
Coupon *m* coupon, *im Scheckbuch*: counterfoil
Courage *f* F courage, pluck
couragiert *Adj* F courageous, plucky
Courtage *f* WIRTSCH commission, broker's fee
Cousin *m* (male) cousin; → ***Kusine***
Crashkurs *m* crash course
Creme *f* cream, GASTR crème **²farben** *Adj* cream-colo(u)red **~speise** *f* crème
Cremetorte *f* cream gateau
Creutzfeldt-Jakob-Krankheit *f* MED Creutzfeldt-Jakob disease, CJD
Cup *m* SPORT cup
Cupfinale *n* cup final
Curry *n* **1.** curry **2.** curry powder **~wurst** *f* curried (*od* grilled) sausage
Cursor *m* COMPUTER cursor
Cutter(in) FILM *etc* editor, cutter
Cyber|café *n* IT cybercafé **~freak** *m* IT cyberfreak **~geld** *n* IT cybermoney **~space** *m* IT cyberspace

D

D, d *n* D, d, MUS D

da I *Adv* **1.** (*dort*) there, (*hier*) here: ***der (die, das) … ~*** that … (there); ***~ und dort*** here and there; ***er ist ~*** he's here, he has arrived; ***~ kommt sie*** here she comes; ***~ liegt die Schwierigkeit*** that's the difficulty; ***~ (hast du)!*** there you are!; ***~ sein*** **a)** be there, (*existieren*) exist, (*anweisend sein*) be present; ***bist du noch ~?*** are you still here?; ***ist noch Brot ~?*** is there any bread left?; ***ich bin gleich wieder ~!*** I'll be right back!; ***ist j-d ~ gewesen?*** has anyone been?; *fig* ***noch nie ~ gewesen*** unprecedented, unheard-of, **b)** F ***(voll) ~ sein*** *geistig*: be all there, (*in Form sein*) be in great shape, (*bei Bewusstsein*) be conscious **2.** *zeitlich*: then, at that time: ***~ erst*** only then; ***hier und ~*** now and then **3. *sieh ~!*** look (at that)!; ***~ haben wirs!*** there (you are)!; ***nichts ~!*** nothing doing! **4.** (*in diesem Falle*) there, here, in that case: ***~ bin ich Ihrer Meinung*** I do agree with you there (*od* here); ***was kann man ~ machen?*** what's to be done?; ***was gibts denn ~ zu lachen?*** what's so funny about it?; ***und ~ zögerst du noch?*** and you still hesitate? **II** *Konj* **5.** as, since, because

dabei I *Adv* **1.** (*in der Nähe*) near, near by, close by: ***ein Brief war nicht ~*** there was no letter (with it) **2. *~ sein,*** *etw* ***zu tun*** be about to do, be on the point of doing **3.** (*gleichzeitig*) at the same time: ***sie strickte und hörte Radio ~*** while knitting she listened to the radio **4.** (*außerdem*) as well, into the bargain **5.** (*obwohl*) yet, nevertheless **6.** (*bei diesem Anlass*) on the occasion, (*dadurch*) as a result: ***~ gab es Streit*** this led to a quarrel; ***alle ~ entstehenden Kosten*** all costs incurred; ***es kommt nichts ~ heraus*** nothing will come of it **7.** (*anwesend*) present, there; ***~ sein*** be present, be there, take part, (*mit ansehen*) be a witness: *fig* ***ich bin ~!*** count me in; → ***bleiben*** 3 **8. *ich dachte mir nichts ~*** *bei eigenen Worten etc*: I meant no harm, *bei Worten etc anderer*: I paid no particular attention to it; ***es ist nichts ~!*** (*es ist leicht*) there's nothing to it!, (*es ist harmlos*) there's no harm in it!; ***was ist schon ~?*** what of it?; ***lassen wir es ~!*** let's leave it at that!; ***was soll ich ~ tun?*** where do I come into the picture? **II** *Konj* **9.** but, (and) yet

dabeibleiben *v/i* stay (*od* remain) with it, them *etc*; → *a.* ***bleiben*** 3

dabeihaben *v/t* F have *s.o., s.th.* there: ***ich habe kein Geld dabei*** I have no money on me

dabeistehen *v/i* stand by

dableiben *v/i* remain, stay

Dach *n allg* roof, MOT *a.* top, *fig a.* shelter: ***unter ~ und Fach bringen*** **a)** shelter, **b)** *fig* complete; F *fig* ***eins aufs ~ kriegen*** get it in the neck

Dach|boden *m* loft **~decker(in)** *m* roofer **~fenster** *n* dormer (window) **~first** *m* ridge (of a roof) **~garten** *m* roof garden **~gepäckträger** *m* MOT roof rack **~geschoss** *n* attic stor(e)y, loft **~gesellschaft** *f* WIRTSCH holding company **~kammer** *f* attic, garret **~luke** *f* skylight **~pappe** *f* roofing (felt) **~rinne** *f* gutter, eaves *Pl*

Dachs *m* ZOOL badger

Dach|stuhl *m* roof truss, *aus Holz*: timbering **~terrasse** *f* roof terrace **~verband** *m* WIRTSCH umbrella organization **~wohnung** *f* attic flat **~ziegel** *m* (roofing) tile

Dackel *m* ZOOL dachshund

dadurch I *Adv* **1.** *örtlich*: through it (*od* there), that way **2.** (*auf diese Weise*) by it, (*deswegen*) because of that: ***alle ~ verursachten Schäden*** all damages caused thereby; ***sie verschlief und kam ~ zu spät*** she overslept, and so (*od* that's why) she was late **II** *Konj* **3. *~, dass es regnete*** because of (*od* owing to) the rain **4. *~, dass ich weniger trinke*** by drinking less

dafür I *Adv* **1.** for it (them, this, *etc*) **2.** (*stattdessen*) in return (for it), instead (of it) **3. *~ sein*** be for it, be in favo(u)r of it; ***ich bin ~ zu bleiben*** I'm for staying; ***ich bin sehr ~!*** I'm all for it!; PARL

die Mehrheit ist ~ the ayes have it; → ***sprechen*** I **4.** F ***ich kann nichts ~*** it's not my fault **5.** ***~ wirst du ja bezahlt*** that's what you are paid for **II** *Konj* **6.** ***er wurde ~ bestraft, dass er gelogen hatte*** he was punished for lying **7.** ***~ sorgen, dass*** see to it that **8.** (*als Ausgleich*) but (then): ***sie arbeiten langsam, ~ aber sorgfältig*** they are slow but diligent **Dafürhalten** *n* ***nach m-m*** *etc* ***~*** in my *etc* opinion, as I *etc* see it

dagegen I *Adv* **1.** *allg* against it (*od* that): ***~ hilft Wärme*** warmth is good for it; ***~ hilft nichts*** there is no remedy (for it), *weit. S.* it can't be helped; ***~ sein*** be against (*od* opposed to) it; ***ich bin ~, dass du allein gehst*** I'm against you(r) going alone; ***haben Sie etw ~, wenn ich rauche?*** do you mind if I smoke (*od* my smoking)?; ***ich habe nichts ~*** I don't mind **2.** (*verglichen mit*) by (*od* in) comparison, compared with **3.** (*im Austausch*) in exchange (for it) **II** *Konj* **4.** (*jedoch*) but, however, on the other hand, (*während*) whereas, while

dagegen|halten → ***einwenden*** **~sprechen** *v/i fig* speak against it **~stellen** *v/refl* ***sich ~*** *fig* oppose it

daheim *Dialekt* **I** *Adv* at home, (*in der Heimat*) back home **II** ☊ *n* home

daher I *Adv* **1.** from there **2.** *a.* ***von ~*** (*deshalb*) therefore; ***~ kommt es, dass*** that's why (*od* how); ***~ ihr Misstrauen*** hence her suspicion **II** *Konj* **3.** *a.* ***von ~*** (*deshalb*) that's why, (and) so

dahergelaufen *Adj* F *pej* ***jeder ~e Kerl*** any guy who happens along

dahin I *Adv* **1.** there: ***auf dem Weg ~*** on the way there; ***ist es noch weit bis ~?*** is it much farther? **2.** *zeitlich*: ***bis ~*** **a)** until then, till then, **b)** by then; ***bis ~ bin ich fertig*** I'll be finished by then **3.** ***~ gehend, dass*** to the effect that; ***sich ~ gehend äußern*** (***einigen***)***, dass*** say (agree) that **4.** ***es ~*** (*soweit*) ***bringen, dass*** bring matters to the stage where; ***j-n ~ bringen, dass*** bring s.o. to the point of *Ger* **II** *Adj* **5.** gone, lost

dahingehen *v/i* pass

dahingestellt *Adj* ***etw ~ sein lassen*** leave it open as to whether; ***das bleibt ~*** that remains to be seen

dahinten *Adv* back there

dahinter *Adv* behind it *etc*, at the back (of him *etc*), *Am* back of him *etc*: *fig* ***es ist nichts ~*** there's nothing behind it; F ***sich ~ klemmen*** buckle down (to it); F ***~ kommen*** find out (about it); *fig* ***~ stecken*** be behind it, be at the bottom of it: ***es steckt mehr ~*** there's more to it than meets the eye

dahin|vegetieren *v/i* vegetate **~ziehen** *v/i* move (*Wolken*: drift) along

Dahlie *f* BOT dahlia

dalassen *v/t* F leave

daliegen *v/i* lie (there)

dalli *Adv* F ***~, ~!, mach ~!*** get a move on!

Dalmatiner *m* ZOOL Dalmatian

damalig *Adj* then, *nachgestellt*: at that time: ***in der ~en Zeit*** → **damals** *Adv* then, in those days: ***die Leute*** (***von***) ***~*** the people of that time

Damast *m* damask

Dame *f* **1.** lady, *beim Tanzen*: partner: ***~ des Hauses*** hostess; ***m-e ~n und Herren!*** ladies and gentlemen! **2. a)** (*~spiel*) draughts (*Am* checkers) *Sg*, **b)** (*~stein*) king, **c)** *Schach etc*: queen

Damebrett *n* draughtboard, *Am* checkerboard

Damen|binde *f* sanitary towel (*Am* napkin) **~doppel**(**spiel**) *n Tennis*: *the* women's doubles *Pl* **~einzel**(**spiel**) *n Tennis*: *the* women's singles *Pl* **~fahrrad** *n* lady's bicycle **~friseur**(**in**) ladies' hairdresser **~fußball** *m* women's football (*od* soccer)

damenhaft *Adj* ladylike

Damen|konfektion *f* ladies' ready-made (*Am* ready-to-wear) clothing **~mannschaft** *f* SPORT women's team **~schneider**(**in**) dressmaker **~toilette** *f* ladies' toilet (*Am* restroom) **~unterwäsche** *f* ladies' underwear, *feine*: lingerie **~wahl** *f* ladies' choice

Damespiel *n* → ***Dame*** 2 a

damit I *Adv* with it (*od* them, *betont*: that, those), (*mittels*) by it, with it: ***ich bin ~ fertig*** I've finished with it; ***was willst du ~?*** what do you want it for?; ***was soll ich ~?*** what am I supposed to do with it?; ***was willst du ~ sagen?*** what are you trying to say?; ***~ ist der Fall erledigt*** so much for that; F ***~ ist es nichts!*** it's no go! **II** *Konj* so that: ***~ nichts passiert*** lest anything

should happen; ***ich bringe es mit, ~ du es dir ansehen kannst*** I'll bring it (here) for you to look at
dämlich *Adj* F stupid, silly
Damm *m* **1.** bank, (*Deich*) dike, (*Stau*≗) dam, (*Bahn*≗) embankment, (*Fahr*≗) roadway: F *fig* ***ich bin nicht auf dem ~*** I don't feel well; ***sie ist wieder auf dem ~*** she's fit again **2.** ANAT perineum
dämm(e)rig *Adj* dusky, *Beleuchtung*: faint, dim **Dämmerlicht** *n* twilight
dämmern I *v/unpers* ***es dämmert*** **a)** *morgens*: it is getting light (*abends*: dark), **b)** F *fig* (***bei***) ***j-m*** it's beginning to dawn on s.o. **II** *v/i* ***vor sich hin ~*** doze, be half asleep **Dämmerung** *f* (*Morgen*≗) dawn, (*Abend*≗) dusk, (*a. Halbdunkel*) twilight: ***in der ~*** **a)** at dawn, **b)** at dusk, at nightfall
Dämmung *f* TECH insulation
Dämon *m* demon
dämonisch *Adj* demoniac(al)
Dampf *m* (*Wasser*≗) steam, (*Dunst*) vapo(u)r, *aggressiver*: fume: F *fig* ***~ ablassen*** let off steam; ***~ dahinter machen*** put on steam; ***j-m ~ machen*** make s.o. get a move on **~bad** *n* steam bath **~bügeleisen** *n* steam iron
dampfen *v/i* steam
dämpfen *v/t* **1.** GASTR, TECH steam **2.** (*Schall*) deaden, silence, (*Stimme*) lower, (*Ton*) muffle, (*Trompete etc*) mute, (*Stoß etc*) cushion, absorb, (*Farbe, Licht etc*) soften: → ***gedämpft*** **3.** *fig* (*mäßigen*) restrain, (*Gefühle*) subdue, (*Stimmung*) put a damper on
Dampfer *m* steamer
Dämpfer *m allg* damper (*a. fig*), MUS *a.* mute: F *fig* ***e-n ~ bekommen*** be damp(en)ed; (*Dat*) ***e-n ~ aufsetzen*** put a damper on
Dampf|kessel *m* steam boiler **~kochtopf** *m* pressure cooker **~maschine** *f* steam engine **~reiniger** *m* steam cleaner **~schiff** *n* steamship **~walze** *f a. fig* steamroller
Damwild *n* ZOOL fallow deer
danach *Adv* **1.** *zeitlich*: after (that), afterward(s), (*später*) later on: ***bald ~*** soon after **2.** *Reihenfolge*: then, next, behind (*od* after) him *etc* **3.** (*gemäß*) according to it, (*entsprechend*) accordingly: F *das Essen war billig*, ***aber es war auch ~*** but it tasted like it, too; ***mir ist nicht ~*** I don't feel like it **4.** ***~ fragen*** ask for it; ***sich ~ sehnen zu*** *Inf* long to *Inf*; ***sich ~ erkundigen*** inquire about it
Däne *m* Dane
daneben *Adv* **1.** beside (*od* next to) it (*od* them): ***im Haus ~*** next door **2.** *a. Konj* (*außerdem*) besides, (*gleichzeitig*) at the same time **3.** (*im Vergleich*) beside it (*od* them *etc*), in comparison **4.** (*vorbei*) off the mark: ***~!*** missed!
daneben|benehmen *v/refl* ***sich ~*** F behave badly **~gehen** *v/i* **1.** *Schuss etc*: miss **2.** F *fig* misfire, go wrong **~greifen** *v/i* **1.** MUS strike a wrong (*fig* false) note **2.** *beim Fangen*: miss **3.** F *fig bei e-r Prognose etc*: be wide of the mark
daneben|schießen, **~treffen** *v/i* miss
Dänemark *n* Denmark
Dänin *f* Dane **dänisch** *Adj* Danish
dank *Präp* (*Gen*, *Dat*) *a. iron* thanks to
Dank *m* thanks *Pl*, (*~barkeit*) gratitude, (*Lohn*) reward: ***vielen*** (*od* ***herzlichen, besten, schönen***) ***~!*** many thanks!, thank you very much!; ***als ~, zum ~*** by way of thanks; ***j-m s-n ~ abstatten*** extend (*od* express) one's thanks to s.o.; ***j-m ~ schulden*** owe s.o. a debt of gratitude; ***das ist der*** (***ganze***) ***~!*** that's gratitude for you!; → ***Gott***
dankbar *Adj* **1.** grateful (***j-m für etw*** to s.o. for s.th.), *Publikum*: appreciative: ***ich wäre Ihnen ~, wenn Sie kämen*** I'd be much obliged if you came **2.** (*lohnend*) rewarding **3.** F *fig Material etc*: hard-wearing **Dankbarkeit** *f* (***aus ~*** out of) gratitude (***für*** for)
danken I *v/i* **1.** thank (***j-m für etw*** s.o. for s.th.): ***danke*** (***schön***)***!*** (many) thanks!, thank you (very much)!; (***nein***) ***danke!*** no, thank you!, no, thanks!; ***nichts zu ~*** you are welcome; ***wie kann ich Ihnen nur ~?*** how can I begin to thank you?; F ***na, ich danke!*** thank you for nothing! **2.** (*ablehnen*) decline **II** *v/t* **3.** ***j-m etw ~*** reward s.o. for s.th. **4.** → ***verdanken***
dankenswerterweise *Adv* **1.** kindly **2.** *fig* commendably
Dankesbrief *m* thank-you letter
Dankeschön *n* thank-you
Dankesworte *Pl* words *Pl* of thanks
Dankgebet *n* thanksgiving (prayer)
Dankschreiben *n* letter of thanks
dann I *Adv* **1.** then, after that: ***~ und***

D

wann every now and then; ***was passierte ~?*** what happened next?; F ***bis ~!*** see you (later)! **2.** (*in diesem Fall*) then, in that case **II** *Konj* **3.** F (well) then, so: ***~ eben nicht!*** all right, forget it!

daran *Adv* **1.** at (*od* on, in, to) it (*od* that): ***es waren k-e Knöpfe ~*** there were no buttons on it; ***halt dich ~ fest!*** hold on to it!; ***nahe ~*** close to it; *fig ich habe ihn nicht geschlagen,* ***aber ich war nahe ~*** but I nearly did; → ***nahe*** II **2.** ***~ anschließend, im Anschluss ~*** afterward(s) **3.** ***es ist nicht ~ zu denken*** it's out of the question; ***ich glaube nicht ~*** I don't believe it; ***es ist etw*** (***nichts***) ***~*** there's s.th. (nothing) in it; ***es liegt mir viel ~*** it's very important to me; ***~ ist kein wahres Wort*** there's not a word of truth in it; ***~ stirbt man nicht*** you don't die of it; ***du tust gut ~ zu gehen*** you are wise to go; ***das Schönste ~ war*** the best thing about it was; → ***liegen***

daran|gehen *v/i* get down to it: ***~, etw zu tun*** get down to doing s.th. **~machen** *v/refl* ***sich ~*** F → ***darangehen***

daransetzen *v/t* ***alles ~, um zu*** *Inf* spare no effort to *Inf*

darauf *Adv* **1.** *räumlich*: on it *etc*, on top of it **2.** *zeitlich*: after (that), then: ***bald ~*** soon after; ***e-e Woche ~*** a week later **3.** *fig* ***ich freue mich ~*** I'm looking forward to it; ***~ wollen wir trinken!*** let's drink to that!; ***sie ging direkt ~ zu*** she went straight for it; ***~ steht Gefängnis*** there is a prison penalty for that; ***~ bin ich stolz*** I'm proud of it; ***wie kommt er nur ~?*** whatever makes him think of that?; ***ich komme nicht ~*** (F ***drauf***) I can't think of it!

daraufhin *Adv* **1.** as a result, consequently **2.** (*danach*) after that **3.** ***etw ~ prüfen, ob*** examine s.th. to see if

daraus *Adv* **1.** from it *etc*: ***~ lernen*** (***vorlesen***) learn (read) from it **2.** of it *etc*: ***was ist ~ geworden?*** what has become of it?; ***~ wird nichts!*** F nothing doing! **3.** for it *etc*: ***ich mache mir nichts ~*** **a**) I don't care for it, **b**) (*es stört mich nicht*) that doesn't worry me (a bit)!

darben *v/i* suffer want, (*hungern*) starve

darbieten *v/t* **1.** present (***sich*** itself) **2.** (*aufführen*) perform **Darbietung** *f* **1.** presentation **2.** THEAT *etc* performance

darbringen *v/t* (*Dat* to) present, give

darin *Adv* **1.** in it *etc*: ***was ist ~?*** what's in it (*od* inside)? **2.** there, in this (respect): ***~ irren Sie sich!*** there you are mistaken!; ***~ liegt der Unterschied*** that's the difference **3.** at it, at that: ***~ ist er sehr gut*** he is very good at that

darlegen *v/t* show, state: ***j-m etw ~*** explain s.th. to s.o. **Darlegung** *f* explanation, (*Aussage*) statement

Darlehen *n* loan: ***ein ~ aufnehmen*** raise (*od* take up) a loan

Darlehens... loan (*bank*, *contract*, *etc*)

Darm *m* **1.** ANAT bowel(s *Pl*), intestine(s *Pl*), gut(s *Pl*): ***den ~ entleeren*** evacuate the bowels, defecate **2.** (*Wurst*~) (sausage) skin **~entleerung** *f* defecation **~flora** *f* intestinal flora **~geschwür** *n* intestinal ulcer **~grippe** *f* gastroenteric influenza **~krebs** *m* cancer of the intestine, bowel cancer **~saite** *f* catgut (string) **~spiegelung** *f* enteroscopy **~trägheit** *f* constipation **~verschluss** *m* ileus

darstellen *v/t* **1.** *allg* represent, (*beschreiben*) describe (*a.* MATHE), portray, (*zeigen*) show, (*ausdrücken*) express, (*bedeuten*) constitute, mean: ***falsch ~*** misrepresent; ***was soll das ~?*** what's that supposed to be?; ***e-e Belastung ~*** be a burden **2.** THEAT *etc* act, play, *weit. S.* interpret: F *fig* ***er stellt etw dar*** he is really somebody **3.** CHEM prepare **4.** COMPUTER display **darstellend** *Adj* **1.** ***~e Geometrie*** descriptive geometry **2.** → ***Kunst*** 1 **Darsteller** *m* player, actor: ***der ~ des Faust*** the actor playing Faust **Darstellerin** *f* actress, player

darstellerisch *Adj* acting: ***s-e ~e Leistung*** his performance (*od* acting)

Darstellung *f* **1.** representation, description, (*Bericht*) account: ***grafische ~*** graph, diagram **2.** THEAT *etc* acting, performance, *weit. S.* interpretation **3.** CHEM preparation

darüber *Adv* **1.** *räumlich*: over it (*od* that) (*a. zeitlich*), above it *etc*: ***das Zimmer ~*** the room above; ***ich bin ~ eingeschlafen*** I fell asleep over it **2.** (*mehr*) more **3.** ***~ hinaus*** **a**) beyond it *etc*, **b**) *fig* over and above that, (*außerdem*) moreover; *fig* ***er ist ~ hinaus*** he is past (all) that **4.** *fig* (*über e-e Sache*) about it (*od* that), (*über ein Thema*) on that, on it: ***ich freue mich ~*** I'm glad about it; ***~ vergisst er alle s-e Sorgen*** that takes his mind off his problems; ***~ kam sie nicht hinweg*** she didn't get over it; *fig* ***~ stehen*** be above it

darum *Adv* **1.** *räumlich*: (a)round it *etc* **2.** ***ich bat ihn ~*** I asked him: **a)** for it, **b)** to do it; ***~ geht es nicht!*** that's not the point! **3.** → ***deshalb***

darunter *Adv* **1.** *räumlich*: under it *etc*, underneath: ***das Zimmer ~*** the room below; ***~ trug sie ...*** underneath she was wearing ...; *fig* ***~ fallen*** come under (*a law etc*); *fig* ***~ liegen*** be below (standard); ***s-n Namen ~ setzen*** put one's name (*od* sig-nature) to it **2.** (*weniger*) less, under: F ***~ tut er es nicht*** he won't do it for less **3.** (*dabei*) among them, (*einschließlich*) including **4.** ***~ leiden, dass*** suffer from *Ger*; ***was versteht man ~?*** what do you understand by it?; ***~ kann ich mir nichts vorstellen*** that doesn't mean anything to me

Darwinismus *m* Darwinism

das I *bestimmter Artikel* the: ***~ Buch des Monats*** the book of the month **II** *Demonstrativpron* this (one), that (one): ***~ war sie!*** that was her!; ***~ sind s-e Bücher*** those are his books; ***~ ist es ja*** (***gerade***)***!*** that's the point!; ***nur ~ nicht!*** anything but that! **III** *Relativpron* which: ***~ Geschäft, ~ ich meine*** the shop (which) I'm talking of **IV** *Personalpron* F *für* ***es***

da sein *v/i* → ***da*** I 1

Dasein *n* (***der Kampf ums ~*** the struggle for) existence

dasitzen *v/i* sit there: *fig* ***ohne Geld ~*** be left without a penny

dass *Konj* that: ***so ~*** so that; ***es sei denn, ~*** unless; ***ohne ~*** without *Ger*; ***ich weiß, ~ ich recht habe*** I know I'm right; ***er entschuldigte sich, ~ er zu spät kam*** he apologized for being late; ***nicht, ~ ich wüsste*** not that I know of; ***es ist lange her, ~ ich sie gesehen habe*** it's a long time since I saw her; F ***~ du ja hingehst!*** be sure to go!

dastehen *v/i* stand there: ***mittellos ~*** be penniless; F ***wie stehe ich jetzt da!*** what a fool I look now!

Date *n* (*Termin*, *Partner*) date

Datei *f* (data) file **Dateienverzeichnis** *n* directory **Dateiname** *m* file name

Daten *Pl* data *Pl*, facts *Pl*, (*Personal*№) particulars *Pl*; ***~ verarbeitend*** data-processing **~ausgabe** *f* IT data output **~austausch** *m* IT data exchange, data interchange **~autobahn** *f* IT information highway **~bank** *f* IT data bank **~bestand** *m* IT database **~bit** *n* IT data bit **~eingabe** *f* IT data input **~erfassung** *f* IT data collection **~format** *n* IT data format **~komprimierung** *f* IT data compression **~missbrauch** *m* data abuse **~netz** *n* data network **~pflege** *f* data management **~satz** *m* (data) record **~schutz** *m* data protection **~schutzbeauftragte** *m*, *f* data protection commissioner **~speicher** *m* data memory **~speicherung** *f* data storage **~träger** *m* IT data medium **~übertragung** *f* data transfer (*od* communications) **~verarbeitung** *f* data processing **~verbund** *m* data network

datieren *v/t u. v/i* date (***von, aus*** from)

Dativ *m* dative (case) **Dativobjekt** *n* dative (*od* indirect) object

Datscha *f* dacha

Dattel *f* BOT date

Datum *n* date: ***ohne ~*** undated; ***welches ~ haben wir heute?*** what's the date today?; ***neueren ~s*** of recent date

Datumsangabe

Im amerikanischen Englisch wird das Datum in einem Brief auf eine Weise geschrieben, die für Deutschsprachige sehr verwirrend sein kann. Den **11. Oktober 2001** z. B. schreibt man oft folgendermaßen: **10/11/2001**, d.h. der **Monat** wird zuerst genannt, dann der Tag, dann das Jahr. Oft wird auch das **Jahr** zuerst genannt, dann der Monat und dann der Tag: **2001/10/11** oder **2001-10-11**. Das kann leicht zu Verwechslungen führen (11. Okober oder 10. November?). Deshalb ist es ratsam - besonders bei wichigen Verabredungen und Terminabsprachen -

sich darauf zu einigen, den Monatsnamen auszuschreiben bzw. die übliche Kurzform dafür zu wählen, also: **11 October 2001** oder **11 Oct 2001**.

D

Datums|grenze *f* GEOG date line **~stempel** *m* date stamp, (*Gerät*) dater
Dauer *f* duration (*a.* LING, MUS), period (of time), *bes*, JUR term, (*Länge*) length: ***von ~*** lasting; ***von kurzer*** (*od* ***nicht von***) ***~ sein*** be short-lived, not to last long; ***auf die ~*** in the long run; ***der Lärm ist auf die ~ unerträglich*** you can't stand the noise for long; ***das kann auf die ~ nicht so weitergehen*** that can't go on indefinitely; ***für die ~ von*** (*od Gen*) for the duration of; ***für die ~ von zwei Jahren*** for a period of two years
Dauer|arbeitslose *m, f* long-term unemployed person **~arbeitslosigkeit** *f* chronic unemployment **~auftrag** *m* WIRTSCH standing order **~belastung** *f* **1.** TECH continuous load **2.** *fig* permanent stress **~beschäftigung** *f* permanent job
Dauerbrenner *m* F long-running success (*od* hit)
Dauergast *m* permanent guest
dauerhaft *Adj allg* durable, (*beständig*) *a.* permanent, lasting, (*haltbar*) *a.* hard-wearing, solid: ***~ sein*** *a.* wear well **Dauerhaftigkeit** *f* durability
Dauerkarte *f* season ticket **Dauerlauf** *m* SPORT jogging: ***im ~*** at a jog (trot)
Dauerlutscher *m* F lollipop
dauern *v/i* last, go on, (*Zeit ~*) take: ***zwei Stunden ~*** take two hours; ***wie lange dauert es denn noch?*** how much longer will it take?; ***es wird lange ~, bis*** it will be a long time before; ***das dauert mir zu lange!*** that's too long for me! **dauernd I** *Adj* constant: ***~er Wohnsitz*** permanent residence **II** *Adv* constantly: ***~*** *etw* ***tun*** keep doing; ***er kommt ~ zu spät*** he is always late; ***das passiert ~*** that happens all the time
Dauer|parker(in) long-term parker **~regen** *m* continuous rain **~stellung** *f* permanent post **~welle** *f* (***~n haben*** F have a) perm **~zustand** *m* ***zum ~ werden*** become permanent (*pej* chronic)
Daumen *m* thumb: ***am ~ lutschen*** suck one's thumb; F ***j-m die ~ drücken*** keep one's fingers crossed for s.o.; (***die***) ***~ drehen*** twiddle one's thumbs; ***über den ~ gepeilt*** at a rough estimate
Daumennagel *m* thumbnail
Daunen *Pl* down *Sg* **~decke** *f* eiderdown
davon *Adv* **1.** *räumlich*: ***das Dorf liegt nicht weit ~*** (***entfernt***) the village is not far away (*od* from it); ***~ zweigt ein Weg ab*** a path branches off it **2.** (*dadurch*) ***ich wachte ~ auf*** I was awakened by it; ***~ wird man dick*** that makes you fat; F ***das kommt ~!*** that'll teach you!; ***was habe ich ~?*** what do I get out of it? **3.** ***hast du schon ~ gehört?*** have you heard about it yet?; ***genug ~!*** enough of that! **4.** ***auf und ~*** up and away
davon|fliegen *v/i* fly off, fly away **~jagen** *v/t* chase away **~kommen** *v/i* get away, get off, escape: ***mit dem Leben ~*** survive; → ***Schreck*** **~laufen** *v/i* run away **~machen** *v/refl* ***sich ~*** F make off, beat it **~stehlen** *v/refl* ***sich ~*** steal away **~tragen** *v/t* **1.** *a. fig* carry off: → ***Sieg*** **2.** (*Verletzung*) sustain, (*Krankheit*) get, catch
davonziehen *v/i* move away (*od* off): SPORT ***j-m ~*** pull away from s.o.
davor *Adv* **1.** before (*od* in front of) it *etc*: ***mit e-m Garten ~*** with a garden in front **2.** *zeitlich*: before that **3.** ***~ habe ich Angst*** I'm afraid of that; ***ich habe ihn ~ gewarnt*** I warned him of it
dazu *Adv* **1.** (*zusätzlich*) in addition to it, besides: ***sie sang und spielte ~ Gitarre*** she sang and accompanied herself on the guitar; ***möchten Sie Reis ~?*** would you like rice with it?; ***und sie ist noch ~ hübsch*** and she is pretty into the bargain **2.** (*zu diesem Zweck*) for it, for that purpose: ***~ ist er*** (***es***) ***ja da!*** that's what he (it) is there for! **3.** ***wie ist es ~ gekommen?*** how did that come about?; ***~ darf es nicht kommen*** that must not happen; ***ich kam nie ~*** I never got (a)round to it; F ***wie komme ich ~?*** why on earth should I?
dazu|gehören *v/i* belong to it *etc*; → *a.* ***gehören*** **~gehörig** *Adj* belonging to it (*od* them) **~kommen** *v/i* **1.** (***gerade ~***

happen to) come along (**als** when) **2.** join *s.o.*, *Sache*: be added **~lernen** *v/t u. v/i* learn (*s.th.* new)
dazutun I *v/t* F add **II** ♀ *n* **ohne sein** *etc* ♀ without his *etc* help
dazwischen *Adv* between (them), in between (*a. zeitlich*), (*darunter*) among them **~fahren** *v/i* step in, interfere, *im Gespräch*: interrupt **~kommen** *v/i* intervene: **wenn nichts dazwischenkommt** if all goes well **~liegen** *v/i Zeit*: intervene **~reden** *v/i* **j-m ~** interrupt s.o. **~rufen** *v/t u. v/i* shout
dazwischentreten *v/i* intervene
DD-Diskette *f* double density disk
Deal *m* F deal
dealen *v/i* push (**mit etw** s.th.)
Dealer(in) dealer
Debakel *n* débâcle, fiasco
Debatte *f a.* PARL debate: **zur ~ stehen** be under discussion; **das steht nicht zur ~** that's not the issue
debattieren *v/t u. v/i* (**über e-e Sache** s.th.) debate, discuss
Debet *n* WIRTSCH debit **Debetsaldo** *m* debit balance **Debetseite** *f* debit side
debil *Adj* MED feebleminded
Debüt *n* debut: **sein ~ geben** → **debütieren** *v/i* make one's debut
dechiffrieren *v/t* decipher, decode
Deck *n* SCHIFF (**an ~, auf ~** on) deck
Deckbett *n* feather quilt
Deckchen *n* doily
Decke *f* **1.** (*Woll*♀) blanket, (*Bett*♀) (bed)cover, (*Tisch*♀) (table)cloth: F **mit j-m unter einer ~ stecken** be in league with s.o.; *fig* **sich nach der ~ strecken** cut one's coat according to one's cloth **2.** (*Zimmer*♀) ceiling: F *fig* (**vor Freude**) **an die ~ springen** jump with joy; (**vor Wut**) **an die ~ gehen** go through the roof; **mir fiel die ~ auf den Kopf** I felt shut in **3.** TECH cover(ing), (*Straßen*♀) surface, MOT (*Lauf*♀) (outer) cover
Deckel *m* lid (*a. hum Hut*), cover, (*Schraub*♀) (screw) cap: F **j-m eins auf den ~ geben** tick s.o. off (properly)
decken I *v/t* **1.** *ein Tuch etc* **~ über** (*Akk*) cover *s.th.* with **2.** (*Haus*) roof: **ein Dach mit Stroh** (**Ziegeln, Schiefer**) **~** thatch (tile, slate) a roof **3. den Tisch ~** lay (*od* set) the table (**für drei Personen** for three) **4.** (*schützen*) *a. fig u. pej* shield, protect: **j-n ~** cover up for s.o., SPORT mark s.o.; **den Rückzug ~** cover the retreat **5.** WIRTSCH *allg* cover, (*Kosten, Bedarf*) *a.* meet **6.** ZOOL (*begatten*) cover, serve **II** *v/i* **7.** *Farbe etc*: cover (*well etc*) **8.** SPORT cover, mark, *Boxer*: cover (up) **III** *v/refl* **sich ~ 9.** cover o.s., *Boxer*: cover up **10.** (**mit** with) MATHE coincide, *fig a.* tally
Decken|beleuchtung *f* ceiling lighting **~gemälde** *n* ceiling fresco **~leuchte** *f* ceiling lamp, MOT dome lamp
Deck|farbe *f* TECH body colo(u)r **~feder** *f* deck feather **~mantel** *m fig* cloak **~name** *m* pseudonym, MIL code name
Deckung *f* **1.** (**in ~ gehen** take) cover **2.** WIRTSCH *allg* cover, (*Sicherheit*) *a.* security, (*Bedarfs*♀) supply: **k-e ~** no funds **3.** SPORT covering, marking, *Boxen, Fechten*: *etc* guard **4.** MATHE *u. fig* coincidence
deckungsgleich *Adj* MATHE congruent
Deckweiß *n* opaque white
Decoder *m* decoder
Defätismus *m* defeatism **Defätist(in)**, **defätistisch** *Adj* defeatist
defekt *Adj* defective (*a.* MED), faulty
Defekt *m* (**an** *Dat* in) defect (*a.* MED), fault
defensiv *Adj*, **Defensive** *f* (**in der ~** on the) defensive
defilieren *v/i* march past
definierbar *Adj* definable: **schwer ~** difficult to define
definieren *v/t* define
Definition *f* definition
definitiv *Adj* definite (*answer etc*), positive (*offer etc*): *Adv* **es steht ~ fest, dass ...** it is definite that ...
Defizit *n* WIRTSCH *u. fig* deficit
deflationär, **deflatorisch** *Adj* WIRTSCH deflationary **Deflation** *f* deflation
deflorieren *v/t* deflower
deformieren *v/t a.* TECH deform
deftig *Adj* F *Essen*: solid, *Witz etc*: earthy, *Preise*: steep, *Schlag etc*: sound
Degen *m* sword, *Fechten*: épée
Degeneration *f* degeneration **degenerativ** *Adj* degenerative **degenerieren** *v/i*, **degeneriert** *Adj* degenerate
Degenfechten *n* SPORT épée fencing
degradieren *v/t* MIL demote, *bes fig* degrade
dehnbar *Adj a. fig* elastic

dehnen I *v/t allg* stretch (*a. fig*), TECH expand, (*Vokale*) lengthen, (*Worte*) drawl **II** *v/refl* ***sich ~*** stretch (o.s.)
Dehnung *f* extension, stretch(ing), TECH expansion, LING lengthening
dehydrieren *v/t* CHEM dehydrate

D

Deich *m* dike, dam, (*Fluss*②) levee
Deichsel *f* pole, (*~arm*) shaft
deichseln *v/t* F manage, wangle
dein *Possessivpron* **1.** your: REL ***~ Wille geschehe*** Thy will be done **2.** ***~er, ~e, ~(e)s, der (die, das) ~e*** yours; ***e-r ~er Freunde*** a friend of yours **3.** ***der (die, das) ~(ig)e*** your own, yours; ***die ~(ig)en*** your family, your people
deiner *Personalpron* (of) you: ***wir werden ~ gedenken*** we shall remember you
deinerseits *Adv* on your part
deinesgleichen *Indefinitpron* people like you, *pej* the likes of you
deinetwegen *Adv* (*dir zuliebe*) for your sake, (*wegen dir*) because of you
deinig → ***dein*** 3
Dekade *f allg* decade
dekadent *Adj* decadent **Dekadenz(erscheinung)** *f* (symptom of) decadence
Dekagramm *n österr.* ten grams: ***10 ~ Käse*** 100 grams of cheese
Dekan(in) *m* REL, UNI dean
Dekanat *n* dean's office
deklarieren *v/t* WIRTSCH declare
deklassieren *v/t* declass, SPORT outclass
Deklination *f* **1.** LING declension **2.** PHYS declination **deklinierbar** *Adj* declinable **deklinieren** *v/t* decline
Dekolletee *n* (***tiefes ~*** plunging) neckline **dekolletiert** *Adj* décolleté
dekontaminieren *v/t* decontaminate
Dekor *n* **1.** decoration, *e-s Raumes*: décor, (*Muster*) pattern **2.** THEAT décor, set(s *Pl*) **Dekorateur(in)** (*Schaufenster*②) window-dresser, (*Innen*②) interior designer, THEAT scene painter
Dekoration *f allg* decoration, (*Schaufenster*②) window display, (*Innen*②) furnishings *Pl*, THEAT set(s *Pl*)
dekorativ *Adj* decorative
dekorieren *v/t allg* decorate (*a. mit Orden*), (*Schaufenster*) *a.* dress
Dekret *n*, **dekretieren** *v/t* decree
Delegation *f* delegation **delegieren** *v/t*, **Delegierte** *m, f* delegate
Delfin *m, n* → ***Delphin***[1], ***Delphin***[2]
delikat *Adj* delicious, *a. fig Problem etc*: delicate **Delikatesse** *f* delicacy, *fig* (*Takt*) *a.* discretion
Delikatessgeschäft *n* delicatessen *Sg*
Delikt *n* offen/ce (*Am* -se)
Delinquent(in) offender
Delirium *n a. fig* delirium
Delle *f* F dent
Delphin[1] *m* ZOOL dolphin
Delphin[2] *n*, **Delphinschwimmen** *n* butterfly (stroke)
Delta *n* delta
dem I *bestimmter Artikel* ***gib es ~ Jungen*** give it to the boy **II** *Demonstrativpron* ***wie ~ auch sei*** however that may be; ***nach ~, was ich gehört habe*** from what I've heard **III** *Relativpron* ***der, ~ ich es gegeben habe*** the one (*od* person) I gave it to
Demagoge *m* demagogue
Demagogie *f* demagogy
Demagogin *f* demagogue
demagogisch *Adj* demagogic(ally *Adv*)
Demarkationslinie *f* demarcation line
demaskieren *v/t a. fig* unmask
Dementi *n* POL (official) denial
dementieren *v/t* deny (officially)
dementsprechend *Adv* accordingly
demgegenüber *Adv* in contrast to this
demgemäß *Adv* accordingly
demnach *Adv* **1.** therefore **2.** → ***demgemäß***
demnächst *Adv* shortly, soon: ***~ erscheinend*** *etc* forthcoming
Demo *f* F (*Demonstration*) demo
Demograph(in) demographer
Demographie *f* demography
demographisch *Adj* demographic
Demokassette *f* F demo (tape)
Demokrat(in) POL democrat
Demokratie *f* democracy
demokratisch *Adj* democratic(ally *Adv*)
demokratisieren *v/t* democratize
demolieren *v/t* demolish, wreck
Demonstrant(in) demonstrator **Demonstration** *f* (POL ***e-e ~ veranstalten*** hold a) demonstration: *fig* ***e-e ~ der Macht*** a show of force
Demonstrations|recht *n* right to demonstrate **~verbot** *n* ban on demonstrations **~zug** *m* protest march
demonstrativ *Adj* demonstrative,

Schweigen etc: pointed: *Adv* **~ den Saal verlassen** walk out (in protest)
Demonstrativpronomen *n* demonstrative (pronoun)
demonstrieren *v/t u. v/i allg* demonstrate
Demontage *f* TECH *u. fig* dismantling
demontieren *v/t* dismantle (*a. fig*), take down, (*zerlegen*) take apart
demoralisieren *v/t* demoralize
Demoskopie *f* (public) opinion research **demoskopisch** *Adj* **~e Umfrage** (public) opinion poll
Demoversion *f* demo version
Demut *f* humility **demütig** *Adj* humble
demütigen *v/t* humiliate: **sich ~** humble o.s **Demütigung** *f* humiliation
denaturieren *v/t* CHEM, PHYS denature
Den Haag *n* The Hague
Denkanstoß *m* impulse: **j-m e-n ~ geben, (bei j-m) als ~ wirken** set s.o. thinking **Denkart** *f* way of thinking
Denkaufgabe *f* problem, brain teaser
denkbar *Adj* thinkable, conceivable: **es ist durchaus ~, dass** it's quite possible that; *Adv* **es ist ~ leicht** it's really quite simple; **die ~ beste Methode** the best method imaginable
Denkblase *f* thought bubble
Denke *f* (*Denkweise*) mentality, way of thinking
denken *v/t u. v/i* **1.** *allg* think, (*sich vorstellen*) *a.* fancy, imagine, (*annehmen*) *a.* suppose, *Am* F guess: **das gibt e-m zu ~** that makes you think; **~ Sie nur!** just imagine!; **ich denke schon** I (should) think so; **das habe ich mir gedacht** I thought as much; **das hättest du dir ~ können!** you should have known that!; **ich dachte mir nichts dabei** I thought nothing of it; **solange ich ~ kann** as long as I remember; F **denkste!** that's what you think! **2.** (*erwägen*) think of, consider: **er denkt daran zu kommen** he thinks of coming; **ich denke nicht daran!** I wouldn't dream of it! **3. ~ an** (*Akk*) **a)** think of (*od* about), **b)** remember: **an Schlaf war nicht zu ~** sleep was out of the question; **wenn ich nur daran denke!** the mere thought of it! **4. ~ über** (*Akk*) think about (*od* of) **Denken** *n* thinking, thought **Denker(in)** thinker
Denkfabrik *f* F think-tank
denkfähig *Adj* intelligent
denkfaul *Adj* mentally lazy: **er ist ~** *a.* he is too lazy to think
Denkfehler *m* flaw in one's reasoning
Denkmal *n* monument (*a. fig*), (*Statue*) statue: **j-m ein ~ setzen** *a. fig* erect a monument to s.o. **~geschützt** *Adj*: **denkmalgeschütztes Bauwerk** listed building **~pflege** *f* preservation of historic buildings and monuments **~schutz** *m* **unter ~ stehen** be listed (as a historic monument), *iron Person*: be a protected animal
Denk|pause *f* pause for reflection **~prozess** *m* thought process **~schrift** *f* memorandum **~vermögen** *n* intelligence **~weise** *f* → **Denkart** **~würdig** *Adj* memorable **~zettel** *m fig* (**j-m e-n ~ verpassen** teach s.o. a) lesson
denn I *Konj* **1.** because, since **2.** *nach Komparativ*: than: **mehr ~ je** more than ever **3. es sei ~** unless **II** *Adv* **4.** then: **wo war es ~?** where (then) was it?; **war es ~ so schlimm?** was it really that bad?; **was ist ~?** what is it now?; **wieso ~?** (but) why?; **wo warst du ~ nur?** where on earth have you been?
dennoch *Konj* (but) still, yet
Dental(laut) *m* LING dental
Denunziant(in) informer **denunzieren** *v/t* **j-n ~** denounce s.o. (**bei** to)
Deo *n* F deodorant
Deodorant(spray *m*, **~stift** *m*) *n* deodorant (spray, stick)
Deoroller *m* roll-on (deodorant)
deplatziert *Adj Person*: out of place, *Bemerkung etc*: *a.* misplaced
Deponie *f* dump, tip **deponieren** *v/t* (**bei** with) deposit, leave
deportieren *v/t* deport
Deportierte *m, f* deportee
Depositen *Pl.* WIRTSCH deposits *Pl*
Depot *n* **1.** *allg* depot, WIRTSCH (*~konto*) deposit **2.** *schweiz.* (*Pfand*) deposit
Depotschein *m* WIRTSCH deposit receipt
Depression *f allg* depression
depressiv *Adj* PSYCH depressive, depressed
deprimieren *v/t* depress **deprimierend** *Adj* depressing
Deputation *f* delegation
der I *bestimmter Artikel* the: **~ arme Peter** poor Peter **II** *Demonstrativpron*

that (one), this (one): **~ mit ~ Brille** the one with the glasses; *pej* **~ und sein Wort halten?** him keep his word? **III** *Relativpron* who, which: **er war ~ Erste, ~ es erfuhr** he was the first to know **IV** *Personalpron* F *für* **er**

derart *Adv* so: **die Folgen waren ~, dass** the consequences were such that
derartig I *Adj* such: **nichts ≗es** nothing of the kind **II** *Adv* → **derart**
derb *Adj* **1.** strong, sturdy, *Leder etc*: stout, *Stoff, Essen etc*: coarse **2.** *fig Sprache, Manieren etc*: coarse, crude, *a. Witz*: earthy **Derbheit** *f* coarseness: **~en** *Pl* crude jokes (*od* remarks) *Pl*
derentwegen I *Adv* because of her (*od* that *etc*) **II** *Relativpron* because of whom (*od* which)
dergleichen *Demonstrativpron* **1.** *adjektivisch*: such **2.** *substantivisch*: such a thing, the like: **nichts ~** no such thing; **und ~ mehr a)** and so on, **b)** and the like
Derivat *n* CHEM, LING derivative
derjenige *Demonstrativpron* that: **~, der** (*od* **welcher**) he (*od* the one) who
dermaßen → **derart**
Dermatologe *m*, **Dermatologin** *f* MED dermatologist
Dermatose *f* dermatosis, skin disease
derselbe *Demonstrativpron* the same
derzeit *Adv* at present
derzeitig *Adj* **1.** present **2.** (*damalig*) then, *nachgestellt*: at the time
Desaster *n* disaster
desensibilisieren *v/t* MED, FOTO desensitize
Deserteur(in) MIL deserter
desertieren *v/i a. fig* desert
desgleichen *Adv u. Konj* likewise
deshalb *Adv u. Konj* therefore, that's why: **gerade ~!** that's just why!; **~ musst du doch nicht gehen** there's no need for you to go; **sie ist ~ nicht glücklicher** she isn't any happier for it
Designer... designer (*fashions, jeans, dress, drug etc*)
Designer(in) designer
designiert *Adj* **der ~e Präsident** the president designate
desillusionieren *v/t* disillusion
Desinfektion *f* disinfection **Desinfektionsmittel** *n* disinfectant, MED *a.* antiseptic **desinfizieren** *v/t* disinfect
Desinformation *f* disinformation
Desinteresse *f* indifference, lack of interest
desinteressiert *Adj* indifferent
Desktop-Publishing *n* desktop publishing (*Abk* **DTP**)
desolat *Adj* desolate
desorientiert *Adj* PSYCH confused
Despot(in) *a. fig* despot
despotisch *Adj* despotic(al)
dessen I *Relativpron* whose, *Sache*: *a.* of which **II** *Demonstrativpron* **sich ~ bewusst sein, dass ...** be aware (of the fact) that ...; **~ bin ich sicher** I'm quite sure of that **III** *Possessivpron* **mein Bruder und ~ Frau** my brother and his wife; **~ ungeachtet** nevertheless
Dessert *n* GASTR dessert
Destillat *n* distillate
destillieren *v/t u. v/i* distil(l)
desto I *Adv* (all) the: **~ besser!** all (*od* so much) the better! **II** *Konj* the ... the: **je mehr, ~ besser** the more the better
destruktiv *Adj* destructive
deswegen → **deshalb**
Detail *n* (**ins ~ gehen** go into) detail
detaillieren *v/t* specify **detailliert I** *Adj* detailed **II** *Adv* in detail
Detektiv|(in) detective **~büro** *n* detective agency **~roman** *m* detective story
Deut *m* **k-n ~ wert** (**besser**) not worth a farthing (not a bit better)
deuten I *v/t* interpret, (*Zeichen, Traum etc*) read: **falsch ~** misinterpret, *fig* misconstrue **II** *v/i* **~ auf** (*Akk*) point at (*bes fig* to); **alles deutet darauf hin, dass** there is every indication that
deutlich *Adj allg* clear, (*~ hörbar*) *a.* distinct, (*lesbar*) *a.* legible, (*eindeutig*) *a.* plain: **~er Wink** broad hint; **~er Fortschritt** visible progress; F *fig* **~ werden** speak in very plain terms; **muss ich noch ~er werden?** do I have to spell it out (to you)? **Deutlichkeit** *f* clearness, clarity: *fig* **in aller ~** in plain terms
deutsch *Adj* German: *Adv* **~ reden** talk (in) German; F *fig* **mit j-m ~ reden** speak plainly with s.o.
Deutsch, das ~e German: **auf ~, in ~** in German; **er kann gut ~** he speaks German well
Deutsch|amerikaner(in), ≗-amerikanisch *Adj* German-American
Deutsche *m, f* German

deutsch-englisch *Adj* POL Anglo-German, LING German-English
deutschfeindlich *Adj* anti-German
deutsch-französisch *Adj* POL Franco-German, LING German-French
deutschfreundlich *Adj* pro-German
Deutschland *n* Germany
Deutschlehrer(in) German teacher
deutschsprachig *Adj Text*: German-language, *Gebiet*: German-speaking
Deutschunterricht *m* PÄD German lessons *Pl*: *~ geben* teach German
Deutung *f* interpretation
Devise *f* **1.** motto **2.** *Pl* WIRTSCH foreign exchange (*od* currency) *Sg*
Devisen|abkommen *n* foreign exchange agreement **~bestimmungen** *Pl* currency regulations *Pl* **~börse** *f* foreign exchange market
Devisenbringer *m* F *fig* bringer of foreign exchange
Devisen|geschäft *n* foreign exchange transaction **~händler(in)** foreign exchange dealer **~knappheit** *f* (foreign) currency stringency
Devisenkurs *m* exchange rate
devisenträchtig *Adj* F exchange-yielding **Devisenvergehen** *n* currency offen/ce (*Am* -se)
devot *Adj pej* servile
Devotionalien *Pl* REL devotional objects *Pl*
Dezember *m* (*im ~* in) December
dezent *Adj* discreet, unobtrusive, *Farbe*, *Musik etc*: soft
dezentral *Adj* decentralized
dezentralisieren *v/t* decentralize
Dezernat *n* department
Dezernent(in) head of (a) department
Dezibel *n* decibel
Dezimal|bruch *m* MATHE decimal (fraction) **~stelle** *f* decimal (place) **~system** *n* decimal system: *nach dem ~* decimally
Dezimalzahl *f* decimal (number)
Dezimeter *m*, *n* decimet/re (*Am* -er)
dezimieren *v/t* decimate
d. h. *Abk* (= ***das heißt***) i.e
Dia *n* F slide
Diabetes *m* MED diabetes
Diabetiker(in) diabetic
Diabetrachter *m* slide viewer
diabolisch *Adj* diabolic(al)
Diafilm *m* dia film
Diagnose *f* (***e-e ~ stellen*** make a) diagnosis
diagnostizieren *v/t u. v/i* diagnose
diagonal *Adj*, **Diagonale** *f* diagonal
Diagonalreifen *m* MOT cross-ply tyre (*Am* tire)
Diagramm *n* diagram, graph
Diakon *m* deacon **Diakonisse** *f* Protestant (nursing) sister
Dialekt *m* (*~ sprechen* speak) dialect
dialektfrei *Adv ~ sprechen* speak standard German *etc*
Dialektik *f* dialectics *Sg*
Dialog *m* (***e-n ~ führen*** carry on a) dialog(ue *Br*), COMPUTER dialog **~feld** *n* COMPUTER dialog box **~form** *f* dialog(ue *Br*) form
Dialyse *f* MED dialysis
Diamant *m*, **diamanten** *Adj* diamond
diametral *Adj* diametric(al): *Adv ~ entgegengesetzt* diametrically opposed
Diapositiv *n* slide
Diaprojektor *m* slide projector
Diarahmen *m* slide frame
Diät *f* (special) diet: *~ halten*, *Adv ~ leben* (keep to a) diet; ***j-n auf ~ setzen*** put s.o. on a diet
Diätassistent(in) dietician
Diäten *Pl* PARL attendance allowance
Diätfahrplan *m* F dietary schedule
Diätkost *f* dietary food
Diätvorschrift *f* dietary
dich I *Personalpron* you **II** *Reflexivpron* yourself: ***schau ~ an!*** look at yourself!
dicht I *Adj* **1.** *allg Nebel*, *Wald*, *Menge etc*: dense, *Verkehr*: *a.* heavy, *Haar*, *Hecke etc*: thick, *Stoff etc*: close(ly woven) **2.** (*undurchlässig*) tight, *Gefäß*, *Boot etc*: leakproof: F *fig **er ist nicht ganz ~*** he's got a screw loose **3.** (*~ zs.-gedrängt*) compact, *fig Handlung etc*: tight **II** *Adv* **4.** densely, thickly: *~ schließen* shut tightly; *~ gedrängt stehen* stand closely packed **5.** *~ an* (*Dat*), *~ bei* close to; *~ aufeinander folgen* follow closely (*zeitlich*: in rapid succession); *~ hinter j-m* close (*od* hard) on s.o.'s heels; *fig **er war ~ daran aufzugeben*** he was on the point of giving up; *~ bevorstehen Termin*: be very near, *Entscheidung etc*: be imminent; *~ behaart* (very) hairy; *~ besiedelt*, *~ bevölkert* densely populated
Dichte *f* **1.** density (*a.* PHYS), denseness,

thickness, *des Verkehrs*: *a.* heaviness **2.** *fig der Handlung etc*: tightness
dichten[1] *v/t* TECH seal, pack
dichten[2] **I** *v/t* write **II** *v/i* write poetry (*od* plays *etc*) **Dichter(in)** poet(ess), *allg* writer **dichterisch** *Adj* poetic(al): ***~es Schaffen*** poetic (*od* literary) work; ***~e Freiheit*** poetic licence **Dichtersprache** *f* poetic language
dichthalten *v/i* F keep one's mouth shut
Dichtkunst *f* poetry
dichtmachen F **I** *v/t* shut (up) **II** *v/i* (***den Laden***) ~ shut up shop
Dichtung[1] *f* TECH seal, packing
Dichtung[2] *f allg* literature, (*Vers*≈) poetry, (*Gedicht*) poem, (*Gesamtwerk*) (literary *od* poetic) work(s *Pl*): *fig* ***~ und Wahrheit*** fact and fiction
Dichtungs|masse *f* TECH sealing compound **~ring** *m*, **~scheibe** *f* washer
dick I *Adj* **1.** *allg* thick, (*dicht*) *a.* dense, heavy, (*massig, umfangreich*) *a.* big, large, (*beleibt*) stout, fat: ***~e Milch*** curdled milk; F ***~er Verkehr*** heavy traffic; ***~ machen*** be fattening; ***~ werden*** grow fat; ***durch ~ und dünn*** through thick and thin **2.** F (*eng*) close, intimate, (*groß*) big: ***sie sind ~e Freunde*** they are (as) thick as thieves; ***~es Lob ernten*** reap lavish praise; ***~er Auftrag*** fat order; → ***Ende*** 1, ***Luft*** 1 **II** *Adv* **3.** thick(ly): ***~ mit Butter bestrichen*** thickly spread with butter **4.** F (*sehr*) very: ***~ befreundet sein*** be great pals (***mit j-m*** with s.o.); ***ich habe ihn*** (***es***) ~ I'm sick of him (it); → ***auftragen*** 5
dickbäuchig *Adj* fat-bellied
Dickdarm *m* ANAT colon
Dicke[1] *f allg* thickness, TECH *a.* diameter, (*Dichte*) *a.* denseness, heaviness, (*Massigkeit*) *a.* bigness, (*Umfang*) *a.* bulkiness, (*Beleibtheit*) stoutness, fatness
Dicke[2] *m, f* F fat person
Dickerchen *n* F fatso
dickfellig *Adj* F *fig* thick-skinned
Dickfelligkeit *f* F callousness
dickflüssig *Adj* thick(-flowing)
Dickhäuter *m* ZOOL pachyderm
Dickicht *n* **1.** thicket **2.** *fig* labyrinth
Dickkopf *m* F *fig* pigheaded fellow: ***e-n ~ haben*** → **dickköpfig** *Adj* ***~ sein*** be pigheaded **Dickköpfigkeit** *f* pigheadedness, stubbornness
dicklich *Adj* **1.** *Person*: plump **2.** → ***dickflüssig***
Dickmilch *f* soured milk
dickschalig *Adj* BOT thick-skinned
Dickwanst *m* F fatso
Didaktik *f* didactics *Sg*
didaktisch *Adj* didactic(ally *Adv*)
die I *bestimmter Artikel* the **II** *Demonstrativpron* this (one), that (one): ***~ nicht!*** not she! **III** *Relativpron* who, *bei Sachen*: which **IV** *Personalpron* F *für* ***sie*** 1
Dieb(in) thief
Diebes|bande *f* gang of thieves **~beute** *f*, **~gut** *n* stolen goods *Pl*, loot
diebisch *Adj* **1.** thievish **2.** *fig Freude etc*: malicious: *Adv* ***sich ~ freuen*** F be tickled pink (***über*** *Akk* at)
Diebstahl *m* theft, JUR larceny: ***einfacher*** (***schwerer***) ~ petty (grand) larceny; ***geistiger ~*** plagiarism **≈sicher** *Adj* theftproof **~sicherung** *f* MOT theft protection **~versicherung** *f* insurance against theft
Diele *f* **1.** (*Brett*) floor board **2.** (*Vorraum*) (entrance) hall, *Am* hallway
dienen *v/i* **1.** serve ([***bei***] ***j-m*** s.o., ***zu*** for, ***als*** as): ***dazu ~ zu*** *Inf* serve to *Inf*; ***womit kann ich ~?*** what can I do for you?; ***damit ist mir nicht gedient*** that's of no use to me; ***wozu soll das ~?*** what's the use of that? **2.** MIL serve (***bei*** in)
Diener *m* **1.** *a. fig* servant **2.** (*Verbeugung*) bow (***vor*** *Dat* to) **Dienerin** *f* maid(servant), *fig* handmaid
Dienerschaft *f* servants *Pl*
dienlich *Adj* useful (*Dat* to), expedient: ***~ sein*** **a)** ***j-m*** be of help (*Sache*: use) to s.o., **b)** ***e-r Sache*** further s.th.
Dienst *m* **1.** *allg* service (***an*** *Dat* to), MIL *a.* duty: ***öffentlicher ~*** civil service; ***im*** (***außer***) ~ on (off) duty; ***~ haben*** be on duty, *Apotheke*: be open; ***~ habend*** on duty; ***j-m e-n guten*** (***schlechten***) ***~ erweisen*** do s.o. a good (bad) turn; ***j-m gute ~e leisten*** serve s.o. well; ***in ~ stellen*** (*Schiff etc*) put into service; (***j-m***) ***den ~ versagen*** fail (s.o.); ***~ nach Vorschrift*** work-to-rule (campaign) **2.** (*Stellung*) post, employment, (*Arbeit*) work: ***im ~e*** (*Gen*) ***stehen*** be employed by, work for, *pej* be on *s.o.'s* payroll; ***außer ~*** retired; ***den ~ quittieren*** resign; → ***antreten*** 1

Dienstag *m* (***am ~*** on) Tuesday
dienstags *Adv* on Tuesdays
Dienstalter *n* (***nach dem ~*** by) seniority
Dienstantritt *m* (***bei ~*** on) taking up duty (*od* one's job)
dienstbar *Adj* subservient (*Dat* to): ***sich etw ~ machen*** utilize (*od* exploit) s.th.
dienstbereit *Adj* **1.** *Arzt*: on duty, *Apotheke*: open **2.** (*gefällig*) helpful
Diensteifer *m* zeal, *pej* officiousness
diensteifrig *Adj* zealous, *pej* officious
dienstfrei *Adj* ***~er Tag*** day off; ***~ haben*** be off duty
Dienst|gebrauch *m* ***nur für den ~*** for official use only **~geheimnis** *n* official secret (*Pflicht*: secrecy) **~gespräch** *n* TEL official call **~grad** *m* MIL rank, *Am* grade, SCHIFF rating
Dienstherr(in) employer **Dienstjahre** *Pl* years *Pl* of service **Dienstleistung** *f* service (rendered): ***~en*** services
Dienstleister *m* service provider
Dienstleistungs|betrieb *m* (***öffentlicher ~*** public) services enterprise **~gewerbe** *n* service industries *Pl*
dienstlich *Adj* official: *Adv* ***~ verhindert*** prevented by official duties
Dienst|mädchen *n* maid(servant), help **~marke** *f* identity disc **~pistole** *f* service pistol **~plan** *m* duty roster **~reise** *f* official trip **~schluss** *m* ***nach ~*** after (office) hours **~stelle** *f* office, department **~stunden** *Pl* office hours *Pl*
diensttauglich *Adj* fit for (MIL active) service **dienstuntauglich** *Adj* unfit for (military) service
Dienst|verhältnis *n* (contract of) employment **~vorschrift** *f* regulations *Pl* **~wagen** *m* official car **~weg** *m* (***auf dem ~*** through) official channels *Pl* **~wohnung** *f* company, army *etc* flat (*od* house) **~zeit** *f* **1.** office (*od* working) hours *Pl* **2.** (period of) service
diesbezüglich *Adj u. Adv* concerning this, in this connection
Diesel[1] *n* (*Kraftstoff*) diesel (oil)
Diesel[2] *m* (*Auto*) diesel
Dieselmotor *m* Diesel engine
dieser, **diese**, **dies(es)**, *Pl* **diese** *Demonstrativpron* **I** *adjektivisch*: this, *Pl* these: ***dieser Tage*** **a)** (*neulich*) the other day, **b)** (*bald*) one of these days **II** *substantivisch*: **a)** this one, *Pl* these, **b)** he, she, it, *Pl* they: ***dieses und jenes, dies und das*** this and that, various things
diesig *Adj Wetter*: hazy
diesjährig *Adj* this year's
diesmal *Adv* this time
Dietrich *m* picklock, (*Nachschlüssel*) skeleton key
diffamieren *v/t* slander, defame
Differenz *f* difference
Differenzialgetriebe *n* MOT differential (gear) **Differenzialrechnung** *f* MATHE differential calculus
differenzieren *v/t u. v/i* differentiate
differieren *v/i* differ (***um*** by)
diffus *Adj* **1.** PHYS diffuse(d) **2.** *fig* vague
digital *Adj* digital **Digitalanzeige** *f* digital display **digitalisieren** *v/t* digitalize
Digital|kamera *f* digital camera **~rechner** *m* digital computer **~technik** *f* digital technology **~uhr** *f* digital watch (*od* clock)
Diktat *n* **1.** (PÄD ***~ schreiben*** write *od* do) dictation; ***das ~ aufnehmen*** take the dictation **2.** *fig* (*Befehl*) dictate
Diktator *m* dictator **diktatorisch** *Adj* dictatorial **Diktatur** *f* dictatorship
diktieren *v/t u. v/i a. fig* dictate (***j-m*** to s.o.)
Diktiergerät *n* dictating machine
Dilemma *n* dilemma, F fix
Dilettant(in), **dilettantisch** *Adj* dilettante
Dill *m* BOT dill
Dimension *f* **1.** MATHE, PHYS dimension **2.** *Pl* (*Umfang*) dimensions *Pl*, *fig* (*Ausmaß*) *a.* extent
DIN *Abk* (= ***Deutsche Industrienormen***) German Industrial Standards: ***~ A4*** A4
Ding *n* **1.** *allg* thing, (*Gegenstand*) *a.* object: ***vor allen ~en*** above all; F ***armes ~!*** poor thing!; *fig* ***guter ~e sein*** be cheerful **2.** *Pl* (*Angelegenheiten*) things *Pl*, matters *Pl*: ***der Stand der ~e*** the state of affairs; (***so***,) ***wie die ~e liegen*** as matters stand; ***unverrichteter ~e*** without having achieved anything; ***das geht nicht mit rechten ~en zu*** F there's s.th. fishy about it **3.** F ***ein tolles ~*** a wow; ***ein ~ drehen*** pull a job; → ***verpassen*** 2 **4.** F ***das ist nicht mein ~*** it's not my (kind of) thing
dingfest *Adj* ***j-n ~ machen*** arrest s.o.

Dings, **Dingsbums**, **Dingsda** *m*, *f*, *n* F thingumajig
Dinosaurier *m* dinosaur
Diode *f* ELEK diode
Dioxid *n* CHEM dioxide
Dioxin *n* dioxin
Diözese *f* diocese
Diphtherie *f* MED diphtheria
Diphthong *m* diphthong
Diplom *n* diploma
Diplom… *allg* diplomaed, graduate (*engineer etc*), qualified (*interpreter etc*) **Diplomarbeit** *f* dissertation
Diplomat(in) *a. fig* diplomat
Diplomatie *f a. fig* diplomacy
diplomatisch *Adj a. fig* diplomatic(ally *Adv*)
dir I *Personalpron* you, to you **II** *Reflexivpron* yourself: ***wasch ~ die Hände!*** wash your hands!
direkt I *Adj* **1.** *allg* direct (*a.* LING), (*unmittelbar*) *a.* immediate, (*unverblümt*) *a.* plain: ***~e Informationen*** *Pl a.* first-hand information *Sg* **II** *Adv* **2.** (*geradewegs*) direct, (*a. geradeheraus*) straight **3.** (*unmittelbar, a.* F *sofort*) directly, immediately: ***~ vor dir*** right in front of you **4.** (*genau*) directly, exactly: ***~ nach Süden liegen*** face due south **5.** F ***das ist ~ lächerlich*** *etc* that's downright ridiculous *etc* **6.** RADIO, TV live
Direktflug *m* direct flight
Direktion *f* **1.** management **2.** manager's office **3.** (*Leitung*) direction
Direktive *f* instruction(s *Pl*)
Direktor *m* **1.** WIRTSCH director, manager **2.** PÄD headmaster, principal **Direktorat** *n* **1.** directorship **2.** headmaster's office **Direktorin** *f* **1.** directress, manageress **2.** PÄD headmistress, principal **Direktorium** *n* board of directors
Direktrice *f* *Textilindustrie*: directress
Dirigent(in) MUS conductor, conductress
dirigieren *v/t u. v/i* direct, MUS conduct
Dirigismus *m* WIRTSCH planned economy
Dirndl(kleid) *n* dirndl
Dirne *f* prostitute, whore
Disharmonie *f a. fig* discord
disharmonisch *Adj a. fig* discordant
Diskant *m* MUS treble
Diskette *f* COMPUTER diskette, floppy (disk)
Diskettenlaufwerk *n* disk drive
Diskjockey *m* disc jockey
Disko *f* F disco
Diskont *m*, **diskontieren** *v/t* WIRTSCH discount **Diskontsatz** *m* discount rate
Diskothek *f* discotheque
Diskrepanz *f* discrepancy
diskret *Adj* discreet
Diskretion *f* discretion
diskriminieren *v/t* discriminate against **Diskriminierung** *f* discrimination (*Gen* against)
Diskus *m* SPORT discus
Diskussion *f* discussion (***über*** *Akk* on)
Diskussions|leiter(in) (panel) chairman **~teilnehmer(in)** panel(l)ist
Diskussionsveranstaltung *f* forum
Diskuswerfen *n* discus throwing
Diskuswerfer(in) discus thrower
diskutabel *Adj* debatable
diskutieren *v/t u. v/i* discuss, debate
dispensieren *v/t **j-n ~*** exempt s.o. (***von*** from [doing])
Display *n* display
disponieren *v/i* make (one's) arrangements, plan ahead: ***über etw (j-n) ~*** dispose of s.th. (s.o.) **disponiert** *Adj **gut** (**schlecht**) **~ sein*** be in good (bad) form **Disposition** *f* **1.** *a.* MED disposition **2.** *Pl* (***s-e ~en treffen*** make one's) arrangements *Pl* **Dispositionskredit** *m* WIRTSCH overdraft facilities *Pl*
Disqualifikation *f* disqualification (***wegen*** for) **disqualifizieren** *v/t a. fig* disqualify (***wegen*** for)
Dissertation *f* UNI dissertation, thesis
Dissident(in) POL dissident
Dissonanz *f* MUS dissonance, *fig a. Pl* discord
Distanz *f* distance, *fig a.* detachment: ***~ halten*** keep one's distance (***gegenüber*** from) **distanzieren** *v/refl **sich ~*** keep one's distance; ***sich ~ von*** dis(as)sociate o.s. from
distanziert *Adj fig* distanced, reserved
Distel *f* BOT thistle **~fink** *m* ZOOL goldfinch
Disziplin *f* **1.** discipline **2.** (*Fach*) discipline, branch **3.** SPORT event
disziplinarisch *Adj* disciplinary
Disziplinarstrafe *f* disciplinary punishment **Disziplinarverfahren** *n* disciplinary proceedings *Pl*
diszipliniert *Adj* disciplined

disziplinlos *Adj* undisciplined, unruly
Disziplinlosigkeit *f* lack of discipline
Diva *f* star
Divergenz *f a. fig* divergence
divergieren *v/i a. fig* diverge
divers *Adj* various, sundry
diversifizieren *v/t u. v/i* WIRTSCH diversify
Dividend *m* MATHE dividend
Dividende *f* WIRTSCH dividend
dividieren *v/t u. v/i* MATHE divide (***durch*** by)
Division *f* MATHE, MIL division
Divisor *m* MATHE divisor
DM *f* (= ***Deutsche Mark***) *hist* deutschmark
doch I *Konj* **1.** (*aber*) but **II** *Adv* **2.** (*dennoch*) yet, however, nevertheless: ***höflich, ~ bestimmt*** polite yet firm; ***also ~!*** I knew it!; ***ich habe also ~ Recht*** so I'm right after all **3.** ***du kommst nicht mit? - ~!*** you won't come along? - Oh yes, I will!; ***er kommt ~?*** he will come, won't he?; ***ja ~!*** yes, indeed!, of course!; ***nicht ~!*** **a)** don't!, **b)** certainly not!; ***setzen Sie sich ~!*** do sit down, please!; ***frag ihn ~!*** just ask him!; ***sei(d) ~ mal still!*** be quiet, will you!; ***das ist ~ Peter!*** why, that's Peter!
Docht *m* wick
Dock *n* dock **Dockarbeiter(in)** docker
Dogge *f* ZOOL ***Deutsche ~*** Great Dane; ***Englische ~*** mastiff
Dogma *n* dogma
dogmatisch *Adj* dogmatic(ally *Adv*)
Dohle *f* ZOOL (jack)daw
Doktor *m* UNI doctor (*a.* F *Arzt*): ***s-n ~ machen*** take (*od* work for) one's doctor's degree **Doktorand(in)** doctorand, doctoral candidate
Doktor|arbeit *f* (doctoral) thesis **~vater** *m* F supervisor **~würde** *f* doctorate
Doktrin *f* doctrine
Dokument *n* document (*a. fig*), JUR *a.* deed: WIRTSCH ***~e gegen Zahlung*** documents against payment
Dokumentar... documentary (*report, play, etc*) **~film** *m* documentary (film)
Dokumentation *f* documentation
dokumentieren *v/t* document, *fig a.* demonstrate, show
Dokumentvorlage *f* IT template
Dolch *m* dagger **Dolchstoß** *m* dagger thrust, *fig* stab in the back

Dole *f schweiz., südd.* drain
Dollar *m* dollar
dolmetschen *v/i* interpret (*a. v/t*), act as interpreter **Dolmetscher(in)** interpreter **Dolmetscherinstitut** *n* school (UNI institute) for interpreters
Dolomiten *Pl the* Dolomites *Pl*
Dom *m* cathedral

⚠ **Dom**	≠	**dome**
Dom	=	cathedral
dome	=	Kuppel

Domäne *f* domain, *fig a.* province
domestizieren *v/t* domesticate
dominant *Adj* dominant
Dominante *f* MUS, BIOL dominant
dominieren *v/t u. v/i* dominate: ***~d*** dominant, dominating
Dominikaner(in) POL, **dominikanisch** *Adj*, **Dominikaner(mönch)** *m* Dominican
Domino *n*, **~spiel** *n* (game of) dominoes *Sg* **~stein** *m* domino
Domizil *n* domicile
Dompfaff *m* ZOOL bullfinch
Dompteur *m*, **Dompteuse** *f* animal trainer
Donau *f the* Danube
Donner *m* thunder, *fig* (*Getöse*) *a.* roar: F ***wie vom ~ gerührt*** thunderstruck
donnern I *v/unpers* **1.** ***es donnert*** it is thundering **II** *v/i fig* **2.** *Motoren, Stimme etc*: thunder, roar **3.** F ***~ gegen*** crash against (*od* into) **III** *v/t fig* **4.** (*Befehle etc*) roar, thunder (out) **5.** F (*schlagen, schmeißen*) slam **donnernd** *Adj fig* thunderous (*applause etc*)
Donnerstag *m* (***am ~*** on) Thursday
donnerstags *Adv* (on) Thursdays
Donnerwetter F **I** *n* (*Krach*) row **II** *Interj* ***~!*** wow!; ***warum*** (***wo*** *etc*) ***zum ~?*** why (where *etc*) the hell?
doof *Adj* F dopey, *bes Am* dumb
dopen *v/t* dope: ***sich ~*** take dope
Doping *n* doping
Dopingkontrolle *f* dope test
Doppel *n* **1.** duplicate **2.** *Tennis*: doubles *Pl* **~agent(in)** double agent **~bett** *n* double bed **~decker** *m* **1.** biplane **2.** F (*Bus*) double-decker
doppeldeutig *Adj* (*vage*) ambiguous, (*anzüglich*) suggestive **Doppeldeutig-**

keit *f* ambiguity, suggestiveness
Doppelfehler *m Tennis*: double fault
Doppelfenster *n* **1.** double window **2.** *Pl* double glazing *Sg*
Doppelgänger(in) double, F look-alike
Doppel|haushälfte *f* semi-detached (house) **~kinn** *n* double chin **~klick** *m* double click **2klicken** *v/i* double-click **~leben** *n*: ***ein ~ führen*** lead (*od* live) a double life **~name** *m* hyphenated name **~pass** *m* **1.** SPORT one-two **2.** (*doppelte Staatsbürgerschaft*) two passports, *weit. S. a.* dual citizenship (*od* nationality) **~punkt** *m* colon **~reifen** *m* MOT dual tyre (*Am* tire) **~rolle** *f a. fig* double role
doppelseitig I *Adj Stoff*: double-faced, reversible **II** *Adv* on both sides
Doppelsieg *m* SPORT double win
Doppelspiel *n* **1.** *pej* (***ein ~ treiben*** play a) double game **2.** → ***Doppel*** 2
Doppelstecker *m* ELEK two-way plug
doppelt I *Adj* double, *bes* TECH dual, twin, *bes* ELEK duplex: ***den ~en Preis*** (*od* ***das 2e***) ***zahlen*** pay double the price; ***in ~er Ausfertigung*** in duplicate **II** *Adv* doubly (*painful etc*), double, twice: ***~ so groß*** (***viel***) twice as big (much)
Doppeltür *f* double doors *Pl* **Doppelverdiener** *Pl* dual-income family *Sg*
doppelwandig *Adj* double-walled
Doppelzentner *m* quintal **Doppelzimmer** *n* double room
Dorf *n* village **~bewohner(in)** villager
dörflich *Adj* village (*life etc*), rustic
Dorn *m* **1.** BOT thorn, (*Stachel*) spine (*a.* ZOOL): *fig* ***j-m ein ~ im Auge sein*** be a thorn in s.o.'s side **2.** TECH spike, mandrel, *e-r Schnalle*: tongue
Dornenkrone *f* crown of thorns
dornenlos *Adj* thornless
dornenreich *Adj fig* thorny
Dornenstrauch *m* bramble
Dornröschen *n* Sleeping Beauty
dörren *v/t* dry **Dörrobst** *n* dried fruit
Dorsch *m* ZOOL cod
dort *Adv* there: ***~ drüben*** over there; ***von ~*** → **dorther** *Adv* from there
dorthin *Adv* there
Dose *f* **1.** box **2.** (*Konserven2*) tin, can **3.** ELEK (*Steck2*) outlet
Dosen... → ***Büchsen...***
dösen *v/i* **1.** doze **2.** daydream
dosieren *v/t* dose, *fig* give *s.th.* in small *etc* doses **Dosierung** *f a. fig* dosage
Dosis *f a. fig* dose: ***zu geringe ~*** underdose; → ***Überdosis***
dotieren *v/t* endow (***mit*** with): ***ein mit € 100 000 dotiertes Turnier*** a tournament carrying a €100,000 prize; ***e-e gut dotierte Stellung*** a well-paid position **Dotierung** *f* **1.** endowment **2.** (*Gehalt*) payment, remuneration
Dotter *n* yolk
doubeln *v/t u. v/i* double (***für*** for)
Double *n* FILM double, stand-in
downloaden *v/t* download
Downsyndrom *n* MED Down's syndrome
Dozent(in) (university) lecturer, *Am* assistant professor **dozieren** *v/t u. v/i a. fig* lecture (***über*** *Akk* on)
Drache *m* dragon
Drachen *m* **1.** (***e-n ~ steigen lassen*** fly a) kite **2.** SPORT hang glider **3.** F *pej* battle-ax(e) **~fliegen** *n* hang gliding **~flieger(in)** hang glider (pilot)
Dragee, Dragée *n* dragée, coated tablet
Draht *m* wire: POL ***heißer ~*** hot line; F ***auf ~ sein*** **a)** be in good form, **b)** (*wachsam, helle*) be on the ball **~bürste** *f* wire brush **~esel** *m hum* bike **~funk** *m* wired radio **~glas** *n* wire(d) glass
Drahthaar... ZOOL wirehaired (*terrier etc*)
drahtig *Adj fig Person*: wiry
drahtlos *Adj* wireless, radio-...
Drahtsaite *f* MUS wire
Drahtseil *n* wire rope, *Zirkus*: tightrope
Drahtseilakt *m* tightrope act (*fig* walk)
Drahtseilbahn *f* cable railway
Drahtzaun *m* wire fence
Drahtzieher(in) *fig* wirepuller
drakonisch *Adj* Draconian
drall *Adj* buxom, strapping
Drall *m* TECH twist, *a.* SPORT spin
Drama *n a. fig* drama: ***aus etw ein ~ machen*** dramatize s.th. **Dramatik** *f a. fig* drama **Dramatiker(in)** dramatist **dramatisch** *Adj a. fig* dramatic(ally *Adv*) **dramatisieren** *v/t a. fig* dramatize **Dramaturg(in)** THEAT dramaturge **Dramaturgie** *f* dramaturgy
dran *Adv* F **1.** → ***daran*** **2.** ***ich bin ~*** it's my turn; ***jetzt ist er ~!*** now he's (in) for it! **3.** ***du bist gut ~!*** you are lucky!; ***er ist übel*** (*od* ***arm***) ***~*** he's in a bad way;

spät ~ sein be late; ***an der Sache ist was ~*** there is s.th. in it; ***man weiß nie, wie man mit ihr ~ ist*** you never know what to make of her; ***jetzt weiß ich, wie ich ~ bin*** now I know where I stand; → ***drauf*** 2, ***Drum, glauben*** II

dranbleiben *v/i* F *fig*: ***an etw ~*** keep at it; ***bleiben Sie*** *bitte* ***dran!*** **a)** TEL hang on **b)** TV **stay tuned**, *Am a.* **stay ahead**

Drang *m* (*Trieb*) urge, impulse, (*Verlangen*) desire (***nach*** for): ***~ nach Erkenntnis*** thirst for knowledge

Drängelei *f* F pushing and shoving

drängeln *v/t u. v/i* F **1.** push, shove **2.** *fig* pester **3.** MOT tailgate

drängen I *v/t* **1.** push: *fig* ***j-n ~, etw zu tun*** urge s.o. to do s.th., *stärker*: pressure s.o. into doing s.th.; ***ich lasse mich nicht ~!*** I won't be rushed! **II** *v/i* **2.** push, *Menge*: throng **3.** *fig* be urgent, be pressing: ***die Zeit drängt*** time is running short **4.** ***auf Zahlung ~*** press for payment; ***auf e-e Entscheidung ~*** urge a decision **III** *v/refl* ***sich ~*** **5.** crowd (***um*** round): ***sich nach vorne*** (***zur Tür*** *etc*) ***~*** force one's way to the front (towards the door *etc*); *fig* ***sich nach etw ~*** be keen on (doing) s.th. **IV** *&* *n* **6.** ***auf sein & hin*** at his insistence

drängend *Adj* urgent **Drängler(in)** F **1.** pusher **2.** MOT tailgater

drangsalieren *v/t* torment

dranhalten *v/refl* ***sich ~*** F **a)** hurry up, **b)** keep at it **drankommen** *v/i* F **1.** ***jetzt komme ich dran*** now it's my turn; ***als erster*** (***nächster***) ***~*** be first (next) **2.** PÄD be asked (a question)

drankriegen *v/t* F ***da hast du mich drangekriegt!*** you've got me there!

drannehmen *v/t* F (*Patienten*) take, (*Schüler*) ask

drapieren *v/t* drape

drastisch *Adj* drastic(ally *Adv*)

drauf F *Adv* **1.** → ***darauf*** **2.** ***~ und dran sein, etw zu tun*** be on the point of doing s.th.; ***gut ~ sein*** be in a good mood, be in good form; ***er hatte 150 Sachen ~*** he was doing 100 miles

Draufgänger(in) daredevil, (*Erfolgsmensch*) go-getter, *bei Frauen*: wolf

draufgängerisch *Adj* reckless, F gutsy

draufgehen *v/i* F **1.** be killed **2.** be lost, *Geld*: go down the drain, (*kaputtgehen*) go to pot **draufhaben** *v/t* F (***schwer***) ***was ~*** be (just) great (*od* super) (***in*** *Dat* at) **draufkommen** *v/i* F ***j-m ~*** find s.o. out; → ***darauf*** 3

draufkriegen *v/t* F ***eins ~*** **a)** get it in the neck, **b)** SPORT get a thrashing

drauflegen → ***draufzahlen*** I

drauflos F **I** *Adv* straight ahead **II** *Interj* (***feste***) ***~!*** come on! **drauflosgehen** *v/i* F make straight for it

drauflosreden *v/i* F start rattling away

draufmachen *v/t* F ***e-n ~*** have a ball (*saufend*: a booze-up), go to town

draufstoßen *v/t* F *fig* ***j-n ~*** spell it out to s.o. **draufzahlen** F **I** *v/t* pay an extra *100 marks etc* **II** *v/i* lose money

draußen *Adv* outside, (*im Freien*) *a.* in the open (air), SCHIFF at sea: ***~ im Garten*** out in the garden; ***bleib(t) ~!*** keep out!

drechseln *v/t* turn: → ***gedrechselt***

Drechsler(in) wood turner

Dreck *m* **1.** dirt, *stärker*: filth, (*Schlamm*) mud: *fig* ***im ~ sitzen*** be in a mess; ***j-n*** (***etw***) ***in den ~ ziehen*** drag s.o.'s name (s.th.) in the mud; ***j-n wie*** (***den letzten***) ***~ behandeln*** treat s.o. like dirt; ***er hat*** (***viel***) ***~ am Stecken*** he has a lot to answer for **2.** *fig* (*Kram, Quatsch*) rubbish: ***er kümmert sich e-n ~ darum*** he doesn't care a damn; ***das geht dich e-n ~ an!*** that's none of your business!

Dreckding *n* F damn thing

dreckig *Adj* F dirty, filthy, *fig* (*gemein*) *a.* nasty, mean: ***~e Witze*** dirty jokes; *Adv* ***~ lachen*** give a dirty laugh; ***es geht ihm ~*** he's having a bad time

Drecknest *n* F *pej* dump, hole

Drecksau *f*, **Dreckschwein** *n* V **1.** (dirty) pig **2.** (*Lump*) swine

Dreckskerl *m* F swine, bastard

Dreckwetter *n* F filthy weather

Dreh *m* F trick: ***den richtigen ~ heraushaben*** have got the hang of it

Dreharbeiten *Pl* FILM shooting *Sg*

Drehbank *f* TECH lathe

drehbar *Adj* rotatable

Drehbleistift *m* propelling pencil

Drehbuch *n* script, *a. fig* scenario

Drehbuchautor *m* scriptwriter

Drehbühne *f* revolving stage

drehen I *v/t* **1.** *allg* turn, (*ver~*) twist (*a. fig*): *fig* ***man kann es ~ und wenden*** (***wie man will***) whichever way you look at it **2.** (*Zigarette etc*) roll **3.** (*Film*) shoot **4.** F *fig* wangle: → ***Ding*** 3 **5.** TECH turn **II** *v/i* **6.** turn (round): ***~ an*** (*Dat*) turn, *a. fig* fiddle with; F ***daran ist nichts zu ~ und zu deuteln*** that's a fact **III** *v/refl* ***sich ~*** **7.** turn, go round, *schnell*: spin round: ***die Erde dreht sich um die Sonne*** the earth revolves around the sun; ***mir dreht sich alles*** my head is spinning; *fig* ***sich ~ um*** revolve round, *Gespräch*: be about; ***es dreht sich darum, ob*** it's a question of whether

D

Dreher(in) TECH lathe operator
Dreh|kraft *f* rotatory force **~kran** *m* slewing crane **~kreuz** *n* turnstile **~moment** *n* TECH torque **~orgel** *f* barrel organ **~pause** *f* FILM shooting break **~punkt** *m* TECH *u. fig* pivot **~schalter** *m* rotary switch **~scheibe** *f* BAHN turntable, *fig* hub
Drehstrom *m* ELEK threephase current **~motor** *m* threephase A.C. motor
Drehstuhl *m* swivel chair
Drehtag *m* FILM shooting day
Drehtür *f* revolving door
Drehung *f* turn(ing), rotation: ***schnelle ~*** spin
Drehzahl *f* revolutions *Pl* per minute (*Abk* r.p.m.) **~messer** *m* revolution counter **~regelung** *f* speed control
drei I *Adj* three: F ***sie kann nicht bis ~ zählen*** she is pretty dim(witted); ***~ viertel*** three-quarter; ***es war ~ viertel zwei*** it was a quarter to two; ***~ viertel voll*** three-quarters full **II** ♀ *f* (number) three, PÄD satisfactory
Dreiakter *m* THEAT three-act play
dreibeinig *Adj* three-legged
dreidimensional *Adj* three-dimensional
Dreieck *n* triangle
dreieckig *Adj* triangular
Dreiecksverhältnis *n* (love) triangle
Dreieinigkeit *f* REL Trinity
Dreierkonferenz *f* TEL three-party conference, three-way conference
dreifach *Adj* threefold, triple: ***die ~e Menge*** three times the amount; ***in ~er Ausfertigung*** in triplicate; ***das ♀e*** three times as much, triple
dreifarbig *Adj* tricolo(u)r
Dreifuß *m* tripod
Dreiganggetriebe *n* three-speed gear
dreihundert *Adj* three hundred
dreijährig *Adj*, **Dreijährige** *m, f* three-year-old
Dreiklang *m* MUS triad
Dreikönige *Pl* REL (***zu ~*** on) Epiphany
dreimal *Adv* three times
Dreimeilenzone *f* three-mile limit
Dreimeterbrett *n* three-metre (diving) board
dreimotorig *Adj* three-engined
dreinblicken *v/i* F look *sad etc* **dreinreden** *v/i* F interfere (*j-m od* ***bei*** with)
Dreirad *n* tricycle
Dreisatz *m* MATHE rule of three
dreisilbig *Adj* trisyllabic
Dreisprung *m* SPORT triple jump
dreispurig *Adj Fahrbahn*: three-lane(d)
dreißig I *Adj* thirty; ***sie ist Ende ~*** she is in her late thirties **II** ♀ *f* thirty **dreißiger** *Adj* ***die ~ Jahre*** *e-s Jhs.*: the thirties *Pl*
Dreißiger(in) man (woman) of thirty (*od* in his [her] thirties): ***er ist in den Dreißigern*** he is in his thirties **Dreißigerjahre** → **dreißiger**
dreist *Adj Person*: impertinent, F cheeky, *a. fig Lüge etc*: brazen
dreistellig *Adj* MATHE three-digit
Dreistigkeit *f* impertinence, F cheek
dreistufig *Adj* TECH three-stage
Dreitagebart *m* (designer) stubble
dreitägig *Adj* three-day
Dreiteiler *m Anzug*: three-piece
dreiteilig *Adj* three-piece
Dreiviertel|stunde *f* three quarters *Pl* of an hour **~takt** *m* MUS three-four time
Dreiweg... TECH three-way (*switch etc*)
dreiwertig *Adj* CHEM trivalent
dreiwöchig *Adj* three-week
Dreizack *m* trident
dreizehn *Adj* thirteen: F *fig* ***jetzt schlägts aber ~!*** that's the limit!
dreizehnt *Adj* thirteenth
Dreizimmerwohnung *f* three-room flat (*od* apartment)
Dresche *f* F hiding
dreschen *v/t u. v/i* LANDW thresh: → ***Phrase***
Dreschmaschine *f* threshing machine
Dresseur(in) animal trainer **dressieren** *v/t* (*Tier*) train, (*Kind etc*) drill
Dressing *n* (salad) dressing
Dressman *m Pl* **-men** male model
Dressur *f* **1.** (animal) training **2.** SPORT → **Dressurreiten** *n* dressage

Drift *f* SCHIFF drift (current) **driften** *v/i* drift
Drill *m* MIL *u. fig* drill
drillen *v/t allg, a. fig* drill: ***gedrillt sein auf*** (*Akk*) be practised at
Drilling *m* triplet
drin *Adv* F **1.** → ***darin***: ***er ist ~*** he's inside **2.** *fig* ***das ist*** (***bei mir***) ***nicht ~!*** that's not on!, that's out!; ***es ist noch alles ~*** anything is still possible; ***mehr war nicht ~*** that was the best I *etc* could do
dringen *v/i* **1.** ***~ durch*** force one's way through, *Licht etc*: penetrate, *Wasser etc*: seep through **2.** ***~ aus*** (*Dat*) *Geräusch etc*: come from **3.** ***~ in*** (*Akk*) penetrate (into), *Wasser*: *a.* seep into, *a. fig* invade; *fig* ***an die Öffentlichkeit ~*** leak out **4.** ***~ bis zu*** reach, get as far as **5.** *fig* ***~ auf*** (*Akk*) insist on, press for **6.** *fig* (***mit Fragen***) ***in j-n ~*** press s.o. (with questions); ***mit Bitten in j-n ~*** plead with s.o. **dringend I** *Adj* urgent, pressing, *Notwendigkeit etc*: imperative, *Verdacht etc*: strong, *Gründe*: compelling **II** *Adv* ***~ brauchen*** need urgently (*od* badly); ***~ notwendig*** imperative; ***~ empfehlen*** recommend strongly; ***j-n ~ ersuchen*** entreat s.o.
dringlich *Adj* urgent
Dringlichkeit *f* urgency: ***von größter ~*** of top (*od* first) priority
Dringlichkeitsantrag *m* PARL emergency motion **Dringlichkeitsstufe** *f* priority (class): ***höchste ~*** top priority
drinnen *Adv* inside, indoors
drinstecken *v/i* F ***da steckt viel Arbeit drin*** a lot of work has gone into it
dritt *Adj* third: ***~er Klasse*** third-class; POL ***die ~e Welt*** the Third World; ***wir waren zu ~*** there were three of us; ***sie gingen zu ~ hin*** three of them went
Dritte *m, f* third, JUR third party: ***~(r) werden*** SPORT finish third
Drittel *n* third **drittens** *Adv* third(ly)
drittklassig *Adj fig* third-rate
drittletzt *Adj* last but two
drittrangig *Adj* third-rate
Droge *f* drug
drogenabhängig *Adj* addicted to drugs: ***~ sein*** *a.* be a drug addict
Drogenabhängige *m, f* drug addict
Drogenabhängigkeit *f* drug addiction
Drogen|handel *m* drug trafficking **~händler(in)** drug dealer **~konsum** *m* use of drugs **~kurier** *m* (drug) mule **~missbrauch** *m* drug abuse **~rausch** *m* F (***im ~*** on a) trip **~sucht** *f* drug addiction **&süchtig** *Adj* addicted to drugs **~süchtige** *m, f* drug addict **~szene** *f* drug scene **~tote** *m, f* drug-related death
Drogerie *f* chemist's (shop), *Am* drugstore
Drogist(in) chemist, *Am* druggist
Drohbrief *m* threatening letter
drohen *v/i* threaten (***j-m*** s.o.): ***j-m ~*** **a)** ***mit der Faust*** (***dem Finger***) shake one's fist (finger) at s.o., **b)** *fig* (*j-m bevorstehen*) be in store for s.o.; ***mit der Polizei ~*** threaten to call the police; ***er drohte zu ertrinken*** he threatened to drown, he was in danger of drowning
drohend *Adj* **1.** threatening **2.** *fig* (*bevorstehend*) imminent: ***~e Gefahr*** *a.* threat, menace
Drohne *f a. fig* drone
dröhnen *v/i* boom, roar, (*widerhallen*) resound (**von** with): *fig* ***mein Kopf dröhnt*** my head is ringing
Drohung *f* threat, menace
drollig *Adj* droll, funny
Dromedar *n* ZOOL dromedary
Drops *Pl* (***saure ~*** acid) drops *Pl*
Drossel[1] *f* ZOOL thrush
Drossel[2] *f* TECH choke
drosseln *v/t* TECH throttle (*a. fig*), (*Heizung*) turn down
drüben *Adv* over there, on the other side
Druck[1] *m allg* pressure, *fig a.* stress, MED (*~gefühl*) sensation of pressure: ***ein ~ auf den Knopf genügt*** just press the button; *fig* ***auf j-n ~ ausüben, j-n unter ~ setzen*** put s.o. under pressure; F ***im ~ sein*** *zeitlich*: be pressed for time
Druck[2] *m* **1.** printing: ***zum ~ gehen*** go to press; ***im ~ sein*** be printing **2.** (*Kunst&*) print **3.** (*~Art*) print **4.** (*Textil&*) print
Druck|abfall *m* drop in pressure **~anstieg** *m* increase in pressure **~ausgleich** *m* pressure compensation
Druckbuchstabe *m* block letter: ***in ~n schreiben*** *a.* print
Drückeberger(in) F shirker
druckempfindlich *Adj* sensitive to pressure, *Obst*: easily bruised
drucken *v/t allg* print
drücken I *v/t* **1.** *allg* press, (*quetschen*) *a.*

D

squeeze, (*Taste*) *a.* push: ***j-m die Hand*** **~** shake hands with s.o.; ***j-m etw in die Hand* ~** put (*heimlich*: slip) s.th. into s.o.'s hand; ***j-n*** (***an sich***) **~** hug s.o.; → ***Daumen*** **2.** (*j-n*) *Schuh*: pinch, *Magen*: pain, hurt, *fig Sorgen, Schulden etc*: weigh heavily on *s.o.* **3.** *fig* (*Leistung, Preise etc*) bring (*od* force) down, (*Rekord*) better (**um** by) **4.** *sl* (*Heroin etc*) shoot **II** *v/i* **5.** *allg* press, *Rucksack etc*: *a.* hurt, *Schuh*: pinch, *fig Hitze etc*: be oppressive: **~ *auf*** (*Akk*) press on, (*Knopf etc*) press, push; *fig **auf die Stimmung*** **~** cast a gloom (on everything) **III** *v/refl* ***sich*** **~ 6.** F shirk: ***sich vor e-r Sache*** **~** shirk (doing) s.th.

drückend *Adj fig Schulden etc*: heavy, *Schwüle etc*: oppressive

Drucker *m a.* COMPUTER printer

Drücker *m Türschloss*: latch, *Gewehr*: trigger: F *fig **am*** **~ *sitzen*** be at the controls; ***auf den letzten*** **~** down to the last minute

Druckerei *f* printing office

Druckerzeugnis *n* publication

Druckfehler *m* misprint

Druckfehlerverzeichnis *n* errata *Pl*

druckfertig *Adj* ready for (the) press: ***~es Manuskript*** fair copy

Druckkabine *f* FLUG pressurized cabin

Druckknopf *m* press-stud, F popper, *Am* snap fastener, TECH push button

Druckluft *f* compressed air **Druckluft...** compressed-air (*starter, drive, etc*)

Druckluftbremse *f* air brake

Druck|maschine *f* printing machine **~messer** *m* TECH pressure ga(u)ge **~mittel** *n fig* lever **℘reif** → ***druckfertig***

Drucksache *f* **1.** *Post*: printed (*Am a.* second-class) matter **2.** PARL Document

Druckschrift *f* **1.** block letters *Pl*: ***in*** **~ *schreiben*** *a.* print **2.** printing type **3.** publication

Druck|stelle *f* tender spot, *bei Obst*: bruise **~verband** *m* MED compression bandage **~wasserreaktor** *m* pressurized water reactor **~welle** *f e-r Explosion*: shock wave **~zeile** *f* printline

drum *Adv* F → ***darum***

Drum: ***das ganze*** **~ *und Dran*** everything that goes with it; ***mit allem*** **~ *und Dran*** with all the trimmings

drunter *Adv* F **1.** → ***darunter*** **2.** ***es ging alles*** **~ *und drüber*** it was absolutely chaotic

Drüse *f* gland **Drüsen...** glandular

Dschungel *m a. fig* jungle

Dschunke *f* junk

DTP *n* (= ***Desktop-Publishing***) DTP

du *Personalpron* you: ***bist*** **~ *es?*** is that you?; **~ *Glückliche*(*r*)!** lucky you!; ***mit j-m per*** **~ *sein*** → ***duzen*** b

Dübel *m*, **dübeln** *v/t* dowel, peg

Dublee... gold-plated (*watch etc*)

ducken I *v/t* ***den Kopf*** **~** duck one's head **II** *v/refl* ***sich*** **~** crouch (down), *ausweichend*: duck, *fig* cringe (**vor** before)

Duckmäuser(in) F *pej* cringer, (*Heuchler*) hypocrite

dudeln *v/t u. v/i* F tootle

Dudelsack *m* bagpipe(s *Pl*)

Duell *n* duel (***auf Pistolen*** with pistols), *fig a.* fight, (*Rede℘*) *a.* battle of words

duellieren *v/refl* ***sich*** **~** fight a duel

Duett *n* MUS duet

Duft *m* smell, scent, fragrance, aroma

dufte *Adj* F great, super

duften *v/i* smell (**nach** of): ***süß*** **~** smell sweet **duftend** *Adj* fragrant

duftig *Adj* gossamer, filmy

Duftnote *f* special scent

Duftstoff *m* scent, aroma

dulden *v/t* **1.** tolerate: ***ich dulde es nicht*** I won't have it (***dass*** that); → ***Aufschub*** **2.** → ***erdulden*** **Dulder(in)** (patient) sufferer **Duldermiene** *f iron* ***mit*** **~** with a martyred expression

duldsam *Adj* (***gegen***) tolerant (of), (*nachsichtig*) indulgent (to), (*geduldig*) patient (with) **Duldsamkeit** *f* tolerance (***gegen*** of), forbearance

Duldung *f* toleration, permission

dumm *Adj allg* stupid, *bes Am* dumb, F (*albern*) *a.* silly, *fig* (*unangenehm*) *a.* awkward: ***zu*** **~!, *so etw* ℘*es!*** how stupid!, what a nuisance!; F **~*es Zeug*** (***reden*** talk) rubbish; ***sich*** **~ *stellen*** act the fool; ***ich lasse mich nicht für*** **~ *verkaufen*** I'm not that stupid; ***die Sache wird mir zu*** **~** I'm sick and tired of it; *Adv **j-m*** **~ *kommen*** get fresh with s.o.; ***frag nicht so*** **~!** don't ask such silly questions! **Dumme** *m, f* fool: F ***der*** **~ *sein*** be left holding the baby

dummerweise *Adv* F **1.** **~ *habe ich es vergessen*** like a fool I forgot it **2.** unfortunately

Dummheit *f* **1.** stupidity **2.** stupid thing: ***was für e-e ~!*** what a stupid thing to do!; **(*mach*) *k-e ~en!*** don't do anything stupid!, none of your tricks!
Dummkopf *m* F fool, idiot
dumpf *Adj* **1.** *Geräusch etc*: dull, muffled: ***~er Aufprall*** thud **2.** (*muffig*) stuffy, (*modrig*) musty **3.** *fig* (*stumpfsinnig*) dull, *Atmosphäre etc*: gloomy, dismal **4.** *fig Gefühl etc*: dark, *Schmerz*: dull
Dumping *n* WIRTSCH dumping
Düne *f* dune
Dung *m* dung, manure **Düngemittel** *n* → ***Dünger*** **düngen** *v/t u. v/i* fertilize **Dünger** *m* fertilizer, (*Mist*) dung, manure **Dunggrube** *f* manure pit
dunkel I *Adj* **1.** *allg* dark, (*düster*) *a.* gloomy (*a. fig*), *Farbe*: *a.* deep: ***es wird ~*** it is getting dark **2.** *Stimme, Ton etc*: deep **3.** *fig allg* dark, (*unbestimmt*) *a.* vague, dim, (*geheimnisvoll*) *a.* mysterious, (*zwielichtig*) shady, dubious: ***j-n im ≈n lassen*** leave s.o. in the dark (***über*** *Akk* about); F ***im ≈n tappen*** grope in the dark; *Adv* ***sich ~ erinnern*** remember dimly **II** ≈ *n* **4.** *the* dark, darkness (*a. fig*)
Dünkel *m* conceit
dunkelblau *Adj* dark blue
dunkelblond *Adj* dark blond
dunkelhaarig *Adj* dark(-haired) **dunkelhäutig** *Adj* dark(-skinned), swarthy
Dunkelheit *f* darkness, *fig a.* obscurity: → ***Einbruch*** 2
Dunkelkammer *f* FOTO darkroom
dunkelrot *Adj* dark red
Dunkelziffer *f* estimated number of unknown cases
dünn I *Adj* **1.** *allg* thin, *Gewebe etc*: *a.* flimsy, *Stimme, Flüssigkeit etc*: *a.* weak, *Haar*: *a.* sparse, PHYS *Luft*: rare **2.** *fig* (*dürftig*) poor, meag/re (*Am* -er) **II** *Adv* ***~ besiedelt*** sparsely populated; F *fig* ***~ gesät sein*** be scarce, be few and far between
Dünndarm *m* small intestine
Dünndruck(ausgabe *f*) *m* India-paper edition
Dünne *f allg* thinness (*a. fig*), weakness
dünnflüssig *Adj* thin, liquid, *Öl*: thin-bodied
dünnhäutig *Adj a. fig* thin-skinned
Dünnheit *f* → ***Dünne***
dünnmachen *v/refl* ***sich ~*** F make o.s. scarce
Dunst *m* haze, mist, (*Ausdünstung*) vapo(u)r, fumes *Pl*, (*Dampf*) steam: F *fig* ***er hat k-n*** (***blassen***) ***~ davon*** he hasn't the foggiest (idea) about it
dünsten *v/t u. v/i* GASTR stew
Dunstglocke *f* blanket of smog
dunstig *Adj* hazy, misty
Dunstschleier *m* (veil of) haze
Dünung *f* SCHIFF swell
Duo *n* MUS duo
Duplikat *n* duplicate, copy
Dur *n* MUS (***in ~*** in) major
durch I *Präp* **1.** through: ***quer ~*** across; ***~ ganz Amerika*** *reisen etc* all over America **2.** (*mittels*) by, by means of, (*bes über j-n*) through: ***~ Zufall*** by chance **3.** MATHE ***10 ~ 2*** 10 divided by 2 **4.** → ***wegen*** **II** *Adv* **5.** *zeitlich*: during, through(out): ***das ganze Jahr ~*** throughout the year; ***die ganze Nacht ~*** all night long; F ***es ist 5 Uhr ~*** it is past five **6.** F ***~ und ~*** through and through, completely: ***~ und ~ nass*** drenched
durchackern *v/t* F *fig* plough (*Am* plow) through **durcharbeiten I** *v/t* work (*od* go) through **II** *v/i* work through (without a break) **III** *v/refl* ***sich ~*** *a. fig* work one's way through
durchatmen *v/i* (***tief***) ***~*** breathe deeply
durchaus *Adv* **1.** thoroughly, quite: ***~!*** absolutely!; ***~ möglich!*** quite possible!; ***wenn er ~ kommen will*** if he insists on coming **2.** ***~ nicht*** by no means; ***~ nicht!*** absolutely not!; ***er wollte ~ nicht gehen*** he absolutely refused to go
durchbeißen I *v/t* bite through **II** *v/refl* ***sich ~*** F *fig* struggle through
durchbiegen *v/refl* ***sich ~*** sag
durchblättern *v/t* leaf through
Durchblick *m* **1.** view (***auf*** *Akk* of) **2.** F *fig* grasp: ***~ haben*** → ***durchblicken*** 3; ***sich den*** (***nötigen***) ***~ verschaffen*** find out what's what **durchblicken** *v/i* **1.** look through **2.** *fig* ***~ lassen*** intimate (***dass*** that) **3.** F (*kapieren*) get it, (*Bescheid wissen*) know the score: ***da blicke ich nicht durch!*** I don't get it!
durchbluten *v/t* supply with blood
Durchblutung *f* (blood) circulation
durchblutungs|fördernd *Adj* MED stimulating (blood) circulation **≈störung** *f* MED circulatory disturbance

durchbohren *v/t* pierce, stab: *fig* ***j-n mit Blicken ~*** look daggers at s.o.
durchbohrend *Adj fig Blick*: piercing
'durchbrechen[1] **I** *v/t* break in two (*a. v/i*) **II** *v/i allg* break through (*a.* MIL *u. Sport*), MED burst, *Zähne*: erupt, (*zum Vorschein kommen*) come through, *fig* reveal itself
durch'brechen[2] *v/t allg* break through, (*Blockade*) *a.* run, (*Regel etc*) break
durchbrennen *v/i* **1.** ELEK *Sicherung*: blow, *Birne*: burn out **2.** F *fig* (*ausreißen*) run away, *mit Geld*: *a.* make off, *mit Liebhaber*: *a.* elope
durchbringen I *v/t* **1.** *allg* get *s.o., s.th.* through, (*Kranken*) pull *s.o.* through, (*Familie etc*) support **2.** (*Geld*) squander, blow **II** *v/refl* ***sich ~*** **3.** get by
Durchbruch *m* **1.** breakthrough (*a. fig*), MED perforation, *der Zähne*: eruption: *fig* ***zum ~ kommen*** show, become manifest, *Idee*: gain acceptance **2.** (*Öffnung*) opening
durchdacht *Adj* reasoned **durchdenken** *v/t logisch*: reason *s.th.* (out)
durchdrängen *v/refl* ***sich ~*** force one's way through
durchdrehen I *v/t* **1.** GASTR mince **II** *v/i* **2.** *Räder*: spin **3.** F flip, *vor Angst*: panic
durch'dringen[1] *v/t* **1.** go through, penetrate **2.** (*j-n*) *Gefühl etc*: fill, pervade
'durchdringen[2] *v/i* **1.** get through, penetrate, *Stimme etc*: be heard: *fig* ***bis zu j-m ~*** reach s.o. **2.** *fig* ***~ mit*** *e-m Vorschlag etc*: succeed with, get *s.th.* accepted **'durchdringend** *Adj allg* penetrating, *Blick*: *a.* piercing, *Stimme*: *a.* loud, shrill, *Geruch*: *a.* pungent: ***~e Kälte*** biting cold; ***~er Schrei*** scream
durchdrücken *v/t* **1.** (*Knie*) straighten **2.** F → ***durchsetzen***[1] I
durchdrungen *Adj fig* filled (***von*** with)
durcheinander I *Adv* ***~ sein*** be at sixes and sevens, be in a mess; ***ganz ~ sein*** *Person*: be all mixed up, (*aufgeregt*) be in a flap; ***alles ~ essen*** eat everything as it comes; ***~ bringen*** jumble up, *a. fig* (*Begriffe etc*) mix up, (*j-n*) confuse, get *s.o.* all flustered: ***alles ~ bringen*** get everything mixed up; ***~ geraten*** get mixed up; ***~ reden*** talk all at once **II** ♀ *n a. fig* confusion, mess
'durchfahren[1] *v/i* pass (*od* go, MOT drive) through, BAHN *a.* go nonstop (***bis*** to): ***die Nacht ~*** travel all night
durch'fahren[2] *v/t* pass (*od* go, MOT drive) through, (*Strecke*) drive
Durchfahrt *f allg* passage, (*Tor*♀) gate(way): ***~ verboten!*** no thoroughfare!
Durchfahrtsstraße *f* through road
Durchfall *m* **1.** MED diarrh(o)ea **2.** F THEAT flop **durchfallen** *v/i* **1.** fall through **2.** F **a)** (*a.* ***~ lassen***) *in e-r Prüfung*: fail, *bes Am* flunk, **b)** *bei e-r Wahl*: be defeated, **c)** *Vorschlag etc*: be turned down, **d)** THEAT *etc* be a flop
Durchfallquote *f* PÄD *etc* failure rate
durchfechten *v/t fig* fight *s.th.* through
durchfeiern *v/i* F make a night of it
durchfinden *v/i u. v/refl* ***sich ~*** find one's way through: (***sich***) ***nicht mehr ~*** be (completely) at a loss
'durchfliegen[1] *v/i* **1.** fly through, FLUG *a.* fly nonstop **2.** → ***durchfallen*** 2 a
durch'fliegen[2] *v/t* **1.** fly through, (*Strecke*) fly, cover **2.** *fig* (*Post, Zeitung etc*) skim (*od* glance) through
durchfließen *v/t* flow (*od* run) through
durchfluten *v/t fig Licht etc*: flood *a room etc*, *Gefühl etc*: flow through *s.o.*
durchfragen *v/refl* ***sich ~*** ask one's way (***zu*** to)
durchfroren *Adj fig* frozen stiff
Durchfuhr *f* WIRTSCH transit
durchführbar *Adj* practicable, feasible: ***schwer ~*** difficult to carry out
durchführen I *v/t* **1.** lead (*od* take) *s.o., s.th.* through **2.** (*Arbeit, Plan etc*) carry out (*od* through), (*Tests etc*) do, (*Projekt etc*) realize, (*Veranstaltung*) organize, (*Gesetz*) enforce **II** *v/i* **3.** ***~ durch*** lead through; ***unter e-r Brücke ~*** go (*od* lead) under a bridge
Durchführung *f* carrying out, realization, JUR enforcement
Durchführungsvorschrift *f* implementing regulation
Durchfuhrzoll *m* WIRTSCH transit duty
durchfüttern *v/t* F feed, (*j-n*) *a.* support
Durchgang *m* **1.** passage, (*Weg*) *a.* alley: ***~ verboten!, kein ~!*** no thoroughfare!; ***den ~ versperren*** block the passage **2.** ASTR, WIRTSCH transit **3.** (*Phase*) stage, *e-r Wahl*: round (*a. Sport*), *e-s Rennens etc*: heat, (*Zeitabschnitt*) rotation (period) **durchgängig** *Adj* general
Durchgangs|lager *n* transit camp **~straße** *f* through road **~verkehr** *m*

1. through traffic 2. → ***Durchfuhr***
durchgeben *v/t* (*Meldung etc*) pass on: ***telefonisch ~*** phone; (***im Radio***) ~ announce (on the radio)
durchgebraten *Adj* GASTR well done
durchgefroren → ***durchfroren***
durchgehen I *v/i* **1.** *allg* go through, *Antrag, Gesetz etc*: *a.* be passed: ***etw ~ lassen*** let s.th. pass, tolerate s.th.; F ***j-m etw ~ lassen*** let s.o. get away with s.th. **2.** F run away, *mit Geld*: *a.* make off, *Liebende*: *a.* elope, *Pferd*: bolt: *fig* ***mit j-m ~*** *Fantasie etc*: run away with s.o.; ***ihm gingen die Nerven durch*** he lost his head **II** *v/t* **3.** (*prüfen*) go over, go through
durchgehend I *Adj* through *train etc*, *Betrieb etc*: continuous (*a.* TECH) **II** *Adv* throughout: ~ ***geöffnet*** open all day
durchgeistigt *Adj* spiritual
durchgeknallt *Adj sl Freund, Freundin, Bemerkung etc*: *Br* over-the-top ..., over the top, *Abk* OTT
durchgreifen I *v/i fig* (***gegen***) take steps (against), F crack down (on) **II** ♀ *n* (***hartes, schnelles***) ♀ (***gegen***) (rigorous, fast) action (against), F crackdown (on) **durchgreifend** *Adj* drastic, *Reform etc*: radical, sweeping
durchhalten I *v/i* hold out (to the end), F stick it out **II** *v/t* keep *s.th.* up, (*Tempo etc*) *a.* stand **Durchhaltevermögen** *n* staying power, stamina
durchhängen *v/i* **1.** sag **2.** F *fig* **a)** *Person*: feel low, **b)** *Sendung etc*: be dull
Durchhänger *m* F ***e-n ~ haben*** feel low
durchhecheln *v/t* F *fig* gossip about, run *s.o., s.th.* down
durchhungern *v/refl* ***sich ~*** scrape a living
'durchkämmen[1] *v/t* **1.** (*Haar*) comb out **2.** *fig a* **durch'kämmen**[2] comb (***nach*** for)
durch|kämpfen I *v/refl* ***sich ~*** *a. fig* fight one's way through **II** *v/t* → ***durchfechten*** **~kauen** *v/t* chew *s.th.* well: F *fig* ***etw ~*** go over s.th. again and again **~kneten** *v/t* knead thoroughly **~kommen** *v/i* **1.** *allg* come through (*a. fig*), *Kranker*: *a.* pull through, *am Telefon*, *durch e-e Prüfung*: get through, *Sonne*: break through **2.** *fig* (***mit*** on) manage, get by: ***mit dieser Ausrede kommst du nicht durch!*** you won't get away with this excuse!
durchkreuzen *v/t fig* thwart
durchkriechen *v/i* creep (*od* crawl) through
Durchlass *m* passage **durchlassen** *v/t* let *s.o., s.th.* through (*od* pass), (*Licht*) transmit: ***Wasser ~*** leak; F *fig* ***etw ~*** let s.th. pass, overlook s.th.
durchlässig *Adj* pervious (***für*** to)
Durchlauf *m* **1.** TECH, COMPUTER pass **2.** SPORT heat **'durchlaufen**[1] **I** *v/i* run through, COMPUTER (*a.* ~ ***lassen***) pass (through) **II** *v/t* (*Schuhe etc*) wear through **durch'laufen**[2] *v/t* run (*fig a.* go, pass) through, (*Strecke*) cover: ***die Schule ~*** pass through school
durchlaufend *Adj a.* TECH continuous
Durchlauferhitzer *m* instantaneous water heater
durchleben *v/t* go (*od* live) through: (***im Geiste***) ***noch einmal ~*** relive
durchlesen *v/t* read *s.th.* through: ***sorgfältig ~*** peruse; ***flüchtig ~*** skim
durch'leuchten[1] *v/t* **1.** MED X-ray, screen **2.** *fig* investigate, probe into *s.o.'s past etc* **'durchleuchten**[2] *v/i* shine through **Durch'leuchtung** *f* MED X-ray examination, screening
durchliegen *v/refl* ***sich ~*** get bedsores
durchlöchern *v/t* **1.** perforate: ***völlig durchlöchert*** riddled with holes; ***von Kugeln durchlöchert*** riddled with bullets **2.** *fig* shoot holes in
durchmachen I *v/t allg* go through, (*Krankheit etc*) *a.* have, (*Wandlung etc*) undergo: ***er hat viel durchgemacht*** he has been through a lot **II** *v/i* F (***die Nacht***) ~ make a night of it
Durchmarsch *m*, **durchmarschieren** *v/i* march through
Durchmesser *m* diameter
durchmogeln *v/refl* ***sich ~*** F wangle one's way through
durchnässen *v/t* soak, drench
durchnehmen *v/t* PÄD do, go through
durchpausen *v/t* trace
durchpeitschen *v/t* (*Gesetz etc*) rush *s.th.* through, F *Am* railroad
durchqueren *v/t* cross, traverse
durchrasen *v/i* race (*od* tear) through
durchrasseln → ***durchfallen*** 2 a
durchrechnen *v/t* calculate: ***noch einmal ~*** check

Durchreiche *f* (service) hatch
Durchreise *f* ***auf der ~*** on one's way through; ***ich bin nur auf der ~*** I'm just passing through
Durchreisevisum *n* transit visa
durch|reißen I *v/t* tear (in two) **II** *v/i* tear, *Faden etc*: snap **~ringen** *v/refl* ***sich ~*** make up one's mind: ***sich ~, etw zu tun*** finally bring o.s. to do s.th. **~rosten** *v/i* rust through **~rutschen** *v/i* F slip through (*a. fig*), *bei e-r Prüfung*: scrape through **~rütteln** *v/t* shake (up), jolt **~sacken** *v/i* FLUG pancake
Durchsage *f* announcement
durchsagen *v/t* (*Befehl etc*) pass on, *im Radio*: announce
durchsägen *v/t* saw through
durchschaubar *Adj Motive etc*: obvious, *a. Person*: transparent: ***schwer ~*** *Person*, *Charakter*: inscrutable, puzzling, enigmatic **durchschauen** *v/t* see through *s.o.*, *s.th.*: ***du bist durchschaut!*** F I've got your number!
durch|scheinen *v/i* shine through: **~d** transparent, translucent **~scheuern** *v/t* (*Stoff etc*) wear through
durchschimmern *v/i* shimmer through
durchschlafen *v/i* sleep through
Durchschlag *m* **1.** (*Sieb*) strainer **2.** (*Kopie*) (carbon) copy, F carbon **3.** ELEK blowout **'durchschlagen[1] I** *v/t* **1.** cut in two **2.** GASTR pass *s.th.* through a strainer **II** *v/i* **3.** *Nässe etc*: come through, *Farbe*: show through **4.** ELEK *Sicherung*: blow **5.** MED act as a laxative **6.** *fig* (*sich auswirken*) be(come) effective: ***~ auf*** (*Akk*) affect **III** *v/refl* ***sich ~*** **7.** fight one's way through: ***sich mühsam ~*** scrape through; ***sich allein ~*** fend for o.s **durch'schlagen[2]** *v/t Geschoss*: penetrate **'durchschlagend** *Adj fig* very effective, *Erfolg etc*: sweeping, *Beweis etc*: conclusive: ***mit ~em Erfolg*** very effectively
Durchschlagpapier *n* copy paper, flimsy
Durchschlagskraft *f e-r Kugel etc*: penetration, *fig e-s Arguments etc*: force
durch|schlängeln *v/refl* ***sich ~*** *Person*: thread one's way (*fig* wriggle) through **~schleusen** *v/t* **1.** (*Schiff*) lock **2.** *fig* get *s.o.*, *s.th.* through **~schlüpfen** *v/i* slip through **~schmelzen** *v/i* KERNPHYSIK melt down **~schmoren** *v/i* F *Kabel etc*: char, scorch
'durchschneiden[1] *v/t* cut (in two)
durch'schneiden[2] *v/t* **1.** cut **2.** *fig* intersect, *Straße etc*: cut through, (*Wasser*, *Luft*) cleave
Durchschnitt *m* average: ***im ~*** on (an *od* the) average; ***über*** (***unter***) ***~*** above (below) (the) average; ***im ~ verdienen*** *etc* average; (***guter***) ***~ sein*** be (a good) average **durchschnittlich I** *Adj* average, (*gewöhnlich*) *a.* ordinary, (*mittelmäßig*) *a.* mediocre **II** *Adv* on (an *od* the) average: ***~ verdienen*** *etc a.* average
Durchschnitts... average (*age*, *income*, *speed*, *temperature*, *etc*)
Durchschreibeblock *m* carbon-copy pad **durchschreiben** *v/t* make a (carbon) copy of
durchschreiten *v/t* walk through
Durchschrift *f* (carbon) copy
durchschwimmen *v/t* swim (through *od* across)
durchschwitzen *v/i* soak with sweat
durchsehen I *v/i* see (*od* look) through **II** *v/t* look *s.th.* over, go through, (*prüfen*) check: ***flüchtig ~*** glance through
'durchsetzen[1] I *v/t* ***etw ~*** get s.th. through (*od* accepted); ***~, dass etw geschieht*** succeed in getting s.th. done; ***s-n Willen ~*** have one's way **II** *v/refl* ***sich ~*** *Person*: assert o.s., have one's way, *Idee etc*: be accepted, catch on, *Partei*, *Kandidat(in)*: be successful; ***sich ~ gegen*** prevail against, F win out over (*a. Sport*); ***er kann sich nicht ~*** he has no authority **durch'setzen[2]** *v/t* intersperse (***mit*** with) **'Durchsetzungsvermögen** *n* self-assertion, authority: ***~ haben*** *a.* be able to assert o.s
Durchseuchung *f* spread of infection
Durchsicht *f* examination, inspection: ***bei ~ der Akten*** on looking through (*prüfend*: on checking) the papers
durchsichtig *Adj* transparent, *fig a.* obvious
Durchsichtigkeit *f a. fig* transparency
durchsickern *v/i* ooze (*od* seep) out, *a. fig* leak out
durch|spielen *v/t* **1.** (*Szene*, *Stück etc*) play *s.th.* through **2.** *fig* rehearse, go through **~sprechen** *v/t* talk *s.th.* over, discuss **~starten** *v/i* FLUG climb and re-

accelerate, F go round again **~stecken** *v/t* put (*od* pass) *s.th.* through **~stehen** *v/t* **1.** *fig* get through **2.** → ***durchhalten*** II **~stellen** *v/t* TEL ***ein Gespräch ~*** put a call through
durchstöbern *v/t* rummage through
'**durchstoßen**[1] *v/i* break (*od* push) through **durch'stoßen**[2] *v/t* penetrate, pierce, (*Wolken etc*) break through
durchstreichen *v/t* cross out, cancel
durchstreifen *v/t* roam
durchströmen *v/t a. fig* flow through
durchsuchen *v/t* search, (*Gebiet etc*) comb, scour **Durchsuchung** *f* search
Durchsuchungsbefehl *m* search warrant
durchtrainiert *Adj* top fit
durchtrennen *v/t* sever
durchtreten *v/t* MOT (*Pedal*) step on, *Am* floor, (*Starter*) kick
durchtrieben *Adj* sly
durchwachsen *Adj* **1.** *Speck*: streaky **2.** *präd* F *fig* so-so, mixed
Durchwahl *f* TEL **1.** (*Direktwahl*) direct dial(l)ing **2.** (*Nebenstelle*) extension
durchwählen *v/i* ***nach Berlin ~*** dial through to Berlin, dial Berlin direct
durchwandern *v/t* hike through
durchweg *Adv* all of it (*od* them), without exception, down the line
durchweicht *Adj* drenched, soaked
durchwühlen *v/t* rummage through
durchwursteln *v/refl* ***sich ~*** F muddle through
durchzählen *v/t bes* MIL count off
'**durchziehen**[1] **I** *v/t* **1.** pull *s.th.* through **2.** F *fig* (*Vorhaben etc*) push (*od* see) *s.th.* through **II** *v/i* **3.** pass (*od* march) through **4.** GASTR ***gut ~ lassen*** soak well **III** *v/refl* ***sich ~*** **5.** *fig Motiv etc*: run through **durch'ziehen**[2] *v/t* pass (*od* march) through, *Fluss etc*, *a. fig Motiv etc*: run through, *fig Schmerz etc*: shoot through, *Geruch*: fill
durchzucken *v/t a. fig* flash through
Durchzug *m* **1.** passage, march through **2.** (*Luftzug*) draught, *Am* draft: ***~ machen*** air the room thoroughly
durchzwängen *v/refl* ***sich ~*** squeeze (o.s.) through
dürfen I *v/hilf* ***etw tun ~*** be allowed to do s.th.; ***darf ich ihn besuchen?*** may I visit him?; ***ja, Sie ~*** yes, you may; ***nein, Sie ~ es nicht*** no, you can't (*od* mustn't); ***wir ~ stolz auf ihn sein*** we can be proud of him; ***du darfst so etw nicht sagen!*** you mustn't say things like that!; ***was darf es sein?*** *Verkäufer(in)*: what can I do for you?, *Gastgeber(in)*: what would you like?; ***das dürfte genügen*** that should be enough **II** *v/t* ***er darf*** (***es***) he is allowed to; ***das darf man auf k-n Fall*** you can't possibly do that **III** *v/i* ***wenn ich nur dürfte*** if only I were allowed to
dürftig *Adj* poor, meag/re (*Am* -er), scanty: ***in ~en Verhältnissen leben*** be poorly off; *fig* ***~e Kenntnisse*** scanty knowledge (***von*** of) **Dürftigkeit** *f* poorness (*a. fig*), meagreness
dürr *Adj* **1.** *allg* dry, *Äste*, *Holz*: *a.* dead, *Boden*: *a.* barren **2.** *Körper*, *Mensch*: thin, gaunt, skinny, *Hals*: scrawny **3.** *fig* ***in ~en Worten*** in plain terms
Dürre *f* drought **Dürrekatastrophe** *f* disastrous drought **Dürreschäden** *Pl* drought damage *Sg*
Durst *m* thirst (*a. fig* ***nach*** for): ***~ haben*** (***bekommen***) be (get) thirsty; ***den Durst löschen*** quench (*od* slake) one's thirst F ***er hat e-n über den ~ getrunken*** he has had one too many
dürsten *v/i fig* thirst (***nach*** for)
durstig *Adj* thirsty (*a. fig* ***nach*** for)
durstlöschend, **durststillend** *Adj* thirst-quenching **Durststrecke** *f fig* hard slog, hard times *Pl*
Duschbad *n* shower bath **Dusche** *f* shower, douche (*a.* MED): *fig* ***wie e-e kalte ~ auf j-n wirken*** bring s.o. down to earth with a bump **duschen** *v/i u. v/refl* ***sich ~*** (have a) shower
Dusch|gel *n* shower foam **~kabine** *f* shower cubicle **~raum** *m* shower room **~vorhang** *m* shower curtain
Düse *f* nozzle
Dusel *m* F fluke, luck: ***~ haben*** be lucky; ***mit ~*** by a fluke **duselig** *Adj* F **1.** dopey, dazed **2.** (*schläfrig*) drowsy
düsen *v/i* F zoom
Düsen|antrieb *m* jet propulsion: ***mit ~*** jet-propelled **~flugzeug** *n* jet plane
düsengetrieben *Adj* jet-propelled
Düsen|jäger *m* MIL jet fighter **~pilot(in)** jet pilot **~triebwerk** *n* jet engine **~verkehrsflugzeug** *n* jetliner
Dussel *m* F dope **dusslig** *Adj* F dopey
düster *Adj a. fig* dark, gloomy, dismal:

~e ***Aussichten*** bleak prospects
Dutzend *n* (***zwei*** *~* two) dozen: ***♀e von Leuten*** dozens of people; ***zu ♀en*** in dozens; ***♀ Mal*** dozens of times **♀weise** *Adv* in dozens, by the dozen
duzen *v/t* ***j-n*** *~* **a)** address s.o. with „du", **b)** *a.* ***sich mit j-m*** *~* be on first-name terms with s.o.
Duzfreund(in) intimate friend
DV *f* (= ***Datenverarbeitung***) DP
Dynamik *f allg* dynamics *Pl* (*oft Sg konstr*), *fig a.* dynamism
Dynamiker(in) go-getter
dynamisch *Adj a. fig* dynamic: WIRTSCH *~**e Rente*** index-linked pension
dynamisieren *v/t* **1.** speed *s.th.* up **2.** WIRTSCH (*Renten etc*) index-link
Dynamit *n* dynamite
Dynamo(maschine *f*) *m* ELEK dynamo
Dynastie *f* dynasty
D-Zug *m* fast train

E

E, e *n* E, e (*a.* MUS)
Ebbe *f* low tide: *~* ***und Flut*** high tide and low tide; ***es ist*** *~* the tide is out
eben I *Adj* **1.** (*flach*) even, level, flat, (*glatt*) smooth **II** *Adv* **2.** (*so~, gerade*) just (now): *~* ***erst*** only just; ***ich wollte*** *~* ***gehen*** I was just going to leave **3.** (*genau*) just, exactly: (***das ist es ja***) *~!* that's it!; *~* ***nicht!*** on the contrary! **4.** *~* ***noch*** (*mit Mühe*) only just **5.** (*nun einmal*) just: ***es taugt*** *~* ***nichts*** it's just no good; ***er ist*** *~* ***der Bessere*** he's better, that's all; ***so ist es*** *~!* that's the way it is!; ***dann*** *~* ***nicht!*** all right, forget it!
Ebenbild *n* image: ***das*** *~* ***s-s Vaters*** the spit and image of his father
ebenbürtig *Adj* equal: ***j-m*** *~* ***sein*** be s.o.'s equal, *fig a.* be a match for s.o.
ebender(selbe), **ebendie(selbe)**, **ebendas(selbe) I** *Demonstrativpron* the very same **II** *Adj* that very *man*, *woman*, *thing* **ebendeswegen** *Adv* for that very reason
Ebene *f* **1.** GEOG plain **2.** MATHE plane **3.** *fig* (*Stufe*) level: ***auf staatlicher*** (***höchster***) *~* at government (top) level
ebenerdig *Adj* at ground level
ebenfalls *Adv* likewise, *nachgestellt*: too, as well: *~* ***nicht*** (***kein***) ... not ... either; ***danke,*** *~!* thanks, the same to you!
Ebenholz *n* ebony
ebenmäßig *Adj* well-proportioned, *Gesichtszüge*: regular
ebenso *Adv* **1.** just as *good etc* **2.** (in) the same way: *~* ***gut*** (just) as well; *~* ***viel*** just as much (*od* many) **3.** → ***ebenfalls***
Eber *m* ZOOL boar
Eberesche *f* BOT mountain ash
ebnen *v/t* level: → ***Weg***
EC *m* = ***Eurocity***
Echo *n* echo, *fig a.* response: ***ein lebhaftes*** *~* ***finden*** meet with a lively response **Echolot** *n* echo sounder
Echse *f* ZOOL lizard
echt I *Adj* genuine (*a. fig Gefühl etc*), *Dokument*: authentic, *Farbe*: fast, *Haar(farbe)*: natural, (*wirklich*) real (*a. Gold, Leder etc*), (*wahr*) true (*a. Freund etc*), (*rein*) pure: ***ein*** *~**er Engländer*** a true (*od* real) Englishman **II** *Adv* really: F *~* ***gut!*** real good!; ***das ist*** *~* ***Paul!*** that's Paul all over! **Echtheit** *f* genuineness (*etc*), authenticity
Echtzeit *f* IT real time *~***verarbeitung** *f* IT real-time processing
Eckball *m* SPORT corner
Ecke *f* **1.** corner (*a. Kante, Straßen♀, a. Sport*): ***an der*** *~* at (*Haus*: on) the corner; ***gleich um die*** *~* just round the corner; *fig* ***an allen*** *~**n und Enden*** everywhere; ***es fehlte an allen*** *~**n und Enden*** we were short on everything; F ***j-n um die*** *~* ***bringen*** bump s.o. off **2.** F (*Stückchen*) piece, (*Strecke*) stretch, (*Gegend*) corner
eckig *Adj* square, angular, *fig* awkward
...eckig ...-cornered
Ecklohn *m* basic wage **Eckpfeiler** *m* **1.** ARCHI corner pillar **2.** *fig* cornerstone **Eckplatz** *m* corner seat **Eckstoß** *m*

SPORT corner kick **Eckzahn** *m* eyetooth **Eckzins** *m* basic interest rate
E-Commerce *m* (= ***elektronischer Handel***) IT e-commerce
Ecuador *n* Ecuador
edel *Adj* **1.** *a. fig* noble **2.** *Metall, Stein*: precious, *Wein etc*: exquisite
Edel|gas *n* inert gas **~holz** *n* rare wood **~metall** *n* precious metal
edelmütig *Adj* noble-minded
Edel|pilzkäse *m* blue cheese **~stahl** *m* high-grade steel **~stein** *m* precious stone, *geschliffener*: gem **~tanne** *f* BOT silver fir **~weiß** *n* BOT edelweiss
Editor *m* IT editor
Edutainment *n* edutainment
EDV *f* (= ***elektronische Datenverarbeitung***) EDP, electronic data processing **EDV-Anlage** *f* electronic data processing equipment
Efeu *m* BOT ivy
Effeff *n* F ***etw aus dem ~ können*** be a real wizard at s.th.
Effekt *m* effect, (*Ergebnis a.*) result
Effekten *Pl* WIRTSCH securities *Pl*, (*Aktien und Obligationen*) stocks and bonds *Pl* **~börse** *f* stock exchange **~händler(in)** stock dealer **~makler(in)** stockbroker
Effekthascherei *f* sensationalism, (cheap) showmanship
effektiv *Adj* **1.** effective **2.** (*tatsächlich*) actual
Effektivität *f* effectiveness
effektvoll *Adj* effective, striking
Effizienz *f* efficiency
EG *f* (= ***Europäische Gemeinschaft***) *hist* EC, European Community
egal *Adj präd* F **1.** ***das ist (ganz) ~*** it doesn't matter; ***das ist mir (ganz) ~*** I don't care; ***das ist mir nicht ~*** I do care; ***ganz ~, wer (warum*** *etc*) no matter who (why *etc*) **2.** (*gleich*) the same
Egge *f*, **eggen** *v/t* harrow
Egoismus *m* egoism **Egoist(in)** ego(t)ist **egoistisch** *Adj* egotistic(al), selfish **egozentrisch** *Adj* self-centred, *Am* self-centered
eh *Adv* **1.** *Dialekt* → ***ohnehin*** **2.** ***seit ~ und je*** always; ***wie ~ und je*** as ever
ehe *Konj* before: ***nicht ~*** not until; → ***eher, ehest***
Ehe *f* marriage: ***sie hat e-e Tochter aus erster ~*** she has a daughter by her first marriage; ***die ~ brechen*** commit adultery; (***mit j-m***) ***die ~ schließen*** get married (to s.o.); ***sie führen e-e glückliche ~*** they are happily married **eheähnlich** *Adj*: ***~e Gemeinschaft*** common-law marriage; ***in e-r ~en Gemeinschaft leben*** cohabit **Eheberater(in)** marriage guidance counsel(l)or **Eheberatung(sstelle)** *f* marriage guidance (bureau) **Ehebett** *n* marriage bed **Ehebrecher(in)** adulterer (adulteress) **ehebrecherisch** *Adj* adulterous **Ehebruch** *m* adultery **Ehefrau** *f* wife, *weit. S.* married woman **Ehegatten** *Pl* husband and wife **Ehekrach** *m* F marital row **Ehekrise** *f* marital crisis **Eheleben** *n* married life
ehelich *Adj* marital, *Kind*: legitimate
ehemalig *Adj* former, ex-..., (*verstorben*) late **ehemals** *Adv* formerly
Ehemann *m* husband, *weit. S.* married man **Ehepaar** *n* married couple: ***das ~ Brown*** Mr. and Mrs. Brown
Ehepartner(in) (marriage) partner
eher *Adv* **1.** earlier, sooner: ***je ~, desto lieber*** the sooner the better **2.** (*lieber*) rather, (*leichter*) more easily, (*mehr*) more, (*wahrscheinlicher*) more likely
Ehering *m* wedding ring
ehern *Adj* **1.** (of) brass **2.** *fig Gesetz, Wille*: iron
Ehescheidung *f* divorce; → *a.* ***Scheidung(s...)*** **Eheschließung** *f* marriage
ehest I *Adj* earliest **II** *Adv* ***am ~en*** (the) earliest, (the) first, (*am besten*) best; ***er kann uns am ~en helfen*** if anyone can help us, it's him
Ehestand *m* matrimony **Ehestreit** *m* marital row **Ehevertrag** *m* marriage contract **Eheversprechen** *n* promise of marriage
ehrbar *Adj* hono(u)rable, respectable
Ehre *f* hono(u)r: ***zu ~n*** (*Gen od* ***von***) in hono(u)r of; ***ihm zu ~n*** in his hono(u)r; ***j-m die ~ erweisen zu*** *Inf* do s.o. the hono(u)r of *Ger*; ***j-m die letzte ~ erweisen*** pay one's last respects to s.o.; ***j-m (k-e) ~ machen*** be a (be no) credit to s.o.; ***in ~n halten*** hold in hono(u)r; ***mit wem habe ich die ~?*** to whom have I the pleasure of speaking? **ehren** *v/t* hono(u)r, (*achten*) respect: *diese Haltung etc* ***ehrt ihn*** does him credit
Ehren|amt *n* honorary post **˜amtlich I**

E

Adj honorary **II** *Adv* in an honorary capacity **~bürger(in)** honorary citizen **~doktor** *m* honorary doctor
Ehrengast *m* guest of hono(u)r
ehrenhaft *Adj* hono(u)rable, upright
ehrenhalber *Adv* for hono(u)r's sake: ***Doktor ~*** doctor honoris causa
Ehren|kodex *m* code of hono(u)r **~legion** *f* Legion of Hono(u)r **~mal** *n* (war) memorial **~mann** *m* man of hono(u)r **~mitglied** *n* honorary member **~platz** *m* place of hono(u)r **~rechte** *Pl* JUR ***bürgerliche ~*** civil rights *Pl* **~rettung** *f* vindication **~runde** *f* (***e-e ~ drehen*** do a) lap of hono(u)r **~sache** *f* matter of hono(u)r **~schuld** *f* debt of hono(u)r **~tag** *m* great day **~titel** *m* honorary title **~treffer** *m* SPORT consolation goal **~tribüne** *f* VIP lounge
ehrenvoll *Adj* hono(u)rable
Ehrenwache *f* guard of hono(u)r
ehrenwert *Adj* respectable
Ehrenwort *n* word of hono(u)r: ***sein ~ geben*** give one's word; ***~!*** I promise (you)! **Ehrenzeichen** *n* decoration
ehrerbietig *Adj* (***gegen*** towards) respectful, deferential
Ehrfurcht *f* (***vor*** *Dat*) respect (for), *stärker:* awe (of); ***~ gebietend*** awe-inspiring
ehrfürchtig *Adj* respectful, reverential
Ehrgefühl *n* sense of hono(u)r
Ehrgeiz *m* ambition
ehrgeizig *Adj* ambitious
ehrlich I *Adj* honest, *Handel, Spiel etc:* fair, (*aufrichtig*) *a.* sincere, (*echt*) genuine, (*offen*) frank: ***~ währt am längsten*** honesty is the best policy; ***seien wir (doch) ~!*** let's face it! **II** *Adv* honestly (*etc*): ***~ gesagt*** to tell you the truth; F ***~?*** really? **Ehrlichkeit** *f* honesty
ehrlos *Adj* disgraceful
Ehrung *f* hono(u)r (*Gen* conferred on)
ehrwürdig *Adj* venerable, REL Reverend
ei *Interj* oh
Ei *n* **1.** egg, PHYSIOL ovum: *fig* ***wie ein ~ dem anderen gleichen*** be as like as two peas; F ***wie aus dem ~ gepellt*** spick and span; ***j-n wie ein rohes ~ behandeln*** handle s.o. with kid gloves **2.** *Pl* F (*Geld*) quid *Pl*, *Am* bucks *Pl* **3.** *Pl* V (*Hoden*) balls *Pl*, *bes Am* nuts *Pl*
Eibe *f* BOT yew (tree)
Eiche *f* BOT oak (tree), (*Holz*) oak
Eichel *f* **1.** BOT acorn **2.** ANAT glans
Eichelhäher *m* ZOOL jay
eichen *v/t* (*Maße, Gewichte*) adjust, (*Messinstrumente*) calibrate
Eichhörnchen *n* ZOOL squirrel
Eichmaß *n* standard (measure)
Eid *m* oath: ***e-n ~ ablegen*** (*od* ***leisten, schwören***) take an oath, swear (***auf die Bibel*** by the Bible); ***j-m e-n ~ abnehmen*** administer an oath to s.o.; ***unter ~ aussagen*** testify on oath; JUR ***an ~es statt*** → ***eidesstattlich***
Eidechse *f* ZOOL lizard
eidesstattlich *Adj u. Adv* in lieu of (an) oath: ***~e Erklärung*** affidavit
Eidgenosse *m*, **Eidgenossin** *f* Swiss (citizen): ***die ~n*** the Swiss **eidgenössisch** *Adj* Swiss
eidlich I *Adj* ***~e Aussage, ~e Erklärung*** sworn statement, *schriftliche:* affidavit **II** *Adv* on (*od* under) oath
Eidotter *n* (egg) yolk
Eier|becher *m* eggcup **~kocher** *m* egg boiler **~kopf** *m hum* egghead **~kuchen** *m* pancake **~löffel** *m* egg spoon **~schale** *f* eggshell **ᘯschalenfarben** *Adj* off-white **~schwamm** *m österr.* chanterelle **~speise** *f* egg dish **~stock** *m* ANAT ovary **~uhr** egg timer **~wärmer** *m* egg cosy
Eifer *m* zeal, eagerness, (*Begeisterung*) enthusiasm, fervo(u)r: ***blinder ~*** rashness; ***blinder ~ schadet nur*** haste is waste; ***im ~ des Gefechts*** in the heat of the moment **eifern** *v/i* **1.** ***nach etw ~*** strive for s.th. **2.** ***~ gegen*** rail against **3.** → ***wetteifern***
Eifersucht *f* jealousy (***auf*** *Akk* of)
eifersüchtig *Adj* jealous (***auf*** *Akk* of)
eifrig *Adj* keen, ardent, (*emsig*) busy: *Adv* ***~ bemüht sein zu*** *Inf* be anxious to *Inf*
eigen I *Adj* **1.** own, of one's own: ***sich etw zu ᘯ machen*** make s.th. one's own, adopt; ***ein ~es Zimmer*** a room of one's own **2.** (*persönlich*) own, personal, private: ***nur für den ~en Gebrauch*** only for one's own use; ***~e Ansichten*** personal views **3.** (*typisch*) characteristic, typical: ***mit dem ihr ~en Charme*** with her characteristic charm **4.** (*genau*) particular, fussy **II** ᘯ *n* **5.** *my etc* own

...eigen ...-owned: ***staats~*** state-owned
Eigenart *f* peculiarity
eigenartig *Adj* peculiar **eigenartigerweise** *Adv* strangely enough
Eigenbedarf *m* one's personal needs *Pl*, *e-s Landes*: domestic requirements *Pl*
Eigenbrötler(in) **1.** eccentric **2.** solitary (person)
Eigenfinanzierung *f* self-financing
Eigengewicht *n* dead (TECH net) weight
eigenhändig **I** *Adj* personal: ***~e Unterschrift*** one's own signature **II** *Adv* personally, oneself
Eigenheim *n* house of one's own
Eigenheit *f* peculiarity
Eigeninitiative *f* one's own initiative
Eigen|kapital *n* capital resources *Pl* **~leben** *n fig* ***ein ~ entwickeln*** take on a life of its own **~liebe** *f* self-love, narcissism **~lob** *n* self-praise
eigenmächtig *Adj* high-handed, (*unbefugt*) unauthorized **Eigenmächtigkeit** *f* **1.** high-handedness **2.** arbitrary act
Eigenname *m* proper name (*od* noun)
Eigennutz *m* self-interest
eigennützig *Adj* selfish
eigens *Adv* (e)specially
Eigenschaft *f* quality, (*Merkmal*) characteristic, feature, CHEM, PHYS, TECH property: ***in s-r ~ als*** in his capacity of (*od* as)
Eigenschaftswort *n* LING adjective
Eigensinn *m* stubbornness
eigensinnig *Adj* stubborn
eigenständig *Adj* independent
eigentlich **I** *Adj* real, actual: ***im ~en Sinne*** in the true sense of the word **II** *Adv* actually, really, (*von Rechts wegen*) by rights: ***was wollen Sie ~?*** what do you want anyhow?
Eigentor *n a. fig* own goal
Eigentum *n* property, JUR ownership: ***geistiges ~*** intellectual property **Eigentümer(in)** owner, proprietor (proprietress)
eigentümlich *Adj* **1.** characteristic (*Dat* of) **2.** (*seltsam*) peculiar, strange
Eigentümlichkeit *f allg* peculiarity
Eigentums|recht *n* (right of) ownership, title (***an*** *Dat* of) **~wohnung** *f* freehold flat, *Am* condominium
Eigenwille *m* self-will **eigenwillig** *Adj* **1.** self-willed, headstrong **2.** *fig Stil etc*: very individual **Eigenwilligkeit** *f fig* (strong) individualism
eignen *v/refl* ***sich ~*** (***als*** as, ***zu*** as, for) *Sache*: be suitable, *Person*: be suited; ***sich als Geschenk*** (***Lehrer*** *etc*) ***~*** *a.* make a good present (teacher *etc*)
Eigner(in) owner
Eignung *f* (***zu, für***) suitability (for), *e-r Person*: *a.* qualification (for, to be)
Eignungstest *m* aptitude test
Eilauftrag *m* WIRTSCH rush order **Eilbote** *m* ***durch ~n*** express, *Am* (by) special delivery **Eilbrief** *m* express letter, *Am* special delivery (letter)
Eile *f* hurry, rush: ***in ~ sein*** be in a hurry; ***damit hat es k-e ~*** there's no hurry
Eileiter *m* ANAT Fallopian tube
eilen *v/i* hurry, *Sache*: be urgent: ***Eilt!*** Urgent!; ***es eilt nicht*** there's no hurry
eilends *Adv* hurriedly, in a hurry
Eilfracht *f* express goods *Pl*, *Am* fast freight
eilig *Adj* hurried, (*dringend*) urgent: ***es ~ haben*** be in a hurry **eiligst** → ***eilends***
Eilmarsch *m* forced march **Eilpaket** *n* express parcel **Eiltempo** *n* ***im ~*** in double quick time **Eilzug** *m* fast train
Eilzustellung *f* special delivery
Eimer *m* bucket (*a.* TECH), pail: F *die Uhr etc* ***ist im ~*** has had it; F ***ihre Ehe ist im ~*** their marriage is in tatters
eimerweise *Adv* in bucketfuls
ein[1] **I** *Adj* one: ***~ für alle Mal*** once and for all; ***~ und derselbe*** (***Mann***) one and the same person **II** *unbestimmter Artikel a, vor Vokal*: an: ***~*** (***gewisser***) ***Herr Brown*** a (*od* one) Mr. Brown; ***~es Tages*** one day **III** *Indefinitpron* (*jemand*) one, (*etwas*) one thing: ***~er von beiden*** one of them; → *a.* ***einer***
ein[2] *Adv* **1.** *Schalter*: on: ***~ - aus*** on - off **2.** ***~ und aus gehen*** come and go (***bei j-m*** at s.o.'s place); ***ich weiß nicht mehr ~ noch aus*** I'm at my wits' end
Einakter *m* THEAT one-act play
einander *Adv* each other, one another
einarbeiten **I** *v/t* **1.** ***j-n ~*** acquaint s.o. with his (new) work, F break s.o. in **2.** ***etw ~ in*** (*Akk*) work s.th. into **II** *v/refl* ***sich ~*** **3.** get into the (new) job (*od* subject *etc*)
einarmig **I** *Adj* one-armed **II** *Adv* with one arm

einäschern *v/t* burn to ashes, (*Leiche*) cremate
Einäscherung *f e-r Leiche*: cremation
einatmen *v/t u. v/i* breathe in, inhale: ***tief ~*** take a deep breath
einäugig *Adj* one-eyed
Einbahn... one-way (*street, traffic*)
einbalsamieren *v/t* embalm
Einband *m* binding, cover
einbändig *Adj* in one volume
Einbau *m* installation, fitting **Einbau...** built-in, fitted (*kitchen, cupboard, etc*)
einbauen *v/t* build in, install, fit: *fig* ***etw ~ in*** (*Akk*) work s.th. into
einbegriffen *Adj* (***mit***) ~ included
einbehalten *v/t* keep back, withhold, (*abziehen*) deduct
einberufen *v/t* **1.** (*Versammlung*) call, PARL convoke **2.** MIL (***zu***) call up (for), *Am* draft (to)
Einberufung *f* **1.** calling, PARL convocation **2.** MIL conscription, *Am* draft
Einberufungsbescheid *m* MIL call-up order, *Am* draft papers *Pl*
einbetten *v/t* embed
Einbettkabine *f* SCHIFF single-berth cabin
Einbettzimmer *n* single room
einbeulen *v/t* dent
einbeziehen *v/t* include (***in*** *Akk* in)
einbiegen *v/i* (***in*** *e-e Straße etc*) turn (into): ***links ~*** turn left
einbilden *v/refl* ***sich ~*** **1.** (*sich vorstellen*) imagine, (*glauben*) think: ***bilde dir ja nicht ein, dass ...*** don't think that ...; ***das bildest du dir nur ein*** you're imagining things; ***was bildest du dir eigentlich ein?*** who do you think you are? **2.** ***sich etw ~*** (***auf*** *Akk*) be (very) conceited (about); ***darauf brauchst du dir nichts einzubilden*** that's nothing to be proud of **Einbildung** *f* **1.** illusion: ***das ist reine ~*** you're (he is *etc*) imagining things **2.** (*Dünkel*) conceit
Einbildungskraft *f* imagination
einbinden *v/t* **1.** (*Buch*) bind **2.** MED bandage **3.** *fig* include, integrate
einbläuen *v/t* ***j-m etw ~*** drum s.th. into s.o.'s head
einblenden I *v/t* FILM, RADIO, TV fade in **II** *v/refl* ***sich ~ in*** (*Akk*) tune in to
Einblendung *f* fade-in, intercut
einbleuen → ***einbläuen***
Einblick *m fig* (***sich*** [***e-n***] ***~ verschaffen*** get an) insight (***in*** *Akk* into); ***~ nehmen in*** (*Akk*) inspect
einbrechen I *v/i* **1.** ***in ein Haus*** *etc* ***~*** break into a house *etc*; ***bei ihm wurde eingebrochen*** his house was burgled **2.** MIL *u. fig* ***~ in*** (*Akk*) invade **3.** (*einstürzen*) collapse **4.** (***ins Eis***) ***~*** break through the ice **5.** *fig Kälte etc*: set in, *Nacht*: fall: ***bei ~der Dunkelheit*** at nightfall **6.** *fig* break down, SPORT *a.* wilt **7.** WIRTSCH (*Verluste erleiden*) suffer heavy losses, *Kurse*: slump **II** *v/t* **8.** (*Tür etc*) break down
Einbrecher(in) burglar
einbringen I *v/t* **1.** bring in, *als Reingewinn*: net, (*Kapital, a. fig*) contribute (***in*** *Akk* to): ***es bringt mir ... ein*** it gets me ...; ***das bringt nichts ein!*** it doesn't pay! **2.** (*Verlust, Zeit*) make up (for) **3.** PARL ***e-e Gesetzesvorlage ~*** introduce a bill **4.** JUR ***e-e Klage ~*** file an action **II** *v/refl* ***sich ~*** **5.** commit o.s.
einbrocken *v/t* ***etw ~*** crumble s.th. into the soup; *fig* ***j-m*** (***sich***) ***etw ~*** get s.o. (o.s.) into trouble; ***das hat er sich selbst eingebrockt!*** it's his own fault!
Einbruch *m* **1.** break-in, (*~diebstahl*) burglary **2.** ***bei ~ der Dunkelheit*** at nightfall; ***bei ~ der Kälte*** when the cold (weather) sets in **3.** MIL *u. fig* invasion (***in*** *Akk* of) **4.** METEO ***~ von Kaltluft*** influx of cold air **5.** (*Einsturz*) collapse **6.** WIRTSCH (*Kurs*~ *etc*) slump, (*Verlust*) loss **7.** *fig* setback, SPORT wilting, *völliger*: breakdown **~diebstahl** *m* burglary
einbruchsicher *Adj* burglar-proof
einbürgern *v/t* naturalize: ***sich ~*** become naturalized, *fig* become established (*Wort*: adopted); ***es hat sich*** (***bei uns***) ***so eingebürgert*** it has become a custom (with us)
Einbürgerung *f* naturalization
Einbuße *f* loss (***an*** *Dat* of)
einbüßen I *v/t* lose **II** *v/i* ***~ an*** (*Dat*) lose some of
einchecken *v/t u. v/i* FLUG check in
eincremen *v/t* cream
eindämmen *v/t* dam up, *fig a.* check, (*Feuer etc*) get *s.th.* under control, POL contain
eindecken I *v/t* ***j-n ~ mit*** supply s.o. with; ***gut eingedeckt sein*** be well stocked; F ***mit Arbeit eingedeckt sein***

be swamped with work **II** *v/refl* ***sich ~*** stock up (***mit*** on)
eindeutig *Adj* clear, unequivocal
Eindeutigkeit *f* clearness
eindeutschen *v/t* Germanize
eindimensional *Adj* one-dimensional
eindösen *v/i* F doze off
eindrängen *v/refl* ***sich ~*** (***in*** *Akk*) push one's way in(to), *fig* intrude (into)
eindringen *v/i* (***in*** *Akk*) get in(to), *gewaltsam*: force one's way in(to), *Messer, Kugel etc*: penetrate (*s.th.*), MIL *a.* invade (*s.th.*): ***auf j-n ~*** **a)** attack s.o., **b)** *fig Gefühle etc*: come over s.o.; ***mit*** *Fragen etc* ***auf j-n ~*** press s.o. with
eindringlich *Adj Warnung etc*: urgent, *Rede etc*: forceful
Eindringlichkeit *f* urgency
Eindruck *m* **1.** impression: ***~ machen*** be impressive; ***auf j-n ~ machen*** impress s.o.; ***e-n schlechten ~ machen*** make a bad impression (***auf*** *Akk* on); ***den ~ erwecken, dass ...*** give the impression that…; ***ich habe den ~, dass ...*** I have a feeling that …; → ***erwehren, schinden*** 2 **2.** (*Spur*) imprint
eindrücken *v/t* (*Scheibe etc*) break, (*Tür etc*) force, (*einbeulen*) dent
eindrucksvoll *Adj* impressive
einebnen *v/t* flatten, level (out *fig*)
eineiig *Adj* ***~e Zwillinge*** identical twins
eineinhalb *Adj* one and a half
Einelternteilfamilie *f* one-parent family
einengen *v/t* narrow down, restrict: ***sich eingeengt fühlen*** feel cramped
einer *Pron* someone, somebody; → *a.* ***ein***[1] III
Einer *m* **1.** MATHE digit **2.** SCHIFF single (sculler)
einerlei I *Adj* **1.** ***das ist*** (***mir***) ***~*** it's all the same (to me), it is all one (to me); ***~ wer*** (***wo*** *etc*) no matter who (where *etc*) **2.** (*gleichartig*) the same **II** ♀ *n* **3.** monotony: (***ewiges***) ♀ same old routine
einerseits, einesteils *Adv* on the one hand
einfach I *Adj* **1.** *allg* simple, (*leicht*) *a.* easy, (*schlicht*) *a.* plain (*a. Essen*) **2.** single: ***~e Fahrkarte*** single (ticket), *Am* one-way ticket **II** *Adv* **3.** simply, just: ***ich musste ~ lachen*** I couldn't help laughing
Einfachheit *f* simplicity, plainness: ***der ~ halber*** to simplify matters
einfädeln I *v/t* **1.** thread **2.** *fig* arrange, *geschickt*: contrive **II** *v/refl* ***sich ~*** **3.** MOT get in lane, filter (***in*** *Akk* into): ***sich links ~*** filter to the left
einfahren I *v/i* **1.** come in, arrive **2.** BERGB descend into a mine **II** *v/t* **3.** (*Ernte*) bring in **4.** (*Auto*) run in **5.** FLUG (*Fahrgestell*) retract **6.** (*Tor etc*) crash into
Einfahrt *f* **1.** entrance, drive(way), *zur Autobahn*: approach: ***~ freihalten!*** keep clear of the gate(s)! **2.** entry (***in*** *Akk* into): ***der Zug aus ... hat ~ auf Gleis 1*** the train from … is now coming in on track 1 **3.** BERGB descent
Einfall *m* **1.** (*Gedanke*) idea **2.** (***in*** *Akk*) MIL invasion (of), (*Überfall*) raid (on) **3.** PHYS (*Licht*♀) incidence
einfallen *v/i* **1.** *fig* ***j-m ~*** occur to s.o.; ***mir fällt eben ein, dass ...*** *a.* I've just remembered that …; ***es fällt mir*** (***jetzt***) ***nicht ein*** I can't think of it now; ***was fällt dir ein?*** **a)** how dare you!, **b)** you must be joking!; ***ich werde mir schon was ~ lassen*** I'll come up with s.th.; → ***Traum*** **2.** MIL ***in ein Land ~*** invade a country; F *fig* ***bei j-m ~*** descend on s.o. **3.** *Licht*: enter **4.** MUS enter, join in **5.** *im Gespräch*: butt in (***in*** *Akk* on)
einfallslos *Adj* unimaginative, dull
Einfallslosigkeit *f* lack of ideas
einfallsreich *Adj* imaginative, inventive
Einfallsreichtum *m* wealth of ideas (*od* invention)
Einfallswinkel *m* PHYS angle of incidence
Einfalt *f* naivety, simpleness
einfältig *Adj* naive, simple
Einfaltspinsel *m* F *pej* nincompoop
Einfamilienhaus *n* detached house
einfangen *v/t a. fig* catch, capture
einfarbig *Adj* unicolo(u)r(ed), *Stoff*: plain
einfassen *v/t* **1.** enclose, (*umsäumen, a. Kleid*) edge, border **2.** (*Edelstein*) set, (*Brillenglas etc*) frame
Einfassung *f* **1.** enclosure, border, edge **2.** frame, *e-s Edelsteins*: setting
einfetten *v/t* grease, (*Haut*) cream
einfinden *v/refl* ***sich ~*** arrive, F turn up, (*sich versammeln*) assemble
einflechten *v/t fig* ***etw ~*** (*erwähnen*)

E

mention s.th. in passing; ***etw ~ in*** (*Akk*) work (*od* insert) s.th. into
einfliegen I *v/t* (*j-n, etw*) fly in, (*Flugzeug*) test(-fly) **II** *v/i* (*sich nähern*) approach: ***~ in*** (*Akk*) fly into, enter
einfließen *v/i* flow in(to ***in*** *Akk*): *fig* ***etw ~ lassen*** slip s.th. in, (*andeuten*) give s.th. to understand
einflößen *v/t* ***j-m etw ~*** give s.o. s.th. (to drink); *fig* ***j-m Bewunderung*** (***Ehrfurcht, Mut*** *etc*) ~ fill (*od* inspire) s.o. with admiration (awe, courage, *etc*); ***j-m Angst ~*** fill s.o. with fear
Einflugschneise *f* approach corridor
Einfluss *m* influence (***auf*** *Akk* on): ***~ haben auf*** (*Akk*) **a**) have an influence on, influence, **b**) (*einwirken*) have an effect on, affect; → ***geltend*** **Einflussbereich** *m* sphere of influence **Einflussnahme** *f* intervention (***auf*** *Akk* in)
einflussreich *Adj* influential
einförmig *Adj* uniform, (*eintönig*) monotonous **Einförmigkeit** *f* uniformity, (*Eintönigkeit*) monotony
einfrieren I *v/i* **1.** *Rohre etc*: freeze (up), *Wasser*: freeze over, *Schiff im Hafen*: become icebound **2.** *fig* freeze: ***etw ~ lassen*** freeze s.th. up **II** *v/t* **3.** GASTR (deep-)freeze **4.** *fig* (*Löhne, Preise etc*, POL *Beziehungen*) freeze
Einfügemodus *m* COMPUTER insert mode
einfügen I *v/t* (***in*** *Akk*) fit in(to), insert (into), COMPUTER *a.* paste (into) **II** *v/refl* ***sich ~*** (***in*** *Akk*) *fig* fit in (with), *Person*: adjust (to)
Einfügetaste *f* COMPUTER insert key
einfühlen *v/refl* ***sich ~*** (***in*** *Akk*) empathize (with) **einfühlsam** *Adj* sensitive
Einfühlungsvermögen *n* empathy
Einfuhr *f* WIRTSCH **1.** import **2.** *konkret*: imports *Pl* **Einfuhrartikel** *m* imported article, *Pl* imports *Pl* **Einfuhrbestimmungen** *Pl* import regulations *Pl*
einführen *v/t* **1.** introduce, (*Methode etc*) *a.* adopt **2.** ***j-n ~*** introduce s.o. (***in*** *Akk* into, ***bei*** to); ***j-n*** (***in ein Amt***) ~ inaugurate s.o. **3.** (*hineinstecken*) (***in*** *Akk* into) insert, introduce **4.** WIRTSCH import
Einfuhr|genehmigung *f* import licen/ce (*Am* -se) **~land** *n* importing country **~stopp** *m* import ban
Einführung *f* **1.** *allg* introduction, *e-s Gegenstandes*: *a.* insertion, (*Amts*~) inauguration **2.** → ***Einfuhr*** 1
Einführungs... introductory (*course, price, offer, etc*)
Einfuhrverbot *n* import ban (***für*** on)
einfüllen *v/t* pour in(to ***in*** *Akk*)
Eingabe *f* **1.** application (***bei*** to, ***um, für*** for) **2.** COMPUTER input **Eingabedaten** *Pl* COMPUTER input data *Pl* **Eingabetaste** *f* COMPUTER enter key, return key
Eingang *m* **1.** entrance, way in, entry **2.** (***zu*** to) access, entry, admission; → *a.* ***Zutritt*** **3.** *von Waren*: arrival, *von Briefen etc*: receipt: ***bei ~, nach ~*** on receipt **4.** ***Eingänge*** *Pl* **a**) *von Waren*: arrivals *Pl*, **b**) *von Post*: incoming mail *Sg*, **c**) (*Einnahmen*) receipts *Pl* **5.** (***zu ~*** at the) beginning (*Gen* of)
eingängig *Adj Melodie etc*: catchy
eingangs I *Adv* at the beginning **II** *Präp* (*Gen*) at the beginning of
Eingangs|datum *n* date of receipt **~halle** *f* entrance hall **~stempel** *m* date stamp **~worte** *Pl* opening words *Pl*
eingebaut *Adj* built-in, TECH *a.* integrated
eingeben *v/t* **1.** (*Dat* to) (*Arznei*) give, administer **2.** (*Daten*) enter (***in e-n Computer*** into a computer) **3.** *fig* ***j-m e-n Gedanken ~*** give s.o. an idea
eingebildet *Adj* **1.** *Krankheit etc*: imaginary **2.** (*dünkelhaft*) conceited (***auf*** *Akk* about), (*anmaßend*) arrogant
Eingeborene *m, f* native
Eingebung *f* inspiration, (*Regung*) *a.* impulse: ***e-r plötzlichen ~ folgend*** acting on the spur of the moment
eingefallen *Adj Wangen etc*: hollow, *Gesicht*: haggard
eingefleischt *Adj* inveterate: ***~er Junggeselle*** confirmed bachelor
eingehen I *v/i* **1.** *Geld, Post, Waren*: come in, arrive: ***~d*** incoming **2.** ***~ in*** *die Sprache etc* enter: → ***Geschichte*** 2 **3.** ***bei j-m ein- und ausgehen*** be a frequent visitor at s.o.'s place **4.** ***~ auf*** (*e-n Vorschlag etc*) accept, agree to, (*Einzelheiten etc*) deal with, (*e-e Frage etc*) go into, (*e-n Scherz etc*) go along with; ***auf j-n ~*** respond to s.o., humo(u)r s.o., (*j-m zuhören*) listen to s.o. **5.** *Tier, Pflanze*: die (*a.* F *Mensch*: ***vor***

Dat with), F *Sportler etc*: go under, *Firma etc*: fold up **6.** (*einlaufen*) shrink **7.** F ***das geht ihm nicht ein*** he can't grasp it **II** *v/t* **8.** (*Vertrag, Ehe etc*) enter into; → ***Risiko, Wette***

eingehend I *Adj fig* thorough, detailed **II** *Adv* thoroughly, in detail

eingeklemmt *Adj* MED *Bruch*: strangulated, *Nerv*: trapped

eingemacht *Adj Obst etc*: preserved, *in Essig*: pickled

eingemeinden *v/t* incorporate (***in*** *Akk* into)

eingenommen *Adj* ***~ sein von*** be taken with; ***von sich selbst ~ sein*** be full of o.s.; ***~ sein für*** (***gegen***) be prejudiced towards (against)

eingerostet *Adj a. fig* rusty

eingeschlossen *Adj* **1.** locked in **2.** *im Preis etc*: included

eingeschnappt *Adj* F in a huff: ***sie ist leicht ~*** she is very touchy

eingespielt *Adj* (***gut***) ***aufeinander ~ sein*** *a. fig* make a good team

Eingeständnis *n* (***nach eigenem ~*** by one's own) admission, *stärker*: confession **eingestehen** *v/t* admit

eingestellt *Adj* **1.** ***~ gegen*** opposed to **2.** ***~ auf*** (*Akk*) prepared for, geared to **3.** ***sozial*** *etc* ***~*** socially *etc* minded; ***materialistisch ~ sein*** be very materialistic

eingetragen *Adj* WIRTSCH registered

Eingeweide *Pl* insides *Pl*, F innards *Pl*, (*Gedärme*) intestines *Pl*, guts *Pl*

Eingeweihte *m, f* insider: ***die ~n*** *Pl* those in the know

eingewöhnen *v/refl* ***sich ~*** settle (***in*** *Dat* into)

eingießen *v/t* pour (out)

eingipsen *v/t* MED put in plaster

eingleisig *Adj* single-track, *a. fig* one-track

eingliedern I *v/t* (***in*** *Akk*) integrate (into), incorporate (into), (*Land*) annex (to): ***j-n wieder ~*** rehabilitate s.o. **II** *v/refl* ***sich ~*** → ***einfügen*** II

Eingliederung *f* integration, *e-s Gebiets*: annexation

eingraben I *v/t* **1.** (*Leichnam, Schatz etc*) bury, (*Pfahl, Pflanze etc*) dig in **2.** (*einritzen*) engrave (***in*** *Akk* on) **II** *v/refl* ***sich ~*** **3.** dig (o.s.) in, entrench o.s., *Tier*: burrow itself (***in*** *Akk* into)

eingravieren *v/t* engrave (***in*** *Akk* on)

eingreifen I *v/i* **1.** step in, intervene, *störend, a.* JUR interfere (***in*** *Rechte* with), MIL go into action: ***in ein Gespräch ~*** cut in on a conversation; ***in die Debatte ~*** interfere in the debate; ***in j-s Leben ~*** *Ereignis*: affect s.o.'s life **2.** TECH mesh (***in*** *Akk* with) **II** ♀ *n* **3.** intervention, interference, action **eingreifend** *Adj fig* drastic, far-reaching **Eingreiftruppe** *f*: ***schnelle ~*** rapid reaction force

Eingriff *m* **1.** MED (***kleiner ~*** minor, ***verbotener ~*** illegal) operation **2.** (***in*** *Akk*) intervention (in), *störender*: interference (with, in)

einhaken I *v/t* hook *s.th.* in **II** *v/refl* ***sich ~*** link arms (***bei j-m*** with s.o.) **III** *v/i fig* cut in (***bei*** on): ***bei e-r Sache ~*** take s.th. up

Einhalt *m e-r Sache* ***~ gebieten*** put a stop to, check **einhalten** *v/t* (*Versprechen*) keep, (*Vertrag, Frist, Vorschrift etc*) keep to, observe, (*Verpflichtung*) meet: ***die Richtung ~*** keep going in the same direction **Einhaltung** *f* (*Gen*) adherence (to), observance (of)

einhämmern *v/t fig* ***j-m etw ~*** drum s.th. into s.o.'s head

Einhand… SCHIFF single-handed

einhandeln *v/t* ***etw für*** (*od* ***gegen***) ***etw ~*** swap (*od* exchange) s.th. for s.th.; F *fig* ***sich etw ~*** land o.s. with s.th.

einhändig *Adj u. Adv* single-handed

einhängen I *v/t* **1.** (*Tür*) put *s.th.* on its hinges **2.** TEL ***den Hörer ~*** hang up, replace the receiver **II** *v/refl* **3.** ***sich bei j-m ~*** take s.o.'s arm **III** *v/i* → 2

einhauen → ***einschlagen*** 1, 2

einheimisch *Adj* local, native, *a.* BOT, ZOOL indigenous, WIRTSCH domestic: ***~e Mannschaft*** SPORT home team

Einheimische *m, f* native, *e-s Ortes*: resident, local

einheimsen *v/t* F (*Geld etc*) pocket, rake in, (*Lob etc*) win

einheiraten *v/i* ***~ in*** (*Akk*) marry into

Einheit *f* **1.** *allg* unit: ***e-e geschlossene ~ bilden*** form an integrated whole **2.** (*Geschlossenheit*) *a.* POL unity

einheitlich *Adj* uniform, homogeneous, (*genormt*) standard(ized), (*gemeinsam*) united

Einheitlichkeit *f* **1.** uniformity **2.** unity

Einheits|front *f* POL united front **~ge-**

E

bühr *f* standard rate **~liste** *f* POL single list (*Am* ticket) **~preis** *m* standard price, (*Pauschale*) flat-rate price **~staat** *m* centralized state **~wert** *m Steuerrecht*: rateable value
einheizen *v/i* F *fig* ***j-m ~*** give s.o. hell
einhellig *Adj* unanimous
Einhelligkeit *f* unanimity
einher... *walk etc* along
einholen I *v/t* **1.** (*erreichen*) catch up with (*a. fig*), (*verlorene Zeit, Versäumtes*) make up for **2.** (*beschaffen*) get, (*Erlaubnis, Gutachten etc*) *a.* obtain: ***Auskünfte ~*** make inquiries (***über*** *Akk* about); ***Rat ~*** seek advice (***bei*** from) **3.** (*Segel*) strike, (*Schiff*) tow in **II** *v/i* **4.** F ***~ gehen*** go shopping
Einhorn *n* unicorn
einhüllen *v/t* (***in*** *Akk*) wrap up (in), cover (with): *fig* ***eingehüllt in Nebel*** *etc* enveloped in fog *etc*
einhundert *Adj* a (*Am u. betont*: one) hundred
einig *Adj* **1.** *Volk etc*: united **2.** ***~ sein mit*** be in agreement with; **(*sich*)** ***~ werden*** come to an agreement (***über*** *Akk* about); ***sich ~ sein, dass ...*** be agreed that ...; ***sich nicht ~ sein*** (***über*** *Akk* on) disagree, differ
einige *Indefinitpron* **I** *adjektivisch* **1.** a few, some, (*mehrere*) several **2. a)** (*viel*) quite a (bit of), (*etwas*) some, **b)** (*viele*) quite a few: ***es besteht ~ Hoffnung, dass ...*** there is some hope that ...; ***es erregte ~s Aufsehen*** it caused quite a stir; ***~ Mal*** several times **3.** (*ungefähr*) some *hundred marks etc* **II** *substantivisch* **4.** *Pl* a few, some, (*mehrere*) several **5.** → ***einiges***
einigen I *v/t* unite **II** *v/refl* ***sich ~*** (***über*** *Akk*, ***auf*** *Akk*) agree (on), reach an agreement (about)
einigermaßen *Adv* **a)** to some extent, somewhat, **b)** (*ziemlich*) quite, fairly, **c)** (*leidlich*) fairly well, F so-so
einiges *Indefinitpron* something, some things, (*viel*) quite a bit: ***~ davon*** some of it; ***er hat ~ gelernt*** he has learned a thing or two; ***sein Plan hat ~ für sich*** there is s.th. to be said for his plan
Einigkeit *f* (*Eintracht*) unity, harmony, (*Übereinstimmung*) agreement, consensus: ***es herrschte ~ darüber, dass ...*** we (*od* they) all agreed that ...

Einigung *f* **1.** *e-s Volkes etc*: unification **2.** (*Absprache*) agreement, settlement: ***es wurde k-e ~ erzielt*** no agreement was reached (***über*** *Akk* on)
einimpfen *v/t fig* ***j-m etw ~*** **a)** indoctrinate s.o. with s.th., **b)** → ***einhämmern***
einjagen *v/t* ***j-m Angst*** (*od* ***e-n Schrecken***) ***~*** frighten s.o., give s.o. a fright
einjährig *Adj* **1.** *Kind etc*: one-year-old **2.** *Kurs etc*: one-year **3.** BOT annual
einkalkulieren *v/t* take *s.th.* into account, allow for
Einkauf *m* **1.** purchase: ***Einkäufe machen*** → ***einkaufen*** II **2.** (*Einkaufen*) purchasing, buying **3.** WIRTSCH purchasing department **einkaufen I** *v/t* buy, purchase **II** *v/i* ***~*** (***gehen***) go (*od* do one's) shopping **Einkäufer(in)** WIRTSCH buyer
Einkaufs|abteilung *f* purchasing department **~bummel** *m* ***e-n ~ machen*** go on a shopping spree, *schwächer*: have a look around the shops **~korb** *m* (shopping) basket **~liste** *f* shopping list **~preis** *m* purchase price: ***zum ~*** at cost price **~tasche** *f* shopping bag **~wagen** *m Br* (shopping) trolley, *Am* (shopping) cart **~zentrum** *n* shopping cent/re (*Am* -er) **~zettel** *m* shopping list
einkehren *v/i* stop off (***in*** *Dat* at)
einkerben *v/t*, **Einkerbung** *f* notch
einkesseln *v/t* MIL encircle
einklagen *v/t* ***etw*** (***gegen j-n***) ***~*** sue (s.o.) for s.th.
einklammern *v/t* put *s.th.* in brackets
Einklang *m* MUS unison, *fig a.* harmony: *fig* ***in ~ bringen*** reconcile (***mit*** with); ***nicht im ~ stehen*** be at variance
einkleiden I *v/t* ***j-n ~*** *a.* MIL fit s.o. out **II** *v/refl* ***sich*** (***neu***) ***~*** fit o.s. out with a new set of clothes
einklemmen *v/t* (***sich***) ***den Finger ~*** get one's finger caught (***in*** *Dat* in); → ***eingeklemmt***
einknöpfbar *Adj Futter etc*: button-in
einkochen *v/t* boil down, (*einmachen*) preserve
einkommen *v/i* **1.** SPORT come in **2.** VERW ***~ um*** apply for **Einkommen** *n* income, earnings *Pl*, (*Staats*~) revenue
Einkommensgruppe *f* income bracket
einkommensschwach *Adj* low-income

einkommensstark *Adj* high-income
Einkommensteuer *f* income tax **~erklärung** *f* income-tax return
einköpfen *v/t Fußball*: head in
einkreisen *v/t* **1.** MIL surround, *a.* POL encircle **2.** *fig* (*Problem etc*) narrow down **Einkreisungspolitik** *f* policy of encirclement
Einkünfte *Pl* income *Sg*, earnings *Pl*, (*Staats*≗) revenue *Sg*
einkuppeln *v/t* MOT let in the clutch
einladen I *v/t* **1.** (*Güter etc*) load (in) **2.** ***j-n*** **~** invite s.o. (***zum Abendessen*** *etc* to dinner *etc*), ask s.o. (round); ***ich lade dich*** (***dazu***) ***ein!*** that's my treat!, this is on me! **II** *v/i* **3.** *a. fig* invite
einladend *Adj fig* inviting; (*verlockend*) tempting, (*lecker*) delicious(-looking)
Einladung *f* invitation: ***auf ~ von*** (*od Gen*) at the invitation of
Einlage *f* **1.** *im Brief*: enclosure, *in der Zeitung etc*: insert **2.** (*Schuh*≗) (arch) support, (*Einlegesohle*) insole **3.** (*Slip*≗, *Windel*≗) liner **4.** (*Polster*) padding **5.** (*Zahn*≗) temporary filling **6.** (*Suppen*≗) garnish **7.** *bei der Bank*: deposit, (*Kapital*≗) contribution **8.** THEAT *etc* interlude, extra
Einlass *m* admittance (***zu*** to): ***sich ~ verschaffen*** get in; **~ *ab 18 Uhr*** opening at 18:00 hours
einlassen I *v/t* **1.** let *s.o., s.th.* in, admit: ***Wasser*** (***in die Wanne***) **~** run a bath **2.** (***in*** *Akk* in) (*Edelsteine*) set, TECH embed **II** *v/refl* **3.** ***sich ~ auf*** (*Akk*) get involved in, *pej* let o.s. in for, (*e-n Vorschlag*) agree to, (*e-e Frage*) go into; ***lass dich nicht darauf ein!*** leave it alone!; ***sich mit j-m ~*** get involved with s.o. (*a. erotisch*); ***sich mit j-m auf e-n Kampf*** (***ein Wortgefecht***) **~** F tangle with s.o.
Einlauf *m* **1.** MED (***j-m e-n ~ machen*** give s.o. an) enema **2.** SPORT finish
einlaufen I *v/i* **1.** come in (*a. Sport*), SCHIFF put in **2.** *Wasser*: run in: ***Badewasser ~ lassen*** run a bath **3.** *Kleidung*: shrink: ***nicht ~d*** nonshrink **II** *v/t* **4.** (*Schuhe*) wear in **III** *v/refl* ***sich ~*** **5.** SPORT warm up
einläuten *v/t* ring in
einleben → ***eingewöhnen***
Einlegearbeit *f* inlaid work
einlegen *v/t* **1.** (*Film etc*) put in, insert, ***in e-n Brief***: *a.* enclose (in *od* with): *fig* ***e-e Pause ~*** have a break; ***e-n Spurt ~*** put in a spurt; → ***Wort*** 2 **2.** (*Geld bei der Bank*) deposit **3.** GASTR (***in Essig***) **~** pickle **4.** TECH inlay (***mit*** with) **5.** (*Beschwerde etc*) lodge, file: → ***Berufung*** 4, ***Protest, Veto*** **6.** ***j-m*** (***sich***) ***die Haare ~*** set s.o.'s (one's) hair
Einleger(in) WIRTSCH depositor
Einlegesohle *f* insole
einleiten *v/t* **1.** start, begin, (*Verhandlungen*) *a.* open, (*Maßnahmen, Reformen etc*) initiate, (*a. Nebensatz*) introduce **2.** (*Schadstoffe*) discharge **3.** MED (*Geburt etc*) induce **4.** JUR institute: ***e-n Prozess ~ gegen*** bring an action against
einleitend I *Adj* introductory, opening, *Maßnahmen*: preliminary **II** *Adv* by way of introduction **Einleitung** *f* **1.** start, opening, introduction (*a.* LING), (*Vorwort*) preface **2.** MED induction **3.** JUR institution
einlenken *v/i fig* relent
einlesen I *v/t* IT read **II** *v/refl* ***sich ~ in*** (*Akk*) get into
einleuchten *v/i* make sense (***j-m*** to s.o.): ***es will mir nicht ~, dass ...*** I don't see why ... **einleuchtend** *Adj* clear, *Argument*: convincing
einliefern *v/t* **1.** ***j-n ins Krankenhaus*** (***Gefängnis***) **~** take s.o. to (the) hospital (to prison) **2.** (*Briefe etc*) post, send
Einlieferung *f* **1.** (***in*** *Akk* to) *ins Krankenhaus*: admission, *ins Gefängnis, in e-e Anstalt*: committal **2.** *von Briefen etc*: posting
Einlieferungsschein *m* postal receipt
einlochen *v/t* **1.** *Golf*: put(t) **2.** F ***j-n ~*** put s.o. in clink
einloggen *v/i* COMPUTER log in (*od* on)
einlösen *v/t* **1.** (*Pfand, Wertpapier*) redeem, (*Scheck*) cash **2.** *fig* (*Versprechen etc*) keep
einlullen *v/t fig* lull
einmachen *v/t* preserve, *in Gläser*: *a.* bottle
einmal *Adv* **1.** once: **~ *eins ist eins*** once one is one; **~ *im Jahr*** once a year; **~ *und nie wieder*** never again; ***noch ~*** once more; ***noch ~ so alt*** (***wie er***) twice his age; ***auf ~*** at one go, (*gleichzeitig*) at the same time, (*plötzlich*) suddenly **2.** (*früher*) once, before: ***das war ~*** that's all in the past; ***es war ~*** once

upon a time there was; ***ich war schon ~ da*** **a)** I've been there before, **b)** I was there once; ***haben Sie schon ~ ...?*** have you ever ...? **3.** (*zukünftig*) one day, some day (or other): ***wenn du ~ groß bist*** when you grow up **4.** (*später*) later on **5.** ***nicht ~*** not even, not so much as **6.** (*eben*) ***ich bin ~ so*** I can't help it; ***es ist nun ~ so*** that's the way it is **7.** ***erst ~*** first **8.** ***hör ~!*** listen!; ***lasst ihn doch ~ reden!*** let him talk, will you!; ***stell dir ~ vor!*** just imagine!

E

Einmaleins *n* **1.** (multiplication) table **2.** *fig* basics *Pl*
Einmalhandtuch *n* disposable towel
einmalig *Adj* **1.** *bes* WIRTSCH single, nonrecurring: ***~e Abfindung*** single payment **2.** *fig* (*einzigartig*) unique, singular, unparallel(l)ed, F fantastic: ***e-e ~e Chance*** the chance of a lifetime; *Adv* ***~ schön*** absolutely beautiful
Einmalzahlung *f* single payment, *Versicherung*: lump sum (*Abk* ls)
Einmannbetrieb *m* one-man business
Einmarsch *m* marching in, (*Einfall*) *a.* invasion **einmarschieren** *v/i* march in: ***in ein Land ~*** march into (*od* enter, invade) a country
einmischen *v/refl* ***sich ~*** (***in*** *Akk* in, with) meddle, interfere; ***sich in ein Gespräch ~*** join in (*störend*: F butt in on) a conversation; ***misch dich da nicht ein!*** just keep out of it!
Einmischung *f* interference
einmotorig *Adj* single-engined
einmotten *v/t* **1.** put *s.th.* in mothballs **2.** *fig* MIL mothball
einmünden *v/i* ***~ in*** (*Akk*) *Fluss etc*: flow into, *Straße*: lead into, join, *fig* lead to
Einmündung *f Fluss*: mouth, estuary, *Straße*: junction
einmütig *Adj* unanimous
Einmütigkeit *f* unanimity
Einnahme *f* **1.** taking **2.** MIL capture, *e-s Landes*: occupation **3.** *Pl* receipts *Pl*, (*Erlös*) proceeds *Pl*, (*Einkommen*) earnings *Pl*, income *Sg*, *des Staates*: revenue *Sg* **~quelle** *f* source of income
einnehmen *v/t* **1.** (*Mahlzeit*) have, (*Medikament*) take **2.** (*Geld*) take in, (*verdienen*) earn **3.** MIL capture, (*Land etc*) occupy **4.** (*Platz*, *Raum*) take up: ***s-n Platz ~*** take one's seat **5.** (*innehaben*) hold **6.** *fig* ***j-n*** (***für sich***) **~** win s.o. over, *stärker*: charm s.o.; ***j-n gegen sich ~*** set s.o. against o.s
einnehmend *Adj fig* winning, engaging
einnicken *v/i* F nod off, doze off
einnisten *v/refl* ***sich ~*** nest, *fig Person*: install o.s
Einöde *f* wilderness
einölen *v/t* oil, (*Haut etc*) rub oil into
einordnen I *v/t* **1.** arrange (***nach*** according to), *in Akten*: file **2.** (*klassifizieren*) classify, ***in*** *ein System etc*: integrate (into), (*Kunstwerk etc*) place, *zeitlich*: date, (*einreihen*) (***unter*** *Akk* with) class, (*Person*) rank **II** *v/refl* ***sich ~*** **3.** → ***einfügen*** II **4.** MOT get in lane: ***sich links ~*** get into the left lane, *Br* filter to the left
einpacken I *v/t* pack (up), (*einwickeln*) wrap up, (*Paket*) do up **II** *v/i* pack: F *fig* ***da können wir ~!*** we might as well pack up and go!
einparken *v/t u. v/i* park (between two cars)
einpassen *v/t* TECH fit *s.th.* in(to ***in*** *Akk*)
einpauken *v/t* F swot up on
einpendeln *v/refl* ***sich ~*** *fig* find its (own) level
einpennen *v/i* F drop off
Einpersonenhaushalt *m* one-person (*od* single-person) household
einpferchen *v/t fig* coop up
einpflanzen *v/t* **1.** LANDW plant **2.** MED (*Organ*) implant
Einphasen..., **einphasig** *Adj* ELEK single-phase
einplanen *v/t* include (in the plan), plan, (*berücksichtigen*) allow for
einpolig *Adj* ELEK single-pole
einprägen I *v/t* imprint (***in*** *Akk* on): *fig* ***j-m etw ~*** impress s.th. on s.o.; ***sich*** *etw* **~** remember, (*lernen*) memorize **II** *v/refl* ***sich j-m ~*** stick in s.o.'s mind
einprägsam *Adj* easily remembered, *Melodie etc*: catchy
einprogrammieren → ***eingeben*** 2
einquartieren I *v/t* MIL billet (***bei*** on) **II** *v/refl* ***sich ~ bei*** move in with
Einquartierung *f* MIL billeting
einrahmen *v/t a. fig* frame
einrammen *v/t* ram *s.th.* in(to ***in*** *Akk*)
einrasten *v/i* **1.** TECH click into place, engage **2.** → ***einschnappen*** 2
einräumen *v/t* **1.** (*Bücher*, *Wäsche etc*)

put away, (*Zimmer*) put the furniture in a room: ***e-n Schrank ~*** put (the) things into a cupboard **2.** *fig* ***j-m etw ~*** grant s.th. to s.o.
einräumend *Adj* LING concessive
Einrede *f* JUR plea, demurrer
einreden I *v/t* ***j-m*** (***sich***) ***etw ~*** talk s.o. (o.s.) into (believing) s.th.; ***j-m*** (***sich***) ***~, dass …*** persuade s.o. (o.s.) that …; ***das lasse ich mir nicht ~*** I refuse to believe that; ***das redest du dir*** (***doch***) ***nur ein!*** you're imagining it! **II** *v/i* ***auf j-n ~*** **a)** talk insistently to s.o., **b)** urge s.o.
einregnen I *v/i* ***eingeregnet sein*** be caught by the rain; *fig* ***auf j-n ~*** rain on s.o. **II** *v/unpers* ***es regnet sich ein*** the rain is settling in
Einreibemittel *n* liniment
einreiben *v/t* rub *s.th.* in: ***die Haut mit … ~*** rub … into the skin
einreichen *v/t* (***bei*** to) send in, *persönlich*: hand in, (*unterbreiten*) submit: JUR ***e-e Klage ~*** file (*od* bring) an action
einreihen I *v/refl* ***sich ~*** (***in*** *Akk*) take one's place (in), join (*s.th.*) **II** *v/t* class, classify: *fig* ***j-n ~ unter*** (*Akk*) rank s.o. with
Einreiher *m* single-breasted suit
Einreise *f* entry **~genehmigung** *f* entry permit **~visum** *n* entry visa
einreißen I *v/t* **1.** tear **2.** (*Haus etc*) demolish, pull *s.th.* down **II** *v/i* **3.** tear **4.** F *fig Unsitte etc*: spread
einrenken I *v/t* **1.** MED set **2.** *fig* straighten *s.th.* out **II** *v/refl* ***sich ~*** **3.** F *fig* sort itself out
einrennen *v/t* F break open: → ***Tür***
einrichten I *v/t* **1.** (*Zimmer*) furnish, (*Küche*, *Geschäft etc*) fit *s.th.* out, equip, (*installieren*) install **2.** (*Schule*, *Betrieb etc*) set up, (*gründen*) found, establish, (*Buslinie etc*) open **3.** (*ermöglichen*) arrange: ***es ~, dass …*** *a.* see (to it) that …; ***wenn du es ~ kannst*** if you can (manage to) **4.** MED (*Knochen*) set **II** *v/refl* ***sich ~*** **5.** ***sich*** (***neu***) ***~*** (re)furnish one's flat (*od* house); → ***häuslich*** **6.** (*sparen*) make ends meet **7.** ***sich ~ auf*** (*Akk*) prepare for; ***auf so etw sind wir nicht eingerichtet*** we're not prepared for that sort of thing
Einrichtung *f* **1.** furniture, *e-r Küche etc*: fittings *Pl*, (*Büro*2, *Betriebs*2 *etc*) equipment **2.** (*Anlage*, *Einbau*) installation: ***die sanitären ~en*** *a.* sanitation *Sg* **3.** (*Errichtung*) setting up, (*Gründung*) foundation **4.** (***öffentliche ~*** public) institution, *weit. S.* facility: *fig* ***zu e-r ständigen ~ werden*** become a permanent institution **5.** → ***Vorrichtung***
Einrichtungsgegenstände *Pl* equipment *Sg*, fixtures *Pl*
einrosten *v/i a. fig* get rusty
einrücken I *v/t* **1.** (*Zeile*) indent **2.** (*Anzeige*) put *s.th.* in *a newspaper etc* **II** *v/i* **3.** MIL **a)** (*eingezogen werden*) be called up, **b)** march in: ***~ in*** (*Akk*) march into
eins I *Adj* **1.** one: ***um ~*** at one (o'clock); SPORT ***~ zu zwei*** one two; F *fig* ***~ zu null für dich!*** score one for you! **2.** (*einig*) ***~ sein*** (*od* ***werden***) ***mit*** agree with **3.** (*einerlei*) ***es ist mir alles ~*** I couldn't care less; ***das ist doch alles ~*** it all amounts to the same thing **II** *Indefinitpron* **4.** one thing: ***~ gefällt mir nicht*** there is one thing I don't like about it; ***noch ~*** another thing
Eins *f* number one, PÄD (*Note*) A: ***e-e ~ schreiben*** get an A; F *fig* ***wie e-e ~*** just super
einsacken F **I** *v/t a. fig* bag **II** *v/i Boden etc*: sag
einsam *Adj* lonely, *Leben*, *Ort etc*: isolated, secluded **Einsamkeit** *f* loneliness, seclusion, isolation
einsammeln *v/t* gather, (*Hefte*, *Spenden etc*, *a.* F *Personen*) collect
Einsatz *m* **1.** (*eingesetztes Stück*) insert, *am Kleid*: inset, (*Filter*2) element **2.** (*Spiel*2) stake (*a. fig*): ***den ~ verdoppeln*** double the stake(s) **3.** (*Wagnis*) risk: ***unter ~ s-s Lebens*** at the risk of one's life **4.** MUS entry: ***den ~ geben*** give the cue **5.** (*Anstrengung*) effort(s *Pl*), hard work, (*Eifer*) zeal, (*Hingabe*) dedication: ***harter ~*** SPORT hard tackling; ***mit vollem ~*** all out **6.** (*Verwendung*) use, employment, *von Arbeitskräften*: *a.* deployment: ***im*** (***praktischen***) ***~*** TECH in (practical) operation **7.** MIL, *der Polizei etc*: action, *taktischer*, *a. von Waffen*: deployment, (*Kampf*2) mission: ***im ~ stehen*** be on duty, MIL be in action; ***zum ~ kommen*** be brought in(to action)
Einsatzbefehl *m* MIL combat order
einsatz|bereit *Adj* **1.** ready for duty

E

(MIL action, TECH use): ***sich ~ halten*** stand by; ***etw ~ halten*** have s.th. ready **2.** → ***einsatzfreudig*** **~fähig** *Adj* usable, (*verfügbar*) available, MIL operational, *Person*: fit to work *etc*, *Sportler*: fit (to play *etc*)
einsatzfreudig *Adj* zealous, keen
Einsatz|gruppe *f*, **~kommando** *n* task force **~wagen** *m* police car (*od* van)
einscannen *v/t* scan in
einschalten I *v/t* **1.** (*Licht, Gerät etc*) switch on, turn on, TECH *a.* connect: ***e-n Sender ~*** tune in to; ***den Motor ~*** start the engine; ***den dritten Gang ~*** shift into third gear **2.** *fig* (*einfügen*) put in, insert: ***e-e Pause ~*** have a break **3.** *fig* (*beteiligen*) call in: ***in e-n*** (*od* ***bei e-m***) ***Fall Sachverständige ~*** call (*od* bring) in experts on a case **II** *v/refl* ***sich ~*** **4.** *fig* step in, intervene: ***sich in ein Gespräch ~*** join in a conversation **5.** TV *Zuschauer*: tune in (***in*** *Akk* to) **6.** TECH switch itself on (automatically)
Einschaltquote *f* RADIO, TV viewing figures *Pl*, ratings *Pl*, *Am* Nielsen rating
einschärfen *v/t* ***j-m ~ zu*** *Inf* urge (*od* warn) s.o. to *Inf*
einschätzen *v/t* **1.** *fig* judge, assess, rate: ***falsch ~*** misjudge; ***zu hoch*** (***niedrig***) ***~*** overrate (underrate) **2.** *steuerlich*: assess **Einschätzung** *f fig* assessment: ***nach m-r ~*** to my estimation
einschenken *v/t* pour (out)
einschicken *v/t* send in
einschieben *v/t* **1.** put in, insert **2.** *fig* fit in **Einschiebung** *f* insertion
einschießen I *v/t* **1.** (*Scheibe etc*) shoot in, smash in **2.** (*Waffe*) try, test **3.** SPORT drive *the ball* home **II** *v/refl* ***sich ~*** **4.** *a. fig* zero in (***auf*** *Akk* on) **III** *v/i* **5.** SPORT score
einschiffen *v/refl* ***sich ~*** embark (***nach*** for), board a (*od* the) ship
einschlafen *v/i* **1.** fall asleep, *a. Bein etc*: go to sleep **2.** *fig Briefwechsel, Unterhaltung etc*: peter out **3.** *fig* (*sterben*) die peacefully, pass away
einschläfern *v/t* **1.** put *s.o.* to sleep (*a.* MED), (*schläfrig machen*) make *s.o.* drowsy **2.** (*Tier*) put down **3.** *fig* (*Gewissen*) soothe, (*Wachsamkeit*) dull
einschläfernd *Adj* MED *u. fig* soporific
Einschlag *m* **1.** *e-s Geschosses*: impact, *des Blitzes*: striking **2.** *fig* streak, touch: ***ein stark südländischer ~*** a strong element of the Mediterranean **3.** MOT lock
einschlagen I *v/t* **1.** (*Nagel*) drive in(to ***in*** *Akk*) **2.** (*Fenster etc*) break, smash (in): ***mit eingeschlagenem Schädel*** with one's head bashed in; ***sich die Zähne ~*** knock one's teeth out **3.** (*einwickeln*) wrap up **4.** (*Richtung*) take, (*Weg*) *a.* follow **5.** *fig* (*Laufbahn*) enter, (*Verfahren, Politik etc*) adopt: ***e-n anderen Weg ~*** adopt a different method **II** *v/i* **6.** (***in*** *Akk*) *Geschoss*: hit (*Blitz*: strike) (*the house etc*): *fig* ***wie e-e Bombe ~*** fall like a bombshell, cause a sensation **7.** *fig* (***gut***) ***~*** be a (great) success, be a (big) hit **8.** ***~ auf*** (*Akk*) beat (*od* hit away at) *s.o., s.th.* **III** *v/refl* ***sich ~*** **9.** *Tennis*: warm up
einschlägig *Adj* relevant: ***ein ~er Fall*** a case in point; *Adv* ***~ vorbestraft*** previously convicted for the same offence
Einschlagwinkel *m* MOT steering lock angle
einschleichen *v/refl* ***sich ~*** *fig* creep in(to ***in*** *Akk*); ***sich in j-s Vertrauen ~*** worm one's way into s.o.'s confidence
einschleppen *v/t* (*Krankheit etc*) bring *s.th.* in(to ***in*** *Akk*)
einschleusen *v/t fig* (***in*** *Akk*) (*j-n*) infiltrate (into), (*etw*) smuggle in(to)
einschließen *v/t* **1.** lock (*od* shut) *s.o., s.th.* (***sich*** o.s.) up (*od* in) **2.** (*umgeben*) enclose, *a.* MIL surround, encircle **3.** *fig* include (***in*** *Akk* in) **einschließlich I** *Präp* (*Gen*) including, inclusive of: ***bis ~ Seite 7*** up to and including page 7 **II** *Adv* ***von Montag bis ~ Freitag*** from Monday to Friday inclusive, *Am* Monday through Friday
einschmeicheln *v/refl* ***sich bei j-m ~*** ingratiate o.s. with s.o., play up to s.o.
einschmeichelnd *Adj* ingratiating
einschmelzen *v/t u. v/i* melt (down)
einschmieren F → ***eincremen***
einschmuggeln *v/t* smuggle in(to ***in*** *Akk*)
einschnappen *v/i* **1.** catch, click **2.** F *fig* go into a huff: → ***eingeschnappt***
einschneiden *v/t* (***in*** *Akk* into) cut, carve **einschneidend** *Adj fig* incisive, drastic, *Bedeutung etc*: far-reaching
einschneien *v/t* ***eingeschneit werden*** get (*od* be) snowed in (*od* up)
Einschnitt *m* **1.** cut, incision, (*Kerbe*)

notch **2.** *fig* crucial event, (*Wendepunkt*) turning point
einschränken I *v/t* **1.** restrict (***auf*** *Akk* to), (*Ausgaben*) cut down, (*a. das Rauchen etc*) cut down on (*smoking etc*), (*Produktion etc*) reduce **2.** *fig* (*Behauptung etc*) qualify **II** *v/refl* ***sich ~*** **3.** economize (***in*** *Dat* in), cut down expenses **einschränkend** *Adj* restrictive (*a.* LING), *Behauptung etc*: qualifying
Einschränkung *f* **1.** restriction, reduction, cut **2.** (*Vorbehalt*) qualification: ***ohne ~*** without reservation
einschrauben *v/t* screw in(to ***in*** *Akk*)
Einschreibe|brief *m* registered letter **~gebühr** *f* registration fee
einschreiben I *v/t* **1.** ***e-n Brief ~ lassen*** have a letter registered; **♀!** registered! **2.** (*j-n*) enter, *als Mitglied*: enrol(l): ***sich ~ lassen*** → **II** *v/refl* ***sich ~*** **3.** sign up, UNI register, enrol(l) **Einschreibung** *f* signing up, UNI enrol(l)ment
einschreiten *v/i* intervene, step in: ***~ gegen*** take action against
Einschub *m* insertion, TECH insert, ELEK slide-in module
einschüchtern *v/t* intimidate
Einschüchterung *f* intimidation
einschulen *v/t* ***ein Kind ~*** put a child to school
Einschuss *m* **1.** (*Treffer*) hit, (*Loch*) bullet hole, MED entry wound **2.** SPORT scoring (shot)
einschweißen *v/t* *in Folie*: shrink-wrap
einschwenken *v/i* turn (***in*** *Akk* into): ***nach links ~*** turn (to the) left; *fig* **~** (***auf*** *Akk*) come round (to)
Einsegnung *f* consecration, *von Kindern*: confirmation
einsehen I *v/t* **1.** have a look at, (*prüfen*) inspect **2.** (*Garten etc*) see, MIL (*Gelände*) observe **3.** *fig* (*verstehen*) understand, see, realize: ***ich sehe nicht ein, weshalb*** I don't see why **II ♀** *n* **4.** ***ein ♀ haben*** show some consideration (***mit*** for), (*vernünftig sein*) be reasonable
einseifen *v/t* **1.** soap, (*Bart*) lather **2.** F ***j-n ~*** (*betrügen*) dupe s.o., take s.o. in
einseitig *Adj* one-sided (*a. fig*), POL unilateral, MED *a.* on one side, (*parteiisch*) bias(s)ed: ***~e Ernährung*** unbalanced diet; *Adv* ***~ beschrieben*** written on one side (only); ***etw sehr ~ darstellen*** give a one-sided description of s.th.
Einseitigkeit *f* one-sidedness, *fig a.* bias, partiality
einsenden *v/t* send in **Einsender(in)** sender, *an Zeitungen*: contributor
Einsendeschluss *m* closing date (for entries) **Einsendung** *f* sending in, *bei e-m Wettbewerb*: entry
Einser *m* F → ***Eins***
einsetzen I *v/t* **1.** put in, (*einfügen*) insert **2.** (*Ausschuss etc*) set up **3.** (*anwenden*) use, employ, (*Kraft etc*) apply, (*Einfluss, Können etc*) bring into play **4.** put into action, (*Polizei etc*) call in, (*Arbeitskräfte etc*) employ: ***j-n ~ in*** (*Dat*) (*od* ***bei***) assign s.o. to; ***j-n als Erben ~*** appoint s.o. one's heir **5.** (*Geld*) stake, *beim Wetten*: bet: *fig* ***sein Leben ~*** risk one's life **II** *v/refl* ***sich ~*** **6.** exert o.s.: ***sich voll ~*** go all out; ***sich ~ für*** support, (*plädieren für*) speak up for, (*verfechten*) champion; ***sich bei j-m für j-n ~*** intercede with s.o. for s.o. **III** *v/i* **7.** start (off), *Fieber, Regen etc*: set in **8.** MUS come in **Einsetzung** *f* **1.** insertion **2.** (*Ernennung*) appointment
Einsicht *f* **1.** examination (***in Akten*** of records): ***~ nehmen in*** (*Akk*) examine **2.** *fig* (*Verständnis*) understanding: ***zur ~ kommen*** listen to reason **3.** *fig* (*Erkenntnis*) insight: ***zu der ~ gelangen, dass …*** realize that …
einsichtig *Adj* reasonable
Einsichtnahme *f* (***zur ~*** for) inspection
einsickern *v/i* seep in: ***~ in*** (*Akk*) seep into, *a. fig Agenten etc*: infiltrate into
Einsiedler(in) hermit
einsilbig *Adj* monosyllabic (*a. fig*), *fig* (*wortkarg*) taciturn, silent
Einsilbigkeit *f fig* taciturnity
einsinken *v/i* sink in(to ***in*** *Akk*), *Boden etc*: cave in, sag
einsitzen *v/i* JUR serve a sentence
Einsitzer *m* FLUG, MOT single-seater
einsortieren *v/t* sort in(to ***in*** *Akk*)
einspannen *v/t* **1.** (*Pferd*) harness **2.** TECH clamp, fix: ***e-n Bogen*** (***in die Schreibmaschine***) **~** insert a sheet of paper into the typewriter **3.** F *fig* ***j-n ~*** rope s.o. in
einsparen *v/t* save, (*Arbeitsplatz*) eliminate **Einsparung** *f* saving, *e-s Arbeitsplatzes*: elimination
einspeichern *v/t* IT read in
einspeisen *v/t* feed (***in*** *Akk* into)

E

einsperren *v/t* lock up
einspielen I *v/t* **1.** (*Geld*) bring in **2.** TV (*zeigen*) show, (*einblenden*) fade in **3.** MUS (*Instrument*) play in **4.** (*Stück, Lied etc*) record **II** *v/refl* ***sich ~*** **5.** get into practice, SPORT warm up **6.** *fig Sache*: get going (properly): ***sich aufeinander ~*** get used to one another; → ***eingespielt*** **Einspielergebnisse** *Pl* box-office returns *Pl*
einsprachig *Adj* monolingual
einspringen *v/i fig* help out, step in(to the breach): ***für j-n ~*** take s.o.'s place, fill in for s.o.
Einspritz... MOT (fuel) injection (*engine, pump, etc*)
einspritzen *v/t* inject (***in*** *Akk* into): ***j-m etw ~*** give s.o. an injection of s.th.
Einspruch *m* (***gegen***) objection (to) (*a.* JUR), protest (against), *bes* POL veto (against), JUR appeal (against): ***~ erheben*** (***gegen***) object (to), JUR (file an) appeal (against), POL veto (*s.th.*)
Einspruchs|frist *f* appeal period **~recht** *n* right to appeal, POL (power of) veto
einspurig *Adj* BAHN single-track, *Straße*: single-lane
einst *Adv* **1.** (*früher*) once **2.** (*künftig*) one day
einstampfen *v/t* (*Schriften etc*) pulp
Einstand *m* **1.** (***s-n ~ geben*** celebrate the) start of one's new job **2.** *fig* debut **3.** *Tennis*: deuce
einstäuben *v/t* dust
einstecken *v/t* **1.** *allg* put in: ***den Stecker ~*** put the plug in **2.** put *s.th.* in one's pocket (*od* bag *etc*), (*einpacken*) take **3.** F *fig* (*Gewinn etc*) pocket, (*Tadel etc*) *a.* swallow, (*Schlag*) take: ***er kann viel ~*** he can take a lot
einstehen *v/i* ***~ für*** answer for, take responsibility for, (*garantieren*) vouch for
Einsteigekarte *f* FLUG boarding pass
einsteigen *v/i* **1.** get in(to ***in*** *Akk*), ***in*** *ein Verkehrsmittel*: get on (*a bus, train, plane*): ***alle***(***s***) ***~!*** all aboard!; F *fig* ***in*** *ein Projekt etc* ***~*** get in on, start on (*od* in); ***er ist in die Politik eingestiegen*** he went into politics; ***hart ~*** SPORT play rough **2.** (*eindringen*) climb (*od* get) in(to ***in*** *Akk*)
einstellbar *Adj* adjustable
einstellen I *v/t* **1.** put *s.th.* in(to ***in*** *Akk*), (*Möbel*) store, (*Auto*) put in the garage **2.** (*Arbeiter etc*) take on **3.** (***auf*** *Akk*) TECH set (to) (*a. Uhr*), adjust (to) (*a. fig*), (*Radio etc*) tune in (to), OPT focus (on) **4.** (*beenden*) stop, discontinue, (*Zahlungen etc*) *a.* suspend: JUR ***die Klage ~*** drop the action; ***das Verfahren ~*** dismiss the case; ***die Arbeit ~*** stop work, (*streiken*) (go on) strike, walk out; ***den Betrieb ~*** shut down; MIL ***das Feuer*** (***die Feindseligkeiten***) ***~*** cease fire (hostilities) **5.** (*e-n Rekord*) tie, equal **II** *v/refl* ***sich ~*** **6.** appear, turn up, *fig Fieber etc*: set in, *Probleme, Folgen etc*: arise: ***sich wieder ~*** come back (again) **7.** ***sich ~ auf*** (*Akk*) adjust (to), adapt (to), (*sich vorbereiten*) prepare (o.s.) for: ***sich ganz auf j-n ~*** give s.o. one's undivided attention
einstellig *Adj Zahl*: one-digit, *Dezimalzahl*: one-place
Einstellknopf *m* control knob
Einstellung *f* **1.** *von Arbeitskräften*: employment **2.** TECH adjustment, setting, OPT, FOTO focus(s)ing, focus **3.** FILM (camera) angle, (*Szenen*♀) take **4.** (*Beendigung*) discontinuance, cessation (*a.* MIL *von Feindseligkeiten*), (*Betriebs*♀) stoppage, *von Zahlungen*: suspension: JUR ***~ des Verfahrens*** dismissal of a case; ***~ e-r Klage*** withdrawal of an action **5.** *fig* (*Anpassung*) adjustment (***auf*** *Akk* to) **6.** (***zu***) (*Haltung*) attitude (towards), (*Meinung*) opinion (of): ***s-e politische ~*** his political view *Pl*, F his politics *Pl*
Einstieg *m* **1.** entrance, way in **2.** *fig* (***in*** *Akk*) entry (into), getting in (on), start (on *od* in): ***~ in die Kernenergie*** opting for nuclear energy
Einstiegluke *f* (access) hatch
Einstiegsdroge *f* gateway (*od* starter) drug
einstig *Adj* former
einstimmen I *v/i* **1.** ***in ein Lied*** (***das Gelächter***) ***~*** join in a song (the laughter) **II** *v/t* **2.** MUS (*ein Instrument*) tune (up) **3.** *fig* ***j-n*** (***sich***) ***~*** (***auf*** *Akk*) get s.o. (o.s.) in the proper mood (for)
einstimmig *Adj* **1.** MUS for one voice **2.** *Beschluss etc*: unanimous
Einstimmigkeit *f* unanimity, consensus
einstöckig *Adj* one-stor(e)y
einstöpseln *v/t* plug in

einstoßen *v/t* smash (in)
einstreichen *v/t* F (*Geld etc*) pocket
einstreuen *v/t fig* (*Bemerkung*) insert: ***Zitate** etc **in s-e Rede** ~* intersperse one's speech with quotations *etc*
einströmen *v/i* flow in(to ***in** Akk*)
einstudieren *v/t* learn *s.th.* (by heart), THEAT rehearse
Einstudierung *f* THEAT production
einstufen *v/t* class, grade, *nach Leistung*: rate: ***hoch** ~* rate high
Einstufen..., **einstufig** *Adj* single-stage
Einstufung *f* classification, rating
einstündig *Adj* one-hour, of one hour
einstürmen *v/i ~ **auf*** (*Akk*) rush at, MIL attack; *fig **auf j-n** ~* assail s.o. (***mit Fragen*** with questions)
Einsturz *m*, **einstürzen** *v/i* collapse
Einsturzgefahr *f* danger of collapse
einstweilen *Adv* meanwhile, in the meantime, (*vorläufig*) for the time being **einstweilig** *Adj* temporary: JUR ***~e Verfügung*** interim order, (*Unterlassungsbefehl*) injunction
eintägig *Adj* one-day
Eintagsfliege *f* **1.** ZOOL day fly, ephemera **2.** *fig* nine days' wonder
eintauchen I *v/t* dip in(to ***in** Akk*) **II** *v/i* dive in(to ***in** Akk*)
eintauschen *v/t* (***gegen*** for) exchange, (*in Zahlung geben*) trade *s.th.* in
einteilen *v/t* **1.** divide (up) (***in** Akk* into), (***nach***) *Begabung etc*: rate (according to) **2.** (*Zeit*) organize, (*Geld*) budget, (*sparen mit*) use *s.th.* sparingly **3.** ***j-n ~ zu*** assign s.o. to, MIL detail s.o. for
Einteiler *m*, **einteilig** *Adj* one-piece
Einteilung *f* **1.** (***in** Akk* into) division, *nach Klassen*: classification **2.** *der Zeit, Arbeit etc*: planning, organization, *des Geldes*: budgeting
eintippen *v/t* type in(to ***in** Akk*)
eintönig *Adj* monotonous, *Leben*: *a.* humdrum, dull
Eintönigkeit *f* monotony
Eintopf *m* GASTR stew
Eintracht *f* harmony
einträchtig *Adj* harmonious, peaceful
Eintrag *m* entry (*a.* WIRTSCH), WIRTSCH (*Posten*) *a.* item: *~ **ins Klassenbuch*** black mark
eintragen I *v/t* **1.** enter (*a.* WIRTSCH), VERW register, *als Mitglied*: enrol(l): ***sich ~ lassen*** (***bei***) register (with), enrol(l) (in); → ***eingetragen*** **2.** *fig **j-m etw** ~* (*Lob, Sympathie etc*) earn s.o. s.th. **II** *v/refl **sich** ~* **3.** register, (*sich vormerken lassen*) put one's name down: ***sich in e-e Anwesenheitsliste** ~* sign in
einträglich *Adj* profitable
Eintragung *f* **1.** registration, enrol(l)-ment **2.** → ***Eintrag***
eintreffen I *v/i* **1.** arrive (***in** Dat, **auf** Dat* at) **2.** *fig* (*geschehen*) happen, (*sich erfüllen*) prove (*od* come) true **II** ♀ *n* **3.** (***bei m-m** etc* ♀ on my *etc*) arrival
eintreiben *v/t* (*Schulden*) collect
eintreten I *v/i* **1.** go in, come in: ***er trat ins Haus ein*** he went into (*od* entered) the house; ***bitte treten Sie ein!*** do come in, please! **2.** *fig ~ **in** e-e Firma, e-n Verein etc*: join, enter; ***in den Krieg** ~* enter the war; ***in Verhandlungen** ~* enter into negotiations **3.** (*sich ereignen*) happen, take place, *a. Tod*: occur, *Fall, Umstände etc*: arise: ***es trat Stille ein*** silence fell; ***es ist e-e Besserung eingetreten*** there has been an improvement **4.** *~ **für*** stand up for *s.o.*, support *s.th.* **5.** *~ **auf*** (*Akk*) kick **II** *v/t* **6.** (*Tür etc*) kick in (*od* down) **7.** (*Schuhe*) break in **8.** ***ich habe mir e-n Dorn** etc* (***in den Fuß***) ***eingetreten*** I've run a thorn *etc* into my foot
eintrichtern *v/t* F ***j-m etw** ~* drum s.th. into s.o.'s head
Eintritt *m* **1.** (***in** Akk* into) entry, entrance: ***bei s-m** ~ **in den Klub*** on his joining the club **2.** beginning, *des Winters etc*: setting in, *stärker*: onset: ***nach ~ der Dunkelheit*** after dark **3.** *e-s Umstandes*: occurrence **4.** (*Zutritt*) admission: *~ **frei!*** admission free!; *~ **verboten!*** no entry! **5.** → ***Eintrittsgebühr***
Eintritts|gebühr *f*, **~geld** *n* admission (fee) **~karte** *f* (admission) ticket
eintrocknen *v/i* dry up
eintrudeln *v/i* F turn up
einüben *v/t* (***sich***) ***etw** ~* practise s.th.
einverleiben *v/t* **1.** (*Dat, **in** Akk* to) add, (*Land*) annex **2.** F ***sich** etw ~* (*essen, trinken*) get outside of
Einvernehmen *n* agreement, (good) understanding: ***in gutem** ~* on good terms; ***im ~ mit*** in agreement with; ***stillschweigendes** ~* tacit understanding
einverstanden *Adj ~ **sein*** agree; ***mit***

E

etw ~ sein agree to (*od* approve of) s.th.; ***~!*** all right!, okay!
Einverständnis *n* (***zu***) consent (to), approval (of): ***sein ~ erklären*** (give one's) consent
Einwand *m* objection (***gegen*** to): ***Einwände erheben*** raise objections
Einwanderer *m*, **Einwanderin** *f* immigrant
einwandern *v/i* immigrate (***in*** *Akk* to)
Einwanderung *f* immigration
Einwanderungs... immigration (*country, quota, etc*) **Einwanderungsland** *n* country open to immigrants **Einwanderungsverbot** *n* ban on immigration
einwandfrei *Adj* (*tadellos*) impeccable, (*fehlerfrei*) flawless, perfect: *Adv* ***~ der Beste*** undoubtedly the best; ***es steht ~ fest*** it is beyond question
einwärts *Adv* inward(s)
einwechseln *v/t* **1.** (*Geld*) change (***in*** *Akk*, ***gegen*** into) **2.** SPORT ***j-n ~*** send s.o. on the field
einwecken → ***einmachen***
Einwegflasche *f* nonreturnable bottle
Einwegspritze *f* MED disposable syringe
einweichen *v/t* soak
einweihen *v/t* **1.** open, inaugurate, REL consecrate **2.** F *fig* (*Kleid etc*) christen **3.** ***j-n ~ in*** (*Akk*) initiate s.o. into; ***j-n in ein Geheimnis ~*** let s.o. into a secret; ***eingeweiht sein*** be in the know; → ***Eingeweihte*** **Einweihung** *f* (formal) opening, REL consecration
Einweihungsfeier *f* opening ceremony
einweisen *v/t* **1.** ***j-n ~ in*** (*Akk*) send s.o. to, JUR *e-e Heilanstalt*: commit s.o. to; ***j-n in ein Krankenhaus ~*** hospitalize s.o. **2.** ***j-n ~ in*** *s-n Aufgabenbereich etc*: brief s.o. in, introduce s.o. to, *ein Amt*: inaugurate s.o. into **3.** (*Fahrer, Fahrzeug*) direct (***in*** *Akk* into) **Einweisung** *f* **1.** JUR ***in*** *e-e Heilanstalt*: committal to; ***~ ins Krankenhaus*** hospitalization **2.** (***in*** *Akk*) briefing (in), introduction (to)
einwenden *v/t* ***etw ~*** (***gegen***) object (to); ***~, dass ...*** argue that ...; ***ich habe nichts dagegen einzuwenden*** I have no objections; ***es lässt sich nichts dagegen ~*** there is nothing to be said against it
Einwendung *f* → ***Einwand***
einwerfen *v/t* **1.** (*Ball etc, a. fig Bemerkung etc*) throw in **2.** (*Fenster etc*) smash **3.** (*Brief etc*) post, *Am* mail, (*Münzen*) insert, put in
einwertig *Adj* CHEM monovalent
einwickeln *v/t* **1.** wrap up **2.** F *fig* ***j-n ~*** take s.o. in, *schmeichelnd*: softsoap s.o.
einwilligen *v/i* (***in*** *Akk* to) agree, consent
Einwilligung *f* approval, consent
einwirken *v/i* ***~ auf*** (*Akk*) **a)** have an effect on, **b)** (*angreifen*) affect (*a.* CHEM), **c)** (*beeinflussen*) influence: ***auf j-n ~*** (*j-n überreden*) work on s.o.; ***etw ~ lassen*** let s.th. take effect **Einwirkung** *f* (***auf*** *Akk* on) effect, (*Einfluss*) influence
Einwohner(in) inhabitant, *e-r Stadt*: *a.* resident **Einwohnermeldeamt** *n* residents' registration office **Einwohnerschaft** *f* inhabitants *Pl*, population
Einwohnerzahl *f* (total) population
Einwurf *m* **1.** SPORT throw-in **2.** (*Münz*♀) **a)** insertion, **b)** slot **3.** *fig* objection, (*Bemerkung*) comment
Einzahl *f* LING singular
einzahlen *v/t* pay in: ***Geld bei der Bank ~*** deposit money at the bank; ***Geld*** (***auf ein Konto***) ***~*** pay money into an account **Einzahlung** *f* payment, *bei der Bank*: deposit **Einzahlungsschein** *m* pay(ing)-in slip, deposit slip
einzäunen *v/t* fence in
Einzäunung *f* enclosure, fence
einzeichnen *v/t* sketch in, (*markieren*) mark (***in, auf*** *Dat* on): ***... ist nicht eingezeichnet*** ... isn't on the map
Einzel *n Tennis*: singles *Pl* **~anfertigung** *f* special design: ***es ist e-e ~*** it was custom-built **~antrieb** *m* TECH separate drive **~aufstellung** *f* WIRTSCH itemized list **~beispiel** *n* isolated case **~betrag** *m* (single) item **~bett** *n* single bed **~disziplin** *f* SPORT individual event **~exemplar** *n* unique specimen (*Buch*: copy) **~fall** *m* isolated case
Einzelgänger(in) loner
Einzelhaft *f* solitary confinement
Einzel|handel *m* retail trade **~handelspreis** *m* retail price **~händler(in)** retailer **~haus** *n* detached house
Einzelheit *f* detail: ***bis in alle ~en*** down to the last detail; ***auf ~en eingehen*** go into detail

Einzel|interessen *Pl* individual interests *Pl* **~kampf** *m* **1.** MIL hand-to-hand combat, FLUG F dogfight **2.** SPORT individual competition **~kind** *n* only child
einzellig *Adj* BIOL monocellular
einzeln I *Adj* **1.** single, individual, (*getrennt*) separate, isolated: ***ein ~er Schuh*** an odd shoe **2.** ***~e*** *Pl* several, some, a few; METEO ***~e Schauer*** scattered showers **II** *Adv* **3.** singly, individually, separately: ***~ eintreten*** enter one by one (*od* one at a time); ***~ aufführen*** specify, itemize **Einzelne I** *m, f* individual: ***jeder ~ (von uns)*** every (single) one (of us); ***~*** *Pl* some, a few **II** ***das ~*** the detail(s *Pl*): ***im ~n*** in detail, (*im Besonderen*) in particular; ***ins ~ gehen*** go into detail; ***ins ~ gehend*** detailed; ***~s gefällt mir nicht*** I don't like some things (*od* points)
Einzel|person *f* individual **~spiel** *n Tennis*: singles *Pl* (match) **~stück** *n* **1.** odd piece **2.** unique specimen **~teil** *n* TECH (component) part **~unterricht** *m* private lessons *Pl* **~wesen** *n* individual (being) **~zelle** *f* JUR solitary cell **~zimmer** *n* single room
einziehbar *Adj* **1.** TECH retractable **2.** WIRTSCH collectible
einziehen I *v/t* **1.** draw *s.th.* in, TECH retract, (*Fahne*) haul down: ***den Kopf ~*** duck; SCHIFF ***die Segel ~*** take in sail; ***die Riemen ~*** ship the oars **2.** (*einsaugen*) draw in, inhale, breathe, (*Flüssigkeit*) soak in **3.** put in, (*Gummiband etc*) *a.* thread in, (*e-e Wand etc*) put up **4.** MIL call up, draft **5.** JUR seize, confiscate, (*Banknoten etc*) withdraw (from circulation) **6.** (*Steuern etc*) collect **7.** → ***Erkundigung*** **II** *v/i* **8.** enter, *in ein Haus etc*: move in(to ***in*** *Akk*, ***bei*** with), MIL march in(to ***in*** *Akk*), *fig Frühling etc*: arrive: ***er zog ins Parlament ein*** he took his seat in Parliament **9.** *Flüssigkeit etc*: soak in
einzig I *Adj* **1.** only, single, (*alleinig*) sole: ***kein ~es Auto*** not a single car; ***sein ~er Halt*** his sole support; ***nicht ein ~es Mal*** not once **2.** → ***einzigartig*** I **II** *Adv* **3.** only, (*a.* ***~ und allein***) solely, entirely: ***das ist das ~ Richtige*** that's the only thing to do **einzigartig** *Adj* unique, *Schönheit etc*: singular, *Leistung etc*: unequal(l)ed, (*großartig*) *a.* fantastic: *Adv* ***~ schön*** *a. weit. S.* marvel(l)ous
Einzige I *m, f* the only one: ***kein ~r*** not (a single) one **II** ***das ~*** the only thing
Einzimmerwohnung *f* one-room flat (*Am* apartment)
einzuckern *v/t* sugar
Einzug *m* **1.** entry, *fig des Frühlings etc*: coming, arrival **2.** moving in(to ***in*** *e-e Wohnung etc*) **3.** (*Papier*≈) paper feed **Einzugsermächtigung** *f* standing order for a direct debit **Einzugsgebiet** *n* GEOG catchment area
Eipulver *n* dried egg
Eis *n* **1.** ice: F *fig* ***etw auf ~ legen*** put s.th. on ice; ***das ~ brechen*** break the ice; ***~ laufen*** ice-skate **2.** (*Speise*≈) ice cream: ***~ am Stiel*** ice lolly, *Am* popsicle® **~bahn** *f* (ice-)skating rink **~bär** *m* polar bear **~becher** *m* GASTR sundae **~bein** *n* GASTR pickled knuckle of pork **~berg** *m* iceberg **~bergsalat** *m* iceberg lettuce **~beutel** *m* MED ice bag **~blumen** *Pl* frostwork *Sg* **~bombe** *f* GASTR bombe glacée
Eischnee *m* GASTR beaten egg white
Eisdiele *f* ice-cream parlo(u)r
Eisen *n* iron: *fig* ***ein heißes ~ anfassen*** tackle a hot issue; ***j-n zum alten ~ werfen*** throw s.o. on the scrap heap, shelve s.o.; ***er gehört zum alten ~*** he's past it; ***zwei ~ im Feuer haben*** have more than one string to one's bow; ***(man muss) das ~ schmieden, solange es heiß ist*** strike while the iron is hot
Eisenbahn *f* railway, *Am* railroad, (*Zug*) train: ***mit der ~*** by rail, by train; → ***Bahn(...)*** **Eisenbahner(in)** railwayman, *Am* railroadman
Eisenbahn|fähre *f* train ferry **~knotenpunkt** *m* (railway, *Am* railroad) junction **~netz** *n* railway (*Am* railroad) network **~schaffner(in)** guard, conductor **~wagen** *m* railway carriage, coach, *Am* railroad car
Eisen|erz *n* iron ore **~gehalt** *m* iron content **~gießerei** *f* iron foundry
eisenhaltig *Adj* **1.** ***~ sein*** contain iron **2.** MIN ferruginous
Eisen|hut *m* BOT monkshood **~hütte** *f*, **~hüttenwerk** *n* ironworks *Pl* (*oft Sg konstr*) **~mangel** *m* MED iron deficiency
Eisenoxid *n* CHEM ferric oxide

Eisenwaren *Pl* ironware *Sg*, hardware *Sg* **~geschäft** *n* hardware store
Eisenzeit *f hist the* Iron Age
eisern *Adj a. fig* iron, of iron, *Nerven*: of steel, (*unnachgiebig*) *a.* adamant, hard, firm: ***~e Sparsamkeit*** rigorous economy; ***~e Gesundheit*** cast-iron constitution; ***~er Bestand*** permanent stock; ***~e Regel*** hard and fast rule; ***s-e ~e Ruhe*** his imperturbability; ***~ sein*** be adamant; *Adv* ***~ an etw festhalten*** adhere rigidly to s.th.; ***~ sparen*** save rigorously; → ***Lunge*** 1, ***Vorhang***
Eiseskälte *f* icy cold
Eisfach *n* freezer compartment **eisfrei** *Adj* free of ice **eisgekühlt** *Adj* chilled
Eisglätte *f* icy roads *Pl*
Eishockey *n* ice hockey
Eishockeyschläger *m* ice-hockey stick
Eishockeyspieler *m* ice-hockey player
eisig *Adj a. fig* icy; ***~ kalt*** icy-cold
Eiskaffee *m* GASTR iced coffee
eiskalt *Adj* **1.** ice-cold **2.** GASTR chilled **3.** *fig* **a)** *Blick*, *Vernunft etc*: icy, *Mensch*: cold (as ice), **b)** (*gelassen*) cool, **c)** (*frech*) brazen
Eiskübel *m* ice bucket
Eiskunstlauf *m* figure skating
Eiskunstläufer(in) figure skater
Eislauf *m* ice-skating **eislaufen** *v/i* → ***Eis*** **Eisläufer(in)** ice-skater
Eismeer *n* polar sea: ***Nördliches*** (***Südliches***) ***~*** Arctic (Antarctic) Ocean
Eispickel *m* ice pick
Eisprung *m* PHYSIOL ovulation
Eis|revue *f* ice show **~salat** *m* iceberg lettuce **~schießen** *n* (Continentaltype) curling **~schnelllauf** *m* speed skating **~schnellläufer(in)** speed skater **~scholle** *f* ice floe **~schrank** *m* refrigerator, F fridge, *Am* icebox **~sport** *m* ice sports *Pl* **~stadion** *n* ice stadium **~tanz** *m* ice dancing **~tee** *m* iced tea **~waffel** *f* ice-cream wafer **~wasser** *n* ice water **~würfel** *m* ice cube **~zapfen** *m* icicle
Eiszeit *f* ice age, glacial period
eitel *Adj* **1.** vain, conceited **2.** (*nichtig*) vain, futile: ***eitle Hoffnung*** idle hope; ***eitle Versprechungen*** empty promises
Eitelkeit *f allg* vanity, (*Nichtigkeit*) *a.* futility
Eiter *m* MED pus **Eiterbeule** *f* abscess, boil, *fig* festering sore **Eiterbläschen** *n* pustule **eit(e)rig** *Adj* suppurative, festering **eitern** *v/i* fester, suppurate
Eiterpfropf *m* core **Eiterpickel** *m* spot, pimple **Eiterung** *f* suppuration
Eiweiß *n* white of egg, (egg) white, BIOL albumen, protein **&arm** *Adj* low in protein, low-protein (*diet etc*) **~bedarf** *m* protein requirement **~mangel** *m* protein deficiency **&reich** *Adj* rich in protein, high-protein (*diet etc*)
Eizelle *f* BIOL egg cell, ovum
Ejakulation *f* PHYSIOL ejaculation
Ekel[1] *m* (***vor*** *Dat*) disgust (at), revulsion (against): ***~ empfinden*** → ***ekeln***; F ***... ist*** (***sind***) ***mir ein ~*** I can't stand ...
Ekel[2] *n* F *pej* nasty person, beast, (*lästige Person*) pest
ekelerregend *Adj* repulsive **Ekelgefühl** *n* revulsion **ekelhaft**, **ek(e)lig** *Adj* revolting, disgusting
ekeln *v/refl* ***sich ~*** *u. v/unpers* ***es ekelt mich*** (*od* ***mich ekelt, ich ekle mich***) ***davor*** (***vor ihm***) it (he) makes me sick
EKG *n* (= ***Elektrokardiogramm***) ECG, electrocardiogram
Eklat *m* stir, sensation, (*Skandal*) scandal, (*Krach*) row **eklatant** *Adj* striking, *pej* flagrant, blatant
Ekstase *f* ecstasy: ***in ~ geraten*** go into ecstasies (***über*** *Akk* over)
ekstatisch *Adj* ecstatic(ally *Adv*)
Ekzem *n* MED eczema
Elan *m* verve, zest
Elast(h)an® *n* Elastane®
Elastik *n* elastic **elastisch** *Adj* elastic(ally *Adv*) (*a. fig*), (*federnd*) springy, (*biegsam*) MOT, TECH flexible (*a. fig*)
Elastizität *f a. fig* elasticity, flexibility
Elch *m* ZOOL elk, *nordamerikanischer*: moose **Elchtest** *m* MOT moose (*od* elk) test, *fig a.* acid (*od* litmus) test
Electronic Banking *n* electronic banking
Elefant *m* elephant: ***wie ein ~ im Porzellanladen*** like a bull in a china shop
Elefanten|bulle *m* ZOOL bull elephant **~hochzeit** *f* WIRTSCH giant merger **~kuh** *f* ZOOL cow elephant **~rüssel** *m* trunk
elegant *Adj* elegant (*a. fig*), smart: *fig* ***e-e ~e Lösung*** a neat (*od* clever) solution **Eleganz** *f a. fig* elegance
Elegie *f* elegy
elegisch *Adj* elegiac, *fig a.* melancholy

elektrifizieren *v/t* electrify
Elektrifizierung *f* electrification
Elektrik *f* electricity, (*Anlage*) electrical system **Elektriker(in)** electrician
elektrisch I *Adj* electric(al): ***~er Schlag*** (***Strom, Stuhl***) electric shock (current, chair) **II** *Adv* electrically: ***~ betrieben*** *a.* run by electricity **elektrisieren** *v/t a. fig* electrify
Elektrizität *f* electricity, (*Strom*) (electric) current **Elektrizitätswerk** *n* (electric) power station
Elektroauto *n* electric car
Elektrobohrer *m* electric drill
Elektrochemie *f* electrochemistry
Elektrode *f* electrode: ***negative ~*** cathode; ***positive ~*** anode
Elektro|enzephalogramm *n* MED (*Abk* ***EEG***) electroencephalogram **~fahrzeug** *n* electric vehicle **~gerät** *n* electrical appliance **~geschäft** *n* electrical shop **~grill** *m* electric grill **~herd** *m* electric cooker **~ingenieur(in)** electrical engineer **~kardiogramm** *n* MED (*Abk* ***EKG***) electrocardiogram
Elektrolyse *f* electrolysis
Elektromagnet *m* electromagnet
Elektromotor *m* (electric) motor
Elektron *n* PHYS electron
Elektronen|blitz(gerät *n*) *m* FOTO electronic flash (gun) **~gehirn** *n* electronic brain **~mikroskop** *n* electron microscope
Elektronik *f* **1.** electronics *Sg* **2.** electronic system
elektronisch *Adj* electronic(ally *Adv*): ***elektronische Post*** e-mail; ***elektronischer Briefkasten*** (voice) mailbox; ***elektronischer Handel*** e-commerce; ***elektronisches Geld*** *online*: electronic cash
Elektroofen *m* electric stove **Elektrophysik** *f* electrophysics *Sg*
Elektrorasierer *m* electric razor
Elektroschock *m* MED electroshock
Elektro|smog *m* electromagnetic pollution, electronic smog **~technik** *f* electrical engineering **~techniker(in)** electrical engineer
elektrotechnisch *Adj* electrotechnical, *Bauteil, Industrie etc*: electrical
Elektrotherapie *f* MED electrotherapy
Element *n allg* element, ELEK *a.* battery, cell: *fig* ***in s-m ~ sein*** be in one's element; *pej* ***asoziale ~e*** (*Personen*) antisocial elements
elementar *Adj* **1.** (*naturhaft*) elemental **2.** (*grundlegend*) elementary (*duty, mistake, etc*)
Elementarbegriff *m* fundamental idea
Elementar|gewalt *f* elemental force **~teilchen** *n* PHYS elementary particle **~unterricht** *m* elementary instruction
elend I *Adj* **1.** miserable, wretched (*beide a. fig pej*): ***~ aussehen*** look dreadful; ***sich ~ fühlen*** feel wretched (*od* terrible) **2.** (*arm*) poverty-stricken, (*erbärmlich*) pitiable **3.** F *fig* (*schrecklich*) terrible, awful **II** *Adv* **4.** miserably: ***~ zugrunde gehen*** perish miserably **5.** F *fig* (*sehr*) terribly, awfully
Elend *n* misery, (*Armut*) poverty: → ***Häufchen, stürzen*** 3
Elendsquartier *n* hovel
Elendsviertel *n* slum(s *Pl*)
elf *Adj* eleven
Elf[1] *f* **1.** (number) eleven **2.** *Fußball*: team
Elf[2] *m*, **Elfe** *f* elf
Elfenbein *n*, **elfenbeinern** *Adj*, **elfenbeinfarbig** *Adj* ivory **Elfenbeinküste** *f the* Ivory Coast **Elfenbeinturm** *m fig* ivory tower
Elfmeter *m Fußball*: penalty (kick) **~schießen** *n* penalty shoot-out
elft *Adj*, **Elfte** *m, f* eleventh
elftens *Adv* in the eleventh place
eliminieren *v/t* eliminate
elitär *Adj* elitist **Elite** *f* élite **Elitedenken** *n* elitism
Elixier *n* elixir
Ellbogen *m* elbow: F *fig* ***s-e ~ gebrauchen*** use one's elbows **~freiheit** *f* elbow room **~gelenk** *n* elbow joint **~gesellschaft** *f* ruthlessly competitive society **~mensch** *m* (tough) go-getter
Elle *f* **1.** (*Knochen*) ulna **2.** (*Maß*) cubit, (*Zollstock*) yard stick
ellenlang *Adj* F *fig* endless
Ellipse *f* MATHE ellipse
elliptisch *Adj* MATHE elliptic(al)
El Salvador *n* El Salvador
Elsass *n das* Alsace
Elsässer(in), **elsässisch** *Adj* Alsatian
Elster *f* ZOOL magpie
elterlich *Adj* parental (*duty, love, etc*), parents' (*bedroom etc*)
Eltern *Pl* parents *Pl*: F *fig* ***nicht von***

schlechten ~ terrific
Elternabend *m* parent-teacher meeting
Elternbeirat *m* PÄD parents' council
Elternhaus *n* (one's parents') home
elternlos *Adj* orphan(ed)
Elternschaft *f* **1.** parenthood **2.** (*Eltern*) parents *Pl* **Elternsprechtag** *m* PÄD open day **Elternteil** *m* parent **Elternzeit** *f* (*Erziehungsurlaub*) (extended) parental leave: ~ ***nehmen*** take parental leave

E

E-Mail *f* e-mail, E-mail: ***j-m e-e ~ schicken*** send s.o. an e-mail, e-mail s.o.; → *Info bei* ***e-mail*** *u. bei* ***compliment*** **~-Adresse** *f* e-mail (*od* E-mail) address
Email *n*, **Emaille** *f*, **emaillieren** *v/t* enamel
Emanze *f* F *pej* women's libber
Emanzipation *f* emancipation: ***die ~ der Frau*** *a.* women's liberation
emanzipatorisch *Adj* emancipatory
emanzipieren I *v/t* emancipate **II** *v/refl* ***sich*** ~ become emancipated
Embargo *n* WIRTSCH embargo
Embolie *f* MED embolism
Embryo *m* embryo
embryonal *Adj* embryonic, embryo
emeritieren *v/t* UNI retire
Emigrant(in) emigrant **Emigration** *f* emigration: ***in der*** (***die***) ~ in(to) exile
emigrieren *v/i* emigrate
Emission *f* **1.** PHYS emission **2.** WIRTSCH issue
Emotikon *n* COMPUTER emoticon; → *Info bei* ***chat***
Emotion *f* emotion
emotional *Adj* emotional
emotionalisieren *v/t* emotionalize
emotionell *Adj* emotional
Empfang *m* **1.** (*Erhalt*) receipt: ***nach*** ~, ***bei*** ~ on receipt; ***in ~ nehmen*** receive, (*j-n*) meet **2.** (*Begrüßung*) reception (*a. Veranstaltung*), welcome: ***j-m e-n begeisterten ~ bereiten*** give s.o. an enthusiastic reception **3.** RADIO *etc* reception **4.** *Hotel etc*: reception (desk)
empfangen I *v/t* receive (*a. Radio etc*), (*begrüßen*) *a.* welcome: ***sie empfängt niemanden*** she refuses to see anybody; ***wir wurden sehr freundlich ~*** we met with a friendly reception **II** *v/i* MED (*schwanger werden*) conceive
Empfänger(in) receiver, recipient, *e-s Briefes*: addressee
empfänglich *Adj* (***für*** to) receptive, susceptible (*a.* MED), MED prone: ***für Eindrücke ~*** impressionable **Empfänglichkeit** *f* (***für*** to) receptivity, *a.* MED susceptibility
Empfängnis *f* MED conception **~verhütend** *Adj* (*a.* ***~es Mittel***) contraceptive **~verhütung** *f* contraception
Empfangs|antenne *f* receiving aerial (*Am* antenna) **~bereich** *m* RADIO **1.** range of reception **2.** frequency range **~bescheinigung** *f* receipt **~bestätigung** *f* acknowledg(e)ment of receipt **~chef(in)** reception (*Am* room) clerk **~dame** *f*, **~herr** *m* receptionist
empfehlen I *v/t* **1.** recommend (***j-m etw*** s.th. to s.o.): ***nicht zu ~*** not to be recommended; ***es empfiehlt sich zu*** *Inf* it is advisable to *Inf* **II** *v/refl* ***sich ~*** **2.** *Sache, Tun*: recommend itself **3.** (*weggehen*) take one's leave **empfehlenswert** *Adj* recommendable, (*ratsam*) advisable
Empfehlung *f* (***auf ~*** on) recommendation: ***gute ~en haben*** have good references
Empfehlungsschreiben *n* letter of recommendation
empfinden I *v/t* feel (*a. v/i*), (*Mitleid etc*) *a.* have: ***etw als lästig ~*** find s.th. a nuisance **II** ~ *n* (*Gefühl*) feeling, (*Meinung*) opinion, (*Sinn*) sense: ***nach m-m*** ~ the way I see it
empfindlich *Adj* **1.** *allg* sensitive (***gegen*** to) (*a.* MED, FOTO, TECH), (*zart*) delicate: *fig* ***~e Stelle*** tender spot **2.** (*leicht gekränkt*) touchy, (*reizbar*) irritable (*a. Magen*): *Adv* ***~ reagieren*** overreact **3.** (*spürbar*) *Kälte, Strafe etc*: severe, *Verlust*: bad: *Adv* ***~ kalt*** bitterly cold; *fig* ***er war ~ getroffen*** he was badly hit
Empfindlichkeit *f* **1.** *allg* sensitivity (***gegen*** to), FOTO *a.* speed, (*Zartheit*) delicacy **2.** *fig* touchiness, irritability
empfindsam *Adj* (*feinfühlig*) sensitive, (*gefühlvoll*) sentimental
Empfindung *f* **a**) (*Sinneswahrnehmung*) sensation, perception, **b**) (*Gefühl*) feeling, emotion **empfindungslos** *Adj* insensitive (***für, gegen*** to), *Glied*: numb
empirisch *Adj* empirical
empor *Adv* up, upward(s), *in Zssgn* → *a.* (***hin***)***auf...***, ***hoch...*** **emporarbeiten**

v/refl ***sich*** ~ work one's way up
Empore *f* ARCHI gallery
empören I *v/t* **1.** outrage, shock **II** *v/refl* ***sich*** ~ **2.** be outraged (***über*** *Akk* at) **3.** *Volk etc*: rebel (***gegen*** against)
empörend *Adj* outrageous, shocking
emporkommen *v/i fig* rise (in life)
Emporkömmling *m* upstart, parvenu
emporragen *v/i* tower (***über*** *Akk* above)
emporschießen *v/i* shoot up
empört *Adj* indignant (***über*** *Akk* at)
Empörung *f* **1.** indignation (***über*** *Akk* at) **2.** (*Aufstand*) revolt, rebellion
emsig *Adj* busy, (*fleißig*) industrious, hard-working **Emsigkeit** *f* bustle, (*Fleiß*) industry, (*Eifer*) zeal
Emulsion *f* emulsion
E-Musik *f* serious music
End|abnehmer(in) WIRTSCH ultimate buyer **~abrechnung** *f* final account **~bahnhof** *m* terminus **~betrag** *m* (sum) total
Ende *n* **1.** *allg* end, *zeitlich*: *a.* close, *e-s Films etc*: *a.* ending: ~ ***(der Durchsage)!*** end of the message!, *Funk*: over (and out)!; ~ ***Mai*** at the end of May; ~ ***der dreißiger Jahre*** in the late thirties; ***am*** ~ in the end, after all, (*schließlich*) eventually, (*vielleicht*) maybe; ***letzten*** **~*s*** when all is said and done; *fig* ***ich bin am*** ~ I'm finished; ***bis zum bitteren*** ~ to the bitter end; ***e-r Sache ein*** ~ ***machen*** (*od* ***bereiten***) put an end to s.th.; ***etw zu*** ~ ***führen*** finish s.th., see s.th. through; ***zu*** ~ ***gehen*** **a)** → ***enden***, **b)** (*knapp werden*) run short; ***zu*** ~ ***sein*** be over, *Zeit*: be up; ***ein böses*** ~ ***nehmen*** come to a bad end; ~ ***gut, alles gut*** all's well that ends well; F ***das dicke*** ~ ***kommt nach*** there will be hell to pay; ***die Arbeit geht ihrem*** ~ ***entgegen*** the work is nearing completion; ***es geht mit ihm zu*** ~ he's going fast; → ***Latein, Lied, Weisheit*** **2.** F **a)** (small) piece, **b)** (long) distance (*od* way): ***bis dahin ist es noch ein ganzes*** ~ it is still a long way to go
Endeffekt *m* final result: ***im*** ~ in the final analysis, in the end
endemisch *Adj* MED endemic
enden *v/i allg* (come to an) end, *allmählich*: draw to a close, (*aufhören*) finish, stop, *Vertrag etc*: expire: ***mit e-r Prügelei*** ~ end in a brawl; LING ~ ***auf*** (*Akk*) end with; ***nicht*** ~ ***wollend*** unending; ***das Stück endet tragisch*** the play has a tragic ending
Endergebnis *n* final result
Endgerät *n* IT terminal
endgültig I *Adj* final: ***e-e*** **~*e Antwort*** a definite answer **II** *Adv* finally, (*für immer*) for good: ***das steht*** ~ ***fest*** that's final **Endgültigkeit** *f* finality
Endivie *f* BOT endive
Endkampf *m* SPORT (***in den*** ~ ***kommen*** reach the) final(s *Pl*) **endlagern** *v/t* KERNPHYSIK permanently dispose of
Endlagerung *f von Atommüll*: ultimate disposal
endlich I *Adj* final, ultimate, MATHE *u.* PHIL finite **II** *Adv* finally, at last: ~ ***doch*** after all **Endlichkeit** *f* finiteness
endlos *Adj* endless
Endlosigkeit *f* endlessness
Endlospapier *n* continuous paper
Endlösung *f* POL *hist* Final Solution
endogen *Adj* endogenous
Endoskop *n* MED endoscope
End|phase *f* final stage **~preis** *m* retail price **~produkt** *n* end product **~reim** *m* end rhyme **~resultat** *n* final result **~runde** *f* SPORT final(s *Pl*) **~silbe** *f* final syllable **~spiel** *n* SPORT final(s *Pl*): ***ins*** ~ ***einziehen*** go to the finals **~spurt** *m a. fig* final sprint, finish **~station** *f* **1.** terminus **2.** *fig* end of the road **~summe** *f* (sum) total
Endung *f* LING ending
End|verbraucher(in) end user **~verstärker** *m* ELEK output amplifier **~ziel** *n* final objective, ultimate goal **~ziffer** *f* last number **~zweck** *m* final purpose
Energie *f* energy (*a. fig*), ELEK *a.* power
Energie|bedarf *m* energy demand **≗geladen** *Adj fig* bursting with energy
Energiekrise *f* energy crisis
energielos *Adj* lacking energy, weak
Energielosigkeit *f* lack of energy
Energie|politik *f* energy policy **~quelle** *f* source of energy **≗sparend** *Adj* energy-saving **~sparlampe** *f* energy-saving lamp **~steuer** *f* energy tax **~verbrauch** *m* energy consumption **~verschwendung** *f* waste of energy (*fig* of effort)
Energieversorgung *f* power supply
Energiewirtschaft *f* energy industry

energisch *Adj* energetic(ally *Adv*), *Worte, Ton etc*: firm, *Kinn, Protest etc*: strong: ~ ***werden*** put one's foot down

eng I *Adj* **1.** *allg* narrow (*a. fig*), (*beengt*) *a.* cramped, crowded, *Kleidung*: tight: ***~er werden*** narrow; ***ein Kleid ~er machen*** take a dress in; ***auf ~em Raum zs.-leben*** live crowded together; *fig* ***in ~en Grenzen*** within narrow bounds; F ***das wird zeitlich sehr ~ für mich*** I've got a tight schedule already; → ***Sinn*** 5, ***Wahl*** 2 **2.** *fig* close: ***~e Zs.-arbeit*** close cooperation; → ***Kreis*** 1 **II** *Adv* **3.** narrowly (*etc*): ~ ***anliegend*** tight(-fitting); ~ ***befreundet sein*** be close friends; F ***das darf man nicht so ~ sehen!*** let's be (more) broadminded!

Engagement *n* **1.** THEAT *etc* engagement **2.** POL *u. fig* commitment **engagieren I** *v/t* engage, employ, take *s.o.* on **II** *v/refl* ***sich*** ~ POL *u. fig* get (*od* be) involved (***in*** *Dat* in) **engagiert** *Adj fig* dedicated, committed

△ engagiert ≠ engaged		
engagiert	=	dedicated, committed
engaged	=	**1.** verlobt **2.** *Telefon, Toilette*: besetzt

Enge *f* **1.** narrowness (*a. fig*), *von Kleidung*: tightness: ***in großer ~ leben*** live in very cramped conditions **2.** (*enge Stelle*) narrow passage, (*Meer*≈) strait **3.** *fig* ***j-n in die ~ treiben*** drive s.o. into a corner; ***in die ~ getrieben*** with one's back to the wall

Engel *m* angel

Engelsgeduld *f* endless patience

engherzig *Adj* small-minded

England *n* England; → *Info bei* ***Britain***

Engländer *m* **1.** Englishman: ***er ist ~*** he is English; ***die ~*** *Pl* the English *Pl* **2.** TECH monkey wrench

Engländerin *f* Englishwoman

englisch *Adj* English: ***die ~e Staatskirche*** the Anglican Church

Englisch *n* English, the English language: ***er spricht gutes ~*** he speaks good English; ***aus dem ~en übersetzt*** translated from (the) English; (***gut***) ~ ***sprechen*** speak English (well); ~ ***sprechend*** English-speaking; ~ ***geschrieben*** (written) in English

englisch-deutsch *Adj* **1.** POL Anglo-German **2.** LING English-German

Englischhorn *n* MUS cor anglais

englischsprachig *Adj* English-language **Englischunterricht** *m* English lesson(s *Pl*)

engmaschig *Adj* **1.** fine-meshed **2.** *fig* close-meshed

Engpass *m fig* bottleneck, (*Versorgungs*≈) supply shortfall

en gros *Adv* WIRTSCH wholesale

engstirnig *Adj* narrow-minded

Engstirnigkeit *f* narrow-mindedness

Enkel *m* grandchild, (*~sohn*) grandson

Enkelin *f* granddaughter

Enklave *f* enclave

enorm *Adj* enormous, huge, F (*toll*) terrific: *Adv* ~ ***schnell*** incredibly fast

en passant *Adv* in passing

Ensemble *n* **1.** MUS, *Mode*: ensemble **2.** THEAT company, (*Besetzung*) cast

entarten *v/i* degenerate

entartet *Adj* degenerate, *fig a.* decadent

Entartung *f* degeneration

entbehren *v/t* **1.** (*auskommen ohne*) do without: ***kannst du … ~?*** can you spare …? **2.** (*vermissen*) miss **entbehrlich** *Adj* dispensable, expendable

Entbehrung *f* privation, want

entbinden I *v/t* **1.** MED (*e-e Frau*) deliver (***von*** of): ***entbunden werden von …*** *a.* give birth to … **2.** *fig* (***von*** from) release, excuse **II** *v/i* **3.** MED give birth to a child **Entbindung** *f* **1.** MED delivery **2.** *fig* release (***von*** from)

Entbindungsheim *n* maternity home

Entbindungsklinik *f* maternity clinic

Entbindungsstation *f* maternity ward

entblättern I *v/t* **1.** strip *s.th.* of leaves **II** *v/refl* ***sich ~*** **2.** shed (its) leaves **3.** *hum* shed one's clothes, strip

entblöden *v/refl* ***sich nicht ~ zu*** *Inf* have the nerve to *Inf*

entblößen *v/t*, **entblößt** *Adj* bare

entbrennen *v/i fig Kampf*: break out, *a. Zorn etc*: flare up

entdecken *v/t* discover, (*herausfinden*) *a.* find out, (*bemerken*) see, (*j-n*) *a.* spot: ***zufällig ~*** stumble (up)on

Entdecker(in) discoverer

Entdeckung *f* discovery

Britisches und amerikanisches Englisch

Die mit einem Sternchen* gekennzeichneten Wörter werden auch im britischen Englisch verwendet.

Deutsch	Britisch	Amerikanisch
Abfall	**rubbish**	**garbage***
Aluminium	**aluminium**	**aluminum**
Apotheke	**chemist's**	**drugstore**
Aufzug	**lift**	**elevator**
Autobahn	**motorway**	**highway, freeway**
Bahn	**railway**	**railroad**
Benzin	**petrol**	**gas, gasoline**
Bonbon	**sweet**	**candy**
Briefkasten	**letterbox, postbox**	**mailbox**
Brieftasche	**wallet**	**billfold**
Bürgersteig	**pavement**	**sidewalk**
Chips	**crisps**	**potato chips**
City, Innenstadt	**city centre**	**downtown**
Entschuldigung!	**sorry**	**excuse me**
Erdgeschoss	**ground floor**	**first floor**
1. Stock	**first floor**	**second floor**
Fahrplan	**timetable**	**schedule**
Führerschein	**driving licence**	**driver's license**
Fußball	**football**	**soccer***
Fußgänger-unterführung	**subway**	**(pedestrian) underpass***
Garderobe	**cloakroom**	**checkroom**
Gaspedal	**accelerator**	**gas pedal**
Geldschein	**note**	**bill**
Geschäft	**shop**	**store***
Gleis(e)	**rails**	**tracks***
Handtasche	**handbag**	**purse, pocketbook**
Herbst	**autumn**	**fall**

Deutsch	Britisch	Amerikanisch
Hose	**trousers**	**pants**
Hosenträger	**braces**	**suspenders**
Keks	**biscuit**	**cookie**
Kinderwagen	**pram**	**baby carriage**
Kino	**cinema**	**movie theater**
(Kino)Film	**film**	**movie***
Kofferraum	**boot**	**trunk**
Kreisverkehr	**roundabout**	**traffic circle**
Laden	**shop**	**store**
Limousine	**saloon**	**sedan**
Marmelade	**jam**	**jelly**
Motorhaube	**bonnet**	**hood**
Natürlich!	**of course**	**sure***
öffentliche Verkehrsmittel	**public transport**	**public transportation**
Pommes frites	**chips**	**(French) fries***
Pony (*Frisur*)	**fringe**	**bangs**
Postleitzahl	**postcode**	**zip code**
Privatschule	**public school**	**private school**
Punkt	**full stop**	**period**, *bei Internet-Adressen*: **dot***
Radiergummi	**rubber**	**eraser***
Rechnung	**bill**	**check**
Reißverschluss	**zip**	**zipper**
Reißzwecke	**drawing pin**	**thumbtack**
Schnuller	**dummy**	**pacifier**
Schrank	**cupboard**	**closet**
(Schul)Ferien	**holidays** *Pl*	**vacation**
Talkshow	**chat show**	**talk show**
Tankstelle	**petrol station**	**gas station**
Taschenlampe	**torch**	**flashlight**

Deutsch	Britisch	Amerikanisch
Taxi	**taxi**	**cab***
U-Bahn	**underground**	**subway**
Unterhemd	**vest**	**undershirt**
Urlaub	**holiday**	**vacation**
Warteschlange	**queue**	**line***
Wasserhahn	**tap**	**faucet**
Watte	**cotton wool**	**cotton**
W.C.	**toilet**	**bathroom, restroom**
Weste	**waistcoat**	**vest**
Wie bitte?	**pardon?, sorry?**	**excuse me?**
Windel	**nappy**	**diaper**
Windschutzscheibe	**windscreen**	**windshield***
Wohnung	**flat**	**apartment***

Entdeckungsreise *f a. fig* expedition
Ente *f* **1.** ZOOL duck: ***junge ~*** duckling; F *fig* ***lahme ~*** slowcoach **2.** GASTR **a)** roast duck, **b)** ***kalte ~*** white wine cup with champagne **3.** (*Zeitungs*2) hoax, canard **4.** F MED (bed) urinal
entehren *v/t* dishono(u)r (*a. Frau*), disgrace, (*entwürdigen*) degrade **Entehrung** *f* dishono(u)r(ing), degradation
enteignen *v/t* expropriate, (*j-n*) dispossess **Enteignung** *f* expropriation
enteisen *v/t* clear of ice, TECH defrost, de-ice **Enteisung** *f* TECH defrosting, de-icing **Enteisungsanlage** *f* defroster, de-icing system
Entenbraten *m* roast duck
Entenei *n* duck's egg
Entenjagd *f* duck shooting
enterben *v/t* disinherit
Enterich *m* ZOOL drake
entern *v/t* board
Enter-Taste *f* COMPUTER enter key, return key
entfachen *v/t* **1.** (*Feuer*) kindle **2.** *fig* (*Begierde etc*) rouse, (*e-e Diskussion etc*) provoke
entfallen *v/i* **1.** ***es ist mir ~*** it has slipped my memory; ***der Name ist mir ~*** the name escapes me **2.** be cancel(l)ed, be dropped: ***entfällt*** *in Formularen*: not applicable **3.** ***auf j-n ~*** fall to s.o.
entfalten I *v/t* **1.** unfold (*a. fig*), open, spread out **2.** *fig* (*Fähigkeiten etc*) develop, (*Aktivität etc*) launch into, (*Pracht etc*) display **II** *v/refl* ***sich ~*** **3.** *Blüte etc*: open, unfold **4.** *fig* develop (***zu*** into) **Entfaltung** *f* **1.** unfolding **2.** *fig von Mut, Pracht, Macht etc*: display, (*Entwicklung*) development
entfärben *v/t* remove the colo(u)r from, CHEM, TECH decolo(u)rize, (*bleichen*) bleach
entfernen I *v/t* **1.** *allg, a. fig* remove: ***j-n von der Schule ~*** expel s.o. from school **2.** COMPUTER delete **II** *v/refl* ***sich ~*** leave, go away: *fig* ***sich vom Thema ~*** depart from the subject
Entfernentaste *f* COMPUTER delete key
entfernt I *Adj a. fig* remote, distant, *Ähnlichkeit etc*: *a.* faint: ***e-e Meile ~ von*** a mile away from; ***zwei Meilen voneinander ~*** two miles apart; ***weit ~ davon zu*** *Inf* far from *Ger* **II** *Adv a.* ***weit ~*** far away; ***~ verwandt*** distantly related; ***nicht im*** ***2esten*** not in the least

Entfernung *f* **1.** (*Abstand*) distance, (*Reichweite*) range: ***in e-r ~ von*** at a distance of; ***aus der*** (***einiger***) ~ from the (a) distance; ***aus kurzer ~*** at close range **2.** (*Beseitigung, a. fig*) removal
Entfernungs|messer *m* FOTO range finder **~skala** *f* FOTO focus(s)ing scale
entfesseln *v/t fig* unleash, (*Streit etc*) provoke: ***e-n Krieg ~*** start a war
entfesselt *Adj fig* raging
entfetten *v/t* remove the grease (*od* fat) from, TECH degrease
entflammbar *Adj* inflammable **entflammen I** *v/t* **1.** TECH ignite **2.** *fig* rouse, kindle **II** *v/i* **3.** → 1 **4.** → ***entbrennen***
entflechten *v/t* WIRTSCH decartelize
entfliegen *v/i* fly away (*Dat* from)
entfliehen *v/i* ([***aus***] *Dat* from) flee, escape
entfremden I *v/t* alienate (*Dat* from) **II** *v/refl* ***sich*** (***j-m***) ~ become estranged (from s.o.) **Entfremdung** *f* estrangement, *a.* SOZIOL alienation
entfrosten *v/t* TECH defrost
Entfroster *m* TECH defroster
entführen *v/t* kidnap, abduct, (*ein Flugzeug*) hijack **Entführer(in)** kidnapper, (*Flugzeug*≗) hijacker **Entführung** *f* kidnapping, (*Flugzeug*≗) hijacking
entfusionieren *v/t u. v/i* WIRTSCH demerge **Entfusionierung** *f* WIRTSCH demerger
entgegen I *Präp* (*Dat*) contrary to, against: ***~ allen Erwartungen*** contrary to all expectations **II** *Adv Richtung*: towards: ***dem Wind ~*** against the wind
entgegen|arbeiten → ***entgegenwirken*** **~bringen** *v/t fig* ***j-m Vertrauen*** (***Zuneigung***) ~ show trust in (affection for) s.o.; ***e-r Sache Interesse ~*** show an interest in s.th. **~gehen** *v/i* (*Dat*) walk towards, go to meet, *fig* approach, (*e-r Gefahr, der Zukunft*) face, (*dem Untergang etc*) be heading for: ***dem Ende ~*** be drawing to a close
entgegengesetzt *Adj* **1.** opposite **2.** *fig Meinung etc*: contrary, opposed (*Dat* to), *Interessen*: conflicting
entgegenhalten *v/t fig* **1.** ***j-m etw ~*** point s.th. out to s.o. **2.** ***e-r Sache etw ~*** say s.th. in answer to s.th., counter s.th. with s.th.
entgegen|kommen I *v/i* ***j-m ~*** come towards (*od* to) s.o., approach s.o., *fig* oblige s.o., make s.o. concessions; ***j-m auf halbem Wege ~*** *bes fig* meet s.o. halfways; ***j-s Wünschen ~*** comply with s.o.'s wishes **II** ≗ *n* obligingness, (*Zugeständnis*) concession(s *Pl*) **~kommend** *Adj* **1.** oncoming **2.** *fig* obliging **~laufen** *v/i* ***j-m ~*** run towards s.o.
Entgegennahme *f* acceptance
entgegennehmen *v/t* accept, take
entgegensehen *v/i* (*Dat*) await, *freudig*: look forward (to), *gelassen*: face
entgegenstehen *v/i* stand in the way (*Dat* of): ***dem steht nichts entgegen*** there's nothing to be said against that
entgegenstellen I *v/t fig* **1.** → ***entgegenhalten*** 2 **2.** ***j-m etw ~*** set s.th. against s.o. **II** *v/refl* **3.** ***sich j-m*** (***e-r Sache***) ~ resist s.o. (s.th.)
entgegentreten *v/i* **1.** ***j-m ~*** **a)** step (*od* walk) up to s.o., **b)** *fig* oppose s.o. **2.** (*e-m Missstand etc*) take steps against, (*e-m Gerücht*) contradict
entgegenwirken *v/i* (*Dat*) work against, counteract, *stärker*: fight
entgegnen *v/i* reply, *schlagfertig*: retort
entgehen *v/i* escape (*a. dem Tod etc*): *fig* ***j-m ~*** escape s.o. ('s notice); ***sich etw ~ lassen*** let s.th. slip, miss s.th.; ***er ließ sich die Gelegenheit nicht ~*** he seized the opportunity; ***ihr entging nichts*** she didn't miss a thing
entgeistert *Adj u. Adv* dum(b)founded
Entgelt *n* remuneration, payment, (*Lohn, Gehalt*) pay, (*Gebühr*) fee, JUR consideration, (*Belohnung*) reward: ***gegen ~*** against payment; ***als ~ für*** in consideration of **entgelten** *v/t* ***j-m etw ~*** pay s.o. for s.th.; *fig* ***j-n etw ~ lassen*** make s.o. pay for s.th.
entgiften *v/t* detoxicate, (*Kampfstoffe, Giftmüll*) decontaminate
entgleisen *v/i* **1.** BAHN run off the rails, be derailed **2.** *fig* go too far, make a faux pas **Entgleisung** *f* **1.** BAHN derailment **2.** *fig* faux pas, gaffe
entgleiten *v/i* ***j-m ~*** **a)** slip out of s.o.'s hand(s), **b)** *fig* slip away from s.o.
entgräten *v/t* bone
enthaaren *v/t* depilate **Enthaarungscreme** *f* depilatory cream
enthalten I *v/t* contain, (*fassen*) hold, (*umfassen*) comprise: ***mit ~ sein*** be included (***in*** *Dat* in) **II** *v/refl* ***sich ~*** ab-

stain (*Gen* from); PARL ***sich der Stimme ~*** abstain
enthaltsam *Adj* abstemious, *sexuell*: continent **Enthaltsamkeit** *f* abstinence, *sexuelle*: continence
Enthaltung *f* (*a. Stimm*≈) abstention
enthärten *v/t* (*Wasser*) soften
enthaupten *v/t* behead, decapitate **Enthauptung** *f* beheading, decapitation
enthäuten *v/t* skin, (*Obst etc*) *a.* peel
entheben *v/t* (*Gen*) relieve (of), *e-r Pflicht etc*: *a.* release (*od* exempt) (from): ***j-n s-s Amtes ~*** remove s.o. from office, dismiss s.o.
enthüllen I *v/t* **1.** unveil, bare, (*zeigen*) show **2.** *fig* reveal, bring *s.th.* to light, (*Verbrechen etc*) *a.* expose **II** *v/refl* ***sich ~*** **3.** *fig* reveal o.s., *Sache*: be revealed (*Dat* to) **Enthüllung** *f* **1.** unveiling **2.** *fig* disclosure, exposure
Enthüllungsjournalismus *m* investigative journalism
Enthusiasmus *m* enthusiasm **Enthusiast(in)** enthusiast, F fan **enthusiastisch** *Adj* enthusiastic(ally *Adv*)
entjungfern *v/t* deflower
entkalken *v/t* descale
entkeimen *v/t* disinfect, degerm(inate)
entkernen *v/t* stone, (*Äpfel*) core
entkleiden *v/t* **1.** *a.* ***sich ~*** undress **2.** *fig* (*Gen* of) divest, strip
entkoffeiniert *Adj* decaffeinated
entkommen I *v/i* ([***aus***] *Dat* from) get away, escape **II** ≈ *n* (***es gab kein*** ≈ there was no) escape
entkorken *v/t* uncork
entkräften *v/t* **1.** weaken, (*erschöpfen*) exhaust **2.** *fig* invalidate (*a.* JUR), (*a. widerlegen*) refute **Entkräftung** *f* **1.** weakening **2.** (*Schwäche*) weakness, (*Erschöpfung*) exhaustion **3.** *fig* invalidation (*a.* JUR), refutation
entkrampfen *v/t* (*a.* ***sich ~***) relax
entladen I *v/t* **1.** unload (*a. Gewehr*), *a.* ELEK discharge **2.** *fig* (*Zorn etc*) give vent to, vent **II** *v/refl* ***sich ~*** **3.** *Gewitter*: break **4.** ELEK discharge **5.** *Gewehr etc*: go off **6.** *fig Spannung*: be released, *Zorn*: erupt **Entladung** *f* **1.** unloading, *a.* ELEK discharge **2.** *fig* explosion, outburst
entlang *Adv u. Präp* along: ***die Straße ~*** along (*od* down) the street; ***hier ~, bitte!*** this way, please! **entlanggehen** *v/t* (*v/i* ***~ an*** *Dat*) go (*od* walk) along
entlarven *v/t* unmask, expose
entlassen *v/t* **1.** dismiss, (*pensionieren*) pension off: ***j-n fristlos ~*** dismiss s.o. without notice **2.** (***aus*** *Dat* from) (*Gefangene*) release, (*a. Patienten*) discharge **Entlassung** *f* **1.** dismissal **2.** (***aus*** *Dat* from) release, discharge
Entlassungspapiere *Pl* discharge papers *Pl*
entlasten *v/t* relieve (*fig* ***von*** of), JUR exonerate, clear *s.o.* of a charge, WIRTSCH (*Vorstand etc*) give *s.o.* a release **entlastend** *Adj* JUR exonerating **Entlastung** *f* relief, JUR exoneration, WIRTSCH release
Entlastungs|material *n* JUR exonerating evidence **~straße** *f* bypass **~zeuge** *m*, **~zeugin** *f* JUR witness for the defen/ce (*Am* -se) **~zug** *m* BAHN relief train
entlauben *v/t* defoliate **entlaubt** *Adj* bare **Entlaubungsmittel** *n* defoliant
entlaufen *v/i* run away (*Dat* from)
entlausen *v/t* delouse
entledigen *v/refl* ***sich ~*** (*Gen*) **1.** get rid of, *e-s Kleidungsstücks*: take off **2.** *fig e-r Aufgabe*: carry out, discharge, *e-r Verpflichtung*: fulfil(l)
entleeren *v/t* empty: MED ***den Darm ~*** evacuate (the bowels)
entlegen *Adj* remote, out-of-the-way
entlehnen *v/t* (*Wort etc*) borrow (*Dat*, ***aus, von*** from)
entleihen *v/t* borrow (***aus, von*** from)
Entlein *n* duckling
entloben *v/refl* ***sich ~*** break off one's engagement
entlocken *v/t fig* (*Dat* from) elicit, draw
entlohnen *v/t* pay **Entlohnung** *f* pay, payment, remuneration
entlüften *v/t* TECH deaerate, (*Bremse*) bleed
Entlüfter *m* TECH deaerator
Entlüftung *f* TECH aeration, airing
Entlüftungsschraube *f* MOT vent screw
entmachten *v/t* ***j-n*** (***etw***) ***~*** deprive s.o. (s.th.) of his (its) power
entmenscht *Adj* inhuman, brutish
entmilitarisieren *v/t* demilitarize
Entmilitarisierung *f* demilitarization
entmündigen *v/t* (legally) incapacitate
Entmündigung *f* (legal) incapacitation

entmutigen *v/t* discourage, dishearten
Entmutigung *f* discouragement
Entnahme *f e-r Probe etc*: taking, *von Geld*: withdrawal
entnazifizieren *v/t* POL *hist* denazify
Entnazifizierung *f* denazification
entnehmen *v/t* (*Dat*) take (from, out of), (*e-m Buch etc*) borrow (from), (*zitieren*) quote (from): *fig* ***etw ~ aus*** (*od Dat*) gather from; ***ich entnehme Ihren Worten, dass ...*** I take it that ...
entnerven *v/t* enervate
entpacken *v/t* (*e-e Datei*) unzip
entpersönlichen *v/t* depersonalize
entpolitisieren *v/t* depoliticize
entprivatisieren *v/t* deprivatize
entpuppen *v/refl* ***sich ~ als*** F *fig* turn out to be
entrahmen *v/t* (*Milch*) skim
enträtseln *v/t* solve, unravel, (*Schrift etc*) decipher
entrechten *v/t* ***j-n ~*** deprive s.o. of his rights
entreißen *v/t* ***j-m etw ~*** *a. fig* snatch s.th. from s.o.
entrichten *v/t* pay
entriegeln *v/t* unlock
entrinnen I *v/i* (*Dat* from) escape, get away **II** ♀ *n* (***es gab kein*** ♀ there was no) escape
entrollen *v/t* unroll, (*Fahne etc*) unfurl
entrosten *v/t* remove the rust from
entrücken *v/t fig* (*Dat* from) carry away, remove **entrückt** *Adj fig* enraptured
entrümpeln *v/t* clear out
entrüsten I *v/t* fill *s.o.* with indignation, shock, scandalize **II** *v/refl* ***sich ~*** (***über*** *Akk*) get indignant (at *s.th.*, with *s.o.*), be shocked (at) **entrüstet** *Adj* indignant, shocked **Entrüstung** *f* indignation: ***ein Schrei der ~*** an outcry
entsaften *v/t* extract the juice from
Entsafter *m* juice extractor, juicer
entsagen *v/i* ***e-r Sache ~*** renounce s.th., ***dem Thron ~*** *a.* abdicate; ***dem Alkohol ~*** give up drink **Entsagung** *f* renunciation **entsagungsreich** *Adj Leben*: full of privations
entschädigen *v/t* (***für*** for) compensate (*a. fig*), *für Auslagen*: reimburse: *fig* ***die Aussicht entschädigte uns für den langen Aufstieg*** the view made up for the long climb **Entschädigung** *f* compensation (*a. fig*), reimbursement
entschärfen *v/t* (*Mine etc*) defuse (*a. fig Krise, Lage etc*), (*Munition*) deactivate, *fig* (*e-e Rede etc*) take the edge off
Entscheid *m* decree, decision
entscheiden I *v/t* decide, *endgültig*: settle, JUR rule (***über*** *Akk* on): ***damit war die Sache entschieden*** that settled it; ***das musst du ~*** that's up to you **II** *v/i* (***über*** *Akk*) decide (on), (*den Ausschlag geben*) be decisive (for) **III** *v/refl* ***sich ~*** be decided, *Person*: decide, make up one's mind; ***sich ~ für*** decide on, settle on; ***er entschied sich dagegen*** he decided against it **entscheidend** *Adj* decisive, (*kritisch*) *a.* crucial, *Fehler etc*: fatal: ***~e Stimme*** casting vote
Entscheidung *f* (***über*** *Akk* on) decision, JUR *a.* ruling: ***e-e ~ treffen*** (*od* ***fällen***) make (*od* come to) a decision
Entscheidungs|bedarf *m* ***es besteht ~*** this calls for a decision **~freiheit** *f* freedom of choice **~kampf** *m* **1.** MIL decisive battle **2.** *fig* showdown **~spiel** *n* SPORT deciding match, decider, (*Endspiel*) final **~träger(in)** decision-maker
entschieden I *Adj* **1.** determined, firm, *Gegner*: decided, declared, *Anhänger*: sta(u)nch **2.** (*eindeutig*) decided, definite **II** *Adv* **3.** firmly, decidedly, (*zweifellos*) definitely: ***ich bin*** (***ganz***) ***~ dafür*** I'm strongly in favo(u)r of it, I'm all for it **Entschiedenheit** *f* determination, firmness: ***mit*** (***aller***) ***~*** categorically
entschlacken *v/t* **1.** TECH remove the slag from **2.** MED purify, (*den Darm*) purge
Entschlackung *f* MED purification, *des Darmes*: purge
entschlafen *v/i fig* pass away
entschließen *v/refl* ***sich ~*** (***zu, für*** on, ***zu tun*** to do) decide, make up one's mind; ***sich anders ~*** change one's mind **Entschließung** *f* POL resolution
entschlossen I *Adj* determined, firm, resolute: ***zu allem ~ sein*** be ready for anything **II** *Adv* resolutely, firmly: ***kurz ~*** without a moment's hesitation
Entschlossenheit *f* determination
Entschluss *m* decision: ***e-n ~ fassen, zu e-m ~ kommen*** make (*od* reach) a decision; ***zu dem ~ kommen zu*** *Inf* make up one's mind to *Inf*, decide to *Inf*

entschlüsseln *v/t* decipher
Entschlusskraft *f* determination
entschuldbar *Adj* excusable **entschuldigen I** *v/t* excuse: ***das ist nicht zu ~*** that is impardonable; ***bitte, ~ Sie mich (für heute Abend)*** I beg to be excused (for tonight) **II** *v/i* ***~ Sie!*** excuse me!, (*Verzeihung*) sorry!, *Am* excuse me! **III** *v/refl* ***sich ~*** apologize (***bei j-m für etw*** to s.o. for s.th.), *für Abwesenheit*: excuse o.s **entschuldigend** *Adj* apologetic(ally *Adv*) **Entschuldigung** *f* excuse, (*Vorwand*) *a.* pretext, (*Verzeihung*) apology: ***j-n um ~ bitten*** apologize to s.o. (***wegen*** for); ***als ~, zur ~*** as an excuse (***für*** for); ***~!*** → ***entschuldigen*** II **Entschuldigungsgrund** *m* (***etw als ~ anführen*** offer s.th. as an) excuse

Entschuldigung

Im englischsprachigen Raum entschuldigt man sich relativ häufig. Wenn man z. B. mit jemandem im Geschäft, auf der Straße usw. aus Versehen in Berührung kommt, passiert es gar nicht so selten, dass sich beide betroffenen Personen gleichzeitig entschuldigen, egal wer an der „leichten Karambolage" schuld war.

So entschuldigt man sich im Allgemeinen auf Englisch:

Sorry.
I'm sorry.
Am **Excuse me.**
etwas formeller:
I'm so sorry.
I (do) beg your pardon.
I do apologize.

bei Schluckauf, Magenknurren *etc*:

Excuse me.

wenn einem ein Rülpser rausrutscht:

Pardon me.

als Auftakt zu einer Frage:

Excuse me, *where's the nearest ...?*

Pardon?, Pardon me?, *formeller* **I beg your pardon?** mit fragender Intonation (Stimme) heißt „Wie bitte?", wenn man etwas nicht verstanden hat.

Entschwefelungsanlage *f* TECH desulphurization plant
entschwinden *v/i* disappear
entsetzen I *v/t* horrify, shock, appal(l) **II** *v/refl* ***sich ~*** (***über*** *Akk* at) be horrified, *moralisch*: be shocked **III** ♀ *n* (***zu m-m*** ♀ to my) horror **entsetzlich I** *Adj* horrible, terrible, atrocious **II** *Adv* terribly, F (*äußerst*) *a.* awfully
Entsetzlichkeit *f* horribleness, atrocity
entseuchen *v/t* decontaminate
Entseuchung *f* decontamination
entsichern *v/t* (*Schusswaffe*) release the safety catch of, cock
entsinnen *v/refl* ***sich ~*** (*Gen*) recall, recollect; ***wenn ich mich recht entsinne*** if I remember rightly
entsorgen *v/t* dispose of the nuclear (*od* toxic *etc*) waste (of a plant *etc*)
Entsorgung *f* disposal of nuclear (*od* toxic *etc*) waste
entspannen I *v/refl* ***sich ~*** **1.** *allg* relax, *Person*: *a.* take it easy **2.** *fig Lage etc*: ease off **II** *v/t* **3.** relax **III** *v/i* **4.** be relaxing **Entspannung** *f* relaxation (*a. fig*), POL détente, WIRTSCH easing
Entspannungs|politik *f* policy of détente **~übung** *f* relaxation exercise
entsperren *v/t* IT unlock
entspiegelt *Adj* OPT antireflection
entspinnen *v/refl* ***sich ~*** (***aus*** from) arise, develop
entsprechen *v/i* (*Dat*) **1.** correspond (to, with), agree (with), (*gleichwertig sein*) be equivalent (to): ***er entspricht nicht der Beschreibung*** he doesn't answer the description **2.** (*Anforderungen, Erwartungen etc*) meet, come up (to), (*e-r Bitte*) comply (with): ***den Anforderungen nicht ~*** fail to meet the requirements **entsprechend I** *Adj* (*Dat* to) corresponding, (*passend*) ap-

propriate, (*angemessen*) adequate, (*gleichwertig*) equivalent, (*jeweilig*) respective **II** *Adv* correspondingly (*etc*): ***er verhielt sich ~*** he acted accordingly **III** *Präp* (*Dat*) according to, in compliance with: ***den Umständen ~*** as can be expected under the circumstances **Entsprechung** *f* equivalent

entspringen *v/i* **1.** *Fluss*: have its source (***in*** *Dat* in) **2.** *fig* (*Dat*, ***aus*** from) spring, arise, come

entstaatlichen *v/t* denationalize

Entstaatlichung *f* denationalization

entstammen *v/i* (*Dat* from) descend, *fig* (*herrühren von*) come, derive

entstauben *v/t* (free *s.th.* from) dust

entstehen I *v/i* **1.** come into being, develop (***aus*** from) **2.** (*eintreten*) arise, come about, *Schwierigkeiten*, *Kosten etc*: (***aus, durch***) arise (*od* result) (from), be caused (by) **3.** (*geschaffen, gebaut, konstruiert werden*) be created (built, produced), (*geschrieben, komponiert, gemalt werden*) be written (composed, painted) **II** ♀ *n* **4.** → ***Entstehung***: ***im ♀ begriffen*** in the making

Entstehung *f* coming into being, development, emergence, (*Ursprung*) origin, beginning, (*Schaffung*) creation

Entstehungsgeschichte *f* genesis

entsteigen *v/i* (*Dat*) get out of

entsteinen *v/t* stone

entstellen *v/t* **1.** disfigure **2.** *fig* (*Tatsachen etc*) distort, (*Bericht*) garble

Entstellung *f* **1.** disfigurement **2.** *fig* distortion

Entstickungsanlage *f* denitrification plant

entstören *v/t* ELEK radioshield, screen

Entstörung *f* screening, RADIO interference suppression

enttarnen *v/t* (*Spion*) unmask, expose

enttäuschen I *v/t* disappoint, let *s.o.* down **II** *v/i* be disappointing

Enttäuschung *f* disappointment

entthronen *v/t a. fig* dethrone

entvölkert *Adj* depopulated

entwachsen *v/i* ***e-r Sache ~*** grow out of s.th., outgrow s.th.

entwaffnen *v/t a. fig* disarm

entwaffnend *Adj fig* disarming

entwarnen *v/i* give the all-clear

Entwarnung *f* all-clear (signal)

entwässern *v/t* **1.** (*Boden*) drain **2.** MED (*Gewebe*) dehydrate **Entwässerung** *f* **1.** draining **2.** MED dehydration **Entwässerungsanlage** *f* drainage system

entweder *Konj* ***~ … oder*** either … or; ***~ oder!*** take it or leave it!

Entweder-Oder *n* ***hier gibt es nur ein ~*** you've got to decide one way or the other

entweichen *v/i* escape (*Dat*, ***aus*** from)

entweihen *v/t* desecrate

Entweihung *f* desecration

entwenden *v/t* ***j-m etw ~*** steal (*od* purloin) s.th. from s.o.

entwerfen *v/t* **1.** sketch, outline (*a. fig e-n Plan etc*), (*gestalten*) design **2.** (*Programm etc*) plan, (*Plan etc*) work out, devise **3.** (*Vertrag etc*) draw up, draft **Entwerfer(in)** designer

entwerten *v/t* **1.** (*Briefmarke, Fahrschein etc*) cancel **2.** WIRTSCH **a)** (*Geld*) demonetize, **b)** → ***abwerten*** **3.** *fig* devalue, *völlig*: invalidate **Entwerter** *m* ticket-cancelling machine **Entwertung** *f* **1.** cancel(l)ation **2.** *fig* devaluation

entwickeln I *v/t* **1.** *allg* develop, (*Wärme etc*) *a.* generate, (*Verfahren etc*) *a.* evolve, work out: ***er entwickelte mir s-e Theorie*** he expounded his theory to me **2.** *fig* (*Tatkraft etc*) display, show: ***Geschmack für etw ~*** acquire a taste for s.th. **II** *v/refl* **3.** ***sich ~*** (***aus, zu***) develop (from, into), grow (out of, into); *fig* ***sich gut ~*** be shaping well

Entwickler *m* FOTO developer

Entwicklung *f* development (*a. fig*), *a.* BIOL evolution, (*Tendenz*) *a.* trend

Entwicklungs|abteilung *f* planning department, Development **~alter** *n* formative years *Pl*, *eng. S.* age of puberty **~dienst** *m* Voluntary Service Overseas, *Am* Peace Corps **♀fähig** *Adj* capable of development, *Stellung etc*: progressive **~geschichte** *f* history, BIOL genesis **~helfer(in)** development aid worker, *Br* member of the Voluntary Service Overseas, *Am* Peace Corps Worker **~hilfe** *f* development aid **~jahre** *Pl* → ***Entwicklungsalter*** **~kosten** *Pl.* development costs **~land** *n* developing country **~politik** *f* third world policy **~prozess** *m* (process of) development **~stufe** *f* stage of development, phase **~zeit** *f* **1.** period of devel-

opment **2.** → ***Entwicklungsalter*** **3.** MED incubation period **4.** FOTO developing time
entwirren *v/t* disentangle, unravel
entwischen *v/i* (*Dat* from) escape, slip away: ***j-m ~*** *a.* give s.o. the slip
entwöhnen *v/t* **1.** (*Säugling*) wean **2.** ***j-n*** *e-r Sucht etc* **~** cure s.o. of **Entwöhnung** *f* **1.** weaning **2.** curing, cure
entwürdigen *v/t* degrade (***sich*** o.s.)
entwürdigend *Adj* degrading
Entwürdigung *f* degradation
Entwurf *m* **1.** (*Konzept*) (first) draft, (*Skizze*, *a. fig*) sketch, outline, (*Plan*) plan, blueprint, (*Gestaltung*) design, (*Modell*) model **2.** WIRTSCH, JUR (*Vertrags*2) draft, PARL (*Gesetz*2) bill
entwurzeln *v/t a. fig* uproot
entziehen I *v/t* **1.** ***j-m etw ~*** *allg* withdraw s.th. from s.o. (*a.* MED), (*vorenthalten*) withhold s.th. from s.o., (*Rechte etc*) deprive (*od* strip) s.o. of s.th.; ***j-m den Führerschein*** (***die Lizenz*** *etc*) **~** revoke s.o.'s licen/ce (*Am* -se); ***etw j-s Zugriff*** (***Einfluss***) **~** remove s.th. from s.o.'s reach (influence); PARL *etc* ***j-m das Wort ~*** rule s.o. out of order **2.** CHEM extract (*Dat* from) **II** *v/refl* **3.** ***sich ~*** (*Dat*) evade, (*meiden*) avoid; ***sich j-s Blicken ~*** disappear (from s.o.'s view); → ***Kenntnis***
Entziehung *f* withdrawal (*a.* MED), *von Rechten etc*: deprivation, (*Lizenz*2 *etc*) revocation, *zeitweilige*: suspension
Entziehungs|anstalt *f* drying-out cent/re (*Am* -er) **~kur** *f* withdrawal treatment
entziffern *v/t* decipher, (*Handschrift*) *a.* make out, (*entschlüsseln*) decode
Entzifferung *f* deciphering, decoding
entzücken I *v/t* charm, delight **II** 2 *n* (***vor*** 2 with) delight (***über*** *Akk* at)
entzückend *Adj* charming, delightful, lovely, F sweet **entzückt** *Adj* delighted (***über*** *Akk* at, ***von*** with) **Entzückung** *f* **1.** delight **2.** → ***Verzückung***
Entzug *m* → ***Entziehung***
Entzugserscheinung *f* MED withdrawal symptom
entzündbar *Adj* inflammable **entzünden I** *v/t* **1.** light **II** *v/refl* ***sich ~*** **2.** catch fire (***an*** *Dat* from) **3.** CHEM, TECH ignite **4.** MED become inflamed **5.** *fig* (***an*** *Dat* by) *Leidenschaft etc*: be roused, *Streit*: be sparked off **entzündet** *Adj* MED inflamed, *Augen*: red **entzündlich** *Adj* MED inflammatory **Entzündung** *f* MED inflammation **entzündungshemmend** *Adj* MED antiphlogistic **Entzündungsherd** *m* MED focus of inflammation
entzwei *Adv* in two, in half, (*zerbrochen*) in pieces, broken
entzweibrechen *v/t u. v/i* break in two
entzweien I *v/t* divide: ***Freunde ~*** turn friends against each other **II** *v/refl* ***sich ~*** fall out (***mit*** with)
entzweigehen *v/i* break, go to pieces
Entzweiung *f* split, rupture
Enzephalitis *f* MED encephalitis
Enzian *m* **1.** BOT gentian **2.** (*Schnaps*) (yellow) gentian spirit
Enzyklopädie *f* encyclop(a)edia
enzyklopädisch *Adj* encyclop(a)edic
Enzym *n* BIOL enzyme
Epidemie *f* epidemic **epidemisch** *Adj* epidemic(ally *Adv*)
Epidemiologe *m*, **Epidemiologin** *f* epidemiologist
Epidermis *f* MED epidermis
Epigone *m* epigone
Epigramm *n* epigram
Epik *f* **1.** epic poetry **2.** narrative literature **Epiker(in) 1.** epic poet **2.** narrative author
Epilepsie *f* MED epilepsy **Epileptiker(in)**, **epileptisch** *Adj* epileptic
Epilog *m* epilog(ue *Br*)
episch *Adj* epic
Episode *f a.* MUS episode **episodenhaft** *Adj* episodic(ally *Adv*)
Epoche *f* (**~** ***machen*** mark an) epoch; **~** ***machend*** epoch-making
Epos *n* epic (poem), epos
er *Personalpron* he, *von Dingen*: it: **~** ***ist es!*** it's him! **Er** *m* ***es ist ein ~*** it's a he
Erachten *n* ***m-s ~s*** in my opinion
erarbeiten *v/t* **1.** (*a.* ***sich ~***) work (hard) for, acquire (*a. Wissen etc*) **2.** (*zs.-tragen*) compile, (*entwickeln*) develop
Erb|adel *m* hereditary nobility **~anlage** *f* genetic make-up, MED hereditary disposition **~anspruch** *m* hereditary title
erbarmen I *v/t* ***j-n ~*** move s.o. to pity **II** *v/refl* ***sich ~*** (*Gen*) take pity (on) **III** 2 *n* pity, compassion: ***kein*** 2 ***kennen*** be merciless **erbarmenswert** *Adj* pitiful
erbärmlich I *Adj* **1.** *allg* pitiful, (*elend*) *a.*

miserable, wretched, (*gering*) *a.* paltry **2.** (*gemein*) mean **3.** F terrible, awful **II** *Adv* **4.** pitifully (*etc*) **5.** F (*äußerst*) awfully: **~ *wenig*** precious little
erbarmungslos *Adj* merciless
erbauen I *v/t* **1.** build, erect **2.** *fig* edify: F ***er ist nicht besonders erbaut davon*** he's not exactly enthusiastic about it **II** *v/refl* **3.** ***sich ~*** (***an*** *Dat* by) be delighted, be uplifted **Erbauer(in)** builder, (*Gründer*) founder **erbaulich** *Adj* edifying (*a. iron*), REL *Schrift*: devotional
Erbauung *f* **1.** building, construction, erection **2.** *fig* edification
Erbe[1] *m* heir, successor (*beide*: ***j-s*** of *od* to s.o., *a. fig*): ***~ e-s Vermögens*** heir (*od* successor) to an estate; ***j-n zum ~n einsetzen*** make s.o. one's heir
Erbe[2] *n* inheritance, *fig* heritage
erbeben *v/i* (***vor*** *Dat* with, ***bei*** at) shake, tremble
erben *v/t* inherit (*a. fig*), (*Geld*) *a.* come into **Erbengemeinschaft** *f* JUR community of heirs
erbetteln *v/t* (***sich***) ***etw ~*** get s.th. by begging, *pej* scrounge s.th. (***von*** off)
erbeuten *v/t* MIL capture, take
Erbfaktor *m* gene **Erbfehler** *m* hereditary defect **Erbfeind(in)** sworn enemy **Erbfolge** *f* JUR (***gesetzliche ~*** intestate) succession **Erbgut** *n* BIOL genotype **erbgutschädigend** *Adj* genetically damaging
Erbin *f* heiress
erbitten *v/t* (***sich***) ***etw ~*** ask for s.th.
erbittern *v/t* anger **erbittert** *Adj* **1.** *Gegner, Kampf etc*: fierce **2.** (***über*** *Akk*) embittered (at, by), resentful (against)
Erbitterung *f* bitterness, (*Zorn*) anger
Erbkrankheit *f* hereditary disease
erblassen *v/i* go pale, turn pale
Erblasser(in) JUR *the* deceased, *testamentarisch*: testator (testatrix)
Erblast *f fig* (evil) legacy
erbleichen → ***erblassen***
erblich *Adj* hereditary, *Titel etc*: inheritable: *Adv* ***~ belastet sein*** MED be subject to a(n) hereditary taint
erblicken *v/t* see, catch sight of
erblinden *v/i* go blind **Erblindung** *f* going blind, loss of (one's) sight
erblühen *v/i* blossom (*a. fig* ***zu*** into)
Erbmasse *f* **1.** JUR estate **2.** BIOL genetic make-up, gene pool **Erbonkel** *m* rich uncle
erbost *Adj* furious
erbrechen I *v/t* **1.** break open, (*Tür*) force, (*Brief*) open **2.** MED vomit, bring up **II** *v/i u. v/refl* ***sich ~*** **3.** MED vomit, be sick **III** ♀ *n* **4.** MED vomiting: *fig* ***bis zum*** ♀ ad nauseam
Erbrecht *n* **1.** law of succession **2.** (*Anspruch*) hereditary title
erbringen *v/t* produce
Erbschaft *f* inheritance: ***e-e ~ machen*** inherit; ***e-e ~ antreten*** succeed to an estate
Erbschaftssteuer *f* inheritance tax
Erbschein *m* certificate of heirship
Erbschleicher(in) *pej* legacy-hunter
Erbse *f* pea **Erbsensuppe** *f* pea soup
Erbstück *n* heirloom **Erbsünde** *f* REL original sin **Erbtante** *f* rich aunt
Erbteil *n* share of the inheritance
Erd|achse *f* earth's axis **~anziehungskraft** *f* gravity **~apfel** *m österr.* potato **~arbeiten** *Pl* excavations *Pl* **~atmosphäre** *f* (earth's) atmosphere **~bahn** *f* earth's orbit
Erdball *m* globe, *weit. S.* earth
Erdbeben *n* earthquake **~gebiet** *n* **1.** earthquake area **2.** area hit by an earthquake **~herd** *m* seismic focus
Erdbeere *f* strawberry
Erd|bevölkerung *f* population of the earth **~boden** *m* ground, earth: ***etw dem ~ gleichmachen*** raze s.th. to the ground; ***vom ~ verschwinden*** vanish; *fig* ***es*** (***er***) ***war wie vom ~ verschluckt*** it (he) had vanished (into thin air)
Erde *f* **1.** earth, soil, (*Boden*) ground: ***über der ~*** above ground **2.** (*Erdball*) (planet) earth: ***auf ~n*** on earth; ***auf der ganzen ~*** all over the world **3.** ELEK (*a.* ***an ~ legen***) earth, *Am* ground
erden *v/t* ELEK earth, *Am* ground
erdenken *v/t* think up, (*erfinden*) invent: ***erdacht*** imaginary **erdenklich** *Adj* imaginable, conceivable: ***sich alle ~e Mühe geben*** do one's utmost
Erderwärmung *f* global warming
Erdgas *n* natural gas
Erdgeschichte *f* history of the earth
Erdgeschoss, **Erdgeschoß** *österr.* *n* ground (*Am* first) floor

erdichten *v/t* make up
erdichtet *Adj* made-up
erdig *Adj* earthy
Erd|innere *n* interior of the earth **~kabel** *n* underground cable **~karte** *f* map of the world **~kruste** *f* crust of the earth **~kugel** *f* globe, *weit. S.* earth
Erdkunde *f* geography
erdkundlich *Adj* geographic(al)
Erdleitung *f* **1.** ELEK earth (*Am* ground) wire **2.** TECH underground pipe(line)
Erdnuss(butter) *f* peanut (butter)
Erdoberfläche *f* surface of the earth
Erdöl *n* (mineral) oil, petroleum
erdolchen *v/t* ***j-n ~*** stab s.o. to death
Erdreich *n* earth, soil
erdreisten *v/refl* ***sich ~ zu*** *Inf* dare (*od* have the cheek) to *Inf*
erdrosseln *v/t* strangle
erdrücken *v/t* **1.** crush (to death) **2.** *fig* overwhelm: ***von Arbeit erdrückt werden*** be swamped with work
erdrückend *Adj fig Sorgen etc*: crushing, *Übermacht etc*: overwhelming, *Beweismaterial*: damning
Erd|rutsch *m a.* POL landslide **~satellit** *m* earth satellite **~schicht** *f* layer of the earth, stratum **~stoß** *m* seismic shock
Erdteil *m* continent
erdulden *v/t* endure, suffer
Erd|umdrehung *f* rotation of the earth **~umfang** *m* circumference of the earth **~umkreisung** *f* orbit around the earth **~umlaufbahn** *f* earth orbit
Erdung *f* ELEK earth, earthing, *Am* ground, grounding
Erdwärme *f* geothermal energy
ereifern *v/refl* ***sich ~*** get excited (***über*** *Akk* about)
ereignen *v/refl* ***sich ~*** happen, take place, occur **Ereignis** *n* event, (*Vorfall*) incident, (*große Sache*) great event, sensation: ***freudiges ~*** (*Geburt*) happy event **ereignislos** *Adj* uneventful **ereignisreich** *Adj* very eventful, (*aufregend*) exciting
Erektion *f* erection
Eremit *m* hermit
ererbt *Adj* inherited, BIOL *a.* hereditary
erfahren I *v/t* **1.** hear, be told, find out **2.** (*erleben*) experience, (*erleiden*) suffer, (*empfangen*) get, receive **II** *v/i* **3.** ***~ von*** get to know about, hear about (*od* that) **III** *Adj* **4.** experienced, (*alt~*) seasoned, (*bewandert*) well versed (***in*** *Dat* in): ***er ist in diesen Dingen sehr ~*** *a.* he's an old hand at that sort of thing
Erfahrenheit *f* experience **Erfahrung** *f* experience (*nur Sg* = *Kenntnis, Praxis*): ***technische ~*** *a.* know-how; ***aus (eigener) ~*** from experience; ***durch ~ klug werden*** learn the hard way; ***in ~ bringen*** learn, find out; ***die ~ machen, dass …*** find that …; ***wir haben bisher mit dem Wagen nur gute ~en gemacht*** we've had absolutely no trouble with the car so far; ***die ~ hat gezeigt, dass …*** past experience has shown that …
Erfahrungs|austausch *m* exchange of experience **≈gemäß** *Adv* as experience shows, we know from experience
erfassen *v/t* **1.** seize, grasp, take: ***er wurde vom Auto erfasst*** he was hit by the car **2.** (*begreifen*) grasp, understand: ***er hats erfasst!*** he's got it! **3.** (*registrieren*) register, record, (*Daten eingeben*) capture, *manuell a.* key in, (*einbeziehen*) include, cover: ***zahlenmäßig ~*** count; ***steuerlich ~*** tax
Erfassung *f* registration, *von Daten etc*: capture, *manuelle a.* keying-in
erfinden *v/t* invent, (*erdichten*) make *s.th.* up **Erfinder(in)** inventor
Erfindergeist *m* inventiveness
erfinderisch *Adj* inventive, (*fantasievoll*) imaginative, (*findig*) resourceful: → ***Not*** 2 **Erfindung** *f* invention (*a. fig*), (*Idee*) idea, *fig* (*Lüge*) fabrication **Erfindungsgabe** *f* inventive talent, (*Phantasie*) imagination
erfindungsreich *Adj* inventive
erflehen *v/t* implore
Erfolg *m* success, (*Ergebnis*) result, outcome, (*Wirkung*) effect, (*Leistung*) achievement: ***guter ~*** good result; ***er (es) war ein (großer) ~*** he (it) was a (great) success; ***~ haben*** succeed, be successful; ***k-n ~ haben*** be unsuccessful, fail; *ein Fest etc* ***zu e-m ~ gestalten*** make a success of it; ***mit dem ~, dass …*** with the result that …
erfolgen *v/i* **1.** follow **2.** (*sich ereignen*) take place, happen, *Zahlung*: be made
erfolglos *Adj* unsuccessful, (*fruchtlos*) fruitless
Erfolglosigkeit *f* failure, fruitlessness

erfolgreich *Adj* successful
Erfolgs|aussichten *Pl* chances *Pl* of success **~autor(in)** best-selling author **~beteiligung** *f* WIRTSCH profit-sharing **~chance** *f* chance (of success) **~erlebnis** *n* **1.** success experience **2.** → **~gefühl** *n* sense of achievement **~kurs** *m* ***auf~*** on the road to success (*od* victory) **~mensch** *m* go-getter **~quote** *f* success rate **~roman** *m* best-selling novel **~story** *f* success story, tale of success **~typ** *m* born winner, achiever **~zwang** *m* ***unter~ stehen*** be under pressure to succeed (*od* do well)
erfolgversprechend *Adj* promising
erforderlich *Adj* necessary, required: ***unbedingt~*** essential **erfordern** *v/t* require, call for, (*Zeit, Mut etc*) *a.* take
Erfordernis *n* requirement, demand, (*Voraussetzung*) prerequisite
erforschen *v/t* investigate, study, research, (*Land*) explore: ***sein Gewissen ~*** search one's conscience
Erforscher(in) explorer
Erforschung *f* (*Gen*) investigation (of, into), research (into), exploration (of)
erfragen *v/t* ask (for), inquire (about)
erfreuen I *v/t* please **II** *v/refl* ***sich ~ an*** (*Dat*), ***sich ~*** (*Gen*) enjoy
erfreulich *Adj* pleasant, pleasing, *Nachricht etc*: welcome, (*befriedigend*) gratifying, (*ermutigend*) encouraging
erfreulicherweise *Adv* fortunately
erfrieren I *v/i* freeze to death, *Pflanzen*: be killed by frost: ***ihm sind zwei Finger erfroren*** he lost two fingers through frostbite **II** *v/t* ***sich die Ohren erfroren haben*** have frostbitten ears
Erfrierung *f* MED frostbite
erfrischen *v/t* refresh (***sich*** o.s.), revive
erfrischend *Adj* (*a. fig*) refreshing
Erfrischung *f* refreshment
Erfrischungs|getränk *n* **1.** soft drink **2.** cool drink **~raum** *m* refreshment room **~tuch** *n* towelette
erfüllen I *v/t* **1.** *a. fig* fill (***mit*** with): ***ein erfülltes Leben*** a full life **2.** (*Aufgabe, Pflicht, Vertrag etc*) fulfil(l), (*Wunsch*) *a.* grant, (*Bedingung, Erwartungen etc*) meet, (*Versprechen*) keep, (*Zweck*) serve **3.** ***s-e Arbeit erfüllt ihn*** he finds his work very satisfying **II** *v/refl* ***sich ~*** **4.** come true **Erfüllung** *f* fulfil(l)ment: ***in ~ gehen*** come true
Erfüllungsort *m* WIRTSCH place of fulfil(l)ment
erfunden *Adj* imaginary, *pej* fictitious, (all) made up
ergänzen *v/t* **1.** complement (***sich*** *od* ***einander*** one another) **2.** (*vervollständigen*) complete, (*hinzufügen*) supplement, add: ***etw laufend ~*** keep s.th. up to date **3.** (*Vorräte etc*) replenish
ergänzend I *Adj* complementary, (*nachträglich*) supplementary, (*zusätzlich*) additional **II** *Adv* in addition
Ergänzung *f* **1.** completion, (*Nachtragung*) supplementation, (*Hinzufügung*) addition **2.** (*das Ergänzte*) complement (*a.* LING, MATHE), supplement, addition, *zu e-m Gesetz*: amendment
Ergänzungsband *m* supplement **Ergänzungsspieler(in)** *Fußball*: squad player
ergattern *v/t* F (manage to) get hold of
ergeben I *v/t* **1.** result in, (*betragen*) come to, (*abwerfen*) yield **2.** (*zeigen*) show, prove **II** *v/refl* ***sich ~*** **3.** (*Dat* to) surrender, capitulate: *fig* ***sich dem Trunk ~*** take to drink(ing) **4.** *Schwierigkeiten etc*: arise, *Diskussion etc*: ensue: ***sich ~ aus*** result (*od* arise) from; ***daraus ergibt sich, dass …*** it follows that …; ***es hat sich so ~*** it just happened that way **5.** ***sich ~ in*** (*Akk*) resign o.s. to **III** *Adj* **6.** (*Dat* to) loyal, devoted, (*schicksals~*) resigned
Ergebenheit *f* devotion, loyalty
Ergebnis *n allg* result, outcome, *e-r Untersuchung*: *a.* findings *Pl*, SPORT (*Punktzahl*) *a.* score
ergebnislos *Adj* without result: ***~ bleiben*** (*od* ***verlaufen***) come to nothing
ergehen I *v/i* **1.** (***an*** *Akk* to) *Befehl etc*: be issued, *Einladung etc*: be sent, *Berufung, Ruf*: be offered **2.** JUR *Gesetz*: come out, *Urteil, Beschluss*: be passed **3.** ***etw über sich ~ lassen*** endure s.th. **II** *v/refl* ***sich ~*** **4.** ***über*** *ein Thema etc* hold forth on **5.** ***in*** *Vermutungen etc* indulge in **III** *v/unpers* **6.** ***es ist ihm schlecht ergangen*** he had a bad time of it; ***wie ist es dir ergangen?*** how did you fare?; ***mir ist es genauso ergangen*** it was the same with me
ergiebig *Adj* **1.** *allg* productive (*a. fig Gespräch etc*), *Vorkommen etc*: rich, *Geschäft*: lucrative, *fig Thema etc*:

fruitful **2.** (*sparsam*) economical
ergießen *v/refl* ***sich ~ in*** (***auf, über***) (*Akk*) pour into (on to, over)
erglühen *v/i* glow (***vor*** *Dat* with)
Ergonomie *f* ergonomics *Sg*
ergonomisch *Adj* ergonomic
ergötzen *v/refl* ***sich ~ an*** (*Dat*) be amused by, *schadenfroh*: gloat over
ergrauen *v/i* turn grey (*Am* gray)
ergreifen *v/t* **1.** seize, (*Dieb etc*) *a.* arrest **2.** (*Maßnahmen etc*) take: → ***Besitz*** 1, ***Flucht***[1], ***Wort*** 1 **3.** *fig* overcome, seize, (*bewegen*) move: ***Angst ergriff sie*** she was seized with fear **ergreifend** *Adj fig* moving **Ergreifung** *f* **1.** seizure, *e-s Diebs etc*: *a.* apprehension **2.** *von Maßnahmen etc*: taking
ergriffen *Adj fig* (***tief ~*** deeply) moved
Ergriffenheit *f* emotion
ergründen *v/t* get to the bottom of, (*Ursache etc*) find out
Erguss *m* **1.** MED (*Samen*≈) emission, (*Blut*≈) effusion (of blood) **2.** *fig* effusion, *a. iron* outpouring
Ergussgestein *n* GEOL effusive rock
erhaben *Adj* **1.** TECH raised, embossed **2.** *fig* lofty, sublime, grand **3.** *fig* ***~ über*** (*Akk*) above; ***über jeden Tadel*** (***alles Lob***) **~** beyond reproach (all praise)
Erhabenheit *f fig* grandeur, loftiness
erhalten I *v/t* **1.** get, receive, (*erlangen*) obtain: ***e-n Preis ~*** be awarded (*od* given) a prize **2.** (*bewahren*) keep, maintain, (*Frieden, Freiheit etc*) *a.* preserve: ***j-n am Leben ~*** keep s.o. alive; ***das erhält*** (***e-n***) ***jung*** that keeps you young; ***j-m das Augenlicht ~*** save s.o.'s eyesight **3.** (*ernähren*) keep, support **II** *v/refl* ***sich ~*** **4.** survive **5.** ***sich ~ von*** subsist on **III** *Adj* **6.** ***gut ~ sein*** be in good condition; ***~ bleiben*** survive; ***noch ~ sein*** remain, be left
erhältlich *Adj* obtainable, available: ***schwer ~*** hard to get hold of
Erhaltung *f* (*Bewahrung*) preservation, (*a. Versorgung*) maintenance, upkeep
erhängen *v/t* hang (***sich*** o.s.)
erhärten *v/t fig* corroborate, confirm
erhaschen *v/t* catch
erheben I *v/t* **1.** *allg* raise (*a. fig Stimme, Bedenken etc*), lift (up): ***j-n in den Adelsstand ~*** raise s.o. to the peerage; → ***Anklage, Anspruch*** **2.** (*Zölle, Steuern*) levy, impose, (*Gebühr*) charge **II** *v/refl* ***sich ~*** **3.** *Person*: rise (to one's feet), get up **4.** *Berg, Haus etc*: rise (***über*** *Dat* above) **5.** *Wind, fig Bedenken, Geschrei etc*: arise **6.** *Volk*: rise (in arms), revolt
erhebend *Adj fig* edifying
erheblich I *Adj* considerable, (*wichtig*) important **II** *Adv* considerably: ***~ besser*** much better
Erhebung *f* **1.** (*Boden*≈) rise (in the ground), elevation **2.** elevation (***in den Adelsstand*** to a peerage) **3.** *von Zoll, Steuern*: levy, imposition, *von Gebühren*: charge **4.** *statistische*: survey: ***~en anstellen*** (***über*** *Akk*) make investigations (about), investigate (into) **5.** (*Volks*≈) uprising, revolt
erheitern *v/t* amuse
Erheiterung *f* amusement
erhellen I *v/t* **1.** light up, illuminate **2.** *fig* shed light (up)on **II** *v/refl* ***sich ~*** **3.** brighten
erhitzen I *v/t* heat (up): *fig* ***die Gemüter ~*** make feelings run high **II** *v/refl* ***sich ~*** get hot, *fig* get heated (*Person*: excited)
erhitzt *Adj* **1.** hot, *Person*: *a.* flushed **2.** *fig Debatte etc*: heated
erhoffen *v/t* (*a.* ***sich ~***) hope for
erhofft *Adj* hoped-for
erhöhen I *v/t allg* raise (*a. fig* ***auf*** *Akk* to, ***um*** by), *fig* (*steigern*) *a.* increase, (*verstärken*) intensify, (*Wirkung, Eindruck etc*) enhance, heighten **II** *v/refl* ***sich ~*** increase, *Preis etc*: rise, go up **Erhöhung** *f* **1.** (*Anhöhe*) elevation, (*Hügel*) hill **2.** *fig* raising, (*Steigerung, Zunahme*) (*Gen* in) increase, rise, (*Verstärkung*) intensification, heightening **3.** (*Lohn*≈, *Gehalts*≈) rise, *Am* raise, (*Preis*≈) increase
erholen *v/refl* ***sich ~*** recover (***von*** from, *a. fig Kurse, Preise*), (*sich ausruhen*) take a rest, relax: ***du siehst sehr erholt aus*** you look very rested (*od* fit) **erholsam** *Adj* restful, relaxing **Erholung** *f* **1.** recovery (***von*** from, *a. fig u.* WIRTSCH), (*Entspannung*) rest, relaxation **2.** (*Ferien*) holiday, *Am* vacation
Erholungs|aufenthalt *m* holiday, *Am* vacation **≈bedürftig** *Adj* in need of a rest (*od* holiday) **~gebiet** *n* recreation area **~heim** *n* rest home **~ort** *m* (health *od* holiday) resort **~pause** *f* rest, breather **~reise** *f* holiday (*Am* vaca-

tion) trip **~urlaub** *m* holiday, *Am* vacation, MIL convalescent leave **~wert** *m* recreational value **~zentrum** *n* recreation park
erhören *v/t* hear, answer
erigieren *v/i* PHYSIOL become erect
Erika *f* BOT heather
erinnern I *v/t* ***j-n ~*** remind s.o. (***an*** *Akk* of); ***j-n daran ~, dass …*** remind s.o. that … **II** *v/refl* ***sich*** (***an j-n*** *od* ***etw***) ~ remember (*od* recall) (s.o. *od* s.th.); ***wenn ich mich recht erinnere*** if I remember rightly; ***soviel ich mich ~ kann*** as far as I remember **III** *v/i* ~ ***an*** (*Akk*) remind one of, *fig a.* be suggestive of **Erinnerung** *f* memory, recollection, reminiscence (*alle*: ***an*** *Akk* of), (*Andenken*) memento, souvenir, keepsake, (*Mahnung*) reminder: ***~en*** *Pl* reminiscences *Pl*, (*Memoiren*) *a.* memoirs *Pl*; ***zur ~ an*** (*Akk*) in memory of; ***in guter ~ haben*** have fond memories of
Erinnerungstafel *f* memorial tablet
Erinnerungsvermögen *n* memory
Erinnerungswert *m* sentimental value
erkalten *v/i* **1.** get cold **2.** *fig* cool (off)
erkälten *v/refl* ***sich ~*** catch a cold; ***er ist stark erkältet*** he has a bad cold
Erkältung *f* cold
erkämpfen *v/t* gain (*od* win) (after a hard struggle): ***sich etw hart ~ müssen*** have to struggle hard for s.th.
erkaufen *v/t* buy: ***etw teuer ~ müssen*** (have to) pay a high price for s.th.; ***j-s Schweigen ~*** bribe s.o. into silence
erkennbar *Adj* recognizable, (*wahrnehmbar*) discernible, to be seen
erkennen I *v/t* **1.** recognize (***an*** *Dat* by), (*wahrnehmen*) make out, see, (*entdecken*) detect, F spot, (*identifizieren*) identify, MED diagnose: ***~ an*** (*Dat*) *a.* know by; ***~ lassen*** show, reveal; ***zu ~ geben*** indicate, give to understand; ***sich zu ~ geben*** disclose one's identity, *fig* come out into the open; JUR ***j-n für schuldig ~*** find s.o. guilty **2.** (*einsehen*) realize, see **II** *v/i* **3.** JUR ***~ über*** (*Akk*) decide on; ***~ auf*** (*Akk*) pass a sentence of
erkenntlich *Adj* ***sich*** (***j-m***) ***~ zeigen*** show (s.o.) one's gratitude
Erkenntnis *f* knowledge, PHIL *a.* cognition, (*Einsicht*) realization, (*Gedanke*) idea, (*Entdeckung*) discovery: ***neueste ~se*** *the* latest findings; ***zu der ~ gelangen, dass*** (come to) realize that
Erkenntnisstand *m* ***nach dem neuesten ~*** according to the latest findings
Erkennung *f* recognition, identification
Erkennungs|dienst *m* criminal identification department **~marke** *f* identity disc, *Am* identification tag **~melodie** *f* signature tune **~wort** *n* password **~zeichen** *n* **1.** sign to be recognized by **2.** FLUG identification sign
Erker *m* ARCHI oriel
Erkerfenster *n* bay window
erklärbar *Adj* explainable **erklären I** *v/t* **1.** explain (***j-m etw*** s.th. to s.o.): ***kannst du mir ~, warum?*** can you tell me why?; ***ich kann es mir nicht ~*** I don't understand it **2.** (*deuten*) interpret, (*veranschaulichen*) illustrate: ***etw an e-m Beispiel ~*** illustrate s.th. by an example **3.** (*kundtun*) declare, express, announce: ***j-n für gesund ~*** pronounce s.o. healthy; JUR ***er wurde für tot erklärt*** he was declared dead; → ***Einverständnis*** 1, ***Rücktritt*** 1 **II** *v/refl* ***sich ~*** **4.** explain o.s., declare o.s. (*a. durch Heiratsantrag*), *Sache*: be explained: ***sich ~ für*** (***gegen***) declare for (against); ***sich einverstanden ~*** consent (***mit*** to); ***sich solidarisch ~*** declare one's solidarity (***mit*** with) **erklärend** *Adj* explanatory **erklärlich** *Adj* explainable, (*verständlich*) understandable **erklärt** *Adj Gegner etc*: declared
Erklärung *f* **1.** (***zur ~*** by way of) explanation (***für*** of) **2.** *a.* POL declaration, statement: ***e-e ~ abgeben*** make a statement
erklettern, **erklimmen** *v/t* climb (up), (*Gipfel*) climb up to
erklingen *v/i* be heard, sound, ring out
erkranken *v/i* fall ill (*od* sick) (***an*** *Dat* with), *Organ*: be diseased: ***~ an*** (*Dat*) *a.* get, come down with; ***erkrankt sein an*** (*Dat*) *a.* have **Erkrankung** *f* illness, sickness, *e-s Organs*: disease
erkunden *v/t* explore, MIL reconnoit/re (*Am* -er), (*feststellen*) find out
erkundigen *v/refl* ***sich ~*** (***über*** *Akk* about) ask, inquire, make inquiries; ***sich nach dem Weg ~*** ask the way; ***sich nach j-m*** (*od* ***j-s Befinden***) ***~*** inquire after s.o.

Erkundigung *f* inquiry: ***~en einziehen*** make inquiries (***über*** *Akk* about)
Erkundung *f* MIL reconnaissance
erlahmen *v/i* **1.** grow weary, tire **2.** *fig Eifer, Interesse etc*: flag, wane
erlangen *v/t* get, obtain, (*erreichen*) attain, reach, (*gewinnen*) gain, acquire
Erlass *m* **1.** (*Gen*) *e-r Schuld etc*: release (from), *e-r Strafe etc*: remission (of) **2.** **a**) issuing, *e-s Gesetzes*: enactment, **b**) (*Verordnung*) decree
erlassen *v/t* **1.** (*Verordnung*) issue, publish, (*Gesetz*) enact **2.** (*Strafe etc*) remit, (*Gebühren*) waive: ***j-m*** *e-e Schuld, Verpflichtung etc* **~** release s.o. from
erlauben *v/t* allow, permit (***j-m etw*** s.o. to do s.th.): ***j-m ~, etw zu tun*** *a.* give s.o. permission to do s.th.; ***sich ~ zu*** *Inf* take the liberty of *Ger*, *pej a.* dare (to) *Inf*; ***sich etw ~*** (*gönnen*) treat o.s. to s.th.; ***~ Sie(, dass ich rauche)?*** may I (smoke)?; ***wenn Sie ~*** if you don't mind; ***~ Sie mal!, was ~ Sie sich?*** who do you think you are?; ***er kann sich das ~*** *weit. S.* he can get away with it
Erlaubnis *f* permission: ***j-n um ~ bitten*** ask s.o.'s (*od* s.o. for) permission (***etw zu tun*** to do s.th.); ***die ~ erhalten zu*** *Inf* be given permission to *Inf*
erläutern *v/t* explain, comment (up)on: ***durch Beispiele ~*** illustrate
erläuternd *Adj* explanatory, illustrative
Erläuterung *f* (***zur ~*** by way of) explanation, illustration, (*Anmerkung*) note
Erle *f* BOT alder
erleben *v/t* experience, (*Abenteuer, schöne Tage etc*) have, (*bes Schlimmes*) *a.* go through, (*noch mit~*) live to see, (*mitansehen*) see: ***ich habe (es) selbst erlebt, was es heißt, arm zu sein*** I know from experience what it means to be poor; ***ich habe es oft erlebt(, dass ...)*** I've often seen it happen (that ...); ***wir werden es ja ~!*** we'll see!
Erlebnis *n* experience, (*Ereignis*) event, (*Abenteuer*) adventure
erlebnisreich *Adj* eventful
erledigen I *v/t* **1.** (*beenden*) finish (off), (*sich kümmern um*) deal with, take care of, (*Problem, Geschäft etc*) settle, (*Auftrag*) carry out: ***würden Sie das für mich ~?*** would you do that for me? **2.** (*abtun*) dismiss **3.** F ***j-n ~*** *allg* finish s.o. (*a. Sport*), (*umbringen*) *a.* do s.o. in **II** *v/refl* **4.** ***sich selbst ~*** take care of itself, F sort itself out **erledigt** *Adj* **1.** settled, finished: ***das wäre ~!*** that's that!; ***das ist für mich ~*** the matter's closed as far as I'm concerned **2.** F *fig Person*: finished, done for, (*erschöpft*) *a.* whacked: ***der ist ~!*** he's done for!; ***du bist für mich ~!*** I'm through with you!
Erledigung *f* **1.** settlement: ***zur umgehenden ~*** for immediate attention **2.** *Pl* errands *Pl*, (*Einkäufe*) shopping *Sg*
erlegen *v/t* JAGD shoot, kill
erleichtern *v/t* (*Aufgabe etc*) make *s.th.* easier, facilitate, (*Bürde*) lighten, (*Not, Schmerz etc*) relieve, (*a. Gewissen*) ease: ***sich das Herz ~*** unburden one's heart; ***das erleichterte mich sehr*** that was a great relief to me; F *fig* ***j-n um*** *s-e Brieftasche etc* **~** relieve s.o. of
erleichtert *Adj* relieved: ***ich war ~, als ...*** it was a relief to me when ...
Erleichterung *f* **1.** lightening, facilitation, easing **2.** relief (***über*** *Akk* at): ***zu m-r (großen) ~*** (much) to my relief **3.** *Pl* WIRTSCH, POL relief *Sg*, facilities *Pl*
erleiden *v/t* suffer, go through, (*Verletzungen, Verlust*) sustain: ***den Tod ~*** die
erlernbar *Adj* learnable
erlernen *v/t* learn
erlesen *Adj* select, choice, exquisite
erleuchten *v/t* **1.** light (up), illuminate **2.** *fig* enlighten **Erleuchtung** *f* **1.** illumination **2.** *fig* enlightenment, (*Einfall*) idea, inspiration
erliegen I *v/i* (*Dat*) (*e-r Versuchung etc*) succumb (to), (*e-m Irrtum etc*) be the victim (of) **II** ♀ *n* ***zum*** ♀ ***kommen*** break down; ***etw zum*** ♀ ***bringen*** bring s.th. to a standstill
erlogen *Adj* made(-)up: ***das ist ~*** that's a lie
Erlös *m* proceeds *Pl*
erloschen *Adj* **1.** extinct (*a. Familie, Vulkan etc*) **2.** *fig Blick, Gefühl etc*: dead
erlöschen I *v/i* go out, *a. fig Leben*: be extinguished, *Vertrag etc*: expire **II** ♀ *n* extinction, (*Ablauf*) expiry
erlösen *v/t* (***von*** from) release, free, (*retten*) rescue: ***j-n ~*** *iron* put s.o. out of his (her) misery, REL save (*od* redeem) s.o.;

er ist erlöst *(tot)* his sufferings are over **erlösend** *Adj fig* ***das ~e Wort sprechen*** break the tension; ***ein ~es Gefühl*** a great relief **Erlösung** *f* **1.** *aus Gefangenschaft etc*: release **2.** REL salvation **3.** *(Erleichterung)* relief
ermächtigen *v/t* authorize (***j-n zu etw*** s.o. to do s.th.) **Ermächtigung** *f* authorization, *(Befugnis)* authority

E

ermahnen *v/t* admonish (***j-n zur Vorsicht*** *etc* s.o. to be careful *etc*), *(warnen)* caution, warn *(a. Sport)*
Ermahnung *f* admonition, *(Warnung)* warning, *bes* SPORT (first) caution
Ermangelung: ***in ~*** *(Gen)* for want of
ermäßigen I *v/t* reduce, cut: ***zu ermäßigten Preisen*** at reduced prices **II** *v/refl* ***sich ~*** be reduced (***auf*** *Akk* to)
Ermäßigung *f* reduction
ermatten → ***erlahmen*** 1 **ermattet** *Adj* tired, exhausted, worn(-)out, *geistig*: weary **Ermattung** *f* fatigue
ermessen I *v/t* *(abschätzen)* estimate, assess, *(beurteilen)* judge, *(begreifen)* appreciate, realize **II** ≈ *n* judg(e)ment, discretion: ***ich stelle es in Ihr*** ≈ I leave it to you(r discretion); ***das liegt ganz in Ihrem*** ≈ *a.* it's entirely up to you
Ermessensfrage *f* matter of opinion
Ermessensspielraum *m* latitude
ermitteln I *v/t* find out, establish, *(Ort etc)* locate, *(bestimmen)* determine **II** *v/i polizeilich*: investigate, carry out investigations (***gegen*** concerning)
Ermittler(in) investigator
Ermittlung *f* **1.** finding out *s.th.*, *(Bestimmung)* determination **2.** JUR investigation, inquiry: ***~en anstellen*** **a)** make inquiries (***über*** *Akk* about), **b)** → ***ermitteln*** II **3.** *Pl* *(Feststellungen)* findings *Pl*
Ermittlungs|ausschuss *m* fact-finding committee **~beamte** *m*, **~beamtin** *f* investigating officer **~verfahren** *n* JUR preliminary proceedings *Pl*
ermöglichen *v/t* make *s.th.* possible, *(gestatten)* allow: ***j-m ~, etw zu tun*** make it possible for *(od* enable) s.o. to do s.th.; ***etw ~*** *a.* enable s.th. to be done
ermorden *v/t* murder **Ermordete** *m, f* (murder) victim **Ermordung** *f* murder, *(Attentat)* assassination
ermüden *v/t u. v/i* tire **ermüdend** *Adj* tiring **ermüdet** *Adj* tired **Ermüdung** *f* tiredness, *a.* TECH fatigue **Ermüdungserscheinung** *f a.* TECH sign of fatigue
ermuntern *v/t* *(ermutigen)* encourage (***zu etw, etw zu tun*** to do s.th.), *(anregen)* stimulate **ermunternd** *Adj* encouraging **Ermunterung** *f* encouragement
ermutigen *v/t* encourage (***zu etw, etw zu tun*** to do s.th.) **ermutigend** *Adj* encouraging, reassuring **Ermutigung** *f* (***zur ~*** as an) encouragement
ernähren I *v/t* feed, nourish, *(unterhalten)* support: ***schlecht ernährt*** malnourished **II** *v/refl* ***sich ~*** (***von***) live (on), *fig* make a living (by)
Ernährer(in) supporter, breadwinner
Ernährung *f* **1.** feeding, *(Nahrung)* food, MED nutrition: ***schlechte ~*** malnutrition **2.** *(Unterhalt)* support
Ernährungsweise *f* eating habits *Pl*
Ernährungswissenschaft *f* dietetics *Sg* **Ernährungswissenschaftler(in)** dietician
ernennen *v/t* appoint (***j-n zu etw*** s.o. s.th.) **Ernennung** *f* appointment (***zum*** as *od* to the post of)
erneuern I *v/t allg* *(Angebot, Vertrag, a.* TECH) renew, *(auswechseln) a.* replace, *fig (wieder aufleben lassen) a.* revive **II** *v/refl* ***sich ~*** be renewed, revive
Erneuerung *f allg* renewal, TECH *a.* replacement, *fig a.* revival
erneut I *Adj* renewed, new, *(wiederholt)* repeated, *Versuch*: *a.* fresh **II** *Adv* again, once more
erniedrigen I *v/t* **1.** degrade, *(demütigen)* humiliate **2.** → ***herabsetzen*** 2 **II** *v/refl* ***sich ~*** **3.** degrade o.s.: ***sich*** (***so weit***) ***~, etw zu tun*** lower o.s. to do s.th. **erniedrigend** *Adj* degrading, humiliating **Erniedrigung** *f* degradation, *(Demütigung)* humiliation
ernst I *Adj allg* serious, *(~haft) a.* earnest, *(bedrohlich) a.* grave, *(feierlich)* solemn, grave, *(streng) a.* severe, *(wichtig) a.* grave, weighty: ***~e Musik*** serious music; ***~ gemeint*** serious, sincere; ***~ zu nehmend*** serious **II** *Adv* seriously *(etc)*, in earnest: ***ich meine es ~*** I'm serious about it, I mean it; ***j-n*** (***etw***) ***~ nehmen*** take s.o. (s.th.) seriously; ***das war nicht ~ gemeint!*** I *(etc)* didn't mean it!
Ernst *m allg* seriousness, *(Ernsthaftig-*

keit) *a.* earnestness, (*Bedrohlichkeit*) *a.* gravity, (*Strenge*) *a.* severity: ***allen ~es*** in all seriousness; ***~ machen mit*** go ahead with; ***ich meine es im ~, es ist mein voller ~*** I'm dead serious; ***ist das dein ~?*** are you serious?
Ernstfall *m* emergency: ***im ~*** **a**) in case of emergency, **b**) if things come to the worst, **c**) MIL in the event of a war
ernsthaft *Adj* serious: ***sich ~e Sorgen machen um*** be seriously worried about **Ernsthaftigkeit** *f* seriousness
ernstlich I *Adj* serious **II** *Adv* ***~ krank*** seriously ill; ***~ böse*** really angry
Ernte *f* harvest (*a. fig*), (*Ertrag*) crop
Ernteausfall *m* crop failure
Erntedankfest *n* harvest festival
erntefrisch *Adj* … fresh from the fields
ernten *v/t u. v/i* harvest, reap (*a. fig*)
Ernteschäden *Pl* crop damage *Sg*
Erntezeit *f* harvest time
ernüchtern *v/t* sober: *fig* ***j-n ~*** *a.* bring s.o. down to earth again
Ernüchterung *f* **1.** sobering-up **2.** *fig* disillusionment
Eroberer(in) conqueror **erobern** *v/t a. fig* conquer: → ***Sturm*** 2 **Eroberung** *f* (*fig* ***e-e ~ machen*** make a) conquest
eröffnen I *v/t* **1.** *allg* open, *feierlich*: inaugurate: MIL ***das Feuer ~*** open fire **2.** *fig* (*Aussichten etc*) open (up), offer **3.** ***j-m etw ~*** disclose s.th. to s.o., inform s.o. of s.th. **II** *v/i* **4.** open (*a. Schach*) **III** *v/refl* ***sich ~*** **5.** *Möglichkeit etc*: present itself
Eröffnung *f* **1.** opening (*a. Schach*), inauguration **2.** (*Mitteilung*) disclosure
Eröffnungs|ansprache *f* inaugural address **~beschluss** *m* JUR order to proceed, *Konkursverfahren*: bankruptcy order **~feier** *f* opening ceremony **~kurs** *m* WIRTSCH opening quotation
erogen *Adj* erogenous
erörtern *v/t* discuss
Erörterung *f* discussion (*Gen* of)
Erosion *f* erosion
Erotik *f* eroticism
erotisch *Adj* erotic(ally *Adv*)
erpicht *Adj* ***~ sein auf*** (*Akk*) be very (F dead) keen on; ***darauf ~ sein zu*** *Inf* be bent on *Ger*
erpressbar *Adj* open to blackmail
erpressen *v/t* ***j-n ~*** blackmail s.o. (***etw zu tun*** into doing s.th.); ***etw ~*** extort s.th. (***von*** from) **Erpresser(in)** blackmailer **Erpresserbrief** *m* blackmail letter
Erpressung *f* blackmail **Erpressungsversuch** *m* blackmail attempt
erproben *v/t* try (out), test **erprobt** *Adj* well-tried, (*erfahren*) experienced
Erprobung *f* trial, test
erquicken *v/t* refresh (***sich*** o.s.) **erquickend** *Adj* refreshing **erquicklich** *Adj fig* uplifting: *iron* ***wenig ~*** not exactly edifying **Erquickung** *f* refreshment
erraten *v/t* guess
errechnen *v/t* work out, calculate: ***sich ~ aus*** be calculated from
erregbar *Adj* excitable, (*reizbar*) irritable **Erregbarkeit** *f* excitability, (*Reizbarkeit*) irritability
erregen I *v/t* **1.** *allg* excite (*a.* ELEK), *sexuell*: *a.* arouse, (*reizen*) irritate, (*erzürnen*) infuriate **2.** *fig* (*verursachen*) produce, cause: ***j-s Zorn ~*** provoke s.o.'s anger; ***Bewunderung ~*** excite admiration; → ***Ärgernis, Aufsehen*** **II** *v/refl* ***sich ~*** **3.** (***über*** *Akk* about) get excited, get all worked up, *zornig*: get angry **erregend** *Adj* exciting **Erreger** *m* **1.** *a.* ELEK exciter **2.** MED pathogen, (*Keim*) germ **erregt** *Adj* excited (*a. sexuell*), *Debatte etc*: heated, *Zeiten*: turbulent
Erregung *f* **1.** creation, excitation (*a.* ELEK), causing **2.** excitement, *sexuelle*: *a.* (state of) arousal, (*Zorn*) anger
erreichbar *Adj* within reach, (*verfügbar*) available, *fig* attainable: ***leicht ~*** within easy reach; ***zu Fuß*** (***mit dem Wagen***) ***leicht ~*** within easy walking (driving) distance; ***er ist nie ~*** you just can't get hold of him **erreichen** *v/t* **1.** (*Ort, Person, Sache*) reach, (*Bus, Zug etc*) catch, (*einholen*) catch up with: ***j-n telefonisch ~*** get s.o. on the phone; *fig* ***ein hohes Alter ~*** live to an old age; ***leicht zu ~*** → ***erreichbar*** **2.** *fig* achieve, (*erlangen*) obtain, get: ***etw ~*** get somewhere; (***es***) ***~, dass …*** succeed in *Ger*; ***haben Sie*** (***bei ihm***) ***etw erreicht?*** did you get anywhere (with him)? **Erreichung** *f* attainment: ***nach ~ der Altersgrenze*** on reaching the retirement age
erretten *v/t* (***aus, von*** from) save, rescue **Errettung** *f* rescue
errichten *v/t* **1.** build, erect, (*Statue, Ge-*

E

rüst etc) put up **2.** *fig* (*gründen*) found, *bes* WIRTSCH set up **Errichtung** *f* **1.** building, erection **2.** *fig* foundation
erringen *v/t* gain, (*Preis*) *a.* win, (*Erfolg*) *a.* achieve
erröten *v/i* blush (***vor*** with, ***über*** *Akk* at)
Errungenschaft *f* **1.** acquisition **2.** *fig* achievement, (*Großtat*) feat
Ersatz *m* **1.** (*a* *~mann*) substitute, *ständiger*: replacement(s *Pl* MIL): ***als ~ für j-n*** to replace s.o.; ***das (er) ist kein ~ für …*** that (he) can't replace … **2.** WIRTSCH, JUR compensation, (*Entschädigung*) *a.* indemnification, (*Schaden*≈) damages *Pl*: ***als ~ für*** **a)** by way of compensation, **b)** in exchange (*od* return) for **~anspruch** *m* claim for compensation **~bank** *f* SPORT substitutes' bench **~batterie** *f* spare battery **~befriedigung** *f* PSYCH compensation **~dienst** *m* → ***Wehrersatzdienst*** **~handlung** *f* PSYCH displacement activity, *bes weit. S.* compensation **~kasse** *f* health insurance society **~leistung** *f* compensation
Ersatz|mann *m* substitute (*a. Sport*), replacement (*a.* MIL) **~mine** *f* refill **~mittel** *n* substitute, *bes pej* ersatz
Ersatzmutter *f* mother-substitute
ersatzpflichtig *Adj* liable for damages
Ersatzreifen *m* spare tyre (*Am* tire)
Ersatzspieler(in) SPORT substitute
Ersatzteil *m*, *n* TECH replacement part, *mitgeliefert*: spare (part) **Ersatzteilchirurgie** *f* MED spare-part surgery
Ersatzteillager *n* spare parts store
ersatzweise *Adv* alternatively
ersaufen *v/i* F drown
ersäufen *v/t a.* F *fig* drown
erschaffen *v/t* create, make
Erschaffung *f* creation
erschallen *v/i* ring out, resound
erscheinen I *v/i* **1.** *allg* appear (*a. Geist*: ***j-m*** to s.o.), (*kommen*) *a.* come, F turn up, *Buch etc*: *a.* be published, come out: ***soeben erschienen*** just published; ***vor Gericht ~*** appear in court **2.** (*scheinen*) (***j-m*** to s.o.) seem, appear: ***es erscheint ratsam*** it would seem advisable **II** ≈ *n* **3.** *allg* appearance, *e-s Buches etc*: *a.* publication **4.** (*Anwesenheit*) attendance (***bei*** at)
Erscheinung *f* **1.** appearance, (*Geister*≈) apparition, (*Traumbild*) vision: ***in ~ treten*** appear, *fig Sache*: *a.* make itself felt; ***stark (kaum) in ~ treten*** be very (not) much in evidence; ***er tritt kaum in ~*** he keeps very much in the background **2.** *fig* sign, symptom (*a.* MED), (*Vorgang*, *Natur*≈) phenomenon **3.** (*äußere ~*) (outward) appearance, (*Persönlichkeit*) figure **Erscheinungsjahr** *n* year of publication
erschießen I *v/t* shoot (dead): ***j-n ~ lassen*** have s.o. shot **II** *v/refl* ***sich ~*** shoot o.s
Erschießung *f* shooting, *standrechtliche*: execution (by a firing squad)
erschlaffen *v/i* **1.** *Muskeln etc*: grow tired, *Haut*: (begin to) sag **2.** *Person*: tire **3.** → ***erlahmen*** 1
erschlagen I *v/t* kill **II** *Adj* F ***wie ~*** **a)** (*verblüfft*) dum(b)founded, **b)** (*erschöpft*) dead-beat, whacked
erschleichen *v/t* ***sich etw ~*** obtain s.th. by trickery; ***sich j-s Vertrauen ~*** worm o.s. into s.o.'s confidence
erschließen I *v/t* open (up) (*a. Markt etc*), (*Gebiet*, *a. Bauland*) develop **II** *v/refl* ***sich j-m ~*** *Geheimnis etc*: be revealed to s.o., *Möglichkeiten etc*: open up before s.o. **Erschließung** *f* opening (up), development
erschöpfen I *v/t allg*, *a. fig* exhaust **II** *v/refl* ***sich ~*** exhaust o.s., *fig Vorräte*, *Thema etc*: be exhausted: ***sich ~ in*** (*Dat*) *Tätigkeit etc*: be limited to
erschöpfend *Adj* **1.** exhausting **2.** *fig* (*gründlich*) exhaustive **erschöpft** *Adj* exhausted (***von*** by), (*verbraucht*) spent, *Batterie*: *a.* dead, run(-)down
Erschöpfung *f* (***bis zur ~*** to the point of) exhaustion **Erschöpfungszustand** *m* (state of) exhaustion
erschrecken I *v/t* frighten, scare, (*aufschrecken*) startle: → ***Tod*** **II** *v/i* be frightened (***über*** *Akk* at) **III** ≈ *n* fright
erschreckend *Adj* frightening, *stärker*: appalling: *Adv* ***~ wenige*** alarmingly few **erschrocken** *Adj u. Adv* frightened, (*bestürzt*) shocked
erschüttern *v/t* shake (*a. fig*), (*bestürzen*) shock, (*rühren*) move deeply
erschütternd *Adj* shocking, (*ergreifend*) deeply moving **Erschütterung** *f* shock (*a. fig*), (*Rührung*) emotion
erschweren *v/t* make *s.th.* (more) difficult, complicate, (*hemmen*) impede, (*verschlimmern*, *a.* JUR) aggravate

erschwerend *Adj* JUR aggravating
erschwert *Adj* more difficult, harder
erschwindeln *v/t* ***sich etw von j-m ~*** cheat s.th. out of s.o.
erschwingen *v/t* afford **erschwinglich** *Adj* within s.o.'s means: ***zu ~en Preisen*** at reasonable prices; ***das ist für uns nicht ~*** we can't afford it
ersehen *v/t* (***aus*** from) see, gather
ersehnen *v/t* long for
ersetzbar *Adj* replaceable (*a.* TECH), *Schaden*: reparable, *Verlust*: recoverable **ersetzen** *v/t* (*etw, j-n*) replace (***durch*** by), (*j-n*) *a.* take the place of, (*ausgleichen*) compensate for, make up for: ***j-m den Schaden (die Auslagen) ~*** compensate s.o. for the damage (reimburse s.o. for expenses) **Ersetzung** *f* replacement, *e-s Schadens etc*: compensation, *von Kosten*: reimbursement
ersichtlich *Adj* apparent, evident, clear: ***ohne ~en Grund*** for no apparent reason; ***daraus wird ~*** hence it appears
ersinnen *v/t* think up, devise, invent
erspähen *v/t* F spot
ersparen *v/t* **1.** (*a.* ***sich ~***) save **2.** *fig* ***sich etw ~*** spare o.s. s.th.; ***j-m Arbeit (Kosten*** *etc*) ***~*** save s.o. work (money *etc*); ***ihr bleibt nichts erspart*** she gets all the bad breaks **Ersparnis** *f* **1.** (***an*** *Arbeit etc*) saving (in) **2.** *Pl* savings *Pl*
ersprießlich *Adj* fruitful, profitable
erst *Adv* (at) first, (*zuvor*) first, (*bloß*) only, just, (*nicht früher als*) only, not till, not until: (***eben***) ***~*** just (now); ***~ als (dann, jetzt)*** only when (then, now); ***~ nächste Woche*** not before next week; ***~ nach*** only (*od* not until) after; ***es ist ~ fünf Uhr*** it's only five o'clock; ***ich muss ~ (noch) telefonieren*** I've got to make a phone call first
erstarken *v/i* grow strong(er)
erstarren *v/i* grow stiff, stiffen, *vor Kälte*: go numb, CHEM *etc* solidify, *Blut*: coagulate, *fig* run cold, (*gefrieren*) freeze (*a. fig* ***vor*** *Dat* with): ***vor Schreck ~*** *a.* be paralysed with fear **erstarrt** *Adj* stiff, *vor Kälte*: *a.* numb, *fig* paralysed
Erstarrung *f* stiffness, *vor Kälte*: numbness, CHEM solidification, *fig* paralysis, rigidity
erstatten *v/t* **1.** (*Auslagen etc*) refund (***j-m*** to s.o.) **2.** ***Anzeige ~ gegen*** report *s.o.* to the police; → ***Bericht***
Erstattung *f* refund(ing)
Erstaufführung *f* THEAT *etc* première, FILM *a.* first run
erstaunen I *v/t* astonish, *stärker*: amaze **II** *v/i* → ***staunen*** **I III** ≗ *n* astonishment, *stärker*: amazement: ***in ≗ setzen*** → I; (***sehr***) ***zu m-m ≗*** (much) to my surprise
erstaunlich *Adj* astonishing, amazing
erstaunlicherweise *Adv* astonishingly, to my *etc* surprise (*od* amazement) **erstaunt** *Adj* (***über*** *Akk* at) astonished, amazed
Erstausgabe *f* first edition
erstbeste I *Adj* first, F any (old) **II** *substantivisch*: ***der (die) ≗*** the first person one happens to see, just anyone; ***das ≗*** the next best (F any old) thing *etc*
erste *Adj* first: ***Karl der ≗ (Karl I.)*** Charles the First (Charles I); ***~ Qualität*** prime quality; ***das ~ Mal*** the first time; ***beim ~n Mal*** the first time, (*sofort*) *a.* straightaway; ***zum ~n Mal*** for the first time; ***der ≗ des Monats*** the first (day) of the month; ***~ Beste*** → ***erstbeste***; ***als ≗(r), als ≗s*** first; ***er war der ≗*** he was first; ***er war der ≗, der …*** he was the first to *Inf*; ***der (die) ≗*** *der Klasse*: top boy (girl); ***fürs ≗*** for the moment; → ***Blick*** 1, ***Geige, Hand, Hilfe*** 1 *etc*
erstechen *v/t* stab (to death)
erstehen[1] *v/i fig* rise, *Gebäude*: be built
erstehen[2] *v/t* (*kaufen*) buy, get
ersteigen *v/t* (*Berg etc*) climb, ascend, (*Gipfel*) climb up to
ersteigern *v/t* buy *s.th.* at an auction
Ersteigung *f* ascent, climbing
erstellen *v/t* **1.** (*Gebäude etc*) erect, build **2.** (*Buch*) produce **3.** (*Bilanz, Gutachten etc*) prepare, draw up
erstens *Adv* first(ly), first of all
erster → ***erste*** **erstere** *Adj* ***the*** former
erstgeboren *Adj* first-born
Erstgeburtsrecht *n* birthright
erstgenannt *Adj* first-mentioned
ersticken I *v/t* (*j-n*) suffocate, choke, (*a. Feuer, fig Gefühl, Aufstand*) smother, (*a. fig Lachen*) stifle: → ***Keim*** 1 **II** *v/i* suffocate (***durch, an*** *Dat* from): ***an e-r Gräte ~*** choke (to death) on a bone; *fig* ***in Arbeit ~*** be swamped with work **III** ≗ *n* suffocation: ***zum ≗ (heiß)***

stifling(ly) hot **erstickend** *Adj a. fig* stifling **Erstickung** *f* suffocation
Erstickungs|anfall *m* choking fit **~tod** *m* death from suffocation
erstklassig *Adj* first-class, first-rate, top-quality (*goods etc*)
Erstling *m* **1.** first-born child **2.** *fig* first work
erstmalig I *Adj* first **II** *Adv*, *a* **erstmals** for the first time
Erstmeldung *f* exclusive report, F scoop
erstrahlen *v/i* shine
erstrangig *Adj* first-rate
erstreben *v/t* strive after, aim for, (*begehren*) desire
erstrebenswert *Adj* desirable
erstrecken *v/refl* **1.** ***sich ~*** (***bis zu*** to) extend, stretch **2.** *fig* ***sich ~ über*** (*Akk*) cover; ***sich ~ auf*** (*Akk*) (*betreffen*) concern, apply to
Erstschlag *m* MIL first strike
erstürmen *v/t* (take by) storm
Erstürmung *f* storming
Erstwähler(in) first-time voter
ersuchen I *v/t* ***j-n ~ zu*** *Inf* ask (*od* request) s.o. to *Inf*; ***j-n um etw ~*** request s.th. from s.o. **II** ♀ *n* (***auf sein*** ♀ ***hin*** at his) request
ertappen *v/t* catch (***bei*** at): ***j-n beim Stehlen ~*** catch s.o. stealing; *fig* ***sich bei etw ~*** catch o.s. doing s.th.
erteilen *v/t* (*Befehl*, *Rat*, *Unterricht etc*) give (***j-m*** [to] s.o.), (*ein Recht etc*) confer (*Dat* on), (*Patent etc*) grant: ***j-m das Wort ~*** ask s.o. to speak; → ***Lob***
ertönen → ***erklingen***
Ertrag *m* yield, BERGB *etc* output, (*Einnahmen*) (***aus*** from) proceeds *Pl*, returns *Pl*
ertragen *v/t* bear, endure, stand, (*dulden*) put up with: ***das ist kaum noch zu ~*** that is hardly bearable; ***ich kann den Gedanken nicht ~, dass …*** I can't bear to think that …; ***nicht zu ~*** unbearable
erträglich I *Adj* bearable, (*a. leidlich*) tolerable **II** *Adv* tolerably well
ertragreich *Adj* productive, profitable
Ertragslage *f* WIRTSCH profit situation
ertränken *v/t* drown (***sich*** o.s.)
erträumen *v/t* ***sich etw ~*** dream of s.th.
ertrinken *v/i* drown, be drowned
Ertüchtigung *f* physical training
erübrigen I *v/t* (*Geld*) save, (*Zeit*) spare **II** *v/refl* ***sich ~*** be unnecessary
eruieren *v/t* find out
Eruption *f* eruption
erwachen I *v/i* wake up (*a. fig*), awake, *fig Erinnerungen*, *Gefühle etc*: be awakened, *Argwohn etc*: be aroused **II** ♀ *n* (*fig* ***unsanftes*** ♀ rude) awakening
erwachsen[1] *v/i* arise (***aus*** from)
erwachsen[2] *Adj*, **Erwachsene** *m*, *f* grown-up, adult **Erwachsenenbildung** *f* adult education
erwägen *v/t* consider, think *s.th.* over: ***den Kauf e-s Autos ~*** consider buying a car **Erwägung** *f* (***etw in ~ ziehen*** take s.th. into) consideration
erwählen *v/t* choose
erwähnen *v/t* mention
erwähnenswert *Adj* worth mentioning
Erwähnung *f* mention
erwärmen I *v/t* warm (up): *fig* ***j-n für etw ~*** get s.o. interested in s.th. **II** *v/refl* ***sich ~*** get warm(er); *fig* ***sich für etw ~*** warm to s.th.
Erwärmung *f* warming: ***~ der Erdatmosphäre*** global warming
erwarten I *v/t* expect, (*warten auf*) wait for: *fig* ***j-n ~*** *Überraschung etc*: be in store for s.o.; ***ein Kind ~*** be expecting (a baby); ***ich kann es kaum ~*** (***zu*** *Inf*) I can hardly wait (to *Inf*); ***das war zu ~*** that was to be expected **II** ♀ *n* ***über alles*** ♀ beyond all expectation; ***wider*** ♀ contrary to all expectations
Erwartung *f* expectation, (*Hoffnung*, *Aussicht*) expectancy, anticipation: ***in ~ e-r Sache*** awaiting s.th.; ***in ~ Ihres Briefes*** *etc a.* looking forward to your letter *etc*; ***den*** (*od* ***j-s***) ***~en entsprechen*** come up to (s.o.'s) expectations; ***hinter den*** (*od* ***j-s***) ***~en zurückbleiben*** fall short of (s.o.'s) expectations
erwartungsgemäß *Adv* as (was to be) expected **Erwartungshaltung** *f* expectancy, (level of) expectations *Pl* **Erwartungshorizont** *m* expectations *Pl*
erwartungsvoll *Adj* expectant(ly *Adv*)
erwecken *v/t* **1.** (*j-n*, *etw*) ***wieder zum Leben ~*** revive **2.** *fig* (*Interesse*, *Verdacht etc*) arouse, (*Erinnerungen*) bring back, (*Hoffnungen*) raise, (*Vertrauen*) inspire: → ***Anschein, Eindruck*** 1. *etc*
erwehren *v/refl* ***sich ~*** (*Gen*) ward off, resist; ***sich nicht ~ können*** (*Gen*) be

helpless against; ***man konnte sich des Eindrucks nicht ~, dass …*** you couldn't help feeling that …
erweichen *v/t* soften (*a. fig j-n*), *fig* (*rühren*) move: ***sich ~ lassen*** give in
erweisen I *v/t* **1.** (*beweisen*) prove, show **2.** (*Ehre, Dienst, Gefallen etc*) do, (*Gunst*) grant, (*Achtung*) show: → ***Ehre*** **II** *v/refl* **3.** ***sich ~ als*** prove (*od* turn out) to be **4.** ***sich (j-m gegenüber) dankbar ~*** show one's gratitude (towards s.o.)
erweitern I *v/t* (*Straße etc*) widen, (*Gebäude, Betrieb etc, fig Einfluss etc*) extend, (*Buch*) enlarge, (*Kenntnisse*) broaden **II** *v/refl* ***sich ~*** widen, MED dilate, WIRTSCH expand, *Kenntnisse*: increase
Erweiterung *f* widening (*etc*), extension, enlargement, MED dilatation
Erwerb *m* acquisition, purchase
erwerben *v/t* acquire (*a. fig Wissen, Ruf, Rechte etc*), (*kaufen*) *a.* purchase, (*verdienen*) earn, *fig* (*Ruhm, Reichtum etc*) gain, win: ***sich Verdienste ~ um*** render great service(s) to
erwerbsfähig *Adj* fit for work: ***im ~en Alter*** of employable age
Erwerbsfähigkeit *f* ability to work
Erwerbsleben *n* working life
erwerbslos → ***arbeitslos***
Erwerbsminderung *f* reduction in earning capacity
Erwerbsquelle *f* source of income
erwerbstätig *Adj* (gainfully) employed
Erwerbstätige *m, f* employed person
Erwerbstätigkeit *f* gainful employment
erwerbsunfähig *Adj* unfit for work
Erwerbsunfähigkeit *f* incapacity to work **Erwerbszweig** *m* **a)** branch of industry, **b)** line (of business)
Erwerbung *f* acquisition, purchase
erwidern *v/t* **1.** (***auf*** *Akk* to) reply, answer: ***auf m-e Frage erwiderte er …*** in reply to my question he said … **2.** *fig* (MIL *Feuer, fig Gruß, Besuch etc*) return **Erwiderung** *f* **1.** (***auf*** *Akk* to) reply, answer **2.** *fig* return
erwiesenermaßen *Adv* as has been proved
erwirken *v/t* obtain, secure
erwirtschaften *v/t* (*Gewinn*) make
erwischen *v/t allg* catch (*a. fig*): ***sich ~ lassen*** get caught; F ***ihn hats bös erwischt!*** he's got it bad!
erwünscht *Adj* desired, (*willkommen*) welcome, (*wünschenswert*) desirable
erwürgen *v/t* strangle
Erz *n* ore
erzählen I *v/t* tell, *kunstvoll*: narrate: ***man hat mir erzählt*** I've been told; ***man erzählt sich*** they say; F ***das kannst du mir nicht ~!*** pull another one! **II** *v/i* tell a story (*od* stories): ***~ von, ~ über*** (*Akk*) tell (s.o.) of (*od* about); ***erzähl mal!*** do tell!
erzählenswert *Adj* worth telling
Erzähler(in) narrator, storyteller, (*Schriftsteller*) narrative writer
Erzählung *f* narration, story, tale, (*Bericht*) account, LITERATUR (short) story
Erzbischof *m* archbishop **erzbischöflich** *Adj* archiepiscopal **Erzbistum** *n*, **Erzdiözese** *f* archbishopric
Erzengel *m* archangel
erzeugen *v/t allg* produce, TECH *a.* make, LANDW *a.* grow, CHEM, PHYS generate, *fig* (*verursachen*) *a.* cause, create
Erzeuger *m* **1.** father **2.** *allg* producer, *a.* TECH manufacturer, LANDW *a.* grower **Erzeugerland** *n* country of origin **Erzeugnis** *n* product (*a. fig*), LANDW *mst Pl* produce *Sg*, *literarisches, geistiges*: production: ***eigenes ~*** my *etc* own make **Erzeugung** *f* production, TECH *a.* manufacture, CHEM, PHYS generation, *fig* creation **Erzeugungskosten** *Pl* production costs *Pl*
Erzfeind(in) archenemy **Erzfeindschaft** *f* archrivalry, deadly feud
Erzgauner(in) (real) scoundrel
Erzherzog(in) archduke (archduchess)
Erzhütte *f* smelting works *Pl* (*a. Sg konstr*)
erziehbar *Adj* educable: ***schwer ~es Kind*** problem child **erziehen** *v/t* bring *s.o.* up, raise, *geistig*: educate: ***j-n zu etw ~*** train (*od* teach) s.o. to be (*od* do) s.th.; → ***erzogen*** **Erzieher** *m* educator, (*Lehrer*) teacher, (*Hauslehrer, Internats*~) tutor **Erzieherin** *f* (lady) teacher, *eng. S.* nursery-school teacher, (*Internats~ etc*) governess
erzieherisch *Adj* educational
Erziehung *f* upbringing, *geistige, politische, a. Verkehrs~ etc*: education, (*Ausbildung*) training, (*Lebensart*) breeding, (*Manieren*) manners *Pl*

E

Erziehungs|anstalt *f* approved (*Am* reform) school **~berater(in)** educational adviser **~beratung** *f* child guidance **~berechtigte** *m, f* **a)** parent, **b)** (legal) guardian **~geld** *n* child-raising allowance **~urlaub** *m* child-raising leave **~wissenschaft** *f* educational science

erzielen *v/t* obtain, get, (*Erfolg, Ergebnis etc*) achieve, (*Einigung etc*) reach, (*Gewinn*) make, (*Preis*) fetch, SPORT (*Punkte, Treffer*) score

erzkonservativ *Adj* ultra-conservative

erzogen *Adj* ***gut ~*** well bred; ***schlecht ~*** ill-bred

erzürnt *Adj* angry, furious

erzwingen *v/t* force

es *Personalpron* it, *bei bekanntem Geschlecht*: he, she: ***ich bin ~!*** it's me!; ***bist du ~?*** is it you?; ***~ gibt*** there is, there are; ***ich hoffe ~*** I hope so; ***ich weiß ~ (nicht)*** I (don't) know; *er kann nicht schwimmen*, ***aber ich kann ~*** but I can; *du bist müde*, ***ich bin ~ auch*** so am I; ***ich will ~*** I want to; ***ich will ~ versuchen*** I'll try; ***~ wurde getanzt*** there was dancing, we (they) danced

Escape-Taste *f* escape key

Esche *f* BOT ash (tree)

Esel *m* **1.** donkey, *männlicher*: jackass **2.** F *fig* (silly) ass: ***alter ~*** old fool

Eselin *f* she-ass

Eselsbrücke *f fig* mnemonic (aid): ***j-m e-e ~ bauen*** give s.o. a hint

Eskalation *f* escalation

eskalieren *v/i u. v/t* escalate

Eskapade *f* escapade

Eskimo *m* Eskimo

Eskorte *f*, **eskortieren** *v/t* escort

Esoterik *f* esotericism

Esoteriker(in), **esoterisch** *Adj* esoteric

Espe *f* BOT asp **Espenlaub** *n* ***zittern wie ~*** tremble like an aspen leaf

Espresso *m* espresso

Essay *m* essay (***über*** *Akk* on)

Essayist(in) essayist

essbar *Adj* eatable, (*genießbar*) edible: ***~er Pilz*** (edible) mushroom

Essbesteck *n* cutlery (set)

Esse *f* **1.** chimney **2.** (*Schmiede*≗) forge

essen I *v/t u. v/i* eat: *etw* ***gern ~*** like; ***man isst dort ganz gut*** the food is quite good there; F *fig* ***gegessen sein*** be history; → ***Abend, Mittag*** *etc* **II** ≗ *n* eating, (*Kost*) food, (*Gericht*) dish, (*Mahlzeit*) meal, (*Fest*~) dinner (party): ***≗ und Trinken*** food and drink

Essenmarke *f* meal ticket, *Br a.* luncheon voucher **Essenszeit** *f* lunchtime, *abends*: dinnertime

Essenz *f a. fig* essence

Esser(in) eater: → ***stark*** 1

Essgeschirr *n* crockery, (*Service*) dinner service

Essgewohnheiten *Pl* eating habits *Pl*

Essig *m* vinegar: F *fig* ***damit ist es ~!*** it's all off! **Essiggurke** *f* gherkin

Essigsäure *f* acetic acid

Essig- und Ölständer *m* cruet stand

Esskastanie *f* (sweet) chestnut **Esslöffel** *m* tablespoon: ***zwei ~*** two tablespoonfuls **Esslust** *f* appetite **Essstäbchen** *Pl* chopsticks *Pl* **Esstisch** *m* dining table **Esswaren** *Pl* food *Sg* **Esszimmer** *n* dining room

Estland *n* Est(h)onia

Estragon *m* BOT tarragon

etablieren *v/refl* ***sich ~*** become established, *geschäftlich*: set o.s. up, start a business, *häuslich*: settle in

Etablissement *n* establishment

Etage *f* floor, stor(e)y; → *Info bei* ***floor***

Etagen|bett *n* bunk bed **~heizung** *f* single-stor(e)y heating (system) **~wohnung** *f* flat, *Am* apartment

Etappe *f a.* SPORT stage, leg: ***in ~n*** in stages

Etat *m* budget **~ansatz** *m* budgetary estimate **~entwurf** *m* draft budget **~jahr** *n* fiscal year **≗mäßig** *Adj* budgetary, *Beamter*: permanent

E-Technik *f* electrical engineering

etepetete *Adj* F **1.** (*geziert*) la-di-da **2.** (*eigen*) fussy, finicky

Ethik *f* ethics *Sg* **~unterricht** *m* ethics

ethisch *Adj* ethical

ethnisch *Adj* ethnic

Ethnographie *f* ethnography **ethnographisch** *Adj* ethnographic(ally *Adv*)

Ethnologe *m*, **Ethnologin** *f* ethnologist **Ethnologie** *f* ethnology

Ethos *n* ethos, *weit. S.* ethics *Pl*

Etikett *n* label, (*Preisschild*) price tag

Etikette *f* (***Verstoß gegen die ~*** breach of) etiquette

etikettieren *v/t* put a label on, *fig* label

etliche *Indefinitpron Pl* several: ***~s*** *Sg* a number of things; ***~ Mal*** several times

Etüde *f* MUS étude

Etui *n* case
etwa *Adv* **1.** *a.* ***in ~*** (*ungefähr*) about, approximately, F around; ***in ~ dasselbe*** more or less the same; ***wann ~?*** approximately when?, (*um wie viel Uhr*) *a.* F around what time? **2.** (*vielleicht*) by any chance, (*zum Beispiel*) for instance, (let's) say: ***nicht ~, dass ...*** not that *it mattered etc*; ***ist das ~ besser?*** is that any better?; ***du glaubst doch nicht ~ ...?*** surely you don't think ...?
etwaig *Adj* any
etwas **I** *Indefinitpron* something, *verneinend, fragend od bedingend*: anything: ***~ anderes*** something (anything) else **II** *Adj* some, any, (*wenig*) a little: ***ich brauche ~ Geld*** I need some money **III** *Adv* a little: ***es erscheint ~ merkwürdig*** it seems a bit funny **IV** ♀ *n* ***ein gewisses ♀*** a certain something
Etymologie *f* etymology
etymologisch *Adj* etymological
Et-Zeichen *n* ampersand
EU *f* (= ***Europäische Union***) EU, European Union
euch *Personalpron* (to) you, *refl*: yourselves, *nach Präp*: you: ***setzt ~!*** sit down!
Eucharistie *f the* Eucharist
euer **I** *Possessivpron* **1.** your: ***eu(e)re Mutter*** your mother; ***unser und ~ Haus*** our house and yours **2.** ***der (die, das) eu(e)re*** yours **II** *Personalpron* **3.** (*Gen von* ***ihr***) of you
Eugenik *f* eugenics *Sg*
Eule *f* owl: *fig* ***~n nach Athen tragen*** carry coals to Newcastle
Eunuch *m* eunuch
Euphemismus *m* euphemism **euphemistisch** *Adj* euphemistic(ally *Adv*)
Euphorie *f* euphoria
eure → ***euer***
eurerseits *Adv* for (*od* on) your part
euresgleichen *Pron* people like yourselves, *pej* the likes of you
eurethalben, **euretwegen**, (**um**) **euretwillen** *Adv* because of you, (*euch zuliebe*) for your sake
Eurhythmie *f* eurhythmics *Sg*
Euro... Euro..., euro...
Euro *m* (*Währung*) euro, *a.* Euro: ***Einführung des ~*** introduction of the euro **~-Banknote** *f* euro note **~cent** *m* eurocent **~city(zug)** *m* eurocity (train) **~gebiet** *n* euro area **~land** *n* **1.** *alle Länder mit Euro*: Euroland **2.** *einzelnes Land*: euro country (*od* state)
Europa *n* Europe
Europäer(in) European **europäisch** *Adj* European
Europäische Union *f* European Union
Europa|meister(in) SPORT European champion **~meisterschaft** *f* European championships *Pl* **~pokal** *m* European cup **~politik** *f* Euro-politics *Pl*
Europarat *m* Council of Europe
europaweit **I** *Adj* cross-Europe ..., Europe-wide **II** *Adv* Europe-wide, all over (*od* throughout) Europe
Euro|skeptiker(in) Eurosceptic **~währung** *f* Eurocurrency **~zone** *f* eurozone
Euter *n* udder
Euthanasie *f* euthanasia
evakuieren *v/t* evacuate (*a.* MIL *u.* PHYS)
Evakuierung *f* evacuation
evangelisch *Adj* Protestant
Evangelist *m* evangelist **Evangelium** *n* gospel (*a. fig*): ***das ~ des Matthäus*** the Gospel according to St. Matthew
Evaskostüm *n* F ***im ~*** in the nude
Eventualität *f* eventuality
eventuell **I** *Adj* possible **II** *Adv* possibly, (*notfalls*) if necessary, (*gegebenenfalls*) should the occasion arise

⚠ eventuell ≠ eventually

eventuell	=	possibly
eventually	=	schließlich

Evolution *f* evolution
ewig **I** *Adj* **1.** eternal, everlasting, perpetual: ***~er Schnee*** perpetual snow; ***die ♀e Stadt*** (*Rom*) the Eternal City; ***seit ~en Zeiten*** from time immemorial, F for ages **2.** F (*ständig*) eternal, constant, endless **II** *Adv* **3.** eternally, forever: ***für immer und ~*** for ever and ever; F ***es ist ~ schade*** it's just too bad; ***~ (lange)*** for ages; ***es dauert ~*** it's taking ages **Ewigkeit** *f* eternity: ***bis in alle ~*** to the end of time; F ***es ist e-e ~, seit ...*** it's ages since ...; ***ich habe e-e ~ gewartet*** I've waited for ages
EWS *Abk* (= ***Europäisches Währungssystem***) EMS

Ex... ex-...
exakt *Adj* precise, exact: ***die ~en Wissenschaften*** the exact sciences
Exaktheit *f* precision
Examen *n* examination, F exam: ***~ machen*** take one's exams
Exekution *f* execution
exekutiv *Adj*, **Exekutive** *f* executive
Exekutivgewalt *f* executive power
Exempel *n* ***ein ~ statuieren*** set a warning example; → ***Probe*** 2
Exemplar *n* specimen, sample, *e-s Buches*: copy, *e-r Zeitschrift*: issue
exemplarisch **I** *Adj* exemplary **II** *Adv* ***j-n ~ bestrafen*** make an example of s.o.
exerzieren *v/t u. v/i* MIL drill
Exhibitionismus *m* exhibitionism, JUR indecent exposure
Exhibitionist(in) exhibitionist
exhumieren *v/t* exhume
Exil *n* (***im ~*** in) exile: ***ins ~ gehen*** go into exile
Exilregierung *f* government in exile
Existenz *f* **1.** existence, (*Unterhalt*) livelihood: ***gesicherte ~*** secure position **2.** *pej* (*Person*) character: → ***verkracht*** 2 **~angst** *f* PSYCH existential anxiety, *weit. S.* economic fears *Pl* **~berechtigung** *f* right to exist, (*Grund*) raison d'être
Existenzialismus *m* existentialism
Existenzialist(in), **existenzialistisch** *Adj* existentialist
existenziell *Adj* **1.** existential **2.** ***von ~er Bedeutung*** vitally important
Existenz|kampf *m* struggle for existence **~minimum** *n* subsistence level
existieren *v/i* **1.** exist, be: ***nur wenige ~ noch*** there are only a few left **2.** (*leben*) (***von*** on) exist, live
exklusiv *Adj* exclusive, *Kreis*: select
Exklusivbericht *m* exclusive (story)
Exklusivrechte *Pl* exclusive rights *Pl*
exkommunizieren *v/t* excommunicate
Exkremente *Pl* excrements *Pl*
Exkursion *f* excursion, field trip
exmatrikulieren *v/t* UNI cancel s.o.'s registration
Exodus *m a. fig* exodus
Exot(in) exotic
exotisch *Adj* exotic(ally *Adv*)
Expander *m* expander
Expansion *f* expansion
Expansionspolitik *f* expansionism
expedieren *v/t* dispatch
Expedition *f* **1.** expedition **2.** WIRTSCH forwarding (department)
Experiment *n* experiment **Experimental...**, **experimentell** *Adj* experimental
experimentieren *v/i* experiment (***an*** *Dat* on, ***mit*** with)
Experte *m*, **Expertin** *f* expert
Expertise *f* **1.** expertise **2.** (*Gutachten*) expert's opinion
explodieren *v/i* explode
Explosion *f* explosion, blast
explosionsartig *Adj a. fig* explosive
Explosions|gefahr *f* danger of explosion **~kraft** *f* explosive force
explosiv *Adj a. fig* explosive
Exponat *n* exhibit
Exponent *m* MATHE *u. fig* exponent
exponieren *v/t* expose (***sich*** o.s.) (*Dat* to) **exponiert** *Adj* exposed
Export *m* exportation, exporting, (*Waren*) exports *Pl* **~abteilung** *f* export department **~artikel** *m* export article (*od* item), *Pl a.* exports *Pl* **~ausführung** *f* TECH export model
Exporteur(in) exporter
Exportgeschäft *n*, **Exporthandel** *m* export trade
exportieren *m* export (***nach*** to)
Exportland *n* exporting country
Exportleiter(in) export manager
Exportware *f* → ***Exportartikel***
express **I** *Adv* ***~ schicken*** send express (*Am* by special delivery) **II** ≈ *m* express (train)
Expressionismus *m* expressionism
Expressionist(in), **expressionistisch** *Adj* expressionist
extern *Adj* external **≈gespräch** *n* TEL outside (*od* external) call
extra **I** *Adj* extra **II** *Adv* extra, (*gesondert*) *a.* separately, (*eigens*) specially, (*absichtlich*) on purpose: ***~ für dich*** just for you **III** ≈ *n* (*Zubehör etc*) extra
Extrablatt *n e-r Zeitung*: extra
extrahieren *v/t*, **Extrakt** *m* extract
Extrakt *m* extract
extravagant *Adj* extravagant, outré
extravertiert *Adj* (*a.* ***~er Mensch***) extrovert
extrem **I** *Adj* extreme **II** ≈ *n* (***bis zum*** ≈ to the) extreme **Extremismus** *m* extremism **Extremist(in)**, **extremis-**

tisch *Adj* extremist
Extremitäten *Pl* extremities *Pl*
extrovertiert → ***extravertiert***
Exzellenz *f* (***Eure, Seine*** ~ your, his) Excellency
Exzentriker(in) eccentric
exzentrisch *Adj a.* MATHE, TECH eccentric
Exzess *m* excess: ***bis zum*** ~ to excess
Eyeliner *m* eyeliner

F

F, f *n* F, f (*a.* MUS)
Fabel *f* fable (*a. fig*), *e-s Dramas etc*: plot
fabelhaft *Adj* fantastic(ally *Adv*)
Fabeltier *n* fabulous beast
Fabrik *f* factory, works *Pl* (*oft Sg konstr*), mill **Fabrikanlage** *f* (manufacturing) plant **Fabrikant(in) 1.** factory owner **2.** manufacturer **Fabrikarbeit** *f* **1.** factory work **2.** → ***Fabrikware*** **Fabrikarbeiter(in)** factory worker **Fabrikat** *n* product, (*Typ*) make **Fabrikation** *f* production
Fabrikations|nummer *f* serial number **~programm** *n* production schedule
Fabrik|besitzer(in) factory owner **~gebäude** *n* factory building **~gelände** *n* factory site **²neu** *Adj* brand-new **~schiff** *n* factory ship **~ware** *f* manufactured product(s *Pl*)
fabrizieren *v/t* manufacture, make, *fig a.* concoct, (*anstellen*) manage (to do)
Facette *f* facet
Facettenauge *n* ZOOL compound eye
Fach *n* **1.** compartment, partition, *im Regal*: shelf **2.** (*~bereich*) field, line: ***er ist vom*** ~ he is an expert; ***das schlägt nicht in mein*** ~ that's not in my line **3.** WIRTSCH (*Branche*) line (of business) **4.** (*Studien², Unterrichts²*) subject
...fach *in Zssgn* ...fold, (*...mal*) ... times
Fach|arbeit *f* skilled work **~arbeiter(in)** skilled worker, *Pl* skilled labo(u)r *Sg* **~arzt** *m*, **~ärztin** *f* specialist (***für*** in) **²ärztlich** *Adj* (*Adv* by a) specialist **~ausbildung** *f* special(ized) training **~ausdruck** *m* technical term **~bereich** *m* **1.** → ***Fachgebiet*** **2.** UNI department **~buch** *n* specialist book
Fächer *m* **1.** fan **2.** *fig* range, spectrum
fächerartig → **fächerförmig** *Adj* fanlike: *Adv* ***sich ~ ausbreiten*** fan out
fächern *v/t* (*a.* ***sich*** ~) fan out
Fachfrau *f* (woman) expert
Fachgebiet *n* (special) field
fachgemäß, fachgerecht *Adj* expert(ly *Adv*), professional(ly *Adv*)
Fach|geschäft *n* specialist shop (*Am* store) **~handel** *m* specialized trade (*od* dealers *Pl*) **~hochschule** *f* (technical) college **~idiot(in)** F *pej* specialist borné **~ingenieur(in)** specialist (engineer) **~jargon** *m* technical jargon **~kenntnis(se** *Pl*) *f* specialized knowledge *Sg*, know-how *Sg* **~kräfte** *Pl* qualified personnel *Sg*, specialists *Pl* **~kreis** *m* ***in ~en*** among the experts
fachkundig *Adj* competent, expert
Fachlehrer(in) subject teacher
Fachleute *Pl* experts *Pl*
fachlich *Adj* technical, professional
Fachliteratur *f* specialized literature
Fachmann *m* (***in*** *Dat* in, at, ***für*** on) expert, specialist **fachmännisch** *Adj* expert(ly *Adv*), specialist, *Arbeit*: professional: ***~es Urteil*** expert opinion
Fach|personal *n* qualified personnel **~presse** *f* trade press **~richtung** *f* field **~schule** *f* technical college
Fachsimpelei *f* shoptalk
fachsimpeln *v/i* talk shop
Fach|sprache *f* technical language (*od* terminology) **~studium** *n* special(ized) studies *Pl* **~übersetzer(in)** technical translator **~verband** *m* professional (*gewerblicher*: trade) association
Fachwerk *n* framework, half-timbering **Fachwerkhaus** *n* half-timbered house
Fachwissen *n* → ***Fachkenntnis(se)***
Fachwörterbuch *n* specialized dictionary **Fachzeitschrift** *f* (professional, *gewerbliche*: trade) journal
Fackel *f a. fig* torch **fackeln** *v/i* F ***nicht lange*** ~ lose no time

fade *Adj* **1.** tasteless, (*schal*) stale, *Bier*: flat **2.** *fig* (*langweilig*) boring, dull
Faden *m* thread (*a. fig*), ELEK, TECH filament, MED stitch, *von Bohnen, e-r Marionette*: string: MED ***die Fäden ziehen*** remove the stitches; *fig* ***der rote ~*** the thread (running through the story *etc*); ***den ~ verlieren*** lose the thread (of one's speech *etc*); ***es hing an e-m ~*** it hung by a thread; ***er hält alle Fäden in der Hand*** he pulls the strings **~kreuz** *n* OPT reticule **~nudeln** *Pl* vermicelli *Pl*
fadenscheinig *Adj* threadbare (*a. fig*), *fig Ausrede*: flimsy
Fagott *n* MUS bassoon
Fagottist(in) bassoonist
fähig *Adj* able, capable, (*begabt*) gifted, talented, (*qualifiziert*) qualified: ***~ sein zu*** be capable of; *pej* ***zu allem ~*** capable of anything, *Verbrecher etc*: desperate; ***(dazu) ~ sein, etw zu tun*** be capable of doing s.th., be able (*od* qualified) to do s.th. **Fähigkeit** *f* ability, capability, (*Begabung*) talent
fahl *Adj* pale, *Gesicht*: *a.* ashen
Fähnchen *n* **1.** pennant, SPORT marker **2.** F (*Kleid*) cheap, flimsy dress
fahnden *v/i* ***~ nach*** search for **Fahnder(in)** investigator **Fahndung** *f* search
Fahndungs|aktion *f* (police) search **~dienst** *m* tracing and search department **~liste** *f* wanted list
Fahne *f* **1.** flag, *bes fig* banner, SCHIFF, MIL colo(u)rs *Pl*: *fig* ***mit fliegenden ~n untergehen*** go down fighting **2.** F ***e-e ~ haben*** reek of the bottle **3.** BUCHDRUCK galley (proof)
Fahnenflucht *f* desertion: ***~ begehen*** desert
fahnenflüchtig *Adj* ***~ sein*** be a deserter
Fahnen|mast *m*, **~stange** *f* flagpole
Fähnrich *m* MIL cadet: SCHIFF ***~ zur See*** midshipman
Fahrausweis *m* ticket **Fahrbahn** *f* road, carriageway, (*Spur*) lane
fahrbar *Adj* mobile
Fahrbereitschaft *f* car pool
Fähre *f* ferry
Fahreigenschaften *Pl* MOT road performance *Sg*
fahren **I** *v/i* **1.** *allg* go (***mit*** by *bus, train, etc*), MOT drive, *auf e-m Fahrrad, in e-m Fahrzeug*: ride, SCHIFF sail, (*verkehren*) run, (*ab~*) leave, depart, go, (*in Fahrt sein*) be moving: *der Zug etc* ***fährt zweimal am Tag*** runs (*od* goes) twice a day; ***über e-e Brücke ~*** cross a bridge; ***rechts ~!*** keep to the right!; ***~ mit*** *Diesel etc*: run on, be *diesel*-driven *etc*; *fig* ***mit der Hand*** *etc* ***~ über*** (*Akk*) run one's hand *etc* over; ***in etw ~*** *Kugel, Messer etc*: go into; ***gut*** (***schlecht***) ***~ bei*** fare well (ill) with, do well (badly) by; ***es*** (***der Gedanke***) ***fuhr mir durch den Kopf*** it flashed through my mind; ***was ist in ihn gefahren?*** what has got into him?; F ***e-n ~ lassen*** fart, let go **II** *v/t* **2.** (*lenken*) drive, (*befördern*) *a.* take, (*Güter*) *a.* transport, SCHIFF sail, (*Boot*) row, (*Strecke*) drive, cover, do: ***das Auto fährt 150 km/h*** the car does 150 km/h **3.** SPORT (*e-e Zeit*) make, clock: ***ein Rennen ~*** participate in a race **4.** TECH (*e-e Schicht*) work, (*e-e Leitung*) run, (*a. e-e Anlage*) operate **5.** TV (*e-e Sendung etc*) run
fahrend *Adj* travel(l)ing, itinerant
Fahrenheit *n* Fahrenheit: ***30 Grad ~*** 30 degrees Fahrenheit
Fahrer(in) MOT **a)** *allg* driver, **b)** (*Chauffeur*) chauffeur (chauffeuse)
Fahrerflucht *f* hit-and-run offen/ce (*Am* -se): ***~ begehen*** fail to stop after an accident
Fahrgast *m* passenger, *bes e-s Taxis*: fare **Fahrgeld** *n* fare **Fahrgelegenheit** *f* (means of) transport
Fahrgemeinschaft *f* car pool
Fahrgestell *n* **1.** MOT chassis, FLUG undercarriage **2.** F (*Beine*) pins *Pl*
fahrig *Adj* nervous, jumpy, (*unaufmerksam*) inattentive
Fahrkarte *f* ticket (***nach*** to)

Fahrkarten

Einzelfahrkarte	**single (ticket)**, *Am* **one-way ticket**
Rückfahrkarte	**return (ticket)**, *Am* **round-trip ticket**
Tagesrückfahrkarte	*Br* **day return (ticket)**

Zeitkarte	*Br* **period return (ticket)** (*für beliebig viele Hin- und Rückfahrten mit normalerweise 3 Monaten Gültigkeit*)

An einem Fahrkartenschalter in Großbritannien

A	Ich hätte gern eine Fahrkarte nach Bristol.	**I'd like a ticket to Bristol, please.**
B	Erster oder zweiter (Klasse)?	**First or second (class)?**
A	Zweiter (Klasse), bitte.	**Second (class), please.**
B	Einfach oder hin und zurück?	**Single or return?**
A	Einfach.	**Single.**
A	Wann fährt der nächste Zug nach Bristol?	**When's the next train to Bristol?**
B	10:30 Uhr von Bahnsteig 3.	**Ten thirty from platform three.**
A	Muss ich irgendwo umsteigen?	**Do I have to change?**
B	Nein, das ist ein durchgehender Zug.	**No, you don't, it's a direct train.**
A	Dann hätte ich gern noch eine Platzkarte für den Zug um 11:00 Uhr am kommenden Montag von Bristol nach Swansea. …	**I'd also like to reserve a seat on the eleven o'clock train from Bristol to Swansea next Monday. …**

Fahrkarten|automat *m* ticket machine **~kontrolle** *f* ticket inspection **~kontrolleur(in)** ticket inspector **~schalter** *m* ticket office

Fahrkomfort *m* MOT driving comfort

fahrlässig *Adj* careless, *a.* JUR negligent: ***~e Tötung*** manslaughter (*Am* in the second degree) **Fahrlässigkeit** *f* carelessness, *a.* JUR negligence

Fahrlehrer(in) MOT driving instructor

Fahrplan *m* timetable (*a. fig*), *bes Am* schedule **Fahrplanänderung** *f* change in the timetable **Fahrplanauszug** *m* individual timetable

fahrplanmäßig I *Adj* scheduled **II** *Adv* according to schedule, on time

Fahr|praxis *f* driving experience **~preis** *m* fare **~preisermäßigung** *f* fare reduction **~prüfung** *f* driving test

Fahrrad *n* bicycle, F bike **~fahrer(in)** cyclist

Fahr|rinne *f* SCHIFF lane **~schein** *m* ticket **~scheinautomat** *m* ticket machine **~schule** *f* driving school **~schüler(in)** MOT learner (driver), *Am* student driver **~spur** *f* lane

Fahrstuhl *m* lift, *Am* elevator

Fahrstunde *f* driving lesson

Fahrt *f* **1.** (*Auto*~) drive, ride, (*Reise*) journey, trip, SCHIFF *a.* voyage, cruise: ***auf ~ gehen*** go on a trip; ***auf der ~ nach X*** on the way to X; ***gute ~!*** have a good trip! **2.** (*Tempo*) speed (*a.* SCHIFF): ***in voller ~*** at full speed; ***in ~ kommen*** **a)** get under way, **b)** F *fig* get going; F ***j-n in ~ bringen*** **a)** get s.o. going, **b)** make s.o. wild; F ***in ~ sein*** *Person*: **a)** be going it strong, **b)** be wild

Fahrtdauer *f* length of the trip: ***die ~ beträgt 3 Stunden*** it will take 3 hours (to get there)

Fährte *f a. fig* trail, track: *fig* ***auf der falschen ~ sein*** be on the wrong track

Fahrtenbuch *n* MOT logbook

Fahrtenschreiber *m* MOT tachograph

Fahrtkosten *Pl* travel(l)ing (*od* travel) costs
Fahrtrichtungsanzeiger *m* MOT direction indicator
fahrtüchtig *Adj Wagen*: roadworthy, *Fahrer*: fit to drive
Fahrtunterbrechung *f* stop
Fahrtwind *m* airstream
fahruntüchtig *Adj Fahrzeug*: not roadworthy, *Person*: unfit to drive
Fahrverbot *n* ***j-n mit ~ belegen*** suspend s.o.'s driving licence (*Am* driver's license) **Fahrwasser** *n* F *fig* track: ***im richtigen ~ sein*** be in one's element
Fahrweise *f* (way of) driving **Fahrwerk** *n* MOT chassis, FLUG undercarriage
Fahrzeug *n* vehicle, SCHIFF vessel **~brief** *m* MOT (vehicle) registration document **~halter(in)** car owner **~papiere** *Pl* documents *Pl* **~park** *m* MOT fleet (of cars) **~verkehr** *m* (vehicular) traffic
Faible *n* weakness, *für j-n*: soft spot
fair *Adj* fair **Fairness** *f* fairness
Fäkalien *Pl* f(a)eces *Pl*
Fakir *m* fakir
Faksimile *n* facsimile
faktisch *Adj* actual(ly *Adv*), *Adv a.* in fact
Faktor *m a.* BIOL, MATHE factor
Faktum *n* fact **Fakten** *Pl* facts *Pl*, (*Angaben etc*) data *Pl*
Fakultät *f* UNI faculty, *bes Am* department
fakultativ *Adj* optional
Falke *m* ZOOL falcon, JAGD *u. fig* POL *a.* hawk **Falkenbeize** *f* falconry
Fall *m* **1.** *allg* fall (*a.* MIL), WIRTSCH *a.* drop, *fig* (*Sturz*) downfall: ***zu ~ bringen*** **a)** ***j-n*** cause s.o. to fall, *im Kampf*: bring s.o. down (*a. fig*), *durch Beinstellen*: trip s.o. up (*a. fig*), **b)** (*Pläne etc*) thwart, (*Gesetzentwurf etc*) defeat; *fig* ***zu ~ gebracht werden, zu ~ kommen*** fall, *a. Sache*: be ruined **2.** *allg* case (*a.* JUR, LING, MED), (*Angelegenheit*) *a.* matter, affair: ***auf alle Fälle*** **a)** in any case, (*ganz bestimmt*) definitely, **b)** *a.* ***für alle Fälle*** just in case, to be on the safe side; ***für den*** (*od* ***im***) ***~, dass er kommt*** in case he should come; ***im ~e*** (*Gen*) in the event of; ***gesetzt den ~*** suppose, supposing; ***in diesem ~*** in that case; F ***klarer ~!*** sure (thing)!; ***das ist*** (***nicht***) ***ganz mein ~*** that's right up my street (not my cup of tea); ***das ist auch bei ihr der ~*** it's the same with her
Falle *f* trap (*a. fig*), (*Schlinge*) snare, (*Grube*) pit: *fig* ***j-m in die ~ gehen*** walk into the trap set by s.o.; ***j-m e-e ~ stellen*** set a trap for s.o.
fallen *v/i* **1.** *allg* fall (***von*** from, off), (*hin~*) fall down, (*hinunter~*) drop: ***~ lassen*** drop; ***von der Leiter ~*** fall off a ladder; ***ich bin gefallen*** I had a fall; ***er ließ sich in e-n Sessel ~*** he dropped into a chair; *fig* ***~ lassen*** drop **2.** MIL *Festung etc*: fall, *Soldat*: *a.* be killed (in action) **3.** *fig allg* fall, drop, *Fieber, Preise etc*: *a.* go down **4.** *Name, Bemerkung etc*: fall: ***es fielen harte Worte*** there were harsh words; ***sein Name fiel auch*** his name was mentioned too **5.** *Urteil etc*: fall, be made: ***die Entscheidung ist noch nicht gefallen*** the matter is still undecided **6.** SPORT *Tor etc*: be scored: ***die Entscheidung fiel in der letzten Minute*** the decider came in the last minute **7.** ***Schüsse fielen*** shots were fired **8.** *Hindernis, Schranke etc*: be removed, go **9.** *fig* ***an j-n ~*** *Erbe etc*: fall (*od* go) to s.o. **10.** ***~ auf*** (*Akk*) *Blick, Licht etc, fig Fest, Verdacht etc*: fall on: ***die Wahl fiel auf sie*** she was chosen **11.** ***~ unter*** come under **12.** ***~ in*** (*Akk*) fall into: ***in Schlaf ~*** fall asleep; *fig* ***j-m in den Arm ~*** restrain s.o.; → ***Ohnmacht*** 2
fällen *v/t* **1.** (*Baum etc*) cut down **2.** JUR ***ein Urteil ~*** (***über*** *Akk* on) pass sentence, *a. fig* pass judg(e)ment; → ***Entscheidung***
Fallgeschwindigkeit *f* PHYS rate of fall
fällig *Adj* WIRTSCH due, payable: ***längst ~*** (long) overdue; ***~ werden*** become due (*od* payable), (*verfallen*) expire
Fälligkeit *f* (***bei ~*** at) maturity
Fallobst *n* windfall
Fallout *m* KERNPHYSIK fallout
Fallrückzieher *m Fußball*: overhead kick
falls *Konj* if, in case: ***~ nicht*** if not, unless; ***~ sie kommt*** if she comes, if she should come, if she happens to come
Fallschirm *m* parachute **~absprung** *m* parachute jump (*od* descent) **~abwurf** *m* airdrop **~jäger(in)** MIL paratrooper **~springen** *n* parachute jumping, SPORT

skydiving **~springer(in)** parachutist, SPORT skydiver
Fallstrick *m fig* trap
Fallstudie *f* case study
Falltür *f* trapdoor
falsch I *Adj* **1.** wrong, (*unwahr*) *a.* untrue, *präd* not true: ***~e Darstellung*** misrepresentation **2.** (*künstlich*) false, (*gefälscht*) forged, fake(d), *Geld*: *a.* counterfeit: ***~er Name*** fictitious name **3.** (*unaufrichtig*) false, (*unangebracht*) *a.* misplaced **II** *Adv* **4.** wrongly, falsely (*etc*): ***~ aussprechen*** mispronounce; ***~ schreiben*** misspell; ***~ verstehen*** misunderstand; ***~ gehen*** *Uhr*: be wrong; ***~ singen*** sing out of tune; ***~ spielen*** cheat; ***~ geraten!*** wrong guess!; TEL ***~ verbunden!*** sorry, wrong number!
Falschaussage *f* JUR false testimony
fälschen *v/t allg* fake, (*Unterschrift, Urkunde etc*) *a.* forge, (*Geld*) *a.* counterfeit, WIRTSCH (*Bücher etc*) tamper with, F doctor **Fälscher(in)** forger, counterfeiter
Falschfahrer(in) wrong-way driver
Falschgeld *n* counterfeit money
Falschheit *f* falseness
fälschlich I *Adj* wrong, false **II** *Adv* → **fälschlicherweise** *Adv* wrongly, falsely, (*aus Versehen*) by mistake
Falsch|meldung *f* false report, hoax **~parken** parking offence **~spieler(in)** cardsharper, cheat
Fälschung *f* **1.** forging, (*Geld*≈) *a.* counterfeiting **2.** (*Bild etc*) fake, forgery
fälschungssicher *Adj* forgery-proof
Faltbett *n* folding bed **Faltblatt** *n* leaflet
Faltboot *n* folding canoe
Fältchen *n* wrinkle, *Pl* crow's-feet *Pl*
Falte *f* **1.** fold, (*Knitter*≈, *Bügel*≈) crease, (*Rock*≈) pleat: ***~n werfen*** pucker **2.** (*Runzel*) crease, wrinkle, line
fälteln *v/t* pleat
falten *v/t* fold, (*in Falten legen*) pleat
Faltenrock *m* pleated skirt
Falter *m* ZOOL butterfly
faltig *Adj* creased, *Haut*: *a.* wrinkled, *Gesicht*: *a.* lined
Faltkarton *m* collapsible cardboard box **Faltprospekt** *m* leaflet
Falz *m*, **falzen** *v/t* fold, TECH rabbet
familiär *Adj* **1.** family (*affairs etc*) **2.** *fig* (*vertraut*) familiar, (*zwanglos*) informal **3.** LING familiar, colloquial

Familie *f* family: **(*die*) *~ Miller*** the Miller family; ***e-e ~ gründen*** start a family; ***~ haben*** have children; ***es liegt in der ~*** it runs in the family
Familien|angehörige *m, f* member of the family **~angelegenheit** *f* family affair **~anschluss** *m* ***~ haben*** live (there) as one of the family **~betrieb** *m* family business (*od* farm) **~fest** *n* family celebration **~gericht** *n* JUR family court **~kreis** *m* family circle **~leben** *n* family life **~mitglied** *n* member of the family **~name** *m* surname, last name **~oberhaupt** *n* head of the family **~packung** *f* WIRTSCH family pack **~planung** *f* family planning **~rat** *m* family council **~roman** *m* roman fleuve **~sinn** *m* sense of family **~stand** *m* marital status **~vater** *m* **1.** head of the family **2.** family man **~verhältnisse** *Pl* family background *Sg* **~zuwachs** *m* new arrival (to the family)
Fan *m* fan
Fanatiker(in) fanatic **fanatisch** *Adj* fanatic(al) **Fanatismus** *m* fanaticism
Fang *m* **1.** *a. fig* catch, (*Fischzug*) *a.* haul **2.** ZOOL (*Vogelkralle*) claw, (*~zahn*) fang, *des Ebers*: tusk
Fangarm *m* ZOOL tentacle
fangen I *v/t* **1.** catch: ***sich ~ lassen*** get caught; ***Feuer ~*** catch fire **2.** *fig* catch, *durch Fragen etc*: trap **II** *v/refl* ***sich ~*** **3.** be caught **4.** *beim Stolpern etc*: catch o.s **5.** *fig* ***sich*** **(*wieder*)** ***~*** rally (*a. Sport*), recover, *weit. S.* get a grip on o.s. (again) **III** ≈ *n* **6.** ≈ ***spielen*** play catch (*Am* tag) **Fänger(in)** catcher
Fangfrage *f* trick question
Fangopackung *f* MED mud pack
Fangzahn *m* ZOOL fang
Fanklub *m* fan club
Fantasie *f* **1.** imagination, (*Geist*) mind: ***schmutzige ~*** dirty mind; ***nur in s-r ~*** only in his mind; ***ohne ~*** → ***fantasielos*** **2.** *mst Pl* fantasy **3.** MUS fantasia **fantasielos** *Adj* unimaginative

⚠ Fantasie ≠ fantasy

Fantasie	=	imagination
fantasy	=	Fantasiegebilde, Hirngespinst

Fantasiepreis *m* exorbitant price

fantasiereich → ***fantasievoll***
fantasieren *v/i* **1.** (day)dream, fantasize **2.** MED be delirious, rave (*a. fig* ***von*** about) **3.** MUS improvise
fantasievoll *Adj* imaginative
Fantast(in) visionary **Fantasterei** *f* fantasy **fantastisch** *Adj* fantastic(ally *Adv*), F (*großartig*) *a.* terrific(ally *Adv*), (*unglaublich*) *a.* incredible
Farb|abzug *m* FOTO colo(u)r print **~aufnahme** *f* colo(u)r photo **~band** *n* typewriter ribbon **~display** *n* IT colo(u)r display **~drucker** *m* colo(u)r printer
Farbe *f* **1.** colo(u)r, (*Farbton*) *a.* shade, (*Anstrich, Mal*~) paint, *für Haar, Stoff*: dye: ***in ~*** TV in colo(u)r; → ***leuchtend*** **2.** (*Gesichts*~) complexion, colo(u)r **3.** *Kartenspiel*: suit: ***~ bekennen*** follow suit, *fig* show one's true colo(u)rs **4.** *Pl e-s Klubs etc*: colo(u)rs *Pl*

Farben

blau	**blue**
braun	**brown**
gelb	**yellow**
grau	**grey**, *Am* **gray**
grün	**green**
lila	**lilac**
orange	**orange**
rosa	**pink**
rot	**red**
schwarz	**black**
violett	**purple**
weiß	**white**

Farbabstufungen

dunkelblau	**dark blue**, *bes Kleidung*: **navy**
dunkelgelb	**dark yellow**
dunkelgrün	**dark green**
dunkelrot	**dark red**
hellblau	**light blue**
hellgelb	**light/pale yellow**
hellgrün	**light green**
hellrot	**light red**
knallrot	**bright red**
lila	**lilac**, *dunkler*: **mauve**
orange	**orange**
pink	⚠ **shocking pink**
purpur(rot)	**crimson**
rosa	**pink**
türkis	**turquoise**
violett	**purple**, *heller*: **violet**

Die deutsche Endung -lich bei Farben wird im Englischen meist durch **-ish** bzw. **-y** wiedergegeben. Beachten Sie dabei auch die Schreibweise:

bläulich	**bluish**, **bluey**
bräunlich	**brownish**, **browny**
gelblich	**yellowish**, **yellowy**
gräulich	**greyish**, *Am* **grayish**
grünlich	**greenish**, **greeny**
rötlich	**reddish**, **reddy**
weißlich	**whitish**

farbecht *Adj* colo(u)rfast, nonfading
färben I *v/t* **1.** (*Haar, Stoff*) dye, (*Glas, Papier*) stain, (*tönen*) tint, colo(u)r (*a. fig*): ***gefärbter Bericht*** colo(u)red report **2.** (*ab~*) stain, lose colo(u)r **II** *v/refl* ***sich ~*** **3.** (*Laub*: change) colo(u)r: ***sich rot*** *etc* ***~*** turn red *etc*
farbenblind *Adj* colo(u)r-blind
farben|freudig, ~froh *Adj* colo(u)rful
Farbenlehre *f* PHYS theory of colo(u)rs
farbenprächtig *Adj* colo(u)rful
Farbenspiel *n* play of colo(u)rs
Farb|fernsehen *n* colo(u)r television (*od* TV) **~fernseher** *m*, **~fernsehgerät** *n* colo(u)r television (*od* TV) set **~film** *m* colo(u)r film **~filter** *n, m* FOTO colo(u)r filter **~foto** *n* colo(u)r photo **~fotografie** *f* **1.** colo(u)r photography **2.** (*Bild*) colo(u)r photo **~gebung** *f* colo(u)r scheme
farbig *Adj* colo(u)red (*a. Rasse*), *fig* colo(u)rful **Farbige** *m, f* colo(u)red person (*od* man, woman): ***die ~n*** the col-

o(u)red people; → *Info bei* **politically correct**
Farbkopierer *m* colo(u)r copier
farblich *Adj* colo(u)r, *a. Adv* in colo(u)r
farblos *Adj a. fig* colo(u)rless
Farbskala *f* colo(u)r chart **Farbstift** *m* colo(u)red pencil, crayon **Farbstoff** *m* TECH dye, (*Lebensmittel*≈) colo(u)ring **Farbton** *m* **1.** hue, *heller*: tint, *dunkler*: shade **2.** MALEREI, FOTO tone
Färbung *f a. fig* colo(u)ring, hue
Farbwiedergabe *f* colo(u)r fidelity
Farbzusammenstellung *f* colo(u)r scheme
Farce *f* THEAT burlesque, *a. fig* farce
Farm *f* farm **Farmer(in)** farmer
Farn *m*, **Farnkraut** *n* BOT fern
Fasan *m* ZOOL pheasant
faschieren *v/t österr.* mince
Fasching *m*, **Faschings...** carnival
Faschismus *m* fascism **Faschist(in)**, **faschistisch** *Adj* fascist
Faselei *f*, **faseln** *v/i* F drivel
Faser *f* ANAT, BOT fibre, *Am* fiber
faserig *Adj* fibrous, *Fleisch etc*: stringy
fasern *v/i* fray
Fass *n* barrel, *kleines*: keg, (*Bottich*) vat, tub: ***Bier vom** ~* → **Fassbier**; ***(frisch) vom** ~ beer* on tap (*od* draught), *wine* from the wood; *fig* ***das ist ein ~ ohne Boden*** there is no end to it; ***das schlägt dem ~ den Boden aus!*** that's the last straw!
Fassade *f* façade, front (*a. fig*)
fassbar *Adj* **1.** (*verständlich*) comprehensible: ***schwer ~*** difficult (to understand) **2.** → ***greifbar*** 2
Fassbier *n* draught beer
fassen **I** *v/t* **1.** (*ergreifen*) take hold of, grasp, (*packen*) seize, *a.* TECH grip: F ***zu ~ kriegen*** get hold of; ***j-n an*** (*od* ***bei***) ***der Hand ~*** take s.o. by the hand **2.** (*Verbrecher etc*) apprehend, catch **3.** (*ein~*) mount (*in silver etc*), (*Edelstein*) *a.* set **4.** *räumlich*: hold, (*Personen*) *a.* accommodate, seat, (*enthalten*) contain **5.** *fig* (*begreifen*) grasp, understand, (*glauben*) believe: ***nicht zu ~*** unbelievable, incredible **6.** (*ausdrücken*) put, formulate: ***etw in Worte ~*** put s.th. into words **7.** *fig* ***e-n Gedanken ~*** form an idea; → ***Beschluss, Entschluss, Fuß*** 1, ***Plan***[2] 1 **II** *v/i* **8.** ***~ an*** (*Akk*) touch; ***~ nach*** grasp at **III** *v/refl* ***sich ~*** **9.** regain one's composure, compose o.s.: → ***gefasst*** 1 **10.** ***sich kurz ~*** be brief; ***fasse dich kurz!*** make it brief!; → ***Geduld***
Fassette *f* → ***Facette***
Fasson *f* **1.** (*Form*) shape, (*Schnitt*) cut: *fig* ***nach s-r*** (***eigenen***) ***~*** after one's own fashion **2.** → **Fassonschnitt** *m* (*Frisur*) trim, short back and sides
Fassung *f* **1.** *e-r Brille*: frame, *e-r Lampe*: socket, *e-s Edelsteins*: setting **2. a)** (*Ab*≈) formulation, **b)** text, wording, **c)** version (*of book, film, etc*) **3.** (*Beherrschung*) composure: ***j-n aus der ~ bringen*** put s.o. out; ***die ~ bewahren*** keep one's head; ***die ~ verlieren*** lose one's composure (*vor Wut*: temper); ***s-e ~ wiedergewinnen*** → ***fassen*** 9; ***er war ganz außer ~*** he was completely beside himself; → ***ringen*** I
Fassungskraft *f* (powers *Pl* of) comprehension, mental capacity
fassungslos *Adj* stunned, speechless: ***~ vor Schmerz*** (***Glück***) beside o.s. with grief (joy) **Fassungslosigkeit** *f* shock
Fassungsvermögen *n* **1.** capacity **2.** → ***Fassungskraft***
fast *Adv* almost, *vor Zahlenangaben*: *a.* nearly, *in Verneinungen*: hardly: ***~ nie*** hardly ever; ***~ nichts*** *a.* next to nothing
fasten **I** *v/i* fast **II** ≈ *n* fast(ing)
Fastenkur *f* starvation cure **Fastentag** *m* day of fasting **Fastenzeit** *f* Lent
Fast Food *n* fast food
Fastnacht *f* **1.** Shrove Tuesday, Mardi gras **2.** → ***Fasching(s...)***
Faszination *f* fascination
faszinieren *v/t* fascinate, mesmerize
fatal *Adj* **1.** (*verhängnisvoll*) fatal, disastrous **2.** (*peinlich*) (very) awkward
Fatalismus *m* fatalism **Fatalist(in)** fatalist **fatalistisch** *Adj* fatalist(ic)
Fata Morgana *f a. fig* fata morgana
fauchen *v/i* snarl, *Katze*: spit, hiss
faul *Adj* **1.** *Obst, Ei, Zahn etc*: rotten (*a. Holz*), bad, *Fisch, Fleisch*: bad, off, (*stinkend*) putrid **2.** F *fig* rotten, *Kompromiss etc*: hollow: ***~er Kunde*** shady customer; ***~e Sache*** fishy business; ***~er Witz*** bad joke; ***an der Sache ist etw ~*** there is s.th. fishy about it **3.** (*träge*) lazy, idle **faulen** *v/i* go bad, rot
faulenzen *v/i* loaf, laze around, *pej a.* be

lazy **Faulenzer(in)** idler, (*Faulpelz*) lazybones *Sg* **Faulheit** *f* laziness
faulig *Adj* rotten, (*modrig*) mo(u)ldy, (*faulend*) rotting **Fäulnis** *f* rottenness, decay (*a.* MED), (*Verwesung*) putrefaction: ***in ~ übergehen*** (begin to) rot
Faulpelz *m* F lazybones *Sg*
Faultier *n* **1.** ZOOL sloth **2.** → ***Faulpelz***
Faun *m* faun
Fauna *f* fauna
Faust *f* fist: *fig* ***auf eigene ~*** F off one's own bat; ***mit eiserner ~*** with an iron hand; ***mit der ~ auf den Tisch schlagen*** put one's foot down; ***das passt wie die ~ aufs Auge*** **a)** (*passt nicht*) it goes together like chalk and cheese, **b)** *iron* (*passt genau*) it fits (perfectly); → ***ballen*** 2 **Fäustchen** *n fig* ***sich ins ~ lachen*** laugh up one's sleeve **faustdick** *Adj* as big as your fist: F *fig* ***e-e ~e Lüge*** a whopping great lie; *Adv* ***er hat es ~ hinter den Ohren*** he's a sly one
faustgroß *Adj* as big as your fist
Faust|handschuh *m* mitt(en) **~schlag** *m* punch **~skizze** *f* rough sketch
Fauteuil *m österr.* armchair
favorisieren *v/t* favo(u)r
Favorit(in) *a.* SPORT favo(u)rite
Fax *n*, **faxen** *v/t* TEL F fax **Faxanschluss** *m* fax connection: ***haben Sie e-n ~?*** have you got a fax machine?
Faxen *Pl* nonsense *Sg*: ***~ machen*** **a)** pull faces, **b)** clown about
Faxnummer *f* fax number
Fazit *n* result, upshot, (*Schlussfolgerung*) conclusion: ***das ~ ziehen aus*** sum *s.th.* up, draw one's conclusion from
FCKW *Abk* (= ***Fluorchlorkohlenwasserstoff***) CFC
Feber *m österr.* → ***Februar***
Februar *m* (***im ~*** in) February
Fecht... fencing (*glove*, *mask*, *etc*)
fechten I *v/i* **1.** fence, (*kämpfen*, *a. fig*) fight **2.** F (*betteln*) beg: ***~ gehen*** go begging **II** ♀ *n* **3.** fencing **Fechter(in)** fencer
Fechtsport *m* fencing
Feder *f* **1.** feather, (*Schmuck*♀) plume: *fig* ***sich mit fremden ~n schmücken*** adorn o.s. with borrowed plumes; F ***noch in den ~n liegen*** be still in bed; *fig* ***~n lassen müssen*** not to escape unscathed **2.** (*Schreib*♀) pen, (*Spitze*) nib **3.** TECH spring **Federball** *m* shuttlecock, (*Spiel*) badminton
Federbett *n* duvet, featherbed
federführend *Adj* responsible
Federgewicht(ler *m*) *n* SPORT featherweight **Federhalter** *m* fountain pen
Federkernmatratze *f* spring-interior mattress
federleicht *Adj* (as) light as a feather
Federlesen *n fig* ***nicht viel ~s machen mit*** make short work of
federn I *v/i* be springy, be elastic, (*nachgeben*) give, (*schnellen*) bounce **II** *v/t a.* TECH spring, cushion: ***gut gefedert*** well sprung
federnd *Adj* springy, elastic, resilient
Federung *f* springs *Pl*, MOT suspension
Feder|vieh *n* poultry **~zeichnung** *f* pen-and-ink drawing
Fee *f* fairy: ***gute ~*** fairy godmother
Fegefeuer *n* purgatory
fegen I *v/t* **1.** sweep: ***Schnee ~*** clear away the snow **2.** *schweiz.* scrub; → ***Platz*** 5 **II** *v/i a. fig* sweep, F (*flitzen*) *a.* flit, rush
Fehde *f* (***in ~ liegen*** be at) feud
fehl *Adv* → ***Platz*** 2
Fehlanzeige *f* MIL, TECH nil return: F ***~!*** negative! **fehlbar** *Adj* fallible
Fehlbarkeit *f* fallibility
Fehlbesetzung *f* **1.** THEAT miscast **2.** *Sport etc*: wrong choice
Fehlbetrag *m* deficit
Fehlbezeichnung *f* misnomer
Fehldiagnose *f* MED wrong diagnosis
Fehleinschätzung *f* misjudg(e)ment
fehlen I *v/i* **1.** be absent (***in*** *der Schule*, ***bei*** *e-r Sitzung etc* from) **2.** (*nicht vorhanden sein*) be missing: ***ihm ~ zwei Zähne*** he has two teeth missing; ***du hast uns sehr gefehlt!*** we really missed you! **3.** (*mangeln*) be lacking: ***ihm fehlt*** (***es an***) ***Mut*** he is lacking (in) courage; ***uns fehlt es am nötigen Geld*** we haven't got the money; ***es ~ uns immer noch einige Helfer*** we still need some helpers; ***es fehlt uns an nichts*** we have got everything we want; ***es fehlte an jeder Zs.-arbeit*** there was no cooperation whatsoever; ***das fehlte gerade noch!*** that's all we *etc* needed!; ***wo fehlts denn?*** what's the trouble?; ***fehlt Ihnen etwas?*** is anything wrong with you?; ***es fehlte nicht viel, und er ...*** he very nearly

Fax

FAX TO:	**Ms Anne Spencer, Northern Cameras, Liverpool**	FAX AN:	Frau Anne Spencer, Northern Cameras, Liverpool
FAX No.:	**0 04 41 51-7 94 11 99**	FAX Nr.:	0 04 41 51-7 94 11 99
FROM:	**Stephan Ebner**	VON:	Stephan Ebner
FAX:	**(00 49) 89-3 22 73 60**	FAX:	(00 49) 89-3 22 73 60
RE:	**Fuji MX 500 Digital Camera**	BETREFF:	FujiMX 500 Digitalkamera
DATE:	**29th October 1999**	DATUM:	29. Oktober 1999
PAGES	**(including cover sheet): 1**	SEITEN	(inklusive Deckblatt): 1

Dear Ms Spencer,

Three months ago, while I was on holiday in England, I bought a Fuji MX 500 Digital Camera from your shop. Unfortunately right from the beginning the autofocus did not work to my satisfaction and I need to get it repaired here in Germany.

I was told when I bought the camera that it was under a 2-year world-wide guarantee. I would be grateful if you could confirm this by return fax and let me know where I can get it fixed in Munich.

Thank you very much for your help.

Yours sincerely,

Stephan Ebner

Sehr geehrte Frau Spencer,

vor drei Monaten habe ich während eines Urlaubs in England in Ihrem Geschäft eine Digitalkamera Fuji MX 500 gekauft. Leider hat der Autofocus von Anfang an nicht zufriedenstellend funktioniert, und ich muss ihn hier in Deutschland reparieren lassen.

Beim Kauf wurde mir gesagt, dass für die Kamera weltweit eine zweijährige Garantie gewährt wird. Ich wäre Ihnen dankbar, wenn Sie mir dies per Fax umgehend bestätigen könnten und mir mitteilen würden, wo ich in München die Kamera reparieren lassen kann.

Vielen Dank für Ihre Hilfe.

Mit freundlichen Grüßen

Stephan Ebner

… **4.** *fig* ***weit gefehlt!*** **a**) try again **b**) (*nichts dergleichen*) he *etc* couldn't be more wrong **II** ≈ *n* **5.** absence (***bei, in*** *Dat* from), *bes häufiges*: absenteeism **6.** (*Mangel*) lack, absence **fehlend** *Adj* **1.** absent **2.** (*nicht vorhanden*) missing **3.** (*ausstehend*) outstanding **Fehlentscheidung** *f* wrong decision (*a. Sport*), mistake **Fehlentwicklung** *f* undesirable development

Fehler *m* **1.** *a. fig* mistake, error, *fig u.* SPORT fault: ***grober ~*** blunder; ***e-n ~ machen*** make a mistake; ***dein*** (***eigener***) ***~!*** (that's) your (own) fault! **2.** (*Mangel*) fault, defect, *bes* TECH flaw **fehlerfrei** *Adj* faultless, perfect, (*makellos*) flawless **fehlerhaft** *Adj* faulty (*a.* TECH), (*unrichtig*) incorrect, full of mistakes: TECH ***~e Stelle*** flaw **Fehlermeldung** *f* IT error message **Fehlerquelle** *f* source of error (TECH trouble) **Fehlerquote** *f* error rate **Fehlerverzeichnis** *n* errata *Pl*

F

Fehlgeburt *f* MED miscarriage
fehlgeleitet *Adj fig* misguided
Fehl|griff *m* mistake, (*falsche Wahl*) *a.* wrong choice **~investition** *f* bad investment **~kalkulation** *f* miscalculation **~kauf** *m* bad buy **~konstruktion** *f* **a**) faulty design, **b**) s.th. badly designed **~leistung** *f* (***freudsche ~*** Freudian) slip **~pass** *m* SPORT bad pass
Fehlplanung *f* bad planning
Fehlschlag *m fig* failure, F washout
fehlschlagen *v/i fig* fail, go wrong
Fehl|schluss *m* fallacy **~schuss** *m* miss **~start** *m* false start: ***e-n ~ verursachen*** jump the gun **~tritt** *m a. fig* slip **~urteil** *n* misjudg(e)ment, judicial error **~verhalten** *n* lapse **~versuch** *m* SPORT unsuccessful attempt **~wurf** *m* SPORT miss **~zeit** *f Gleitzeit*: time debit
fehlzünden *v/i*, **Fehlzündung** *f* MOT misfire, backfire
Feier *f* celebration, party, fête, (*Festakt*) ceremony: ***zur ~ des Tages*** to mark the occasion **Feierabend** *m* ***~ machen*** finish (work), F knock off (work), *Geschäft*: close; ***nach ~*** after work
feierlich *Adj* solemn, (*förmlich*) ceremonious: *Adv* ***~ begehen*** celebrate
Feierlichkeit *f* **1.** solemnity, ceremoniousness **2.** (*Feier*) ceremony
feiern I *v/t allg* celebrate, (*Festtag*) *a.* keep, observe, (*Jahrestag*) *a.* commemorate **II** *v/i* celebrate, have a party: F *fig* ***~ müssen*** *Arbeiter*: be laid off
Feiertag *m* (***gesetzlicher ~*** public) holiday; ***kirchlicher ~*** religious holiday
feige *Adj* cowardly
Feige *f* BOT fig **Feigenbaum** *m* fig tree
Feigenblatt *n a. fig* fig leaf
Feigheit *f* cowardice
Feigling *m* coward

Feile *f* file
feilen *v/t u. v/i* file: *fig* ***~ an*** (*Dat*) polish
feilschen *v/i* haggle (***um*** about)
fein I *Adj* **1.** *allg* fine, (*dünn, zart*) *a.* delicate: ***~es Gebäck*** fancy cakes *Pl*; ***~er Regen*** (light) drizzle **2.** *Qualität*: fine, (*erlesen*) *a.* choice, excellent, (*elegant*) elegant, (*vornehm*) refined: ***~e Art, ~er Ton*** good form; F ***sich ~ machen*** dress up; ***nur vom 2sten*** only of the best **3.** *Ohr, Gespür etc*: keen, fine, sensitive: ***~er Humor*** subtle humo(u)r; ***~er Unterschied*** subtle (*od* fine) distinction **4.** (*nett*) *a. iron* nice, fine: ***~!*** fine!, good! **II** *Adv* **5.** finely (*etc*): *a. fig* ***~ gesponnen*** fine-spun; ***er ist ~ heraus*** he's sitting pretty
Feinabstimmung *f* ELEK, TECH *u. fig* fine tuning **Feinarbeit** *f* precision work
Feinbäckerei *f* patisserie
Feind *m* enemy, *rhet* foe, (*Gegner*) adversary: ***Freund und ~*** friend and foe; ***sich ~e machen*** make enemies; ***sich j-n zum ~ machen*** antagonize s.o.
Feindin *f* enemy
feindlich *Adj* MIL enemy (*troops etc*), *a. Person, Haltung etc*: hostile (***gegen*** to[-wards]): WIRTSCH ***~e Übernahme*** hostile takeover
Feindlichkeit *f* hostility
Feindschaft *f* enmity, hostility, antagonism
feindselig *Adj* hostile (***gegen*** to)
Feindseligkeit *f* hostility (***gegen*** to): MIL ***die ~en einstellen*** cease hostilities
Feindstaat *m* enemy state
Feineinstellung *f* TECH fine adjustment
feinfühlig *Adj* sensitive, delicate, tactful
Feingefühl *n* sensitiveness, (*Takt*) tact
Feingehalt *m* standard
Feingold *n* fine gold
Feinheit *f allg* fineness, (*Zartheit*) *a.* delicacy, (*Erlesenheit*) *a.* exquisiteness, (*Vornehmheit*) refinement, (*Eleganz*) elegance, (*Raffinesse*) subtlety: ***die ~en*** the finer points, the niceties; ***die letzten ~en*** the finishing touches
Feinkost *f* delicatessen *Pl*
Feinkostladen *m* delicatessen (shop)
feinmaschig *Adj* fine-meshed
Feinmechanik *f* precision mechanics *Sg*
Feinschmecker(in) gourmet, F foodie

Feinschmeckerlokal *n* gourmet restaurant
Feinschnitt *m Tabak*: fine cut
feinsinnig *Adj Person*: sensitive
Feinwäsche *f* delicate fabrics *Pl*
Feinwaschmittel *n* washing powder for delicate fabrics
Feinwerktechnik *f* precision mechanics *Sg*
feist *Adj* fat, stout
feixen *v/i* F smirk
Feld *n allg* field (*a. fig Gebiet*), ARCHI *a.* panel, (*Schach*2 *etc*) square: ***auf dem ~*** in the field; ***im ~ arbeiten*** WIRTSCH, *Forschung etc*: do fieldwork; ***das ~ anführen*** SPORT lead the field; *fig* ***das ~ behaupten*** stand one's ground; ***das ~ räumen*** beat a retreat; ***zu ~e ziehen gegen*** fight (*od* campaign) against
Feld|arbeit *f* **1.** LANDW work in the fields **2.** WIRTSCH, *Forschung etc*: fieldwork **~bett** *n* campbed **~flasche** *f* MIL water bottle **~forschung** *f* field research, fieldwork **~früchte** *Pl* field crop(s *Pl*) **~herr(in)** *hist* general **~hockey** *n* field hockey
Feld|küche *f* field kitchen **~lager** *n* bivouac, camp **~lazarett** *n* casualty clearing station, *Am* evacuation hospital **~marschall(in)** field marshal
Feldsalat *m* BOT lamb's lettuce
Feldspat *m* MIN feldspar
Feldspieler(in) SPORT outfield player
Feldstecher *m* field glasses *Pl*, binoculars *Pl*
Feldstudie *f* field study
Feldversuch *m* field test
Feld-, Wald- und Wiesen-... F common-or-garden ...
Feldwebel(in) MIL sergeant
Feldweg *m* country lane
Feldzug *m* MIL campaign
Felge *f* **1.** TECH rim **2.** SPORT circle
Felgenbremse *f* rim brake
Fell *n* **1.** ZOOL coat **2.** *abgezogenes*: hide, skin (*a. hum Haut*), *ungegerbtes*: pelt, *gegerbtes*: fur: ***das ~ abziehen*** (*Dat*) skin; *fig* ***ein dickes ~ haben*** have a thick skin; F ***j-m das ~ über die Ohren ziehen*** fleece s.o.; ***s-e ~e davonschwimmen sehen*** see one's hopes dashed
Fels *m a. fig* rock **~block** *m* boulder
Felsen *m* rock, cliff
felsenfest *Adj* unshakable: *Adv* ***ich bin ~ davon überzeugt*** I'm absolutely convinced of it
Felsen|küste *f* rocky coast **~riff** *n* reef
felsig *Adj* rocky
Felsklettern *n* rock climbing
Felsspalte *f* crevice **Felswand** *f* wall of rock, rock face **Felszacke** *f* crag
feminin *Adj* feminine (*a.* LING), *pej* effeminate
Feminismus *m* feminism
Feminist(in), **feministisch** *Adj* feminist
Fenchel *m* BOT fennel
Fenster *n* window (*a.* COMPUTER): *fig* POL ***ein ~ nach dem Westen*** a gate to the west; ***das Geld zum ~ hinauswerfen*** throw one's money away; F ***er ist weg vom ~*** he has had his chips **~bank** *f*, **~brett** *n* windowsill **~briefumschlag** *m* window envelope **~glas** *n* window glass **~laden** *m* shutter **~leder** *n* chamois (leather) **~platz** *m* window seat **~rahmen** *m* window frame **~scheibe** *f* windowpane
Ferien *Pl* holidays *Pl*, *bes* JUR, UNI *od Am* vacation *Sg*, PARL recess *Sg*: ***die großen ~*** the long vacation; ***~ machen*** go on holiday (*Am* vacation)
Ferien... holiday (*camp*, *home*, *village*, *etc*) **~kurs** *m* vacation course **~lager** *n* holiday camp **~ort** *m* holiday resort **~reise** *f* holiday (*Am* vacation) trip **~reisende** *m*, *f* holidaymaker **~wohnung** *f* holiday flat **~zeit** *f* holiday period
Ferkel *n* ZOOL young pig, piglet: *fig pej* ***du ~!*** you (dirty) pig!
Ferment *n* enzyme, ferment
fern I *Adj* far (*a. Adv*), (*entfernt*) far-off, *a. fig* distant, remote: ***der 2e Osten*** the Far East; ***von ~*** from (*od* at) a distance, from afar; *fig* ***in nicht allzu ~er Zukunft*** in the not too distant future; ***~ halten*** keep away (*a.* ***sich ~ halten***, ***von*** from): ***j-n von sich ~ halten*** keep s.o. at a distance; ***etw von j-m ~ halten*** keep s.th. from s.o.; ***es liegt mir ~ zu*** *Inf* far be it from me to *Inf*; ***nichts lag mir ~er*** (***als***) nothing was farther from my mind (than); ***j-m ~ stehen*** have no contact (*od* connection) with s.o. **II** *Präp* (*Dat*) far (away) from **fernab** *Adv* far away
Fern|abfrage *f* TEL remote control facil-

F

ity **~amt** *n* TEL long-distance exchange **~auslöser** *m* FOTO cable release **~bedienung** *f* remote control **≈bleiben I** *v/i* (*Dat* from) stay away, *der Schule etc*: be absent **II** ≈ *n* absence, *häufiges*: absenteeism **~blick** *m* vista **~diagnose** *f* telediagnosis

Ferne *f* distance: ***aus der ~*** from (*od* at) a distance, from afar; ***in der ~*** far away, far off; *fig* (***noch***) ***in weiter ~*** (still) a long way off

ferner I *Adj* further: → *a.* ***fern*** **II** *Adv* further(more), besides: ***~ liefen*** SPORT also ran; F *fig* ***er erschien unter ~ liefen*** he was among the also rans

Fernfahrer(in) MOT long-distance lorry driver, *Am* long-haul truck driver, F trucker **Fernfahrt** *f* long-distance trip

Fernflug *m* long-distance flight

Ferngespräch *n* long-distance call

ferngesteuert *Adj* remote-controlled: ***~es Geschoss*** guided missile

Fernglas *n* binoculars *Pl*

Fernheizung *f* district heating

fernher *Adv* (***von***) ~ from afar

Fernkopierer *m* telecopier

Fernkursus *m* correspondence course

Fern|laster *m* F, **~lastwagen** *m* long-distance lorry, *Am* long-haul truck

Fernleitung *f* TEL long-distance line, ELEK transmission line, TECH pipeline

Fern|lenkung *f* remote control **~lenkwaffe** *f* guided weapon (*od* missile)

Fernlicht *n* MOT full (*od* high) beam

Fernmelde|amt *n* telephone exchange **~satellit** *m* communications satellite **~technik** *f* (tele)communications *Sg* **~turm** *m* radio and TV tower **~wesen** *n* telecommunications *Sg*

fernmündlich → ***telefonisch***

Fernost..., **fernöstlich** *Adj* Far Eastern

Fernrohr *n* telescope

Fernschreiben *n* (***per ~*** by) telex

Fernschreiber *m* telex machine

Fernseh... television (*od* TV) (*aerial, camera, interview, studio, network, etc*) **~ansager(in)** telecaster **~ansprache** *f* televised address **~anstalt** *f* → ***Fernsehsender*** 2 **~apparat** *m* → ***Fernsehgerät*** **~debatte** *f* televised debate **~diskussion** *f* TV panel discussion **~empfänger** *m* → ***Fernsehgerät***

Fernsehen I *n* (***im ~*** on) television (*od* TV): ***etw im ~ bringen*** (*od* ***übertragen***) telecast (*od* televise) s.th. **II** ≈ *v/i* watch television, teleview **Fernseher** *m* F **1.** → ***Fernsehgerät*** **2.** televiewer

Fernseh|fassung *f* television (*od* TV) adaptation **~gebühr** *f* television licence fee **~gerät** *n* television set, TV (set) **~programm** *n* **1.** television (*od* TV) program(me *Br*) **2.** (*Heft*) program(me *Br*) guide **~rechte** *Pl* television rights *Pl* **~röhre** *f* television tube **~satellit** *m* TV satellite **~schirm** *m* (television) screen **~sender** *m* **1.** television transmitter **2.** (*Anstalt*) television (broadcasting) station **3.** (*Kanal*) television channel **~sendung** *f* television (*od* TV) program(me *Br*), telecast **~spiel** *n* television play **~teilnehmer(in)** **1.** TV licen/ce (*Am* -se) holder **2.** → ***Fernsehzuschauer(in)*** **~turm** *m* television tower **~übertragung** *f* television (*od* TV) broadcast **~zeitschrift** *f* TV guide **~zuschauer(in)** television viewer, televiewer, *Pl a.* television audience *Sg*, viewing public *Sg*

Fernsicht *f* view

Fernsprech... → *a.* ***Telefon...*** **~amt** *n* telephone exchange **~auftragsdienst** *m* answering service **~automat** *m* pay phone **~buch** *n* telephone directory, F phone book

Fernsprecher *m* (***öffentlicher ~*** public) telephone, F phone

Fernsprechgebühren *Pl* telephone charges *Pl* **Fernsprechnetz** *n* telephone system **Fernsprechteilnehmer(in)** telephone subscriber

fern|steuern *v/t* operate *s.th.* by remote control **≈steuerung** *f* remote control

Fern|straße *f* major road, (*Autobahn*) motorway, *Am* freeway **~studium** *n* → ***Fernunterricht*** **~tourismus** *m* long-haul tourism **~transport** *m* long-distance (*Am* long-haul) transport **~überwachung** *f* remote monitoring **~unterricht** *m* correspondence course **~verkehr** *m* long-distance traffic **~verkehrsstraße** *f* → ***Fernstraße*** **~waffe** *f* long-range weapon **~wärmenetz** *n* long-distance heating system **~ziel** *n* long-term objective **~zug** *m* long-distance train **~zugriff** *m* IT remote access

Ferse *f allg* heel: ***j-m auf den ~n*** **a)** ***sein*** be hard on s.o.'s heels, **b)** ***folgen*** dog s.o.'s footsteps

fertig I *Adj* **1.** (*bereit*) ready: (**Achtung,**) **~, los!** ready, steady, go! **2.** (*beendet*) finished, completed: **~ sein mit** have finished (with); *fig* **~ werden mit** cope (*od* deal) with, (*Kummer etc*) get over; (**gut**) **ohne ... ~ werden** manage (*od* get along) (quite well) without ... **3.** WIRTSCH finished, TECH prefabricated, *Kleidung*: ready-made, *Essen*: ready--to-eat, precooked **4.** *fig* accomplished, (*gereift*) mature **5.** F *fig* **a)** *a.* **fix und ~** (*erschöpft*) bushed, **b)** (*ruiniert*) done for, **c)** (*sprachlos*) flabbergasted: **der ist ~!** he has had it! **II** *Adv* **6. etw ~ bringen** get s.th. done, manage s.th., brin s.th. off; **es ~ bringen zu** *Inf* manage to *Inf*; **ich brachte es nicht ~** I couldn't do it, *weit. S.* I couldn't bring myself to do it; **~ machen a)** get *s.o., s.th.* ready, **b)** (*vollenden*) finish, **c)** F **j-n ~ machen a)** (*erschöpfen, umbringen*) finish s.o. (off), (*zermürben*) get s.o. down, **b)** (*hart kritisieren*) slam s.o., **c)** (*verprügeln*) mess s.o. up, clobber s.o. (*a. Sport*); **~ stellen** finish, complete

Fertigbauweise *f* TECH prefabricated construction

fertigen *v/t* make, produce

Fertigerzeugnis *n*, **Fertigfabrikat** *n* finished product **Fertiggericht** *n* GASTR instant meal **Fertighaus** *n* prefabricated house, F prefab

Fertigkeit *f* (*Geschick*) skill, (*Begabung*) talent, (*Können*) proficiency (**in** *Dat* in)

Fertigprodukt *n* finished product

Fertigstellung *f* completion

Fertigteil *n* prefabricated part, *Pl* assembly units *Pl*

Fertigung *f* manufacture, production

Fertigungsstraße *f* TECH production line

Fes *m* fez

fesch *Adj* **1.** F (*modisch*) smart, chic **2.** F (*hübsch*) attractive **3.** *österr.* (*nett*) nice: **sei ~!** be a good boy/girl!

Fessel[1] *f mst Pl a. fig* shackle, (*Fuß*~) fetter, (*Handschelle*) handcuff: **j-m ~n anlegen, j-n in ~n legen** → **fesseln** 1

Fessel[2] *f* **1.** ANAT ankle **2.** ZOOL pastern

fesseln *v/t* **1. j-n ~** tie s.o. up (**an** *Akk* to), *mit Handschellen*: handcuff s.o. **2.** *fig* **ans Bett gefesselt** confined to one's bed, bedridden **3.** *fig* fascinate, captivate, (*Aufmerksamkeit, Auge etc*) catch **fesselnd** *Adj fig* fascinating, riveting, gripping

fest I *Adj* **1.** *allg* firm (*a. fig Absicht, Entschluss etc, a.* WIRTSCH *Börse, Kurse etc*), (*hart*) hard, *Währung*: *a.* stable, (*nicht flüssig*, *~gefügt*) solid, (*widerstandsfähig*) strong, (*starr*) fixed, TECH *a.* (*orts~*) stationary, (*straff, a. Schraube*) tight, (*gut befestigt*) firmly fixed: **~ werden** harden, *Flüssigkeit*: solidify, *Zement etc*: set **2.** *fig Einkommen, Kosten, Preise, Termin etc*: fixed, *Abmachung*: *a.* binding, *Kunde*: regular, *Stellung, Wohnsitz*: permanent, F *Freund(in)*: steady: **~er Wohnsitz** JUR *a.* fixed abode; **~er Schlaf** sound sleep; **~e Freundschaft** lasting friendship **II** *Adv* **3.** firmly (*etc*): **~ schlafen** sleep soundly; **etw ~ abmachen** settle s.th. definitely; **Kapital ~ anlegen** tie up capital; *Geld*: **~ angelegt** tied-up; **j-n ~ anstellen** employ s.o. on a permanent basis; **~ angestellt** permanently employed; (F **steif und**) **~ behaupten, dass ...** (absolutely) insist that ...; **ich bin ~ davon überzeugt, dass ...** I'm absolutely convinced that ...; **das habe ich** (**ihm**) **~ versprochen** I gave (him) my word for it; *a. fig* **~ verwurzelt** deeply rooted **4.** F *a.* **~e** (*mächtig*) properly: **immer ~e!** go at it!

Fest *n* **1.** celebration, festivities *Pl*, (*Gesellschaft*) party: **ein ~ feiern** celebrate **2.** (*~tag*) holiday, REL feast: **Frohes ~! a)** Merry Christmas!, **b)** Happy Easter!

Festakt *m* ceremony

festbinden *v/t* tie *s.o., s.th.* up: **~ an** (*Dat*) tie *s.o., s.th.* to

festbleiben *v/i* remain firm

Festessen *n* dinner, *großes*: *a.* banquet

festfahren *v/refl* **sich ~** *a. fig* get stuck, *Gespräche*: reach a deadlock

festfressen *v/refl* **sich ~** TECH seize, jam

Festgeldkonto *n* fixed-term, deposit account

festgelegt, **festgesetzt** *Adj* fixed

festhalten I *v/t* **1.** hold on to, grip **2.** (*j-n*) hold, keep, (*inhaftieren*) *a.* detain **3.** *fig in Wort, Ton*: record, *im Bild, mit der Kamera*: photograph, film, capture: **e-n Gedanken ~** make a (*geistig*: men-

tal) note of an idea; ***etw schriftlich ~*** put s.th. down in writing **II** *v/refl* ***sich ~*** **4.** hold tight, hold on: ***sich ~ an*** (*Dat*) *a. fig* hold on to
festigen I *v/t allg* strengthen, (*Macht etc*) *a.* consolidate, (*Währung etc*) *a.* stabilize **II** *v/refl* ***sich ~*** strengthen, grow stronger, *Währung etc*: *a.* stabilize, *Wissen*: improve
Festigkeit *f* firmness, strength, steadiness, stability; → ***fest***
Festigung *f* strengthening, consolidation, stabilization

F

festklammern I *v/t* clip (TECH clamp) *s.th.* on (***an*** *Akk* to) **II** *v/refl* ***sich ~ an*** (*Dat*) cling to **festkleben I** *v/t* (***an*** *Akk* to) stick, glue **II** *v/i* stick (***an*** *Dat* to)
festklemmen I *v/t* clamp (fast), wedge **II** *v/i* stick (fast), jam, be jammed
Festkörper *m* PHYS solid **Festkurs** *m* WIRTSCH fixed rate **Festland** *n* **a)** mainland, **b)** (*Ggs. Meer*) land, **c)** continent
Festland(s)... continental
festlegen I *v/t* **1.** → ***festsetzen*** 1 **2.** (*Grundsätze etc*) lay down, define **3.** SCHIFF (*Kurs*) plot **4.** WIRTSCH (*Kapital*) tie up **5.** ***j-n auf e-e Sache ~*** pin s.o. down to s.th. **II** *v/refl* **6.** ***sich ~ auf*** (*Akk*) commit o.s. to, (*entscheiden für*) decide on
festlich I *Adj* festive, (*glanzvoll*) splendid **II** *Adv* festively (*etc*): ***~ begehen*** celebrate; ***~ gestimmt*** in a festive mood **Festlichkeit** *f* **1.** festivity **2.** (*Stimmung*) festive atmosphere
festliegen *v/i* **1.** be fixed, *Kapital*: be tied up **2.** MOT be stuck, SCHIFF be grounded
festmachen I *v/t* **1.** (***an*** *Dat od Akk* to) fix, fasten, SCHIFF moor **2.** *fig* fix, settle, (*Handel*) *a.* clinch: ***etw ~ an*** (*Dat*) fix s.th. on **II** *v/i* **3.** SCHIFF moor
Festmeter *m, n* cubic met/re (*Am* -er)
festnageln *v/t* nail down (*a. fig* ***auf*** *Akk* to)
Festnahme *f*, **festnehmen** *v/t* arrest
Festnetz *n* TEL fixed line network
Festplatte *f* COMPUTER hard disk **~nlaufwerk** *n* hard disk drive
Festpreis *m* fixed price
Festrede *f* (ceremonial) address
Festredner(in) official speaker
Festsaal *m* (banqueting) hall **Festschrift** *f* commemorative publication
festsetzen I *v/t* **1.** (*Zeit, Ort etc*) fix, arrange (***auf*** *Akk* for), (*Gehalt, Preis, Strafe etc*) fix (***auf*** *Akk* at), (*Schaden; Steuer*) assess, (*Bedingungen*) lay down, agree on, (*vorschreiben*) prescribe **2.** (*inhaftieren*) arrest **II** *v/refl* ***sich ~*** **3.** settle (***in*** *Dat* in)
festsitzen *v/i* MOT be stuck (*a.* F *fig mit e-r Arbeit etc*), SCHIFF be stranded
Festspeicher *m* COMPUTER read-only memory (*Abk* ROM)
Festspiel *n* festival performance: ***~e*** *Pl* → **Festspielwoche** *f* festival
feststehen *v/i Termin etc*: be fixed, (*sicher sein*) be certain, *als Tatsache*: be a fact **feststehend** *Adj* **1.** TECH stationary **2.** *fig Tatsache etc*: established
feststellbar *Adj* **1.** ascertainable, (*merklich*) noticeable **2.** TECH lock-type
Feststellbremse *f* parking brake
feststellen *v/t* **1.** find out, discover, (*Sachverhalt etc*) establish, MED diagnose, (*Ort, Lage, Fehler*) locate **2.** (*erkennen*) realize, see, (*bemerken*) notice **3.** (*erklären*) state **4.** TECH lock **Feststellung** *f* **1.** establishing (*etc*, → ***feststellen***), discovery **2.** (*Wahrnehmung*) observation: ***er machte die ~, dass ...*** he found (*od* realized) that ... **3.** (*Bemerkung*) remark, (*Erklärung*) statement
Feststelltaste *f* shift lock
Feststoffrakete *f* solid-fuel rocket
Festtag *m* (REL religious) holiday
festtäglich *Adj* festive
Festung *f* fortress, *kleinere*: fort
festverzinslich *Adj* WIRTSCH fixed interest (bearing): ***~e Anlagepapiere*** investment bonds
Festwoche *f, a. Pl* festival
Festzelt *n* marquee
festziehen *v/t* tighten
Festzug *m* procession
Fetisch *m* fetish **Fetischismus** *m* fetishism **Fetischist** *m* fetishist
fett *Adj* **1.** *allg* fat, (*~leibig*) *a.* obese, *Speisen*: fatty, *Milch, Boden etc*: rich: ***~ machen*** fatten; *Adv* ***~ essen*** eat fatty food **2.** F *fig* fat, rich, big: ***~e Beute*** big haul **3.** BUCHDRUCK bold: ***~ gedruckt*** in bold type
Fett *n* **1.** fat, (*Braten*2) dripping, (*Back*2) shortening: F *fig* ***sein ~ weghaben***

have caught it **2.** (*Körperℒ*) fat, F flab: **~ *ansetzen*** put on (a lot of) weight **3.** TECH (*Schmierℒ*) grease

fettarm *Adj* low-fat …, *präd* low in fat

Fettauge *n* blob of fat

Fettcreme *f* rich oil-based cream

Fettdruck *m* BUCHDRUCK bold(-faced) type

fetten I *v/t* grease **II** *v/i* be greasy

Fettfleck *m* grease spot **Fettgehalt** *m* fat content **Fettgewebe** *n* fatty tissue

fetthaltig *Adj* containing fat, fatty, *Creme*: oil-based

fettig *Adj* fat, fatty, *Creme*: oily, *Haar, Haut etc*: greasy

Fettleber *f* MED fatty liver

fettleibig *Adj* obese

Fettleibigkeit *f* obesity

Fettnäpfchen *n* F *fig* (***bei j-m***) ***ins ~ treten*** put one's foot in it **Fettsack** *m* F *pej* fatso **Fettsalbe** *f* greasy ointment **Fettschicht** *f* layer of fat

Fettsucht *f* MED obesity **Fettwanst** *m* F **1.** paunch **2.** → ***Fettsack***

Fetus *m* BIOL f(o)etus

Fetzen *m* **1.** rag (*a. hum Kleid*), (*Papierℒ*) scrap, (*Stoffℒ*) shred: ***in ~*** in shreds and tatters; F ***dass die ~ fliegen*** like crazy **2.** *Pl* F *fig* (*Gesprächsℒ etc*) snatches *Pl* **fetzig** *Adj* F wild, wicked

feucht *Adj* damp, *a. Augen, Lippen, Haut etc*: moist, *Luft*: humid, *Klima etc*: wet, (*~kalt*) clammy: ***~e Hände*** sweaty palms **feuchtfröhlich** *Adj* F (very) merry **Feuchtigkeit** *f* damp(-ness), moisture, (*bes Luftℒ*) humidity: ***vor ~ schützen!*** keep in a dry place!

Feuchtigkeits|creme *f* moisturizing cream, moisturizer **~gehalt** *m* moisture content, *der Luft etc*: *a.* humidity

feudal *Adj* **1.** *hist* feudal **2.** F *fig* sumptuous, (*vornehm*) posh

Feudalismus *m hist* feudalism

Feuer *n* **1.** *allg* fire: MIL ***~!*** fire!; ***haben Sie ~?*** have you got a light?; ***j-m ~ geben*** give s.o. a light; ***das Olympische ~*** the Olympic flame; *fig* ***durchs ~ gehen für*** go through fire and water for; ***mit dem ~ spielen*** play with fire; ***zwischen zwei ~ geraten*** be caught between the devil and the deep blue sea; → ***eröffnen*** 1 **2.** SCHIFF (*Signalℒ*) beacon **3.** *fig allg* fire, (*Eifer*) *a.* fervo(u)r, (*Temperament*) *a.* spirit: ***~ und Flamme sein*** be all for it

Feuer|alarm *m* fire alarm **~bestattung** *f* cremation **~eifer** *m* zeal **~einstellung** *f* MIL cessation of fire **ℒfest** *Adj* fireproof, (*unverbrennbar*) incombustible **~gefahr** *f* danger of fire **ℒ gefährlich** *Adj* flammable **~gefecht** *n* MIL gun battle **~haken** *m* poker **~kraft** *f* MIL fire power **~leiter** *f* fire ladder, (*Nottreppe*) fire escape **~löscher** *m* fire extinguisher **~melder** *m* fire alarm

feuern *v/t* **1.** (*Ofen,* MIL *Salut*) fire, (*Holz, Kohle*) *a.* burn **2.** F (*schleudern*) hurl, SPORT slam (*the ball*): ***j-m e-e ~*** land s.o. one **3.** F (*entlassen*) fire **Feuerprobe** *f fig* acid test **feuerrot** *Adj* flaming red, *Gesicht*: *a.* crimson

Feuer|schaden *m* damage caused by fire **~schiff** *n* lightship **~schlucker(in)** fire-eater **~schutz** *m* **1.** fire prevention **2.** MIL covering fire **~stein** *m* flint **~stelle** *f* fireplace, hearth **~taufe** *f fig* baptism of fire **~teufel** *m* F fire bug **~treppe** *f* fire escape

Feuerung *f* **1.** (*Anlage*) heating **2.** (*Brennstoff*) fuel

Feuer|versicherung *f* fire insurance **~wache** *f* fire station **~waffe** *f* firearm

Feuerwehr *f* fire brigade: F ***wie die ~*** like a flash **Feuerwehrauto** *n* fire engine **Feuerwehrmann** *m* fireman

Feuerwerk *n* fireworks *Pl* (*a. fig*)

Feuerwerkskörper *m* firework

Feuerzange *f* tongs *Pl*

Feuerzangenbowle *f* burnt punch

Feuerzeug *n* (cigarette) lighter

Feuerzeugbenzin *n* lighter fluid

Feuilleton *n* feature pages *Pl*

Feuilletonist(in) feature writer

feurig *Adj* **1.** *fig* fiery, passionate, ardent **2.** *Wein*: rich, heady

Fiasko *n* fiasco

Fibel[1] *f* PÄD primer

Fibel[2] *f* (*Spange*) fibula

Fiber *f* fibre, *Am* fiber

Fiberglas *n* fibre (*Am* fiber) glass

Fichte *f* BOT spruce, F pine (tree)

Fichtenholz *n* deal

Fichtennadelbad *n* spruce-needle bath

ficken *v/t u. v/i* V fuck

fidel *Adj* cheerful

Fieber *n* fever (*a. fig*), (high) temperature: ***~ haben*** → ***fiebern*** 1; ***j-m*** (*od* ***j-s***) ***~ messen*** take s.o.'s temperature

Fieberanfall *m* attack of fever
fieberfrei *Adj* ***sie ist*** **~** her temperature is back to normal again
fieberhaft *Adj a. fig* feverish
Fieberkranke *m, f* fever case
Fieberkurve *f* temperature curve
Fiebermittel *n* antipyretic
fiebern *v/i* **1.** have (*od* be running) a temperature, (*fantasieren*) be delirious **2.** *fig* be feverish (***vor*** with): **~ *nach*** yearn for
Fieber|tabelle *f* temperature chart **~thermometer** *n* (clinical) thermometer **~traum** *m* feverish dream
fiebrig → ***fieberhaft***
Fiedel *f*, **fiedeln** *v/t u. v/i* F fiddle
fies *Adj* F nasty, mean
Fiesling *m* F meanie
Figur *f* **1.** *allg* figure (*a.* MATHE, MUS), (*Körperbau*) *a.* build: ***e-e gute*** (***schlechte***) **~ *machen*** cut a fine (poor) figure **2.** *im Buch, Film etc*: figure, character: ***komische*** **~ a)** figure of fun, **b)** strange character **3.** (*Schach*~) piece, *Pl a.* chessmen **4.** KUNST figure, statue, *kleinere*: figurine **figurativ** *Adj* LING figurative
figurbetont *Adj* tight-fitting, body-hugging
figurieren *v/i* figure (***als*** as) **figürlich** *Adj* **1.** KUNST figured **2.** LING figurative
Fiktion *f* fiction **fiktiv** *Adj* fictitious
Filet *n* GASTR fillet **Filetsteak** *n* fillet steak **Filetstück** *n* piece of sirloin
Filiale *f* branch (office), subsidiary, (*Kettenladen*) chain store
Filialleiter(in) branch manager
Filigran *n*, **Filigranarbeit** *f* filigree
Film *m* **1.** FOTO film **2.** (*Spiel*~, *a.* TV) film, *bes Am a.* movie: ***e-n* ~ *drehen*** (***über*** *Akk*) shoot (*od* make) a film (of), film *s.th.*; F *fig* ***mir ist der* ~ *gerissen*** I had a blackout **3.** (*~branche*) *the* cinema, *bes Am the* movies *Pl*: ***beim* ~ *sein*** **a)** be in the film (*bes Am a.* movie) business, **b)** be a film (*bes Am a.* movie) actor (*od* actress) **4.** (*Häutchen*) film, coat(ing)
Filmarchiv *n* film library **Filmatelier** *n* film studio **Filmaufnahme** *f* **1.** shooting (of a film) **2.** (*Szene*) shot, take **Filmbericht** *m* film report
Filmemacher(in) film (*bes Am a.* movie) maker **filmen I** *v/t* film, shoot **II** *v/i* be filming, make a film, *bei Außenaufnahmen*: be on location
Filmfestspiele *Pl* film festival *Sg*
Filmgelände *n* studio lot **Filmgesellschaft** *f* film (*Am* motion-picture) company **Filmindustrie** *f* film (*Am* motion-picture) industry
filmisch *Adj* cinematic(ally *Adv*)
Film|kamera *f* film (*od* movie) camera, (*Schmal*~) cinecamera **~kritik** *f* film review **~kritiker(in)** film critic **~kunst** *f* cinematography **~material** *n* footage **~musik** *f* **1.** film music **2.** *the* music to the film **~pack** *m* film pack **~preis** *m* film (*bes Am a.* movie) award **~produzent(in)** (film) producer **~projektor** *m* film (*bes Am a.* movie) projector **~regisseur(in)** film (*bes Am a.* movie) director **~reklame** *f* screen advertising **~schauspieler(in)** film (*od* screen, *bes Am a.* movie) actor (actress) **~star** *m* film (*bes Am a.* movie) star **~streifen** *m* reel, *weit. S.* strip **~studio** *n* film studio **~theater** *n* cinema, *Am* movie theater **~verleih** *m* **1.** film distribution **2.** (*Gesellschaft*) film distributors *Pl* **~vorführer(in)** projectionist **~vorführung** *f* film (*bes Am a.* movie) show **~vorschau** *f für Kritiker*: preview, (*Ausschnitte, als Reklame*) trailer, *in der Zeitung*: forthcoming films *Pl* **~welt** *f* film world, *Am a.* movieland
Filter *m, n* filter **Filteranlage** *f* filtration plant **Filtereinsatz** *m* filter element **Filterkaffee** *m* filtered coffee
filtern *v/t* filter, (*Kaffee*) *a.* percolate
Filterpapier *n* filter paper **Filterzigarette** *f* filter(-tipped) cigarette
Filtrat *n* filtrate **filtrieren** *v/t* filter
Filz *m* **1.** felt **2.** F (*~hut*) felt hat **3.** F *pej* **a)** (*Geizhals*) skinflint, **b)** POL corruption
filzen I *v/t* F *fig* frisk **II** *v/i Wolle*: felt
Filzhut *m* felt hat
filzig *Adj* **1.** (*verfilzt*) felted, *Haar etc*: matted **2.** F *fig* (*geizig*) mean, stingy
Filzlaus *f* ZOOL crab louse
Filzpantoffel *m mst Pl* felt slipper
Filzstift *m* felt(-tipped) pen
Fimmel *m* F craze: ***e-n* ~ *haben für*** be mad about
Finale *n* **1.** finale **2.** SPORT final (round), finals *Pl*
Finalist(in) SPORT finalist
Finalsatz *m* LING final clause
Finanz... *mst* financial (*adviser, paper,*

etc) **~amt** *n* inland (*Am* internal) revenue (office), *fig pej the* Tax Man **~ausschuss** *m* finance committee **~beamte** *m*, **~beamtin** *f* revenue officer
Finanzen *Pl* finances *Pl*
Finanzgericht *n* tax tribunal **Finanzgeschäft** *n* financial transaction
finanziell *Adj* financial **finanzieren** *v/t* finance, (*Anstalt etc*) *oft* fund
Finanzierung *f* financing **Finanzierungsgesellschaft** *f* finance company
Finanz|jahr *n* fiscal (*od* financial) year **≗kräftig** *Adj* financially strong, potent **~lage** *f* financial situation **~mann** *m* financier **~minister(in)** minister of finance, *Br* Chancellor of the Exchequer, *Am* Secretary of the Treasury **~ministerium** *n* ministry of finance, *Br* Treasury, *Am* Treasury Department **~politik** *f* financial (*od* fiscal) policy **≗schwach** *Adj* financially weak **~teil** *m e-r Zeitung*: financial section
Finanzwelt *f* financial world
Finanzwesen *n* (public) finance
finden I *v/t* **1.** (*a. vor~*) find: ***nirgends zu ~*** nowhere to be found; *fig* ***ein Ende ~*** come to an end; ***ich fand k-e Worte*** I was at a loss for words **2.** *fig* (*halten für*) find, think: ***ich finde es gut*** (***, dass ...***) I think it's good (that ...); ***wie ~ Sie das Buch?*** how do you like (*od* what do you think of) the book?; ***~ Sie*** (***nicht***)***?*** do (don't) you think so?; ***ich weiß nicht, was sie an ihm findet*** I don't know what she sees in him **II** *v/refl* **sich ~ 3.** *Sache*: be found, *Person*: find o.s. (***umringt*** *etc* surrounded *etc*): ***das wird sich ~*** we'll see **III** *v/i* **4.** ***nach Hause ~*** find one's way home; ***zu sich selbst ~*** sort o.s out
Finder(in) finder
Finderlohn *m* finder's reward
Findling *m* GEOL erratic block
Finesse *f* finesse, *Pl* tricks *Pl*: *Auto etc* ***mit allen ~n*** with all the refinements
Finger *m* finger (*a. am Handschuh*): ***sich die ~ verbrennen*** *a. fig* burn one's fingers; ***sich in den ~ schneiden*** **a)** cut one's finger, **b)** *fig* make a big mistake; ***j-m auf die ~ klopfen*** *a. fig* rap s.o.'s knuckles; ***lass die ~ davon!*** **a)** hands off!, **b)** *fig* leave well alone!; *fig* ***sich etw aus den ~n saugen*** make s.th. up; ***j-m auf die ~ sehen*** keep a sharp eye on s.o.; ***j-n um den kleinen ~ wickeln*** twist s.o. round one's little finger; ***k-n ~ rühren*** (*od* ***krümmen***) not to lift a finger; ***er hat überall s-e ~ im Spiel*** he's got a finger in every pie; → ***abzählen***
Fingerabdruck *m* fingerprint: ***genetischer ~*** genetic (*od* DNA) fingerprint; (***j-m***) ***Fingerabdrücke abnehmen*** take s.o.'s fingerprints
fingerfertig *Adj* nimble-fingered
Fingerfertigkeit *f* dexterity
Fingerhut *m* **1.** BOT foxglove **2.** thimble
fingern I *v/i* **~ *an*** (*Dat*) finger **II** *v/t* F (*bewerkstelligen*) wangle
Finger|nagel *m* fingernail **~ring** *m* ring **~schale** *f* finger bowl **~spitze** *f* fingertip **~spitzengefühl** *n* sure instinct, (*Takt*) tact **~sprache** *f* finger language **~übung** *f* finger exercise **~zeig** *m* pointer, (*Warnung*) warning sign
fingieren *v/t* fake, (*erfinden*) fabricate
fingiert *Adj* fake(d), (*fiktiv*) fictitious
Finish *n Sport u.* TECH finish
Fink *m* ZOOL finch
Finne[1] *f* (*Rückenflosse*) fin
Finne[2] *m*, **Finnin** *f* Finn **finnisch** *Adj* Finnish
Finnland *n* Finland
finster *Adj* **1.** *a. fig* dark, (*düster*) black, gloomy **2.** (*grimmig*) grim, (*böse*) evil, sinister: ***~er Blick*** black look; *Adv* ***j-n ~ ansehen*** glower at s.o. **3.** F *fig* (*fragwürdig*) shady, (*schlecht*) bad: ***es sieht ~ aus!*** things are looking bad!
Finsternis *f* darkness, gloom(iness)
Finte *f bes* SPORT feint, *fig a.* trick
Firlefanz *m* (*Plunder*) frippery, junk
Firma *f* firm, company: ***die ~ Bosch*** (the) Bosch (Company); (***An***) ***~ X.*** *im Brief*: Messrs. X., the X. Company
Firmament *n* (***am ~*** in the) sky
Firmen|name *m* company name **~schild** *n* company name, facia, *an e-r Maschine etc*: nameplate **~sitz** *m* (company) headquarters *Pl* **~stempel** *m* firm('s) stamp **~verzeichnis** *n* trade directory **~wagen** *m* company car **~wert** *m* goodwill **~zeichen** *n* F logo
firmieren *v/i* ***~ als*** have the company name of
Firmung *f* REL confirmation
Firn *m* corn snow
Firnis *m*, **firnissen** *v/t* varnish

First *m* ridge
Fis *n* MUS F sharp
Fisch *m* **1.** fish: **~*e*** *Pl mst* fish *Sg* (*als Pl konstr*); F *fig* ***ein großer*** (*od* ***dicker***) **~** a big fish; ***kleine ~e*** **a)** (*Lappalie*) peanuts *Pl*, **b)** (*Leute*) small beer **2.** *Pl* ASTR Pisces *Sg*: ***er ist ~*** he is [a] Pisces
Fischauge *n* FOTO fish-eye (lens)
fischen **I** *v/t u. v/i* fish (***nach*** for, *a.* F *fig*): → ***trüb(e)*** 1 **II** ≗ *n* fishing
Fischer *m* fisherman **~boot** *n* fishing boat **~dorf** *n* fishing village
Fischerei *f* **1.** fishing **2.** (*Gewerbe*) fishing industry **~flotte** *f* fishing fleet **~grenze** *f* fishing limit **~hafen** *m* fishing port **~recht** *n* fishing right(s *Pl*)
Fisch|fang *m* fishing **~filet** *n* GASTR fish fillet **~gabel** *f* fish fork **~gericht** *n* GASTR fish dish **~geruch** *m* fishy smell **~geschäft** *n* fishmonger('s) **~grätenmuster** *n* *Textilien*: herringbone (pattern) **~gründe** *Pl* fishing grounds *Pl*, fishery *Sg* **~händler(in)** fishmonger, *Am* fish dealer **~industrie** *f* fish-processing industry **~konserven** *Pl* tinned (*od* canned) fish *Sg* **~kunde** *f* ichthyology **~kutter** *m* (fishing) trawler **~laich** *m* (fish) spawn **~markt** *m* fish market **~mehl** *n* fishmeal **~otter** *m* ZOOL otter **~reiher** *m* ZOOL heron **~restaurant** *n* fish (*od* seafood) restaurant **~schuppe** *f* scale **~stäbchen** *n* GASTR fish finger (*Am* stick) **~sterben** *n* fish kill **~vergiftung** *f* MED fish poisoning **~zucht** *f* fish farming **~zug** *m* catch, haul (*a. fig*)
Fiskus *m* **1.** Treasury **2.** (*der Staat*) *the* government
Fisolen *Pl österr.* French beans *Pl*, runner beans *Pl*
Fistelstimme *f* **1.** MUS falsetto **2.** *pej* squeaky voice
fit *Adj* (***sich ~ halten*** keep) fit; ***j-n*** (***etw***) **~ *machen*** *fig* get s.o. (s.th.) into shape
Fitness *f* (physical) fitness
Fitness|center *n* fitness centre (*Am* center), gym **~lehrer(in)** fitness instructor
Fittich *m* (*fig* ***j-n unter s-e ~e nehmen*** take s.o. under one's) wing
fix **I** *Adj* **1.** *Gehalt, Kosten etc*: fixed: ***~e Idee*** fixed idea, obsession **2.** F (*schnell*) quick (***in*** *Dat* at), (*aufgeweckt*) smart, sharp **3.** **~ *und fertig*** **a)** all ready, **b)** → ***fertig*** 5 a **II** *Adv* **4.** F in a flash: ***mach*** (***mal***) ***~!*** make it snappy!
fixen *v/i u. v/t sl* shoot (*drugs*), *nur v/i* mainline, be on the needle
Fixer(in) *sl* junkie
Fixer|raum *m*, **~stube** *f* F junkies' centre (*Am* center)
Fixierbad *n* FOTO fixer **fixieren** *v/t* **1.** *allg, a.* MALEREI, FOTO, MED fix, *fig a.* determine: ***etw schriftlich ~*** record (*od* formulate) s.th. **2.** PSYCH ***fixiert sein auf*** (*Akk*) be fixated (*od* have a fixation) on **3.** (*anstarren*) stare at **Fixiermittel** *n* FOTO fixative **Fixierung** *f* **1.** fixing (*a.* FOTO *etc*) **2.** PSYCH fixation
Fixstern *m* fixed star
Fixum *n* WIRTSCH fixed sum (*od* salary)
Fjord *m* fjord, fiord
FKK *Abk* = ***Freikörperkultur*** **~-Anhänger(in)** nudist **~-Gelände** *n* nudist camp **~-Strand** *m* nudist beach
flach *Adj* flat, (*eben*) *a.* level, even, (*seicht, a. fig*) shallow, (*niedrig*) low (*a.* SPORT *Schuss etc*): ***~er Teller*** shallow (*weit. S.* dinner) plate; **~ *machen*** (***klopfen*** *etc*) flatten; **~ *werden*** flatten (out); ***mit der ~en Hand*** with the flat of one's hand **Flachdach** *n* flat roof
Fläche *f* (*Ober*≗) surface (*a.* MATHE), MATHE (*Ebene*) plane, (*Seiten*≗) side, (*Grund*≗) base, (*Gebiet*) area, space, (*Boden*≗) floorspace: (***weite***) **~** expanse
Flächenausdehnung *f* area
Flächenbrand *m* extensive fire
flächendeckend *Adj* area-wide, overall, global, (*landesweit*) countrywide, nationwide
Flächeninhalt *m* MATHE area
Flächenmaß *n* surface measurement
Flächenstilllegung *f* set-aside scheme
flachfallen *v/i* F fall through
Flachheit *f* flatness, *fig* shallowness
Flach|land *n* flat country **~mann** *m* F hip flask **~pass** *m* *Fußball*: low pass
Flachrelief *n* KUNST bas-relief
Flachs *m* **1.** BOT flax **2.** F kidding
Flachschuss *m* *Fußball*: low ball
flachsen *v/i* F joke around, kid
flackern *v/i* flicker
Fladen *m* flat cake
Fladenbrot *n* pitta bread
Flagge *f* flag: ***die ~ streichen*** *a. fig* lower the flag; ***unter falscher ~*** under false colo(u)rs; *fig* **~ *zeigen*** make a stand

flaggen I *v/i* fly (*Person*: hoist) a flag (*od* flags) **II** *v/t* flag, signal
Flaggschiff *n a. fig* flagship
Flair *n* aura, (*Reiz*) charm, (*Instinkt, Talent*) flair
Flak *f* **1.** → ***Flakgeschütz*** **2.** → **Flakartillerie** *f* antiaircraft artillery
Flakfeuer *n* antiaircraft fire, F flak
Flakgeschütz *n* antiaircraft gun
Flakon *n, m* small bottle
flambieren *v/t* GASTR flame
Flamingo *m* ZOOL flamingo
flämisch *Adj* Flemish
Flamme *f a. fig* flame: ***in ~n aufgehen*** go up in flames; ***in ~n stehen*** be ablaze; ***auf kleiner ~ kochen*** cook on a low heat **flammen** *v/i* blaze **flammend** *Adj fig* fiery, *Rede etc*: stirring
Flammenmeer *n* sea of flames
Flanell *m* flannel
Flanke *f allg* flank, (*Seite*) side, *Fußball*: cent/re (*Am* -er), *Turnen*: (flank) vault
flanken *v/i Fußball*: cent/re (*Am* -er)
flankieren *v/t* flank: WIRTSCH, POL ***~de Maßnahmen*** supporting measures
Flansch *m*, **flanschen** *v/t* TECH flange
Flaps *m* lout **flapsig** *Adj* loutish
Fläschchen *n* **1.** small bottle, PHARM phial **2.** (*Baby*≈) bottle
Flasche *f* **1.** bottle, (*Gas*≈ *etc*) cylinder: ***e-e ~ Wein*** a bottle of wine; ***e-m Baby die ~ geben*** give a baby its bottle; ***mit der ~ aufziehen*** bottle-feed **2.** F *fig* (*Versager*) bum, washout, dud
Flaschen|bier *n* bottled beer **~gas** *n* bottled gas **≈grün** *Adj* bottle-green **~kind** *n* bottle-fed baby **~milch** *f* bottled milk **~öffner** *m* bottle opener **~pfand** *n* deposit (on a bottle) **~post** *f* bottle post **~tomate** *f* plum tomato **~wein** *m* bottled wine
flaschenweise *Adv* by the bottle
Flaschenzug *m* TECH block and pulley
flatterhaft *Adj* flighty, (*unstet*) fickle
flattern *v/i allg* flutter (*a.* MED, TECH), flap, *Räder*: wobble
flau *Adj* **1.** (*unwohl*) queasy, (*schwach*) faint, (*matt*) listless **2.** *Geschmack*: stale **3.** FOTO *Negativ*: flat **4.** WIRTSCH slack
Flaum *m* down **flaumig** *Adj* downy
Flausch *m* fleece **flauschig** *Adj* fluffy
Flausen *Pl* F nonsense *Sg*, silly ideas *Pl*
Flaute *f* **1.** SCHIFF lull **2.** WIRTSCH slack period
Flechte *f* **1.** BOT lichen **2.** MED eczema **3.** (*Zopf*) braid **flechten** *v/t* (*Haar*) plait, (*Kranz*) bind, (*Korb*) weave
Fleck *m* **1.** (*Schmutz*≈) spot, (*Wein*≈ *etc*) stain: MED ***blauer ~*** bruise **2.** *fig* (*Schand*≈) blemish **3.** F (*Stelle*) spot, (*Stück Land*) patch: ***am falschen ~*** *a. fig* in the wrong place; *fig* ***nicht vom ~ kommen*** not to make any headway, not to be getting anywhere; ***sich nicht vom ~ rühren*** not to budge
Fleckchen *n* **1.** speck **2.** *fig* (***ein schönes ~ Erde*** a lovely) spot
flecken *v/i* stain **Flecken** *m* → ***Fleck***
Fleckenentferner *m* stain remover
fleckenlos *Adj a. fig* spotless
Fleckfieber *n* → ***Flecktyphus***
fleckig *Adj* spotted, (*befleckt*) stained
Flecktyphus *m* MED (epidemic) typhus
Fledermaus *f* ZOOL bat
Flegel *m* **1.** LANDW flail **2.** (*Lümmel*) lout
Flegelei *f* loutish behavio(u)r **flegelhaft** *Adj* loutish **Flegeljahre** *Pl* (***in den ~n sein*** be at an) awkward age *Sg*
flehen I *v/i* ***~ um*** beg for, implore **II** ≈ *n* entreaty, entreaties *Pl*
flehend, **flehentlich** *Adj* imploring, *Bitte*: urgent: *Adv* ***~ bitten um*** → ***flehen*** I
Fleisch *n* **1.** *lebendes*: flesh (*a. fig*): ***das eigene ~ und Blut*** one's own flesh and blood; ***j-m in ~ und Blut übergehen*** become second nature (to s.o.); F ***sich ins eigene ~ schneiden*** cut off one's nose to spite one's face; ***vom ~ fallen*** grow thin; BOT ZOOL ***~ fressend*** carnivorous **2.** GASTR meat, (*Frucht*≈) flesh
Fleischbrühe *f* consommé, (*Fond*) (*mst* beef) stock
Fleischer(in) butcher **Fleischerei** *f*, **Fleischerladen** *m* butcher's shop
Fleisch|extrakt *m mst* beef extract **≈farben** *Adj* flesh-colo(u)red **~fresser** *m* ZOOL carnivore **~gericht** *n* meat dish
Fleischhauer(in) *österr.* butcher
fleischig *Adj allg* fleshy, *Tier*: meaty
Fleisch|kloß *m* **1.** GASTR meatball **2.** F (*Person*) mound of flesh **~konserven** *Pl* tinned (*od* canned) meat *Sg* **~küchle** *n südd.* meatball
fleischlich *Adj* carnal
fleischlos *Adj Diät*: meatless
Fleisch|pastete *f* meat pie **~pflanzerl** *n*

F

südd. meatball **~tomate** *f* beef tomato **~vergiftung** *f* MED meat poisoning **~waren** *Pl* meat products *Pl* **~wolf** *m* mincer, *Am* meat grinder
Fleischwunde *f* MED flesh wound
Fleischwurst *f* pork sausage
Fleiß *m* diligence, industry, (*Mühe*) hard work: ***viel ~ verwenden auf*** (*Akk*) take great pains over; ***ohne ~ kein Preis*** no sweet without sweat **fleißig I** *Adj* diligent, hard-working, busy **II** *Adv* diligently, F (*viel*) a lot
flektieren *v/t* LING inflect
flennen *v/i* F cry, howl, bawl
fletschen *v/t* ***die Zähne ~*** snarl
flexibel *Adj a. fig* flexible
Flexibilität *f a. fig* flexibility
Flexion *f* LING inflection
flicken *v/t* mend, (*zs.-~*) patch up (*a.* F *fig*) **Flicken** *m* patch
Flick|schuster(in) cobbler **~werk** *n fig* patchwork, patch-up job(s *Pl*) **~zeug** *n* **1.** sewing kit **2.** MOT *etc* repair kit
Flieder *m* BOT lilac
Fliege *f* **1.** ZOOL fly: ***er tut k-r ~ was zuleide*** he wouldn't hurt a fly; *die Menschen starben* ***wie die ~n*** like flies; ***zwei ~n mit einer Klappe schlagen*** kill two birds with one stone; F ***e-e ~ machen*** beat it **2.** (*Querbinder*) bow tie
fliegen I *v/i* **1.** *allg* fly, *mit dem Flugzeug*: *a.* go by air: ***~ lassen*** fly; → ***Luft*** 3 **2.** *fig* (*eilen*) fly, rush **3.** F *fig aus e-r Stellung*: be fired, get the sack, *a.* ***aus*** *der Schule, e-r Wohnung etc*: be kicked out (of) **4.** F *fig* ***~ auf*** (*Akk*) really go for; ***auf j-n ~*** *a.* fall for s.o. **II** *v/t* **5.** (*Flugzeug, Personen etc*) fly, (*e-e Strecke*) *a.* cover, (*Kurve*) *a.* do **III** ♀ *n* **6.** flying, (*Luftfahrt*) aviation
fliegend *Adj* flying (*a. Sport*): ***~er Händler*** hawker; ***~er Teppich*** magic carpet
Fliegenfänger *m* flypaper
Fliegengewicht(ler *m*) *n* SPORT flyweight **Fliegenklatsche** *f* fly swatter
Fliegenpilz *m* toadstool
Flieger *m* **1.** ZOOL *u. Pferderennen*: flier, flyer **2.** airman (*a.* MIL), pilot **3.** MIL *Br* aircraftman 2nd class, *Am* airman basic **4.** F (*Flugzeug*) plane **5.** *Radsport*: sprinter **Fliegeralarm** *m* air-raid warning **Fliegerangriff** *m* air raid **Fliegerhorst** *m* air base
Fliegerin *f* airwoman, woman pilot
fliegerisch *Adj* flying
Fliegerjacke *f* bomber jacket
fliehen I *v/i* (***vor*** *Dat* from, ***nach, zu*** to) flee, run away, (*ent~*) escape **II** *v/t* avoid, shun **fliehend** *Adj* **1.** fleeing, fugitive **2.** *Stirn, Kinn*: receding
Fliehkraft *f* PHYS centrifugal force
Fliese *f* tile **Fliesenleger(in)** tiler
Fließarbeit *f* assembly-line work
Fließband *n* assembly line, (*Förderband*) conveyor belt **Fließbandfertigung** *f* assembly-line production
fließen *v/i allg* flow (*a. fig*), *Wasser, Fluss etc*: *a.* run **fließend** *Adj* **1.** flowing, *Wasser*: running **2.** *Verkehr*: fast-moving **3.** *Sprache etc*: fluent: *Adv* ***er spricht ~ Englisch*** he speaks fluent English **4.** *Grenze etc*: fluid
Fließheck *n* MOT fastback
flimmern *v/i* shimmer, TV flicker
flink *Adj* quick, *a. Füße, Hände*: nimble
Flinte *f* gun, (*Schrot*♀) shotgun: *fig* ***die ~ ins Korn werfen*** throw in the towel
Flipchart *f* flip chart
Flipper *m* pinball machine
flippern *v/i* F play pinball
flippig *Adj* F kooky
Flirt *m* flirtation, (*Person*) flirt
flirten *v/i* flirt
Flittchen *n* F hussie
Flitter *m* **1.** *Koll* sequins *Pl* **2.** *fig* **a)** *a* **~glanz** *m* glitter, **b)** *a* **~kram** *m* tinsel
Flitterwochen *Pl* honeymoon *Sg*
flitzen *v/i* F **1.** flit **2.** streak
Flitzer *m* F nippy little car
Flitzer(in) F (*Nackter*) streaker
floaten *v/t u. v/i* WIRTSCH float
Flocke *f allg* flake, (*Staub*♀ *etc*) fluff
flocken *v/i* flake **flockig** *Adj* flaky, (*locker*) fluffy, CHEM flocculent
Floh *m* ZOOL flea: F *fig* ***j-m e-n ~ ins Ohr setzen*** put ideas into s.o.'s head
Flohmarkt *m* flea market
Flop *m* flop
Flor[1] *m* (*Blüte*) bloom, (*Blumenfülle*) mass of flowers (*od* blossoms)
Flor[2] *m* **1.** (*Gewebe*) gauze **2.** (*Trauer*♀) crêpe (band) **3.** *Samt, Teppich*: pile
Flora *f* flora **floral** *Adj* floral
Florenz *n* Florence
Florett *n* foil **~fechten** *n* foil fencing
florieren *v/i* flourish
Floskel *f* empty phrase
floskelhaft *Adj* meaningless, empty

Floß *n* raft
Flosse *f* **1.** ZOOL fin, *e-s Wals, Seelöwen etc*: flipper (*a. Schwimm*♀) **2.** FLUG stabilizer fin **3.** F (*Hand*) paw, mitt, (*Fuß*) trotter
flößen *v/t u. v/i* float
Flöte *f* **1.** MUS flute, (*Block*♀) recorder **2.** (*hohes Glas*) flute glass **3.** *Kartenspiel*: flush **flöten** *v/t u. v/i* MUS play the flute (*od* recorder), *a. fig* flute, *Vogel*: sing; F *~ **gehen*** go down the drain
Flötist(in) flautist, flute-player
flott I *Adj* **1.** (*schnell*) brisk, (*schwungvoll*) lively, F zippy, *Person*: dashing, breezy **2.** (*schick*) smart, snazzy **3.** SCHIFF ***~ sein*** be afloat; → ***flottmachen*** 1 **II** *Adv* **4.** briskly (*etc*): ***~ leben*** live it up
Flotte *f* FLUG, SCHIFF fleet
Flottenstützpunkt *m* SCHIFF naval base
flottmachen *v/t* **1.** SCHIFF float, set afloat **2.** ***etw*** (***wieder***) ~ get s.th. going again
Flöz *n* BERGB, GEOL seam
Fluch *m* **1.** (*Verwünschung*) curse **2.** (*~wort*) curse, oath, swearword
fluchen *v/i* curse, swear: ***auf*** (*od* ***über***) ***j-n*** (***etw***) ~ curse s.o. (s.th.)
Flucht[1] *f* flight (***vor*** *Dat* from, *a. fig*), *e-s Gefangenen*: escape: ***auf der ~*** *erschossen etc* while fleeing, *Gefangener*: while attempting to escape; ***auf der ~ sein*** be on the run (***vor*** *Dat* from); ***die ~ ergreifen*** → ***flüchten*** 1; ***in die ~ schlagen*** put to flight; *fig* ***die ~ nach vorn antreten*** seek refuge in attack
Flucht[2] *f* ARCHI, TECH alignment, straight line
fluchtartig I *Adj* hasty **II** *Adv* hastily, in a hurry **flüchten** *v/i* **1.** flee (***nach, zu*** to), run away, *Gefangener*: escape (***aus*** from) **2.** (*a.* ***sich ~***) take shelter (*od* refuge) (***in*** *Akk* in): *fig* ***sich in Ausreden ~*** resort to excuses
Fluchthelfer(in) escape agent
flüchtig I *Adj* **1.** (*hastig*) hasty, (*kurz*) brief, flying, *Blick, Prüfung etc*: cursory, (*oberflächlich*) superficial, (*schlampig*) careless, slapdash: ***~e Bekanntschaft*** passing acquaintance **2.** (*vergänglich*) fleeting **3.** (*entflohen*) fugitive, escaped, *Schuldner etc*: absconding: ***~er Fahrer*** hit-and-run driver; ***~ werden*** escape, JUR abscond **4.** CHEM volatile **II** *Adv* **5.** hastily (*etc*): ***~ durchlesen*** skim over; ***j-n ~ kennen*** know s.o. vaguely; ***~ sehen*** catch a glimpse of
Flüchtigkeitsfehler *m* slip
Flüchtling *m* fugitive, POL refugee
Flüchtlingslager *n* refugee camp
Fluchtversuch *m* attempt to escape
Fluchtwagen *m* getaway car
Fluchtweg *m* escape route
Flug *m* flight: *fig* (***wie***) ***im ~(e)*** very quickly **~bahn** *f* trajectory, FLUG flight path **~ball** *m* SPORT volley **~begleiter(in)** flight attendant **♀bereit** *Adj* ready for take-off **~betrieb** *m* air traffic **~blatt** *n* leaflet **~boot** *n* flying boat, seaplane **~datenschreiber** *m* flight recorder, black box **~dauer** *f* flying time
Flügel *m* **1.** *allg* wing (*a.* POL *u. Sport*), (*Propeller*♀ *etc*) blade, (*Altar*♀) panel, MIL flank: *fig* ***j-m die ~ stutzen*** clip s.o.'s wings; ***j-m ~ verleihen*** lend wings to s.o.; → ***link*** **2.** MUS grand (piano): ***am ~ …*** accompanied by …
Flügelfenster *n* casement window
flügellos *Adj* wingless
Flügel|mutter *f* TECH wing nut **~schlag** *m* flapping of wings **~schraube** *f* TECH thumbscrew **~stürmer(in)** SPORT winger **~tür** *f* double door
flugfähig *Adj* airworthy
Fluggast *m* (air) passenger
Fluggastabfertigung *f* **1.** passenger clearance **2.** (*Schalter*) check-in desk
flügge *Adj* fully fledged: ***~ werden*** **a)** fledge, **b)** *fig Person*: begin to stand on one's own two feet
Fluggeschwindigkeit *f* flying speed
Flug|gesellschaft *f* airline **~hafen** *m* airport **~höhe** *f* (flying) altitude **~kapitän** *m* (flight) captain **~karte** *f* **1.** (air) ticket **2.** aeronautical map **♀klar** *Adj* ready for take-off **~körper** *m* flying object, MIL missile **~lehrer(in)** flying instructor **~leitung** *f* air traffic control **~linie** *f* **1.** (*Strecke*) (air) route **2.** F (*Gesellschaft*) airline (company) **~lotse** *m* air traffic controller **~nummer** *f* flight number **~objekt** *n* ***unbekanntes ~*** unidentified flying object **~passagier** *m* (air) passenger **~personal** *n* aircrew, *Koll* flying personnel **~plan** *m* timetable **~platz** *m* airfield, *großer*: airport **~preis** *m* (air) fare **~reise** *f* journey

by air **~schalter** *m* flight desk **~schein** *m* **1.** (air) ticket **2.** pilot's licen/ce (*Am* -se) **~schneise** *f* approach corridor **~schreiber** *m* flight recorder, black box **~sicherheit** *f* air safety **~sicherung** *f* air traffic control **~steig** *m* gate **~strecke** *f* (air) route, *zurückgelegte*: distance flown, (*Etappe*) leg **~stunde** *f* **1.** flying hour **2.** ***nach zwei ~n*** after a two-hour flight; ***sechs ~n entfernt*** six flight-hours away **≈tauglich** *Adj* fit to fly, *Flugzeug*: airworthy **~technik** *f* aeronautical engineering **~ticket** *n* (air) ticket **≈tüchtig** *Adj* airworthy **~überwachung** *f* air traffic control **~verbindung** *f* air connection **~verkehr** *m* air traffic, *planmäßiger*: air services *Pl* **~wetter** *n* good flying weather **~zeit** *f* flying time

Flugzeug *n* (aero)plane, *Am* (air)plane, aircraft (*a. Pl*): ***mit dem ~*** by air, by plane **~absturz** *m* air (*od* plane) crash **~bau** *m* aircraft construction **~besatzung** *f* aircrew **~entführer(in)** hijacker, skyjacker **~entführung** *f* hijacking, skyjacking **~fabrik** *f* aircraft factory **~führer(in)** pilot **~halle** *f* hangar **~industrie** *f* aircraft industry **~katastrophe** *f* air disaster **~konstrukteur(in)** aircraft designer **~träger** *m* SCHIFF, MIL aircraft carrier **~unglück** *n* air disaster, air crash

Flugziel *n* destination

Fluidum *n fig* aura, air, *e-s Ortes*: atmosphere

fluktuieren *v/i* fluctuate

Flunder *f* ZOOL flounder

flunkern *v/i* fib, tell (tall) stories

Fluor *n* fluorine: ***mit ~ anreichern*** fluoridate **Fluorchlorkohlenwasserstoff** *m* (*Abk* ***FCKW***) chlorofluorocarbon (*Abk* CFC)

fluoreszieren *v/i* fluoresce

fluoreszierend *Adj* fluorescent

Flur[1] *m* (*Haus≈*) hall, (*Gang*) corridor

Flur[2] *f* open fields *Pl*: *fig* ***allein auf weiter ~*** all alone **Flurbereinigung** *f* consolidation (of farmland)

Flurschaden *m* crop damage

Fluse *f* dirt swirl, *Am* lint roll

Fluss *m* **1.** river, *kleiner*: stream **2.** (*das Fließen*) flow(ing), *fig des Verkehrs*, *der Rede*: flow: ***in ~ kommen*** get going

flussabwärts *Adv* down the river, downstream **Flussarm** *m* arm of a river **flussaufwärts** *Adv* up the river, upstream **Flussbett** *n* riverbed

Flüsschen *n* (little) stream

Flussdiagramm *n* flow chart, flow diagram

flüssig I *Adj* **1.** liquid, (*geschmolzen*) molten: ***~ machen, ~ werden*** liquefy, melt **2.** *fig* flowing, fluent: → *a.* ***fließend*** 3 **3.** WIRTSCH (*verfügbar*) liquid, available; WIRTSCH ***~ machen*** realize, convert into cash **II** *Adv* **4.** in liquid form **5.** *fig* fluently, *Verkehr etc*: smoothly

Flüssiggas *n* liquid gas

Flüssigkeit *f* **1.** *a.* WIRTSCH liquidity **2.** liquid

Flüssigkeits|bremse *f* MOT hydraulic brake **~maß** *n* liquid measure

Flüssigkristallanzeige *f* liquid crystal display (*Abk* LCD)

Flusskrebs *m* ZOOL freshwater crayfish

Flusslauf *m* course of a river **Flussmündung** *f* mouth (of a river), estuary

Flusspferd *n* ZOOL hippopotamus, F hippo

Flussufer *n* riverbank, riverside

flüstern I *v/t u. v/i* (speak in a) whisper: F ***dem werde ich was ~!*** I'll tell him a thing or two! **II ≈** *n* whisper(ing)

Flüster|propaganda *f* whispering campaign **~ton** *m* ***im ~*** in a whisper

Flut *f* **1.** (*Ggs. Ebbe*) high tide: ***es ist ~*** the tide is in **2.** *mst Pl* waters *Pl*, (*Wogen*) waves *Pl* **3.** *fig von Tränen*, *Briefen etc*: flood, *von Worten*: *a.* torrent

fluten I *v/i Wasser*, *a. fig Verkehr*, *Menschen*, *Licht*: flood, stream, pour **II** *v/t* flood

Flutkatastrophe *f* flood disaster

Flutlicht *n* floodlights *Pl*: ***bei ~*** under floodlight **Flutwelle** *f* tidal wave

Fock *f* SCHIFF foremast **~segel** *n* foresail

Föderalismus *m* federalism

föderalistisch *Adj Staatsaufbau*: federal, *Bestrebungen*: federalistic

fohlen *v/i* ZOOL foal **Fohlen** *n* foal, (*Hengst≈*) colt, (*Stuten≈*) filly

Föhn *m* **1.** (*Haartrockner*) hair drier **2.** (*Wind*) foehn **föhnen** *v/t* (*Haar*) (blow-)dry

Föhre *f* BOT pine (tree)

Folge *f* **1.** (*Aufeinander≈*) succession, (*Reihen≈*) order, (*Serie*) series: ***in der***

~ subsequently; ***dreimal*** *etc* ***in ~*** three times *etc* running (*od* in a row); ***in rascher ~*** in rapid succession **2.** (*Fortsetzung*) instal(l)ment, TV part, (*bes zweiter Teil*) sequel, (*Reihe*) serial, (*Heft, Ausgabe*) number, issue **3.** (*Ergebnis, logische ~*) consequence, (*ernste Nachwirkung, Kriegs*≈ *etc*) aftermath, aftereffect: (***üble***) ***~n haben*** have (dire) consequences; ***die ~n tragen*** bear the consequences; ***zur ~ haben*** result in, lead to; ***als ~ davon*** as a result **4.** ***~ leisten*** (*Dat*) → ***folgen*** 2

Folgeerscheinung *f* → ***Folge*** 3

Folgekosten *Pl* follow-up costs *Pl*

folgen *v/i* **1.** *allg* follow (*a. mit den Blicken, a. zuhören, verstehen, sich richten nach*), *j-m als Nachfolger*: *a.* succeed, *j-m im Rang*: *a.* come after: ***Brief folgt!*** letter will follow!; ***wie folgt*** as follows; ***daraus folgt, dass …*** (from this) it follows that …; ***j-s Beispiel ~*** follow s.o.'s example; ***können Sie*** (*geistig*) ***~?*** do you follow me?; ***ich kann Ihnen da*** (***-rin***) ***nicht ~*** (*zustimmen*) I can't agree with you there **2.** (*e-m Befehl etc*) obey, (*e-r Aufforderung etc*) comply with, (*e-r Einladung*) accept **3.** F (*folgsam sein*) obey (***j-m*** s.o.) **folgend** *Adj* following, (*nächst*) *a.* next, (*später*) subsequent: ***am ~en Tage*** the following (*od* next) day; ***im*** ≈***en*** in the following; ***es handelt sich um*** ≈***es*** the matter is as follows, F what it's (all) about is this **folgendermaßen** *Adv* as follows

folgenreich, **folgenschwer** *Adj* momentous, (*sehr ernst*) grave

folgerichtig *Adj* logical, consistent

folgern *v/t* (***aus*** from) conclude, deduce

Folgerung *f* (***e-e ~ ziehen*** draw a) conclusion

Folgesatz *m* **1.** LING consecutive clause **2.** MATHE, PHIL corollary **Folgeschäden** *Pl* MED secondary (JUR consequential) damage *Sg* **Folgezeit** *f* (***in der ~*** in the) period following

folglich *Konj* (*somit*) thus, (*daher*) consequently, therefore

folgsam *Adj* obedient, (*brav*) good

Folie *f* foil (*a. fig*), (*Plastik*≈) film, *für Tageslichtprojektor*: (overhead) transparency

Folienkartoffel *f* jacket potato (baked in alumin[i]um foil), baked potato

Folklore *f* folklore, *weit. S. a.* traditional music (and dance)

folkloristisch *Adj* folkloristic

Folter *f a. fig* torture: *fig* ***j-n auf die ~ spannen*** keep s.o. on tenterhooks

foltern *v/t*, **Folterung** *f* torture, *fig a.* torment

Fon *n* → ***Phon***

Fön® *m* → ***Föhn*** 1

Fond *m* **1.** background **2.** MOT back (of the car)

Fonds *m* WIRTSCH fund, (*Gelder*) funds *Pl*, (*Staatspapiere*) government stocks *Pl*

Fondue *f, n* GASTR fondue

fönen → ***föhnen***

Fonotypist(in) → ***Phonotypist(in)***

Fontäne *f* fountain, (*Wasserstrahl*) jet of water

Fonzahl *f* → ***Phonzahl***

forcieren *v/t* force **forciert** *Adj* forced

Förderband *n* conveyor belt

Förderer *m*, **Förderin** *f* promoter, supporter, (*Mäzen*[*in*]) patron(ess), *bes Am* sponsor **förderlich** *Adj* (*Dat* to) conducive, (*nützlich*) useful, beneficial

Fördermenge *f* BERGB output

fordern *v/t* **1.** *allg* demand (***von j-m*** of s.o.), (*er~*) *a.* call for, WIRTSCH *a.* claim, (*Preis*) ask (for): ***zu viel ~*** ask (*od* expect) too much, (*Preis*) overcharge (***von j-m*** s.o.) **2.** challenge, SPORT *a.* push s.o. to the limit: ***er war voll gefordert*** he was fully stretched; ***nun ist der Minister gefordert*** now it's for the minister to act **3.** (*Todesopfer etc*) claim

fördern *v/t* **1.** promote, support, *als Gönner*: patronize, *bes Am* sponsor, (*ermutigen*) encourage, (*förderlich sein*) help, be good for: ***~des Mitglied*** (***~de Maßnahmen***) supporting member (measures) **2.** BERGB produce; → ***zutage***

Förderpreis *m* (literary *etc*) award

Forderung *f* demand (***nach*** for, ***an*** *Akk* on), WIRTSCH call, (*Preis*≈) charge, JUR (*Anspruch*) claim: ***~en stellen*** make demands, JUR enter claims

Förderung *f* **1.** promotion, *der Künste, des Sports etc*: patronage, sponsorship, (*Ermutigung*) encouragement **2.** (*Kohle*≈, *Öl*≈ *etc*) production, output

Forelle *f* ZOOL trout: ***~ blau*** trout au bleu

Forke *f* LANDW pitchfork

Form *f* **1.** *allg* form (*a.* LING, PHYS, *a. Art und Weise*), (*Gestalt*) *a.* shape (*a. fig*), *Mode*: style, *bes* TECH design, styling: LING ***aktive*** (***passive***) **~** active (passive) voice; ***in aller* ~** formally; ***in* ~ *von*** (*od Gen*) in the form of; ***in höflicher*** (***netter***) **~** politely (in a nice way); ***der* ~ *halber*** pro forma, *weit. S.* to keep up appearances; ***die* ~ *wahren*** observe the proprieties; *fig* (***greifbare***) **~(*en*) *annehmen*** take shape **2.** TECH (*Modell*) model, (*Guss*♀, *Press*♀) mo(u)ld, (*Spritz*♀ *etc*) die **3.** (*Kuchen*♀) tin, (*Ausstech*♀) pastry cutter **4.** *bes* SPORT form, condition: ***in*** (***guter***) **~** in good form (*od* shape); ***in bester* ~, *groß in* ~** in top form; ***nicht in* ~** off form; ***in* ~ *bleiben, sich in* ~ *halten*** keep in trim, keep fit; ***in* ~ *kommen*** **a)** get into shape, **b)** *fig* get going

formal *Adj* formal

Formaldehyd *n* CHEM formaldehyde

Formalien *Pl* formalities *Pl*

Formalität *f* formality

Format *n* **1.** format, size **2.** *fig* stature, calib/re (*Am* -er)

formatieren *v/t* (*Text*) format

Formation *f* formation **Formations…** formation (*flying*, *dancing*, *etc*)

Formatvorlage *f* IT template

formbar *Adj* METAL malleable

Formblatt *n* form

Formel *f* **1.** CHEM, MATHE *u. fig* formula **2.** (*fester Wortlaut*) (set) formula, (*Floskel*) (set) phrase **Formel-I-Rennen** *n* MOT formula-one race

formell *Adj* formal

Formelwagen *m* formula car

formen *v/t* form, shape (*beide a.* ***sich* ~**), (*j-n, j-s Charakter*) *u.* TECH mo(u)ld

Formenlehre *f* **1.** LING morphology **2.** MUS theory of musical forms

Formfehler *m* irregularity, JUR formal defect, *gesellschaftlicher*: faux pas

Formgebung *f* TECH styling, design

formieren *v/t* (*a.* ***sich* ~**) *allg* form up

förmlich I *Adj* **1.** *allg* formal, (*feierlich*) *a.* ceremonious **2.** F (*regelrecht*) regular **II** *Adv* **3.** F (*buchstäblich*) literally

Förmlichkeit *f allg* formality

formlos *Adj* **1.** shapeless **2.** *fig* (*zwanglos*) informal (*a.* JUR)

Formsache *f* matter of form, (***reine* ~** mere) formality **formschön** *Adj* TECH beautifully designed, very stylish

Formtief *n* SPORT ***ein* ~ *haben*** be off form

Formular *n* form

formulieren *v/t* formulate, phrase, word: ***wie soll ich es* ~?** how shall I put it? **Formulierung** *f* formulation, wording, phrasing, *einzelne*: phrase

Formung *f* forming, shaping

formvollendet *Adj* perfect(ly shaped), finished, *Benehmen etc*: perfect

forsch *Adj* spirited, brisk, F peppy

forschen *v/i* **1.** do research (work) **2. ~ *nach*** search for **3.** (*fragen*) inquire, *stärker*: probe **forschend** *Adj* inquiring(ly *Adv*), *Blick*: searching

Forscher(in) researcher, (*Wissenschaftler*) *a.* (research) scientist, (*Entdecker*) explorer **Forscherdrang** *m* intellectual curiosity, inquiring mind

Forschheit *f* spirit(edness), dash, F pep

Forschung *f a. Pl* research, (*Abteilung*) Research (Department)

Forschungs… research (*work*, *institute*, *etc*) **~auftrag** *m* research assignment **~reise** *f* **1.** expedition **2.** research trip **~reisende** *m, f* explorer **~satellit** *m* research satellite

Forst *m* forest

Förster(in) forester, forest ranger

Forst|haus *n* forester's house **~revier** *n* forest district **~wesen** *n*, **~wirtschaft** *f*, **~wissenschaft** *f* forestry

fort *Adv* **1.** (*weg*) away, off, gone: ***sie sind schon* ~** they have already gone (*od* left); ***ich muss* ~** I must be going **2.** (*verschwunden*) gone, lost **3. *und so* ~** and so on; ***in einem* ~** continuously

Fort *n* MIL fort

Fort…, fort… → *a.* ***Weg…, weg…, Weiter…, weiter…***

fortan *Adv* from now on

Fortbestand *m* continued existence

fortbestehen *v/i* continue, survive, *Kunstwerk etc*: live on

fortbewegen I *v/t* move **II** *v/refl* ***sich* ~** move, (*gehen*) walk

Fortbewegung *f* moving, (loco)motion

fortbilden *v/refl* ***sich* ~** continue one's education (*od* training), *eng. S.* do a course, *weit. S.* improve one's knowledge **Fortbildung** *f* continuing educa-

tion: ***berufliche ~*** further (vocational) training **Fortbildungskurs** *m* (further training) course
fortbleiben *v/i* stay away
Fortdauer *f* continuation
fortdauern *v/i* continue, last
fortdauernd *Adj* continuous, lasting
forte *Adv*, **Forte** *n* MUS forte
fortfahren *v/i* **1.** leave, MOT *a.* drive away **2.** (*weitermachen*) continue: ***~ zu reden*** continue (*od* go on) talking; ***mit s-r Erzählung ~*** continue (with) one's story; ***fahren Sie fort!*** go on!
fortfliegen *v/i* fly away, fly off
fortführen *v/t* **1.** lead *s.o.* away **2.** go on with, continue, (*Geschäft etc*) carry on
Fortführung *f* continuation
Fortgang *m* **1.** departure **2.** progress
fortgehen *v/i* **1.** go (away), leave **2.** *fig* (*weitergehen*) go on, continue
fortgeschritten *Adj Schüler, Alter, Stadium, Stunde etc*: advanced: ***Kurs für ~e*** advanced course
fortgesetzt I *Adj* continued, constant **II** *Adv* continually, constantly
fortjagen *v/t* ***j-n ~*** chase s.o. away, F kick s.o. out
fortlaufen *v/i* **1.** run away ([***vor***] ***j-m*** from s.o.) **2.** (*weitergehen*) continue
fortlaufend *Adj* continuous, *Nummer etc*: consecutive: *Adv* ***~ nummeriert*** numbered consecutively
fortpflanzen I *v/t allg* propagate, BIOL *a.* reproduce, PHYS *a.* transmit, *fig a.* spread **II** *v/refl* ***sich ~*** BIOL reproduce, PHYS be propagated, travel, *fig* spread
Fortpflanzung *f allg* propagation, BIOL *a.* reproduction, PHYS *a.* transmission, *fig a.* spread(ing)
Fortpflanzungsorgan *n* reproductive organ
Fortsatz *m* ANAT process, appendix
fortschreiben *v/t* **1.** (*Statistik, Projekt etc*) update, (*Wert*) reassess **2.** *fig* perpetuate
fortschreiten *v/i fig* advance (*a. Zeit*), progress **fortschreitend** *Adj* progressive **Fortschritt** *m* progress, (*Verbesserung*) improvement: ***~e machen*** make progress (*od* headway); ***große ~e machen*** make great strides **fortschrittlich** *Adj* progressive, advanced, *Anlage etc*: (very) modern, up-to-date
fortsetzen *v/t* continue (*a.* ***sich ~***), (*wiederaufnehmen*) resume **Fortsetzung** *f* continuation, *e-r Geschichte etc*: *a.* sequel: ***~ folgt*** to be continued; ***~ auf*** (***von***) ***Seite 2*** continued on (from) page 2 **Fortsetzungsroman** *m* serial
fortwährend I *Adj* constant, continuous, incessant **II** *Adv* constantly (*etc*): ***er ruft ~ an*** *a.* he keeps ringing up
Fortzahlung *f* continued payment
Forum *n allg* forum, *fig a.* platform
fossil *Adj*, **Fossil** *n* (*a. fig*) fossil
Foto *n* F photo **~album** *n* photo album **~apparat** *m* camera **~ausrüstung** *f* photographic equipment
fotogen *Adj* photogenic
Fotograf(in) photographer
Fotografie *f* **1.** photography **2.** photograph, picture **fotografieren** *v/i u. v/t* photograph, take a picture (*od* pictures) (of) **fotografisch** *Adj* photographic(ally *Adv*)
Foto|kopie *f*, **&kopieren** *v/t* photocopy **~kopierer** *m* photocopier
Fotolabor *n* photographic laboratory
Fotomodell *n* (photographer's) model
Foto|montage *f* photomontage **~reportage** *f* photographic reportage
Fotosatz *m* BUCHDRUCK photocomposition: ***im ~ herstellen*** photocompose
Fotosynthese *f* → ***Photosynthese***
Fotothek *f* photographic library
Fotozelle *f* ELEK photocell
Fötus *m* BIOL f(o)etus
fotzen *v/t österr.* ***j-n ~*** give s.o. a cuff on the ear
Foul(spiel) *n*, **foulen** *v/i u. v/t* foul
Foyer *n* foyer, lounge, *Am* lobby
Fracht *f* **1.** (*Ladung*) load, (*Luft&* air) freight, (*Schiffs&*) cargo **2.** (*Beförderung, ~geld*) carriage, *Am* freight(age), SCHIFF freightage **Frachtbrief** *m* consignment note, *Am* waybill
Frachter *m* SCHIFF freighter
Fracht|flugzeug *n* (air) freighter **&frei** *Adj* carriage paid, *Am* freight prepaid **~führer** *m* carrier **~gebühr** *f*, **~geld** *n* → ***Fracht*** 2 **~gut** *n* freight, SCHIFF cargo: ***als ~*** by goods (*Am* freight) train **~kosten** *Pl* freight charges (*od* costs) *Pl* **~raum** *m* cargo hold, (*Ladekapazität*) freight capacity **~sätze** *Pl* freight rates *Pl* **~schiff** *n* cargo ship, freighter
Frachtverkehr *m* freight traffic
Frack *m* tailcoat, tails *Pl*: ***im ~*** in evening

dress, in tails **~hemd** *n* dress shirt
Frage *f* **1.** *allg* question, *zweifelnde od unangenehme*: query, (*Erkundigung*) inquiry, (*Zweifel*) *a.* doubt: ***e-e ~ an j-n haben*** have a question to ask s.o.; ***(j-m) e-e ~ stellen*** ask (s.o.) a question; ***die ~ stellt sich nicht*** the question does not arise; ***ohne ~*** undoubtedly; ***das ist eben die ~*** that's just the point; ***etw in ~ stellen*** **a)** question (*od* doubt) s.th., **b)** (*gefährden*) jeopardize s.th.; F ***gar k-e ~!*** of course! **2.** (*Angelegenheit*) matter, question: ***das ist e-e ~ der Zeit*** that's a matter of time; ***das ist e-e andere ~*** that's a different matter; → ***in-frage***
Fragebogen *m* form, questionnaire
Frageform *f* LING interrogative form
Fragefürwort *n* LING interrogative (pronoun)
fragen **I** *v/t u. v/i* ask, (*aus~*) question, query: ***nach etw (j-m) ~*** inquire about s.th. (after s.o.); ***(j-n) etw ~*** ask (s.o.) a question; ***(j-n) ~ nach*** ask (s.o.) for; ***j-n nach s-m Namen (dem Weg) ~*** ask s.o. his name (the way); ***es fragt sich, ob …*** it's a question of whether …; ***ich frage mich, warum …*** I (just) wonder why …; ***niemand fragte danach*** nobody bothered about it; ***wenn ich ~ darf*** if I may ask; WIRTSCH ***(sehr) gefragt*** in (great) demand; ***da fragst du mich zu viel*** I'm afraid I can't tell you that; ***er wird sich ~ lassen müssen, warum …*** he'll have to answer (the question) why … **II** ≈ *n* ***≈ kostet nichts*** there's no harm in asking **fragend** *Adj* questioning, inquiring, LING interrogative
Frage|satz *m* LING interrogative clause (*od* sentence) **~stellung** *f a. fig* question **~stunde** *f* PARL question time
Frage-und-Antwort-Spiel *n* quiz, *a. fig* question and answer game
Fragewort *n* LING interrogative **Fragezeichen** *n* question mark, *a. fig* query
fraglich *Adj* **1.** (*zweifelhaft*) doubtful **2.** (*betreffend*) in question
fraglos *Adv* undoubtedly
Fragment *n* fragment **fragmentarisch** **I** *Adj* fragmentary **II** *Adv* fragmentarily, in fragmentary form
fragwürdig *Adj* questionable, (*verdächtig*) dubious, F shady
Fraktion *f* **1.** PARL parliamentary party, (*Untergruppe*) faction **2.** CHEM fraction
Fraktions|führer(in), **~vorsitzende** *m, f* party (*Am* floor) leader
fraktionslos *Adj* independent
Fraktionszwang *m* party discipline
Fraktur *f* MED fracture
Franke *m* Franconian, *hist* Frank
Franken[1] *n* GEOG Franconia
Franken[2] *m* (*Münze*) (Swiss) franc
frankieren *v/t* stamp, *mit e-r Maschine*: frank **frankiert** *Adj* prepaid, post paid: ***der Brief ist nicht ausreichend ~*** they didn't put enough stamps on this letter
franko *Adv* prepaid
Frankreich *n* France
Franse *f* **1.** fringe **2.** *Pl* (*Pony*) F fringe *Sg*, bangs *Pl* **fransen** **I** *v/i* (*aus~*) fray **II** *v/t* fringe **fransig** *Adj* fringed, (*ausgefranst*) frayed
Franziskaner *m* Franciscan (friar)
Franzose *m* Frenchman: ***die ~n*** *Pl* the French *Pl*; ***er ist ~*** he is a Frenchman, he is French **Französin** *f* Frenchwoman: ***sie ist ~*** she is French
französisch **I** *Adj* French: ***~es Bett*** (double) divan **II** ≈ *n* LING French: ***aus dem ≈en (ins ≈e)*** from (into) French
frappant *Adj* remarkable, *Ähnlichkeit etc*: striking **frappieren** *v/t* amaze
Fräse *f* **1.** TECH milling machine, *für Holz*: shaper **2.** LANDW rotary hoe
fräsen *v/t u. v/i* TECH mill, (*Holz*) shape
Fraß *m* **1.** F *pej* muck **2.** (*Tierfutter*) feed **3.** (*Schädlings≈*) damage, (*Rost≈, Säure≈*) corrosion
Fratze *f* **1.** grimace: ***~n schneiden*** pull faces **2.** F (*Gesicht*) *sl* mug
Frau *f* **1.** woman, VERW female, *vor Namen*: Mrs., Ms: ***die ~ von heute*** modern women **2.** (*Ehe≈*) wife: ***wie geht es Ihrer ~?*** how is Mrs. X.? **3.** (*Herrin*) lady: ***gnädige ~*** (*Anrede*) madam
Frauen|arzt *m*, **~ärztin** *f* gyn(a)ecologist **~beauftragte** *m, f* official women's representative **~beruf** *m* female profession; → *Info bei* ***women*** **~bewegung** *f* women's liberation (F lib) **≈feindlich** *Adj* anti-women **~frage** *f* question of women's rights **~gestalt** *f* LITERATUR female character **~haus** *n* refuge for battered women **~heilkunde** *f* gyn(a)ecology **~held** *m* ladykiller **~krankheit** *f*,

~leiden *n* gyn(a)ecological disorder **~quote** *f* female quota, quota of women
Frauenrechte *Pl* women's rights *Pl*
Frauenrechtler(in) feminist
Frauen|sport *m* women's sport(s *Pl*) **~zeitschrift** *f* women's magazine
Fräulein *n* **1.** (young) lady, girl, *vor Namen, Anrede*: Miss **2.** F (*Verkäuferin*) salesgirl, (*Kellnerin*) waitress
fraulich *Adj* womanly, feminine
Freak *m* F freak
frech *Adj* impudent, F cheeky, *Am* fresh, (*dreist*) bold, brazen, (*kess*) saucy
Frechheit *f* impudence, F cheek: ***so e-e ~!*** what (a) cheek!; ***die ~ besitzen zu*** *Inf* have the cheek to *Inf*
Fregatte *f* frigate
frei **I** *Adj* **1.** *allg* free (**von** from, of), *Straße etc*: *a.* clear, (*unabhängig*) *a.* independent, unattached, (*ungezwungen*) free and easy, (*~zügig*) liberal, (*offen*) *a.* frank, open: ***ist dieser Platz noch ~?*** is this seat taken?; ***Zimmer ~!*** room(s) to let (*Am* rent)!, vacancies *Pl*; ***ein ~er Tag*** a free day, (*dienst~*) a day off; ***den Oberkörper ~ machen*** strip to the waist; ***~er Beruf*** independent profession; ***~e Künste*** liberal arts; ***die ~e Wirtschaft*** free enterprise; ***ein ~er Mensch*** (*der tun kann, was er will*) a free agent; ***~e Fahrt*** MOT clear road, BAHN green light; ***~e Fahrt haben*** *a. fig* have the green light; → ***Fuß*** 1, ***Hand, Stück*** 1 **2.** (*unbeschrieben*) blank: ***e-n ~en Platz lassen*** leave a blank **3.** *Posten*: open, vacant: ***~e Stelle*** vacancy **4.** *Aussicht, Gelände etc*: open: ***in der ~en Natur, im Ⓢen*** in the open (country); → ***Himmel*** **5.** (*kostenlos*) free (of charge), (*porto~*) prepaid: ***Eintritt ~*** admission free **6.** (*~schaffend*) *Journalist etc*: freelance **7.** PHYS free, CHEM *a.* uncombined: ***Wärme wird ~*** heat is released **8.** TEL *Leitung*: vacant, *Am* not busy **9.** SPORT (*ungedeckt*) unmarked **II** *Adv* **10.** freely (*etc*): ***~ sprechen*** speak openly, *Redner(in)*: speak without notes; ***~ erfunden*** (entirely) fictitious, made(-)up; ***~ heraus*** frankly, point-blank; ***Lieferung ~ Haus*** franco domicile; ***~ an Bord*** free on board (f.o.b.); ***~ finanziert*** privately financed; ***~ laufende Hühner*** free-running chicken

Freibad *n* open-air swimming pool
freibekommen *v/t* **1.** F ***e-n Tag*** *etc* ***~*** get a day *etc* off **2.** ***j-n ~*** get s.o. released; ***etw ~*** free s.th.
Freiberufler(in) freelance **freiberuflich** *Adj* self-employed, *Journalist etc*: freelance, *Anwalt, Arzt*: in private practice (*a. Adv*): *Adv* ***~ tätig sein*** *a.* work (as a) freelance **Freibetrag** *m* tax allowance **Freibier** *n* free beer **freibleibend** *Adj u. Adv* WIRTSCH without engagement **Freibrief** *m fig* excuse (**für** for)
Freiburg *n* (*Schweiz*) Fribourg
Freidenker(in) freethinker
Freier *m* suitor, *iron e-r Prostituierten*: customer
Freiexemplar *n* free copy
Freifahrschein *m* free ticket
Freiflug *m* free flight
Freigabe *f allg* release, *des Wechselkurses*: floating, *e-r Strecke etc*: clearance
freigeben *v/t* **1.** ***j-m e-n Tag*** *etc* ***~*** give s.o. a day *etc* off **2.** *allg* release, (*Wechselkurs*) float, (*Startbahn, Strecke etc*) clear: ***etw für den Verkehr ~*** open s.th. to traffic; ***etw zur Veröffentlichung ~*** release s.th. for publication
freigebig *Adj* generous
Freigebigkeit *f* generosity
Freigehege *n* open-air enclosure
Freigepäck *n* baggage allowance
Freigrenze *f* tax exemption limit
freihaben *v/i* F have the day off: ***Freitag habe ich frei*** Friday is my day off
Freihafen *m* free port
freihalten *v/t* **1.** (*Sitzplatz*) keep, (*Einfahrt etc*) keep clear **2.** (*Stelle etc*) keep open **3.** ***j-n ~*** treat s.o., pay for s.o.
Freihandbücherei *f* open access library **Freihandel** *m* free trade
Freihandelszone *f* free trade area
freihändig *Adj u. Adv Schießen*: without support, *Radfahren etc*: with no hands, *Zeichnen etc*: freehand **Freihandzeichnung** *f* freehand drawing
Freiheit *f* freedom, liberty: ***dichterische ~*** poetic licen/ce (*Am* -se); ***in ~ sein*** be free; ***in ~ setzen*** release; ***sich die ~ nehmen zu*** *Inf* take the liberty of *Ger*; ***sich ~en erlauben*** take liberties (***gegenüber*** with)
freiheitlich *Adj* free, *Gesinnung*: liberal
Freiheits|beraubung *f* deprivation of

liberty, JUR illegal detention **~bewegung** *f* POL freedom movement **~entzug** *m* imprisonment **~kampf** *m* struggle for freedom, revolt **~kämpfer(in)** freedom fighter **~krieg** *m* war of liberation **~liebe** *f* love of freedom **~strafe** *f* JUR prison sentence: ***zu e-r ~ von 5 Jahren verurteilt werden*** be sentenced to 5 years' imprisonment
freiheraus *Adv* openly, straight out
Freikarte *f* free (THEAT *a.* complimentary) ticket
freikaufen I *v/t* pay for *s.o.'s* release **II** *v/refl* ***sich ~*** pay to be set free
Freiklettern *n* free climbing
freikommen *v/i* get free, JUR be released, (*freigesprochen werden*) be acquitted
Freikörperkultur *f* nudism: ***Anhänger(in) der ~*** nudist **Freilandgemüse** *n* outdoor vegetables *Pl*
freilassen *v/t*, **Freilassung** *f* release
Freilauf *m* MOT *u. Fahrrad*: (*a.* ***im ~ fahren***) freewheel
freilegen *v/t* lay open, expose, uncover
freilich *Adv* of course
Freilicht|bühne *f*, **~theater** *n* open-air theat/re (*Am* -er) **~kino** → ***Autokino***
Freilos *n* free (lottery) ticket, SPORT bye
Freiluft… open-air …, outdoor …
freimachen I *v/t* POST stamp, prepay **II** *v/refl* ***sich ~*** free o.s. (***von*** from), F (*sich Zeit nehmen*) arrange to be free
Freimaurer *m* freemason **~loge** *f* freemason's (*od* Masonic) lodge
Freimut *m*, **Freimütigkeit** *f* cando(u)r, openness **freimütig** *Adj* candid, open
freinehmen *v/t* (***sich***) ***e-n Tag*** *etc* **~** take a day *etc* off
Freiplastik *f* free-standing sculpture
Freiplatz *m* **1.** THEAT *etc* free seat **2.** *Tennis etc*: outdoor court
freischaffend *Adj* freelance
freischwimmen *v/refl* ***sich ~*** **a)** pass one's 15-minute swimming test, **b)** *fig* learn to stand on one's own two feet
freisetzen *v/t* CHEM, PHYS release (*a. fig*): ***j-n ~*** make s.o. redundant; ***freigesetzte Arbeitskräfte*** redundant workers
Freisetzung *f* CHEM, PHYS release (*a. fig*), *von Arbeitskräften*: redundancy
freispielen *v/refl* ***sich ~*** break clear
Freisprech|apparat *m* TEL hands-free set (*od* unit) **~anlage** *f* MOT hands-free car kit
freisprechen *v/t* **1.** (***von***) REL absolve (from), JUR acquit (of), *von e-r Schuld*: exonerate (from), *von e-m Verdacht*: clear (of) **2.** (*Lehrling*) release *s.o.* from his indentures
Freispruch *m* JUR acquittal
Freistaat *m* free state, republic
freistehen *v/i* **1.** SPORT be unmarked **2.** ***j-m ~*** be up to s.o.; ***es steht Ihnen frei zu*** *Inf* you are at liberty (*od* free) to *Inf*
freistellen *v/t* **1.** ***j-n ~*** *a.* MIL exempt s.o. (***von*** from) **2.** ***j-m etw ~*** leave s.th. (up) to s.o. **Freistellung** *f* (***von*** from) exemption, MIL release
Freistil *m*, **Freistil…** SPORT freestyle
Freistoß *m Fußball*: free kick
Freistunde *f* PÄD free period
Freitag *m* (***am ~*** on) Friday
freitags *Adv* on Friday(s)
Freitod *m* suicide **freitragend** *Adj* ARCHI, TECH cantilever, self-supporting
Freitreppe *f* (outdoor) steps *Pl* **Freiübungen** *Pl* (free) exercises *Pl*, cal(l)isthenics *Pl*
Freiumschlag *m* stamped addressed envelope **Freiverkehr** *m* WIRTSCH ***im ~*** in the open market, *Am* over the counter
Freiverkehrsbörse *f* WIRTSCH kerb market
freiweg *Adv* F straight out
Freiwild *n fig* fair game
freiwillig I *Adj* voluntary, (*aus sich heraus*) spontaneous **II** *Adv* voluntarily, of one's own free will: ***sich ~ melden*** volunteer (***zu*** for) **Freiwillige** *m, f* volunteer **Freiwilligkeit** *f* voluntariness
Freiwurf *m* SPORT free throw
Freizeichen *n* TEL dial(l)ing tone
Freizeit *f* **1.** free (*od* leisure, spare) time **2.** PÄD holiday (*od* weekend) course **~ausgleich** *m* free time compensation **~beschäftigung** *f* leisure-time activity (*od* activities *Pl*), *eng. S.* hobby **~gestaltung** *f* leisure-time activities *Pl* **~hemd** *n* sports shirt **~industrie** *f* leisure industry **~kleidung** *f* casual (*od* leisure) wear **~park** *m* leisure park **~sektor** *m* leisure sector **~zentrum** *n* leisure cent/re (*Am* -er)
Freizone *f* free zone
freizügig *Adj* **1.** WIRTSCH unrestricted **2.**

(*großzügig*) generous, liberal **3.** *moralisch*: permissive, free, *Film etc*: *a.* candid

Freizügigkeit *f* **1.** *von Arbeitskräften etc*: free(dom of) movement **2.** (*Großzügigkeit*) generosity **3.** permissiveness, *e-s Films etc*: cando(u)r

fremd *Adj allg* strange, (*unbekannt*) *a.* unfamiliar, unknown, (*seltsam*) *a.* odd, (*ausländisch*, *weit. S.* **~artig**) foreign: ***~e Leute*** strangers; ***~e Hilfe*** outside help; ***~es Eigentum*** other people's property; *fig* ***j-m ~ sein*** **a**) be unknown to s.o., **b**) (*wesens~*) be foreign (*od* alien) to s.o.'s nature; ***ich bin hier*** (***selbst***) **~** I'm a stranger here (myself)

Fremdarbeiter(in) foreign worker

fremdartig *Adj* foreign, (*merkwürdig*) strange, *Pflanze etc*, *a. fig* exotic

Fremdartigkeit *f* strangeness

Fremde[1] *m*, *f* stranger, (*Ausländer*[*in*]) foreigner, (*Tourist*[*in*]) tourist

Fremde[2] *f* foreign parts *Pl*: ***in die*** (***der***) **~** away from home, *weit. S.* abroad

fremdenfeindlich *Adj* hostile to strangers, (*ausländerfeindlich*) hostile to foreigners

Fremden|führer(in) (tourist) guide **~hass** *m* xenophobia **~heim** *n* guesthouse **~industrie** *f* tourist industry **~legion** *f* Foreign Legion **~verkehr** *m* tourism **~verkehrsbüro** *n* tourist office **~zimmer** *n* room (to let)

fremdgehen *v/i* be unfaithful (to one's husband *od* wife)

Fremd|herrschaft *f* foreign rule **~kapital** *n* loan capital **~körper** *m* **1.** foreign body **2.** *fig* alien element

fremdländisch *Adj* foreign, exotic

Fremdling *m* stranger

Fremdsprache *f* foreign language

Fremdsprachen|korrespondent(in) foreign correspondence clerk **~sekretär(in)** bilingual secretary **~unterricht** *m* foreign-language teaching (*od* lessons *Pl*)

fremd|sprachig *Adj* **1.** speaking a foreign language **2.** *Buch*, *Unterricht etc*: → **~sprachlich** *Adj* foreign-language

Fremdwort *n* foreign word

frequentieren *v/t* frequent

Frequenz *f* **1.** ELEK, PHYS frequency **2.** MED (*Puls*≈ *etc*) (pulse) rate **3.** (*Besucherzahl*) number of visitors **4.** (*Verkehrsdichte*) density of traffic **Frequenzbereich** *m* ELEK frequency range

Fresko(**malerei** *f*) *n* fresco

Fressalien *Pl* F grub

Fresse *f* V mug, kisser: ***halt die ~!*** fuck up!

fressen I *v/t* **1.** eat, *Raubtier*: *a.* devour, V *Mensch*: stuff o.s. with, (*sich ernähren von*) eat, feed on: ***e-m Tier*** (***…***) ***zu ~ geben*** feed an animal (on …); F ***er wird dich schon nicht ~*** he won't bite you; → ***Besen*** 1, ***Narr*** **2.** F *fig* (*verbrauchen*) gobble up (*money*), consume (*fuel etc*) **II** *v/refl* **3.** ***sich ~ in*** (*Akk*) *a. Säure etc*: eat into **III** *v/i* **4.** eat, V *Person*: eat like a pig **5.** *fig* ***~ an*** (*Dat*) *Rost etc*: eat away **Fressen** *n fig* food, V (*Essen*) grub: F *fig* ***das war ein gefundenes ~ für ihn*** that was just what he was waiting for

Fresserei *f* **1.** V guzzling **2.** F blowout

Fressgier *f* voraciousness **Fresssack** *m* F glutton **Fresssucht** *f* MED b(o)ulimia

Frettchen *n* ZOOL ferret

Freude *f* joy (***über*** *Akk* at), pleasure, delight: ***~ haben*** (*od* ***finden***) ***an*** (*Dat*) enjoy; ***j-m ~ bereiten*** make s.o. happy; ***ich hoffe, es macht dir ~!*** I hope it will give you pleasure; ***es macht mir k-e ~*** I don't enjoy it; ***zu m-r großen ~*** much to my delight; → ***Leid*** 1

Freuden|fest *n* celebration **~feuer** *n* bonfire **~schrei** *m* cry of joy **~tag** *m* red-letter day **~tränen** *Pl* tears *Pl* of joy

freudestrahlend *Adj* radiant (with joy)

freudig *Adj* joyful, cheerful: ***~es Ereignis*** happy event; ***~e Nachricht*** good news *Pl* **freudlos** *Adj* cheerless, bleak

freudsch *Adj* → ***Fehlleistung***

freuen I *v/refl* ***sich ~*** be glad (*od* happy, pleased) (***über*** *Akk* about); ***sich ~ an*** (*Dat*) enjoy; ***sich ~ auf*** (*Akk*) be looking forward to **II** *v/t* please: ***das freut mich sehr*** I'm glad to hear that; ***ich hoffe, es freut dich*** I hope it will give you pleasure **III** *v/unpers* ***es freut mich, Sie zu sehen*** nice to see you; ***es würde mich ~, wenn …*** I'd be very pleased if …

Freund *m* friend (*a. fig*), *e-s Mädchens*: boyfriend: ***~ und Feind*** friend and foe; *fig* ***ein ~ sein von*** be fond of; ***ein ~ der***

Musik *etc* a music *etc* lover; → ***dick*** 2
Freundchen *n ironisch* mate, *Am* buddy
Freundeskreis *m* (circle of) friends *Pl*
Freundin *f* friend (*a. fig*), *e-s Jungen*: girlfriend

Freund(in)

Freund(in), gute(r) Bekannter	**friend**
Freund, Partner, mit dem man eine Liebesbeziehung hat	**boyfriend**
Freundin, Partnerin, mit der man eine Liebesbeziehung hat	**girlfriend**

Beim Vorstellen eines Freundes/einer Freundin:
Dies ist mein Freund Peter. (*Liebesbeziehung*)
This is Peter, my boyfriend.
Dies ist meine Freundin Lisa. (*Liebesbeziehung*)
This is Lisa, my girlfriend.

Aber:
Dies ist mein Freund Hans. (*ein Bekannter*)
This is Hans, a friend of mine.
Dies ist meine Freundin Gabi. (*eine Bekannte*)
This is Gabi, a friend of mine.

freundlich *Adj* **1.** friendly (***gegen*** to), (*lieb*) kind, (*nett*) nice: ***~e Grüße*** kind regards (***an*** *Akk* to); ***bitte seien Sie so ~ und ...*** (will you) be so kind as to ...; ***sehr ~!*** very kind of you! **2.** *Klima etc*: mild, pleasant, *Zimmer etc*: cheerful
freundlicherweise *Adv* kindly
Freundlichkeit *f* friendliness, kindness
Freundschaft *f* friendship: ***~ schließen mit*** make friends with; ***aus ~*** because we *etc* are friends **freundschaftlich** *Adj* friendly, amicable: ***j-m ~ gesinnt sein*** be well-disposed towards s.o.
Freundschafts|besuch *m* POL goodwill visit **~dienst** *m* (***j-m e-n ~ erweisen*** do s.o. a) good turn **~spiel** *n* SPORT friendly (game)
Frevel *m allg* sacrilege, (*Untat, a. fig*) (***an*** *Dat*, ***gegen*** against) crime, outrage
frevelhaft *Adj* sacrilegious, *Tat etc*: outrageous **Freveltat** *f* outrage, crime
Frevler(in) offender, *bes* REL sinner
Frieden *m* peace, (*Ruhe*) tranquil(l)ity: ***innerer ~*** peace of mind; ***im ~*** in peacetime; ***~ schließen*** make peace; ***mit j-m ~ schließen*** make (it) up with s.o.; ***lass mich in ~!*** leave me alone!
Friedens|bedingungen *Pl* peace terms *Pl* **~bewegung** *f* POL peace movement **~bruch** *m* JUR breach (POL violation) of the peace **~forschung** *f* peace research **~gespräche** *Pl* peace talks *Pl* **~initiative** *f* peace initiative **~konferenz** *f* peace conference **~kundgebung** *f* peace rally **~nobelpreis** *m* Nobel Peace Prize **~politik** *f* policy of peace **~schluss** *m* conclusion of the peace treaty **~taube** *f* dove of peace **~truppe** *f* peacekeeping force **~verhandlungen** *Pl* peace negotiations *Pl* **~vertrag** *m* peace treaty **~zeit** (**-en** *Pl*) *f* times *Pl* of peace, peacetime *Sg*
friedfertig *Adj* peaceable
Friedhof *m* cemetery
friedlich *Adj* peaceful, *Tier*: gentle
Friedlichkeit *f* peacefulness
friedliebend *Adj* peace-loving
frieren *v/i u. v/unpers* freeze: ***ich friere, mich friert, es friert mich*** I am cold, *stärker*: I'm freezing; ***mich friert an den Füßen*** I've got cold feet; ***es friert*** it is freezing
Fries *m* ARCHI, *Textilien*: frieze
frigide *Adj* frigid **Frigidität** *f* frigidity
Frikadelle *f* GASTR meatball
Frikassee *n* GASTR fricassee
Frisbeescheibe® *f* frisbee disc®
frisch **I** *Adj* **1.** *Obst etc*: fresh, *Eier*: *a.* freshly-laid, *Salat etc*: *a.* green, *Brot*: *a.* new: ***~e Farbe*** wet paint; ***~e Luft schöpfen*** get some fresh air; ***sich ~ machen*** freshen up; *fig* ***mit ~en Kräften*** refreshed, with renewed strength; ***noch in ~er Erinnerung*** fresh in my *etc* mind **2.** (*sauber*) clean **3.** (*kühl*) fresh, cool, chilly **4.** *fig* (*lebhaft*) fresh (*a. Farbe*), brisk, lively **II** *Adv* **5.** freshly (*etc*), (*von neuem*) again: ***~ gestrichen!***

wet paint!; ~ ***gebacken*** fresh from the oven; ~ ***verheiratet*** just married
Frische *f allg* freshness (*a. fig*), *körperliche*: *a.* vigo(u)r, (*Lebhaftigkeit*) *a.* briskness, liveliness, (*Kühle*) coolness: *fig* ***in alter*** ~ as alive and well as ever
Frisch|ei *n* fresh(ly laid) egg **~fleisch** *n* fresh meat **~gemüse** *n* fresh vegetables *Pl* **~haltebeutel** *m* polythene bag **~haltefolie** *f* cling film **~haltepackung** *f* vacuum (*od* keep-fresh) package **~milch** *f* fresh milk **~obst** *n* fresh fruit **~zellentherapie** *f* MED living-cell therapy
Friseur(in) hairdresser: ***beim*** ~ at the hairdresser's **Friseursalon** *m* hairdresser's shop **Friseuse** *f* hairdresser
frisieren I *v/t* **1.** ***j-n*** ~ do s.o.'s hair **2.** F *fig* (*Bilanz etc*) doctor, (*Motor*) soup up **II** *v/refl* ***sich*** ~ **3.** do one's hair
Frisiersalon *m* hairdresser's salon
Frist *f* (fixed) period of time, time limit, (*Zeitpunkt*) deadline, WIRTSCH (*Nach*≈) respite, JUR (*Strafaufschub*) reprieve: WIRTSCH, JUR ***drei Tage*** ~ three days' grace; ***innerhalb e-r*** ~ ***von 10 Tagen*** within a ten-day period; ***e-e*** ~ ***setzen*** (***einhalten***) fix (meet) a deadline
fristen *v/t* ***sein Leben*** (*od* ***Dasein***) ~ scrape a (bare) living
fristgemäß, **fristgerecht** *Adj u. Adv* in time, within the prescribed time limit
fristlos *Adj u. Adv* (***j-n*** ~ ***entlassen*** dismiss s.o.) without notice **Fristverlängerung** *f* extension (of the deadline)
Frisur *f* hairstyle, (*Schnitt*) haircut
Fritten *Pl* F chips *Pl*, *Am* fries *Pl*
Fritteuse *f* GASTR deep fryer
frittieren *v/t* deep-fry
frivol *Adj* (*leichtfertig*) frivolous, (*anzüglich*) risqué **Frivolität** *f* frivolity
froh *Adj* glad, cheerful: ***sei*** ~, ***dass du nicht dabei warst*** be thankful you weren't there
fröhlich *Adj* cheerful, (*lustig*) *a.* merry
Fröhlichkeit *f* cheerfulness, (*Lustigkeit*) *a.* high spirits *Pl*
frohlocken I *v/i* (***über*** *Akk*) rejoice (in, at), *schadenfroh*: gloat (over) **II** ≈ *n* jubilation, gloating
Frohnatur *f* cheerful person
Frohsinn *m* cheerfulness
fromm *Adj* **1.** pious, devout **2.** ***~er Wunsch*** wishful thinking **Frömmelei** *f* sanctimoniousness **Frömmigkeit** *f* piety
Fron(arbeit) *f fig* drudgery
frönen *v/i* (*Dat*) indulge in
Fronleichnam *m* Corpus Christi
Front *f allg* front, MIL (*~linie*) *a.* front line: ***an der*** ~ at the front; ***hinter der*** ~ behind the lines; *fig* ~ ***machen gegen*** turn against, resist; SPORT ***in*** ~ ***gehen*** (***liegen***) take (be in) the lead
Frontal... head-on, frontal **Frontalangriff** *m* frontal attack **Frontalzusammenstoß** *m* head-on collision
Frontantrieb *m* MOT front-wheel drive
Frontkämpfer(in) front-line soldier, *ehemaliger*: ex-serviceman, *Am* veteran
Frontlader *m* front loader **Frontmotor** *m* front-mounted engine
Frontwechsel *m fig* about-face
Frosch *m* **1.** ZOOL frog: F ***sei kein*** ~! don't be a spoilsport! **2.** (*Knall*≈) squib **~augen** *Pl fig* bulging eyes *Pl* **~mann** *m* MIL *etc* frogman **~perspektive** *f* (***aus der*** ~ ***sehen*** have a) worm's-eye view **~schenkel** *m* GASTR frog's leg
Frost *m* frost **frostbeständig** *Adj* frost-resistant **Frostbeule** *f* chilblain
Frosteinbruch *m* sudden frost
frösteln I *v/i* shiver (with cold): ***mich fröstelt*** I feel shivery **II** ≈ *n* shivering
frostfrei *Adj* free of frost, frost-free
frostig *Adj* frosty, *fig a.* icy
Frostsalbe *f* chilblain ointment
Frostschaden *m* frost damage
Frostschutz *m* frost protection **~mittel** *n* antifreeze **~scheibe** *f* MOT defrosting screen
Frostwetter *n* frosty weather
Frottee, **Frotté** *österr.* *m*, *n* terry(cloth), towel(l)ing
frottieren *v/t* rub down
Frottier(hand)tuch *n* terry towel
Frucht *f* **1.** BOT fruit (*a. Pl*): ***Früchte tragen*** *a. fig* bear fruit **2.** *Pl fig* fruit(s *Pl*)
fruchtbar *Adj* **1.** BIOL fertile: *fig* ***auf ~en Boden fallen*** fall on fertile ground **2.** *fig* fruitful, *Schriftsteller*: prolific
Fruchtbarkeit *f* **1.** fertility **2.** *fig* fruitfulness
Fruchtblase *f* amniotic sac
Fruchtbonbon *m*, *n* fruit drop
Fruchteis *n* fruit-flavo(u)red ice cream
fruchten *v/i* be of use, have an effect: ***es***

hat nichts gefruchtet it was no use
Fruchtfleisch *n* (fruit) flesh
fruchtlos *Adj* fruitless, *fig a.* futile
Frucht|presse *f* juicer **~saft** *m* fruit juice **~wasser** *n* PHYSIOL amniotic fluid **~zucker** *m* fructose
frugal *Adj* frugal
früh I *Adj* early: ***ein ~er van Gogh*** an early (work by) van Gogh; → ***früher, frühest, frühestens* II** *Adv* early: ***heute ~*** this morning; (***schon***) **~** early on; ***~ genug*** soon enough; ***von ~ bis spät*** from morning till night; ***zu ~ kommen*** be early
Frühaufsteher(in) early riser (F bird)
Frühe *f* (early) morning: ***in aller ~*** early in the morning
früher I *Adj* earlier, (*ehemalig*) former, (*einstig*) past: ***der ~e Besitzer*** the previous owner **II** *Adv* earlier, (*eher*) *a.* sooner, (*einstmals*) in the past: ***~ oder später*** sooner or later; ***~ habe ich geraucht*** I used to smoke; ***~ hat er nie geraucht*** he never used to smoke, he didn't use to smoke; ***ich kenne sie von ~*** I know her from way back

früher **(= used to)**

Beachten Sie, dass die geläufigste Übersetzung von „früher" mit **used to** gebildet wird:

Sie war früher Innenarchitektin.
She used to be an interior designer.
Früher bin ich viel ins Kino gegangen.
I used to go to the cinema a lot.

⚠ Der Ausdruck **formerly** *bzw.* **in former times** bedeutet nur im historischen Kontext „früher, in früheren Zeiten".

Früherkennung *f* MED early diagnosis
frühest *Adj* earliest: ***in ~er Kindheit*** at a very early age
frühestens *Adv* at the earliest
Frühgeburt *f* premature birth
Frühgeschichte *f* early history
Frühjahr *n* (***im ~*** in [the]) spring
Frühjahrs|mode *f* spring fashions *Pl* **~müdigkeit** *f* spring tiredness
Frühkartoffeln *Pl* new potatoes *Pl*
Frühling *m a. fig* spring(time): ***im ~*** in (the) spring
frühlingshaft *Adj* springlike, spring
Frühlingsrolle *f* GASTR spring roll
Frühlingswetter *n* spring weather
Frühmesse *f*, **Frühmette** *f* matins *Pl*
frühmorgens *Adv* early in the morning
Frühnebel *m* early morning fog
frühreif *Adj a. fig* precocious **Frühreife** *f* precociousness, *fig a.* precocity
Früh|schicht *f* early shift **~schoppen** *m* pre-lunch drink(s *Pl*) **~sommer** *m* early summer **~sport** *m* early morning exercises *Pl* **~stadium** *n* early stage
Frühstück *n* breakfast: ***zweites ~*** mid-morning snack, *Br* elevenses *Pl*; → *Info bei* ***breakfast***
frühstücken I *v/i* (have) breakfast **II** *v/t* have *s.th.* for breakfast
Frühstücks|fernsehen *n* breakfast television **~fleisch** *n* luncheon meat **~pause** *f* morning break
Früh|warnsystem *n* early warning system **~zeit** *f* early period, (*Vorzeit*) prehistoric times *Pl* **2zeitig I** *Adj* early, (*vorzeitig*) untimely, premature **II** *Adv* early, in good time **~zug** *m* early train **~zündung** *f* MOT advanced ignition
Frust *m* F, **Frustration** *f* PSYCH frustration **frustrieren** *v/t* frustrate
Fuchs *m* **1.** ZOOL **a)** fox, **b)** (*Pferd*) sorrel **2.** → ***Fuchspelz* 3.** *fig* ***alter ~*** cunning old devil; ***schlauer ~*** sly fox
Fuchsbau *m* fox's den
Fuchsie *f* BOT fuchsia
Füchsin *f* ZOOL vixen
Fuchs|jagd *f* fox hunt(ing) **~pelz** *m* fox (fur) **2rot** *Adj* ginger **~schwanz** *m* **1.** ZOOL foxtail **2.** TECH pad saw
fuchsteufelswild *Adj* F hopping mad
Fuchtel *f* F ***j-n unter s-r ~ halten*** keep s.o. under one's thumb
fuchteln *v/i* ***~ mit*** wave *s.th.* around, *drohend*: brandish; ***mit den Händen ~*** gesticulate wildly
Fug *m* ***mit ~ und Recht*** rightly
Fuge[1] *f* MUS fugue
Fuge[2] *f* TECH joint, (*Naht*) seam, (*Falz*) groove: ***aus den ~n gehen*** **a)** fall apart, **b)** *fig* be thrown out of joint
fugen *v/t* joint

fügen I *v/t* TECH joint **II** *v/refl* ***sich ~*** (*Dat od* **in** *Akk* to) (*nachgeben*) submit, give in, (*sich abfinden*) resign o.s.; ***sich e-m Befehl ~*** comply with an order; → ***unabänderlich* III** *v/unpers* ***es fügt sich, dass …*** it so happens that … **fügsam** *Adj* obedient **Fügung** *f* (act of) providence, (stroke of) fate: ***durch e-e glückliche ~*** by a lucky coincidence

fühlbar *Adj fig* noticeable, (*beträchtlich*) considerable

fühlen I *v/t allg* feel, (*spüren*) *a.* sense **II** *v/i* feel: ***~ nach*** feel for; ***mit j-m ~*** feel with s.o. **III** *v/refl* ***sich glücklich*** *etc* ***~*** feel happy *etc*; ***sich ~ als*** see o.s. as

Fühler *m* **1.** ZOOL feeler, antenna, tentacle: *fig* ***die ~ ausstrecken*** put out one's feelers **2.** TECH sensor

Fühlung *f* contact: ***~ haben mit*** be in touch with; ***~ nehmen mit*** contact, get in touch with

Fühlungnahme *f* contacts *Pl*

Fuhre *f* **a**) loaded cart, **b**) (cart)load

führen I *v/t* **1.** lead (***nach, zu*** to), (*geleiten*) *a.* take, (*herum~*) guide: ***Besucher in ein Zimmer*** (***durchs Haus***) ***~*** show *s.o.* into a room (over the house) **2.** (*an~*) lead, head, MIL *a.* command **3.** *fig* lead, (*verwalten, leiten*) be in charge of, (*Betrieb, Haushalt etc*) manage, run, (*Amt*) hold, (*Bücher*) keep, (*Geschäfte etc, e-n Prozess etc*) conduct, (*Verhandlungen etc*) carry on: → ***Gespräch, Klage*** 2 **4.** (*Namen*) bear, go by (*the name of*), (*Titel*) hold, *Buch*: have, bear, (*Wappen*) have: → ***Schild***[1] 1 **5.** (*Ware*) *auf Lager*: carry (in stock), *zum Verkauf*: sell, deal in **6.** (*handhaben*) use, wield **7.** (*bei sich tragen*) (*Waffe etc*) carry, have with (*od* on) one: ELEK ***Strom ~*** **a**) be live, **b**) conduct current **8.** ***e-n Schlag ~*** strike a blow **9.** *Werkzeug, Leitung* ***~ durch*** (***um*** *etc*) pass *s.th.* through (around *etc*) **II** *v/i* **10.** *allg* lead, SPORT *a.* be in the lead: ***~ nach***, *a. fig* ***~ zu*** lead to; *fig* ***das führt zu nichts*** that won't get us (you *etc*) anywhere; SPORT ***mit zwei Toren ~*** be two goals ahead **III** *v/refl* **11.** ***sich*** *gut etc* ***~*** conduct o.s **führend** *Adj* leading: ***~ sein*** lead, rank in first place

Führer *m* (*Handbuch*) guide(book)

Führer(in) **1.** *allg* leader, (*Leiter*) *a.* head, MIL *a.* commander, SPORT (*Mannschafts*℞) captain **2.** (*Fremden*℞) guide **3.** MOT driver, FLUG pilot, (*Kran*℞ *etc*) operator

führerlos *Adj* **1.** without a leader (*od* guide *etc*) **2.** *Wagen*: driverless, *Flugzeug*: pilotless

Führernatur *f* born leader **Führerschaft** *f* leadership, *Koll the* leaders *Pl*

Führerschein *m* MOT driving licence, *Am* driver's license: ***s-n ~ machen*** take one's driving test **~entzug** *m* revocation of s.o.'s driving licence (*etc*)

Fuhrpark *m* car pool, fleet (of vehicles)

Führung *f* **1.** guidance, POL *etc* leadership, MIL command, WIRTSCH (*Unternehmens*℞) management, *Koll the* leaders *Pl*: ***unter der ~ von*** headed by; ***die ~ übernehmen*** take charge (→ *a.* 5) **2.** *in e-m Museum etc*: (guided) tour (***durch*** of) **3.** *von Verhandlungen etc*: conduct **4.** (*Benehmen*) *good etc* conduct, behavio(u)r **5.** SPORT lead: ***in ~ gehen, die ~ übernehmen*** take the lead; ***in ~ sein*** be in the lead **6.** *e-s Titels*: use

Führungs|aufgabe *f* executive function **~etage** *f* executive floor **~gremium** *n* executive committee **~kraft** *f* WIRTSCH executive, *Pl* executive personnel *Sg*, POL leaders *Pl* **~schicht** *f* ruling class(es *Pl*) **~schwäche** *f* lack of (*od* poor) leadership **~spitze** *f* top echelons *Pl* **~stil** *m* (style of) leadership **~tor** *n*, **~treffer** *m* goal that puts a team into the lead **~zeugnis** *n* certificate of (good) conduct

Fuhr|unternehmen *n* haulage company **~unternehmer(in)** haulage contractor **~werk** *n* horse-drawn vehicle, cart

Fülle *f* fullness (*a. fig*), (*Klang*℞ *etc*) richness, (*Über*℞) wealth, abundance, (*Körper*℞) corpulence: → ***Hülle*** 4

füllen *v/t* **1.** fill (*a.* ***sich ~***): *der Aufsatz* ***füllte drei Seiten*** took up three pages; ***in Flaschen ~*** bottle **2.** GASTR stuff

Füller *m* F, **Füll(feder)halter** *m* fountain pen

füllig *Adj* full, *Figur, Person*: plump

Füllsel *n* filler, *fig a.* padding (*a. Pl*)

Füllung *f* **1.** filling (*a. Zahn*℞) **2.** GASTR stuffing **3.** (*Polsterung*) padding

Füllwort *n* filler

fummeln *v/i* F **1.** fiddle around (***an*** *Dat*

with) **2.** (*knutschen*) pet
Fund *m* finding, discovery, (*Gefundenes*) find: ***e-n ~ machen*** make a find
Fundament *n* ARCHI foundations *Pl*
fundamental *Adj* fundamental, basic
Fundamentalismus *m* fundamentalism **Fundamentalist(in)**, **fundamentalistisch** *Adj* fundamentalist
Fundbüro *n* lost property office, *Am* lost and found
Fundgrube *f fig* (gold)mine
fundieren *v/t* **1.** *fig* substantiate **2.** (*Anleihe, Schuld*) fund
fundiert *Adj* **1.** *Wissen etc, a. Geschäft*: sound **2.** *Anleihe, Schuld*: funded
fündig *Adj* ***~ werden*** *a. fig* strike gold
Fundsache *f* lost article, *Pl a.* lost property *Sg* **Fundstätte** *f Archäologie*: site (of the discovery)
Fundus *m fig* store (***von, an*** *Dat* of)
fünf **I** *Adj* five: *fig* (***alle***) ***~e gerade sein lassen*** stretch a point **II** ꝝ *f* five, PÄD (*Note*) poor, *Br* E, *Am* F **Fünfeck** *n* pentagon **fünfeckig** *Adj* pentagonal
Fünfer *m* **1.** five-cent piece; five-euro note (*Am* bill), F fiver **2.** → ***fünf*** II
fünffach *Adj u. Adv* fivefold **fünfhundert** *Adj* five hundred **fünfjährig** *Adj* five-year-old, *präd* five years old: ***ein ~es Kind*** *a.* a child of five
Fünfkampf *m* SPORT pentathlon
Fünfkämpfer(in) pentathlete
Fünflinge *Pl* quintuplets *Pl*, F quins *Pl*
fünfmal *Adv* five times
Fünfprozentklausel *f* PARL five per cent hurdle
fünfstellig *Adj Zahl*: five-digit, *Dezimalzahl*: five-place
fünft *Adj* fifth: → ***Kolonne, Rad*** 1
Fünftagewoche *f* five-day working week
Fünftel *n* fifth
fünfzehn *Adj* fifteen
fünfzig **I** *Adj* fifty; ***sie ist Mitte ~*** she is in her mid-fifties **II** ꝝ *f* fifty **fünfziger** **I** *Adj* **1.** ***die ~ Jahre*** *e-s Jhs.*: the fifties *Pl* **II** ꝝ *m* **2.** man of fifty: ***er ist in den ꝝn*** he is in his fifties **3.** F fifty-pfennig piece, fifty-mark note (*Am* bill) **Fünfzigerin** *f* woman of fifty (*od* in her fifties) **Fünfzigerjahre** → **fünfziger**
fungieren *v/i* ***~ als*** act (*Sache*: serve) as
Funk *m* radio; → *a.* ***Rundfunk, Radio***
Funkamateur(in) radio ham
Funkausstellung *f* radio and TV exhibition
Funkbild *n* photo-radiogram
Fünkchen *n* → **Funke** *m a. fig* spark: *fig* ***ein ~*** (***von***) ***Verstand*** a modicum of sense; ***kein ~ Hoffnung*** not a flicker of hope
funkeln *v/i* sparkle (*a. fig Geist, Witz*), (*glitzern*) glitter, *Sterne*: twinkle, *Augen*: flash
funkelnagelneu *Adj* F brand-new
Funkempfänger *m* radio receiver
funken *v/t* radio (*a. v/i*), send out: F *fig* ***zwischen uns hat es sofort gefunkt*** we clicked the moment we met
Funken *m* → ***Funke***
funkentstört *Adj* radio-screened
Funker(in) radio operator
Funk|gerät *n* radio (set) **~haus** *n* broadcasting cent/re (*Am* -er) **~meldung** *f* radio message **~peilgerät** *n* radio direction finder (RDF) **~ruf(dienst)** *m* paging **~rufempfänger** *m* bleep(er) **~signal** *n* radio signal **~sprechgerät** *n tragbares*: walkie-talkie **~sprechverkehr** *m* radio telephony **~spruch** *m* radio message **~station** *f*, **~stelle** *f* radio station **~stille** *f* radio silence **~streife** *f* **1.** radio patrol **2.** → **~streifenwagen** *m* radio patrol car **~taxi** *n* radio cab **~technik** *f* radio engineering **~telefon** *n* radio telephone
Funktion *f* function, (*Stellung*) position: ***in ~ treten*** go into action
Funktionär(in) official
funktionell *Adj* functional **funktionieren** *v/i* function, work (*a.* F *fig*)
funktionsfähig *Adj* functioning, working **Funktionsstörung** *f* MED malfunction **Funktionstaste** *f* function key (*a.* IT)
Funk|turm *m* radio tower **~uhr** *f* radio (signal) controlled clock **~verbindung** *f* radio contact **~verkehr** *m* radio communication(s *Pl*)
für **I** *Präp allg* for, (*als Ersatz*) *a.* in exchange (*od* return) for, (*zu Gunsten von*) *a.* in favo(u)r of, (*anstatt*) *a.* instead of: ***Jahr ~ Jahr*** year after year; ***~ mich*** for me, (*m-r Ansicht nach*) to me; ***ich ~ m-e Person*** I myself; ***~s Erste*** for the moment; ***~ sich leben*** live by o.s.; ***an und ~ sich*** actually; ***e-e Sache ~ sich*** another matter entirely; ***das hat viel ~***

sich there's a lot to be said for it; ***was*** **~** ***(ein) …?*** what (kind of) …? **II** **~** *n* ***das*** **~** ***und Wider*** the pros and cons *Pl*

Fürbitte *f a.* REL intercession

Furche *f* LANDW, ANAT furrow (*a. fig Runzel*), GEOL, TECH *a.* groove, (*Wagenspur*) rut

Furcht *f* (***vor*** of) fear, *stärker*: dread: ***aus ~ vor*** for fear of; ***j-m ~ einflößen*** (*od* ***einjagen***) frighten s.o.; ***~ einflößend, ~ erregend*** frightening

furchtbar **I** *Adj* terrible, *stärker*: dreadful **II** *Adv* terribly, F (*sehr*) *a.* awfully

fürchten **I** *v/t* be afraid of, *stärker*: dread: ***ich fürchte, wir schaffen es nicht*** I fear we're not going to make it **II** *v/i* ***für j-n ~*** fear for s.o. **III** *v/refl* ***sich ~*** (***vor*** *Dat* of) be frightened, be scared, be afraid; ***sich ~ vor*** (*Dat*) *a.* dread; ***sich*** (***davor***) ***~ zu*** *Inf* be scared to *Inf*, be afraid of *Ger*

fürchterlich → ***furchtbar***

furchtlos *Adj* fearless, intrepid

Furchtlosigkeit *f* fearlessness

furchtsam *Adj* timorous

Furchtsamkeit *f* timorousness

füreinander *Adv* for each other, for one another

Furie *f* **1.** MYTH Fury **2.** *fig* virago

Furnier *n*, **furnieren** *v/t* veneer

Furore: ***~ machen*** cause a sensation

Fürsorge *f* **1.** care (***für*** for), *liebevolle*: solicitude: ***ärztliche ~*** medical care **2.** ***öffentliche ~*** public welfare **3.** F (***von der ~ leben*** live on) social security

Fürsorger(in) welfare worker

fürsorglich *Adj* considerate, solicitous

Fürsprache *f* intercession (***für*** for, ***bei*** with), (*Empfehlung*) recommendation

Fürsprecher(in) intercessor, (*Vermittler*) mediator, (*Verfechter*) advocate

Fürst *m* prince (*a. Titel u. fig*), (*Herrscher*) ruler: F ***leben wie ein ~*** live like a king **Fürstenhaus** *n* dynasty **Fürstentum** *n* principality **Fürstin** *f* princess **fürstlich** *Adj* princely (*a. fig*), prince's, *fig* sumptuous, *Trinkgeld etc*: generous: *Adv* ***j-n ~ bewirten*** (***belohnen***) entertain (reward) s.o. royally

Furt *f* ford

Furunkel *m* MED boil

Fürwort *n* LING pronoun

Furz *m*, **furzen** *v/i* V fart

Fusel *m* F rotgut

Fusion *f* **1.** CHEM fusion **2.** WIRTSCH merger

fusionieren *v/t u. v/i* WIRTSCH merge

Fusionsfieber *n* WIRTSCH merger mania

Fuß *m* **1.** foot, *Pl* feet: ***zu ~*** on foot; ***zu ~ gehen*** walk; ***zu ~ erreichbar*** within walking distance; ***gut zu ~ sein*** be a good walker; *fig* (***festen***) ***~ fassen*** gain a foothold; (*Dat*) ***auf dem ~e folgen*** follow on the heels of; *fig* ***auf die Füße fallen*** fall on one's feet; ***auf freiem ~*** at large; ***j-n auf freien ~ setzen*** release s.o.; ***auf eigenen Füßen stehen*** stand on one's own two feet; ***auf großem ~e leben*** live in grand style; ***auf gutem ~e stehen mit*** be on good terms with; ***auf schwachen Füßen stehen*** be shaky; ***mit beiden Füßen auf der Erde stehen*** have both feet firmly on the ground; ***kalte Füße bekommen*** *a.* F *fig* get cold feet; → ***link*** **2.** *e-s Berges*, *e-r Seite*, *Liste etc*: foot, bottom, *e-s Möbelstücks*: leg, *e-s Glases*: stem, *e-r Lampe*: stand: ***am ~e des Berges*** at the foot of the mountain **3.** (*Maß*) foot (= 30,48 cm): ***10 ~ lang*** ten feet long; → *Info bei* ***foot***

Fußabdruck *m* footprint **Fußangel** *f* mantrap, *fig* trap **Fußbad** *n* footbath

Fußball *m* **1.** football, *Am* soccer ball **2.** (*Spiel*) football, *bes Am* soccer

Fußball… football (*club*, *match*, *etc*)

Fußballen *m* ANAT ball of the foot

Fußballer(in) F footballer

Fußball|länderspiel *n* international (football) match **~platz** *m* football pitch **~spieler(in)** football player **~toto** *m*, *n* football pools *Pl*, F *the* pools *Pl* **~verband** *m* football association **~weltmeister** *m* world cup holders *Pl* **~weltmeisterschaft** *f* world cup

Fußbank *f* footstool

Fußboden *m* **1.** floor **2.** → **~belag** *m* floor covering, flooring **~heizung** *f* underfloor heating

Fuß|breit *m* ***k-n ~ weichen*** not to budge an inch **~bremse** *f* MOT footbrake

Fussel *f*, *m* F (piece of) fluff **fusselig** *Adj* F covered in fluff: *fig* ***sich den Mund ~ reden*** talk one's head off

fußen *v/i* ***~ auf*** (*Dat*) be based (up)on

Fußende *n* (***am ~*** at the) foot

Fußfehler *m* *Tennis*: foot fault

Fußgänger(in) pedestrian
Fußgängerbrücke *f* footbridge
Fußgänger|übergang *m*, **~überweg** *m* pedestrian crossing **~unterführung** *f* (pedestrian) underpass, *Br a.* subway **~zone** *f* pedestrian precinct
Fußgelenk *n* ANAT ankle
fußhoch *Adj Schnee etc*: ankle-deep
Fuß|matte *f* doormat, MOT floor mat **~note** *f* footnote **~pfad** *m* footpath **~pflege** *f* pedicure **~pfleger(in)** pedicurist, *bes Br* chiropodist **~pilz** *m* MED athlete's foot **~puder** *m* foot powder **~sohle** *f* sole (of the foot) **~spur** *f* footprint **~stapfe** *f* footstep: *fig* ***in j-s ~n treten*** follow s.o.'s footsteps **~stütze** *f* footrest **~tritt** *m* **1.** (*Geräusch*) footstep **2.** (*Spur*) footprint **3.** (*Stoß*) kick: ***j-m e-n ~ versetzen*** give s.o. a kick, kick s.o. **~volk** *n fig* rank and file (*of a party etc*) **~weg** *m* **1.** footpath **2.** ***e-e Stunde*** *etc* **~** an hour's *etc* walk

futsch *Adj präd* F (*weg*) gone, (*kaputt*) broken, *sl* bust: ***es ist ~*** *a.* it has had it
Futter[1] *n* **1.** (*Vieh*♀) fodder, (*Nahrung*) food, feed **2.** F (*Essen*) grub, *sl* chow
Futter[2] *n Mode*, TECH lining, ARCHI casing
Futteral *n* case, (*Hülle*) cover
futtern *v/i* F tuck in(to *v/t*)
füttern[1] *v/t a.* COMPUTER feed
füttern[2] *v/t* (*Rock etc*, *a.* TECH) line
Futternapf *m* feeding bowl
Futterneid *m fig* envy, jealousy
Futterstoff *m* lining (material)
Fütterung *f* feeding
Futur *n* LING (*a.* ***erstes ~***) future (tense); ***zweites ~*** future perfect (tense)
Futurismus *m* futurism
Futurist(in), **futuristisch** *Adj* futurist
Futurologe *m*, **Futorologin** *f* futurologist
Futurologie *f* futurology
Futurum *n* → ***Futur***

G

G, g *n a.* MUS G, g
Gabe *f* **1.** (***an*** *Akk* to) gift, present, (*Spende*) contribution, (*Schenkung*) donation **2.** (*Begabung*) gift, talent
Gabel *f* **1.** *allg* fork, (*Heu*♀, *Mist*♀) *a.* pitchfork **2.** TEL cradle, rest **3.** *am Fahrrad*: fork, *der Deichsel*: shafts *Pl* **4.** (*Geweih*♀) spire **gabelförmig** *Adj* forked **gabeln I** *v/refl* ***sich ~*** fork (off *od* out) **II** *v/t* fork **Gabelstapler** *m* forklift (truck) **Gabelung** *f* fork
Gabentisch *m* table with (the) presents
Gabun *n* Gabon
gackern *v/i* cluck
gaffen *v/i* gape **Gaffer(in)** gawper
Gag *m* gag
Gage *f* fee
gähnen I *v/i a. fig* yawn **II** ♀ *n* yawn(ing) **gähnend** *Adj a. fig* yawning: *Adv* ***~ leer sein*** be completely empty
Gala *f* gala dress
Gala... gala (*concert*, *performance*, *etc*)
galant *Adj* gallant
Galeere *f* galley
Galerie *f allg* gallery

Galerist(in) gallery owner
Galgen *m* gallows *Pl* **Galgenfrist** *f* → ***Gnadenfrist*** **Galgenhumor** *m* gallows (*od* grim) humo(u)r
Galionsfigur *f a. fig* figurehead
gälisch *Adj*, **Gälisch** *n* LING Gaelic
Gallapfel *m* oakapple
Galle *f* **1.** ANAT gall bladder **2.** PHYSIOL *u. fig* bile, *a.* BOT, ZOOL gall: *fig* ***mir kam die ~ hoch*** my blood was up
Gallen|blase *f* ANAT gall bladder **~gang** *m* bile (*od* gall) duct **~kolik** *f* MED bilious attack **~leiden** *n* MED bilious complaint **~stein** *m* MED gallstone
Gallert *n* jelly
gallertartig *Adj* jelly-like, gelatinous
Gallier(in) *hist* Gaul
Galopp *m* gallop: ***im ~*** at a gallop, *fig a.* in a hurry; ***kurzer*** (*od* ***leichter***) **~** canter **galoppieren** *v/i* gallop
galvanisch *Adj* galvanic(ally *Adv*): ***~e Zelle*** voltaic cell; ***~e Verzinkung*** electrogalvanizing **Galvaniseur(in)** galvanizer, electroplater **galvanisieren** *v/t* galvanize (*a.* MED), TECH *a.* electroplate

Galvanotechnik *f* electroplating
Gamasche *f* gaiter, (*Wickel*⁂) puttee
Gambia *n the* Gambia
Gammaglobulin *n* MED gamma globulin
Gammastrahl *m* PHYS gamma ray
Gammastrahlung *f* gamma radiation
Gammelei *f* F loafing around
gammelig *Adj* F **1.** *Wurst etc*: old, *Obst*: rotten **2.** (*ungepflegt*) scruffy
gammeln *v/i* F loaf (*od* bum) around
Gammler(in) F layabout, loafer, bum
Gämsbock *m* ZOOL chamois buck
Gämse *f* ZOOL chamois
gang *Adj* ***~ und gäbe sein*** be quite common (*od* usual)
Gang *m* **1.** → ***Gangart*** **2.** (*Spazier*⁂) walk, (*Besorgung*) errand, (*Weg*) way, (*Besuch*) visit **3.** (*Verlauf*) course: ***s-n ~ gehen*** take its course **4.** TECH running, working, action, (*Arbeits*⁂) operation: ***etw in ~ setzen*** (*od* ***bringen***) *a. fig* start s.th., get s.th. going; ***in ~ kommen*** *a. fig* get going, get started; ***im ~(e) sein*** **a)** TECH be running, be working, **b)** *fig* be under way, be in progress; *fig* ***es ist etw im ~e*** s.th. is going on; ***in vollem ~e sein*** be in full swing **5.** MOT gear, *a.* TECH speed: ***erster ~*** first (*od* bottom) gear; ***in den dritten ~ schalten*** change (*Am* shift) into third (gear); ***den ~ herausnehmen*** put the car in neutral **6.** (*Flur*) corridor (*a.* BAHN), hall(way), (*Durch*⁂) passage (-way), (*Bogen*⁂) arcade, *zwischen Sitzen*: aisle, (*Laufsteg*) walkway, (*Stollen*) tunnel **7.** ANAT duct **8.** GASTR course: ***Essen mit fünf Gängen*** five-course meal
Gangart *f* gait, walk, *e-s Pferdes*: pace (*a. fig Tempo*)
gangbar *Adj Weg*: passable, *a. fig* practicable
gängeln *v/t* F ***j-n ~*** keep s.o. in leading strings
gängig *Adj* **1.** *Ausdruck*: current, *Methode etc*: (very) common **2.** WIRTSCH *Ware*: saleable, fast-selling
Gangschaltung *f* MOT gear change, *Am* gearshift, (*Fahrrad*) gears *Pl*
Gangster *m* gangster **~bande** *f* gang of criminals **~boss** *m* gang boss, gangland leader **~braut** *f* moll
Gangstertum *n* gangsterism
Gangway *f* **1.** FLUG steps *Pl* **2.** SCHIFF gangway
Ganove *m* F *pej* crook
Gans *f* goose, *Pl* geese: ***junge ~*** gosling; *fig* ***dumme ~*** stupid thing (*od* girl)
Gänschen *n* gosling
Gänse|blümchen *n* daisy **~braten** *m* roast goose **~füßchen** *Pl* F quotation marks *Pl*, inverted commas *Pl* **~haut** *f fig* goosepimples *Pl*, *bes Am* goose bumps *Pl*: ***dabei kriege ich e-e ~*** it gives me the creeps **~leberpastete** *f* pâté de foie gras
Gänsemarsch *m* ***im ~*** in single file
Gänserich *m* gander
Gänseschmalz *n* goose dripping
ganz **I** *Adj* **1.** whole, (*vollständig*) *a.* complete: ***~ Deutschland*** all (*od* the whole) of Germany; ***die ~e Stadt*** the whole town; ***in der ~en Welt*** all over the world; ***~e Länge*** total (*od* overall) length; ***~e Zahl*** whole number; ***~e zwei Stunden*** for two solid hours, (*nicht mehr*) for just two hours; ***von ~em Herzen*** with all my *etc* heart; ***den ~en Morgen*** (***Tag***) all morning (day); ***die ~e Nacht*** (***hindurch***) all night long; ***die ~e Zeit*** all the time; F ***mein ~es Geld*** all my money **2.** F (*heil*) intact, in one piece: ***~ machen*** mend **II** *Adv* **3.** (*völlig*) completely, totally: ***~ aus Holz*** *etc* all wood *etc*; ***das ist etw ~ anderes*** that's a different matter altogether; ***nicht ~*** not quite; ***nicht ~ zehn Minuten*** just under ten minutes; ***~ gewiss*** certainly; ***~ nass*** wet through; ***~ wie du willst*** just as you like; (***ich bin***) ***~ Ihrer Meinung*** I quite agree; ***er ist ~ der Vater*** he's just like his father; → ***Ohr*** 4. ***~ und gar*** totally, completely; ***~ und gar nicht*** not at all **5.** (*ziemlich*) quite, F pretty, (*sehr*) very, really: ***~ gut*** quite good, F not bad; ***~ wenig*** a tiny bit; ***ich würde es ~ gern tun, aber …*** I wouldn't mind (doing it), but …; ***~ besonders, weil*** (e)specially since
Ganze *n* whole, (*Gesamtheit*) *a.* entirety: ***einheitliches ~s*** integral whole; ***als ~s*** as a whole; ***das ~*** the whole thing; ***aufs ~ gehen*** go all out; ***jetzt geht es ums ~*** it's all or nothing now; ***im ~n*** altogether, in all, WIRTSCH wholesale: → ***groß*** 7
Ganzheit *f* (***in s-r ~*** as a) whole

Ganzheits|medizin *f* holistic medicine **~methode** *f ped* **1.** → ***Ganzwortmethode*** **2.** *a.* **~unterricht** *m* integrated curriculum
ganzjährig *Adj* all-year: *Adv* ***~ geöffnet*** open all year round
gänzlich *Adj u. Adv* complete(ly), total(ly), entire(ly), *Adv a.* altogether
Ganzmetall... TECH all-metal
ganzseitig *Adj* full-page **ganztägig** *Adj* all-day: *Adv* ***~ geöffnet*** open all day
Ganztags|beschäftigung *f* full-time job **~schule** *f* all-day school(ing)
Ganzwortmethode *f* PÄD whole-word method
gar[1] *Adj* GASTR done, cooked: ***nicht ~*** underdone
gar[2] *Adv* **1.** ***~ nicht*** not at all; ***~ nichts*** not a thing, nothing at all, absolutely nothing; ***~ nicht so schlecht*** (***viel***) not all that bad (much); ***~ keiner*** nobody at all; ***es besteht ~ kein Zweifel*** there's no doubt whatsoever **2.** (*etwa*) perhaps, (*so~*) even: ***oder ~ ...*** let alone ...
Garage *f* garage
Garant(in) guarantor; → *a.* ***Bürge***
Garantie *f* guarantee: ***die Uhr hat ein Jahr ~*** the watch has got a year's guarantee; ***die Reparatur geht noch auf ~*** the repair is covered by the guarantee; ***dafür kann ich k-e ~ übernehmen*** I can't guarantee that; F ***er fällt unter ~ durch*** he's bound to fail, **garantieren** *v/t* (*v/i* ***~ für***) guarantee (*a. fig*)
Garantieschein *m* guarantee
Garantiezeit *f* guarantee
Garbe *f* LANDW sheaf
Garde *f* MIL *the* Guards *Pl*: *fig* ***die alte ~*** the Old Guard
Garderobe *f* **1.** cloakroom, *Am* checkroom **2.** THEAT dressing room **3.** (*Flur*2) coat rack **4. a)** coat (and hat), **b)** (*Kleidung*) clothes *Pl*, wardrobe
Garderoben|frau *f*, **~mann** *m* cloakroom (*Am* checkroom) attendant **~marke** *f* cloakroom ticket, *Am* check **~ständer** *m* coat rack
Garderobier *m*, **Garderobiere** *f* THEAT dresser
Gardine *f* curtain
gären *v/i* **1.** (*a.* ***~ lassen***) ferment **2.** *fig Hass etc*: seethe: ***im Land gärte es*** the country was seething with discontent
Garn *n* thread, (*Baumwoll*2) *a.* cotton: *fig* ***j-m ins ~ gehen*** fall into the (*od* s.o.'s) trap; ***ein ~ spinnen*** spin a yarn
Garnele *f* shrimp, prawn
garnieren *v/t allg* decorate, (*Kleid*, *Hut*) *a.* trim, GASTR *a.* garnish (*a. fig*)
Garnison *f* MIL garrison
Garnison(s)stadt *f* garrison town
Garnitur *f* **1.** *Wäsche etc*: set, (*Möbel*2) *a.* suite **2.** (*Besatz*) trimmings *Pl* **3.** *fig* ***zur ersten*** (***zweiten***) ***~ gehören*** be first-rate (second-rate)
Garten *m* garden: ***botanischer ~*** botanical gardens *Pl*; BIBEL ***der ~ Eden*** the garden of Eden **~arbeit** *f* gardening **~architekt(in)** landscape gardener **~bau** *m* horticulture **~bau...** horticultural (*show etc*) **~fest** *n* garden party **~geräte** *Pl* gardening tools *Pl* **~haus** *n* summerhouse **~lokal** *n* beer garden **~möbel** *Pl* garden furniture *Sg* **~schere** *f* pruning shears *Pl*, *bes Br* secateurs *Pl* **~stadt** *f* garden city **~zaun** *m* garden fence **~zwerg** *m* **1.** (garden) gnome **2.** F *fig* little squirt
Gärtner(in) gardener **Gärtnerei** *f* **1.** (*Gartenarbeit*) gardening **2.** (*Betrieb*) market garden, *Am* truck farm
Gärung *f* **1.** fermentation **2.** *fig* (state of) unrest **Gärungsprozess** *m* (process of) fermentation
Gas *n* gas: MOT ***~ geben*** step on the gas (*a.* F *fig*); ***~ wegnehmen*** throttle back (*od* down); ***mit ~ vergiften*** gas
Gas|anzünder *m* gaslighter **~backofen** *m* gas oven **~behälter** *m* gas tank **2beheizt** *Adj* gas-fired **~feuerzeug** *n* gaslighter **~flasche** *f* gas cylinder
gasförmig *Adj* gaseous
Gas|hahn *m* gas tap **~heizung** *f* gas heating **~herd** *m* gas stove **~kammer** *f* gas chamber **~kocher** *m* gas (*od* camping) stove **~leitung** *f* gas mains *Pl* **~-Luft-Gemisch** *n* MOT gas-air mixture **~maske** *f* gas mask **~ofen** *m* gas stove **~pedal** *n* MOT accelerator, *Am* gas pedal **~rohr** *n* gaspipe
Gasse *f* alley, (*a. Spalier*) lane
Gast *m* **1.** guest, *in e-m Lokal etc*: customer, (*Besucher*) visitor: ***Gäste haben*** *a.* have company **2.** THEAT guest (performer *od* artist) **~arbeiter(in)** foreign worker **~dirigent(in)** guest conductor **~dozent(in)** guest lecturer

Gäste|buch *n* visitors' book **~haus** *n* guesthouse **~zimmer** *n* **1.** guestroom **2.** *in e-r Pension etc*: lounge
gastfreundlich *Adj* hospitable
Gastfreundschaft *f* hospitality
Gastgeber *m* **1.** host **2.** *Pl* SPORT home team *Sg* **Gastgeberin** *f* hostess
Gasthaus *n*, **Gasthof** *m* restaurant, (*bes Land*≈) inn
Gasthörer(in) UNI guest student, *Am* auditor
gastieren *v/i* THEAT give a guest performance, *bes Am* guest
Gastland *n* host country
gastlich *Adj* hospitable
Gastlichkeit *f* hospitality
Gastmannschaft *f* visiting team
Gastprofessor(in) visiting professor
Gastrecht *n* (right of) hospitality
Gastritis *f* MED gastritis
Gastrolle *f* THEAT guest part
Gastronom(in) restaurant proprietor (*Koch*: chef) **Gastronomie** *f* **1.** (*Gewerbe*) catering trade **2.** (*Kochkunst*) gastronomy **gastronomisch** *Adj* **1.** catering **2.** gastronomic(al)
Gastspiel *n* THEAT guest performance
Gaststätte *f* restaurant
Gaststättengewerbe *n* catering trade
Gaststube *f* lounge, taproom
Gasturbine *f* gas turbine
Gastvorlesung *f*, **Gastvortrag** *m* guest lecture **Gastvorstellung** *f* THEAT guest performance
Gastwirt *m* landlord, proprietor
Gastwirtin *f* landlady, proprietress
Gastwirtschaft *f* restaurant
Gasvergiftung *f* gas poisoning
Gaswerk *n* gasworks *Pl* (*a. Sg konstr*)
Gaszähler *m* gasmeter
Gatte *m* husband, JUR spouse
Gatter *n* (*Tor*) gate, (*Zaun*) fence
Gattin *f* wife, JUR spouse
Gattung *f* **1.** BIOL genus **2.** (*Art*) species, (*Sorte*) kind, type **3.** KUNST (art) form, LITERATUR genre
Gattungsbegriff *m* generic term
Gattungsname *m* **1.** BIOL generic name **2.** LING collective (*od* common) noun
GAU *m* (= ***größter anzunehmender Unfall***) **1.** maximum credible accident, MCA **2.** *fig* absolute disaster
Gaukler(in) **1.** tumbler **2.** clown
Gaul *m* horse, *pej* nag: ***alter ~*** (old) jade; *fig* ***e-m geschenkten ~ sieht man nicht ins Maul*** never look a gift horse in the mouth
Gaumen *m* palate **~laut** *m* LING palatal
Gaumenzäpfchen *n* ANAT uvula
Gauner(in) swindler, crook, *sl* con man, (*Halunke*) rascal **~sprache** *f* thieves' Latin **~streich** *m*, **~stück** *n* swindle
Gaze *f* gauze (*a.* MED), cheesecloth
Gazelle *f* ZOOL gazelle
geachtet *Adj* esteemed
Geächtete *m, f* outlaw
geartet *Adj* disposed: ***er ist so ~, dass ...*** he is the kind of person that ...; ***anders ~ sein*** be different
geb. *Abk* (= ***geborene***) née
Gebäck *n* (fancy) cakes *Pl*, (*Kekse*) biscuits *Pl*, *Am* cookies *Pl*
Gebälk *n* beams *Pl*, timberwork
geballt *Adj* **1.** *Faust*: clenched **2.** *fig* concentrated
gebannt *Adj u. Adv* spellbound
Gebärde *f* gesture **gebärden** *v/refl* ***sich ~*** (***wie*** like) behave, act
Gebärden|spiel *n* gestures *Pl*, gesticulation, pantomime (*a. fig*) **~sprache** *f* **1.** sign language **2.** THEAT mimicry
Gebaren *n* behavio(u)r, WIRTSCH conduct
gebären **I** *v/t* give birth to: ***geboren werden*** be born; → ***geboren*** **II** *v/i* give birth
Gebärmutter *f* ANAT womb, uterus **~krebs** *m* MED cancer of the womb **~vorfall** *m* MED (uterine) prolapse
Gebäude *n* building, *prächtiges*: edifice (*a. fig Gedanken*≈), *fig* structure **~komplex** *m* complex (of buildings)
Gebein *n* **1.** bones *Pl* **2.** *Pl* (*sterbliche Reste*) (mortal) remains *Pl*
Gebell *n* barking
geben **I** *v/t* **1.** *allg* (***j-m etw*** s.o. s.th., s.th. to s.o.) give, (*reichen*) *a.* hand, (*gewähren*) *a.* grant: ***lass dir e-e Quittung ~!*** ask for a receipt!; ***~ Sie mir bitte Frau X*** TEL can I speak to Mrs. X, please; F *fig* ***es j-m ~*** let s.o. have it; → ***Anlass*** 2, ***Bescheid, gegeben*** **2.** (*Unterricht, Fach etc*) give, teach **3.** (*Konzert etc*) give, (*Essen, Party*) *a.* have, (*Stück etc*) perform, F do, (*Film*) show: ***was wird heute Abend gegeben?*** what's on tonight? **4.** (*er~*) produce, yield: ***Milch ~*** give milk; ***zweimal fünf gibt***

G

zehn two times five makes ten; ***das gibt e-e gute Suppe*** that will make a good soup; ***Flecken ~*** make (*od* leave) stains; *fig* ***das gibt k-n Sinn*** that doesn't make sense; ***ein Wort gab das andere*** one word led to another **5.** (*tun, legen etc*) put, (*dazu~*) add **6.** ***von sich ~*** **a)** CHEM give off, emit, **b)** (*Äußerung etc*) make, (*Schrei etc*) give, let out, **c)** (*erbrechen*) bring up; ***sie gab k-n Ton von sich*** she didn't utter a sound. **7.** ***viel ~ auf*** (*Akk*) set great store by *s.th.*, think highly (*od* a lot) of *s.o.*; ***ich gebe nicht viel auf*** (*Akk*) I don't think much of **II** *v/i* **8.** give (***mit vollen Händen*** freely) **9.** *Kartenspiel*: deal: ***wer gibt?*** whose deal is it? **10.** *Tennis*: serve **III** *v/refl* ***sich ~*** **11.** (*sich benehmen*) act, behave: ***sich gelassen ~*** pretend to be calm; ***er gibt sich gern als Experte*** he likes to act the expert **12.** *Gelegenheit etc*: arise **13.** (*nachlassen, vorübergehen*) pass, F blow over: ***das wird sich alles ~*** everything will be all right, things will come right **IV** *v/unpers* **14.** ***es gibt*** there is, there are: ***der beste Spieler, den es je gab*** the best player of all time; ***es gab viel zu tun*** there was a lot to do; F ***was gibts?*** what's up?; ***was gibts Neues?*** what's new?; ***was gibt es zum Mittagessen?*** what's for lunch?; ***was gibts heute Abend im Fernsehen?*** what's on television tonight?; ***das gibt es*** (***bei mir***) ***nicht!*** that's out!; ***das gibts doch nicht!*** you're joking!; ***heute wirds noch was ~*** (*Gewitter, Krach etc*) I think we're in for s.th.; ***er hat Recht, da gibts nichts!*** he's right, and no mistake about it! **V** ♀ *n* **15.** giving: ♀ ***ist seliger denn Nehmen*** it is more blessed to give than to receive **16.** *Kartenspiel*: ***am*** ♀ ***sein*** be dealing; ***er ist am*** ♀ it's his deal

Geber(in) **1.** giver, *Kartenspiel*: dealer **2.** TEL transmitter

Geberlaune *f* ***in ~ sein*** be in a generous mood

Gebet *n* prayer: F *fig* ***j-n ins ~ nehmen*** give s.o. a good talking-to

Gebetbuch *n* prayerbook

Gebiet *n* **1.** area, region, (*Bezirk*) district, zone, (*Staats*♀) territory **2.** *fig* (*Fach*♀) field, (*Bereich*) *a.* sphere: ***Fachmann auf dem ~*** (*Gen*) authority on

gebieten I *v/t* **1.** ***j-m ~, etw zu tun*** order s.o. to do s.th. **2.** (*Achtung, Ehrfurcht*) command **3.** (*erfordern*) require, call for: ***die Vernunft gebietet uns zu*** *Inf* reason demands of us to *Inf* **II** *v/i* **4.** ***~ über*** (*Akk*) control, rule over, (*verfügen über*) have at one's disposal; → ***geboten*** **Gebieter** *m* master, lord, (*Herrscher*) ruler **Gebieterin** *f* mistress

gebieterisch *Adj* domineering, *Ton etc*: peremptory

Gebietsanspruch *m* territorial claim

Gebietshoheit *f* territorial sovereignty

Gebietsleiter(in) WIRTSCH regional manager

gebietsweise *Adv* ***~ Regen*** local showers

Gebilde *n* (*Ding*) thing, object, (*Werk*) work, creation, (*Gefüge*) structure

gebildet *Adj* educated, (well-)informed, (*kultiviert*) cultured, refined

Gebinde *n* (*Blumen*♀) arrangement

Gebirge *n* mountains *Pl*

gebirgig *Adj* mountainous

Gebirgs|ausläufer *m* spur **~gegend** *f* mountainous region **~kette** *f* mountain range **~volk** *n* mountain people (*od* tribe) **~zug** *m* mountain range

Gebiss *n* **1.** (set of) teeth *Pl*, *künstliches*: dentures *Pl* **2.** *am Zaum*: bit

Gebläse *n* TECH fan, (*~maschine*) blower **~motor** *m* MOT supercharger engine

geblümt *Adj* floral, flowered

Geblüt *n a.* ZOOL blood

gebogen *Adj* bent, *Nase*: hooked

gebongt *Adj* F ***ist ~!*** will do!

geboren *Adj* born: ***~er Deutscher*** (***Berliner***) ***sein*** be German (a Berliner) by birth; ***~e Schmidt*** née Schmidt; ***sie ist e-e ~e Schmidt*** her maiden name is Schmidt; *fig* ***~ sein zu*** be born to be (*od* to do), *e-m Beruf etc*: be cut out for; ***er ist der ~e Geschäftsmann*** he is a born businessman; → *a.* ***gebären***

geborgen *Adj* safe, secure

Geborgenheit *f* safety, security

Gebot *n* **1.** BIBEL commandment **2.** (*Vorschrift*) rule **3.** (*Erfordernis*) requirement, necessity: ***das ~ der Vernunft*** (***des Herzens, der Stunde***) the dictates *Pl* of reason (of one's heart,

of the moment) **4.** WIRTSCH bid **5.** ***j-m zu ~e stehen*** be at s.o.'s disposal
geboten *Adj* (*nötig*) necessary, (*dringend* ~) imperative, (*gehörig*) due: ~ ***sein*** *a.* be called for
Gebotsschild *n* mandatory sign
Gebr. *Abk* (= ***Gebrüder***) Bros
gebrannt *Adj* burnt, *Kaffee etc*: roasted, *Keramik*: fired: → ***Kind***
Gebräu *n* brew, *fig a.* concoction
Gebrauch *m* **1.** use, (*Anwendung*) *a.* application (*a.* MED, PHARM), LING usage: ~ ***machen von*** use, make use of; ***von etw guten*** (***schlechten***) ~ ***machen*** put s.th. to good (bad) use; ***außer ~ kommen*** pass out of use; ***im ~ sein*** be in use, be used; ***etw in ~ nehmen*** put s.th. into use; ***der ~ s-s linken Arms*** the use of his left arm; ***zum persönlichen ~*** for personal use; ***vor ~ schütteln!*** shake before use! **2.** *mst Pl* practice, (*Sitte*) custom
gebrauchen *v/t* **1.** use: ***kannst du das ~?*** can you make use of that?; ***das kann ich gut ~*** I can make good use of that; ***s-n Verstand ~*** use one's brains; ***du wirst nicht mehr gebraucht*** you can go; F ***er ist zu nichts zu ~*** he is hopeless **2.** F use, do with: ***ich könnte e-n Kognak ~*** I could do with a brandy
gebräuchlich *Adj* common (*a.* LING), (*üblich*) normal: ***allgemein ~*** in common use; ***nicht mehr ~*** no longer used
Gebrauchs|anleitung *f*, **~anweisung** *f* directions *Pl* for use, instructions *Pl* (for use) **~artikel** *m* article of daily use **2fähig** *Adj* usable **~fahrzeug** *n* utility vehicle **2fertig** *Adj* ready for use **~grafik** *f* commercial art **~güter** *Pl* (consumer) durables *Pl* **~muster** *n* registered design **~wert** *m* practical value
gebraucht *Adj* used, WIRTSCH *a.* secondhand
Gebrauchtwagen *m* used (*od* second-hand) car **~händler(in)** used car dealer
gebräunt *Adj* tanned, bronzed
Gebrechen *n* disability, (physical) handicap, infirmity
gebrechlich *Adj* frail, infirm
Gebrechlichkeit *f* frailty, infirmity
gebrochen *Adj* broken (*a.* LING), *fig a.* broken-hearted: ***sie spricht nur ~ Englisch*** she speaks only broken English
Gebrüder *Pl* WIRTSCH ~ (*Abk* ***Gebr.***) ***Wolf*** Wolf Brothers (*Abk* Bros.)
Gebrüll *n* roaring, bellowing (*a.* ZOOL), (*Geschrei*) screaming, yelling
gebückt *Adj* stooping: ***~e Haltung*** stoop
Gebühr *f* **1.** charge, fee, (*Tarif*) rate, (*Post2*) postage, (*Straßenbenutzungs2*) toll: ***ermäßigte ~*** reduced rate **2.** ***nach ~*** duly; ***über ~*** unduly, excessively
gebühren *v/i* ***j-m ~*** be due to s.o.
gebührend **I** *Adj* due, proper **II** *Adv* duly, properly
Gebühren|einheit *f* unit **~erlass** *m* remission of fees **2frei** *Adj* free of charge **~ordnung** *f* scale of fees (*od* charges)
gebührenpflichtig *Adj* subject to charges: ***~e Straße*** toll road; ***~e Verwarnung*** summary fine
Gebührensatz *m* rate
gebündelt *Adj* bundled, PHYS *a.* pencil(l)ed
gebunden *Adj* **1.** BUCHDRUCK bound **2.** CHEM bound (*a.* PHYS), fixed: ***~e Wärme*** latent heat **3.** MUS legato (*a.* *Adv*), slurred **4.** *fig Person*: bound, tied, engaged: ***vertraglich ~*** bound by contract; ***sich an etw ~ fühlen*** feel committed to s.th. **5.** WIRTSCH *Kapital*: tied (up) **6.** GASTR thickened **7.** ***in ~er Rede*** in verse
Geburt *f* **1.** birth (*a. fig*), (*Abstammung*) *a.* descent: ***von ~ Deutsche(r) sein*** be a German by birth **2.** MED (child)birth, (*Entbindung*) delivery: ***von ~ an*** from birth; ***bei der ~ sterben*** die at birth; F *fig* ***e-e schwere ~*** a tough job
Geburten|kontrolle *f*, **~regelung** *f* birth control **~rückgang** *m* decline in the birthrate
geburten|schwach *Adj* low-birthrate (*year etc*) **~stark** *Adj* high-birthrate
Geburtenüberschuss *m* excess of births
Geburtenziffer *f* birthrate
gebürtig *Adj* ***er ist ~er Engländer*** he is English by birth
Geburts|anzeige *f* birth announcement **~datum** *n* date of birth **~haus** *n* ***mein*** *etc* ~ the house where I *etc* was born **~helfer** *m* obstetrician **~helferin** *f* midwife **~hilfe** *f* obstetrics *Sg*, *eng. S.* midwifery **~jahr** *n* year of birth **~jahrgang** *m* cohort **~land** *n* native country **~ort** *m* birthplace: ~ ***und Ge-***

burtstag place and date of birth **~stadt** *f* native town **~stunde** *f* **1.** hour of birth **2.** *fig* birth
Geburtstag *m* birthday, VERW date of birth: ***sie hat heute ~*** it's her birthday today; **(*ich*) *gratuliere zum ~*** many happy returns (of the day)
Geburtstags... birthday (*card*, *party*, *present*, *etc*)
Geburtstagskind *n* birthday boy (girl)
Geburtsurkunde *f* birth certificate
Gebüsch *n* bushes *Pl*, shrubbery
gedacht *Adj* assumed: ***~ als*** intended (*od* meant) as (*od* to be)
Gedächtnis *n* memory: ***aus dem ~*** from memory, (*auswendig*) by heart; ***sich etw ins ~ zurückrufen*** recall s.th.; ***zum ~ an*** (*Akk*) in memory of **~hilfe** *f* mnemonic (aid) **~lücke** *f* lapse of memory **~schwund** *m* amnesia, loss of memory **~störung** *f* partial amnesia **~training** *n*, **~übung** *f* memory training
gedämpft *Adj* **1.** *Schall*: muffled, *Stimme*, *Farbe*, *Licht*, *fig Stimmung etc*, F *a. Person*: subdued: ***~er Optimismus*** guarded optimism **2.** GASTR steamed
Gedanke *m* thought (***an*** *Akk* of, ***über*** *Akk* on), (*Einfall*, *Absicht*) *a.* idea: ***kein schlechter ~!*** not a bad idea!; ***in ~n*** absent-mindedly; ***in ~n versunken*** lost in thought; ***j-n auf andere ~n bringen*** get s.o.'s mind on to other things; ***j-n auf den ~n bringen zu*** *Inf* give s.o. the idea of *Ger*; ***j-n auf dumme ~n bringen*** give s.o. silly ideas; ***j-s ~n lesen*** read s.o.'s mind; ***sich ~n machen über*** (*Akk*) think about, *besorgt*: be worried about; ***wie kommst du auf den ~n?*** what makes you think of that?; → ***spielen*** 1, ***tragen*** 9
Gedanken|austausch *m* exchange of ideas **~blitz** *m* sudden inspiration, F brainwave **~freiheit** *f* freedom of thought **~gang** *m* train of thought
Gedankenleser(in) mind-reader
gedankenlos *Adj* thoughtless, (*rücksichtslos*) *a.* inconsiderate, (*leichtsinnig*) careless
Gedankenlosigkeit *f* thoughtlessness
gedankenreich *Adj* full of ideas
Gedankenreichtum *m* wealth of ideas
Gedanken|sprung *m* jump (from one idea to the other) **~strich** *m* dash
Gedankenübertragung *f* telepathy
gedankenvoll *Adj* pensive
Gedankenwelt *f* (world of) ideas *Pl*
gedanklich *Adj* intellectual
Gedärm *n*, *mst* **Gedärme** *Pl* intestines *Pl*, ZOOL entrails *Pl*
Gedeck *n* **1.** cover: ***ein ~*** (***mehr***) ***auflegen*** set a (another) place **2.** (*Speise*) set meal **3.** (*~preis*) cover charge
Gedeih: ***auf ~ und Verderb*** come what may
gedeihen I *v/i* thrive, prosper, develop well, *fig a.* progress: ***so weit gediehen sein, dass*** have reached a point where **II** ♀ *n* thriving (*etc*), prosperity, success
gedenken I *v/i* (*Gen*) think of, remember, (*erwähnen*) mention, (*feiern*) commemorate **II** *v/t* ***zu tun ~*** think of doing, intend to do **III** ♀ *n* (***im*** ♀ ***an*** *Akk* in) memory (of); → *a.* ***Andenken*** 1
Gedenk|feier *f* commemoration (ceremony) **~gottesdienst** *m* memorial service **~minute** *f a* minute's silence (***für*** in memory of) **~münze** *f* commemorative coin **~rede** *f* commemorative address **~stätte** *f* memorial (place) **~stein** *m* memorial (stone) **~stunde** *f* hour of remembrance **~tafel** *f* commemorative plaque **~tag** *m* day of remembrance
Gedicht *n* poem: F *fig* ***dieses Kleid ist ein ~*** this dress is a (perfect) dream
Gedichtsammlung *f* collection of poems, (*Auswahl*) anthology
gediegen *Adj* **1.** METAL native, solid, pure **2.** WIRTSCH good-quality, (*geschmackvoll*) tasteful **3.** *Wissen*, *Charakter etc*: solid **Gediegenheit** *f allg* solidity
Gedränge *n* **1.** (*Menge*) crowd, F crush **2.** (*Ansturm*) rush (***nach***, ***um*** for) **3.** *Rugby*: scrummage **4.** F *fig* ***damit wir nicht ins ~ kommen*** so that we don't get pushed for time **5.** → **Gedrängel** *n* pushing **gedrängt** *Adj* **1.** crowded, packed: *Adv* ***~ voll*** (F jam-)packed **2.** *fig Stil etc*: concise
gedrechselt *Adj fig Rede*, *Stil*: stilted
gedruckt *Adj* **1.** printed **2.** F ***lügen wie ~*** lie through one's teeth
gedrückt *Adj fig* depressed (*a.* WIRTSCH): ***die Stimmung war ~*** spirits were low; ***~er Stimmung sein*** be in low spirits
gedrungen *Adj Gestalt*: stocky

Geduld *f* patience: **~ *haben mit*** be patient with; ***jetzt reißt mir aber die ~!*** that's done it!; ***sich in ~ fassen*** have patience **gedulden** *v/refl* ***sich ~*** be patient; ***~ Sie sich bitte e-n Augenblick!*** wait a minute, please!

geduldig *Adj* patient

Geduldsǀprobe *f* ***e-e ~ für j-n sein*** be a test of s.o.'s patience **~spiel** *n* puzzle

gedungen *Adj* hired (*killer etc*)

gedunsen *Adj* bloated

geehrt *Adj* hono(u)red: *im Brief*: ***Sehr ~er Herr X*** Dear Mr. X!; ***Sehr ~e Herren*** Dear Sirs, Gentlemen

geeignet *Adj* (***für*** for) suitable, suited, right, qualified: ***er ist nicht dafür ~*** he's not the right man for it; ***im ~en Augenblick*** at the right moment; ***~e Schritte unternehmen*** take appropriate action

Gefahr *f* danger, threat (*beide*: ***für*** for, to), (*Risiko*) risk: ***auf eigene ~*** at one's own risk; ***außer ~*** out of danger; ***auf die ~ hin zu*** *Inf* at the risk of *Ger*; ***ohne ~*** safely; ***sich e-r ~ aussetzen, sich in ~ begeben*** expose o.s. to danger, take risks; ***~ laufen zu*** *Inf* run the risk of *Ger*; ***in ~ bringen*** → ***gefährden***; ***es besteht k-e ~*** it's perfectly safe; → ***schweben*** 1

gefährden *v/t* endanger, (*bedrohen*) threaten, (*aufs Spiel setzen*) (put at) risk, (*in Frage stellen*) jeopardize

gefährdet *Adj* endangered: ***~ sein*** *a.* be in danger, be at risk

Gefährdung *f* **1.** endangering (*etc*, → ***gefährden***) **2.** (*Gen* to) danger, threat

Gefahrenǀherd *m* (constant) source of danger, POL trouble spot **~stelle** *f* danger spot **~zone** *f* danger zone

Gefahrenzulage *f* danger money

gefährlich *Adj* dangerous (*Dat*, ***für*** to), risky, (*ernst*) grave, critical: ***~e Krankheit*** serious illness **Gefährlichkeit** *f* danger(ousness), (*Ernst*) gravity

gefahrlos *Adj* not dangerous, safe

Gefährt *n* vehicle

Gefährte *m*, **Gefährtin** *f* companion

gefahrvoll *Adj* dangerous

Gefälle *n* **1.** fall, slope, incline, *e-r Straße*: *a.* gradient, *bes Am* grade **2.** ELEK, MATHE, PHYS gradient **3.** *fig* difference(s *Pl*), (*Lohn*ℒ, *Preis*ℒ) differential

gefallen[1] *v/i* **1.** please: ***es* (*er*) *gefällt mir* (*nicht*)** I (don't) like it (him); F ***er gefällt mir nicht*** (*er sieht krank aus*) he doesn't look too well; ***solche Filme ~ der Masse*** films like that appeal to the masses; ***hat dir das Konzert ~?*** did you enjoy the concert?; ***wie gefällt es Ihnen in Berlin?*** how do you like Berlin? **2.** ***sich etw ~ lassen*** put up with s.th.; ***das lasse ich mir nicht ~!*** I'm not going to put up with it!; ***sie lässt sich von ihm nichts ~*** she won't stand any nonsense from him; ***das lasse ich mir ~!*** now you're talking! **3.** ***sich ~ in*** (*Dat*) indulge in; ***sich in der Rolle des Fachmanns ~*** fancy o.s. as an expert

gefallen[2] *Adj* fallen, MIL *a.* killed in action: ***die Gefallenen*** *Pl* the dead *Pl*

Gefallen[1] *m* (***j-m e-n ~ tun*** do s.o. a) favo(u)r: ***j-n um e-n ~ bitten*** ask a favo(u)r of s.o.

Gefallen[2] *n* pleasure: ***~ finden an*** **a**) *e-r Sache*: enjoy, take pleasure in, **b**) *j-m*: like, take (a fancy) to

Gefallenendenkmal *n* war memorial

gefällig *Adj* **1.** agreeable, pleasant **2.** (*hilfsbereit*) obliging, kind: ***j-m ~ sein*** oblige s.o., help s.o.; F ***etw zu trinken ~?*** would you like s.th. to drink?; → ***gefälligst*** **Gefälligkeit** *f* **1.** obligingness: ***etw aus ~ tun*** do s.th. out of sheer kindness **2.** → ***Gefallen***[1]

gefälligst *Adv iron* if you don't mind: ***sei ~ still!*** be quiet, will you!

gefangen *Adj* **1.** caught, MIL captive, (*eingekerkert*) imprisoned, in prison: ***sich ~ geben*** surrender; ***j-n ~ halten*** **a**) keep (*od* hold) s.o. prisoner, **b**) *fig* hold s.o. under one's spell, *Sache*: have s.o. spellbound; ***~ nehmen*** arrest, MIL capture, take *s.o.* prisoner, *fig* captivate **2.** *fig* captivated

Gefangene *m*, *f* prisoner, (*Straf*ℒ) convict **Gefangenenlager** *n* prison camp, MIL prisoner-of-war camp

Gefangennahme *f* arrest, MIL capture

Gefangenschaft *f* imprisonment, MIL captivity: ***in ~ geraten*** be taken prisoner

Gefängnis *n* **1.** prison, jail, *Br a.* gaol: ***ins ~ kommen*** be sent (*od* go) to prison **2.** → ***Freiheitsstrafe*** **~direktor(in)** governor (*Am* warden) (of a prison)

Gefängnisstrafe *f* → ***Freiheitsstrafe***

Gefängniszelle *f* prison cell
Gefasel *n* F drivel
Gefäß *n* vessel (*a.* ANAT, BIOL), receptacle, (*Schale*) bowl, (*Topf*) jar **gefäßerweiternd** *Adj* PHARM vasodilating
Gefäßkrankheit *f* vascular disease
gefasst *Adj* **1.** calm, composed **2.** ***~ sein auf*** (*Akk*) be prepared for; ***sich ~ machen auf*** (*Akk*) prepare for; F ***er kann sich auf etw ~ machen*** he's in for it now
Gefasstheit *f* calmness, composure
gefäßverengend *Adj* vasoconstrictive
Gefecht *n* **1.** fight, battle: ***außer ~ setzen*** *a. fig* put *s.o., s.th.* out of action; → ***Eifer, Hitze*** **2.** SPORT fencing bout
Gefechts|kopf *m* MIL warhead **~stand** *m* MIL command post, FLUG turret
gefeit *Adj* immune (***gegen*** to)
Gefieder *n* plumage, feathers *Pl*
gefiedert *Adj* feathered
Geflecht *n* **1.** *a. fig* network, mesh **2.** ANAT (*Nerven*≈) plexus
gefleckt *Adj* spotted
Geflügel *n* poultry (*a. in Zssgn disease, farm, farming, etc*) **~händler(in)** poulterer **~salat** *m* GASTR chicken salad **~schere** *f* poultry shears *Pl*
geflügelt *Adj* **1.** winged **2.** *fig* ***~es Wort*** saying
Geflunker *n* fibbing, (*Lügen*) fibs *Pl*
Geflüster *n* whispering
Gefolge *n* **1.** entourage, (*Bedienstete*) attendants *Pl*, (*Trauer*≈) cortège, mourners *Pl* **2.** *fig* ***im ~ von*** (*od Gen*) in the wake of **Gefolgschaft** *f* followers *Pl*, adherents *Pl* **Gefolgsmann** *m* **1.** *hist* vassal **2.** *bes* POL follower, supporter
gefräßig *Adj* greedy, ZOOL voracious
Gefräßigkeit *f* greediness, ZOOL voracity
Gefreite *m, f* MIL lance corporal, *Am* private first class, FLUG aircraftman first class, *Am* airman third class
Gefrieranlage *f* refrigeration plant
Gefrierbeutel *m* freezer bag
gefrieren *v/i* (*a.* ***~ lassen***) freeze
Gefrier|fach *n* freezer, freezing compartment **~fleisch** *n* frozen meat
Gefrierpunkt *m* (***auf dem ~*** at) freezing point **Gefrierschrank** *m* freezer
Gefrierschutzmittel *n* TECH antifreeze
gefriertrocknen *v/t* freeze-dry
Gefriertruhe *f* deep freeze, freezer
Gefüge *n* structure, *fig a.* system
gefügig *Adj* compliant, docile: ***j-n ~ machen*** bring s.o. to heel
Gefühl *n* **1.** *allg* feeling, (*Empfindung*) *a.* sentiment, (*Wahrnehmung*) *a.* sensation, (*Tastsinn*) touch, feel: ***ein ~ der Kälte*** a cold sensation; ***für mein ~, m-m ~ nach*** my feeling is that, I think that; ***ich habe das ~, dass …*** I have a feeling that …; ***mit ~*** → ***gefühlvoll*** II **2.** (***für***) (*Gespür*) sense (of), (*Begabung*) flair (for *languages etc*): ***sich auf sein ~ verlassen*** rely on one's instinct **3.** *mst Pl* feeling, emotion: ***j-s ~e verletzen*** hurt s.o.'s feelings **gefühllos** *Adj* **1.** *Gliedmaßen*: numb **2.** *fig* insensitive (***gegen*** to), (*hartherzig*) unfeeling, heartless **Gefühllosigkeit** *f* **1.** numbness **2.** *fig* heartlessness, cruelty
gefühlsarm *Adj* (emotionally) cold
Gefühlsausbruch *m* (emotional) outburst
gefühlsbetont *Adj* emotional
Gefühlsduselei *f* F sentimentality
Gefühlsleben *n* emotional life
gefühlsmäßig *Adj* emotional, *weit. S.* intuitive, instinctive
Gefühlsmensch *m* emotional person
Gefühlsnerv *m* sensory nerve
Gefühlsregung *f* emotion
Gefühlssache *f* ***das ist ~*** it's a matter of feeling
gefühlvoll **I** *Adj* full of feeling, (*empfindsam*) sensitive, (*gefühlsbetont*) emotional, (*a. pej rührselig*) sentimental **II** *Adv* feelingly (*etc*), *singen etc*: with feeling, F (*vorsichtig*) gently
gefüllt *Adj* filled, GASTR *a.* stuffed
gefurcht *Adj* furrowed
gegeben *Adj* given: ***etw als ~ voraussetzen*** take s.th. for granted; ***unter den ~en Umständen*** under the circumstances; ***zu ~er Zeit*** **a)** when the occasion arises, **b)** at some future time
gegebenenfalls *Adv* should the occasion arise, (*notfalls*) if necessary
Gegebenheit *f* given fact: ***~en*** *Pl* circumstances *Pl*, (*Tatsachen*) reality *Sg*
gegen **I** *Präp* **1.** toward(s), *zeitlich*: *a.* at about: ***~ Osten*** toward(s) the east, eastward(s); ***~ zehn*** (***Uhr***) (at) about ten o'clock **2.** against (*a. fig*): ***~ die Wand lehnen*** lean against the wall; ***ein Mittel ~*** a remedy for; ***~ die Vernunft*** contrary

to reason; ***ich wette 10 ~ 1*** I bet you ten to one **3.** (*~über*) toward(s), to: ***freundlich ~*** kind to **4.** (*im Vergleich zu*) compared with **5.** (*für*) in return for: ***~ Bezahlung*** for cash; ***etw eintauschen ~*** exchange s.th. for **6.** JUR, SPORT versus **II** *Adv* **7.** (*ungefähr*) about, around

Gegen|angebot *n* counteroffer **~angriff** *m a. fig* counterattack **~anzeige** *f* MED contraindication **~argument** *n* counterargument **~befehl** *m* counterorder **~beispiel** *n* counterexample **~besuch** *m* return visit: ***j-m e-n ~ machen*** return s.o.'s visit **~bewegung** *f bes fig* countermovement **~beweis** *m* (***den ~ antreten*** furnish) proof to the contrary, JUR *a.* counterevidence

Gegend *f* region (*a.* ANAT), area, (*Landschaft*) countryside, (*Wohn*☊) neighbo(u)rhood: ***in der ~ von*** (*od Gen*) near, around, in the *Munich etc* area; ***in unserer ~*** where we live

Gegendarstellung *f* correction, reply

Gegendemonstration *f* counterdemonstration **Gegendienst** *m* reciprocal service: ***als ~*** in return; ***zu ~en gern bereit*** glad to reciprocate

gegeneinander *Adv* against (*zueinander*: toward[s]) each other (*od* one another), (*gegenseitig*) mutually; ***~ halten*** compare

Gegeneinladung *f* return invitation

Gegen|erklärung *f* counterstatement **~fahrbahn** *f* opposite lane **~frage** *f* counterquestion **~gerade** *f* SPORT back straight, *bes Am* backstretch **~gewicht** *n a. fig* counterweight: ***ein ~ bilden zu*** counterbalance **~gift** *n* antidote **~kandidat(in)** rival (candidate)

Gegenklage *f* JUR cross action

Gegenleistung *f* return (service): ***als ~*** in return (***für*** for)

Gegenlicht *n* back light(ing): ***bei ~*** against the light **~aufnahme** *f* contre-jour shot **~blende** *f* lens hood

Gegen|liebe *f* ***er stieß mit s-m Vorschlag auf wenig ~*** his suggestion didn't go down particularly well **~maßnahme** *f* countermeasure: ***~n ergreifen*** take steps (***gegen*** against) **~mittel** *n a. fig* antidote **~offensive** *f* counteroffensive **~partei** *f* opposite (*od* other) side, POL opposition, SPORT opponents *Pl* **~pol** *m fig* counterpart **~probe** *f* (*a.* ***die ~ machen***) crosscheck **~rede** *f* reply, (*Einwand*) objection

Gegenrevolution *f* counterrevolution

Gegenrichtung *f the* opposite direction: ***Verkehr aus der ~*** oncoming traffic

Gegensatz *m* **1.** contrast: ***im ~ zu*** in contrast to (*od* with), as opposed to, unlike *the British etc*; ***im ~ dazu*** by way of contrast **2.** (*Gegenteil*) *the* opposite **3.** *mst Pl der Meinungen etc*: differences *Pl*

gegensätzlich *Adj* opposite, *Meinungen etc*: contrary, (*unvereinbar*) conflicting, (*verschieden*) different

Gegenschlag *m a. fig* counterblow: ***zum ~ ausholen*** get ready to hit back

Gegenseite *f* opposite (*od* other) side

gegenseitig *Adj* mutual, reciprocal: ***~e Abhängigkeit*** interdependence; ***~es Interesse*** mutual interest; *Adv* ***sich ~ helfen*** help one another (*od* each other)

Gegenseitigkeit *f* reciprocity, mutuality: ***Abkommen auf ~*** mutual agreement; ***auf ~ beruhen*** be mutual; *iron* ***das beruht ganz auf ~*** the feeling is mutual

Gegen|sinn *m* ***im ~*** in the opposite direction **~spieler(in)** antagonist, *a.* SPORT opponent, *a.* POL opposite number **~spionage** *f* counterespionage **~sprechanlage** *f* intercom (system)

Gegenstand *m* **1.** object (*a. fig*), thing, *bes* WIRTSCH item, article: *fig* ***~ des Mitleids*** object of pity; ***~ des Spotts*** figure of fun **2.** (*Thema*) subject, (*Inhalt*) subject-matter, (*Angelegenheit*) matter, affair, (*Streitfrage*) issue: ***zum ~ haben*** deal with **gegenständlich** *Adj* concrete (*a.* LING), (*anschaulich*) graphic (-ally *Adv*), KUNST representational

gegenstandslos *Adj* **1.** abstract, KUNST *a.* nonrepresentational **2.** *fig* (*hinfällig*) invalid, (*unbegründet*) unfounded

gegensteuern *v/i* **1.** MOT correct (with the lock) **2.** *fig* take countermeasures

Gegenstimme *f* **1.** PARL vote against: ***ohne ~*** *a.* unanimously **2.** *fig* objection

Gegenströmung *f* **1.** countercurrent **2.** *fig* countermovement **Gegenstück** *n* (***zu***) counterpart (of), KUNST pendant (to)

Gegenteil *n* opposite (***von*** of): (***ganz***) ***im ~*** on the contrary

gegenteilig *Adj* contrary, opposite: ***~er Meinung sein*** disagree; *Adv* ***~ entscheiden*** come to a different decision
Gegentor *n*, **Gegentreffer** *m* SPORT goal against: ***ein Gegentor hinnehmen*** (***müssen***) concede a goal
gegenüber I *Adv* **1.** opposite, across the way (*od* street), *Person*: *a.* face to face: ***sie saßen einander ~*** they sat facing one another **II** *Präp* (*Dat*) **2.** opposite, facing: ***sich*** *e-r Aufgabe, e-m Gegner etc* ***~ sehen*** be up against **3.** *fig* to, toward(s): ***er war mir ~ sehr höflich*** he was very polite to me **4.** (*im Vergleich zu*) compared with, as against **5.** (*im Gegensatz zu*) in contrast to **6.** (*in Anbetracht von*) in view of, in the face of **III** ♀ *n* **7.** person opposite, vis-à-vis, SPORT opponent, POL *etc* opposite number **8.** house opposite (*od* across the road) **~liegen** *v/i* (*Dat*) be opposite, face **~sehen** *v/refl* ***sich*** *e-m Problem etc* ***~*** be confronted with **~stehen** *v/i* **1.** ***j-m ~*** face s.o.; ***sich*** (*od* ***einander***) ***~*** be facing each other, ***feindlich*** be enemies **2.** (*e-m Problem etc*) be faced (*od* confronted) with, be up against
gegenüberstellen *v/t fig* (*Dat* with) (*j-n*) confront, (*etw*) compare
Gegenüberstellung *f* **1.** *a.* JUR confrontation **2.** (*Vergleich*) comparison
gegenübertreten *v/i* ***j-m ~*** face s.o.
Gegenverkehr *m* oncoming traffic
Gegenversuch *m* control test
Gegenvorschlag *m* counterproposal
Gegenwart *f* **1.** *the* present (time): ***... der ~*** present-day, contemporary **2.** (***in ihrer*** *etc* ***~*** in her *etc*) presence **3.** LING present (tense)
gegenwärtig I *Adj* **1.** present, current, (*heutig*) present-day, contemporary, of our time, today's **2.** → ***anwesend*** **II** *Adv* **3.** at the moment, at present, (*heutzutage*) nowadays, these days
gegenwartsbezogen, **gegenwartsnah**(**e**) *Adj* topical
Gegenwartsliteratur *f* contemporary literature **Gegenwartsprobleme** *Pl* present-day problems *Pl*
Gegenwehr *f* opposition, resistance
Gegenwert *m* equivalent (value)
Gegenwind *m* headwind
gegenzeichnen *v/i u. v/t* countersign
Gegenzug *m* **1.** *Schach u. fig* countermove **2.** train coming from the other direction
gegliedert *Adj* **1.** jointed **2.** *fig* organized, structured, (*unterteilt*) subdivided
Gegner *m* **1.** opponent (*a. Sport*), (*Feind*) adversary, enemy (*a.* MIL), (*Rivale*) rival: ***ein ~ sein von*** be against **2.** JUR opposing party **Gegnerin** *f* → ***Gegner*** 1 **gegnerisch** *Adj* opposing (*a.* JUR *u. Sport*), antagonistic, *a.* MIL enemy, hostile: ***die ~e Partei*** *a.* the other side **Gegnerschaft** *f* **1.** opposition, opponents *Pl* **2.** (*Widerstand*) opposition (***gegen*** to), (*Rivalität*) rivalry
Gehabe *n* affectation, airs *Pl*
Gehackte *n* → ***Hackfleisch***
Gehalt[1] *m* **1.** *fig* (*Inhalt*) content, (*Substanz*) substance **2.** (***an*** *Dat* of) content, *prozentualer*: percentage, CHEM *a.* concentration: ***~ an Öl*** oil content
Gehalt[2] *n* salary, pay: ***bei vollem ~*** on full pay
gehaltlos *Adj* **1.** *Nahrung*: unsubstantial **2.** *fig* empty, lacking substance
Gehalts|abrechnung *f* salary statement, F pay slip **~abzug** *m* deduction from salary **~ansprüche** *Pl* salary expectations *Pl* **~empfänger**(**in**) salaried employee **~erhöhung** *f* salary increase, *bes Am* (pay) raise **~forderung** *f* salary claim **~gruppe** *f*, **~klasse** *f* salary bracket **~kürzung** *f* salary cut **~liste** *f* payroll **~streifen** *m* pay slip **~stufe** *f* salary bracket **~zahlung** *f* payment of salary
Gehaltszulage *f* **1.** bonus **2.** → ***Gehaltserhöhung***
gehaltvoll *Adj* **1.** *Nahrung*: substantial **2.** *fig* rich in content, (*tief*) profound
gehandikapt *Adj* handicapped
geharnischt *Adj fig* sharp, withering
gehässig *Adj* spiteful, venomous
Gehässigkeit *f* **a**) spite(fulness), venom, venomousness, **b**) spiteful words *Pl* (*od* act)
Gehäuse *n* **1.** TECH case, casing, *e-s Geräts*: cabinet, *e-r Kamera*: body **2.** ZOOL shell
gehbehindert *Adj* ***sie ist ~*** she can't walk properly
Gehege *n* enclosure, *für Tiere*: *a.* pen, JAGD preserve: *fig* ***j-m ins ~ kommen*** get in s.o.'s way, cross s.o.

geheim *Adj allg* secret, (*vertraulich*) *a.* confidential, (*verborgen*) *a.* hidden, *Lehre etc*: occult: ***im* 2*en*** secretly; ***in ~er Wahl*** by closed ballot; ***~!*** *auf Dokumenten*: Restricted!; ***streng ~!*** top-secret!; ***etw ~ halten*** keep s.th. secret (***vor*** *Dat* from)

Geheim... secret (*agent*, *agreement*, *order*, *etc*) **~akte** *f* classified document, *Pl* secret files *Pl* **~dienst** *m* secret service **~fach** *n* secret drawer **~haltung(s-pflicht)** *f* (observance of) secrecy **~konto** *n* secret account

Geheimnis *n* secret (***vor*** *Dat* from), (*Rätsel*) *a.* mystery: ***ein (kein) ~ machen aus*** make a (no) secret out of

Geheimnis|krämer(in), **~tuer(in)** mystery-monger **~krämerei** *f*, **~tuerei** *f* mystery-mongering **~träger(in)** POL bearer of official secrets **2umwittert** *Adj* mysterious

Geheimnisverrat *m* JUR betrayal of a state (WIRTSCH trade) secret

geheimnisvoll *Adj* mysterious

Geheim|nummer *f* **1.** secret (TEL ex-directory) number **2.** → ***Geheimzahl*** **~polizei** *f* secret police **~polizist(in)** member of the secret police **~sache** *f* secret (MIL, POL security) matter **~tipp** *m* F hot tip **~zahl** *f* (*Bank*) PIN number **~zeichen** *n* secret sign, (*Chiffre*) code

gehemmt *Adj* inhibited

gehen I *v/i* **1.** (***zu Fuß ~***) walk, go (on foot): ***schwimmen (tanzen) ~*** go swimming (dancing); ***auf die*** (*od* ***zur***) ***Bank (Post) ~*** go to the bank (post office); ***auf die Straße ~ a***) go out into the street, **b**) *fig* take to the streets; ***über die Brücke ~*** cross the bridge; *fig* ***an die Arbeit ~*** get down to work; ***das geht zu weit*** that is going too far; ***wie ich ging und stand a***) as I was, **b**) (*sofort*) at once **2.** (*fort~*) go, leave, (*aus e-m Amt scheiden*) *a.* resign: ***er ist gegangen*** he's gone, he has left; ***j-n ~ lassen*** let s.o. go (*straffrei*: off) **3.** (*verkehren*) (***nach, bis*** to, as far as) go, run: ***der Zug geht über München*** the train goes via Munich **4.** (*führen*) (***nach*** to) go, lead: ***~ um*** go round **5.** (*funktionieren*) go, work, *Maschine*: *a.* run, *Klingel*: go, ring, *Radio etc*: be on: ***die Uhr geht nicht mehr*** the watch has stopped; *fig* ***das Gedicht geht so ...*** the poem goes like this ... **6.** WIRTSCH *Ware*: (***gut***) ***~*** sell (well); → ***Geschäft. 7.*** *Teig*: rise **8.** *Wind*: blow **9.** ***~ an*** (*Akk*) *fig* **a**) (*reichen*) go as far as, reach to, **b**) *Erbe etc*: fall to, go to **10.** *fig* ***das Fenster geht auf die Straße*** the window looks out on(to) the street; ***die Fenster ~ nach Westen*** the windows face (*od* look) west **11.** *fig* ***das geht gegen dich*** this is meant for you **12.** *fig* ***in die Industrie (Politik*** *etc*) ***~*** go into industry (politics *etc*); ***in den Saal ~ 100 Personen*** the hall holds (*od* seats) 100 persons; ***der Schaden geht in die Millionen*** the damage runs into millions; ***wie oft geht 2 in 10?*** how many times goes 2 into 10?; ***in sich ~*** do a bit of soul-searching **13.** F *fig* ***mit e-m Jungen, Mädchen ~*** go out with; ***fest ~*** go steady **14.** *fig* ***nach s-n Worten zu ~*** to go by his words; ***wenn es nach ihr ginge*** if she had her way **15.** *fig* ***~ über*** (*Akk*) go beyond; ***ihre Familie geht ihr über alles*** her family means everything to her; ***es geht nichts über ...*** there's nothing like ... **16.** ***vor sich ~*** happen; ***was geht hier vor?*** what's going on?; ***wie geht das vor sich?*** how does it go (*od* work)? **II** *v/unpers* **17.** *fig* (*klappen*) work, (*möglich sein*) be possible, (*erlaubt sein*) be allowed: ***es geht a***) it works, **b**) (*ich kann es allein*) I can manage; ***es geht nicht a***) it doesn't work, **b**) it can't be done, it's impossible; ***es wird schon ~*** it'll be all right; ***es geht (eben) nicht anders*** it can't be helped **18.** (*er~*) be, feel: ***wie geht es Ihnen?, wie gehts?*** how are you?, *zu e-m Kranken*: how are you feeling?; ***es geht mir gut*** I'm fine, *geschäftlich*: I'm doing fine; ***es geht mir schlecht*** I'm not feeling too good, *geschäftlich*: things aren't going too well; ***mir geht es genauso*** I feel exactly the same way, F same here; ***ihm ist es genauso gegangen*** it was the same with him; ***so geht es, wenn man lügt*** that's what comes of lying; ***es sich gut ~ lassen*** have a good time, enjoy o.s.; ***sich ~ lassen a***) let o.s. go, (*sich nicht beherrschen*) lose one's temper, **b**) (*sich entspannen*) relax **19.** ***es geht auf 10 (Uhr)*** it is getting on for ten **20.** ***es geht über m-e Kraft*** it's too much for me **21.** ***es geht um den Frie-***

den (***sein Leben***) peace (his life) is at stake; ***ihr geht es nur ums Geld*** she's just interested in the money; ***worum geht es?*** what's it all about?, what's the problem?; ***es geht darum zu*** *Inf* it's a question of *Ger*; ***darum geht es*** (***ja***)***!*** that's the (whole) point!; ***darum geht es hier gar nicht*** that's not the point **III** *v/t* **22.** (*Strecke etc*) walk, go (on foot): *hum* ***er ist gegangen worden*** he was sacked **IV** ♀ *n* **23.** walking: ***50 km*** ♀ SPORT 50 kilomet/res (*Am* -ers) walk

Geher(in) SPORT walker

geheuer *Adj* ***nicht*** (***ganz***) ~ (*unheimlich*) creepy, (*verdächtig*) fishy, (*riskant*) a bit risky; ***er*** (***die Sache***) ***ist mir nicht*** ~ I've got a funny feeling about him (it)

Geheul *n* howling, howls *Pl*

Gehilfe *m*, **Gehilfin** *f* **1.** helper, assistant **2.** (*Büro*♀ *etc*) clerk **3.** JUR (*Tat*♀) accessory before the fact

Gehirn *n* **1.** *a. fig* brain **2.** F (*Verstand*) brain(s *Pl*), mind

Gehirn... cerebral; → *a.* ***Hirn...***

Gehirn|blutung *f* cerebral h(a)emorrhage **~chirurgie** *f* brain surgery

Gehirn|erschütterung *f* concussion **~hautentzündung** *f* meningitis

Gehirntumor *m* cerebral tumo(u)r

Gehirnwäsche *f* POL brainwashing: ***j-n e-r*** ~ ***unterziehen*** brainwash s.o.

gehoben *Adj Stellung*: high, senior, *Stil*: elevated, WIRTSCH up-market (*article*, *shop*, *etc*): ***~e Ansprüche*** expensive tastes; ***~e Stimmung*** high spirits *Pl*

Gehöft *n* farm(stead)

Gehölz *n* copse, coppice, small wood

Gehör *n* **1.** (sense of) hearing, ear(s *Pl*): ***feines*** ~ sensitive ear; MUS ***absolutes*** ~ perfect pitch; ***nach dem*** ~ by ear **2.** (~ ***finden*** get a) hearing: *e-r Warnung, Bitte etc* ***kein*** ~ ***schenken*** turn a deaf ear to; ***sich*** ~ ***verschaffen*** make o.s. heard

gehorchen *v/i* ***j-m*** (***e-m Befehl*** *etc*) (***nicht***) ~ (dis)obey s.o. (an order *etc*)

gehören I *v/i* **1.** belong (*Dat* to): ***wem gehört das Buch?*** whose book is this?; ***gehört es dir?*** is it yours?; ***es gehört mir*** it belongs to me, it is mine; *fig* ***das gehört nicht hierher!*** that's beside the point!; ***der Raumfahrt gehört die Zukunft*** the future belongs to space travel **2.** ~ ***zu*** belong to (*a. als Mitglied*), *als Teil*: *a.* be part of, (*zählen zu*) rank (*od* be) among; ***er gehört zu den besten Spielern*** he is one of the best players; ***es gehört zu s-r Arbeit*** it is part of his job; ***dazu gehört*** **a)** ***Geld*** you need money for that, **b)** ***Zeit*** that kind of thing takes time, **c)** ***Mut*** it takes (a lot of) courage; ***dazu gehört schon einiges!*** that takes a lot of doing!; ***es gehört nicht viel dazu!*** there's nothing to it! **3.** ~ ***unter*** (*Akk*) come under **4.** ~ ***in*** (*Akk*) belong in: F ***du gehörst ins Bett!*** you should be in bed! **II** *v/refl* ***sich*** ~ **5.** be proper: ***wie es sich gehört*** properly; ***er weiß, was sich gehört*** he knows how to behave; ***das gehört sich nicht!*** it's not done!

Gehörfehler *m* hearing defect

Gehörgang *m* auditory canal

gehörig I *Adj* **1.** (*j-m*, ***zu*** *etw*) belonging to: (***nicht***) ***zur Sache*** ~ (ir)relevant **2.** (*gebührend*) right, due, proper **3.** F (*groß*) good, sound: ***e-e ~e Tracht Prügel*** a good hiding; ***j-m e-n ~en Schrecken einjagen*** put the fear of God into s.o. **II** *Adv* **4.** duly, properly

gehörlos *Adj* deaf **Gehörlosenschule** *f* school for the deaf

Gehörn *n* horns *Pl*, JAGD antlers *Pl*

Gehörnerv *m* auditory nerve

gehörnt *Adj* horned: *fig* ***~er Ehemann*** cuckolded husband

gehorsam *Adj* obedient (***gegen*** to)

Gehorsam *m* obedience (***gegen***[***über***] to): ***j-m den*** ~ ***verweigern*** disobey s.o.

Gehörsinn *m* sense of hearing

Gehörverlust *m* loss of hearing

Gehsteig *m* pavement, *Am* sidewalk

Gehupe *n* F blaring horns *Pl*

Gehversuch *m* attempt to walk

Geier *m a. fig* vulture

Geifer *m* **1.** slaver, (*Schaum*) foam **2.** *fig* venom **geifern** *v/i* **1.** dribble, slaver **2.** *fig* ~ ***gegen*** rail at

Geige *f* violin: (***auf der***) ~ ***spielen*** play (on) the violin; (***die***) ***erste*** (***zweite***) ~ ***spielen*** play first (second) violin (*fig* fiddle) **geigen** *v/i* play the violin

Geigen|bauer(in) violin-maker **~harz** *n* resin **~kasten** *m* violin case

Geigenstrich *m* stroke (of the bow)

Geiger(in) violinist

Geigerzähler *m* Geiger counter

geil *Adj* **1.** F *pej* randy, V horny, (*lüstern*) lecherous: *fig* **~ *sein auf*** (*Akk*) be hot for, be dead keen on **2.** F (***echt***) **~** hot, terrific, wicked

Geisel *f* (***j-n als ~ nehmen*** take s.o.) hostage **~drama** *n* hostage drama

Geiselnahme *f* taking of hostages

Geiselnehmer(in) hostage-taker

Geiß *f* ZOOL (nanny) goat, (*Reh*2) doe

Geißel *f* **1.** whip **2.** BIOL flagellum **3.** *fig* scourge **geißeln** *v/t* **1.** whip, REL flagellate **2.** *fig* castigate **Geißeltierchen** *n* flagellate **Geißelung** *f* **1.** flagellation **2.** *fig* castigation

Geist *m* **1.** (*Verstand*) mind, intellect, (*Denken*) spirit, (*Esprit*) wit: ***~ und Körper*** mind and body; ***ein großer ~*** a great mind (*od* thinker); ***ein Mann von ~*** a (man of) wit; ***im ~e*** **a)** *vor sich sehen*: in one's mind's eye, **b)** *bei j-m sein etc*: in one's thoughts; *hum* ***den ~ aufgeben*** give up the ghost, *Motor etc*: *a.* conk out; F ***j-m auf den ~ gehen*** get on s.o.'s nerves; → ***scheiden*** III **2.** (*Haltung*) spirit, (*Kampf*2 *etc*) morale: ***der ~ der Zeit*** the spirit of the times; ***wes ~es Kind er ist*** what sort of person he is **3.** spirit, ghost: ***böser ~*** evil spirit, demon; ***der Heilige ~*** the Holy Ghost

Geisterbahn *f* ghost train **Geisterbild** *n* TV double image **Geistererscheinung** *f* apparition **Geisterfahrer(in)** *driver using the motorway in the wrong direction*

geisterhaft *Adj* ghostly

Geisterhand *f* ***wie von ~*** as if by magic

Geisterstadt *f* ghost town

Geisterstunde *f* witching hour

geistesabwesend *Adj* absent(-minded)

Geistesabwesenheit *f* absent-mindedness **Geistesarbeit** *f* brainwork **Geistesblitz** *m* (flash of) inspiration, (*Idee*) brainwave

Geistesgegenwart *f* presence of mind

geistesgegenwärtig *Adv* ***~ sprang er zur Seite*** he had the presence of mind to jump aside

Geistesgeschichte *f* history of thought (*od* ideas): ***die deutsche ~*** the history of German thought

geistesgestört *Adj* mentally disturbed **Geistesgestörte** *m, f* mentally disturbed person **geisteskrank** *Adj* mentally ill, *a. pej* insane **Geisteskranke** *m, f* mental case (*od* patient), *bes pej* lunatic, *Pl the* mentally ill

Geisteskrankheit *f* mental disease

Geistesleben *n* intellectual life

Geistesprodukt *n* (intellectual) product, F brainchild

geistesschwach *Adj* feeble-minded

Geistesschwäche *f* feeble-mindedness

Geistesstörung *f* mental disorder

Geistesverfassung *f* frame of mind

geistesverwandt *Adj* congenial (***mit*** to)

Geistesverwandtschaft *f* affinity

Geistesverwirrung *f* confused state of mind

Geisteswissenschaft *f* arts subject, *Pl the* arts *Pl, the* humanities *Pl*

Geisteswissenschaftler(in) scholar, (*Student*) arts student

geisteswissenschaftlich *Adj* arts …

Geisteszerrüttung *f* mental derangement, dementia

Geisteszustand *m* mental state

geistig[1] **I** *Adj* mental (*a.* PSYCH), (*intellektuell*) intellectual, (*seelisch*) spiritual: ***~es Eigentum*** intellectual property; → ***Diebstahl*** **II** *Adv* mentally (*etc*): ***~ anspruchsvoll*** demanding, highbrow; ***~ behindert*** mentally handicapped **geistig**[2] *Adj* ***~e Getränke*** spirits *Pl*, alcoholic drinks *Pl*

geistlich *Adj* **1.** religious, spiritual, *Musik etc*: *a.* sacred: ***~er Orden*** religious order **2.** clerical, (*kirchlich*) ecclesiastical: ***der ~e Stand*** the clergy; ***~es Amt*** ministry **Geistliche 1.** *m* clergyman, *bes protestantischer*: minister, (*Priester*) priest, MIL chaplain, padre **2.** *f* woman priest; woman minister: ***die ~n*** *Pl* → **Geistlichkeit** *f the* clergy

geistlos *Adj* trivial, (*langweilig*) dull, (*seicht*) insipid, (*dumm*) stupid

Geistlosigkeit *f* lack of wit, dullness, insipidity, (*Bemerkung*) platitude

geistreich *Adj* witty, brilliant **geisttötend** *Adj* soul-destroying **geistvoll** *Adj* **1.** → ***geistreich*** **2.** (*tief*) profound

Geiz *m* stinginess, meanness **geizen** *v/i* ***~ mit*** be stingy with; ***mit Lob*** *etc* **~** be sparing with (*od* stint) one's praise

Geizhals *m* miser, F meanie

geizig *Adj* miserly, stingy, mean

Gejammer *n* F *pej* moaning
Gejohle *n* F howling
Gekicher *n* F giggling
Gekläff *n* F yapping
Geklapper *n* F rattling, clatter
Geklimper *n* F *pej* tinkling
geknickt *Adj* F *fig* crestfallen
gekonnt *Adj* competent, masterly
gekränkt *Adj* offended, hurt
Gekritzel *n pej* **1.** scrawling, scribbling **2.** (*Schrift*) scrawl, scribble
gekünstelt *Adj* artificial, affected
gekürzt *Adj* abridged
Gel *n* CHEM, *Kosmetik*: gel
Gelächter *n* laughter
geladen *Adj* **1.** *allg* loaded, MIL *a.* charged **2.** F *fig* **~ sein** (**auf** *Akk*) be furious (*od* mad) (at)
Gelage *n* feast, banquet, (*Trink*♀) drinking bout, F binge
gelagert *Adj fig* **anders ~** different; **in besonders ~en Fällen** in special cases
gelähmt *Adj a. fig* paralyzed
Gelände *n* country, ground, terrain, (*Bau*♀, *Ausstellungs*♀ *etc*) site: **auf dem ~** *e-s Betriebs etc*: on the premises
Gelände... cross-country (*car, race, etc*)
Geländefahrzeug *n* off-roader
geländegängig *Adj* all-terrain
Geländer *n* (*~stange*) railing, (*Treppen*♀) banisters *Pl*, (*Balkon*♀ *etc*) balustrade
Geländewagen *m* cross-country vehicle
gelangen *v/i* **1. ~ an** (*Akk*) (*od* **nach, zu, auf** *Akk*) reach, arrive at, get (*od* come) to; **ans Ziel ~ a**) reach one's destination, **b**) *fig* achieve one's end, F make it; **in den Besitz ~ von** (*od Gen*) get hold of, acquire; **in j-s Hände ~** get into (*od* reach) s.o.'s hands **2. zu etw ~** win (*od* gain, achieve) s.th.; **zu Reichtum ~** become rich; → **Ansicht** 1, **Einsicht** 3, **Erkenntnis, Macht** 1, **Schluss** 2 **3.** THEAT *etc* **zur Aufführung ~** be performed
gelangweilt *Adj u. Adv* bored
gelassen *Adj* calm, composed
Gelassenheit *f* calmness, composure: **mit ~** calmly, coolly
Gelatine *f* gelatine
geläufig *Adj* **1.** *Ausdruck etc*: common, current, (*vertraut*) familiar: **das ist mir ~** I'm familiar with that **2.** fluent
Geläufigkeit *f* **1.** familiarity **2.** fluency
gelaunt *Adj* **gut** (**schlecht**) **~ sein** be in a good (bad) mood
Geläut(e) *n* ringing
gelb *Adj*, **Gelb** *n* yellow, *Verkehrsampel*: amber: **bei** ♀ on amber; **der ~e Sack** the bag for recyclable waste; **~e Seiten** (*Branchenadressbuch*) Yellow Pages
Gelbe *n vom Ei*: yolk: F *fig* **das ist auch nicht das ~ vom Ei!** it's not all that good!
gelblich *Adj* yellowish
Gelbsucht *f* MED jaundice
Geld *n* money: **~er** *Pl* funds *Pl*, money; **bares ~** cash; **großes ~** notes *Pl*, *Am* bills *Pl*; **kleines ~** change; F (**viel**) **~ machen** make (a lot of) money; **das große ~ machen** make big money, make a packet; **etw zu ~ machen** turn s.th. into cash, sell s.th. off; **um ~ spielen** play for money; F **im ~ schwimmen** be rolling in money; **das geht ins ~** that costs a packet; **~ spielt k-e Rolle** money is no object; → **Fenster, Heu**
Geld|abwertung *f* (currency) devaluation **~angelegenheiten** *Pl* money (*od* financial) matters *Pl* **~anlage** *f* investment **~anweisung** *f* money order, remittance **~aufwertung** *f* (currency) revaluation **~ausgabe** *f* (financial) expenditure **~automat** *m* cash dispenser, *Am* money machine **~betrag** *m* amount (*od* sum) of money **~beutel** *m* purse **~buße** *f* fine **~einwurf** *m* **1.** insertion of coins **2.** *am Automaten*: (coin) slot **~entwertung** *f* currency depreciation, inflation **~geber(in)** financial backer, investor **~geschäfte** *Pl* money transactions *Pl* **~geschenk** *n* gift of money **~gier** *f* greed for money, avarice ♀**gierig** *Adj* greedy for money, avaricious **~knappheit** *f* lack of money, (financial) stringency
geldlich *Adj* financial, pecuniary
Geld|mangel *m* lack of money **~mann** *m* financier **~markt** *m* money market **~mittel** *Pl* funds *Pl* **~prämie** *f* bonus, (*Belohnung*) reward, (*Preis*) award, (cash) prize **~quelle** *f* source of money (*od* income) **~schein** *m* (bank)note, *Am* bill **~schrank** *m* safe **~schwierigkeiten** *Pl* financial difficulties *Pl* **~sendung** *f* (cash) remittance **~sorgen** *Pl* financial worries *Pl* **~spende** *f* dona-

tion, contribution **~strafe** *f* (*a. j-n* ***mit e-r ~ belegen***) fine **~stück** *n* coin **~umtausch** *m* exchange of money, conversion **~verdienen** *n* moneymaking **~verdiener(in)** moneymaker, *in der Familie*: breadwinner **~verlegenheit** *f* financial embarrassment: ***in ~ sein*** be short of money, F be hard up **~verschwendung** *f* waste of money **~waschanlage** *f* money laundering outfit **~wäsche** *f* *fig* money laundering **~wechsel** *m* **1.** → ***Geldumtausch*** **2.** (*Stelle*) Change **~wechsler** *m* (*Automat*) change machine **~wert** *m* cash (*Kaufkraft*: currency) value

Gelee *n* **1.** GASTR jelly **2.** PHARM gel

gelegen *Adj* **1.** situated, located **2.** (*passend*) convenient, suitable: ***es kommt mir sehr ~*** it suits me fine

Gelegenheit *f* **1.** opportunity, chance: ***die ~ ergreifen*** (*od* ***benutzen, beim Schopf packen***) seize the opportunity; ***die ~ verpassen*** miss the chance; ***bei der ersten besten ~*** at the first opportunity; → ***passend*** 2 **2.** (*Anlass*) occasion: ***bei ~*** → ***gelegentlich*** III; ***bei dieser ~*** on this occasion **3.** (*Koch*♀, *Wasch*♀ *etc*) facility **4.** WIRTSCH bargain

Gelegenheits|arbeit *f* casual work (*od* job) **~arbeiter(in)** casual labo(u)rer **~job** *m* occasional job (*bzw.* work)

gelegentlich **I** *Adj* occasional, (*zufällig*) chance **II** *Adv* occasionally, (*manchmal*) *a.* sometimes

gelehrig *Adj* clever, quick to learn

Gelehrsamkeit *f* erudition, learning

gelehrt *Adj* learned **Gelehrte** *m, f* learned man (woman), scholar, scientist

Geleit *n a.* MIL escort, SCHIFF *a.* convoy: ***j-m freies ~ geben*** JUR grant s.o. safe-conduct **geleiten** *v/t* escort (*a.* SCHIFF, MIL), accompany

Geleitschiff *n* escort ship

Geleitschutz *m* escort, SCHIFF *a.* convoy

Geleitzug *m* SCHIFF convoy

Gelenk *n allg* joint, TECH *a.* link, (*~verbindung*) articulation

Gelenk... TECH articulated: ***Gelenkbus*** *m* articulated bus

Gelenkentzündung *f* MED arthritis

gelenkig *Adj* flexible (*a.* TECH), supple, lithe **Gelenkigkeit** *f* flexibility, suppleness, litheness

Gelenkrheumatismus *m* MED articular rheumatism

gelernt *Adj* trained, *Arbeiter*: skilled

geliebt *Adj* dear, beloved

Geliebte **1.** *m* lover **2.** *f* love(r), sweetheart, (*Mätresse*) mistress

gelieren *v/i* (*a.* ***~ lassen***) jell

gelinde *Adv* ***~ gesagt*** to put it mildly

gelingen **I** *v/i u. v/unpers* succeed, be successful, be a success, (*gut geraten*) turn out well: ***nicht ~*** not to succeed (*etc*), fail; ***ihm gelang die Flucht, es gelang ihm zu fliehen*** he succeeded in escaping, he managed to escape; ***es gelang ihm nicht(, das zu tun)*** he failed (to bring it off); ***endlich ist es mir gelungen*** at last I managed (*od* made) it **II** ♀ *n* success: ***gutes ♀!*** good luck!; ***auf gutes ♀!*** to success!

gellend *Adj* piercing, shrill: *Adv* ***~ lachen*** shriek with laughter

geloben *v/t* promise, vow, swear

Gelöbnis *n* vow, pledge **gelobt** *Adj* ***das ♀e Land*** BIBEL the Land of Promise

gelöst *Adj fig* relaxed

gelten **I** *v/i* **1.** (*wert sein*) be worth (*10 dollars etc*): *fig* ***viel*** (***wenig***) ***~*** count for much (little) (***bei*** with); ***was er sagt, gilt*** what he says goes; → ***Wette*** **2.** (*gültig sein*) be valid, be good, *Preis, Vertrag etc*: be effective, *Gesetz etc*: *a.* be in force: (***weiterhin***) ***~*** hold (good); ***~ für*** apply to; ***das gilt für alle*** that applies to (F goes for) all of you; ***~ lassen*** allow (*a. Sport*), (***als***) accept (as), let *s.o., s.th.* pass (for); ***das lasse ich ~!*** I'll agree to that!; ***es gilt!*** done!, it's a deal!; ***das gilt nicht!*** **a**) that's not allowed (*od* fair), **b**) *Sport etc*: that doesn't count!; ***mein Angebot gilt noch!*** my offer still stands! **3.** ***~ als*** be regarded as, be considered to be **4.** ***j-m ~*** *Bemerkung, Schuss etc*: be meant for s.o., be aimed at s.o., *Liebe, Hass etc*: be for s.o. **II** *v/unpers* **5.** ***es gilt zu*** *Inf* it is necessary (for us *etc*) to *Inf*; ***es gilt als sicher, dass ...*** **a**) it seems certain that ..., **b**) ***er kommt*** *a.* he's sure to come **6.** ***es galt unser Leben*** *etc* our lives *etc* were at stake **geltend** *Adj* current(ly valid), *Gesetz, Recht etc*: *a.* effective, *nachgestellt*: in force, *Meinung etc*: accepted: ***~ machen*** (*Anspruch, Rechte*) assert, enforce, *als Entschuldi-*

gung: plead; **~ machen, dass ...** maintain that ...; **(bei j-m) s-n Einfluss ~ machen** bring one's influence to bear (on s.o.)
Geltung *f* (*Gültigkeit*) validity, (*Wert*) value, (*Ansehen*) prestige, (*Einfluss*) influence, (*Bedeutung*) weight: **~ haben** → **gelten** 2; **an ~ verlieren** lose prestige; **e-r Sache ~ verschaffen** enforce s.th.; **etw zur ~ bringen** show s.th. (off) to advantage; **zur ~ kommen** show to advantage
Geltungsbedürfnis *n*, **geltungsbedürftig** *Adj* craving for admiration
Gelübde *n* (**ein ~ ablegen** take a) vow
gelungen *Adj* successful, *präd* a success, *Werk etc*: excellent
Gelüst *n* craving (**nach** for)
gelüsten *v/unpers* **es gelüstet mich nach** I am craving for, I feel like
gemächlich *Adj u. Adv* leisurely, (*ohne Hast*) *a.* unhurried
gemacht *Adj fig* **ein ~er Mann** a made man; **sie waren ~e Leute** they had got it made
Gemahl *m* husband: **Ihr Herr ~** Mr. X
Gemahlin *f* wife: **Ihre Frau ~** Mrs. X
gemahnen *v/t u. v/i* **(j-n) ~ an** (*Akk*) remind (s.o.) of
Gemälde *n* painting, picture **~ausstellung** *f* exhibition of paintings **~galerie** *f* picture (*od* art) gallery
gemäß I *Adj* appropriate (*Dat* to) **II** *Präp* (*Dat*) according to, in accordance with, pursuant to, under (*a law etc*)
gemäßigt *Adj* moderate (*a.* POL), *Klima, Zone*: temperate
Gemäuer *n* walls *Pl*: **altes ~** (old) ruins
Gemecker *n* F *pej* belly-aching
gemein *Adj* **1.** *pej* low, mean, nasty, F (*scheußlich*) awful (*job etc*), (*ordinär*) vulgar, (*unanständig*) dirty, filthy (*joke etc*): **~er Trick** dirty trick **2. etw ~ haben** have s.th. in common (**mit** with) **3.** *allg* common (*a.* BOT, MATHE, ZOOL), general: **das ~e Volk** the common people
Gemeinde *f* **1.** POL municipality, (*~verwaltung*) *a.* local government (*od* authority), (*~bewohner*) community **2.** (*Pfarr*~) parish, (*~mitglieder*) *a.* parishioners *Pl*, (*Kirchen*~) congregation **3.** (*Zuhörer*) audience **4.** (*Anhänger*) following **~amt** *n* **1.** local authority **2.** municipal office **~bezirk** *m* district **~haus** *n* **1.** REL parish hall **2.** → **Gemeindezentrum** **~rat**[1] *m* municipal council **~rat**[2] *m*, **~rätin** *f* (*Person*: coun-cil[l]or) **~schwester** *f* district nurse **~steuern** *Pl* (local) rates *Pl*, *Am* local taxes *Pl* **~verwaltung** *f* local government (*od* authority) **~vorstand** *m* local board **~wahl** *f* local election **~zentrum** *n* community cent/re (*Am* -er)
gemeingefährlich *Adj Verbrecher*: dangerous: **~ sein** be a public danger
Gemeingut *n a. fig* common property
Gemeinheit *f* **a)** meanness, nastiness, **b)** mean thing (to do *od* say): **so e-e ~!** what a dirty trick!, *enttäuscht*: what rotten luck!
gemeinhin *Adv* generally
Gemeinkosten *Pl* overhead (cost) *Sg*
gemeinnützig *Adj* for the public benefit, public welfare ..., *Betrieb, Verein*: nonprofit(-making)
Gemeinplatz *m* commonplace
gemeinsam I *Adj* common (*a.* MATHE), *Eigentum, Aktion, Konto etc*: joint, *Freund etc*: mutual: *hist* **~er Markt** Common Market; **~e Sache machen** make common cause (**mit** with); **sie haben vieles ~** they have a great deal in common; → **Nenner II** *Adv* jointly, together: **etw ~ tun** do s.th. together
Gemeinsamkeit *f der Ansichten etc*: common ground, *der Interessen etc*: mutuality, *des Handelns*: joint action, (*Verbundenheit*) solidarity: **~en entdecken** discover things in common
Gemeinschaft *f* community (*a.* POL), (*Gruppe*) team, (*Verband*) association: **eheliche ~** JUR matrimony; **in enger ~ leben** live close together (**mit** with)
gemeinschaftlich → **gemeinsam**
Gemeinschafts|anschluss *m* TEL party line **~antenne** *f* communal aerial (*Am* antenna) **~arbeit** *f* teamwork **~erziehung** *f* **1.** PÄD coeducation **2.** social education **~geist** *m* community spirit **~produktion** *f* coproduction **~raum** *m* communal room **~sendung** *f* simultaneous broadcast, hookup
Gemeinschuldner(in) bankrupt
Gemeinsinn *m* public spirit
gemeinverständlich *Adj* intelligible to all, popular
Gemeinwesen *n* community, (*Staat*) polity **Gemeinwohl** *n* public weal

gemessen *Adj fig* measured: ***~en Schrittes*** with measured steps
Gemetzel *n* slaughter, massacre
Gemisch *n* mixture
gemischt *Adj a. fig* mixed **gemischtwirtschaftlich** *Adj* WIRTSCH mixed-type
Gemme *f* gem
Gemsbock → ***Gämsbock***
Gemse → ***Gämse***
Gemüse *n* vegetable, *Koll* vegetables *Pl*, *bes Am* F veg(g)ies *Pl*, (*Grün*≗) greens *Pl* **~(an)bau** *m* vegetable gardening, *Am* truck farming **~garten** *m* kitchen garden **~händler(in)** greengrocer **~konserven** *Pl* tinned (*od* canned) vegetables *Pl* **~laden** *m* greengrocer's shop
gemustert *Adj* (*a.* ***in sich ~***) patterned
Gemüt *n* (*Geist*) mind, (*Seele*) soul (*a. Person*), (*Herz*, *Gefühl*) heart, feeling, (*Wesensart*) disposition, nature: ***die ~er bewegen*** cause quite a stir; F ***sich e-e Flasche Wein zu ~e führen*** get outside a bottle of wine; → ***erhitzen*** I
gemütlich *Adj* **1.** comfortable, snug, cosy, (*angenehm*) pleasant: ***mach es dir ~!*** **a)** make yourself at home!, **b)** *a.* ***sei ~!*** relax! **2.** *Person*: good-natured, pleasant **3.** *a. Adv* (*gemächlich*) leisurely, unhurried(ly *Adv*), *Adv* (*ungestört*) in peace **Gemütlichkeit** *f* **1.** cosiness (*etc*) **2.** cosy (*od* relaxed) atmosphere **3.** (*Gemächlichkeit*) leisure(liness): ***in aller ~*** → ***gemütlich*** 3
Gemüts|art *f* disposition, nature **~bewegung** *f* emotion **≗krank** *Adj* emotionally disturbed **~krankheit** *f* emotional disturbance, mental disorder **~mensch** *m* F **a)** warm-hearted person, **b)** *iron* callous beast **~ruhe** *f* peace of mind: F ***in aller ~*** calmly, *iron* as cool as you please **~verfassung** *f*, **~zustand** *m* frame of mind, (mental) state
gemütvoll *Adj* soulful, sentimental, *Person*: warm(-hearted)
Gen *n* BIOL gene
genau I *Adj* exact, accurate, precise, *Bericht etc*: detailed, (*sorgfältig*) careful, (*streng*) strict: **≗*eres*** particulars *Pl*, further details *Pl*; ***man weiß nichts ≗es*** we don't know anything definite **II** *Adv* exactly (*etc*): ***~ dasselbe*** (***das Gegenteil***) exactly (*od* just) the same (the opposite); ***~ das, was ich brauche*** just what I need; ***~ in der Mitte*** right in the middle; ***~*** (***um***) ***10 Uhr*** (at) ten o'clock sharp; ***~ beobachten*** (***zuhören***) watch (listen) closely; ***ich weiß es ~*** I know it for sure; ***sich ~ an die Regeln halten*** keep strictly to the rules; ***es nicht sehr ~ nehmen*** not to be particular (***mit*** about); (***stimmt***) ***~!*** exactly!; ***~ genommen*** strictly speaking
Genauigkeit *f* exactness, accuracy, precision, (*Sorgfalt*) thoroughness
genauso → ***ebenso***; ***~ gut*** → ***ebenso***
Gen|bank *f* gene bank **~datei** *f* DNA file
Genealogie *f* genealogy
genehm *Adj* ***j-m ~ sein*** suit s.o.
genehmigen *v/t* approve (*a.* VERW, JUR), (*zulassen*) permit, VERW authorize, license: F ***sich e-n ~*** have a drink
Genehmigung *f* **1.** approval, permission, authorization **2.** (*Lizenz*) permit, licen/ce (*Am* -se)
geneigt *Adj* inclined (*a. fig* ***zu*** to)
General(in) MIL general
General... general (*agency*, *amnesty*, *etc*) **~bass** MUS basso continuo **~bevollmächtigte** *m*, *f* **1.** POL plenipotentiary **2.** WIRTSCH general representative **~direktor(in)** general manager
General|konsul(in) consul general **~konsulat** *n* consulate general **~leutnant** *m* lieutenant general **~major(in)** major general **~probe** *f a. fig* dress rehearsal **~sekretär(in)** secretary-general **~staatsanwalt** *m*, **~staatsanwältin** *f* Chief State Prosecutor **~stab** *m* MIL General Staff **~streik** *m* general strike **~überholung** *f* TECH complete overhaul **~versammlung** *f* **1.** WIRTSCH general meeting **2.** POL *der UNO*: General Assembly **~vertreter(in)** general agent **~vollmacht** *f* JUR general power of attorney
Generation *f* generation: *Mobiltelefon etc* ***der dritten ~*** third-generation …
Generationenvertrag *m* contract between the generations
Generations|konflikt *m*, **~problem** *n* generation gap
Generator *m* ELEK generator
generell *Adj* general
genesen *v/i* recover (***von*** from), get well
Genesung *f* convalescence, *völlige*: re-

covery **Genesungs...** convalescent (*home*, *leave*, *etc*)
Genetik *f* genetics *Sg*
Genetiker(in) genetic scientist
genetisch *Adj* genetic(ally *Adv*)
Genf *n* Geneva **Genfer** *Adj* Genevan: ***der ~ See*** Lake Geneva
Genfood *n* GM foods
genial *Adj* of genius, inspired, (*großartig*) brilliant, ingenious: ***e-e ~e Idee*** *a. iron* a brilliant idea **Genialität** *f* genius, brilliancy, ingenuity
Genick *n* (back of the) neck: ***(sich) das ~ brechen*** break one's neck; *fig* ***das brach ihm das ~*** that was his undoing
Genickschuss *m* shot in the neck
Genie *n allg* genius
genieren **I** *v/t* ***j-n ~*** embarrass s.o., (*stören*) bother s.o. **II** *v/refl* ***sich ~*** be embarrassed, be shy; ***~ Sie sich nicht!*** don't be shy!
genießbar *Adj* edible, eatable, *Getränk*: drinkable **genießen** *v/t* **1.** enjoy, *stärker*: relish **2.** (*zu sich nehmen*) have, eat, drink **3.** *fig* (*Vorteil*, *Ruf etc*) enjoy, have, (*Erziehung etc*) receive, get: ***j-s Vertrauen ~*** be in s.o.'s confidence **Genießer(in)** bon vivant
Genitalien *Pl* genitals *Pl*
Genitiv *m* LING genitive (case)
Gen|manipulation *f* genetic engineering **&manipuliert** *Adj* genetically manipulated, *in Zssg(n)*: GM ...
Genom *n* genome
genormt *Adj* standardized
Genosse *m*, **Genossin** *f* **1.** POL comrade **2.** F pal **Genossenschaft** *f* WIRTSCH, **genossenschaftlich** *Adj* cooperative
Genre *n allg* genre
Gentechnik *f* genetic engineering
gentechnikfrei *Adj* GM-free
gentechnisch *Adj*: ***~ verändert*** genetically modified (*od* engineered)
Genua *n* Genoa
genug *Adj u. Adv* enough, sufficient(ly): ***mehr als ~*** more than enough; ***ich habe nicht ~ Zeit*** I haven't enough time (*od* time enough) to do it; ***~ (davon)!*** enough (of that)!; ***ich habe ~ davon!*** I've had enough of that!
Genüge *f* **1.** ***zur ~*** (well) enough, sufficiently, (*nur zu gut*) only too well, (*oft genug*) often enough **2.** ***~ tun*** (*Dat*) → ***genügen*** 2 **genügen** *v/i* **1.** be enough, be sufficient: ***das genügt (mir)!*** that's enough (for me)!, that'll do (for me)!, *fig a.* that's good enough (for me)! **2.** (*Anforderungen etc*) satisfy, meet
genügend *Adj* **1.** *a. Adv* → ***genug*** **2.** (*befriedigend*) satisfactory
genügsam *Adj* content with little, modest, *im Essen*: *a.* frugal
Genugtuung *f* (***über*** *Akk* at) satisfaction, gratification: ***ich hörte mit ~, dass ...*** I was gratified to hear that ...
Genuss *m* **1.** *von Speisen*, *Getränken*: consumption, eating, drinking, *von Tabak*: smoking, *von Drogen*: taking **2.** (*Vergnügen*) pleasure: *etw* ***mit ~*** *essen*, *lesen*, *tun* with relish; ***ein wahrer ~*** a real treat **3.** *a.* JUR (*Nutznießung*, *Besitz*) enjoyment: ***in den ~ e-r Sache kommen*** get (the benefit of) s.th.
Genussmittel *n* semiluxury food, drink, and tobacco, *anregendes*: stimulant
genusssüchtig *Adj* hedonistic
Geograph(in), **Geograf(in)** geographer
Geographie, **Geografie** *f* geography
geographisch, **geografisch** *Adj* geographic(al)
Geologe *m*, **Geologin** *f* geologist
Geologie *f* geology
geologisch *Adj* geological
Geometer *m* surveyor
Geometrie *f* geometry
geometrisch *Adj* geometric(al)
Geophysik *f* geophysics *Sg*
Geopolitik *f* geopolitics *Sg*
Gepäck *n* luggage, *bes Am* baggage **~abfertigung** *f* **1.** BAHN luggage (*bes Am* baggage) processing, FLUG checking-in of luggage (*bes Am* baggage) **2.** (*Schalter*) luggage (*bes Am* baggage) office, FLUG check-in counter **~ablage** *f* luggage (*bes Am* baggage) rack **~annahme** *f* → ***Gepäckabfertigung*** **~aufbewahrung** *f* **1.** receiving of left luggage (*bes Am* baggage) **2.** (*Schalter*) left-luggage office, *Am* baggage room **~ausgabe** *f* FLUG baggage claim **~kontrolle** *f* luggage (*bes Am* baggage) check **~schein** *m* luggage ticket, *Am* baggage check **~stück** *n* piece of luggage (*bes Am* baggage) **~träger** *m* **1.** porter **2.** *am Fahrrad*: carrier, MOT (*Dach&*) roof rack
gepanzert *Adj* armo(u)red

Gepard *m* ZOOL cheetah
gepfeffert *Adj fig Preise, Rechnung etc*: steep, *Prüfungsfrage etc*: tough, *Brief etc*: sharp, *Witz*: juicy
gepflegt *Adj Person, Äußeres etc*: well-groomed, *Garten etc*: *a.* well-tended, *Wein, Speisen etc*: select, excellent, *Gespräch, Stil etc*: cultured, refined
Gepflogenheit *f* habit, custom, WIRTSCH *etc* practice
Geplänkel *n a. fig* skirmish
Geplapper *n* F babbling, *pej* (*Geschwätz*) *a.* chatter(ing)
Geplauder *n* chatting, chat
Gepolter *n* rumbling
Gepräge *n fig* stamp, character: (*Dat*) ***das ~ geben*** leave one's stamp on
gequält *Adj* pained, *Lächeln*: forced
Gequassel *n*, **Gequatsche** *n* F blather
gerade I *Adj* **1.** straight (*a. fig*), *Haltung*: upright, erect, (*eben*) even (*a. Zahl*): *a.* F *fig* ***~ biegen*** straighten out **2.** *fig* (*aufrichtig*) sincere, *Person*: *a.* upright **II** *Adv* **3.** (*soeben, a. genau*) just: ***~ erst*** just now; ***nicht ~ schön*** *etc* not exactly beautiful *etc*; ***er wollte ~ gehen*** he was just about to leave; ***ich war ~ dort als ...*** I happened to be there when ...; ***nun ~!*** now more than ever!; ***~ du!*** especially you!; ***warum ~ ich?*** why me of all people?; ***~ an diesem Tag*** on that very day
Gerade *f* **1.** MATHE straight line **2.** SPORT straight: ***linke*** (***rechte***) ***~*** *Boxen*: straight left (right)
gerade|aus *Adv* straight ahead (*od* on) **~heraus** *Adv fig* straight out, frankly
gerädert *Adj* F *fig* ***wie ~*** (absolutely) whacked
geradeso *etc* → ***ebenso*** *etc*
geradestehen *v/i fig* answer (***für*** for)
geradewegs *Adv* straight, directly, (*sofort*) straightaway
geradezu *Adv* **1.** (*fast*) almost, next to, (*wirklich*) really **2.** → ***geradeheraus***
Geradheit *f* **1.** straightness **2.** *fig* uprightness, honesty
geradlinig *Adj* **1.** straight (*a. Adv*), *Abstammung etc*: lineal, direct, *Bewegung*: linear **2.** *fig* straight(forward)
gerammelt *Adj* F ***~ voll*** (***von***) chock-full (of), jam-packed (*od* crammed) (with)
Gerangel *n* F tussle, *fig a.* wrangling
Gerät *n* **1.** TECH device, F gadget, (*a. Haushalts*~) appliance, (*Apparat, a. Turn*~) apparatus, (*Mess*~) instrument **2.** (*Radio*~, *Fernseh*~) set **3.** *Koll* (*Ausrüstung, a. Sport*~) equipment, gear, (*Werkzeug*) tools *Pl*, (*Küchen*~) utensils *Pl* **4.** (*Motorrad etc*) machine
geraten[1] *v/i* **1.** turn out (***gut*** well, ***zu kurz*** too short *etc*) **2.** ***an j-n ~*** come across s.o.; ***an etw ~*** come by (*od* get) s.th.; ***an e-n Betrüger ~*** fall into the hands of a swindler; ***in Schwierigkeiten ~*** get into difficulties; ***in e-n Sturm ~*** be caught in a storm; → ***Abweg, Adresse, außer*** 1, ***Bahn*** 1, ***Brand*** 1 *etc* **3.** ***~ nach*** *Kind*: take after (*one's father*)
geraten[2] *Adj* (*ratsam*) advisable
Geräte|schuppen *m* toolshed **~turnen** *n* apparatus gymnastics *Sg*
Geratewohl *n* ***aufs ~*** at random
Gerätschaften *Pl* → ***Gerät*** 3
Geratter *n* rattling, rattle
geräumig *Adj* spacious, roomy **Geräumigkeit** *f* spaciousness, roominess
Geräusch *n* sound, (*a.* ELEK *Störung*) noise
geräuscharm *Adj* quiet, noiseless
Geräuschdämpfung *f* sound damping
Geräuschkulisse *f* background noise
geräuschlos *Adj* noiseless, silent
Geräuschlosigkeit *f* noiselessness
Geräuschpegel *m* decibel (*od* noise) level **geräuschvoll** *Adj* noisy, loud
gerben *v/t* tan **Gerber(in)** tanner
Gerberei *f* tannery
Gerbsäure *f* tannic acid
gerecht *Adj* **1.** just, fair **2.** *j-m* (*e-r Sache*) ***~ werden*** do justice to, (*Anforderungen, Wünschen etc*) meet, fulfil(l), (*Erwartungen*) *a.* come up to **gerechterweise** *Adv* justly, *einräumend*: to be fair **gerechtfertigt** *Adj* justified
Gerechtigkeit *f* justice, fairness: → ***widerfahren***
Gerechtigkeitssinn *m* sense of justice
Gerede *n* talk, (*Klatsch*) gossip: ***ins ~ kommen*** get talked about
geregelt *Adj Arbeit, Zeiten etc*: regular
gereizt *Adj* irritable, irritated (*a.* MED)
Gereiztheit *f* irritability, irritation
Geriatrie *f* geriatrics *Sg*
Gericht[1] *n* (*Speise*) dish, (*Gang*) course
Gericht[2] *n* court (of justice), law court, *fig* tribunal, (*die Richter*) *the* court,

(*Gebäude*) court(house): ***das Jüngste ~*** REL the Last Judgement; ***vor ~ bringen*** take *s.o.*, *s.th.* to court; ***vor ~ gehen*** go to court; ***vor ~ aussagen*** testify in court; ***vor ~ kommen*** come before the court; ***j-n vor ~ stellen*** bring s.o. to trial; *fig* ***mit j-m ins ~ gehen*** take s.o. to task; ***zu ~ sitzen über*** (*Akk*) sit in judg(e)ment on **gerichtlich** *Adj* judicial, legal: ***~ vereidigt*** sworn

Gerichtsbarkeit *f* jurisdiction

Gerichts|beschluss *m* court order: ***durch ~*** by order of the court **~gebäude** *n* law court, courthouse **~hof** *m* court of justice, law court **~kosten** *Pl* costs *Pl* (of an action) **~medizin** *f* forensic medicine **~mediziner(in)** medical expert (*Am* examiner) **~referendar(in)** junior lawyer (*who has passed his first State Examination*) **~saal** *m* courtroom **~stand** *m* (legal) venue, WIRTSCH legal domicile **~urteil** *n* judg(e)ment, *in Strafsachen*: sentence **~verfahren** *n* **1.** (*Prozess*) (legal) proceedings *Pl*, lawsuit, (*Strafprozess*) trial **2.** (*Verfahrensweise*) court procedure **~verhandlung** *f* (judicial) hearing, (*Strafverhandlung*) trial **~vollzieher(in)** bailiff, *Am* marshal

gering I *Adj* little, small, slight, (*niedrig*) low, *Meinung*, *Qualität*: *a.* poor, *Hoffnung*, *Chance etc*: slim, *Bedeutung*, *Rolle etc*: minor: ***in ~erem Maße*** to a less degree; ***kein ♀erer als*** no less a person than; ***nicht im ♀sten*** not in the least; ***das soll m-e ~ste Sorge sein!*** that's the least of my worries!; → ***Chance*** **II** *Adv* ***~ achten*** think little of, (*Folgen*, *Gefahr etc*) disregard

geringfügig *Adj* insignificant, negligible, slight, minor, *Betrag*, *Vergehen*: small, petty **Geringfügigkeit** *f* insignificance, slightness, smallness

gering|schätzig *Adj* contemptuous, *Bemerkung*: *a.* disparaging **♀schätzung** *f* (***für***, *Gen*) disdain (of), low regard (for)

gerinnen *v/i* coagulate, *bes Blut*: *a.* clot, *Milch*: curdle **Gerinnsel** *n* MED clot

Gerinnung *f* coagulation

Gerippe *n allg* skeleton, *fig* (*Gerüst*) *a.* frame

gerippt *Adj* ribbed

gerissen *Adj* F *fig* cunning, crafty

Germ *m österr.* baker's yeast

Germane *m*, **Germanin** *f* Teuton

germanisch *Adj* Germanic, Teutonic

Germanist(in) Germanist, (*Student*[*in*]) *a.* student of German **Germanistik** *f* German (studies *Pl od* philology)

Germknödel *m österr.* dumpling made of yeast dough

gern(e) *Adv* gladly, with pleasure: ***~ haben*** like, be fond of; ***etw*** (***sehr***) ***~ tun*** **a)** like (love) to do (*od* doing) s.th., **b)** (*dazu neigen*) tend to do s.th.; ***etw ~ essen*** (***trinken***) like s.th.; ***~ lesen*** like reading; ***ich hätte*** (***möchte***) ***~ ...*** I'd (I would) like to *Inf*; (***ja***,) ***~!*** yes, please!, I'd love to!; (***aber***) ***~!*** gladly!, of course!; ***herzlich*** (*od* ***liebend***) ***~!*** with great pleasure!; ***~ geschehen!*** not at all!, (you're) welcome!; ***ich möchte ~ wissen, ob ...*** I'd like to know if ..., (*ich frage mich*) I wonder if ...; ***er kann ~ kommen!*** **a)** he's welcome!, **b)** (*von mir aus*) I don't mind if he comes!; ***das kannst du ~ haben!*** you're welcome to it!; ***er sieht es nicht ~*** he doesn't like it; F ***du kannst mich ~ haben!*** go to blazes!

Gernegroß *m* F show-off

Geröll *n* GEOL scree, (*Geschiebe*) rubble

Gerontologie *f* MED gerontology

Gerste *f* BOT barley

Gerstenkorn *n* **1.** barleycorn **2.** MED sty

Gerte *f* switch, twig

gertenschlank *Adj* (slim and) willowy

Geruch *m* smell, *pej* odo(u)r (*a. fig*), (*bes Duft*) scent **geruchlos** *Adj* odo(u)rless **Geruchsnerv** *m* olfactory nerve **Geruchssinn** *m* (sense of) smell

Gerücht *n* rumo(u)r: ***es geht das ~, dass ...*** it is rumo(u)red that ...

geruhen *v/t* ***~, etw zu tun*** deign to do s.th.

gerührt *Adj fig* touched, moved

Gerümpel *n pej* junk

Gerundium *n* LING gerund

Gerüst *n* **1.** (*Bau♀ etc*) scaffold(ing), (*Arbeitsbühne*) stage, (*Rahmen*) frame **2.** *fig* frame(work)

gerüttelt *Adj fig* ***ein ~ Maß an*** (*Dat*) a fair amount of

gesalzen *Adj* **1.** salted **2.** → ***gepfeffert***

gesammelt *Adj* **1.** ***~e Werke*** collected works **2.** *fig* concentrated

gesamt *Adj* whole, entire, all, *Bedarf*,

Einfuhr, Erlös, Preis etc: total

Gesamt|ansicht *f* general view **~auflage** *f e-r Zeitung*: total circulation, *e-s Buchs*: total number of copies published **~ausgabe** *f* **1.** *e-s Werks*: complete edition **2.** *Pl* WIRTSCH total expenditure *Sg* **~betrag** *m* total (amount) **~bevölkerung** *f* total population **~bild** *n fig* overall picture **≗deutsch** *Adj* all-German **~eindruck** *m* general impression **~einnahme(n** *Pl*) *f* WIRTSCH total receipt(s *Pl*)

Gesamtheit *f* totality, *the* whole: ***die ~ der Arbeiter*** *etc* all the workers *etc*; ***in s-r ~*** in its entirety, as a whole

Gesamt|hochschule *f* comprehensive university **~kosten** *Pl* overall (*od* total) cost *Sg* **~länge** *f* overall length **~note** *f* PÄD aggregate mark **~schaden** *m* total damage **~schule** *f* comprehensive school **~sieger(in)** overall winner **~summe** *f* (sum) total, total amount **~umsatz** *m* total turnover **~werk** *n* complete works *Pl* **~zahl** *f* total (number)

Gesandte *m*, *f* POL envoy

Gesandtschaft *f allg* legation

Gesang *m* singing, (*Lied*) song, (*Fach*) (***~ studieren*** study) voice

Gesangbuch *n* REL hymnbook

Gesanglehrer(in) singing teacher

gesanglich *Adj* vocal

Gesangunterricht *m* singing lessons *Pl*

Gesangverein *m* choral society

Gesäß *n* buttocks *Pl*, F bottom

Gesäßtasche *f* back pocket

gesch. *Abk* (= ***geschieden***) div

Geschäft *n allg* business, (*Handel*) *a.* trade, (*Transaktion*) *a.* (business) deal, transaction, (*Firma*) *a.* firm, enterprise, (*Büro*) office, (*Laden≗*) *a.* shop, *bes Am* store, (*Angelegenheit*) *a.* affair: ***ein gutes*** (***schlechtes***) **~** a good (bad) deal; ***ein gutes ~ machen*** make a good profit (F a packet) (***mit*** *etw* out of); ***~e machen mit*** deal in, *gewinnreich*: make money out of; ***mit j-m ~e machen, mit j-m ins ~ kommen*** do business with s.o.; ***gut im ~ sein*** be doing well; ***in ~en*** on business; ***wie gehen die ~e?*** how's business?; ***~ ist ~!*** business is business!; ***er versteht sein ~!*** he knows his business (*od* stuff)!

geschäftehalber *Adv* on business

Geschäftemacher(in) *pej* profiteer

geschäftig *Adj* busy, active

Geschäftigkeit *f* activity

geschäftlich I *Adj* business, commercial **II** *Adv* as regards business: ***~ verreist*** away on business; ***~ zu tun haben*** have (some) business (***mit*** with)

Geschäfts|abschluss *m* (business) transaction (*od* deal) **~bedingungen** *Pl* terms *Pl* of business **~bereich** *m* sphere of activity, scope, *e-s Ministers*: portfolio, JUR jurisdiction **~bericht** *m* (business) report **~beziehungen** *Pl* business connections *Pl* **~brief** *m* business letter **~essen** *n* business lunch **≗fähig** *Adj* competent, having legal capacity **~fähigkeit** *f* legal capacity **~frau** *f* businesswoman **~freund(in)** business associate, colleague

geschäftsführend *Adj* managing, executive, acting **Geschäftsführer(in)** manager(ess), *e-s Vereins etc*: secretary **Geschäftsführung** *f* management

Geschäfts|gebaren *n* business methods *Pl* **~geheimnis** *n* business secret **~haus** *n* **1.** shop (*od* office) building **2.** (*Firma*) commercial firm, company **~inhaber(in)** owner (of a business), *e-s Ladens etc*: proprietor (proprietress) **~jahr** *n* financial year **~kosten** *Pl* business expenses *Pl*: ***auf ~*** on expense account **~lage** *f* business situation **~leben** *n* (***im ~*** in) business (life) **~leitung** *f allg* management **~leute** *Pl* businesspeople **~mann** *m* businessman

geschäftsmäßig *Adj u. Adv* businesslike

Geschäfts|ordnung *f* rules *Pl* of procedure, PARL standing orders *Pl*: ***zur ~*** on a point of order **~partner(in)** (business) partner **~räume** *Pl* business premises *Pl*, offices *Pl* **~reise** *f* (***auf ~*** on a) business trip **≗schädigend** *Adj* damaging to business **~schädigung** *f* JUR injurious malpractice, *weit. S.* trade libel (*Gen* on) **~schluss** *m* closing time: ***nach ~*** *a.* after business hours **~sinn** *m* business sense **~sitz** *m* place of business **~stelle** *f* office(s *Pl*) **~straße** *f* shopping street **~stunden** *Pl* office hours *Pl*, (*Laden*) opening hours *Pl* **~träger(in)** POL chargé d'affaires

geschäftstüchtig *Adj* smart, efficient (in business) **Geschäftstüchtigkeit** *f*

business efficiency, smartness
geschäftsunfähig *Adj* JUR legally incapacitated **Geschäftsunfähigkeit** *f* JUR legal incapacity
Geschäfts|verbindung *f* business connection **~verkehr** *m* business (dealings *Pl*) **~viertel** *n* commercial district, *Am a.* downtown **~wert** *m e-r Firma*: goodwill **~zimmer** *n* office **~zweig** *m* branch (of business)
geschehen I *v/i* happen, occur, take place: ***ihm wird nichts ~*** nothing will happen to him; ***was soll damit (mit ihm) ~?*** what's to be done with it (him)?; ***es muss etw ~!*** s.th. must be done!; ***da war es um ihn ~*** he was done for; → ***recht*** 5 **II** ♀ *n* happenings *Pl*, events *Pl*
gescheit *Adj* clever, intelligent, bright, (*vernünftig*) wise, sensible
Geschenk *n* present, gift: ***j-m etw zum ~ machen*** give s.o. s.th. (as a present); ***als ~ verpacken*** gift-wrap **~artikel** *m* gift **~gutschein** *m* gift voucher **~packung** *f* gift box
Geschichte *f* **1.** story, (*Erzählung*) *a.* narrative **2.** (*a. Wissenschaft*) history: ***die ~ der Neuzeit*** modern history; ***~ machen*** make history; ***in die ~ eingehen*** go down in history **3.** F business, thing: ***die ganze*** (*iron* ***e-e schöne***) ***~*** the whole (a nice) business **geschichtlich** *Adj* historical, (*~ bedeutsam*) historic
Geschichts|buch *n* history book **~forscher(in)** historian **~forschung** *f* historical research **~lehrer(in)** history teacher **~unterricht** *m* history
Geschick[1] *n* (*Schicksal*) fate, lot
Geschick[2] *n* skill
Geschicklichkeit *f* skill, (*Gewandtheit*) dexterity, (*Raffinesse*) cleverness
geschickt *Adj* skil(l)ful (***zu*** at, ***in*** *Dat* in), (*gewandt*) *a.* dexterous, (*raffiniert*) *a.* clever
Geschicktheit *f* → ***Geschicklichkeit***
geschieden *Adj Person*: divorced, *Ehe*: dissolved: ***m-e ~e Frau*** my ex-wife
Geschiedene 1. *m* divorcé, divorced man **2.** *f* divorcée, divorced woman
Geschirr *n* **1.** dishes *Pl*, *irdenes*: crockery, (*Tafel*♀) tableware, service, (*Porzellan*) china, (*Küchen*♀) kitchenware, pots and pans *Pl*: ***das ~ abräumen*** clear the table; ***~ spülen*** do the dishes, wash up **2.** (*Pferde*♀ *etc*) harness
Geschirr|spüler *m*, **~spülmaschine** *f* dishwasher **~spülmittel** *n* washing-up liquid **~tuch** *n* tea towel
geschlagen *Adj* **1.** beaten, defeated: ***sich ~ geben*** admit defeat **2.** F (*ganz*) full: ***zwei ~e Stunden*** (***lang***) for two solid hours
Geschlecht *n* **1.** BIOL sex: ***beiderlei ~s*** of both sexes; ***das andere*** (***schwache, schöne***) ***~*** the opposite (weaker, fair) sex **2.** LING gender **3.** (*Gattung*) race, (*Abstammung*) lineage, (*Familie*) family: ***das menschliche ~*** the human race
geschlechtlich *Adj* sexual
Geschlechts|akt *m* sexual act **~hormon** *n* sex hormone **♀krank** *Adj* suffering from a venereal disease, having VD **~krankheit** *f* venereal disease (*Abk* V.D.) **~leben** *n* sex life
geschlechtslos *Adj* sexless, asexual
Geschlechts|merkmal *n* sex characteristic **~organ** *n* sex(ual) organ **~reife** *f* sexual maturity **♀spezifisch** *Adj* sex-specific **~teil** *n mst Pl* genitals *Pl* **~trieb** *m* sexual urge **~umwandlung** *f* sex change **~verkehr** *m* sexual intercourse **~wort** *n* LING article
geschliffen *Adj* **1.** *Glas*: cut **2.** *fig Stil, Sprache etc*: polished
geschlossen I *Adj* **1.** closed, LING, MIL close: (***in sich***) ***~*** *a.* TECH self-contained, *fig* compact; ***~e Gesellschaft*** closed society, (*Fest*) private party; ***~e Veranstaltung*** private meeting; ***~e Ortschaft*** built-up area **2.** (*vereint*) united **II** *Adv* **3.** (*einstimmig*) unanimously: ***~ hinter j-m stehen*** be solidly behind s.o.
Geschmack *m* taste (*a. fig* ***an*** *Dat* for), (*Aroma*) *a.* flavo(u)r: ***~ finden an*** (*Dat*) develop a taste for; ***e-n guten ~ haben*** **a)** *Essen*: taste good, **b)** *fig Person*: have good taste; ***für m-n ~*** for my taste; ***das ist nicht nach m-m ~*** that's not to my taste; ***über ~ lässt sich*** (***nicht***) ***streiten*** there's no accounting for tastes
geschmacklich *Adj u. Adv* in taste
geschmacklos *Adj* tasteless: ***~ sein*** *fig a.* be in bad taste **Geschmacklosigkeit** *f a. fig* tastelessness: ***das war e-e ~*** that was in bad taste
Geschmacks|richtung *f* taste **~sache** *f*

(***das ist ~*** that's a) matter of taste **~sinn** *m* (sense of) taste **~verirrung** *f* lapse of taste **~verstärker** *m* flavour enhancer
geschmackvoll *Adj* tasteful: ***~ sein*** *fig a.* be in good taste
geschmeidig *Adj* **1.** supple, pliant, (*glatt*) sleek, soft **2.** *fig* flexible
Geschnatter *n* cackling, F *fig a.* chatter(ing)
Geschöpf *n* **1.** creature **2.** *fig* creation
Geschoss[1] *n* projectile, (*Kugel*) *a.* bullet, (*Wurf*&, *Raketen*&) missile
Geschoss[2], **Geschoß** *österr. n* (*Stockwerk*) stor(e)y, floor
geschraubt *Adj Rede, Stil etc*: stilted
Geschrei *n* **1. a)** shouting, yelling, (*Baby*&) *a.* bawling, **b)** shouts *Pl*, screams *Pl* **2.** F *fig* (**um** about) fuss, noise
geschult *Adj* trained (*a. Auge*)
Geschütz *n* gun: *fig* ***schweres ~ auffahren*** bring up one's heavy guns
Geschützfeuer *n* gunfire, shelling
geschützt *Adj allg* protected
Geschützturm *m* turret
Geschwader *n* SCHIFF squadron, FLUG group, *Am* wing
Geschwafel *n* F *pej* waffle
Geschwätz *n pej* twaddle, (*Klatsch*) gossip **geschwätzig** *Adj* talkative, F gabby, (*klatschsüchtig*) gossipy
Geschwätzigkeit *f* talkativeness
geschweige *Konj* (***~ denn***) not to mention, let alone, much less
Geschwindigkeit *f* speed, PHYS velocity, (*Tempo*) *a.* rate, pace: ***mit e-r ~ von …*** at a speed (*od* rate) of …
Geschwindigkeits|begrenzung *f*, **~beschränkung** *f* speed limit **~messer** *m* tachometer, MOT *a.* speedometer **~rekord** *m* speed record **~überschreitung** *f* speeding
Geschwister *Pl* brother(s *Pl*) and sister(s *Pl*), siblings *Pl* **geschwisterlich** *Adj* **a)** brotherly, **b)** sisterly
Geschwisterpaar *n* **a)** brother and sister, **b)** two brothers (*od* sisters) *Pl*
geschwollen *Adj* **1.** swollen **2.** *fig Sprache etc*: pompous, bombastic
Geschworene *m, f* JUR juror: ***die ~n*** *Pl* the (members *Pl* of the) jury *Sg*
Geschworenenbank *f* jury box, *weit. S.* the jury
Geschwulst *f* MED tumo(u)r, growth
geschwungen *Adj* curved
Geschwür *n* MED abscess, boil, ulcer
Geselchte *n österr.* salted and smoked meat
Geselle *m* journeyman
gesellen *v/refl* ***sich ~ zu*** join
gesellig *Adj* social, gregarious (*a. fig*), *Person*: sociable: ***~es Leben*** social life
Geselligkeit *f* **1.** sociability **2.** social life: ***die ~ lieben*** be fond of company
Gesellin *f* → ***Geselle***
Gesellschaft *f* **1.** society: ***die vornehme ~*** high society; ***Dame der ~*** society lady **2.** (*Umgang*) (***in guter ~*** in good) company: ***in j-s ~*** in s.o.'s company; ***j-m ~ leisten*** **a)** keep s.o. company, **b)** join s.o. (***bei*** in) **3.** party, (*Gäste*) *a.* guests *Pl*: ***e-e ~ geben*** give a party **4.** (*Vereinigung*) society, WIRTSCH company, *Am a.* corporation: → ***Haftung***[2] **5.** F *pej* bunch, lot **Gesellschafter(in)** **1.** companion **2.** WIRTSCH partner
gesellschaftlich *Adj* social
Gesellschaftsanzug *m* formal dress
gesellschaftsfähig *Adj* socially acceptable, *weit. S.* presentable
Gesellschafts|kritik *f* social criticism **&kritisch** *Adj* socio-critical **~ordnung** *f* social order **~recht** *n* company law **~reise** *f* package (*od* conducted) tour **~schicht** *f* (social) class, social stratum **~spiel** *n* parlo(u)r game **~system** *n* social system **~tanz** *m* ballroom dance
Gesellschaftswissenschaft *f* **1.** sociology **2.** *Pl* social sciences *Pl*
Gesenk *n* TECH die, swage
Gesetz *n allg* law, (*Einzel*&) *a.* act: ***nach dem ~*** under the law (***über*** *Akk* on); ***vor dem ~*** in the eyes of the law
Gesetz|blatt *n* law gazette **~buch** *n* code (of law) **~entwurf** *m* (draft) bill
Gesetzeskraft *f* legal force: ***~ erhalten*** pass into law; (*Dat*) ***~ verleihen*** enact
Gesetzeslücke *f* loophole in the law
Gesetzesvorlage *f* (draft) bill
gesetzgebend *Adj* legislative: → ***Gewalt*** 2 **Gesetzgeber** *m* legislator
Gesetzgebung *f* legislation
gesetzlich *Adj* legal, statutory, (*rechtmäßig*) lawful, legitimate: ***~ geschützt*** protected (by law), *Erfindung etc*: patented, *Warenzeichen etc*: registered, *bes literarisches Werk*: copyright

G

Gesetzlichkeit *f* legality, lawfulness
Gesetzlosigkeit *f* lawlessness
gesetzmäßig *Adj* legal, lawful, *Anspruch*: legitimate **Gesetzmäßigkeit** *f* legality, lawfulness, legitimacy
gesetzt I *Adj* **1.** sedate: ***~en Alters, in ~em Alter*** of mature age **2.** SPORT seeded: ***~er Spieler*** seed **II** *Konj* → **Fall** 2 **Gesetztheit** *f* sedateness
gesetzwidrig *Adj* unlawful, illegal
Gesetzwidrigkeit *f* **1.** unlawfulness, illegality **2.** offen/ce (*Am* -se), illegal act
Gesicht *n* **1.** face, (*Miene*) *a.* look: ***ein trauriges ~ machen*** look sad; ***ein langes ~ machen*** pull a long face; ***das ~ verziehen*** make a face; ***j-m etw ins ~ sagen*** tell s.o. s.th. to his (her) face; ***j-m wie aus dem ~ geschnitten sein*** be the spit and image of s.o.; *fig* ***sein wahres ~ zeigen*** show one's true face; ***das ~ verlieren*** (***wahren***) lose (save one's) face; ***das gibt der Sache ein ganz anderes ~*** that puts a different complexion on the matter **2.** (*Sehkraft*) (eye)sight: ***das zweite ~*** second sight; ***zu ~ bekommen*** catch sight of, see; ***aus dem ~ verlieren*** lose sight of
Gesichts|ausdruck *m* (facial) expression, face **~creme** *f* face cream **~farbe** *f* complexion **~feld** *n* OPT field of vision **~kontrolle** *f* face check **~kreis** *m* horizon
gesichtslos *Adj fig* featureless
Gesichts|maske *f* face mask **~massage** *f* facial massage, F facial **~milch** *f* cleansing milk **~muskel** *m* facial muscle **~packung** *f* face pack **~pflege** *f* care of one's face **~plastik** *f* facial surgery **~punkt** *m* **1.** point of view, viewpoint, angle: ***von diesem ~ aus*** (***gesehen***) (looked at) from this point of view **2.** (*Einzelheit*) point, aspect **~verlust** *m* loss of face **~wasser** *n* face lotion **~winkel** *m* OPT visual angle **~züge** *Pl* features *Pl*
Gesindel *n* riffraff
gesinnt *Adj* **1.** disposed (*Dat* towards) **2.** *in Zssgn* …-minded
Gesinnung *f* (cast of) mind, character, (*Überzeugung*) convictions *Pl*, views *Pl*
gesinnungslos *Adj* unprincipled
Gesinnungswandel *m* change of heart, *bes* POL about-face
gesittet *Adj* civilized
Gesöff *n* F *pej* awful stuff
gesondert *Adj* separate
Gespann *n* **1.** (*Pferde*♀ *etc*) team **2.** MOT, SPORT combination **3.** *fig* pair
gespannt *Adj* **1.** *Seil etc*: tight, taut **2.** *fig Lage, Nerven etc*: tense, *Beziehungen etc*: *a.* strained, *Aufmerksamkeit*: close **3.** (*begierig*) eager, anxious, (*neugierig*) curious, (*aufgeregt*) excited: ***~ sein auf*** (*Akk*) be anxious (*stärker*: dying) to see (*od* know); ***ich bin ~, ob*** (***wie*** *etc*) ... I wonder if (how *etc*) …; ***da bin ich aber ~!*** I can't wait to see that!
Gespanntheit *f* **1.** tension (*a. fig der Beziehungen, Lage, Nerven etc*), (*An*♀) *a.* tenseness **2. a**) eagerness, intentness, **b**) (anxious) anticipation
Gespenst *n* ghost, *bes fig* (*Gefahr*) spect/re (*Am* -er)
gespenstisch *Adj* **1.** ghostly, F spooky **2.** *fig* eerie, nightmarish
Gespiele *m*, **Gespielin** *f* playmate
Gespött *n* mockery, derision: ***j-n zum ~ machen*** make a laughingstock of s.o.
Gespräch *n* talk (*a.* POL), conversation, (*Telefon*♀) *a.* call, (*Diskussion*) discussion, (*Zwie*♀) dialog(ue *Br*): ***ein ~ führen mit*** have a talk *etc* with; ***das ~ auf etw bringen*** steer the conversation round to s.th.; ***im ~ sein*** be under discussion; ***mit j-m ins ~ kommen*** get talking to s.o.; ***mit j-m im ~ bleiben*** stay in contact (*od* touch) with s.o.
gesprächig *Adj* talkative, (*mitteilsam*) communicative
Gesprächs|bereitschaft *f* willingness to have talks (*od* to negotiate): ***er zeigte ~*** he showed that he was ready to talk (*od* was open to negotiation) **~einheit** *f* → **Gebühreneinheit** **~partner(in)** interlocutor, *weit. S. interesting etc* person to talk to **~runde** *f* POL round of talks **~stoff** *m* topic(s *Pl*) (of conversation)
gespreizt *Adj fig* affected
Gespür *n* (***für*** for) flair, nose
gest. *Abk* (= ***gestorben***) died
gestaffelt *Adj Anordnung etc*: staggered, *Löhne, Steuern, Zinsen etc*: graduated
Gestalt *f* **1.** form, shape: ***in ~ von*** in the form (*od* shape) of; (***feste***) ***~ annehmen*** take shape **2.** (*Figur, Person*) fig-

ure, (*Roman*2 *etc*, *a.* F *Typ*) *a.* character **3.** (*Wuchs*) build **gestalten I** *v/t* **1.** (*formen*) shape, fashion, (*Raum etc*) decorate, (*Kunstwerk*) create, (*entwerfen*) design: ***etw interessant*** **~** make s.th. interesting **2.** (*Fest etc*) arrange, (*a. Freizeit*, *Leben*) organize **II** *v/refl* ***sich*** **~ 3.** (*werden*) develop: ***sich ~ zu*** become, turn into, (turn out to) be (*a success etc*); ***sich anders ~*** turn out differently
Gestalter(in) 1. (*Schöpfer*) creator, TECH designer, stylist **2.** organizer **gestalterisch** *Adj* creative, artistic, TECH *etc* design(ing) **Gestaltung** *f* **1.** shaping (*a. fig*), forming, design, *e-s Kunstwerks*: creation, (*Form*) form, shape **2.** arrangement, organization
gestanden *Adj* ***ein ~er Mann*** a man who has made his mark (in life)
geständig *Adj* confessing (one's guilt): ***~ sein*** confess **Geständnis** *n a.* JUR confession: ***ein ~ ablegen*** confess; ***j-m ein ~ machen*** confess s.th. to s.o.
Gestank *m* stench, F stink
gestatten *v/t* allow, permit: ***~ Sie (, dass ich ...)?*** may I (...)?; ***~ Sie e-e Frage?*** may I ask you s.th.?; ***wenn Sie ~*** with your permission
Geste *f a. fig* gesture
gestehen *v/t u. v/i* confess: → ***offen***
Gestehungskosten *Pl* WIRTSCH production costs *Pl*, *für Material*: prime cost *Sg*
Gestein *n* rock
Gestell *n* stand, rack, shelve, (*Bock*) trestle, (*Rahmen*) frame
gestellt *Adj* **1.** FOTO posed, unnatural **2.** → ***stellen*** 5
Gestellungsbefehl *m* MIL call-up (*Am* induction) order
gestern *Adv* yesterday: ***~ Abend*** yesterday evening, (*spät*) last night; *Zeitung etc* ***von ~*** yesterday's; *fig* ***er ist nicht von ~*** he wasn't born yesterday
gestielt *Adj allg* stemmed
Gestik *f* gestures *Pl*
gestikulieren *v/i* gesticulate
Gestirn *n* star **gestirnt** *Adj* starry
Gestöber *n* drift(ing), flurry (of snow)
gestochen *Adj* ***wie ~*** *Handschrift*: very neat; *Adv* FOTO ***~ scharf*** very sharp
gestört *Adj* disturbed, disordered, PSYCH unbalanced, TECH faulty
Gestotter *n* stuttering
gesträhnt *Adj Haar*: streaked-in
Gesträuch *n* shrubbery, bushes *Pl*
gestreift *Adj* striped
gestrichen *Adj* **1.** painted **2.** *Wort etc*: deleted **3.** ***~ voll*** level, (*übervoll*) brimful(l); ***drei ~e Teelöffel (voll)*** three level teaspoons (full)
gestrig *Adj* of yesterday: ***die ~e Zeitung*** yesterday's paper
Gestrüpp *n* **1.** undergrowth, brushwood **2.** *fig* jungle
Gestühl *n* seats *Pl*, (*Kirchen*2) pews *Pl*
Gestüt *n* stud farm, (*Pferde*) stud
Gesuch *n* application, request, petition
gesucht *Adj* **1.** wanted (*a.* JUR), (*begehrt*) much sought-after, in (great) demand **2.** *fig Höflichkeit etc*: studied
Gesudel *n* → ***Sudelei***
gesund *Adj allg* healthy (*a. fig Appetit*, *Klima etc*), sound (*a. fig Ansicht*, *Firma*, *Schlaf etc*), *Kost*, *Lebensweise etc*: *a.* healthful, (*geistig* ~) sane: ***~ sein*** *a.* be in good health, be well; ***~ und munter*** (as) fit as a fiddle; ***(wieder) ~ werden*** → ***gesunden***; ***Gemüse ist ~*** vegetables are good for you(r health); *iron* ***das ist (ganz) ~ für ihn!*** that's good for him!; → ***Menschenverstand***
Gesundbeter(in) faith healer
gesunden *v/i* recover (*a. fig*)
Gesundheit *f* health, healthiness (*a. von Kost*, *Klima*, *Lebensweise*), (*geistige* ~) sanity: ***bei guter ~ sein*** be in good health; ***auf j-s ~ trinken*** drink to s.o.'s health; ***auf Ihre ~!*** your health!; ***~!*** *beim Niesen*: bless you!
gesundheitlich *Adj* physical: ***sein ~er Zustand*** his (state of) health; ***aus ~en Gründen*** for health reasons; *Adv* ***~ geht es ihm gut*** he is in good health; ***wie geht's ~?*** how's your health?
Gesundheits|amt *n* public health office **~apostel** *m iron* health freak **2bewusst** *Adj* health-conscious **~farm** *f* health farm **2fördernd** *Adj* healthy **2halber** *Adv* for health reasons **~pflege** *f* (personal) hygiene, health care **~reform** *f* health service reform(s *Pl*) **~schaden** *m* health defect **2schädlich** *Adj* injurious to health, unhealthy **~wesen** *n* Public Health (Service) **~zeugnis** *n* health certificate **~zustand** *m* (state of) health
gesundschreiben *v/t*: ***j-n ~*** pass s.o. fit

G

gesundschrumpfen *v/t u. v/refl* ***sich ~*** F slim down **gesundstoßen** *v/refl* ***sich ~*** F line one's pockets
Gesundung *f a. fig* recovery
geteilt *Adj* **1.** divided: ***~er Meinung sein*** disagree; ***darüber kann man ~er Meinung sein*** that's a matter of opinion **2.** (*gemeinsam*) shared
Getöse *n* din, (deafening) noise
getragen *Adj* **1.** *Kleidung*: secondhand, old **2.** *fig* measured, slow, solemn
Getrampel *n* trampling
Getränk *n* drink, beverage
Getränke|automat *m* drinks dispenser **~karte** *f* list of beverages, *oft*: wine list **~steuer** *f* alcohol tax
G
getrauen *v/refl* ***sich ~*** → ***trauen²*** II
Getreide *n* grain, cereal(s *Pl*) **~arten** *Pl* cereals *Pl* **~bau** *m* cultivation of cereals **~ernte** *f* grain harvest, (*Ertrag*) *a.* grain crop **~feld** *n* grain field **~land** *n* **1.** grain-growing country (*od* land) **2.** (*Felder*) grain fields *Pl* **~pflanze** *f* cereal plant **~silo** *m* (grain) silo
getreu *Adj* (*genau*) true, faithful
Getriebe *n* **1.** TECH gear(ing), mechanism, MOT transmission, gearbox **2.** *fig* wheels *Pl* **3.** *fig* (*Betrieb*) bustle, rush **~schaden** *m* MOT gearbox trouble
getrost *Adv* confidently, safely
Getto *n* ghetto
Getue *n* F fuss (***um*** about)
Getümmel *n* turmoil
geübt *Adj Auge etc*: practised, *Person*: experienced
Gewächs *n* **1.** plant **2.** WIRTSCH produce, growth **3.** wine, (*Sorte*, *Jahrgang*) vintage **4.** MED growth
gewachsen *Adj* ***j-m ~ sein*** be a match for s.o.; ***e-r Sache ~ sein*** be up (*od* equal) to s.th.; ***sich der Lage ~ zeigen*** rise to the occasion
Gewächshaus *n* greenhouse, hothouse
gewagt *Adj* daring (*a. fig*), risky, *Witz etc*: risque
gewählt *Adj fig Sprache*: refined
Gewähr *f* guarantee: ***ohne ~*** without guarantee, *auf Fahrplänen*, *Preislisten etc*: subject to change; ***für etw ~ bieten*** (*od* ***leisten***) guarantee s.th.
gewähren *v/t* grant (***j-m e-e Bitte*** s.o. a request), (*Einblick*, *Schutz*, *Vorteil etc*) give, afford: ***j-n ~ lassen*** let s.o. have his way
gewährleisten *v/t* guarantee, ensure
Gewahrsam *m* ***in ~ nehmen*** **a)** take *s.th.* in safe keeping, **b)** take *s.o.* in custody
Gewährsfrau *f*, **Gewährsmann** *m* informant, source
Gewalt *f* **1.** violence (*a. Gewalttätigkeit*), force: ***mit ~*** by force; ***mit aller ~*** **a)** with all one's strength, **b)** *fig* at all costs; ***j-m ~ antun*** do violence to s.o.; ***~ anwenden*** use force; → ***roh*** 3 **2.** (*Macht*) power, VERW, JUR authority, (*Beherrschung*) control (***über*** *Akk* of): ***die gesetzgebende ~*** the legislature; ***höhere ~*** act of God; ***etw in s-e ~ bringen*** gain control of s.th.; ***etw*** (***sich***) ***in der ~ haben*** have s.th. (o.s.) under control; ***in j-s ~ sein*** be in s.o.'s power (*od* hands); ***die ~ verlieren über*** (*Akk*) lose control over **Gewaltakt** *m* act of violence
Gewaltanwendung *f* (use of) force
Gewaltenteilung *f* POL separation of powers
gewaltfrei *Adj* non-violent
Gewaltherrschaft *f* tyranny
gewaltig *Adj* **1.** (*mächtig*) powerful, mighty **2.** (*riesig*) enormous, huge, colossal (*a.* F *fig Irrtum etc*)
gewaltlos *Adj* **I** *Adj* nonviolent **II** *Adv* without violence
Gewaltlosigkeit *f* nonviolence
Gewaltmarsch *m* forced march
Gewaltmaßnahme *f* drastic measure
Gewaltmonopol *n* monopoly on the use of force
gewaltsam **I** *Adj* forcible, *Tod etc*: violent **II** *Adv* forcibly, by force: ***etw ~ öffnen*** force s.th. (open)
Gewaltsamkeit *f* violence
Gewalttat *f* act of violence **gewalttätig** *Adj* violent, brutal **Gewalttätigkeit** *f* **a)** violence, **b)** act of violence
Gewaltverbrechen *n* crime of violence
Gewaltverbrecher(in) violent criminal
Gewaltverzichtsabkommen *n* POL nonaggression treaty
Gewand *n* **1.** robe **2.** *fig* garment
gewandt *Adj* agile, nimble, *Auftreten etc*: elegant, (*wendig*) clever **Gewandtheit** *f* agility, elegance, cleverness
gewappnet *Adj fig* prepared (***für*** for)
gewärtig *Adj* ***~ sein*** (*Gen*) → **gewärtigen** *v/t* expect, (*rechnen mit*) reckon with: ***etw zu ~ haben*** be in for s.th.

Gewäsch *n* F *pej* blather
Gewässer *n* (stretch of) water, *Pl* waters *Pl*, rivers and lakes *Pl* **~schutz** *m* prevention of water pollution
Gewebe *n* (woven) fabric, *feines:* tissue (*a.* ANAT *u. fig von Lügen etc*), (*Webart*) weave **~probe** *f* MED tissue sample
Gewehr *n* gun, *bes* MIL rifle **~kolben** *m* (rifle) butt **~kugel** *f* (rifle) bullet **~lauf** *m* (rifle) barrel
Geweih *n* antlers *Pl*, horns *Pl*
Gewerbe *n* trade, business, (*Beruf*) occupation: ***Handel und ~*** trade and industry **~freiheit** *f* freedom of trade **~gebiet** *n* industrial estate **~lehrer(in)** teacher at a trade school **~ordnung** *f* industrial code **~schein** *m* trade licen/ce (*Am* -se) **~schule** *f* trade school **~steuer** *f* trade tax
gewerbetreibend *Adj* carrying on a trade, industrial **Gewerbetreibende** *m, f* person carrying on a trade, trader
Gewerbezweig *m* (branch of) trade (*od* industry)
gewerblich *Adj* commercial, industrial, trade **gewerbsmäßig** *Adj* professional, gainful, *Adv a.* for gain
Gewerkschaft *f* trade (*Am* labor) union **Gewerkschaftler(in)** (trade, *Am* labor) unionist **gewerkschaftlich** *Adj* trade (*Am* labor) union: *Adv* ***~ organisiert*** unionized, organized
Gewerkschafts... (trade, *Am* labor) union (*boss, member, official, etc*)
Gewerkschaftsbund *m* federation of trade (*Am* labor) unions
Gewicht *n a. fig* weight: ***ein ~ von ... haben*** weigh ...; ***nach ~ verkaufen*** sell by weight; *fig* ***~ haben*** carry weight (***bei*** with); ***(nicht) ins ~ fallen*** be of (no) importance; ***~ legen auf*** (*Akk*) stress, emphasize; ***~ beimessen*** (*Dat*) attach importance to; ***~ verleihen*** (*Dat*) lend weight to; → ***spezifisch***
gewichten *v/t Statistik:* weigh: *fig* (***neu***) ~ (re)assess
Gewichtheben *n* SPORT weight lifting
Gewichtheber(in) weight lifter
gewichtig *Adj a. fig* weighty
Gewichtsabnahme *f* loss of weight
Gewichtsklasse *f* SPORT weight (class)
Gewichtsverlust *m* loss of weight
Gewichtszunahme *f* increase in weight
gewillt *Adj* ***~ sein, etw zu tun*** be willing (*od* ready) to do s.th.
Gewimmel *n* swarm(ing), *von Insekten etc:* swarming mass, (*Menschen*&) milling crowd
Gewinde *n* TECH thread
Gewindebohrer *m* (screw) tap
Gewinn *m* **1.** WIRTSCH profit (*a. fig*), (*Ertrag, Zuwachs*) gain(s *Pl*): ***Gewinn-und-Verlust-Rechnung*** profit and loss account; ***mit ~*** at a profit; ***~ ziehen aus*** profit by; ***~ bringend*** profitable **2.** *fig* (*Vorteil*) gain, advantage **3.** (*Preis, Lotterie*&) prize, (*Spiel*&) winnings *Pl* **4.** (*~los*) winner **5.** *fig* (*Person etc*) asset (***für*** to) **~anteil** *m* share in (the) profits, dividend **~beteiligung** *f* profit sharing
Gewinnchance *f* chance (of winning)
gewinnen I *v/t* **1.** (*Krieg, Wahl etc, a. j-s Vertrauen etc*) win, (*Preis, Geld*) *a.* get, (*erlangen*) gain (*a. Zeit, Einblick etc*): ***Höhe ~*** FLUG gain height; ***j-n für sich ~*** win s.o. over; ***j-n für etw ~*** win s.o. to s.th.; → ***Spiel*** 2 **2.** (*erzeugen*) produce, BERGB mine, win, (*rück~*) recover (***aus*** from) **II** *v/i* **3.** (***bei, in*** *Dat* at) win, be the winner, *Los, Zahl etc:* come up a winner **4.** (*profitieren*) gain: *fig* ***an Bedeutung ~*** gain in importance; ***sie hat sehr gewonnen*** she has greatly improved **gewinnend** *Adj a. fig* winning, engaging **Gewinner(in)** winner
Gewinn|los *n* winning ticket, winner **~maximierung** *f* WIRTSCH maximization of profits **~spanne** *f* profit margin
Gewinnsucht *f* (***aus ~*** from) greed
Gewinnung *f* winning, production
Gewinnzahl *f* winning number
Gewinsel *n pej* whining
Gewirr *n* tangle (*a. fig*), (*Straßen*& *etc*) maze, (*Durcheinander*) jumble
gewiss I *Adj* **1.** certain: ***nichts Gewisses*** nothing definite **2.** ***e-r Sache ~ sein*** be certain (*od* sure) of s.th. **II** *Adv* **3.** certainly, for certain: ***~!*** certainly!, sure!; ***aber ~!*** but of course!
Gewissen *n* conscience: ***j-m ins ~ reden*** reason with s.o. **gewissenhaft** *Adj* conscientious **Gewissenhaftigkeit** *f* conscientiousness **gewissenlos** *Adj* unscrupulous **Gewissenlosigkeit** *f* unscrupulousness
Gewissens|bisse *Pl* twinges *Pl* of remorse **~frage** *f* matter of conscience **~freiheit** *f* freedom of conscience

~gründe *Pl* ***aus ~n*** for reasons of conscience **~konflikt** *m*, **~not** *f* moral dilemma **~zwang** *m* moral constraint
gewissermaßen *Adv* so to speak
Gewissheit *f* certainty: ***mit ~*** for certain; ***sich ~ verschaffen*** make sure (***über*** *Akk* of); (***zur***) ***~ werden*** become a certainty
Gewitter *n* **1.** thunderstorm **2.** *fig* storm
gewittern *v/unpers* ***es gewittert*** there is a thunderstorm
Gewitterwolke *f* thundercloud
gewittrig *Adj* thundery
gewitzt *Adj* F smart, clever
gewogen *fig* ***j-m ~ sein*** be well disposed to (*od* toward[s]) s.o.
gewöhnen *v/t u. v/refl* ***sich*** (***j-n***) ***~ an*** (*Akk*) get (s.o.) used to; ***sich daran ~, etw zu tun*** get used to doing s.th.
Gewohnheit *f* habit: ***die ~ haben, etw zu tun*** be in the habit of doing s.th.; ***aus ~*** from habit; ***sich etw zur ~ machen*** make a habit of s.th.
Gewohnheits... habitual (*drinker etc*)
gewohnheitsmäßig *Adj u. Adv* habitual(ly), *Adv a.* out of habit
Gewohnheitssache *f* matter of habit
Gewohnheitstier *n* F creature of habit
gewöhnlich I *Adj* **1.** common, ordinary, (*üblich*) usual **2.** *pej* common, vulgar **II** *Adv* **3.** commonly (*etc*): (***für***) ***~*** usually, normally; ***wie ~*** as usual
gewohnt *Adj* usual: ***etw*** (***zu tun***) ***~ sein*** be used to (doing) s.th.
Gewöhnung *f* (***an*** *Akk* to) **1.** habituation **2.** (*Sucht*) addiction
Gewölbe *n* ARCHI vault **gewölbt** *Adj* **1.** ARCHI vaulted, arched **2.** *Stirn*: domed
Gewühl *n* → ***Gewimmel***
gewunden *Adj* winding, *a. fig* tortuous
Gewürz *n* spice, condiment, seasoning **~gurke** *f* pickled gherkin **~mischung** *f* mixed herbs (*od* spices) *Pl* **~nelke** *f* clove **~ständer** *m* spice rack
gezahnt, **gezähnt** *Adj allg* toothed, serated (*a.* BOT), *Briefmarke*: perforated
Gezeiten *Pl* tide(s *Pl*)
Gezeiten... tidal
Gezeitenkraftwerk *n* tidal power plant
Gezeitenwechsel *m* turn of the tide
Gezeter *n pej* nagging
gezielt *Adj fig Maßnahme etc*: specific, *Indiskretion etc*: calculated
geziemen *v/unpers* ***wie es sich geziemt*** as is proper **geziemend** *Adj* proper
geziert *Adj* affected
Gezwitscher *n* chirping, twitter(ing)
gezwungen *Adj fig Lächeln etc*: forced, *Benehmen*: stiff, *Atmosphäre*: (constrained: *Adv* ***~ lachen*** force a laugh
gezwungenermaßen *Adv* of necessity: ***~ etw tun*** be forced to do s.th.
ggf(s). *Abk* = ***gegebenenfalls***
Ghana *n* Ghana
Gicht *f* MED gout **~knoten** *m* gouty node
Giebel *m* gable
Gier *f* greed(iness) (***nach*** for)
gierig *Adj* greedy (***nach*** for)
gießen I *v/t* **1.** pour **2.** (*be~*) water **3.** TECH found, KUNST cast **II** *v/i* **4.** pour: ***es gießt*** (***in Strömen***) it is pouring (with rain) **Gießer(in)** TECH founder
Gießerei *f* TECH **1.** casting **2.** (*Betrieb*) foundry
Gießkanne *f* watering can
Gift *n a. fig* poison, ZOOL venom: F ***darauf kannst du ~ nehmen!*** you bet your life on it! **Giftgas** *n* poison gas
gifthaltig *Adj* poisonous, toxic
giftig *Adj* poisonous, *fig a.* venomous, (*vergiftet*) poisoned, CHEM, MED toxic
Gift|mischer(in) poisoner **~mord** *m* (murder by) poisoning **~müll** *m* toxic waste **~pilz** *m* poisonous mushroom, toadstool **~schlange** *f* **1.** venomous (*od* poisonous) snake **2.** *fig* snake **~stoff** *m* poisonous (*od* toxic) substance **~zahn** *m* (poison) fang
Gigabyte *n* gigabyte
Gigant *m fig* giant
gigantisch *Adj* gigantic(ally *Adv*)
Gilde *f* guild
Ginster *m* BOT broom
Gipfel *m* summit (*a. fig* POL), top, peak, *fig a.* height: ***auf dem ~ der Macht*** at the height (*od* peak) of power; F ***das ist*** (***doch***) ***der ~!*** that's the limit!
Gipfelkonferenz *f* summit conference
gipfeln *v/i fig* ***~ in*** (*Dat*) culminate in
Gipfeltreffen *n* POL summit (meeting)
Gips *m* TECH plaster, KUNST, MED *a.* plaster of Paris, CHEM gypsum **~abdruck** *m* plaster cast **~bein** *n* F leg in plaster
gipsen *v/t* (MED put in) plaster
Gipsverband *m* MED plaster cast
Giraffe *f* ZOOL giraffe

girieren *v/t* WIRTSCH endorse
Girlande *f* garland
Girobank *f* WIRTSCH clearing bank **Girokonto** *n* current (*bes Am* checking) account
Girozentrale *f* clearing house
Gischt *m, f* (sea) spray
Gitarre *f* guitar **Gitarrist(in)** guitarist
Gitter *n* **1.** lattice, *vor Fenstern*: *a.* grille, (*~stäbe*) bars *Pl*, (*Draht*~) (wire) screen, (*~rost*) grate: ***hinter ~n*** behind bars **2.** OPT grating **3.** ELEK *u. auf Landkarten*: grid **~bett** *n* cot, *Am* crib **~fenster** *n* lattice (*od* barred) window **~mast** *m* ELEK pylon **~netz** *n auf Landkarten*: grid
Glacéhandschuhe, Glaceehandschuhe *Pl* (*fig* ***mit ~n anfassen*** handle *s.o.* with) kid gloves *Pl*
Gladiole *f* BOT gladiolus
Glanz *m* **1.** lust/re (*Am* -er) (*a. fig*), shine, gloss, (*Glitzern*) glitter, (*Leuchtkraft*) brilliance (*a. fig*) **2.** *fig* glamo(u)r, (*Pracht*) splendo(u)r
glänzen *v/i* shine (*a. fig Person*), gleam, *Nase, Stoff etc*: be shiny, (*funkeln*) *a.* sparkle
glänzend *Adj* **1.** lustrous, glossy, shining, *Nase, Stoff etc*: shiny **2.** *fig* brilliant, (*großartig*) splendid: *Adv* ***sich ~ amüsieren*** have a great time
Glanzlack *m* gloss paint **Glanzleder** *n* patent leather **Glanzleistung** *f* brilliant performance (*od* feat)
Glanzlicht *n a. fig* highlight
glanzlos *Adj a. fig* dull
Glanz|nummer *f* star turn **~papier** *n* glazed paper **~punkt** *m fig* highlight, F high spot **~stück** *n* pièce de résistance
glanzvoll *Adj* splendid, magnificent
Glanzzeit *f* heyday
Glas *n* **1.** glass, (*Einmach*~ *etc*) jar: ***drei ~ Wein*** three glasses of wine **2.** (*Brillen*~ *etc*) lens, glass, (*Fern*~, *Opern*~) glasses *Pl* **Glasbläser** *m* glass blower **Glascontainer** *m* bottle bank
Glaserei *f* glazier's (work)shop
gläsern *Adj* **1.** (of) glass **2.** *fig* (*durchschaubar*) transparent
Glas|faser *f*, **~fiber** *f* glass fib/re (*Am* -er) **~faserkabel** *n* fibre-optic cable **~haus** *n* ***wer im ~ sitzt, soll nicht mit Steinen werfen*** people who live in glass houses should not throw stones
glasieren *v/t* **1.** TECH glaze **2.** GASTR glaze, *mit Zuckerguss*: ice, *Am* frost
glasig *Adj* glassy (*a. fig*), vitreous
Glaskeramikkochfeld *n* glass ceramic cooking zone **glasklar** *Adj a. fig* crystal-clear **Glasmalerei** *f* glass painting
Glasnost *f* POL glasnost
Glas|scheibe *f* (glass) pane **~scherben** *Pl* (pieces *Pl* of) broken glass *Sg* **~schneider** *m* TECH glass cutter
Glasur *f* **1.** TECH glaze, enamel **2.** GASTR glaze, (*Zucker*~) icing, *Am* frosting
Glaswaren *Pl* glassware *Sg*
glatt I *Adj* **1.** *allg* smooth (*a. fig Landung, Verlauf etc, a. pej Person, Manieren*), (*eben*) *a.* even, (*poliert*) polished **2.** (*rutschig*) slippery **3.** *Zahl etc*: even, round **4.** F *fig* (*klar*) plain, *Sieg etc*: clear, *Absage*: flat, *Lüge*: downright: ***das ist ~er Wahnsinn*** that's sheer madness **II** *Adv* **5.** smoothly (*etc*), (*ganz*) clean; ***~ rasiert*** clean shaven; ***~ (anliegend)*** TECH flush; F *fig* ***~ gewinnen*** win clearly, win hands down **6.** F *fig* ***~ ablehnen (leugnen)*** refuse (deny) flatly; ***das bringt er ~ fertig*** I wouldn't put it past him; ***~ gehen*** go smoothly; ***etw ~ vergessen*** clean forget (about) s.th.
Glätte *f a. fig e-r Person*: smoothness, *pej* slipperiness
Glatteis *n* (black, *Am* glare) ice, *weit. S.* icy ground, icy roads *Pl*: *fig* ***j-n aufs ~ führen*** trip s.o. up
glätten I *v/t* **1.** smooth, (*polieren*) polish (*a. fig*) **2.** *schweiz.* (*bügeln*) iron **II** *v/refl* ***sich ~*** smooth down
glattstellen *v/t* WIRTSCH square, even up
glattweg *Adv* F → ***glatt*** 6
Glatze *f* bald head: ***e-e ~ haben (bekommen)*** be (go) bald
Glatzkopf *m* **1.** → ***Glatze*** **2.** F (*Person*) baldie **glatzköpfig** *Adj* bald(headed)
Glaube *m* (**an** *Akk* in) *allg* belief, (*Vertrauen, Bekenntnis*) faith: ***in gutem ~n*** *a.* JUR in good faith; ***~n schenken*** (*Dat*) give credence to, believe; ***den ~n verlieren*** lose faith **glauben I** *v/t allg* believe, (*vermuten*) *a.* think, suppose, *Am a.* guess: ***das glaube ich dir nicht!*** I don't believe you!; ***es ist nicht zu ~!*** it's incredible! **II** *v/i* believe (**an** *Akk*

G

in): ***an j-n ~ a.*** have faith in s.o., trust s.o.; ***ich glaube, ja!*** I think so!; F ***er (es) hat dran ~ müssen*** he (it) has had it; ***er wird dran ~ müssen*** he's for it

Glaubens|bekenntnis *n* creed (*a. fig*), confession (of faith) **~freiheit** *f* religious freedom **~gemeinschaft** *f* denomination, church **~genosse** *m*, **~genossin** *f* fellow believer **~krieg** *m* religious war **~lehre** *f*, **~satz** *m* dogma

glaubhaft *Adj* credible, plausible, (*überzeugend*) convincing: ***etw ~ machen*** *a.* JUR substantiate s.th.

gläubig *Adj* believing, REL *a.* religious, (*fromm*) devout **Gläubige** *m, f* believer: ***die ~n*** *Pl* the faithful *Pl*

G

Gläubiger(in) WIRTSCH creditor

glaubwürdig *Adj* credible, reliable

Glaubwürdigkeit *f* credibility

gleich I *Adj* **1.** same, *Lohn, Rechte, Stellung etc*: equal (*a.* MATHE, TECH), (*identisch*) identical: ***in ~er Höhe mit*** level with; ***auf ~e Weise*** (in) the same way; ***zur ~en Zeit*** at the same time; ***das ist mir ~!*** it's all the same to me!, *pej* I don't care!; ***ganz ~, wann*** (***wer*** *etc*) no matter when (who *etc*); ***das 2e*** the same (thing); ***3 mal 3 ist ~ 9*** three times three equals (*od* is) nine **II** *Adv* **2.** equally, alike: ***~ alt*** (***groß***) of the same age (size); ***~ hoch wie*** level with; ***~ schnell*** just as fast; ***~ aussehen*** (***gekleidet sein***) look (be dressed) alike; ***alle ~ behandeln*** treat everybody the same way; ***~ bleiben*** (*a.* ***sich ~ bleiben***) stay the same (*od* unchanged): ***das bleibt sich ~!*** that makes no difference!; ***~ bleibend*** constant, *Nachfrage, Qualität etc*: steady; ***~ gesinnt*** like-minded, kindred (*souls*); ***~ lautend*** identical: ***~ lautendes Wort*** homonym **3.** (*sofort*) at once, right away, in a moment: ***~ darauf, ~ danach*** immediately afterwards; ***~ nach ...*** right after ...; ***es ist ~ 11*** (***Uhr***) it's almost eleven (o'clock); ***ich komme ~!*** (I'm) coming!, just a minute!; (***ich***) ***bin ~ wieder da!*** I'll be right back!; F ***bis ~!*** see you soon (*od* later)! **4.** (*direkt*) immediately, directly: ***~ neben ...*** right next to ...; ***~ gegenüber*** just (*od* directly) opposite

gleichaltrig *Adj* (of) the same age

gleichartig *Adj* of the same kind, homogeneous, (*ähnlich*) like, similar

gleichbedeutend *Adj* (***mit***) synonymous (with) (*a.* LING), equivalent (to)

Gleichbehandlung *f* equal treatment

gleichberechtigt *Adj* having equal rights **Gleichberechtigung** *f* equal rights *Pl*, equality

gleichen *v/i* (*Dat*) be (*od* look) like: ***sich*** (*od* ***einander***) ***~*** be (*od* look) alike, be similar; ***j-m ~ an*** (*Dat*) equal s.o. in

gleicher|maßen *Adv* **1.** equally **2.** → **~weise** *Adv* in like manner, likewise

gleichfalls *Adv* also, likewise: ***danke, ~!*** (thanks,) the same to you!

gleichförmig *Adj* **1.** uniform, (*eintönig*) monotonous **2.** (*regelmäßig*) regular

Gleichförmigkeit *f* **1.** uniformity, monotony **2.** regularity

gleichgeschlechtlich *Adj* ***~e Beziehung*** same-sex relationship; ***~es Paar*** same-sex couple

Gleichgewicht *n a. fig* balance, equilibrium (*a.* PHYS): ***seelisches ~*** (mental) equilibrium; ***das ~ der Kräfte*** POL the balance of power; ***j-n aus dem ~ bringen*** *a. fig* throw s.o. off balance; ***das ~ verlieren*** lose one's balance

gleichgültig *Adj* indifferent (***gegen*** to), (*belanglos*) unimportant: ***das*** (***er***) ***ist mir ~*** I don't care (for him); ***es ist völlig ~, ob ...*** it doesn't matter at all whether ...; ***~, wann*** (***ob*** *etc*) no matter when (whether *etc*); ***es war ihm völlig ~*** (***geworden***) he was past caring

Gleichgültigkeit *f* indifference (***gegen*** to)

Gleichheit *f* equality, identity, (*Einheitlichkeit*) uniformity

Gleichheitszeichen *n* MATHE equals sign

gleichkommen *v/i* (*Dat*) **1.** equal (***an*** *Dat* in) **2.** (*entsprechen*) amount to

gleichmachen *v/t* make equal (*Dat* to): → ***Erdboden*** **Gleichmacherei** *f pej* egalitarianism

gleichmäßig *Adj* regular, even, (*gleichbleibend*) constant, (*ebenmäßig*) symmetrical: *Adv* ***etw ~ verteilen*** distribute s.th. evenly **Gleichmäßigkeit** *f* regularity, evenness, constancy, symmetry

Gleichmut *m* equanimity, calmness

gleichmütig *Adj* calm, imperturbable

gleichnamig *Adj* of the same name, MATHE *Bruch*: with a common denominator
Gleichnis *n* simile, BIBEL parable
gleichrangig *Adj* **1.** of the same rank **2.** *fig* of equal importance
Gleichrichter *m* ELEK rectifier
gleichschalten *v/t fig* coordinate, POL bring into line
Gleichschritt *m* MIL marching in step
gleichseitig *Adj* equilateral
gleichsetzen *v/t* **1.** equate (*Dat*, ***mit*** with) **2.** → ***gleichstellen*** 2
Gleichstand *m* SPORT level score
gleichstellen *v/t* **1.** → ***gleichsetzen*** 1 **2.** ***j-n*** ~ put s.o. on an equal footing (*Dat* with)
Gleichstellung *f* equalization
Gleichstrom *m* ELEK direct current (DC)
gleichtun *v/t* ***es j-m*** ~ equal (*od* match) s.o. (***an*** *od* ***in*** *Dat* in)
Gleichung *f* equation
gleichwertig *Adj* of the same value, equivalent, (*gleich gut*) equally good, *Gegner*: evenly matched
gleichzeitig *Adj u. Adv* simultaneous(ly), *Adv a.* at the same time
Gleichzeitigkeit *f* simultaneousness
gleichziehen *v/i* SPORT (*einholen*, *a. fig*) (***mit*** with) catch up, draw level, (*ausgleichen*) equalize, level the score
Gleis *n* rail(s *Pl*), *bes Am* track(s *Pl*), line: *fig* ***auf ein totes ~ schieben*** put *s.o.*, *s.th.* on ice; ***das ausgefahrene ~*** **a)** the beaten track, **b)** (*a.* ***das alte ~***) the same old rut **Gleiskörper** *m* permanent way
Gleitboot *n* hydroglider, hydroplane
gleiten *v/i* **1.** glide, slide, (*rutschen*) slip, *Hand*, *fig Lächeln*, *Blick etc*: pass: ***er ließ den Brief in die Tasche ~*** he slipped the letter into his pocket **2.** *fig Arbeitnehmer*: make use of flextime
gleitend *Adj fig Lohn-*, *Preisskala etc*: sliding: ***~e Arbeitszeit*** → ***Gleitzeit***
Gleit|fläche *f* sliding surface **~flug** *m* glide **~flugzeug** *n* glider **~klausel** *f* WIRTSCH escalator clause **~komma** *n* floating point **~mittel** *n* lubricant **~schirm** *m* SPORT paraglider **~schirmfliegen** *n* paragliding **~schutz** *m* MOT antiskid device **~wachs** *n Skisport*: gliding wax **~zeit** *f* flexible working hours *Pl*, flextime **~zeitkarte** *f* time card
Gletscher *m* glacier **~brand** *m* glacial sunburn **~kunde** *f* glaciology **~spalte** *f* crevasse
Glied *n* **1.** limb, member: ***der Schreck fuhr ihr in die ~er*** she had a bad shock **2.** (*Penis*) (male) member, penis **3.** (*Ketten*~, *a. fig Binde*~) link **4.** MIL rank **5.** (*Mit*~) member **gliedern I** *v/t* (*ordnen*) arrange, organize, (*unterteilen*) (sub)divide (***in*** *Akk* into) **II** *v/refl* ***sich ~ in*** (*Akk*) be (sub)divided into
Glieder|puppe *f* jointed doll, KUNST lay figure **~schmerz** *m* rheumatism
Gliederung *f* (*Anordnung*) arrangement, organization, (*Aufbau*) structure, (*Unterteilung*) (sub)division
Gliedmaßen *Pl* limbs *Pl*
glimmen *v/i* smo(u)lder (*a. fig*), glow
Glimmer *m* MIN mica
Glimmstängel *m* F fag
glimpflich *Adj* mild, light: *Adv* ***~ mit j-m verfahren*** be lenient with s.o.; ***~ davonkommen*** get off lightly
glitschig *Adj* F slippery
glitzern *v/i* glitter
global *Adj* global, *fig a.* general
Globalisierung *f* globalization
Globus *m* globe
Glöckchen *n*, **Glöcklein** *n* little bell
Glocke *f* **1.** bell: F *fig* ***etw an die große ~ hängen*** shout s.th. from the housetops **2.** (*Käse*~ *etc*) cover
Glockenblume *f* bellflower
glockenförmig *Adj* bell-shaped
Glocken|geläut *n* bell ringing **~gießer(-in)** bell founder **~rock** *m* flared skirt **~schlag** *m* stroke (of the clock) **~spiel** *n* chime(s *Pl*), carillon **~stuhl** *m* belfry
Glockenturm *m* bell tower, belfry
Glorie *f* **1.** glory **2.** → **Glorienschein** *m fig* halo
glorreich *Adj* glorious
Glossar *n* glossary
Glosse *f* **1.** (*Rand*~) gloss **2.** *Zeitung etc*: commentary
Glotzaugen *Pl* F goggle-eyes *Pl*
Glotze *f* F (*Fernseher*) gogglebox, *Am* tube **glotzen** *v/i* F goggle, gawp
Glück *n* **1.** luck, fortune, (*Glücksfall*) good luck: ***auf gut ~*** on the off-chance, (*wahllos*) at random; ***zum ~*** fortunately; ***zu m-m ~*** luckily for me; ***~ brin-***

gend lucky; ***~ haben*** be lucky; ***er hatte kein ~*** he had no luck; ***das ~ haben zu*** *Inf* have the good fortune to *Inf*; ***~ gehabt!*** that was lucky!; ***noch mal ~ gehabt!*** that was close!; ***viel ~!*** good luck!; ***j-m ~ wünschen*** **a)** wish s.o. luck, **b)** (*gratulieren*) congratulate s.o. (***zu etw*** on s.th.), ***zum Geburtstag*** wish s.o. (a) happy birthday; (***es ist***) ***ein ~, dass …*** (it's a) good thing that …; ***er kann von ~ sagen, dass …*** he may thank his lucky stars that … **2.** (*~seligkeit*) happiness, bliss

Glück	**happiness/luck**
Glück haben	**be lucky**
Er hatte Glück, dass er seine Brieftasche wieder gefunden hat.	**He was lucky to find his wallet again.**
Hast du ein Glück!	**You lucky devil!**
Heute ist mein Glückstag.	**It's my lucky day.**
Glückszahl	**lucky number**
Glücksbringer	**lucky charm**
	aber:
(innerlich) glücklich	**happy**
glücklich sein	**be happy**
Glück(sgefühl)	**happiness**
Sie scheint in ihrem neuen Job ganz glücklich zu sein.	**She seems to be quite happy in her new job.**

Glucke *f* **1.** ZOOL sitting hen **2.** *fig* (mother-)hen **glucken** *v/i* **a)** sit, **b)** cluck

glücken → ***gelingen*** I

gluckern *v/i* glug, gurgle

glücklich I *Adj* happy, (*vom Glück begünstigt*) lucky, fortunate: ***sich ~ preisen*** (*od* ***schätzen***) count o.s. lucky; ***ein ~er Einfall*** a happy thought **II** *Adv* happily, (*mit Glück*) luckily, (*sicher*) safely, F (*endlich*) finally, at (long) last

glücklicherweise *Adv* luckily, fortunately, as luck would have it

Glücksache *f* ***es ist ~*** it is a matter of luck

Glücksbringer *m* mascot, (*Gegenstand*) *a.* lucky charm

glückselig *Adj* blissful, very happy

Glückseligkeit *f* bliss, happiness

glucksen *v/i* gurgle, (*lachen*) chuckle

Glücks|fall *m* lucky chance (F break), stroke of luck **~göttin** *f* Fortune **~kind** *n* child of Fortune **~klee** *m* four-leaf clover **~pfennig** *m* lucky penny **~pilz** *m* F lucky dog **~spiel** *n* **1.** game of chance, *Koll* gambling **2.** *fig* gamble **~spieler(in)** gambler **~stern** *m* lucky star **~strähne** *f* streak of luck **~tag** *m* lucky (*od* happy) day

glückstrahlend *Adj* radiant (with happiness)

Glückstreffer *m* **1.** SPORT fluke (hit *od* shot) **2.** *fig* stroke of luck

Glückwunsch *m* congratulations *Pl* (***zu*** on), good wishes *Pl* (***für*** for): ***m-n*** (*od* ***herzlichen***) ***~!*** congratulations!, ***zum Geburtstag*** happy birthday!

Glückwunsch… congratulatory **~karte** *f* greetings card **~telegramm** *n* greetings telegram

Glühbirne *f* light bulb

glühen I *v/i* (***vor*** *Dat* with) glow, *fig a.* burn **II** *v/t* TECH anneal **glühend** *Adj* **1.** glowing (*a. fig*), *Metall*: *a.* red-hot, *Kohle*: live: *Adv* ***~ heiß*** scorching **2.** *fig Liebe, Verlangen etc*: burning, ardent

Glüh|faden *m* filament **~wein** *m* mulled wine, *Am* glogg **~würmchen** *n* glowworm

Glut *f* **1.** (blazing) heat **2.** (glowing) fire **3.** (*~asche*) embers *Pl*, (*Kohlen~*) live coal **4.** *fig* ardo(u)r, glow

Glyzerin *n* CHEM glycerin(e)

GmbH *f* (= ***Gesellschaft mit beschränkter Haftung***) limited liability company

Gnade *f* **1.** mercy: ***j-m auf ~ und Ungnade ausgeliefert sein*** be at s.o.'s mercy; ***~ vor Recht ergehen lassen*** show mercy **2.** (*Gunst*) favo(u)r **3.** REL grace

gnaden *v/i* ***dann gnade dir Gott!*** (then) God help you!
Gnadenakt *m* act of grace **Gnadenfrist** *f* reprieve: ***e-e ~ von drei Tagen*** three days' grace **gnadenlos** *Adj* merciless
Gnadenstoß *m a. fig* coup de grâce
gnädig *Adj* gracious, (*barmherzig*) merciful: ***~e Frau*** *in der Anrede*: madam
Gnom *m* gnome
Gobelin *m* Gobelin (tapestry)
Gokart *m* MOT go-kart, kart
Gold *n* gold: ***~ gewinnen*** SPORT win gold; ***es ist nicht alles ~, was glänzt*** all that glitters is not gold **Goldader** *f* vein of gold **Goldbarren** *m* ingot of gold **Goldbergwerk** *n* gold mine
golden *Adj* **1.** (of) gold, (*vergoldet*) gilt **2.** *fig* golden: ***~e Hochzeit*** golden wedding; ***~e Schallplatte*** golden disc
Goldfisch *m* goldfish **goldgelb** *Adj* golden(-yellow) **Goldgräber(in)** gold digger **Goldgrube** *f* F *fig* goldmine
Goldhamster *m* ZOOL golden hamster
goldig *Adj* F sweet, *Am a.* cute
Goldklumpen *m* lump of gold, nugget
Goldlack *m* BOT wallflower
Goldmedaille *f* gold medal
Gold|medaillengewinner(in) gold medal(l)ist **~mine** *f* goldmine **~münze** *f* gold coin **~plombe** *f* gold filling
Goldrahmen *m* gilt frame **goldrichtig** *Adj u. Adv* F dead right, *Person*: okay
Goldschmied(in) goldsmith
Gold|schnitt *m* gilt edge(s *Pl*): ***mit ~*** *Buch etc*: gilt-edged **~stück** *n* **1.** gold coin **2.** F *fig* (*Person*) jewel **~waage** *f* ***jedes Wort auf die ~ legen*** weigh every word
Goldwährung *f* gold standard
Golf[1] *m* GEOG gulf
Golf[2] *n* SPORT golf **Golfplatz** *m* golf course, (golf) links *Pl* **Golfschläger** *m* golf club **Golfspiel** *n* **1.** golf **2.** game of golf **Golfspieler(in)** golfer
Golfstaat *m* Gulf state
Golfstrom *m* GEOG Gulf Stream
Gondel *f* gondola, *e-r Seilbahn*: *a.* (cable) car
Gong(schlag) *m* (sound of the) gong
gönnen *v/t* **1.** ***j-m etw ~*** not to (be-)grudge s.o. s.th.; ***j-m etw nicht ~*** → ***missgönnen*** **2.** ***j-m*** (***sich***) ***etw ~*** allow s.o. (o.s.) s.th.
Gönner(in) patron(ess) **gönnerhaft** *Adj* patronizing **Gönnermiene** *f* (***mit ~*** with a) patronizing air
Gonokokken *Pl* MED gonococci *Pl*
Gonorrhö(e) *f* MED gonorrh(o)ea
Gör *n*, **Göre** *f* F *pej* brat
Gorilla *m* gorilla (*a. sl Leibwächter*)
Gosse *f a. fig* gutter
Gotik *f* KUNST **a)** Gothic (style), **b)** Gothic period **gotisch** *Adj* Gothic
Gott *m* God, (*Gottheit*) god, deity: ***~ sei Dank!*** thank God!; ***leider ~es*** unfortunately; ***~ bewahre!, ~ behüte!*** God forbid!; ***weiß ~*** (, ***was*** *etc*) God knows (what *etc*); ***um ~es willen!*** for God's sake!; ***großer ~!, lieber ~!*** good Lord!; ***der liebe ~*** the good Lord; → ***wahr***
Götterbild *n* idol
Götterspeise *f* GASTR jelly
Gottesdienst *m* (divine) service
gottesfürchtig *Adj* godfearing, pious
Gotteshaus *n* house of God, church
Gotteslästerer *m*, **Gotteslästerin** *f* blasphemer
Gotteslästerung *f* blasphemy
Gottesmutter *f* Mother of God
Gottessohn *m* Son of God
Gottheit *f* deity, god, goddess **Göttin** *f* goddess **göttlich** *Adj* divine, godlike
gottlos *Adj* ungodly, (*böse*) wicked
Gottlosigkeit *f* ungodliness, wickedness
gottserbärmlich *Adj* F *Zustand etc*: pitiful, (*schlimm*) dreadful
gottverdammt *Adj* V (god)damned
gottverlassen *Adj* F godforsaken
Gottvertrauen *n* trust in God
gottvoll *Adj* F *fig* capital, very funny
Götze *m*, **Götzenbild** *n* idol
Gouverneur(in) governor
Grab *n* grave, (*bes ~mal*) tomb: *fig* ***mit einem Bein im ~ stehen*** have one foot in the grave; F ***sich im ~e umdrehen*** turn in one's grave; ***verschwiegen wie das ~*** (as) silent as the grave
graben I *v/t* dig, (*Schacht etc*) sink: ***ein Loch*** (*od* ***e-n Gang***) ***~*** ZOOL burrow **II** *v/i* dig (***nach*** for) **III** *v/refl* ***sich ~*** (***in*** *Akk* into) dig, *Tier*: burrow itself, *fig Kugel etc*: bury itself; *fig* ***sich in j-s Gedächtnis ~*** engrave itself on s.o.'s memory
Graben *m* ditch (*a. Sport*), MIL trench, (*Burg*2) moat, GEOL graben, rift
Grabes|stille *f* deathly silence **~stimme**

f (***mit*** ~ in a) sepulchral voice
Grabfund *m* grave find **Grabgewölbe** *n* (burial) vault, tomb **Grabinschrift** *f* epitaph **Grabkammer** *f* burial chamber **Grabmal** *n* tomb, (*Denkmal*) monument **Grabrede** *f* funeral oration
Grabstätte *f* burial place, (*Grab*) tomb
Grabstein *m* tombstone, gravestone
Grad *m allg* degree (*a.* UNI *u. fig*), MIL *etc* rank, grade: (***bei***) ***10 ~ Wärme*** (***Kälte***) (at) ten degrees above (below) zero (*od* freezing point); ***Verwandte***(***r***) ***zweiten*** (***dritten***) ***~es*** relative once (twice) removed; ***Verbrennungen dritten ~es*** third-degree burns; *fig* ***bis zu e-m gewissen ~*** to a certain degree, up to a point; ***im höchsten ~e*** in the highest degree, extremely
Gradeinteilung *f* graduation
gradieren *v/t* CHEM, TECH graduate
Gradmesser *m fig* ga(u)ge, barometer
Gradnetz *n auf Karten*: (map) grid
graduell *Adj* gradual, *a. Adv* in degree
graduieren I *v/t* **1.** TECH graduate **2.** UNI confer a degree upon **II** *v/i* **3.** UNI graduate **Graduierte** *m*, *f* graduate
Graf *m* count, *britischer*: earl
Graffito *m*, *n* (*Pl* ***Graffiti***) graffito
Grafik *f* **1.** graphic arts *Pl*, (*Gestaltung*) art(work) **2.** (*Bild*) **a**) KUNST, COMPUTER: graphic, (*Druck*) print, **b**) TECH graph, diagram, **c**) illustration(s *Pl*) **Grafikbildschirm** *m* graphics screen **Grafiker(in) 1.** (graphic) artist **2.** commercial artist, (graphic) designer **Grafikkarte** *f* IT graphics card **Grafikmodus** *m* IT graphics mode **Grafikprogramm** *n* IT graphics software **grafisch** *Adj* **1.** graphic, art … **2.** TECH graphic, diagrammatic: ***~e Darstellung*** → ***Grafik*** 2b
Gräfin *f* countess
Grafit *m* graphite **~bombe** *f* MIL graphite bomb
Grafologe *m*, **Grafologin** *f* graphologist **Grafologie** *f* graphology **grafologisch** *Adj* graphological
Grafschaft *f* county
gram *Adj* ***j-m*** (***wegen e-r Sache***) ***~ sein*** bear s.o. a grudge (because of s.th.)
Gram *m* grief, sorrow **grämen I** *v/t* grieve **II** *v/refl* ***sich ~*** (***über*** *Akk*, ***wegen***) grieve (over), (*sich sorgen*) worry (about) **grämlich** *Adj* morose, sullen
Gramm *n* gramme, *Am* gram
Grammatik *f* grammar, (*~buch*) grammar book **grammatikalisch**, **grammatisch** *Adj* grammatical
Grammofon *n* gramophone, *Am* phonograph
Granat *m* MIN garnet
Granatapfel *m* BOT pomegranate
Granate *f* **1.** MIL shell, (*Gewehr*♀, *Hand*♀) grenade **2.** F SPORT cannonball
Granat|feuer *n* shellfire **~splitter** *m* shell splinter **~werfer** *m* mortar
grandios *Adj* grandiose, F (*toll*) terrific
Granit *m* granite
Granne *f* **1.** LANDW awn, beard **2.** ZOOL kemp
Grapefruit *f* grapefruit
Graphik *etc* → ***Grafik***
Graphit *m* → ***Grafit***
Graphologe *etc* → ***Grafologe***
Gras *n* grass: ZOOL ***~ fressend*** graminivorous. F ***das ~ wachsen hören*** hear the grass grow; ***über etw ~ wachsen lassen*** let the grass grow over s.th.; ***ins ~ beißen*** bite the dust
grasbedeckt *Adj* grassy
grasen *v/i* graze
grasgrün *Adj* grass-green
Gras|halm *m* blade of grass **~hüpfer** *m* ZOOL grasshopper **~narbe** *f* turf
grassieren *v/i* be rife, *Krankheit*: *a.* rage: ***es ~ Gerüchte, dass …*** there are rumo(u)rs that …
grässlich *Adj* horrible, terrible, ghastly (*alle a.* F *fig*), (*scheußlich*) dreadful, hideous, *Verbrechen*: monstrous, atrocious
Grat *m* **1.** TECH bur(r) **2.** (*Berg*♀) ridge
Gräte *f* (fish)bone
Gratifikation *f* gratuity, bonus
gratis *Adv* free (of charge)
Grätsche *f Turnen*: straddle, (*Sprung*) straddle vault **grätschen** *v/t u. v/i* straddle, *v/i* do a straddle vault
Gratulant(in) congratulator, wellwisher **Gratulation** *f* congratulations *Pl* (***zu*** on) **gratulieren** *v/i* congratulate (***j-m zu etw*** s.o. on s.th.): ***j-m zum Geburtstag ~*** wish s.o. many happy returns (of the day); (***ich***) ***gratuliere!*** congratulations!
Gratwanderung *f fig* tightrope walk
grau I *Adj* grey, *Am* gray, *fig a.* bleak: ***der ~e Alltag*** the drab monotony of everyday life; → ***Haar, Vorzeit*** **II** *Adv*

~ *meliert* greying, *Am* graying
Graubrot *n* rye bread
Graubünden *n the* Grisons
Gräuel *m* **1.** horror: ***er (es) ist mir ein ~*** I loathe him (it) **2.** (*~tat*) atrocity
Gräuelmärchen *n* atrocity story
Gräueltat *f* atrocity
grauen *v/i u. v/unpers* ***es graut mir*** (*od* ***mir graut***) ***vor*** (*Dat*) I dread (the thought of), I am terrified of
Grauen *n* horror (***vor*** *Dat* of) **grauenhaft**, **grauenvoll** *Adj a.* F *fig* horrible
grauhaarig *Adj* grey-(*Am* gray-)haired
gräulich *Adj* **1.** greyish, *Am* grayish; **2.** → ***grässlich***
Graupe *f* pearl barley
Graupel(**n** *Pl*) *f* soft hail, sleet
graupeln *v/unpers* ***es graupelt*** a soft hail is falling
grausam *Adj* **1.** cruel **2.** F *fig* awful
Grausamkeit *f* cruelty
Grauschleier *m fig* greyness, *Am* grayness
grausen → ***grauen*** **Grausen** *n* → ***Grauen*** **grausig** → ***grauenhaft***
Grauzone *f fig* grey (*Am* gray) area
Graveur(in) engraver **gravieren** *v/t* engrave **gravierend** *Adj fig* serious
Gravierung *f* engraving
Gravitation *f* PHYS gravitation **Gravitationsgesetz** *n* law of gravitation
Grazie *f* grace **graziös** *Adj* graceful
Greencard *f* green card
greifbar *Adj* **1.** handy, (*verfügbar*) available: ***in ~er Nähe***, *Adv* ***~ nahe*** *a. fig* near at hand, within reach **2.** *fig* (*konkret*) tangible, concrete (*results etc*): ***~e Formen annehmen*** be taking shape
greifen I *v/t* **1.** seize, take hold of, grab: ***zum ≈ nah*** within reach; *fig* ***zu hoch gegriffen*** *Preis etc*: too high **2.** (*Saite*) stop, (*Taste*) touch, (*Note*, *Akkord*) strike **II** *v/i* **3.** ***~ an*** (*Akk*) touch; ***~ nach*** reach for, *fest*: grasp at, *hastig*: grab for; ***~ in*** (*Akk*) reach into; ***~ zu*** **a**) reach for, **b**) *fig* (*Maßnahmen*, *e-m Mittel etc*) resort to; *fig* ***um sich ~*** spread; → ***Arm***, ***Tasche*** 2, ***Waffe*** *etc* **4.** *Bremse*, *Räder*, *Feile etc*: grip **5.** *fig* (*wirken*) (begin to) take effect, have an impact
Greifer *m* TECH gripper (hand)
Greifvogel *m* bird of prey
Greifzange *f* gripping tongs *Pl* (*a. Sg konstr*) **Greifzirkel** *m* cal(l)ipers *Pl*

greis *Adj* (very) old **Greis** *m* (very) old man **Greisenalter** *n* old age **greisenhaft** *Adj* senile **Greisenhaftigkeit** *f* senility **Greisin** *f* (very) old woman
grell *Adj Licht*: glaring (*a. fig*), *Farbe*: *a.* loud, *Ton etc*: shrill
Gremium *n* body (*of experts etc*)
Grenzbereich *m* **1.** border area **2.** *fig* borderland **Grenzbewohner(in)** inhabitant of the border area
Grenze *f* **1.** border, (*Landes≈*) *a.* frontier, (*Grenzlinie*) boundary (*a. fig*): ***an der ~*** on the border, at the frontier; *fig* ***die ~ ziehen bei*** draw the line at **2.** *fig* borderline, (*Schranke*) limit (*Gen* to), bounds *Pl* (*Gen* of): ***in ~n*** within limits, up to a point; ***ohne ~n*** → ***grenzenlos***; ***sich in ~n halten*** keep within (reasonable) limits, *iron Erfolg etc*: be rather limited; ***~n setzen*** (*Dat*) set limits to; ***alles hat s-e ~n*** there is a limit to everything
grenzen *v/i a. fig* border (***an*** *Akk* on)
grenzenlos *Adj* boundless, immense, *Elend*, *Leid etc*: infinite, *Macht*: unlimited: *Adv* ***~ dumm*** incredibly stupid
Grenzenlosigkeit *f* boundlessness, immensity, infinity
Grenzfall *m fig* borderline case
Grenzgänger(in) **a**) (*a.* illegal) border crosser, **b**) frontier commuter
Grenz|gebiet *n* **1.** border area **2.** *fig* borderland **~konflikt** *m* border dispute **~kontrolle** *f* border control **~kosten** *Pl* WIRTSCH marginal cost *Sg* **~land** *n* border area **~linie** *f* boundary (line), borderline (*a. fig*), POL demarcation line, SPORT line **~pfahl** *m* boundary post **~posten** *m* border guard **~schutz** *m* frontier protection, (*Truppe*) border police **~stadt** *f* frontier town **~stein** *m* boundary stone **~übergang** *m* border crossing (point), checkpoint
grenzüberschreitend *Adj* WIRTSCH, POL border-crossing, across the border(s)
Grenzverkehr *m* (***kleiner ~*** local) border traffic **Grenzwert** *m* MATHE, PHYS limit(ing value), threshold value
Grenzzwischenfall *m* border incident
Greuel *ect* → ***Gräuel***
Grieben *Pl* GASTR greaves *Pl*
Grieche *m* Greek **Griechenland** *n* Greece **Griechin** *f* Greek (woman)

griechisch *Adj* Greek, KUNST *etc a.* Grecian: ***~-orthodox*** Greek (Orthodox); ***~-römisch*** Gr(a)eco-Roman
Griechisch *n* LING Greek
griesgrämig *Adj* F grumpy, grouchy
Grieß *m* **1.** GASTR semolina **2.** TECH grit **3.** MED gravel **~brei** *m* semolina pudding
Griff *m* **1.** (***nach***) grasp (at), grab (for), reaching (for): *fig* ***~ nach der Macht*** bid for power; ***e-n guten ~ machen*** make a good choice (***mit*** with); ***im ~ haben*** (***in den ~ bekommen***) (*Situation etc*) have (get) *s.th.* under control, *a. geistig*: have (get) a (good) grip on, (*a. j-n*) be (get) on top of **2.** (*Hand*≈) movement (of the hand), *fester*: grip (*a. Turnen*), *mount.*, *Ringen etc*: hold, MUS stop, fingering **3.** (*Tür*≈, *Messer*≈ *etc*) handle, (*Koffer*≈ *etc*) grip, (*Halte*≈) *im Bus etc*: strap **4.** *von Stoff*: feel
griffbereit *Adj* (ready) to hand, handy
Griffel *m allg* style
griffig *Adj* **1.** *Werkzeug etc*, *a. fig Ausdruck etc*: handy **2.** *Fahrbahn etc*: having a good grip, *Reifen etc*: nonskid
Griffleiste *f beim Wörterbuch etc*: edge index
Grill *m* GASTR grill, *Am* barbecue: … ***vom ~*** roast *chicken etc*
Grille *f* **1.** ZOOL cricket **2.** F *fig* silly idea, whim
grillen *v/t* grill, *im Freien*: *a.* barbecue
Grillparty *f* barbecue
Grimasse *f* grimace: ***~n schneiden*** pull faces, grimace
grimmig *Adj a. fig* grim, fierce
Grind *m* MED scab
grinsen *v/i*, **Grinsen** *n* (***über*** *Akk* at) grin, *höhnisch*: sneer
grippal *Adj* MED ***~er Infekt*** influenza(l) infection
Grippe *f* influenza, F 'flu
Grippe… influenza (*epidemic*, *virus*, *etc*)
grippekrank *Adj* down with influenza, F having the 'flu
Grippewelle *f* wave of influenza
grob *Adj* **1.** *allg* coarse (*a.* TECH, *a. fig derb*, *unfein*), *Arbeit*, *Oberfläche*, *Skizze etc*: rough: *fig* ***wir sind aus dem Gröbsten heraus*** we are over the worst; ***ein Mann fürs ≈e*** a man for the dirty work; → ***schätzen*** 1 **2.** *fig Fehler*, *Lüge*, *Verstoß etc*: gross **3.** (*unhöflich*) rude: ***gegen j-n ~ werden*** be rude to s.o.
Grobeinstellung *f* TECH coarse adjustment
Grobheit *f* coarseness, roughness, *fig a.* rudeness: ***~en*** *Pl* rude words *Pl*
Grobian *m* rude fellow, ruffian
grobkörnig *Adj* coarse-grained
grobmaschig *Adj* wide-meshed
grölen *v/i u. v/t* bawl, roar
Groll *m* ranco(u)r, resentment, (*Zorn*) anger
grollen *v/i* **1.** be angry: ***j-m ~*** have a grudge against s.o. (***wegen*** because of) **2.** *Donner*: rumble
Grönland *n* Greenland
Gros *n* main body
Groschen *m fig* penny, *Am* cent: F ***der ~ ist gefallen!*** the penny has dropped!
Groschenroman *m* F penny dreadful, *Am* dime novel
groß I *Adj* **1.** *allg* big, *Buchstabe*: *a.* capital, *Fläche*, *Zahl*, *Raum etc*, *a. Familie*, *Einkommen etc*: *a.* large: ***wie ~ ist es?*** what size is it? **2.** *Person*: tall, *Berg*, *Turm etc*: high **3.** *Reise*, *Zeitspanne*: long, *Entfernung*: great **4.** (*erwachsen*) grown-up, F *Bruder*, *Schwester*: big: ***die ≈en*** *Pl* the grown-ups *Pl* **5.** *fig allg* great, (*beträchtlich*) *a.* big, *Fehler*: big, bad, *Hitze*, *Kälte*: intense: ***Friedrich der ≈e*** Frederick the Great; ***≈-München*** Greater Munich; ***e-e größere Sache*** a major affair; ***~e Worte*** big words; ***~ angelegt*** large-scale; ***≈es leisten*** achieve great things; → ***Ferien, Geld, Los*** 1, ***Welt*** **6.** (*~artig*) great, grand: F ***ganz ~*** super, terrific; ***in etw ~ sein*** be great at (doing) s.th.; ***ich bin kein ~er Tänzer*** I'm no great dancer **7.** ***im ≈en*** on a large scale, WIRTSCH wholesale, in bulk; ***im ≈en und Ganzen*** on the whole, by and large **II** *Adv* **8.** F ***etw ~ feiern*** celebrate s.th. in great style; ***~ in Mode sein*** be all the rage
Großabnehmer(in) WIRTSCH bulk purchaser
Großaktionär(in) major shareholder
Großangriff *m* MIL large-scale attack
großartig *Adj* grand, great, marvel(l)ous, (*prächtig*) splendid, magnificent, (*toll*) *a.* fantastic
Großaufnahme *f* FILM close-up

Großauftrag *m* WIRTSCH large (*od* big) order
Großbank *f* big (*od* major) bank
Großbetrieb *m* large-scale enterprise
Großbritannien *n* Great Britain; → *Info bei* ***Britain***
Großbuchstabe *m* capital (letter)
Größe *f* **1.** *allg* size (*a. Kleider*≈ *etc*), (*Körper*≈) height, (*Flächeninhalt*) dimensions *Pl*, area: ***welche ~ haben Sie?*** what size do you take? **2.** MATHE, PHYS quantity, ASTR magnitude **3.** *fig* (*Ausmaß*) extent, (*Bedeutung*) greatness **4.** F *fig* (*Person*) great figure, celebrity, authority, FILM, SPORT *etc* star
Großeinkauf *m* WIRTSCH bulk purchase
Großeinsatz *m* large-scale operation
Großeltern *Pl* grandparents *Pl*
Großenkel(in) *etc* → ***Urenkel*** *etc*
Größenordnung *f* **1.** ASTR *etc* order (of magnitude) **2.** *fig* scale: ***dieser ~*** of this order
großenteils *Adv* mostly, largely
Größenverhältnisse *Pl* proportions *Pl*, dimensions *Pl*
Größenwahn *m* megalomania
größenwahnsinnig *Adj* megalomaniac
Großfahndung *f* dragnet operation
Großfamilie *f* extended family
Großfeuer *n* big blaze, four-alarm fire
Großflughafen *m* major airport
Großformat *n* large size
Großfürst(in) grand duke (duchess)
Großgrundbesitz *m* large land holdings *Pl*, large estates *Pl*
Großgrundbesitzer(in) big landowner
Großhandel *m* wholesale trade: ***im ~*** wholesale **Großhandels...** wholesale
Großhändler(in) wholesaler
Großhandlung *f* wholesale firm
großherzig → ***großmütig***
Großherzog(in) grand duke (duchess)
Großhirn *n* ANAT cerebrum
Großindustrie *f* big industry
Großindustrielle *m, f* big industrialist
Grossist(in) wholesaler
großjährig → ***volljährig***
Großkapitalist(in) big capitalist
Groß|kauffrau *f*, **~kaufmann** *m* big merchant
Großkonzern *m* big concern
großkotzig *Adj* F (*protzig*) flash, (*angeberisch*) show-off(ish), arrogant
Großküche *f* canteen kitchen
Groß|kunde *m*, **~kundin** *f* big client
Großkundgebung *f* mass rally
Großmacht *f* super power
Großmarkt *m* hypermarket
Großmaul *n* F bigmouth
Großmut *f* magnanimity, generosity
großmütig *Adj* magnanimous, generous
Großmutter *f* grandmother **Großneffe** *m* grandnephew **Großnichte** *f* grandniece **Großonkel** *m* great-uncle
Großprojekt *n* large-scale project
Großraum *m* ***der ~ München*** Greater Munich **~büro** *n* open-plan office **~flugzeug** *n* wide-bodied jet
Großrechner *m* mainframe computer
Großreinemachen *n* thorough housecleaning
großschreiben *v/t* capitalize
Großschreibung *f* capitalization
großsprecherisch *Adj* boastful
großspurig *Adj* arrogant
Großstadt *f* big city
Großstädter(in) city-dweller
großstädtisch *Adj* of a big city, urban
Großtante *f* great-aunt
Großtat *f* great feat
Großteil *m* large part **größtenteils** *Adv* for the most part, mostly
Großtuer(in) boaster, show-off **großtuerisch** *Adj* boastful **großtun** *v/i* talk big: ***~ mit*** brag about, show off with
Großunternehmen *n* large-scale enterprise **Großunternehmer(in)** big industrialist
Großvater *m* grandfather
Großveranstaltung *f* big event, *bes* POL mass rally **Großverdiener(in)** big earner **Großwildjagd** *f* big game hunt(ing)
großziehen *v/t* raise, (*Tier*) rear
großzügig *Adj* **1.** generous (*a. freigebig*), broad-minded **2.** (*geräumig*) spacious **3.** *Planung, Anlage etc*: large--scale
Großzügigkeit *f* **1.** broad-mindedness, generosity **2.** large scale
grotesk *Adj* grotesque
Grotte *f* grotto
Grübchen *n* dimple
Grube *f* pit, BERGB *a.* mine
Grübelei *f* brooding **grübeln** *v/i* (***über*** *Akk* over, on) brood, muse
Grubenarbeiter(in) miner

Grubenunglück *n* mine disaster
grüezi *Interj schweiz.* hello
Gruft *f* tomb, vault, *in Kirchen*: crypt
Grufti *m* F wrinkly
grün *Adj* green (*a. fig u.* POL), *Hering*: fresh: ***~er Salat*** lettuce; F ***~er Junge*** greenhorn; ***die 2en*** POL the Greens, the Green Party; *fig* ***~es Licht geben*** (***bekommen***) give *s.o.* (get) the green light (***für*** for); ***der ~e Punkt*** the symbol for recyclable packaging; ***e-e Entscheidung vom ~en Tisch*** an armchair decision; ***~ vor Neid*** green with envy; ***j-n ~ und blau schlagen*** beat s.o. black and blue; ***auf k-n ~en Zweig kommen*** get nowhere; F ***er ist dir nicht ~*** he has it in for you
Grün *n allg* green (*a. Golf*): ***bei ~, auf ~*** MOT at green; F ***das ist dasselbe in ~*** it's practically the same thing
Grund *m* **1.** (*Boden*) ground, (*Meeres2*, *a. e-s Gefäßes*) bottom (*a. fig*): ***am ~, auf dem ~*** at the bottom; ***auf ~ laufen*** SCHIFF run aground; *fig* ***e-r Sache auf den ~ gehen*** (***kommen***) go (get) to the bottom of s.th. **2.** ***~*** (***und Boden***) land, property: F *fig* ***in ~ und Boden*** *verdammen etc* outright, *sich schämen*: terribly **3.** (*~lage*) basis, foundation(s *Pl*): ***auf ~ von*** (*od Gen*) on the basis (*od* strength) of, (*wegen*) because of; ***von ~ auf*** *verändern etc*: entirely, thoroughly, radically; ***im ~e*** (***genommen***) actually, basically **4.** (*Vernunft2*) reason, (*Ursache*) *a.* cause, (*Beweg2*) *a.* motive: ***aus diesem ~*** for this reason; ***aus persönlichen Gründen*** for personal reasons; ***mit gutem ~*** for good reason, justly; ***allen*** (***k-n***) ***~ haben zu*** *Inf* have every (no) reason to *Inf*; ***ich frage aus e-m bestimmten ~*** I ask for a reason; ***zu ~e → zugrunde***
Grund|anstrich *m* priming coat **~ausbildung** *f* MIL basic training **~bedeutung** *f* primary meaning **~begriff** *m* baic concept, *Pl* fundamentals *Pl* **~besitz** *m* landed property, real estate **~besitzer(in)** landowner **~bestandteil** *m* basic component, element
Grundbuch *n* land register **~amt** *n* land registry **~auszug** *m* extract from the land register
grundehrlich *Adj* thoroughly honest
gründen **I** *v/t* found (*a. e-e Familie*), establish, set up: *fig* ***etw ~ auf*** (*Akk*) base (*od* found) s.th. on **II** *v/refl* ***sich ~ auf*** (*Akk*) *fig* be based on **III** *v/i* ***~ auf*** (*Dat*) rest (*od* be based) on, (*herrühren von*) be due to **Gründer(in)** founder
grundfalsch *Adj* absolutely wrong
Grund|farbe *f* PHYS primary colo(u)r **~fläche** *f* (surface) area, MATHE base, ARCHI floor space **~gebühr** *f* basic rate (*od* charge) **~gedanke** *m* basic idea
Grundgehalt *n* basic salary **Grundgesetz** *n* basic (constitutional) law
grundieren *v/t* ground, TECH prime
Grundierfarbe *f* primer **Grundierung** *f* (*Schicht*) priming coat
Grundkapital *n* initial capital, (*Aktien*) original stock **Grundkenntnisse** *Pl* basic knowledge *Sg* **Grundkurs** *m* UNI basic course
Grundlage *f* foundation, *fig a.* basis: ***jeder ~ entbehren*** be completely unfounded
Grundlagenforschung *f* basic research
grundlegend *Adj* basic(ally *Adv*), fundamental, *Buch etc*: definitive
gründlich *Adj a. fig* thorough: ***~e Arbeit leisten*** make a thorough job of it
Gründlichkeit *f* thoroughness, carefulness
Grundlinie *f* MATHE, SPORT base line
Grundlohn *m* basic wage(s *Pl*)
grundlos **I** *Adj fig* groundless, unfounded **II** *Adv* for no reason (at all)
Grund|mauer *f* foundation wall **~nahrungsmittel** *n*, *mst Pl* basic food(stuff)
Gründonnerstag *m* Maundy Thursday
Grund|prinzip *n* basic principle **~rechnungsart** *f* ***die vier ~en*** the four fundamental operations of arithmetics **~rechte** *Pl* POL basic rights *Pl* **~regel** *f* ground rule **~riss** *m* **1.** ARCHI ground plan **2.** *fig* outline(s *Pl*)
Grundsatz *m* principle: ***es sich zum ~ machen, etw zu tun*** make it a rule to do s.th. **grundsätzlich** **I** *Adj* fundamental **II** *Adv* in principle: ***ich bin ~ dagegen*** I am absolutely against it
Grundschule *f* primary (*od* elementary, *Am a.* grade) school **Grundschüler(in)** primary (*od* elementary) pupil
Grundstein *m* ARCHI foundation stone: *fig* ***den ~ legen zu*** lay the foundations of

Grundsteinlegung *f* laying (of) the foundation stone
Grund|stock *m* basis **~stoff** *m* CHEM element, (*Rohstoff*) raw material **~stoffindustrie** *f* basic industry **~strich** *m beim Schreiben*: downstroke
Grundstück *n* plot (of land), WIRTSCH, JUR property, real estate, (*Bau*≈) *a.* site
Grundstücks|makler(in) (real) estate agent, *Am* realtor **~markt** *m* property market **~preis** *m* land price
Grund|studium *n* UNI basic course **~stufe** *f* PÄD elementary classes *Pl* **~ton** *m* **1.** MUS keynote **2.** (*Farbe*) ground shade **~übel** *n* basic evil (*weit. S.* problem)
Gründung *f* foundation, (*Geschäfts*≈, *Familien*≈ *etc*) setting up
Gründungsvertrag *m* founding treaty
grund|verkehrt *Adj* utterly wrong **~verschieden** *Adj* entirely different
Grundwasser *n* (under)ground water **~spiegel** *m* ground-water level
Grund|wehrdienst *m* basic military service **~wortschatz** *m* basic vocabulary
Grundzahl *f* cardinal number
Grundzug *m* characteristic (feature), *Pl* basics *Pl*, (*Umrisse*) outline(s *Pl*): ***in s-n Grundzügen schildern*** outline
grünen *v/i* be (*od* turn) green
Grünfläche *f* green space, lawn, *e-r Stadt*: park area **Grünfutter** *n* LANDW green fodder **Grüngürtel** *m* green belt
Grünkohl *m* (curly) kale
grünlich *Adj* greenish
Grünschnabel *m* F whippersnapper
Grünspan *m* verdigris
Grünspecht *m* ZOOL green woodpecker
Grünstreifen *m* → ***Mittelstreifen***
grunzen *v/i u. v/t* grunt
Grünzeug *n* F **a)** greens *Pl*, **b)** herbs *Pl*
Gruppe *f allg* group (*a.* WIRTSCH *Konzern*), (*Arbeits*≈) *a.* team, MIL squad
Gruppen|arbeit *f* teamwork **~bild** *n* group photo **~dynamik** *f* group dynamics *Pl* (*a. Sg konstr*) **~reise** *f* group travel **~sex** *m* group sex **~therapie** *f* group therapy
gruppenweise *Adv* in groups
gruppieren I *v/t* group: ***neu ~*** regroup **II** *v/refl* ***sich ~*** form a group (*od* groups) (***um*** [a]round)
Gruppierung *f* **1.** grouping, formation **2.** (*Gruppe*) group(s *Pl*)
Grusel… horror (*film, story, etc*)
gruselig *Adj* creepy, spooky
gruseln *v/t, v/i u. v/unpers* ***es gruselt mir*** (*od* ***mich***), ***mich gruselt*** it gives me the creeps; ***es war zum*** ≈ it was enough to give you the creeps
Gruß *m* greeting(s *Pl*) (***aus*** from), MIL salute: ***viele Grüße*** (*od* ***e-n schönen ~***) ***an …*** give my regards (*herzlicher*: my love) to …; ***mit besten Grüßen, mit freundlichem ~*** Yours sincerely; ***herzliche Grüße*** love, best wishes; → *Info bei* ***compliment***
grüßen I *v/t* greet, *bes* MIL salute, F say hello: F ***grüß dich!*** hello (there)!, hi!; ***~ Sie ihn von mir!*** give my regards (*herzlicher*: my love) to him! **II** *v/i* say good morning (*etc*), say hello, *bes* MIL salute
gschamig *Adj österr.* shy
gucken *v/i* look, peep
Guckloch *n* peephole
Guerillakrieg *m* guerrilla war(fare)
Gugelhupf *m österr., südd.* ring cake
Gulasch *m* GASTR goulash
Gulaschsuppe *f* goulash soup
Gulden *m hist niederländischer*: guilder
Gülle *f schweiz., südd.* liquid manure
gültig *Adj* valid (*a. fig Argument etc*), good (*a. Sport*), (*in Kraft*) effective (***ab, vom*** as from), in force, (*gesetzlich*) legal: ***~ werden*** become valid, *Vertrag etc*: become effective **Gültigkeit** *f* validity, JUR, POL legal force **Gültigkeitsdauer** *f* (period of) validity, *e-s Vertrags*: *mst* term: ***s-e ~ verlieren*** expire
Gummi 1. *m, n* rubber, (*Kleb*≈) gum **2.** *m* F (*Kondom*) rubber **3.** *n* → ***Gummiband* 4.** *m* → ***Radiergummi***
gummiartig *Adj* rubbery
Gummi|ball *m* rubber ball **~band** *n* rubber band, *in Kleidung*: elastic **~bärchen** *n* GASTR jelly baby **~baum** *m* rubber tree, (*Zimmerpflanze*) rubber plant
gummieren *v/t* gum, TECH rubberize
Gummi|handschuh *m* rubber glove **~knüppel** *m* (rubber) truncheon, *Am* club, F billy **~linse** *f* FOTO zoom lens **~paragraph** *m* F elastic clause **~schlauch** *m* **1.** rubber hose **2.** MOT inner tube **~stiefel** *m* wellington (boot), *Am* rubber boot **~strumpf** *m* elastic stocking **~zug** *m* elastic

G

Gunst *f* favo(u)r; ***zu ~en → zugunsten***
günstig *Adj* favo(u)rable (***für*** to), (*passend*) convenient: ***~e Gelegenheit*** opportunity; ***im ~sten Fall*** at best; ***zu ~en Bedingungen*** on easy terms; ***~es Angebot, ~er Kauf*** bargain
Günstling *m* favo(u)rite
Günstlingswirtschaft *f* favo(u)ritism
Gurgel *f* throat, (*Schlund*) gullet
Gurgelmittel *n* gargle
gurgeln *v/i* gargle, *Wasser etc*: gurgle
Gürkchen *n* (*a.* ***saures ~***) gherkin
Gurke *f* **1.** cucumber, (*Essig*♀) gherkin **2.** F *fig* (*Niete*) lemon
Gurkenhobel *m* cucumber slicer
gurren *v/i* coo

G

Gurt *m* belt (*a.* FLUG, MOT, *a. Patronen*♀), (*Halte*♀, *Trage*♀) strap
Gürtel *m* belt (*a. fig Zone*), *fig* (*Polizei*♀, *Absperrung*) cordon: ***den ~ enger schnallen*** *a. fig* tighten one's belt
Gürtel|linie *f* waist(line): ***unter der*** (*od* ***die***) ***~*** *a. fig* below the belt ***~reifen*** *m* MOT radial tyre (*Am* tire) ***~rose*** *f* MED shingles *Pl* ***~schnalle*** *f* belt buckle ***~tasche*** *f* belt bag, bum bag, *bes Am sl* fanny bag ***~tier*** *n* armadillo
Gurtstraffer *m* seatbelt tensioner
Guru *m* guru
GUS *f* (= ***Gemeinschaft Unabhängiger Staaten***) CIS
Guss *m* **1.** TECH (*Gießen*) founding, casting, (*~eisen*) cast iron (*od* metal), (*Produkt*) casting: *fig* (***wie***) ***aus einem ~*** of a piece **2.** (*Wasserstrahl etc*) gush, jet, (*Regen*♀) downpour **3.** (*Zucker*♀ *etc*) icing ***~beton*** *m* cast concrete ***~eisen*** *n* cast iron ***♀eisern*** *Adj* cast-iron ***~form*** *f* mo(u)ld ***~stahl*** *m* cast steel
gut I *Adj allg* good, *Wetter etc*: *a.* fine: ***ganz ~*** quite good, not bad; ***also ~!*** all right (then)!; ***schon ~!*** never mind!; (***es ist***) ***~, dass …, nur ~, dass …*** (it's a) good thing that …; ***auch ~!, es ist ganz ~ so!*** it's just as well!; ***~ werden*** (*gelingen*) turn out well; (***wieder***) ***~ werden*** come right (again), be all right; ***sei*** (***bitte***) ***so ~ und …*** would you be good enough to …; ***in e-r Sache ~ sein*** be good at (doing) s.th.; ***das ist ~ gegen*** (*od* ***für***) ***Erkältungen*** that's good for colds; ***mir ist nicht ~!*** I don't feel (so) well!; ***wozu soll das ~ sein?*** what's that in aid of?; ***er ist immer für e-e Überraschung ~*** he's always good for a surprise; ***lass*** (***mal*** *od* ***es***) ***~ sein!*** that'll do!; ***♀ und Böse*** good and evil; ***im ♀en*** in a friendly way, (*gütlich*) amicably **II** *Adv* well, *aussehen, riechen, schmecken etc*: good: ***er spricht ~ Englisch*** he speaks good English; ***~ aussehend*** good-looking; ***~ bezahlt*** well-paid; ***~ gebaut*** well-built; ***~ gehen*** go (off) well, work out well: ***das kann nicht ~ gehen!*** that's bound to go wrong!; ***wenn alles ~ geht*** if nothing goes wrong; ***mir geht es ~*** I'm (*finanziell*: doing) well (*od* fine); ***~ gelaunt*** in a good mood, F chirpy; ***~ gemeint*** well-meant; ***~ situiert*** well-to-do; ***j-m ~ tun*** do s.o. good; ***~ unterrichtet*** well-informed; ***es ~ haben*** have it good, have a good time; ***du hast es ~!*** you are lucky!; ***es ist ~ möglich, es kann ~ sein*** it may well be; ***es gefällt mir ~*** I (do) like it; ***~ gemacht!*** well done!; ***so ~ wie gewonnen*** as good as won; ***so ~ wie nichts*** hardly anything; ***so ~ wie unmöglich*** practically impossible; ***~ zwei Stunden*** a good two hours; ***~*** (***und gern***) easily; ***ich kann ihn doch nicht ~ fragen*** I can't very well ask him; F ***machs ~!*** **a)** good luck!, **b)** so long!, take care (of yourself)!; → ***Gute, Reise***
Gut *n* **1.** (*Besitz*) good(s *Pl*), property, possession(s *Pl*): *fig* ***das höchste ~*** the greatest good **2.** *mst Pl* **a)** WIRTSCH goods *Pl*, **b)** BAHN goods *Pl*, *Am* freight **3.** (*Land*♀) estate **4.** TECH (*Füll*♀ *etc*) material, stock
Gutachten *n* (expert) opinion **Gutachter(in)** expert, JUR expert witness
gutartig *Adj* **1.** good-natured **2.** MED benign **Gutartigkeit** *f* **1.** good nature **2.** MED benignity
gutbürgerlich *Adj* solid middle-class: ***~e Küche*** good plain cooking
Gutdünken *n* discretion: ***handle nach eigenem ~*** use your own discretion
Gute *n the* good: ***das ~ an der Sache*** the good thing about it; ***~s tun*** do good; ***des ~n zu viel tun*** overdo it; ***das ist des ~n zu viel*** that's too much of a good thing; ***alles ~!*** all the best!, good luck!
Güte *f* **1.** goodness, kindness: ***würden Sie die ~ haben zu*** *Inf* would you be

so kind as to *Inf*; F **(du) *m-e ~!*** good gracious! **2.** WIRTSCH quality: ***erster ~*** **a)** first-class, **b)** *iron* of the first water
Güteklasse *f* WIRTSCH grade, quality
Gutenachtgeschichte *f* bedtime story
Gutenachtkuss *m* goodnight kiss
Güter|bahnhof *m* goods station, *Am* freight depot **~gemeinschaft** *f* JUR community of property **~kraftverkehr** *m* road haulage **~trennung** *f* JUR separation of property **~verkehr** *m* goods (*Am* freight) traffic **~wagen** *m* BAHN (goods) waggon, *Am* freight car **~zug** *m* goods (*Am* freight) train
Gütezeichen *n* mark of quality, *fig a.* hallmark
gutgläubig *Adj* **1.** credulous **2.** acting (*od* done) in good faith, bona fide
Gutgläubigkeit *f* credulity, gullibility
Guthaben *n* credit (balance), (*Konto*) account
gutheißen *v/t* ***etw ~*** approve (of) s.th.
gutherzig *Adj* kind(-hearted)
gütig *Adj* kind (***zu*** to)
gütlich I *Adj* **1.** amicable **II** *Adv* **2.** amicably **3. *sich ~ tun an*** (*Dat*) help o.s. to, take (*od* eat, drink) one's fill of
gutmachen *v/t* make good, (*a. Zeit etc*) make up for, (*Fehler etc*) put right
gutmütig *Adj* good-natured
Gutmütigkeit *f* good nature
Gutsbesitzer(in) (big) landowner
Gutschein *m* coupon, *bes Br* voucher
gutschreiben *v/t* ***j-m etw ~*** credit s.o. with s.th., pass s.th. to s.o.'s credit
Gutschrift *f* **1.** credit (entry *od* item) **2.** (*Gutschein*) credit voucher
Gutschriftanzeige *f* credit note
Guts|haus *n* manor (house) **~herr(in)** lord (lady) of the manor **~hof** *m* estate
Gutsverwalter(in) (landowner's) steward
guttural *Adj* guttural
gutwillig *Adj* willing (to oblige)
Gutwilligkeit *f* willingness
Gymnasialbildung *f* secondary school education **Gymnasiast(in)** grammar-school (*Am* high-school) student
Gymnasium *n etwa* grammar school, *Am* high school

⚠ Gymnasium ≠ gymnasium

Gymnasium	= grammar school, *Am* high school
gymnasium	= Turnhalle

Gymnastik *f* gymnastics *Sg*, (physical) exercises *Pl*, (*Freiübungen*) *a.* callisthenics *Pl* **~anzug** *m* leotard **~ball** *m* exercise ball, plastic ball
gymnastisch *Adj* gymnastic
Gynäkologe *m*, **Gynäkologin** *f* gyn(a)ecologist
Gynäkologie *f* gyn(a)ecology
gynäkologisch *Adj* gyn(a)ecological

H

H, h *n* H, h
ha *Interj* ha, ah
Haar *n a.* BOT hair: ***sich die ~e kämmen*** (F ***machen***) comb (do) one's hair; ***sich die ~e schneiden lassen*** get a haircut; ***sich die ~e raufen*** tear one's hair; *fig* ***aufs ~*** to a T; ***sich aufs ~ gleichen*** be absolutely identical; ***um ein ~*** by a hair's breadth; ***um ein ~ wäre ich überfahren worden*** I just missed being run over, I had a narrow escape; ***er*** **(*es*)** ***ist um kein ~ besser*** he (it) is not a bit better; ***~e spalten*** split hairs; ***ein ~ in der Suppe finden*** find a fly in the ointment; ***sich in die ~e geraten*** quarrel, clash; ***sich in den ~en liegen*** be at loggerheads, be quarrel(l)ing; ***sie hat ~e auf den Zähnen*** she's a tough customer; F ***es hing an e-m ~*** it was touch and go; ***sein Leben hing an e-m ~*** his life hung by a thread; ***das ist bei den ~en herbeigezogen*** that's (pretty) far-fetched; ***ihr wurde kein ~ gekrümmt*** they did not touch a hair on her head; F ***~e lassen müssen*** **a)** not to escape unscathed, **b)** (*Verluste erleiden*) suffer

(heavy) losses; ***kein gutes ~ an j-m lassen*** pull s.o. to pieces; ***ihm standen die ~e zu Berge, ihm sträubten sich die ~e*** it made his hair stand on end; ***lass dir deshalb k-e grauen ~e wachsen!*** don't lose any sleep over it!

Haar|ansatz *m* hairline **~ausfall** *m* loss of hair **~band** *n* headband, (*Schleife*) (hair) ribbon **~bürste** *f* hairbrush

haaren *v/i* **1.** *a.* ***sich ~*** *Tier*: lose its hair **2.** *Pelz etc*: shed (hairs)

Haarentferner *m* hair remover

Haarersatz *m* hairpiece, (*Perücke*) wig

Haaresbreite *f* ***er entging um ~ e-m Unfall*** he escaped an accident by a hair's breadth; ***sie ging nicht um ~ von ihrer Meinung ab*** she didn't budge from her opinion one little bit

Haar|farbe *f* hair colo(u)r **~färbemittel** *n* hair dye **~festiger** *m* setting lotion

Haargarn *n* hair yarn

Haargefäß *n* ANAT capillary (vessel)

Haargel *n* hair gel

haargenau *Adj* precise: F (***stimmt***) ***~!*** dead right!

haarig *Adj* hairy (*a.* F *fig gefährlich, schwierig*) **...haarig** ...-haired

haarklein *Adj* (down) to the last detail

Haarklemme *f* hair clip **Haarkur** *f* hair restorer **haarlos** *Adj* hairless, (*kahl*) bald **Haarmittel** *n* restorer

Haarnadel *f* hairpin

Haarnadelkurve *f* MOT hairpin bend

Haar|netz *n* hairnet, *flüssiges*: hair lacquer **~öl** *n* hair oil **~pflege** *f* hair care **~riss** *m* hairline crack, *in Glasur*: craze

haarscharf I *Adj* very precise, exact **II** *Adv* by a hair's breadth: ***der Wagen fuhr ~ an uns vorbei*** the car missed us by an inch

Haar|schleife *f* (hair) ribbon, bow **~schnitt** *m* haircut

Haarspalterei *f* splitting hairs: ***~ treiben*** split hairs

Haarspange *f* (hair) slide, *Am* barrette

Haarspitzen *Pl* hair tips *Pl*

Haarspliss *m* split ends *Pl*

Haarspray *m, n* hairspray

Haarsträhne *f* strand of hair

haarsträubend *Adj* hair-raising

Haar|teil *n* hairpiece **~trockner** *m* hairdrier **~wäsche** *f*, **~waschen** *n* shampoo **~waschmittel** *n* shampoo

Haarwasser *n* hair tonic

Haarwuchs *m* growth of (the) hair, (*Haare*) hair **~mittel** *n* hair restorer

Haarwurzeln *Pl* roots *Pl* of one's hair

Hab *n* (***all sein***) ***~ und Gut*** all one's possessions *Pl*

Habe *f* possessions *Pl*, belongings *Pl*

haben I *v/t* have (got), (*besitzen*) *a.* own, possess: ***etw ~ wollen*** want (to have) s.th.; ***er will es so ~*** that's the way he wants it; ***du kannst es ~!*** you may have it!, *gern*: you're welcome to it!; (***noch***) ***zu ~ sein*** *Ware*: be (still) available; F ***sie ist noch zu ~*** she's still to be had; ***was hast du?*** what's wrong?; F ***er hat es im Hals*** he has a bad throat; ***wir ~ schönes Wetter*** the weather is fine (here); ***wir ~ Winter!*** it's winter!; *Dialekt* ***es hat viel Schnee*** there's a lot of snow; ***welche Farbe hat das Kleid?*** what colo(u)r is the dress?; ***da hast dus!*** there you are!, *fig a.* I told you so!; ***das hätten wir!*** well, that's that!; F ***und damit hat sichs!*** and that's final!; F ***er hats ja!*** he can (well) afford it!; ***woher hast du das?*** where did you get that from?, (*Nachricht*) who told you?; ***was hast du gegen ihn?*** what have you got against him?; ***was habe ich davon?*** **a**) what do I get out of it?, **b**) ***wenn ...?*** what's the good if ...?; ***ich habe nicht viel davon gehabt*** I didn't get much out of it; ***das hast du nun davon!*** there (you are)!; F ***ich habs!*** (I've) got it!; ***das werden wir gleich ~!*** (that's) no problem!; ***wie gehabt*** as had, same as ever; F ***sie ~ etw miteinander*** they are lovers; ***die Prüfung hatte es in sich*** the exam was pretty tough; ***er hat etw Überspanntes*** there's s.th. eccentric about him; ***das hat er so an sich*** that's the way he is; ***er hat viel von s-m Vater*** he takes after his father; ***ich habe viel zu erzählen*** I have a lot to tell; ***dafür bin ich nicht zu ~!*** count me out!; ***hab dich nicht so!*** don't make a fuss!, (*führ dich nicht so auf*) don't take on so! **II** *v/hilf* have: ***hast du ihn gesehen?*** have you seen him?; ***du hättest es mir sagen sollen!*** you should (*od* might) have told me!; ***er hätte es tun können*** he could have done it

Haben *n* WIRTSCH credit: → ***Soll*** 1

Habenichts *m* have-not

H

Habenseite *f* WIRTSCH credit side
Habgier *f* greed **habgierig** *Adj* greedy
habhaft *Adj j-s, e-r Sache* **~ *werden*** get hold of, *e-s Verbrechers*: *a.* catch
Habicht *m* ZOOL hawk
Habilitation *f* university lecturing qualification **habilitieren** *v/refl* ***sich*** **~** qualify to give lectures at a university
Habitat *n* ZOOL habitat
Habseligkeiten *Pl* belongings *Pl*
Habsucht *f* greed
habsüchtig *Adj* greedy
Hachse *f* **1.** ZOOL hock **2.** GASTR knuckles *Pl* **3.** F (*Bein*) leg, *Pl* pins *Pl*
Hackbeil *n* chopper **Hackbraten** *m* meat loaf **Hackbrett** *n* **1.** chopping board **2.** MUS dulcimer
Hacke[1] *f* LANDW hoe, (*Pickel*) pickax(e)
Hacke[2] *f Dialekt* (*Ferse, Absatz*) heel: F ***sich die ~n ablaufen*** run o.s. off one's feet (***nach*** for)
hacken I *v/t* **1.** (*a. v/i*) hack, LANDW *a.* hoe **2.** chop **II** *v/i* **3.** (***nach*** at) pick, peck
Hackepeter *m* GASTR *raw minced meat mixed with onions and spices*
Hacker(in) F COMPUTER hacker
Hack|fleisch *n* minced (*Am* ground) meat: F ***aus dir mache ich ~!*** I'll make mincemeat of you! **~messer** *n* chopper **~ordnung** *f a. fig* pecking order
Häcksel *m, n* LANDW chaff
Hacksteak *n* GASTR beefburger
Hader *m* quarrel, strife, (*Zwietracht*) discord **hadern** *v/i* quarrel (***mit*** with)
Hafen *m* **1.** harbo(u)r, (*Handels*≈) port, (*~anlagen*) dock(s *Pl*): ***in den ~ einlaufen*** put into port **2.** *fig* (***ruhiger***) **~** haven **~anlagen** *Pl* docks *Pl* **~arbeiter(in)** docker **~becken** *n* harbo(u)r basin, (wet) dock **~einfahrt** *f* harbo(u)r entrance **~gebühren** *Pl* harbo(u)r dues *Pl* **~meister(in)** harbo(u)r master **~rundfahrt** *f* boat tour of a harbo(u)r **~stadt** *f* (sea)port **~viertel** *n* dock area, docklands *Pl*
Hafer *m* oats *Pl*: F ***ihn sticht der ~*** he's getting cocky **Haferbrei** *m* porridge **Haferflocken** *Pl* rolled oats *Pl* **Hafergrütze** *f* groats *Pl* **Hafermehl** *n* oatmeal **Haferschleim** *m* gruel
Haff *n* lagoon
Haft *f* **1.** custody: ***in ~*** under arrest, in custody; ***j-n in ~ nehmen*** take s.o. into custody **2.** (*~strafe*) imprisonment
Haftanstalt *f* prison
haftbar *Adj* (***für*** for) responsible, JUR liable: ***j-n ~ machen*** make s.o. liable, hold s.o. responsible
Haftbefehl *m* arrest warrant: ***~ gegen j-n*** warrant for s.o.'s arrest
haften[1] *v/i* (***an*** *Dat* to) (*a.* ***~ bleiben***) cling, stick: *fig* ***im Gedächtnis ~*** stick (in one's mind)
haften[2] *v/i* (***für*** for) be (held) responsible, JUR be liable: ***~ für*** guarantee
Haft|entlassung *f* release (from custody) **~fähigkeit** *f* **1.** adhesive power(s *Pl*) **2.** JUR fitness to undergo detention
Häftling *m* prisoner
Haftnotiz *f* self-stick (removable) note
Haftpflicht *f* (legal) liability
haftpflichtig *Adj* liable (***für*** for)
Haftpflichtversicherung *f* third party (liability) insurance
Haftrichter(in) (committing) magistrate **Haftstrafe** *f* imprisonment
Haftung[1] *f* TECH adhesion
Haftung[2] *f* (legal) liability, (*Bürgschaft*) guarantee: ***beschränkte*** (***persönliche***) **~** limited (personal) liability; ***Gesellschaft mit beschränkter ~*** private limited (liability) company; ***~ übernehmen*** accept liability (***für*** for)
Haftvermögen *n* adhesive power(s *Pl*)
Hagebutte *f* BOT rose hip
Hagel *m* **1.** hail **2.** *von Schlägen etc*: hail, shower, *von Schimpfwörtern etc*: volley, torrent **Hagelkorn** *n* hailstone
hager *Adj* gaunt
Hagerkeit *f* gauntness
haha *Interj* ha ha
Häher *m* ZOOL jay
Hahn *m* **1.** ZOOL cock, (*Haus*≈) *a.* rooster: F ***~ im Korb sein*** be cock of the walk; ***es kräht kein ~ danach*** nobody cares (two hoots) about it **2.** (*Wetter*≈) weathercock **3.** (*Wasser*≈) tap, *Am* faucet, (*Fass*≈) spigot **4.** (*Gewehr*≈) hammer
Hähnchen *n* GASTR chicken
Hahnen|fuß *m* BOT crowfoot **~kamm** *m a.* BOT cockscomb **~kampf** *m* cockfight
Hai *m*, **Haifisch** *m* shark
Haifischflosse *f* shark fin
Hain *m* grove
Häkchen *n* **1.** small hook **2.** *in e-r Liste*: tick, *Am* check **3.** LING apostrophe

H

Häkelarbeit *f*, **Häkelei** *f* crochet work
häkeln *v/t u. v/i* crochet
Häkelnadel *f* crochet needle
haken *v/t* hook (***an*** *Akk* onto)
Haken *m* **1.** *allg* hook, (*Kleider*~) *a.* peg: ***~ und Öse*** hook and eye; *Boxen*: ***rechter*** (***linker***) ***~*** right (left) hook **2.** → ***Häkchen*** 2 **3.** F *fig* ***der ~ an der Sache*** the snag; ***die Sache hat e-n ~*** there is a catch to it; ***da sitzt der ~*** there's the snag
Hakenkreuz *n* swastika
Hakennase *f* hooked nose
Halali *n* JAGD (***das ~ blasen*** sound the) mort
halb I *Adj* half: ***e-e ~e Stunde*** half an hour; ***~ drei*** half past two; ***~ Deutschland*** half of Germany; MUS ***~e Note*** half note; MUS ***~er Ton*** semitone; ***auf ~er Höhe*** halfway (up); ***die ~e Summe*** half the sum; ***zum ~en Preis*** for half the price, (at) half-price; *fig* ***nur die ~e Wahrheit*** only half the truth; ***e-e ~e Sache*** a half-measure; ***er macht k-e ~en Sachen*** he doesn't do things by halves; ***nichts ~es und nichts Ganzes*** neither one thing nor the other; ***mit ~em Herzen*** → ***halbherzig***; ***j-m auf ~em Wege entgegenkommen*** *bes fig* meet s.o. halfway; ***sich auf ~em Wege einigen*** split the difference **II** *Adv* half, (*fast*) almost: ***~ so viel*** half as much; ***~ und ~*** half and half, (*zum Teil*) partly; F (***mit j-m***) ***~e-~e machen*** → ***halbpart***; ***es ist ~ so schlimm*** it's not as bad as all that; ***~ fertig*** half-finished, WIRTSCH semifinished; GASTR ***~ gar*** underdone, rare; SPORT ***~ links*** inside left; SPORT ***~ rechts*** inside right; ***~ nackt*** half naked; *a.* LING ***~ offen*** half-open; ***~ tot*** half-dead; *a. fig* ***~ verdaut*** undigested; ***~ verfault*** rotting; ***~ verhungert*** starving; ***~ wach*** half-awake, dozing; ***~ lachend, ~ weinend*** half laughing, half crying; ***~ wünschte er, dass …*** he half wished that …; ***das ist ja ~ geschenkt*** that's a giveaway; ***damit war die Sache ~ gewonnen*** that was half the battle
halbamtlich *Adj* semiofficial
Halb|bildung *f* superficial knowledge **~bitter** *Adj* plain (*chocolate*) **~blut** *n* **1.** (*Person*) half-caste **2.** (*Pferd*) half-breed
Halbblut…, **Halbblüter** *m*, **halbblütig** *Adj* ZOOL half-breed
Halbbruder *m* half brother
halbdunkel *Adj* dusky, *Raum*: dimly-lit
Halbdunkel *n* semidarkness, twilight
Halbe *m, f, n* pint (of beer)
Halbedelstein *m* semiprecious stone
…halben, …halber *in Zssgn* (*wegen*) on account of, due to, (*um … willen*) for the sake of, (*zwecks*) for
Halbfabrikat *n* semifinished product
halbfett *Adj* **1.** BUCHDRUCK (*Adv* in) semibold **2.** *Käse etc*: medium-fat
Halbfinale *n* SPORT semifinal
Halbformat *n* FOTO half-frame
halbgebildet *Adj* semiliterate
Halbgott *m* demigod **Halbgöttin** *f* demigodess
Halbheit *f* half measure
halbherzig *Adj* half-hearted(ly *Adv*)
halbhoch *Adj* medium-high, *Sport etc*: shoulder-high
halbieren *v/t* halve, divide (*od* cut) in half, MATHE bisect
Halbinsel *f* peninsula
Halbjahr *n* half-year, (period of) six months *Pl* **Halbjahr(e)s…** half-yearly, six-month … **halbjährig** *Adj Dauer*: half-yearly, six-month …, of six months, *Alter*: six-month-old **halbjährlich** *Adj u. Adv* half-yearly, semiannual(ly), *Adv a.* every six months
Halbkreis *m* semicircle
Halbkugel *f a.* GEOG hemisphere
halblang *Adj* medium-length, *Rock, Hose etc*: knee-length, LING *Laut*: half-long: F ***mach mal ~!*** draw it mild!
halblaut I *Adj* low **II** *Adv* in an undertone
Halbleder *n* half-leather: ***in ~ gebunden*** half-bound **halbleinen** *Adj* half-linen **Halbleinen** *n* half-linen (cloth): ***in ~ gebunden*** half-cloth **Halbleiter** *m* ELEK semiconductor **Halblinke** *m, f* SPORT inside left
halbmast *Adv* (***auf ~*** at) half-mast
Halbmesser *m* radius
Halbmittelgewicht(ler *m*) *n Boxen etc*: light middleweight
Halbmond *m* half moon, (*a. Symbol*) crescent: ***wir haben ~*** there's a half moon
halbmondförmig *Adj* crescent-shaped
halboffiziell *Adj* semiofficial
halbpart *Adv* F (***mit j-m***) ***~ machen*** go

halves (F fifty-fifty) with s.o.
Halbpension *f* half-board **Halbprofil** *n* semiprofile **Halbrechte** *m, f* SPORT inside right
Halbrelief *n* half relief, mezzo-relievo
halbrund *Adj* semicircular
Halbrund *n* semicircle
Halbschlaf *m* doze **Halbschuh** *m* (low) shoe **Halbschwergewicht(ler** *m*) *n* *Boxen etc*: light heavyweight **Halbschwester** *f* half sister **halbseiden** *Adj* **1.** half-silk **2.** *pej* (*a.* ***~es Milieu***) demimonde **halbseitig** *Adj* **1.** BUCHDRUCK half-page **2.** MED unilateral: ***~e Lähmung*** hemiplegia **Halbstarke** *m, f* F yobbo **Halbstiefel** *m* ankle boot
halbstündig *Adj* half-hour **halbstündlich** *Adj u. Adv* half-hourly, *Adv a.* every half-hour **halbtägig** *Adj* half a day's, half-day **halbtags** *Adv* ***~ arbeiten*** work part-time
Halbtags... half-day, part-time (*job etc*) **~kraft** *f* part-time worker, part-timer
Halbton *m* **1.** MUS semitone **2.** FOTO, BUCHDRUCK half-tone
Halbvokal *m* LING semivowel
Halbwahrheit *f* half-truth
Halbwaise *f* half-orphan
halbwegs *Adv* (just) a bit (*better etc*), (*leidlich*) tolerably, F so-so
Halbwelt *f* demimonde
Halbwert(s)zeit *f* PHYS half-life
Halbwissen *n* superficial knowledge
Halbwüchsige *m, f* adolescent, teenager
Halbzeit *f* **1.** half(-time): ***erste*** (***zweite***) ***~*** first (second) half **2.** → **~pause** *f* half-time **~stand** *m* half-time score
Halde *f* **1.** (*Schutt*≈) dump, (*Schlacken*≈) slag heap, (*Kohlen*≈) coal stocks *Pl* **2.** WIRTSCH (surplus) stocks *Pl*: ***auf ~ legen*** stockpile; ***auf ~ liegen*** be (excessively) stockpiled
Halfpipe *f* SPORT halfpipe
Hälfte *f* half: ***die ~ der Leute*** (***Zeit***) half the people (time); ***um die ~ teurer sein*** cost half as much again; ***Kinder zahlen die ~*** children pay half(-price); ***zur ~*** half (of it *od* them); F ***m-e bessere ~*** my better half
Halfter *n* **1.** *a. m* (*Zaum*) halter **2.** *a. f* (pistol) holster
Hall *m* sound, (*Wider*≈) echo
Halle *f* **1.** hall, (*Vor*≈) *a.* entrance hall, (*Hotel*≈) foyer, lounge **2.** (*Werks*≈) shop, (*Flugzeug*≈) hangar **3.** (*Turn*≈) gymnasium, F gym, (*Tennis*≈) covered court(s *Pl*), (*Schwimm*≈) indoor (swimming) pool: ***in der ~*** indoors
halleluja *Interj*, ≈ *n* hallelujah
hallen *v/i* (***von*** with) reverberate, echo
Hallen... SPORT indoor (*handball, tennis, record, sports, etc*) **~fußball** *m* five-a-side football **~(schwimm)bad** *n* indoor (swimming) pool
hallo *Interj* hello, F hi, *erstaunt*: hey: ***~*** (***, Sie***)***!*** excuse me!, F hey, you!
Hallo *n fig* hullabaloo
Hallodri *m* F scallywag
Halluzination *f* hallucination
halluzinatorisch *Adj* hallucinatory
Halluzinogen I *n* hallucinogen **II** ≈ *Adj* hallucinogenic
Halm *m* blade, (*Getreide*≈) stalk
Halo *m* ASTR, MED halo
Halogen *n* halogen **Halogenbirne** *f* halogen bulb **Halogenlampe** *f* halogen lamp **Halogenlicht** *n* halogen light **Halogenscheinwerfer** *m* MOT halogen headlight
Hals *m allg* neck, (*Kehle, Rachen*) throat: MED ***steifer ~*** stiff neck; ***aus vollem ~(e)*** *schreien etc*: at the top of one's voice, ***lachen*** roar with laughter; ***~ über Kopf*** headlong, (*hastig*) *a.* helter-skelter, *sich verlieben etc*: head over heels; ***bis an den ~*** up to one's neck (*fig a.* ears); ***auf dem*** (*od* ***am***) ***~ haben*** have *s.o., s.th.* on one's back, be stuck with; ***j-m die Polizei*** *etc* ***auf den ~ hetzen*** get the police *etc* onto s.o.; ***sich j-n*** (***etw***) ***vom ~(e) schaffen*** get rid of s.o. (s.th.); ***j-m um den ~ fallen*** fling one's arms round s.o.'s neck; ***sich j-m an den ~ werfen*** throw o.s. at s.o.; ***sich den ~ brechen*** break one's neck; *fig* ***das bricht ihm den ~*** that'll be his undoing; F ***e-r Flasche den ~ brechen*** crack a bottle; F ***er hat es in den falschen ~ bekommen*** he took it the wrong way; F ***es hängt mir zum ~(e) heraus!*** I'm fed up (to the teeth) with it!; ***bleib mir damit vom ~(e)!*** don't bother me with that!; → ***umdrehen, Wasser***
Halsabschneider(in), **halsabschneiderisch** *Adj fig* cutthroat
Halsband *n* **1.** necklace **2.** *Tier*: collar
halsbrecherisch *Adj* breakneck

H

Hals|entzündung *f* MED sore throat **~kette** *f* necklace **~kragen** *m a.* ZOOL collar
Hals-Nasen-Ohren|-Arzt *m*, **~-Ärztin** *f* ear, nose and throat specialist
Halsschlagader *f* carotid (artery)
Halsschmerzen *Pl* **~ *haben*** have a sore throat
halsstarrig *Adj* stubborn
Halstuch *n* neckerchief, (*Schal*) scarf
Hals- und Beinbruch! F break a leg!
Halsweh *n* → ***Halsschmerzen***
Halswirbel *m* ANAT cervical vertebra
halt[1] *Interj* stop, *bes* MIL halt, (*warte*) wait (a minute), (*es genügt*) that'll do
halt[2] *Adv* → ***eben*** 5
Halt *m* **1.** hold, *für die Füße*: *a.* foothold, (*Stütze*, *a. fig*) support **2.** *fig* (moral) stability **3.** (*Anhalten*) stop: ***ohne ~*** nonstop; *j-m*, *e-r Sache* **~ *gebieten*** call a halt to, stop; **~ *machen*** (make a) stop: *fig* ***vor nichts ~ machen*** stop at nothing
haltbar *Adj* **1.** *Material*: durable, hard--wearing, TECH *a.* wear-resistant, *Farbe*: fast **2.** *Lebensmittel*: not perishable: ***begrenzt ~*** perishable; **~ *sein*** keep (well); **~ *machen*** preserve; **~ *bis …*** to be used before … **3.** SPORT stoppable (*shot*) **4.** *fig Theorie etc*: tenable
Haltbarkeit *f* **1.** durability, TECH *a.* (long *etc*) service life, WIRTSCH shelf life, *von Farben*: fastness **2.** *von Lebensmitteln*: keeping quality: ***von geringer ~*** perishable **3.** *fig e-r Theorie etc*: tenability
Haltbarkeitsdatum *n* sell-by date
Haltegriff *m* strap
Haltelinie *f* MOT stop line
halten I *v/t* **1.** (*fest~*) hold, (*stützen*) hold (up), support: ***er hielt ihr den Mantel*** he held her coat for her; → ***Stellung*** 1 **2.** (*in e-m Zustand ~*) keep: ***sauber*** (***trocken, warm***) **~** keep clean (dry, warm); → ***Ordnung*** **3.** (*ab~*) *allg* hold, (*Hochzeit*, *Messe*) *a.* celebrate, (*Mahlzeit*, *Schläfchen etc*) take, have **4.** (*beibe~*, *ein~*) keep, (*Preise*, *Geschwindigkeit etc*) hold (*a.* MUS *Ton*), maintain: → ***Versprechen, Wort*** 3 **5.** SPORT (*Schuss*) stop, block, *Torwart*: save, (*Rekord*) hold **6.** (*ent~*, *fassen*) hold, contain **7.** (*Rede etc*) make, deliver, (*Vortrag etc*) give: → ***Vorlesung*** **8.** (*auf~*, *an~*) hold back, stop, keep: ***er war nicht zu ~*** there was no holding him; ***mich hält hier nichts mehr*** there is nothing holding me here any more; ***haltet den Dieb!*** stop thief! **9. *sich*** (*ein Auto*, *e-n Hund*, *Personal etc*) **~** keep, (*e-e Zeitung*) take **10.** (*behandeln*) treat: ***er hielt s-e Kinder sehr streng*** he was very strict with his children **11. ~ *für*** (*irrtümlich*: mis)take *s.o.*, *s.th.* for, consider *s.o.*, *s.th.* (to be); ***ich halte es für ratsam*** I think it advisable; ***man sollte es nicht für möglich ~, aber …*** you wouldn't believe it but …; ***wofür ~ Sie mich*** (***eigentlich***)***?*** who do you think I am?; ***für wie alt hältst du ihn?*** how old do you think he is? **12. *viel ~ von*** think highly (*stärker*: the world) of; ***nicht viel ~ von*** not to think much of; ***er hält nichts vom Sparen*** he doesn't believe in saving; ***was ~ Sie von … ?*** **a**) what do you think of …?, **b**) ***e-r Tasse Tee*** *etc? a.* how about a cup of tea *etc?* **13.** (*handhaben*) do, handle: ***wie hältst du es mit … ?*** what do you usually do about …?; ***das kannst du ~, wie du willst!*** please yourself! **14. *etw auf sich ~*** → 21 **II** *v/i* **15.** hold (*a. fig Wetter*), (*haltbar sein*) last, *Lebensmittel*, *Blumen etc*: keep **16.** (*an~*) stop, MOT *a.* draw up, pull up **17.** *Torwart*: save **18.** *fig* ***an sich ~*** restrain o.s., control o.s **19. ~ *auf*** (*Akk*) pay attention to, (*Wert legen auf*) set great store by, (*bestehen auf*) insist on **20. ~ *auf*** (*Akk*) **a**) SCHIFF *a.* **~ *nach*** head for, **b**) (*zielen*) aim at; ***nach Süden ~*** be heading south; ***mehr nach links ~*** keep (aim) more to the left **21. *auf sich ~*** **a**) be particular about one's appearance, **b**) be self-respecting **22. *zu j-m ~*** stand by s.o., F stick to s.o., (*Partei nehmen*) side with s.o. **III** *v/refl* ***sich ~*** **23.** (*fest~*) hold on (***an*** *Dat* to): *fig* ***sich ~ an*** (*Akk*) (*Tatsachen*, *Vorschriften etc*) keep to, F stick to; ***sich an j-n ~*** rely on s.o., *wegen Schadenersatz*: hold s.o. liable **24.** *Material etc*: wear well, last long, *Lebensmittel*, *Blumen etc*: keep, *Wetter*: hold: F ***sie hat sich gut gehalten*** she is well-preserved **25. *sich ~ für*** think (*od* consider) o.s. (to be); ***sie hält sich für etw Besonderes*** she thinks she's s.th. special **26. *sich aufrecht ~*** hold (*od* carry)

o.s. upright; ***ich kann mich kaum noch auf den Beinen ~*** I'm ready to drop **27.** (*bleiben*) keep, stay: ***du musst dich warm ~*** you must keep warm; ***halte dich mehr links*** keep more to the left; ***sich an der Spitze ~*** stay at the top; ***er hat sich bei der Firma nicht lange gehalten*** he didn't last long with the firm **IV** ♀ *n* **28.** MOT ***zum ♀ bringen*** stop, bring *s.th.* to a standstill; *fig* ***da gab es kein ♀ mehr*** there was no holding them (*etc*) **29.** → ***Haltung*** 3

Haltepunkt *m* stop

Halter *m* TECH holder, (*Griff*) handle, (*Stütze*) rest

Halter(in) JUR owner

Halterung *f* TECH holding device

Halte|schild *n* stop sign **~signal** *n* stop signal **~stelle** *f* stop **~verbot** *n* no stopping (zone) **~verbotsschild** *n* no stopping sign

haltlos *Adj* **1.** *Charakter, Mensch*: unstable, weak **2.** *Theorie etc*: untenable, (*unbegründet*) unfounded

Haltlosigkeit *f* **1.** weakness, instability **2.** untenableness, unfoundedness

haltmachen → ***Halt*** 3

Haltung *f* **1.** (*Körper♀*) posture, (*Stellung, a. Sport*) position, (*Pose*) pose: MIL ***~ annehmen*** stand to attention **2.** *fig* (*Benehmen*) deportment, behavio(u)r, (*Einstellung*) attitude (***gegenüber*** towards), (*Fassung*) composure: ***politische ~*** political outlook (*od* views *Pl*); ***~ bewahren*** **a)** control o.s., **b)** *a.* ***~ zeigen*** bear up well **3.** *e-s Tieres etc*: keeping

Haltungsschaden *m* MED damaged posture

Halunke *m* scoundrel

Hamburger I *m* **1.** *a* **Hamburgerin** *f* Hamburger **2.** GASTR hamburger **II** *Adj* **3.** (of) Hamburg

Häme *f* F sneers *Pl*, snide remarks *Pl*: ***voller ~*** *sagen etc*: sneeringly

hämisch *Adj* malicious, sneering

Hammel *m* **1.** ZOOL wether **2.** GASTR mutton **3.** F *fig* idiot **~braten** *m* roast mutton **~fleisch** *n* mutton **~keule** *f* leg of mutton

Hammelsprung *m* PARL division

Hammer *m* **1.** hammer (*a.* MUS, *Sport u. Auktion*), (*Holz♀*) mallet, PARL *etc* gavel: ***~ und Sichel*** hammer and sickle; ***unter den ~ kommen*** come under the hammer **2.** F *fig* (*Schlag etc, tolle Sache*) whammy: ***das ist ein ~!*** (*unerhört*) that beats everything!

Hammerklavier *n* piano(forte)

hämmern I *v/i* **1.** hammer, *fig Herz, Puls*: *a.* pound **2.** ***~ auf*** (*Akk*), ***~ gegen*** hammer away at, pound (at) **II** *v/t* **3.** hammer, beat, (*schmieden*) forge

Hammer|werfen *n* SPORT hammer throwing **~werfer(in)** hammer thrower

Hämoglobin *n* h(a)emoglobin

Hämophile *m* MED h(a)emophiliac

Hämorr(ho)iden *Pl* MED h(a)emorrhoids *Pl*, F piles *Pl*

Hampelmann *m* **1.** jumping Jack **2.** F *fig* fidget, (*Kasper*) clown

Hamster *m* ZOOL hamster

Hamsterkäufe *Pl* panic buying *Sg*

hamstern *v/t u. v/i* hoard

Hand *f* hand (*a ~schrift, Kartenspiel*): ***j-m die ~ geben*** (*od* ***reichen, schütteln***) shake hands with s.o.; ***~ in ~ gehen*** walk (*fig* go) hand in hand (***mit*** with); ***Hände hoch*** (***weg***)***!*** hands up (off)!; *Fußball*: ***~!*** hands!; *fig* ***die öffentliche ~*** the public authorities *Pl*, the State; ***j-s rechte ~*** s.o.'s right-hand man; ***an ~ von*** (*od Gen*) by means of, on the basis of; ***aus erster*** (***zweiter***) ***~*** *kaufen, wissen etc*: firsthand (secondhand); ***bei der ~, zur ~*** at hand, handy; ***mit der ~, von ~*** *machen etc*: by hand; ***unter der ~*** secretly, on the quiet; ***etw unter der ~ verkaufen*** sell s.th. privately; ***zu Händen*** *auf Brief*: c/o (= care of), VERW Attention *Mr. Smith*; ***mit leeren Händen abziehen*** go away empty-handed; (***mit***) ***~ anlegen*** lend a hand; ***etw in die Hände bekommen*** get hold of s.th.; ***j-m in die Hände fallen*** fall into s.o.'s hands; ***j-m etw an die ~ geben*** furnish s.o. with s.th.; ***aus der ~ geben*** part with; ***j-n in der ~ haben*** have s.o. in one's grip (F over a barrel); ***~ und Fuß haben*** make sense; ***j-m freie ~ lassen*** give s.o. a free hand; ***von der ~ in den Mund leben*** live from hand to mouth; ***letzte ~ an etw legen*** put the finishing touches to s.th.; *fig* ***die Hände in den Schoß legen*** twiddle one's thumbs; ***aus der ~ legen*** lay aside; ***s-e ~ ins Feuer legen für*** put one's hand into the fire for; ***es liegt in s-r***

H

~ it's up to him; ***es liegt klar auf der ~*** it's obvious; *fig* ***etw in die ~ nehmen*** take charge of s.th.; ***j-m (etw) in die Hände spielen*** play (s.th.) into s.o.'s hands; *a. fig* ***~ voll*** handful; ***alle Hände voll zu tun haben*** have one's hands full; ***in andere Hände übergehen*** change hands; ***das war von langer ~ vorbereitet*** that was carefully planned long beforehand; ***e-e ~ wäscht die andere*** you scratch my back and I'll scratch yours; ***sich mit Händen und Füßen (gegen etw) wehren*** fight (s.th.) tooth and nail; ***von der ~ weisen*** dismiss; ***es lässt sich nicht von der ~ weisen, dass ...*** it can't be denied that ...; ***mit beiden Händen zugreifen*** jump at the chance

Hand|arbeit *f* **1.** (*Ggs. Kopfarbeit*) manual work **2.** (*Ggs. Maschinenarbeit*) handiwork, handicraft, (*Erzeugnis*) handmade article: ***diese Vase ist ~*** this vase is handmade **3.** *a.* PÄD needlework **~arbeiter(in)** manual worker **~aufheben** *n* PARL ***durch ~*** by a show of hands **~ball** *m* (European) handball, *Am* team handball **~ballen** *m* ANAT ball of the thumb

Handballer(in) F, **Handballspieler(in)** handball player

handbetätigt *Adj* TECH hand-operated, manual **Handbetrieb** *m* manual operation: ***mit ~*** → ***handbetätigt***

Hand|bewegung *f* gesture: ***j-n durch e-e ~ auffordern zu*** *Inf* motion s.o. to *Inf* **~bibliothek** *f* reference library **~bohrer** *m* TECH gimlet **~bohrmaschine** *f* hand drill **≈breit** *Adj* a few inches wide **~breit(e)** *f* hand's breadth **~bremse** *f* handbrake **~buch** *n* manual, handbook, (*Führer*) guide

Händchen *n* ***~ halten*** hold hands

Handcreme *f* hand cream

Händedruck *m* handshake

Handel *m* **1.** commerce, business, (*Handelsverkehr*) trade (***mit*** *etw* in, *j-m* with), *bes Börse*: trading, (*a. illegaler* ~) traffic: ***~ und Gewerbe*** trade and industry; ***im ~*** on the market; ***nicht mehr im ~*** off the market; ***in den ~ bringen (kommen)*** put (be) on the market; ***~ treiben mit* a) *etw*** deal in s.th., **b) *j-m*** trade (*od* do business) with s.o.; ***~ treibend*** trading **2.** (*Geschäft*) (business) transaction, F deal, *fig a.* bargain, (*Tausch≈*) barter

Händel *Pl* quarrel *Sg*, fight *Sg*: ***~ suchen*** (try to) pick a quarrel

handeln I *v/i* **1.** *allg* act, (*Maßnahmen ergreifen*) *a.* take action, (*sich verhalten*) *a.* behave **2.** WIRTSCH trade, do business (***mit j-m*** with s.o.): ***~ mit*** *e-r Ware*: trade (*od* deal, *bes illegal*: traffic) in **3.** (*feilschen*) (***um***) bargain (for), haggle (over): ***er lässt mit sich ~*** he is open to an offer (*weit. S.* a suggestion) **4.** ***~ von*** *Buch, Film etc*: be about, deal with **II** *v/t* **5.** WIRTSCH ***gehandelt werden*** be sold, *an der Börse*: be traded, be listed, *fig Name etc*: be mentioned **III** *v/unpers* **6.** ***es handelt sich um*** it concerns, it is a question of, it is about; ***worum handelt es sich?*** what is it (all) about?, what's the problem?; ***es handelt sich darum, ob*** (*od* ***wer*** *etc*) the question is whether (*od* who *etc*); ***darum handelt es sich (nicht)!*** that's just (not) the point!; ***bei dem Opfer handelt es sich um e-n Ausländer*** the victim is a foreigner **IV ≈** *n* **7.** acting (*etc*): ***gemeinsames (rasches) ≈*** joint (quick) action

Handels|abkommen *n* trade agreement **~attaché** *m* commercial attaché **~bank** *f* merchant bank **~barriere** *f* trade barrier **~bericht** *m* trade (*od* market) report **~beschränkungen** *Pl* trade restrictions *Pl* **~betrieb** *m* commercial enterprise **~bezeichnung** *f* trade name **~beziehungen** *Pl* trade relations *Pl* **~bilanz** *f* (***aktive ~*** surplus, ***passive ~*** adverse) balance of trade **~defizit** *n* trading deficit **≈einig** *Adj* ***~ werden*** come to terms (***mit*** with) **~firma** *f* (commercial) firm **~flotte** *f* merchant fleet **~genossenschaft** *f* traders' cooperative **~gericht** *n* commercial court **~gesellschaft** *f* (trading) company, *Am* (business) corporation: ***offene ~*** general partnership **~gesetzbuch** *n* Commercial Code **~hafen** *m* trading port **~kammer** *f* Chamber of Commerce **~kette** *f* chain (of stores) **~klasse** *f* ***Äpfel der ~ A*** grade one apples **~korrespondenz** *f* commercial correspondence **~kredit** *m* business loan **~krieg** *m* trade war(fare) **~macht** *f* (great) trading nation **~marine** *f* merchant navy **~marke** *f* trade name, brand **~minister(in)** minister of commerce, *Br* Trade Secretary, *Am* Secretary of Commerce **~ministerium** *n* ministry of commerce, *Br* Board of Trade, *Am* Department of Commerce **~name** *m* trade name **~nation** *f* trading nation **~niederlassung** *f* **1.** business establishment **2.** (*Sitz*) registered seat **3.** (*Zweigstelle*) branch **~partner(in)** trading partner **~platz** *m* trading cent/re (*Am* -er) **~politik** *f* trade policy **~rabatt** *m* trade discount **~recht** *n* commercial law **~register** *n* commercial (*od* trade) register: ***ins ~ eintragen (lassen)*** register, *Am* incorporate **~schiff** *n* trading vessel **~schifffahrt** *f* merchant shipping **~schranke** *f* trade barrier **~schule** *f* commercial school **~spanne** *f* trade margin **~sperre** *f* (trade) embargo **~stadt** *f* commercial cent/re (*Am* -er) **&üblich** *Adj* usual in the trade: ***~e Qualität*** commercial quality; ***~e Bezeichnung*** trade name **~verkehr** *m* trade, trading **~vertrag** *m* trade agreement **~vertreter(in)** commercial representative **~vertretung** *f* commercial agency, POL trade mission **~volumen** *n* volume of trade **~ware** *f* commodity: ***~n*** *Pl* merchandise *Sg* **~weg** *m* trade route **~wert** *m* market value **~zweig** *m* line of business

hände|ringend *Adv* imploringly, (*verzweifelt*) despairingly **&schütteln** *n* shaking of hands, handshake **&trockner** *m* hand drier

Handfertigkeit *f* manual skill

handfest *Adj* **1.** sturdy, strong **2.** *fig Skandal, Krach etc*: huge, *Beweis etc*: solid, *Lüge*: whopping

Hand|feuerlöscher *m* fire extinguisher **~feuerwaffe** *f* hand gun, *Pl mst* small arms *Pl* **~fläche** *f* palm **&gearbeitet, &gefertigt** *Adj* handmade **~gelenk** *n* wrist: F ***aus dem ~*** off the cuff, (*mühelos*) just like that **&gemacht** *Adj* handmade **&gemalt** *Adj* handpainted

Handgemenge *n* fray, brawl

Hand|gepäck *n* hand luggage (*Am* baggage), FLUG *a.* cabin luggage (*Am* baggage), carry-on luggage (*Am* baggage) **&geschrieben** *Adj* handwritten **&gestrickt** *Adj* **1.** handknitted **2.** F *pej* home-made **&gewebt** *Adj* **1.** handwoven **2.** → ***handgestrickt*** 2

Handgranate *f* hand grenade

handgreiflich *Adj* **1.** ***er wurde ~*** he got violent, *sexuell*: he started to paw **2.** *fig* (*offensichtlich*) obvious, plain

Handgreiflichkeiten *Pl* violence *Sg*

Handgriff *m* **1.** handle, grip **2.** *fig* movement of the hand, (*Bedienung*) manipulation: ***mit wenigen ~en*** *machen etc*: in no time, (*geschickt*) deftly

Handhabe *f* (*Beweis*) proof, (*Druckmittel*) lever: ***er hat keinerlei ~*** he hasn't got a leg to stand on

handhaben *v/t* **1.** (*Werkzeug etc*) use, manage, handle, (*Maschine*) operate **2.** *fig* handle, deal with, (*anwenden*) apply **Handhabung** *f* handling (*a. fig*), management, use, operation, *fig* (*Anwendung*) application

Handheld *m* handheld (computer)

Handicap *n a. fig* handicap (**für** to)

Hand|kamera *f* hand-held camera **~kante** *f* side of the hand: ***Schlag mit der ~*** → **~kantenschlag** *m* (karate) chop **~karren** *m* handcart **~koffer** *m* small suitcase **~kuss** *m* ***j-m e-n ~ geben*** kiss s.o.'s hand; F *fig* ***mit ~*** gladly

Handlanger(in) odd-job man (woman), *pej* dogsbody, POL *etc* henchman

Händler(in) trader, merchant, dealer: → ***fliegend***

Handlesekunst *f* palmistry

handlich *Adj* handy

Handlichkeit *f* handiness

Handlung *f* **1.** act, action **2.** *e-s Films etc*: action, story, (*Schema*) plot: ***Ort der ~*** scene (of action)

Handlungs|bedarf *m* ***es besteht*** (***kein***) ***~*** this calls (there is no need) for action **~bevollmächtigte** *m, f* (authorized) agent, proxy **&fähig** *Adj* JUR having disposing capacity, *weit. S. Regierung etc*: functioning, *a. Mehrheit*: working **~fähigkeit** *f* JUR legal capacity, *weit. S.* capacity to act **~freiheit** *f* freedom of action: ***j-m ~ geben*** give s.o. a free hand **~gehilfe** *m*, **~gehilfin** *f* (commercial) clerk, (*Verkäufer[in]*) shop assistant **&reich** *Adj* full of action, action-packed **~reisende** *m, f* commercial travel(l)er **~schema** *n* plot **~spielraum** *m* room for manoeuvre (*Am* maneuver) **~vollmacht** *f* limited authority to act and sign **~weise** *f* way of acting, conduct,

(*Vorgehen*) procedure
Handmühle *f* handmill **Handpflege** *f* care of one's hands, manicure
Handpuppe *f* glove puppet
Handreichung *f a. Pl* help
Handrücken *m* back of the hand **Handsäge** *f* hand saw **Handschelle** *f* (*a. j-m* **~n anlegen**) handcuff
Handschlag *m* handshake: ***durch ~ bekräftigen*** shake hands on; F ***er tut k-n ~*** he doesn't lift a finger
Handschrift *f* **1.** handwriting, *a. fig s.o.'s* hand **2.** (*Text*) manuscript
Handschriftendeutung *f* graphology
handschriftlich I *Adj* handwritten **II** *Adv* in writing, *korrigieren etc*: by hand
Handschuh *m* glove (*a. Sport*) **Handschuhfach** *n* MOT glove compartment
Handspiegel *m* hand mirror **Handspiel** *n Fußball*: hands *Sg*
Handstand *m* handstand **Handstandüberschlag** *m* handspring
Handsteuerung *f* manual control
Handstreich *m* coup (de main)
Handtasche *f* handbag, *Am* purse, pocketbook
Handtuch *n* (***das ~ werfen*** *a.* F *fig* throw in the) towel **~halter** *m* towel rack
Handumdrehen *n* ***im ~*** in no time
handverlesen *Adj a. fig* handpicked
Handwaffe *f* small weapon **Handwagen** *m* handcart
Handwaschbecken *n* washbasin
Handwäsche *f* hand wash(ing)
Handwerk *n* trade, (*bes Kunst*~) craft: ***das ~*** (*Berufsstand*) the trade; ***ein ~ lernen*** learn a trade; *fig* ***j-m das ~ legen*** put a stop to s.o.('s game); ***j-m ins ~ pfuschen*** botch at s.o.'s trade; ***er versteht sein ~*** he knows his business (*od* stuff) **Handwerker(in)** (skilled) manual worker, (*bes Kunst*~) craftsman (craftswoman)
handwerklich *Adj* craft ..., craftsman's ...: ***~er Beruf*** skilled trade; ***~es Können*** craftsmanship, skill(s *Pl*)
Handwerks|kammer *f* chamber of handicrafts **~meister(in)** master craftsman (craftswoman) **~zeug** *n* tools *Pl* (*fig a.* of the trade)
Handwurzel *f* ANAT wrist, carpus **~knochen** *m* wristbone, carpal bone
Handy *n* mobile (phone), *Am mst* cellphone

⚠ **Handy**	≠	**handy**
Handy	=	mobile (phone), *Am* cellphone
handy	=	handlich, praktisch

Hand|zeichen *n* **1.** sign **2.** PARL show of hands **~zeichnung** *f* sketch **~zettel** *m* leaflet
hanebüchen *Adj* ridiculous, incredible
Hanf *m* hemp
Hang *m* **1.** (*a. Ski*~) slope **2.** *fig* (***zu***) (natural) inclination (to, for), bent (for), tendency (to), (*Anfälligkeit*) proneness (to)
Hangar *m* hangar
Hänge|backen *Pl* flabby cheeks *Pl* **~bahn** *f* suspension railway **~bauch** *m* (drooping) paunch **~brücke** *f* suspension bridge **~brust** *f*, **~busen** *m* sagging breasts *Pl* **~lampe** *f* hanging lamp
hangeln *v/i Turnen*: climb (*od* travel) hand over hand
Hängematte *f* hammock
hängen I *v/i* **1.** hang (***an*** *der Decke etc* from, ***an*** *e-m Haken etc* on): ***voller*** *Bilder, Früchte etc* **~** be full of; ***über j-m ~*** *a. fig Schicksal etc*: hang over s.o.; *fig* ***die ganze Arbeit hängt an mir*** I am stuck with all the work; → ***Tropf*** **2.** (***an*** *Dat* to) *Schmutz etc*: cling, stick **3.** (*festsitzen*) be stuck, be caught: F *fig* ***woran hängts?*** what's the problem?; ***er hängt in Latein*** he's bad at Latin **4. ~ *an*** (*Dat*) **a)** *am Geld, Leben etc*: love, *a. an e-m Brauch etc*: cling to, **b)** *an j-m*: be fond of, be devoted to; ***~ bleiben*** **a)** (***an*** *Dat*) get (*od* be) caught (by), catch (on, in), get (*od* be) stuck (in): *fig* ***im Gedächtnis ~ bleiben*** stick in one's mind, **b)** (*klemmen*) jam, stick, **c)** *fig* (*aufgehalten werden*) be held up, SPORT be stopped (***an*** *Dat* by); ***~ lassen*** **a)** let *s.th.* hang, (let *s.th.*) dangle, **b)** F (*vergessen*) leave: F *fig* ***j-n ~ lassen*** leave s.o. in the lurch, **c)** ***sich ~ lassen*** let o.s. go **5.** (*schief sein*) be lopsided **II** *v/t* **6. *j-n ~*** hang s.o.; ***gehängt werden*** be hanged **7. *etw ~ an*** (*Akk*) **a)** *die Decke etc*: hand s.th. from, **b)** *die Wand, e-n Haken etc*: hang s.th. on,

c) (*ein~, anhaken*) hook s.th. on to **III** *v/refl* **8.** ***sich ~ an*** (*Akk*) hang on to; F ***sich ans Telefon ~*** get on the phone; ***sich an j-n ~*** cling (*od* stick) to s.o., (*beschatten*) trail s.o., *Laufsport etc*: drop in behind s.o. **IV** ♀ *n* **9.** F ***mit♀ und Würgen*** only just, barely; ***er hat mit ♀ und Würgen die Prüfung bestanden*** he (barely) scraped through

Hänge|ohren *Pl* drooping (*od* floppy) ears *Pl* **~partie** *f Schach*: adjourned game **~pflanze** *f* hanging plant

Hängeschrank *m* wall cabinet

Hansdampf *m* F ***~ in allen Gassen*** jack-of-all-trades

Hanse *f* Hanseatic League

hanseatisch *Adj* Hanseatic

Hänselei *f* teasing, F kidding

hänseln *v/t* tease, F kid

Hansestadt *f* Hanse town

Hanswurst *m pej* clown

Hantel *f* dumbbell

hantieren *v/i* **1.** bustle (*gemütlich*: potter) around **2.** ***~ mit*** work with, handle; ***~ an*** (*Dat*) work on, *pej* fiddle with

hapern *v/unpers* F ***es hapert mit*** (*od* ***bei***) there are problems with; ***es hapert an*** (*Dat*) there isn't (*od* aren't) enough; ***woran hapert es?*** what's the problem?

Häppchen *n* (*Bissen*) morsel, (*Appetit♀*) titbit, (*Brötchen*) canapé

Happen *m* **1.** bite (to eat): ***e-n ~ essen*** have a bite **2.** *fig* (*Beute*) (***ein fetter ~*** a fine) catch

happig *Adj* F *Preis etc*: steep

Happy End *n* happy ending

Härchen *n* little (*od* tiny) hair

Hardcover, **Hard Cover** *n Buch etc*: hard-cover

Hardliner *m* hardliner

Hardware *f* COMPUTER hardware

Harem *m* harem

Harfe *f* MUS harp **Harfenist(in)** harpist

Harke *f* rake: F *fig* ***j-m zeigen, was e-e ~ ist*** show s.o. what's what

harmlos *Adj* harmless

Harmlosigkeit *f* harmlessness

Harmonie *f a. fig* harmony

Harmonielehre *f* MUS harmony

harmonieren *v/i* harmonize (***mit*** with)

harmonisch *Adj* MATHE, MUS harmonic(al), *a. fig* harmonious

harmonisieren *v/t a. fig* harmonize

Harn *m* (*Urin*) urine **Harnblase** *f* ANAT bladder

Harnflasche *f* urinal

Harnisch *m* (suit of) armo(u)r, (*Brust♀*) cuirass

Harn|leiter *m* ANAT ureter **~probe** *f* MED urine sample **~röhre** *f* ANAT urethra **~säure** *f* MED uric acid **♀treibend** *Adj* (*a.* ***~es Mittel***) diuretic **~untersuchung** *f* urinalysis **~wege** *Pl* urinary tract *Sg*

Harpune *f* harpoon

harren *v/i* wait (*Gen od* ***auf*** *Akk* for)

Harsch(schnee) *m* crusted snow

hart I *Adj* **1.** hard (*a. Landung*): ***~es Ei*** hard-boiled egg **2.** *fig allg* hard, (*streng*) *a. Strafe, Kritik etc*: *a.* severe, (*zäh, schwierig*) *a.* tough (*a. Politik, Kurs etc*), SPORT rough (*play, player*), *Schlag, Verlust etc*: heavy, *Worte, Gegensätze, Farben etc*: harsh: ***~e Tatsachen*** hard facts; ***er blieb ~*** he stood firm; ***das war ~!*** that was tough!; ***das war ~ für ihn*** that was hard on him; → ***nehmen, Nuss, Schule*** **3.** *Droge, Getränk, Währung*: hard **II** *Adv* **4.** *allg* hard, (*streng*) *a.* severely; ***~ gefroren*** frozen hard; ***~ gekocht*** hard-boiled; ***~ arbeiten*** work hard; ***es ging ~ auf ~*** it was either do or die; ***wenn es ~ auf ~ geht*** when it comes to the crunch **5.** ***~*** (*dicht, nahe*) ***an*** (*Dat*) hard by, close to; SCHIFF ***~ am Wind*** closehauled

Härte *f* **1.** hardness **2.** *fig* toughness, SPORT roughness, rough play, (*Schärfe*) harshness, severity: JUR (***unbillige ~*** undue) hardship **3.** FOTO contrast

Härtefall *m* case of hardship

härten I *v/t* harden, (*Stahl*) temper **II** *v/i* harden, grow hard

Härtetest *m* endurance test, *fig* acid test

Hartgeld *n* coins *Pl*

hartgesotten *Adj fig* hard-boiled, *Verbrecher etc*: hardened

Hartgummi *n, m* hard rubber

hartherzig *Adj* hard-hearted

Hartkäse *m* hard cheese

hartnäckig *Adj* stubborn (*a. Krankheit*), (*beharrlich*) persistent **Hartnäckigkeit** *f* stubbornness, persistence

Hartplatz *m* hard pitch (*Tennis*: court)

Hartschalenkoffer *m* hard-top case

Härtung *f* hardening, *von Stahl*: *a.* tempering

Hartwurst *f* hard sausage
Harz *n* resin, (*Geigen*&) rosin
harzig *Adj* resinous
Hasardspiel *n* game of chance, *fig* gamble
Hasch *n* F (*Haschisch*) hash
Haschee *n* GASTR hash
haschen[1] **I** *v/t* (***sich* ~** play) catch **II** *v/i* **~ *nach*** snatch at, *fig* seek
haschen[2] *v/i* F smoke hash
Häschen *n* young hare, F bunny
Häscher(in) *pej* catchpole
Hascherl *n Dialekt* ***armes* ~** poor little thing, poor creature
Haschisch *n* hashish
Hase *m* hare: *fig* ***alter* ~** old hand; ***sehen, wie der* ~ *läuft*** see how things develop; ***da liegt der* ~ *im Pfeffer*** that's the real problem; ***mein Name ist* ~** (, ***ich weiß von nichts***)! search me!
Haselnuss *f* **1.** hazelnut **2.** → **Haselnussstrauch** *m* hazelnut (tree)
Hasen|braten *m* roast hare **~fuß** *m* F coward **~klein** *n*, **~pfeffer** *m* GASTR jugged hare **~scharte** *f* MED hare lip
Häsin *f* female hare, doe
Haspel *f* TECH hasp, reel **haspeln** *v/t* **1.** TECH reel, wind **2.** *a. v/i* splutter
Hass *m* (***auf*** *Akk*, ***gegen*** of, for) hatred, hate: ***aus* ~** out of hatred; ***e-n* ~ *haben auf*** (*Akk*) → **hassen** *v/t* hate: → ***Pest***
hasserfüllt *Adj* full of hate, *Blick etc*: venomous
hässlich *Adj* ugly, *fig a.* nasty
Hassliebe *f* love-hate relationship
Hast *f* hurry, *des Lebens*: rush
hasten *v/i* hurry
hastig I *Adj* **1.** hurried, (*voreilig*) rash **2.** (*schlampig*) slapdash **II** *Adv* **3.** hastily, in a hurry: ***nicht so* ~!** just a minute!
hätscheln *v/t* cuddle, *fig* pamper
Haube *f* **1.** bonnet, (*Kapuze*) hood, (*Schwestern*& *etc*) cap, (*Nonnen*&) cornet: *fig* ***unter die* ~ *bringen*** find a husband for **2.** (*Trocken*&) (hair-)drier **3.** *der Vögel*: crest **4.** TECH cover, MOT bonnet, *Am* hood, FLUG cowling
Hauch *m* **1.** breath, (*Luft*&) breath (of wind), (*Duft*&) whiff **2.** LING aspiration **3.** *fig* (*Anflug*) touch **hauchdünn** *Adj* **1.** wafer-thin, *Gewebe, Kleid etc*: flimsy **2.** *fig Chance, Vorsprung etc*: very slim, *Mehrheit etc*: bare: **~*er Sieg*** knife-edge victory **hauchen** *v/i u. v/t* breathe (*a. fig flüstern*), LING aspirate **Hauchlaut** *m* LING aspirate
Haudegen *m* ***alter* ~** F warhorse
Haue[1] *f* (*Hacke*) hoe
Haue[2] *f* F (**~ *kriegen*** get a) spanking
hauen I *v/t* **1.** F (*j-n*) hit, *mit der Hand*: *a.* slap, (*prügeln*) thrash, (*Kind*) *a.* spank: ***sich* ~** fight, scrap; → ***Ohr, Pauke*** **2.** F (*schmeißen*) bang, slam **3.** *Dialekt* (*hacken*) hew, cut, (*Holz*) chop, (*fällen*) chop down **II** *v/i* **4.** hit (out) (***nach*** at)
Hauer *m* ZOOL tusk
Häufchen *n* small heap (*etc*, → ***Haufen***): *fig* ***wie ein* ~ *Unglück*** (*od* ***Elend***) (looking) the picture of misery
Haufen *m* **1.** heap, pile: F ***über den* ~ *rennen*** (***fahren***) knock *s.o., s.th.* down; ***j-n über den* ~ *schießen*** shoot s.o. down; ***über den* ~ *werfen*** **a**) (*Plan etc*) upset, **b**) (*Theorie etc*) explode **2.** F (*große Menge*) loads of, a lot (*od* lots) of: ***er hat e-n* ~ *Freunde*** he has lots (*od* a lot) of friends; ***e-n* ~ *Geld kosten*** (***verdienen***) cost (make) a packet **3.** F (*Schar*) crowd, (*Gruppe*) bunch, MIL outfit **4.** V (*Kot*&) turd
häufen I *v/t* heap up, *fig a.* accumulate: ***gehäuft*** heaped **II** *v/refl* ***sich* ~** *a. fig* accumulate, pile up, *Schulden*: *a.* mount, (*zahlreicher werden*) increase (in number), (*sich ausbreiten*) spread
haufenweise *Adv* F in piles, (*in Massen*) in crowds: ***er hat* ~ *Geld*** he has loads of money
Haufenwolke *f* cumulus (cloud)
häufig I *Adj* frequent, (*verbreitet*) widespread **II** *Adv* frequently, often: **~ *besuchen*** *a.* frequent **Häufigkeit** *f* frequency, (high) incidence
Häuflein *n* → ***Häufchen***
Häufung *f* accumulation, (*Zunahme*) increase, (*Verbreitung*) spreading, (*Wiederholung*) frequent occurrence
Haupt *n a. fig* head: ***etw an* ~ *und Gliedern reformieren*** reform s.th. root and branch
Haupt... main, chief, principal **~abnehmer(in)** biggest buyer (*od* importer) **~abteilungsleiter(in)** (senior) head of department **~aktionär(in)** principal shareholder (*Am* stockholder) **~akzent** *m* primary stress **~altar** *m* high altar **&amtlich** *Adj u. Adv* full-time, *Adv a.* on a full-time basis **~angeklagte** *m, f*

principal defendant **~anschluss** *m* TEL main line **~anteil** *m* principal (*fig* lion's) share **~attraktion** *f* main attraction, highlight **~aufgabe** *f* main duty (*od* work) **~augenmerk** *n* ***sein ~ richten auf*** (*Akk*) give one's special attention to **~ausgang** *m* main exit **~bahnhof** *m* main station **~beruf** *m* main job **2beruflich** *Adj u. Adv* full-time, *Adv a.* as one's main job **~beschäftigung** *f* main job **~bestandteil** *m* main constituent **~betrieb** *m* **1.** WIRTSCH (*Zentrale*) head office, *der Produktion*: central works *Pl* (*a. Sg konstr*) **2.** → **~betriebszeit** *f* WIRTSCH peak hours *Pl*, (*Saison*) main season, *Verkehr*: rush hours *Pl* **~buch** *n* WIRTSCH main ledger **~darsteller(in)** leading actor (actress), lead **~einfahrt** *f*, **~eingang** *m* main entrance **~einkaufszeit** *f* peak shopping hours *Pl*

Häuptelsalat *m österr.* lettuce

Haupt|fach *n* PÄD, UNI main subject, *Am* major: ***als*** (*od* ***im***) ***~ studieren*** study *s.th.* as a main subject, *Am* major in **~fehler** *m* chief mistake, *weit. S.* main fault **~feldwebel** *m* MIL sergeant major, *Am* first sergeant **~figur** *f* central figure, THEAT *etc* main character **~film** *m* feature film **~gang** *m* GASTR main course **~gebäude** *n* main building **~gedanke** *m* main idea **~gericht** *n* GASTR main course **~geschäft** *n* **1.** (*Tätigkeit, Umsatz*) main business **2.** → **~geschäftsstelle** *f* head office, (*Laden*) main store **~geschäftszeit** *f* peak business hours *Pl* **~gesichtspunkt** *m* major consideration **~gewicht** *n fig* main emphasis **~gewinn** *m* first prize **~grund** *m* main reason **~hahn** *m* TECH main tap **~kasse** *f* main cash desk, THEAT box office **~last** *f* main burden: ***die ~ tragen*** bear the brunt (*Gen* of)

Häuptling *m* **1.** chieftain **2.** F boss

Haupt|mahlzeit *f* main meal **~mangel** *m* main fault (*Schwäche*: weakness)

Hauptmann *m* MIL captain

Haupt|masse *f* bulk **~merkmal** *n* chief characteristic **~nahrung** *f* staple (food) **~nenner** *m* MATHE common denominator **~niederlassung** *f* WIRTSCH head office, headquarters *Pl* **~person** *f* most important person, central figure (THEAT *a.* character) **~postamt** *n* main post office **~probe** *f* THEAT dress (MUS general) rehearsal **~quartier** *n* headquarters *Pl* **~reisezeit** *f* peak tourist season

Hauptrolle *f* THEAT *etc* leading role, main part, lead: *fig* ***die ~ spielen*** *Sache*: be all-important, *Person*: be the central figure

Hauptsache *f* main (*od* most important) thing: **~, *du bist da!*** (the) main thing (is), you're here! **hauptsächlich** *Adj u. Adv* main(ly), chief(ly)

Haupt|saison *f* peak season **~satz** *m* LING main clause **~schalter** *m* ELEK master switch **~schlagader** *f* ANAT aorta **~schlüssel** *m* master key **~schuld** *f* ***er trägt die ~ daran*** it's mainly his fault **~schuldige** *m, f* chief culprit, JUR principal **~schule** *f* extended elementary school (*classes 5-9*) **~sendezeit** *f* TV prime time **~sitz** *m* head office, headquarters *Pl*, *weit. S.* principal place of business, base **~speicher** *m* COMPUTER main memory **~stadt** *f* capital (city) **~straße** *f* main street **~studium** *n* PÄD, UNI degree module, (*Fächer*) main subjects *Pl* **~stütze** *f fig* mainstay **~täter(in)** JUR principal (in the first degree) **~teil** *m* main part, *weit. S.* most of it **~thema** *n* main subject **~ton** *m* **1.** LING main stress **2.** MUS keynote **~tor** *n* main gate **~treffer** *m* first prize, F jackpot **~tribüne** *f* grandstand **~unterschied** *m* main difference

Hauptverkehrsstraße *f* main road

Hauptverkehrszeit *f* rush hour

Haupt|versammlung *f* general meeting **~vertreter(in)** general agent **~verwaltung** *f* head office **~waschgang** *m* main wash **~wort** *n* noun **~zeuge** *m*, **~zeugin** *f* chief witness **~ziel** *n* main objective **~zweck** *m* chief purpose

hau ruck *Interj* heave-ho

Haus *n* house (*a.* ASTR, THEAT, *Firma*), (*Gebäude*) building, (*Heim, Familie*) family, (*Geschlecht*) dynasty: PARL ***das*** (***Hohe***) ***~*** the House; ***außer ~*** out, not in; ***im ~*** inside, WIRTSCH on the premises; ***ins ~*** in(doors); *fig* ***ins ~ stehen*** be forthcoming; ***das steht uns noch ins ~*** we are yet in for that; ***j-n nach ~(e) bringen*** take (*od* see) s.o. home; ***nach ~(e) kommen*** come (*od* get) home; ***zu ~(e)*** *a.* SPORT at home;

H

er ist nicht zu ~e *a.* he is not in; ***bei uns zu ~(e)*** where I come from, at home; *fig* ***in e-r Sache zu ~e sein*** be at home in s.th.; ***sich wie zu ~(e) fühlen*** feel at home; ***fühl dich (ganz) wie zu ~e!*** make yourself at home!; *fig* ***von ~(e) aus*** originally, actually; THEAT ***vor vollem ~(e) spielen*** play to a full house; ***aus gutem ~(e) sein*** come from a good family; ***~ halten*** economize: ***~ halten mit*** be economical with; ***mit s-n Kräften ~ halten*** husband one's energies

Haus|angestellte *m, f* domestic (servant) **~antenne** *f* roof aerial (*bes Am* antenna) **~apotheke** *f* medicine cabinet **~arbeit** *f* **1.** housework **2.** *a. Pl* PÄD homework **~arrest** *m* (***j-n unter ~ stellen*** place s.o. under) house arrest **~arzt** *m*, **~ärztin** *f* family doctor, *e-s Kurhotels etc*: resident doctor **~aufgabe(n** *Pl*) *f* (***s-e ~ machen*** *a. fig* do one's) homework **~aufsatz** *m* PÄD essay to be written at home

Haus|ball *m* private dance, house party **~bar** *f* cocktail cabinet, *mit Theke*: bar **~bau** *m* house building **~besetzer(in)** squatter **~besetzung** *f* squatting

Haus|besitzer(in) house owner, (*Vermieter[in]*) landlord (landlady) **~besuch** *m* home visit **~bewohner(in)** occupant, (*Mieter[in]*) tenant **~boot** *n* houseboat **~brand** *m* domestic fuel

Häuschen *n* **1.** small house, cottage: F *fig* (***ganz***) ***aus dem ~ geraten*** get into a flap (***wegen*** about, ***vor*** *Dat* with); ***ganz aus dem ~ sein*** F be wild (***vor*** with) **2.** F (*Abort*) loo, *Am* john

Haus|detektiv(in) store detective **~eigentümer(in)** → ***Hausbesitzer(in)***

hausen *v/i* **1.** (*wohnen*) live **2.** *fig* (***übel***) ~ wreak havoc (***unter*** *Dat* among)

Häuserblock *m* block (of houses)

Häuserflucht *f* row of houses

Haus|flur *m* hall(way) **~frau** *f* housewife **~freund(in)** *iron* (secret) lover **~friedensbruch** *m* illegal entry of *s.o.'s* house, *weit. S.* violation of *s.o.'s* privacy **~gebrauch** *m* ***für den ~*** for use in the home; F *fig* ***für den ~ reichen*** be enough to get by on **~gehilfe** *m*, **~gehilfin** *f* domestic help(er) **²gemacht** *Adj* GASTR *u. fig* home-made **~gemeinschaft** *f* house community, *eng. S.* household

Haushalt *m* **1.** household, (*Heim*) home, (*Haushaltung*) housekeeping: (***j-m***) ***den ~ führen*** run the household (for s.o.); ***j-m im ~ helfen*** help in the house **2.** WIRTSCH, POL budget **3.** BIOL balance **Haushälter(in)** housekeeper

haushälterisch *Adj* economical

Haushalts|... **a)** household (*article etc*), **b)** WIRTSCH, POL budget (*committee, debate, etc*), budgetary (*deficit, policy, etc*) **~geld** *n* housekeeping money **~gerät** *n* household appliance **~jahr** *n* fiscal year **~loch** *n* budget deficit **~mittel** *Pl* budgetary means *Pl*: (***gebilligte***) ~ appropriations *Pl* **~packung** *f* family pack **~plan** *m* PARL budget: ***im ~ vorsehen*** budget for

Haushaltungskosten *Pl* household expenses *Pl* **Haushaltungsvorstand** *m* head of (the) household

Hausherr *m* **1.** head of (the) household **2.** (*Vermieter*) landlord **3.** (*Gastgeber*) host **Hausherrin** *f* **1.** lady of the house **2.** (*Vermieterin*) landlady **3.** (*Gastgeberin*) hostess

haushoch I *Adj* huge (*a.* F *fig*): ***haushoher Sieg*** smashing victory; ***haushohe Niederlage*** crushing defeat **II** *Adv* ***~ gewinnen*** win hands down; ***~ schlagen*** trounce; ***~ verlieren*** get an awful drubbing; ***j-m ~ überlegen sein*** be streets ahead of s.o.

Haushund *m* domestic dog

hausieren *v/i* ***mit etw ~*** (***gehen***) hawk s.th., *a. fig* peddle s.th.

Hausierer(in) hawker, peddler

Hauskatze *f* domestic cat

Hauskleid *n* house frock

Hauslehrer(in) private tutor(ess)

häuslich *Adj* domestic, household, (*Familien...*) family, (*das Zuhause liebend*) homekeeping, domesticated: JUR ***~e Gemeinschaft*** joint household; ***im ~en Kreis*** in the family circle; ***er ist sehr ~*** he's a real housebody; *Adv* ***sich ~ einrichten*** (*od* ***niederlassen***) settle down, *iron* ***bei j-m*** come to stay with s.o.

Häuslichkeit *f* domesticity

Hausmacherart *f* GASTR ***nach ~*** home-made, traditional-style …

Hausmann *m* house husband

Hausmannskost *f* good plain cooking

Haus|marke *f* own brand, (*Wein*) house

wine, F *one's* favo(u)rite brand **~meister(in)** caretaker **~mittel** *n* household remedy **~müll** *m* household waste **~musik** *f* music-making in the home **~nummer** *f* house number **~ordnung** *f* house rules *Pl*

Hausrat *m* household effects *Pl*

Hausratversicherung *f* household contents insurance

Haussammlung *f* door-to-door collection **Hausschlüssel** *m* front-door key **Hausschuh** *m* slipper

Hausse *f Börse*: bull market, boom: ***auf ~ spekulieren*** bull the market **~markt** *m* bull market **~spekulant(in)** bull **~spekulation** *f* bull operation

Haussprechanlage *f* intercom

Haussuchung *f* house search **Haussuchungsbefehl** *m* search warrant

Haus|telefon *n* intercom **~tier** *n* domestic animal, pet **~tür** *f* front door **~verbot** *n* ***j-m ~ erteilen*** order s.o. to stay away (from a house *etc*) **~verwalter(in)** **1.** → ***Hausmeister(in)*** **2.** property manager(ess) **~verwaltung** *f* property management **~wirt** *m* landlord **~wirtin** *f* landlady **~wirtschaft** *f* **1.** housekeeping **2.** → **~wirtschaftslehre** *f* domestic science, *bes Am* home economics *Sg* **~zeitung** *f* house organ **~zelt** *n* frame tent

Haut *f allg* skin (*a. fig*), ANAT, BOT *a.* membrane, *auf der Milch etc*: *a.* film, (*Schale*) *a.* peel, (*Fell*) hide: ***bis auf die ~ durchnässt*** soaked to the skin; F ***mit ~ und Haar*** completely; F ***auf der faulen ~ liegen, sich auf die faule ~ legen*** loaf; ***e-e dicke ~ haben*** *bes fig* have a thick skin; ***mit heiler ~ davonkommen*** come out of it unscathed; ***s-e (eigene) ~ retten*** save one's skin; ***sich s-r ~ wehren*** defend o.s.; ***ich möchte nicht in s-r ~ stecken*** I wouldn't like to be in his shoes; ***er ist nur noch ~ und Knochen*** he's just skin and bones; ***es kann eben k-r aus s-r ~*** a leopard can't change his spots; ***das geht e-m unter die ~*** it gets under your skin

Hautabschürfung *f* (skin) abrasion, graze **Hautarzt** *m*, **Hautärztin** *f* dermatologist

Hautausschlag *m* (skin) rash: ***e-n ~ bekommen*** come out in a rash

Häutchen *n* ANAT, BOT membrane, pellicle, (*a. Nagel*≈) cuticle, *auf Milch etc*: skin

Hautcreme *f* skin cream

häuten I *v/t* skin, flay **II** *v/refl* ***sich ~*** ZOOL shed its skin, *Schlange*: slough off

hauteng *Adj* skin-tight

Hautevolee *f oft iron* upper crust (F)

Hautfarbe *f* colo(u)r (of one's skin), complexion **hautfarben** *Adj* flesh-colo(u)red, skin-colo(u)red

Hautkrankheit *f* skin disease

Hautkrebs *m* MED skin cancer

hautnah *Adj* **1.** *bes* SPORT (very) close **2.** F *fig* (*anschaulich*) vivid, realistic

Hautpflege *f* skin care

Hautpflegemittel *n* skin-care product

Hautpilz *m* MED fungal infection **Hautsalbe** *f* skin ointment **Hautschere** *f* cuticle scissors *Pl* **Hauttransplantation** *f* skin graft(ing)

Häutung *f* ZOOL sloughing

Hautverletzung *f*, **Hautwunde** *f* superficial wound, (skin) lesion

Havarie *f* (*Unfall*) accident, (*Schaden*) damage: SCHIFF ***(große [kleine]) ~*** (general [petty]) average

Haxe *f Dialekt für* ***Hachse***

HD-Diskette *f* HD disquette

he *Interj* hey

Hebamme *f* midwife

Hebebaum *m* TECH heaver **Hebebühne** *f* TECH lifting platform, MOT car lift

Hebel *m* lever: ***den ~ ansetzen*** apply the lever, *fig* tackle it; *fig* ***alle ~ in Bewegung setzen*** move heaven and earth; ***am längeren ~ sitzen*** be in the stronger position; ***an den ~n der Macht sitzen*** be at the controls **Hebelarm** *m* lever arm **Hebelgriff** *m Ringen etc*: lever hold **Hebelkraft** *f*, **Hebelmoment** *n*, **Hebelwirkung** *f* leverage

heben I *v/t* **1.** *allg* lift (*a. Sport*), raise, TECH *a.* hoist: F *fig* ***e-n ~*** have a drink, hoist one **2.** *fig* (*Augen*, *Stimme*, *Niveau*, *Moral etc*) raise, (*Ansehen*, *Wirkung etc*) enhance **3.** *Dialekt* (*halten*) hold **II** *v/refl* ***sich ~*** **4.** *Vorhang etc*: rise, go up, *Nebel*: lift: ***sich ~ und senken*** rise and fall **5.** *fig Stimmung etc*: rise, improve, *Wohlstand*: *a.* increase **III** ≈ *n* **6.** lifting (*etc*), SPORT weight-lifting

Heber *m* **1.** CHEM (*Saug*≈) siphon, (*Stech*≈) pipette **2.** → ***Gewichtheber***

Hebevorrichtung *f*, **Hebezeug** *n* TECH

H

lifting gear, hoist
hebräisch I *Adj*, **II** ≗ *n*, **das** ≗**e** Hebrew
Hebriden *Pl the* Hebrides *Pl*
Hebung *f* **1.** lifting, *a. e-s Wracks, Schatzes etc*: raising **2.** *fig* improvement, rise, (*Erhöhung*) increase, (*Förderung*) promotion **3.** *poet* stress(ed syllable)
hecheln *v/i Hund etc*: pant
Hecht *m* **1.** ZOOL pike: F *fig* ***toller*** ~ some guy; ***er ist*** (***wie***) ***der*** ~ ***im Karpfenteich*** he really stirs things up **2.** F (*Mief*) fug
hechten *v/i Schwimmen*: do a pike-dive, *Turnen*: do a long-fly, *Fußball etc*: dive full-length
Hechtsprung *m Schwimmen*: pike-dive, *Turnen*: long-fly, *Fußball etc*: (flying) dive
Heck *n* SCHIFF stern, MOT rear, back, FLUG tail
Heckantrieb *m* MOT rear-wheel drive
Hecke *f* hedge
Hecken|rose *f* dogrose **~schere** *f* hedge clippers *Pl* **~schütze** *m* sniper
Heck|fenster *n* rear window **~flosse** *f* MOT tailfin **~klappe** *f* tailgate
hecklastig *Adj* FLUG, MOT tailheavy
Heck|licht *n* FLUG, MOT taillight **~motor** *m* rear engine **~scheibe** *f* rear window
Heckscheibenheizung *f* rear-window defroster **Heckscheibenwischer** *m* rear(-window) wiper
Heckspoiler *m* MOT back spoiler
heda *Interj* hey (there)
Hedonismus *m* hedonism
Hedonist(in) hedonist
hedonistisch *Adj* hedonistic(ally *Adv*)
Heer *n* army, *fig* host
Heeres... army (*command, group, etc*)
Heerschar *f fig* host
Hefe *f* **1.** yeast **2.** *fig* (*Abschaum*) dregs *Pl* **Hefegebäck** *n* yeast pastries *Pl*
Hefeteig *m* yeast dough
Heft[1] *n* **1.** (*Schreib*≗, *Schul*≗) exercise book **2.** *e-r Zeitschrift*: number, issue, *e-s Buches*: fascicle, (*Exemplar*) copy **3.** (*Bändchen*) booklet
Heft[2] *n* (*Griff*) handle, *e-s Dolchs etc*: hilt: *fig* ***das*** ~ ***in der Hand haben*** (***behalten***) hold the rein (stay in control)
Heftchen *n* (*Briefmarken*≗ *etc*) book
heften I *v/t* **1.** (**an** *Akk* to) fix, *mit Nadeln etc*: pin: *fig* ***s-e Augen*** ~ ***auf*** (*Akk*) fix one's eyes on **2.** (*Saum etc*) baste, tack **3.** BUCHDRUCK stitch: ***geheftet*** in sheets **II** *v/refl* **4.** ***sich an j-s Fersen*** ~ stick hard on s.o.'s heels; *fig* ***sich*** ~ ***auf*** (*Akk*) *Blicke, Augen etc*: be glued to
Hefter *m* file
Heft|faden *m*, **~garn** *n* tacking thread
heftig *Adj allg* violent, fierce, *Kälte, Schmerz*: *a.* severe, *Regen*: heavy, (*wütend*) furious, *a. Worte*: angry, vehement, (*leidenschaftlich*) passionate
Heftigkeit *f* violence, fierceness, vehemence, severity, passion
Heftklammer *f* paper clip, TECH staple
Heftmaschine *f* TECH stapler **Heftpflaster** *n* MED (sticking) plaster **Heftstich** *m Näherei*: tack(ing stitch) **Heftzwecke** *f* drawing pin, *Am* thumbtack
hegen *v/t* **1.** (*Wild etc*) preserve, (*Pflanze etc*) tend, (*schützen*) protect: ~ ***und pflegen*** *a. fig* take loving care of **2.** *fig* (*Hass, Verdacht etc*) have, (*Hoffnung, Wunsch etc*) *a.* cherish
Hehl: ***kein(en)*** **~*machen aus*** make no secret of
Hehler(in) JUR receiver of stolen goods, *sl* fence **Hehlerei** *f* JUR receiving of stolen goods, *sl* fencing
hehr *Adj* sublime, noble
Heide[1] *m* heathen, pagan
Heide[2] *f* **1.** heath(land), (~*moor*) moorland **2.** → **Heidekraut** *n* BOT heather
Heidelbeere BOT bilberry, *bes Am* blueberry
Heiden... F → ***Mords...*** **~geld** *n* F ***ein*** ~ *kosten etc*: a lot of money, a packet
Heidentum *n* heathenism, paganism
Heideröschen *n* BOT heath rose
Heidin *f* → ***Heide***[1]
heidnisch *Adj* heathen, pagan
Heidschnucke *f* ZOOL moorland sheep
heikel *Adj* **1.** *Situation, Thema etc*: delicate, *a. Problem*: tricky: ***ein heikler Punkt*** a sore point **2.** *Dialekt Person*: fussy, *im Essen*: squeamish
heil *Adj Person*: unharmed, safe and sound, *Sache*: undamaged, whole, intact: ***wieder*** ~ **a**) healed(-up), mended, **b**) repaired; *fig* ***e-e*** **~*e Welt*** an intact world **Heil** *n* well-being, good, REL salvation: ***sein*** ~ ***versuchen*** try one's luck; ***sein*** ~ ***in der Flucht suchen*** take flight, run for it; *hist* ~**!** hail!
Heiland *m* REL Savio(u)r

Heilanstalt *f* sanatorium, (*Nerven*≈) (mental) home **heilbar** *Adj* curable
Heilbarkeit *f* curability
Heilbrunnen *m* mineral spring
Heilbutt *m* ZOOL halibut
heilen I *v/t* cure, (*Wunde*) heal: ***j-n ~ von*** *a. fig* cure s.o. of **II** *v/i Wunde*: heal (up) **heilend** *Adj* healing, curative
Heil|erde *f* healing earth **~fasten** *n* fasting cure **≈froh** *Adj* F ***~ sein*** be really glad **~gymnast(in)** physiotherapist **~gymnastik** *f* physiotherapy
heilig I *Adj* holy, (*geheiligt, geweiht*) sacred (*a. fig Eid, Pflicht etc*), (*unverletzlich*) sacrosanct, (*fromm*) saintly, pious: ***der ~e Paulus*** Saint (*Abk* St.) Paul; ***der ≈e Abend*** Christmas Eve; ***die ≈e Jungfrau*** the Blessed Virgin; ***die ≈e Nacht*** Holy Night; ***der ≈e Vater*** the Holy Father; ***das ≈e Land*** the Holy Land; *fig* ***~e Kuh*** sacred cow; ***ihm ist nichts ~*** nothing is sacred to him; → ***Geist*** 3, ***Schrift*** 2, ***Stuhl*** 1 **II** *Adv* ***~ halten*** hold *s.th.* sacred, (*Sonntag etc*) keep (holy), observe; ***~ sprechen*** canonize
Heilige *m, f a. fig* saint **heiligen** *v/t* **1.** hallow, sanctify; → ***Zweck*** **2.** (*heilig halten*) hold *s.th.* sacred
Heiligenschein *m* halo, gloriole
Heiligkeit *f* holiness, *a. fig* sacredness, sanctity, *e-r Person*: saintliness: ***Seine*** (***Eure***) ***~*** (*Papst*) His (Your) Holiness
Heiligsprechung *f* canonization
Heiligtum *n* **1.** (*Stätte*) (holy) shrine **2.** (*Reliquie*) (sacred) relic, F s.th. sacred: ***das ist sein ~!*** that's sacred to him!
Heiligung *f* sanctification (*a. fig*), *des Sonntags etc*: observance
Heilklima *n* healthy climate **Heilkraft** *f* healing power(s *Pl*) **heilkräftig** *Adj* curative **Heilkraut** *n* medicinal herb
Heilkunde *f* medicine
heillos *Adj* F *Durcheinander etc*: hopeless, unholy, *a. Schreck etc*: frightful
Heil|methode *f* cure, treatment **~mittel** *n* (***gegen*** for) remedy, cure (*beide a. fig*), medicine **~pädagogik** *f* therapeutic pedagogy **~pflanze** *f* medicinal herb **~praktiker(in)** nonmedical practitioner, *Am* naturopathic doctor **~quelle** *f* mineral spring
heilsam *Adj a. fig* salutary, healthy: ***~ sein*** (***für***) *a.* be good (for)
Heilsarmee *f* Salvation Army
Heil|schlaf *m* healing sleep, (*Verfahren*) hypnotherapy **~serum** *n* MED antiserum
Heilung *f* **a)** (***von*** of) curing, cure (*a. fig*), **b)** *e-r Wunde etc*: healing, **c)** (*Genesung*) recovery
Heilungsprozess *m* healing process
Heil|verfahren *n* (medical) treatment, therapy **~wirkung** *f* therapeutic effect
heim *Adv* home
Heim *n* (*Zuhause, Anstalt*) home, (*Jugend*≈, *Studenten*≈ *etc*) hostel **~arbeit** *f* homework, outwork, *weit. S.* cottage industry **~arbeiter(in)** homeworker
Heimat *f* home (*a. fig*) (→ *a.* ***Heimatland, -ort, -stadt***), BOT, ZOOL habitat: ***zweite ~*** second home; ***in der ~*** at home; ***in m-r ~*** *a.* in my (native) country, where I come from **~dichtung** *f* regional literature **~film** *m* (sentimental) film with a regional background **~hafen** *m* SCHIFF home port **~kunde** *f* PÄD local studies *Pl* **~land** *n* home (*od* native) country
heimatlich *Adj* home, native, (*~ anmutend*) homelike, *präd* like home, *Am* hom(e)y **heimatlos** *Adj* homeless
Heimatort *m* home town (*Dorf*: village)
Heimatmuseum *n* museum of local history **Heimatstadt** *f* home town
Heimatvertriebene *m, f* expellee
heimbegleiten *v/t* ***j-n ~*** see s.o. home
Heimchen *n* ZOOL (house) cricket
Heimcomputer *m* home computer
heimelig *Adj* cosy, F hom(e)y
heimfahren *v/i* go home, (*a. v/t*) drive home **Heimfahrt** *f* journey home
heimfinden *v/i* find one's way home
Heimgang *m fig* death **heimgehen** *v/i* **1.** go home **2.** *fig* pass away, die
Heimindustrie *f* cottage industry
heimisch *Adj Industrie, Produkte etc*: domestic, home, *Bevölkerung, Pflanze, Tier*: native, indigenous, *Gewässer*: inland, home (*waters*): ***~ sein in*** (*Dat*) *a. fig* be at home in; ***~ werden*** settle (down), become acclimatized (***in*** *Dat* to); ***sich ~ fühlen*** feel at home
Heimkehr *f* return (home) **heimkehren** *v/i* return home, come back **Heimkehrer(in)** homecomer, POL repatriate
Heimkind *n* institution child **Heimkino** *n* home movies *Pl* **heimkommen** *v/i* return (*od* come, get) home **Heimlei-**

ter(in) head of a home (*od* hostel)
heimleuchten *v/t* F ***j-m ~*** send s.o. packing
heimlich I *Adj allg* secret, (*unerlaubt*) *a.* clandestine, (*verstohlen*) furtive **II** *Adv* secretly (*etc*), in secret, (*a.* ***~, still und leise***) F on the quiet; ***~ tun*** be secretive (***mit*** about) **Heimlichkeit** *f* **1.** secrecy, furtiveness **2.** *mst Pl* secret
Heimlichtuerei *f* secretiveness
Heim|mannschaft *f* SPORT home team **~niederlage** *f* SPORT home defeat **~orgel** *f* MUS electric organ **~reise** *f* journey home: ***auf der ~*** on the way home **2reisen** *v/i* go (*od* travel) home **~sieg** *m* SPORT home victory **~spiel** *n* SPORT home game **~stärke** *f* SPORT home strength **~stätte** *f a. fig* home
heimsuchen *v/t* **1.** *Katastrophe etc*: strike, BIBEL visit, *Krankheiten etc*: plague, afflict, *Vorahnungen etc*, *a. Gespenst*: haunt: ***heimgesucht von*** struck (*etc*) by; ***von Dürre*** (***Krieg***) ***heimgesucht*** drought-ridden (war-torn) **2.** F (*besuchen*) descend on **Heimsuchung** *f* BIBEL visitation, *fig a.* affliction, (*Plage*) ordeal, (*Katastrophe*) disaster
Heimtrainer *m* exercise machine, (*Fahrrad*) exercise bike
Heimtücke *f* perfidy, (*Verrat*) treachery
heimtückisch *Adj* insidious (*a. fig Krankheit*), treacherous
Heimvorteil *m* SPORT advantage of playing at home
heimwärts *Adv* homeward(s), home
Heimweg *m* (***auf dem ~*** on my *etc*) way home **Heimweh** *n* homesickness: ***~ haben*** be homesick (***nach*** for)
Heimwerker(in) do-it-yourselfer, DIYer, DIY woman
Heimwerker... do-it-yourself (*kit etc*)
heimzahlen *v/t* ***j-m*** *etw* ***~*** repay s.o. for
heimzu *Adv* F on the way home
Heini *m* F *pej* twerp, twit
Heinzelmännchen *n* brownie
Heirat *f* marriage, (*a. Partie*) match
heiraten *v/t u. v/i* (***j-n***) ***~*** marry (s.o.), get married (to s.o.)
Heirats|annonce *f* marriage ad **~antrag** *m* (marriage) proposal: ***e-n ~ machen*** propose (*Dat* to) **~anzeige** *f* **1.** marriage announcement **2.** marriage ad **2fähig** *Adj* marriageable: ***im ~en Alter*** of marriageable age **~markt** *m* marriage market **~schwindler(in)** marriage impostor **~urkunde** *f* marriage certificate **~vermittlung** *f* **1.** marriage brokerage **2.** (*Büro*) marriage bureau
heiser *Adj* (***sich ~ reden*** *a. fig* talk o.s.) hoarse **Heiserkeit** *f* hoarseness
heiß I *Adj* **1.** *allg* hot, *fig* (*leidenschaftlich*) *a.* ardent, passionate, *Kampf etc*: *a.* fierce, *Diskussion*: heated: ***~e Zone*** torrid zone; ***etw ~ machen*** heat s.th. up; ***mir ist*** (***wird***) ***~!*** I'm (getting) hot!; → ***Draht, Eisen, Hölle, Ofen*** 2 **2.** F *fig* (*toll, geil, gefährlich*) hot: ***~e Ware*** hot goods *Pl*; ***~er Tip*** hot tip; → ***Höschen*** **II** *Adv* **3.** hotly (*etc*): ***~ begehrt*** coveted; ***etw ~ ersehnen*** long for s.th. (fervently); ***~ ersehnt*** longed-for; ***sie lieben sich ~ und innig*** they adore each other; ***~ geliebt*** dearly loved; ***~ umkämpft*** fiercely embattled; ***~ umstritten*** **a)** highly controversial, **b)** hotly debated; → ***hergehen***
heißblütig *Adj* hot-blooded, passionate
heißen[1] **I** *v/i* **1.** be called (***nach*** after): ***wie ~ Sie?*** what's your name?; ***wie heißt das?*** **a)** what's that called?, **b)** ***auf Englisch?*** what's that (called) in English, what's the English (word) for it? **2.** (*lauten*) read, be **3.** (*bedeuten*) mean: ***was heißt das?, was soll das ~?*** **a)** what does it mean?, **b)** what do you mean (by this)?, *verdutzt*: what's the (big) idea?; ***das hieße, das würde ~*** that would mean; ***das will*** (***et***)***was ~!*** that's saying something!; ***das will nichts ~!*** that doesn't mean a thing!; ***soll das ~, dass ...?*** do you mean to say that ...?; ***das soll nicht ~, dass ...*** that doesn't mean that ...; ***das heißt*** that is (*Abk* i.e.) **II** *v/unpers* **4.** ***es heißt, dass ...*** they say that ...; ***in dem Brief heißt es, dass ...*** the letter says that ... **5.** ***jetzt heißt es handeln!*** now it's time to act! **III** *v/t* **6.** (*nennen*) call **7.** ***j-n etw tun ~*** tell s.o. to do s.th.; → ***willkommen***
heißen[2] *v/t* SCHIFF hoist
Heißhunger *m a. fig* (sudden) craving (***nach*** for)
heißlaufen *v/i* (*a.* ***sich ~***) TECH overheat, F *Telefonleitung*: be buzzing
Heißluft... hot-air ...
Heißluftherd *m* fan-assisted oven

H

Heißsporn *m fig* hothead
Heißwasser... → ***Warmwasser...***
heiter *Adj* **1.** (*vergnügt*) cheerful, (*gelassen*) serene, (*amüsant*) amusing, funny: F *iron* **(*das*) *kann ja ~ werden!*** nice prospects! **2.** (*hell, sonnig*) bright, sunny: → ***Himmel*** **3.** MUS scherzando
Heiterkeit *f* **1.** cheerfulness, serenity, funniness, (*Gelächter*) laughter: ***~ erregen*** cause amusement **2.** brightness
Heizanlage *f* heating system
heizbar *Adj* heatable, with heating
Heizdecke *f* electric blanket
Heizelement *n* heating element
heizen I *v/t* (*Raum etc*) heat, (*Ofen*) fire **II** *v/i* put (*od* have) the heating on
Heizer *m* boilerman, SCHIFF, BAHN stoker
Heiz|fläche *f* heating surface **~gas** *n* fuel gas **~kessel** *m* boiler **~kissen** *n* electric pad **~körper** *m* radiator, ELEK heater **~kosten** *Pl* heating costs *Pl*
Heizlüfter *m* fan heater **Heizmaterial** *n* fuel **Heizofen** *m* **1.** stove **2.** (electric, oil, *etc*) heater **Heizöl** *n* (fuel) oil
Heizplatte *f* hotplate
Heizung *f* **1.** (central) heating **2.** → ***Heizkörper***
Heizungs|anlage *f* heating system **~monteur** *m* heating engineer
Hektar *n* hectare
Hektik *f* hectic atmosphere, *des Lebens*: mad rush, F rat race, *e-r Person*: nervy state: F ***nur k-e ~!*** take it easy!
hektisch *Adj* hectic(ally *Adv*)
Hektoliter *m, n* hectolit/re (*Am* -er)
Held *m* hero (***des Tages*** of the day)
Heldenepos *n* epic (poem)
heldenhaft *Adj* heroic(ally *Adv*)
Helden|sage *f* saga **~tat** *f* heroic deed
Heldentenor *m* MUS heroic tenor
Heldentum *n* heroism
Heldin *f* heroine
helfen *v/i* **1.** (*j-m*) help, assist, aid, lend *s.o.* a hand: ***j-m bei etw ~*** help s.o. with s.th.; ***j-m aus dem*** (***in den***) ***Mantel ~*** help s.o. off (on) with his *etc* coat; *fig* ***j-m aus e-r Verlegenheit ~*** help s.o. out of a difficulty; ***ihm ist nicht zu ~*** there is no help for him, *iron* he's hopeless; ***er weiß sich zu ~*** **a)** he can look after himself, **b)** (*er hat gute Einfälle*) he is resourceful; ***sich nicht mehr zu ~ wissen*** be at one's wits' end; ***ich kann mir nicht ~*** **a)** I can't help it, **b)** ***..., ich muss einfach lachen*** *etc* I can't help laughing *etc*; *iron* ***dir werd ich*** (***schon***) ***~!*** just you wait! **2.** *Sache*: help: ***das hilft gegen Schnupfen*** that's good for colds; ***das hilft mir wenig!*** that's not much help!, F a fat lot it helps!; ***das half*** that worked; ***es hilft nichts*** it's no use; ***da hilft kein Jammern!*** it's no use complaining!; ***da hilft nur eines*** there's only one thing for it **Helfer(in)** helper, assistant: ***ein Helfer in der Not*** a friend in need **Helfershelfer(in)** accomplice
Helgoland *n* Heligoland
Helium *n* CHEM helium
hell I *Adj* **1.** light, *Farbe*: *a.* pale, *Licht etc*: bright, *Haar, Teint*: fair, *Kleidung etc*: light-colo(u)red, *Klang, Stimme*: clear, *Gelächter*: loud: ***~es Bier*** lager; ***es wird schon ~*** it is getting light already **2.** *fig* (*gescheit*) bright, intelligent **3.** F (*sehr groß*) great, *Unsinn, Verzweiflung etc*: utter, *Neid*: pure: ***~er Wahnsinn*** sheer madness **II** *Adv* ***~ begeistert*** (absolutely) enthusiastic **hellblau** *Adj* light blue **hellblond** *Adj* very fair
helle *Adj präd* F bright, intelligent
Helle[1] *f, n* brightness, (bright) light
Helle[2] *n* F (glass of) beer (*Br* lager)
Heller *m* F ***k-n*** (***roten***) ***~ wert*** not worth a cent; ***auf ~ und Pfennig*** to the last penny
hellgrün *Adj* light green
hellhörig *Adj* **1.** *fig* ***das machte ihn ~*** that made him prick up his ears **2.** *Haus, Wände*: poorly soundproofed
Helligkeit *f* brightness (*a.* TV), (*Licht*) light, PHYS luminosity **Helligkeitsregelung** *f* TECH brightness control
Helling *f* SCHIFF slip(way), (building) cradle
helllicht *Adj* ***am ~en Tage*** in broad daylight
hellrot *Adj* light red
hellsehen I *v/i* have second sight, be clairvoyant **II** ≈ *n* clairvoyance
Hellseher(in), **hellseherisch** *Adj* clairvoyant
hellwach *Adj a. fig* wide-awake
Helm *m* helmet
Hemd *n* shirt, (*Unter*≈) vest, *Am* undershirt: *fig* ***j-n bis aufs ~ ausziehen***

H

fleece s.o. **Hemdbluse** *f* shirt **Hemdblusenkleid** *n* shirtwaist(er *Br*)
Hemdsärmel *m* shirtsleeve: ***in ~n*** in one's shirtsleeves **hemdsärm(e)lig** *Adj a. fig* shirtsleeve
Hemisphäre *f* hemisphere
hemmen *v/t* **1.** *a. fig* (*aufhalten*) stop, check, (*behindern*) hinder, impede **2.** PSYCH inhibit: → ***gehemmt*** **Hemmnis** *n* obstacle **Hemmschuh** *m fig* drag (***für*** on) **Hemmschwelle** *f* PSYCH inhibition threshold **Hemmung** *f* **1.** check, hindrance **2.** PSYCH inhibition, *weit. S. a.* scruple: ***~en haben*** be inhibited; ***nur k-e ~en!*** don't be shy! **3.** TECH stop, *e-r Uhr*: escapement
hemmungslos *Adj* **1.** unrestrained, *Weinen etc*: *a.* uncontrollable **2.** (*bedenkenlos*) unscrupulous **Hemmungslosigkeit** *f* **1.** lack of restraint, recklessness **2.** unscrupulousness
Hengst *m* stallion, (*Zucht*2) stud
Henkel *m* handle **Henkelkrug** *m* jug
henken *v/t* hang **Henker** *m* executioner: F (***wer, wo*** *etc*) ***zum ~?*** → ***Teufel***
Henna *n* henna
Henne *f* ZOOL hen
Hepatitis *f* MED hepatitis
her *Adv* **1.** *zeitlich*: ago: ***wie lange ist es ~?*** how long ago was it?; ***das ist lange ~*** that was a long time ago; ***es ist ein Jahr ~, dass ...*** it's a year since ... **2.** *räumlich*: ***von ... ~*** from; ***von oben ~*** from above; ***von weit ~*** from afar; ***um mich ~*** around me; ***~ damit!*** give (it to me)!; → ***herhaben*** *etc*, ***hinter*** I **3.** *fig* ***von ... ~*** from the point of view of; ***vom Technischen ~*** from a technical point of view, technically (speaking)
herab *Adv* down: *fig* ***von oben ~*** condescendingly
herab... down; → *a.* ***herunter***
herabblicken *v/t* → ***herabsehen***
herabgehen, **herabhängen**, **herabkommen** → ***heruntergehen*** *etc*
herablassen I *v/t* let down, lower **II** *v/refl fig* ***sich ~ zu antworten*** *etc* deign to answer *etc* **herablassend** *Adj* condescending (***zu*** towards)
Herablassung *f* condescension
herabsehen *v/i* ***~ auf*** (*Akk*) *a. fig* look down on
herabsetzen *v/t* **1.** reduce, lower, (*kürzen*) cut (back): (***im Preis***) ***~*** reduce (in price); ***zu herabgesetzten Preisen*** at reduced prices, cut-price ... **2.** *fig* (*j-n*) disparage, (*Leistung*) belittle
herabsetzend *Adj fig* disparaging
Herabsetzung *f* **1.** reduction (*a.* WIRTSCH), (*Kürzung*) *a.* cut **2.** *fig* disparagement
herabsteigen *v/i* descend, climb (*od* come) down, *vom Pferd*: dismount
herabwürdigen *v/t* degrade (***sich*** o.s.)
Herabwürdigung *f* degradation
Heraldik *f* heraldry
heran *Adv* near, close: ***~ an*** (*Akk*) up to; ***nur ~!*** come closer! **~bilden** *v/t* (*a.* ***sich ~***) train (***zu*** to be) **~bringen** *v/t* bring up (***an*** *Akk* to) **~führen** *v/t* lead (*od* bring) up (***an*** *Akk* to): *fig* ***j-n an etw ~*** introduce s.o. to s.th. **~gehen** *v/i* ***~ an*** (*Akk*) **a)** go up to, **b)** *fig* (*e-e Aufgabe etc*) approach, tackle **~holen** *v/t* **1.** fetch, get **2.** FOTO zoom in on **~kämpfen** *v/refl* ***sich ~*** (***an*** *Akk*) SPORT close in (on), pull up (to) **~kommen** *v/i* **1.** → ***herannahen*** **2.** ***~ an*** (*Akk*) come up to (*a. fig*), approach, (*e-e Leistung etc*) come near; *fig* ***an j-n ~*** get through to s.o.; ***an etw ~*** get at (*od* get hold of) s.th.; *fig* ***die Sache*** (*od* ***es***) ***an sich ~ lassen*** wait and see; ***er*** (***es***) ***kommt nicht an ... heran*** *a.* he (it) can't touch ... **~machen** *v/refl* ***sich ~ an*** (*Akk*) F **a)** (*etw*) set to work on, **b)** (*j-n*) sidle up to, *fig* approach, *schmeichelnd*: make up to, *beeinflussend*: start working on
herannahen *v/i* draw near, approach
Herannahen *n* approach
heran|pirschen *v/refl* ***sich ~ an*** (*Akk*) creep up to **~reichen** *v/i* ***~ an*** (*Akk*) **a)** come up to, **b)** *fig* come near, touch **~reifen** *v/i* (***zu*** into) ripen, *fig Plan etc*: *a.* mature, *Person*: *a.* grow up **~rücken** *v/i* **1.** come close(r) (***an*** *Akk* to): ***an j-n ~*** move up (close) to s.o. **2.** → ***herannahen*** **~treten** *v/i* ***an j-n ~*** go up to s.o., *a. fig* approach s.o., *fig Problem etc*: confront s.o.
heranwachsen *v/i* grow up: ***~ zu*** grow (up) into **Heranwachsende** *m, f* adolescent, young person
heranwagen *v/refl* ***sich ~ an*** (*Akk*) venture near, (*j-n*) dare to approach, *fig* (*e-e Aufgabe etc*) dare to tackle
heranziehen I *v/t* **1.** pull *s.th.* up (***an***

H

Akk to) **2.** (*aufziehen*) raise, (*Nachwuchs etc*) train **3.** ***j-n ~*** (***zu*** *e-r Aufgabe etc*) call on s.o. (to do *s.th.*), enlist s.o.('s services) (for *s.th.*); ***e-n Fachmann ~*** call in an expert **4.** (*zitieren*) cite, invoke **II** *v/i* **5.** draw near, approach

herauf *Adv* up, upwards: (***hier***) ***~*** up here; ***den Berg ~*** up the hill, uphill; ***den Fluss ~*** up the river, upstream; ***die Treppe ~*** up the stairs, upstairs; *in Zssgn* → *a.* ***empor...*** **~arbeiten** *v/refl* ***sich ~*** *a. fig* work one's way up **~beschwören** *v/t* **1.** (*Erinnerungen etc*) conjure up **2.** (*Unheil etc*) bring on **~kommen** *v/i* come up (***zu*** to) **~schalten** *v/i* MOT shift up **~setzen** *v/t* (*Preis etc*) raise **~steigen** *v/t* (*Berg, Treppe etc*) climb, mount **~ziehen I** *v/t* pull *s.o., s.th.* up **II** *v/i* draw near, approach, *Gewitter*: *a.* come up

heraus *Adv* out (***aus*** of): ***zum Fenster ~*** out of the window; *fig* ***aus e-m Gefühl*** *der Verlassenheit etc* ***~*** from (*od* out of) a sense of; ***~ damit!*** out with it!; ***~ mit der Sprache!*** F spit it out!; F ***jetzt ist es ~!*** now the secret's out! **~arbeiten I** *v/t a. fig* work out **II** *v/refl* ***sich ~ aus*** work one's way out of, *fig a.* manage to get out of **~bekommen** *v/t* **1.** (*Fleck etc*) get out (***aus*** of) **2.** *fig* (*Rätsel etc*) work out, solve, (*den Sinn*) figure out, F (*Ergebnis*) get, (*Geheimnis etc*) find *s.th.* out: ***etw aus j-m ~*** get s.th. out of s.o. **3.** ***Sie bekommen noch 10 Euro heraus*** you get ten euros change **~bringen** *v/t* **1.** → ***herausbekommen*** 1 **2.** *a. fig* bring out, (*Buch*) *a.* publish, THEAT produce: ***sie brachte kein Wort heraus*** she couldn't say a word; *fig* ***j-n*** (***etw***) ***groß ~*** give s.o. (s.th.) a big buildup **~fahren I** *v/i* **1.** come (*od* drive) out (***aus*** of) **2.** *fig Bemerkung etc*: slip out **II** *v/t* **3.** drive out (***aus*** of): SPORT ***er hat e-e gute Zeit*** (***den Sieg***) ***herausgefahren*** he made good time (won the race) **~fallen** *v/i* (***aus*** of) fall out, *Sache*: *a.* drop out **~filtern** *v/t a. fig* filter out **~finden I** *v/t* find, (*entdecken*) find out, discover **II** *v/i* find one's way out (***aus*** of)

Herausforderer *m*, **Herausforderin** *f* challenger, POL rival (candidate) **herausfordern I** *v/t* (*j-n*) challenge, *trotzig*: defy, (*provozieren*) *a.* provoke: ***j-n zum Duell ~*** challenge s.o. to a duel; *fig* ***das Schicksal ~*** court disaster, F ask for it; ***Kritik*** (***Protest***) ***~*** → II **II** *v/i* ***zur Kritik*** (***zum Protest***) ***~*** invite (*od* provoke) criticism (protest) **herausfordernd** *Adj* challenging, (*trotzig*) defiant, (*aufreizend*) provocative

Herausforderung *f* challenge (*a. fig Aufgabe etc*), (*Provokation*) provocation, (*Trotz*) defiance

Herausgabe *f* **1.** surrender (*a.* JUR), delivery **2.** BUCHDRUCK editing, (*Veröffentlichung*) publication **herausgeben I** *v/t* **1.** (*Dat* to) hand *s.th.* over, give *s.th.* back, return **2.** (*Buch etc*) publish, *als Bearbeiter*: edit, (*Briefmarken etc, a. Vorschrift etc*) issue **3.** ***j-m 10 Euro ~*** give s.o. ten euros change **II** *v/i* **4.** (***j-m***) ***~*** give (s.o.) change (***auf*** *Akk* for); ***können Sie*** (***auf 200 Euro***) ***~?*** can you give change (for 200 euros)?

Herausgeber(in) (*Verleger*) publisher, (*Redakteur, Verfasser*) editor

herausgehen *v/i* **1.** → ***hinausgehen*** 1: *fig* ***aus sich ~*** come out of one's shell **2.** *Fleck etc*: come out (***aus*** of)

heraus|greifen *v/t* pick out, (*Beispiel etc*) cite **~gucken** *v/i* peep out **~haben** *v/t* F *fig* have found *s.th.* out, (*Rätsel, Aufgabe*) have got, have solved: ***jetzt hat er es heraus*** he has got the hang of it now **~halten** *v/t fig* ***j-n*** (***sich***) ***aus e-r Sache ~*** keep s.o. (o.s.) out of s.th.

heraus|helfen *v/i* ***j-m ~*** *a. fig* help s.o. out (***aus*** of) **~holen** *v/t* **1.** get *s.o., s.th.* out (***aus*** of) (*a. fig retten*) **2.** *fig* (*Geld, Geheimnis, Antwort etc*) get *s.th.* out (***aus*** of); ***das Letzte aus sich ~*** make a supreme effort **~hören** *v/t* hear, *fig* detect (***aus*** in *s.o.'s words etc*)

herauskehren *v/t fig* act, play *the expert etc*, (*zeigen*) show

herauskommen *v/i* **1.** (***aus***) come out (of), emerge (from), *a. fig* get out (of): *fig* ***er kam aus dem Lachen nicht heraus*** he couldn't stop laughing; ***sie ist auf dem Foto gut herausgekommen*** she came out well in the photo; F ***groß ~*** be a great success **2.** *fig Gesetz, Erzeugnis etc*: come out, *Buch*: *a.* be published, appear, *Briefmarken etc*: be issued: ***mit e-m neuen Modell ~*** *Firma*: come out with a new model; F *fig* ***~ mit*** come out with, (*gestehen*) ad-

H

mit **3.** (***aus*** of) **a)** MATHE be the result, **b)** *fig* come (out): ***es kommt nichts dabei heraus*** it doesn't pay; ***es kommt auf eins*** (*od* ***dasselbe***) ***heraus*** it boils down to the same thing; → *a.* ***herausspringen*** 2

heraus|kriegen F → ***herausbekommen*** **~kristallisieren** *v/t u. v/refl* ***sich*** ~ *a. fig* crystallize (***aus*** of) **~lassen** *v/t* let out (***aus*** of) **~laufen I** *v/i* run out (***aus*** of) **II** *v/t* SPORT (*e-n Sieg, Vorsprung etc*) gain **~locken** *v/t* ***j-n*** ~ lure s.o. out (***aus*** of); *fig* ***etw aus j-m*** ~ worm s.th. out of s.o. **~machen** F **I** *v/t* (***aus***) take out (of), remove (from) **II** *v/refl* ***sich*** ~ *fig* be coming on well

herausnehmbar *Adj* removable

herausnehmen *v/t* (***aus***) take *s.o., s.th.* out (of), remove (from): ***sich die Mandeln ~ lassen*** have one's tonsils out; *fig* ***sich etw ~, sich Freiheiten ~*** take liberties

herausplatzen *v/i* F **1.** burst out laughing **2.** ~ ***mit*** blurt out

herausputzen *v/t* (***sich***) ~ dress (o.s.) up, F spruce (o.s.) up

heraus|ragen *v/i* (***aus***) jut out (from), *Haus etc*: tower (above), *fig* stand out (from) **~reden** *v/refl* ***sich*** ~ talk one's way out (***aus*** of) **~reißen** *v/t* **1.** pull (*Papier*: tear) *s.th.* out **2.** *fig* ***j-n ~ aus s-r*** *Umgebung etc*: tear s.o. away from, *dem Schlaf, e-m Traum etc*: rouse s.o. from, *der Arbeit etc*: interrupt s.o. in; F ***j-n*** ~ *Aussage, Leistung etc*: save s.o. **~rücken I** *v/t* **1.** push (*od* move) *s.th.* out (***aus*** of) **2.** → 3 a **II** *v/i* **3.** F *fig* ~ ***mit*** **a)** come out with, (*Geld*) fork out, cough up, **b)** (*der Wahrheit etc*) come out with; ***mit der Sprache*** ~ talk, (*gestehen*) come out with it **~rutschen** *v/i* F *fig* slip out: ***das ist mir so herausgerutscht*** it just slipped out

heraus|schauen *v/i* **1.** look out (***aus*** of) **2.** → ***herausspringen*** 2 **~schinden** *v/t* ***etw ~ aus*** manage to get s.th. out of **~schlagen** *v/t* (***aus*** of) **1.** knock *s.th.* out **2.** F *fig* get *s.th.* out: ***Geld ~ aus*** make money out of; ***möglichst viel*** ~ make the most of it **~schneiden** *v/t* cut *s.th.* out (***aus*** of) **~sehen** *v/i* look out (***aus*** of) **~springen** *v/i* **1.** jump out (***aus*** of) **2.** F *fig* be gained (***bei*** by): ***was springt für mich dabei heraus?*** what's in it for me?

heraussprudeln *v/i* bubble out, *fig Worte etc*: come spluttering out

herausstellen I *v/t* **1.** put *s.th.* out(side) **2.** *fig* point out, (*betonen*) emphasize, underline: ***groß*** ~ highlight, feature (*a.* THEAT) **II** *v/refl* ***sich*** ~ **3.** turn out (***als*** to be), come to light: ***es stellte sich heraus, dass sie Recht hatte*** she turned out to be right

heraus|strecken *v/t* stick out (***aus*** of): → ***Zunge*** **~streichen** *v/t* **1.** cross out (***aus*** of) **2.** *fig* praise *s.o., s.th.* (to the skies): ***sich*** ~ blow one's own trumpet **~strömen** *v/i a. fig* pour out (***aus*** of) **~suchen** *v/t* (***aus***) choose (from), pick out (of) **~wachsen** *v/i* ~ ***aus*** grow out of, (*Kleidung*) *a.* outgrow **~wagen** *v/refl* ***sich*** ~ venture out (***aus*** of) **~winden** *v/refl* ***sich ~ aus*** *fig* wriggle out of **~wirtschaften** *v/t* get *s.th.* out (***aus*** of): ***e-n Gewinn*** ~ make a profit (***aus*** out of) **~ziehen** *v/t allg* pull out (***aus*** of), (*Zahn*) *a.* extract, *fig* (*Truppen*) *a.* withdraw (***aus*** from)

herb *Adj* **1.** sour, tart, *Wein*: dry, *Duft*: tangy **2.** *fig Worte, Schicksal etc*: harsh, *Enttäuschung, Verlust etc*: bitter, *Schönheit, Stil etc*: austere

Herbarium *n* herbarium

herbei *Adv* here, up, over; → *a.* ***her..., heran...*** **~eilen** *v/i* come running (up) **~führen** *v/t fig* bring about, cause, lead to, *bes* MED induce **~lassen** *v/refl* ***sich ~, etw zu tun*** condescend to do s.th. **~rufen** *v/t* call (over), (*Arzt etc*) call for, send for **~schaffen** *v/t* bring (up), fetch, get, (*Zeugen, Beweise etc*) produce **~sehnen** *v/t* long for **~strömen** *v/i* flock to the scene: ~ ***zu*** flock to **~wünschen** *v/t* ***sich etw*** ~ long for s.th.; ***sich j-n*** ~ wish s.o. were (*od* was) here **~ziehen** *v/t* pull *s.o., s.th.* near: → ***Haar***

herbekommen *v/t* get *s.o., s.th.* (here)

herbemühen I *v/t* ***j-n*** ~ ask s.o. to come (here) **II** *v/refl* ***sich*** ~ take the trouble to come

Herberge *f* **1.** (*Jugend*~) (youth) hostel **2.** (*Gasthaus*) inn **3.** (*Obdach*) shelter

Herbergsmutter *f*, **Herbergsvater** *m* (hostel) warden

herbestellen *v/t* ask *s.o.* to come

herbeten *v/t* rattle off

Herbheit *f* **1.** sourness, *des Weins etc*: dryness **2.** *fig e-r Kritik etc*: harshness, *e-r Enttäuschung etc*: bitterness, *der Schönheit, des Stils*: austerity
herbitten *v/t* ***j-n*** **~** ask s.o. to come
herbringen *v/t* bring *s.o., s.th.* (along)
Herbst *m* autumn, *Am a.* fall
Herbstfärbung *f* autumnal tints *Pl*
Herbstferien *Pl* autumn break *Sg*
herbstlich *Adj* autumn(al)
Herbstmonat *m* autumn month
Herbstzeitlose *f* BOT meadow saffron
Herd *m* **1.** (*Küchen*≗) (kitchen) stove, cooker, (*Ofen*) oven **2.** *fig* (*Heim*) hearth **3.** *fig* cent/re (*Am* -er), seat, (*a. Erdbeben*≗, *Krankheits*≗) focus
Herde *f* **1.** herd, (*Schaf*≗ *etc*) flock **2.** *fig pej the* (common) herd
Herdentier *n* ZOOL gregarious animal: *fig pej* ***ein ~ sein*** follow the herd
Herdentrieb *m a. fig* herd instinct
Herdinfektion *f* MED focal infection
Herdplatte *f* hotplate
herein *Adv* in: ***von draußen ~*** from outside; ***~!*** come in!; ***hier ~!*** this way, please!; → *a.* ***ein..., hinein...***, F ***rein...***
herein|bekommen *v/t a.* WIRTSCH get *s.th.* in, (*Außenstände*) recover, (*Sender*) get **~bitten** *v/t* ***j-n ~*** ask s.o. (to come) in **~brechen** *v/i Nacht*: fall, *Sturm*: break, *Winter*: set in: *fig* ***~ über*** (*Akk*) *Unglück etc*: befall **~bringen** *v/t* bring in, *mit Mühe*: get in **~fallen** *v/i* F *fig* **~** (***auf*** *Akk*) be taken in (by), fall for (*s.o., s.th.*); ***~ mit*** make a (bad) mistake with **~führen** *v/t* ***j-n ~*** show s.o. in(to ***in*** *Akk*) **~holen** *v/t* **1.** bring *s.o., s.th.* in **2.** WIRTSCH (*Aufträge*) get (in) **~kommen** *v/i* come in (*a.* WIRTSCH *Aufträge*), (*eindringen*) get in: ***~ in*** (*Akk*) come into (*od* inside) **~lassen** *v/t* let *s.o., s.th.* in **~legen** *v/t* F *fig* ***j-n ~*** take s.o. for a ride, fool s.o., *a. finanziell*: take s.o. in; ***man hat uns hereingelegt*** we have been had **~nehmen** *v/t* take *s.th.* in(to ***in*** *Akk*), WIRTSCH (*Waren*) take in, *fig* include, fit in **~platzen** *v/i* F burst in(to ***in*** *Akk*) **~schauen** *v/i* **1.** look in(to ***in*** *Akk*) **2.** F (***bei j-m***) **~** drop by (at s.o.'s place) **~schneien** *v/i* F *fig* (***bei j-m***) **~** blow in (at s.o.'s place) **~ziehen** → ***hineinziehen*** I
herfahren I *v/i* travel (*od* come, drive) here: ***hinter j-m ~*** drive behind s.o., follow s.o.'s car **II** *v/t* ***j-n ~*** drive s.o. here
Herfahrt *f* (***auf der ~*** on the) journey (*od* way) here
herfallen *v/i* ***~ über*** (*Akk*) fall upon, attack **herfinden** *v/i* find one's way
herführen *v/t* ***j-n ~*** bring s.o. here; ***was führt Sie her?*** what brings you here?
Hergang *m* course (of events), the way s.th. happened, (*Umstände*) circumstances *Pl*: ***schildern Sie*** (***mir***) ***den ~!*** tell me what (*od* how it) happened!
hergeben *v/t* ***etw ~*** hand s.th. over, give s.th. away: ***etw wieder ~*** give s.th. back; ***gib*** (***es***) ***her!*** give (it to me)!; *fig* ***s-n Namen*** (*od* ***sich***) ***~ zu*** (*od* ***für***) ***etw*** lend one's name to s.th.
hergebracht → ***herkömmlich***
hergehen *v/unpers fig* ***es ging hoch her*** things were pretty lively; ***es ging heiß her*** the sparks flew
hergehören → ***hierher gehören***
herhaben *v/t* F ***wo hast du das her?*** **a)** where did you get that (from)?, **b)** *fig* (*Nachricht etc*) who told you that?
herhalten *v/i* F ***~ müssen*** have to suffer (for it), *Sache*: have to serve (***als*** as)
herholen *m* fetch: *fig* ***weit hergeholt*** far-fetched **herhören** *v/i* listen
Hering *m* **1.** ZOOL herring: *hum* ***wie die ~e*** packed like sardines **2.** tent peg
herkommen *v/i* **1.** come (here): ***wo kommst du her?*** where do you come from?; ***komm her!*** come here! **2.** *fig* ***~ von*** *allg* come from, be due to, *Wort*: *a.* be derived from **herkömmlich** *Adj* conventional (*a.* MIL *Waffe*), customary, traditional **Herkunft** *f* origin, *e-r Person*: *a.* birth, descent, (*Milieu*) origins *Pl*, background: ***er ist deutscher ~*** he is of German extraction, *eng. S.* he is German by birth
Herkunftsland *n* country of origin
herlaufen *v/i* run here: ***hinter j-m ~*** *a. fig* run after s.o. **herleiten** *v/t fig* (*a.* ***sich***) ***~ von*** derive from **hermachen** *v/refl* ***sich ~ über*** (*e-e Arbeit etc*) set about, tackle, (*Essen, fig j-n*) attack
Hermelin 1. *n* ZOOL ermine **2.** *m* (*Pelz*) ermine (fur)
hermetisch *Adj* hermetic(ally *Adv*)
hernehmen *v/t* (***von*** from) take, get: F *fig* (***sich***) ***j-n ~*** give s.o. hell
hernieder(...) → ***herab***(...), ***herunter***(...)

H

Heroin *n* heroin
heroinsüchtig *Adj* heroin-addicted
Heroinsüchtige *m, f* heroin addict
heroisch *Adj* heroic(ally *Adv*) **Heroismus** *m* heroism **Heros** *m* hero
Herpes *m* MED herpes
herplappern *v/t* F rattle off
Herr *m* gentleman, (*Besitzer, Gebieter*) master, (*Herrscher*) ruler (***über** Akk* over, of): ***mein ~!*** Sir!; ***m-e ~en!*** gentlemen!; ***~ Miller*** Mr. Miller; ***~ Doktor*** (***Professor*** *etc*) Doctor (Professor *etc*); ***Ihr ~ Vater*** your father; SPORT ***~en*** *Pl* men *Pl*; (***Gott***) ***der ~*** the Lord (God); ***der ~ Jesus*** Our Lord Jesus; ***sein eigener ~ sein*** be one's own boss; *e-r Sache* ***~ werden*** master, (get *s.th.* under) control; ***~ der Lage sein*** have the situation well in hand; → ***Land*** 3
Herrchen *n e-s Hundes*: master
Herren|ausstatter *m* men's outfitter, *Am* haberdasher **~bekleidung** *f* men's wear **~doppel** *n Tennis*: men's doubles *Pl* **~einzel** *n Tennis*: men's singles *Pl* **~fahrrad** *n* man's bicycle **~friseur(in)** barber, men's hairdresser **~haus** *n* mansion **~konfektion** *f* men's ready-to-wear clothes *Pl*
herrenlos *Adj* ownerless, *Hund*: stray
Herren|mode *f* men's fashion **~schneider(in)** gentlemen's tailor **~schnitt** *m* (*Frisur*) Eton crop, shingle **~toilette** *f* men's toilet, gents *Sg*
Herrgott: ***der ~*** the Lord (God), God; V ***~*** (***noch mal***)***!*** for God's sake!
Herrgottsfrühe *f* ***in aller ~*** at an unearthly hour
herrichten *v/t* arrange, (*bereiten*) prepare, make, F fix, (*fertig machen*) get *s.th.* ready, (*Zimmer*) tidy, (*reparieren*) do up, repair: F ***sich ~*** smarten o.s. up
Herrin *f* mistress (*a. e-s Tieres*), lady, (*Herrscherin*) ruler **herrisch** *Adj* imperious, (*barsch*) peremptory
herrje *Interj* good gracious, dear me
herrlich *Adj* marvel(l)ous, wonderful, magnificent, F fantastic: *Adv* F ***sich ~ amüsieren*** have great fun
Herrschaft *f* **1.** (***über** Akk* over) power, control, (*Regierung*) rule, *e-s Monarchen*: *a.* reign: *fig* ***die ~ verlieren über*** (*Akk*) lose control of **2.** ***m-e ~en!*** ladies and gentlemen!, F folks!
herrschaftlich *Adj* nobleman's, *hist* manorial, (*vornehm*) stately
herrschen *v/i* **1.** rule (***über*** *Akk* over): ***über e-n Staat*** *etc* ***~*** rule a state *etc* **2.** *fig* prevail, reign, *Krankheit*: rage: ***es herrschte*** *Frieden, Ordnung etc*: there was …; ***es herrschte Stille*** silence reigned **herrschend** *Adj* **1.** ruling **2.** *fig* prevailing, current
Herrscher *m* ruler, sovereign, monarch
Herrscherhaus *n* (ruling) dynasty
Herrscherin *f* → ***Herrscher***
Herrschsucht *f* domineeringness, F bossiness **herrschsüchtig** *Adj* domineering, F bossy
herrufen *m* ***j-n ~*** call s.o. (here) **herrühren** *v/i* ***~ von*** come (*zeitlich*: date) from, be due to **hersagen** *v/t* say, recite **herschaffen** *v/t* bring (*od* get) *s.o., s.th.* (here) **hersehen** *v/i* look (here)
Herspiel *n* SPORT return match
herstellen *v/t* **1.** WIRTSCH, TECH produce (*a. e-n Film*), manufacture, make **2.** *fig* (*Frieden, Ordnung, Kontakte etc*) establish, (*Verbindung*) make **3.** F put (*od* place) *s.th.* here **Hersteller(in)** manufacturer, maker, *a.* FILM producer
Herstellerfirma *f* manufacturers *Pl*
Herstellung *f* **1. a**) manufacture, *a. e-s Buches, Films*: production, **b**) Production (Department) **2.** *fig* establishment, making (*of contacts etc*)
Herstellungskosten *Pl* production costs *Pl* **Herstellungsverfahren** *n* manufacturing method (*od* process)
Hertz *n* PHYS cycles *Pl* (per second), hertz
herüber *Adv* **1.** over (here), *über Grenze, Straße etc*: across: ***hier ~!*** over here!, this way! **2.** F → ***hinüber*** **herüberkommen** *v/i* come over (*a. auf Besuch*), *über Grenze, Straße etc*: come across
Herübersetzung *f* translation from the foreign language
herum *Adv* **1.** (*rings~*) around: ***immer um etw ~*** round and round s.th. **2.** (*ziellos, verstreut*) about, (a)round (*the room, town, etc*) **3.** (*in der Nähe*) around **4.** ***um die Ecke ~*** (a)round the corner; ***rechts ~*** (to the) right; ***anders*** (***falsch, so***) ***~*** the other (the wrong, this) way round **5.** F ***um … ~*** (*ungefähr*) around, about (*2 o'clock, ten dollars, etc*); ***um Ostern ~*** around

Easter **6.** (*vorbei*) over, up: *Zeit etc*: **~ *sein*** be over

herum... *dance, move, travel, walk, etc* (a)round, about **~ärgern** *v/refl* ***sich ~ mit*** be plagued with **~bekommen**, **~bringen** → ***herumkriegen*** **~drehen I** *v/t* turn round (*a.* ***sich ~***), F (*wenden*) turn over **II** *v/i* F **~ *an*** (*Dat*) fiddle with **~drücken** *v/refl* ***sich ~*** F **1.** hang around **2. *um e-e Sache*** dodge s.th.

herum|fahren I *v/i* **1.** drive around, go (*od* travel) around **2. *um etw ~*** drive round s.th. **3.** (*sich umdrehen*) spin round **II** *v/t* **4.** drive (*od* take) *s.o., s.th.* around **~fragen** *v/i* ask around **~fuchteln** → ***fuchteln*** **~führen I** *v/t* ***j-n ~*** lead s.o. around; ***j-n im Haus*** *etc* **~** show s.o. around the house *etc*; → ***Nase*** **II** *v/i* ***um etw ~*** *Straße, Zaun etc*: run (a)round s.th. **~fuhrwerken** *v/i* F bustle around **~gehen** *v/i* **1.** walk (*od* go) around (***im Park*** *etc* the park *etc*): *fig* ***j-m im Kopf ~*** go round and round in s.o.'s head, haunt s.o.'s mind **2. *um etw ~*** (*a.* F *herumreichen*) go round s.th. **3.** *Gegenstand*: be passed around **4.** *fig Gerücht etc*: make the round **5.** *Zeit, Tag etc*: pass **~hängen** *v/i* F *fig* hang around (***mit*** with)

herum|kommandieren *v/t* ***j-n ~*** order s.o. around **~kommen** *v/i* **1. *um etw ~*** come (*mühsam od fig* get) round s.th., *fig a.* avoid s.th.; ***um die Tatsache kommen wir nicht herum*** we can't get away from that (fact) **2.** (*reisen*) get around: ***er ist weit herumgekommen*** he has seen a lot of the world **~kriegen** *v/t* F **1. *j-n ~*** get s.o. round; ***j-n dazu ~, dass er etw tut*** talk s.o. into doing s.th. **2.** (*Zeit*) get through **~laufen** *v/i* (***um etw***) **~** run (*od* go) around (s.th.); ***frei ~*** *Verbrecher etc*: be at large, *Hund etc*: run free **~lungern** *v/i* loiter (*od* hang, loaf) around **~pfuschen** *v/i* **~ *an*** (*Dat*) monkey (about) with **~reichen I** *v/t* hand (*od* pass) *s.th.* (a)round: F *fig* ***j-n ~*** introduce s.o. to (all) one's friends **II** *v/i* (***um etw***) **~** *Gürtel etc*: go (a)round (s.th.) **~reißen** *v/t* (*Steuer etc*) pull *s.th.* around **~reiten** *v/i* **1.** (***um etw***) **~** ride (a)round (s.th.) **2.** F *fig* ***auf e-r Sache ~*** keep harping on s.th.

herum|schlagen *v/refl* ***sich ~ mit* a) *j-m*** fight with s.o., **b) *e-r Sache*** struggle with s.th. **~schnüffeln** *v/i* F *fig* snoop around **~stehen** *v/i* **~ *um*** stand (a)round (*s.o., s.th.*) **~stoßen** *v/t* F ***j-n ~*** push s.o. around **~streiten** *v/refl* ***sich ~*** F squabble (***über*** *Akk* about, over) **~tragen** *v/t* **1.** carry *s.o., s.th.* around (***mit sich*** with one) **2.** *fig* (*Neuigkeit etc*) spread *s.th.* around **~trampeln** *v/i* trample (***auf*** *Dat* on)

herumtreiben *v/refl* ***sich ~*** F **1.** knock around **2.** → ***herumlungern*** **Herumtreiber(in) 1.** loiterer, loafer **2.** tramp

herum|werfen *v/t* ***etw ~*** throw s.th. around **~zeigen** *v/t* ***etw ~*** show (*zur Prüfung*: pass) s.th. round **~ziehen** *v/i* move (*od* wander) around

herunter *Adv* **1.** down, (*weg*) off: **~ *damit!*** down with it!; **~ *mit dem Hut!*** off with your hat!; ***die Treppe ~*** down the stairs, downstairs; ***den Fluss ~*** down the stream, downstream **2.** F *fig* **~ *sein*** be run down, be in bad shape: ***er ist mit den Nerven ganz ~*** he is a nervous wreck **3.** F → ***hinunter***

herunter... *mst* down; → *a.* ***herab...***, F ***hinab..., hinunter...*** **~bekommen** *v/t* F ***etw ~*** get s.th. down (*weg*: off)

herunterfahren *v/t* (*Computer*) shut down

herunterfallen *v/i* fall down: ***vom Baum ~*** fall (*od* drop) off the tree

heruntergehen *v/i* go down (*a.* FLUG), *fig Preise etc*: *a.* fall, drop: ***mit der Geschwindigkeit ~*** slow down; ***mit den Preisen ~*** reduce (*od* lower) prices

heruntergekommen *Adj* seedy, shabby, *gesundheitlich*: *präd* in bad shape, *a.* WIRTSCH run-down, *moralisch*: degenerate

herunter|handeln *v/t* (*Preise etc*) beat *s.th.* down (***um*** by) **~hängen** *v/i* hang down (***von*** from) **~hauen** *v/t* F ***j-m e-e ~*** slap s.o.('s face) **~holen** *v/t* **1.** get *s.o., s.th.* down **2.** F shoot (*od* bring) *s.th.* down **~klappen** *v/t* turn *s.th.* down

herunterkommen *v/i* **1.** come (*mühsam*: get) down **2.** *gesundheitlich*: get into bad shape, WIRTSCH get run down, *stärker*: be ruined, *moralisch*: go downhill, sink low, (*verwahrlosen*) go to seed, (*verfallen*) decay; → ***heruntergekommen*** **3. ~ *von*** F get over, (*Drogen etc*) *sl* kick

herunter|machen *v/t* F **1.** knock, pull *s.o., s.th.* to pieces **2.** → **~putzen** *v/t* F ***j-n ~*** blow s.o. up **~schalten** *v/i* MOT (***in den ersten Gang***) **~** change (*od* shift) down (into first [gear])

herunterschrauben *v/t fig* lower

herunter|spielen *v/t* F *fig* ***etw ~*** play s.th. down **~stürzen** *v/i* fall down (***von*** from) **~wirtschaften** *v/t* F ***etw ~*** run s.th. down

hervor *Adv* out of, (out) from, forth: ***hinter e-m Baum ~*** from behind a tree

hervorbringen *v/t* produce

hervorgehen *v/i* **1.** (***als Sieger*** *etc*) **~** come off (a winner *etc*) **2.** follow (***aus*** from): ***daraus geht hervor, dass …*** from this follows that …; ***aus dem Brief geht nicht hervor, ob …*** the letter doesn't say whether … **3.** (***aus*** from) (*entstehen*) develop, spring, (*stammen*) come: ***aus der Ehe gingen drei Kinder hervor*** there were three children of this marriage **hervorheben** *v/t* **1.** MALEREI, BUCHDRUCK ***etw ~*** set s.th. off **2.** *fig* emphasize, stress, (*hinweisen auf*) point out

hervorholen *v/t* ***etw ~*** (***aus***) get s.th. out (of), produce s.th. (from)

hervor|ragen *v/i* **1.** project, stick out **2.** *fig* stand out (***unter*** *Dat* among) **~ragend I** *Adj* **1.** projecting **2.** *fig* outstanding, excellent, superior, *Persönlichkeit, Bedeutung etc*: prominent **II** *Adv* **3.** excellently, outstandingly (well)

hervor|rufen *v/t* **1.** THEAT call for **2.** *fig* call forth, (*bewirken*) *a.* cause, give rise to, produce **~stechen** *v/i* stand out (***aus*** from) **~stechend** *Adj* **1.** → ***hervorragend*** 2 **2.** (*auffallend*) striking

hervortreten *v/i* **1.** step forth, (***aus***) step out (of), emerge (from) **2.** (*sich abheben*) stand out, *fig Tatsache etc*: emerge, become evident: ***etw ~ lassen*** set s.th. off, *fig* bring s.th. out, show s.th. **3.** *Adern, Augen*: protrude **4.** → **hervortun** *v/refl* ***sich ~*** distinguish o.s. (***als*** as, ***durch*** by)

herwagen *v/refl* ***sich ~*** dare to come

Herweg *m* (***auf dem ~*** on the) way here

Herz *n* heart (*a. fig*), *Kartenspiel*: hearts *Pl*: ***im Grunde s-s ~ens*** at heart; ***leichten ~ens*** with a light heart; ***schweren ~ens*** with a heavy heart, very reluctantly; ***von ~en gern*** with (the greatest) pleasure, gladly; ***von*** (***ganzem***) ***~en danken*** *etc*: with all my *etc* heart; ***von ~en kommend*** heartfelt; ***auf ~ und Nieren prüfen*** put *s.th.* to the acid test, F vet *s.o., s.th.* (thoroughly); ***j-m das ~ brechen*** break s.o.'s heart; ***sich ein ~ fassen*** take heart, pluck up courage; ***j-m zu ~en gehen*** move s.o. deeply; ***er ist mir ans ~ gewachsen*** I have grown fond of him; ***was haben Sie auf dem ~en?*** what's on your mind?, *weit. S.* what can I do for you?; ***j-m etw ans ~ legen*** enjoin s.th. on s.o.; ***das liegt mir sehr am ~en*** that's very important to me; ***s-m ~en Luft machen*** give vent to one's feelings; ***j-n ins ~ schließen*** take s.o. to one's heart; ***sie sind ein ~ und eine Seele*** they are very close, F they are as thick as thieves; → ***ausschütten*** 1, ***bringen*** 7, ***Stoß*** 1, ***tief*** I

Herzanfall *m* heart attack

Herzass *n Kartenspiel*: ace of hearts

Herzasthma *n* cardiac asthma

Herzbeschwerden *Pl* heart trouble *Sg*

Herzbeutel *m* ANAT pericardium

Herzchen *n Anrede*: darling

Herzchirurg(in) heart surgeon

Herzdame *f* (*Karte*) queen of hearts

herzeigen *v/t* show: ***zeig*** (***mal***) ***her!*** let me see!

herzen *v/t* hug, (*kosen*) cuddle

Herzensangelegenheit *f* affair of the heart: ***das ist mir e-e ~*** it is a matter dear to my heart **Herzensbrecher** *m* F ladykiller **Herzenslust** *f* ***nach ~*** to one's heart's content **Herzenswunsch** *m* dearest wish

herzerfrischend *Adj* (very) refreshing

herzergreifend *Adj* (deeply) moving

Herzerweiterung *f* MED dilatation of the heart **Herzfehler** *m* MED cardiac defect

Herzflimmern *n* MED heart flutter

herzförmig *Adj* heart-shaped

herzhaft *Adj* **1.** (*kräftig*) hearty **2.** → ***beherzt*** **Herzhaftigkeit** *f* heartiness

herziehen I *v/t* **1.** draw *s.th.* near(er) **2.** ***hinter sich ~*** drag *s.o., s.th.* along (behind one) **II** *v/i* **3.** move here **4.** F *fig* ***über j-n*** (***etw***) **~** run s.o. (s.th.) down

herzig *Adj* sweet, lovely

Herz|infarkt *m* MED cardiac infarction, F *mst* heart attack, coronary **~kammer** *f*

H

ANAT ventricle **~katheter** *m* MED cardiac catheter **~kirsche** *f* BOT heart cherry **~klappe** *f* MED cardiac valve **~klappenfehler** *m* MED valvular (heart) defect **~klopfen** *n* beating (MED palpitation) of the heart: ***er hatte ~*** his heart was throbbing (***vor*** *Dat* with) **≈krank** *Adj* suffering from a heart condition, cardiac **~kranke** *m, f* MED cardiac **~kranzgefäß** *n* ANAT coronary vessel **~leiden** *n* heart disease (*od* condition)

herzlich *Adj* cordial, hearty (*a. Lachen*), *Empfang, Lächeln, Person etc*: *a.* warm, friendly, *Anteilnahme, Bitte etc*: sincere, heartfelt: ***~e Grüße, mit ~en Grüßen*** kind regards (***an*** *Akk* to), *intimer*: (with) love; → ***Beileid, Dank*** **Herzlichkeit** *f* heartiness, cordiality, warmth, sincerity

herzlos *Adj* heartless

Herzlosigkeit *f* heartlessness

Herz-Lungen-Maschine *f* MED heart-lung machine

Herzmassage *f* MED heart massage

Herzog *m* duke **Herzogin** *f* duchess

herzoglich *Adj* ducal

Herzogtum *n* dukedom, duchy

Herzoperation *f* heart operation

Herz|rhythmusstörung *f* arrythmia **~schlag** *m* **1.** heartbeat **2.** MED heart attack (*od* failure) **~schrittmacher** *m* MED (cardiac) pacemaker **~schwäche** *f* cardiac insufficiency **~spezialist(in)** heart specialist **≈stärkend** *Adj* (*a.* ***~es Mittel***) cardiotonic **~stillstand** *m* MED cardiac arrest **~stück** *n fig* core **~tod** *m* death by heart failure

herzu(…) → ***heran(…), herbei(…), hinzu(…)***

Herzverpflanzung *f* MED heart transplant

Herzversagen *n* MED heart failure

herzzerbrechend *Adj* heartbreaking

herzzerreißend *Adj* heartrending

Hessen *n* Hesse **Hesse** *m*, **Hessin** *f*, **hessisch** *Adj* Hessian

heterogen *Adj* heterogeneous

heterosexuell *Adj*, **Heterosexuelle** *m, f* heterosexual

Hetze *f* **1.** (***gegen***) agitation (against), (virulent) campaign (against), (*Rassen≈*) baiting (of) **2.** F (*Eile*) (mad) rush, rat race **3.** → ***Hetzjagd*** 1, 2

hetzen I *v/t* **1.** *a. fig* hunt, hound **2.** ***e-n Hund*** *etc* ***~ auf*** (*Akk*) set a dog *etc* on **3.** *fig* rush: ***sich ~*** rush o.s., drive o.s. (hard) **II** *v/i* **4.** (***gegen*** against) agitate, (*schmähen*) vituperate **5.** F (*hasten, sich beeilen*) rush, hurry

hetzerisch *Adj Reden etc*: inflammatory

Hetzjagd *f* **1.** hunt(ing) (with hounds) **2.** *fig* (*Verfolgung*) chase **3.** → ***Hetze*** 2

Hetzrede *f* inflammatory speech

Heu *n* hay: F ***er hat Geld wie ~*** he's rolling in money **~boden** *m* hayloft

Heuchelei *f* hypocrisy, (*Verstellung*) dissimulation, (*Gerede*) cant

heucheln I *v/t* simulate, feign **II** *v/i* play the hypocrite, dissemble

Heuchler(in) hypocrite

heuchlerisch *Adj* hypocritical

heuen *v/i* make hay

heuer *Adv österr., schweiz.* this year

Heuer *f* SCHIFF pay **heuern** *v/t* SCHIFF hire

Heuernte *f* hay harvest

Heugabel *f* hayfork, pitchfork

heulen *v/i* **1.** ZOOL howl **2.** F bawl, *a. fig Sirene*: wail: *fig* ***es ist zum ≈*** it's a (great) shame **Heuler** *m* F (*Fehler*) howler **Heulsuse** *f* F *pej* crybaby

heurig *Adj österr.* this year's

Heurige *m österr.* new wine

Heuschnupfen *m* hay fever

Heuschober *m* haystack

Heuschrecke *f* ZOOL grasshopper, locust

heute I *Adv* today, this day: ***~ Abend*** this evening, tonight; ***~ in acht Tagen*** a week from now, *Br a.* today week; ***~ vor acht Tagen*** a week ago (today); ***von ~*** → ***heutig***; ***von ~ an*** from today; *fig* ***von ~ auf morgen*** overnight **II *das*** ***≈*** the present, today

heutig *Adj* today's, of today, (*gegenwärtig*) *a.* present(-day), modern: ***bis auf den ~en Tag*** to this day

heutzutage *Adv* nowadays, today

Hexe *f* witch (*a. fig*), sorceress, *fig* (*böses Weib*) hellcat: (***alte***) ***~*** (old) hag

hexen *v/i* practise witchcraft: F ***ich kann doch nicht ~!*** I can't work miracles!

Hexen|jagd *f fig* witch-hunt **~kessel** *m fig* inferno **~meister** *m* sorcerer **~schuss** *m* MED F lumbago

Hexerei *f* witchcraft, magic (*a. fig*): ***das ist k-e ~!*** there's nothing to it!

H

Hickhack *m* F squabbling
Hieb *m* **1.** stroke, blow, (*Faust*$\mathfrak{L}$) *a.* punch: F ***~e bekommen*** get a thrashing; ***auf einen ~*** at one go **2.** *fig* (*Seiten*$\mathfrak{L}$) dig (***auf*** *Akk* at) **hieb- und stichfest** *Adj fig* watertight, cast-iron
hier *Adv allg* here (*a. fig in diesem Fall*), (*anwesend*) *a.* present; ***~ bleiben*** stay here; ***~ sein*** be here, be present; ***~ drinnen*** (***draußen, oben***) in (out, up) here; ***~ und da*** here and there, *zeitlich*: now and then; ***~ und heute*** here and now; ***von ~ an*** (*od* ***ab***) from here (on); ***~ entlang!*** this way!; ***~, bitte!*** here you are!
hieran *Adv* **1.** ***~ kann man sehen, dass ...*** you can see from this that ...; ***~ ist kein wahres Wort*** there is not a word of truth in this **2.** ***~ schließt sich ... an*** this is followed by ...
Hierarchie *f* hierarchy
hieraus *Adv* from this, out of this
hierbei *Adv* here, (*bei dieser Gelegenheit*) on this occasion, (*in diesem Zs.-hang*) in this connection
hierdurch *Adv* by this, hereby
hierfür *Adv* for this, for it
hierher *Adv* here, this way, over here: ***bis ~*** up to here, *a. zeitlich*: so far; ***bis ~ und nicht weiter*** this far and no further; (***komm***) ***~!*** come here!; ***~ gehören*** belong here: *fig* ***das gehört nicht ~*** *a.* that's irrelevant
hierhin *Adv* here **hierhinauf** *Adv* up here **hierhinein** *Adv* in here
hierin *Adv a. fig* in this, here
hiermit *Adv* with this, *förmlich*: herewith, (*beiliegend*) *a.* enclosed
hiernach *Adv* **1.** *zeitlich*: after this (*od* it) **2.** (*demzufolge*) according to this
Hieroglyphe *f* hieroglyph
Hiersein *n* ***während s-s ~s*** during his stay (here)
hierüber *Adv fig* about this (subject)
hierum *Adv* **1.** (a)round this **2.** → ***hierherum*** 2 **3.** *fig* about this (*od* it): ***~ geht es nicht*** that's not the point
hierunter *Adv* **1.** under this, among these **2.** *fig verstehen etc*: by this, by that: ***~ fällt ...*** this includes ...
hiervon *Adv* of (*od* from) this
hierzu *Adv* **1.** (*dafür*) for this **2.** (***im Gegensatz ~*** in contrast) to this
hierzulande *Adv* in this country, here
hiesig *Adj* local, *nachgestellt*: here, of this place (*od* country)
hieven *v/t a. fig* heave
Hi-Fi-Anlage *f* hi-fi set
high *Adj* F high
Highlife *n* F high life: ***~ machen*** live it up
Hightech *n* high tech **Hightechindustrie** *f* high-tech industry
Hilfe *f* **1.** help, aid, assistance, *für Notleidende*: relief: ***ärztliche ~*** medical assistance; ***erste ~*** first aid; ***~ flehend*** imploring; ***j-m ~ leisten*** help s.o., aid s.o.; ***j-m zu ~ kommen*** (***eilen***) come (rush) to s.o.'s aid: *etw* ***zu ~ nehmen*** make use of, use; ***um ~ rufen*** call for help; ***~ suchend*** seeking (for) help; ***mit ~ von*** → ***mithilfe***; ***ohne ~*** without help, unaided; (***zu***) ***~!*** help! **2.** (*Hilfskraft*) help **Hilfeleistung** *f* aid, assistance, help **Hilferuf** *m a. fig* cry for help **Hilfestellung** *f a. fig* support
hilflos *Adj* helpless **Hilflosigkeit** *f* helplessness **hilfreich** *Adj a. fig* helpful
Hilfsaktion *f* relief (*zur Rettung*: rescue) action **Hilfsarbeiter(in)** unskilled worker, labo(u)rer **hilfsbedürftig** *Adj* in need (of help), (*notleidend*) needy
hilfsbereit *Adj* ready to help, helpful
Hilfsbereitschaft *f* readiness to help
Hilfs|dienst *m* emergency service **~fonds** *m* relief fund **~kraft** *f* **1.** assistant, help **2.** temporary worker **~mittel** *n* aid **~motor** *m* auxiliary engine (ELEK motor) **~organisation** *f* relief organization **~quelle** *f* source of help, *Pl* resources *Pl* **~verb** *n* auxiliary verb **~werk** *n* relief organization **~wissenschaft** *f* complementary science (*od* subject)
Himbeere *f* BOT raspberry
Himbeergeist *m* white raspberry brandy **Himbeersaft** *m* raspberry juice
Himbeerstrauch *m* BOT raspberry bush
Himmel *m* sky, REL *u. fig* heaven: ***der ~ auf Erden*** heaven on earth; ***am ~*** in the sky; *fig* (***wie***) ***aus heiterem ~*** out of the blue; ***unter freiem ~*** in the open air; ***zum ~*** (***empor***) skyward(s), heavenward(s); ***im ~ sein*** be in heaven; ***in den ~ heben*** praise *s.o., s.th.* to the skies; F ***weiß der ~*** (, ***wo***)***!*** God knows (where)!; ***das schreit zum ~*** it's a crying shame; F ***das stinkt zum ~*** that stinks to high heaven; ***um ~s willen!***

a) *a.* (**ach,**) ***du lieber ~!*** good heavens!, **b)** *a.* ~ (***noch mal***)***!*** for Heaven's sake!
himmelangst *Adj* ***mir war*** (*od* ***wurde***) ~ I was scared to death **Himmelbett** *n* four-poster **himmelblau** *Adj* sky-blue
Himmelfahrt *f* ***Christi*** ~ **a)** the Ascension of Christ, **b)** (***an*** ~ on) Ascension Day; ***Mariä*** ~ **a)** the Assumption of the Virgin Mary, **b)** Assumption Day
Himmelfahrts|kommando *n* F MIL suicide mission **~nase** *f* F tip-tilted nose **~tag** *m* (***am*** ~ on) Ascension Day
Himmelreich *n* kingdom of heaven
Himmelschlüssel *m* BOT primrose
himmelschreiend *Adj* outrageous, terrible: ***~e Schande*** crying shame
Himmels|karte *f* star map **~körper** *m* celestial body **~richtung** *f* direction, *Kompass*: cardinal point
himmelweit I *Adj fig* vast: ***es ist ein ~er Unterschied zwischen*** (*Dat*) ... there is a world of difference between ... **I** *Adv* ~ ***verschieden sein*** differ enormously
himmlisch *Adj* heavenly, divine, *fig a.* marvel(l)ous
hin I *Adv* **1.** (*dort~*) there: ***nichts wie ~!*** let's go!; ~ ***zu*** to, *Richtung*: towards; (***bis***) ~ ***zu*** **a)** as far as, **b)** *fig* (even) including, **c)** *zeitlich*: till; ***über e-e Sache*** ~ over s.th.; ~ ***und her*** to and fro, back and forth; ~ ***und zurück*** there and back, *Fahrkarte*: return (*bes Am* round-trip) (*ticket*); ~ ***und her gerissen sein*** **a)** ***zwischen*** be torn between, **b)** F ***von*** be gone over; ***etw ~ und her überlegen*** think s.th. over carefully **2.** ***auf e-e Sache*** ~ (*als Folge*) as a result of, (*auf Grund von*) on the basis of, (*wegen*) because of, (*in Beantwortung*) in reply to, on; ***auf s-e Bitte*** ~ at his request; ***auf ihren Rat*** ~ at her advice **3.** ~ ***und wieder*** now and then **4.** F ~ ***oder her*** **a)** more or less, give or take (*ten dollars, years, etc*), **b)** *a.* ... ~, ... ***her*** I don't care; ***Anstand ~, Anstand her*** fairness or no **II** *Adj präd* **5.** F ~ ***sein*** **a)** (*kaputt*) be wrecked, *a. fig* be ruined, (*verloren*) be gone, (*erschöpft*) be dead(-beat), (*tot*) be gone, be done for: ***es*** (***er***) ***ist*** ~ *allg a.* it (he) has had it; ~ ***ist ~!*** gone is gone!, **b)** (***ganz***) ~ (***von***) → ***hingerissen*** I
Hin *n* → ***Hin und Her***
hinab(...) → ***herab***(...), ***herunter***(...), ***hinunter***(...)
hinarbeiten *v/i* ~ ***auf*** (*Akk*) work towards, aim at
hinauf *Adv* up: ***da*** ~ up there; ***bis ~ zu*** up to; ***den Berg*** ~ up the hill, uphill; ***die Straße*** ~ up the street; (***die Treppe***) ~ upstairs
hinauf... *climb, drive, look, etc* up, → *a.* ***empor..., hoch...*** **~gehen I** *v/i* go up (*a. fig Preise etc*): ***mit dem Preis*** ~ raise the price **II** *v/t* go up: ***die Treppe*** ~ *a.* go upstairs **~steigen** *v/i* go (*klettern*: climb) up: ***auf etw*** ~ *a.* mount s.th.
hinaus *Adv* **1.** out, outside: ~ ***aus*** out of; ***da ~!*** this way (out)!; ***zum Fenster*** ~ out of the window; ***nach vorn*** (***hinten***) ~ ***wohnen*** live at the front (back); ~ ***sein über*** (*Akk*) be beyond, be past; ***über das Alter*** (*od* ***darüber***) ***ist er*** ~ he is past that age; ~ (***mit dir*** *od* ***euch***)! out (with you)!, get out!; ~ ***damit!*** out with it!; → *a.* ***hinauslaufen, -wollen*** *etc* **2.** ***über*** *etw* ~ *a. fig* beyond, (*höher als, mehr*) above, over: ***auf Jahre*** ~ for years (to come); → ***darüber*** 3
hinaus|begleiten *v/t* ***j-n*** ~ see s.o. out (***aus*** of) **~ekeln** *v/t* F ***j-n*** ~ freeze s.o. out (***aus*** of) **~fliegen** *v/i* **1.** (*a. v/t*) fly out **2.** F *fig* get kicked out, *aus e-r Stellung*: *a.* get the sack **~gehen** *v/i* **1.** go out (***aus*** of) **2.** *fig* ~ ***auf*** (*Akk*) *Fenster etc*: open on(to) **3.** *fig* ~ ***über*** (*Akk*) go beyond, *Sache*: *a.* exceed
hinauslaufen *v/i* **1.** run out (***aus*** of) **2.** *fig* ~ ***auf*** (*Akk*) come to, amount to, lead to; ***es läuft auf dasselbe hinaus*** it comes (*od* amounts) to the same thing
hinauslehnen *v/refl* ***sich*** ~ lean out (***aus*** of) **hinausschieben** *v/t fig* put *s.th.* off, postpone
hinauswachsen *v/i fig* ***über j-n*** (***sich***) ~ surpass s.o. (o.s.)
hinauswagen *v/refl* ***sich*** ~ venture (to go) out (***aus*** of) **hinauswerfen** *v/t* **1.** throw *s.th.* out (***aus*** of): → ***Fenster*** **2.** F (*j-n*) throw (*od* kick) *s.o.* out (***aus*** of), *aus e-r Firma etc*: *a.* sack, fire
hinauswollen *v/i* **1.** want to go (*od* get) out (***aus*** of) **2.** *fig* ***worauf will er hinaus?*** what is he driving at?; ***worauf will das hinaus?*** what's the idea (of that)?; ***hoch*** ~ be aiming high

hinausziehen I *v/t* **1.** pull *s.o., s.th.* out (***aus*** of) **2.** *fig* ***etw ~*** drag s.th. out **II** *v/i* **3.** go out, march out **III** *v/refl* ***sich ~*** **4.** drag on, *Arbeit, Prozess etc*: take longer than expected **hinauszögern** *v/t* delay: ***sich ~*** be delayed
hinbiegen *v/t* F *fig* ***etw ~*** wangle s.th.
Hinblick *m* ***im ~ auf*** (*Akk*) with regard to, in view of
hinbringen *v/t* **1.** take *s.o., s.th.* there **2.** (*Zeit etc*) pass, spend **3.** → ***hinkriegen***
hindenken *v/i* ***wo denkst du hin!*** of course not!
hinderlich *Adj* cumbersome, troublesome: ***~ sein*** (*Dat*) hamper, impede, be a handicap to, ***j-m*** *a.* be in s.o.'s way
hindern *v/t* hamper, impede, (*stören*) interfere (***bei*** with): ***j-n am Arbeiten ~*** prevent (*od* keep) s.o. from working
Hindernis *n allg* (***für*** to) obstacle, *fig a.* impediment, (*Nachteil*) handicap: *fig* ***auf ~se stoßen*** run into obstacles; ***j-m ~se in den Weg legen*** put obstacles in s.o's way; ***e-e Reise mit ~sen*** a journey full of mishaps **~lauf** *m* obstacle race
hindeuten *v/i* ***~ auf*** (*Akk*) point at, *fig* point to, indicate
Hindu *m* Hindu
Hinduismus *m* Hinduism
hindurch *Adv* **1.** *räumlich*: through: ***mitten*** (*od* ***ganz***) ***~*** right through **2.** *zeitlich*: through(out): ***die ganze Nacht*** (***den ganzen Tag***) ***~*** all night (day) (long); ***das ganze Jahr ~*** throughout the year **hindurch...** → ***durch...***
hinein *Adv* in, inside, *a. zeitlich*: into (*May etc*): ***da ~*** in there; ***bis tief in die Nacht ~*** far into the night; F ***~!*** let's go! **~bekommen** *v/t* get *s.o., s.th.* in(to ***in*** *Akk*) **~denken** *v/refl* ***sich ~ in*** (*Akk*) go into, ***j-n*** put o.s. into s.o.'s position
hineingehen *v/i* **1.** (***in*** *Akk*) go in(to), enter (*the house etc*) **2.** *fig* hold: ***in die Kanne gehen zwei Liter hinein*** the can holds two litres; ***in den Saal gehen 500 Personen hinein*** the hall seats 500 persons **3.** F → ***hineinpassen*** 2
hinein|geraten *v/i* ***~ in*** (*Akk*) get into **~knien** *v/refl* ***sich ~ in*** (*Akk*) F *fig* buckle down to **~kommen** *v/i* (***in*** *Akk*) come in(to), (*gelangen*) get in(to)
hineinkriegen F → ***hineinbekommen***
hinein|leben *v/i* ***in den Tag ~*** take it easy **~legen** *v/t* **1.** put *s.th.* in(to ***in*** *Akk*) **2.** → ***hereinlegen*** **~passen** *v/i* **1.** fit in(to ***in*** *Akk*) **2.** go in(to ***in*** *Akk*) **~reden** *v/i* ***j-m ~*** interrupt s.o.; *fig* ***j-m*** (***in s-e Angelegenheiten***) ***~*** interfere with s.o.'s affairs **~stecken** *v/t* F *a. fig* put *s.th.* in(to ***in*** *Akk*): → ***Nase***
hineinsteigern *v/refl* ***sich ~ in*** (*Akk*) get worked up about, ***s-e Wut*** work o.s. up into a rage **hineinversetzen** → ***versetzen*** II **hineinziehen I** *v/t* pull (*od* draw) *s.o., s.th.* in(to ***in*** *Akk*): *fig* ***j-n in e-e Sache ~*** involve s.o. in s.th. **II** *v/i* march (*od* move) in(to ***in*** *Akk*)
hinfahren I *v/t* take (*od* drive) *s.o., s.th.* there **II** *v/i* go (MOT *a.* drive) there
Hinfahrt *f* journey there: ***auf der ~*** on the way there
hinfallen *v/i* fall (down)
hinfällig *Adj* **1.** (*gebrechlich*) frail **2.** *fig* (*ungültig, überholt*) invalid, no longer valid: ***etw ~ machen*** invalidate s.th.
hinfinden *v/i* (*a.* ***sich ~***) find one's way there
Hinflug *m* outward flight, (***auf dem ~*** on the) flight there
hinführen I *v/t* ***j-n ~*** lead (*od* take) s.o. there (*od* ***zu*** to) **II** *v/i* lead (*od* go) there: *fig* ***wo soll das*** (***noch***) ***~?*** where is this leading to?
Hingabe *f* **1.** (***an*** *Akk* to) devotion, dedication: ***mit ~*** *a.* lovingly **2.** (*Aufopferung*) sacrifice **hingeben I** *v/t* give away, (*opfern*) sacrifice, give up **II** *v/refl* ***sich ~*** **a)** *e-r Aufgabe etc*: devote (*od* dedicate) o.s. to, *der Verzweiflung etc.* abandon o.s. to, **b)** ***j-m*** give o.s. to s.o.; ***sich Hoffnungen*** (***Illusionen***) ***~*** have hopes (illusions)
hingebungsvoll *Adj u. Adv* devoted(ly), *Adv a.* with dedication
hingegen *Konj* however, on the other hand
hingehen *v/i* **1.** go (there): ***wo gehst du hin?*** where are you going? **2.** *Zeit etc*: pass, go by **3.** *fig* (*tragbar sein*) pass, do: ***etw ~ lassen*** let s.th. pass
hingehören *v/i* belong: ***wo gehört das hin?*** where does this belong (*od* go)?
hingeraten *v/i* get (***irgendwo*** somewhere): ***wo ist es*** (***er***) ***hingeraten?*** what has become of it (him)?
hingerissen I *Adj* (***von***) enraptured

H

(by), ecstatic (*präd* in raptures, F gone) (over) **II** *Adv* in raptures, ecstatically
hinhalten *v/t* **1.** ***j-m etw ~*** hold s.th. out to s.o.; → ***Kopf*** 1 **2.** *fig* ***j-n ~*** put s.o. off, keep s.o. on a string **Hinhaltetaktik** *f* delaying tactics *Pl* (*oft Sg konstr*)
hinhauen F **I** *v/t* **1.** slam *s.th.* down **2.** *fig* (*Arbeit, Zeichnung etc*) knock off **II** *v/i* **3.** *fig* (*klappen*) work, (*gut sein*) be okay, (*stimmen*) be right, (*ausreichen*) do **III** *v/refl* ***sich ~*** **4.** hit the ground, (*schlafen gehen*) hit the sack
hinhören *v/i* listen
hinken *v/i* (walk with a) limp: ***der Vergleich hinkt*** that's a lame comparison
hinknien *v/i* (*a.* ***sich ~***) kneel down
hinkommen *v/i* **1.** come (*od* get) there: *fig* ***wo kämen wir denn hin, wenn …*** where would we be if … **2.** F go, belong: ***wo kommt das hin?*** where does that go? **3.** F *mit s-m Geld etc*: manage **4.** F (*stimmen*) be right: ***wieder ~*** (*in Ordnung kommen*) come right
hinkriegen *v/t* F manage: ***etw ~*** (*fertig bekommen*) get s.th. done
hinlangen *v/i* F (***kräftig***) **~ a)** (*zuhauen*) let go with a wallop, **b)** *fig* (really) go to town (***bei*** on)
hinlänglich *Adj* sufficient
hinlegen I *v/t* **1.** put (*od* lay) down **2.** F (*Geld*) fork out **3.** F (*machen, zeigen*) do *s.th.* brilliantly: ***sie haben ein tolles Spiel hingelegt*** they played a fantastic game **II** *v/refl* ***sich ~*** **4.** lie down
hinmachen F **I** *v/t* **1.** fix **2. a)** (*j-n*) kill, **b)** (*etw*) wreck, break **II** *v/i* **3.** *Dialekt* hurry up: ***mach(t) hin!*** get a move on!
hinnehmen *v/t* **1.** accept, *fig a.* take, put up with **2.** F ***mit ~*** take *s.o., s.th.* along
hinreichen I *v/t* **1.** → ***reichen*** 1 **II** *v/i* **2.** be sufficient, do **3. ~** (***bis***) ***zu*** go as far as **hinreichend** *Adj* sufficient
Hinreise *f* journey there (*od* out), SCHIFF voyage out: ***auf der ~*** on the way there
hinreißen *v/t fig* **1.** enrapture, thrill: → ***hingerissen*** **2.** ***sich ~ lassen*** (let o.s.) be carried away (***von*** by, ***zu*** into *doing*)
hinreißend *Adj* breathtaking, fantastic
hinrichten *v/t* execute
Hinrichtung *f* execution
hinschaffen *v/t* get there
hinschauen → ***hinsehen***
hinschicken *v/t* send
hinschludern *v/t* F ***etw ~*** knock s.th. off sloppily
hinschmeißen *v/t* F **1.** (*werfen*) chuck down **2.** (*aufgeben*) chuck in
hinschreiben I *v/t* write (down): ***rasch ~*** jot down, (*Brief etc*) dash off **II** *v/i* write (to s.o.) **hinsehen** *v/i* look: ***ohne hinzusehen*** without looking; ***bei näherem ≈*** at a closer look
hin sein → ***hin*** II
hinsetzen I *v/t* **1.** set (*od* put) *s.th.* down, (*j-n*) seat, (*Kind*) sit *s.o.* down **2.** (*hinschreiben*) put: ***wo soll ich m-n Namen ~?*** where shall I put my name? **II** *v/refl* ***sich ~*** **3.** sit down, take a seat
Hinsicht *f* ***in dieser*** (***in einer, in jeder***) **~** in this (in one, in every) respect; ***in mancher*** (***vieler***) **~** in some (many) respects (*od* ways); ***in politischer ~*** politically **hinsichtlich** *Präp* (*Gen*) with regard to, regarding, as to
Hinspiel *n* SPORT first leg
hinstellen I *v/t* **1.** put, place, (*abstellen*) put down **2.** F (*Haus etc*) put up **3.** *fig* ***j-n*** (***etw***) ***~ als*** make s.o. (s.th.) out to be **II** *v/refl* ***sich ~*** **4.** stand (***vor j-n*** in front of s.o.) **5.** *fig* ***sich ~ als*** claim (*fälschlich*: pretend) to be
hintansetzen, **hintanstellen** *v/t fig* put *s.th.* last, (*vernachlässigen*) neglect
hinten *Adv* at the back (*od* rear), (*im Hintergrund*) in the background: ***~ im Garten*** at the back of the garden; ***~ am Auto*** at the rear of the car; ***~ im Buch*** at the end of the book; ***nach ~*** to the back, (*zurück*) back, (*rückwärts*) backwards; ***von ~*** from the back, from behind; F ***den sehe ich am liebsten von ~*** I'm glad to see the back of him; ***das reicht ~ und vorn nicht*** that's not nearly enough; ***das stimmt ~ und vorn nicht*** that's all wrong **hintenherum** *Adv* F **1.** around to the back **2.** *fig* on the quiet
hintenüber *Adv* backwards
hinter I *Präp* (*Dat u. Akk*) behind: ***~ dem Haus*** behind (*od* at the back of) the house; *fig* ***etw ~ sich bringen*** get s.th. over (with), (*Strecke*) cover; ***~ etw kommen*** find out about s.th., (*verstehen*) get (the hang of) s.th.; ***j-n*** (***etw***) ***~ sich lassen*** leave s.o. (s.th.) behind; ***etw ~ sich haben*** have s.th. behind one; ***er hat schon viel Schlimmes ~***

sich he has been through a lot; *fig* **~ *j-m stehen*** be behind s.o., *a.* ***sich ~ j-n stellen*** back s.o. (up); ***~ j-m (etw) her sein*** be after s.o. (s.th.) **II** *Adj* → ***hintere***

Hinter|achsantrieb *m* MOT rear-axle drive **~achse** *f* MOT rear axle **~ausgang** *m* rear exit **~backe** *f* F buttock

Hinterbänkler(in) PARL backbencher

Hinterbein *n* hind leg: *fig* ***sich auf die ~e stellen*** put up a fight

Hinterbliebene *m, f* surviving dependant: ***die ~n*** the bereaved

hinterbringen *v/t* ***j-m etw ~*** inform s.o. of s.th.

Hinterdeck *n* SCHIFF afterdeck

hintere *Adj* back, rear: ***die ~n Reihen*** the back rows, the rows at the back; ***die 2n konnten kaum etw sehen*** those at the back could hardly see anything

hintereinander *Adv* **1.** one behind the other, *in Reihenfolge*: one after the other (*a. zeitlich*): ***drei Tage (dreimal) ~*** three days (times) running (*od* in a row, at a stretch); ***zum dritten Mal ~*** for the third successive time, for the third time in a row; ***~ gehen*** walk one behind the other; ***~ schalten*** ELEK connect in series **2.** → ***nacheinander***

Hintereingang *m* rear entrance

hinterfragen *v/t* scrutinize (closely)

Hinterfuß *m* hind foot **Hintergebäude** *n* back building **Hintergedanke** *m* ulterior motive, arrière-pensée

hintergehen *v/t* deceive, cheat

Hintergrund *m* (*fig* ***vor dem ~*** against the) background (*Gen* of); ***in den ~ drängen*** thrust *s.o., s.th.* into the background; ***sich im ~ halten*** stay in the background **Hintergrund...** background (*information, music, etc*)

hintergründig *Adj* enigmatic(al), cryptic, (*tief*) profound, *Humor etc*: subtle

Hintergrundinformation *f* piece of background information

Hinterhalt *m* **1.** (*a.* ***aus dem ~ angreifen***) ambush **2.** *fig* ***etw im ~ haben*** have s.th. in reserve

hinterhältig → ***hinterlistig***

Hinter|hand *f* **1.** ZOOL hindquarters *Pl* **2.** *fig* ***(noch) etw in der ~ haben*** have s.th. up one's sleeve **~haus** *n* back building

hinterher *Adv* **1.** *räumlich*: behind, after **2.** *zeitlich*: afterwards, after the event **3.** ***~ sein, dass ...*** see to it that ...; → ***hinter*** I

hinterherlaufen *v/i* run behind: ***j-m ~*** run (*od* walk) behind s.o., (*verfolgen, a.* F *fig*) run after s.o.

Hinterhof *m* backyard **Hinterkopf** *m* back of one's head: F ***etw im ~ haben*** have s.th. at the back of one's mind

Hinterland *n* hinterland

hinterlassen **I** *v/t allg* leave (behind), *testamentarisch*: *a.* bequeath (***j-m etw*** s.th. to s.o.) **II** *Adj Werke etc*: posthumous **Hinterlassenschaft** *f* JUR estate, *fig* legacy **Hinterlassung** *f* ***unter ~ von*** (*od Gen*) leaving *s.th.* behind

hinterlegen *v/t* deposit (***bei*** with)

Hinterlegung *f* deposit: ***gegen ~ von*** (*od Gen*) on depositing *s.th.*

Hinterlist *f* **1.** insidiousness, underhandedness **2.** underhand(ed) trick

hinterlistig *Adj* insidious, underhanded, (*verschlagen*) crafty

Hintermann *m* **1.** ***mein*** *etc* **~** the man (MOT car) behind me *etc* **2.** *fig mst Pl* man behind it

Hintermannschaft *f* defen/ce (*Am* -se)

Hintern *m* F bottom, backside, behind: *fig* ***sich auf den ~ setzen*** buckle down to work

Hinterrad *n* rear wheel **Hinterradantrieb** *m* MOT rear-wheel drive

hinterrücks *Adv* **1.** from behind **2.** *fig* behind *s.o.'s* back

Hinter|seite *f* back **~sitz** *m* back seat

hinterste *Adj* back (most), (*letzte*) last, hindmost: ***am ~n Ende*** at the very end

Hinterteil *n* **1.** back (part), rear **2.** → ***Hintern***

Hintertreffen *n* ***ins ~ geraten*** fall behind, *weit. S.* be losing out

hintertreiben *v/t* prevent, (*Gesetz etc*) torpedo, (*vereiteln*) foil

Hintertreppe *f* back stairs *Pl*

Hintertür *f* **1.** back door **2.** *a* **Hintertürchen** *n* (*Ausweg*) loophole

Hinterwäldler(in) backwoodsman, *Am a.* hick **hinterwäldlerisch** *Adj* backwoods ..., *Am a.* hick ...

hinterziehen *v/t* ***Steuern ~*** evade taxes

Hinterzimmer *n* back room

hintun *v/t* F put: *fig* ***ich weiß nicht, wo ich ihn ~ soll*** I can't place him

hinüber *Adv* over, *quer*: across: ***da ~!*** over there!; F ***~ sein*** **a)** (*tot*) be gone,

b) (*betrunken*) be dead to the world, **c**) (*kaputt*) be ruined, have had it, **d**) (*verdorben*) have gone bad **hinüberfahren I** *v/t* take (MOT *a.* drive) *s.o., s.th.* over (*od* across) (***über*** *Akk a bridge etc*) **II** *v/i* go (*od* travel, MOT drive) across (*od* over) (***nach, zu*** to)

Hinübersetzung *f* translation into the foreign language

Hin und Her: ***das ~*** the coming and going, *a. fig* the to-and-fro; ***nach langem ~*** after endless discussions

hin- und herlaufen *v/i* run to and fro

Hin- und Rück|fahrkarte *f* return (*Am* round-trip) ticket **~fahrt** *f* return journey, *Am* round trip **~flug** *m* return (*Am* round-trip) flight

hinunter *Adv* down: ***den Hügel ~*** down the hill, downhill; ***die Treppe ~*** down the stairs, downstairs; ***die Straße ~*** down the street; ***da ~!*** down there!

hinunter… *fall, look, walk, etc* down, → *a.* ***herunter…*** **~gehen I** *v/i* → ***heruntergehen*** **II** *v/t* go (*od* walk) down (*the street, etc*) **~schlucken** *v/t a. fig* swallow **~spülen** *v/t a. fig* wash down **~stürzen I** *v/t* **1.** throw *s.o., s.th.* down: ***sich ~*** throw o.s. down **2.** (*rennen*) rush down (*the stairs etc*) **3.** (*trinken*) gulp down **II** *v/i* **4.** crash down

hinwagen *v/refl* ***sich ~*** venture there

hinweg *Adv* **1.** (*fort*) away, off **2.** ***über e-e Sache ~*** over (*od* across) s.th.; *fig* ***über j-n*** (*od* ***j-s Kopf***) ***~*** over s.o.'s head **3.** *fig* ***darüber ist er ~*** (*e-e Enttäuschung etc*) he has got over that

Hinweg *m* (***auf dem ~*** on the) way there

hinweg… → ***fort…, weg…***

hinweg|gehen *v/i fig* ***~ über*** (*Akk*) pass over, ignore; ***lachend*** (***achselzuckend***) ***über etw ~*** laugh (shrug) s.th. off **~helfen** *v/t* ***j-m über etw ~*** *a. fig* help s.o. to get over s.th. **~kommen** *v/i* ***über etw ~*** *a. fig* get over s.th. **~sehen** *v/i* ***über etw ~*** **a**) see (*od* look) over s.th., **b**) *fig* ignore s.th., overlook s.th. **~setzen I** *v/i* ***über*** *e-n Graben etc* ***~*** jump over **II** *v/refl* ***sich ~ über*** (*Akk*) → ***hinweggehen***

Hinweis *m* (***auf*** *Akk*) **1. a**) (*Rat*) tip, (*Wink*) hint (as to), **b**) *a. Pl* information (on, about), **c**) (*Anhaltspunkt*) indication (of), clue (as to), **d**) (*Anmerkung*) note (about), comment (on): ***sachdienliche ~e*** relevant information; ***~e zur Benutzung*** directions for use **2.** (*Verweis*) reference (to) **3.** (*Anspielung*) allusion (to) **hinweisen I** *v/t* ***j-n auf etw ~*** point s.th. out to s.o. **II** *v/i* ***~ auf*** (*Akk*) *a. fig* point to, *fig a.* indicate, (*verweisen*) refer to; ***darauf ~, dass …*** point out (*betonen*: emphasize) that …

hinweisend *Adj* ***~es Fürwort*** demonstrative pronoun

Hinweis|schild *n*, **~tafel** *f* sign

hinwerfen *v/t* **1.** throw *s.th.* down, F (*fallen lassen*) drop (*a. fig Bemerkung etc*): ***sich ~*** throw o.s. down; ***j-m etw ~*** throw s.th. to s.o. **2.** F *fig* (*aufgeben*) chuck **3.** F *fig* (*Brief etc*) dash off

hinwirken *v/i* ***~ auf*** (*Akk*) work towards

hinwollen *v/i* F want to go: ***wo willst du hin?*** where are you going?

hinziehen I *v/t* **1.** *a. fig* draw *s.o., s.th.* (***zu*** to, towards): *fig* ***sich hingezogen fühlen zu*** feel drawn towards **2.** *fig* (*verzögern*) drag *s.th.* out **II** *v/i* **3.** move (***über*** *Akk* across, ***zu*** towards), (*umziehen*) move there **III** *v/refl* ***sich ~*** **4.** *zeitlich*: drag on (***über Wochen*** *etc* for weeks *etc*) **5.** *räumlich*: stretch (***bis zu*** to, as far as)

hinzielen *v/i fig* ***~ auf*** (*Akk*) aim at, *Sache*: be aimed at

hinzu *Adv* in addition, besides

hinzufügen *v/t* (*Dat*) add (to), (*beilegen*) enclose (with) **Hinzufügung** *f* addition: ***unter ~ von*** (*od Gen*) (by) adding, *als Beilage*: enclosing

hinzukommen *v/i* **1.** come (along): ***~ zu*** (*sich anschließen*) join (*s.o., s.th.*) **2.** be added, (*nachfolgen*) follow: ***hinzu kommt, dass …*** add to this …, besides …; ***es kommt noch hinzu, dass er …*** what is more he … **hinzusetzen I** *v/t* (*Bemerkung etc*) add **II** *v/refl* ***sich*** (***zu j-m***) ***~*** join s.o., sit (down) with s.o. **hinzuzählen** *v/t* add **hinzuziehen** *v/t* ***j-n ~*** call s.o. in, consult s.o.

Hiobsbotschaft *f* bad news *Sg*

Hipsters *Pl* (*Hüfthose*) hipsters *Pl*, *Am* hiphuggers *Pl*

Hirn *n* **1.** ANAT brain **2.** GASTR brains *Pl* **3.** *fig* (*Verstand*) brain(s *Pl*), (*Geist*) head, mind: ***sich das ~ zermartern*** rack one's brains

Hirngespinst *n* (***ein reines ~*** a mere)

fantasy, (*verstiegene Idee*) pipe dream
Hirnhaut ANAT meninges *Pl* **Hirnhautentzündung** *f* MED meningitis
hirnlos *Adj a.* F *fig* brainless
Hirnrinde *f* ANAT cerebral cortex
hirnrissig *Adj* F mad
Hirntod *m* brain death
Hirsch *m* stag, *als Gattung*: deer **~braten** *m* roast venison **~fänger** *m* hunting knife **~kalb** *n* fawn **~keule** *f* GASTR haunch of venison **~kuh** *f* hind **~leder** *n*, **2ledern** *Adj* buckskin
Hirse *f* BOT millet
Hirte *m* heardsman, (*Schaf2*) shepherd (*a.* REL): ***der Gute ~*** (*Christus*) the (Good) Shepherd
Hirten|brief *m* REL pastoral **~spiel** *n* pastoral **~volk** *n* pastoral people
Hirtin *f* heardswoman, (*Schaf2*) shepherdess
his, His *n* MUS B sharp
hissen *v/t* hoist
Historiker(in) historian **historisch** *Adj* historical, (*geschichtlich bedeutsam*) historic (*figure, moment, etc*)
Hit *m* MUS *u.* F *fig* hit **Hitliste** *f* MUS *the* top ten *etc* (of the week *etc*) **Hitparade** *f* MUS hit parade
Hitze *f allg* heat, *fig a.* passion: ***in der ~ des Gefechts*** in the heat of the moment **2beständig** *Adj* heat-resistant **2empfindlich** *Adj* sensitive to heat, heat-sensitive **2frei** *Adj* ***~ haben*** have time off from school because of very hot weather
Hitzegrad *m* degree of heat
Hitzewelle *f* heat wave
Hitzschlag *m* heat stroke
HIV-negativ *Adj* HIV negative
HIV-positiv *Adj* HIV positive
H-Milch *f* long-life milk, UHT milk
Hobby *n* hobby **~raum** *m* workroom
hobeln *v/i u. v/t* plane
hoch I *Adj* **1.** *allg* high (*a. fig Einkommen, Kosten, Preis etc*), *Baum, Gestalt etc*: *a.* tall, *Schnee, Wasser*: deep, *Tempo etc, a. Ehre, Wert etc*: *a.* great, *Strafe*: heavy, *Stimme, Ton*: high(-pitched): ***ein hohes Alter erreichen*** live to a ripe old age; ***e-e hohe Niederlage*** SPORT a crushing defeat; MUS ***das hohe C*** top C; PARL ***das Hohe Haus*** the House; ***der hohe Norden*** the far North; *fig* ***das ist mir zu ~!*** that's above me!; → ***Maß***[1] 4, ***Ross, Tier*** *etc* **II** *Adv* **2.** high (*a. zahlenmäßig etc*), *fig* highly: ***~ auflösend*** *Bildschirm*: high-resolution; ***~ begabt*** highly gifted (*od* talented); ***~ bezahlt*** highly paid; ***~ dotiert*** highly paid, *Turnier etc*: carrying a high price; ***~ empfindlich*** highly sensative, FOTO high-speed (*film*); ***~ entwickelt*** highly developed, TECH sophisticated; *fig* ***~ gestellt*** high-ranking; ***~ gewachsen*** tall; ***~ qualifiziert*** highly qualified; ***~ schrauben*** (*Preise*) force up, (*Erwartungen*) raise; ***sich ~ schrauben*** spiral up; ***~ oben*** high up, *am Himmel*: on high; ***~ gewinnen*** win high; ***~ schätzen*** esteem highly; ***~ verlieren*** SPORT get trounced; ***~ spielen*** play (*a. fig* gamble) high; ***sie kamen drei Mann ~*** there were three of them; ***j-m etw ~ und heilig versprechen*** promise s.o. s.th. solemnly; ***wenn es ~ kommt*** at (the) most; ***Hände ~!*** hands up!; → ***hinauswollen*** 2 **3.** → **a)** ***hinauf*, b)** ***herauf*** **4.** MATHE ***fünf ~ zwei*** five (raised) to the second power; ***sechs ~ drei*** six cubed
Hoch *n* **1.** METEO *u. fig* high **2.** (*~ruf*) cheers *Pl*
Hochachtung *f* deep respect: ***alle ~!*** my compliment!; ***mit vorzüglicher ~*** → **hochachtungsvoll** *Adv Briefschluss*: Yours faithfully, Sincerely yours
Hochadel *m* high nobility
hochaktuell *Adj* highly topical
hochalpin *Adj* (high) alpine
Hochaltar *m* high altar
hochangesehen *Adj* highly esteemed
hochanständig *Adj* very decent
Hochantenne *f* overhead aerial (*bes Am* antenna)
hoch|arbeiten *v/refl* ***sich ~*** work one's way up **~auflösend** *Adj* high-resolution, TV *a.* high-definition
Hoch|bahn *f* elevated railway (*Am* railroad) **~bau** *m* structural engineering
hochberühmt *Adj* very famous, celebrated **hochbetagt** *Adj* very old, aged
Hochbetrieb *m* intense activity, (*Stoßzeit*) peak time, *im Verkehr*: rush hour, (*Hochsaison*) high season: ***es herrschte ~*** they (*od* we) were extremely busy
hoch|bringen *v/t* **1.** bring *s.o., s.th.* up **2.** (*heben*) get *s.th.* up **3.** *fig* (*Firma etc*) make *s.th.* a going concern: ***e-e Firma***

wieder ~ put a firm back on its feet **~brisant** *Adj* **1.** high-explosive **2.** *fig* explosive
Hochburg *f fig* stronghold
hochdeutsch *Adj*, **Hochdeutsch** *n* standard (*od* High) German
Hochdruck *m* **1.** METEO, PHYS high pressure: *fig* ***mit ~ arbeiten*** work (at) full blast **2.** MED (*Blut*~) high blood pressure **Hochdruckgebiet** *n* METEO high-pressure area
Hochebene *f* plateau
hocherfreut *Adj* (most) delighted (***über*** *Akk* at)
Hochfinanz *f* high finance
hochfliegen *v/i* **1.** fly up, soar **2.** F *fig* explode, blow up **hochfliegend** *Adj fig Pläne etc*: ambitious, high-flown
Hoch|form *f* (***in ~*** in) top form **~format** *n* upright format **~frequenz** *f* radio frequency, *in Zssgn* radio-frequency, high-frequency
Hochfrisur *f* upswept hairstyle
hochgebildet *Adj* highly educated
Hochgebirge *n* high mountain region, high mountains *Pl*
Hochgebirgs... alpine, mountain
Hochgefühl *n* elation
hochgehen I *v/i* **1.** *allg* go up, *Vorhang, Preise*: *a.* rise **2.** F *Bombe etc*: explode, blow up, *fig Person*: *a.* hit the ceiling: ***etw ~ lassen*** blow s.th. up **3.** F *Verbrecher etc*: be caught: ***~ lassen*** expose, (*schnappen*) nab, (*Bande*) round up, *sl* bust **II** *v/t* → ***hinaufgehen*** II
Hochgenuss *m* (real) treat
hochgeschlossen *Adj* high-necked
Hochgeschwindigkeits... high-speed ... **~zug** *m* high-speed train
hochgespannt *Adj Erwartungen etc*: high, *Pläne etc*: ambitious **hochgestochen** *Adj* F **1.** (*eingebildet*) stuck-up **2.** (*blasiert*) jumped-up, very highbrow
Hochglanz *m* high polish (*od* gloss)
Hochglanzpapier *n* high-gloss paper
hochgradig *Adj* **1.** extreme, TECH high-grade **2.** F *fig Unsinn etc*: utter
hochhackig *Adj* high-heeled
hochhalten *v/t* **1.** hold *s.o., s.th.* up **2.** *fig* uphold, (*j-s Andenken*) hono(u)r
Hochhaus *n* tower block, high rise
hochheben *v/t* lift (up), raise
hochinteressant *Adj* most interesting
hochjubeln *v/t* F glorify
hochkant *Adv* on end: ***~ stellen*** *a.* upend **hochkarätig** *Adj* **1.** high-carat **2.** *fig* 24-carat, top(-calibre)
hochklappen *v/t* fold *s.th.* up
hochkommen *v/i* **1.** come up: (***wieder***) ~ get up (again), *fig* get back on one's feet **2.** *fig im Leben*: get ahead, F make it **3.** ***wenn es hochkommt*** at the most, at best
Hochkonjunktur *f* WIRTSCH boom
hochkrempeln *v/t* roll up
hochkriegen F → ***hochbringen***
Hochland *n* highland(s *Pl*)
hochleben *v/i* ***j-n ~ lassen*** give three cheers for s.o., *bei Tisch*: toast s.o.; ***er lebe hoch!*** three cheers for him!
Hochleistung *f* high performance
Hochleistungs... TECH high-power(ed), high-speed ..., heavy-duty ... **~sport** *m* competitive sport(s *Pl*) **~sportler(in)** competitive (*weit. S.* top) athlete
hochmodern *Adj* ultramodern
Hochmoor *n* moor
Hochmut *m* arrogance
hochmütig *Adj* arrogant
hochnäsig *Adj* stuck-up
hochnehmen *v/t* **1.** pick *s.o., s.th.* up **2.** F *fig* ***j-n ~*** **a)** (*hänseln*) pull s.o.'s leg, **b)** (*übervorteilen*) fleece s.o., take s.o. for a ride, **c)** (*verhaften*) nab s.o.
Hochofen *m* (blast) furnace
hochprozentig *Adj* **1.** CHEM highly concentrated **2.** *Schnaps etc*: high-proof
hochrechnen *v/t* project
Hochrechnung *f* projection, *a.* (computer) forecast
Hochrelief *n* high relief **Hochruf** *m* cheer **Hochsaison** *f* peak season
hochschaukeln *v/t* F *fig* (*a.* ***sich ~***) escalate **hochschnellen** *v/i* **1.** bounce up **2.** *fig Preise*: rocket
Hochschul|abschluss *m* (university) degree **~ausbildung** *f* university (*od* college) training (*od* education)
Hochschule *f* **a)** university, college, **b)** college, academy **Hochschüler(in)** university (*od* college) student
Hochschul|lehrer(in) university teacher **~reife** *f* matriculation standard
hochschwanger *Adj* far advanced in pregnancy
Hochsee *f* high sea(s *Pl*)
Hochseefischerei *f* deep-sea fishing

Hochseejacht *f* ocean yacht
Hochsitz *m* JAGD (raised) hide
Hochsommer *m* (***im ~*** in) midsummer
Hochspannung *f* **1.** ELEK high tension (*od* voltage) **2.** *fig* high tension, (*gespannte Erwartung*) great suspense
Hochspannungskabel *n* high-voltage cable
hochspielen *v/t fig* ***etw ~*** play s.th. up
Hochsprache *f* standard language: ***die deutsche ~*** Standard German
hochsprachlich *Adj* standard: ***nicht ~*** substandard
Hochspringer(in) SPORT high jumper
Hochsprung *m* SPORT high jump
höchst *Adv* highly, most, extremely: → ***höchste*** **Höchstalter** *n* maximum age
Hochstapelei *f* **1.** *a. fig* imposture **2.** (*Übertreibung*) (gross) overstatement
hochstapeln *v/i* **1.** be an impostor **2.** (*übertreiben*) exaggerate
Hochstapler(in) impostor, *fig* fraud
Höchstbelastung *f* TECH maximum load
Höchstbetrag *m* maximum (amount)
höchste *Adj allg* highest, WIRTSCH, TECH *a.* maximum, top, (*größte*) *a.* tallest, (*oberste*) *a.* uppermost, (*äußerste*) *a.* extreme, utmost: ***am ~n*** highest; ***aufs* ≈** → ***höchst***; → ***Zeit*** 1
Hochstelltaste *f* shift key
höchstens *Adv* **1.** at (the) most, at best: VERW *ein Betrag etc* ***von ~*** not exceeding **2.** (*außer*) except
Höchst|fall *m* ***im ~*** → ***höchstens*** 1 **~form** *f* SPORT top form **~geschwindigkeit** *f* maximum (*od* top) speed: ***mit ~*** at top speed; ***zulässige ~*** speed limit
Höchst|grenze *f* upper limit **~leistung** *f allg* top performance, SPORT *a.* record, TECH *a.* maxium output, *in der Forschung etc*: supreme achievement
Höchstmaß *n* ***ein ~ an Sicherheit*** *etc* a maximum of safety *etc*
höchstpersönlich *Adj* personal(ly *Adv*), *Adv a.* in person
Höchst|preis *m* maximum price: ***zum ~*** at the highest price **~stand** *m* highest level **~strafe** *f* maximum penalty **≈wahrscheinlich** *Adv* in all probability **~wert** *m* maximum value **≈zulässig** *Adj* maximum (permissible)
Hochtouren *Pl* ***auf ~ bringen*** **a)** (*Motor etc*) rev *s.th.* up to full speed, **b)** *fig* get *s.o.*, *s.th.* really going; ***auf ~ laufen*** run at full speed, *a. fig* go at full blast
hochtourig *Adj* MOT high-revving
hochtrabend *Adj* pompous
hochtreiben *v/t fig* force up
Hoch- und Tiefbau *m* structural and civil engineering
hochverdient *Adj Sieg, Erfolg etc*: well--deserved, *Person*: of great merit
hochverehrt *Adj* highly esteemed, *in der Anrede*: Dear *Mr. Brown etc*; ***~er Herr Präsident!*** Mr. President, Sir!
Hochverrat *m* high treason
hochverräterisch *Adj* treasonable
hochverzinslich *Adj* high-interest--bearing
Hochwald *m* timber forest
Hochwasser *n* **1.** *bei Flut*: high tide (*od* water) **2.** (*Überschwemmung*) flood: ***der Fluss führt ~*** the river is in flood
Hochwasser|gefahr *f* danger of flooding **~katastrophe** *f* flood disaster **~stand** *m* high-water level
hochwerfen *v/t* throw *s.o.*, *s.th.* up
hochwertig *Adj* high-grade, high-quality, *präd* of high quality, *Lebensmittel*: highly nutritious
Hochwild *n* big game
Hochzeit *f* wedding, (*Trauung*) *a.* marriage: ***~ haben, ~ feiern*** get married; ***zur ~ schenken*** (***bekommen***) give (get) as a wedding present
Hochzeits... wedding (*present*, *dress*, *etc*) **~nacht** *f* wedding night **~reise** *f* honeymoon (trip): ***auf ~*** honeymooning **~tag** *m* wedding day, (*Jahrestag*) wedding anniversary
hochziehen *v/t allg* draw up, (*Last, Hose etc, a. Flugzeug*) pull up, (*Fahne, Segel*) hoist: ***sich ~ an*** (*Dat*) **a)** pull o.s. up by, **b)** F *fig* get an ego-boost out of
Hocke *f* **1.** squat: ***in die ~ gehen*** squat down **2. a)** *Turnen*: crouch, **b)** *Kunstspringen*: tuck (position), **c)** → ***Hocksprung***
hocken *v/i* **1.** squat, crouch **2.** *Dialekt* sit, *Vogel*: perch: ***über s-n Büchern ~*** pore over one's books **Hocker** *m* stool
Höcker *m* ZOOL hump, (*Schnabel*≈) knob
Hockey *n* hockey **~schläger** *m* hockey stick **~spieler(in)** hockey player
Hocksprung *m* *Turnen*: squat jump, *übers Pferd etc*: squat vault, *Kunst-*

springen: tuck(ed) jump
Hode *f*, **Hoden** *m* ANAT testicle
Hodensack *m* ANAT scrotum
Hof *m* **1.** yard, (*Innen*≗) *a.* court(yard), (*Hinter*≗) backyard, (*Schul*≗) schoolyard **2.** (*Bauern*≗) farm **3.** (*Fürsten*≗) court: ***am ~, bei ~e*** at court; ***j-m den ~ machen*** court s.o. **4.** ASTR, MED, OPT halo
Hofdame *f* lady-in-waiting
hoffen *v/i u. v/t* (***auf*** *Akk*) hope (for), (*vertrauen*) trust (in): ***ich hoffe*** (***es***) I hope so; ***ich hoffe nicht*** I hope not; ***das will ich nicht ~*** I hope not; ***~ wir das Beste!*** let's hope for the best!
hoffentlich *Adv* I (*od* we) hope so, let's hope so, F hopefully: ***~ nicht!*** I hope not!
Hoffnung *f* hope (***auf*** *Akk* of): ***die ~ aufgeben*** (***verlieren***) abandon (lose) hope; ***j-m ~en machen*** raise s.o.'s hopes; ***er machte mir k-e ~en*** he didn't hold out any hopes for me; ***sich ~en machen*** have hopes (***auf*** *Akk* of *Ger*); ***mach dir k-e*** (***falschen***) ***~en!*** don't be too hopeful!; ***s-e ~ setzen auf*** (*Akk*) pin one's hopes on; ***j-n in s-n ~en enttäuschen*** dash s.o.'s hopes; (***neue***) ***~ schöpfen*** have new hopes; ***es besteht k-e ~*** there is no hope; ***in der ~ zu*** *Inf* hoping to *Inf*; ***er ist m-e einzige ~*** he is my only hope; POL, *Sport etc* ***die große ~*** the (great) white hope
Hoffnungslauf *m* SPORT repechage
hoffnungslos *Adj a. fig* hopeless: ***er ist ein ~er Fall*** he's hopeless **Hoffnungslosigkeit** *f* hopelessness, despair
Hoffnungsschimmer *m* glimmer of hope **Hoffnungsträger(in)** POL, *Sport etc the* (great) white hope
hoffnungsvoll *Adj* hopeful, *präd* full of hope (*a. Adv*), *Talent etc*: promising
hofieren *v/t* flatter, *pej* fawn upon
höfisch *Adj* courtly
höflich *Adj* (***zu*** to) polite, courteous
Höflichkeit *f* **1.** (***aus ~*** out of) politeness: ***in aller ~*** very politely **2.** *mst Pl* compliment
Höflichkeitsbesuch *m* courtesy visit
Hofnarr *m hist u. iron* court jester
Hofrat *m österr.* Counsel(l)or
hohe → ***hoch*** I
Höhe *f* **1.** *allg* height, *über dem Meeresspiegel, a.* FLUG *etc* altitude, (*Niveau*) level: ***in e-r ~ von ...*** at a height (*od* an altitude) of ...; ***in die ~*** up (→ *a. Zssgn mit* ***hoch***); ***an ~ verlieren*** lose height; ***auf der ~ von*** **a)** GEOG in the latitude of (*London etc*), **b)** SCHIFF off (*Dover etc*); ***auf gleicher ~*** (*fig* on a) level (***mit*** with); *fig* ***auf der ~ s-s Ruhms*** (***s-r Macht*** *etc*) at the height of his fame (power); F ***auf der ~ sein*** be in good form; ***auf der ~*** (***der Zeit***) ***sein*** be up to date; ***ich bin nicht ganz auf der ~*** I'm not feeling up to the mark; F ***das ist doch die ~!*** that's the limit! **2.** (*An*≗) hill, height(s *Pl*), (*Gipfel*) top, summit **3.** *e-s Betrages etc*: amount, *e-r Strafe etc*: degree: ***e-e Summe in ~ von*** a sum (to the amount) of; *Betrag, Strafe etc* ***bis zu e-r ~ von*** up to, not exceeding
Hoheit *f* **1.** POL sovereignty **2.** (*Titel*) (***Seine, Ihre***) ***~*** (His, Her) Highness **3.** *fig* grandeur, majesty
hoheitlich *Adj* sovereign
Hoheits|abzeichen *n* national emblem, FLUG *etc* nationality marking **~gebiet** *n* (***deutsches ~*** German) territory **~gewässer** *Pl* territorial waters *Pl*
Höhen|flosse *f* FLUG tail plane **~flug** *m* **1.** high-altitude flight **2.** *fig* (intellectual *etc*) flight **~krankheit** *f* altitude sickness **~kurort** *m* mountain (health) resort **~lage** *f* altitude **~leitwerk** *n* FLUG elevator unit **~messer** *m* altimeter **~sonne** *f* **1.** mountain sun **2.** MED sunray lamp, sunlamp **~unterschied** *m* difference in altitude **≗verstellbar** *Adj* height-adjustable **~zug** *m* range of hills, mountain range
Höhepunkt *m allg* peak, height, climax (*a. e-s Dramas, a. Orgasmus*), *des Ruhms etc*: zenith, *e-r Epoche etc*: heyday, *e-s Festes etc*: highlight: ***auf dem ~*** at its height; ***auf dem ~ s-r Macht*** at the height of his power; ***das Fest erreichte s-n*** (*od* ***den***) ***~, als*** the party reached its (*od* a) climax when
höher *Adj u. Adv* higher (*a. fig*), (*rang~*) senior: ***~er Dienst*** senior service; ***~e Bildung*** higher education; ***~e Schule*** secondary school; ***in ~em Maße*** to a greater extent, more; ***nach ≗em streben*** strive for higher things; *fig* ***~ schrauben*** increase, (*Preise*) force up

hohl *Adj a. fig* hollow: ***in der ~en Hand*** in the hollow of one's hand
Höhle *f* **1.** cave **2.** ZOOL hole (*a.* F *fig Behausung*): *fig* ***sich in die ~ des Löwen wagen*** beard the lion in his den **3.** ANAT cavity, (*Augen*~) socket
Höhlen|forscher(in) spel(a)eologist, F pot-holer **~forschung** *f* spel(a)eology
Höhlenmensch *m* cave man
Hohlheit *f a. fig* hollowness
Hohl|kehle *f* TECH groove **~kopf** *m* F numskull **~körper** *m* MATHE hollow body **~kreuz** *n* MED hollow back **~kugel** *f* hollow sphere **~maß** *n* measure of capacity, dry measure **~raum** *m* cavity, hollow **~saum** *m* hemstitch **~schliff** *m* hollow grinding: ***mit ~*** hollow-ground **~spiegel** *m* concave mirror
Höhlung *f* hollow, cavity
Hohlweg *m* ravine **Hohlziegel** *m* cavity brick, *fürs Dach*: hollow tile
Hohn *m* scorn, derision, (*höhnische Bemerkung*) sneers *Pl*: ***nur ~ und Spott ernten*** earn but scorn and derision; ***ein ~ auf*** (*Akk*) a mockery of; ***j-m zum ~*** in defiance of s.o.; ***~ lachen*** sneer; *fig* ***e-r Sache ~ sprechen*** make a mockery of s.th. **höhnen** *v/i* (***über*** *Akk* at) sneer, jeer **Hohngelächter** *n* derisive laughter **höhnisch** *Adj* sneering
hohnlächeln *v/i* sneer
Hokuspokus *m* hocus-pocus, F *fig a.* mumbo-jumbo: ***~!*** hey presto!
hold *Adj* **1.** lovely, sweet **2.** ***das Glück war ihm ~*** he was lucky
Holdinggesellschaft *f* WIRTSCH holding company
holen *v/t* **1.** (*etw*) get, fetch: ***j-m etw ~*** get s.th. for s.o.; ***etw aus der Tasche ~*** take (*od* draw) s.th. out of one's pocket; F ***da ist nichts zu ~!*** there's nothing in it (for us)!; ***bei ihm ist nichts zu ~!*** you won't get anything out of him!; → ***Atem, Luft*** 2 **2.** (*j-n*) call: ***j-n ~ lassen*** send for s.o. **3.** (*ab~*) come for, pick *s.o., s.th.* up **4.** ***sich*** *etw* ***~*** **a)** get o.s., fetch, **b)** F (*Krankheit etc*) catch, get; ***du wirst dir noch etw ~!*** you'll catch s.th. yet!; ***sich bei j-m e-n Rat ~*** ask s.o.'s advice; ***sich e-n Preis ~*** win (*od* get, *Sache*: fetch) a prize; → ***Abfuhr*** 2
Holland *n* Holland
Holländer *m* Dutchman: ***die ~*** the Dutch **Holländerin** *f* Dutchwoman
holländisch *Adj*, ~ *n* LING Dutch
Hölle *f* hell: ***in der ~*** in hell; ***die ~ auf Erden*** hell on earth; F ***j-m die ~ heiß machen*** give s.o. hell; ***j-m das Leben zur ~ machen*** make life a perfect hell for s.o.; ***zur ~ damit!*** to hell with it!; ***die ~ ist los!*** all hell has broken loose!
Höllen|angst *f* F ***e-e ~ haben*** be scared stiff (***vor*** *Dat* of) **~lärm** *m* infernal noise: ***e-n ~ machen*** make a hell of a noise **~maschine** *f* time bomb
Höllenqual *f* F *fig* agony: ***~en ausstehen*** suffer hell **Höllentempo** *n* F (***mit e-m ~*** at) breakneck speed
höllisch *Adj* infernal, F hellish, awful: *Adv* ***~ aufpassen*** watch out, be damn careful; ***es tut ~ weh*** it hurts like hell
Holm *m* beam, *am Barren*: bar, FLUG spar
Holocaust *m* holocaust
Hologramm *n* OPT hologram
Holographie *f* holography
holp(e)rig *Adj* **1.** *Weg etc*: bumpy **2.** *fig Vers etc*: clumsy **holpern** *v/i* **1.** bump, jolt **2.** *fig beim Lesen*: stumble
Holunder *m* BOT elder **~beere** *f* elderberry **~tee** *m* elderflower tea
Holz *n* **1.** wood, (*Nutz*~) timber: ***aus ~*** (made of) wood, wooden; ***~ verarbeitend*** wood processing; *fig* ***aus dem gleichen ~ geschnitzt*** of the same stamp; ***aus härterem ~ geschnitzt*** made of sterner stuff **2.** (*Kegel*) pin: ***gut ~!*** good bowling!
Holz|bauweise *f* timber(-frame) construction **~bearbeitung** *f* woodworking **~bläser(in)** MUS **1.** woodwind player **2.** *Pl the* woodwind (section)
holzen *v/i* F *Fußball*: clog, play rough
hölzern *Adj* wooden, *fig a.* clumsy
Holzfäller(in) woodcutter, *bes Am* lumberjack
holzfrei *Adj Papier*: wood-free
Holzhacken *n* wood chopping
Holzhammer *m* mallet: F *fig* ***mit dem ~*** with a sledgehammer
Holzhandel *m* timber (*Am* lumber) trade **Holzhaus** *n* wooden house
holzig *Adj* woody, *Rettich etc*: stringy
Holzkitt *m* plastic wood **Holzkohle** *f* charcoal **Holzscheit** *n* log
Holzschnitt *m* wood engraving
Holzstoß *m* stack of wood

Holztäfelung *f* wood(en) panel(l)ing
Holzverarbeitung *f* wood processing
Holzweg *m* F *fig* ***auf dem ~ sein*** **a)** be on the wrong track, **b)** be very much mistaken
Holzwolle *f* wood wool, *Am* excelsior
Holzwurm *m* woodworm
Home|banking *n* home banking **~page** *f* home page **~shopping** *n* home shopping **~trainer** *m* exercise machine, (*Fahrrad*) exercise bike
Homo *m* F gay, *pej a.* homo, queer
Homoehe *f* F gay marriage, same-sex marriage
homogen *Adj* homogeneous
Homonym *n* LING homonym
Homöopath(in) MED hom(o)eopath
Homöopathie *f* hom(o)eopathy
homöopathisch *Adj* hom(o)eopathic(ally *Adv*)
homophil *Adj*, **Homophile** *m* homophile
Homosexualität *f* homosexuality
homosexuell *Adj*, **Homosexuelle** *m*, *f* homosexual, F gay
Honig *m* honey **~kuchen** *m* gingerbread **~lecken** *n* F ***das war kein ~!*** that was no picnic! **~melone** *f* honeydew melon **⁀süß** *Adj* (as) sweet as honey, *fig* honeyed
Honorar *n* fee, *e-s Autors*: royalty
Honoratioren *Pl* notabilities *Pl*
honorieren *v/t* **1.** ***j-n ~*** pay (a fee to) s.o. **2.** ***etw ~*** pay for s.th. **3.** WIRTSCH (*Wechsel etc*) hono(u)r, *fig* (*belohnen*) *a.* reward
honoris causa: ***Professor*** *etc* **~** honorary professor *etc*
Hopfen *m* BOT hop: F *fig* ***an ihm ist ~ und Malz verloren*** he's hopeless
hopp *Interj* **a)** hop!, **b)** *a.* **~, ~!** quick!
hoppla *Interj* (wh)oops!, (*nanu*) hey!
hops *Interj* jump! **Hops** *m* hop **hopsa** *Interj* (wh)oops! **hopsen** *v/i*, **Hopser** *m* hop
hopsgehen *v/i* F **a)** break, get broken, **b)** go down the drain, **c)** get nabbed, **d)** kick the bucket
hopsnehmen *v/t* F nab
hörbar *Adj* audible
Hör|behinderte *m*, *f* hearing-impaired person **~bild** *n* radio feature **~brille** *f* earglasses *Pl* **~buch** *n* talking book
horchen *v/i* listen (***auf*** *Akk* to), *heimlich*: *a.* eavesdrop: ***horch!*** listen!
Horcher(in) eavesdropper
Horchposten *m* MIL *u. fig* listening post
Horde *f a. fig* horde, *pej a.* gang
hören *v/t u. v/i* **1.** hear (***von*** about, of), (*an~, a. fig* **~ *auf*** [*Akk*]) listen to: ***hör mal!*** listen!; ***ich lasse von mir ~!*** I'll be in touch!; ***wie ich höre, will er kommen*** I understand he wants to come **2.** F (*gehorchen*) obey **3.** UNI (*Vorlesung*) attend, (*Fach*) take
Hörensagen *n* (***vom ~*** by) hearsay
Hörer *m* **1.** (*Zu⁀, Radio⁀ etc*) listener, UNI student **2.** (*Kopf⁀*) earphone(s *Pl*) **3.** TEL receiver: ***den ~ auflegen*** hang up **Hörerin** *f* → ***Hörer*** 1
Hörerschaft *f* **1.** *the* listeners *Pl*, audience **2.** UNI (number of) students *Pl*
Hörfehler *m* MED hearing defect **Hörfolge** *f* radio series (*in Fortsetzungen*: serial)
Hörfunk *m* radio
Hörgerät *n*, **Hörhilfe** *f* hearing aid
hörig *Adj* ***j-m ~ sein*** *a. sexuell*: be enslaved to s.o. **Hörigkeit** *f* bondage
Horizont *m* (***am ~*** on the) horizon (*a. fig*): ***s-n ~ erweitern*** broaden one's mind; F ***das geht über m-n ~*** that's beyond me **horizontal** *Adj*, **Horizontale** *f* horizontal
Hormon *n* hormone
Hormon...; **hormonal** *Adj* hormonal
Hörmuschel *f* TEL earpiece
Horn *n* **1.** *allg* horn, (*Schnecken⁀*) *a.* feeler: ***aus ~*** (made of) horn; *fig* ***sich die Hörner abstoßen*** sow one's wild oats; F ***j-m Hörner aufsetzen*** cuckold s.o.; → ***Stier*** 1 **2.** MUS horn, MIL bugle: *fig* ***ins gleiche ~ stoßen*** chime in with s.o.
Hornberger Schießen: *fig* ***ausgehen wie das ~*** come to nothing
Hornbläser(in) MUS horn player **Hornbrille** *f* horn-rimmed spectacles *Pl*
Hörnchen *n* **1.** little horn **2.** GASTR croissant **3.** ZOOL squirrel
Hörnerv *m* auditory nerve
Hornhaut *f* **1.** horny skin, callus **2.** *des Auges*: cornea
Hornisse *f* ZOOL hornet
Hornist(in) MUS hornist, MIL bugler
Hornsignal *n* bugle call
Hornvieh *n* horned cattle
Horoskop *n* (***j-m das ~ stellen*** cast s.o.'s) horoscope

Hörrohr *n* **1.** ear trumpet **2.** MED stethoscope
Horror *m* horror (***vor*** *Dat* of)
Horrorfilm *m* horror film
Hörsaal *m* lecture hall
Hors d'oeuvre *n* GASTR hors d'oeuvre
Hörspiel *n* radio play
Horst *m* nest, (*Adler*≈ *etc*) eyrie
Hort *m* **1.** (*Schatz*) hoard, treasure **2.** (*Zufluchtsort*) (safe) refuge **3.** *fig* (*Bollwerk*) stronghold **4.** (*Kinder*≈) day nursery
horten *v/t* hoard
Hortensie *f* BOT hydrangea
Hörvermögen *n* hearing
Hörweite *f* hearing range: ***in*** (***außer***) ~ within (out of) hearing (*od* earshot)
Höschen *n* (*Damen*≈) panties *Pl*, knickers *Pl*: F ***heiße*** ~ hot pants *Pl*
Hose *f* (*a.* ***ein Paar*** ~***n***) (a pair of) trousers *Pl*, pants *Pl*, (*Freizeit*≈) slacks *Pl*, (*kurze* ~) shorts *Pl*: ***zwei*** ~***n*** two pairs of trousers (*etc*); (***sich***) ***in die*** ~(***n***) ***machen*** **a)** make a mess in one's pants, **b)** F *fig* be scared stiff; F ***die*** ~***n anhaben*** wear the trousers (*bes Am* pants); F ***das ging in die*** ~ that was a complete flop; F ***tote*** ~ complete washout
Hosen|anzug *m* trouser suit, *bes Am* pantsuit ~**bein** *n* trouser leg ~**boden** *m* (trouser) seat: F *fig* ***sich auf den*** ~ ***setzen*** buckle down to work ~**bügel** *m* trouser hanger ~**bund** *m* waistband ~**rock** *m* divided skirt, *bes Am* pantskirt ~**schlitz** *m* fly ~**tasche** *f* trouser(s) pocket ~**träger** *Pl* (pair of) braces *Pl*, *Am* suspenders *Pl*
Hospital *n* hospital
Hospitant(in) UNI guest student
hospitieren *v/i* PÄD sit in on classes (UNI lectures) (***bei*** with)
Hospiz *n* hospice
Host *m* COMPUTER host
Hostess *f* hostess
Hostie *f* host, consecrated wafer
Hot Dog *n u. m* hot dog
Hotel *n* hotel: ~ ***garni*** bed and breakfast hotel ~**boy** *m* page (boy), *Am* bellboy ~**fach** *n*, ~**gewerbe** *n* hotel business
Hotelier *m* hotelier
Hotline *f* hot line
Hub *m* MOT *etc* stroke, *e-s Krans*: lift
hüben *Adv* over here, on this side: ~ ***und*** (*od* ***wie***) ***drüben*** on both sides
Hubkraft *f* lifting capacity
Hubraum *m* MOT cubic capacity
hübsch *Adj* pretty, *a. Mann*: good-looking, (*nett*) nice, F *fig a.* fine: ***ein*** ~***es Sümmchen*** a tidy sum; ***es wäre*** ~, ***wenn ...*** it would be nice (*od* lovely) if ...; ***das wirst du*** ~ ***bleiben lassen!*** you're not going to do anything of the sort!; ***na,*** ≈***e***(***r***)***!*** hey, good-looking!
Hubschrauber *m* helicopter ~**landeplatz** *m* heliport
Hubstapler *m* forklift (truck)
Hubvolumen *n* MOT swept volume
Hucke *f* F ***j-m die*** ~ ***voll hauen*** give s.o. a sound thrashing; ***j-m die*** ~ ***voll lügen*** tell s.o. a pack of lies
huckepack *Adv* F pick-a-back **Huckepackverkehr** *m* pick-a-back traffic
hudeln *v/i* F work sloppily
Huf *m* hoof
Hufeisen *n* horseshoe
Hufeisenform *f* (***in*** ~ arranged in a) horseshoe
hufeisenförmig *Adj* horseshoe-shaped
Huflattich *m* BOT coltsfoot
Hufschmied(in) farrier
Hüftbein *n* hip-bone **Hüfte** *f* hip
Hüft|gelenk *n* hip joint ~**gürtel** *m*, ~**halter** *m* suspender (*Am* garter) belt ≈**hoch** *Adj u. Adv* waist-high, *Wasser*: waist-deep ~**leiden** *n* hip complaint
Hüftumfang *m* hip measurement
Hügel *m* hill, *kleiner*: hillock, (*Erd*≈) mound **hüg(e)lig** *Adj* hilly
Huhn *n* fowl, chicken (*a.* GASTR), (*Henne*) hen: ***mit den Hühnern aufstehen*** (***zu Bett gehen***) get up with the lark (go to bed early); F ***da lachen ja die Hühner!*** that's a laugh!; ***dummes*** ~ silly goose; ***verrücktes*** ~ crazy thing
Hühnchen *n* **1.** (young) chicken: F *fig* ***mit j-m ein*** ~ ***zu rupfen haben*** have a score to settle with s.o. **2.** (*Brat*≈) (roast) chicken
Hühnerauge *n* MED corn: F *fig* ***j-m auf die*** ~***n treten*** tread on s.o.'s corns
Hühneraugenpflaster *n* corn plaster
Hühner|brühe *f* chicken broth ~**brust** *f* **1.** GASTR chicken breast **2.** MED pigeon breast ~**ei** *n* hen's egg ~**farm** *f* chicken farm ~**futter** *n* chickenfeed ~**hof** *m* chicken yard ~**hund** *m* ZOOL pointer ~**leiter** *f* chicken ladder ~**pest** *f* VET fowl pest ~**stall** *m* henhouse ~**stange**

f perch **~zucht** *f* chicken farming

huldigen *v/i* **1.** ***j-m*** **~** pay homage to s.o. **2.** *fig* (*e-r Ansicht etc*) embrace, (*e-m Laster etc*) indulge in **Huldigung** *f* homage (***an*** *Akk*, ***für*** *od Gen* to)

Hülle *f* **1.** cover, wrap(ping), (*Schallplatten*~) sleeve, *Am* jacket (*a. Buch*~, *Schutz*~), (*Umschlag*, *Ballon*~) envelope, (*Futteral*) case: *fig* ***die sterbliche*** **~** the mortal remains *Pl* **2.** F (*Kleidung*) clothes *Pl* **3.** *fig* veil, cloak **4.** ***in*** **~** ***und Fülle*** in abundance, plenty of, *whisky etc* galore **hüllen** *v/t* (***in*** *Akk*) wrap *s.o.*, *s.th.* (up) (in), cover (with): *fig* ***sich in Schweigen*** **~** remain silent (***über*** *Akk* about); ***in Schweigen gehüllt*** wrapped in silence; ***in Dunkel*** (***Nebel***) ***gehüllt*** shrouded in darkness (fog)

hüllenlos *Adj* naked

Hülse *f* **1.** BOT hull, husk, (*Schote*) pod **2.** TECH sleeve, socket, (*Etui*, *Geschoss*~ *etc*) case **Hülsenfrucht** *f* legume(n), *Pl bes* GASTR pulse *Sg*

human *Adj* humane, F *a.* decent, MED human

Humanismus *m* humanism: *hist* ***der*** **~** Humanism **Humanist(in)** humanist, PÄD, UNI classicist, *hist* Humanist

humanistisch *Adj* humanist(ic), PÄD, UNI classical: → ***Gymnasium***

humanitär *Adj* humanitarian

Humanität *f* humaneness, humanity

Humankapital *n* WIRTSCH human resources, human capital

Humanmedizin *f* human medicine

Humbug *m* humbug

Hummel *f* ZOOL bumblebee

Hummer *m* ZOOL lobster

Hummerkrabben *Pl* king prawns *Pl*

Humor *m* (sense of) humo(u)r: ***den*** **~** ***behalten*** (***verlieren***) keep (lose) one's sense of humo(u)r; ***etw mit*** **~** ***aufnehmen*** take s.th. in good humo(u)r

Humoreske *f* humorous sketch (*od* story), humoresque **Humorist(in)** humorist **humoristisch** *Adj* humorous

humorlos *Adj* humo(u)rless: ***er ist völlig*** **~** *a.* he has absolutely no sense of humo(u)r **humorvoll** *Adj* humorous

humpeln *v/i* limp

Humus *m* humus **~erde** *f* humus soil

Humusschicht *f* humus layer, topsoil

Hund *m* dog, (*Jagd*~) hound: ***junger*** **~** puppy; *fig pej* ***feiger*** (***schlauer***) **~** yellow (sly) dog; F (***gemeiner***) **~** bastard; ***der arme*** **~*!*** (the) poor sod!; ***das ist ja ein dicker*** **~*!*** that takes the cake!; ***auf den*** **~** ***kommen*** go to the dogs; (***ganz***) ***auf dem*** **~** ***sein*** be down and out, *gesundheitlich*: *a.* be a wreck; ***vor die*** **~*e gehen*** **a)** go to the dogs, **b)** (*sterben*) kick the bucket; ***wie*** **~** ***und Katze leben*** lead a cat-and-dog life; ***er ist bekannt wie ein bunter*** **~** he's known all over the place; ***da liegt der*** **~** ***begraben!*** that's it (*od* why)!; ***damit kann man k-n*** **~** ***hinterm Ofen hervorlocken!*** that won't tempt anybody!, that's just no good!; **~*e, die bellen, beißen nicht*** barking dogs seldom bite

Hunde|ausstellung *f* dog show **~elend** *Adj* F ***mir ist*** **~** I feel lousy **~futter** *n* dog food **~halsband** *n* dog collar **~hütte** *f* (dog) kennel **~kalt** *Adj* F ***es ist*** **~** it is freezing cold **~kuchen** *m* dog biscuit **~leben** *n* F dog's life **~leine** *f* dog lead, dog leash **~marke** *f* dog licence disc, *Am* dog tag **~müde** *Adj* F dog-tired

hundert *Adj* a (*od* one) hundred: ***einige*** (*od* ***ein paar***) ~ ***Leute*** a few hundred people; ***zu*** **~*en*** in hundreds; **~** ***Mal*** a hundred times **Hundert**[1] *n* (*Maß*) hundred: ***zehn von*** **~** ten in a hundred, ten per cent **Hundert**[2] *f* hundred **Hunderter** *m* **1.** MATHE **a)** (the) hundred, **b)** three-figure number **2.** F one-hundred-euro *etc* note (*Am* bill)

hunderterlei *Adj* a hundred and one

Hunderteuroschein *m* one-hundred--euro note (*Am* bill)

hundertfach I *Adj* hundredfold **II** *Adv* a hundred times

Hundertjahrfeier *f* centenary, *Am* centennial **hundertjährig** *Adj* **1.** one-hundred-year-old **2.** of a hundred years, hundred years' …

Hundertmeterlauf *m the* 100-met/re (*Am* -er) dash

hundertprozentig *Adj* a hundred percent (*a. fig*), *Alkohol*, *Wolle etc*: pure, *fig* out-and-out (*conservative etc*): F ***das weiß ich*** **~** I'm dead sure

Hundertschaft *f der Polizei*: squadron

hundertst *Adj* hundredth **hundertstel** *Adj*, ~ *n* hundredth **hunderttausend** *Adj* a (*od* one) hundred thousand

Hunde|salon *m* dog parlo(u)r **~wetter** *n* F filthy weather **~zucht** *f* **1.** dog

breeding **2.** (breeding) kennel(s *Pl*) **~züchter(in)** dog breeder
Hündin *f* bitch
hündisch *Adj fig* cringing
hundsgemein *Adj* F dirty, low-down, (*böse, ekelhaft*) nasty, (*schwierig*) hellish **hundsmiserabel** *Adj* F lousy
Hundstage *Pl* dog days *Pl*
Hüne *m* giant **Hünengrab** *n* megalithic grave **hünenhaft** *Adj* gigantic
Hunger *m allg* hunger (*a. fig* ***nach*** for), (*Hungersnot*) *a.* famine: ***~ haben*** (***bekommen***) be (get) hungry; ***~ leiden*** go hungry; ***℞s*** (*od* ***vor~***) ***sterben*** starve to death; F ***ich sterbe vor ~*** I'm starving; **Hungerkur** *f* starvation diet
Hungerleider(in) starveling
Hungerlohn *m* starvation wages *Pl*
hungern I *v/i* go hungry, starve, *bes fig* hunger (***nach*** for), (*fasten*) starve o.s., go without food **II** *v/refl* ***sich zu Tode ~*** starve o.s. to death
hungernd *Adj* hungry, starving
Hungerödem *n* MED famine (o)edema
Hungersnot *f* famine
Hungerstreik *m* (***in den ~ treten*** go on a) hunger strike **Hungertod** *m* death from starvation: ***den ~ erleiden*** die of starvation **Hungertuch** *n* F *fig* ***am ~ nagen*** be starving
hungrig *Adj a. fig* hungry (***nach*** for): ***das macht ~*** that makes you hungry
Hunne *m*, **Hunnin** *f hist* Hun
Hupe *f* horn: ***auf die ~ drücken*** → **hupen** *v/i* hoot, sound the horn
hüpfen *v/i* hop, skip, *Ball*: bounce
Hup|signal *n*, **~zeichen** *n* MOT hoot
Hürde *f* **1.** *a. fig* (***e-e ~ nehmen*** take a) hurdle **2.** (*Pferch*) fold
Hürdenlauf *m* SPORT hurdle race, hurdling **Hürdenläufer(in)** hurdler
Hure *f* whore **Hurenbock** *m* whoremonger **Hurenhaus** *n* whorehouse
hurra *Interj* hurray!, hurrah!
Hurrapatriot(in) jingoist
Hurrapatriotismus *m* jingoism
Hurrikan *m* hurricane
husch *Interj* whoosh!, *scheuchend*: shoo!
huschen *v/i* flit
hüsteln *v/i* cough slightly
husten I *v/i* cough (*a.* F *fig Motor etc*): ***stark ~*** have a bad cough; F *fig* ***~ auf*** (*Akk*) not to give a damn for **II** *v/t* (*aus~*) cough up: F *fig* ***dem werde ich was ~!*** to hell with him!
Husten *m* cough **~anfall** *m* coughing fit **~bonbon** *m*, *n* cough drop **~reiz** *m* tickle in the throat **~saft** *m* cough syrup **~tropfen** *Pl* cough drops *Pl*
Hut[1] *m* **1.** hat: ***den ~ abnehmen*** (*od* ***ziehen***) take off one's hat (*fig* ***vor j-m*** to s.o.); ***~ ab*** (***vor dir***)***!*** I'll take my hat off (to you)!; ***alles unter einen ~ bringen*** reconcile things; F ***damit habe ich nichts am ~*** I can't be bothered with that!; ***ihm ging der ~ hoch*** he blew his top; F *fig* ***den ~ nehmen müssen*** have to go (*od* resign); ***das kannst du dir an den ~ stecken!*** (you can) keep it! **2.** *e-s Pilzes*: cap
Hut[2] *f* **1.** ***in j-s ~*** in s.o.'s care, under s.o.'s protection; ***in guter*** (*od* ***sicherer***) ***~ sein*** be safe (***bei*** with) **2.** ***auf der ~ sein*** be on one's guard (***vor*** *Dat* against)
Hutablage *f* hat rack
hüten I *v/t* look after, (*Kinder*) *a.* mind, (*Vieh, fig Geheimnis etc*) guard, (*Vieh*) *a.* tend: → ***Bett*** **II** *v/refl* ***sich ~*** (***vor*** *Dat*) be on one's guard (against), watch out (for); ***sich ~, etw zu tun*** take care not to do s.th.; ***ich werde mich ~!*** I'll do nothing of the sort!; ***hüte dich vor …!*** beware of …! **Hüter(in)** guardian, keeper: *hum* ***der Hüter des Gesetzes*** (the arm of) the Law
Hutgeschäft *n* hat shop **Hutgröße** *f* hat size **Hutkrempe** *f* (hat) brim
Hutmacher *m* hatter
Hutmacherin *f* milliner
Hutschnur *f* hat string: F *fig* ***das geht mir über die ~!*** that's going too far!
Hütte *f* **1.** hut, (*Holz℞, Block℞*) cabin, (*Schutz℞*) refuge: ***ärmliche ~*** shack, shanty **2.** → ***Hüttenwerk***
Hütten|industrie *f* iron and steel industry **~käse** *m* GASTR cottage cheese
Hüttenwerk *n* metallurgical plant
Hyäne *f* ZOOL hyena
Hyazinthe *f* BOT hyacinth
hybrid *Adj*, **Hybride** *m*, *f* hybrid
Hydrant *m* hydrant
Hydrat *n* CHEM hydrate
Hydraulik *f* hydraulics *Pl* (*oft Sg konstr*) **hydraulisch** *Adj* hydraulic
hydrieren *v/t* hydrogenate
Hydrokultur *f* hydroponics *Sg*
Hydrolyse *f* CHEM hydrolysis

Hygiene *f* hygiene
hygienisch *Adj* hygienic(ally *Adv*)
Hygrometer *n* hygrometer
Hymne *f* hymn (**an** *Akk* to)
Hyperbel *f* **1.** MATHE hyperbola **2.** LING hyperbole
hyperkorrekt *Adj* hypercorrect
hyperkritisch *Adj* hypercritical
Hyperlink *m* IT hyperlink
hypermodern *Adj* ultramodern
Hypertonie *f* MED hypertension
Hypnose *f* (***in** od **unter** ~* under) hypnosis **hypnotisch** *Adj* hypnotic(ally *Adv*) **Hypnotiseur(in)** hypnotist
hypnotisieren *v/t* hypnotize
Hypochonder *m*, **hypochondrisch** *Adj* hypochondriac
Hypotenuse *f* MATHE hypotenuse
Hypothek *f* **1.** mortgage: ***e-e ~ aufnehmen*** raise a mortgage (**auf** *Akk* on); ***mit e-r ~ belasten*** (encumber with a) mortgage **hypothekarisch** *Adj u. Adv* by (*od* on) mortgage
Hypotheken|bank *f* mortgage bank **~brief** *m* mortgage deed **2frei** *Adj* unmortgaged **~gläubiger(in)** mortgagee **~pfandbrief** *m* mortgage bond **~schuldner(in)** mortgagor
Hypothese *f* hypothesis
hypothetisch *Adj* hypothetical
Hypotonie *f* MED hypotension
Hysterie *f* MED hysteria
hysterisch *Adj* hysterical: ***e-n ~en Anfall bekommen*** go into hysterics

I

I, i *n* I, i: ***i wo!*** not a bit of it!, oh no!
i. A. *Abk* (= ***im Auftrag***) p.p
IC *m* = ***Intercity***
ICE *m* = ***Intercityexpresszug***
ich *Pron* I: ***~ bins!*** it is I!, F it's me!; ***~ selbst*** (I) myself; ***~ Idiot!*** what a fool I am! **Ich** *n* self, PSYCH ego: ***mein zweites*** (*od* ***anderes***) ***~*** my other self, (*Freund etc*) my alter ego; ***mein besseres ~*** my better self **Ichform** *f* (***in der ~ geschrieben*** written in the) first person
ideal *Adj* ideal **Ideal** *n* ideal **Idealfall** *m* ideal case: ***im ~*** ideally **idealisieren** *v/t* idealize **Idealismus** *m* idealism **Idealist(in)** idealist **idealistisch** *Adj* idealistic(ally *Adv*)
Idee *f* **1.** idea, (*Gedanke*) *a.* thought, (*Begriff*) concept: ***gute ~!*** good idea!; ***ich kam auf die ~ zu*** *Inf* it occurred to me to *Inf*; ***wie kamst du auf die ~?*** what gave you the idea?; ***wie kamst du auf die ~ ihn einzuladen?*** what made you invite him? **2.** F ***e-e ~*** (just) a bit
ideell *Adj* ideal (*a.* MATHE), *Motive etc*: idealistic, *Wert*: sentimental
ideenarm, ideenlos *Adj* lacking in ideas, unimaginative **ideenreich** *Adj* full of ideas, imaginative **Ideenreichtum** *m* wealth of ideas
identifizierbar *Adj* identifiable **identifizieren** *v/t* identify: ***sich ~ mit*** identify (o.s.) with **Identifizierung** *f* identification **identisch** *Adj* identical (***mit*** with)
Identität *f* identity
Identitäts|krise *f* identity crisis **~nachweis** *m* proof of (one's) identity
Ideologe *m*, **Ideologin** *f* ideologue **Ideologie** *f* ideology **ideologisch** *Adj* ideological
Idiom *n* idiom, (*Sprache*) language
Idiomatik *f* phraseology, (*Wendungen*) idioms (and phrases) *Pl*
idiomatisch *Adj* idiomatic(ally *Adv*)
Idiot(in) idiot
Idiotenhügel *m* F nursery slope
idiotensicher *Adj* F foolproof
Idiotie *f* idiocy: F ***e-e ~*** (sheer) lunacy
idiotisch *Adj* idiotic(ally *Adv*)
Idol *n* idol
Idyll *n* idyll **Idylle** *f* **1.** idyll **2.** LITERATUR pastoral poem (MALEREI scene)
idyllisch *Adj* idyllic(ally *Adv*)
Igel *m* hedgehog
Iglu *m u. n* igloo
ignorant *Adj* ignorant **Ignoranz** *f* ignorance **ignorieren** *v/t* ignore
ihm *Personalpron* (*Dat von* **er** *u.* **es**) (to) him, (to) it: ***ich glaube*** (***es***) ***~*** I believe him; ***ein Freund von ~*** a friend of his

ihn *Personalpron* (*Akk von* **er**) him, *von Dingen*: it
ihnen I *Personalpron* (*Dat Pl von* **er, sie, es**) (to) them: ***ich habe es ~ gesagt*** I've told them; ***ein Freund von ~*** a friend of theirs **II** ≈ (*Dat von* **Sie**) (to) you: ***ist er ein Freund von ≈?*** is he a friend of yours?; ***die Schuld liegt bei ≈*** the fault is yours
ihr I *Personalpron* **1.** (*Dat von* **sie** *Sg*) (to) her, *von Dingen*: (to) it: ***e-e Tante von ~*** an aunt of hers; → *a.* ***ihm*** **2.** (*Nom Pl von* **du**) you **II** *Possessivpron* **3.** *Sg* her, *von Dingen*: its, *Pl* their: ***e-r ~er Brüder*** one of her (*od* their) brothers, a brother of hers (*od* theirs) **4.** ≈ *Anrede*: your **5. der (die, das) ~(*ig*)e** hers (*Pl* theirs, *Anrede*: ≈ yours)
ihrerseits *Adv* as far as she's (*Pl* they're, *Anrede*: ≈ you're) concerned
ihresgleichen *Indefinitpron* **1.** the likes of her (*Pl* them), her (*Pl* their) equals *Pl* **2.** ≈ the likes of you, your equals *Pl*
ihrethalben, **ihretwegen**, **ihretwillen** *Adv* **1.** for her (*Pl* their) sake **2.** ≈ for your sake
ihrig → ***ihr*** III
Ikone *f* icon
illegal *Adj* illegal
illegitim *Adj* illegitimate
Illusion *f* illusion: ***sich ~en hingeben*** delude o.s.; ***darüber mache ich mir k-e ~en*** I have no illusions about that **illusionslos** *Adj u. Adv* without (any) illusions **illusorisch** *Adj* illusory
Illustration *f* illustration, picture **illustrieren** *v/t* illustrate, *fig a.* demonstrate **Illustrierte** *f* (glossy) magazine, F mag
im = ***in dem*** → ***in***[1]
Image *n* image **~pflege** *f* image cultivation
imaginär *Adj* imaginary
Imbiss *m* (***e-n ~ einnehmen*** have a) snack **~halle** *f*, **~stube** *f* snack bar
Imitation *f allg* imitation, (*Nachbildung*) *a.* copy **imitieren** *v/t* imitate
Imker(in) beekeeper
immanent *Adj* inherent (*Dat* to)
Immatrikulation *f* UNI enrolment
immatrikulieren *v/t* (*a.* ***sich ~ lassen***) enrol (***an*** *Dat* at)
immens *Adj* immense, tremendous
immer *Adv* **1.** (*ständig*) always, constantly, all the time, (*jedes Mal*) *a.* every time: ***noch ~*** still; ***noch ~ nicht*** not yet; ***~ wenn*** whenever; ***~ wieder*** over and over again, time and again; ***etw ~ wieder tun*** keep doing s.th.; ***sie redete ~ weiter*** she kept (on) talking, F she went on and on **2.** *vor Komp*: ***~ besser*** better and better; ***~ schlimmer*** worse and worse; ***~ größer werdend*** ever increasing; ***~ während*** everlasting, eternal **3.** F ~ (*je*) ***zwei*** two at a time **4. *wann*** (***auch***) ~ whenever; ***was*** (***auch***) ~ whatever; ***wer*** (***auch***) ~ whoever; ***wo*** (***auch***) ~ wherever
immergrün *Adj*, ≈ *n* evergreen
immerhin *Adv* **1.** still, after all: ***~!*** not too bad! **2.** (*wenigstens*) at least
Immigrant(in) immigrant
Immigration *f* immigration
immigrieren *v/i* immigrate
Immobilien *Pl* real estate *Sg*, (real) property *Sg* **~händler(in)**, **~makler(in)** estate agent, *Am* realtor **~markt** *m* property market
immun *Adj* immune (***gegen*** to): ***~ machen*** → **immunisieren** *v/t* immunize (***gegen*** against) **Immunität** *f* immunity (***gegen*** to, against, from)
Immunkörper *m* MED antibody
Immunologe *m*, **Immunologin** *f* immunologist
Immunologie *f* immunology
Immun|schwäche *f* MED immunodeficiency **~schwächekrankheit** *f* immune deficiency syndrome **~system** *n* immune system
Imperativ *m* imperative
Imperfekt *n* LING imperfect (tense)
Imperialismus *m* imperialism
imperialistisch *Adj* imperialist(ic)
Imperium *n a. fig* empire
Impfaktion *f* MED vaccination program(me *Br*) **Impfarzt** *m*, **Impfärztin** *f* vaccinator
impfen *v/t* vaccinate, inoculate: ***sich ~ lassen*** (***gegen*** against) be vaccinated, get a vaccination
Impf|pass *m* vaccination card **~pistole** *f* vaccination gun **~schein** *m* vaccination certificate **~stoff** *m* vaccine
Impfung *f* vaccination, inoculation
Implantat *n* implant
implantieren *v/t* implant
implizieren *v/t* imply
implodieren *v/i* implode

Implosion *f* implosion
imponieren *v/i* ***j-m ~*** impress s.o., (*j-m Respekt einflößen*) command s.o.'s respect **imponierend** *Adj* impressive
Imponiergehabe *n* **1.** ZOOL display behavio(u)r **2.** *fig* attempt to impress
Import *m* WIRTSCH **1.** importing **2.** (*~güter*) imports *Pl* **Import...** import (*agency, company, trade, etc*) **Importeur(in)** importer **Importgeschäft** *n* **1.** import trade **2.** (*Firma*) import company **importieren** *v/t* (*a.* COMPUTER) import
imposant *Adj* imposing, impressive
impotent *Adj* impotent
Impotenz *f* impotence
imprägnieren *v/t* impregnate, (*bes Stoff*) waterproof **Imprägniermittel** *n* impregnating agent **Imprägnierung** *f* impregnation, waterproofing
Impression *f* impression **Impressionismus** *m* KUNST impressionism **Impressionist(in)** impressionist **impressionistisch** *Adj* impressionist(ic)
Impressum *n* imprint, *e-r Zeitung*: *a.* masthead
Improvisation *f* improvisation
improvisieren *v/t u. v/i allg* improvise, (*Rede etc*) *a.* extemporize, F ad-lib
Impuls *m* impulse: ***e-m*** **(*plötzlichen*)** ***~ folgend*** on (an) impulse; *fig* ***neue ~e geben*** give a fresh impetus (*Dat* to)
impulsiv I *Adj* impulsive **II** *Adv* ***~ handeln*** act on impulse
imstande *Adj präd* ***zu etw ~ sein*** be capable of (doing) s.th.; **(*nicht*)** ***~ sein, etw zu tun*** be (un)able to do s.th.; ***dazu ist er glatt ~*** *iron* I wouldn't put it past him!
in[1] *Präp* **1.** *räumlich*: (*wo*) in, at, (*innerhalb*) within, (*wohin*) into, in: ***~ England*** in England; ***waren Sie schon einmal ~ England?*** have you ever been to England?; ***im Haus*** in(side) the house, indoors; ***~ der*** **(*die*)** ***Kirche*** **(*Schule*)** at (to) church (school); ***er ist Kassierer ~ e-r Bank*** he is a cashier in (*od* at) a bank **2.** *zeitlich*: in, (*während*) during, (*innerhalb*) within: ***im Mai*** in May; ***~ diesem Jahr*** this year; ***~ diesem Alter*** at this age **3.** ***~ größter Eile*** in a great rush; ***im Kreis*** in a circle; ***~ Behandlung sein*** be having treatment; ***ein Mann ~ s-r Stellung*** a man in his position; ***gut ~ Chemie*** good at chemistry
in[2] *Adj* F ***~ sein*** be in
inaktiv *Adj* inactive, CHEM *a.* inert
inakzeptabel *Adj* unacceptable
Inangriffnahme *f* (*Gen*) starting (on), tackling (of)
Inanspruchnahme *f* (*Gen*, **von**) **1.** (*Benutzung*) use (of) **2.** (*Beanspruchung*) demands *Pl* (on), *bes* TECH strain (on)
Inbegriff *m* epitome **inbegriffen** *Adj präd* included: ***Frühstück ist im Preis ~*** breakfast is included in the price
Inbetriebnahme *f* (*Gen* of) opening, starting: ***bei ~ der Anlage*** when the plant is put into operation
Inbrunst *f* ardo(u)r, fervo(u)r
inbrünstig *Adj* ardent, fervent
indem *Konj* **1.** by: ***er entkam, ~ er aus dem Fenster sprang*** he escaped by jumping out of the window **2.** (*während*) as, while
Inder(in) Indian
indessen I *Adv* **1.** meanwhile **2.** (*jedoch*) however **II** *Konj* **3.** whereas
Index *m* index
indexieren *v/t* COMPUTER index
Indexlohn *m* WIRTSCH index-linked wages *Pl*
Indianer(in), **indianisch** *Adj* (Red) Indian
Indien *n* India
indifferent *Adj* indifferent (***gegenüber*** to)
Indigo *m*, *n* indigo
Indikation *f* MED indication: ***soziale ~*** social grounds *Pl* for termination of pregnancy
Indikativ *m* LING indicative (mood)
indirekt *Adj* indirect: ***~e Rede*** LING indirect (*od* reported) speech
indisch *Adj* Indian
indiskret *Adj* indiscreet
Indiskretion *f* indiscretion
indiskutabel *Adj* impossible: ***~ sein*** *a.* be out of the question
indisponiert *Adj* indisposed
individualisieren *v/t* individualize **Individualismus** *m* individualism **Individualist(in)** individualist **individualistisch** *Adj* individualist(ic) **Individualität** *f* individuality **Individualverkehr** *m* personal transport **individuell I** *Adj* individual **II** *Adv* ***~ gestalten*** indi-

vidualize; ***das ist ~ verschieden*** that varies from person to person (*od* from case to case) **Individuum** *n* individual
Indiz *n* **1.** indication, sign **2.** JUR **a)** (*Spur*) clue, **b)** → **Indizienbeweis**(**e** *Pl*) *m* circumstantial evidence *Sg*
Indochina *n* Indochina
indoeuropäisch, **indogermanisch** *Adj* Indo-European
Indonesien *n* Indonesia
Indonesier(in), **indonesisch** *Adj* Indonesian
Indossament *n* WIRTSCH endorsement
Indossant(in) endorser **Indossat(in)** endorsee **indossieren** *v/t* endorse
Induktion *f allg* induction
Induktions|motor *m* induction motor **~strom** *m* induction current
industrialisieren *v/t* industrialize
Industrialisierung *f* industrialization
Industrie *f* industry, (*~zweig*) (branch of) industry: ***in der ~*** (***tätig***) ***sein*** be (employed) in industry
Industrie... *mst* industrial (*nation, diamond, product, etc*) **~anlage** *f* industrial plant **~arbeiter(in)** industrial worker **~berater(in)** consultant **~betrieb** *m* industrial undertaking (*Anlage*: plant) **~gebiet** *n* industrial area **~gelände** *n* industrial estate **~gesellschaft** *f* industrial society **~gewerkschaft** *f* industry-wide union: ***~ Metall*** metalworkers' union **~kauffrau** *f*, **~kaufmann** *m* officer (*od* clerk) in an industrial company **~land** *n* industrialized country
industriell *Adj* industrial
Industrielle *m, f* industrialist
Industrie|macht *f* industrial power **~messe** *f* industrial fair **~müll** *m* industrial waste **~park** *m* industrial park **~roboter** *m* industrial robot **~spionage** *f* industrial espionage **~stadt** *f* industrial town
Industrie- und Handelskammer *f* chamber of industry and commerce
Industrieverband *m* federation of industries **Industriezweig** *m* (branch of) industry
induzieren *v/t allg* induce
ineinander *Adv* in(to) one another, *zwei*: *a.* in(to) each other: ***~ verliebt*** in love (with each other); ***~ fließen*** merge into one another, *Farben*: *a.* run; ***~ greifen*** **a)** TECH interlock, *Räder etc*: mesh, gear, **b)** *fig Aktionen etc*: interlink, be interconnected; ***~ passen*** fit together, fit into each other; ***~ schieben*** (*a.* ***sich ~ schieben lassen***) telescope
infam *Adj* infamous, disgraceful
Infanterie *f* MIL infantry
infantil *Adj* infantile
Infarkt *m* MED **1.** infarct **2.** → ***Herzinfarkt***
Infekt *m*, **Infektion** *f* infection
Infektions|gefahr *f* risk of infection **~herd** *m* focus of infection **~krankheit** *f* infectious disease
infektiös *Adj* infectious, contagious
Inferno *n a. fig* inferno
infiltrieren *v/t u. v/i a. fig* infiltrate
Infinitesimalrechnung *f* infinitesimal calculus
Infinitiv *m* LING infinitive
infizieren I *v/t a. fig* infect **II** *v/refl* ***sich ~*** catch an infection, become infected: ***er hat sich bei ihr infiziert*** he caught the disease from her
in flagranti *Adv* ***j-n ~ ertappen*** catch s.o. in the act (*Dieb etc*: *a.* red-handed)
Inflation *f* inflation
inflationär, **inflationistisch** *Adj* inflationary
Inflationsrate *f* inflation rate, rate of inflation
Info *f* F info
infolge *Präp* (*Gen*) as a result of, owing to **infolgedessen** *Adv* as a result (of this), consequently
Informant(in) informant, source
Informatik *f* computer science, informatics *Sg*
Informatiker(in) computer scientist
Information *f a. Pl* information *Sg*: ***zu Ihrer ~*** for your information
informationell *Adj* informational
Informations|blatt *n* newssheet **~büro** *n* information office **~fluss** *m* flow of information **~material** *n* information(al material) **~schalter** *m*, **~stand** *m* information desk **~technologie** *f* information technology (*Abk* IT)
informativ *Adj* informative
informieren I *v/t* (***über*** *Akk*) *allg* inform (of, about), (*benachrichtigen*) *a.* notify (of), let *s.o.* know (about), (*anweisen*) *a.* instruct (as to), brief (on): ***falsch ~*** misinform **II** *v/refl* ***sich ~*** in-

form o.s **informiert** *Adj* informed: ***~e Kreise*** (well-)informed circles
Infostand *m* F → ***Informationsstand***
Infotainment *n* infotainment
infrage *Adv*: ***~ kommen*** be a possibility, *Person*: *a.* be eligible; ***das kommt gar nicht ~*** that's out of the question
infrarot *Adj* infrared **Infrarot** *n*, **Infrarot…** infrared **Infraschall** *m* infrasound **Infraschall…** infrasonic
Infrastruktur *f* infrastructure
Infusion *f* infusion
Ingenieur(in) engineer
Ingenieurbüro *n* engineering office
Ingwer *m* ginger **~bier** *n* ginger beer
Inhaber(in) *e-r Firma*, *e-s Hotels etc*: owner, proprietor (proprietress), (*Wohnungs*⁀) occupant, *e-s Amtes*, *Titels*, *Patents*, *Rekords etc*: holder, *e-s Wechsels*, *Wertpapiers etc*: holder, bearer
Inhaber|aktie *f* bearer share **~scheck** *m* cheque (*Am* check) to bearer
inhaftieren *v/t* arrest, take *s.o.* into custody **Inhaftierung** *f* **1.** arrest(ing) **2.** (*Haft*) detention
inhalieren *v/t* inhale
Inhalt *m* **1.** contents *Pl*, (*Raum*⁀) capacity, volume **2.** *fig* (*Gehalt*) content(s *Pl*), subject matter, (*Sinn*, *Zweck*) meaning: ***des ~s, dass …*** to the effect that …; ***wesentlicher ~*** essence; ***mein Leben hat k-n ~*** my life is meaningless (*od* empty) **inhaltlich** *Adv* in content
Inhaltsangabe *f* summary, synopsis
Inhaltserklärung *f* WIRTSCH list of contents
inhaltslos *Adj* empty, meaningless, *Rede etc*: lacking in substance **inhaltsreich** *Adj* rich in substance, *Leben*: full, rich
Inhaltsverzeichnis *n* list (*Buch*: table) of contents
inhuman *Adj* inhuman
Initiale *f* initial
Initiative *f* **1.** initiative: ***die ~ ergreifen*** take the initiative; ***auf s-e ~ hin*** on his initiative; ***aus eigener ~*** on one's own initiative **2.** (*Bürger*⁀) action group
Initiator *m*, **Initiatorin** *f* initiator
Injektion *f* injection, F shot
Injektions|nadel *f* hypodermic needle **~spritze** *f* (hypodermic) syringe
injizieren *v/t* inject
Inkasso *n* WIRTSCH (***zum ~*** for) collection **~…** *mst* collection (*agency*, *business*, *etc*) **~vollmacht** *f* authority to collect
inklusive I *Präp* (*Nom*, *Gen*) including, inclusive of: ***~ Verpackung*** packing included **II** *Adv* ***bis zum 4. Mai ~*** up to and including May 4th
inkognito *Adv*, **Inkognito** *n* incognito
inkompatibel *Adj* incompatible
inkompetent *Adj* incompetent
inkonsequent *Adj* inconsistent
Inkonsequenz *f* inconsistency
In-Kraft-Treten *n* coming into force: ***bei ~*** upon taking effect; ***Tag des ~s*** effective date
inkrementell *Adj*: ***~e Suche*** COMPUTER incremental search
Inkubationszeit *f* MED incubation period
Inkubator *m* MED incubator
Inland *n* **1.** (*Ggs. Ausland*) home: ***im In- und Ausland*** at home and abroad **2.** (*Landesinnere*) inland, interior
Inland… → ***inländisch***
Inländer(in) native **inländisch** *Adj a.* WIRTSCH home, domestic, *Verkehr*: internal
Inlands|absatz *m* WIRTSCH domestic sales *Pl* **~flug** *m* domestic (*od* internal) flight **~markt** *m* home (*od* domestic) market **~post** *f* inland (*Am* domestic) mail
Inline|skaten *n* in-line skating **~skater(in)** in-line skater **~skates** *Pl* in-line skates *Pl*, F blades *Pl*
inmitten *Präp* (*Gen*) in the middle of
innehaben *v/t* (*Amt*, *Stelle*, *Rekord etc*) hold **innehalten** *v/i* stop, pause
innen *Adv* inside, (*im Haus*) *a.* indoors: ***~ und außen*** inside and out(side); ***nach ~ (zu)*** inwards; ***von ~*** from (the) inside
Innen|ansicht *f* interior view **~architekt(in)** interior designer **~architektur** *f* interior design **~aufnahme** *f* FILM, FOTO interior **~ausstattung** *f* **a)** interior decoration, **b)** décor, furnishings *Pl*, MOT trim **~bahn** *f* SPORT inside lane **~beleuchtung** *f* interior (*od* indoor) lighting **~dienst** *m* office work: ***im ~ tätig sein*** be an office worker **~durchmesser** *m* inside diameter **~einrichtung** *f* → ***Innenausstattung*** **~fläche** *f*

1. inside **2.** *der Hand*: palm **~hof** *m* (inner) courtyard **~leben** *n* inner life **~leuchte** *f* MOT interior (*od* courtesy) light **~minister(in)** minister of the interior, *Br* Home Secretary, *Am* Secretary of the Interior **~ministerium** *n* ministry of the interior, *Br* Home Office, *Am* Department of the Interior **~politik** *f* domestic politics *Pl* (*e-r Regierung*: policy) **2politisch** *Adj* domestic, internal **~raum** *m* interior **~seite** *f* (***auf der ~*** [on the]) inside **~stadt** *f* inner city, (town) cent/re (*Am* -er), *Am a.* downtown: ***in der ~ von Chicago*** in downtown Chicago **~tasche** *f* inside pocket **~temperatur** *f* internal (*od* indoor) temperature **~wand** *f* inside wall

inner *Adj* inside, WIRTSCH, POL internal, domestic, MED internal, (*seelisch*) inner, (*geistig*) mental: *fig* ***ein ~er Widerspruch*** an inconsistency; ***~er Halt*** moral backbone; ***~e Ruhe*** peace of mind

innerbetrieblich *Adj* WIRTSCH internal

Innere *n* **1.** interior (*a.* GEOG), inside, (*Mitte*) heart, cent/re (*Am* -er): ***im ~n*** inside, *e-s Landes*: in the interior; ***Minister des ~n*** → ***Innenminister*** **2.** *fig* heart, soul, mind, core: ***in ihrem tiefsten ~n*** deep down; → *a.* ***Innerste***

Innereien *Pl* innards *Pl*, guts *Pl*

innerhalb I *Präp* (*Gen*) **1.** inside, within (*a. fig*): ***~ der Familie*** within the family **2.** *zeitlich*: in, within, (*während*) during: ***~ der Arbeitszeit*** during working hours; ***~ weniger Tage*** within a few days **II** *Adv* **3.** ***~ von*** *allg* within

innerlich I *Adj* **1.** inner, *a.* MED internal **2.** *fig* inward(-looking), (*gefühlsmäßig, -betont*) emotional, (*nachdenklich*) thoughtful **II** *Adv* **3.** internally: ***~ (anzuwenden)*** PHARM for internal use (only) **4.** *fig* inwardly, (*insgeheim*) *a.* secretly **Innerlichkeit** *f* inwardness, sensitivity, depth of feeling

innerparteilich *Adj* inner-party …, internal

innerst *Adj* innermost, *fig a.* inmost: ***die ~en Gedanken*** one's most secret thoughts

innerstaatlich *Adj* internal

innerstädtisch *Adj* urban

Innerste *n the* innermost part, (*Mittelpunkt*) *a.* heart, midst: *fig* ***bis ins ~ getroffen*** cut to the quick

innert *Präp* (*Gen*) *österr., schweiz.* within, inside of, in

innewohnen *v/i* be inherent (*Dat* in)

innig *Adj* (*zärtlich*) tender, (*glühend*) ardent, fervent, *Wunsch*: *a.* devout, (*herzlich*) heartfelt, sincere, *Freundschaft*: close, intimate: *Adv* ***j-n ~ lieben*** love s.o. dearly, be devoted to s.o. **Innigkeit** *f* tenderness, ardo(u)r, sincerity

Innovation *f* innovation **innovationsfreudig, innovativ** *Adj* innovative

Innung *f* guild

inoffiziell *Adj* unofficial, (*zwanglos*) informal

inopportun *Adj* inopportune

in petto *Adv* ***etw ~ haben*** have s.th. up one's sleeve

in puncto *Präp* as regards

Input *m a.* IT input

Inquisition *f* Inquisition

Insasse *m*, **Insassin** *f e-s Autos etc*: passenger, *e-s Gefängnisses, Heims etc*: inmate **Insassenversicherung** *f* MOT passenger insurance (cover)

insbesondere *Adv* (e)specially, in particular

Inschrift *f* inscription

Insekt *n* insect, *bes Am a.* bug

Insekten|bekämpfungsmittel *n* insecticide **~fresser** *m* ZOOL insectivore **~kunde** *f* entomology **~schutzmittel** *n* insect repellent **~stich** *m* insect bite

Insektizid *n* insecticide

Insel *f* island (*a. fig*), *poet u. bei Eigennamen*: isle: ***die ~ Wight*** the Isle of Wight; ***die Britischen ~n*** the British Isles **~bewohner(in)** islander **~gruppe** *f* archipelago **~staat** *m* island state **~volk** *n* islanders *Pl* **~welt** *f* islands *Pl*

Inserat *n* advertisement, F ad

Inserent(in) advertiser **inserieren I** *v/t* advertise **II** *v/i* ***~ in*** (*Dat*) advertise in, put an advertisement (F ad) into

insgeheim *Adv* secretly

insgesamt *Adv* altogether, in all, (*als Ganzes*) as a whole: ***s-e Schulden betragen ~ …*** his debts total …

Insider(in) insider

insofern I *Adv* as far as that goes **II** *Konj* ***~ (als)*** in so far as

insolvent *Adj* insolvent

Insolvenz *f* insolvency

Inspekteur(in) MIL inspector **Inspekti-**

on *f* **1.** inspection **2.** (***das Auto zur ~ bringen*** put the car in for a) service
Inspektor *m*, **Inspektorin** *f* inspector
Inspiration *f* inspiration **inspirieren** *v/t* ***j-n zu etw ~*** inspire s.o. to (do) s.th.; ***sich ~ lassen*** be inspired (***von*** by)
inspizieren *v/t* inspect, examine
Installateur(in) plumber, (*Elektro*2) electrician, (*Gas*2) gas fitter
Installation *f* installation **installieren I** *v/t* install **II** *v/refl* ***sich ~*** install o.s
instand *Adv* ***~ halten*** keep *s.th.* in good condition, maintain, service; ***~ setzen*** repair, (*renovieren*) renovate
Instandhaltung *f* maintenance
inständig *Adj* urgent: *Adv* ***j-n ~ um etw bitten*** implore s.o. for s.th.
Instandsetzung *f* repair, (*Renovierung*) renovation **Instandsetzungsarbeit** *f* repair work, repairs *Pl*
Instanz *f* authority, JUR instance: ***höhere ~en*** higher authorities (JUR courts); ***in erster ~*** JUR at first instance; ***Gericht erster ~*** court of first instance; ***in letzter ~*** *a. fig* in the last instance
Instanzenweg *m* JUR (successive) stages *Pl* of appeal; ***auf dem ~*** through the prescribed channels
Instinkt *m* instinct, *weit. S.* feeling: ***aus ~*** from (*od* by) instinct, instinctively **instinktiv** *Adj* instinctive **instinktlos** *Adj fig* showing a sad lack of flair
Institut *n* (***in e-m ~*** at an) institute
Institution *f a. fig* institution
institutionalisieren *v/t* institutionalize
institutionell *Adj* institutional
instruieren *v/t* ***j-n ~*** give s.o. instructions, *a.* MIL brief s.o., (*unterrichten*) inform s.o. **Instruktion** *f allg* instruction
instruktiv *Adj* instructive
Instrument *n a. fig* instrument
Instrumentalmusik *f* instrumental music
Instrumenten|brett *n allg* instrument panel **~fehler** *m* TECH instrumental error **~flug** *m* instrument flying
instrumentieren *v/t* MUS orchestrate
Insuffizienz *f bes* MED insufficiency
Insulaner(in) islander
Insulin *n* insulin
inszenieren *v/t* THEAT stage (*a. fig*), *a.* FILM, TV produce, (*Regie führen*) direct
Inszenierung *f* production: ***... in der ~ von X*** ... produced by X

intakt *Adj* intact
integer *Adj man etc* of integrity
integral *Adj*, **Integral** *n* MATHE integral
Integralrechnung *f* integral calculus
Integration *f* integration **integrieren** *v/t u. v/refl* ***sich ~*** integrate (***in*** *Akk* into, within); ***~der Bestandteil*** integral part
integriert *Adj* integrated
Integrität *f* integrity
Intellekt *m* intellect **intellektuell** *Adj*, **Intellektuelle** *m, f* intellectual, F highbrow **intelligent** *Adj* intelligent
Intelligenz *f* intelligence, (*~schicht*) intelligentsia: ***künstliche ~*** artificial intelligence **~quotient** *m* intelligence quotient, I.Q. **~test** *m* intelligence test
Intendant(in) director
Intensität *f* intensity **intensiv** *Adj* intensive, *Gefühl, Interesse etc*: intense
intensivieren *v/t* intensify
Intensivierung *f* intensification
Intensivkurs *m* crash course
Intensivstation *f* MED intensive-care unit (*Abk* ICU): ***auf der ~ liegen*** be in intensive care
interaktiv *Adj* interactive
Intercityexpresszug *m* (German *od* ICE) high-speed train
Intercity(zug) *m* intercity (train)
interessant *Adj* interesting
Interesse *n* interest (***an*** *Dat*, ***für*** in): ***~ haben an*** (*od* ***für***) → ***interessieren*** II; ***~ zeigen*** show an interest (***an*** *Dat*, ***für*** in); ***im öffentlichen ~*** in the public interest; *ich tat es* ***in d-m ~*** for your sake; ***es liegt in d-m eigenen ~*** it's in your own interest; ***mit ~*** → ***interessiert*** II; ***j-s ~n vertreten*** (*od* ***wahrnehmen***) look after (*formell*: represent) s.o.'s interests; ***es besteht kein ~ an*** (*Dat*) nobody is interested in, *e-r Ware etc*: there is no demand for **interessehalber** *Adv* out of interest **interesselos** *Adj* uninterested, indifferent
Interesselosigkeit *f* indifference
Interessen|gebiet *n* field of interest **~gemeinschaft** *f* community of interests, WIRTSCH (*Vereinigung*) combine, pool **~sphäre** *f* POL sphere of influence
Interessent(in) interested party, WIRTSCH prospective buyer, taker
interessieren I *v/t* interest (***für*** in): *das Buch etc* ***interessiert mich nicht*** ...

doesn't interest me, I'm not interested in ...; ***das interessiert mich (überhaupt) nicht!*** I'm not (a bit) interested!, (*das ist mir egal*) I couldn't care less!; ***es wird dich ~ (zu hören), dass ...*** you'll be interested to know that ...; ***wen interessiert das schon?*** who cares? **II** *v/refl* ***sich ~ für*** be interested in, take (*od* show) an interest in, (*kaufen wollen*) *a.* be in the market for **III** *v/i* be of interest: ***das interessiert hier nicht!*** that's irrelevant! **interessiert I** *Adj* interested (***an*** *Dat* in) (*a. Käufer etc*) **II** *Adv* with interest, interestedly
Interface *n* COMPUTER interface
Interkontinental|flug *m* intercontinental flight **~rakete** *f* intercontinental ballistic missile
Intermezzo *n* MUS intermezzo, interlude (*a. fig*)
intern *Adj* internal
Internat *n* boarding school
international *Adj* international **internationalisieren** *v/t* internationalize
Internatsschüler(in) boarder
Internet *n* IT Internet, F Net: ***im ~*** on the Internet **~anschluss** *m* Internet connection: ***haben Sie einen ~?*** are you on the Internet? **~seite** *f* Web page **~server** *m* Internet provider **~slang** *m* Internet jargon **~surfer(in)** Internet surfer, Net surfer, Web surfer **~user** *m* Internet user, Net user **~zugang** *m* Internet access; → *Info bei* ***chat***
Interngespräch *n* TEL internal call
internieren *v/t* intern **Internierte** *m, f* internee **Internierung** *f* internment
Internierungslager *n* internment camp
Internist(in) MED internist
interparlamentarisch *Adj* interparliamentary
interplanetarisch *Adj* interplanetary
Interpret(in) interpreter, MUS *a.* performer, (*Sänger[in]*) singer **Interpretation** *f* interpretation **interpretieren** *v/t* interpret, (*auffassen*) *a.* read, JUR construe
Interpunktion *f* punctuation
Interpunktionszeichen *n* punctuation mark
Interrailkarte *f* interrail ticket
Interregio *m* BAHN regional fast train
Interrogativ... interrogative (*pronoun, sentence, etc*)
Intervall *n* interval **Intervallschaltung** *f* MOT interval switch **Intervalltraining** *n* SPORT interval training
intervenieren *v/i* intervene
Intervention *f* intervention
Interview *n*, **interviewen** *v/t* interview
Interviewer(in) interviewer
intim *Adj allg* intimate, *Bar, Zimmer etc*: *a.* cosy: *sexuell*: ***mit j-m ~e Beziehungen haben, mit j-m ~ sein*** have intimate relations with s.o.; ***ein ~er Kenner sein von*** (*od Gen*) have an intimate knowledge of **Intimbereich** *m* **1.** ANAT genitals *Pl* **2.** → ***Intimsphäre***
Intimfeind(in) archenemy
Intimität *f* intimacy: ***es kam zu ~en zwischen ihnen*** they became intimate
Intim|leben *n* private life **~sphäre** *f* (***in j-s ~ eindringen*** violate s.o.'s) privacy **~spray** *m* vaginal spray **~verkehr** *m* intercourse
intolerant *Adj* intolerant
Intoleranz *f* intolerance
Intonation *f* LING, MUS intonation
intonieren *v/t* intonate
Intranet *n* Intranet
intransitiv *Adj* LING intransitive
intravenös *Adj* MED intravenous
Intrigant(in) schemer
Intrige *f* plot, intrigue, scheme
intrigieren *v/i* (plot and) scheme
introvertiert *Adj* introverted: ***~er Mensch*** introvert
Intuition *f* intuition
intuitiv *Adj* intuitive
Invalide *m*, **Invalidin** *f* invalid
Invalidität *f* disablement, disability
Invasion *f* invasion
Inventar *n* (*Verzeichnis*) inventory, (*Gegenstände*) stock: ***festes ~*** fixture(s *Pl*); ***totes ~*** dead stock; ***lebendes ~*** livestock; ***sie gehört schon zum ~*** *hum* she is one of the fixtures; ***ein ~ aufnehmen (von)*** → **inventarisieren I** *v/i* take inventory (*od* stock) **II** *v/t* take an inventory of
Inventur *f* WIRTSCH inventory, stocktaking: ***~ machen*** take inventory (*od* stock)
Inversion *f* inversion
investieren *v/t u. v/i a. fig* invest
Investition *f* WIRTSCH investment, (*Kapitalaufwand*) capital expenditure
Investitions... *mst* investment (*bank,*

loan, etc) **~anreiz** *m* investment incentive **~güter** *Pl* capital goods *Pl*
Investment|fonds *m* investment fund **~gesellschaft** *f* investment company
In-vitro-Fertilisation *f* MED in vitro fertilization
inwendig *Adj* inwardly: F ***in- und auswendig kennen*** know *s.th.* inside out
inwiefern *Konj* in what way, how
inwieweit *Konj* to what extent
Inzahlungnahme *f* part exchange, *Am* trade-in
Inzest *m* incest
Inzucht *f* intermarriage, *a.* ZOOL inbreeding
inzwischen *Adv* in the meantime
Ion *n* PHYS ion **ionisieren** *v/t* ionize
Ionosphäre *f* ionosphere
i-Punkt *m* dot over the i: ***bis auf den ~*** *fig* down to the last detail
Irak *m der* Iraq
Iraker(in), **irakisch** *Adj* Iraqi, Iraki
Iran *m der* Iran
Iraner(in), **iranisch** *Adj* Iranian
irdisch *Adj* earthly, (*weltlich*) worldly, (*sterblich*) mortal
Ire *m* Irishman: ***die ~n*** *Pl* the Irish *Pl*
irgend *Adv* **1.** F ***~ so ein ...*** some sort of ... **2.** ***wann*** (***wo***) ***es ~ geht*** whenever (wherever) it might be possible; ***wenn ich ~ kann*** if I possibly can; ***so rasch wie ~ möglich*** as soon as at all possible
irgend|ein *Indefinitpron* some, *verneint u. fragend*: any: ***auf ~e Weise*** somehow; ***besteht noch ~e Hoffnung?*** is there any hope at all? **~einer** → ***irgendjemand***
irgendetwas *Indefinitpron* something, *fragend*: anything; ***wir müssen ~ tun!*** we've got to do s.th.!
irgendjemand *Indefinitpron* someone, somebody, *fragend*: anyone, anybody
irgendwann *Adv* **1.** some time (or other) **2.** any time **irgendwas** F → ***irgendetwas***
irgendwelche *Indefinitpron* any: ***ohne ~ Kosten*** without any expense at all
irgend|wie *Adv* somehow, some way (or other) **~wo** *Adv* somewhere, *verneint u. fragend*: anywhere: ***~ anders*** somewhere else **~woher** *Adv* from somewhere, *verneint u. fragend*: from anywhere **~wohin** *Adv* somewhere, *verneint u. fragend*: anywhere

Irin *f* Irishwoman: ***sie ist ~*** she is Irish
Iris *f* ANAT, BOT iris
irisch I *Adj* Irish: ***&e Republik*** Republic of Ireland, Eire; ***die & See*** the Irish Sea **II** & *n* LING Irish
Irland *n* Ireland
Ironie *f* irony (***des Schicksals*** of fate)
ironisch *Adj* ironic(ally *Adv*) **ironisieren** *v/t* ***etw ~*** treat s.th. with irony
irrational *Adj* irrational
irre I *Adj* **1.** mad, insane, crazy: ***~s Zeug reden*** be raving **2.** F *fig* mind-blowing, *Idee, Tempo etc*: crazy, mad: ***~*** (***gut***) fantastic, super, wild; ***ein ~r Typ*** a super guy; ***drinnen war e-e ~ Hitze*** inside it was awfully hot; ***wie ~*** *arbeiten etc* like crazy **II** *Adv* **3.** F awfully (*big, hot, etc*), (*wie verrückt*) like crazy: ***~ viel(e)*** an awful lot of
Irre[1] *m, f* madman (madwoman), lunatic, F *fig* nutcase: F ***wie ein ~r*** *arbeiten, fahren etc* like crazy
Irre[2] *f* ***j-n in die ~ führen*** → ***irreführen***
irreal *Adj* **1.** unreal **2.** unrealistic
irreführen *v/t fig* mislead, (*täuschen*) *a.* deceive: ***sich ~ lassen*** be deceived (***von*** by) **irreführend** *Adj* misleading
irrelevant *Adj* irrelevant
irremachen → ***beirren***
irren I *v/refl* **1.** ***sich ~*** (***in*** *Dat* about *s.o.*, in *s.th.*) be wrong, be mistaken; ***ich habe mich im Datum geirrt*** I got the date wrong; ***er hat sich in der Tür geirrt*** he went to the wrong door; ***ich kann mich*** (***auch***) ***~*** (of course,) I may be wrong; ***da irrst du dich aber*** (***gewaltig***)***!*** you're very much mistaken there!; ***wenn ich mich nicht irre*** if I'm not mistaken **II** *v/i* **2.** wander, err, stray (*alle a. fig Blicke, Gedanken etc*) **3.** be wrong, be mistaken **III** & *n* **4.** ***& ist menschlich*** we all make mistakes
Irrenhaus *n* F *fig* ***hier gehts zu wie im ~!*** it's like a madhouse here!
irreparabel *Adj* irreparable
Irrfahrt *f* odyssey **Irrgarten** *m* mace, labyrinth **Irrglaube** *m* erroneous belief, (*Ketzerei*) heresy
irrig(**erweise** *Adv*) *Adj* wrong(ly)
irritieren *v/t allg* irritate, (*ärgern*) *a.* annoy, (*unsicher machen*) *a.* confuse
Irrsinn *m a. fig* madness **irrsinnig** → ***irre***
Irrsinnige *m, f* → ***Irre***[1]
Irrtum *m* mistake, error (*a.* JUR), (*Miss-*

verständnis) misunderstanding: ***im ~ sein, sich im ~ befinden*** be mistaken, be wrong; ***mir ist ein ~ unterlaufen*** I (have) made a mistake; ***da muss ein ~ vorliegen!*** there must be some mistake!; F ***~!*** (sorry, but) you're wrong there! **irrtümlich** *Adj* wrong(ly *Adv*) **irrtümlicherweise** *Adv* by mistake
ISBN-Nummer *f* ISBN number
Ischias *m, n,* MED *f* sciatica
Ischiasnerv *m* sciatic nerve
ISDN|-Anschluss *m* ISDN connection (*od* access) **~-Karte** *f* ISDN controller **~-Nummer** *f* ISDN number
Islam *m* Islam **islamisch** *Adj* Islamic
Island *n* Iceland
Isländer(in) Icelander
isländisch *Adj* Icelandic
Isolation *f* **1.** isolation **2.** → ***Isolierung*** 2
Isolierband *n* insulating tape
isolieren I *v/t* **1.** isolate **2.** ELEK, TECH insulate (***gegen*** against) **II** *v/refl* ***sich ~*** **3.** isolate o.s., (*sich abkapseln*) cut o.s. off
Isolier|kanne *f* vacuum flask **~material** *n* insulating material **~schicht** *f* insulating layer
Isolierstation *f* MED isolation ward
Isolierung *f* **1.** isolation **2.** ELEK, TECH insulation
Isomatte *f* foam mattress, thermomat
Isotop *n* CHEM isotope
Israel *n* Israel
Israeli *m, f,* **israelisch** *Adj* Israeli
Israelit(in), **israelitisch** *Adj* Israelite
Istbestand *m* WIRTSCH actual amount, *an Waren*: actual stock
Italien *n* Italy
Italiener(in) Italian **italienisch** *Adj* Italian **Italienisch** *n* LING Italian
i-Tüpfelchen *n*: ***bis aufs ~*** *fig* down to the last (*od* tiniest) detail
IWF *m* (= ***Internationaler Währungsfonds***) IMF

J

J, j *n* J, j
ja *Adv* **1.** yes, PARL aye, *Am* yea, *bei der Trauung*: I do: ***~?*** (*tatsächlich*) really?, (*stimmts*) right?, TEL hello; ***nun ~*** well (yes); ***~ doch!, aber ~!*** yes, of course!, sure!; ***ich glaube ~!*** I think so! **2.** (*schließlich*) after all: ***du kennst ihn ~*** you know what he's like **3.** *feststellend*: ***da bist du ~!*** there you are!; ***ich habs dir ~ gesagt*** didn't I tell you?; ***das ist ~ schrecklich*** but that's just terrible!; ***es regnet ~!*** oh dear, it's raining! **4.** *ermahnend*: ***sei ~ vorsichtig!*** do (*drohend*: you) be careful!; ***bring es ~ mit!*** make sure you bring it!; ***sags ihm ~ nicht!*** don't tell him! **5.** *überrascht*: ***~, weißt*** (*od* ***wusstest***) ***du denn*** (***das***) ***nicht?*** do you mean to say you didn't know? **6.** *einschränkend*: ***ich würde es ~ gern tun, aber …*** I'd really like to do it, but …
Ja *n* yes, PARL aye, *Am* yea: ***mit ~ oder Nein antworten*** answer yes or no; ***~ sagen*** (***zu*** to) say yes, *fig a.* agree
Jacht *f* yacht **~klub** *m* yacht club
Jacke *f* jacket, (*Strick*2) cardigan: F *fig* ***das ist ~ wie Hose*** it's much of a muchness **Jackenkleid** *n* two-piece dress
Jacketkrone *f* jacket crown
Jackett *n* jacket
Jade *m, f* MIN jade
Jagd *f* **1.** hunt(ing), shoot(ing): ***auf*** (***die***) ***~ gehen*** go hunting **2.** *fig* (***nach***) chase (after), pursuit (of): ***~ machen auf*** (*Akk*) chase (after), pursue; ***e-e wilde ~ nach*** a mad rush for **~beute** *f* bag **~bomber** *m* MIL fighter bomber **~flieger(in)** MIL fighter pilot **~flugzeug** *n* MIL fighter (plane) **~hund** *m* hound, (*Rasse*) short-haired pointer **~hütte** *f* (hunting) lodge **~rennen** *n Pferdesport*: steeplechase **~revier** *n* hunting ground **~schein** *m* hunting licen/ce (*Am* -se) **~zeit** *f* hunting season
jagen I *v/t* **1.** hunt, shoot **2.** *fig* (*verfolgen*) chase (after), (*suchen*) hunt (for): ***ein Ereignis jagte das andere*** things happened really fast; F ***damit kannst du mich ~!*** I just hate that! **3.** F ***j-m*** (***sich***) ***e-e Kugel durch den***

Kopf** ~* blow s.o.'s (one's) brains out; ***den Ball ins Netz** ~* slam the ball home; ***etw in die Luft** ~* blow s.th. up **II** *v/i* **4.** go hunting, go shooting, hunt **5.** *fig* (*rasen*) race **6.** *~ **nach *fig* chase after, hunt for **III** ♀ *n* **7.** hunt(ing), shoot(ing)
Jäger *m* **1.** huntsman, hunter **2.** → ***Jagdflieger, Jagdflugzeug***
Jägerin *f* huntress, huntswoman
Jaguar *m* ZOOL jaguar
jäh I *Adj* **1.** (*plötzlich*) sudden, abrupt: *fig* ***ein ~es Erwachen*** a rude awakening **2.** (*steil*) steep: ***~er Abhang*** precipice **II** *Adv* **3.** (*plötzlich*) all of a sudden, abruptly **4.** *~ **abfallend*** precipitous
Jahr *n* **1.** year: ***ein halbes** ~* half a year, six months; ***alle ~e*** every year; *~ **für** ~* year after year; ***im ~e 1938*** in (the year of) 1938; ***in diesem (im nächsten)** ~* this (next) year; ***heute vor einem** ~* a year ago today; ***von ~ zu** ~* from year to year; ***auf ~e hinaus*** for years to come; ***seit ~en (nicht)*** (not) for years; ***im Lauf der ~e*** through (*od* over) the years; → ***jünger*** 1 **2.** (*Lebens*♀) year, (*Alter*) age: ***das Kind ist zwei ~e (alt)*** the child is two (years old); ***mit*** (*od* ***im Alter von***) ***20 ~en*** at the age of twenty; ***in die ~e kommen*** be getting on; ***in den besten ~en sein*** be in the prime of life
jahraus *Adv ~, **jahrein*** year in, year out
Jahrbuch *n* yearbook, almanac
jahrelang I *Adj* longstanding, lasting for years: ***~e Erfahrung*** years of experience **II** *Adv* for years
jähren *v/refl* ***heute jährt sich ...*** it's a year today since (*od* that) ...
Jahres... *mst* annual (*balance sheet, report, ring, etc*), yearly **~abschluss** *m* WIRTSCH annual accounts *Pl* **~beginn** *m* (***zum** ~* at the) beginning of the year **~bestleistung** *f* SPORT record of the year **~ende** *n* (***zum ~, am** ~* at the) end of the year **~gehalt** *n* annual salary **~hälfte** *f **erste (zweite)** ~* first (second) half of the year **~hauptversammlung** *f* WIRTSCH annual general meeting **~tag** *m* anniversary **~wagen** *m* MOT one-year-old car **~zahl** *f* year **~zeit** *f* season: ***in dieser** ~* at this time of year
jahreszeitlich *Adj* seasonal
Jahrgang *m* **1.** age group, PÄD year: ***sie ist ~ 1900*** she was born in 1900; ***er ist mein** ~* we were born in the same year; ***die Jahrgänge 1970-80*** the 1970-80 age group **2.** *von Wein*: vintage, year
Jahrhundert *n* century
jahrhunderte|alt *Adj* centuries old **~lang** *Adv* (*Adj* lasting) for centuries
jährlich I *Adj* yearly, annual **II** *Adv* yearly, every year, once a year: *1000 Euro etc ~* a year, per annum
Jahrmarkt *m* (***auf dem** ~* at the) fair
Jahrtausend *n* millennium
Jahrtausendfeier *f* millenary
Jahrzehnt *n* decade, ten years *Pl*
jahrzehntelang I *Adj* lasting for decades: ***~e Forschungsarbeit*** decades of research **II** *Adv* for decades
Jähzorn *m* (***im** ~* in a fit of) violent temper **jähzornig** *Adj* irascible: ***er ist** ~ a.* he has a violent temper
Jalousie *f* (Venetian) blind(s *Pl*)
Jamaika *n* Jamaica
Jammer *m* **1.** (*Elend*) misery: F ***es ist ein ~, dass*** → ***jammerschade*** **2.** (*Wehklagen*) lamentation, wailing **jämmerlich I** *Adj* **1.** (*elend*) miserable, wretched, pitiful, (*fig pej minderwertig*) *a.* deplorable: ***mir war ~ zumute*** I felt (just) miserable **2.** (*kläglich*) heart-rending, piteous **II** *Adv* **3.** miserably (*etc*): *~ **weinen*** cry piteously; *~ **(schlecht)** singen etc* terribly; *~ **versagen (umkommen)*** fail (die) miserably
jammern I *v/i* moan, *laut*: wail: *~ **nach** der Mutter etc* cry for; *~ **über*** (*Akk*) moan about, (*sich beklagen*) complain of **II** ♀ *n* moaning, wailing
jammerschade *Adj* (***es ist) ~, dass ...*** it's such a shame (*od* too bad) that ...
Janker *m österr., südd* **1.** jacket **2.** (*Strickjacke*) cardigan
Jänner *m österr.* → ***Januar***
Januar *m* (***im** ~* in) January
Japan *n* Japan
Japaner(in), **japanisch** *Adj*, **Japanisch** *n* LING Japanese
Jargon *m* jargon
Jasager(in) yes-person
Jasmin *m* BOT jasmin(e)
Jastimme *f* PARL aye, *Am* yea
jäten *v/t u. v/i* weed
Jauche *f* liquid manure
Jauchegrube *f* cesspool
jauchzen *v/i* shout for joy

jaulen *v/i a. fig* howl
Jause *f österr.* (break for a) snack
jawohl *Adv* yes, (*ganz recht*) that's right
Jawort *n* ***sie gab ihm ihr ~*** she said yes
Jazz *m* jazz **Jazzband** *f*, **Jazzkapelle** *f* jazz band **Jazzmusik** *f* jazz (music) **Jazzsänger(in)** jazz singer
je I *Adv* **1.** ever: ***ohne ihn ~ gesehen zu haben*** without ever having seen him **2.** → ***eh*** 2, ***jeher*** **3.** ***sie kosten ~ e-n Dollar*** they cost a dollar each; ***für ~ 10 Personen*** for every ten persons; ***es gibt sie in Schachteln mit ~ 10 Stück*** they come in boxes of ten **4.** ***~ nach*** according to; ***~ nachdem*** it (all) depends (→ 6) **II** *Konj* **5.** ***~ eher, desto besser*** the sooner the better; ***~ länger, ~ lieber*** the longer the better **6.** ***~ nachdem*** according to *what he says*, depending on *how you do it* (→ 4)
Jeans *Pl* jeans *Pl* **~anzug** *m* denim suit **~jacke** *f* denim jacket **~stoff** *m* denim
jede, ~r, ~s *Indefinitpron* **1.** (*~ Einzelne*) each, (*~ Beliebige*) any, (*~ von zweien*) either, *verallgemeinernd*: every: ***ich hörte ~s (einzelne) Wort*** I heard every (single) word; ***~s zweite Auto*** every other car; ***ohne ~n Zweifel*** without any doubt; ***zu ~r Zeit*** any time; ***bei ~m Wetter*** in any weather; ***auf ~n Fall*** in any case **2.** each (*od* every) one, everyone: ***~(r) von ihnen*** each (*od* all) of them
jedenfalls *Adv* **1.** in any case, at any rate, anyway **2.** (*wie dem auch sei*) be that as it may **3.** (*wenigstens*) at least
jedermann *Indefinitpron* everyone, everybody, anyone, anybody: ***das ist nicht ~s Sache*** it's not everyone's cup of tea
jederzeit *Adv* any time, always
jedesmal → ***Mal***[2]
jedoch *Adv* however, still
jegliche, ~r, ~s → ***jede, ~r, ~s***
jeher *Adv* ***von ~*** always
jein *Adv* F yes and no
jemals *Adv* ever
jemand *Indefinitpron* somebody, someone, *fragend u. verneint*: anybody, anyone: ***es kommt ~*** somebody's coming; ***ist ~ hier?*** is anybody here?; ***~ anders*** someone (*od* anyone) else; ***sonst noch ~?*** anyone else?
Jemen *m der* Yemen
jene, ~r, ~s *Demonstrativpron* **1.** that, *Pl* those: ***seit ~m Tag*** from that day on **2.** that one, *Pl* those
jenseits I *Präp* (*Gen*) on the other side of, beyond, across **II** *Adv* on the other side: ***~ von*** beyond **III** ≈ *n the* hereafter: F ***j-n ins ≈ befördern*** send s.o. to kingdom come
Jesus *m* Jesus: ***~ Christus*** Jesus Christ; ***der Herr ~*** the Lord Jesus
Jesuskind *n the* infant Jesus
Jet *m* FLUG jet **Jetlag** *m* jet lag **Jetset** *m* jet set **jetten** *v/i* F jet
jetzig *Adj* current, present(-day), (*bestehend*) existing
jetzt *Adv* now, (*heutzutage*) *a.* nowadays: ***erst ~*** only now; ***noch ~*** even now; ***bis ~*** so far, *verneint*: *a.* (as) yet
Jetzt *n* the present (time)
jeweilig I *Adj* respective, (*vorherrschend*) prevailing: ***der ~e Präsident*** the president then in office; ***der ~en Mode entsprechend*** according to the fashion (at the time) **II** *Adv* → ***jeweils*** 4
jeweils *Adv* **1.** ***~ zwei*** two at a time **2.** (*immer*) always: ***sie kommt ~ am Montag*** she comes every Monday; ***er trainiert ~ zwei Stunden*** he does two hours of training a time **3.** (*je*) each: *Übungen* ***mit ~ 20 Fragen*** with 20 questions each **4.** (*jeweilig*) in each case
jiddisch *Adj*, **Jiddisch** *n* LING Yiddish
Job *m* F job **jobben** *v/i* F job
Jobsharing *n* job sharing
Joch *n* (*fig* ***das ~ abschütteln*** shake off the) yoke **~bein** *n* ANAT cheekbone
Jockei *m*, **Jockey** *m* jockey
Jod *n* CHEM iodine
jodeln *v/t u. v/i* yodel
jodhaltig *Adj* containing iodine
jodieren *v/t* **1.** CHEM iodinate **2.** MED, FOTO iodize
Jodsalbe *f* iodine ointment **Jodsalz** *n* iodized salt **Jodtablette** *f* iodine tablet **Jodtinktur** *f* tincture of iodine
Joga *m* yoga
joggen *v/i* jog, go jogging **Jogger(in)** jogger **Jogging** *n* jogging **Jogginganzug** *m* tracksuit
Jog(h)urt *m, n* yog(h)urt
Johannisbeere *f* ***Rote ~*** redcurrant; ***Schwarze ~*** blackcurrant
johlen *v/i* bawl, yell

Joint Venture *n* WIRTSCH joint venture
Joker *m* joker
Jolle *f* SCHIFF dinghy
Jongleur(in) juggler **jonglieren** *v/t u. v/i a. fig* juggle (***mit*** [with] *s.th.*)
Jordanien *n* Jordan **Jordanier(in)**, **jordanisch** *Adj* Jordanian
Joule *n* PHYS joule
Journalismus *m* journalism
Journalist(in) journalist
Journalistik *f* journalism
journalistisch *Adj* journalistic(ally *Adv*)
jovial *Adj* affable
Joystick *m Computerspiel*: joystick
Jubel *m* jubilation, cheers *Pl* **Jubeljahr** *n* REL jubilee: F ***alle ~e einmal*** once in a blue moon **jubeln** *v/i* cheer: (***vor Freude***) ~ shout for joy, rejoice
Jubilar(in) person celebrating his (her) jubilee **Jubiläum** *n* anniversary
Jubiläumsausgabe *f* jubilee edition
jucken I *v/t, v/i u. v/unpers* itch: ***mich juckts*** I'm itching; ***sich ~*** scratch o.s.; ***es juckt mich am Arm, mein Arm juckt*** my arm's itchy; ***der Pullover juckt*** the pullover's scratchy; F *fig* ***es juckt mich zu*** *Inf* I'm itching to *Inf*; ***das juckt mich nicht!*** what do I care? **II** ☊ *n* itch(ing)
Juckreiz *m* itch(ing)
Jude *m* Jew **Judenhass** *m* anti-Semitism **Judentum** *n* **1.** Judaism **2.** (*die Juden*) *the* Jews *Pl*, Jewry **3.** (*jüdisches Wesen*) Jewishness **Judenverfolgung** *f* persecution of (the) Jews **Jüdin** *f* Jewish woman (*bzw.* lady, girl): ***sie ist ~*** she is Jewish **jüdisch** *Adj* Jewish
Judo *n* judo **Judoka** *m* judoka
Jugend *f* **1.** youth: ***von ~ an*** from childhood, from a child; ***in m-r ~*** when I was young **2.** (*~lichkeit*) youth(fulness) **3.** (*junge Leute*) youth: ***die ~*** (***von heute***) the young people (of today); ***die deutsche ~*** the young Germans *Pl* (of today) **4.** → ***Jugendmannschaft*** **~amt** *n* youth welfare department **~arbeitslosigkeit** *f* youth unemployment **~arrest** *m* JUR short-term detention for young offenders **~buch** *n* book for young people **☊frei** *Adj* **~er Film** U (*Am* G) rated film; ***nicht ~er Film*** X film, film for adults only **~freund(in)** friend from one's youth **☊gefährdend** *Adj* harmful to young persons **~gericht** *n* juvenile court **~herberge** *f* youth hostel **~kriminalität** juvenile delinquency **~lager** *n* youth camp
jugendlich *Adj* youthful (*a. Kleidung, Aussehen*), (*jung*) young, JUR juvenile: ***~er Leichtsinn*** youthful recklessness
Jugendliche *m, f* young person, *m a.* youth, JUR *a.* juvenile
Jugendlichkeit *f* youthfulness
Jugend|liebe *f* puppy love, (*Person*) old flame **~mannschaft** *f* SPORT youth team **~meister(in)** SPORT youth champion **~richter(in)** judge of a juvenile court **~schutz** *m* legal protection for children and young persons **~stil** *m* Jugendstil, art nouveau **~strafanstalt** *f* remand home **~sünde** *f* sin of one's youth **~zeit** *f* youth
Jugoslawien *n* Yugoslavia
Jugoslawe *m*, **Jugoslawin** *f*, **jugoslawisch** *Adj* Yugoslav
Juli *m* (***im ~*** in) July
jung *Adj* young, (*jugendlich*) youthful: ***ziemlich ~*** youngish; *fig* ***~es Unternehmen*** new company; ***~er Wein*** new wine; ***von ~ auf*** from childhood; ☊ ***und Alt*** young and old; ***~ heiraten*** (***sterben***) marry (die) young; → ***jünger*** 1, ***jüngst*** 1, ***Hund***
Junge[1] *m* boy, F (*junger Mann*) lad: ***dummer ~*** silly boy; F ***schwerer ~*** heavy; ***~, ~!*** boy, oh boy!
Junge[2] *n* ZOOL young (one), *e-s Hundes*: *a.* puppy, *e-r Katze*: *a.* kitten, *e-s Raubtiers*: *a.* cub, (*Elefant, Robbe etc*) calf: ***die ~n*** the young; ***~ werfen*** (*od* ***bekommen***) → **jungen** *v/i* have young (*od Hündin*: puppies, *Katze*: kittens)
jungenhaft *Adj* boyish
Jungenstreich *m* schoolboy prank
jünger *Adj* **1.** younger: ***sie sieht ~ aus als sie ist*** she doesn't look her age; ***das macht sie um Jahre ~*** that takes years off her age **2.** (*zeitlich näher*) more recent, later: ***ein Foto ~en Datums*** a more recent photograph
Jünger *m* disciple, *fig a.* follower
Jungfer *f* ***alte ~*** old maid
Jungfern|fahrt *f* maiden voyage **~flug** *m* maiden flight **~häutchen** *n* ANAT hymen **~rede** *f* maiden speech
Jungfrau *f* **1.** virgin: ***die Heilige ~, die ~***

J

Maria the Holy Virgin, the Virgin Mary; ***sie ist noch ~*** she's still a virgin **2.** ASTR (***er ist ~*** he is [a]) Virgo
jungfräulich *Adj* virginal, *fig* virgin
Jungfräulichkeit *f* virginity
Junggeselle *m* (***eingefleischter ~*** confirmed) bachelor
Junggesellenbude *f* F bachelor pad
Junggesellenleben *n* bachelor's life
Junggesellin *f* bachelor girl
Jüngling *m* youth
jüngst *Adj* **1.** youngest **2.** latest: ***der 2e Tag*** the Day of Judg(e)ment; ***die ~en Ereignisse*** the latest events; ***der ~en Vergangenheit*** of the recent past
Jüngste *m, f, n* the youngest: ***unser ~r, unsere ~*** our youngest (child); ***sie ist auch nicht mehr die ~*** she is no spring chicken any more
jungverheiratet *Adj* newly-wed
Juni *m* (***im ~*** in) June
junior I *Adj* **1.** junior: ***Herr X ~*** Mr. X jr **II** *2 m* **2.** *Sport u.* F *e-r Familie*: junior **3.** WIRTSCH **a)** son of the owner, **b)** *a* **Juniorpartner(in)** junior partner **Junioren...** SPORT junior (*class, team, etc*) **Juniorpass** *m* BAHN young persons' railcard
Junkmail *f* spam
Junktim *n* POL package deal
Junta *f* POL junta
Jupe *m* *schweiz.* skirt
Jura[1] *m* GEOL Jurassic (period)
Jura[2]: ***~ studieren*** study (*Br a.* read) law **Jurastudent(in)** law student **Jurastudium** *n* law studies *Pl*
Jurist(in) **1.** lawyer **2.** (*Student[in]*) law student **Juristensprache** *f* legalese
juristisch *Adj* legal: ***~e Fakultät*** faculty of law, *Am a.* law school; ***~e Person*** legal entity, juristic person
Jury *f* **1.** jury, (panel of) judges *Pl*, *für e-e Ausstellung*: selection committee **2.** JUR jury
justierbar *Adj* adjustable **justieren** *v/t* adjust **Justierung** *f* adjustment
Justitiar(in) legal adviser
Justiz *f* justice, *the* law **~beamte** *m*, **~beamtin** *f* judicial officer **~behörde** *f* judicial authority **~gebäude** *n* law courts *Pl* **~gewalt** *f* judiciary (power) **~irrtum** *m* judicial error, miscarriage of justice **~minister(in)** minister of justice, *Br* Lord Chancellor, *Am* Attorney General **~ministerium** *n* ministry of justice, *Am* Department of Justice **~mord** *m* judicial murder **~verwaltung** *f* administration of justice, *konkret*: legal administrative body
Jute *f* jute
Juwel *n a. fig* jewel: **~en** *Pl* jewel(le)ry *Sg*, (*Edelsteine*) precious stones
Juwelier(in) jewel(l)er
Juweliergeschäft *n* jewel(l)er's shop
Jux *m* F (practical) joke: ***aus ~*** for fun

K

K, k *n* K, k
K *n* (= ***Kilobyte***) K
Kabarett *n* cabaret (show), (satirical) revue **Kabarettist(in)** cabaret artist
kabarettistisch *Adj* revue ..., cabaret ...
kabbelig *Adj See*: choppy
Kabel *n* ELEK cable **Kabelanschluss** *m* cable connection **Kabelfernsehen** *n* cable television (*od* TV) **Kabelkanal** *m* cable channel
Kabeljau *m* ZOOL cod(fish)
Kabine *f* **1.** FLUG, SCHIFF cabin **2.** *e-s Aufzugs*: cage, *e-r Seilbahn*: car **3.** (*Umkleide2, Dusch2 etc*) cubicle, (*Mannschafts2*) locker room
Kabinett *n* POL cabinet
Kabinetts|beschluss *m* decision of the cabinet **~liste** *f* list of cabinet members **~sitzung** *f* cabinet meeting **~umbildung** *f* cabinet reshuffle
Kabrio(lett) *n* MOT convertible, *bes Am a.* cabriolet
Kabuff *n* F cubby(hole)
Kachel *f*, **kacheln** *v/t* tile
Kachelofen *m* tiled stove
Kacke *f*, **kacken** *v/t u. v/i* V crap, shit
Kadaver *m* carcass (*a. pej Leiche*) **~ge-**

horsam *m pej* blind obedience
Kader *m* MIL, POL cadre, SPORT *a.* pool
Kadett(in) SCHIFF, MIL cadet
Kadi *m hum* (***j-n vor den ~ schleppen*** haul s.o. before the) judge
Kadmium *n* CHEM cadmium
Käfer *m* **1.** ZOOL beetle (*a.* MOT F *VW*) **2.** F *fig* (*Mädchen*) chick
Kaff *n* F dump, awful hole
Kaffee *m* coffee: ***~ kochen*** (*od* ***machen***) make coffee; ***zwei ~, bitte!*** two coffees, please!; ***~ mit Milch*** white coffee; F *fig* ***das ist doch kalter ~!*** that's old hat! **~automat** *m* coffee machine **~bohne** *f* coffee (bean) **~haus** *n* café, coffeehouse **~kanne** *f* coffeepot **~klatsch** *m* F hen party, *Am* coffee klatsch **~löffel** *m* coffee spoon **~maschine** *f* coffee machine, coffee maker **~mühle** *f* coffee grinder **~pause** *f* coffee break **~satz** *m* coffee grounds *Pl* **~service** *n* coffee set **~strauch** *m* BOT coffee shrub **~tasse** *f* coffee cup
Käfig *m a.* ELEK, TECH cage
kahl *Adj* **1.** (***~ werden*** go *od* grow) bald; *Kopf*: ***~ geschoren*** shaven **2.** *fig allg* bare, *Baum*: *a.* leafless, *Felsen*: *a.* naked, *Gegend*: *a.* barren, bleak
Kahlheit *f* **1.** baldness **2.** *fig* bareness (*etc*, → ***kahl*** 2)
Kahlkopf *m* F baldhead(ed person)
kahlköpfig *Adj* bald(headed)
Kahlschlag *m* **1. a**) deforestation, **b**) clearing **2.** *fig* demolition **~sanierung** *f* wholesale redevelopment
Kahn *m* **1.** (rowing *od* fishing) boat: ***~ fahren*** go boating **2.** (*Last*~ *etc*) barge **3.** F (*Schiff*) tub **~fahrt** *f* boat trip
Kai *m* quay, wharf **~mauer** *f* quay wall
Kaiser *m* emperor **Kaiserin** *f* empress **Kaiserkrone** *f* **1.** imperial crown **2.** BOT crown imperial **kaiserlich** *Adj* imperial **Kaiserreich** *n* empire **Kaiserschmarrn** *m österr.* cut-up and sugared pancake with raisins **Kaiserschnitt** *m* MED C(a)esarean (section *od* operation)
Kajak *m a.* SPORT kayak
Kajal *n* kohl
Kajütboot *n* cabin boat **Kajüte** *f* cabin
Kakadu *m* ZOOL cockatoo
Kakao *m* cocoa: F *fig* ***durch den ~ ziehen*** make fun of, roast, (*parodieren*) send up **~baum** *m* cacao (tree)
Kakerlake *f* ZOOL cockroach, *Am* roach
Kaktee *f*, **Kaktus** *m* BOT cactus
Kalauer *m* dreadful pun, corny joke
Kalb *n* calf **kalben** *v/i* calve
Kalb|fell *n* calfskin **~fleisch** *n* veal
Kalbs|braten *m* roast veal **~haxe** *f* knuckle of veal **~keule** *f* leg of veal **~kopf** *m* calf's head **~leder** *n* calf (leather) **~schnitzel** *n* escalope of veal
Kaleidoskop *n a. fig* kaleidoscope
Kalender *m* calendar, (*Taschen*~) diary
Kalenderjahr *n* calendar year
Kali *n* CHEM potash
Kaliber *n a. fig* calib/re (*Am* -er)
Kalifornien *n* California
Kalium *n* CHEM potassium **~permanganat** *n* CHEM potassium permanganate
Kalk *m* **1.** CHEM lime, (*Ätz*~) quicklime **2.** MED calcium **3.** (*~stein*) chalk, limestone **4.** → **Kalkdünger** *m* lime fertilizer
kalken *v/t* **1.** (*Wände etc*) whitewash **2.** LANDW lime **kalkig** *Adj* chalky (*a. fig*), limy
Kalkmangel *m* MED calcium deficiency
Kalkstein *m* GEOL limestone
Kalkulation *f a. fig* calculation
kalkulieren *v/t u. v/i a. fig* calculate: ***falsch ~*** miscalculate
Kalorie *f* PHYS calorie
kalorienarm *Adj* low-calorie: ***~ sein*** be low in calories **Kalorienbedarf** *m* calorie requirement **Kaloriengehalt** *m* calorie content **kalorienreich** *Adj* high-calorie: ***~ sein*** be rich in calories
kalt I *Adj a. fig* cold, (*gefühls~*) *a.* frigid: ***mir ist ~*** I'm cold; ***es*** (***mir***) ***wird ~*** it's (I'm) getting cold; ***~er Krieg*** Cold War; GASTR ***~e Platte*** cold meats *Pl*; F ***das lässt mich ~!*** that leaves me cold!; ***j-m die ~e Schulter zeigen*** give s.o. the cold shoulder **II** *Adv* coldly: ***etw ~ stellen*** put s.th. to cool; ***~ essen*** have a cold meal; F ***~ lächelnd*** (as) cool as you please; ***es überlief mich ~*** a cold shiver ran down my spine; F *fig* ***~ bleiben*** keep cool, keep one's head
Kaltblüter *m* cold-blooded animal
kaltblütig I *Adj* cold-blooded, *fig a.* cool **II** *Adv* coolly, *umbringen etc*: in cold blood **Kaltblütigkeit** *f* cold-bloodedness, coolness, sangfroid
Kälte *f* cold, *a. fig* coldness, (*Gefühls*~) *a.* frigidity: ***es sind 10 Grad ~*** the tem-

K

perature is ten degrees below zero; ***bei dieser ~*** in this cold; ***draußen in der ~*** (out) in the cold **2beständig** *Adj* cold-resistant **~einbruch** *m* cold snap **~gefühl** *n* feeling of cold **~grad** *m* degree of frost **~periode** *f* cold spell **~welle** *f* cold wave
kaltherzig *Adj* cold(hearted), unfeeling
Kaltluft *f* cold air: ***polare ~*** polar air
kaltmachen *v/t* F ***j-n ~*** bump s.o. off, do s.o. in **kaltschnäuzig** *Adj* F cool
kaltschweißen *v/t u. v/i* TECH cold-weld **Kaltstart** *m* cold start
kaltstellen *v/t* F *fig* relegate *s.o.* to the background, *bes* SPORT neutralize
Kalzium *n* CHEM calcium
Kambodscha *n* Cambodia **Kambodschaner(in)**, **kambodschanisch** *Adj* Cambodian
Kamel *n* **1.** ZOOL camel **2.** F *fig* idiot, blockhead **Kamelhaar...** camel-hair
Kamera *f* (***vor der ~ stehen*** be on) camera
Kamerad(in) MIL comrade, (*Gefährte*) companion, fellow, mate, F pal, buddy
Kameradschaft *f* comradeship, (good) fellowship **kameradschaftlich** *Adj u. Adv* comradely, like a good fellow
Kamerafrau *f* camerawoman
Kameraführung *f* FILM camerawork
Kameramann *m* cameraman
Kameratasche *f* camera case
Kamerun *n* Cameroon
Kamille *f*, **Kamillen...** BOT camomile
Kamin *m* **1.** chimney (*a. mount.*) **2.** (***offener***) **~** fireside: ***am ~*** by the fireside
Kamm *m* **1.** comb: *fig* ***alle über einen ~ scheren*** lump them all together **2.** ZOOL comb, crest **3.** (*Wellen2*) crest **4.** (*Gebirgs2*) ridge **kämmen I** *v/t* comb (*a.* TECH): ***j-n ~, j-m die Haare ~*** comb s.o.'s hair; ***sich die Haare ~*** → **II** *v/refl* ***sich ~*** comb (*od* do) one's hair
Kammer *f* **1.** chamber (*a.* ANAT, TECH), small room, closet **2.** PARL chamber, house **3.** (*Anwalts2 etc*) association **~diener** *m* valet **~musik** *f* chamber music **~orchester** *n* chamber orchestra **~ton** *m* MUS concert pitch **~zofe** *f* lady's maid
Kammgarn *n*, **Kammgarn...** worsted
Kampagne *f* campaign
Kampf *m* **1.** *a. fig* fight, battle, *schwerer*: struggle (*alle*: ***gegen*** against, ***um*** for), (*Streit*) conflict, controversy: ***den ~ ansagen*** **a)** ***j-m*** challenge s.o., **b)** declare war (*Dat* on); ***~ dem Hunger!*** war on hunger!; ***sich zum ~ stellen*** give battle; ***innere Kämpfe*** inner conflicts; → ***Dasein*** **2.** MIL combat, fight **3.** (*Wett2*) contest, (*Box2*) fight, (*a. Ring2*) bout, match **~abstimmung** *f e-r Gewerkschaft*: strike ballot **~ansage** *f* challenge (**an** *Akk* to) **2bereit** *Adj fig* ready for battle (SPORT to fight) **~einsatz** *m* operational mission
kämpfen I *v/i* (***für, um*** for) *a. fig* fight, battle, struggle: ***mit j-m ~*** SPORT fight (with) s.o.; ***mit Schwierigkeiten zu ~ haben*** have (to struggle against) difficulties; ***ich habe lange mit mir gekämpft*** I had a long battle with myself; ***sie kämpfte mit den Tränen*** she was fighting back her tears **II** *v/t* fight **III** *v/refl* ***sich ~*** struggle (*od* fight one's way) (***durch*** through, ***nach oben*** *a. fig* up) **kämpfend** *Adj* fighting: ***~e Truppen*** combatant troops
Kampfer *m* CHEM camphor
Kämpfer(in) fighter (*a. Sport u. fig*), MIL *a.* combatant **kämpferisch** *Adj* fighting, *fig a.* aggressive
kampferprobt *Adj* MIL veteran, seasoned
kampffähig *Adj* MIL fit for action, *a.* SPORT fighting fit
Kampf|flugzeug *n* tactical (*od* combat) aircraft **~geist** *m* fighting spirit: ***~ zeigen*** show fight **~gericht** *n* SPORT *the* judges *Pl* **~hahn** *m a. fig* fighting cock **~handlung** *f* fighting, action **~hubschrauber** *m* (helicopter) gunship **~hund** *m* fighting (*od* dangerous) dog
kampflos *Adj u. Adv* without a fight: ***~ gewinnen*** SPORT win by default
kampflustig *Adj* belligerent
Kampf|maßnahme *f mst Pl bei Tarifkonflikt*: militant action **~platz** *m* battlefield, *Sport u. fig* arena **~richter(in)** judge, *Tennis etc*: umpire **~schwimmer(in)** MIL frogman **~sport** *m* combative sport, (*Karate etc*) martial arts *Pl* **~stoff** *m* MIL agent, chemical *etc* weapon **~truppe** *f* MIL combat troops *Pl* **2unfähig** *Adj* disabled: ***j-n ~ machen*** disable s.o., put s.o. out of action **~verband** *m* MIL combat unit
kampieren *v/i* camp

Kanada *n* Canada
Kanadier[1] *m* (*Boot*) Canadian (canoe)
Kanadier[2] *m*, **Kanadierin** *f*, **kanadisch** *Adj* Canadian
Kanal *m* **1.** channel, *künstlicher*: canal, duct, (*Rinne*) conduit: *fig* ***dunkle Kanäle*** secret channels; F ***den ~ voll haben*** **a)** be sloshed, **b)** be fed up to here **2.** ANAT duct **3.** RADIO, TV channel
Kanalinseln *Pl the* Channel Islands *Pl*
Kanalisation *f* **1.** *von Flüssen*: canalization **2.** *im Haus*: drains *Pl*, *e-r Stadt*: sewage system **kanalisieren** *v/t* **1.** (*Fluss*) canalize **2.** (*Stadt etc*) provide with sewers **3.** *fig* channel
Kanal|küste *f the* Channel coast **~tunnel** *m* Channel Tunnel
Kanarienvogel *m* canary
kanarisch *Adj* ***die ℒen Inseln*** the Canaries *Pl*, the Canary Islands *Pl*
Kandare *f* curb (bit): *fig* ***j-n an die ~ nehmen*** take s.o. in hand
Kandelaber *m* candelabrum
Kandidat(in) *a. fig* candidate **Kandidatenliste** *f* list of candidates, POL *Am a.* ticket **Kandidatur** *f* candidacy **kandidieren** *v/i* (***für*** for) be a candidate, stand, run: ***für das Amt des Präsidenten ~*** run for president
kandiert *Adj Früchte*: candied
Kandis(zucker) *m* (sugar) candy
Känguru(h) *n* ZOOL kangaroo
Kaninchen *n* ZOOL rabbit **~bau** *m* (rabbit) burrow **~stall** *m* rabbit hutch
Kanister *m* can(ister)
Kännchen *n* jug: ***ein ~ Kaffee*** GASTR a pot of coffee
Kanne *f* can, (*Teeℒ, Kaffeeℒ*) pot
Kannibale *m*, **Kannibalin** *f*, **kannibalisch** *Adj* cannibal
Kanon *m allg* canon
Kanone *f* **1.** MIL cannon, gun (*a.* F *Waffe*): *fig* ***unter aller ~*** just lousy **2.** F (*Könner*) wizard, *bes* SPORT ace
Kanonenboot *n* gunboat
Kanonenfutter *n fig* cannon fodder
kanonisch *Adj* REL canonical: ***~es Recht*** canon law
Kantate *f* MUS cantata
Kante *f allg* edge, (*Rand*) *a.* border, *e-s Abgrunds*: brink, (*Webeℒ*) selvage: F *fig* ***etw auf die hohe ~ legen*** save some money; ***etw auf der hohen ~ haben*** have saved some money
kanten *v/t* **1.** cant, tilt, (*Ski*) carve **2.** TECH (*ab~*) edge **Kanten** *m* (*Brotℒ*) crust
Kantholz *n* squared timber
kantig *Adj* squared, *a. fig Gesicht etc*: angular
Kantine *f* canteen
Kanton *m* canton
Kanu *n* (*a.* ***~ fahren***) canoe (*a. Sport*)
Kanüle *f* MED cannula, (drain) tube
Kanute *m*, **Kanutin** *f* SPORT canoeist
Kanzel *f* **1.** (***auf der ~*** in the) pulpit **2.** FLUG cockpit **3.** MIL turret
Kanzlei *f* office
Kanzler(in) **1.** POL chancellor **2.** UNI vice-chancellor **Kanzleramt** *n* chancellor's office **Kanzlerkandidat(in)** candidate for the chancellorship
Kap *n* GEOG cape
Kapazität *f* **1.** capacity (*a. fig*), ELEK capacitance **2.** *fig* (leading) authority (***auf dem Gebiet*** *Gen* on the subject of)
Kapelle *f* **1.** REL chapel **2.** MUS band
Kapellmeister(in) director of music, (*Dirigent*) conductor, *e-s Tanzorchesters*: bandmaster (*a.* MIL), bandleader
Kaper *f* BOT caper
kapern *v/t* SCHIFF capture, seize, F *fig* nab
kapieren F **I** *v/t* get: ***das kapiere ich nicht!*** I don't get it! **II** *v/i* get it: ***kapiert?*** (have you) got it?; ***sie hat schnell kapiert*** she caught on quickly
Kapillargefäß *n* ANAT capillary (vessel)
kapital *Adj Fehler, Irrtum etc*: capital
Kapital *n* capital, *fig a.* asset, (*Grundℒ*) capital stock: ***~ und Zinsen*** principal and interest; *fig* ***~ schlagen aus*** capitalize on **~abwanderung** *f* capital outflow **~anlage** *f* investment **~anlagegesellschaft** *f* investment trust **~anleger(in)** investor **~bildung** *f* accumulation of capital **~einkommen** *n* investment income **~erhöhung** *f* increase of capital **~ertragssteuer** *f* capital yields tax **~flucht** *f* flight of capital **~geber(in)** financier **~gesellschaft** *f* joint-stock company, corporation
kapitalisieren *v/t* capitalize **Kapitalisierung** *f* capitalization
Kapitalismus *m* capitalism
Kapitalist(in) capitalist
kapitalistisch *Adj* capitalist(ic)

K

kapitalkräftig *Adj* (financially) powerful, potent
Kapitalmarkt *m* capital market
Kapitalverbrechen *n* capital crime
Kapitalzins *m* interest on capital
Kapitän(in) *allg* captain
Kapitänleutnant *m* second lieutenant
Kapitänspatent *n* master's certificate
Kapitel *n* chapter (*a.* REL): *fig* ***das ist ein ~ für sich*** that's another story
Kapitell *n* ARCHI capital
Kapitulation *f a. fig* capitulation, surrender **kapitulieren** *v/i* (***vor*** *Dat* to) capitulate, surrender, *fig a.* give in
Kaposisarkom *n* MED Kaposi's sarcoma
Kappe *f* **1.** cap: F *fig* ***ich nehme es auf m-e ~*** I'll take the responsibility for it **2.** TECH top, cap **3.** *des Schuhs*: (toe) cap
kappen *v/t* **1.** (*Tau etc*) cut **2.** LANDW (*beschneiden*) lop, top
Käppi *n* cap, MIL *a.* kepi
Kapriole *f* capriole (*a. Reiten*), caper
kaprizieren *v/refl* ***sich ~ auf*** (*Akk*) set one's heart on, insist on

kapriziös *Adj* capricious
Kapsel *f* **1.** (*Behälter*) case, container **2.** ANAT, BOT, PHARM, *Raumfahrt*: capsule
Kapselriss *m* MED laceration of the capsule
kaputt *Adj* F ***~ sein*** **a)** *Sache*: be broken, be bust, be torn, *Maschine etc*: be out of order, MED *Organ*: be ruined, be bad, *Nerven*: be shattered, *fig Ehe etc*: be on the rocks, **b)** *Person*: (*ruiniert*) be ruined, be finished, (*erschöpft*) be worn out, be all in; ***~er Typ*** complete wreck; ***mein Auto ist ~*** my car has broken down (*endgültig*: has had it) **~fahren** *v/t* F smash up, wreck **~gehen** *v/i* F **1.** *Sache*: break, tear, *Auto etc*: break down, *sl* conk out, *fig Ehe etc*: break up, go on the rocks **2.** *Person*: **a)** *finanziell*: go bust, **b)** *nervlich*: crack (up), go to pieces **~lachen** *v/refl* ***sich ~*** F kill o.s. laughing **~machen** F **I** *v/t* **1.** break, smash, *fig* ruin, bust **2.** *fig* ***j-n ~*** **a)** *beruflich*: ruin s.o., **b)** *nervlich*: get s.o. down, make s.o. crack up, **c)** *körperlich*: kill s.o. **II** *v/refl* ***sich ~*** **3.** wear o.s. out, kill o.s. (***mit*** over, doing *s.th.*) **~schlagen** *v/t* F smash
Kapuze *f* hood, *e-r Kutte*: cowl
Kapuzen|jacke *f* hooded jacket **~pulli** *m* hooded jumper, hooded sweater
Karabiner *m* **1.** MIL carbine **2.** → **Karabinerhaken** *m* spring hook
Karaffe *f* carafe, *für Wein*: *a.* decanter
Karambolage *f* **1.** *Billard*: cannon, *Am* carom **2.** F (*Zs.-stoß*) crash, collision
Karamell *n* GASTR caramel
Karaoke *n* karaoke
Karat *n* carat
Karate *n* karate **~kämpfer(in)** karateka **~schlag** *m* karate chop
...karätig ...-carat
Karawane *f* caravan **Karawanenstraße** *f* caravan track (*od* route)
Kardan|gelenk *n* TECH cardan (*od* universal) joint **~welle** *f* TECH cardan shaft
Kardinal *m* REL cardinal **~fehler** *m* cardinal fault **~frage** *f* cardinal question **~zahl** *f* cardinal (number)
Kardiologe *m*, **Kardiologin** *f* MED cardiologist
Karenz|tag *m* unpaid day of sick leave **~zeit** *f Versicherung*: waiting period, WIRTSCH period of restriction
Karfiol *m österr.* cauliflower
Karfreitag *m* REL Good Friday
karg I *Adj* **1.** (*dürftig*) meagre, *Am* meager, scanty, poor, *Leben, Essen*: frugal, *Boden etc*: barren **2.** (*schmucklos*) austere **3.** (*sparsam*) sparing **II** *Adv* ***~ bemessen sein*** *Portion etc*: be (very) meagre, *fig Freizeit etc*: be (very) limited **Kargheit** *f* meagreness, *Am* meagerness, poorness
kärglich *Adj* → ***karg*** 1
Karibik *f the* Caribbean
kariert *Adj* chequered, *Am* checkered
Karies *f* MED tooth decay, caries
Karikatur *f* caricature (*a. fig*), (*Witzzeichnung*) *mst* cartoon **Karikaturist(in)** caricaturist, cartoonist
karikieren *v/t* caricature, cartoon
kariös *Adj* MED decayed
karitativ *Adj* charitable: ***für ~e Zwecke*** for charity
Karneval *m* carnival
Karnevals... → ***Faschings...***
Kärnten *n* Carinthia
Karo *n* **1.** check, square **2.** *Kartenspiel*: diamonds *Pl* **~ass** *n* ace of diamonds
Karosserie *f* MOT (car) body
Karotte *f* BOT carrot
Karpfen *m* ZOOL carp

Karre *f* **1.** F *fig* (***alte***) **~** (*Auto*) bus, crate, jalopy **2.** → **Karren** *m* cart, (*Schub*2) (wheel)barrow: F *fig* ***j-m an den ~ fahren*** step on s.o.'s toes; ***den ~ in den Dreck fahren*** mess things up; ***den ~ wieder aus dem Dreck ziehen*** clear up the mess; ***j-n vor s-n ~ spannen*** rope s.o. in

Karriere *f* career: ***~ machen*** make a career for o.s., *weit. S.* get to the top

Karrierefrau *f* career woman

Karrieremacher(**in**) *pej* careerist

Karst *m* GEOL karst

Karte *f allg* card, (*Land*2) map, (*See*2) chart, (*Eintritts*2, *Fahr*2 *etc*) ticket, (*Speise*2) menu, (*Wein*2) wine list: ***nach der ~ speisen*** dine à la carte; ***die gelbe*** (***rote***) **~** *Fußball*: the yellow (red) card; ***~n spielen*** play cards; ***gute ~n haben*** have a good hand; ***s-e ~n auf den Tisch legen*** *a. fig* show one's hand, put one's cards on the table; *fig* ***alles auf eine ~ setzen*** put all one's eggs in one basket; → ***legen*** 6

Kartei *f* (***~ führen*** keep a) card index (***über*** *Akk* on) **~karte** *f* file (*od* index) card **~kasten** *m* card-index box

Kartell *n* cartel, WIRTSCH *a.* combine, trust

Karten|haus *n* **1.** SCHIFF chartroom **2.** *fig* house of cards **~kunststück** *n* card trick **~legen** *n* reading the cards **~leger**(**in**) fortune-teller **~leser** *m* IT card reader **~spiel** *n* **1. a**) card playing, **b**) *einzelnes*: card game **2.** (*Karten*) pack (*Am a.* deck) of cards **~ständer** *m* map stand **~telefon** *n* cardphone **~verkauf** *m* sale of tickets **~vorverkauf** *m* advance booking

Kartoffel *f* potato **~brei** *m* mashed potatoes *Pl* **~chips** *Pl* potato crisps (*Am* chips) *Pl* **~käfer** *m* potato beetle (*bes Am* bug) **~puffer** *m* potato fritter **~püree** *n* mashed potatoes *Pl* **~salat** *m* potato salad **~schalen** *Pl* potato peelings *Pl* **~schäler** *m* TECH potato peeler **~stock** *m schweiz.* mashed potatoes *Pl* **~suppe** *f* potato soup

Kartograph(**in**) cartographer, mapmaker **Kartographie** *f* cartography

Karton *m* **1.** (*~papier*) cardboard **2.** (*Schachtel*) cardboard box

kartoniert *Adj* BUCHDRUCK paperback(ed)

⚠ Karton ≠ carton

Karton	=	(cardboard) box
carton (of milk; of cigarettes)	=	Milchtüte; Stange Zigaretten

Karussell *n* (***~ fahren*** have a ride on the) merry-go-round

Karwoche *f* REL Holy Week

karzinogen *Adj* MED carcinogenic

Karzinom *n* MED carcinoma, cancer

kaschieren *v/t fig* conceal, cover up

Kaschmir *m* cashmere

Käse *m* **1.** cheese **2.** F *fig* (*Unsinn*) rubbish, (*dumme Sache*) stupid business **~auflauf** *m* cheese soufflé **~blatt** *n* F rag **~gebäck** *n* cheese biscuits *Pl* **~glocke** *f* cheese cover **~kuchen** *m* cheesecake **~platte** *f* GASTR cheese platter **~rei** *f* cheese dairy **~rinde** *f* cheese rind

Kaserne *f* MIL barracks *Pl* (*a. Sg konstr*)

Käsestange *f* (*Gebäck*) cheese straw

käsig *Adj* **1.** caseous, cheesy **2.** F *fig* (*blass*) pasty

Kasino *n* **1.** (*Spiel*2) club, casino **2.** (*Speiseraum*) **a**) MIL (officers') mess, **b**) *e-s Betriebs etc*: cafeteria, canteen

Kaskoversicherung *f* MOT comprehensive insurance

Kasper *m* **1.** Punch **2.** *fig* clown

Kasperletheater *n* Punch and Judy (show)

Kassa *f österr.* cashdesk, (*im Supermarkt*) checkout

Kassageschäft *n* WIRTSCH cash transaction

Kasse *f* **1.** cashbox, (*Laden*2) till, (*Registrier*2) cash register: F ***e-n Griff in die ~ tun*** dip into (*od* rob) the till; ***der Film hat volle ~n gebracht*** the film was a box-office success **2.** *im Warenhaus, in der Bank etc*: cash desk, *im Supermarkt etc*: checkout (counter), *im Kino etc*: ticket window, THEAT *etc a.* box office: ***zahlen Sie bitte an der ~!*** pay at the desk, please!; *fig* ***j-n zur ~ bitten*** make s.o. pay up **3.** (*Bargeld*) cash, WIRTSCH (*Barzahlung*) cash (payment): ***gegen ~*** for cash; ***netto ~*** net cash; ***~ bei Lieferung*** cash on delivery (COD); ***~ machen*** **a**) cash up, **b**) F count one's cash, **c)** F *fig* cash in heavily, make a packet; F ***gut bei ~ sein*** be flush; ***knapp bei ~ sein*** be (a bit) hard up; ***gemeinsame ~ machen*** split the expenses; ***getrennte ~ machen*** go Dutch **4.** F (*Kranken*≈) (***er ist in k-r ~*** he has no) health insurance **5.** F (*Spar*≈) (savings) bank

Kassen|abschluss *m* balancing of the (cash) accounts **~anweisung** *f* cash order **~arzt** *m*, **~ärztin** *f* health-plan doctor **~automat** *m Parkgebühren*: (car park) pay machine **~bestand** *m* cash balance **~bon** *m* sales check (*Am* slip) **~buch** *n* cashbook **~erfolg** *m* THEAT *etc* box-office hit **~magnet** *m fig* crowd-puller **~patient(in)** health-plan patient **~prüfung** *f* cash audit: ***e-e ~ vornehmen*** audit the cash **~schlager** *m* F **1.** → ***Kassenerfolg*** **2.** money-spinner **~sturz** *m* F ***~ machen*** count one's cash **~wart(in)** treasurer **~zettel** *m* sales check (*Am* slip)

Kasserolle *f* casserole

Kassette *f* **1.** box, (*Schmuck*≈) casket, (*Geld*≈) cashbox **2.** *für Bücher*: slipcase **3.** (*Schallplatten*≈) box set **4.** (*Video*≈, *Tonband*≈ *etc*) cassette **5.** (*Film*≈ *etc*) cartridge **6.** ARCHI coffer

Kassetten|deck *n* cassette deck **~rekorder** *m* cassette recorder

kassieren I *v/t* **1.** (*Miete, Beiträge etc*) collect **2.** F **a)** (*Honorar etc*) collect, take, **b)** (*beschlagnahmen*) take (away), seize, **c)** (*verhaften*) nab, catch, **d)** (*einstecken müssen*) take, suffer, (*Schlag, Niederlage etc*) take, get **3.** JUR (*Urteil*) quash **II** *v/i* **4.** collect (the money): ***darf ich bei Ihnen ~?*** *Kellner*: would you mind paying now?; F *fig* ***kräftig ~*** cash in (heavily) (***bei*** on)

Kassierer(in) cashier, (*Bank*≈) *a.* teller

Kastagnette *f* MUS castanet

Kastanie *f* BOT chestnut: *fig* ***für j-n die ~n aus dem Feuer holen*** pull the chestnuts out of the fire for s.o.

Kastanienbaum *m* chestnut (tree)

kastanienbraun *Adj* chestnut

Kästchen *n* **1.** small box (*od* case), casket **2.** (*Rechen*≈) square **3.** *in Zeitungen etc*: box

Kaste *f* caste

kasteien *v/refl* ***sich ~*** **1.** REL mortify the flesh **2.** *fig* deny o.s.

Kasten *m* **1.** box (*a.* F *Brief*≈), case, (*Truhe*) chest, *für Getränke*: crate: F *fig* ***er hat was auf dem ~*** he's brainy, he's on the ball **2.** F *fig* (*Haus, Fernseher, Fußballtor*) box, (*Auto, Flugzeug*) bus, crate, (*Schiff*) tub **3.** → ***Kästchen*** 3 **4.** *österr., schweiz.* cupboard

Kastrat *m* eunuch **Kastration** *f* castration **kastrieren** *v/t* castrate

Kasus *m* LING case

Kat *m* → ***Katalysator*** 2

Katakomben *Pl* catacombs *Pl*

Katalog *m*, **katalogisieren** *v/t* catalog(ue *Br*)

Katalysator *m* **1.** CHEM *u. fig* catalyst **2.** MOT catalytic converter **~auto** *n* catalyst car, F cat car

Katapult *n*, **katapultieren** *v/t* catapult

Katapultstart *m* FLUG catapult takeoff

Katarr(h) *m* MED (common) cold, catarrh

Kataster *m, n* land register

katastrophal *Adj* catastrophic(ally *Adv*), *a.* F *fig* disastrous **Katastrophe** *f a.* F *fig* catastrophe, disaster

Katastrophen|alarm *m* red alert **~einsatz** *m* (***im ~*** on) duty in a disaster area **~fall** *m* (***im ~*** in an) emergency **~film** *m* disaster film **~gebiet** *n* disaster area **~hilfe** *f* disaster relief **~schutz** *m* disaster control (*od* prevention) **~tourismus** *m* disaster tourism

Katechismus *m* REL catechism

Kategorie *f* category **kategorisch** *Adj* categorical: *Adv* ***~ ablehnen*** *a.* refuse flatly **kategorisieren** *v/t* categorize

Kater *m* **1.** ZOOL tom(cat) **2.** F *fig* (***e-n ~ haben*** have a) hangover

Katheder *n* (teacher's *od* lecturer's) desk

Kathedrale *f* cathedral

Katheter *m* MED catheter

Kat(h)ode *f* cathode **Kat(h)odenstrahlröhre** *f* cathode-ray tube

Katholik(in), **katholisch** *Adj* (Roman) Catholic

Katholizismus *m* Catholicism

Kätzchen *n* **1.** ZOOL kitten **2.** BOT catkin

Katze *f* ZOOL cat: F *fig* ***das ist für die Katz*** that's all for nothing; ***Katz und Maus spielen mit*** play cat and mouse with; ***die ~ im Sack kaufen*** buy a pig in a poke; ***die ~ aus dem Sack lassen*** let the cat out of the bag; ***wie die ~ um den***

heißen Brei gehen beat about the bush
Katzenauge *n* **1.** cat's eye (*a.* MIN *u.* TECH) **2.** F (*Rückstrahler*) rear reflector
katzenhaft *Adj* catlike, feline
Katzen|hai *m* cat shark **~jammer** *m* F hangover: (***moralischen***) ***~ haben*** *a.* be down in the dumps, have the blues **~klo** *n* cat tray **~sprung** *m fig* ***ein ~ von hier*** a stone's throw from here **~streu** *f* cat litter **~wäsche** *f* F *fig* (***~ machen*** have a) cat's lick
Kauderwelsch *n* double Dutch, lingo
kauen *v/t u. v/i* chew: ***an den Nägeln ~*** bite one's nails
kauern *v/i u. v/refl* ***sich ~*** crouch (*od* squat) (down)
Kauf *m* **1.** (*Kaufen*) buying, purchase: ***zum ~*** for sale; ***beim ~*** when buying; *fig* ***etw in ~ nehmen*** put up with s.th.; ***leichten ~es davonkommen*** get off cheaply **2.** (*das Gekaufte*) purchase, F buy: ***ein guter ~*** a good bargain (*od* buy) **~angebot** *n* WIRTSCH bid
kaufen *v/t u. v/i* buy (*a. fig bestechen*), purchase: ***~ bei*** go to, buy at; ***er hat sich ein Auto gekauft*** he has bought (himself) a car; F ***dafür kann ich mir nichts ~!*** that's no use to me!; ***den kaufe ich mir!*** I'll tell him what's what!
Käufer(in) buyer, purchaser
Käuferschicht *f* group of buyers
Kauf|frau *f* businesswoman **~halle** *f* small department store **~haus** *n* department store **~kraft** *f* purchasing (*der Kunden*: spending) power **⁓kräftig** *Adj Kunde*: well-to-do, *Währung*: hard
käuflich *Adj* **1.** purchasable: (***nicht***) ***~ sein*** (not to) be for sale; ***~e Liebe*** prostitution; *Adv* ***etw ~ erwerben*** purchase s.th. **2.** *fig* venal, corrupt
Käuflichkeit *f fig* venality, corruptness
Kauflustige *m, f* prospective buyer, *weit. S.* shopper
Kaufmann *m* (*Pl* **Kaufleute**) **1.** *allg* businessman, *Pl* businessmen, businesspeople, (*Händler*) merchant, trader, dealer **2.** (*Einzelhandels⁓*) shopkeeper, *Am a.* storekeeper, *eng. S.* grocer
kaufmännisch *Adj* commercial, business: ***~e(r) Angestellte(r)*** (commercial) clerk
Kaufpreis *m*, **Kaufsumme** *f* (purchase) price **Kaufvertrag** *m* contract of sale
Kaufzwang *m* (***kein ~*** no) obligation (to buy)
Kaugummi *m* chewing gum
Kaulquappe *f* ZOOL tadpole
kaum *Adv* hardly, scarcely, (*nur gerade*) barely, only just: ***~ zu glauben*** hard to believe; ***~ möglich*** hardly possible; ***wohl ~*** (!) hardly(!); ***ich glaube ~, dass*** I hardly think that; ***~ war sie gegangen, als …*** no sooner had she gone than …
Kaumuskel *m* ANAT masticatory muscle
Kausalität *f* causality
Kausal|kette *f* chain of cause and effect **~satz** *m* causal clause **~zusammenhang** *m* causal connection
Kaution *f* WIRTSCH security, JUR (*Haft⁓*) bail: ***~ stellen*** WIRTSCH furnish security, JUR stand bail; ***gegen ~*** JUR on bail
Kautschuk *m* caoutchouc, India rubber
Kauwerkzeuge *Pl* BIOL masticatory organs *Pl*
Kauz *m* **1.** ZOOL screech-owl **2.** F (***komischer***) ***~*** odd (*od* queer) fellow, *bes Am* oddball **kauzig** *Adj* F queer, odd
Kavalier *m* gentleman
Kavaliersdelikt *n* peccadillo
Kavallerie *f* cavalry
Kavallerist *m* cavalryman, trooper
Kaviar *m* caviar(e)
Kaviarbrot *n* French bread
KB, **Kbyte** *n* (= ***Kilobyte***) KB
keck *Adj* pert (*a. fig flott*), cheeky, saucy
Keckheit *f* pertness, sauciness
Kegel *m* **1.** MATHE, TECH cone **2.** ninepin, skittle(pin): → ***Kind*** **Kegelbahn** *f* skittle (*bes Am* bowling) alley
kegelförmig *Adj* conical, cone-shaped
Kegelklub *m* skittles club
Kegelkugel *f* skittle (*od* bowling) ball
kegeln *v/i* play (at) skittles (*od* ninepins): ***~ gehen*** go bowling
Kegelsport *m* skittles *Sg*
Kegelstumpf *m* MATHE truncated cone
Kegler(in) skittles player, bowler
Kehle *f* **1.** ANAT throat: ***j-m die ~ durchschneiden*** cut s.o.'s throat; *fig* ***etw in die falsche ~ bekommen*** take s.th. the wrong way; ***das Wort blieb mir in der ~ stecken*** the word stuck in my throat **2.** TECH flute
Kehlkopf *m* ANAT larynx **~entzündung** *f* MED laryngitis **~krebs** *m* MED cancer of

the larynx, F throat cancer
Kehllaut *m* guttural (sound)
Kehraus *m* last dance
Kehre *f* **1.** (*Kurve*) (sharp) bend **2.** *Skisport, Eislauf*: turn, *Turnen*: rear vault
kehren[1] **I** *v/t* **1.** ***etw nach oben (unten, außen etc) ~*** turn s.th. upwards (down, outside, *etc*); ***den Rücken ~*** *a. fig* turn one's back (*Dat* on); ***in sich gekehrt*** withdrawn, PSYCH introvert(ed); → ***oberst*** **II** *v/refl* ***sich ~*** **2.** → ***wenden*** 4 **3.** ***sich nicht ~ an*** (*Dat*) ignore **III** *v/i* **4.** ***kehrt!*** MIL about turn!
kehren[2] *v/t u. v/i* (*fegen*) sweep
Kehricht *m* sweepings *Pl*, (*Müll*) rubbish, *Am* garbage
Kehrmaschine *f* road sweeper
Kehrreim *m* burden, refrain
Kehrschaufel *f* dust pan
Kehrseite *f* **1.** reverse **2.** *hum* back **3.** *fig* other side, (*Nachteil*) drawback
kehrtmachen *v/i* **1.** turn round, MIL face about **2.** (*zurückgehen*) turn back
Kehrtwendung *f a. fig* about-face
Kehrwert *m* MATHE reciprocal
keifen *v/i* nag, bicker
Keil *m* **1.** *a. fig* wedge **2.** (*Zwickel*) gore, gusset **Keilabsatz** *m* wedge heel
keilen F **I** *v/t* ***j-n ~*** rope s.o. in (***für*** for) **II** *v/refl* ***sich ~*** fight
Keiler *m* ZOOL wild boar
Keilerei *f* F → ***Prügelei***
keilförmig *Adj* wedge-shaped
Keilriemen *m* TECH V-belt
Keilschrift *f* cuneiform (script)
Keim *m* **1.** BIOL germ, embryo (*beide a. fig*), BOT *a.* bud, *fig a.* seed(s *Pl*): *fig* ***im ~*** in embryo; ***etw im ~ ersticken*** nip s.th. in the bud **2.** MED germ, bacillus
Keimblatt *n* **1.** BOT cotyledon **2.** BIOL germ layer **Keimdrüse** *f* PHYSIOL gonad
keimen *v/i* **1.** BIOL germinate, BOT *a.* sprout **2.** *fig* be aroused, grow, *Hoffnung etc*: stir
keimfrei *Adj* sterile: ***~ machen*** sterilize
Keimling *m* BIOL embryo, BOT *a.* sprout
keimtötend *Adj* germicidal, antiseptic: ***~es Mittel*** germicide
Keimträger(in) MED (germ) carrier
Keimzelle *f* **1.** germ cell **2.** *fig* nucleus
kein *Indefinitpron* no, not any, not a: ***ich habe ~ Geld*** I have no money, I haven't (got) any money; ***du bist ~ Kind mehr*** you are not a child any more; ***~ Wort mehr!*** not another word!; ***~ anderer als X*** none other than X; ***es kostet ~e 100 Euro*** it costs less than 100 euros
keine, keiner, keines (*od* **keins**) *Indefinitpron* **1.** *von Personen*: no one, nobody, not one, none: ***~(r) von ihnen*** none (*od* not one, *von zweien*: neither) of them; ***~(r) von uns*** *beiden* neither of us, *mehrere*: none of us **2.** *von Sachen*: not any, none, not one: ***ich will keins von beiden*** I want neither (of the two)
keinerlei *Adj* no … what(so)ever, no … at all: ***sie kennt ~ Rücksicht*** she knows no consideration at all
keinesfalls *Adv* on no account, under no circumstances **keineswegs** *Adv* by no means, not at all, not in the least
keinmal *Adv* not once, never
Keks *m* biscuit, *Am* cookie: F ***j-m auf den ~ gehen*** get on s.o.'s wick
Kelch *m* **1.** goblet, REL chalice, cup (*a. fig*): ***der ~ ist an mir vorübergegangen*** I have been spared the bitter cup **2.** BOT calyx, cup **Kelchblatt** *n* BOT sepal **Kelchhülle** *f* BOT calycle
Kelle *f* **1.** (*Suppen*≗) ladle **2.** (*Maurer*≗) trowel **3.** BAHN *etc* signal(l)ing disk
Keller *m* cellar
Kellerassel *f* ZOOL woodlouse
Kellerei *f* wine cellars *Pl*
Kellergeschoss *n* basement
Kellermeister(in) cellarman
Kellerwohnung *f* basement (flat)
Kellner *m* waiter **Kellnerin** *f* waitress
Kelte *m* Celt
Kelter *f* (wine)press **keltern** *v/t* press
Keltin *f* Celt **keltisch** *Adj* Celtic
Kenia *n* Kenya
kennen *v/t allg* know, (*vertraut sein mit*) *a.* be acquainted (*od* familiar) with, (*er~*) recognize (**an** *Dat* by): ***wir ~ uns*** we know each other, ***schon*** *a.* we have already met; ***ich kenne sie von der Schule*** we were at school together; ***kennst du mich noch?*** do you remember me?; ***das ~ wir!*** we know all about that!; ***er kennt nichts als s-e Arbeit*** he lives only for his work; ***sie kennt k-e Müdigkeit*** she never gets tired; ***kein Erbarmen ~*** know no mercy; ***~ Sie den*** (*Witz*) (***schon***)***?*** have you heard this one?; ***~ lernen*** become acquainted with, get (*od* come) to know;

K

j-n ~ lernen meet s.o.; ***j-n näher ~ lernen*** (get to) know s.o. better; ***wir haben uns in B. ~ gelernt*** we first met in B.

Kenner(in) (*Kunst*≗ *etc*) connoisseur, (*Fachmann*) (*Gen*) expert (at, in, of), authority (on)

Kennerblick *m* (***mit ~*** with an) expert's eye **Kennermiene** *f* (***e-e ~ aufsetzen*** assume the) air of an expert

Kennmelodie *f* signature tune

kenntlich *Adj* (**an** *Dat* by) recognizable, distinguishable: ***~ machen*** mark

Kenntnis *f* knowledge: ***~ haben von*** know (about), be aware of; ***~ nehmen von*** take note of; ***j-n in ~ setzen von*** inform s.o. of; ***gute ~se haben in*** (*Dat*) have a good knowledge of, be well grounded in; ***das entzieht sich m-r ~*** I don't know anything about it

Kenntnisnahme *f* ***zu Ihrer ~*** for your attention; ***mit Bitte um ~!*** please take note!

Kennwort *n a.* IT, MIL password

Kennzeichen *n* **1.** (distinguishing) mark, characteristic, (*Anzeichen*) sign, symptom (*a.* MED): ***besondere ~*** *Pl* distinguishing marks *Pl* **2.** *fig* hallmark **3.** (***polizeiliches***) **~** MOT registration (*Am* license) number **~leuchte** *f* MOT number-plate (*Am* license-plate) light **~schild** *n* MOT number (*Am* license) plate

kennzeichnen *v/t* **1.** mark **2.** *fig* characterize, (go to) show **kennzeichnend** *Adj* characteristic (**für** of): ***~es Merkmal*** distinguishing feature

Kennziffer *f* code number, WIRTSCH reference number, *e-s Inserats*: box number

kentern *v/i* (*a.* ***zum*** ≗ ***bringen***) capsize

Keramik *f* **1.** ceramics *Sg*, pottery **2.** ceramic (article), piece of pottery **Keramiker(in)** ceramist

Kerbe *f*, **kerben** *v/t* notch

Kerbel *m* BOT chervil

Kerbholz *n* F ***etw auf dem ~ haben*** have done s.th. wrong; ***er hat einiges auf dem ~*** he has quite a record

Kerker *m hist* dungeon

Kerl *m* F fellow, bloke, chap, *Am* guy, *pej* type: ***ein anständiger ~*** a decent sort; ***ein feiner ~*** a splendid fellow, *Am* a great guy; ***ein lieber*** (*od* ***netter***) **~** a dear; ***ein*** (***ganzer***) **~** a real man; ***ein übler ~*** a nasty customer

Kern *m* **1.** *von Kernobst*: pip, *von Steinobst*: stone, *bes Am* pit, *e-r Nuss*: kernel: *fig* ***sie hat e-n guten ~*** she is good at heart **2.** *fig* core (*a.* ELEK, TECH, *a. e-s Reaktors*), nucleus (*a.* PHYS), (*Wesen*) essence: ***der ~ der Sache*** the heart of the matter; POL ***harter ~*** hard core **3.** → ***Stadtkern*** **~arbeitszeit** *f* core time **~brennstoff** *m* nuclear fuel **~energie** *f* nuclear energy **~explosion** *f* nuclear explosion **~fach** *n* PÄD, UNI basic subject **~familie** *f* SOZIOL nuclear family **~forschung** *f* nuclear research **~frage** *f* crucial question **~fusion** *f* nuclear fusion **~gehäuse** *n* BOT core ≗**gesund** *Adj* thoroughly healthy, F (as) sound as a bell **~holz** *n* heartwood

kernig *Adj fig* robust, (*markig*) pithy, (*derb*) earthy, F (*toll*) super, terrific

Kernkraft *f* nuclear power **~gegner(in)** antinuclear campaigner **~werk** *n* nuclear power station

kernlos *Adj* BOT seedless

Kern|obst *n* pome **~physik** *f* nuclear physics *Pl* (*mst Sg konstr*) **~physiker(in)** nuclear physicist **~punkt** *m fig* central point (*od* issue) **~reaktor** *m* nuclear reactor **~schmelze** *f* (nuclear core) meltdown **~seife** *f* curd soap **~spaltung** *f* nuclear fission **~spintomographie** *f* magnetic resonance tomography (*od* imaging) (*Abk* MRT, MRI) **~spruch** *m fig* pithy saying **~stück** *n fig* essential part, main item **~teilchen** *n* nuclear particle **~waffe** *f* nuclear weapon

Kernwaffen|potenzial *n* nuclear capability **~verbot** *n* ban on nuclear weapons **~versuch** *m* nuclear weapons test

Kernzeit *f* (*Arbeitszeit*) core time

Kerosin *n* CHEM kerosene

Kerze *f* **1.** candle (*a.* ELEK, PHYS) **2.** (*Zünd*≗) MOT spark(ing) plug

kerzengerade *Adv* bolt upright

Kerzenhalter *m* candlestick

Kerzenlicht *n* (***bei ~*** by) candlelight

kess *Adj* F pert, saucy

Kessel *m* **1.** kettle, *großer*: cauldron, TECH vat, (*Heiz*≗ *etc*) boiler **2.** GEOL basin, hollow **3.** MIL pocket **Kesselpauke** *f* MUS kettledrum **Kesselstein** *m* TECH scale, fur **Kesseltreiben** *n fig* (***gegen***)

hunt (for), POL witch hunt (against)
Ket(s)chup *m*, *n* (tomato) ketchup
Kette *f* **1.** *allg* chain (*a.* CHEM, WIRTSCH, MATHE), (*Hals*≗) *a.* necklace: *fig* ***j-n an die ~ legen*** put a curb on s.o. **2.** *fig* chain (*a. Beweis*≗, *Befehls*≗ *etc*), (*Reihe*) line, string, (*Folge*) series: ***e-e ~ bilden*** *zur Absperrung*: form a cordon, *zum Weiterreichen*: form a line (*od* human chain) **3.** (*Berg*≗ *etc*) chain, range **4.** JAGD (*Rebhühner*) covey **5.** *e-s Kettenfahrzeugs*: track **6.** *Weberei* warp
ketten *v/t a. fig* chain (**an** *Akk* to)
Ketten|brief *m* chain letter **~fahrzeug** *n* tracked vehicle **~laden** *m* multiple shop, chain store **~raucher(in)** chain-smoker **~reaktion** *f* chain reaction
Ketzer(in) *a. fig* heretic **Ketzerei** *f* heresy **ketzerisch** *Adj* heretical
keuchen *v/i* pant, puff (*a.* BAHN), *a. v/t* gasp
Keuchhusten *m* MED whooping cough
Keule *f* **1.** club **2.** ***chemische ~*** (Chemical) Mace® **3.** GASTR leg
keusch *Adj* chaste
Keuschheit *f* chastity
Keyboard *n* keyboard
Kfz *n* (= ***Kraftfahrzeug***) motor vehicle **~-Steuer** *f* motor-vehicle tax, *Br* road tax **~-Versicherung** *f* car insurance
KI *f* (= ***künstliche Intelligenz***) AI
Kibbuz *m* kibbutz
Kichererbsen *Pl* chickpeas *Pl*
kichern *v/i* (**über** *Akk* at) giggle, *spöttisch*: snigger
Kickboard *n* (skate) scooter, kickboard (scooter)
kicken *v/t u. v/i* kick
Kid *n* F kid
Kiebitz *m* **1.** ZOOL peewit, lapwing **2.** F *fig* (*Zuschauer*) kibitzer
Kiefer[1] *f* BOT pine
Kiefer[2] *m* ANAT jaw
Kieferchirurgie *f* MED oral surgery
Kieferhöhle *f* maxillary sinus
Kiefernzapfen *m* BOT pine cone
Kieferorthopäde *m*, **Kieferorthopädin** *f* orthodontist
Kiel *m* keel **kieloben** *Adv* bottom up **Kielraum** *m* SCHIFF bilge **Kielwasser** *n* (*fig* ***in j-s ~ segeln*** sail in s.o.'s) wake
Kieme *f* gill
Kies *m* **1.** (*a.* ***mit ~ bestreuen***) gravel **2.** F *fig* (*Geld*) lolly, *Am* bread
Kiesel *m* flint, pebble **~erde** *f* CHEM silica, siliceous earth **~säure** *f* CHEM silicic acid
Kieselstein *m* → ***Kiesel***
Kies|grube *f* gravel pit **~strand** *m* shingle (beach) **~weg** *m* gravel path
Kiez *m* F district, area
kiffen *v/i* F smoke pot (*od* hash)
killen *v/t* F kill **Killer(in)** F killer
Kilobyte *n* kilobyte
Kilo(gramm) *n* kilogram(me *Br*)
Kilohertz *n* ELEK, PHYS kilohertz
Kilojoule *n* PHYS kilojoule
Kilometer *m* kilomet/re (*Am* -er) **~geld** *n* mileage allowance **~pauschale** *f* flat mileage allowance **~stand** *m* mileage (reading) **~stein** *m* milestone **≗weit** *Adv* for miles (and miles) **~zähler** *m* mileage indicator
Kilowatt(stunde *f*) *n* kilowatt (hour)
Kimme *f* MIL backsight
Kind *n* child (*a. fig*), F kid, (*Klein*≗) *a.* baby: ***ein ~ erwarten*** (***bekommen***) be expecting (going to have) a baby; ***von ~ auf*** from childhood; F ***mit ~ und Kegel*** (with) bag and baggage; *fig* ***das ~ mit dem Bade ausschütten*** throw the baby out with the bathwater; ***das ~ beim rechten Namen nennen*** call a spade a spade; (***ein***) ***gebranntes ~ scheut das Feuer*** once bitten, twice shy; → ***Geist*** 2, ***lieb*** **Kindbettfieber** *n* MED puerperal fever **Kindchen** *n* little child, baby
Kinder|arbeit *f* child labo(u)r **~arzt** *m*, **~ärztin** *f* p(a)ediatrician **~bett(chen)** *n* cot, *Am* crib **~buch** *n* children's book **~dorf** *n* children's village
Kinderei *f* childish trick
Kinder|ermäßigung *f* reduction for children **~erziehung** *f* bringing up children **~fahrkarte** *f* child's ticket, half **~fahrrad** *n* child's bicycle **≗feindlich** *Adj* hostile to children, antichildren **≗freundlich** *Adj* **1.** fond of children **2.** suitable for children **~garten** *m* kindergarten, *unter 5 Jahren*: nursery school **~gärtner(in)** kindergarten teacher **~geld** *n* children's allowance **~gesicht** *n fig* baby face **~hort** *m* day nursery **~kanal** *m* TV children's channel **~kleid** *n* child's dress **~kleidung** *f* children's wear **~krankheit** *f* **1.** children's disease **2.** *fig* teething troubles *Pl* **~läh-**

mung *f* MED (***spinale***) ~ polio(myelitis) **≗leicht** *Adj* dead easy **≗lieb** *Adj* very fond of children **~lied** *n* children's song, nursery rhyme **≗los** *Adj* childless

Kinder|mädchen *n* nanny, nurse(maid) **~pflege** *f* child care **~pornographie** *f* child pornography **≗reich** *Adj* with many children: ***~e Familie*** large family **~schänder** *m* child abuser, child molester **~schuhe** *Pl* children's shoes *Pl*: *fig* ***noch in den ~n stecken*** be still in its infancy **~sendung** *f* children's program(me *Br*) **≗sicher** *Adj* childproof **~sicherung** *f* MOT childproof lock **~sitz** *m* child seat **~spiel** *n fig* ***das ist ein ~*** (***für ihn***) that's child's play (for him) **~spielplatz** *m* children's playground **~stube** *f* **1.** nursery **2.** *fig* upbringing **~tagesstätte** *f* day nursery, *Am* day-care center **~wagen** *m* pram, *Am* baby carriage **~zimmer** *n* children's room, nursery **~zulage** *f* children's allowance

Kindes|alter *n* childhood, *frühes*: infancy **~liebe** *f* filial love **~misshandlung** *f* child abuse **~tötung** *f* JUR infanticide

kindgerecht *Adj* suitable for children

Kindheit *f* childhood: ***von ~ an*** from childhood **kindisch** *Adj* childish: ***~es Wesen*** childishness **kindlich** *Adj* **1.** childlike, childish **2.** *Liebe*, *Respekt etc*: filial **Kindlichkeit** *f* childishness

Kindskopf *m* F *fig* (big) child, silly

Kinetik *f* kinetics *Pl* (*a. Sg konstr*)

kinetisch *Adj* kinetic

Kinkerlitzchen *Pl* F (*Plunder*) gimcrackery *Sg*, (*Verzierungen*) frills *Pl*

Kinn *n* chin

Kinnbacken *m*, **Kinnlade** *f* jaw(bone)

Kinnhaken *m Boxen*: hook to the chin

Kino *n* **1.** cinema, *Am* movie theater **2.** (*~vorstellung*) cinema, *the* pictures *Pl*, *bes Am the* movies *Pl*: ***ins ~ gehen*** go to the pictures (*od* movies) **Kinobesucher(in)** cinemagoer, *bes Am* moviegoer **Kinoknüller** *m* blockbuster

Kiosk *m* kiosk

Kipferl *n österr.* croissant

Kippe[1] *f* F (*Zigaretten≗*) stub, F fag end, *bes Am* butt

Kippe[2] *f* **1.** BERGB tip, (*a. Müll≗*) dump **2.** *Turnen*: upstart, *Am* kip **3.** F *fig* ***es*** (***er***) ***steht auf der ~*** it is touch and go (with him) **kippen I** *v/t* **1.** (*um~*) tilt, tip over, (*aus~*) tip out: F *fig* ***e-n ~*** have a quick one **2.** F *fig* (*Projekt etc*, *Person*, *Regierung*) overturn, SPORT (*Spiel*) turn **II** *v/i* **3.** tip (over), topple (over), (*um~*) overturn, capsize

Kipp|fenster *n* tilting window **~lastwagen** *m* tipper, *Am* dump truck **~schalter** *m* ELEK flip switch

Kirche *f* (***in der ~*** at) church: ***zur ~ gehen*** go to church; F *fig* ***wir wollen doch die ~ im Dorf lassen!*** let's not exaggerate things!

Kirchen|buch *n* parish register **~chor** *m* church choir **~diener(in)** sexton **~gemeinde** *f* parish **~geschichte** *f* church history **~jahr** *n* ecclesiastical year **~lied** *n* hymn **~musik** *f* sacred music **~recht** *n* canon law **~schiff** *n* ARCHI nave **~steuer** *f* church tax **~stuhl** *m* pew **~tag** *m* Church congress

Kirchgang *m* churchgoing **Kirchgänger(in)** churchgoer **Kirchhof** *m* churchyard, (*Friedhof*) graveyard

kirchlich *Adj* church ..., ecclesiastical: *Adv* ***sich ~ trauen lassen***, ***~ heiraten*** have a church wedding; ***~ bestattet werden*** be given a Christian burial

Kirchturm *m* church tower, steeple **~politik** *f* parish-pump politics *Pl* (*a. Sg konstr*) **~spitze** *f* spire

Kirchweih *f* parish fair

Kirschbaum *m* cherry tree

Kirschblüte *f* **a**) cherry blossom, **b**) (***zur Zeit der ~*** at) cherry-blossom time

Kirsche *f* cherry: *fig* ***mit ihm ist nicht gut ~n essen*** it's best not to tangle with him

Kirsch|kern *m* cherry stone **~kuchen** *m* cherry cake **~likör** *m* cherry brandy **≗rot** *Adj* cherry(-red) **~tomate** *f* cherry tomato **~torte** *f* cherry gateau **~wasser** *n* kirsch

Kissen *n* cushion, (*Kopf≗*) pillow **~bezug** *m* cushion slip, (*Kopf≗*) pillowcase

Kiste *f* **1.** box, WIRTSCH case, (*Truhe*) chest, (*Latten≗*) crate **2.** → ***Kasten*** 2

Kitsch *m* kitsch, (*Schund*) trash **kitschig** *Adj* kitschy, trashy, (*süßlich*) mawkish

Kitt *m* cement, (*Glaser≗*) putty

Kittchen *n* F (***im ~*** in) clink

Kittel *m* smock, frock, (*Arbeits≗*, *~schürze*) overall, (*Arzt≗*) (white) coat

K

kitten *v/t* cement, (*Glas*) putty, *fig* (*Ehe etc*) patch up
Kitz *n* ZOOL kid, (*Reh*2) fawn
Kitzel *m* tickle, *fig a.* itch, (*Nerven*2) *a.* thrill, kick **kitzeln** *v/t u. v/i a. fig* tickle **Kitzler** *m* ANAT clitoris, F clit **kitzlig** *Adj a. fig* ticklish
Kiwi[1] *m* ZOOL kiwi
Kiwi[2] *f* BOT kiwi
Klacks *m* F (*Butter etc*) dollop, blob: *fig* ***das ist ein ~*** that's nothing; ***das ist ein ~ für ihn*** that's easy (*finanziell*: peanuts) for him
Kladde *f* **1.** scribbling pad **2.** WIRTSCH waste book **3.** rough copy
klaffen *v/i* gape, *Abgrund etc*: *a.* yawn: ***~de Wunde*** gaping wound
kläffen *v/i a.* F *fig* yap
Klage *f* **1.** (*Weh*2) lament(ation) (***um, über*** *Akk* for, over) **2.** (*Beschwerde*) complaint (***über*** *Akk* about): ***~ führen über*** (*Akk*) make complaints (*od* complain) about; ***es sind ~n laut geworden*** there have been complaints **3.** JUR action (***auf*** *Akk* for), suit, (*Scheidungs*2) petition, (*~schrift*) statement of claim: ***~ erheben*** (*od* ***führen***) institute proceedings (***gegen*** against, ***wegen*** for) (→ *a.* ***klagen*** 3); ***e-e ~ abweisen*** dismiss an action **~lied** *n* lamentation

klagen I *v/i* **1.** (*weh~*) lament (***um, über*** *Akk* over, about) **2.** ***~ über*** (*Akk*) complain of (*a.* MED) (*od* about); ***ohne zu ~*** without complaining; ***ich kann nicht ~*** I have no cause for complaint **3.** JUR go to court: ***gegen j-n ~*** (***wegen*** for) sue s.o., bring an action against s.o. **II** *v/t* **4.** ***j-m sein Leid ~*** pour out one's troubles to s.o.
Kläger(in) JUR plaintiff, (*Scheidungs*2) petitioner
Klageschrift *f* JUR statement of claim
Klageweg *m* JUR ***auf dem*** (*od* ***im***) ***~*** by entering legal action
kläglich → ***jämmerlich***
klaglos *Adv* without complaining
Klamauk *m* F **1.** (*Lärm*) racket **2.** (*Rummel*) to-do **3.** THEAT *etc* slapstick
klamm *Adj* **1.** clammy **2.** numb (with cold) **3.** F *fig* ***~ sein*** be hard up
Klamm *f* GEOL narrow gorge
Klammer *f* **1.** *allg* clip, TECH *a.* clamp, cramp, (*Wäsche*2) peg, *bes Am* pin **2.** (*Zahn*2) brace(s *Pl*) **3.** MATHE, BUCHDRUCK *runde*: parenthesis, *eckige*: bracket, *geschweifte*: brace: ***etw in ~n setzen*** put s.th. in parentheses, bracket s.th.; ***~ auf*** (***zu***) open (close) brackets; ***die ~(n) auflösen*** MATHE remove the brackets
Klammeraffe *m* IT at sign (@)
klammern I *v/t* (***an*** *Akk* to) clip, TECH *a.* clamp, (*Wäsche*) peg, pin **II** *v/refl* ***sich ~ an*** (*Akk*) *a. fig* cling to
Klammernentferner *m* *Büroartikel*: staple remover
klammheimlich *Adv* F on the quiet
Klamotte *f* F **1.** (***alte***) ***~*** (*Film etc*) oldie **2.** *Pl* (*Kleider*) rags *Pl*, togs *Pl*, (*Sachen*) things *Pl*, junk *Sg*
Klang *m* sound, ring, (*Tonqualität*) tone, (*~farbe*) timbre: ***unter den Klängen von*** (*od Gen*) to the strains of **Klangfarbe** *f* timbre **Klangfülle** *f* sonority
klanglich *Adj* tonal
klanglos *Adj* toneless
Klangregler *m* RADIO *etc*: tone control
klangrein *Adj* ***~ sein*** have a pure sound **klangschön** *Adj* ***~ sein*** have a beautiful tone **Klangtreue** *f* fidelity **klangvoll** *Adj* **1.** sonorous, melodious **2.** *fig Name etc*: illustrious **Klangwiedergabe** *f* sound reproduction
klappbar *Adj* (*zs.-~*) collapsible, folding, (*auf~*) hinged **Klappbett** *n* folding bed **Klappdeckel** *m* snap lid
Klappe *f* **1.** *allg* flap (*a.* TECH), (*Tisch*2 *etc*) *a.* leaf, MOT (*Lade*2) tailboard **2.** ANAT valve **3.** (*Augen*2) (eye) patch **4.** *bei Blasinstrumenten*: key **5.** F *fig* mouth, trap: ***e-e große ~ haben*** have a big mouth; ***halt die ~!*** shut up!
klappen I *v/t* **1.** ***nach oben ~*** → ***hochklappen***; ***nach unten ~*** → ***herunterklappen***; ***der Sitz läßt sich nach hinten ~*** the seat folds back **II** *v/i* **2.** clack, *laut*: bang, (*zu~*) click shut **3.** F *fig* work (out well), go off well, succeed: ***~ wie am Schnürchen*** go like clockwork; ***es klappt nicht*** it won't work; ***nichts klappte*** nothing worked; ***wenn alles klappt*** if all goes well; ***es wird schon ~!*** it'll work out all right!; ***hat es mit dem Job geklappt?*** did you get the job all right?
Klappentext *m e-s Buches*: blurb
Klapper *f* rattle **~kasten** *m*, **~kiste** *f* F

(*Auto*) rattletrap, old banger

klappern I *v/i* **1.** clatter, rattle, *Absätze*: clack, *Stricknadeln*: click: ***mit dem Geschirr ~*** rattle the dishes; ***auf der Schreibmaschine ~*** clatter away on the typewriter **2.** *vor Kälte*: shiver: ***er klapperte vor Kälte (Angst) mit den Zähnen*** his teeth were chattering with cold (fear) **II** ♀ *n* **3.** clatter(ing) (*etc*)

Klapperschlange *f* ZOOL rattlesnake

Klapp(fahr)rad *n* folding bicycle

Klappmesser *n* jackknife

klapprig *Adj* F **1.** rattly, (*wacklig*) rickety **2.** *fig* (*Person*) shaky

Klapp|sitz *m* folding (*od* jump) seat, MOT *a.* dickey, *Am* rumble seat **~stuhl** *m* folding chair **~tisch** *m* folding (*od* drop-leaf) table

Klaps *m* **1.** (*a.* ***e-n ~ geben***) slap, smack **2.** F *fig* ***e-n ~ haben*** be nuts

Klapsmühle *f* F funny farm, loony bin

klar I *Adj allg* clear (*a. fig*), (*deutlich*) *a.* distinct, *fig Entscheidung*, *Ziel etc*: *a.* clear-cut, (*vernünftig*) *a.* lucid, (*offensichtlich*) *a.* plain, obvious: ***~er Sieg*** clear victory; ***~ zum Start*** FLUG ready for takeoff; ***e-n ~en Kopf behalten*** keep one's wits about one; ***sich ein ~es Bild machen von*** get a clear idea of; ***~e Verhältnisse schaffen*** get things straight; ***es ist ~, dass ...*** it is clear (*od* evident) that ...; ***es ist mir ~*** (*od* ***ich bin mir darüber im ♀en***), ***dass ...*** I realize (*od* I'm aware) that ...; ***ist das ~?*** is that clear?; ***das ist mir (nicht ganz) ~*** I (don't quite) understand; **(*na*) *~!*** of course!, sure!; ***alles ~?*** **a)** everything o.k.?, **b)** got it? **II** *Adv* ***~ und deutlich*** **a)** clearly, distinctly, **b)** *fig* straight; ***etw ~ zum Ausdruck bringen*** make s.th. plain; F *fig* ***~ sehen*** see (the light); ***~ werden*** become clear (*Dat* to); ***sich ~ werden über*** (*Akk*) geht *s.th.* clear in one's mind, (*sich entscheiden*) make up one's mind about; ***es wurde mir ~, dass ...*** I realized that ...; → *a.* ***klargehen, -kommen*** *etc*

Kläranlage *f* sewage (purification) plant **Klärbecken** *n* settling basin

klären I *v/t* **1.** purify, clear **2.** *fig* clear up, clarify, sort *s.th.* out **II** *v/refl* ***sich ~*** **3.** *Himmel etc*: clear (up) **4.** *fig Frage*: be settled, *Problem*: be solved

klargehen *v/i* F be all right

Klarheit *f a. fig* clearness, clarity: ***sich ~ verschaffen über*** (*Akk*) find out about

Klarinette *f* MUS clarinet

klarkommen *v/i* F manage, get by: ***mit e-r Sache ~*** understand s.th.; ***mit j-m ~*** get along (fine) with s.o.; ***kommst du damit klar?*** can you manage?

klarmachen *v/t* **1.** ***j-m etw ~*** make s.th. clear (*od* explain s.th.) to s.o. **2.** ***sich ~, dass ...*** realize that ... **3.** SCHIFF clear, make *s.th.* ready **4.** F ***alles ~*** settle it

Klärschlamm *m* sewage sludge

Klarsicht|folie *f* transparent sheet, cling film **~packung** *f* transparent packing **~scheibe** *f* MOT antimist panel

klarstellen *v/t fig* ***etw ~*** get s.th. straight, (*sagen*) state s.th. clearly

Klartext *m* clear text: ***im ~*** **a)** in clear, **b)** *fig* in plain language

Klärung *f* **1.** purification **2.** *fig* clarification, clearing up

Klasse *f allg* class, PÄD *a.* form, *Am* grade, WIRTSCH *a.* quality, grade, (*Steuer♀*, *Alters♀*) bracket: ***erster ~*** *a.* F *fig* first-class; ***nach ~n ordnen*** class, classify; F ***er (es) ist große (od einsame) ~*** he (it) is super (*od* fantastic); ***~!*** super!, great!

Klassen|arbeit *f* (classroom) test **~beste** *m, f* top pupil **~bewusstsein** *n* class consciousness **~buch** *n* (class) register, *Am* classbook **~gesellschaft** *f* class society **~hass** *m* class hatred **~kamerad(in)** classmate **~kampf** *m* POL class struggle **~lehrer(in)** form teacher, *Am* class teacher, homeroom teacher

klassenlos *Adj* classless

Klassen|lotterie *f* class (*od* Dutch) lottery **~sprecher(in)** PÄD class president, *Br* form captain **~treffen** *n* class reunion **~unterschied** *m* class difference **~zimmer** *n* classroom

klassifizieren *v/t* classify

Klassifizierung *f* classification

Klassik *f* **1.** classical period **2.** classical music **Klassiker(in) 1.** classic(al author) **2.** (*großer Künstler etc*) great artist (*etc*) **3.** (*Werk*) classic **klassisch** *Adj* **1.** classical **2.** (*typisch, vorbildlich, zeitlos*) classic **Klassizismus** *m* classicism **klassizistisch** *Adj* classicistic

Klatsch *m* **1.** *ins Wasser*: splash **2.** (*Klaps*) smack, slap **3.** F (*Geschwätz*)

gossip **~base** *f* F gossip(monger)
Klatsche *f* **1.** (*Fliegen*≈ fly)swatter **2.** F PÄD crib **3.** F gossip(monger)
klatschen I *v/i* **1.** (*Beifall* **~**) applaud, clap **2.** ***in die Hände* ~** clap one's hands **3.** (***an*** *Akk* against) *Regen etc*: splash, *Wellen*: crash **4.** F gossip (***über*** *Akk* about) **II** *v/t* **5.** ***etw* ~ *auf*** (*Akk*) (*od* ***gegen, an*** *Akk*) slap (*od* bang) s.th. on (*od* against) **6.** ***Beifall* ~** → 1
Klatscherei *f* F gossip(ing)
Klatsch|geschichte *f* piece of gossip **~kolumnist(in)** gossip columnist **~maul** *n* F real gossip **~mohn** *m* BOT corn poppy **≈nass** *Adj* F dripping wet: **~ *werden*** get soaked to the skin **~spalte** *f* F *e-r Zeitung*: gossip column
Klaue *f* **1.** ZOOL claw (*a.* TECH), *der Raubvögel*: *a.* talon, (*Pfote*) paw (*a.* F *fig Hand*): *fig* ***in j-s ~n geraten*** fall into s.o.'s clutches **2.** F *fig* (*Schrift*) scrawl
klauen *v/t u. v/i* F pinch, swipe, *fig* (*Ideen etc*) steal, borrow
Klause *f e-s Einsiedlers*: hermitage

Klausel *f* JUR clause, stipulation, (*Vorbehalt*) proviso
Klaustrophobie *f* claustrophobia
klaustrophobisch *Adj* claustrophobic
Klausur *f* PÄD, UNI (***e-e* ~ *schreiben*** do a) test **~arbeit** *f* → ***Klausur***
Klausurtagung *f* closed meeting
Klaviatur *f* MUS keyboard
Klavier *n* piano(forte): ***auf dem*** (***am***) **~** on (at) the piano; **~ *spielen*** (***können***) play the piano **~abend** *m* piano recital **~auszug** *m* piano score **~begleitung** *f* piano accompaniment **~konzert** *n* **1.** MUS piano concert **2.** → ***Klavierabend*** **~lehrer(in)** piano teacher **~schemel** *m* piano stool **~schule** *f* (*Buch*) piano tutor **~sonate** *f* MUS piano sonata **~spieler(in)** pianist **~stimmer(in)** (piano) tuner **~stunde** *f* piano lesson **~unterricht** *m* piano lessons *Pl*
Klebeband *n* adhesive (*od* sticky) tape
Klebebindung *f* adhesive binding
Klebefolie *f* adhesive film
kleben I *v/t* **1.** (***an*** *Akk* to) glue, paste **2.** F ***j-m e-e* ~** paste s.o. one **II** *v/i* **3.** (*klebrig sein*) be sticky **4.** (***an*** *Dat* to) adhere, stick: ***das Kleid klebte ihr am Körper*** her dress clung to her body; *fig* ***an j-m* ~** remain glued to s.o.; ***an s-m Posten* ~** hang on to one's job; **~ *bleiben*** **a)** stick (***an*** *Dat* to), **b)** F *fig* get stuck (***in*** *Dat* in, at)
Klebepresse *f* FILM splicer
Kleber *m* **1.** gluten **2.** → ***Klebstoff***
Klebestelle *f* FILM splice **Klebestreifen** *m* adhesive tape, Scotch tape® **Klebezettel** *m* gummed label
klebrig *Adj* sticky, tacky, (*klebend*) adhesive **Klebrigkeit** *f* stickiness
Klebstoff *m* adhesive, (*Leim*) glue
kleckern F **I** *v/i* **1.** *Person*: make a mess **2.** *Farbe*: drip **II** *v/t* **3.** ***etw* ~ *auf*** (*Akk*) spill s.th. on **kleckerweise** *Adv* F in dribs and drabs
Klecks *m* F **1.** stain, blot **2.** (**~** *Butter etc*) blob **klecksen** *v/i* F **1.** make blots (*od* stains), make a mess **2.** *pej* (*malen*) daub
Klee *m* BOT clover: F ***über den grünen* ~ *loben*** praise *s.o., s.th.* to the skies
Kleeblatt *n* **1.** cloverleaf: ***vierblättriges* ~** four-leaf(ed) clover **2.** (*Straßenkreuzung*) cloverleaf (intersection)
Kleiber *m* ZOOL nut hatch
Kleid *n* **1.** dress (*a. fig*), frock, gown **2.** *Pl* clothes *Pl*, clothing *Sg*: ***~er machen Leute*** fine feathers make fine birds **3.** JAGD (*Fell*) fur, coat, (*Feder*≈) plumage
kleiden I *v/t* **1.** dress, clothe: *fig* ***etw in Worte* ~** clothe (*od* couch) s.th. in words **2.** ***j-n*** (***gut***) **~** suit (*od* become) s.o., look well on s.o. **II** *v/refl* ***sich* ~** **3.** dress: ***sich* ~ *in*** (*Akk*) wear
Kleider|bügel *m* coat hanger **~bürste** *f* clothes brush **~haken** *m* coat hook **~schrank** *m* wardrobe **~ständer** *m* clothes tree (*im Geschäft*: rack) **~stoff** *m* (dress) material
kleidsam *Adj* becoming
Kleidung *f* clothing, dress, clothes *Pl*
Kleidungsstück *n* article of clothing, garment
Kleie *f* bran
klein I *Adj* **1.** *allg* small, (**~***wüchsig*) *a.* short, *Finger, Zeh, Haus etc*: little: ***sehr* ~, *winzig* ~** very small, tiny, F teeny; ***ziemlich* ~** rather small, smallish; ***von* ~ *auf*** from a child; ***im* ≈*en*** in miniature; WIRTSCH ***im ≈en verkaufen*** retail; ***mein ~er Bruder*** my little (*od* young) brother; ***die Welt ist*** (***doch***) **~*!*** it's a small world! **2.** (*unbedeutend*) small, little, *a.* JUR minor, petty: ***aus ~en Verhält-***

nissen kommen be of humble origin(s); ***ein ~er Beamter*** a minor official; ***ein ~er Geist*** a small mind; ***der ~e Mann*** the man in (*Am* on) the street; ***das ~ere Übel*** the lesser evil; ***bis ins ≈ste*** (down) to the last detail; ***das ist m-e ~ste Sorge*** that's the least of my worries **II** *Adv* **3.** small: F ***ein (ganz) ~ wenig*** a little (*od* tiny) bit; ***~ anfangen*** start in a small way; ***~ kariert*** small-check(ed); ***~ schneiden*** cut up, chop (up); F ***Ordnung wird bei ihm ~ geschrieben*** he isn't a great one for order; → ***beigeben*** II

Klein|aktie *f* baby share (*Am* stock) **~aktionär(in)** small shareholder (*Am* stockholder) **~anzeige** *f* classified advertisement (F ad) **~arbeit** *f fig* spadework **~asien** *n* Asia Minor **~auto** *n* small car **~bahn** *f* narrow-ga(u)ge railway (*Am* railroad) **~bauer** *m*, **~bäuerin** *f* small farmer **~betrieb** *m* small(-scale) enterprise **~bildkamera** *f* 35 mm camera **~buchstabe** *m* small letter **~bürger(in)**, **≈bürgerlich** *Adj* petty bourgeois **~bus** *m* minibus

Kleine[1] *m, f* little one

Kleine[2] *n* F ***etw ~s*** a baby

Klein|familie *f* SOZIOL nuclear family **~format** *n* small size: ***im ~*** small-format **~garten** *m* allotment (garden) **~gärtner(in)** allotment gardener **~gedruckte** *n* ***das ~ lesen*** read the small print **~geld** *n* (small) change: *fig* ***das nötige ~ haben*** have the wherewithal **~gewerbe** *n* small trade **~handel** *m* retail trade **~händler(in)** retailer

Kleinhirn *n* ANAT cerebellum

Kleinholz *n* firewood: F *fig* ***~ machen aus*** **a)** ***j-m*** make mincemeat of s.o., **b)** ***e-r Sache*** smash s.th. to pieces

Kleinigkeit *f* trifle, little (*od* small) thing, (*Geschenk*) little something, (*Detail*) minor detail: ***e-e ~ essen*** have a bite; ***das war e-e (k-e) ~*** that was (not) easy

Klein|industrie *f* small industry **~kalibergewehr** *n* small-bore rifle

kleinkariert *Adj* F *fig* small-minded

Klein|kind *n* infant **~kram** *m* trifles *Pl* **~kredit** *m* small(-scale) credit **~krieg** *m* guer(r)illa warfare: *fig* ***e-n ~ führen mit*** keep up a running battle with

kleinkriegen *v/t* F (manage to) break: *fig* ***j-n ~*** *körperlich*: wear s.o. out, *moralisch*: get s.o. down; ***nicht kleinzukriegen*** *a. Person*: indestructible

Kleinkunst *f* cabaret

kleinlaut *Adj* (very) subdued

kleinlich *Adj* **1.** (*genau*) pedantic **2.** (*engstirnig*) narrow-minded **3.** (*geizig*) mean **Kleinlichkeit** *f* **1.** pedantry **2.** narrow-mindedness **3.** meanness

Kleinod *n* jewel, *fig a.* treasure

Klein|rentner(in) person receiving a small pension **≈schreiben** *v/t* ***ein Wort ~*** write a word with a small (initial) letter **~staat** *m* minor state **~stadt** *f* small town **~städter(in)**, **≈städtisch** *Adj* provincial

Kleinst|lebewesen *n* BIOL microorganism **≈möglich** *Adj* smallest possible

Kleinvieh *n* small domestic animals *Pl*: F *fig* ***~ macht auch Mist*** many a little makes a mickle **Kleinwagen** *m* small car

kleinwüchsig *Adj* small, short

Kleister *m*, **kleistern** *v/t* paste

Klematis *f* BOT clematis

Klementine *f* clementine

Klemmbrett *n* clipboard

Klemme *f* **1.** clamp (*a.* ELEK, TECH), clip, ELEK terminal **2.** F *fig* ***in der ~ sein*** (*od* ***sitzen***) be in a fix (*od* tight spot); ***j-m aus der ~ helfen*** help s.o. out of a fix

klemmen **I** *v/t* **1.** (*fest~*) jam (*a.* TECH), (*quetschen*) squeeze, pinch, (*stecken*) stick: ***ich habe mir den Finger geklemmt*** → 3 **II** *v/i* **2.** *Tür, Schublade etc*: be jammed, be stuck: F *fig* ***wo klemmts?*** what's wrong?, where's the snag? **III** *v/refl* ***sich ~*** **3.** jam one's finger (*etc*), get one's finger (*etc*) caught **4.** squeeze o.s. (***in*** *Akk* into, ***hinter*** *Akk* behind): F *fig* ***sich ~ hinter*** **a)** ***e-e Sache*** get down to s.th., **b)** ***j-n*** get cracking on s.o.

Klemmmappe *f* spring folder

Klempner(in) **1.** TECH metal roofer **2.** (*Installateur*) plumber **Klempnerei** *f* metal roofer's (*bzw.* plumber's) workshop

Kleptomanie *f* kleptomania

klerikal *Adj* clerical **Kleriker(in)** cleric

Klerus *m* clergy

Klette *f* **1.** BOT bur(r), *große*: burdock **2.** *fig* (***sich wie e-e ~ an j-n hängen*** cling to s.o. like a) leech

Kletterer *m*, **Kletterin** *f* climber **Klettergerüst** *n für Kinder*: climbing frame **klettern** *v/i allg* climb, BOT *a.* creep, *fig a.* go up (*auf Akk* to): ***auf e-n Baum ~*** climb a tree
Kletter|pflanze *f* climber **~rose** *f* rambler **~stange** *f* climbing pole
Klettverschluss *m* Velcro®, velcro fastening
klicken *v/i* click
Klient(in) JUR client
Kliff *n* GEOL cliff
Klima *n* climate, *fig a.* atmosphere: ***das soziale ~*** the social climate **Klimaanlage** *f* air-conditioning (system): ***mit e-r ~ ausrüsten*** air-condition
klimatisch *Adj* climatic(ally *Adv*)
klimatisieren *v/t* air-condition
Klimatologie *f* climatology
Klimaveränderung *f*, **Klimawechsel** *m* change in climate
Klimmzug *m* SPORT chin-up: ***e-n ~ machen*** do a chin-up, chin o.s. up
klimpern *v/i* **1.** (*a.* ***~ mit***) jingle **2.** ***~ auf*** (*Dat*) strum on *the guitar*, tinkle on *the piano*
Klinge *f* blade
Klingel *f* bell
Klingelknopf *m* bell push, call button
klingeln I *v/i* **1.** ring ([***nach***] ***j-m*** for s.o.): ***bei j-m ~*** ring s.o.'s doorbell; ***es klingelt*** **a)** the doorbell is ringing, **b)** there's the bell **2.** *Motor*: ping **II** *v/t* **3.** ***j-n aus dem Bett ~*** get s.o. out of bed
Klingelzeichen *n* ring, bell (signal)
klingen *v/i* sound (*a. fig*), ring, *Gläser*: clink, *Metall*: clank: *fig* ***das klingt schon besser*** that sounds better, that's more like it; ***das klingt nach Neid*** that sounds like envy
klingend *Adj Stimme*: melodious; → ***Münze*** 1
Klinik *f* clinic, (*Privat*≗) nursing home
Klinikum *n* clinical cent/re (*Am* -er)
klinisch *Adj* clinical: ***~ tot*** clinically dead
Klinke *f* (*Tür*≗ door) handle
Klinker *m* ARCHI clinker
klipp *Adv* ***~ und klar*** clearly, plainly; ***ich habe ihm ~ und klar gesagt, dass ...*** I told him straight out that ...
Klippe *f* **1.** GEOL reef, rock **2.** *fig* (***e-e ~ umschiffen*** clear an) obstacle
klirren *v/i* **1.** *Scheiben, Teller etc*: rattle, *Besteck, Geschirr etc*: clatter, *Ketten*: clank, *Gläser etc*: clink, chink, *Münzen, Schlüssel etc*: jingle: ***~ mit*** rattle (*one's chains, keys, etc*) **2.** RADIO produce harmonic distortion
Klischee *n fig* cliché **Klischeevorstellung** *f* stereotyped idea
Klistier *n* MED enema
Klitoris *f* ANAT clitoris
klitschig *Adj Brot etc*: doughy
klitzeklein *Adj* F teeny(-weeny)
Klo *n* F loo, *Am* john
Kloake *f* sewer, cesspool (*a. fig*)
Kloben *m* **1.** TECH block **2.** (*Holz*≗) log
klobig *Adj* bulky, (*plump, a. fig*) clumsy
Klon *m* clone **≗en** *v/t* clone
klönen *v/i* F (have a) natter
Klopapier *n* F toilet (*Br a.* loo) paper
klopfen I *v/i* **1.** (***an*** *Akk* at, on) knock, *sanft*: tap: ***es klopft*** there's somebody (knocking) at the door; → ***Busch*** 1, ***Finger, Schulter*** **2.** *Herz etc*: beat, *heftig*: throb: *fig* ***mit ~dem Herzen*** with a beating heart **3.** *Motor*: knock **II** *v/t* **4.** (*Teppich etc*) beat, (*Steine*) break: ***den Takt ~*** beat time **Klopfer** *m* **1.** (*Tür*≗) doorknocker **2.** (*Teppich*≗) carpet beater **klopffest** *Adj* knock-proof
Klöppel *m* **1.** *e-r Glocke etc*: clapper **2.** *Textilien*: (lace) bobbin **Klöppelkissen** *n* lace pillow **klöppeln** *v/i* make lace **Klöppelspitze** *f* bone lace
Klops *m* meatball
Klosett *n* lavatory, toilet
Klosettpapier *n* toilet paper
Kloß *m* dumpling (*a.* F *fig Person*): *fig* ***ich hatte e-n ~ im Hals*** I had a lump in my throat
Kloster *n* (*Mönchs*≗) monastery, (*Nonnen*≗) convent, nunnery: ***ins ~ gehen*** enter a monastery (*etc*), become a monk (*od* nun) **~bruder** *m* friar **~frau** *f* nun **~leben** *n* monastic life
klösterlich *Adj* monastic
Klotz *m* **1.** block (of wood), log: *fig* ***er ist mir nur ein ~ am Bein*** he is just a millstone round my neck **2.** → ***Bauklotz*** **3.** F *pej* oaf, *Am sl* klutz
klotzig *Adj* bulky, heavy
Kluft[1] *f a. fig* gap, (*Abgrund*) abyss: ***die ~ überbrücken*** bridge the gap
Kluft[2] *f* F togs *Pl*, gear
klug I *Adj* **1.** intelligent, clever, (*gescheit*) smart, bright, shrewd, (*vernünftig*) sen-

K

sible, wise, judicious, (*vorsichtig*) prudent: ***ein ~er Rat*** a sound advice; ***so ~ wie zuvor*** none the wiser; ***der Klügere gibt nach*** the wiser head gives in; ***das Klügste wäre zu warten*** it would be best to wait **2.** F ***ich werde aus ihr*** (***der Sache***) ***nicht ~*** I can't make her (it) out; ***wirst du daraus ~?*** does it make sense to you? **II** *Adv* **3.** intelligently (*etc*): ***du hättest klüger daran getan zu gehen*** you would have been wise to go

klugerweise *Adv* (very) wisely: ***~ hat sie geschwiegen*** *a.* she had the good sense to keep quiet

Klugheit *f* intelligence, brightness, (*Vernunft*) good sense, (*Vorsicht*) prudence

Klugscheißer(in) V smart arse, *Am* smart ass

klumpen *v/i* become lumpy, *Blut*: clot

Klumpen *m* lump, (*a. Blut*Ձ) clot, (*Erd*Ձ) clod **Klumpfuß** *m* MED clubfoot

klumpig *Adj* lumpy, *Blut*: clotted

Klüngel *m pej* clique

Klunkern *Pl* F rocks *Pl*

Klub *m* club

Klüver *m* SCHIFF jib **~baum** *m* jib boom

knabbern *v/i u. v/t* (**an** *Dat* at) nibble, gnaw: F *fig* ***ich hatte lange daran zu ~*** **a**) I didn't get over it easily, **b**) it took me some time to figure it out

Knabe *m* boy, lad: F ***alter ~*** old chap

Knabenchor *m* boys' choir **knabenhaft** *Adj* boyish

Knackarsch *m sl* pert bum

Knäckebrot *n* crispbread

knacken I *v/t a. fig* crack: F ***ein Auto ~*** break into a car **II** *v/i* crack, *Stufen etc*: *a.* creak, *Zweige etc*: snap **Knacker** *m* F ***alter ~*** old fog(e)y **Knacki** *m* F jailbird **knackig** *Adj* **1.** crisp, *Apfel etc*: crunchy **2.** F *fig* dishy

Knacklaut *m* LING glottal stop

Knackpunkt *m* F *fig* crunch point

Knacks *m* crack (*a.* F *fig Defekt*): *fig* ***er hat e-n ~*** (***weg***) **a**) his health is shaken, **b**) his nerves are all shot, **c**) *seelisch*: he is badly hit, **d**) *geistig*: he's slightly cracked; ***ihre Ehe hat e-n ~*** their marriage is cracking up

Knall *m* **1.** *allg* bang, *e-s Korkens*: pop, (*Peitschen*Ձ, *Schuss*) crack, (*Düsen*Ձ) (sonic) boom **2.** *fig* (*Krach*) row **3.** F *fig* ***e-n ~ haben*** be nuts **4.** F *fig* ***~ und Fall*** (all) of a sudden; ***j-n ~ und Fall entlassen*** dismiss s.o. on the spot Ձ**blau** *Adj* F bright blue **~bonbon** *m, n* (party) cracker **~effekt** *m* clou, bang

knallen I *v/i* **1.** (*a.* ***~ mit***) *Tür etc*: bang, slam, *Peitsche*: crack, *Korken*: pop: ***es knallte zweimal*** there were two loud bangs (*Schüsse*: shots) **2.** F (*schießen*) bang, fire **3.** F (*prallen*) crash (***gegen*** into): ***mit dem Kopf an die Windschutzscheibe ~*** hit one's head on the windscreen; F ***sonst knallts!*** or else! **4.** F *Sonne*: beat down **II** *v/t* **5.** (*werfen, hauen, stoßen*) bang, slam: *fig* ***j-m e-e ~*** paste s.o. one; → ***Latz***

Knaller *m* F **1.** → ***Knallkörper*** **2.** → ***Knüller***

Knall|erbse *f* (toy) torpedo **~frosch** *m* jumping cracker **~gas** *n* CHEM oxyhydrogen (gas) Ձ**hart** *Adj* F **1.** *Schlag etc*: smashing, powerful **2.** *fig* tough, brutal: *Adv* ***j-m etw ~ ins Gesicht sagen*** tell s.o. s.th. with brutal frankness

knallig F **I** *Adj* **1.** *Farbe etc*: loud, glaring **2.** (*eng*) skintight **II** *Adv* **3.** ***~ bunt*** gaudy; ***~ heiß*** scorching

Knall|kopf *m* F idiot **~körper** *m* banger

knallrot *Adj* bright red, *Gesicht etc*: scarlet, crimson **knallvoll** *Adj* F **1.** jam-packed **2.** (*betrunken*) sloshed

knapp I *Adj* **1.** (*spärlich*) scanty, meag/re (*Am* -er): ***~ sein*** be scarce, be in short supply; ***~ werden*** *Vorräte, Zeit*: run short; → ***Kasse*** 3 **2.** *Sieg, Entscheidung etc*: narrow: ***~e Mehrheit*** bare majority; ***mit ~er Not*** barely, only just, ***entrinnen*** have (*od* make) a narrow escape **3.** *fig Stil etc*: concise, terse, *Antwort, Befehl etc*: brief, short: ***in ~en Worten*** in a few words **4.** *vor Zahlen*: ***~(e) zwei Stunden*** just under two hours; ***in e-m ~en Jahr*** in less than a year; ***~ 10 Minuten*** barely (*od* just) ten minutes **5.** *Kleid etc*: tight **II** *Adv* **6.** (*kaum*) only just **7.** ***~ sitzen*** fit tightly; ***m-e Zeit ist ~ bemessen*** I'm pushed for time; ***~ gewinnen*** win by a narrow margin; *e-e Prüfung* ***~ bestehen*** scrape through; F (***aber***) ***nicht zu ~!*** **a**) (*natürlich*) you bet!, **b**) (*viel*) plenty of, **c**) (*und wie*) and how!; F ***j-n ~ halten*** keep s.o. short

Knappheit *f* **1.** scantiness, (*Mangel*) scarcity, shortage **2.** *e-s Sieges etc*: narrowness **3.** *fig des Stils etc*: terseness, conciseness, *e-r Antwort etc*: shortness **4.** *e-s Kleides etc*: tightness

Knappschaft *f* miners' association

Knarre *f* F gun

knarren *v/i* creak

Knast *m* F (***im ~*** in) clink (*sl*): ***~ schieben*** do time **~bruder** *m*, **~schwester** *f* F jailbird

Knatsch *m* F row

knattern *v/i Schüsse etc*: rattle, *Motorrad etc*: roar, *Segel, Fahne*: flap

Knäuel *m, n* **1.** (*Woll*2 *etc*) ball **2.** (*Wirrwarr*) tangle **3.** (*Menschen*2) cluster

Knauf *m* **1.** (*Tür*2) knob **2.** ARCHI capital **3.** (*Degen*2) pommel

Knauser *m* F miser **Knauserei** *f* F stinginess **knauserig** *Adj* F stingy

knausern *v/i* F be stingy (***mit*** with)

Knaus-Ogino-Methode *f* MED rhythm method

knautschen *v/i* F crease, crumple

Knautschzone *f* MOT crumple zone

Knebel *m*, **knebeln** *v/t a. fig* gag

Knecht *m* farmhand, *fig* slave **Knechtschaft** *f* slavery

kneifen I *v/t* **1.** pinch: ***j-n*** (*od* ***j-m***) ***in den Arm ~*** pinch s.o.'s arm **II** *v/i* **2.** pinch **3.** F (***vor*** *Dat*) dodge (*s.th.*), back out (of), *aus Angst*: chicken out (of, on)

Kneifzange *f* (***e-e ~*** a pair of) pincers *Pl*

Kneipe *f* F pub, *Am* saloon

Kneipenbummel *m* (*a.* ***e-n ~ machen***) pub-crawl

Kneippkur *f* MED Kneipp('s) cure

Knete *f* F **1.** → ***Knetmasse*** **2.** (*Geld*) lolly, *Am* bread **kneten** *v/t* knead, (*massieren*) *a.* massage, (*formen*) mo(u)ld **Knetmasse** *f* plasticine

Knick *m* **1.** (*Biegung*) (sharp) bend: ***die Straße macht e-n ~*** *a.* the road bends sharply **2.** *in Papier etc*: crease, fold, *in Draht etc*: kind **3.** *fig* (*Leistungs*2 *etc*) (sharp) drop, falling off

knicken *v/t* **1.** (*a. v/i*) break, snap: → ***geknickt*** **2.** (*Papier etc*) crease, fold: ***nicht ~!*** do not bend! **3.** (*a. v/i*) (*Metall etc*) buckle, bend, (*Draht*) kink

knickerig *Adj* F stingy, mean

Knicks *m* curtsy: ***e-n ~ machen*** (drop a) curtsy (***vor j-m*** to s.o.)

Knie *n* **1.** knee: ***bis an die ~*** up to one's knees, knee-deep; ***j-n auf den ~n bitten*** beg s.o. on bended knees; ***in die ~ brechen*** collapse; ***in die ~ gehen*** **a)** sag at the knees, **b)** *fig* go to the wall; ***j-n in die ~ zwingen*** *a. fig* force s.o. on his knees; *fig* ***etw übers ~ brechen*** rush s.th.; F ***ich bekam weiche ~*** I went weak at the knees, I became scared; ***j-n übers ~ legen*** give s.o. a spanking **2.** (*Biegung*) bend **3.** TECH elbow, bend

Knie|beuge *f* SPORT knee bend **~fall** *m* REL genuflection **2frei** *Adj* above-the-knee **~gelenk** *n* ANAT, TECH knee joint **~kehle** *f* ANAT hollow of the knee

knielang *Adj* knee-length

knien I *v/i* (***vor*** *Dat* before) kneel, be on one's knees **II** *v/refl* ***sich ~*** kneel down: F *fig* ***sich ~ in*** (*Akk*) get down to

Kniescheibe *f* ANAT kneecap

Knieschützer *m* kneepad

Kniestrumpf *m* knee-length sock

knietief *Adj* knee-deep

Kniff *m* **1.** crease, fold **2.** *fig* trick

kniff(e)lig *Adj* tricky

kniffen *v/t* fold (down), crease

knipsen I *v/t* **1.** (*Fahrkarte*) punch **2.** F ***j-n ~*** take s.o.'s picture, snap s.o. **II** *v/i* **3.** F take photos, snap

Knirps *m* little chap (*Am* guy), *pej* squirt

knirschen *v/i* grate, *Schnee etc*: crunch: ***mit den Zähnen ~*** grind one's teeth

knistern *v/i* crackle, *bes Papier, Seide*: rustle: *fig* ***der Saal knisterte vor Spannung*** the atmosphere in the hall was electric

Knitterfalte *f* crease

knitterfrei *Adj* creaseproof, noncrease

knittern *v/i u. v/t* crease, wrinkle

knobeln *v/i* **1.** (***um*** for) throw dice, toss **2.** F (*tüfteln*) puzzle (***an*** *Dat* over)

Knoblauch *m* BOT garlic **~kapsel** *f* garlic pill **~zehe** *f* clove of garlic

Knöchel *m* (*Finger*2) knuckle, (*Fuß*2) ankle **~bruch** *m* ankle fracture

knöchellang *Adj* ankle-length

Knochen *m* bone: ***Fleisch mit*** (***ohne***) ***~*** meat on (off) the bone; ***bis auf die ~*** **a)** ***abgemagert*** just skin and bones, **b)** ***nass*** soaked to the skin; F ***der Schreck fuhr mir in die ~*** I was shaken to the core; ***das ist ihm in die ~ gefahren*** it really got to him; ***sich bis auf die ~ blamieren*** make an absolute fool of o.s **~arbeit** *f* hard slog, gruel(l)ing work **~bau** *m* bone structure **~bildung** *f* bone formation **~bruch** *m* fracture

(of a bone) **~gerüst** *n* skeleton **≈hart** *Adj* F (as) hard as stone **~haut** *f* ANAT periosteum **~krebs** *m* MED bone cancer **~mark** *n* (bone) marrow **~mehl** *n* LANDW bone meal **~mühle** *f* F *fig* sweat shop **~splitter** *m* bone splinter
knochentrocken *Adj* F bone-dry
knöchern *Adj* bone …, bony, osseous
knochig *Adj* bony
Knödel *m* dumpling
Knolle *f* BOT tuber, (*Zwiebel*) bulb
Knollen *m* lump **~blätterpilz** *m* ***Grüner ~*** death cup **~nase** *f* F bulbous nose **~sellerie** *m* BOT celeriac
Knopf *m* **1.** button **2.** TECH (push) button, push: ***auf e-n ~ drücken*** push a button **3.** → ***Knauf*** 1, 3 **4.** F *fig* → ***Knirps*** **Knopfdruck** *m* ***auf*** (*od* ***per***) ***~*** at the touch of a button **knöpfen** *v/t* button: ***zum ≈*** buttoned **Knopfloch** *n* buttonhole: F *fig* ***aus allen Knopflöchern platzen*** be bursting at the seams **Knopfzelle** *f* round cell
Knorpel *m* **1.** ANAT cartilage **2.** GASTR gristle **knorpelig** *Adj* **1.** ANAT cartilaginous **2.** GASTR gristly
Knorren *m* knot, snag **knorrig** *Adj* **1.** gnarled, knotty **2.** *fig Person*: gruff
Knospe *f*, **knospen** *v/i* bud
Knoten I *m* **1.** knot: ***e-n ~ machen*** tie a knot (***in*** *Akk* into); F *fig* ***bei ihm ist endlich der ~ geplatzt*** he has caught on at last **2.** (*Haar≈*) bun, knot **3.** SCHIFF knot: ***10 ~ machen*** do ten knots **4.** BOT, MED knot, *a.* ASTR, PHYS node **II** *v/t* **5.** knot, tie a knot in **~punkt** *m* **1.** BAHN *etc* junction **2.** *fig* cent/re (*Am* -er)
knotig *Adj a. fig* knotty
Know-how *n* know-how, expertise
Knuff *m* F poke, *heimlicher*: nudge: ***j-m e-n ~ geben*** → **knuffen** *v/t* ***j-n ~*** punch (*heimlich*: nudge) s.o.
Knülch *m* F bloke, *Am* guy, *sl* creep
knüllen *v/t u. v/i* crumple
Knüller *m* F sensation, (big) hit, PRESSE scoop
knüpfen I *v/t* tie, make, (*Teppich*) knot: ***etw ~ an*** (*Akk*) fasten (*fig Bedingung etc*: attach) s.th. to; *fig* ***Hoffnungen ~ an*** (*Akk*) pin one's hopes on **II** *v/refl* ***sich ~ an*** (*Akk*) *fig Bedingung etc*: be attached to, *Erinnerung etc*: be connected with, (*folgen*) arise from
Knüppel *m* **1.** (heavy) stick, club, (*Polizei≈*) truncheon, *bes Am* club: *fig* ***j-m e-n ~ zwischen die Beine werfen*** put a spoke in s.o.'s wheels **2.** (*Steuer≈*, *Schalt≈*) stick **~damm** *m* log road, *Am* corduroy road **≈dick** *Adv* ***es kommt immer gleich ~!*** it never rains but pours!
knüppeln *v/t* beat, club
Knüppelschaltung *f* MOT ***mit ~*** with floor-mounted gear change
knurren *v/i* **1.** (*a. v/t*) growl, snarl **2.** *fig* (*murren*) grumble (***über*** *Akk* at) **3.** *Magen*: rumble: ***mir knurrt der Magen*** I'm famished
knurrig *Adj* F *fig* grumpy
knusp(e)rig *Adj Brötchen etc*: crisp
Knute *f* knout: *fig* ***unter j-s ~ stehen*** be under s.o.'s thumb
knutschen *v/i* F neck, smooch, snog
Knutschfleck *m* F love bite
k. o. *Adj präd Boxen*: knocked out: ***j-n ~ schlagen*** knock s.o. out; F *fig* ***ich bin ~*** I'm all in **K. o.** *m Boxen*: knockout
Koala(bär) *m* koala bear
Koalition *f* POL coalition
Kobalt *m* MIN cobalt **~blau** *n* cobalt blue **~bombe** *f* cobalt bomb
Kobold *m* (hob)goblin, (*a. Kind*) imp
Koch *m* cook: ***viele Köche verderben den Brei*** too many cooks spoil the broth **~banane** *f Baum u. Frucht*: plantain **~buch** *n* cookery book, *bes Am* cookbook **≈echt** *Adj Farbe*: (boil)fast
kochen I *v/t* **1.** cook, (*Wasser, Eier, Wäsche etc*) boil, (*Kaffee, Tee*) make **II** *v/i* **2.** cook, do the cooking: ***sie kocht gut*** she is a good cook **3.** *Speise*: be cooking, *Wasser*: be boiling: ***~d heiß*** boiling hot, scalding; ***leicht ~, auf kleiner Flamme ~*** simmer; *fig* ***er kochte innerlich*** (*od* ***vor Wut***) he was seething with rage **III ≈** *n* **4.** cooking: ***zum ≈ bringen*** **a)** ***etw*** bring s.th. to the boil, **b)** *fig* ***j-n*** make s.o.'s blood boil
Kocher *m* cooker
Köcher *m* quiver
kochfertig *Adj* ready-to-cook, instant
Koch|gelegenheit *f* cooking facilities *Pl* **~geschirr** *n* MIL mess tin (*Am* kit)
Köchin *f* cook
Koch|kunst *f* cookery, cuisine, culinary art **~kurs(us)** *m* cookery course **~löffel** *m* wooden spoon **~nische** *f* kitchenette

~platte *f* hot plate **~rezept** *n* (cooking) recipe
Kochsalz *n* **1.** table salt **2.** CHEM sodium chloride **≈arm** *Adj* low-salt **~lösung** *f* MED saline (solution)
Kochtopf *m* cooking pot, saucepan
Kochwäsche *f* boil wash
Kode *m* code
kodieren *v/t* code
Kodierung *f* coding
Köder *m*, **ködern** *v/t a. fig* bait: ***er lässt sich mit Geld nicht ködern*** he is not tempted by money
Koeffizient *m* MATHE coefficient
Koexistenz *f* coexistence
Koffein *n* caffeine
koffeinfrei *Adj* decaffeinated
Koffer *m* bag, case, (*Hand≈*) suitcase, (*Schrank≈*) trunk: ***die ~*** *Pl* luggage *Sg*, *bes Am* baggage *Sg*; ***~ packen*** pack one's bags; F *fig* ***die ~ packen*** leave; ***aus dem ~ leben*** live out of a suitcase
Koffer|anhänger *m* luggage tag **~kuli** *m* (luggage) trolley, *Am* cart **~radio** *n* portable **~raum** *m* MOT boot, *Am* trunk: ***viel ~ haben*** have much luggage space

Kognak *m* cognac, brandy
Kohl *m* **1.** BOT cabbage **2.** F *fig* (***red k-n ~*** don't talk) rubbish
Kohldampf *m* F ***~ haben*** be starving
Kohle *f* **1.** coal, (*Holz≈*) charcoal (*a.* MALEREI): ***ausgeglühte ~*** cinders *Pl*; ***glühende ~*** ember; ***ich saß*** (***wie***) ***auf*** (***glühenden***) ***~n*** I was on tenterhooks **2.** F *fig* (*Geld*) lolly, *Am* bread: ***Hauptsache, die ~ stimmt!*** it's all right as long as the money is right!
kohlehaltig *Adj* carboniferous
Kohlehydrat *n* carbohydrate
Kohlekraftwerk *n* coal power plant
Kohlen|bergbau *m* coal mining **~bergwerk** *n* coal mine **~dioxid** *n* CHEM carbon dioxide **~monoxid** *n* CHEM carbon monoxide **~revier** *n* coalfield **~säure** *f* CHEM carbonic acid **~staub** *m* coal dust **~stoff** *m* CHEM carbon **~wasserstoff** *m* CHEM hydrocarbon
Kohle|papier *n* carbon (paper) **~stift** *m* charcoal **~tablette** *f* charcoal tablet **~vorkommen** *n* coal deposit(s *Pl*) **~zeichnung** *f* charcoal (drawing)
Kohlkopf *m* BOT cabbage
Kohlmeise *f* ZOOL great titmouse
kohlrabenschwarz *Adj* coal-black
Kohlrabi *m* BOT kohlrabi
Kohlrübe *f* BOT swede
Kohlsprossen *Pl österr.* Brussels sprouts *Pl*
Kohlweißling *m* ZOOL cabbage butterfly
Koitus *m* coitus, coition
Koje *f* SCHIFF berth, bunk
Kokain *n* cocaine
kokett *Adj* coquettish **Koketterie** *f* coquetry **kokettieren** *v/i a. fig* flirt
Kokolores *m* F rubbish
Kokon *m* cocoon
Kokos|faser *f* coconut fibre (*Am* fiber), coir **~fett** *n* coconut fat **~milch** *f* coconut milk **~nuss** *f* coconut **~palme** *f* coconut palm
Koks[1] *m* **1.** TECH coke **2.** → ***Kohle*** 2
Koks[2] *m sl* (*Kokain*) coke
koksen *v/i sl* take coke
Kolben *m* **1.** (*Motor≈*) piston, (*Pumpen≈*, *a.* MED *e-r Spritze*) plunger **2.** CHEM flask **3.** (*Gewehr≈*) butt **4.** BOT spike **5.** F (*Nase*) conk **~fresser** *m* MOT F jamming of the piston **~hub** *m* piston stroke **~ring** *m* piston ring **~stange** *f* piston rod
Kolchos *m*, **Kolchose** *f* kolkhoz, collective farm
Kolibakterie *f* MED colibacillus
Kolibri *m* ZOOL hummingbird
Kolik *f* MED colic
Kollaborateur(in) POL collaborator
Kollaps *m* MED (*a.* ***e-n ~ erleiden***) collapse
Kolleg *n* **1.** UNI **a)** (single) lecture, **b)** course of lectures: ***ein ~ halten über*** (*Akk*) lecture on **2.** → ***Kollegstufe***
Kollege *m* colleague, (*Arbeits≈*) workmate **kollegial** *Adj* cooperative, helpful: *Adv* ***sich ~ verhalten*** be loyal (***gegenüber*** to[wards]) **Kollegin** *f* → ***Kollege*** **Kollegium** *n* PÄD (teaching) staff, *Am a.* faculty
Kolleg|mappe *f* (underarm) briefcase **~stufe** *f* PÄD *etwa* sixth-form college
Kollekte *f* REL collection
Kollektion *f* collection, WIRTSCH (*Waren≈*) *a.* range, (*Muster≈*) samples *Pl*, (*Auswahl*) selection **kollektiv** *Adj*, **Kollektiv** *n* collective **kollektivieren** *v/t* collectivize **Kollektivschuld** *f* collective guilt **Kollektivum** *n* LING collec-

tive (noun) **Kollektivwirtschaft** *f* collective economy
Kollektor *m* ELEK commutator, (*a. Sonnen*≈) collector
Koller *m* F (***e-n ~ kriegen*** fly into a) tantrum
kollidieren *v/i* collide, *fig Interessen etc*: *a.* clash
Kollier *n* necklace
Kollision *f* collision, *fig a.* clash, conflict **Kollisionskurs** *m a. fig* (***auf ~*** on a) collision course
Kolloquium *n* colloquium
Köln *n* Cologne
Kölner I *m* inhabitant of Cologne **II** *Adj* (of) Cologne: ***der ~ Dom*** Cologne Cathedral **Kölnerin** *f* → ***Kölner*** I
Kölnischwasser *n* eau-de-Cologne
kolonial *Adj*, **Kolonial...** colonial
Kolonialismus *m* colonialism
Kolonialmacht *f* colonial power
Kolonialreich *n* colonial empire
Kolonie *f* colony **Kolonisation** *f* colonization **kolonisieren** *v/t* colonize **Kolonist(in)** colonist, settler
Kolonnade *f* ARCHI colonnade
Kolonne *f allg* column (*a.* MATHE, BUCHDRUCK), (*Fahrzeug*≈) *a.* line, MIL convoy: ***~ fahren*** drive in line (MIL convoy); *fig* POL ***die fünfte ~*** the Fifth Column **Kolonnenspringer(in)** MOT F queue jumper
Kolophonium *n* colophony, rosin
Koloratur *f* coloratura
kolorieren *v/t* colo(u)r **Kolorit** *n* **1.** MUS colo(u)r **2.** MALEREI colo(u)ring **3.** *fig* (*Lokal*≈) (local) colo(u)r, atmosphere
Koloss *m* colossus, *fig a.* giant
kolossal I *Adj* colossal, huge, F *fig a.* enormous **II** *Adv* F *fig* enormously: ***~ viel*** an enormous amount (of)
Kolportage *f* **1.** sensationalism **2.** → **Kolportageliteratur** *f* trashy (*od* sensational) literature
kolportieren *v/t* spread
Kolumbien *n* Colombia
Kolumne *f* column **Kolumnentitel** *m* BUCHDRUCK (***lebender ~*** running) head(line)
Kolumnist(in) columnist
Koma *n* MED coma: ***im ~ liegen*** be in a coma
Kombi *m* → ***Kombiwagen***
Kombikarte *f* combi-ticket
Kombinat *n* WIRTSCH *hist* collective combine
Kombination *f* **1.** *allg* combination (*a. Schach, e-s Schlosses etc*), *Fußball etc*: (combined) move **2.** *fig* (*Schlussfolgerung*) deduction, (*Vermutung*) conjecture **3.** *Mode*: set, ensemble, (*Montur*) overalls *Pl*, (*Flieger*≈) flying suit **4.** SPORT ***alpine ~*** alpine combined; → ***nordisch***
Kombinationsgabe *f* power(s *Pl*) of deduction **Kombinationsschloss** *n* combination lock
kombinieren I *v/t* **1.** (***mit*** with) combine, (*Kleidungsstücke*) *a.* wear together **II** *v/i* **2.** SPORT combine: ***gut ~*** show excellent teamwork **3.** *fig* (*folgern*) deduct, (*vermuten*) conjecture
Kombiwagen *m* estate car, *bes Am* station wagon
Kombüse *f* SCHIFF galley
Komet *m* ASTR comet **kometenhaft** *Adj fig* comet-like, meteoric
Komfort *m* (*Bequemlichkeit*) comfort, (*Luxus*) luxury, (*Ausstattungs*≈) conveniences *Pl*: ***mit allem ~*** with all modern conveniences (*Gerät etc*: extras)
komfortabel *Adj* (*bequem*) comfortable, (*mit Komfort*) luxurious
Komfort|telefon *n* (added) feature telephone **~wohnung** *f* luxury flat
Komik *f the* comic, (*komische Wirkung*) comic effect (*od* touch): ***e-r gewissen ~ nicht entbehren*** have a comic side
Komiker *m* comedian (*a.* F *fig*), comic actor **Komikerin** *f* comedienne, comic actress **komisch** *Adj* **1.** comic(al), funny: ***~e Oper*** comic opera; ***was ist daran so ~?*** what's so funny about it? **2.** F *fig* funny, queer: ***ich habe so ein ~es Gefühl*** I feel funny; ***das kam mir sehr ~ vor*** I found that very strange; ***das ≈e daran ist ...*** the funny thing about it is ...; ***~, dass ...*** (it's) funny that ...
komischerweise *Adv* funnily enough
Komitee *n* committee
Komma *n* comma, *im Dezimalbruch*: (decimal) point: ***vier ~ fünf*** (4,5) four point five; ***null ~ drei*** point three
Kommandant(in) commander **Kommandantur** *f* (garrison, *Am* post) headquarters *Pl* **Kommandeur(in)** commanding officer **kommandieren**

K

I *v/t* **1.** command (*a.* F *fig*), be in command of: ***j-n ~ zu*** detach (*einteilen*: detail) s.o. to **II** *v/i* **2.** (be in) command: ***~der General*** commanding general **3.** F *fig* give the orders

Kommanditgesellschaft *f* WIRTSCH limited partnership

Kommanditist(in) WIRTSCH limited partner

Kommando *n allg* command, (*Befehl*) *a.* order, (*~truppe*) commando (unit), (*Abteilung*) detachment: (***wie***) ***auf ~*** (as if) by command **~brücke** *f* SCHIFF (navigating) bridge **~kapsel** *f Raumfahrt*: command module **~raum** *m* control room **~turm** *m* (conning *od* control) tower **~zentrale** *f* control cent/re (*Am* -er)

kommen I *v/i* **1.** *allg* come (*a.* F *e-n Orgasmus haben*), (*heran~*) *a.* approach, (*gelangen*) get (***bis*** to), (*an~*) arrive: ***angelaufen ~*** come running; ***j-n ~ sehen*** see s.o. coming (*od* come); *fig* ***ich habe es ~ sehen*** I saw it coming; ***~ lassen*** **a)** (*j-n*) send for, call, **b)** (*etw*) order; ***zu spät ~*** be (*od* come) late; ***weit ~*** *a. fig* get far; ***wie weit bist du gekommen?*** how far did you get? (→ 10); ***er wird bald ~*** he won't be long; ***wann kommt der nächste Bus?*** when is the next bus due (to arrive)?; ***zur Schule ~*** start school; ***komme, was wolle*** come what may; *fig* ***mir kam der Gedanke*** the idea entered my mind; ***ihr kamen die Tränen*** her eyes filled with tears; ***später kamen mir Zweifel*** afterwards I started to have doubts; (***na,***) ***komm schon!*** come on!; ***ich komme*** (***schon***)***!*** (I'm) coming!; F ***~ Sie mir nicht so!*** don't (you) try that on me!; → ***Gefängnis*** 1 **2.** *fig* ***~ auf*** (*Akk*) **a)** (*herausfinden*) hit on, **b)** (*sich erinnern*) think of, **c)** (*sich belaufen*) amount to, come to; ***ich komme nicht darauf!*** I just can't think of it!; ***darauf komme ich gleich*** (***zu sprechen***)***!*** I'll be coming to that!; ***wie kommst du darauf?*** what makes you think (*od* say) that?; ***auf jeden von uns ~ zwei Äpfel*** each of us will get two apples; ***er kommt auf 3000 Euro im Monat*** he makes 3,000 euros a month; → ***Schliche, Sprache*** 2 *etc* **3.** *fig* ***hinter*** *etw* ***~*** find out **4.** F *fig* ***er kommt nach s-r Mutter*** he takes after his mother **5.** *fig* ***was ist über dich gekommen?*** what has come over (*od* got into) you? **6.** ***um*** *etw* ***~*** lose, (*verpassen*) miss **7.** ***~ von*** come from, *fig a.* be due to **8.** *fig* ***~ zu*** come by, get; ***zu Geld ~*** come into money; (***wieder***) ***zu sich ~*** come round (*od* to), *weit. S.* recover; ***ich bin nicht dazu gekommen, den Brief zu schreiben*** I didn't get round to writing the letter; ***wie ~ Sie dazu?*** how dare you? **II** *v/unpers* **9.** ***es kommt j-d*** s.o. is coming **10.** (*geschehen*) happen, come (about): ***so musste es ja ~!*** it was bound to happen that way!; ***wie kommt es, dass ...?*** why is it that ...?, F how come ...?; ***daher kommt es, dass ...*** that's why ...; ***es kam zum Krieg*** there was a war; ***es ist so weit gekommen, dass ...*** things have got to a stage where ... **III** ♀ *n* **11.** coming, (*Ankunft*) arrival: *fig* ***... sind wieder im*** ♀ ... are coming (*od* on the way in) again

kommend *Adj* coming, (*zukünftig*) *a.* future: ***~e Woche*** next week; ***in den ~en Jahren*** in the years to come; ***die ~e Generation*** the rising generation; ***er ist der ~e Mann*** he is the coming man

Kommentar *m* (***zu*** on) commentary, (*Stellungnahme*) comment: ***kein ~!, ~ überflüssig!*** no comment!

kommentarlos *Adv* without comment

Kommentator(in) commentator

kommentieren *v/t* comment on

kommerzialisieren *v/t* commercialize

kommerziell *Adj* commercial

Kommilitone *m*, **Kommilitonin** *f* fellow student

Kommiss *m* F (***beim ~*** in the) army

Kommissar(in) 1. commissioner **2.** → ***Kriminalkommissar*** **3.** POL *hist* (*Sowjet*♀) commissar **kommissarisch** *Adj* **1.** (*vorübergehend*) temporary **2.** (*stellvertretend*) deputy

Kommission *f* commission (*a.* WIRTSCH), committee: WIRTSCH ***in ~*** on commission

Kommissionär(in) WIRTSCH commission agent

Kommissionsbuchhändler(in) wholesale bookseller **Kommissionsgeschäft** *n* commission business

Kommode *f* chest of drawers
kommunal *Adj* local, municipal
Kommunal|abgaben *Pl* local rates (*Am* taxes) *Pl* **~beamte** *m*, **~beamtin** *f* municipal officer **~politik** *f* local politics *Pl* (*a. Sg konstr*) **~verwaltung** *f* local government **~wahlen** *Pl* local elections *Pl*
Kommune *f* **1.** community **2.** (*Wohngemeinschaft*) commune
Kommunikation *f* communication
Kommunikations|mittel *n* means of communication, *Pl a.* (mass) media *Pl* **~schwierigkeiten** *Pl* lack *Sg* of communication **~system** *n* communications system **~technik** *f* communications technology **~wissenschaft** *f* communication science
kommunikativ *Adj* communicative
Kommunikee *n* → ***Kommuniqué***
Kommunion *f* (Holy) Communion
Kommuniqué *n* communiqué
Kommunismus *m* communism
Kommunist(in) communist
kommunistisch *Adj* communist
kommunizieren *v/i allg* communicate
Komödiant *m* comedian, *fig pej* play-actor **Komödiantin** *f* comedienne **Komödie** *f* comedy, *fig* farce
Kompagnon *m* WIRTSCH partner
kompakt *Adj allg* compact
Kompanie *f* MIL company
Komparativ *m* comparative (degree)
Komparse *m*, **Komparsin** *f* FILM *etc* extra, bit player
Kompass *m* (***nach dem ~*** by) compass **~haus** *n* SCHIFF binnacle **~nadel** *f* compass needle **~rose** *f* compass card
kompatibel *Adj allg* compatible
Kompensation *f allg* compensation **Kompensationsgeschäft** *n* barter transaction
kompensieren *v/t allg* compensate (for) (*a.* PSYCH)
kompetent *Adj allg* competent, (*zuständig*) *a.* responsible (*beide*: ***für*** for), (*befugt*) *a.* authorized
Kompetenz *f* competence, (*Zuständigkeit*) *a.* responsibility, (*Befugnis*) *a.* authority: ***s-e ~en überschreiten*** exceed one's authority **~bereich** *m* sphere of authority **~streit** *m*, **~streitigkeit** *f mst Pl* demarcation dispute
kompilieren *v/t* compile
Komplementärfarbe *f* complementary colo(u)r
komplett *Adj* complete
komplex *Adj* complex **Komplex** *m allg* complex: PSYCH ***e-n ~ haben*** have a complex (F hangup) (***wegen*** about)
Komplikation *f allg* complication
Kompliment *n* (***j-m ein ~ machen*** pay s.o. a) compliment; ***~!*** congratulations!
Komplize *m*, **Komplizin** *f* accomplice
komplizieren *v/t* complicate
kompliziert *Adj* complicated, complex (*character etc*), intricate (*problem etc*): MED ***~er Bruch*** compound fracture
Komplott *n* (*a.* ***ein ~ schmieden***) plot (***gegen*** against)
Komponente *f* component
komponieren *v/t u. v/i a. fig* compose
Komponist(in) composer
Komposition *f a. fig* composition
Kompositum *n* compound (word)
Kompost *m*, **kompostieren** *v/t* compost
Kompott *n* GASTR stewed fruit
Kompresse *f* MED compress
Kompression *f* (*Daten*~) compression
Kompressor *m* TECH compressor, MOT supercharger
komprimieren *v/t* (*a. Daten*) compress, *fig* condense
Kompromiss *m* compromise: ***e-n ~ schließen*** (make a) compromise (***über*** *Akk* on) **Kompromissbereitschaft** *f* willingness to compromise
kompromisslos *Adj* uncompromising
Kompromisslösung *f* compromise solution **Kompromissvorschlag** *m* ***e-n ~ machen*** suggest a compromise
kompromittieren *v/t* compromise (***sich*** o.s.)
Kondensat *n* condensate **Kondensation** *f* condensation **Kondensator** *m* **1.** TECH condenser **2.** ELEK capacitor
kondensieren *v/t u. v/i* condense
Kondens|milch *f* evaporated milk **~streifen** *m* FLUG condensation trails *Pl* **~wasser** *n* condensation water
Kondition *f allg* condition (WIRTSCH *mst Pl*), SPORT *a.* trim, shape: ***e-e ausgezeichnete ~ haben*** be very fit
Konditional *n* LING conditional (mood) **~satz** *m* conditional clause
Konditions|schwäche *f* SPORT lack of stamina, poor shape **~stark** *Adj* very fit **~training** *n* SPORT fitness training

Konditor(in) pastry cook
Konditorei *f* cake shop, *weit. S.* café
Kondolenz(...) → ***Beileid(s...)***
kondolieren *v/i* ***j-m ~*** condole with s.o. (***zu*** on)
Kondom *n*, *m* condom, *Am a.* prophylactic
Konfekt *n* sweets *Pl*, *bes Am* (soft) candy, (*Pralinen*) chocolates *Pl*
Konfektion *f* (manufacture of) ready-to-wear clothes *Pl*
Konfektions... ready-to-wear (*clothes*, *suit*, *etc*) **~größe** *f* size
Konferenz *f* conference, meeting **~dolmetscher(in)** conference interpreter
Konferenzschaltung *f* RADIO, TV *etc* conference system **Konferenzteilnehmer(in)** conference member
konferieren *v/i* confer (***über*** *Akk* on)
Konfession *f* (***welcher ~ gehören Sie an?*** what is your) denomination(?)
konfessionell *Adj* denominational
konfessionslos *Adj* nondenominational **Konfessionsschule** *f* denominational school
Konfetti *n* confetti
Konfiguration *f* COMPUTER configuration
Konfirmand(in) confirmand
Konfirmation *f* confirmation
konfirmieren *v/t* confirm
konfiszieren *v/t* confiscate, seize
Konfitüre *f* jam
Konflikt *m* (***in ~ geraten*** come into) conflict (***mit*** with)
konfliktscheu *Adj*: ***sie ist ~*** she doesn't like confrontation
Konfliktstoff *m* matter for conflict
konform *Adj* conforming, MATHE conformal: ***mit j-m ~ gehen*** agree with s.o. (***in*** *Dat* about) **Konformismus** *m* conformism **Konformist(in)**, **konformistisch** *Adj* conformist
Konfrontation *f* confrontation
konfrontieren *v/t* ***j-n ~*** confront s.o. (***mit*** with)
konfus *Adj* confused, *Person*: *a.* muddleheaded **Konfusion** *f* confusion
Konglomerat *n a. fig* conglomerate
Kongress *m* congress, convention: POL *Am* ***der ~*** Congress **~mitglied** *n* POL *Am* Congressman (-woman) **~teilnehmer(in)** congress member
kongruent *Adj* MATHE *u. fig* congruent
Kongruenz *f* MATHE congruence
Konifere *f* BOT conifer
König *m allg* king
Königin *f a.* ZOOL queen **~mutter** *f* queen mother **~pastete** *f* vol-au-vent **~witwe** *f* queen dowager
königlich *Adj* royal, *Macht*, *Insignien etc*: *a.* regal, *fig a.* kingly: *Adv* ***sich ~ amüsieren*** have great fun
Königreich *n* kingdom, *rhet* realm
Königs|haus *n* royal house (*od* dynasty) **~krone** *f* royal crown **~sohn** *m* king's son, prince **~tiger** *m* ZOOL Bengal tiger **~tochter** *f* king's daughter, princess **~würde** *f* royal dignity
konisch *Adj* conic(al)
Konjugation *f* conjugation
konjugieren *v/t* conjugate
Konjunktion *f* LING conjunction
Konjunktiv *m* LING subjunctive (mood) **~satz** *m* subjunctive clause
Konjunktur *f* WIRTSCH business cycle, (*Hoch*2) boom, (*Tendenz*, *Lage*) economic trend (*od* situation) **~abschwächung** *f* downward trend, downswing **~aufschwung** *m* upswing **~barometer** *n* business barometer **2bedingt** *Adj* cyclic(al) **~bericht** *m* economic report **2dämpfend** *Adj* countercyclical
konjunkturell *Adj* cyclic(al), economic
Konjunktur|politik *f* trade-cycle policy **~schwankungen** *Pl* cyclical fluctuations *Pl* **~spritze** *f* F shot in the arm **~verlauf** *m* economic trend
konkav *Adj* concave
Konkordat *n* concordat
konkret *Adj allg* concrete, (*genau*) *a.* specific, precise: ***du musst dich etw ~er ausdrücken*** you must be more explicit
konkretisieren I *v/t* put *s.th.* in concrete form (*od* terms) **II** *v/refl* ***sich ~*** take shape, *Idee*: gel
Konkubine *f* concubine
Konkurrent(in) competitor, (WIRTSCH *a.* business) rival
Konkurrenz *f* **1.** competition, rivalry: ***j-m ~ machen*** enter into competition (*od* compete) with s.o. **2.** WIRTSCH competitor(s *Pl*), rival(s *Pl*), *Koll a.* competition: ***die ~ ausschalten*** eliminate one's competitors **3.** (*Wettbewerb*) competition, contest, SPORT *a.* event: ***außer ~*** hors concours **~erzeugnis** *n*

rival product **2fähig** *Adj* competitive, able to compete **~fähigkeit** *f* competitiveness **~firma** *f*, **~geschäft** *n* rival firm **~kampf** *m* (***mörderischer ~*** cut-throat) competition **~klausel** *f* restraint clause

konkurrenzlos *Adj* unrival(l)ed

konkurrieren *v/i* compete (**um** for)

Konkurs *m* bankruptcy: ***in ~ gehen, ~ machen*** go bankrupt **~antrag** *m* petition in bankruptcy **~erklärung** *f* declaration of insolvency **~masse** *f* bankrupt's estate **~verfahren** *n* (***das ~ eröffnen*** institute) bankruptcy proceedings *Pl* **~verwalter(in)** trustee in bankruptcy, *gerichtlich*: (official) receiver

können *v/hilf, v/i, v/t* **1.** (*vermögen*) be able to: ***kannst du es?*** can you do it?; ***er hätte es tun ~*** he could have done it; ***ich habe nicht arbeiten ~*** I was unable to work; ***ich kann nicht mehr!*** I can't go on!, F I've had it!, *seelisch*: I can't take any more!, (*essen*) I can't manage (*od* eat) any more!; F ***da kann man nichts machen!*** there's nothing to be done!; ***du kannst mich mal!*** go to hell! **2.** (*beherrschen*) know: ***~ Sie tanzen?*** do you (know how to) dance?, can you dance?; ***sie kann kein Spanisch*** she doesn't know (*od* speak) Spanish; F ***er kann etwas*** he is a capable fellow, he knows his stuff; ***er kann*** (***gar***) ***nichts!*** he's absolutely incapable! **3.** (*dürfen*) be allowed to: ***kann ich jetzt gehen?*** can I go now?; ***Sie ~*** (***es***) ***mir glauben!*** (you may) believe me!; F ***das kann doch nicht wahr sein!*** but that's impossible! **4.** ***es kann sein, dass er noch kommt*** he may (*od* might) come yet; ***ich kann mich irren*** I may be mistaken; ***wann könnte das gewesen sein?*** when might that have been?; ***du könntest Recht haben*** you may (*od* could) be right; F ***kann sein!*** maybe! **5.** ***ich kann nichts für …*** I'm not responsible (*od* to blame) for …; ***ich konnte doch nichts dafür!*** it wasn't my fault! **6.** F ***mit j-m*** (***gut***) ***~*** get on with s.o. (like a house on fire) **Können** *n* skill, ability

Könner(in) expert, *bes* SPORT ace

Konnossement *n* WIRTSCH bill of lading

Konsekutivsatz *m* consecutive clause

Konsens *m* consensus, (*Einwilligung*) consent

konsequent *Adj* (*folgerichtig*) consistent, logical, (*unbeirrbar*) firm, resolute, (*kompromisslos*) uncompromising: ***~ bleiben*** remain firm; *Adv* ***~ verfolgen*** pursue resolutely **Konsequenz** *f* **1.** consequence: ***die ~en tragen*** bear the consequences; ***die ~en ziehen*** draw the conclusions (***aus*** from), *weit. S.* act accordingly **2.** (*Beharrlichkeit*) consistency: ***mit eiserner ~*** resolutely

konservativ *Adj*, **Konservative** *m, f* conservative, POL *Br a.* Tory

Konservatorium *n* conservatory

Konserve *f* **1.** preserve(d food), (*Dose*) tin, can: ***~n*** *Pl* tinned (*od* canned) food *Sg*; ***von ~n leben*** live out of tins (*od* cans); F *fig* ***Musik aus der ~*** canned music **2.** → ***Blutkonserve***

Konserven|büchse *f*, **~dose** *f* tin, can **~fabrik** *f* canning factory, cannery

konservieren *v/t allg* preserve

Konservierung *f* preservation

Konservierungsmittel *n* preservative

Konsistenz *f* consistency

Konsole *f allg* console

konsolidieren *v/t u. v/refl* ***sich ~*** consolidate

Konsonant *m* consonant

konsonantisch *Adj* consonant(al)

Konsortium *n* WIRTSCH syndicate

Konspiration *f* conspiracy, plot

konspirativ *Adj* conspiratorial

konspirieren *v/i* conspire, plot

konstant *Adj allg* constant: *Adv* ***sich ~ weigern*** refuse obstinately

Konstante *f a. fig* constant

konstatieren → ***feststellen*** 1-3

Konstellation *f* constellation

konsterniert *Adj* completely taken aback, dismayed

konstituieren *v/t* constitute: PARL ***sich ~ als …*** resolve itself into …; ***~de Versammlung*** constituent assembly

Konstitution *f allg* constitution

konstitutionell *Adj allg* constitutional

konstruieren *v/t* construct (*a.* LING, MATHE), TECH *a.* design, build, *fig pej* fabricate

Konstrukteur(in) design engineer

Konstruktion *f* construction (*a.* LING, MATHE), (*Entwurf, Bauart*) design, (*Bau*) structure **Konstruktionsfehler**

m constructional fault, faulty design
konstruktiv *Adj* **1.** *bes fig* constructive **2.** TECH constructional, structural, design
Konsul(in) consul **Konsular...** consular
Konsulat *n* consulate
Konsultation *f* consultation
konsultieren *v/t* consult
Konsum[1] *m* cooperative (store), F co-op
Konsum[2] *m a. fig* consumption
Konsument(in) *a. fig* consumer
Konsum|gesellschaft *f* consumer society **~güter** *Pl* consumer goods *Pl*
konsumieren *v/t a. fig* consume
Kontakt *m allg* contact: *fig* ***mit j-m in ~ stehen*** be in contact (*od* touch) with s.o.; ***mit j-m ~ aufnehmen*** get in touch with s.o., contact s.o. **~abzug** *m* FOTO contact print **≗arm** *Adj* unsociable: ***er ist ~*** *a.* F he is a bad mixer **~frau** *f* contact **≗freudig** *Adj* sociable: ***er ist ~*** *a.* F he is a good mixer **~gift** *n* contact poison **~linse** *f* OPT contact lens **~mann** *m* contact **~person** *f bes* MED contact **~schalter** *m* touch sensitive switch

Kontamination *f* contamination
kontaminieren *v/t* contaminate
Kontensparen *n* saving through accounts
Konter *m* SPORT counter-attack
konterkarieren *v/t* thwart
kontern *v/i u. v/t a. fig* counter
Konterrevolution *f* counterrevolution
Kontext *m* (***aus dem ~ gerissen*** quoted out of) context
Kontinent *m* continent: ***der*** (***europäische***) **~** the Continent
kontinental *Adj* continental
Kontingent *n* contingent (*a.* MIL), WIRTSCH *a.* quota **kontingentieren** *v/t* fix a quota for, (*rationieren*) ration
kontinuierlich *Adj* continuous
Kontinuität *f* continuity
Konto *n* account: ***ein ~ haben bei*** have (*od* keep) an account with (*od* at); F *fig* ***das geht auf sein ~*** that's his doing, (*ist s-e Schuld*) *a.* he is to blame for it **~auszug** *m* bank statement **~auszugsdrucker** *m* bank statement printer **~buch** *n* account book, *des Kunden*: passbook
Kontoinhaber(in) account holder
Kontokorrent *n* current account
Kontonummer *f* account number
Kontorist(in) (office) clerk
Kontostand *m* balance (of an account)
kontra I *Präp* contra, JUR *u. fig* versus **II** *Adv* ***~ sein*** be against **III** ≗ *n fig* objection: ***≗ geben*** *Kartenspiel*: double; F *fig* ***j-m ≗ geben*** hit back at s.o.; → ***Pro***
Kontrabass *m* MUS double bass
Kontrahent(in) JUR contracting party, *fig* opponent, *bes* SPORT rival
Kontraindikation *f* contraindication
Kontrakt *m* contract; → *a.* ***Vertrag***
Kontraktion *f allg* contraction
kontraproduktiv *Adj* counterproductive
Kontrapunkt *m* MUS counterpoint
konträr *Adj* contrary, opposite
Kontrast *m allg* contrast: ***e-n ~ bilden*** (***zu***) → ***kontrastieren*** **kontrastarm** *Adj* FOTO flat **kontrastieren** *v/i* **~** (***mit***) contrast (with), form a contrast (to)
Kontrast|mittel *n* MED radiopaque material **~regler** *m* contrast control **≗reich** *Adj* FOTO, TV contrasty
Kontrollabschnitt *m* stub
Kontrolle *f allg* (*a. Beherrschung*) control (***über*** *Akk* of), *von Gepäck, Geräten etc*: inspection, check, (*Überwachung*) supervision: ***unter*** (***außer***) **~** under (out of) control; ***unter ärztlicher ~*** under medical supervision; ***er verlor die ~ über s-n Wagen*** he lost control of his car; ***... steht unter ständiger ~*** a constant check is kept on ...
Kontrolleur(in) inspector, supervisor
Kontrollfunktion *f* controlling function
Kontrollgang *m* round
kontrollieren *v/t allg* (*a. beherrschen*) control, (*Gepäck, Geräte, Ausgaben etc*) check, (*überwachen*) supervise
Kontrolllampe *f* control light
Kontrollleuchte *f* pilot lamp
Kontroll|punkt *m* checkpoint **~turm** *m* FLUG control tower **~uhr** *f* telltale clock **~zentrum** *n* control cent/re (*Am* -er), mission control
kontrovers *Adj* controversial
Kontroverse *f* controversy, argument
Kontur *f* contour, outline
Konus *m* MATHE cone
Konvention *f* convention
Konventionalstrafe *f* penalty (for non-performance)
konventionell *Adj* conventional

Konvergenz *f* WIRTSCH convergence: ***Nachhaltigkeit der ~*** persistence of convergence
konvergieren *v/i* MATHE converge
Konversation *f* conversation **Konversationslexikon** *n* encyclop(a)edia
konvertierbar *Adj* convertible **konvertieren** *v/t u. v/i* (*a.* COMPUTER) convert (WIRTSCH ***in*** *Akk* into, REL ***zu*** to): ***er ist*** (*od* ***hat***) ***konvertiert*** *a.* he was converted
konvex *Adj* MATHE convex
Konvoi *m* (***im*** *od* ***unter ~*** in) convoy
Konzentrat *n* CHEM concentrate
Konzentration *f* concentration
Konzentrations|fähigkeit *f* power(s *Pl*) of concentration **~lager** *n* POL concentration camp **~schwäche** *f* lack of concentration
konzentrieren *v/t u. v/refl* ***sich ~*** *allg* concentrate (***auf*** *Akk* on) **konzentriert** *Adj* concentrated: ***in ~er Form*** *a.* in tabloid form; *Adv* ***~ arbeiten*** *etc a.* work *etc* with concentration
konzentrisch *Adj* concentric(ally *Adv*)
Konzept *n* rough draft (*od* copy), *für e-e Rede*: *a.* notes *Pl*, (*Plan*) plan(s *Pl*): *fig* ***j-n aus dem ~ bringen*** put s.o. off his stroke, F rattle s.o.; ***aus dem ~ kommen*** lose the thread; F ***j-m das ~ verderben*** thwart s.o.'s plans; ***das passt ihm nicht ins ~*** that doesn't suit him at all **Konzeption** *f* conception
Konzern *m* combine, group
Konzert *n* MUS **1.** concert, (*Solo*②) recital: ***ins ~ gehen*** go to a concert **2.** (*Stück*) concerto **~abend** *m* concert (evening)
Konzertflügel *m* concert grand
konzertiert *Adj* WIRTSCH, POL ***~e Aktion*** concerted action
Konzert|meister(in) leader, *Am* concertmaster **~saal** *m* concert hall
Konzession *f* **1.** (*Zugeständnis*) concession (***an*** *Akk* to) **2.** licen/ce (*Am* -se)
Konzessivsatz *m* concessive clause
Konzil *n* council
konziliant *Adj* conciliatory
konzipieren *v/t* (*entwickeln*) conceive, (*entwerfen*) draft: ***konzipiert für*** *a.* TECH designed for
Kooperation *f* cooperation
kooperativ *Adj* cooperative
kooperieren *v/i* cooperate
Koordinate *f* MATHE coordinate
koordinieren *v/t* coordinate
Kopf *m* **1.** *allg* head (*a.* BOT, MUS, TECH), (*Brief*② *etc*) *a.* letterhead, (*Pfeifen*②) bowl, (*Hut*②) crown, (*Oberteil*) top, (*Spreng*②) warhead: ***~ hoch!*** cheer up!, chin up!; ***~ an ~*** *Rennen, Wahl*: neck to neck; ***von ~ bis Fuß*** from head to foot, from top to toe; ***mit bloßem ~*** bare-headed; ***über j-s ~ hinweg*** *a. fig* over s.o.'s head; *fig* ***pro ~*** per person, a head, VERW per capita; ***sie ist nicht auf den ~ gefallen*** she is no fool; ***ich war wie vor den ~ geschlagen*** I was thunderstruck; ***den ~ hängen lassen*** *a. fig* hang one's head; F ***sein Geld auf den ~ hauen*** blow one's money; ***den ~ hinhalten*** take the blame (***für*** for); ***~ und Kragen riskieren*** risk one's neck; F *fig* ***~ stehen*** be in a flap; ***ich weiß nicht, wo mir der ~ steht*** I don't know whether I'm coming or going; ***j-m zu ~e steigen*** go to s.o.'s head; ***auf den ~ stellen*** turn *s.th.* upside down, ***Tatsachen*** stand facts on their heads; ***... steht auf dem ~*** ... is upside down; F ***und wenn du dich auf den ~ stellst!*** and if it kills you!; ***j-n vor den ~ stoßen*** offend s.o.; ***j-m über den ~ wachsen*** **a)** outgrow s.o., **b)** *fig* be too much for s.o.; ***j-m den ~ waschen*** **a)** wash s.o.'s hair, **b)** *a.* ***j-m den ~ zurechtrücken*** straighten s.o. out; ***sie will immer mit dem ~ durch die Wand*** she always wants to have her own way regardless; ***j-m etw auf den ~ zusagen*** tell s.o. straight out; → ***Nagel, schütteln*** **2.** *fig* (*Person, Geist*) *allg* head, (*Verstand*) *a.* mind, brains *Pl*, (*Führer*) *a.* leader, brain: ***er war der ~ des Unternehmens*** he was the head (*od* brain) of the enterprise; ***aus dem ~*** by heart; ***das will mir nicht aus dem ~*** I can't get it out of my mind; ***etw im ~ rechnen*** work s.th. out in one's head; F ***das hältst du ja im ~ nicht aus!*** it's incredible!; ***e-n kühlen*** (***klaren***) ***~ bewahren*** keep a cool (clear) head; ***sich etw durch den ~ gehen lassen*** think s.th. over; ***es muss nicht immer nach d-m ~ gehen!*** you can't always have things your own way!; ***ich habe die Zahlen nicht im ~*** I can't give you the figures off the cuff; ***er hat andere***

K

Dinge im ~ he has other things on his mind; ***er hat nur Fußball im ~*** he thinks of nothing but football; ***schlag dir das aus dem ~!*** forget it!; ***sich etw in den ~ setzen*** take s.th. into one's head; ***j-m den ~ verdrehen*** turn s.o.'s head; ***den ~ verlieren*** lose one's head; ***sich den ~ zerbrechen*** rack one's brains (***über*** acc over); → ***herumgehen*** 1, ***richtig*** 1

Kopf|bahnhof *m* terminal **~ball** *m* header **~bedeckung** *f* headgear, hat

Köpfchen *n* F *fig* ***~ haben*** have brains

köpfen *v/t* **1.** behead **2.** (*Ball*) head

Kopf|ende *n* head **~entscheidung** *f* reasoned decision **~haar** *n* hair (on the head) **~haut** *f* scalp **~hörer** *m* headphone, *Pl a.* headset **~kissen** *n* pillow

kopflastig *Adj* top-heavy

Kopflaus *f* head louse

kopflos *Adj* **1.** headless **2.** *fig* panicky: ***~ werden*** lose one's head, panic; *Adv* ***~ handeln*** act in panic

Kopf|nicken *n* nod **~putz** *m* headdress **~rechnen** *n* mental arithmetic **~salat** *m* lettuce **≗scheu** *Adj fig* ***~ werden*** become confused; ***j-n ~ machen*** confuse (*od* intimidate) s.o.

Kopfschmerz *m mst Pl* (***~en haben*** have a) headache

Kopfschuss *m* shot in the head

Kopfschütteln *n* ***mit e-m ~*** → **kopfschüttelnd** *Adv* with a shake of the head **Kopfsprung** *m* header **Kopfstand** *m* headstand

kopfstehen → ***Kopf*** 1

Kopf|steinpflaster *n* cobblestone pavement **~steuer** *f* poll tax **~stütze** *f* headrest **~tuch** *n* (head)scarf

kopfüber *Adv* head first, headlong

Kopfverletzung *f* head injury **Kopfweh** *n* → ***Kopfschmerz*** **Kopfzerbrechen** *n* ***j-m ~ machen*** puzzle s.o.

Kopie *f allg* copy, FOTO *a.* print, (*Zweitschrift*) *a.* duplicate

kopieren *v/t allg* copy (*a. fig*), *a.* TECH duplicate, FOTO *a.* print, *fig* (*nachahmen*) *a.* imitate

Kopierer *m* copier

Kopier|gerät *n* copier **~papier** *n* copying paper **~schutz** *m* copyright protection **~stift** *m* indelible pencil

Kopilot(in) copilot

Koppel *f* **1.** enclosure, (*Pferde≗*) paddock **2.** ***e-e ~*** *Hunde*: a leash, *Pferde*: a string

koppeln *v/t a. fig* (**an** *Akk* to) couple, link: ***Raumschiffe ~*** dock spaceships; *fig* ***etw ~ mit*** couple (*od* combine) s.th. with **Kopplung** *f* coupling (*a. fig*), *Raumfahrt*: docking

Koproduktion *f* coproduction

Koralle *f* coral **Korallenbank** *f* coral reef

Koran *m* Koran

Korb *m* **1.** *allg* basket (SPORT *a. Treffer*): ***ein ~ (voll) Äpfel*** a basketful of apples; → ***Hahn*** 1 **2.** F *fig* ***j-m e-n ~ geben*** turn s.o. down; ***e-n ~ bekommen*** be turned down **Korbball** *m* SPORT netball **Korbblütler** *m* BOT composite

Körbchen *n e-s Büstenhalters*: cup

Korb|macher(in) basketmaker **~möbel** *Pl* wicker furniture *Sg* **~sessel** *m* wicker chair **~sofa** *n* wicker settee **~stuhl** *m* wicker chair **~waren** *Pl* wickerwork *Sg*

Kord *m* corduroy

Kordel *f* cord **Kordelzug** *m* drawstring

Kordhose *f* cords *Pl*, corduroys *Pl*

Kordsamt *m* corduroy, cord velvet

Korea *n* Korea

Koreaner(in), **koreanisch** *Adj* Korean

Korfu *n* Corfu

Korinthe *f* currant

Kork *m* cork **Korkeiche** *f* BOT cork oak

Korken *m* cork **~zieher** *m* corkscrew

Korn[1] *n* **1.** (*Getreide*) grain, cereals *Pl*: → ***Flinte*** **2.** (*Getreide≗, Samen≗, Sand≗, a.* FOTO, TECH) grain

Korn[2] *n* MIL front sight: F *fig* ***aufs ~ nehmen*** attack, go for

Kornblume *f* cornflower

Körnchen *n* granule: *fig* ***ein ~ Wahrheit*** a grain of truth

Kornfeld *n* cornfield, *Am* grainfield

körnig *Adj* grainy, granular, *Reis*: (cooked) kernelly, *in Zssgn* …-grained

Kornkammer *f a. fig* granary

Körnung *f* granulation, grain

Koronar… MED coronary (*artery, vessel*)

Körper *m allg* body (*a. des Weines*), MATHE, PHYS *a.* solid, (*Schiffs≗*) hull: ***~ und Geist*** body and mind; ***am ganzen ~ zittern*** tremble all over **~bau** *m* build, physique **~behinderte** *m, f* physically disabled (*od* handicapped) person: ***die ~n*** *Pl a.* the handicapped **~behinderung** *f* physical handicap

Körperchen *n* corpuscle, particle

körpereigen *Adj* BIOL endogenous
Körper|geruch *m* body odo(u)r **~größe** *f* height **~haltung** *f* posture, bearing **~kontakt** *m* physical contact
körperlich *Adj allg* physical, bodily, (*stofflich*) corporeal (*a.* JUR): ***~e Arbeit*** manual work; *Adv* ***j-n ~ angreifen*** attack s.o. bodily; → ***Züchtigung***
Körperpflege *f* care of the body, (personal) hygiene **~mittel** *n* cosmetic
Körperschaft *f* corporation, (corporate) body: ***gesetzgebende ~*** legislative (body) **Körperschaftsteuer** *f* corporation tax
Körper|sprache *f* body language **~teil** *m* part (*Glied*: member) of the body **~verletzung** *f* (***schwere ~*** grievous) bodily harm **~wärme** *f* body heat
Korps *n* corps **~geist** *m* esprit de corps
korpulent *Adj* corpulent, stout
Korpus *n* corpus
korrekt *Adj* correct
Korrektheit *f* correctness
Korrektor(in) (proof)reader
Korrektur *f allg* correction, BUCHDRUCK *etc* (*~lesen*) proofreading: ***~ lesen*** proofread **~band** *n* correction tape **~bogen** *m*, **~fahne** *f* proof **~flüssigkeit** *f* correction fluid, *Am* whiteout **~speicher** *m* correction memory **~taste** *f* correction key **~zeichen** *n* proofreader's mark
Korrespondent(in) correspondent, WIRTSCH correspondence clerk
Korrespondenz *f* correspondence
korrespondieren *v/i* correspond
Korridor *m allg* corridor
korrigieren *v/t allg* correct, PÄD *a.* mark, (*ändern*) *a.* change, alter
korrodieren *v/t u. v/i* corrode **Korrosion** *f* corrosion **korrosionsbeständig** *Adj* corrosion-resistant **Korrosionsschutz** *m* corrosion prevention, *in Zssgn* anticorrosive (*agent*, *paint*, *etc*)
korrumpieren *v/t*, **korrupt** *Adj* corrupt
Korruption *f* corruption
Korse *m* Corsican
Korsett *n a. fig* corset
Korsika *n* Corsica
Korsin *f*, **korsisch** *Adj* Corsican
Kortison *n* cortisone
Koryphäe *f* (eminent) authority
koscher *Adj a.* F *fig* kosher
Kosename *m* pet name
Kosinus *m* MATHE cosine
Kosmetik *f* **1.** beauty culture **2.** *fig* cosmetic **Kosmetiker(in)** cosmetician, beautician
Kosmetik|industrie *f* cosmetics industry **~koffer** *m* vanity box (*od* case) **~salon** *m* beauty parlo(u)r (*Am a.* shop) **~tuch** *n* paper tissue
Kosmetikum *n mst Pl* cosmetic
kosmetisch *Adj* cosmetic(ally *Adv*)
kosmisch *Adj* cosmic(ally *Adv*)
Kosmonaut(in) cosmonaut
Kosmopolit(in), **kosmopolitisch** *Adj* cosmopolitan
Kosmos *m* cosmos
Kost *f* food, fare (*a. fig geistige ~*), diet, (*Küche*) cooking, (*Beköstigung*) board: ***fleischlose ~*** meatless diet; (***freie***) ***~ und Logis*** (free) board and lodging
kostbar *Adj* precious, valuable (*a. fig Zeit etc*), (*teuer*) *a.* expensive: *fig* ***jede Minute ist ~*** every minute counts
Kostbarkeit *f* **1.** preciousness, valuableness **2.** precious object, treasure, *Pl a.* valuables *Pl*
kosten[1] *v/t* (*v/i* ***~ von***) taste (*a. fig*), try
kosten[2] *v/t* cost, *fig* (*Zeit etc*) *a.* take: ***was kostet das?*** how much is that?; F ***er hat es sich etw ~ lassen*** he spent a lot of money on it; ***es hat mich viel Mühe gekostet*** it gave me a lot of trouble; ***es kostete ihn das Leben*** it cost him his life; ***koste es, was es wolle*** at all costs; F ***das kostet Nerven!*** that's hard on the nerves!
Kosten *Pl* cost(s *Pl*), (*Auslagen*) expenses *Pl*, (*~aufwand*) expenditure *Sg*: ***die ~ tragen*** bear (*od* meet) the cost(s); ***~ sparend*** cost-saving; *fig* ***auf ~ von*** (*od Gen*) at the expense of; ***auf m-e ~*** at my expense; ***k-e ~ scheuen*** spare no expense; *fig* ***auf s-e ~ kommen*** get one's money's worth **~anschlag** *m* estimate **~aufwand** *m* cost, expenditure: ***mit e-m ~ von …*** at a cost of … **~beteiligung** *f* cost sharing **2dämpfend** *Adj* cost-cutting **2deckend** *Adj* cost-covering **~explosion** *f* costs explosion **~faktor** *m* cost factor **~frage** *f* ***es ist e-e ~*** it is a question of cost (*od* of what it costs) **2günstig** *Adj* cost-effective **2intensiv** *Adj* cost-intensive
kostenlos *Adj u. Adv* free, gratis

K

Kosten-Nutzen-Analyse *f* cost-benefit analysis
kostenpflichtig *Adj* liable to pay the costs, (*abschleppen etc*) at the owner's expense
Kostenpunkt *m* F costs *Pl*: **~?** how much? **Kostenrechnung** *f* costing
kosten|senkend *Adj* cost-cutting **~sparend** *Adj* cost-saving
Kostensteigerung *f* cost increase
Kostgeld *n* board (allowance)
köstlich *Adj* delicious, exquisite, *fig* delightful: *Adv* ***sich ~ amüsieren*** have great fun **Köstlichkeit** *f* **1.** deliciousness **2.** GASTR titbit, delicacy
Kostprobe *f a. fig* sample, taste
kostspielig *Adj* expensive, costly
Kostüm *n* **1.** (woman's) suit **2.** costume (*a.* THEAT), dress **Kostümball** *m* fancy-dress ball **kostümieren** *v/t* dress *s.o.* up: ***sich ~*** dress up (***als*** as)
Kostümprobe *f* THEAT dress rehearsal
Kostümverleih *m* costume rental
Kot *m* excrement, f(a)eces *Pl*
Kotelett *n* GASTR chop, cutlet
Koteletten *Pl* sideboards *Pl*, *Am* sideburns *Pl*
Köter *m pej* cur
Kotflügel *m* mudguard, *Am* fender
kotzen *v/i* V throw up, *sl* puke: ***ich finde es*** (***ihn***) ***zum ♀!*** it (he) makes me sick!; ***das ist ja zum ♀!*** that's enough to make one puke!
Krabbe *f* ZOOL shrimp, *größere*: prawn
Krabbelalter *n* crawling stage
krabbeln I *v/i* crawl **II** *v/t* tickle
Krabbencocktail *m* prawn cocktail
Krach *m* **1.** crash, bang, (*Lärm*) (loud) noise, din, F row, racket: ***~ machen*** make a noise (*od* racket), be noisy **2.** F row, quarrel: ***mit j-m ~ haben*** have a row with s.o.; ***~ schlagen*** raise hell
krachen I *v/i* crash (*a. Donner*), *Eis, Schuss etc*: crack, *Dielen etc*: creak, *Tür etc*: slam, bang, (*bersten*) burst, explode: ***zu Boden ~*** crash to the ground (*od* floor); ***gegen e-n Baum ~*** crash into a tree **II** *v/refl* ***sich ~*** F (*streiten*) have a row, fight
krächzen *v/t u. v/i* croak
kraft *Präp* (*Gen*) JUR by virtue of
Kraft *f* **1.** *allg, a. fig* strength, (*a. Natur♀ u.* PHYS) force, (*Tat♀*) energy, ELEK, PHYS, TECH power (*a. fig Fähigkeit*): ***mit aller ~*** with all one's might; ***mit frischer*** (***letzter***) ***~*** with renewed (one's last ounce of) strength; SCHIFF ***volle ~ voraus*** full speed ahead; ***Kräfte sammeln*** build up one's strength; ***m-e Kräfte lassen nach*** my strength fails; ***das geht über m-e ~*** that's too much for me; ***ich bin am Ende m-r Kräfte*** I can't take any more; ***nach*** (***besten***) ***Kräften*** to the best of one's ability; ***~ schöpfen*** gain strength (***aus*** from); ***er tat, was in s-n Kräften stand*** he did everything within his power; → ***vereinen*** **2.** (*politische ~, Machtgruppe*) force: *fig* ***treibende ~*** driving force **3.** (*Rechts♀*) force: ***in ~ sein*** (***setzen, treten***) be in (put into, come into) force, be(come) effective; ***außer ~ setzen*** annul, invalidate, (*Gesetz*) repeal, (*Vertrag etc*) cancel, *zeitweilig*: suspend; ***außer ~ treten*** expire, lapse **4.** (*Arbeits♀*) worker, employee, *Pl a.* personnel, staff
Kraft|akt *m* stunt **~anstrengung** *f*, **~aufwand** *m* (strenuous) effort **~ausdruck** *m* swearword **~brühe** *f* beef tea
Kräfteverfall *m* loss of strength
Kräfteverschleiß *m* waste of energy
Kraftfahrer(in) driver, motorist
Kraftfahrzeug *n* motor vehicle **~brief** *m* (vehicle) registration document, *Br a.* logbook **~mechaniker(in)** motor mechanic **~schein** *m* (vehicle) registration document **~steuer** *f* motor-vehicle tax, *bes Br* road tax **~versicherung** *f* car insurance
Kraftfeld *n* PHYS field of force
Kraftfutter *n* LANDW concentrated feed
kräftig I *Adj* **1.** strong, robust, sturdy (*alle a.* TECH), (*kraftvoll*) powerful, *Schlag etc*: *a.* heavy, hard, *Händedruck*: firm: F ***er nahm e-n ~en Schluck*** he took a good swig; *fig* ***~e Farbe*** deep (*od* rich) colo(u)r; WIRTSCH ***~er Aufschwung*** sharp upswing **2.** (*nahrhaft*) substantial, nourishing **II** *Adv* **3.** strongly (*etc*), F (*ausgiebig*) soundly, heartily: ***er ist ~ gebaut*** he is powerfully built; ***~ zuschlagen*** hit hard **kräftigen** *v/t* strengthen: ***sich ~*** *a.* become stronger
Kräftigungsmittel *n* MED tonic
kraftlos *Adj* weak, feeble
Kraft|probe *f* trial of strength **~protz** *m*

F muscleman **~rad** *n* motorcycle
Kraftstoff *m* fuel **~anzeiger** *m* fuel ga(u)ge **~leitung** *f* fuel pipe (*od* line) **~-Luft-Gemisch** *n* fuel(-air) mixture **~pumpe** *f* fuel pump **~verbrauch** *m* fuel consumption
kraftstrotzend *Adj* bursting with strength, vigorous, powerful
Kraft|übertragung *f* power transmission **~verkehr** *m* motor traffic **~verschwendung** *f* waste of energy **≗voll** *Adj* powerful, vigorous, strong **~wagen** *m* motor vehicle **~werk** *n* power station **~wort** *n* swearword
Kragen *m* (***j-n beim ~ packen*** seize s.o. by the) collar: F ***ihm platzte der ~*** he blew his top; ***jetzt geht es ihm an den ~*** he is in for it now **~weite** *f* collar size: ***welche ~ haben Sie?*** what size collar do you take?; F ***sie*** (***das***) ***ist genau m-e ~!*** she's (it's) just my cup of tea!
Krähe *f* ZOOL crow: *fig* ***e-e ~ hackt der anderen kein Auge aus*** dog does not eat dog
krähen *v/i* crow
Krähenfüße *Pl fig* crow's-feet *Pl*
Krake *m* ZOOL octopus
Krakeel *m* F row **krakeelen** *v/i* F make a row **Krakeeler(in)** F roisterer
Krakel *m* F scrawl **Krakelei** *f* F scrawl (-ing) **krak(e)lig** *Adj* F scrawly **krakeln** *v/t u. v/i* F scrawl
Kral *m* kraal
Kralle *f* claw (*a.* F *Fingernagel*), (*Park≗*) wheel clamp: *fig* ***in den ~n haben*** have *s.o., s.th.* in one's clutches **krallen I** *v/t* ***s-e Finger ~ in*** (*Akk*) dig one's fingers into **II** *v/refl* ***sich ~*** **a)** ***an*** (*Akk*) cling to, **b)** ***in*** (*Akk*) dig one's claws (*Person*: nails) into
Kram *m* F **1.** things *Pl*, stuff, (*Plunder*) junk, rubbish **2.** *fig* business: ***den ganzen ~ hinschmeißen*** chuck the whole thing; ***ich hab den ~ satt!*** I'm sick of the whole business!; ***j-m nicht in den ~ passen*** not to suit s.o.'s plans
kramen F **I** *v/i* rummage (about) (***nach*** for): *fig* ***in Erinnerungen ~*** take a trip down memory lane **II** *v/t* ***etw ~ aus*** fish s.th. out of *one's bag etc*
Krampe *f* TECH cramp, staple
Krampf *m* **1.** MED (*Muskel≗*) cramp, (*~anfall*) spasm, convulsion: ***e-n ~ bekommen*** get a cramp **2.** F *fig* (***das ist doch alles ~*** that's just a lot of) rubbish
Krampfader *f* varicose vein **krampfartig** *Adj* convulsive
krampfhaft *Adj* **1.** MED convulsive, spasmodic **2.** *fig* desperate, frantic(ally *Adv*), *Lachen*: forced: *Adv* ***sich ~ festhalten an*** (*Dat*) cling desperately to
krampflösend *Adj* spasmolytic
Kran *m* TECH crane **~führer(in)** crane driver
Kranich *m* ZOOL crane
krank *Adj* sick (*a. fig*), *präd* ill, *Organ etc*: diseased, *Zahn*: bad, (*leidend*) invalid, suffering, ailing (*a. fig*): ***~ werden*** fall ill (*od* sick), become (*od* be taken) ill; ***sich ~ fühlen*** feel ill; *fig* ***das macht mich ganz ~!*** that drives me crazy!; ***~ melden → krankmelden***; ***~ schreiben → krankschreiben*** **Kranke** *m, f* sick person, patient **kränkeln** *v/i* be in poor health, be sickly, be ailing (*a. fig*)
kranken *v/i a. fig* ***~ an*** (*Dat*) suffer from
kränken *v/t* hurt, wound, offend: ***j-n ~*** hurt s.o.('s feelings)
Kranken|anstalt *f* hospital **~auto** *n* ambulance **~besuch** *m* visit (to a sick person), *e-s Arztes*: sick call: ***~e machen*** *a.* visit patients **~bett** *n* sickbed **~blatt** *n* medical record **~geld** *n* sick pay **~geschichte** *f* case (*od* medical) history **~gymnast(in)** physiotherapist **~gymnastik** *f* remedial gymnastics *Sg*, physiotherapy
Krankenhaus *n* hospital **~aufenthalt** *m* stay in (a) hospital **~einweisung** *f* hospitalization **~kosten** *Pl* hospital expenses *Pl* **~tagegeld** *n sum paid by a private sickness insurance fund for each day in hospital*
Kranken|kasse *f* health insurance (company) **~lager** *n* sickbed: ***nach langem ~*** after a long illness **~pflege** *f* nursing **~pfleger** *m* male nurse **~schein** *m* health insurance certificate **~schwester** *f* nurse **~stand** *m* number of sick persons **~versicherung** *f* health insurance **~wagen** *m* ambulance **~zimmer** *n* sickroom
krankfeiern *v/i* F stay away from work on the pretext of being ill, *Br* skive
krankhaft *Adj* **1.** MED pathological **2.** *fig* morbid, abnormal
Krankheit *f a. fig* illness, sickness, dis-

ease: ***nach langer ~*** after a long illness
Krankheits|bild *n* clinical picture **~erreger** *m* pathogen(ic agent)
krankheitshalber *Adv* owing to illness
Krankheits|herd *m* focus of a disease **~keim** *m* germ **~überträger(in)** carrier **~verlauf** *m* course of a disease
kranklachen *v/refl* ***sich ~*** F nearly die with laughter
kränklich *Adj* sickly **2keit** *f* sickliness
krankmelden *v/refl* ***sich ~*** report sick
Krankmeldung *f* notification of illness (to one's employer): ***zehn ~en*** ten persons reported sick
krankschreiben *v/t* ***j-n ~*** write s.o. off sick, MIL put s.o. on the sick list
Kränkung *f* insult
Kranz *m* **1.** garland, *am Grab*: (***e-n ~ niederlegen*** lay a) wreath **2.** *fig* circle, ring **3.** GASTR ring **4.** ASTR corona
Kränzchen *n fig* (ladies') circle, (*Kaffee2*) coffee (F hen) party
Kranzgefäß *n* ANAT coronary artery
Kranzniederlegung *f* (ceremonial) laying of a wreath
Krapfen *m* GASTR doughnut
krass *Adj* crass, gross: ***krasser Egoist*** (***Außenseiter***) crass egotist (rank outsider); ***krasser Widerspruch*** (***Unterschied***) flagrant contradiction (huge difference); ***e-e krasse Lüge*** a blatant lie; *Adv* ***sich ~ ausdrücken*** be very blunt; ***~ zutage treten*** become blatantly obvious
Krater *m* crater **Kraterlandschaft** *f* crater(ed) landscape
Krätze *f* MED scabies
kratzen *v/t u. v/i* scratch, (*scharren*) scrape: ***sich ~*** scratch o.s.; ***sich am Ohr ~*** scratch one's ear; ***den Rest aus dem Topf ~*** scrape the last bit from the pot; ***der Pullover kratzt*** (***mich am Hals***) the pullover scratches (my neck); *fig* ***mein Hals kratzt*** I've got a sore throat; F ***das kratzt mich nicht!*** **a)** that doesn't bother me!, **b)** I couldn't care less!; → ***Kurve*** **Kratzer** *m* F scratch
kratzfest *Adj* scratch-resistant **kratzig** *Adj* scratchy **Kratzwunde** *f* scratch
Kraul *n*, **kraulen**[1] *v/t u. v/i* crawl
kraulen[2] *v/t* (*Fell, Bart*) ruffle
Kraul|schwimmen *n* crawl **~schwimmer(in)** crawler **~staffel** *f* crawl relay
kraus *Adj* **1.** *Haar*: frizzy, curly, *Stirn*: wrinkled: ***~ ziehen*** → ***krausen*** **2.** *fig Gedanken etc*: confused, muddled
Krause *f* (*Rüsche*) frill, ruffle **kräuseln I** *v/t* **1.** (*Stoff*) gather **2.** (*Haar*) friz(z), crimp **3.** (*Wasser*) ruffle, ripple **4.** *fig* ***die Lippen ~*** curl one's lips; → *a.* ***krausen*** **II** *v/refl* ***sich ~*** **5.** → 2 **6.** *Rauch etc*: curl up **krausen** *v/t* wrinkle, pucker: ***die Stirn ~*** knit one's brow; ***die Nase ~*** wrinkle one's nose **kraushaarig**, **krausköpfig** *Adj* curly-haired
Kraut *n* **1.** (*das Grüne*) (stem and) leaves *Pl*, tops *Pl*: ***ins ~ schießen*** run to leaf, *fig* run wild; F ***wie ~ und Rüben*** (***durcheinander***) higgledy-piggledy **2.** (*Heil2, Küchen2*) herb: *fig* ***gegen ... ist kein ~ gewachsen*** there is no remedy for ... **3.** *Dialekt* **a)** cabbage, **b)** sauerkraut **4.** F (*Tabak*) weed
Kräuter|butter *f* herb butter **~essig** *m* aromatic vinegar **~käse** *m* green cheese **~likör** *m* herb-flavo(u)red liqueur **~tee** *m* herb tea
Krawall *m* **1.** (*Aufruhr*) riot **2.** F (***~ machen*** *od* ***schlagen*** kick up a) row
Krawallmacher(in) rioter, rowdy
Krawatte *f* tie, *Am* necktie
kraxeln *v/i* F *Dialekt* climb, scramble
Kreatin *n* MED creatine
Kreation *f Mode*: creation **kreativ** *Adj* creative **Kreativität** *f* creativity
Kreatur *f* creature, *fig pej a.* tool
Krebs *m* **1.** ZOOL crayfish, *Am* crawfish, (*Taschen2*) crab **2.** ASTR (***er ist ~*** he is [a]) Cancer **3.** MED cancer: ***~ erregend***, ***~ erzeugend*** carcinogenic: ***~ erregend wirken*** cause cancer
krebsartig *Adj* MED cancerous
Krebs|forschung *f* MED cancer research **~früherkennung** *f* early cancer diagnosis **~geschwulst** *f* MED cancerous tumo(u)r, carcinoma **~geschwür** *n* **1.** MED cancerous ulcer **2.** *fig* canker **~knoten** *m* MED cancerous lump **~kranke** *m, f* person suffering from cancer, cancer patient **~krankheit** *f*, **~leiden** *n* cancer
Krebsschere *f* ZOOL crayfish claw
Krebstiere *Pl* crustaceans *Pl*
Krebsvorsorge *f* MED cancer prevention **~untersuchung** *f* MED cancer screening
Krebszelle *f* MED cancer(ous) cell
Kredit[1] *n* WIRTSCH credit (side)

K

Kredit² *m* WIRTSCH credit, (*Darlehen*) *a.* loan: ***e-n ~ aufnehmen*** (***überziehen***) raise (overdraw) a credit; ***ich habe bei der Bank ~*** my credit with the bank is good; ***auf ~ kaufen*** buy on credit **~anstalt** *f* credit bank **~aufnahme** *f* borrowing **~brief** *m* letter of credit **~geber(in)** lender **~hai** *m* F *pej* loan shark

kreditieren *v/t* ***j-m etw ~*** credit s.o.('s account) with s.th.

Kredit|karte *f* credit card **~kauf** *m* purchase on credit **~knappheit** *f* credit stringency **~nehmer(in)** borrower **~spritze** *f* credit injection **°würdig** *Adj* credit-worthy **~würdigkeit** *f* creditworthiness, credit rating

kregel *Adj* F chirpy, *Am* chipper

Kreide *f* chalk, (*Zeichen°*) *a.* crayon: F *fig* ***bei j-m in der ~ stehen*** owe s.o. money **°bleich**, **°weiß** *Adj* (as) white as a sheet **~zeichnung** *f* chalk drawing **~zeit** *f the* Cretaceous period

kreieren *v/t* create

Kreis *m* **1.** *allg* circle (*a. fig Personen°*), (*~lauf*) cycle, ELEK circuit, *fig* (*Wirkungs°*) sphere, field: ***sich im ~e drehen*** *a. fig* move in a circle; ***der Skandal zog weite*** (*od* ***immer weitere***) ***~e*** the scandal involved more and more persons; ***hier schließt sich der ~*** we've come full circle; ***im engsten ~ feiern*** celebrate within the family circle (*od* with one's close friends); ***im ~e der Familie*** in the family (circle); ***in den besten ~en*** in the best circles; ***weite ~e der Bevölkerung*** wide sections of the population; ***aus gut unterrichteten ~en*** from well-informed quarters **2.** POL district, *Am* county **~abschnitt** *m* MATHE segment **~ausschnitt** *m* MATHE sector **~bahn** *f* orbit

kreischen I *v/i a. fig* shriek, squeal **II °** *n* shrieking, shrieks *Pl*, screeching

Kreisdiagramm *n* pie chart

Kreisel *m* **1.** (peg)top **2.** PHYS gyroscope, gyro **~kompass** *m* gyrocompass

kreisen I *v/i* (move in a) circle, *bes* TECH rotate, revolve (*a. fig Gedanken etc*), *Blut, Geld*: circulate, FLUG orbit: ***etw ~ lassen*** pass s.th. round; ***die Arme*** *etc* ***~ lassen*** → II; ***die Erde kreist um die Sonne*** the earth revolves (a)round the sun **II** *v/t* ***die Arme*** *etc* ***~*** swing one's arms *etc* (in a circle)

Kreisfläche *f* MATHE area of a circle, circular area **kreisförmig** *Adj* circular

Kreislauf *m allg* cycle (*a.* TECH), *des Blutes, Geldes*: circulation, ELEK, TECH *a.* circuit, ASTR revolution **~störung** *f* MED circulatory disturbance, *Pl mst* bad circulation *Sg* **~versagen** *n* MED circulatory collapse

kreisrund *Adj* circular

Kreissäge *f* circular saw

Kreißsaal *m* MED delivery room

Kreisstadt *f* district town, *Am* county seat **Kreisverkehr** *m* roundabout, *Am* traffic circle

Krem *f*, F *m* cream

Krematorium *n* crematorium, *Am* crematory

Kreml *m the* Kremlin

Krempe *f* brim

Krempel *m* → ***Kram***

Kren *m österr.* horseradish

krepieren *v/i* **1.** F die, perish, *Mensch*: *a.* kick the bucket, peg out **2.** *Geschoss*: burst, explode

Krepp *m*, **Krepp...** crepe (*paper etc*)

Kresse *f* BOT cress

Kreta *n* Crete

Kreter(in), **kretisch** *Adj* Cretan

kreuz *Adv* ***~ und quer*** crisscross (***durchs Land ziehen*** the country)

Kreuz *n* **1.** *allg* cross (*a. fig*), BUCHDRUCK dagger, obelisk: ASTR ***das ~ des Südens*** the Southern Cross; ***über ~*** crosswise; ***j-n ans ~ schlagen*** nail s.o. to the cross; ***ein ~ schlagen*** make the sign of the cross; *fig* ***sein ~ tragen*** bear one's cross; ***es ist ein ~ mit ihm*** (***damit***) he (it) is a real problem; F ***zu ~e kriechen*** knuckle under (***vor j-m*** to s.o.) **2.** ANAT (small of the) back: ***mir tut das ~ weh*** my back aches; F *fig* ***j-n aufs ~ legen*** take s.o. for a ride **3.** MUS sharp **4.** *Kartenspiel*: club(s *Pl*)

Kreuzband *n* ANAT crucial ligament

Kreuzbein *n* ANAT sacrum

kreuzen I *v/t* **1.** *allg* cross, TECH *a.* intersect, BIOL *a.* crossbreed **II** *v/i* **2.** SCHIFF cruise **III** *v/refl* ***sich ~*** **3.** → I **4.** *fig* cross, *Interessen etc*: clash: ***ihre Blicke kreuzten sich*** their eyes met

Kreuzer *m* SCHIFF cruiser

Kreuz|fahrer *m hist* crusader **~fahrt** *f* **1.** *hist* crusade **2.** SCHIFF (***e-e ~ machen***

K

go on a) cruise **~feuer** *n a. fig* crossfire: ***ins ~ der öffentlichen Meinung*** (*od* ***der Kritik***) ***geraten*** come under fire from all sides **~gang** *m* ARCHI cloister
kreuzigen *v/t a. fig* crucify
Kreuzigung *f* crucifixion
Kreuz|otter *f* ZOOL common viper **~ritter** *m hist* Knight of the Cross **~schlitzschraubenzieher** *m* Phillips screwdriver® **~schlüssel** *m* TECH four-way socket wrench **~spinne** *f* ZOOL cross (*od* garden) spider **~stich** *m* (*a.* ***im ~ sticken***) cross-stitch
Kreuzung *f* **1.** *allg* crossing, BIOL *a.* crossbreeding, (*Mischrasse*) crossbreed **2.** (*Straßen*~ *etc*) crossing, intersection, junction
Kreuzverhör *n* cross-examination, *weit. S.* F grilling: ***ins ~ nehmen*** cross-examine, *weit. S.* F grill
Kreuzweg *m* REL Way of the Cross
Kreuzworträtsel *n* crossword (puzzle)
Kreuzzug *m hist u. fig* (*a.* ***e-n ~ unternehmen***) crusade (***gegen*** against)
kribbelig *Adj* F (*nervös*) nervous, jittery, (*gereizt*) edgy: ***das*** (***sie***) ***macht mich ganz ~*** that (she) gets terribly on my nerves **kribbeln** *v/i* **1.** (*jucken*) itch, tickle, (*prickeln*) tingle: F *fig* ***es kribbelte mir in den Fingern, etw zu tun*** I was itching to do s.th. **2.** crawl
Kricket *n* cricket **~spieler(in)** cricketer
kriechen *v/i a. fig* creep, crawl: *pej* ***vor j-m ~*** crawl to s.o. **Kriecher(in)** *pej* crawler, toady **kriecherisch** *Adj pej* crawling, toadying
Kriechpflanze *f* creeper **Kriechspur** *f* **1.** trail **2.** MOT slow (*Am* creeper) lane
Kriechtier *n* reptile
Krieg *m* war, (*~führung*) warfare: ***Kalter ~*** cold war; ***im ~*** (*Soldat*: away) in the war; ***im ~ mit*** at war with; (*Dat*) ***den ~ erklären*** *a. fig* declare war on; ***~ führen*** be at (*od* wage) war (***mit, gegen*** against); ***~ führend*** belligerent; ***in den ~ ziehen*** go to war
kriegen *v/t* F *allg* get, (*erwischen*) *a.* catch; → *a.* ***bekommen*** I; ***es mit j-m zu tun ~*** get into trouble with s.o.
Krieger(in) warrior **Kriegerdenkmal** *n* war memorial **kriegerisch** *Adj* warlike, martial, *a. fig* belligerent: POL ***~e Auseinandersetzung*** armed conflict
Kriegerwitwe *f* war widow
Kriegführung *f* warfare
Kriegs|ausbruch *m* outbreak of war: ***bei ~*** when the war broke out **~berichterstatter(in)** war correspondent **~beschädigte** *m, f* war-disabled person **~dienst** *m* war service **~dienstverweigerer** *m* conscientious objector **~entschädigungen** *Pl* reparations *Pl* **~erklärung** *f* declaration of war
Kriegsfall *m* ***im ~*** in case of war
Kriegs|film *m* war film **~flotte** *f* navy, fleet **~freiwillige** *m, f* (war) volunteer
Kriegsfuß *m* ***auf ~ stehen mit*** **a)** ***j-m*** be at daggers drawn with s.o., **b)** ***e-r Sache*** have (great) trouble with s.th.
Kriegs|gebiet *n* war zone **~gefahr** *f* danger of war **~gefangene** *m, f* prisoner of war, P.O.W. **~gefangenenlager** *n* prisoner-of-war (*od* P.O.W.) camp **~gefangenschaft** *f* captivity: ***in ~ geraten*** be taken prisoner **~gegner(in)** **1.** pacifist **2.** *the* enemy **~gericht** *n* (*a.* ***vor ein ~ stellen***) court-martial
Kriegsgewinnler(in) war profiteer
Kriegs|gräberfürsorge *f* War Graves Commission **~hafen** *m* naval port **~held** war hero **~hetzer(in)** warmonger **~hinterbliebenen** *Pl* war widows and orphans *Pl* **~kamerad(in)** fellow soldier **~marine** *f* navy **~material** *n* matériel **~opfer** *n* war victim **~pfad** *m* ***auf dem ~ sein*** *a.* F *fig* be on the warpath **~rat** *m* F *fig* ***~ halten*** hold a council of war **~schauplatz** *m* theat/re (*Am* -er) of war **~schiff** *n* warship **~spielzeug** *n* war toys *Pl* **~teilnehmer(in)** combatant, *ehemaliger*: ex-serviceman, *Am* veteran
Kriegsverbrechen *n* war crime
Kriegsverbrecher|(in) war criminal **~prozess** *m* war (crimes) trial
Kriegs|versehrte *m, f* war-disabled person **~waise** *f* war orphan **~wichtig** *Adj Betrieb etc*: essential to the war effort: ***~e Ziele*** strategic targets **~zeit** *f* wartime: ***in ~en*** in time(s) of war **~zustand** *m* (state of) war: ***im ~*** at war
Krim *f the* Crimea
Krimi *m* F thriller (*a. fig*), whodun(n)it
Kriminal|beamte *m*, **~beamtin** *f* detective, C.I.D. officer **~fall** *m* criminal case **~film** *m* crime film
kriminalisieren *v/t* criminalize
Kriminalist(in) **1.** criminologist **2.** de-

K

tective **kriminalistisch** *Adj* criminal investigation ... **Kriminalität** *f* **1.** criminality **2.** (*Zahl der Verbrechen*) crime: ***ansteigende ~*** increasing crime rate
Kriminal|kommissar(in) detective superintendent, *Am* captain of police **~polizei** *f* criminal investigation department (C.I.D.), plain-clothes police **~polizist(in)** → ***Kriminalbeamte*** **~roman** *m* detective (*od* crime) novel
kriminell *Adj*, **Kriminelle** *m*, *f* criminal
Krimskrams *m* F junk, rubbish
Kringel *m* ring, (*Schnörkel*) squiggle
Kripo *f* F → ***Kriminalpolizei***
Krippe *f* **1.** (*Futter*≗) manger, crib **2.** (*Weihnachts*≗) (Christmas) crib, *Am* crèche **3.** (*Kinder*≗) crèche
Krippenspiel *n* Nativity play
Krise *f* (***e-e schwere ~ durchmachen*** go through a bad) crisis; ***in e-e ~ geraten*** enter a state of crisis **kriseln** *v/unpers* ***es kriselt*** there is trouble brewing, ***in ihrer Ehe*** they seem to be going through a crisis, ***in der Regierung*** a government crisis is looming
krisen|anfällig *Adj* crisis-prone **~fest** *Adj* stable **≗gebiet** *n* crisis area **~geschüttelt** *Adj* crisis-ridden
Krisen|herd *m* crisis cent/re (*Am* -er), trouble spot **~management** *n* crisis management **~stab** *m* crisis management group **~zeit** *f* time of crisis
Kristall[1] *m* crystal
Kristall[2] *n* crystal (glass), cut glass, (*~waren*) crystal (goods *Pl*)
kristallen *Adj* crystalline, *a. fig* crystal
kristallinisch *Adj* crystalline
Kristallisation *f* crystallization
kristallisieren *v/i u. v/refl* ***sich ~*** *a. fig* crystallize
kristallklar *Adj* crystal-clear
Kristallzucker *m* crystal sugar
Kriterium *n* **1.** criterion (***für*** of) **2.** *Radsport*: circuit race
Kritik *f* criticism (***an*** *Dat* of), (*Rezension*) review, (*die Kritiker*) *the* critics *Pl*: ***~ hervorrufen*** give rise to criticism; ***~ üben an*** (*Dat*) criticize; ***e-e ~ schreiben über*** (*Akk*) *a.* review; ***gute ~en haben*** get (*od* have) good reviews, have a good press; F ***unter aller*** (*od* ***jeder***) ***~*** beneath contempt **Kritiker(in)** critic, (*Rezensent*) reviewer **Kritikfähigkeit** *f* critical faculties *Pl* **kritiklos** *Adj* uncritical **kritisch** *Adj allg*, *a.* PHYS, TECH critical (***gegenüber*** of), *fig a.* crucial
kritisieren *v/t u. v/i* criticize
kritteln *v/i pej* ***~ an*** (*Dat*) find fault with, cavil at
Kritzelei *f*, **kritzeln** *v/t u. v/i* scribble
Kroate *m*, **Kroatin** *f* Croat
Kroatien *n* Croatia
kroatisch *Adj* Croatian
Krokant *m* GASTR brittle
Krokette *f* GASTR croquette
Kroko *n* WIRTSCH → ***Krokodilleder***
Krokodil *n* ZOOL crocodile **Krokodilleder** *n* crocodile (skin *od* leather)
Krokodilstränen *Pl* F *fig* (***~ weinen*** shed) crocodile (*od* false) tears *Pl*
Krokus *m* BOT crocus
Krone *f* **1.** crown (*a. fig*), (*Adels*≗, *a. Kopfputz*) coronet: *fig* ***die ~ der Schöpfung*** the pride of creation; F ***das setzt allem die ~ auf!*** that beats everything!; ***e-n in der ~ haben*** be tight **2.** TECH cap, top, (*Kappe*) crown, crest **3.** (*Zahn*≗) crown **4.** (*Münze*) *in Schweden*: krona, *in Dänemark u. Norwegen*: krone **5.** (*Kronleuchter*) chandelier
krönen *v/t* crown (***j-n zum König*** s.o. king), *fig* climax: *fig* ***von Erfolg gekrönt*** crowned with success
Kronenkorken *m* crown cork
Kron|erbe *m*, **~erbin** *f* heir (heiress) to the crown **~juwelen** *Pl* crown jewels *Pl* **~kolonie** *f* crown colony **~leuchter** *m* chandelier **~prinz** *m* crown prince (*a. fig*), *Br* Prince of Wales **~prinzessin** *f* crown princess, *Br* Princess Royal
Krönung *f* **1.** coronation **2.** *fig* crowning (event): ***die ~ s-r Laufbahn*** the climax of his career; ***die ~ des Abends*** the highlight (F high spot) of the evening
Krönungsfeierlichkeiten *Pl* coronation ceremonies *Pl*
Kronzeuge *m*, **Kronzeugin** *f* chief witness: ***~ werden*** turn Queen's (King's, *Am* State's) evidence
Kropf *m* **1.** ZOOL crop **2.** MED goitre, *Am* goiter
Krösus *m hum* Croesus: ***ich bin doch kein ~!*** I'm no millionaire!
Kröte *f* **1.** ZOOL toad **2.** *Pl* F *fig* (*Geld*) dough *Sg*, pennies *Pl*
Krücke *f* **1.** crutch: ***an ~n gehen*** walk on crutches **2.** (*Stock*≗ *etc*) crook **3.** F *pej*

(*Versager*) washout
Krückstock *m* walking stick
Krug *m* **1.** jug, *großer*: pitcher, (*Bier*♀) (beer) mug, stein **2.** *Dialekt* pub, inn
Krume *f* **1.** (*Acker*♀) topsoil **2.** → **Krümel** *m* crumb: ***voller ~*** → **krümelig** *Adj* crumbly **krümeln** *v/t u. v/i* crumble
krumm I *Adj allg* crooked (*a.* F *fig unredlich*), *Holz etc*: warped, (*verbogen*) *a.* bent, (*hakenförmig*) hooked: ***~e Haltung*** stoop; ***~er Schnabel*** curved beak; ***~ biegen*** bend; ***ganz ~ und schief*** awry, lopsided; F ***sich ~ und schief lachen*** laugh one's head off; ***~e Sache*** (*od* ***Tour***) crooked business; ***ein ~es Ding drehen*** pull a fast one; ***etw auf die ~e Tour versuchen*** try to wangle s.th. **II** *Adv* ***~ gewachsen*** crooked; ***sich ~ halten, ~ gehen*** stoop, slouch; F *fig* ***sich ~ legen*** pinch and scrape; F ***~ nehmen*** take *s.th.* amiss
krummbeinig *Adj* bow-legged
krümmen I *v/t* **1.** bend, crook **II** *v/refl* ***sich ~*** **2.** bend, *Holz*: warp, *Metall*: buckle **3.** (*sich winden*) *allg* bend, *Straße*: *a.* curve, *Wurm etc*: squirm: ***sich ~ vor*** *Schmerz etc*: writhe with, *Verlegenheit*: *a.* squirm with; ***sich vor Lachen ~*** → ***krummlachen***
krummlachen *v/refl* ***sich ~*** F laugh one's head off
Krümmung *f* bend, curve, turn, MATHE, MED, PHYS, TECH curvature
Krupp *m* MED croup
Kruppe *f des Pferdes*: croup
Krüppel *m* (*a.* ***zum ~ machen***) cripple: ***zum ~ werden*** be crippled
krüpp(e)lig *Adj* crippled, deformed
Kruste *f allg* crust, *des Schweinebratens*: crackling **Krustentier** *n* crustacean
krustig *Adj* crusty
Kruzifix *n* REL crucifix
Kryochirurgie *f* cryosurgery
Krypta *f* ARCHI crypt
Krypton *n* CHEM crypton
Kuba *n* Cuba
Kubaner(in), **kubanisch** *Adj* Cuban
Kübel *m* (*Eimer*) bucket (*a.* TECH), pail, (*Trog*) tub: F *fig* ***es gießt wie aus ~n*** it's coming down in buckets
Kubik... cubic (*content, measure, etc*) **~meter** *m, n* cubic metre (*Am* meter) **~wurzel** *f* MATHE cube root **~zahl** *f* cube
kubisch *Adj* cubic(al) **Kubismus** *m* KUNST cubism **Kubist(in)** cubist **kubistisch** *Adj* cubist(ic)
Kubus *m* MATHE cube
Küche *f* **1.** kitchen, *kleine*: kitchenette; → ***Teufel*** **2.** cooking, cuisine, cookery, (*Speisen*) meals *Pl*, food: ***kalte*** (***warme***) ***~*** cold (hot) meals; ***die chinesische ~*** Chinese cooking; → ***gutbürgerlich*** **3.** F → ***Küchenpersonal***
Kuchen *m* cake
Küchenbenutzung *f* ***mit ~*** with use of kitchen
Kuchenblech *n* baking sheet (*od* tin)
Küchenchef(in) chef (de cuisine)
Kücheneinrichtung *f* kitchen furniture and fittings *Pl*
Kuchenform *f* cake tin
Kuchengabel *f* pastry fork
Küchen|gerät *n mst Pl* kitchen utensil (*elektrisch*: appliance) **~geschirr** *n* kitchenware **~herd** *m* kitchen range **~hilfe** *f* kitchenmaid **~kraut** *n* potherb **~maschine** *f* food processor **~messer** *n* kitchen knife **~personal** *n* kitchen staff **~schrank** *m* (kitchen) cupboard
Kuchenteig *m* cake mixture
Kuchenteller *m* dessert plate
Küchen|tisch *m* kitchen table **~waage** *f* kitchen scales *Pl* **~wecker** *m* (kitchen) timer **~zettel** *m* menu
Kuckuck *m* **1.** ZOOL cuckoo: F ***wo*** (***wer*** *etc*) ***zum ~!*** where (who *etc*) the devil! **2.** *hum* bailiff's seal
Kuckucks|ei *n* F *fig* ***ein ~*** a cuckoo in the nest **~uhr** *f* cuckoo clock
Kuddelmuddel *m, n* F *a. fig* muddle
Kufe *f* runner, FLUG skid
Kugel *f* **1.** ball (*a.* TECH), (*a. Erd*♀) globe, ASTR, MATHE sphere: ***die Erde ist e-e ~*** the earth is a sphere **2.** (*Gewehr*♀ *etc*) bullet; → ***jagen*** 3 **3.** SPORT shot, (*Kegel*♀ *etc*) bowl: ***er stieß die ~ auf 22 m*** he put the shot at 22 metres; F *fig* ***e-e ruhige ~ schieben*** have a cushy job
Kugelfang *m* butt
kugelförmig *Adj* globular, spherical
Kugel|gelenk *n allg* (ball-and-)socket joint **~hagel** *m* hail of bullets **~kopf** (**-schreibmaschine** *f*) *m* golfball (typewriter) **~lager** *n* ball bearing
kugeln I *v/t u. v/i* roll **II** *v/refl* ***sich ~*** roll about (***im Schnee*** in the snow)
kugelrund *Adj* (as) round as a ball
Kugelschreiber *m* ballpoint (pen), *Br*

K

biro® **~mine** *f* refill
kugelsicher *Adj* bulletproof
Kugel|stoßen *n* (***Sieger im ~*** winner in the) shot put **~stoßer(in)** shot-putter
Kuh *f* cow: *fig* ***heilige ~*** sacred cow; F *pej* ***dumme ~!*** silly cow! **~fladen** *m* cowpat **~glocke** *f* cowbell **~handel** *m* F *fig* horse trading **~haut** *f* cowhide
kühl *Adj a. fig* cool, chilly: ***es*** (***mir***) ***wird ~*** it's getting (I feel) chilly; *fig* (***j-m gegenüber***) ***~ bleiben*** remain cool (toward[s] s.o.); *Adv* ***etw ~ lagern*** store s.th. cool; *fig* ***j-n ~ empfangen*** give s.o. a cool reception; → ***Kopf*** 2
Kühl|anlage *f* cooling plant (MOT system) **~apparat** *m* cooling apparatus **~becken** *n* KERNPHYSIK cooling pond **~box** *f* cold box
Kühlcontainer *m* cooltainer
Kühle *f* coolness (*a. fig*), cool
kühlen I *v/t* cool (*a.* TECH), chill **II** *v/i* have a cooling effect
Kühler *m* **1.** TECH cooler **2.** MOT radiator
Kühlerblock *m* MOT radiator core
Kühlerfigur *f* MOT radiator mascot
Kühlerhaube *f* MOT bonnet, *Am* hood
Kühl|-Gefrier-Kombination *f* fridge--freezer **~haus** *n* cold-storage house **~mantel** *m* TECH cooling jacket **~mittel** *n* coolant **~raum** *m* cold-storage chamber, SCHIFF refrigerating hold **~schiff** *n* refrigerator ship **~schlange** *f* TECH cooling coil **~schrank** *m* refrigerator, F fridge **~tasche** *f* cold bag (*od* box) **~theke** *f* refrigerated counter **~truhe** *f* (chest) freezer **~turm** *m* cooling tower
Kühlung *f* **1.** *a.* TECH cooling **2.** TECH cooling system **3.** (*Kühle*) coolness
Kühlwagen *m* BAHN refrigerator wagon (*Am* car, MOT truck)
Kühlwasser *n* cooling water
Kuhmilch *f* cow's milk
kühn *Adj allg* bold, (*gewagt*) *a.* daring (*a. fig*): ***das übertrifft m-e ~sten Träume*** that goes beyond my wildest dreams
Kühnheit *f* boldness
Kuhstall *m* cowshed
Küken *n a. fig* chick
kulant *Adj bes* WIRTSCH accommodating, *Preis etc*: fair **Kulanz** *f* WIRTSCH fair dealing
Kuli *m* coolie
kulinarisch *Adj* culinary
Kulisse *f* THEAT *etc mst Pl* scenery, set, (*Seiten*&) wing, (*Hintergrund*, *a. fig*) background: ***hinter den ~n*** *a. fig* behind the scenes, backstage
kullern F → ***kugeln***
kulminieren *v/i* ASTR culminate (*fig* ***in*** *Dat* in)
Kult *m* cult: ***e-n ~ treiben*** make a cult (***mit*** out of) **~figur** *f* cult figure **~film** *m* cult film **~filmregisseur(in)** cult film director **~handlung** *f* ritual act
kultisch *Adj* ritual, cultic
kultivieren *v/t a. fig* cultivate
kultiviert *Adj* cultivated, cultured, *Person*: *a.* civilized, *Geschmack*: refined
Kultur *f* **1.** *allg* culture, (*~gemeinschaft*, *~niveau*) *a.* civilization, (*Kultiviertheit*) *a.* refinement: ***die abendländische ~*** (the) Western civilization; ***er hat*** (***k-e***) ***~*** he is (un)cultured; F ***in ~ machen*** be into culture; ***unbeleckt von der ~*** untouched by civilization **2.** LANDW cultivation, (*Pflanzenbestand*, *a. Bakterien*&, *Pilz*&) culture **~abkommen** *n* POL cultural agreement **~austausch** *m* cultural exchange **~banause** *m*, **~banausin** *f* F philistine **~beilage** *f e-r Zeitung*: arts supplement **~betrieb** *m* F cultural acitivities *Pl* **~beutel** *m* *Br* sponge bag, toilet bag, washbag
kulturell *Adj* cultural
Kultur|erbe *n* cultural heritage **~film** *m* documentary **~geschichte** *f* **1.** history of civilization (*a. Buch*) **2.** cultural history **&geschichtlich** *Adj* cultural-historical **~gut** *n* cultural asset(s *Pl*) **~hoheit** *f* POL *der Länder*: independence in educational and cultural matters **~kanal** *m* TV cultural channel **~landschaft** *f* **1.** land developed and cultivated by man **2.** *fig* cultural scene **~leben** *n* cultural life
kulturlos *Adj* uncultured, uncivilized
Kulturlosigkeit *f* lack of culture
Kultur|mensch *m* civilized man **~pessimismus** *m* cultural pessimism **~pflanze** *f* cultivated plant **~politik** *f* cultural (and educational) policy **&politisch** *Adj* politico-cultural **~revolution** *f* cultural revolution **~schock** *m* cultural shock **~sprache** *f* cultural (*od* civilized) language **~stätte** *f* place of cultural interest **~stufe** *f* stage (*od* level) of civilization **~volk** *n* civilized people (*od* nation, race)

Kultusminister(in) Minister of Culture, Education, and Church Affairs
Kümmel *m* **1.** BOT caraway (*a. Gewürz*): ***Echter ~*** cumin **2.** (*~schnaps*) kümmel
Kummer *m* grief, sorrow, (*Verdruss*) trouble, worry, worries *Pl*, problems *Pl*: ***~ haben*** have problems; ***hast du ~?*** is anything troubling you?; ***j-m viel ~ machen*** cause s.o. a lot of worry (*od* trouble); ***du machst mir ~!*** I'm worried about you!; F ***ich bin ~ gewöhnt!*** I'm used to this sort of thing!
kümmerlich *Adj* miserable, (*armselig*) *a.* poor, meagre, *Am* meager, *Vegetation etc*: sparse: *Adv* ***sich ~ durchschlagen*** (***mit Stundengeben*** *etc*) eke out a bare existence (by giving lessons *etc*)
kümmern I *v/refl* ***sich ~ um*** **a)** look after, take care of, **b)** (*sich Gedanken machen*) care (*od* trouble) about, **c)** (*beachten*) pay attention to, **d)** (*sorgen für*) see to: ***ich muss mich um das Mittagessen ~*** I must see to our lunch; ***kümmere dich um d-e eigenen Angelegenheiten!*** mind your own business!; ***sich nicht ~ um*** not to bother about, ignore, (*vernachlässigen*) neglect **II** *v/t* ***was kümmert mich ...*** what do I care about ...; ***was kümmerts mich?*** that's not my problem!; ***was kümmert dich das?*** what concern is that of yours? **III** *v/i* develop poorly
kummervoll *Adj* woebegone, sad
Kumpan *m* F companion, fellow (*a. pej Kerl*), *pej* accomplice
Kumpel *m* **1.** BERGB pitman, miner **2.** F mate, pal, chum, *Am* buddy
kumpelhaft *Adj* chummy
kündbar *Adj Vertrag etc*: terminable, *Kapital*: at call, *Anleihe*: redeemable, *Stellung, Miete etc*: subject to notice: ***er ist jederzeit ~*** he can be given notice at any time
Kunde *m* customer (*a. pej Kerl*), client: ***fester ~*** regular customer
Kunden|beratung *f* (customer) advisory service (*od* office) **~dienst** *m* service (to the customer), *eng. S.* after-sales service, (*Abteilung*) service department **~fang** *m pej* (***auf ~ ausgehen*** be) touting **≈freundlich** *Adj* customer-friendly **~kartei** *f* list of customers **~kreditkarte** *f* storecard, *Am* charge card **~kreis** *m* customers *Pl*, clientele **~nummer** *f* client code **~stamm** *m* regular customers *Pl* (*od* clientele) **~werbung** *f* canvassing (of customers)
Kundgebung *f* POL meeting, rally
kundig *Adj* expert, experienced, (*geübt*) *a. Auge, Hand*: practised: ***des Lesens ~*** able to read
kündigen I *v/t* (*Vertrag etc*) terminate, (*Abonnement etc*) cancel, (*Kapital etc*) call in: ***s-e Stellung ~*** quit one's job; ***die Wohnung ~*** give notice of one's intention to leave, ***j-m*** give s.o. notice to quit; F ***j-n ~*** dismiss s.o., sack s.o. **II** *v/i allg* give notice (***j-m*** s.o., ***bei e-r Firma*** to a firm): ***j-m*** (***zum 1. Mai***) ***~*** give s.o. notice (*Vermieter*: to quit) (for May 1st), dismiss s.o. (as of May 1st); (***j-m***) ***drei Monate im Voraus ~*** give (s.o.) three months' notice; ***mir ist*** (***zum 1. Mai***) ***gekündigt worden*** I'm under notice to leave (on May 1st)
Kündigung *f allg* notice, *von Kapital etc*: notice of withdrawal, *e-s Vertrages etc*: termination, *e-s Abonnements etc*: cancel(l)ation, (*Entlassung*) dismissal: ***~*** (***e-r Wohnung***) *Vermieter*: notice to quit, *Mieter*: notice of one's intention to leave; ***vierteljährliche ~ vereinbaren*** agree on three months' notice; ***er drohte*** (***s-m Chef***) ***mit der ~*** he threatened to leave
Kündigungs|frist *f* period of notice: ***mit halbjähriger ~*** at six months' notice **~grund** *m* grounds *Pl* for giving notice (*des Arbeitgebers*: for dismissal) **~schreiben** *n* (written) notice, *des Arbeitgebers*: letter of dismissal **~schutz** *m* protection against unlawful dismissal (*für Mieter*: unwarranted eviction)
Kundin *f* (female) customer (*etc*); → ***Kunde*** **Kundschaft** *f* **a)** customers *Pl*, clientele, **b)** F (*Kunde*) customer, **c)** (*das Kundesein*) patronage
Kundschafter(in) scout, spy
künftig I *Adj* future, coming: ***~e Generationen*** *a.* generations to come **II** *a* **~hin** *Adv* in future, from now on
Kunst *f* **1.** art: ***die schönen Künste*** the fine arts; ***die bildende ~*** graphic art; ***die darstellenden Künste*** THEATER *etc* the performing arts, MALEREI *etc* the pictorial arts; ***die ~ der Gegenwart*** contemporary art; F ***was macht die ~?***

how are things?; → ***schön*** 1 **2.** (*~fertigkeit*) art, skill, (*Kniff*) trick: ***die ~ des Schreibens*** the art of writing; ***ärztliche ~*** medical skill; F ***das ist k-e ~!*** that's easy!; ***das ist e-e brotlose ~*** there's no money in it; ***die ganze ~ besteht darin zu*** *Inf* the whole trick is to *Inf*; ***sie ließ alle ihre Künste spielen*** she used all her wiles; ***ich bin mit m-r ~ am Ende*** I'm at my wits' end

Kunst|akademie *f* academy of arts **~ausstellung** *f* art exhibition **~banause** *m*, **~banausin** *f* F philistine **~band** *m* art book **~betrieb** *m pej* cultural activities *Pl* **~denkmal** *n* monument of art **~diebstahl** *m* theft of objets d'art **~druck** *m* art print(ing) **~druckpapier** *n* art paper **~dünger** *m* artificial fertilizer **~eisbahn** *f* artificial ice rink **~erzieher(in)** art teacher **~erziehung** *f* art (education) **~fahrer(in)** trick cyclist **~faser** *f* synthetic fibre (*Am* fiber) **~fehler** *m* MED professional blunder

kunstfertig *Adj* skil(l)ful, skilled

Kunstfertigkeit *f* skill, skil(l)fulness

Kunst|flieger(in) stunt flyer **~flug** *m* aerobatics *Sg*, stunt flying **~flug...** aerobatic (*figure*, *team*, *etc*) **~form** *f* art form **~freund(in)** art lover **~galerie** *f* art gallery **~gegenstand** *m* objet d'art **⁀gerecht** *Adj* skil(l)ful, expert **~geschichte** *f* art history

Kunstgewerbe *n* arts and crafts *Pl*, applied art(s *Pl*)

Kunstgewerbler(in) artisan

Kunst|glied *n* artificial limb **~griff** *m* trick **~handel** *m* art trade **~händler(in)** art dealer **~handlung** *f* art dealer's (shop) **~handwerk** *n* → ***Kunstgewerbe*** **~herz** *n* MED artificial heart **~historiker(in)** art historian **~hochschule** *f* art college **~honig** *m* artificial honey **~kenner(in)** (art) connoisseur **~kritiker(in)** art critic **~leder** *n* imitation leather

Künstler(in) artist, MUS, THEAT performer, (*Zirkus⁀ etc*) artiste **künstlerisch** *Adj* artistic(ally *Adv*): ***~er Leiter*** art director; *Adv* ***ein ~ wertvoller Film*** a film of artistic merit; ***~ begabt sein*** have an artistic talent **Künstlername** *m* THEAT, FILM stage name **Künstlertum** *n* artistry, *Koll the* artistic world

Künstlerviertel *n* artists' quarter

Künstlerwerkstatt *f* studio, *weit. S.* (artist's) workshop

künstlich *Adj allg* artificial (*a. fig*), *Zähne etc*: *a.* false, (*nachgemacht*) *a.* imitation (*leather*), *Fasern etc*: synthetic, man-made, (*unecht*) fake: ***~e Intelligenz*** artificial intelligence; MED ***~e Niere*** kidney machine; *Adv* ***j-n ~ ernähren*** feed s.o. artificially

Kunstlicht *n* FOTO artificial light

Kunstliebhaber(in) art lover

kunstlos *Adj* simple, plain

Kunst|maler(in) artist, painter **~pause** *f iron* ***e-e ~ machen*** pause for effect **~reiter(in)** trick rider **~sammler(in)** art collector **~sammlung** *f* art collection **~schätze** *Pl* art treasures *Pl* **~schule** *f* art school **~schwimmen** *n* water ballet **~seide** *f* artificial silk, rayon **~sprache** *f* artificial language **~springen** *n* (fancy) diving **~springer(in)** (fancy) diver

Kunststoff *m* synthetic material, plastic (material): ***~e*** *Pl* plastics *Pl*; ***aus ~*** (of) plastic **⁀beschichtet** *Adj* plastic-laminated **~industrie** *f* plastics industry **~kleber** *m* plastic adhesive **~rasen** *m* artificial lawn

Kunst|stopfen *n* invisible mending **~stück** *n* trick, (*akrobatisches ~*) stunt, *fig a.* (great) feat: *iron* ***~!*** small wonder!; ***das ist doch kein ~!*** anyone can do that! **~student(in)** art student **~tischler(in)** cabinetmaker **~turnen** *n* gymnastics *Sg* **~turner(in)** gymnast **~verständige** *m*, *f* art expert **~verständnis** *n* appreciation (*od* expert knowledge) of art

kunstvoll *Adj* (highly) artistic, (*~ gestaltet*) elaborate, (*raffiniert*) ingenious

Kunst|werk *n* work of art **~wort** *n* coinage **~zeitschrift** *f* art magazine

kunterbunt *Adv* ***~ durcheinander*** higgledy-piggledy

Kupee *nt* → ***Coupé***

Kupfer *n* copper **Kupferblech** *n* sheet copper **Kupferdraht** *m* copper wire

kupferhaltig *Adj* containing copper

Kupfermünze *f* copper (coin)

kupfern *Adj* (of) copper

kupferrot *Adj* copper-red

Kupfer|stecher(in) copperplate engraver

Kupferstich *m* copperplate (engraving)
kupieren *v/t* (*Tier*) dock, (*a. Schwanz, Ohren*) crop
Kupon *m* → ***Coupon***
Kuppe *f* **1.** (*Berg*≈) (hill)top **2.** (*Finger*≈) tip
Kuppel *f* dome
kuppelförmig *Adj* dome-shaped
Kuppelei *f* JUR procuration **kuppeln I** *v/t* **1.** *allg* (**an** *Akk*) couple (with), connect (to) **II** *v/i* **2.** MOT (*ein*~) (let in the) clutch, (*aus*~) declutch **3.** *pej* matchmake **Kuppler(in)** JUR procurer (procuress), *pej* matchmaker
Kupplung *f* **1.** CHEM, TECH coupling **2.** MOT clutch: ***die ~ treten*** (***loslassen***) → ***kuppeln*** 2; ***die ~ schleifen lassen*** let the clutch slip
Kupplungs|belag *m* MOT clutch facing **~pedal** *n* clutch pedal **~scheibe** *f* clutch disc **~stecker** *m* ELEK coupler plug
Kur *f* cure, (course of) treatment: ***e-e ~ machen*** take a cure (*od* a course of treatment); ***zur ~ fahren*** go to a health resort (*od* spa); F ***während m-r ~ in …*** during my stay at …
Kür *f Turnen*: free (*od* voluntary) exercise(s *Pl*), *Eiskunstlauf etc*: free skating (*etc*)
Kuratorium *n* board of trustees
Kuraufenthalt *m* stay at a health resort (*od* spa)
Kurbel *f* crank, handle **kurbeln I** *v/i* crank, F MOT turn the steering wheel **II** *v/t* ***in die Höhe ~*** wind *s.th.* up
Kurbelwelle *f* MOT crankshaft
Kürbis *m* **1.** BOT pumpkin **2.** F (*Kopf*) nut
Kurde *m*, **Kurdin** *f*, **kurdisch** *Adj* Kurd
Kurfürst(in) elector (electress)
Kurgast *m* visitor (to a health resort *od* spa) **Kurhaus** *n* kurhaus, casino
Kurhotel *n* health-resort hotel
Kurie *f* REL Curia
Kurier(in) courier, messenger
kurieren *v/t a. fig* cure (**von** of)
Kuriergepäck *n* diplomatic bag
kurios *Adj* strange, curious, odd
Kuriosität *f* curiosity, (*Rarität*) *a.* curio
Kuriosum *n* odd thing, odd fact
Kur|konzert *n* spa concert **~ort** *m* spa, health resort **~park** *m* spa gardens *Pl*
Kurpfuscher(in) quack
Kurpfuscherei *f* quackery
Kurpromenade *f* promenade (at a spa)
Kurs *m* **1.** (*Devisen*≈, *Wechsel*≈) rate (of exchange), exchange rate, (*Aktien*≈ *etc*) price, rate, quotation: ***zum ~ von*** at a rate of; ***außer ~ setzen*** withdraw from circulation; ***die ~e geben nach*** (***ziehen an***) prices are softening (hardening); ***hoch im ~ stehen*** **a)** *Aktien*: be high, **b)** *fig* be popular (***bei*** with) **2.** FLUG, SCHIFF course, *fig a.* line: ***~ nehmen auf*** (*Akk*) set course for, *a. fig* head for; ***e-n falschen ~ einschlagen*** take the wrong course (*fig* a wrong line); POL ***harter*** (***weicher***) ***~*** hard (soft) line; → ***abweichen*** **3.** course, class: ***e-n ~ für Englisch besuchen*** attend a course in English (*od* English classes)
Kursänderung *f* **1.** FLUG, SCHIFF change of course (*a. fig*) **2.** WIRTSCH change in the exchange rate **Kursanstieg** *m* WIRTSCH rise (in rates *od* prices) **Kursbericht** *m* WIRTSCH (stock) market report **Kursbuch** *n* (railway, *Am* railroad) timetable
Kürschner(in) furrier **Kürschnerei** *f* **a)** furrier's trade, **b)** furrier's shop
Kurseinbruch *m* WIRTSCH fall in prices, slump
Kursgewinn *m* WIRTSCH (price) gains *Pl*, *bei Devisen*: exchange profits *Pl*
kursieren *v/i Geld*: circulate, *fig Gerüchte etc*: *a.* go round
Kursindex *m* WIRTSCH share price index
kursiv *Adj* italic: ***etw ~ drucken*** print s.th. in italics
Kurs|korrektur *f* course correction (*a. fig*): ***e-e ~ vornehmen*** correct the course **~leiter(in)** (course) instructor, teacher **~notierung** *f* WIRTSCH quotation **~rückgang** *m* WIRTSCH decline in prices **~schwankung** *f* **a)** *bei Devisen*: exchange rate fluctuation, **b)** *an der Börse*: price fluctuation **~teilnehmer(in)** course participant **~verlust** *m* **a)** *bei Devisen*: exchange loss, **b)** *an der Börse*: (stock price) loss **~wagen** *m* BAHN through coach (*od* carriage) **~wechsel** *m* POL change of policy **~wert** *m* WIRTSCH market value **~zettel** *m Börse*: price list, stock list
Kurtaxe *f* health resort tax

K

Kürübung *f* SPORT free exercise

Kurve *f allg* curve, MATHE *a.* graph, *e-r Straße etc*: *a.* bend, turn, *Pl* F *e-r Frau*: curves *Pl*: ***die Straße macht e-e ~*** the road bends; ***unübersichtliche ~*** blind bend; MOT ***die ~ schneiden*** cut the curve; ***der Wagen wurde aus der ~ getragen*** the car was flung out of the bend; FLUG ***in die ~ gehen*** bank; F *fig* ***die ~ kratzen*** beat it, push off; ***der kriegt die ~ nie!*** he'll never make it!

kurven *v/i* **1.** curve, FLUG bank **2.** F (*herum~*) cruise around

Kurven|bild *n* diagram, graph **~diagramm** *n* line graph **~festigkeit** *f*, **~lage** *f* MOT cornering stability **~lineal** *n* (French) curve **♀reich** *Adj* **1.** *Straße*: full of bends, winding **2.** F *fig Frau*: curvaceous **~technik** *f* MOT cornering technique

Kurvenvorgabe *f* SPORT stagger

kurz I *Adj* **1.** *allg* short (*a. fig*), *zeitlich a.* brief: ***kürzer werden*** (***machen***) get (make) shorter, shorten; ***5 m zu ~ sein*** be five metres short; ***~e Hose*** shorts *Pl*; *fig* ***den Kürzeren ziehen*** be worsted, lose; F ***etw ~ und klein schlagen*** smash s.th. to bits; ***~es Gedächtnis*** short memory; ***mit ein paar ~en Worten*** in a few words, briefly; ***nach ~em Zögern*** after a moment of hesitation; ***in kürzester Zeit*** in no time; ***binnen ~em*** shortly; ***seit ~em*** for some little time (now); ***bis vor ~em*** until quite recently; F ***machs ~!*** be brief! **2.** (*schroff*) short, curt (***gegen j-n*** with s.o.) **II** *Adv* **3.** *räumlich*: short: ***~ vor …*** just before …; ***~ hinter dem Bahnhof*** just after the station; ***~ geschnitten*** cropped; ***zu ~ werfen*** throw (too) short; ***er wird ~ Tom genannt*** he is called Tom for short; *fig* ***zu ~ kommen*** get a bad deal, *Sache*: be neglected; F ***j-n ~ halten*** keep s.o. very short (***mit Geld*** of money); F ***~ treten*** **a)** (*sich einschränken*) tighten one's belt, **b)** (*sich schonen*) take things easy, go slow **4.** *zeitlich*: briefly, (*vorübergehend*) for a while, (*flüchtig*) for a moment; ***~ vor, ~ zuvor*** shortly before; ***~ nach, ~ darauf*** shortly after; ***über ~ oder lang*** sooner or later; ***j-n ~ abweisen*** be short with s.o.; ***sich ~ ausruhen*** take a short rest; ***~ entschlossen*** without the slightest hesitation; ***~ (gesagt), um es ~ zu machen*** to cut a long story short; ***~ und gut*** in short; ***fasse dich ~!*** please be brief!; *fig* ***~ (und bündig)*** briefly, concisely, (*schroff*) curtly, *ablehnen*: flatly; ***~ angebunden*** short, curt (***gegen*** with)

Kurzarbeit *f* short time (work) **kurzarbeiten** *v/i* be on (*od* work) short time **Kurzarbeiter(in)** short-time worker

kurzärm(e)lig *Adj* short-sleeved

kurzatmig *Adj* short-winded

kurzbeinig *Adj* short-legged

Kurzbericht *m* brief report, summary

Kurzbiographie, **Kurzbiografie** *f* profile

Kürze *f allg* shortness (*a. fig*), *zeitlich*: *a.* briefness, brevity, *fig* (*Knappheit*) conciseness: ***in ~*** shortly, before long; ***in aller ~*** very briefly; ***in der ~ liegt die Würze*** brevity is the soul of wit

Kürzel *n* shorthand expression

kürzen *v/t allg* shorten (***um*** by), (*Buch etc*) *a.* abridge, (*Löhne*, *Ausgaben etc*) cut, MATHE (*Bruch*) reduce: ***j-s Lohn um 200 Euro ~*** dock 200 euros off (*od* from) s.o.'s wages

kurzerhand *Adv* without further ado: ***j-n ~ entlassen*** dismiss s.o. on the spot; ***~ ablehnen*** refuse flatly

Kurzfassung *f* abridged version

Kurzfilm *m* short (film)

Kurzform *f* short(ened) form

kurzfristig I *Adj* WIRTSCH short-term, *fig Pläne etc*: short-range, (*plötzlich*) sudden, (*sofortig*) immediate **II** *Adv* **a)** at short notice, **b)** for a short period

Kurzgeschichte *f* short story

Kurzhaar… *a.* ZOOL, **kurzhaarig** *Adj* short-haired

kurzhalten → ***kurz*** II 3

kurzlebig *Adj a. fig* short-lived

kürzlich *Adv* recently, not long ago: (***erst***) ***~*** (just) the other day

Kurzmeldung *f* news flash **Kurznachrichten** *Pl* news bulletin *Sg*, news *Sg* in brief, *the* news headlines *Pl* **Kurzparkzone** *f* limited parking zone

kurzschließen *v/t* ELEK short(-circuit)

Kurzschluss *m* **1.** ELEK short circuit: ***e-n ~ verursachen in*** (*Dat*) short-circuit **2.** → **Kurzschlusshandlung** *f* panic action: ***e-e ~ begehen*** do s.th. rash, *aus Angst*: panic **Kurzschrift** *f*

shorthand, stenography: ***in ~*** in shorthand
kurzsichtig *Adj* shortsighted (*a. fig*), nearsighted **Kurzsichtigkeit** *f* shortsightedness (*a. fig*), nearsightedness
Kurzstrecke *f* short distance
Kurzstrecken... short-distance, short-range **~läufer(in)** sprinter **~rakete** *f* short-range missile **~verkehr** *m* short-distance (*od* short-haul) traffic
kurztreten → ***kurz*** II 3
kurzum *Adv* in short
Kürzung *f allg* shortening, *e-s Buches etc*: *a.* abridgement, *von Ausgaben etc*: cut (*Gen* in), MATHE *e-s Bruchs*: reduction
Kurzurlaub *m* short holiday
Kurzwaren *Pl* haberdashery *Sg*, *Am* notions *Pl*
Kurzwelle *f* **1.** RADIO short wave **2.** → ***Kurzwellenbehandlung***
Kurzwellen... short-wave (*transmitter, receiver, etc*) **Kurzwellenbehandlung** *f* MED radiothermy
kurzwellig *Adj* short-wave
Kurzwort *n* abbreviation, contraction
Kurzzeit... short-time **~gedächtnis** *n* short-term memory **~messer** *m* timer
kuschelig *Adj* (soft and) cuddly, *Sessel etc*: cosy **kuscheln** *v/refl* ***sich ~*** snuggle (***an*** *Akk* up to *s.o.*, ***in*** *Akk* down in *bed etc*) **Kuscheltier** *n* cuddly toy **kuschelweich** *Adj* (soft and) cuddly
kuschen *v/i* **1.** *Hund*: lie down **2.** F *fig* (***vor j-m***) **~** knuckle under (to s.o.)
Kusine *f* (female) cousin
Kuss *m* kiss: ***flüchtiger ~*** peck; ***sich mit e-m ~ (von j-m) verabschieden*** kiss s.o. goodbye **kussecht** *Adj* kissproof
küssen *v/t u. v/i* kiss: ***sie küssten sich (zum Abschied)*** they kissed (goodbye); ***j-m die Hand ~*** kiss s.o.'s hand
Kusshand *f* ***j-m e-e ~ zuwerfen*** blow s.o. a kiss; F *fig* ***mit ~*** gladly
Küste *f* coast, shore: ***an der ~ leben*** live at the seaside
Küsten|bewohner(in) coastal inhabitant **~fischerei** *f* inshore fishing **~gebiet** *n* coastal area **~gewässer** *Pl* coastal waters *Pl* **~linie** *f* coast line **~schifffahrt** *f* coastal shipping **~schutz** *m* shore protection **~straße** *f* coast(al) road **~strich** *m* coastal strip **~wache** *f* coast guard (station)
Kustos *m im Museum*: curator
Kutsche *f* carriage, coach: *hum* ***alte ~*** (*Auto*) (old) rattletrap **Kutscher(in)** coachman, driver **kutschieren** *v/t u. v/i* F (***j-n***) ***durch die Gegend ~*** drive (s.o.) around
Kutte *f* (*Mönchs*~) cowl
Kutteln *Pl schweiz., südd.* tripe
Kutter *m* SCHIFF cutter
Kuwait *n* Kuwait
Kybernetik *f* cybernetics *Pl* (*a. Sg konstr*) **Kybernetiker(in)** cybernetician, cyberneti(ci)st **kybernetisch** *Adj* cybernetic(ally *Adv*)
kyrillisch *Adj* Cyrillic
KZ *n* concentration camp **KZ-Häftling** *m* concentration camp prisoner

L

L, l *n* L, l
labberig *Adj* F *a. fig* **1.** sloppy, (*fade*) insipid, (*schal*) stale **2.** (*weich*) limp
laben *v/refl* ***sich ~ an*** (*Dat*) refresh o.s. with, *fig e-m Anblick*: feast (o.s.) on
labern *v/i* F drivel
Labial(laut) *m* LING labial (sound)
labil *Adj* unstable, labile
Labilität *f* instability, lability
Labor *n* F lab: ***im ~ untersuchen*** lab-examine **Laborant(in)** laboratory assistant **Laboratorium** *n* laboratory
Laborbefund *m* test result(s *Pl*)
laborieren *v/i* F MED suffer (***an*** *Dat* from)
Laborversuch *m* laboratory experiment
Labrador *m* ZOOL labrador
Labyrinth *n a. fig* labyrinth, maze
Lachanfall *m* laughing fit
Lache[1] *f* pool, puddle
Lache[2] *f* F laugh

lächeln I *v/i* (***über*** *Akk* at) smile, *verschmitzt*: grin: ***sie lächelte freundlich*** she gave a friendly smile; ***immer nur ~!*** keep smiling! **II** ♀ *n* smile

lachen I *v/i* laugh (***über*** *Akk* at): ***er lachte schallend*** he roared with laughter; ***sie lachte verlegen*** she gave an embarrassed laugh; F ***dass ich nicht lache!*** don't make me laugh!; ***sie hat nichts zu ~*** her life is no bed of roses; ***du hast gut ~!*** you can laugh!; ***da kann ich nur ~!*** excuse me while I laugh!; ***es wäre ja gelacht, wenn …*** it would be ridiculous if …; ***wer zuletzt lacht, lacht am besten*** he who laughs last laughs loudest; → ***Fäustchen*** **II** ♀ *n* laughing, laugh(ter): ***j-n zum ♀ bringen*** make s.o. laugh; ***sich vor♀ biegen*** nearly die laughing; ***♀ ist gesund*** laughter is the best medicine; F ***das ist nicht zum ♀*** that's no joke; ***das ist ja zum ♀*** that's ridiculous **lachend** *Adj* laughing: ***die ~en Erben*** the joyful heirs; ***der ~e Dritte*** the real winner **Lacher** *m* **1.** laugher: ***er hatte die ~ auf s-r Seite*** he had the laugh on his side **2.** F (*Lachen*) laugh **Lacherfolg** *m* ***e-n ~ haben*** (*od* ***ernten***) raise a laugh

lächerlich *Adj* **1.** ridiculous, absurd, (*komisch*) funny: ***~ machen*** ridicule, make fun of; ***sich ~ machen*** make a fool of o.s.; ***das ♀e daran*** the ridiculous thing about it; ***etw ins ♀e ziehen*** turn s.th. into a joke; *fig* ***sich ~ vorkommen*** feel ridiculous; ***~ wirken*** be ridiculous **2.** *fig* (*gering*) trifling, petty: ***für e-e ~e Summe*** for a ridiculously low sum

Lächerlichkeit *f* **1.** ridiculousness **2.** *mst Pl* trifle

Lachfältchen *Pl* laughter lines *Pl* **Lachgas** *n* MED laughing gas **lachhaft** *Adj* laughable, ridiculous **Lachkrampf** *m* (***e-n ~ bekommen*** have a) laughing fit

Lachmuskel *m* ANAT risible muscle

Lachs *m* salmon

lachs|farben, ~rosa *Adj* salmon-pink

Lachsschinken *m* smoked, rolled fillet of ham

Lack *m* (*Firnis*) varnish, (*Farb♀*) lacquer, (*Einbrenn♀*) enamel, MOT paint (-work): F *fig* ***der ~ ist ab!*** all the glamo(u)r is gone! **Lackarbeit(en** *Pl*) *f* lacquerwork **Lackfarbe** *f* varnish (paint)

lackieren *v/t* **1.** varnish, *mit Farblack*: lacquer, MOT paint: ***sich die Fingernägel ~*** paint one's nails **2.** F *fig* dupe: ***er war der Lackierte*** he was the dupe

Lackierer(in) TECH varnisher, painter

Lackierung *f* → ***Lack***

Lackleder *n* patent leather

Lackmus *m* CHEM litmus

Lackmuspapier *n* CHEM litmus paper

Lackschaden *m* MOT damage to the paintwork

Lackschuhe *Pl* patent-leather shoes *Pl*

Lackstift *m* MOT touch-up applicator

Lade|fläche *f* loading area **~gerät** *n* ELEK battery charger **~hemmung** *f* MIL (*a.* ***~ haben***) jam **~klappe** *f* MOT tailboard **~kontrollleuchte** *f* MOT charge control lamp

laden¹ *v/t* **1.** (*a. Kamera, Computer*) load **2.** ELEK, PHYS charge **3.** *fig etw* ***auf sich ~*** burden (*od* saddle) o.s. with

laden² *v/t* **1.** (*ein~*) invite **2.** JUR (*vor~*) summon, cite

Laden *m* **1.** shop, *Am* store: → ***dichtmachen*** II **2.** F *fig* (*Betrieb, Verein*) shop, outfit: → ***schmeißen*** 3 **3.** (*Fenster♀*) shutter **~dieb(in)** shoplifter **~diebstahl** *m* shoplifting: ***zwei Ladendiebstähle*** two cases of shoplifting **~hüter** *m* shelf warmer, drug in (*Am* on) the market **~inhaber(in)** shopkeeper, *Am* storekeeper **~kasse** *f* till **~kette** *f* chain (of shops) **~mädchen** *n* F shopgirl **~preis** *m* retail price **~schild** *n* shop sign **~schluss** *m* closing time **~straße** *f* shopping street **~tisch** *m* (*fig* ***unter dem ~*** under the) counter

Laderampe *f* loading ramp

Laderaum *m* loading space, SCHIFF (ship's) hold, FLUG cargo bay

lädieren *v/t* damage, (*verletzen*) injure, *a. fig* batter, *fig* (*Image, Ruf*) dent

Ladung¹ *f* **1.** WIRTSCH load, freight, FLUG, SCHIFF cargo, (*Lieferung*) shipment: F ***e-e ~ Schnee*** a load of snow **2.** ELEK, MIL, PHYS charge

Ladung² *f* JUR summons

Lage *f* **1.** position, situation (*beide a. fig*), *e-s Hauses etc*: site, location: ***e-e schöne ~ haben*** be beautifully situated; METEO ***in höheren ~n*** higher up; *fig* ***die politische ~*** the political situation; ***die rechtliche ~*** the legal position; ***unangenehme ~*** predicament; ***nach ~ der Dinge*** as matters stand;

in der ~ sein, etw zu tun be in a position to do s.th.; → ***Herr, peilen*** I, ***versetzen*** 5, 9 **2.** (*Schicht*) layer, GEOL *a.* stratum, BERGB bed, TECH ply, (*Reihe*) tier **3.** MUS register **4.** F ***e-e ~ Bier ausgeben*** buy a round of beer
Lagenstaffel *f Schwimmen*: medley relay
Lageplan *m* site plan
Lager *n* **1.** bed, JAGD lair **2.** *a. fig* POL *etc* camp: ***ein ~ aufschlagen*** pitch camp; *fig* ***ins gegnerische ~ überwechseln*** change sides **3.** WIRTSCH (*Waren*♀) stock, store(s *Pl*), (*Raum, Gebäude*) storehouse, warehouse: ***etw auf ~ haben*** have s.th. in store (*od* stock, F *fig a.* up one's sleeve) **4.** BERGB bed, deposit **5.** TECH (*Unterlage*) support, (*Kugel*♀ *etc*) bearing **Lagerarbeiter(in)** warehouseman **Lagerbestand** *m* WIRTSCH (***den ~ aufnehmen*** take) stock **Lagerbier** *n* lager
lagerfähig *Adj* storable
Lagerfähigkeit *f* shelf life
Lagerfeuer *n* campfire
Lagergebühr *f* storage (fee)
Lagerhaltung *f* storekeeping
Lagerhaus *n* warehouse
Lagerist(in) storekeeper
Lagerleben *n* camp life
Lagerleiter(in) camp leader
lagern I *v/i* **1.** rest, lie down (*beide a.* ***sich ~***), MIL camp **2.** *Waren*: be stored **3.** (*ab~*) mature **II** *v/t* **4.** WIRTSCH store, keep **5.** (*betten*) lay, rest: MED ***das Bein hoch ~*** put the leg up; → ***gelagert*** **6.** TECH rest
Lagerraum *m* storeroom **Lagerstätte** *f* **1.** bed, JAGD lair **2.** BERGB, GEOL deposit
Lagerung *f* **1.** storage, warehousing **2.** (*Alterung, Reifung*) seasoning **3.** TECH bearing application
Lagerverwalter(in) storekeeper
Lageskizze *f* sketch map
Lagune *f* lagoon
lahm I *Adj* **1.** lame **2.** F stiff, tired, (*kraftlos*) limp **3.** F *fig Ausrede etc*: lame, *Film etc*: tame, dull; → ***Ente*** 1 **II** *Adv* **4.** ***~ legen*** *fig* paralyze, (*Verkehr etc*) *a.* bring to a standstill, (*Anlage, Gerät etc*) knock out **Lahmarsch** *m* V drip
lahmarschig *Adj* V slow, lame, listless
lahmen *v/i* limp
lähmen *v/t a. fig* paralyze: ***vor Angst wie gelähmt*** paralyzed with fear
Lahmheit *f allg* lameness, F *fig a.* dullness, slowness
Lähmung *f* **1.** MED paralysis **2.** *fig* paralyzing
Laib *m* loaf
Laiberl *n österr* **1.** round loaf **2.** (*aus Fleisch*) burger **3.** ***ein ~ Brot*** a loaf of bread
Laich *m*, **laichen** *v/i* spawn
Laie *m* layman: ***da bin ich absoluter ~*** I don't know the first thing about it
Laien... **1.** lay (*priest etc*) **2.** amateur (*actor etc*) **laienhaft** *Adj* amateurish
Lakai *m a. fig pej* lackey
Lake *f* GASTR brine
Laken *n* (*Bett*♀) sheet
Lakritze *f* liquorice
lallen *v/t u. v/i* blabber, speak thickly
Lama[1] *m* REL Lama
Lama[2] *n* ZOOL llama
Lamelle *f* BOT, TECH lamella, MOT (*Kühler*♀) rib, (*Brems*♀, *Kupplungs*♀) disc
lamentieren *v/i* F complain (***über*** *Akk* about)
Lametta *n* (silver) tinsel
Lamm *n* lamb **~braten** *m* roast lamb
Lämmchen *n* lambkin
Lamm|fell *n* lambskin **~fleisch** *n* lamb **~keule** *f* GASTR leg of lamb
Lampe *f* lamp, light, (*Glühbirne*) bulb
Lampenfieber *n* stagefright
Lampenschirm *m* lampshade
Lampion *m* Chinese lantern
lancieren *v/t fig* launch
Land *n* **1.** (*Fest*♀) land: ***zu ~e*** by land; ***ans ~*** ashore; *fig* ***ins ~ gehen*** *Zeit*: pass; F ***e-n Job*** *etc* ***an ~ ziehen*** land a job *etc*; ***wieder ~ sehen*** see daylight again **2.** (*Ggs. Stadt*) country, (*Acker*♀) soil, (*~besitz*) land: ***auf dem ~e*** in the country; ***aufs ~*** (in)to the country **3.** POL **a)** country, (*Gebiet*) territory, **b)** *BRD*: (Federal) Land, state **c)** *Österreich*: Province: ***außer ~es gehen*** go abroad; ***aus aller Herren Länder*** from all four corners of the earth; ***hier zu ~e*** → ***hierzulande*** **Landarbeiter(in)** farm hand
Land|arzt *m*, **~ärztin** *f* country doctor **~besitz** *m* landed property
Landbevölkerung *f* rural population
Lande|anflug *m* FLUG landing approach **~bahn** *f* runway **~brücke** *f* SCHIFF landing stage **~deck** *n* SCHIFF

flight deck **~erlaubnis** *f* landing clearance, permission to land **~fähre** *f* *Raumfahrt*: landing module
Landeier *Pl* farm eggs *Pl*
landeinwärts *Adv* (further) inland
Landeklappe *f* FLUG landing flap
landen *v/i u. v/t allg* land (*a. fig e-n Schlag, Erfolg etc*), SCHIFF *a.* disembark, F *fig a.* end up (***in*** *Dat* in): ***weich ~*** make a soft landing; SPORT ***auf dem 4. Platz ~*** come in fourth; F *fig* ***damit kannst du bei ihr nicht ~*** with that you won't get anywhere with her
Landenge *f* isthmus
Landepiste *f* landing strip **Landeplatz** *m* **1.** FLUG airstrip **2.** SCHIFF quay, wharf
Ländereien *Pl* lands *Pl*, estates *Pl*
Länderkampf *m* SPORT **1.** international competition **2.** → **Länderspiel** *n* international match **Ländervorwahl** *f* country code
Landes... **a**) national, **b**) regional, *e-s Bundeslandes*: *BRD* (of the) Land, *in Österreich*: Provincial (*government etc*) **~farben** *Pl* national colo(u)rs *Pl* **~grenze** *f* border, frontier **~innere** *n* interior **~meister(in)** SPORT national champion **~regierung** *f* (state) government **~sprache** *f* national language **~tracht** *f* national costume **≈üblich** *Adj* customary **~vater** *m iron* Father of the Land **~verrat** *m* treason **~währung** *f* national currency **≈weit** *Adj u. Adv* nationwide
Landeverbot *n* FLUG ***~ erhalten*** be refused permission to land
Land|fahrzeug *n* land vehicle **~flucht** *f* rural exodus **~friedensbruch** *m* breach of the public peace **~gang** *m* SCHIFF shore leave **~gemeinde** *f* rural community **~gericht** *n* JUR district (*od* superior) court **≈gestützt** *Adj* MIL ***~e Rakete*** land-based missile **~haus** *n* country house **~karte** *f* map **~kreis** *m* (administrative) district
landläufig *Adj* common(ly *Adv*)
Landleben *n* country life
ländlich *Adj* rural, (*bäurisch*) rustic
Landluft *f* country air
Landmaschine *f* agricultural machine
Landmesser(in) surveyor
Land|pfarrer(in) country parson **~plage** *f fig iron* nuisance, pest **~rat** *m BRD*: district administrator **~ratsamt** *n BRD*: district administration (office)
Landratte *f* F landlubber
Landregen *m* persistent rain
Landschaft *f* **1.** landscape (*a.* MALEREI), scenery, countryside: ***die politische ~*** the political scene **2.** region, country
landschaftlich *Adj* **1.** GEOG regional **2.** *Schönheit etc*: scenic(ally *Adv*): ***~ schöne Strecke*** scenic road
Landschafts|gärtner(in) landscape gardener **~maler(in)** landscape painter **~pflege** *f*, **~schutz** *m* conservation **~schutzgebiet** *n* (natural) preserve
Landsitz *m* country seat
Landsmann *m Pl* ***Landsleute*** (fellow) countryman, compatriot **Landsmannschaft** *f* expellee organization
Landstraße *f* country road
Landstreicher(in) tramp
Landstreicherei *f* JUR vagrancy
Land|streitkräfte *Pl* land forces *Pl* **~strich** *m* region, district **~tag** *m Deutschland*: Landtag, state parliament **~tagswahlen** *Pl* state elections *Pl*
Landung *f* landing, FLUG *a.* touchdown, SCHIFF *a.* disembarkation, (*Ankunft*) arrival: FLUG ***zur ~ ansetzen*** come in to land
Landungsbrücke *f* landing stage, jetty
Landurlaub *m* SCHIFF shore leave
Landvermessung *f* (land) surveying
Landweg *m* **1.** country road **2.** overland route: ***auf dem ~*** by land
Landwein *m* vin du pays
Landwirt(in) farmer **Landwirtschaft** *f* **1.** agriculture, farming **2.** (*Anwesen*) farm **landwirtschaftlich** *Adj*, **Landwirtschafts...** agricultural
Landzunge *f* GEOG promontory
lang I *Adj* **1.** *allg* long, (*langatmig*) *a.* lengthy, F *Person*: tall: ***über kurz oder ~*** sooner or later; ***seit ~em*** for a long time; → ***Bank***[1] 1, ***Gesicht*** 1, ***Hand, Sicht*** 1 *etc* **II** *Adv* **2.** *allg* long: ***4 Fuß ~*** 4 feet long; ***~ entbehrt*** long missed; ***~ ersehnt, ~ erwartet*** long-awaited; ***~ werden*** lengthen; ***die Zeit wird mir ~*** time hangs heavy on my hands; F ***~ und breit*** at great length; ***e-e Woche ~*** for a week; ***die ganze Woche ~*** all week, the whole week long; ***mein ganzes Leben ~*** all my life **3.** (*ent~*) along **4.** → ***lange***

langärm(e)lig *Adj* long-sleeved
langatmig *Adj fig* lengthy, long-winded
langbeinig *Adj* long-legged, F leggy
lange *Adv* long, a long time: ***das ist (schon) ~ her*** that was a long time ago (→ *a.* ***her*** 1); ***das ist noch ~ hin*** that's still a long way off; ***wie ~ noch?*** how much longer?; ***wie ~ lernen Sie schon Englisch?*** how long have you been learning English?; ***noch ~ nicht*** not for a long time (yet); ***noch ~ nicht fertig (gut genug*** *etc*) not nearly ready (good enough *etc*); ***bis ~ nach Mitternacht*** until well past midnight; ***ich bleibe nicht ~ (weg)*** I won't be long
Länge *f* **1.** *allg* length: ***von 10 Metern ~*** ten metres long (*od* in length); ***der ~ nach*** lengthwise; ***etw in die ~ ziehen*** stretch s.th., *fig* drag s.th. out; *fig* ***sich in die ~ ziehen*** drag on; SPORT ***er gewann mit zwei ~n Vorsprung*** he won by two lengths **2.** *mst Pl im Roman, Film etc*: dull passage, longueur **3.** GEOG longitude **4.** LING, *poet* long
längelang *Adv* (at) full length
langen F **I** *v/t* **1.** ***j-m etw ~*** (*geben*) hand (*od* give) s.o. s.th.; ***j-m e-e ~*** land s.o. one **II** *v/i* **2.** ***~ nach*** reach for; ***~ in*** (*Akk*) reach into **3.** (*reichen*) reach (***bis*** to *od* as far as) **4.** be enough (***für*** for), (*auskommen*) manage (***mit*** with, on): ***dafür langt mein Geld nicht*** I haven't got enough money for that; ***das langt mir*** that will do for me; ***langt das?*** will that do?; ***das langt mir für*** (*od* ***damit lange ich***) ***e-e Woche*** that'll last me a week; *fig* ***mir langts!, jetzt langts mir aber!*** I've had enough!, I'm sick of it!
Längengrad *m* GEOG degree of longitude **Längenkreis** *m* GEOG meridian
Längenmaß *n* linear (*od* long) measure
längerfristig *Adj u. Adv* covering (*od* for) a prolonged period
Langeweile *f* boredom: ***~ haben*** be (*od* feel) bored; F ***ich sterbe vor ~*** I'm bored to death
langfristig I *Adj* long-term **II** *Adv* on a long-term basis: ***~ (gesehen)*** in the long term **langgehen** *v/i* F go along: *fig* ***wissen, wos langgeht*** know the score; ***j-m zeigen, wos langgeht*** tell s.o. what's what **Langhaar...**, **langhaarig** *Adj* long-haired **Langjacke** *f* long jacket **langjährig** *Adj* of many years, long-standing, *Freiheitsstrafe etc*: long
Lang|lauf *m* cross-country skiing, langlauf **~läufer(in)** cross-country skier
langlebig *Adj allg* long-lived, WIRTSCH durable, KERNPHYSIK long-life
länglich *Adj* long(ish), oblong
langmütig *Adj* patient, forbearing
längs I *Präp* along: ***~ der Küste*** alongshore **II** *Adv* lengthwise
Längsachse *f* longitudinal axis
langsam I *Adj allg, a. geistig*: slow, (*allmählich*) *a.* gradual: ***~er werden*** slow down **II** *Adv* slowly, (*allmählich*) *a.* gradually: ***~, aber sicher*** slowly but surely; ***(immer schön) ~!*** not so fast!; ***er wird ~ alt*** he's getting old; F ***es wurde ~ Zeit!*** it was about time!; ***~ reichts mir!*** I'm getting fed up with this!; ***~er fahren*** *etc* slow down; F *fig* ***~ treten*** slow down
Langsamkeit *f* slowness
Langschläfer(in) late riser
Langspielplatte *f* long-playing record
Längsschnitt *m* longitudinal section
längst *Adv* long ago, long since: ***am ~en*** longest; ***~ nicht so gut*** not nearly as good; ***das ist ~ vorbei (vergessen)*** that's long past (forgotten); ***ich weiß es ~*** I've known it for a long time; ***er sollte ~ da sein*** he should have been here long ago; → ***fällig***
längstens *Adv* **1.** at the longest (*od* most) **2.** (*spätestens*) at the latest
langstielig *Adj* BOT long-stemmed
Langstrecke *f* **1.** SPORT (long) distance, **2.** MIL long range
Langstrecken... long-distance, MIL *a.* long-range **~lauf** *m* SPORT (long-)distance run (*od* race) **~läufer(in)** (long-)distance runner **~rakete** *f* long-range missile
Languste *f* rock lobster
langweilen *v/t* bore: ***sich ~*** be (*od* get) bored; ***sich zu Tode ~*** F be bored stiff
Langweiler(in) F bore **langweilig** *Adj* boring, dull: ***~ sein*** *a.* be a bore
Langwelle *f* RADIO long wave
Langwellenbereich *m* long-wave band
langwierig *Adj* lengthy, protracted (*a.* MED) **Langwierigkeit** *f* lengthiness
Langzeit|... long-term (*memory, effect*) **~arbeitslose** *Pl* long-term unemployed *Pl* **~arbeitslosigkeit** *f* long-

-term unemployment
Lanolin *n* CHEM lanolin
Lanze *f* lance
La-Ola-Welle *f* SPORT Mexican wave
lapidar *Adj* terse, succinct
Lappalie *f* (mere) trifle
Lappe *m* Lapp
Lappen *m* **1.** (piece of) cloth, (*Lumpen*) rag, (*Wisch*2) cloth, (*Staub*2) duster: F ***j-m durch die ~ gehen*** **a)** slip through s.o.'s fingers, **b)** *Person*: give s.o. the slip **2.** ANAT, BOT lobe **3.** F (bank)note, *Am* bill **4.** F (*Kleid etc*) rag
läppern *v/unpers* F ***es läppert sich*** it all adds up
Lappin *f* Lapp
läppisch *Adj* F silly, (*kindisch*) childish
Lappland *n* Lapland
Lapsus *m* slip, lapse
Laptop *m* laptop (computer)
Lärche *f* BOT larch
Lärm *m* **1.** *allg* noise, (*Getöse*) din, (*Motoren*2) roar, (*Radau*) racket, row: ***~ machen*** → ***lärmen***; F ***~ schlagen*** raise a hue and cry (***gegen*** against) **2.** *fig* (*Aufheben*) fuss (***um*** about)
Lärmbekämpfung *f* noise abatement
Lärmbelästigung *f* noise pollution
lärmempfindlich *Adj* sensitive to noise
lärmen *v/i* make much noise, be noisy
Lärmpegel *m* noise (*od* decibel) level
Lärmschutz *m* noise protection **~wall** *m* noise barrier
Larve *f* ZOOL larva
lasch *Adj* F **1.** (*schlaff*) limp **2.** *fig Disziplin etc*: lax, *a. Person*: slack **3.** (*fade*) insipid
Lasche *f* flap, *am Schuh*: tongue, TECH fishplate, flat link
Laser *m* PHYS laser **~chirurgie** *f* laser surgery **~drucker** *m* laser printer **~medizin** *f* laser medicine **~pistole** *f* laser gun **~strahl** *m* laser beam **~technik** *f* laser technology
lassen I *v/hilf* **1.** let: ***lass mich sehen*** let me see; ***das Licht brennen ~*** leave the light(s) on; ***j-n warten ~*** keep s.o. waiting; ***ich lasse mich nicht zwingen*** I won't be forced **2.** ***j-n etw tun ~*** have (*stärker*: make) s.o. do s.th.; ***den Arzt kommen ~*** send for the doctor; ***~ Sie ihn eintreten*** ask him (to come) in **3.** ***etw machen ~*** have s.th. made (*od* done); ***sich die Haare schneiden ~*** have one's hair cut; ***ich ließ es mir zuschicken*** I had it sent to me **4.** ***ich habe mir sagen ~*** I have been told; ***der Wein lässt sich trinken*** the wine is drinkable; ***dies Wort lässt sich nicht übersetzen*** this word is untranslatable; ***das lässt sich nicht mehr ändern*** it's too late now to do anything about it; ***das lässt sich nicht beweisen*** it can't be proved; ***die Tür ließ sich leicht öffnen*** the door opened easily; ***ich lasse von mir hören!*** I'll be in touch!; → ***machen*** 13, ***sagen*** *etc* **II** *v/t* **5.** leave: ***lass alles, wie es ist!*** leave everything as it is!; ***wo soll ich mein Gepäck ~?*** where shall I leave (*od* put) my luggage? **6.** (*über~*) ***j-m etw ~*** leave s.o. s.th., let s.o. have s.th.; ***lass mir das Buch noch e-e Weile!*** let me keep the book a while longer!; F *fig* ***das muss man ihm ~!*** you've got to hand it to him! **7.** (*unter~*) stop: ***lass das!*** don't!, stop that!; ***~ wir das!*** enough of that!; ***du solltest das Rauchen ~!*** you ought to stop smoking! **III** *v/i* **8.** ***von j-m*** (***e-r Sache***) ***~*** part from s.o. (with s.th.)
lässig I *Adj* casual, nonchalant, F cool, (*nach~*) careless **II** *Adv* F (*spielend*) easily: ***er gewann ~*** he won hands down
Lässigkeit *f* nonchalance
Lasso *n*, *m* lasso
Last *f* **1.** *allg*, *a. fig* load, burden, (*Gewicht*) weight: JUR ***~ der Beweise*** weight of the evidence; ***j-m zur ~ fallen*** be a burden to s.o.; ***j-m etw zur ~ legen*** charge s.o. with s.th. **2.** *mst Pl* WIRTSCH burden, charge: ***öffentliche ~en*** public charges; ***soziale ~en*** social burdens; ***zu ~en*** → ***zulasten*** **3.** ELEK (***unter ~*** under) load
lasten *v/i* ***~ auf*** (*Dat*) *a. fig* weigh (heavily) on, rest on
Lastenaufzug *m* goods lift, *Am* freight elevator **Lastenausgleich** *m* equalization of burdens
Laster[1] *m* F MOT lorry, *Am* truck
Laster[2] *n* vice **lasterhaft** *Adj* depraved, corrupt, wicked **Lasterhöhle** *f* den of iniquity **Lasterleben** *n* dissolute life
lästerlich *Adj* abusive, (*gottes~*) blasphemous **lästern** *v/i* ***~ über*** (*Akk*) run *s.o.*, *s.th.* down: ***Gott ~*** blaspheme

lästig *Adj* troublesome, (*ärgerlich*) annoying: ***j-m ~ fallen*** (*od* ***sein***) be a nuisance to s.o., get on s.o.'s nerves
Lastkahn *m* barge **Lastkraftwagen** *m* lorry, *Am* truck
Last-Minute-Flug *m* last-minute flight
Lastschrift *f* WIRTSCH **1.** debit entry **2.** → **Lastschriftanzeige** *f* debit note
Lastwagen *m* lorry, *Am* truck **~fahrer(in)** lorry (*Am* truck) driver
Lastzug *m* MOT truck trailer
Lasur *f* glaze
Latein *n* Latin: *fig* ***ich bin mit m-m ~ am Ende!*** I give up!
Lateinamerika *n* Latin America
Lateinamerikaner(in), **lateinamerikanisch** *Adj* Latin-American
lateinisch *Adj* Latin: ***auf*** ≈ in Latin
latent *Adj* latent **Latenzzeit** *f* BIOL, MED latency period (COMPUTER, KERNPHYSIK time)
Laterne *f* lantern, lamp
Laternenpfahl *m* lamppost
Latinum *n* PÄD *hist* ***großes ~*** Latin proficiency certificate; ***kleines ~*** intermediate Latin certificate
Latrine *f* latrine
Latsche *f* BOT dwarf pine
latschen F **I** *v/i* trudge: ***~ auf*** (*Akk*) step on **II** *v/t* ***j-m e-e ~*** paste s.o. one
Latschen *m* F **a**) slipper, **b**) (old) shoe: ***aus den ~ kippen*** keel over
Latte *f* **1.** lath, slat, (*Zaun*≈) picket **2.** SPORT (cross-)bar: ***die ~ überqueren*** *Hochsprung*: clear the bar **3.** F *fig* ***e-e ganze ~ von*** a whole string of
Lattenkiste *f* crate
Lattenzaun *m* paling, picket fence
Latz *m* bib: F *fig* ***j-m e-e vor den ~ knallen*** zap s.o. **Lätzchen** *n* bib
Latzhose *f* (pair of) dungarees *Pl*
lau *Adj* lukewarm (*a. fig*), tepid, *Wind, Luft etc*: mild
Laub *n* foliage, leaves *Pl*
Laubbaum *m* deciduous tree
Laube *f* arbo(u)r, (*Garten*≈) summerhouse
Laubengang *m* arcade
Laubenkolonie *f* allotment gardens *Pl*
Laubfrosch *m* tree frog
Laubsäge *f* fretsaw **~arbeit** *f* fretwork
Laubwald *m* deciduous forest
Laubwerk *n* foliage
Lauch *m* BOT leek **~zwiebel** *f* spring onion, *Am* green onion
Lauer *f* ***auf der ~ liegen*** be lying in wait
lauern *v/i Gefahr etc*: lurk: ***~ auf*** (*Akk*) be lying in wait for; ***auf e-e Gelegenheit ~*** be watching out for an opportunity
Lauf *m* **1.** (*das Laufen*) run(ning), (*Wett*≈) race, run: ***100-Meter-~*** 100 metre run (*od* dash); *fig* ***den Dingen ihren ~ lassen*** let things ride; ***sie ließ ihren Tränen freien ~*** she let her tears flow freely; ***s-n Gefühlen freien ~ lassen*** give vent to one's feelings, let go **2.** (*Ver*≈) course: ***im ~ der Zeit*** (***des Gesprächs***) in the course of time (of the conversation); ***im ~e der letzten Jahre*** during the last few years; ***das ist der ~ der Welt!*** such is life! **3.** TECH **a**) run, movement, action, play, **b**) working, operation **4.** (*Gewehr*≈ *etc*) barrel **5.** JAGD leg **6.** MUS run, passage **7.** (*Fluss*≈, *Bahn*) course **Laufbahn** *f* (***e-e ~ einschlagen*** take up a) career
Laufbursche *m* errand boy
Laufdisziplin *f* SPORT running event
laufen **I** *v/i* **1.** *allg* run (*a. fig*), (*gehen*) walk, go, (*fließen*) *a.* flow: ***er ließ Wasser in die Wanne ~*** he ran water into the tub; ***j-n ~ lassen*** let s.o. go (*straffrei*: off); F ***m-e Nase läuft*** my nose is running; *fig* ***mir lief ein Schauer über den Rücken*** a shudder ran down my spine **2.** TECH work, *Motor etc*: run: ***Kamera läuft!*** camera on!; ***die Maschine läuft nicht*** the machine doesn't work **3.** *Film, Stück etc*: run, show, be on: ***läuft der Hauptfilm schon?*** has the main film started yet? **4.** (*ver~*) go, (*im Gange sein*) be going on, *Antrag etc*: be under consideration: F ***wie ist es denn gelaufen?*** how did it go?; ***die Sache ist gelaufen*** **a**) (*vorbei*) it's all over, **b**) (*gelungen*) it's in the bag; ***die Dinge ~ lassen*** let things ride; ***da läuft nichts!*** nothing doing!; ***so läuft das!*** that's the name of the game!; ***was da in Bonn so läuft*** what's going on in Bonn **5.** (*gültig sein*) WIRTSCH, JUR run, be valid: ***der Mietvertrag läuft 5 Jahre*** the lease runs for five years **6.** ***auf j-s Namen ~*** be (made out) in s.o.'s name; ***unter dem Namen X ~*** go by the name of X **7.** (*undicht sein*) leak **II** *v/t* **8.** (*Strecke*) run,

do, (*gehen*) walk: ***e-n neuen Rekord ~*** run a new record; ***e-e Zeit von 20 Sekunden ~*** clock a time of 20 seconds **9.** ***sich Blasen ~*** get blisters (from walking) **III** *v/unpers* **10.** ***hier läuft es sich gut*** (***schlecht***) walking (skiing *etc*) is good (bad) here **IV** *v/refl* **11.** ***sich warm ~*** warm up

laufend I *Adj* **1.** current: ***im ~en Monat*** this month; ***~e Berichterstattung*** running commentary; ***~e Kosten*** overheads; ***~e Nummern*** serial numbers; ***~e Kontrolle*** regular inspection **2.** ***auf dem 2en sein*** be up to date, *weit. S.* be fully informed; ***j-n*** (***sich***) ***auf dem 2en halten*** keep s.o. (o.s.) informed (F posted) **3.** WIRTSCH ***~er Meter*** running met/re (*Am* -er) **4.** ***mit ~em Motor*** with the engine running **II** *Adv* **5.** constantly, continually

Läufer *m* **1.** runner, (*Eis2*) skater, (*Ski2*) skier **2.** *Schach*: bishop **3.** (*Teppich*) runner, rug **4.** TECH slide, cursor, ELEK rotor

Lauferei *f fig* running around, trouble

Läuferin *f* → ***Läufer*** 1

Lauffeuer *n fig* (***sich verbreiten wie ein ~*** spread like) wildfire **Lauffläche** *f e-s Reifens*: tread, *e-s Skis*: running surface **Laufgitter** *n* playpen

läufig *Adj* ZOOL in heat, on heat

Lauf|junge *m* errand boy **~kran** *m* TECH travel(l)ing crane **~kundschaft** *f* casual customers *Pl* **~masche** *f* ladder, *bes Am* run **~pass** *m* F ***j-m den ~ geben*** send s.o. packing, (*Freund*[*in*]) ditch s.o. **~planke** *f* SCHIFF gangway **~schritt** *m* ***im ~*** at the double **~schuhe** *Pl* running (*od* track) shoes *Pl* **~sport** *m* running **~ställchen** *n* playpen **~steg** *m* TECH *u. Mode*: catwalk, SCHIFF gangway **~training** *n* SPORT running workout **~werk** *n* mechanism, drive assembly, COMPUTER drive

Laufzeit *f* **1.** *e-s Vertrages*: life, term, *e-s Wechsels*: currency, *e-s Films*: run **2.** TECH, *a. e-s Tonbands etc*: running time

Laufzettel *m* inter-office slip, tracer

Lauge *f* lye, (*Seifen2*) suds *Pl*

Lauheit *f a. fig* lukewarmness

Laune *f* **1.** mood, temper: ***schlechte ~ haben, schlechter ~ sein*** be in a bad mood (*od* temper); ***bester ~ sein*** be in a great mood; ***j-n bei*** (***guter***) ***~ halten*** *a. iron* keep s.o. happy; ***~n haben*** be moody **2.** (*Grille*) whim, caprice

launenhaft *Adj* moody, *fig* capricious, fickle, *Wetter*: changeable

launig *Adj* humorous **launisch** *Adj* **1.** → ***launenhaft*** **2.** ill-tempered, peevish

Laus *f* louse (*Pl* lice)

Lauschangriff *m* bugging operation

lauschen *v/i* listen (*Dat*, **auf** *Akk* to): (***heimlich***) **~** eavesdrop (*Dat* on)

Lauscher(in) listener, eavesdropper

lauschig *Adj* snug, cosy

lausen *v/t* louse: F *fig* ***mich laust der Affe!*** did you ever! **lausig** *Adj* F **1.** (*schlecht*) lousy **2.** *Kälte etc*: dreadful, awful: *Adv* ***~ wehtun*** hurt awfully

laut[1] **I** *Adj* loud (*a. fig*), (*lärmend*) noisy: ***~ werden*** **a)** become audible, **b)** *fig* become known, *Wünsche etc*: be expressed, **c)** *Person*: begin to shout; ***es wurde das Gerücht ~, dass ...*** it was rumo(u)red that ... **II** *Adv* loud(ly): ***etw ~ sagen*** say s.th. out loud; ***~ lesen*** (***denken***) read (think) aloud; ***~ und deutlich*** loud and clear

laut	**loud/noisy**

loud:

vom Ton, von der Lautstärke her laut (Gegenteil „leise"):

loud music, a loud voice, a loud doorbell, a loud cry/shriek

Hier kann man das, was laut ist, theoretisch „leiser stellen".

noisy:

unangenehmen Lärm verursachend, geräuschvoll (Gegenteil „ruhig"):

a noisy family/street/pub

Hier geht es um etwas „von Natur aus" Lautes/Lärmendes, das man mehr oder weniger so hinnehmen muss wie es ist.

laut[2] *Präp* according to, WIRTSCH as per

Laut *m* sound (*a.* LING), noise: JAGD ***~ geben*** give tongue; ***sie gab k-n ~ von sich*** she didn't utter a sound

Laute *f* MUS lute

lauten *v/i* **1.** run, read, go: ***der Text lautet wie folgt*** the text reads as follows **2.** *~* ***auf*** *(Akk) Urteil*: be; ***auf*** **(*den Namen*)** ***X*** *~ Pass etc*: be (made out) in the name of X
läuten *v/i u. v/t* ring, toll: ***es läutet*** there is a ring at the door, PÄD the bell is ringing; F *fig* ***ich habe*** **(*etw*)** ***davon ~ hören*** I've heard s.th. to that effect
lauter I *Adj* **1.** *Gold etc*: pure **2.** *fig* (*aufrichtig*) sincere, hono(u)rable **II** *Adv* **3.** nothing but: ***aus ~ Bosheit*** from sheer spite; ***vor ~ Lärm*** for all the noise; ***das sind ~ Lügen*** it's all lies
Lauterkeit *f fig* sincerity, integrity
läutern I *v/t allg* purify, CHEM *a.* clarify, *fig a.* chasten **II** *v/refl* ***sich ~*** *fig* reform
Läuterung *f fig* reformation
Läutewerk *n e-s Weckers*: alarm (bell)
lauthals *Adv* *~* ***lachen*** roar with laughter; *~* ***schreien*** roar, scream
Lautheit *f* loudness, noisiness
Lautlehre *f* phonetics *Sg*
lautlos *Adj* soundless, noiseless, silent: ***es herrschte ~e Stille*** there was hushed silence
Lautschrift *f* phonetic transcription
Lautsprecher *m* ELEK (loud)speaker **~anlage** *f* public-address system
lautstark *Adj a. Protest etc*: loud: ***~e Minderheit*** vocal minority
Lautstärke *f* loudness, ELEK *a.* (sound) volume: ***mit voller ~*** (at) full blast
Lautstärkeregler *m* volume control
Lautverschiebung *f* LING sound shift
Lautzeichen *n* phonetic symbol
lauwarm *Adj* lukewarm (*a. fig*), tepid
Lava *f* lava
Lavabo *n schweiz.* washbasin
Lavendel *m* BOT lavender
lavieren *v/i fig* manoeuvre, *Am* maneuver
Lawine *f a. fig* avalanche
lawinenartig *Adj u. Adv* avalanche-like: *~* ***anwachsen*** snowball
Lawinen|gefahr *f* danger of avalanches **≗sicher** *Adj* avalanche-proof **~(such)-hund** *m* avalanche search dog **~warnung** *f* avalanche warning
lax *Adj* lax, *Moral*: *a.* loose
Layout *n* layout
Layouter(in) layout man (woman)
Lazarett *n* (military) hospital
LCD-Anzeige *f* LCD display

Lean| Management *n* lean management **~ Production** *f* lean production
leasen *v/t* lease **Leasing** *n* leasing
leben I *v/i* **1.** live, (*am Leben sein*) *a.* be alive, (*existieren*) exist: ***hier lebt es sich gut*** it's not a bad life here; ***lebt er noch?*** is he still alive?; ***bescheiden ~*** lead a modest life; *~* ***von*** live on; ***er lebt vom Stundengeben*** he makes a living by teaching; *~* ***für*** live for, devote one's life to; *~* ***und ~ lassen*** live and let live; ***es lebe ...!*** long live ...! **2.** (*wohnen*) live, reside: ***sie lebt bei ihrer Mutter*** she lives with her mother **II** *v/t* **3.** live **III ≗** *n* **4.** living (*etc*): ***zum ≗ zu wenig, zum Sterben zu viel*** barely enough to keep body and soul together
Leben *n* **1.** life: ***das ~ in Kanada*** life in Canada; ***ein Kampf auf ~ und Tod*** a life-and-death struggle; ***aus dem ~ gegriffen*** taken from life; ***am ~ sein*** live, be alive; ***am ~ bleiben*** stay alive, survive; ***ums ~ bringen*** kill; ***am ~ erhalten*** keep alive; ***sich das ~ nehmen*** kill o.s., commit suicide; ***ums ~ kommen*** lose one's life, be killed; ***mit dem ~ davonkommen*** escape (alive); *fig* ***ein neues ~ beginnen*** turn over a new leaf; ***ins ~ rufen*** call into being, launch; *j-m* ***das ~ schenken*** **a)** spare *s.o.'s* life, **b)** *e-m Kind*: give birth to; ***im öffentlichen ~ stehen*** be a public figure; ***mein ~ lang*** all my life; ***ich tanze für mein ~ gern*** I just love to dance; ***ich würde für mein ~ gern ...*** I would give anything to *Inf*; ***das gibts nur einmal im ~*** that'll happen just once in a lifetime; F ***nie im ~!, im ~ nicht!*** not on your life!; ***so ist das ~*** **(*eben*)*!*** such is life!; → ***Hölle, schwer machen*** **2.** (*~ und Treiben*) life, activity, (*Vitalität*) liveliness, vitality: *~* ***bringen in*** *(Akk)* liven up; → ***Bude*** 4
lebend *Adj* living, LING *a.* modern (*language*), (*am Leben*) alive, BIOL live: LANDW ***~es Inventar*** livestock; ***die ≗en*** the living; ***die noch ≗en*** those still alive; BIOL *~* ***gebährend*** viviparous
Lebendgewicht *n* live weight
lebendig *Adj* **1.** living, *präd* alive: ***bei ~em Leibe*** alive; *fig* ***wieder ~ werden*** *Erinnerung etc*: come back **2.** (*lebhaft*) lively, *Geist*: alert, (*anschaulich*) vivid
Lebendigkeit *f* liveliness, vividness

L

Lebens|abend *m* old age **~abschnitt** *m* period of (one's) life **~ader** *f fig* lifeline **~alter** *n* age **~angst** *f* existential dread **~anschauung** *f* view of life, approach to life **~arbeitszeit** *f* working life **~art** *f* **1.** way of life **2.** manners *Pl* **~auffassung** *f* philosophy (of life) **~aufgabe** *f* life task: ***sich etw zur ~ machen*** devote one's life to s.th. **~bedingungen** *Pl* (living) conditions *Pl* **2bedrohlich** *Adj* life-threatening **~bedürfnisse** *Pl* necessaries *Pl* of life **2bejahend** *Adj* positive(-minded) **~bejahung** *f* positive approach to life **~berechtigung** *f* right to live **~bereich** *m* sphere of life **~beschreibung** *f* life, biography **~dauer** *f* duration of life, lifespan, TECH (service) life **~ende** *n* ***bis an mein*** *etc* **~** to the end of my *etc* days **~erfahrung** *f* experience of life **~erhaltungssystem** *n* MED, TECH life-support system **~erinnerungen** *Pl* memoirs *Pl* **~erwartung** *f* life expectancy **2fähig** *Adj a. fig* viable **~form** *f* **1.** way of life **2.** BIOL form of life **~frage** *f* vital question **~freude** *f* joy of life, zest (for life) **~gefahr** *f* danger to life: ***~!*** danger!; ***in ~ schweben*** be in danger of one's life, MED be in a critical condition; ***außer ~ sein*** be out of danger, MED be off the critical list; ***unter ~*** at the risk of one's life **2gefährlich** *Adj* extremely dangerous, perilous, *Krankheit*, *Verletzung*: very serious **~gefährte** *m*, **~gefährtin** *f* (life) companion, partner in life **~gemeinschaft** *f* life partnership

Lebensgeschichte *f* life story

lebensgroß *Adj* life-size(d)

Lebensgröße *f* life size: ***in ~*** **a)** life-size(d), **b)** F *fig* large as life

Lebenshaltung *f* standard of living

Lebenshaltungskosten(index *m*) *Pl* cost *Sg* of living (index)

Lebensinteressen *Pl* vital interests *Pl*

Lebens|jahr *n* year of one's life: ***im 20. ~*** at the age of 20 **~kampf** *m* struggle for survival **~kraft** *f* vigo(u)r, vitality

lebenslang **I** *Adj* lifelong **II** *Adv* all one's life **lebenslänglich** *Adj* JUR (for) life: ***~e Freiheitsstrafe*** life imprisonment; F ***er hat ~ bekommen*** he got a life term

Lebenslauf *m* **1.** (course of) life, career **2.** personal record, curriculum vitae

lebenslustig *Adj* fond of life, F swinging

Lebensmittel *Pl* food(stuffs *Pl*) *Sg*, groceries *Pl*, provisions *Pl* **~abteilung** *f* food department **~geschäft** *n* grocery, food shop (*Am* store) **~händler(in)** grocer **~industrie** *f* food industry **~vergiftung** *f* food poisoning

lebensmüde *Adj* weary of life

lebensnotwendig *Adj* vital, essential

Lebensqualität *f* quality of life

Lebens|raum *m* living space **~retter(in)** life-saver, rescuer **~rhythmus** *m* rhythm (of life) **~standard** *m* standard of living **~stellung** *f* permanent position **~stil** *m* lifestyle

lebensüberdrüssig → ***lebensmüde***

lebensunfähig *Adj* nonviable

Lebens|unterhalt *m* (***s-n ~ verdienen*** earn one's) living (*od* livelihood) (***mit*** out of) **2untüchtig** *Adj* unable to cope with life **~versicherung** *f* life insurance **~wandel** *m* life, conduct **~weise** *f* way of life, (*Gewohnheiten*) habits *Pl*: ***gesunde ~*** healthy living, (*bes Diät*) regimen **~weisheit** *f* worldly wisdom, (*Spruch*) maxim **~werk** *n* lifework

lebenswert *Adj* worth living

lebenswichtig *Adj* vital, essential

Lebens|wille *m* will to live **~zeichen** *n* sign of life **~zeit** *f* lifetime: ***auf ~*** for life **~ziel** *n*, **~zweck** *m* aim in life

Leber *f* liver: *fig* ***frisch*** (*od* ***frei***) ***von der ~ weg*** frankly **~fleck** *m* mole **~knödel** *m* GASTR liver dumpling **~krankheit** *f* liver disease **~krebs** *m* MED cancer of the liver **~pastete** *f* GASTR liver pâté **~tran** *m* cod-liver oil **~wurst** *f* liver sausage, *bes Am* liverwurst **~zirrhose** *f* MED cirrhosis of the liver

Lebewesen *n* living being, creature, BIOL organism

Lebewohl *n* **~** ***sagen*** bid *s.o.* farewell

lebhaft *Adj allg* lively, *fig Fantasie etc*: *a.* vivid, *Interesse*: *a.* keen, *Verkehr etc*: busy, *Farben etc*: *a.* gay, (*munter*) vivacious, animated, *a.* WIRTSCH brisk: *Adv* ***etw ~ bedauern*** regret s.th. very much; ***e-r Sache ~ widersprechen*** flatly contradict s.th.; ***das kann ich mir ~ vorstellen*** I can just imagine **Lebhaftigkeit** *f* liveliness, *fig a.* vividness

Lebkuchen *m* gingerbread (cake)

leblos *Adj* lifeless (*a. fig*), inanimate

Lebzeiten *Pl* ***zu s-n ~*** **a)** in his (life-) time, **b)** when he was still alive
lechzen *v/i* ***~ nach*** *a. fig* thirst after
leck *Adj* leaky: ***~ sein*** → ***lecken***[1]; SCHIFF ***~ werden*** spring a leak **Leck** *n* leak
lecken[1] *v/i* leak, SCHIFF have sprung a leak
lecken[2] *v/t* lick, (*auf~*) lap (up)
lecker *Adj* delicious, tasty, F yummy
Leckerbissen *m a. fig* titbit, *Am* tidbit
Leckerei *f* dainty, sweet
Leder *n* leather (*a.* F *Fußball*): F *fig* ***vom ~ ziehen*** let go (***gegen*** against)
Leder… leather (*coat, glove, etc*) **~fett** *n* TECH dubbing **~gebunden** *Adj* leather-bound **~hose** *f* leather trousers *Pl* **~jacke** *f* leather jacket
ledern[1] *Adj* **1.** leather **2.** *fig* (*zäh*) leathery **3.** *fig* (*langweilig*) dull
ledern[2] *v/t* polish with a chamois
Lederwaren *Pl* leather goods *Pl*
ledig *Adj* **1.** single, unmarried: ***~e Mutter*** unmarried mother **2.** ***e-r Sache ~ sein*** be free of s.th.
lediglich *Adv* only, merely
Lee *f* SCHIFF lee: ***nach ~*** leeward
leer *Adj allg* empty (*a. fig*), *Haus, Stelle*: *a.* vacant, *Blatt, Kassette*: blank: ***die Batterie ist ~*** the battery has run out (MOT is dead); *fig* ***mit ~en Händen*** empty-handed; ***~e Drohung*** empty threat; ***~es Gerede*** idle talk, F hot air; *Adv* ***~ laufen*** (***lassen***) **a)** TECH idle, **b)** drain, run dry, **c)** SPORT ***j-n ~ laufen lassen*** sell s.o. a dummy; ***~ stehen*** *Haus etc*: be empty, be unoccupied; ***~ stehend*** unoccupied, vacant; ***ins ~e starren*** stare into space; ***ins ~e gehen*** *Schlag etc*: miss; → ***ausgehen*** 7, ***Magen***
Leere *f a. fig* emptiness, void **leeren** *v/t allg* empty (*a.* ***sich ~***), (*Glas*) *a.* drain, (*Teller*) *a.* clear
Leer|gewicht *n* dead weight **~gut** *n* WIRTSCH empties *Pl*
Leerkassette *f* blank cassette
Leerlauf *m* **1. a)** TECH idle running, **b)** MOT neutral (gear): ***im ~ fahren*** coast **2.** *fig* **a)** *a. im Betrieb*: wastage (of energy), **b)** running on the spot
Leertaste *f* space bar, space key
Leerung *f* emptying (*etc*): POST ***nächste ~*** next collection
Leer|zeichen *n* blank, space **~zeile** *f* space, empty line

Lefzen *Pl* flews *Pl*
legal *Adj* legal, lawful: ***auf ~em Wege*** by legal means, lawfully **legalisieren** *v/t* legalize **Legalisierung** *f* legalization
Legalität *f* legality, lawfulness: ***außerhalb der ~*** outside the law
Legasthenie *f* dyslexia
Legastheniker(in) dyslexic
Legat[1] *m* (papal) legate
Legat[2] *n* JUR legacy
legen I *v/t* **1.** put, place, (*hin~*) lay *s.o., s.th.* down: ***ein Kind ins Bett ~*** put a child to bed; *fig* ***er legte die Entscheidung in m-e Hände*** he placed the decision in my hands **2.** (*Teppich, Rohre, Kabel, Minen etc*) lay, (*Bombe*) plant **3.** (*zs.-legen*) fold **4.** (*Haare*) set: ***bitte waschen und ~*** shampoo and set, please **5.** ZOOL (*Eier*) lay **6.** ***Karten ~*** tell fortunes by the cards **7.** SPORT ***j-n ~*** bring s.o. down **II** *v/refl* ***sich ~*** **8.** lie down: ***sich ins Bett ~*** go to bed **9.** *fig Wind, Zorn, Lärm etc*: die down, blow over, *Schmerz, Begeisterung etc*: wear off, *Spannung*: ease off **10.** *fig* ***sich ~ auf*** (*e-e Tätigkeit*) take up, go in for **11.** ***sich j-m aufs Gemüt ~*** (begin to) depress s.o. **III** *v/i* **12.** ZOOL lay (eggs)
legendär *Adj* legendary
Legende *f a. fig* legend
leger *Adj* casual, informal
Leggin(g)s *Pl* (pair of) leggings *Pl*
legieren *v/t* **1.** TECH alloy **2.** GASTR thicken **Legierung** *f* TECH alloy
Legion *f* legion
Legionär *m* legionnaire
Legislative *f* **1.** legislative body, legislature **2.** legislative power
Legislaturperiode *f* legislative period
legitim *Adj* legitimate **Legitimation** *f* **1.** legitimation, proof of identity, credentials *Pl* **2.** (*Berechtigung*) authority
legitimieren I *v/t* **1.** legitimate **2.** (*berechtigen*) authorize **II** *v/refl* ***sich ~*** **3.** prove one's identity
Legitimität *f* legitimacy
Leguan *m* ZOOL iguana
Lehen *n hist* fief
Lehm *m* loam, (*Ton*) clay, F (*Dreck*) mud **Lehmboden** *m* loamy soil
lehmig *Adj* loamy, F (*dreckig*) muddy
Lehne *f* (*Stuhl~*) back(rest), (*Arm~*) arm(rest) **lehnen** *v/t, v/i u.* ***sich ~*** lean (***an*** *Akk*, ***gegen*** against): ***sich aus***

dem Fenster ~ lean out of the window
Lehnstuhl *m* easy chair
Lehnwort *n* LING loan (word)
Lehr|amt *n* **1.** (*Beruf*) teaching (profession) **2.** (*Stellung*) teaching post **~anstalt** *f* educational establishment, school **~auftrag** *m* UNI teaching assignment, lectureship **~beauftragte** *m, f* UNI assistant (*Am* associate) lecturer **~beruf** *m* **1.** PÄD teaching profession **2.** WIRTSCH skilled trade **~brief** *m* certificate of apprenticeship, (*Vertrag*) indentures *Pl* **~buch** *n* textbook
Lehre[1] *f* **1.** teaching(s *Pl*), doctrine, (*Lehrmeinung*) theory, science: ***die christliche ~*** the Christian doctrine; ***e-e ~ aufstellen*** establish a theory **2.** (*Warnung*) lesson, (*Ratschlag*) (piece of) advice, *e-r Geschichte etc*: moral: ***e-e ~ ziehen aus*** draw a lesson from; ***das sollte dir e-e ~ sein!*** let that be a lesson to you! **3.** (***e-e ~ machen*** serve one's) apprenticeship (***bei*** with)
Lehre[2] *f* TECH ga(u)ge, (*Schablone*) model
lehren *v/t u. v/i* teach: ***j-n lesen ~*** teach s.o. (how) to read; ***er lehrt Recht*** UNI *a.* he lectures on law; *fig* ***das wird die Zukunft ~*** time will show
Lehrer *m* teacher, *Br a.* master, (*Fahr*~, *Ski*~ *etc*) instructor **Lehrer(aus)bildung** *f* teacher training **Lehrerfortbildung** *f* in-service training of teachers
Lehrerin *f* (lady) teacher, *Br a.* mistress
Lehrerkollegium *n* (teaching) staff, *bes Am a.* faculty **Lehrerkonferenz** *f* staff (*bes Am a.* faculty) meeting
Lehrerzimmer *n* staff room
Lehrfach *n* **1.** subject **2.** → ***Lehramt*** 1
Lehrgang *m* course (of instruction) (**für** in) **Lehrgeld** *n* ***~ zahlen müssen*** learn it the hard way **Lehrjahre** *Pl a. fig* (years *Pl* of) apprenticeship *Sg* **Lehrkörper** *m* teaching (UNI academic) staff **Lehrkraft** *f* teacher
Lehrling *m* apprentice, trainee
Lehr|meister *m* master **~methode** *f* teaching method **~mittel** *Pl* teaching aids *Pl* **~plan** *m* curriculum, syllabus
lehrreich *Adj* instructive, informative
Lehr|satz *m* **1.** MATHE theorem **2.** REL dogma **~stelle** *f* apprenticeship: ***offene ~*** vacancy for an apprentice **~stoff** *m* **1. a)** subject, **b)** *e-s einzelnen Fachs*: subject matter **2.** → ***Lehrplan*** **~stück** *n* THEAT didactic play **~stuhl** *m* UNI chair, professorship: ***den ~ für Recht*** (***inne-***)***haben*** hold the chair of law **~tochter** *f schweiz.* apprentice **~vertrag** *m* articles *Pl* of apprenticeship **~werkstatt** *f* training workshop **~zeit** *f* apprenticeship
Leib *m* body, (*Bauch*) *a.* belly, (*Unter*~) abdomen, (*Mutter*~) womb: ***am ganzen ~e zittern*** tremble all over; ***etw am eigenen ~ erfahren*** experience s.th. for o.s.; F ***zu ~e rücken*** **a)** ***j-m*** press s.o. hard, attack s.o., **b)** *fig* ***e-m Problem*** tackle a problem; ***sich j-n vom ~e halten*** keep s.o. at arm's length; ***~ und Leben riskieren*** risk life and limb; ***die Rolle war ihr auf den ~ geschrieben*** she was made for the part; ***mit ~ und Seele*** heart and soul; → ***lebendig*** 1
Leibchen *n österr., schweiz., südd* **1.** (*Unterhemd*) vest, *Am* undershirt **2.** (*Sporttrikot*) shirt
Leibeigene *m, f* serf
leiben *v/i* ***das ist Michael wie er leibt und lebt*** that's Michael all over
Leiberl *n österr.* → ***Leibchen***
Leibes|kräfte *Pl* ***aus ~n*** with all one's might, *schreien etc*: at the top of one's voice **~übungen** *Pl* physical exercise (PÄD education) *Sg*
Leibgericht *n* favo(u)rite dish
leibhaftig I *Adj* real, true: ***das ~e Ebenbild*** the living image; ***der ~e Teufel*** the devil incarnate **II** *Adv* in person, in the flesh **leiblich** *Adj* **1.** bodily, physical: ***~es Wohl*** physical well-being, *weit. S.* creature comforts *Pl*; ***für das ~e Wohl ist gesorgt*** food and drink will be provided **2.** (*blutsverwandt*) full, own, *Eltern, Erbe*: natural: ***~er Bruder*** blood brother; ***ihr ~er Sohn*** her own son
Leibrente *f* life annuity
Leibschmerzen *Pl* stomach-ache *Sg*
Leib|wache *f*, **~wächter(in)** bodyguard
Leibwäsche *f* underwear
Leiche *f* (dead) body, corpse: *fig* ***über ~n gehen*** stop at nothing; F ***nur über m-e ~!*** over my dead body!
Leichen|begängnis *n* funeral **~bestatter** *m* undertaker **~blass** *Adj* deathly pale **~halle** *f* mortuary **~hemd** *n* shroud **~rede** *f* funeral oration **~schauhaus** *n* morgue **~starre** *f* MED rigor mortis **~tuch** *n a. fig* shroud **~verbrennung**

f cremation **~wagen** *m* hearse **~zug** *m* funeral procession
Leichnam *m* (dead) body, corpse
leicht I *Adj* **1.** *allg* light (*a. fig Arbeit, Lektüre, Musik, Regen, Schlag, Speisen, Wein etc*), TECH *a.* lightweight, (*mild*) *a.* mild (*a.* PHARM, *Tabak etc*), (*sanft*) *a.* gentle: ***e-e ~e Erkältung*** a slight cold; ***er hat e-e ~e Bronchitis*** he has a mild case (F a touch) of bronchitis; ***~e Steigung*** gentle slope; F ***~es Mädchen*** hussy; *fig* ***mit ~er Hand*** effortlessly; ***etw auf die ~e Schulter nehmen*** make light of s.th. **2.** (*einfach*) easy, simple: ***~er Sieg*** walkover; ***das ist ~*** that's easy; ***nichts ~er als das!*** no problem at all!; ***sie hat es nicht ~ (mit ihm)*** she is having a rough time (with him); ***es war ihm ein 2es*** it was easy for him **3.** (*gering, a.* JUR) slight, minor, *Strafe*: mild: ***~er Fehler*** slight (*od* minor) mistake; ***~e Verletzung*** minor injury **II** *Adv* **4.** lightly (*etc*): ***etw ~ berühren*** touch s.th. gently (*od* lightly); ***~ bekleidet*** lightly (*stärker*: scantily) dressed **5.** easily: ***sie ist ~ gekränkt*** she is easily offended; ***sie lernt ~*** she is a good learner; ***das schaffe ich ~*** I can manage that easily; ***sich mit e-r Sache ~ tun*** find s.th. easy, find it easy to do s.th.; ***es ist ~ möglich*** it is well possible; ***das ist ~ gesagt*** it's not as easy as that; ***~er gesagt als getan*** easier said than done; ***es ~ nehmen*** take it easy; ***nimms ~!*** take it easy!; *fig* ***so etw fällt ihm ~*** he finds that sort of thing easy; ***es fällt ihm nicht ~*** it isn't easy for him; ***j-m etw ~ machen*** make s.th. easy for s.o.; ***sich das Leben ~ machen*** take it easy; ***du machst es dir zu ~!*** it's not as easy as that! **6.** slightly: ***ich bin ~ erkältet*** I've (got) a slight cold; ***~ entzündlich*** inflammable; ***~ verdaulich*** easily digestible, light; ***~ verderblich(e Waren*** *Pl*) perishable(s *Pl*); ***~ verständlich*** easy to understand; ***~ verwundet*** *Adj* lightly wounded
Leicht|athlet(in) (track-and-field) athlete **~athletik** *f* (track-and-field) athletics *Pl* (*a. Sg konstr*) **~bauweise** *f* lightweight construction **~benzin** *n* light petrol (*Am* gasoline) **~beton** *m* lightweight concrete
leichtblütig *Adj* lighthearted, sanguine
Leichter *m* SCHIFF lighter
leichtfertig *Adj* **1.** light, frivolous **2.** (*unbedacht*) careless, (*fahrlässig*) irresponsible **Leichtfertigkeit** *f* **1.** frivolity **2.** (*Unbedachtheit*) carelessness
leichtfüßig *Adj* light-footed **Leichtgewicht** *n* SPORT lightweight
leichtgläubig *Adj* gullible
Leichtgläubigkeit *f* gullibility
leichthin *Adv* airily, casually
Leichtigkeit *f* lightness, *fig a.* easiness, ease: ***mit (größter) ~*** (very) easily
leichtlebig *Adj* easy-going
Leichtlohngruppe *f* low-wage unskilled labo(u)r
Leicht|matrose *m*, **~matrosin** *f* ordinary seaman
Leichtmetall *n* light metal
Leichtsinn *m* **1.** carelessness, *stärker*: recklessness: ***sträflicher ~*** criminal negligence **2.** frivolity, flightiness
leichtsinnig *Adj* **1.** careless, *stärker*: reckless, (*unbedacht*) rash **2.** frivolous, flighty **leichtsinnigerweise** *Adv* carelessly (enough)
leid *Adj präd* ***ich bin es ~*** **a)** I'm tired of it, **b)** ***etw zu tun*** I'm tired of doing s.th.
Leid *n* **1.** grief, sorrow, (*Unglück*) misfortune: ***j-m sein ~ klagen*** pour out one's heart to s.o.; ***Freud und ~ mit j-m teilen*** share one's joys and sorrows with s.o. **2.** (*Schaden*) harm, (*Unrecht*) wrong: ***j-m ein ~ zufügen*** harm s.o. **3.** ***(es) tut mir ~!*** (I'm) sorry!; ***es tut mir ~*** **a)** ***um*** I feel sorry for, **b)** ***dass …*** I am (so) sorry that …; ***das tut mir aber ~!*** I'm sorry to hear that!; ***es tut mir (ja) ~, aber ich kann nicht kommen*** *etc* I'm afraid I can't come *etc*; ***sie tut mir ~*** I feel sorry for her; ***das wird dir noch ~ tun!*** you'll regret it!; ***zu ~e*** → ***zuleide***
leiden I *v/t* **1.** suffer, bear, endure: ***Hunger ~*** *a.* starve; → ***Not*** 1 **2.** ***(nicht) ~ können*** (dis)like; ***ich kann ihn (es) nicht ~*** *a.* I can't stand him (it); ***er war dort nur gelitten*** he was only tolerated there **II** *v/i* **3.** suffer (***an*** *Dat*, ***unter*** *Dat* from), (*Schmerzen haben*) be suffering, be in pain: ***s-e Gesundheit hat darunter gelitten*** it told on his health
Leiden *n* **1.** suffering **2.** MED disease, illness, (*Beschwerden*) complaint

leihen	**borrow/lend**
sich etwas leihen (*man bekommt etwas*)	**borrow**
Kann ich mir kurz deinen Kuli leihen? Ich musste mir 20 Mark leihen.	**Can I borrow your pen for a minute? I had to borrow 20 marks.**
etwas verleihen (*man gibt etwas weiter*)	**lend**, *Am* **loan**
Kannst du mir 20 Mark leihen? Ich habe ihr meinen Schirm geliehen.	**Can you lend** (*Am* **loan**) **me 20 marks? I lent** (*Am* **loaned**) **her my umbrella.**

leidend *Adj* suffering, (*krank*) ailing, sickly: ***~ aussehen*** look ill
Leidenschaft *f* passion: ***Autos sind s-e ~*** cars are his passion
leidenschaftlich *Adj* passionate, (*glühend*) *a.* ardent: *Adv* ***ich esse ~ gern Pizza*** I just love pizza **Leidenschaftlichkeit** *f* passionateness, ardo(u)r
leidenschaftslos *Adj* dispassionate
Leidensgenosse *m*, **Leidensgenossin** *f* fellow sufferer **Leidensgeschichte** *f* **1.** ***die ~*** (***Christi***) Christ's Passion **2.** *fig* sad story, *iron* tale of woe
Leidensmiene *f iron* doleful expression
Leidensweg *m fig* ***ihr Leben war ein einziger ~*** hers was a life of suffering
leider *Adv* unfortunately: ***~!*** *a.* alas!; ***ich muss ~ gehen*** (I am) sorry, but I must be going; I am afraid I have to go; ***ja, ~!*** I'm afraid so; ***~ nein, ~ nicht*** unfortunately not, I'm afraid not
leidgeprüft *Adj* sorely tried
leidig *Adj* tiresome, unpleasant
leidlich *Adj* tolerable, passable: *Adv* ***mir geht es ~*** I'm not too bad
Leidtragende *m*, *f* **1.** mourner: ***die ~n*** the bereaved **2.** ***er ist*** (***immer***) ***der ~*** he is (always) the one to suffer
Leidwesen *n* ***zu m-m ~*** to my regret
Leier *f* MUS *hist* lyre: F *fig* ***immer die alte ~*** always the same old story
Leierkasten *m* barrel organ
Leierkasten|frau *f*, **~mann** *m* organ-grinder
Leih|arbeit *f* contract work **~bibliothek** *f*, **~bücherei** *f* lending library
leihen *v/t* **1.** ***j-m etw ~*** lend (*bes Am* loan) s.o. s.th. **2.** ***sich etw ~*** borrow s.th. (***bei, von*** from)
Leihfrist *f* lending period
Leihgabe *f* KUNST loan **Leihgebühr** *f* hire charge, *für Bücher*: lending fee **Leihhaus** *n* pawnshop **Leihmutter** *f* surrogate mother **Leihwagen** *m* hire car **leihweise** *Adv* on loan
Leim *m* glue: F ***aus dem ~ gehen*** **a)** come apart, **b)** *fig Ehe etc*: break up, **c)** *fig Person*: grow fat; *fig* ***j-m auf den ~ gehen*** be taken in by s.o. **leimen** *v/t* **1.** glue (together) **2.** F *fig* ***j-n ~*** take s.o. for a ride **Leimfarbe** *f* glue colo(u)r
Lein *m* BOT flax
Leine *f* (*Schnur*) string, cord, (*Wäsche*~) clothes) line, (*Hunde*~) leash, lead, (*Angel*~) (fishing) line: ***den Hund an die ~ nehmen*** (***an der ~ führen***) put (keep) the dog on the lead; *fig* ***j-n an der ~ halten*** keep s.o. on a short lead; F ***~ ziehen*** push off, *sl* scram
leinen *Adj* linen **Leinen** *n* **1.** linen, (*Segeltuch*) canvas **2.** BUCHDRUCK cloth: ***in ~ gebunden*** clothbound **Leinenschuh** *m* canvas shoe
Leinöl *n* linseed oil
Leinsamen *m* BOT linseed
Leintuch *n* **1.** (*Stoff*) linen **2.** (*Laken*) sheet
Leinwand *f* **1.** (*Zelt*~ *etc*) canvas (*a.* MALEREI) **2.** (*Film*~ *etc*) screen **Leinwandknüller** *m* FILM blockbuster film (*od* movie)
leise *Adj* quiet, *Stimme etc*: *a.* low, soft

(*a. Musik, Ton etc*): ***sei(d) ~!*** be quiet!, don't make such a noise!; ***das Radio ~(r) stellen*** turn the radio down; ***auf ~n Sohlen*** treading softly; *fig* ***ich habe nicht die ~ste Ahnung*** I haven't the faintest idea; *Adv* **(*sprich*) *~(r)!*** not so loud!

Leiste *f* **1.** ANAT groin **2.** (*Latte*) lath, (*Holz*≈) strip of wood **3.** ARCHI fillet

leisten *v/t* **1.** do, manage, (*vollbringen*) achieve, accomplish, (*erfüllen*) perform (*a.* JUR): ***gute Arbeit ~*** do a good job; ***Erstaunliches ~*** achieve amazing things **2.** (*gewähren*) render: ***für geleistete Dienste*** for services rendered; ***j-m Beistand ~*** → ***beistehen***; ***Ersatz ~*** provide a replacement; ***Zahlungen ~*** make payments; → ***Beitrag, Eid*** *etc* **3.** F ***sich etw ~*** **a)** afford s.th., (*gönnen*) treat o.s. to s.th., **b)** *fig* (*erlauben*) get up to (*od* do) s.th.; ***ich kann mir (k)ein Auto ~*** I can('t) afford a car; *fig* ***ich kann mir das nicht ~*** I can't afford to do that; ***er darf sich k-n Fehler mehr ~*** he can't afford another mistake; ***was hat er sich da wieder geleistet?*** what has he been up to again?

Leisten *m* last: F *fig* ***alles über einen ~ schlagen*** measure everything by the same yardstick

Leistenbruch *m* MED inguinal hernia

Leistung *f* **1.** *allg*, *a.* WIRTSCH, PÄD, *Sport*, TECH *etc* performance, (*Großtat*) achievement, feat, (*Arbeits*≈) work, (*Ausstoß*) output, (*Ergebnis*) result(s *Pl*), ELEK, PHYS, TECH *a.* power, ELEK *als Einheit*: wattage, *abgegebene*: output, *aufgenommene*: input: ***schulische ~en*** achievements at school; ***nach ~ bezahlt werden*** be paid by results; ***e-e gute ~ bringen*** make a good showing; F ***e-e reife ~!*** (*iron* jolly) good show!; ***schwache ~!*** poor show! **2.** (*Dienst*≈) service(s *Pl*) rendered, (*Sozial*≈) contribution, (*Versicherungs*≈ *etc*) benefit, (*Zahlung*) payment

leistungs|berechtigt *Adj Versicherter*: entitled to claim **≈beurteilung** *f* rating **~bezogen** *Adj* performance-oriented **≈denken** *n* performance-oriented outlook **≈druck** *m* pressure (to perform) **~fähig** *Adj allg* efficient, TECH *a.* powerful, *körperlich*: fit, WIRTSCH productive **≈fähigkeit** *f allg* efficiency, TECH *a.* power, capacity, *körperliche*: fitness, WIRTSCH productivity, PÄD *etc* ability **~gerecht** *Adj u. Adv* according to performance

Leistungs|gesellschaft *f* achievement-oriented society **~knick** *m* sudden drop in performance **~kontrolle** *f* PÄD achievement control **~kurs** *m* PÄD (***ich bin im ~ Geschichte*** I am taking history as a) special subject **~lohn** *m* WIRTSCH achievement wage(s *Pl*) **~niveau** *n* standard (of performance), PÄD *a.* achievement level **≈orientiert** *Adj* achievement-oriented **~prinzip** *n* performance principle **~prüfung** *f* performance (PÄD achievement) test **~schild** *n* TECH rating plate **≈schwach** *Adj* low-performance, inefficient (*beide a.* TECH), weak **~soll** *n* target **~sport** *m* competitive sport(s *Pl*) **~sportler(in)** competitive athlete **~stand** *m* performance level **≈stark** *Adj* (highly) efficient, *a.* TECH high-performance, powerful **≈steigernd** *Adj* performance-enhancing **~steigerung** *f* increase in performance (*od* efficiency *etc*), improvement **~test** *m* → ***Leistungsprüfung*** **~träger(in)** top performer **~wettbewerb** *m* WIRTSCH efficiency contest **~wille** *m* will to achieve **~zentrum** *n* SPORT training cent/re (*Am* -er) **~zuschlag** *m* efficiency bonus

Leitartikel *m* editorial, *bes Br* leading article, leader **Leitartikler(in)** editorial (*bes Br* leader) writer

Leitbild *n* model, example

leiten *v/t* **1.** *allg* lead, (*j-n*) *a.* guide, (*anführen*) head, (*verwalten*) run, manage, be in charge of, (*Verkehr*) direct, route (***über*** *Akk* over): ***e-e Sitzung*** (***Diskussion*** *etc*) ***~*** chair a meeting (discussion *etc*); SPORT ***das Spiel ~*** (be the) referee; ***ein Orchester ~*** conduct an orchestra; ***wer leitet die Delegation?*** who is the head of the delegation? **2.** (*weiter~*) pass on (***an*** *Akk* to) **3.** PHYS (*a. v/i*) conduct

leitend *Adj* **1.** leading, guiding, WIRTSCH managing, executive: ***~e(r) Angestellte(r)*** executive; ***~e Stellung*** managerial (*bes Am* executive) post **2.** PHYS **(*nicht*) ~** (non)conductive

Leiter[1] *m* **1.** *allg* leader, (*Abteilungs*≈ *etc*) head, (*Firmen*≈ *etc*) managing di-

rector, manager, (*Schul*≈) headmaster, *bes Am* principal, (*Chor*≈, *Orchester*≈) conductor **2.** PHYS conductor
Leiter[2] *f a. fig* ladder
Leiterin *f* leader, (*Chefin*) head, manageress, (*Schul*≈) headmistress, *bes Am* principal, (*Chor*≈ *etc*) conductress
Leitersprosse *f* rung (of a ladder)
Leiterwagen *m* (hand)cart
Leitfaden *m* textbook, manual, guide
leitfähig *Adj* PHYS conductive
Leitfähigkeit *f* conductivity
Leit|gedanke *m* central theme **~hammel** *m a. fig pej* bellwether **~kultur** *f* POL defining culture **~linie** *f* **1.** MOT white line **2.** *Pl fig* guidelines *Pl* **~motiv** *n* MUS leitmotiv, *fig a.* keynote **~planke** *f* MOT crash barrier, *Am* guard rail **~prinzip** *n*, **~satz** *m* guiding principle **~spruch** *m* motto **~stelle** *f* central office **~strahl** *m* FLUG guide beam **~studie** *f* pilot study **~tier** *n* leader
Leitung *f* **1.** leadership, WIRTSCH management, *a. künstlerische*: direction, *e-r Veranstaltung*: organization, (*Verwaltung*) administration, (*Aufsicht*) supervision, control: ***die ~ haben von*** (*od Gen*) be in charge of, be the head of, head; ***unter s-r ~*** under his direction; MUS ***unter der ~ von X*** conducted by X **2.** (*die Leiter*) *the* leaders *Pl*, management **3. a)** PHYS conduction, ELEK transmission, **b)** ELEK; TECH line, (*Rohr*≈) pipeline, (*Gas*≈, *Strom*≈, *Wasser*≈ *etc*) main(s *Pl*), **c)** ELEK (*Kabel*) lead **4.** TEL line: ***die ~ ist besetzt*** the line is busy (*od* engaged); F *fig* ***e-e lange ~ haben*** be slow in the uptake
Leitungs|mast *m* pole, pylon **~netz** *n* supply network, *für Wasser, Gas etc*: mains system **~schnur** *f* ELEK cord, *bes Br* flex **~wasser** *n* tap water
Leitwährung *f* WIRTSCH key currency
Leitwerk *n* FLUG tail unit
Leitzins *m* central bank discount rate
Lektion *f* PÄD unit: F *fig* ***j-m e-e ~ erteilen*** teach s.o. a lesson
Lektor *m*, **Lektorin** *f* **1.** UNI lecturer **2.** (*Verlags*≈) reader
Lektüre *f* (***leichte*** *etc* **~** light *etc*) reading, (*Lesestoff*) *a.* reading matter
Lemming *m* ZOOL *u. fig* lemming
Lende *f* ANAT, GASTR loin
Lenden|gegend *f* ANAT lumbar region **~schurz** *m* loincloth **~stück** *n* GASTR sirloin **~wirbel** *m* lumbar vertebra
Leninist(in), **leninistisch** *Adj* Leninist
lenkbar *Adj* **1.** TECH manoeuvrable, *Am* maneuverable, *Rakete*: guided **2.** *Kind etc*: tractable **lenken** *v/t* **1.** *allg* steer, (*fahren*) *a.* drive **2.** *fig* direct, guide, (*Staat*) govern, (*Wirtschaft etc*) control **3.** *fig* ***j-s Aufmerksamkeit ~ auf*** (*Akk*) direct (*od* draw) s.o.'s attention to; ***die Unterhaltung ~ auf*** (*Akk*) steer the conversation round to; ***den Verdacht ~ auf*** (*Akk*) throw suspicion on
Lenker *m* (*Lenkrad*) steering wheel, (*Lenkstange*) handlebar
Lenker(in) driver
Lenkrad *n* MOT steering wheel **~schaltung** *f* (steering-)column gear change (*Am* shift) **~schloss** *n* steering-column (*od* steering-wheel) lock
lenksam → ***lenkbar*** 2
Lenksäule *f* MOT steering column (*od* post) **Lenkstange** *f* handlebar
Lenkung *f* **1.** steering (*etc*, → ***lenken***) **2.** TECH steerage, guidance, control (*a.* WIRTSCH) **3.** MOT steering mechanism
Lenz *m* **1.** *rhet* spring(tide) **2.** *Pl fig* (*Lebensjahre*) summers *Pl*
lenzen SCHIFF **I** *v/t* pump out **II** *v/i* scud
Leopard *m* ZOOL leopard
Lepra *f* MED leprosy **~kranke** *m, f* leper
Lerche *f* ZOOL lark
lernbar *Adj* learnable
lernbegierig *Adj* eager to learn, keen
lernbehindert *Adj* learning-disabled
Lerneifer *m* eagerness to learn, studiousness
lernen *v/t u. v/i* learn (***aus, bei, von*** from), (*studieren*) study: ***kochen ~*** learn (how) to cook; ***er lernt gut*** (***schlecht***) he is a good (slow) learner; ***etw auswendig ~*** learn s.th. by heart; F ***er lernt Autoschlosser*** he's training as a car mechanic (***bei*** at); ***die Mutter lernt jeden Tag mit ihr*** her mother helps her with her homework every day; ***aus s-n Fehlern ~*** learn from one's mistakes; ***j-n*** (***etw***) ***schätzen ~*** come to appreciate s.o. (s.th.); ***das will gelernt sein!*** that's not so easy!; F ***manche ~s nie!*** some people never learn!; → ***gelernt***; → *Info-Fenster nächste Seite*

L

lernen	**learn/study**
⚠ „Lernen" ist nicht unbedingt gleich **learn**. Wenn man für eine Prüfung, einen Abschluss *etc* lernt, heißt es **study** bzw. bei Wiederholung von Stoff **revise**.	
learn	
Kinder lernen schnell.	**Children learn quickly.**
Schlittschuhlaufen lernen	**learn to skate**
ein Gedicht auswendig lernen	**learn a poem by heart**
study	
Was macht Peter? – Er lernt.	**What's Peter doing? – He's studying.**
revise	
Ich muss für die Prüfung morgen lernen.	**I've got to revise for tomorrow's exam.**

Lernende *m, f,* **Lerner(in)** learner
lernfähig *Adj* able to learn
Lern|hilfe *f* learning aid **~mittelfreiheit** *f* free learning aids *Pl*
Lernprogramm *n* **1.** *allg* learning software (*od* tool): ***multimediale ~e*** multimedia learning tools **2.** (*Anleitung zu e-r Computeranwendung*) tutorial **3.** *auf Sprachen bezogen*: CALL application **4.** (*Selbstlernprogramm*) self-study course
Lern|prozess *m* learning process **~schwester** *f* MED trainee nurse **~spiel** *n* educational game **~stoff** *m* subject matter **~ziel** *n* educational objective
Lesart *f* reading, version (*a. fig*)
lesbar *Adj* legible, (*lesenswert*) readable
Lesbe *f* F dike (*sl*)
Lesbierin *f*, **lesbisch** *Adj* lesbian
Lese *f* LANDW gathering, (*Wein2*) vintage
Lese|brille *f* reading glasses *Pl* **~buch** *n* reading book, reader **~gerät** *n* TECH reader **~kopf** *m* COMPUTER read(ing) head **~lampe** *f* reading lamp
lesen[1] **I** *v/t* **1.** read: ***falsch ~*** misread; ***flüchtig ~*** skim (through); ***s-e Schrift ist kaum zu ~*** his handwriting is hard to decipher; ***er hat viel gelesen*** he is well-read; ***das Buch liest sich gut*** the book reads well; ***da war*** (*od* ***stand***) ***zu ~, dass …*** it said there that …; *fig* ***etw in j-s Augen*** (***Gesicht***) ***~*** see s.th. in s.o.'s eyes (face); → ***Messe***[1] **2.** UNI lecture on **II** *v/i* **3.** read (***in*** *Dat* in, ***aus*** from) **4.** UNI lecture (***über*** *Akk* on)
lesen[2] *v/t* gather, (*Ähren*) glean, (*Wein*) vintage
lesenswert *Adj* worth reading
Leseprobe *f* THEAT reading rehearsal
Leser(in) reader
Leseratte *f* F bookworm
Leserbrief *m* reader's letter, *an e-e Zeitung*: letter to the editor
Leserkreis *m* readers *Pl*: ***e-n großen ~ haben*** be widely read
leserlich *Adj* legible **2keit** *f* legibility
Lese|saal *m* reading room **~stoff** *m* reading (matter) **~stück** *n* PÄD reading (selection) **~zeichen** *n* bookmark
Lesung *f* reading: PARL ***in zweiter ~*** on second reading
Lethargie *f* lethargy
Lette *m*, **Lettin** *f*, **lettisch** *Adj* Latvian
Lettland *n* Latvia
letzt *Adj* **1.** *allg* last, (*endgültig*) *a.* final, (*später*) *a.* latter, (*ehemalig*) *a.* former, *Neuheit etc*: latest: ***am ~en Sonntag*** last Sunday; ***im ~en Sommer*** last summer; ***in ~er Zeit*** lately, recently; ***~en Endes*** after all; ***2e(r) sein*** be last; ***als 2e(r) gehen*** go last, be the last to go; ***er wäre der 2e, dem ich vertrauen würde*** he is the last person I would trust; ***das wäre das 2e, was ich tun würde*** that's the last thing I would do; F ***das (er) ist doch das 2e!*** that (he) is the absolute end!; ***m-e ~en Ersparnisse*** the last of my savings; → ***Hand, Mal***[2], ***Schrei*** *etc* **2.** (*äußerst*) last, extreme: ***bis ins 2e*** down to the last detail; ***bis zum 2en aushalten*** hold out to the end; ***bis aufs 2e*** *ausplündern etc* completely, totally; → ***Ehre, herausholen*** 2, ***Kraft*** 1, ***Ölung*** 2 **3.** F (*schlecht*) poorest, worst: ***das ist der ~e Mist*** that's absolute rubbish; → ***Dreck*** 1
Letzt: ***zu guter ~*** in the end, at long last
letztemal → ***Mal***[2]

letztendlich → ***letztlich***
letztens → ***letzthin***
Letztere *Adj* ***der*** (***die, das***) ~ the latter
letztgenannt *Adj the* last-mentioned
letzthin *Adv* lately **letztjährig** *Adj* ***das ~e Festival*** last year's festival
letztlich *Adj* **1.** ultimately, in the end **2.** (*doch*) after all
letztwillig *Adj* JUR testamentary, *a. Adv* by will: ***~e Verfügung*** last will (and testament)
Leucht|bombe *f* flare (bomb) **~diode** *f* light-emitting diode
Leuchte *f* **1.** lamp, light **2.** F *fig* luminary: ***er ist k-e große ~*** he is no genius
leuchten *v/i* shine, (*auf~*) flash, *fig Augen*: light (up), (*glänzen*) gleam, sparkle: ***mit e-r Lampe ~*** shine a light; ***j-m ~*** light the way for s.o., *beim Suchen etc*: shine the torch for s.o.; ***j-m ins Gesicht ~*** shine the (*od* a) lamp (*od* torch) in s.o.'s face **leuchtend** *Adj* shining (*a. fig Beispiel etc*), *Farbe etc*: bright, *Zifferblatt etc*: luminous: *fig* ***etw in ~en Farben schildern*** paint s.th. in glowing colo(u)rs **Leuchter** *m* candlestick, (*Wand*≗) sconce, (*Kron*≗) chandelier
Leucht|farbe *f* luminous paint **~feuer** *n* beacon **~gas** *n* city gas, coal gas **~kraft** *f* luminosity **~kugel** *f* (signal) flare **~pistole** *f* flare pistol **~reklame** *f* luminous advertising, neon lights *Pl* **~röhre** *f* neon tube (*od* lamp) **~schirm** *m* fluorescent screen **~spurgeschoss** *n* tracer bullet **~stift** *m* highlighter **~stoffröhre** *f* fluorescent lamp (*od* tube) **~turm** *m* lighthouse **~zeiger** *m* luminous hand
Leuchtzifferblatt *n* luminous Dialekt
leugnen I *v/t* deny: ***~, etw getan zu haben*** deny having done s.th.; ***es lässt sich nicht ~, es ist nicht zu ~*** it cannot be denied, it is undeniable **II** *v/i* deny everything, JUR deny the charge
Leukämie *f* MED leuk(a)emia
Leumund *m* reputation
Leumundszeugnis *n* certificate of good character
Leute *Pl* people *Pl* (*a.* F *Mitarbeiter etc*), MIL *etc a.* men *Pl*, (*Arbeiter*) *a.* men *Pl*, workers *Pl*: ***die ~*** people; ***m-e ~*** (*Familie*) my people, F my folks *Pl*; F ***hallo, ~!*** hi, folks!; ***es waren etwa 20 ~ da*** there were about 20 persons present; ***etw unter die ~ bringen*** make s.th. public
Leutnant *m* MIL second lieutenant (*a.* FLUG *Am*), FLUG pilot officer: ***~ zur See*** acting sublieutenant, *Am* ensign
leutselig *Adj* affable
Leviten *Pl* ***j-m die ~ lesen*** read s.o. the riot act
Levkoje *f* BOT stock
lexikalisch *Adj* lexical
Lexikograph(in) lexicographer
Lexikographie *f* lexicography
lexikographisch *Adj* lexicographical
Lexikon *n* **1.** encyclop(a)edia **2.** dictionary
Libanese *m*, **Libanesin** *f*, **libanesisch** *Adj* Lebanese
Libanon *m der* Lebanon
Libelle *f* **1.** ZOOL dragonfly **2.** TECH water level, (*Blase*) bubble
liberal *Adj*, **Liberale** *m*, *f* liberal, POL Liberal **liberalisieren** *v/t* liberalize
Liberalismus *m* liberalism
Liberalität *f* liberality
Liberia *n* Liberia
Libero *m Fußball*: libero
Libido *f* PSYCH libido
Libretto *n* libretto
Libyen *n* Libya
Libyer(in), **libysch** *Adj* Libyan
licht *Adj* **1.** (*hell*) bright: PSYCH *u. fig* ***~er Augenblick*** lucid interval **2.** *Wald*: thin, *Haar*: *a.* thinning **3.** TECH ***~e Höhe*** clear height, *e-r Durchfahrt*: overhead clearance; ***~e Weite*** inside width
Licht *n* **1.** light, (*Tages*≗) daylight: ***~ machen, das ~ anmachen*** turn on the light(s); *fig* ***bei ~(e) besehen*** on closer inspection, (*streng genommen*) strictly speaking; ***ans ~ bringen*** (***kommen***) bring (come) to light; ***~ bringen in*** (*Akk*) throw light on; ***das ~ der Welt erblicken*** see the light of day, be born; ***etw in e-m anderen ~ erscheinen lassen*** reveal s.th. in a different light; F ***j-n hinters ~ führen*** deceive (*od* dupe) s.o.; ***etw ins rechte ~ rücken*** put s.th. in its true light; ***das ~ scheuen*** shun the light; ***ein schlechtes*** (*od* ***schiefes***) ***~ werfen auf*** (*Akk*) show *s.o., s.th.* in a bad light **2.** (*~quelle*) light, (*Lampe*) lamp, (*Kerze*) candle: ***bei ~ arbeiten*** work by lamplight; ***die ~er der Großstadt*** the lights of the city; F ***er ist kein großes ~*** he is no genius;

mir geht ein ~ auf I see (daylight); ***j-m ein ~ aufstecken*** open s.o.'s eyes; → ***grün, Scheffel*** **3.** KUNST (high)light **4.** ***~er*** *Pl* JAGD eyes *Pl*

Licht|anlage *f* lighting system **~bild** *n* photo(graph), (*Dia*) slide **~bildervortrag** *m* slide lecture **~blick** *m fig* ray of hope, (*Trost*) comfort: ***der einzige ~ (in m-m Leben)*** the only bright spot (in my life) **~bogen** *m* ELEK arc

lichtbrechend *Adj* OPT refractive

lichtdurchlässig *Adj* permeable to light

lichtecht *Adj* lightproof, nonfading

lichtempfindlich *Adj* sensitive to light, light-sensitive, OPT, FOTO (photo-)sensitive: ***~ machen*** FOTO sensitize **Lichtempfindlichkeit** *f* sensitivity to light, (light-)sensitivity, FOTO speed

lichten[1] **I** *v/t* **1.** (*Wald, Reihen etc*) thin (out) **II** *v/refl* ***sich ~*** **2.** *Nebel etc*: clear, lift **3.** *Haare, Reihen, Wald etc*: be thinning (out), *Vorräte etc*: dwindle

lichten[2] *v/t* ***den Anker ~*** weigh anchor

lichterloh *Adv* ***~ brennen*** be ablaze

Licht|filter *n, m* FOTO light filter **~geschwindigkeit** *f* (***mit ~*** at) speed of light **~griffel** *m* COMPUTER light pen **~hof** *m* **1.** ARCHI atrium **2.** ASTR, FOTO, TV halo **~hupe** *f* MOT (headlamp) flasher: ***die ~ betätigen*** flash one's lights **~jahr** *n* light year **~kegel** *m* cone of light **~leitung** *f* ELEK light circuit (*od* mains *Pl*) **~maschine** *f* MOT dynamo **~orgel** *f* colo(u)r organ **~quelle** *f* source of light **~schacht** *m* ARCHI light well **~schalter** *m* ELEK light switch **≗scheu** *Adj* **1.** shunning the light **2.** *fig* shady **~schranke** *f* photoelectric barrier **~schutzfaktor** *m* protection factor **≗stark** *Adj* FOTO *Objektiv*: fast **~stärke** *f* luminous intensity, FOTO speed **~stift** *m* COMPUTER light pen **~strahl** *m* ray (*od* beam) of light

lichtundurchlässig *Adj* opaque

Lichtung *f* clearing

Lid *n* eyelid **Lidschatten** *m* eye shadow

lieb *Adj allg* dear, (*liebenswert*) *a.* sweet, (*nett*) nice, kind, (*artig*) good: ***≗er Herr X*** *im Brief*: Dear Mr. X; ***sei ~!*** be good!; ***sei(en Sie) so ~!*** be a dear!, do you mind?; ***sei(en Sie) so ~ und ...*** do me a favo(u)r and ...; ***es ist mir ~, dass ...*** I am glad that ...; ***es ist mir nicht ~, dass ...*** I don't like it that ...; ***mehr als mir ~ war*** more than I really wanted; *fig* ***das ~e Geld*** always the money; ***~ gewinnen*** grow (very) fond of; ***~ haben*** love, be fond of; ***sich bei j-m ~ Kind machen*** ingratiate o.s. with s.o.; → ***Gott, lieber, liebst***

liebäugeln *v/i fig* ***~ mit*** have one's eye on, flirt with the idea of *Ger*

Liebchen *n* love, sweetheart

Liebe[1] *f* **1.** (***zu***) love (of, for), (*Zuneigung*) affection (for): ***die große ~*** the love of one's life; ***aus ~ zu*** out of love for; ***aus ~ heiraten*** marry for love; ***mit ~*** *schmücken etc* with loving care; ***~ macht blind*** love is blind; ***die ~ geht durch den Magen*** the way to a man's heart is through his stomach **2.** (***körperliche***) **~** love(making), sex **3.** F (*Person*) sweetheart, love, flame

Liebe[2] *m, f* dear (person): ***m-e ~!*** my dear (girl)!; ***mein ~r!*** my dear man!; ***m-e ~n!*** my dears!

liebebedürftig *Adj* ***~ sein*** need a lot of affection

Liebelei *f* flirtation

lieben I *v/t* **1.** love, (*gern haben*) *a.* like: ***sich ~*** love each other, *sexuell*: make love; ***er liebt es nicht, wenn ...*** he doesn't like it if ...; ***ich würde ~d gern kommen*** I'd love to come; ***~d gern!*** gladly! **2.** ***j-n ~*** *sexuell*: make love to s.o. **II** *v/i* **3.** (be in) love **4.** *sexuell*: make love **Liebende** *m, f* lover

liebenswert *Adj* lovable, amiable

liebenswürdig *Adj* kind, obliging: ***sehr ~ von Ihnen!*** very kind of you!

liebenswürdigerweise *Adv* kindly

Liebenswürdigkeit *f* **1.** kindness **2.** *Pl* **a)** compliments *Pl*, **b)** *iron* insults *Pl*

lieber *Adv* (*eher*) rather, sooner, (*besser*) better: ***~ haben*** (***als***) prefer (to), like *s.o., sth.* better (than); ***du solltest ~ gehen*** you had better go; *mst iron* ***ich wüsste nicht, was ich ~ täte!, nichts ~ als das!*** there's nothing I'd like better; (***ich möchte***) ***~ nicht!*** I would (*od* I'd) rather not!

Liebes|abenteuer *n*, **~affäre** *f* love affair **~brief** *m* love letter **~dienst** *m* → ***Gefallen***[1] **~entzug** *m* PSYCH deprivation **~erklärung** *f* declaration of love: (***j-m***) ***e-e ~ machen*** declare one's love (to s.o.) **~erlebnis** *n* **1.** experience of love **2.** love (affair) **~gabe** *f* (charitable) gift **~gedicht** *n* love poem **~geschichte** *f* love story **~heirat** *f* love match **~kummer** *m* lovesickness: ***~ haben*** be lovesick **~leben** *n* love life **~lied** *n* love song **~mühe** *f* ***das ist verlorene ~!*** that's a waste of time! **~paar** *n* (pair of) lovers *Pl*, courting couple **~roman** *m* romance **~spiel** *n* loveplay **~szene** *f* love scene

liebevoll I *Adj* loving, affectionate **II** *Adv* ***~ pflegen*** take loving care of

Liebhaber *m* **1.** *allg* lover, (*Fan*) *a.* enthusiast, fan, (*Sammler*) collector, (*Kenner*) connoisseur: ***~ der Kunst*** *etc* art *etc* lover **2.** THEAT ***jugendlicher ~*** juvenile lead **Liebhaber...** collector's (*price, item, value*)

Liebhaberei *f fig* (***aus ~*** as a) hobby

Liebhaberin *f* **1.** → ***Liebhaber*** 1 **2.** THEAT ***jugendliche ~*** jeune première

liebkosen *v/t*, **Liebkosung** *f* caress

lieblich *Adj* **1.** lovely, charming, sweet, (*reizend*) delightful, pleasant **2.** *Wein*: mellow, *Duft*: sweet **Lieblichkeit** *f* loveliness, charm, sweetness

Liebling *m* darling, favo(u)rite, (*Kind, Tier*) pet: ***~!*** (my) love!, darling!

Lieblings... favo(u)rite **~schüler(in)** teacher's pet **~thema** *n* pet subject

lieblos *Adj* loveless, *Worte etc*: unkind, *Eltern etc*: uncaring: *Adv* ***~ zubereitet*** prepared carelessly (F any old how)

Lieblosigkeit *f* unkindness, coldness

Liebreiz *m* charm, grace

Liebschaft *f* (love) affair

liebst I *Adj* dearest, (*bevorzugt*) favo(u)rite: ***m-e ~e Sendung*** *etc a.* the program(me) *etc* I like best **II** *Adv* ***am ~en*** best (*od* most) of all; ***am ~en spiele ich Tennis*** I like tennis best; ***es wäre mir am ~en, wenn ...*** it would suit me best if ... **Liebste** *m, f* (***mein ~r, m-e ~*** my) darling (*od* love, sweetheart)

Liechtenstein *n* Liechtenstein

Lied *n* song, (*Weise*) air, tune, (*Kunst*♀) lied: ***geistliches ~*** hymn; *fig* ***es ist immer das alte ~*** it's the same old story every time; ***das Ende vom ~*** the upshot; ***ich kann ein ~ davon singen*** I can tell you a thing or two about it

Liederabend *m* lieder recital

Liederbuch *n* songbook

liederlich *Adj* **1.** slovenly, sloppy **2.** *Leben etc*: dissolute

Liedermacher(in) singer-songwriter

Lieferant(in) supplier, (*Vertrags*♀) contractor: ***~ für Speisen und Getränke*** caterer **Lieferauto** *n* → ***Lieferwagen***

lieferbar *Adj* available: ***die Ware ist sofort ~*** the article can be supplied (*od* delivered) at once **liefern I** *v/t* **1.** ***j-m etw*** (*a. fig Beweise etc*) ***~*** supply s.o. with s.th. **2.** (*aus~*) deliver (*Dat* to) **3.** (*Ertrag etc*) yield, give, *a. fig* provide: ***e-n harten Kampf ~*** put up a good fight; ***ein gutes Spiel ~*** play well, make a good showing **4.** F ***er ist geliefert!*** he's done for!, he's had it! **II** *v/i* **5.** supply, deliver

Lieferschein *m* delivery note

Liefertermin *m* date of delivery

Lieferung *f* **1.** (*Be*♀) supply, (*Aus*♀) delivery: ***zahlbar bei ~*** cash on delivery, C.O.D. **2.** (*Sendung*) consignment, *Am mst* shipment **3.** BUCHDRUCK instal(l)ment

Liefervertrag *m* supply (*od* delivery) contract

Lieferwagen *m* delivery van (*Am* truck), *kleiner*: pickup **Lieferwerk** *n* supplier's plant, suppliers *Pl*

Lieferzeit *f* delivery time

Liege *f* couch, (*Camping*♀) campbed, (*Garten*♀) sunbed

Liegegeld *n* SCHIFF demurrage

liegen *v/i* **1.** lie, be: ***lass das Buch ~!*** leave the book alone!; ***liegst du bequem?*** are you comfortable?; (***krank***) ***im Bett ~*** be (ill) in bed; F *fig* ***damit liegst du richtig!*** (there) you are on the right track!; ***an der Kette ~*** be chained up; ***es lag Schnee*** there was snow; ***sein Schreibtisch liegt voll Bücher*** his desk is covered with books; ***~ bleiben*** **a)** remain lying: (***im Bett***) ***~ bleiben*** stay in bed; ***bleib ~!*** don't get up!, **b)** *Auto etc*: break down, *Fahrer etc*: be (*od* get) stranded, **c)** *Schnee*: settle, **d)** *Arbeit etc*: be left unfinished: ***das kann*** (***bis nächste Woche***) ***~ bleiben*** that can wait (till next week), **e)** *Ware*: be left unsold, **f)** (*vergessen werden*) be left behind; ***~ lassen*** **a)** leave behind, **b)** (*Arbeit etc*) leave unfinished, **c)** leave *things* lying around: ***alles stehen und ~ lassen*** drop everything; → ***links*** 1; ***das Geld***

liegt auf der Bank the money is in the bank; SPORT ***er liegt auf dem dritten Platz*** he is (lying) in third place; *fig* ***wie die Dinge ~*** as matters stand; ***die Sache liegt so ...*** the matter is as follows...; ***die Preise ~ bei ...*** prices are at (*ungefähr*: around) ...; ***wo ~ s-e Schwächen?*** what are his weak points?; ***da liegt der Fehler!*** that's where the trouble lies! **2.** (***an*** *Dat*) lie (on), be (situated) (at, near): ***das Hotel liegt zentral*** the hotel is centrally situated; ***nach Süden ~*** face south; → ***fern*** I **3.** *fig* ***j-m ~*** **a)** suit s.o., **b)** (*gefallen*) appeal to s.o.; ***die Rolle liegt ihr*** the part suits her; ***er*** (***es***) ***liegt mir nicht*** he (it) isn't my cup of tea **4.** *fig* ***woran liegt es?*** what's the reason (for it)?; ***woran liegt es, dass er nie gewinnt?*** why is it (that) he never wins?; ***daran liegt es*** that's (the reason) why; ***es liegt daran, dass ...*** the reason is that ...; ***was liegt daran?*** who cares?; ***mir liegt viel*** (***wenig***) ***daran*** it means a lot (it doesn't mean much) to me; ***es liegt nicht an ihr*** (***, wenn***) it's not her fault (*od* she is not to blame) (if); ***an mir solls nicht ~!*** **a)** it's all right by me!, **b)** I'll do my best!; ***es liegt bei*** (*od* ***an***) ***dir*** (***zu entscheiden***) it is up to you (to decide)

Liegenschaften *Pl* real estate *Sg*

Liegeplatz *m* SCHIFF berth **Liegesitz** *m* MOT reclining seat **Liegestuhl** *m* deckchair, *Am* beachchair **Liegestütz** *m* SPORT (***e-n ~ machen*** do a) press-up (*bes Am* push-up) **Liegewagen** *m* BAHN couchette **Liegewiese** *f* lawn

Lifestyledroge *f* lifestyle drug

Lift *m* lift (*a. Ski*℡), *Am* elevator

Liftboy *m* bell boy

liften *v/t* MED lift: ***sich*** (***das Gesicht***) ***~ lassen*** have a facelift

Liga *f* league, SPORT *a.* division

Likör *m* liqueur

lila *Adj* lilac, *dunkler*: mauve

Lilie *f* BOT lily

Liliputaner(in) Lilliputian

Limonade *f* fizzy drink, *Am* soda pop

Limousine *f* MOT limousine, saloon (car), *Am* sedan

Linde *f* BOT lime (tree)

Lindenblütentee *m* lime-blossom tea

lindern *v/t* (*Not etc*) relieve, alleviate, (*Schmerzen*) *a.* soothe, ease

Linderung *f* relief, alleviation, easing: (***j-m***) ***~ verschaffen*** bring (s.o.) relief

Lineal *n* ruler

linear *Adj* WIRTSCH, MATHE linear

Linguist(in) linguist

Linguistik *f* linguistics *Sg*

Linie *f allg* line (*a. fig*), (*Strecke*) *a.* route, POL *etc* course, policy, (*Partei*~) party line: ***auf die*** (***schlanke***) ***~ achten*** watch one's figure; ***mit der ~ 2 fahren*** take the number two; *fig* ***auf der ganzen ~*** all along the line, completely; ***in erster ~*** in the first place

Linien|bus *m* regular bus **~dienst** *m bes* FLUG regular service **~flug** *m* scheduled flight **~flugzeug** *n*, **~maschine** *f* scheduled plane **~netz** *n* (rail *etc*) network: ***das ~ der U-Bahn*** the underground (system) **~papier** *n* ruled paper **~richter(in)** SPORT linesman **~treu** *Adj* loyal (to the line): ***~ sein*** toe the line **~treue** *m, f* party liner **~verkehr** *m* regular service (*od* traffic)

liniieren, **linieren** *v/t* rule, line

link *Adj* left: ***die ~e Seite*** *von Stoff*: the reverse (side); ***auf der ~en Seite, ~er Hand*** on the left; ***~er Hand sehen Sie ...*** on your left you see ...; POL, SPORT ***~er Flügel*** left wing; POL ***dem ~en Flügel angehören*** be left-wing; *fig* ***er ist wohl mit dem ~en Fuß zuerst aufgestanden!*** he must have got out of bed on the wrong side; ***~e Masche*** **a)** purl (stitch), **b)** *a.* ***~e Tour*** F *fig* dirty trick; F ***ein ganz ~er Typ*** a real bastard

Linke[1] *f* **1.** left hand, *Boxen*: left **2.** POL *the* Left **3.** left (side): ***zu ihrer ~n*** on her left **Linke**[2] *m, f* POL left-winger, leftist

linken *v/t* F con, take *s.o.* for a ride **linkisch** *Adj* awkward, clumsy

links *Adv* **1.** on (*od* to) the left: ***nach ~*** (to the) left; ***von ~*** from the left; ***~ von*** (on *od* to the) left of; ***~ von mir*** on (*od* to) my left; ***~ abbiegen*** turn left; ***sich ~ halten*** keep (to the) left; *fig* ***~ liegen lassen*** ignore; F ***~ sein*** **a)** be left-handed, **b)** *a.* ***~ stehen*** POL be left-wing; ***~ stricken*** purl; F *fig* ***das mach ich mit ~*** that's kid's stuff (for me) **2.** (*verkehrt herum*) on the wrong side, inside out

Links|abbieger *m* MOT vehicle (*Pl* traffic *Sg*) turning left **~außen** *m* SPORT outside left **~bündig** *Adj* flush left, left justified **~extremist(in)** POL left-wing extremist **≗extremistisch** *Adj* POL (of the) extreme left **≗gerichtet** *Adj* POL left-wing

Linkshänder(in) left-hander: ***~ sein*** be left-handed

linksherum *Adv* **1.** TECH anticlockwise **2.** *anziehen etc* inside out

Linkskurve *f* left turn

linksrheinisch *Adj u. Adv* on the left bank of the Rhine

Linksruck *m* POL swing to the left

Linkssteuerung *f* MOT left-hand drive

Linksverkehr *m* ***in Großbritannien ist ~*** in Great Britain they drive on the left

Linoleum *n* linoleum, F lino

Linse *f* **1.** BOT lentil **2.** OPT lens

Lippe *f* lip: ***von den ~n ablesen*** lip-read; ***ich brachte es nicht über die ~n*** I couldn't bring myself to say it; *fig* ***sich auf die ~n beißen*** bite one's lip; F ***e-e (große) ~ riskieren*** speak up

Lippenbekenntnis *n* ***(ein ~ ablegen*** pay) lip service ***(zu*** to) **Lippenblütler** *m* BOT labiate **Lippenlaut** *m* LING labial (sound) **Lippenpflegestift** *m* lip salve **Lippenstift** *m* lipstick

liquid(e) *Adj* WIRTSCH liquid, solvent

Liquidation *f* **1.** WIRTSCH liquidation (*a.* POL *Tötung*), winding up **2.** (*Honorarforderung*) fee, charge, (*Rechnung*) bill

liquidieren *v/t* **1.** WIRTSCH liquidate (*a.* POL *töten*), wind up **2.** charge

Liquidität *f* WIRTSCH liquidity, solvency

lispeln *v/t u. v/i* lisp, (*flüstern*) whisper

List *f* ruse, trick, cunning: ***zu e-r ~ greifen*** resort to a ruse, use a trick

Liste *f allg* list (*a.* POL), (*Wahl≗*) *a.* ticket, (*Wähler≗ etc*) register: ***j-n auf die ~ setzen*** put s.o.'s name on the list; F *fig* ***schwarze ~*** black list; ***j-n auf die schwarze ~ setzen*** blacklist s.o.

Listenpreis *m* WIRTSCH list price

listig *Adj* cunning, sly, crafty

Litanei *f* litany

Litauen *n* Lithuania

Liter *n, m* litre, *Am* liter

literarisch I *Adj* literary **II** *Adv* ***sich ~ betätigen*** write, be a writer

Literat(in) man (woman) of letters, literary man (woman)

Literatur *f* literature

Literatur... literary **~angaben** *Pl* bibliography *Sg* **~gattung** *f* literary genre **~geschichte** *f* history of literature **~kritiker(in)** literary critic **~preis** *m* literary award **~wissenschaft** *f* literature, literary studies *Pl*

literweise *Adv fig* by the gallon

Litfaßsäule *f* advertising pillar

Lithographie *f* lithography

Litschi *f* BOT lychee

Liturgie *f* liturgy

Litze *f* **1.** (*Tresse*) braid, lace **2.** ELEK (*Schnur*) cord, flex

live *Adj u. Adv* live

Livesendung *f* live broadcast

Livree *f* livery: ***in ~*** → **livriert** *Adj* liveried

Lizenz *f* ***(e-e ~ haben*** hold a) licen/ce (*Am* -se): ***in ~*** *herstellen* under licence **~ausgabe** *f* BUCHDRUCK edition printed under licence **~geber(in)** licenser, licensor **~gebühr** *f* royalty **~inhaber(in)**, **~nehmer(in)** licensee **~vertrag** *m* licensing agreement

LKW *m* (= ***Lastkraftwagen***) lorry, *bes Am* truck **~-Fahrer(in)** lorry driver, *bes Am* truck driver

Lob *n* ***(über jedes ~ erhaben*** beyond) praise: ***j-s ~ singen*** sing s.o.'s praises; (*Dat*) ***ein ~ erteilen → loben***

Lobby *f a.* POL lobby

Lobbyist(in) lobbyist

loben *v/t u. v/i* (***wegen*** *Gen, Dat* for) praise, commend: ***das lob' ich mir!*** that's what I like!; ***da lobe ich mir ...*** give me ... any time; ***j-n ~d hervorheben*** single s.o. out for praise **lobenswert** *Adj* laudable, commendable

Lobhudelei *f* base flattery

löblich → ***lobenswert***

Loblied *n fig* ***ein ~ auf j-n singen*** sing s.o.'s praises **lobpreisen** *v/t* praise, extol **Lobrede** *f* eulogy: ***e-e ~ auf j-n halten*** eulogize s.o.

Loch *n* **1.** *allg* hole, *im Zahn*: *a.* cavity, *im Reifen*: puncture, *im Zaun etc*: gap, (*Schlag≗*) pothole: *fig* ***ein ~ reißen in*** (*Akk*) make a hole in; ***ein ~ im Haushalt stopfen*** stop a gap in the budget; F ***er pfeift auf dem letzten ~*** he's on his last legs **2.** F *fig* **a)** (*Behausung etc*) hole, dump, **b)** (*Gefängnis*) *sl* jug

lochen *v/t* (*knipsen*) punch, (*stanzen*) stamp, (*perforieren*) perforate

Locher *m* TECH punch, perforator

löcherig *Adj a. fig* full of holes
löchern *v/t* F ***j-n ~*** pester s.o.
Lochkarte *f* punch(ed) card
Lochsäge *f* compass saw
Lochstreifen *m* punched tape
Lochung *f* perforation
Lochzange *f* punch pliers *Pl*, BAHN ticket punch
Locke *f* curl: ***~n haben*** have curly hair
locken[1] *v/t u. v/refl* ***sich ~*** curl
locken[2] *v/t* **1.** (*Tier*) lure, bait, (*rufen*) call **2.** *fig* lure, tempt: ***es lockt mich sehr zu*** *Inf* I'm very much tempted to *Inf*; ***~des Angebot*** tempting offer
Lockenkopf *m* (*Person*) curly-head
Lockenwickler *m* curler
locker *Adj* **1.** *allg* loose (*a. fig Sitten etc*), (*schlaff*) *a.* slack, *Boden*: *a.* friable, *Teig etc*: light: → ***Schraube*** 1 **2.** *fig Benehmen*, *Atmosphäre etc*: relaxed, easy, *Person*: *a.* cool: *Adv* F ***das schafft er ~*** he can do that easily **Lockerheit** *f* **1.** looseness (*etc*) **2.** *fig* easy manner
lockerlassen *v/i* F ***nicht ~*** not to let up, keep (on) trying **lockermachen** *v/t* F (***bei j-m***) ***Geld ~*** (make s.o.) fork out (*od* come across with) money
lockern I *v/t* loosen, (*Seil etc*) slacken, (*Griff etc, a. fig Disziplin etc*) relax: ***s-e Muskeln ~*** loosen up one's muscles **II** *v/refl* ***sich ~*** become loose (*a. fig Sitten etc*), slacken, SPORT limber up, *fig Stimmung etc*: relax
Lockerung *f* loosening, *a. fig* relaxation
Lockerungsübung *f* SPORT limbering-up exercise
lockig *Adj* curly
Lockmittel *n a. fig* bait **Lockruf** *m* ZOOL (mating) call **Lockspitzel** *m* POL stool pigeon, agent provocateur
Lockung *f* lure, temptation
Lockvogel *m a. fig* decoy **~werbung** *f* WIRTSCH loss-leader selling
Lodenmantel *m* loden (coat)
lodern *v/i a. fig* blaze
Löffel *m* **1.** spoon, (*Schöpf*2) ladle, TECH *a.* scoop: ***ein ~ voll*** a spoonful; F *fig* ***den ~ weglegen*** (*sterben*) peg out **2.** JAGD *u.* F (*Ohr*) ear: ***schreib dir das hinter die ~!*** get that into your thick head once and for all!
Löffelbiskuit *m* spongefinger
löffeln *v/t* spoon **Löffelstiel** *m* spoon handle

löffelweise *Adv* by the spoonful
Logarithmentafel *f* MATHE log table
Logarithmus *m* MATHE logarithm
Logbuch *n* SCHIFF log(book)
Loge *f* **1.** THEAT box **2.** (*Freimaurer*2) lodge
Logik *f* logic **logisch** *Adj allg* logical: F (***das ist doch***) ***~!*** naturally!, of course!
logischerweise *Adv* logically
Logistik *f* logistics *Pl* (*mst Sg konstr*)
logo *Adj präd* F sure (thing) **Logo** *m, n* (*Firmenzeichen, Aufdruck etc*) logo
Logopäde *m*, **Logopädin** *f* speech therapist **Logopädie** *f* logop(a)edics *Pl* (*mst Sg konstr*), speech therapy
Lohn *m* **1.** wages *Pl*, pay(ment) **2.** *fig* (***zum ~*** in) reward (***für*** for): ***s-n wohlverdienten ~ erhalten*** *a. iron* get one's just deserts **~abschluss** *m* wage agreement **~ausfall** *m* loss of wages **~ausgleich** *m* ***bei vollem ~*** without cuts in pay **~buchhalter(in)** wages clerk **~büro** *n* pay office **~empfänger(in)** wage earner
lohnen I *v/refl* **1.** ***sich ~*** be worth(while), pay; ***es lohnt sich*** it's worth it; ***es lohnt sich zu*** *Inf* it's worth *Ger*, it pays to *Inf*; ***der Film lohnt sich*** the film is worth seeing; ***Verbrechen lohnt sich nicht*** crime doesn't pay **II** *v/t* **2.** (*be~*) reward: ***j-m etw schlecht ~*** ill repay s.o. **3.** ***die Mühe*** (***e-n Besuch***) ***~*** be worth the trouble (a visit) **lohnend** *Adj* **1.** *finanziell*: paying, profitable **2.** *fig* worthwhile, rewarding, (*sehenswert etc*) worth seeing (*etc*)
Lohn|erhöhung *f* wage increase, (pay) rise, *Am* raise **~forderung** *f* wage claim **~fortzahlung** *f im Krankheitsfall* statutory sick pay **~gefälle** *n* wage differential **~gruppe** *f* pay bracket **2intensiv** *Adj* wage-intensive **~kampf** *m* wage dispute **~kosten** *Pl* wage costs *Pl*: ***sehr hohe ~ haben*** *Firma*: have a huge payroll **~kürzung** *f* wage cut: ***~ im Krankheitsfall*** sick-leave cuts **~nebenkosten** *Pl* employers' costs *Pl*, wage incidentals *Pl* **~-Preis-Spirale** *f* wage-price spiral **~runde** *f* round of wage negotiations
Lohnsteuer *f* wage(s) tax **~jahresausgleich** *m* annual adjustment of income tax **~karte** *f* wage(s) tax card
Lohnstopp *m* pay freeze **Lohnstreifen**

m pay slip **Lohntarif** *m* wage rate **Lohntüte** *f* wage packet
Loipe *f* cross-country (skiing) trail
Lok *f* BAHN F engine
lokal *Adj* local
Lokal *n* restaurant, (*Kneipe*) pub, *Am* saloon **Lokal...** local (*newspaper, reporter, press, etc*) **~anästhesie** *f* MED local an(a)esthesia **~fernsehen** *n* local TV
lokalisieren *v/t* locate, *a.* MED localize (***auf*** *Akk* to)
Lokal|kolorit *n* local colo(u)r **~patriotismus** *m* local patriotism **~radio** *n* local radio **~sender** *m* RADIO local radio (station), TV local TV (station), RADIO, TV local broadcasting (station) **~termin** *m* JUR visit to the scene (of the crime) **~verkehr** *m* local traffic
Lokomotive *f* engine **Lokomotivführer(in)** engine driver, *Am* engineer
Lombardkredit *m* WIRTSCH collateral loan
Lombardsatz *m* rate for (central bank) loans on securities
Londoner *Adj* (of) London
Londoner(in) Londoner
Lorbeer *m* **1.** BOT laurel (tree), bay (tree) **2.** GASTR (*~blatt*) bay leaf **3.** *Pl fig* laurels *Pl*: ***sich auf s-n ~en ausruhen*** rest on one's laurels; ***damit kannst du*** (***bei ihr***) ***k-e ~en ernten*** that won't get you anywhere (with her) **~blatt** *n* bay leaf
Lore *f* BAHN tipper
los[1] *Adj präd* **1.** (*ab, weg*) off: ***der Knopf ist ~*** the button is off; ***der Hund ist ~*** the dog is loose **2.** F *j-n, etw* ***~ sein*** be rid of; ***den wären wir ~!*** good riddance!; ***mein Geld bin ich ~*** my money is gone; → *a.* ***losgehen, loslegen*** *etc* **3.** F ***was ist ~*** **a)** (***mit dir***)***?*** what's the matter (*od* what's wrong) (with you)?, **b)** (***hier***)***?*** what's going on (here)?, **c)** ***in Berlin*** *an Veranstaltungen etc*: what's on in Berlin?, *politisch etc*: what's going on in Berlin?; ***da war*** (***schwer***) ***was ~*** **a)** *Stimmung, Trubel etc*: things were really happening, **b)** *Ärger, Streit*: the sparks were flying; ***hier ist nichts*** (***nie was***) ***~!*** nothing doing (*od* no action) around here!; ***wo ist hier was ~?*** where can you go around here?; ***mit ihm ist nicht viel ~*** he isn't up to much
los[2] *Interj* let's go!, *anfeuernd*: go!; (***schieß***) ***~!*** fire away!; SPORT ***Achtung, fertig, ~!*** ready, steady, go!; ***nun aber*** (*od* ***nichts wie***) ***~!*** let's get going (*od* cracking)!; ***nun mal ~!*** here goes!; ***~, sag schon!*** come on, tell me!
Los *n* **1.** lot, (*Lotterie*~) ticket, number: ***ein ~ ziehen*** draw a lot (*Lotterie*: ticket); ***das große ~ ziehen*** **a)** win the first prize, **b)** *fig* hit the jackpot, **c)** ***mit j-m*** (***etw***) strike it lucky with s.o. (s.th.); ***etw durch das ~ entscheiden*** decide s.th. by drawing lots (*durch Münzwurf*: by a toss-up); ***das ~ fiel auf ihn zu*** *Inf* it fell upon him to *Inf* **2.** *fig* lot, fate: ***ein schweres ~*** a hard lot **3.** WIRTSCH lot
losarbeiten *v/i* ***~ auf*** (*Akk*) work for
lösbar *Adj* **1.** CHEM soluble **2.** *Rätsel etc*: solvable
losbekommen *v/t* get *s.o., s.th.* off
losbinden *v/t* untie
losbrechen I *v/t* break off **II** *v/i Sturm etc*: break, *Gelächter etc*: break out
löschen[1] *v/t* **1.** (*Feuer, Licht etc*) extinguish, put out: *fig* ***den Durst ~*** quench one's thirst **2.** TECH quench, (*Kalk*) slake **3.** (*Tinte*) blot **4.** (*streichen*) strike off, cancel (*a. Hypothek*), *bes* COMPUTER delete, (*a. Bandaufnahme etc*) erase, (*Schuld*) settle: ***ein Konto ~*** close an account **5.** *fig* (*aus~*) efface
löschen[2] *v/t* SCHIFF unload
Lösch|fahrzeug *n* fire engine, *Am* fire truck **~gerät** *n* fire extinguisher, *Koll* fire-fighting equipment **~mannschaft** *f* fire brigade **~papier** *n* blotting paper **~taste** *f* erase button, COMPUTER delete key
lose *Adj allg, a. fig* loose
Lösegeld *n* ransom
loseisen F *fig v/refl* ***sich*** (*v/t* ***j-n***) ***~*** get (s.o.) away (***von*** from)
losen *v/i* ***~ um*** draw lots (*mit e-r Münze*: toss up) for
lösen I *v/t* **1.** (*ab~*) remove, detach **2.** (*Haare, Krawatte etc*) undo, (*Bremse etc*) release, (*lockern, a.* MED) loosen, relax **3.** *fig* (*Aufgabe, Rätsel etc*) solve (*a.* MATHE), (*Frage*) answer, (*Konflikt etc*) resolve, settle **4.** *fig* (*Ehe etc*) dissolve, (*Verlobung*) break off, (*Verbindung etc*) sever, (*Vertrag*) terminate **5.** (*Fahr-, Eintrittskarte*) buy, get **6.** CHEM dissolve **II** *v/refl* ***sich ~*** **7.** come loose, *Knoten etc*: come undone, (*sich ab~*)

L

come off, (*sich lockern*) loosen (*a.* MED): ***ein Schuss löste sich*** the gun went off **8.** ***sich*** ~ (***von*** from) free o.s., *a.* SPORT break away **9.** *Problem etc*: solve itself, *Konflikt etc*: resolve itself **10.** *Spannung etc*: ease: → ***gelöst*** **11.** CHEM dissolve

losfahren *v/i* leave, *selbst*: drive off

losgehen *v/i* **1.** leave, *a. Gewehr, Schuss etc*: go off **2.** F (*beginnen*) start, begin: ***gleich gehts los!*** it's just about to begin!; ***jetzt gehts los!*** here goes!, here we go!; ***es kann ~!*** we're (*od* I'm *etc*) ready!; ***jetzt gehts schon wieder los!*** here we go again! **3.** F (*abgehen*) come off **4.** ~ ***auf*** (*Akk*) head (*od* make) for; ***mit dem Messer auf j-n ~*** go for s.o. with a knife

loshaben *v/t* F: ***er hat*** (***schwer***) ***was los*** he's very good (***in*** *Dat* at), he's on the ball

losheulen *v/i* F burst into tears

loskaufen *v/t* buy *s.o.* free, ransom

loskommen *v/i* (***von***) *allg* get away (from), *fig a.* get rid (of)

loskriegen *v/t* F **1.** get *s.th.* off **2.** (*loswerden*) get rid of

loslachen *v/i* (***laut***) ~ laugh out (loud)

loslassen **I** *v/t* **1.** let go of, let *s.o.* go, release: ***den Hund auf j-n ~*** set the dog on s.o.; F *fig* ***j-n auf die Menschheit ~*** let s.o. loose on humanity; ***das Buch lässt e-n nicht mehr los*** the book is quite unputdownable; ***der Gedanke lässt mich nicht*** (***mehr***) ***los*** I can't get it out of my mind **2.** (*Schlag etc*) let go with, (*Feuerwerk*) let off, (*Protest etc*) launch, (*Brief etc*) let fly with, (*Witz etc*) crack **II** *v/i* **3.** let go: ***nicht ~!*** *a.* hang on!

loslegen *v/i* F **1.** get cracking, *Läufer, Auto etc*: zoom off, *Fahrer*: *a.* step on it **2.** *fig* (*reden, schimpfen*) get going, *stärker*: let fly (***gegen*** at): ***dann legte er los*** *allg* then he really got going; ***leg los!*** fire away!

löslich *Adj* CHEM soluble

loslösen → ***lösen*** 1, 2, 6, 7

losmachen **I** *v/t* **1.** → ***lösen*** 1, 2 **2.** SCHIFF cast off **II** *v/refl* ***sich ~*** → ***lösen*** 7

losreißen **I** *v/t* tear off **II** *v/refl* ***sich ~*** break (*fig* tear o.s.) away (***von*** from)

losrennen *v/i* dash off, run off

lossagen *v/refl* ***sich ~ von*** break with

losschlagen **I** *v/t* (*Waren*) sell off, *Auktion*: knock off **II** *v/i* MIL strike

losschnallen *v/t* unbuckle: FLUG, MOT ***sich ~*** undo one's seat belt

losschrauben *v/t* unscrew

lossteuern *v/i* ~ ***auf*** (*Akk*) *a. fig* make (*od* head) for

Losung[1] *f* **1.** MIL password **2.** *fig* watchword, POL *a.* slogan

Losung[2] *f* JAGD dung

Lösung *f allg* solution

Lösungsmittel *n* CHEM solvent

loswerden *v/t* **1.** get rid of: ***ich werde das Gefühl nicht los, dass …*** I can't help feeling that …; ***das musste ich mal ~!*** I had to get that off my chest! **2.** F (*verlieren*) lose, (*ausgeben*) spend

losziehen *v/i* **1.** set out, march off **2.** *fig* ~ ***gegen*** lay into, let fly at

Lot *n* **1.** MATHE (***ein ~ fällen*** drop a) perpendicular: ***aus dem ~*** out of plumb; *fig* ***im ~ sein*** be in good order; ***etw wieder ins ~ bringen*** set s.th. right again **2.** (*Blei*♀) plumb (bob) **3.** TECH (*Lötmetall*) solder **loten** *v/t u. v/i* plumb, *mit Echolot*: sound

löten *v/t* TECH solder

Lotion *f* lotion

Lötkolben *m* soldering iron **Lötlampe** *f* soldering lamp, *bes Am* blowtorch

Lötmetall *n* solder

lotrecht *Adj* perpendicular, vertical

Lotse *m* SCHIFF pilot **lotsen** *v/t* **1.** SCHIFF pilot **2.** F *fig* ***j-n ~*** guide s.o. (***durch*** through), (*schleppen*) drag s.o. off (***in*** *Akk* to)

Lotsendienst *m* MOT driver-guide service **Lotsengebühr** *f* SCHIFF pilotage

Lotsin *f* pilot

Lotterie *f* lottery **~gewinn** *m* (lottery) prize **~los** *n* (lottery) ticket **~spiel** *n* lottery, *fig* gamble

Lotto *n* **1.** (*Spiel*) lotto, bingo **2.** (*Zahlen*♀) Lotto, (West German numbers pool) lottery: ***im ~ spielen*** do Lotto

Lottoannahme(stelle) *f* Lotto ticket agency **Lottoschein** *m* Lotto ticket

Löwe *m* **1.** ZOOL lion **2.** ASTR (***er ist ~*** he's [a]) Leo

Löwen|anteil *m fig* lion's share **~mähne** *f fig* (thick) mane **~maul** *n* BOT snapdragon **~zahn** *m* BOT dandelion

Löwin *f* ZOOL lioness

L

loyal *Adj* loyal (***j-m gegenüber*** to s.o.)
Loyalität *f* loyalty
LP *f* (= ***Langspielplatte***) LP
Luchs *m* ZOOL lynx: *fig* ***Augen haben*** (***aufpassen***) ***wie ein ~*** have eyes (watch) like a hawk
Lücke *f a. fig* gap, (*Gesetzes*2 *etc*) *a.* loophole: ***e-e ~ schließen*** fill a gap
Lückenbüßer(in) stopgap
lückenhaft *Adj* **1.** *Gebiss etc*: full of gaps, gappy **2.** *fig* incomplete: ***~es Wissen*** *a.* sketchy knowledge
lückenlos *Adj* **1.** without gaps **2.** *fig* complete, full: ***~e Beweiskette*** watertight evidence
Lückentest *m* completion test, gap-fill
Luder *n* F **1.** (***gemeines***) ~ beast, (*Frau*) *a.* bitch; (***ordinäres***) ~ hussy **2.** ***armes ~*** poor creature; ***dummes ~*** silly fool **3.** (***kleines***) ~ brat, (little) devil
Luft *f* **1.** air: ***die ~ ablassen aus*** deflate; F *fig* ***da war*** (***bei der Sache***) ***die ~ raus*** all the steam was gone; ***an die*** (***frische***) ***~ gehen,*** (***frische***) ***~ schöpfen,*** F ***~ schnappen*** get some (fresh) air; F *fig* ***j-n an die*** (***frische***) ***~ setzen*** chuck s.o. out, (*entlassen*) *a.* fire s.o.; *fig* ***sich in ~ auflösen*** vanish into thin air, *Pläne etc*: go up in smoke; ***j-n wie ~ behandeln*** cut s.o. dead; (***völlig***) ***aus der ~ gegriffen sein*** be (totally) unfounded; ***es liegt etw in der ~*** there is s.th. in the wind; ***die ~ ist rein*** the coast is clear; F ***es ist dicke ~*** there is trouble brewing **2.** (*Atem*2) breath: ***die ~ anhalten*** hold (*od* catch) one's breath; F ***halt*** (***mal***) ***die ~ an!*** pipe down!, (*übertreib nicht*) come off it!; ***tief ~ holen*** take a deep breath, *fig* swallow hard; ***nach ~ ringen*** gasp for air; F ***mir blieb die ~ weg*** I was dumbfounded, ***vor Schreck*** I was breathless with shock **3.** (*~raum*) sky, air: ***in die ~ jagen, in die ~ fliegen*** blow up; F *fig* ***in die ~ gehen*** blow one's top, hit the roof; ***das hängt*** (***alles***) ***noch in der ~!*** it's all (still) up in the air!; ***in der ~ zerreißen*** tear *s.o.*, *s.th.* to pieces **4.** (*~zug*) breeze **5.** F (*Platz*) space, room: ***ich muss erst etw ~ schaffen*** I must make some room first; *fig* ***sich*** (*od* ***s-m Herzen, Zorn*** *etc*) ***~ machen*** let off steam; ***endlich hab ich wieder ~!*** I can breathe again at last!

Luft|angriff *m* air raid **~aufnahme** *f* aerial photograph (*od* shot *od* view) **~ballon** *m* balloon **~bild** *n* aerial view **~bildkarte** *f* aerial map **~blase** air bubble
Luft-Boden-... MIL air-to-ground ...
Luftbrücke *f* airlift
Lüftchen *n* (gentle) breeze
luftdicht I *Adj* (*a.* ***~ machen***) airproof **II** *Adv* ***~ verschließen*** airseal
Luftdruck *m* METEO atmospheric pressure, TECH air pressure, *e-r Explosion*: blast **Luftdruck...** TECH air-pressure
lüften *v/t* **1.** (*a. v/i*) air, ventilate: ***s-e Kleidung ~*** give one's clothes an airing **2.** (*heben*) lift, raise **3.** *fig* ***ein Geheimnis ~*** disclose a secret
Lüfter *m* TECH ventilator, (*Ent*2) exhaustor, (*Gebläse*) blower
Luftfahrt *f* aviation **~gesellschaft** *f* airline **~industrie** *f* aircraft industry
Luft|fahrzeug *n* aircraft **~feuchtigkeit** *f* (atmospheric) humidity **~filter** *n, m* air filter **~flotte** *f* air fleet **~fracht** *f* airfreight **~frachtbrief** *m* air waybill **2gekühlt** *Adj* air-cooled **2gestützt** *Adj* MIL air-launched **2getrocknet** *Adj* air-dried **~gewehr** *n* air gun **~herrschaft** *f* air supremacy **~hoheit** *f* air sovereignty **~hülle** *f* atmosphere
luftig *Adj* **1.** airy, breezy: ***in ~er Höhe*** high up **2.** *fig Kleidung*: flimsy, light
Luft|kammer *f* BIOL, TECH air chamber **~kampf** *m* air combat **~kissenboot** *n* hovercraft **~kissenfahrzeug** *n* air cushion vehicle, hovercraft **~korridor** *m* air corridor **2krank** *Adj* airsick **~kühlung** *f* air cooling **~kurort** *m* climatic health resort **~landetruppen** *Pl* airborne troops *Pl* **2leer** *Adj* air-void: ***~er Raum*** vacuum **~linie** *f* ***100 km ~*** 100 km as the crow flies **~loch** *n* air-hole, FLUG *a.* air pocket
Luft-Luft-... MIL air-to-air (*missile etc*)
Luftmangel *m* MED want (*od* lack) of air
Luftmatratze *f* air mattress, air bed
Luftpirat(in) hijacker, skyjacker
Luftpistole *f* air pistol
Luftpost *f* (***mit*** *od* ***per ~*** by) airmail
Luftpost(leicht)brief *m* air letter
Luft|pumpe *f* air pump **~raum** *m* air space **~reinhaltung** *f* air-pollution control **~rettungsdienst** *m* air rescue service **~röhre** *f* ANAT windpipe **~sack** *m*

L

FLUG windsock, MOT airbag **~schiff** *n* airship, dirigible **~schlauch** *m* air tube, *Fahrrad*, MOT inner tube
Luftschleuse *f Raumfahrt*: air lock
Luftschlösser *Pl* castles *Pl* in the air
Luftschraube *f* FLUG airscrew
Luftschutz *m* air-raid precautions *Pl*
Luftschutz|keller *m*, **~raum** *m* air-raid shelter **~übung** *f* air-raid drill
Luft|spiegelung *f* mirage **~sprung** *m* ***vor Freude e-n ~ machen*** jump for joy **~streitkräfte** *Pl* air force *Sg* **~strom** *m*, **~strömung** *f* air current **~stützpunkt** *m* MIL air base **~taxi** *n* air taxi
Lufttransport *m* air transport, airlift
Lüftung *f* **1.** ventilation **2.** → **Lüftungsanlage** *f* ventilation (system)
Luftveränderung *f* change of air
Luftverkehr *m* air traffic
Luftverkehrslinie *f* airline, airway
Luftverschmutzung *f* air pollution
Luftverteidigung *f* air defen/ce (*Am* -se) **Luftwaffe** *f* MIL air force
Luftweg *m* **1.** air route: ***auf dem ~e*** by air **2.** *Pl* ANAT respiratory tracts *Pl*
Luftwiderstand *m* air resistance, FLUG, TECH *a.* drag **Luftzufuhr** *f* air supply
Luftzug *m* draught, *Am* draft
Lüge *f* lie: ***etw ~n strafen*** belie s.th.
lugen *v/i* peer
lügen I *v/i* lie, tell a lie (*od* lies): ***ich müsste ~, wenn …*** I'd be lying if … **II** *v/t* ***das ist gelogen!*** that's a lie!
Lügendetektor *m* lie detector **Lügengeschichte** *f* cock-and-bull story
Lügner(in) liar **lügnerisch** *Adj Person*: lying, *a. Behauptung etc*: untrue, false
Luke *f* **1.** (*Einstiegs*♀, *Lade*♀ *etc*) hatch **2.** (*Dach*♀) skylight
lukrativ *Adj* lucrative
lukullisch *Adj* sumptuous *dinner etc*
Lümmel *m* lout **lümmelhaft** *Adj* loutish
lümmeln *v/refl* ***sich ~*** F sprawl
Lump *m* scoundrel, blackguard
lumpen *v/t* F ***sich nicht ~ lassen*** come down handsomely
Lumpen *m* **1.** rag **2.** *Pl* rags *Pl* (*a. Kleidung*) **~pack** *n* bunch of no-gooders
lumpig *Adj fig* **1.** (*gemein*) shabby **2.** (*gering*) paltry, measly (*ten dollars etc*)
Lunchpaket *n* packed lunch
Lunge *f* **1.** ANAT lungs *Pl*: MED ***eiserne ~*** iron lung; *fig* ***die grünen ~n e-r Stadt*** the lungs of a city **2.** GASTR lights *Pl*
Lungen… pulmonary (*artery, embolism, etc*) **~braten** *m österr.* filet of beef **~entzündung** *f* pneumonia **~flügel** *m* ANAT lung **~heilstätte** *f* sanatorium, *bes Am* sanitarium ♀**krank** *Adj* (**~kranke** *m, f* person) suffering from (a) lung disease **~krankheit** *f* lung disease **~krebs** *m* MED lung cancer **~tuberkulose** *f* pulmonary tuberculosis
Lungenzug *m* ***e-n ~ machen*** inhale
Lunte *f* F *fig* ***~ riechen*** smell a rat
Lupe *f* magnifying glass: F *fig* ***unter die ~ nehmen*** scrutinize *s.o., s.th.* closely
lupenrein *Adj* **1.** *Diamant*: flawless **2.** F *fig* clean, perfectly honest
Lupine *f* BOT lupine
Lust *f* **1.** (*Neigung*) inclination, (*Verlangen*) desire, (*Interesse*) interest: ***hätten Sie ~ zu kommen?*** would you like to come?; ***ich hätte große ~ zu kommen*** I'd love to come; ***ich habe ~ zu tanzen*** I feel like dancing; F ***ich hätte ~ auf ein Bier*** I feel like a beer; ***ich hätte nicht übel ~ zu*** *Inf* I have half a mind to *Inf*; ***ich habe k-e ~*** (***dazu*** *od* ***darauf***) I don't feel like it, I'm not in the mood (for it); ***die*** (*od* ***alle***) ***~ verlieren*** (***an*** *Dat*) lose all interest (in) **2.** (*Vergnügen*) pleasure (*a.* PSYCH), delight: ***etw mit ~ und Liebe tun*** put one's whole heart into s.th. **3.** (*sexuelle Begierde*) (sexual) desire (*od* appetite), *pej* lust, (*sexueller Genuss*) (sexual) pleasure
lustbetont *Adj* PSYCH hedonistic
Lüster *m* chandelier
Lüsterklemme *f* lustre terminal
lüstern *Adj* **1.** (*gierig*) greedy (***nach*** for) **2.** lecherous, lewd **Lüsternheit** *f* **1.** greediness **2.** lecherousness, lewdness
Lustgewinn *m* PSYCH pleasure gain
lustig *Adj* merry, cheerful, jolly, (*komisch*) funny, amusing: ***er*** (***es***) ***ist sehr ~*** he (it) is great fun; ***sich ~ machen über*** (*Akk*) make fun of; *iron* ***das kann ja ~ werden!*** nice prospects!; F ***solange du ~ bist*** as long as you like; *Adv* F ***sie unterhielten sich ~*** (*unbekümmert*) ***weiter*** they blithely went on talking (regardless) **Lustigkeit** *f* **1.** gaiety, cheerfulness **2.** funniness, fun
Lüstling *m* lecher
lustlos *Adj allg* listless, WIRTSCH *a.* slack
Lustmolch *m* F (old) lecher **Lustmord** *m* sex murder **Lustmörder(in)** sex kill-

er **Lustobjekt** *n* sex object
Lustschloss *n* summer residence
Lustspiel *n* THEAT comedy
lutschen *v/t u. v/i* suck (***an*** *Dat* s.th.): → ***Daumen***
Lutscher *m* **1.** lollipop **2.** → ***Schnuller***
Luv *n*, **Luvseite** *f*, **luvwärts** *Adv* SCHIFF windward
Luxemburg *n* Luxembourg
luxuriös *Adj* luxurious
Luxus *m a. fig* luxury
Luxus... luxury, de luxe **~artikel** *m* luxury (article), *Pl a.* luxury goods *Pl* **~ausführung** *f* de luxe model **~dampfer** *m* luxury liner **~hotel** *n* luxury hotel **~leben** *n* life of luxury **~restaurant** *n* first-class restaurant **~wagen** *m* MOT luxury car
Luzern *n* Lucerne
Lymphdrüse *f* ANAT lymph gland
Lymphe *f* PHYSIOL lymph
Lymphgefäß *n* ANAT lymphatic (vessel)
Lymphknoten *m* ANAT lymph node
lynchen *v/t* lynch
Lynchjustiz *f* (***~ üben*** resort to) lynch law
Lynchmord *m* lynching
Lyrik *f* **1.** poetry **2.** (*lyrische Art*) lyricism **Lyriker(in)** (lyric) poet(ess), lyricist **lyrisch** *Adj* lyric, *a. fig* lyrical

M

M, m *n* M, m
Maat *m* SCHIFF (ship's) mate
Machart *f* make, style, type
machbar *Adj* practicable, possible
Mache *f* F **1.** make-believe, show **2.** ***j-n in die ~ nehmen*** work s.o. over
machen I *v/t* **1.** *allg* make, (*zubereiten*) *a.* prepare (*dinner etc*), (*erledigen*) *a.* do (*one's homework etc*), (*Foto, Prüfung*) take: ***etw ~ aus*** (*Dat*) make s.th. of (*od* from); ***aus dem Keller e-e Werkstatt ~*** turn the cellar into a workshop; *fig* ***aus j-m e-n Star ~*** make a star of s.o.; ***sie machten ihn zum Abteilungsleiter*** they made him head of the department; → ***gemacht*** **2.** (*in Ordnung bringen*) do, put in order, (*reparieren*) *a.* fix, repair, (*Bett*) make, (*Zimmer*) do, tidy up **3.** (*tun*) do: ***was macht er?*** what is he doing?, *beruflich*: what does he do for a living?, (*wie geht es ihm?*) how is he (getting on)?; ***was machst du morgen?*** what are you doing tomorrow?; ***wird gemacht!*** okay, I'll do it!, *sl* will do!; ***gut gemacht!*** well done!; ***machs gut!*** take care (of yourself)!; ***das lässt sich ~!*** that can be done (*od* arranged)!; ***so etw macht man nicht!*** that isn't done!; ***da ist nichts zu ~!*** nothing doing!; ***da*** (***-gegen***) ***kann man nichts ~!*** it can't be helped!; F ***er wird es nicht mehr lange ~*** he (*der Motor etc*: it) won't last much longer; ***der Wagen macht 160 km/h*** the car does 100 mph **4.** (*Appetit, Freude etc*) give: ***das macht Durst!*** that makes you thirsty!; ***das macht das Wetter*** it's the weather **5.** ***j-n gesund ~*** cure s.o.; ***j-n glücklich ~*** make s.o. happy **6.** (*aus~*) matter: ***das macht nichts!*** that doesn't matter!, never mind!; ***das macht mir nichts!*** I don't mind (*pej* care)! **7.** ***sich etw*** (***nichts***) ***~ aus*** (*Dat*) (not to) care about (*Speisen etc*: for); ***mach dir nichts daraus!*** don't worry (about it)!; ***ich mache mir nichts aus ihm*** I don't care (much) for him **8.** F (*ergeben*) be: ***4 mal 5 macht 20*** four times five is twenty; ***was*** (*od* ***wie viel***) ***macht das?*** how much is that?; ***das macht 10 Euro*** that will be ten euros **9.** F (*fungieren als*) be, act as: ***den Schiedsrichter ~*** be (the) referee **II** *v/refl* ***sich ~*** **10.** F come along (well), be getting on (well): ***wie macht sich der Neue?*** how is the new man coming along?; ***die Sache macht sich!*** things are shaping up well!; ***das Bild macht sich gut dort*** the picture looks nice there **11.** ***sich an e-e Sache ~*** get down to (doing) s.th.; ***sich an die Arbeit ~*** get down to work **III** *v/i* **12.** F ***mach, dass du fortkommst!*** off with you!, get lost!; ***mach schnell!, mach schon!*** hurry

machen	**do/make/take/go**
Das deutsche Verb „machen" wird im Englischen häufig durch **do**, **make**, **take** oder auch **go** wiedergegeben.	
do	
betont die Aktivität, die Tätigkeit:	
den Abwasch machen	**do the washing-up**
die Hausarbeit machen	**do the housework**
Einkäufe machen	**do the shopping**
Gymnastik machen	**do exercises**
seine Hausaufgaben machen	**do one's homework**
sein Zimmer machen	**do one's room**
sich die Haare machen	**do one's hair**
make	
betont das Endprodukt und den damit verbundenen Aufwand:	
Tee/Kaffee machen/kochen	**make some tea/coffee**
das Essen machen	**make the dinner**
ein Kleid machen	**make a dress**
auch auf Abstrakta bezogen:	
einen Fehler machen	**make a mistake**
eine Bemerkung machen	**make a remark**
ein Theater machen	**make a fuss**
Fortschritte machen	**make progress**
Krach machen	**make a noise**
take	
in feststehenden Ausdrücken:	
einen Ausflug nach ... machen	**take a trip to ...**
einen Spaziergang machen	**take a walk**
eine Prüfung machen	**take an exam**
ein Foto machen	**take a photo**
Pause machen	**take a break**
go	
in feststehenden Ausdrücken:	
eine Kreuzfahrt machen	**go on a cruise**
einen Spaziergang machen	**go for a walk**
eine Weltreise machen	**go on a round-the-world trip**
Urlaub machen	**go on holiday**

up!, get a move on! **13.** (*tun*) do: ***lass ihn nur ~!*** **a**) let him (do as he pleases)!, **b**) (*überlass es ihm*) just leave it to him! **14.** F ***er macht jetzt in*** (*handelt mit*) ***Radios*** he deals in (*od* sells) radios now; ***sie macht jetzt in*** (*beschäftigt sich mit*) ***moderner Kunst*** she's into modern art now

Machenschaften *Pl* machinations *Pl*

Macher(in) *fig* doer

Macho *m* F macho

Macht *f* **1.** power (***über*** *Akk* of), (*Stärke*)

M

a. might, force: ***die ~ der Gewohnheit*** the force of habit; ***mit aller ~*** with all one's might; ***die ~ ergreifen*** seize power, take over; ***an die ~ kommen*** (*od* ***gelangen***) come into power; ***an der ~ sein*** be in power; ***es steht nicht in m-r ~*** it is not within my power **2.** (*Staat, Gruppe*) power **~befugnis** *f* power, authority **~bereich** *m* sphere of influence **~ergreifung** *f* seizure of power

machtgierig *Adj* power-hungry

Machthaber(in) ruler

mächtig I *Adj allg* powerful, mighty (*beide a. Schlag, Stimme etc*), (*gewaltig*) *a.* enormous **II** *Adv* F tremendously, awfully: ***du bist ~ gewachsen*** you have grown a lot

Machtkampf *m* power struggle

machtlos *Adj* powerless, helpless

Machtmissbrauch *m* abuse of power

Machtpolitik *f* power politics *Pl*

Machtübernahme *f* assumption of power, takeover **machtvoll** *Adj a. fig* powerful **Machtwechsel** *m* transition of power **Machtwort** *n* ***ein ~ sprechen*** put one's foot down

Machwerk *n* concoction, F lousy job

Macke *f* F kink: ***e-e ~ haben*** **a)** be nuts, **b)** *Auto etc*: be acting up

Mädchen *n* girl, (*Dienst*2) maid: *fig* ***~ für alles*** dogsbody **mädchenhaft** *Adj* girlish **Mädchenname** *m* girl's name, *e-r Ehefrau*: maiden name

Made *f* maggot, *im Obst*: *a.* worm: *fig* ***wie die ~ im Speck leben*** be in clover

Mädel *n* F girl(ie)

madig *Adj* maggoty, *Obst*: *a.* worm-eaten: F *j-n od etw* ***~ machen*** knock; ***j-m etw ~ machen*** spoil s.th. for s.o.

Madonna *f* Madonna

Maf(f)ia *f a. fig* mafia

Mafioso *m* mafioso

Magazin *n* **1.** warehouse, depot (*a.* MIL), storeroom **2.** FOTO, TECH magazine (*a. Gewehr*2) **3.** (*Zeitschrift*) magazine

Magd *f* maid

Magen *m* stomach: ***auf nüchternen*** (*od* ***leeren***) ***~*** on an empty stomach; ***j-m schwer im ~ liegen*** lie heavily on s.o.'s stomach, F *fig* worry s.o. terribly; ***sich den ~ verderben*** upset one's stomach **~beschwerden** *Pl* stomach trouble *Sg*

Magen|geschwür *n* (stomach) ulcer **~grube** *f* pit of the stomach **2krank** *Adj* ***~ sein*** suffer from a stomach complaint **~krebs** *m* MED stomach cancer

Magenleiden *n* gastric complaint

Magensäure *f* MED gastric acid

Magenschleimhaut *f* stomach lining **~entzündung** *f* gastritis

Magenschmerzen *Pl* stomach-ache *Sg*

Magenverstimmung *f* indigestion

mager *Adj* **1.** *allg* lean (*a. fig*), (*dünn*) *a.* thin, (*fettarm*) low-fat: ***~e Kost*** *a. fig* slender fare **2.** *fig* (*dürftig*) meag/re (*Am* -er), poor **3.** BUCHDRUCK light-faced

Magermilch *f* skimmed milk

Magerquark *m* low-fat curd cheese

Magersucht *f* MED anorexia (nervosa)

Magie *f* magic

Magier(in) magician

magisch *Adj* magic(al)

Magister *m* UNI Master (***Artium*** of Arts, *Abk* M.A.)

Magnesium *n* CHEM magnesium

Magnet *m a. fig* magnet

Magnet… magnetic (*field, needle, etc*) **~bahn** maglev **~band** *n* magnetic tape

magnetisch I *Adj a. fig* magnetic **II** *Adv* magnetically: ***j-n ~ anziehen*** have a magnetic effect on s.o.

magnetisieren *v/t* magnetize

Magnetkarte *f* magnetic card

Magnetstreifen *m* magnetic stripe

Magnetzündung *f* magneto ignition

Mahagoni *n*, **~holz** *n* mahogany

mähen[1] *v/t u. v/i* mow, cut

mähen[2] *v/i Schaf*: bleat

Mahl *n* meal, (*Fest*2) banquet

mahlen *v/t u. v/i* grind

Mahlzeit *f* meal: F (***prost***) ***~!*** good night!

Mahnbescheid *m* (court) order to pay

Mähne *f allg* mane

mahnen *v/t* **1.** (*er~*) admonish, urge (***j-n zur Vorsicht*** *etc* s.o. to be careful *etc*) **2.** (*erinnern, a. fig*) remind (***an*** *Akk*, ***wegen*** of), (*Schuldner etc*) send *s.o.* a reminder: ***j-n wegen e-r Sache ~*** remind s.o. of s.th. **Mahnmal** *n* memorial **Mahnung** *f* **1.** (*Er*2) admonition, warning **2.** WIRTSCH reminder

Mahnwache *f* POL protest vigil

Mai *m* (***im ~*** in) May: ***der Erste ~*** May Day **~baum** *m* maypole **~feier** *f* May Day celebrations *Pl* **~glöckchen** *n*

M

BOT lily of the valley **~käfer** *m* cockchafer
Mailbox *f* mailbox
mailen *v/t u. v/i* e-mail, mail: ***j-m (etw) mailen*** mail (s.th. to) s.o.
Mailing *n* mailshot **~liste** *f* mailing list
Mais *m* maize, *Am* corn **Maisflocken** *Pl* cornflakes *Pl* **Maiskolben** *m* (corn-) cob, GASTR corn on the cob **Maismehl** *n* Indian (*Am* corn) meal
Maiso(n)nette *f* maison(n)ette, *Am* duplex (apartment)
Majestät *f a. fig* majesty
majestätisch *Adj* majestic(ally *Adv*)
Majestätsbeleidigung *f a. fig bes iron* lese-majesty
Majo *f* F, **Majonäse** *f* → ***Mayonnaise***
Majoran *m* BOT marjoram
makaber *Adj* macab/re (*Am* -er)
Makel *m* flaw, *fig a.* blemish, (*Schande*) stigma **makellos** *Adj* immaculate, perfect, *fig a.* impeccable
mäkeln *v/i* carp (***an*** *Dat* at)
Make-up *n* makeup
Makkaroni *Pl* GASTR macaroni *Sg*
Makler(in) (*Börsen*♀) (stock)broker, (*Grundstücks*♀) (*Am* real) estate agent, (*Wohnungs*♀) *a.* flat agent
Makrele *f* ZOOL mackerel
Makro *n* COMPUTER macro
Makro…, makro… macro…
Makulatur *f* waste paper, *fig* rubbish
mal *Adv* **1.** MATHE times, multiplied by: ***6 ~ 4 Meter*** six metres by four **2.** F → ***einmal***
Mal[1] *n* **1.** (*Zeichen*) mark, sign, (*Fleck*) spot; → ***Muttermal*** *etc* **2.** *Baseball etc*: base, (*Malfeld*) *Rugby*: in-goal
Mal[2] *n* time: ***dieses ~*** this time; ***dieses eine ~*** this once; ***ein anderes ~*** some other time; ***ein paar ~*** several (*od* a few, F a couple of) times; ***das erste ~, beim ersten ~*** the first time; ***das letzte ~*** the last time; ***zum letzten ~, ein letztes ~*** for the last time; ***das nächste ~*** the next time; ***jedes ~*** every time, (*immer*) always: ***jedes ~, wenn er kam*** whenever (*od* every time) he came; ***mit einem ~*** all of a sudden; ***ein für alle ~*** once and for all; ***von ~ zu ~ besser*** better every time
Malaria *f* MED malaria
Malediven *Pl the* Maldives
malen I *v/t* paint (*a. fig*), (*zeichnen*) draw, (*porträtieren*) portray: *fig* ***etw zu schwarz ~*** paint too black a picture of s.th. **II** *v/refl* ***sich ~*** *fig* be reflected (*in s.o.'s face etc*) **Maler** *m* painter, (*Kunst*♀) *a.* artist **Malerei** *f* painting
Malerin *f* (woman) painter, artist
malerisch *Adj* **1.** picturesque **2.** ***~es Können*** artistic talent
Mallorca *n* Majorca
malnehmen *v/t* MATHE multiply
Malta *n* Malta
malträtieren *v/t* maltreat, batter
Malve *f* BOT mallow
Malz *n* malt **Malzbier** *n* malt beer
Malzeichen *n* MATHE multiplication sign
Malzkaffee *m* malt coffee
Mama *f* F mummy, mum, *Am* mom
Mammographie *f* MED mammography
Mammut *n* ZOOL mammoth **~unternehmen** *n fig* mammoth enterprise
man *Indefinitpron* **1.** one, you, we: ***~ kann nie wissen*** you never can tell; ***~ muss es tun*** it must be done; ***~ nehme*** take **2.** (*andere Leute*) they, people: ***~ hat mir gesagt*** I have been told; ***~ sagt*** people say; ***~ holte ihn*** he was fetched
Management *n* management
managen *v/t* F manage, (*deichseln*) *a.* wangle **Manager(in)** manager
manch *Indefinitpron* many a: ***~ eine(r)*** many (people); ***in ~em hat er recht*** he's right about some things; ***so ~er (~es)*** a good many people (things) **manche** *Pl* some, quite a few **mancherlei** *Adj* various, many, a number of, several, *substantivisch*: a number of things
manchmal *Adv* sometimes
Mandant(in) JUR client
Mandarine *f* BOT tangerine
Mandat *n* JUR, PARL, POL mandate, *des Anwalts*: brief: PARL ***sein ~ niederlegen*** resign one's seat
Mandatar(in) *österr.* elected representative
Mandel *f* **1.** BOT almond **2.** ANAT tonsil
Mandelentzündung *f* MED tonsillitis
mandelförmig *Adj* almond-shaped
Manege *f* (circus) ring
Mangan *n* CHEM manganese
Mangel[1] *f* mangle: F *fig* ***j-n in die ~ nehmen*** put s.o. through the mill

Mangel[2] *m* **1.** defect, fault, flaw, (*Nachteil*) drawback **2.** (*an Dat*) shortage, lack, scarcity (*alle*: of), deficiency (in): ***aus~ an*** → ***mangels*** **Mangelberuf** *m* understaffed occupation **Mangelerscheinung** *f* MED deficiency symptom
mangelhaft *Adj* faulty, defective, (*unzulänglich*) insufficient, inadequate, deficient, unsatisfactory (*a.* PÄD), poor
Mängelhaftung *f* WIRTSCH responsibility for defects
mangeln[1] *v/t* (*Wäsche*) press
mangeln[2] *v/i u. v/unpers* be wanting, be lacking: ***es mangelt an*** (*Dat*) there is a lack (*od* want, shortage) of; ***es mangelt mir an Geld*** *etc* I am short of (*od* I need) money *etc*; ***es mangelt ihm an*** (*od* ***der***) ***Mut*** he lacks (*od* is lacking in) courage; ***ihr ~des Selbstvertrauen*** her lack of self-confidence
mangels *Präp* (*Gen*) for lack (*od* want) of: ***~ Beweisen*** for lack of evidence
Mangelware *f* scarce commodity: ***~ sein*** *a.* F *fig* be in short supply
Mango *f* BOT mango
Manie *f* mania
Manier *f* **1.** manner, way (of doing *s.th.*), (*Kunststil*) style **2.** *mst Pl* manner(s *Pl*): ***gute*** (***schlechte***) ***~en*** good (bad) manners
manierlich *Adj* well-mannered, (*brav*) good, well-behaved: *Adv* ***sich~ benehmen*** behave o.s., be good
manifest *Adj a.* MED manifest
Manifest *n* POL manifesto
Maniküre *f* **1.** manicure **2.** manicurist
maniküren *v/t u. v/i* manicure
Manipulation *f allg* manipulation
manipulieren *v/t* manipulate
manisch *Adj* PSYCH manic **manisch-depressiv** *Adj* manic-depressive
Manko *n* **1.** WIRTSCH deficiency, (*Fehlbetrag*) deficit **2.** *fig* shortcoming
Mann *m* man (*Pl* men), (*Ehe*⚲) husband: ***der ~ auf der Straße*** the man in the street; ***ein Gespräch von ~ zu ~*** a man-to-man talk; ***wie ein ~*** (*geschlossen*) as one man; ***bis auf den letzten ~*** to a man; ***ein Kampf ~ gegen ~*** a hand-to-hand fight; ***s-n ~ stehen*** stand one's ground; F ***an den ~ bringen*** get rid of (*goods, a joke, etc*), (*Tochter*) marry off; ***den starken ~ markieren*** throw one's weight about; ***ein ~, ein Wort!*** a promise is a promise; ***10 Euro pro ~*** 10 euros each (*od* per head); ***~!*** (oh) boy!, *begeistert*: *a.* wow!
Männchen *n* **1.** little man, manikin: ***~ malen*** doodle **2.** ZOOL male, (*Hahn*) cock: F ***~ machen*** sit up and beg
Mannequin *n* mannequin, model
Männer *Pl von Mann*: **(*Für*)** ***~ am*** *WC*: Men, Gentlemen **Männer...** men's ...
Männerchor *m* male(-voice) choir
Mannesalter *n* manhood: ***im besten ~*** in the prime of life
Manneskraft *f bes sexuell*: virility
mannhaft *Adj* manly, (*tapfer*) *a.* brave
mannigfach, **mannigfaltig** *Adj* diverse, manifold **Mannigfaltigkeit** *f* diversity
männlich *Adj* BIOL, BOT, TECH male, *Wesen, Auftreten etc*: manly, masculine (*a.* LING), *Frau*: mannish
Männlichkeit *f* manliness
Mannsbild *n* F man, fellow
Mannschaft *f Sport u. fig* team, FLUG, SCHIFF crew, (*Such*⚲ *etc*) party: MIL ***die ~en*** *Pl* the ranks *Pl*
Mannschafts|aufstellung *f* SPORT team selection, line-up **~führer(in)** SPORT (team) captain **~geist** *m* team spirit **~kapitän(in)** SPORT (team) captain **~sport** *m* team sport **~wagen** *m* MIL personnel carrier, *der Polizei*: police van **~wertung** *f* SPORT team classification **~wettbewerb** *m* team event
mannshoch *Adj u. Adv* head-high
mannstoll *Adj* F *pej* man-crazy
Mannweib *n pej* mannish woman
Manometer *n* TECH pressure ga(u)ge
Manöver *n* **1.** *a. fig* manoeuvre, *Am* maneuver **2.** MIL manoeuvres *Pl*, *Am* maneuvers *Pl*, exercise
Manöverkritik *f fig* post-mortem
manövrieren *v/i a. fig* manoeuvre, *Am* maneuver
manövrierunfähig *Adj* disabled
Mansarde *f* attic
Mansch *m* F **1.** slush **2.** *pej* (*Essen*) mush
manschen *v/i* F mess about
Manschette *f* **1.** cuff: F *fig* ***~n haben vor*** (*Dat*) be scared stiff of; ***~n bekommen*** get the wind up **2.** TECH sleeve
Manschettenknopf *m* cuff-link
Mantel *m* coat, *loser*: cloak
Manteltarif(vertrag) *m* collective agreement (on working conditions)
manuell *Adj* manual

Manuskript *n* manuscript, FILM script
Mappe *f* (*Aktentasche*) briefcase, (*Schul*≈) *a.* schoolbag, (*Akten*≈) folder, file, (*Zeichen*≈ *etc*) portfolio

⚠ Mappe	≠ map
Mappe	= *Ordner*: folder; *Aktenmappe*: briefcase
map	= Landkarte, Stadtplan

Marathonlauf *m* marathon (race)
Märchen *n* fairytale, *fig* (tall) story, yarn **~buch** *n* book of fairytales
märchenhaft *Adj* magical, fairytale …, F *fig* (*toll*) fantastic
Märchen|land *n*, **~welt** *f* fairyland
Marder *m* ZOOL marten
Margarine *f* margarine
Marienbild *n* Madonna
Marienkäfer *m* ZOOL ladybird
Marihuana *n* marijuana, *sl* pot
Marille *f österr.* apricot
Marinade *f* GASTR marinade
Marine *f* (*Handels*≈) merchant navy, (*Kriegs*≈) navy **~blau** *n*, **≈blau** *Adj* navy blue **~offizier** *m* naval officer **~soldat(in)** marine **~stützpunkt** *m* naval base
marinieren *v/t* GASTR marinade
Marionette *f a. fig* marionette, puppet
Marionetten|regierung *f fig* puppet government **~spiel** *n* puppet show **~theater** *n* puppet theat/re (*Am* -er)
Mark[1] *n* marrow, *fig* (*Innerstes*) *a.* core: ***j-m durch ~ und Bein gehen*** set s.o.'s teeth on edge; ***bis ins ~*** to the quick
Mark[2] *f hist* mark: ***zehn ~*** ten marks; F ***jede ~ umdrehen*** count every penny
Mark[3] *f hist* march
markant *Adj* striking, prominent: ***~e Persönlichkeit*** outstanding personality; ***~e Gesichtszüge*** striking features
Marke *f* **1.** (*Fabrik*≈) make, type, (*Sorte*) brand, sort **2.** (*Markierung*) mark **3.** (*Rekord*) record **4.** (*Brief*≈, *Steuer*≈ *etc*) stamp; → ***Dienstmarke, Essenmarke*** *etc* **5.** F (*Person*) (quite a) character
Marken|artikel *m* WIRTSCH proprietary article **~benzin** *n* brand name petrol (*Am* gasoline) **~butter** *f* best quality butter **~fabrikat** *n* proprietary make **~name** *m* trade (*od* brand) name **~schutz** *m* protection of trademarks **~zeichen** *n* trademark
markerschütternd *Adj* bloodcurdling
Marketing *n* WIRTSCH marketing **~direktor(in)** marketing director (*od* manager)
markieren *v/t* **1.** mark (*a. fig*), (*hervorheben*) accentuate, underline **2.** (*vortäuschen*) act, play: → ***Mann*** **3.** SPORT **a)** (*decken*) mark, **b)** (*e-n Treffer*) score
Markierung *f* mark(ing)
markig *Adj fig Worte etc*: pithy
Markise *f* sunblind, awning
Markstein *m fig* milestone
Markt *m* **1.** *allg* market: ***auf dem ~*** in (*od* on) the market; ***auf den ~ bringen*** market **2.** (*~platz*) market-place **3.** (*Jahr*≈) fair **~analyse** *f* market analysis **~anteil** *m* share of the market **~durchdringung** *f* WIRTSCH market penetration **≈fähig** *Adj Produkt*: marketable **~forscher(in)** market researcher **~forschung** *f* market research **~führer** *m* market leader **≈gängig** *Adj* marketable, *Preis*: current **~halle** *f* covered market **~lücke** *f* WIRTSCH gap in the market **~nische** *f* WIRTSCH market niche: ***e-e ~nische besetzen*** fill a gap in the market **~platz** *m* market-place
marktschreierisch *Adj fig* ostentatious, loud
Markt|stand *m* (market) stall **~studie** *f* market analysis **~tag** *m* market day **~wert** *m* market value **~wirtschaft** *f* market economy: ***freie ~*** *a.* free enterprise; ***soziale ~*** social market economy
Marmelade *f* jam, (*bes Orangen- u. Zitronen*≈) marmalade, *Am* jelly

⚠ Marmelade	≠ marmalade
Marmelade	= jam
marmalade	= Orangen-, Zitronen-marmelade

Marmor *m*, **marmorieren** *v/t* marble
Marokkaner(in), **marokkanisch** *Adj* Moroccan
Marokko *n* Morocco
Marone *f* BOT (sweet) chestnut

Marotte *f* quirk
Mars *m* ASTR *u.* MYTH Mars
marsch *Interj* **1.** MIL (***vorwärts ~!*** forward) march! **2.** F ***~!*** (*schnell*) get a move on!; ***~ ins Bett!*** off to bed with you!
Marsch[1] *m* walk, MIL march (*a.* MUS): ***sich in ~ setzen*** move off
Marsch[2] *f* GEOL marsh
Marschbefehl *m* MIL marching orders *Pl*
marschbereit *Adj* ready to march
Marschflugkörper *m* MIL cruise missile
Marschgepäck *n* MIL field kit
marschieren *v/i* **1.** march (*a.* ***~ lassen***) **2.** F *fig Sache*: be (well) under way
Marsch|kolonne *f* MIL marching column **~musik** *f* military marches *Pl* **~route** *f* **1.** MIL route **2.** *fig* strategy **~verpflegung** *f* MIL marching rations *Pl*
Marsmensch *m* Martian
Marstall *m* royal stables *Pl*
Marter *f* torture, *fig a.* ordeal **martern** *v/t* torture, *fig a.* torment **Marterpfahl** *m* stake
Martinshorn *n* F (police, ambulance *od* fire-engine) siren
Märtyrer(in) *a. fig* martyr: *iron* ***sich zum ~ machen*** make a martyr of o.s
Martyrium *n a. fig* martyrdom
Marxismus *m* Marxism
Marxist(in), **marxistisch** *Adj* Marxist
März *m* (***im ~*** in) March
Marzipan *n* marzipan
Masche *f* **1.** (*Strick*≗ *etc*) stitch, *in e-m Netz*: mesh: *fig* ***durch die ~n des Gesetzes schlüpfen*** find a loophole in the law **2.** F **a**) trick, ploy, **b**) (*Mode*) fad, craze
Maschendraht *m* wire netting
Maschine *f* **1.** machine, F (*Motor*) engine **2.** (*Flugzeug*) plane, (*Düsen*≗) jetliner **3.** F (*Motorrad*) motorcycle **4.** (*Schreib*≗) typewriter: ***~ schreiben*** type; ***mit der ~ schreiben*** type **5.** (*Näh*≗) (***auf*** *od* ***mit der ~ nähen*** use the) sewing machine **6.** (*Wasch*≗) washing machine: ***ich habe heute drei ~n*** (***Wäsche***) ***gewaschen*** I have had three wash loads today
maschinegeschrieben *Adj* typewritten, typed
maschinell **I** *Adj* machine ..., mechanical **II** *Adv* by machine, machine-...: ***~ bearbeiten*** machine; ***~ betrieben*** (***hergestellt***) machine-driven (-made)
Maschinen|bau *m* mechanical engineering **~bauer(in)**, **~bauingenieur(in)** mechanical engineer **~befehl** *m* COMPUTER machine (*od* computer) instruction **~fabrik** *f* engineering works *Pl* (*a. Sg konstr*) **~gewehr** *n* machine-gun **~laufzeit** *f* machine running time **≗lesbar** *Adj* COMPUTER machine-readable **~öl** *n* machine oil **~park** *m* machinery **~pistole** *f* submachine-gun **~raum** *m* engine-room **~schaden** *m* mechanical breakdown, SCHIFF, MOT engine trouble **~schrift** *f* typescript: ***in ~*** typewritten **≗waschbar** *Adj* machine-washable
Maschinerie *f a. fig* machinery
Maschineschreiben *n* typewriting, typing
Maser *f im Holz etc*: vein
Masern *Pl* MED measles *Pl* (*a. Sg konstr*)
Maserung *f von Holz*: grain
Maske *f* mask (*a.* MED, COMPUTER, FOTO, *Schutz*≗), THEAT make-up, *fig a.* guise: ***in der ~*** (*Gen*) under the guise of; *fig* ***die ~ fallen lassen*** show one's true face
Maskenball *m* fancy-dress ball
Maskenbildner(in) make-up artist
maskenhaft *Adj* mask-like
Maskerade *f a. fig* masquerade
maskieren **I** *v/t* **1.** ***j-n ~*** **a**) mask s.o., **b**) dress s.o. up **2.** *a.* TECH conceal **II** *v/refl* ***sich ~*** **3. a**) dress up, disguise o.s., **b**) put on a mask **maskiert** *Adj* masked
Maskierung *f* disguise, (*Maske*) mask
Maskottchen *n* mascot
maskulin *Adj*, **Maskulinum** *n* LING masculine
Masochismus *m* masochism
Masochist(in) masochist
masochistisch *Adj* masochistic
Maß[1] *n* **1.** measure: ***~e und Gewichte*** weights and measures; *fig* ***mit zweierlei ~ messen*** apply double standards; ***das ~ überschreiten*** overshoot the mark; ***~ halten*** be moderate **2.** *Pl* measurements *Pl*, *e-s Zimmers etc*: *a.* dimensions *Pl*: ***bei j-m ~ nehmen*** take s.o.'s measurements; ***nach ~*** (***gemacht***) made(-)to(-)measure (→ *a.* ***maßgeschneidert***) **3.** → ***Maßband*** **4.** *fig* (*Aus*≗) extent, degree: ***ein gewis-***

ses (***hohes***) **~** ***an*** (*Dat*) a certain degree (a high measure) of; ***in hohem ~e*** to a high degree, highly; ***in höchstem ~e*** extremely; ***in gleichem ~e*** to the same extent, equally; ***in dem*** (*od* ***solchem***) ***~e, wie ...*** as ... (accordingly); ***über alle ~en*** exceedingly, beyond all measure **5.** (*Mäßigung*) moderation: ***in ~en*** **a)** *a.* ***mit ~ und Ziel*** in moderation, **b)** to some extent; ***ohne ~ und Ziel*** immoderately

Maß[2] *f* **a)** litre (*Am* liter) of beer, **b)** → ***Maßkrug***

Massage *f* massage

Massagesalon *m* massage parlo(u)r

Massaker *n*, **massakrieren** *v/t* massacre, slaughter

Maßanzug *m* tailor-made (*Am* custom-made) suit

Maßarbeit *f fig* precision work

Maßband *n* tape measure

Masse *f* **1.** (*Materie*) mass (*a.* PHYS), (*Substanz*) *a.* substance, (*Teig*~ *etc*) mixture, CHEM compound **2.** (*Menge*) masses *Pl*: F ***e-e ~*** (***von***) ***Bücher***(***n***) masses (*od* lots, loads) of books **3.** (*Mehrzahl*) bulk, majority **4.** (*Menschen*~) crowd: ***die*** (***breite***) **~** *a. pej* the masses *Pl* **5.** WIRTSCH (*Erb*~, *Konkurs*~ *etc*) estate, assets *Pl* **6.** ELEK (*a.* ***an ~ legen***) earth, *Am* ground

Maßeinheit *f* measure, unit of measurement

Massen... mass (*demonstration, production, tourism, etc*) **~abfertigung** *f a. pej* mass processing **~andrang** *m* huge crowd, F terrible crush **~arbeitslosigkeit** *f* mass unemployment **~entlassungen** *Pl* mass dismissals *Pl* **~erzeugung** *f*, **~fabrikation** *f*, **~fertigung** *f* mass production **~flucht** *f* mass exodus, (*Panik*) stampede **~grab** *n* mass grave **~güter** *Pl* bulk goods *Pl*

massenhaft *Adv* F masses (*od* lots, heaps) of

Massen|karambolage *f* MOT (multiple) pile-up **~kundgebung** *f* rally, mass meeting **~medium** *n* mass medium (*Pl* media) **~mord** *m* mass murder **~mörder(in)** mass murderer (murderess) **~produktion** *f* mass production **~psychose** *f* mass hysteria **~quartier** *n* mass accommodation **~schlägerei** *f* F free-for-all **~sport** *m* popular sport **~sterben** *n* widespread deaths *Pl* (*von Tieren*: dying-off) **~tierhaltung** *f* battery farming **~unterhaltung** *f* mainstream entertainment **~vernichtungswaffen** *Pl* weapons *Pl* of mass destruction **~versammlung** *f* mass meeting

massenweise → ***massenhaft***

Masseur(in) masseur (masseuse)

Masseuse *f Sex*: masseuse

Maßgabe *f* ***nach ~*** (*Gen*) in accordance with; ***mit der ~, dass ...*** provided that ...

maßgebend *Adj* **1.** decisive, *Meinung etc*: *a.* authoritative, *Persönlichkeit etc*: leading, prominent: ***das ist*** (***für mich***) ***nicht ~!*** that's no criterion (for me)!; ***s-e Meinung ist nicht ~*** his opinion does not count (here) **2.** (*zuständig*) competent, *Buch, Werk etc*: standard

maßgeblich *Adj* decisive: ***~en Anteil haben*** (*Adv* ***~ beteiligt sein***) ***an*** (*Dat*) play a decisive role in, be instrumental in doing; ***~e Kreise*** influential circles

maßgerecht *Adj* true(-)to(-)size

maßgeschneidert *Adj* tailor-made (*a. fig*), *Am* custom-made

Maßhalteappell *m* call for restraint

maßhalten → ***Maß***[1] 1

massieren[1] *v/t* massage: ***j-n ~*** *a.* give s.o. a massage

massieren[2] *v/t* (*a.* ***sich ~***) mass, concentrate

massig *Adj* massive, bulky

mäßig I *Adj* **1.** *allg* moderate, *im Trinken*: *a.* temperate **2.** (*mittel*~) mediocre, (rather) poor, *Befinden*: F (fair to) middling **II** *Adv* **3.** moderately, in moderation **mäßigen I** *v/t allg* moderate, (*Zorn etc*) curb, control, (*Kritik etc*) tone down; → ***gemäßigt*** **II** *v/refl* ***sich ~*** restrain (*od* control) o.s.: ***sich beim Trinken*** *etc* **~** cut down on drinks *etc* **Mäßigung** *f* moderation, restraint

massiv *Adj* **1.** *Gold, Holz etc*: solid **2.** *fig Angriff, Drohung etc*: massive, vehement: F ***~ werden*** cut up rough

Massiv *n* GEOL massif **~bau(weise** *f*) *m* ARCHI massive construction

Maßkrug *m* beer mug, stein

maßlos I *Adj* immoderate, *Freude, Zorn etc*: inordinate, boundless, excessive **II** *Adv* immoderately (*etc*), F terribly: ***~ übertrieben*** grossly exaggerated

M

Maßlosigkeit *f* lack of restraint, excess
Maßnahme *f* measure, step
maßregeln *v/t* (***wegen*** for) (*rügen*) reprimand, (*strafen*) punish, discipline, SPORT penalize **Maßregelung** *f* (*Rüge*) reprimand, (*Strafe*) disciplinary action, SPORT penalty
Maßschneider(in) bespoke (*Am* custom) tailor
Maßstab *m* **1.** (*Zollstock*) rule **2.** (*Karten*≈ *etc*) scale: ***im ~ 1:10*** on a scale of 1:10; ***im verkleinerten*** (***vergrößerten***) ***~*** on a reduced (an enlarged) scale; ***in großem ~*** *a. fig* large-scale **3.** *fig* standard: (***neue***) ***Maßstäbe setzen*** set (new) standards; ***e-n anderen*** (***strengen***) ***~ anlegen*** apply a different (strict) standard (***an*** *Akk* to) **4.** *fig* yardstick, ga(u)ge: ***das ist kein ~!*** that's no criterion!
maßstabgerecht *Adj* (true) to scale
maßvoll *Adj* moderate, reasonable, (*zurückhaltend*) restrained
Mast[1] *m* SCHIFF mast, (*Leitungs*≈) pylon, (*Stange*) pole
Mast[2] *f* LANDW **1.** fattening **2.** (*~futter*) mast
Mastdarm *m* ANAT rectum
mästen I *v/t* fatten **II** *v/refl* ***sich ~*** gorge o.s. (***an*** *Dat* on)
Masturbation *f* masturbation
masturbieren *v/i* masturbate
Mastvieh *n* fat stock
Match *n, a. m* match, game
Matchball *m Tennis*: match point
Material *n* material (*a. fig*), TECH *Koll* materials *Pl* **~fehler** *m* material defect
Materialismus *m* materialism
Materialist(in) materialist
materialistisch *Adj* materialist(ic)
Materie *f* **1.** matter **2.** *fig* (*Thema*) subject (matter) **materiell** *Adj* **1.** material **2.** → ***materialistisch*** **3.** financial
Mathe *f* F maths *Sg*, *Am* math
Mathematik *f* mathematics *Pl* (*mst Sg konstr*)
Mathematiker(in) mathematician
mathematisch *Adj* mathematical
Matinee *f* THEAT morning performance
Matjeshering *m* young salted herring
Matratze *f* mattress
Matriarchat *n* matriarchate
Matrixdrucker *m* dot matrix printer
Matrize *f* **1.** (*a.* ***auf ~ schreiben***) stencil **2.** BUCHDRUCK matrix **3.** TECH (*Stanz*≈ *etc*) die, (*Schablone*) stencil
Matrose *m*, **Matrosin** *f* sailor
Matsch *m* F mush, (*Schlamm*) mud, (*bes Schnee*≈) slush **matschig** *Adj* F **1.** muddy, slushy **2.** *Obst etc*: mushy
matt *Adj* **1.** (*glanzlos*) dull, *Papier etc, a.* FOTO mat(t), *Glas*: frosted, *Glühbirne*: opal, (*Licht*) dim **2.** *Person*: exhausted, *a. Stimme, Applaus etc*: feeble, weak **3.** WIRTSCH slack **4.** *Schach*: checkmate
Matte *f allg* mat: F ***auf der ~ stehen*** be there
Mattglas *n* frosted glass
Mattigkeit *f* fatigue
Mattscheibe *f* **1.** FOTO focus(s)ing screen **2. a)** TV screen, **b)** F telly, *Am* tube **3.** F *fig* ***~ haben*** have a blackout
Matura *f österr., schweiz.* school-leaving exam, *Br* A-levels *Pl*
maturieren *v/i österr.* take one's A-levels
Mätzchen *Pl* F **1.** (*Unsinn*) nonsense *Sg* **2.** tricks *Pl*: ***k-e ~!*** none of your tricks!
Mauer *f* wall: *hist* ***die*** (***Berliner***) ***~*** the (Berlin) Wall **~blümchen** *n* F wallflower
mauern I *v/i* **1.** build a wall, lay bricks **2.** F *Kartenspiel*: stonewall, SPORT shut up shop **II** *v/t* **3.** build
Maul *n* **1.** ZOOL mouth, (*Rachen*) jaws *Pl* **2.** V (*Mund*) *sl* trap: ***das ~ aufreißen*** brag; ***halts ~!*** shut up!
maulen *v/i* F grumble, grouse
Maulesel *m* mule **Maulheld(in)** F braggart **Maulkorb** *m* (*a. Dat* ***e-n ~ anlegen***) muzzle (*a. fig*) **Maultier** *n* mule
Maul- und Klauenseuche *f* VET foot-and-mouth (disease), FMD
Maulwurf *m* ZOOL mole
Maulwurfshügel *m* molehill
Maurer|(in) bricklayer **~kelle** *f* trowel
maurisch *Adj* Moorish
Maus *f a.* COMPUTER mouse (*Pl* mice, COMPUTER *a.* mouses): *hum* ***weiße ~*** traffic policeman; F ***graue ~*** nondescript person; → ***Katze, Mäuse*** **mäuschenstill** *Adj* (as) quiet as a mouse, (*reglos*) stockstill: ***es war ~*** not a sound was to be heard
Mäuse *Pl von Maus* **1.** mice: F ***weiße ~ sehen*** see pink elephants **2.** F (*Geld*) lolly, *Am* bread
Mausefalle *f* **1.** mousetrap **2.** *fig* death-

trap **Mauseloch** *n* mousehole
mausern *v/i u. v/refl* ***sich*** ~ moult; F *fig* ***sich*** ~ ***zu*** develop into
mausetot *Adj* F stone-dead
Maus|klick *m* mouse click: ***per*** ~ by clicking the mouse **~pad** *n* mouse pad **~taste** *f* mouse key (*od* button) **~zeiger** *m* mouse pointer
Maut(gebühr) *f* toll **Mautstelle** *f* tollhouse, *Am* turnpike **Mautstraße** *f* toll road, *Am* turnpike (road)
maximal I *Adj* maximum **II** *Adv* maximally, at (the) most
Maxime *f* maxim
Maximum *n* maximum
Mayonnaise *f* GASTR mayonnaise
Mäzen(in) patron, sponsor
MB, Mbyte *n* (= ***Megabyte***) MB
Mechanik *f* **1.** *allg* mechanics *Pl* (*a. Sg konstr*) **2.** *e-r Uhr etc*: mechanism **Mechaniker(in)** mechanic **mechanisch** *Adj* mechanical, *fig a.* automatic **mechanisieren** *v/t* mechanize **Mechanismus** *m allg* mechanism
Meckerer *m*, **Meckerin** *f* F grumbler
meckern *v/i* **1.** *Ziege*: bleat (*a.* F *fig lachen*) **2.** F *fig* (*schimpfen*) grumble
Mecklenburg-Vorpommern *n* Mecklenburg-Western Pomerania
Medaille *f* medal
Medaillengewinner(in) SPORT medal winner, medal(l)ist
Medaillon *n* **1.** GASTR, KUNST medallion **2.** (*Schmuck*) locket
Medien *Pl* media *Pl*
Medien|forschung *f* media research **~konzern** *m* multimedia group **~verbund** *m* multimedia system
Medikament *n* drug, medicament
Mediothek *f* media library
Meditation *f* meditation
meditieren *v/i* meditate (***über*** *Akk* on)
Medium *n allg* medium; → ***Medien***
Medizin *f allg* medicine, (*Arznei*) *a.* medicament: ***Doktor der*** ~ doctor of medicine (*Abk* M.D.)
Mediziner(in) **1.** medical student, F medic **2.** physician, doctor
medizinisch *Adj* medical, (*arzneilich*) medicinal **medizinisch-technische Assistentin** (*Abk* MTA) medical laboratory assistant
Medizinmann *m* witch doctor, medicine man
Meer *n* sea (*a. fig*), (*Welt*~) ocean: ***das offene*** ~ the high seas *Pl*; ***am*** ~ by the sea, *Urlaub*: *a.* at the seaside **Meerbusen** *m* gulf **Meerenge** *f* strait(s *Pl*)
Meeres|arm *m* arm of the sea, inlet **~biologie** *f* marine biology **~boden** *m* → ***Meeresgrund*** **~früchte** *Pl* seafood *Sg* **~grund** *m* seabed, bottom of the sea **~höhe** *f* → ***Meeresspiegel*** **~kunde** *f* oceanography **~spiegel** *m* (***über dem*** ~ above) sea level
Meerrettich *m* BOT horseradish
Meersalz *n* sea salt
Meerschweinchen *n* ZOOL guinea pig
Meerwasser *n* sea water
Megabyte *n* megabyte
Megafon *n* → ***Megaphon***
Megahertz *n* megahertz, megacycle
Megahit *m* huge hit, smash hit, megahit: ***zum*** ~ ***werden*** become a megahit *etc*
Megaphon *n* megaphone
Megatonne *f* megaton
Megavolt *n* megavolt
Mehl *n* flour, *grobes*: meal **Mehlbanane** *f* → ***Kochbanane***
mehlig *Adj Äpfel etc*: mealy
Mehlspeise *f* **1.** farinaceous food **2.** *österr.* (*Süßspeise*) sweet dish
mehr I *Indefinitpron* more: ~ ***als 50 Autos*** more than (*od* over) 50 cars; ***und dergleichen*** ~ and the like; (***immer***) ~ ***und*** ~ more and more; ***noch*** ~ still more; ***was willst du noch*** ~***?*** what more do you want? **II** *Adj* more: ***mit*** ~ ***Glück*** with more luck; ~ ***und*** ~ (*od* ***immer*** ~) ***Leute*** more and more people **III** *Adv* more: ***umso*** ~***, nur noch*** ~ all the more; ***umso*** ~ (***als***) all the more (as); ***nicht*** ~ **a)** no more, **b)** no longer, not any longer; ***nie*** ~ never again; ***ich habe keins*** (*od* ***keine***) ~ I haven't got any more; ***ich habe nichts*** ~ I've got nothing left; ***kein Wort*** ~ (***davon***)***!*** not another word (about it)!; ***ich kann nicht*** ~***!*** I'm finished!, *beim Essen*: I couldn't eat another thing!; ***er ist*** ~ ***praktisch veranlagt*** he is more of a practical man **IV** ~ *n* ***ein*** ~ ***an Zeit*** more time
Mehr|arbeit *f* extra work, (*Überstunden*) overtime **~aufwand** *m* extra (*od* additional) cost(s *Pl*), time *etc*
mehrbändig *Adj* in several volumes
Mehrbelastung *f* additional load (*fig*

M

burden) **Mehrbereichsöl** *n* multigrade oil **Mehrbetrag** *m* surplus, (*Zuschlag*) extra charge
mehrdeutig *Adj* ambiguous
mehren *v/t u. v/refl* ***sich ~*** increase
mehrere *Adj u. Indefinitpron* several
Mehrerlös *m* additional revenue
mehrfach I *Adj* several, (*wiederholt*) repeated, *bes* TECH *etc* multiple: ***~e Verletzungen*** multiple injuries; ***in ~er Hinsicht*** in several respects; ***~er deutscher Meister*** several times German champion **II** *Adv* several times, (*wiederholt*) repeatedly: ***er ist ~ vorbestraft*** he has several previous convictions
Mehrfache *n* ***ein ~s der Summe*** *etc* several times the amount *etc*
Mehrfachstecker *m* multiple plug
Mehrfamilienhaus *n* multiple dwelling **mehrfarbig** *Adj* multicolo(u)r
Mehrheit *f* majority: ***mit absoluter*** (***einfacher, knapper, großer***) ***~*** by an absolute (a simple, a narrow, a large) majority; ***mit zehn Stimmen ~*** by a majority of ten; → ***schweigend*** **mehrheitlich** *Adj u. Adv* (by the) majority
Mehrheitsbeschluss *m* majority decision **Mehrheitswahlrecht** *n* majority vote system
mehrjährig *Adj* of (*od* lasting) several years, several years' …
Mehrkosten *Pl* additional (*od* extra) cost(s *Pl*), (*Zuschlag*) extra charge *Sg*
mehrmalig *Adj* repeated
mehrmals *Adv* several times
Mehrparteiensystem *n* multiparty system
mehrseitig *Adj* **1.** MATHE polygonal **2.** POL multilateral **mehrsilbig** *Adj* polysyllabic **mehrsprachig** *Adj* polyglot, multilingual **mehrstellig** *Adj Zahl*: multidigit **mehrstimmig** *Adj* for several voices: ***~er Gesang*** part singing
mehrstöckig *Adj* multistor(e)y
mehrstufig *Adj* multistage
mehrstündig (**mehrtägig**) *Adj* of (*od* lasting) several hours (days)
mehrteilig *Adj* consisting of several parts, *Film etc*: in several parts
Mehrverbrauch *m* increased consumption **Mehrwegverpackung** *f* reusable package **Mehrwertsteuer** *f* value-added tax (*Abk* VAT)
Mehrzahl *f* **1.** majority **2.** LING plural
Mehrzweck… multipurpose …
meiden *v/t* avoid
Meile *f* mile
Meilenstein *m a. fig* milestone
meilenweit *Adv* for miles (and miles): ***~ entfernt von*** *a. fig* miles (away) from
mein *Possessivpron* my: ***~er, ~e, ~(e)s, der*** (***die, das***) ***~(ig)e*** mine; ***die ~(ig)en*** my family, F my people, my folks; ***ich habe das ~(ig)e getan*** I've done my share (*od* bit)
Meineid *m* (***e-n ~ leisten*** commit) perjury **meineidig** *Adj* perjured: ***~ werden*** perjure o.s., commit perjury
meinen *v/t, v/i* **1.** think: ***was ~ Sie dazu?*** what do you think?; ***~ Sie*** (***wirklich***)***?*** do you (really) think so? **2.** mean: ***wie ~ Sie das?*** how do you mean?, *drohend*: what do you mean by that?; ***~ Sie das ernst?*** do you really mean it?; ***so war es nicht gemeint*** I (he *etc*) didn't mean it (like that); ***sie meint es gut*** she means well (***mit dir*** by you); ***es war gut gemeint*** it was well-meant; ***er hat es nicht böse gemeint*** he meant no harm **3.** (*sprechen von*) mean, refer to: ***~ Sie ihn?*** do you mean him? **4.** (*bedeuten*) mean **5.** ***wenn du meinst*** if you say so; ***wie Sie ~*** as you wish; ***ich meine ja nur!*** it was just a thought!
meiner *Personalpron* (*Gen of* **ich**) (of) me: ***erinnern Sie sich ~?*** do you remember me? **meinerseits** *Adv* for my part: ***ich ~*** I for one; ***ganz ~!*** **a)** the pleasure is (*od* has been) mine!, **b)** *hum* same here! **meinesgleichen** *Indefinitpron* people like me, F the likes of me
meinetwegen *Adv* **1.** (*wegen mir*) on my account, because of me, (*mir zuliebe*) for my sake **2.** ***~ kann er gehen*** I don't mind if he goes, *iron* he can go for all I care **3.** (*zum Beispiel*) let's say
meinige → ***mein***
Meinung *f* opinion (***über*** *Akk* of, about, on): ***e-e schlechte ~ haben von*** have a low opinion of; ***m-r ~ nach*** in my opinion; ***der ~ sein*** think, believe, be of the opinion; ***derselben*** (***anderer***) ***~ sein*** (dis)agree; ***ganz m-r ~!*** I quite agree!; F ***j-m gehörig die ~ sagen*** give s.o. a piece of one's mind; → ***geteilt*** 1
Meinungs|äußerung *f* statement **~austausch** *m* exchange of views

M

(**über** *Akk* on) **ᴤbildend** *Adj* opinion-forming **~bildung** *f* forming of an opinion: **öffentliche ~** forming of public opinion **~forscher(in)** pollster **~forschung** *f* opinion research **~freiheit** *f* freedom of opinion (*od* speech) **~führer(in)** opinion-leader **~umfrage** *f* (public) opinion poll **~umschwung** *m* swing of opinion **~verschiedenheit** *f* **1.** difference of opinion **2.** disagreement, argument (**über** *Akk* about)

Meise *f* **1.** ZOOL tit(mouse) **2.** F **du hast wohl 'ne ~?** you must be nuts!

Meißel *m*, **meißeln** *v/t u. v/i* chisel

Meiß(e)ner Porzellan *n* Dresden china

meist I *Adj* **1.** most, most of: **die ~en Leute** most people; **die ~e Zeit** most of the time **II** *Indefinitpron* **2. das ~e (davon)** most of it; **die ~en a)** most (of them), **b)** most people **III** *Adv* **3.** → **meistens 4. am ~en** most

meistbietend *Adj* **~er Interessent** highest bidder; *Adv* **~ verkaufen** sell to the highest bidder

meistens, meistenteils *Adv* mostly, usually, most of the time

Meister *m* **1.** master (craftsman): **s-n ~ machen** take one's master craftsman's diploma **2.** *im Betrieb*: foreman **3.** (*Könner*) *a. fig od iron* master: → **Übung** 1 **4.** SPORT champion, (*Mannschaft*) champions *Pl* **Meisterbrief** *m* master craftsman's diploma

meisterhaft I *Adj* masterly **II** *Adv* brilliantly: *iron* **es ~ verstehen zu lügen** *etc* be an expert liar *etc*

Meisterin *f* **1.** master craftswoman **2.** *im Betrieb*: forewoman **3.** master's wife **4.** → **Meister** 3, 4 **Meisterleistung** *f* masterly performance, great feat **meistern** *v/t allg* master

Meisterprüfung *f* examination for the master craftsman's diploma

Meisterschaft *f* **1.** (*Können*) mastery **2.** SPORT championship, (*Titel*) *a.* title

Meisterstück *n fig* masterstroke

Meisterwerk *n* masterpiece

Melancholie *f*, **melancholisch** *Adj* melancholy

Melanom *n* MED melanoma

Melanzani *Pl österr.* aubergines *Pl*, *Am* eggplants

Meldeamt *n* residents' registration office

melden I *v/t* **1.** report, (*Geburt etc*) register, (*ankündigen*) announce: **j-m etw ~** notify s.o. of s.th.; F **er hat nichts zu ~** he has no say (in the matter), *weit. S.* he has no chance (**gegen j-n** against s.o.) **2.** SPORT enter **II** *v/refl* **sich ~ 3.** report (**bei** to, **zur Arbeit** for work): VERW **sich polizeilich ~** register with the police; → **krankmelden 4.** *Interessent, Zeuge etc*: get in touch (**bei** with): **sich freiwillig ~** volunteer (**zu** for); **ich werde mich (wieder) ~** I'll be in touch; **wenn du etw brauchst, melde dich!** if you need anything, let me know!; **sich auf ein Inserat ~** answer an advertisement **5.** answer (the phone): **es meldet sich niemand** there is no reply **6.** *Schüler*: put up one's hand **7.** SPORT enter (one's name) (**für** for) **8.** *fig Alter, Schmerz etc*: make itself felt

Meldepflicht *f* obligatory registration, MED duty of notification

meldepflichtig *Adj* subject to registration, MED notifiable

Meldung *f* **1.** report (*a. Anzeige*), (*Presseᴤ*) *a.* news (item), (*Mitteilung*) announcement, notification, (*Funkᴤ, Computerᴤ etc*) message **2.** VERW registration (**bei** with) **3.** (**zu** for) application, *zu e-r Prüfung etc*, *a.* SPORT entry

melken *v/t u. v/i a. fig* milk

Melodie *f* melody, tune

melodiös, melodisch *Adj* melodic

melodramatisch *Adj* melodramatic

Melone *f* **1.** BOT melon **2.** F (*Hut*) bowler (hat), *Am* derby

Membran *f* ANAT membrane, *a.* TECH diaphragm

Memoiren *Pl* memoirs *Pl*

Menge *f* **1.** quantity, amount, MATHE set: **e-e (große) ~ von** a lot of, F lots of; **e-e ~ Bücher** *a.* a great many books; F **jede ~ Geld, Geld in rauhen ~n** heaps of money **2.** (*Menschenᴤ*) crowd

mengen I *v/t* mix (**in** *Akk* into) **II** *v/refl* **sich ~** → **mischen** II

Mengenangabe *f* (indication of) quantity **Mengenlehre** *f* MATHE set theory **mengenmäßig** *Adj* quantitative **Mengenrabatt** *m* WIRTSCH bulk discount

Meniskus *m* ANAT meniscus

Menorca *n* Minorca

Mensa *f* (university) canteen

Mensch *m* **1.** human being: **der ~** man;

ich bin auch nur ein ~ I'm only human **2.** → ***Menschheit* 3.** (*Person*) person, man (woman): **(*die*) *~en*** people; ***gern unter ~en sein*** enjoy human company; ***kein ~*** nobody, not a soul; F ***~!*** → ***Menschenskind* Mensch ärgere dich nicht!** *n* (*Spiel*) ludo

Menschen|affe *m* ape **~alter** *n* generation, (*Lebensspanne*) lifetime **~feind(in)** misanthropist **~fresser(in)** cannibal, (*Tier*) man-eater **~freund(in)** philanthropist **~gedenken** *n* ***seit ~*** within living memory **~gestalt** *f* ***in ~*** in human form; ***ein Teufel in ~*** a devil incarnate **~hand** *f* ***von ~ geschaffen*** man-made **~handel** *m* slave trade **~hass** *m* misanthropy **~kenner(in)** good judge of character **~kenntnis** *f* knowledge of human nature **~kette** *f* human chain **~leben** *n* **1.** (human) life: ***~ sind nicht zu beklagen*** there were no fatalities **2.** lifetime **⁲leer** *Adj* deserted **~menge** *f* crowd (of people) **~mögliche** *n*: ***das ~*** everything that is humanly possible **~raub** *m* kidnapping **~rechte** *Pl* human rights *Pl* **⁲scheu** *Adj* shy, unsociable **~schlag** *m* breed (of people), race **~seele** *f* human soul: ***k-e ~*** not a living soul

Menschenskind *Interj* good heavens!, *vorwurfsvoll*: for heaven's sake!

menschenunwürdig *Adj* degrading, *Wohnung etc*: unfit for human beings

Menschenverstand *m* ***gesunder ~*** common sense

Menschenwürde *f the* dignity of man

Menschheit ***die ~*** man, mankind

menschlich *Adj* **1.** human: ***die ~e Natur*** human nature; ***nach ~em Ermessen*** as far as one can possibly judge **2.** (*human*) humane **3.** F (*erträglich*) tolerable **Menschlichkeit** *f* **1.** human nature **2.** (*Humanität*) humaneness, humanity: ***Verbrechen gegen die ~*** crime against humanity

Menstruation *f* MED menstruation

menstruieren *v/i* MED menstruate

Mentalität *f* mentality

Menthol *n* CHEM menthol: ***mit ~*** mentholated

Menü *n* **1.** GASTR set meal, set lunch; (*Tagesangebot*) fixed(-price) menu, today's special **2.** COMPUTER *u. fig* menu **~anzeige** *f* menu display **⁲gesteuert** *Adj* menu-driven **~leiste** *f* menu bar

⚠ Menü ≠ menu
(*Speisenfolge*)

Menü	= set meal, set lunch
menu	= Speisekarte

Meridian *m* ASTR, GEOG meridian

Merkblatt *n* leaflet

merken *v/t* notice, (*fühlen*) feel, sense, (*erkennen*) realize, see, (*entdecken*) discover: ***etw ~*** *a.* become aware of s.th.: ***man merkte an s-r Stimme, dass …*** you could tell by his voice that …; ***~ lassen*** show, let on; ***sich*** *etw* ***~*** remember, make a mental note of; ***~ Sie sich das!*** remember that!

merklich I *Adj* noticeable, (*deutlich*) marked, (*beträchtlich*) considerable **II** *Adv* noticeably (*etc*)

Merkmal *n* characteristic: ***besondere ~e*** distinguishing marks

Merkspruch *m* mnemonic

Merkur *m* ASTR Mercury

merkwürdig *Adj* strange, odd **merkwürdigerweise** *Adv* oddly enough

meschugge *Adj* F crazy, nuts

messbar *Adj* measurable

Messbecher *m* measuring cup

Messdiener(in) REL server

Messe¹ *f* REL mass: **(*die*) *~ lesen*** say Mass

Messe² *f* MIL mess

Messe³ *f* (trade) fair

Messe|besucher(in) visitor to a (*od* the) fair **~gelände** *n* exhibition cent/re (*Am* -er) **~halle** *f* exhibition hall

messen I *v/t* measure, TECH *a.* ga(u)ge: **(*mit der Uhr*) *~*** time; *fig* ***j-n mit Blicken ~*** size s.o. up **II** *v/refl* ***sich mit j-m ~*** match o.s. against s.o., SPORT compete with s.o.; ***sich nicht ~ können mit*** **a)** ***j-m*** be no match for s.o., **b)** ***e-r Sache*** not to stand comparison with s.th. **III** *v/i* measure, be … long (*od* high, wide, *etc*), *Person*: be … (tall): → ***gemessen***

Messer *n allg* knife, TECH *a.* blade, MED *a.* scalpel: *fig* ***Kampf bis aufs ~*** fight to the death; ***auf*** **(*des*)** ***~s Schneide stehen*** be on a razor's edge; F ***j-n ans ~ liefern*** betray s.o. **messerscharf** *Adj* razor-sharp, *fig* (*scharfsinnig*) *a.* keen

Messer|schnitt *m* razor cut **~spitze** *f* knife point: ***e-e ~ Salz*** a pinch of salt
Messerstecherei *f* knifing
Messerstich *m* **1.** stab **2.** stab wound
Messestand *m* exhibition stand
Messgerät *n* measuring instrument, (*Lehre*) ga(u)ge, (*Zähler*) meter
Messias *m* Messiah
Messing *n* brass
Messinstrument *n* → ***Messgerät***
Messtischblatt *n* ordnance map
Messuhr *f* meter, dial ga(u)ge
Messung *f* measurement
Metall *n* metal
Metallarbeiter(in) metalworker
Metall|bearbeitung *f* metalworking **~industrie** *f* metalworking industry
metallisch *Adj* metal, *a. fig* metallic
Metallurgie *f* metallurgy
metallurgisch *Adj* metallurgic(al)
Metallverarbeitung *f* metal processing **Metallwaren** *Pl* metal goods *Pl*, hardware *Sg*
Metamorphose *f* metamorphosis
Metapher *f* metaphor
Meta|physik *f* metaphysics *Sg* **≈physisch** *Adj* metaphysical
Metastase *f* MED metastasis
Meteor *m* meteor
Meteorit *m* meteorite
Meteorologe *m* meteorologist
Meteorologie *f* meteorology
Meteorologin *f* meteorologist
meteorologisch *Adj* meteorological
Meter *n, m* metre, *Am* meter **≈lang** *Adj* very long **~maß** *n* **1.** (*Bandmaß*) tape measure **2.** → **~stab** *m* (pocket) rule
Meterware *f* yard goods *Pl*
Methadon *n* methadone
Methode *f* method **Methodik** *f* **1.** methodology **2.** method(s *Pl*)
methodisch *Adj* methodical
Methylalkohol *m* methyl alcohol
Metier *n* profession, job
Metrik *f* metre, *Am* meter **metrisch** *Adj* **1.** *Maß etc*: metric **2.** MUS *etc* metrical
Metzger(in) butcher
Metzgerei *f* butcher's shop
Meute *f* **1.** pack (of hounds) **2.** *fig* mob
Meuterei *f* mutiny **Meuterer** *m*, **Meuterin** *f* mutineer **meutern** *v/i* mutiny, F *fig* rebel **meuternd** *Adj* mutinous
Mexikaner(in), **mexikanisch** *Adj* Mexican
Mexiko *n* Mexico
miau *Interj*, **miauen** *v/i* miaow
Mic *n* F (*Mikrophon*) mic, *bes Br* mike
mich I *Personalpron* me **II** *Reflexivpron* myself
mick(e)rig *Adj* F *Sache*: measly, *Person*: puny, (*kränklich*) sickly
Mieder *n* bodice **Miederhöschen** *n* panty girdle **Miederwaren** *Pl* foundation garments *Pl*
Mief *m* F fug, pong
Miene *f* expression, (*Gesicht*) face: ***überlegene ~*** superior air; ***e-e ernste ~ aufsetzen*** look serious; ***e-e finstere ~ machen*** scowl; ***gute ~ zum bösen Spiel machen*** put on a brave face, grin and bear it; ***~ machen, etw zu tun*** make as if to do s.th.; ***ohne e-e ~ zu verziehen*** without batting an eyelid
Mienenspiel *n* facial expressions *Pl*
mies F **I** *Adj* bad, lousy: ***~e Laune haben*** be in a foul mood; ***j-n*** (***etw***) ***~ machen*** run s.o. (s.th.) down; ***~er Kerl*** bastard; ***~e Sache*** awful mess **II** *Adv* ***sich ~ fühlen*** feel lousy; ***es geht ihm ~*** he's in a bad way **Miesepeter** *m* F sourpuss
Miesmuschel *f* ZOOL mussel
Miete *f* rent: ***zur ~ wohnen*** live in a rented flat (*od Am* apartment), *als Untermieter*: live in lodgings (***bei*** with)
Mieteinnahme *f* rental income
mieten *v/t* rent, (*Auto etc*) *a.* hire
Mieter(in) tenant, (*Unter≈*) lodger, *Am* roomer **Mieterschutz** *m* (legal) protection of tenants
mietfrei *Adj* rent-free
Mietgebühr *f* rental (charge)
Mietpreis *m* **1.** rent **2.** → ***Mietgebühr***
Mietshaus *n* block of flats, *Am* apartment house
Mietverhältnis *n* tenancy **Mietvertrag** *m* tenancy agreement, *für Sachen*: hire contract **Mietwagen** *m* hired car **Mietwagenverleih** *m* car-hire service **Mietwohnung** *f* (rented) flat, *Am* apartment
Migräne *f* MED migraine
Mikro *n* F (*Mikrofon*) mic, *bes Br* mike
Mikrobe *f* microbe
Mikro|chip *m* microchip **~chirurgie** *f* microsurgery **~computer** *m* microcomputer **~elektronik** *f* microelectronics *Sg* **~film** *m* microfilm **~fon** *n* microphone **~kosmos** *m* microcosm **~orga-**

nismus *m* microorganism
Mikroprozessor *m* microprocessor
Mikroskop *n* microscope **mikroskopisch** *Adj* (*a.* ~ ***klein***) microscopic(al)
Mikrowelle *f* microwave
Mikrowellenherd *m* microwave oven
Milbe *f* ZOOL mite
Milch *f* **1.** (***dicke*** *od* ***saure*** ~ curdled) milk **2.** *der Fische*: (soft) roe **Milchbar** *f* milk bar **Milchbrei** *m* milk pudding
Milchflasche *f* milk bottle
Milchgeschäft *n* dairy
Milchglas *n* TECH frosted glass
milchig *Adj* milky
Milchkaffee *m* white coffee
Milch|kännchen *n* milk jug **~kanne** *f* milk can **~kuh** *f* milcher **~mädchenrechnung** *f* F naive reasoning **~mixgetränk** *n* milk shake **~produkte** *Pl* dairy products *Pl* **~pulver** *n* powdered milk **~reis** *m* rice pudding **~schorf** *m* MED milk crust **~shake** *m* milkshake **~straße** *f* Milky Way **~tüte** *f* carton of milk **~wirtschaft** *f* dairy farming **~zahn** *m* milk tooth
mild I *Adj allg* mild, *Klima*, *Lächeln*, *Verweis etc*: *a.* gentle, *Strafe*, *Richter etc*: *a.* lenient, *Speise*: *a.* light, *Licht*: mellow, soft **II** *Adv* ***~e gesagt*** to put it mildly; ***etw ~e beurteilen*** take a lenient view of s.th. **Milde** *f* mildness (*etc*, → ***mild*** I), (*Nachsicht*) leniency **mildern I** *v/t* (*Schlag*, *Gegensatz etc*) soften, (*Schmerz*, *Leiden etc*) ease, alleviate, (*a. Kummer*, *Ärger etc*) soothe, (*Ansicht etc*) moderate, (*Aussage etc*) qualify, (*Urteil*, *Strafe*) mitigate, (*Wirkung etc*) reduce: JUR ***~de Umstände*** extenuating circumstances **II** *v/refl* ***sich*** ~ grow milder, *Schmerz*: ease, *Ansicht etc*: soften **Milderung** *f von Schmerz*: alleviation, *e-r Strafe*: mitigation, *e-r Aussage etc*: qualification, *e-r Ansicht*: moderation **Milderungsgrund** *m* JUR extenuating circumstance
mildtätig *Adj* charitable
Milieu *n* environment (*a.* BIOL, CHEM), SOZIOL *a.* (social) background
milieubedingt *Adj* due to environmental factors **milieugeschädigt** *Adj* maladjusted, deprived
militant *Adj* militant
Militär *n* **1.** (***beim*** ~ in the) armed forces *Pl* (*od* army) **2.** military personnel, soldiers *Pl* **~arzt** *m*, **~ärztin** *f* medical officer **~attaché** *m* military attaché **~dienst** *m* military service **~diktatur** *f* military dictatorship
militärisch *Adj* military, *Gebaren etc*: martial **Militarismus** *m* militarism **Militarist(in)** militarist **militaristisch** *Adj* militaristic(ally *Adv*)
Militärkapelle *f* military band
Militärpolizei *f* military police
Militär|putsch *m* military putsch **~regierung** *f* military government
Military *f Reitsport*: three-day event
Militärzeit *f* time of (military) service
Miliz *f* militia
Millennium *n* millennium
Milliardär(in) multimillionaire
Milliarde *f* billion
Millimeter *m*, *n* millimet/re (*Am* -er) **~arbeit** *f* F ***das war*** ~ that was a precision job **~papier** *n* graph paper
Million *f* million: ***5 ~en Dollar*** five million dollars
Millionär(in) millionaire
Millionengeschäft *n* multimillion dollar *etc* deal **Millionenstadt** *f* city of over a million inhabitants
millionstel *Adj* millionth
Milz *f* ANAT spleen **~brand** *m* anthrax
Mime *m* actor **mimen** *v/t* act, play, *fig a.* feign **Mimik** *f* **1.** mimic art **2.** → ***Mienenspiel*** **mimisch** *Adj* mimic
Mimose *f* **1.** BOT mimosa **2.** *fig* oversensitive person
mimosenhaft *Adj fig* oversensitive
Minarett *n* minaret
minder I *Adv* less: ***nicht*** ~ no less **II** *Adj* less(er), *Bedeutung*: minor, *Qualität*: inferior **minderbegabt** *Adj* less gifted
minderbemittelt *Adj* less well-off: F ***geistig*** ~ not very bright
Minderheit *f* minority; → *a.* ***Minderzahl***
Minderheitsregierung *f* minority (-party) government
minderjährig *Adj* under age
Minderjährige *m*, *f* minor
Minderjährigkeit *f* minority
mindern I *v/t* lessen, reduce, lower, (*beeinträchtigen*) detract from **II** *v/refl* ***sich*** ~ diminish, decrease
Minderung *f* (*Gen*) decrease (in), reduction (in, of), (*Wert*~) depreciation
minderwertig *Adj* inferior, of inferior quality, WIRTSCH *a.* low-grade **Minder-**

wertigkeit *f* inferiority, WIRTSCH inferior quality
Minderwertigkeitsgefühl *n* inferiority feeling **Minderwertigkeitskomplex** *m* inferiority complex
Minderzahl *f* ***in der ~ sein*** **a)** be in the minority, **b)** be outnumbered
mindest *Adj* least, slightest: ***nicht die ~e Aussicht*** not the slightest chance; ***nicht im ~en*** not in the least, not at all; ***zum ~en*** at least; ***das ~e*** the (very) least
Mindest... minimum (*age*, *price*, *etc*) **~anforderung** *f* minimum requirement **~betrag** *m* minimum (amount)
mindestens *Adv* at least
Mindest|gehalt *n* (**~lohn** *m*) minimum salary (wage) **~maß** *n* (***etw auf das ~ beschränken*** keep s.th. down to a) minimum **~zahl** *f* minimum
Mine *f* **1.** BERGB, MIL mine **2.** (*Bleistift~*) lead, (*Kugelschreiber~*) cartridge, (*Ersatz~*) refill
Minenfeld *n* MIL minefield **Minenleger** *m* SCHIFF minelayer **Minenräumboot** *n*, **Minensuchboot** *n* minesweeper
Mineral *n* mineral **~bad** *n* **1.** mineral bath **2.** (*Kurort*) spa
Mineralogie *f* mineralogy
Mineral|öl *n* mineral oil **~quelle** *f* mineral spring **~wasser** *n* mineral water
Miniatur *f* miniature
miniaturisieren *v/t* TECH miniaturize
Mini|bar *f* minibar **~bus** *m* minibus **~golf** *n* miniature golf **~kleid** *n* minidress
minimal *Adj* minimal, minimum, *fig* negligible **Minimum** *n* minimum
Minirock *m* miniskirt
Minister(in) minister, *Br* Secretary (of State), *Am* Secretary
Ministerialdirektor(in) head of a ministerial department
Ministerium *n* ministry, *Am* department
Ministerpräsident(in) Prime Minister, *e-s deutschen Bundeslandes*: Minister President (*Pl* Ministers President)
Ministerrat *m* **1.** cabinet (council) **2.** *der EU*: Council of Ministers
Ministrant(in) REL altar server
Minna *f* F ***grüne ~*** Black Maria, *Am* paddy wagon; ***j-n zur ~ machen*** give s.o. hell
Minnesänger *m* minnesinger
Minorität *f* minority
minus I *Präp* minus **II** *Adv* ***~ 10 Grad*** ten degrees below zero **III ~** *n* (*Fehlbetrag*) deficit, *fig* (*Nachteil*) disadvantage
Minuspunkt *m* **1.** SPORT penalty point **2.** *fig* minus, drawback
Minuszeichen *n* MATHE minus sign
Minute *f* minute (*a.* ASTR, MATHE): ***auf die ~ pünktlich kommen*** come on the dot; ***in letzter ~*** at the last moment; ***es klappte auf die ~*** it was perfectly timed
minutenlang I *Adj* lasting several minutes, several minutes of ... **II** *Adv* for (several) minutes
Minutenzeiger *m* minute-hand
minuziös *Adj* detailed, meticulous
Minze *f* BOT mint
mir *Personalpron* me, to me, (*~ selbst*) (to) myself: ***~ ist kalt*** I feel cold; ***ich wusch ~ die Hände*** I washed my hands; ***ein Freund von ~*** a friend of mine; ***du bist ~ ein schöner Freund!*** a fine friend you are!; ***von ~ aus*** → ***meinetwegen***; ***wie du ~, so ich dir*** tit for tat
Mirabelle *f* BOT yellow plum
Misanthrop(in) misanthropist
Mischehe *f* mixed marriage
mischen I *v/t allg* mix (*a.* RADIO, FILM *etc*), (*Tee*, *Tabak etc*) blend, (*Karten*) shuffle, (*Dateien*)merge, collate **II** *v/refl fig* ***sich ~ unter*** (*Akk*) mix (*od* mingle) with; ***sich ~ in*** (*Akk*) interfere (*od* meddle) in; ***sich in das Gespräch ~*** join in (*störend*: butt in on) the conversation **III** *v/i beim Kartenspiel*: shuffle
Mischling *m* **1.** BIOL hybrid **2.** (*Mensch*) half-caste, *bes pej* half-breed
Mischmasch *m* F hotchpotch
Mischpult *n* RADIO, TV mixer
Mischrasse *f* mixed race
Mischung *f* mixture (*a. fig*), (*Tabak~*, *Tee~ etc*) blend, (*Keks~*, *Pralinen~ etc*) assortment
Mischungsverhältnis *n* mixing ratio
Misch|volk *n* mixed race **~wald** *m* mixed forest **~wort** *n* hybrid (word)
miserabel *Adj* miserable, F lousy
Misere *f* calamity
Mispel *f* BOT medlar

missachten *v/t* **1.** (*nicht beachten*) disregard, ignore **2.** (*gering schätzen*) hold in contempt, disdain, despise
Missachtung *f* disregard, (*Verachtung*) disdain: ***~ des Gerichts*** contempt of court
Missbehagen *n* feeling of uneasiness
Missbildung *f* deformity
missbilligen *v/t* disapprove (of)
missbilligend *Adj* disapproving
Missbilligung *f* disapproval
Missbrauch *m* abuse, misuse, *vorsätzlicher: a.* improper use
missbrauchen *v/t* abuse (*a. sexuell*)
missdeuten *v/t* misinterpret
Missdeutung *f* misinterpretation
missen *v/t* (*entbehren*) do without
Misserfolg *m* failure, F flop
Missernte *f* crop failure
Missetat *f* misdeed
Missetäter(in) malefactor, offender
missfallen *v/i* ***er*** **(*es*)** ***missfällt mir*** I don't like him (it) **Missfallen** *n* displeasure, disapproval: ***j-s ~ erregen*** incur s.o.'s displeasure **Missfallensäußerung** *f* expression of disapproval
missgebildet *Adj* deformed
Missgeburt *f* **1.** deformed child (*od* animal), freak **2.** *fig* failure, F flop
missgelaunt *Adj* ***~ sein*** be in a bad mood
Missgeschick *n* (*Pech*) bad luck, misfortune, (*Panne*) mishap **missglücken** *v/i* fail, be unsuccessful **missgönnen** *v/t* ***j-m etw ~*** begrudge s.o. s.th. **Missgriff** *m* mistake **Missgunst** *f* resentment **missgünstig** *Adj* resentful **misshandeln** *v/t* maltreat **Misshandlung** *f* maltreatment, JUR assault and battery
Mission *f* mission **Missionar(in)**, **missionarisch** *Adj* missionary
missionieren I *v/i* do missionary work **II** *v/t* convert
Missklang *m a. fig* dissonance
Misskredit *m* discredit: ***in ~ bringen*** bring discredit upon; ***in ~ geraten*** get a bad name
misslich *Adj* awkward, difficult
misslingen *v/i* fail, be unsuccessful
Missmanagement *n* mismanagement
missmutig *Adj* disgruntled: ***ein ~es Gesicht machen*** look morose
missraten I *v/i* fail, turn out a failure, go wrong: ***das ist mir ~*** I've bungled it **II** *Adj Kind*: wayward
Missstand *m* deplorable state of affairs: ***Missstände abschaffen*** remedy abuses
misstrauen *v/i* (*j-m, e-r Sache*) distrust, mistrust **Misstrauen** *n* (***gegen*** of) distrust, mistrust, suspicion
Misstrauensantrag *m* PARL motion of no confidence **Misstrauensvotum** *n* PARL vote of no confidence
misstrauisch *Adj* distrustful, (*argwöhnisch*) suspicious, (*unsicher*) doubtful
Missverhältnis *n* disproportion: ***in e-m ~ stehen*** be out of proportion (***zu*** to)
missverständlich *Adj* misleading
Missverständnis *n* misunderstanding
missverstehen *v/t* misunderstand, (*j-s Absichten*) mistake
Misswahl *f* beauty contest
Misswirtschaft *f* mismanagement
Mist *m* **1.** LANDW dung, manure, (*Tierkot*) droppings *Pl* **2.** F (*Plunder*) rubbish, (*Unsinn*) *a.* crap: ***~ machen, ~ bauen*** make a cock-up, mess it up; ***~ verzapfen*** talk rot; **(*so ein*) *~!*** damn it!
Mistel *f* BOT mistletoe
Mistelzweig *m* (sprig of) mistletoe; → *Info bei* ***mistletoe***
Mist|gabel *f* pitchfork **~haufen** *m* manure heap **~käfer** *m* ZOOL dungbeetle **~kerl** *m* V bastard **~kübel** *m österr.* rubbish bin, *Am* trashcan **~stück** *n* V (*Mann*) bastard, (*Frau*) bitch
mit I *Präp* **1.** with: ***ein Haus ~ Garten*** a house with a garden; ***Tee ~ Rum*** tea with rum; ***Zimmer ~ Frühstück*** bed and breakfast; ***ein Korb ~ Obst*** a basket of fruit **2.** (*mithilfe von*) with: ***~ der Bahn*** **(*Post*** *etc*) by train (post *etc*); ***~ Bleistift*** in pencil; ***~ Gewalt*** by force **3.** (*Art und Weise*) with: ***~ Absicht*** intentionally; ***~ lauter Stimme*** in a loud voice; ***~ Verlust*** at a loss; ***~ einem Wort*** in a word; ***~ 8 zu 11 Stimmen*** by 8 votes to 11; ***was ist ~ ihm?*** what's the matter with him?; ***wie steht es ~ Ihrer Arbeit?*** how's your work getting on?; ***wie stehts ~ dir?*** how about you? **4.** *zeitlich*: ***~ 20 Jahren*** at (the age of) twenty; ***~ dem 3. Mai*** as of May 3rd; → ***Zeit*** 1 **II** *Adv* **5.** also, too: ***~ dabei sein*** be there too; ***das gehört ~ dazu*** that's part (and parcel) of it; ***er war ~ der Beste*** he was one of the best; → ***mitgehen*** *etc*

Mitarbeit *f* cooperation, collaboration, (*Hilfe*) *a.* assistance (***bei*** in): ***unter ~ von*** (*od Gen*) in collaboration with
mitarbeiten *v/i* **a)** (***an*** *Dat*, ***bei***) cooperate (in), collaborate (on), *bei e-r Zeitung etc*: contribute (to), **b)** PÄD take an active part in the lessons
Mitarbeiter(in) **1.** employee, *bes wissenschaftlich*: collaborator, ***bei*** *e-r Zeitung*: contributor (to): ***freier Mitarbeiter*** freelance(r) **2.** (*Kollege*) colleague
Mitarbeiterstab *m* staff
Mitbegründer(in) co-founder
mitbekommen *v/t* **1.** ***etw ~*** get (*od* be given) s.th. **2.** F (*verstehen*) catch, get, (*aufschnappen*) pick up: ***hast du das mitbekommen?*** did you get that?
mitbenutzen *v/t* share *s.th.* (with s.o.)
mitbestimmen *v/i* (***bei e-r Sache***) ***~*** have a say in the matter **Mitbestimmung(srecht** *n*) *f* codetermination, (*Arbeiter*②) *a.* worker participation
Mitbewerber(in) competitor
Mitbewohner(in) fellow occupant
mitbringen *v/t* **1.** bring *s.o., s.th.* along (with one) **2.** *fig* (*Fähigkeiten*) have, possess **Mitbringsel** *n* little present
Mitbürger(in) fellow citizen: ***ausländische Mitbürger(innen)*** immigrant--residents
Miteigentümer(in) joint owner
miteinander *Adv* with each other, (*zusammen*) together: ***alle ~*** one and all
Miteinander *n* togetherness
Mit|erbe *m* coheir **~erbin** *f* coheiress
miterleben *v/t* witness
Mitesser *m* MED blackhead
mitfahren *v/i* ***mit j-m ~*** ride (*od* go) with s.o. **Mitfahrgelegenheit** *f* ***biete ~ nach Köln*** lift offered to Cologne
mitfühlen *v/i* sympathize (***mit*** with)
mitfühlend *Adj* sympathetic
mitführen *v/t* carry with one
mitgeben *v/t* ***j-m etw ~*** give s.o. s.th. (to take with him)
Mitgefangene *m, f* fellow-prisoner
Mitgefühl *n* sympathy: ***j-m sein ~ ausdrücken*** offer one's sympathies (*im Trauerfall*: condolences) to s.o.
mitgehen *v/i* **1.** go along (***mit j-m*** with s.o.): F ***etw ~ lassen*** pinch (*od* lift) s.th. **2.** *fig Zuhörer etc*: respond (***mit*** to)
mitgenommen *Adj* F *fig* worn out, exhausted: *Adv* ***~ aussehen*** *a. Person*: look the worse for wear
Mitgift *f* dowry
Mitglied *n* member
Mitglieder|versammlung *f* general meeting **~zahl** *f* membership
Mitgliedsausweis *m* membership card
Mitgliedsbeitrag *m* (membership) fee (*Am* dues *Pl*)
Mitgliedschaft *f* membership
Mitgliedstaat *m* member state
mithalten *v/i* **1.** *a. fig* keep up (***mit*** with) **2.** *Kartenspiel*: stay in the bidding
Mitherausgeber(in) coeditor
Mithilfe *f* aid, assistance, cooperation
mithilfe, **mit Hilfe** *Präp u. Adv*: ***~ von*** (*od Gen*) with the help of, *fig a.* by means of
mithören **I** *v/t* listen (in) to, *zufällig*: overhear, *heimlich*: eavesdrop on, (*abhören*) monitor, (*Funkspruch etc*) intercept **II** *v/i* listen, *heimlich*: eavesdrop
Mitinhaber(in) joint owner, copartner
mitkommen *v/i* **1.** come along **2.** *in der Schule*: keep up (with the class): ***gut ~*** get on well; ***nicht ~*** do badly; F ***da komme ich (einfach) nicht mit!*** that's beyond me! **mitlaufen** *v/i* run (along) with, SPORT run (in the race)
Mitläufer(in) POL *pej* hanger-on, fellow traveller
Mitlaut *m* LING consonant
Mitleid *n* (***aus ~*** out of) pity (***für*** for); ***mit j-m ~ haben*** have pity (*od* compassion) on s.o., pity s.o., be sorry for s.o.; ***~erregend*** pitiful, pitiable
Mitleidenschaft *f* ***in ~ gezogen werden*** be (adversely) affected (***durch*** by)
mitleidig *Adj* compassionate, sympathetic: ***ein ~es Lächeln*** a contemptuous smile **mitleid(s)los** *Adj* pitiless
mitmachen **I** *v/i* **1.** take part, join in, (*zs.-arbeiten*) cooperate: F ***da mache ich nicht mit!*** count me out on that! **II** *v/t* **2.** *allg* take part in, (*Lehrgang etc*) *a.* attend, (*Mode*) follow, go with, (*Spiel etc*) join in **3.** F ***j-s Arbeit ~*** do s.o.'s job as well **4.** F (*ertragen*) live (*od* go) through, suffer: ***das mache ich nicht mehr lange mit!*** I won't take that much longer!
Mitmensch *m* fellow (man *od* being)
mitmischen *v/i* F be in on the action: ***bei etw ~*** be in on s.th., take part in s.th.
mitnehmen *v/t* **1.** take along, take with

one, (*ausleihen*) borrow: ***j-n im Auto ~*** give s.o. a lift **2.** (*wegnehmen*) take away **3.** F (*kaufen*) take, buy **4.** F (*Sehenswürdigkeit etc*) take in **5.** *fig* (*lernen*) profit (***aus*** from) **6.** F *fig* ***j-n*** (***sehr***) ~ take it out of s.o.: → ***mitgenommen***
mitrechnen *v/t* include: ***nicht mitgerechnet*** not counting
mitreden *v/t* ***etw*** (*od* ***ein Wörtchen***) ***mitzureden haben*** have a say (***bei*** in)
Mitreisende *m, f* fellow passenger
mitreißen *v/t* **1.** carry (*od* sweep) along **2.** *fig* carry away **mitreißend** *Adj fig* thrilling, *Musik, Rede etc*: rousing
mitsamt *Präp* (*Dat*) together with
mitschicken *v/t* send (along), *im Brief*: enclose **mitschleppen** *v/t* drag along (with one) **mitschneiden** *v/t auf Tonband etc*: record **mitschreiben I** *v/t* write down **II** *v/i* take notes
Mitschuld *f* joint guilt, complicity (***an*** *Dat* in) **mitschuldig** *Adj* ***an e-r Sache ~ sein*** be implicated in s.th.
Mitschuldige *m, f* accessory (***an*** *Dat* to)
Mitschüler(in) classmate
mitschwingen *v/i* resonate: *fig* ***darin schwingt ... mit*** it has overtones of ...
mitsingen *v/t u. v/i* join in the singing (of) **mitspielen** *v/i* **1.** join in, SPORT play, be on the team, THEAT appear **2.** F *fig* (***bei***) *Person*: go along (with), *Sache*: play a part (in): ***ich spiele nicht mehr mit!*** count me out! **3.** F ***j-m übel ~*** **a)** treat s.o. badly, **b)** play a nasty trick on s.o. **Mitspieler(in)** player
Mitspracherecht *n* right to a say
Mittag *m* midday, noon: ***heute ~*** at noon today; ***zu ~ essen*** have lunch **Mittagessen** *n* (***beim*** [***zum***] ~ at [for]) lunch
mittags *Adv* **a)** at noon, **b)** at lunchtime
Mittags|pause *f* lunch break **~ruhe** *f* afternoon rest period **~schlaf** *m*, **~schläfchen** *n* siesta, afternoon nap **~zeit** *f* (***zur ~*** at) lunchtime
Mittäter(in) JUR accomplice
Mitte *f* middle, (*Mittelpunkt*) cent/re (*Am* -er): *fig* ***die goldene ~*** the golden mean; POL ***die ~*** the centre; ***in unserer ~*** in our midst; ***in der ~ zwischen*** halfway between; ***~ Juli*** in the middle of July, in mid-July; ***in der ~ des 18. Jhs.*** in the mid-18th-century; ***~ dreißig sein*** be in one's mid-thirties; F ***ab durch die ~!*** off you go!
mitteilen I *v/t* ***j-m etw ~*** inform (VERW notify) s.o. of s.th., tell s.o. s.th., (*Wissen etc*) impart s.th. to s.o. **II** *v/refl* ***sich j-m ~*** **a)** *Person*: confide in s.o., **b)** *fig Erregung etc*: communicate itself to s.o.
mitteilsam *Adj* communicative
Mitteilung *f* information, communication, report, VERW notification, (*Nachricht*) message, news *Pl*
mittel I *Adj* → ***mittler*** **II** *Adv* F (*mäßig*) middling, so-so
Mittel *n* **1.** means *Pl* (*a. Sg konstr*), (*Verfahren*) method, way, (*Hilfs*2) expedient: ***~ und Wege finden*** find ways and means; ***~ zum Zweck sein*** be a means to an end; ***als letztes ~*** as a last resort; ***ihm ist jedes ~ recht*** he stops at nothing **2.** (*Heil*2) remedy (***gegen*** for) **3.** *Pl* resources *Pl* (*a. fig geistige ~*), (*Geld*2) funds *Pl*, means *Pl*: ***aus öffentlichen ~n*** from the public purse **4.** (*Durchschnitt*) (***im ~*** on an) average
Mittelalter *n* Middle Ages *Pl*
mittelalterlich *Adj* medi(a)eval
mittelbar *Adj* indirect
Mittelding *n* cross, s.th. in between
mitteleuropäisch *Adj* ***~e Zeit*** (*Abk* MEZ) Central European Time
Mittelfeld(spieler(in)) *n Fußball*: midfield (player) **Mittelfinger** *m* middle finger **mittelfristig** *Adj* WIRTSCH medium-term **Mittelgebirge** *n* highlands *Pl* **Mittelgewicht** *n Boxen*: middleweight **mittelgroß** *Adj* medium-sized, *Person*: of medium height
Mittelklasse *f* **1.** WIRTSCH medium price range **2.** → ***Mittelstand*** 1 **Mittelklassewagen** *m* medium-range car
Mittellinie *f* **1.** *a.* SPORT cent/re (*Am* -er) line, *Tennis*: centre service line **2.** MATHE median line
Mittelmaß *n* average, *pej* mediocrity
mittelmäßig *Adj* average, mediocre
Mittelmäßigkeit *f* mediocrity
Mittelmeer *n the* Mediterranean (Sea)
Mittelmeer... Mediterranean
Mittelohrentzündung *f* inflammation of the middle ear, otitis
mittelprächtig *Adj* F middling
Mittelpunkt *m* cent/re (*Am* -er), *fig a.* heart, hub: ***im ~ des Interesses stehen*** be the focus of interest
mittels *Präp* by (means of), through

Mittelschiff *n* ARCHI nave
Mittelsmann *m* mediator, go-between
Mittelstand *m* **1.** middle classes *Pl*: ***gehobener ~*** upper middle class **2.** WIRTSCH small and medium-sized enterprises (*od* firms) *Pl.*, SME
mittelständisch *Adj*, **Mittelstands...** middle-class: WIRTSCH ***mittelständische Betriebe*** → ***Mittelstand*** 2
Mittelstrecken|läufer(in) middle-distance runner **~rakete** *f* MIL medium-range missile
Mittelstreifen *m* centre strip, *Am* median strip **Mittelstück** *n* **1.** middle part **2.** GASTR middle **Mittelstufe** *f* PÄD *etwa* middle school, *Am* junior high **Mittelstürmer(in)** SPORT cent/re (*Am* -er) forward **Mittelweg** *m fig* (***e-n ~ einschlagen*** steer a) middle course; ***der goldene ~*** the golden mean **Mittelwelle** *f* ELEK medium wave **Mittelwert** *m* mean (value) **Mittelwort** *n* LING participle
mitten *Adv* ***~ in*** (***an, auf, unter*** *Dat*) in the middle of; ***~ in*** *der Menge etc* in the thick of; ***~ unter uns*** in our midst; ***~ hinein*** right into it; ***~ ins Herz*** right into the heart **mittendrin** *Adv* F right in the middle (of it) **mittendurch** *Adv* right through (*od* across)
Mitternacht *f* (***um ~*** at) midnight
mittler *Adj* middle, central, (*durchschnittlich*) average, medium, *bes* PHYS, TECH mean, (*mittelmäßig*) middling: ***~en Alters*** middle-aged; ***~er Beamter*** lower-grade civil servant; ***~es Einkommen*** (***Management***) middle income (management); ***der ≈e Osten*** the Middle East; ***von ~er Qualität*** of medium quality; → ***Reife*** 2 **Mittler(in)** mediator
mittlerweile *Adv* meanwhile, (in the) meantime, since, by now
Mittsommer *m* midsummer
Mittwoch *m* (***am ~*** on) Wednesday
mittwochs *Adv* on Wednesday(s)
mitunter *Adv* now and then
mitverantwortlich *Adj* jointly responsible **Mitverantwortung** *f* joint responsibility
mitverdienen *v/i* be earning as well
Mitverfasser(in) coauthor
mitwirken *v/i* (***bei***) **a)** *Person*: cooperate (in), *a.* THEAT take part (in), *Musiker etc*: perform, **b)** *Sache*: contribute (to) **Mitwirkende** *m, f* THEAT actor, player (*a.* MUS), *Pl* cast *Sg*: ***~ sind ...*** the cast includes ... **Mitwirkung** *f* cooperation, (*Teilnahme*) participation: ***unter ~ von*** (*od Gen*) assisted by, THEAT starring ...
Mitwisser(in) person who is in on the secret, JUR accessory
mitzählen → ***mitrechnen***
Mix *m* mix
Mixbecher *m* shaker **mixen** *v/t* mix **Mixer** *m* **1.** (*Bar≈*) bartender, mixer **2.** TV *etc*: mixer **3.** → **Mixgerät** *n* mixer, liquidizer **Mixgetränk** *n* mixed drink
Mixtur *f* mixture
Mob *m* mob
mobben *v/t* bully, harass
Mobbing *n* bullying, harassment at work
Möbel *n* **a)** → ***Möbelstück***, **b)** *Pl* furniture *Sg* **~geschäft** *n* furniture shop **~händler(in)** furniture dealer **~politur** *f* furniture polish **~spedition** *f* removal firm **~stoff** *m* furniture fabric **~stück** *n* piece of furniture **~tischler(in)** cabinet-maker **~wagen** *m* furniture van, *Am* moving truck
mobil *Adj* **1.** *allg* mobile: MIL ***~ machen*** mobilize **2.** F (*munter*) active
Mobile *n* mobile
Mobilfunk *m* IT mobile (*od* wireless) communications *Pl*
Mobiliar *n* furniture
mobilisieren *v/t fig* mobilize
Mobilisierung *f* mobilization
Mobilmachung *f* MIL mobilization
Mobiltelefon *n* mobile phone, cellphone
möblieren *v/t* furnish: ***neu ~*** refurnish
möbliert *Adj* furnished: ***~es Zimmer*** furnished room, bed-sitter; *Adv* F ***~ wohnen*** live in lodgings
Möchtegern... *iron* would-be (*artist etc*)
modal *Adj allg* modal
Modalität *f* modality
Mode *f* fashion: ***die neueste ~*** the latest fashion; *pej* ***neue ~n*** new-fangled ideas; (***die***) ***große ~ sein*** be (all) the fashion (*od* rage); ***in*** (***aus der***) ***~ kommen*** come into (go out of) fashion; ***mit der ~ gehen*** follow the latest fashion **~artikel** *m* novelty **≈bewusst** *Adj* fashion-conscious **~farbe** *f* fashionable colo(u)r **~geschäft** *n* fashion shop

Modehaus *n* **1.** (*Unternehmen*) fashion house **2.** fashion shop
Modell *n allg* model, *in natürlicher Größe*: mock-up, TECH *a.* design, type: ***j-m ~ stehen*** sit (*od* pose) for s.o. **Modellathlet(in)** model athlete **Modellbauer(in)** TECH model(l)er, model builder
Modelleisenbahn *f* model railway
Modellflugzeug *n* model airplane
modellieren *v/t* model, mo(u)ld
Modellkleid *n* model (dress)
Modem *n* ELEK modem
Modenschau *f* fashion show
Moder *m* mo(u)ld
Moderation *f* TV presentation, *Am* moderation
Moderator(in) *f* TV presenter, *Am* moderator **moderieren** *v/t* TV present, *Am* moderate
mod(e)rig *Adj* mo(u)ldy, *Geruch*: *a.* musty **modern**[1] *v/i* mo(u)lder, rot
modern[2] *Adj* modern, up(-)to(-)date, (*modisch*) fashionable
Moderne *f* **1.** modern age **2.** ***Kunst*** *etc* ***der ~*** modernist art *etc*
modernisieren *v/t* modernize
Modernisierung *f* modernization
Modesalon *m* fashion house
Modeschmuck *m* costume jewel(le)ry
Modeschöpfer *m* couturier
Modeschöpferin *f* couturière
Mode|tanz *m* "in"-dance **~wort** *n* vogue word **~zeichner(in)** fashion designer **~zeitschrift** *f* fashion magazine
modifizieren *v/t allg* modify, (*Ausdruck*) *a.* qualify **Modifizierung** *f* modification, qualification
modisch *Adj* fashionable, stylish
Modul *n* TECH module
modulieren *v/t* modulate
Modus *m* **1.** (*Art und Weise*) way, method, *a.* MUS *u.* COMPUTER mode **2.** LING mood
Mofa *n* → ***Motorfahrrad***
mogeln *v/i* F cheat
Mogelpackung *f* deception package
mögen I *v/i* **1.** (*wollen*) want, like: ***ich mag nicht essen*** *etc* I don't want to eat *etc*; ***ich möchte gern ein Bier*** I would like (to have) a beer **II** *v/t* **2.** (*wünschen*) want, like: ***ich möchte ihn sehen*** I want (*od* would like) to see him **3.** (*gern haben*) like, be fond of: ***nicht ~*** dislike; ***ich mag k-n Kaffee*** I don't like (*od* care for) coffee; ***lieber ~*** like better, prefer **III** *v/hilf* **4.** ***ich möchte wissen*** I should like to know, I wonder; ***ich möchte lieber …*** I would rather …; ***das möchte ich doch einmal sehen!*** well, I should like to see that!; ***ich mochte noch nicht nach Hause gehen*** I didn't want to go home yet; ***mag er sagen, was er will*** let him say what he wants; ***das mag (wohl) sein*** that may be so; ***mag sein, dass*** perhaps; ***wo er auch sein mag*** wherever he may be; ***möge es ihm gelingen!*** may he succeed!; ***was mag das bedeuten?*** I wonder what it could mean?; ***sie mochte 30 Jahre alt sein*** she would be (*od* she looked) thirty years old
Mogler(in) F cheat
möglich *Adj allg* possible, (*durchführbar*) *a.* practicable: ***~er Käufer*** potential buyer; ***alle ~en …*** all sorts of; ***alles 2e*** all sorts of things *etc*; ***sein 2stes tun*** do what one can, *stärker*: do one's utmost; ***es ~ machen*** → ***ermöglichen***; ***nicht ~!*** impossible!, F no kidding!; ***das ist eher ~!*** that's more likely!; ***es ist ~, dass er kommt*** he may come; ***so bald wie ~*** as soon as possible **möglicherweise** *Adv* possibly, perhaps, maybe
Möglichkeit *f* possibility, (*Gelegenheit*) *a.* opportunity, (*Aussicht*) *a.* chance: ***nach ~*** if possible, as far as possible; ***es besteht die ~, dass*** there is a possibility (*od* it is possible) that; ***ich sehe k-e ~ zu*** *Inf* I cannot see any chance of *Ger*; ***ist das die ~!*** that's not possible!
möglichst *Adv* ***~ bald*** as soon as possible; ***~ klein*** as small as possible, *attr* the smallest possible
Mohammedaner(in), **mohammedanisch** *Adj* Moslem
Mohn *m* **1.** BOT poppy **2.** → **Mohnsamen** *m* poppy-seed
Möhre *f*, **Mohrrübe** *f* BOT carrot
Mokka *m* mocha
Molch *m* ZOOL newt
Mole *f* SCHIFF mole, jetty
Molekül *n* CHEM molecule **molekular** *Adj*, **Molekular…** molecular
Molke *f* whey **Molkerei** *f* dairy
Molkereibutter *f* blended butter

Moll *n* MUS minor (key)
mollig *Adj* F **1.** (*gemütlich*) cosy, snug **2.** (*rundlich*) plump
Molotowcocktail *m* Molotov cocktail, petrol bomb
Moment[1] *m* (***im ~*** at the) moment
Moment[2] *n* **1.** factor, element, aspect **2.** PHYS momentum
momentan I *Adj* **1.** (*vorübergehend*) momentary **2.** (*gegenwärtig*) present **II** *Adv* **3.** momentarily **4.** at the moment
Monarch(in) monarch, sovereign
Monarchie *f* monarchy
Monarchist(in), **monarchistisch** *Adj* monarchist
Monat *m* month: ***im ~ Mai*** in (the month of) May; ***im ~, pro ~*** a month, monthly; F ***sie ist im dritten ~*** she is three months gone **monatelang I** *Adj* months of **II** *Adv* for months **monatlich** *Adj u. Adv* monthly, *Adv a.* a month
Monatsgehalt *n* monthly salary (*od* pay) **Monatskarte** *f* monthly season ticket, *Am* monthly ticket **Monatsrate** *f* monthly instal(l)ment **Monatsschrift** *f* monthly (magazine)
Mönch *m* monk
Mönchskloster *n* monastery
Mönchsorden *m* monastic order
Mond *m* moon, (*Trabant*) *a.* satellite: *fig* ***hinter dem ~ leben*** be behind the times
mondän *Adj* fashionable, chic
Mond|aufgang *m* moonrise **~finsternis** *f* lunar eclipse **~gestein** *n* moon rocks *Pl* **≈hell** *Adj* moonlit **~landefähre** *f* lunar module **~landung** *f* moon landing **~nacht** *f* moonlit night **~schein** *m* moonlight **~sichel** *f* crescent (of the moon) **~sonde** *f* moon probe **~stein** *m* moonstone **≈süchtig** *Adj* moonstruck **~süchtige** *m, f* sleepwalker
Moneten *Pl* F dough *Sg*, *sl* lolly
Mongolei *f die* Mongolia
Mongole *m*, **Mongolin** *f*, **mongolisch** *Adj* Mongol(ian)
Mongolismus *m* (*Downsyndrom*) *a. pej* mongolism; → ***Downsyndrom***
mongoloid *Adj* (*mit den Merkmalen des Downsyndroms*) *a. pej* mongoloid
monieren *v/t* criticize, complain about
Monitor *m* TV monitor
mono *Adj* F (*Adv* ***~ abspielbar***) mono
monogam *Adj* monogamous
Monogramm *n* monogram
Monographie *f* monograph
Monolog *m* monolog(ue *Br*)
Monopol *n* monopoly (***auf*** *Akk* on)
monopolisieren *v/t* monopolize
monoton *Adj* monotonous
Monotonie *f* monotony
Monster *n* monster **Monster...** F *fig* mammoth (*enterprise, trial, etc*)
monströs *Adj* monstrous
Monstrum *n* (*Pl* ***Monstren***) monster
Monsun *m* monsoon
Montag *m* (***am ~*** on) Monday
Montage *f* **1.** TECH mounting, fitting, installation, (*Zs.-bau*) assembly: ***auf ~ sein*** be away on a construction job **2.** FOTO, FILM *etc* montage **~band** *n* assembly line **~halle** *f* assembly shop
montags *Adv* on Monday(s)
Montanindustrie *f* coal, iron, and steel industries *Pl*
Monteur(in) TECH fitter, FLUG, MOT mechanic
Monteuranzug *m* overalls *Pl*
montieren *v/t* TECH mount (*a.* FOTO *etc*), fit, instal(l), (*zs.-bauen*) assemble
Montur *f* outfit, F get-up
Monument *n* monument (***für*** to)
monumental *Adj* monumental
Moor *n* fen, bog, moor
Moos *n* **1.** BOT moss **2.** F (*Geld*) dough, *sl* lolly **moosgrün** *Adj* moss-green
Mop *m* → ***Mopp***
Moped *n* moped, motorbicycle
Mopp *m* mop
Mops *m* ZOOL pug
Moral *f* morals *Pl*, (*~lehre*) ethics *Pl* (*a. Sg konstr*), (*Kampf≈, Arbeits≈ etc*) morale: ***doppelte ~*** double standards *Pl*; ***die ~ heben*** raise the morale
Moralapostel *m pej* moralizer
moralisch *Adj* moral **moralisieren** *v/i* moralize **Moralist(in)** moralist
Moralpredigt *f* (***j-m e-e ~ halten*** give s.o. a) sermon
Morast *m* morass, *a. fig* mire
Morchel *f* BOT morel
Mord *m* murder (***an*** *Dat* of): ***e-n ~ begehen*** commit murder; F ***es gibt ~ und Totschlag*** there will be a hell of a row
Mordanklage *f* murder charge: ***unter ~ stehen*** be charged with murder

Mordanschlag *m* attempted murder: ***e-n ~ auf j-n verüben*** make an attempt on s.o.'s life
morden **I** *v/i* commit murder, kill **II** *v/t* murder, kill **Mörder** *m* murderer
Mörderin *f* murderess
mörderisch *Adj allg* murderous, *Kampf etc*: *a.* deadly, *Hitze etc*: *a.* terrible, *Rennen etc*: *a.* gruel(l)ing, *Tempo*: *a.* breakneck, *Konkurrenz etc*: cutthroat
Mord|fall *m* murder case **~kommission** *f* murder (*Am* homicide) squad
Mords... F **a)** (*groß*) great, terrific, fantastic, **b)** (*schrecklich*) terrible **~angst** *f* ***e-e ~ haben*** be in a flat panic, be scared stiff **~ding** *n* whopper **~glück** *n* fantastic stroke of luck **~kerl** *m* great guy **~krach** *m* terrific noise, awful racket: ***e-n ~ schlagen*** raise hell
mordsmäßig F **I** *Adj* terrible **II** *Adv* terribly **Mordsspaß** *m* F terrific fun
Mordverdacht *m* suspicion of murder
Mordwaffe *f* murder weapon
morgen *Adv* tomorrow: ***~ früh*** (***Abend***) tomorrow morning (evening *od* night); ***~ Mittag*** at noon tomorrow; ***heute ♀*** this morning; ***~ in 14 Tagen*** a fortnight tomorrow; ***~ in e-r Woche*** a week from tomorrow; ***~ um diese Zeit*** this time tomorrow
Morgen[1] *m* (***guten ~!*** good) morning(!): ***am*** (***frühen***) ***~*** (early) in the morning
Morgen[2] *m* (*Landmaß*) acre
Morgen|andacht *f* morning prayer **~dämmerung** *f* dawn, daybreak **~essen** *n schweiz.* breakfast **~grauen** *n* ***beim ~*** at dawn **~gymnastik** *f* ***s-e ~ machen*** do one's daily dozen **~muffel** *m* F ***ein ~ sein*** be grumpy in the morning
Morgenrock *m* dressing gown
Morgen|rot *n*, **~röte** *f* red sky, *fig* dawn
morgens *Adv* in the morning(s): ***~ um 4*** (***Uhr***) at four (o'clock) in the morning; ***von ~ bis abends*** from morning till midnight
Morgen|sonne *f* (***~ haben*** get the) morning sun **~stunde** *f* morning hour: ***in den frühen ~n*** in the small hours
morgig *Adj* tomorrow's: ***der ~e Tag*** tomorrow
Mormone *m*, **Mormonin** *f*, **mormonisch** *Adj* Mormon
Morphium *n* morphine
morsch *Adj* rotten, *fig a.* shaky
Morsealphabet *n* Morse (code)
morsen *v/t u. v/i* morse
Mörser *m allg* mortar
Morsezeichen *n* Morse signal
Mörtel *m* mortar **~kelle** *f* trowel
Mosaik *n a. fig* mosaic
Mosaikfußboden *m* tessellated floor
Moschee *f* mosque
Mosel *f* (*Fluss*) *the* Moselle
mosern *v/i* F gripe, grumble
Moskau *n* Moscow
Moskito *m* ZOOL (tropical) mosquito
Moskitonetz *n* mosquito net
Moslem *m*, **Moslemin** *f* Moslem, Muslim
Motel *n* motel
Motiv *n* **1.** motive (***zu*** for): ***aus welchem ~ heraus?*** for what reason? **2.** KUNST motif, FILM *etc a.* theme, FOTO subject
Motivation *f* motivation **motivieren** *v/t* **1.** (*anregen*) motivate **2.** (*begründen*) explain, give reasons for **motiviert** *Adj* motivated
Motor *m* engine, *bes* ELEK motor (*a. fig*) **~boot** *n* motorboat **~fahrrad** *n* motorized bicycle **~haube** *f* **a)** MOT bonnet, *Am* hood, **b)** FLUG (engine) cowling
motorisieren *v/t* motorize
Motor|öl *n* engine oil **~pumpe** *f* power pump
Motorrad *n* (***~ fahren*** ride a) motorcycle (F motorbike): ***~ mit Beiwagen*** combination **~fahrer(in)** motorcyclist
Motorroller *m* (motor) scooter
Motor|säge *f* power saw **~schaden** *m* engine trouble **~schlitten** *m* snowmobile **~sport** *m* motor sport
Motte *f* ZOOL moth
Mottenkiste *f* F ***aus der ~*** ancient
Mottenkugel *f* mothball
Motto *n* motto
motzen *v/i* F beef
Mountainbike *n* mountain bike
Möwe *f* ZOOL (sea)gull
Mücke *f* ZOOL mosquito, midge: *fig* ***aus e-r ~ e-n Elefanten machen*** make a mountain out of a molehill
Mückenstich *m* mosquito bite
Mucks *m* F (***k-n ~ sagen*** not to utter a) sound **mucksen** *v/i* (*a.* ***sich ~***) stir, make a sound **mucksmäuschenstill** *Adj* F *Person*: as quiet as a mouse: ***es***

war ~ you could have heard a pin drop
müde *Adj* tired, weary, (*erschöpft*) exhausted, (*schläfrig*) sleepy: ***zum Umfallen ~*** ready to drop; ***~ werden*** get tired; ***e-r Sache ~ werden*** grow weary (*od* tired) of s.th.; ***ich bin es ~*** I have had enough (of it); ***nicht ~ werden zu*** *Inf* not to tire of *Ger* **Müdigkeit** *f* tiredness, weariness, sleepiness, exhaustion
Muffe *f* TECH sleeve, socket
Muffel *m* F sourpuss **...muffel** *m* ***er ist ein Party~*** he is a party-loather; ***er ist ein Krawatten~*** he's not a tie man
Muffensausen *n* F ***~ haben*** (***kriegen***) be in (get into) a flat panic
Mühe *f* trouble, pains *Pl*, (*Anstrengung*) effort, (*Schwierigkeiten*) difficulties *Pl* (***mit*** with, in doing): ***vergebliche ~*** waste of time (*od* energy); ***mit Müh und Not*** barely, with (great) difficulty; ***sich*** (***große***) ***~ geben*** take (great) trouble (*od* pains) (***mit*** over), try hard; ***sich die ~ machen zu*** *Inf* go to the trouble of *Ger*; ***k-e ~ scheuen*** spare no effort (*od* pains); ***gib dir k-e ~!, spar dir die ~!*** save yourself the trouble!, don't bother! **mühelos I** *Adj* effortless, easy **II** *Adv* easily, effortlessly **mühevoll** *Adj* hard, difficult, *Aufgabe*, *Weg etc*: *a.* laborious
Mühle *f* **1.** mill: → ***Wasser*** **2.** (*~spiel*) (nine men's) morris **3.** F *pej* FLUG, MOT crate, bus
Mühlrad *n* millwheel
mühsam, mühselig I *Adj* troublesome, (*schwierig*) hard, (*ermüdend*) tiring **II** *Adv* with difficulty: ***sich etw ~ verdienen*** work hard for s.th.; ***sich ~ erheben*** struggle to one's feet
Mulatte *m*, **Mulattin** *f* mulatto
Mulde *f* hollow, depression
Mull *m* muslin, MED gauze
Müll *m* rubbish, refuse, *Am* garbage
Müllabfuhr *f* refuse (*Am* garbage) collection **Müllabladeplatz** *m* rubbish tip, *Am* garbage dump **Müllberg** *m* mountain of rubbish (*Am* garbage) **Müllbeseitigung** *f* waste disposal **Müllbeutel** *m* bin liner, *Am* garbage bag
Mullbinde *f* MED gauze bandage
Müllcontainer *m* refuse skip **Mülldeponie** *f* waste disposal site, *Am* sanitary (land)fill **Mülleimer** *m* rubbish bin, *Am* garbage can **Müllentsorgung** *f* waste disposal
Müller *m* miller
Müll|fahrer *m* dustman, *Am* garbage man **~platz** *m* dump **~schlucker** *m* rubbish chute **~tonne** *f* dustbin, *Am* garbage can **~trennung** *f* waste separation **~verbrennungsanlage** *f* incinerating plant **~verwertungsanlage** *f* waste utilization plant **~wagen** *m* dustcart, *Am* garbage truck
mulmig *Adj* F **1.** (*gefährlich*) ticklish **2.** ***mir ist ganz ~ zumute*** **a)** I feel queasy (*od* funny), **b)** I've got an uneasy feeling, *stärker*: I am scared
Multi *m* F multinational (concern)
Multi|funktionstastatur *f* multiple-function keyboard **2kulturell** *Adj* multicultural **~media...** *in Zssg.* multimedia... **~millionär(in)** multimillionaire
Multiple-Choice-Verfahren *n* multiple choice method
Multiplex(kino) *n* multiplex (cinema)
Multiplikation *f* MATHE multiplication
Multiplikator *m* multiplier
multiplizieren *v/t* multiply (***mit*** by)
Multivitamin|präparat *n* multivitamin (preparation) **~saft** *m* multivitamin juice
Mumie *f* mummy
Mumm *m* F spunk, guts *Pl*
Mumps *m* MED mumps *Sg*
München *n* Munich
Mund *m* mouth: ***aus j-s ~e*** from s.o.'s mouth; ***wie aus einem ~e*** as one man; ***~ und Nase aufsperren*** stand gaping, be dum(b)founded; ***den ~ halten*** keep one's mouth shut; ***halt den ~!*** shut up!; F ***den ~ voll nehmen*** talk big; ***du nimmst mir das Wort aus dem ~e*** you are taking the very words out of my mouth; F ***j-m über den ~ fahren*** cut s.o. short; ***in aller ~e sein*** be the talk of the town; ***nicht auf den ~ gefallen sein*** have a ready (*od* glib) tongue; → ***absparen, Blatt*** 1, ***stopfen*** 3, ***verbrennen*** I, ***wässerig*** *etc*
Mundart *f* dialect
Mundduschе *f* (dental) water jet
Mündel *n* JUR ward **mündelsicher** *Adj* WIRTSCH ***~e Papiere*** gilt-edged securities *Pl*
münden *v/i* ***~ in*** (*Akk*) lead to (*a. fig*), *Fluss*: flow into, *Straße*: lead into

Mundgeruch *m* MED bad breath, halitosis
Mundharmonika *f* mouth organ
mündig *Adj* **1.** JUR (**~ *werden*** come) of age **2.** *fig* responsible, mature
mündlich *Adj Erklärung etc*: verbal, *Prüfung*: oral: ***~e Überlieferung*** oral tradition; *Adv* ***alles Weitere ~*** I'll tell you the rest when I see you
Mund|pflege *f* oral hygiene **~schutz** *m* MED mask, *Boxen*: gumshield **~stück** *n* **1.** MUS, TECH mouthpiece **2.** *e-r Zigarette*: tip
mundtot *Adj* ***~ machen*** (reduce to) silence, POL gag, muzzle
Mündung *f* **1.** (*Fluss*2) mouth, *den Gezeiten unterworfene*: estuary **2.** ANAT, TECH mouth, *e-r Schusswaffe*: muzzle
Mund|wasser *n* mouthwash **~werk** *n* F ***ein loses ~ haben*** have a loose tongue **~winkel** *m* corner of one's mouth
Mund-zu-Mund-Beatmung *f* MED mouth-to-mouth resuscitation, F kiss of life
Munition *f a. fig* ammunition
munkeln *v/i u. v/t* whisper: ***man munkelt, dass …*** it is rumo(u)red that …
Münster *n* minster, cathedral
munter *Adj* **1.** awake, (*auf*) up (and about) **2.** *fig* lively, (*vergnügt*) cheerful, chirpy, (*rüstig*) vigorous; → ***gesund***
Munterkeit *f* liveliness, high spirits *Pl*
Muntermacher *m* F pick-me-up
Münze *f* **1.** coin: ***klingende ~*** hard cash; *fig* ***etw für bare ~ nehmen*** take s.th. at face value **2.** (*Denk*2) medal **3.** (*Münzanstalt*) mint **Münzeinwurf** *m* coin slot **münzen** *v/t u. v/i* coin, mint: *fig* ***auf j-n gemünzt sein*** be meant for s.o.
Münz|fernsprecher *m* pay phone, *Br a.* coin box **~sammlung** *f* coin collection **~tank(automat)** *m* coin-operated petrol pump **~wechsler** *m* change machine
mürbe *Adj* **1.** *Gebäck*: crumbly, *Obst*: mellow, very ripe, *Fleisch*: tender, *Holz*: rotten, (*brüchig*) brittle **2.** *fig* worn out: ***j-n ~ machen*** wear s.o. down; ***~ werden*** give in, wilt
Mürbeteig *m* short pastry
Mure *f* mudflow
Murks *m* F botch-up: ***~ machen*** → **murksen** *v/i* F make a hash of things
Murmel *f* marble
murmeln *v/i u. v/t* murmur, mutter
Murmeltier *n* marmot, *Am a.* woodchuck: *fig* ***schlafen wie ein ~*** sleep like a top (*od* log)
murren *v/i* grumble (***über*** *Akk* about)
mürrisch *Adj* surly, grumpy
Mus *n* puree, mash
Muschel *f* **1.** ZOOL mussel, (*~schale*) shell **2.** (*Hör*2) earpiece, (*Sprech*2) mouthpiece
muschelförmig *Adj* shell-shaped
Muscle-Shirt *n* muscle shirt
Muse *f* MYTH Muse, *fig* muse
Museum *n* museum
Musical *n* musical
Musik *f* **1.** (***~ machen*** play) music **2.** (*~kapelle*) band **musikalisch** *Adj* musical: ***~e Untermalung*** incidental music
Musikalität *f* musicality
Musikant(in) musician
Musikbegleitung *f* (musical) accompaniment **Musikbox** *f* jukebox
Musiker(in) musician
Musik|festspiele *Pl* music festival *Sg* **~hochschule** *f* conservatory **~instrument** *n* musical instrument **~kapelle** *f* band **~kassette** *f* music cassette **~lehrer(in)** music teacher **~stück** *n* piece of music **~stunde** *f* music lesson **~unterricht** *m* music lessons *Pl* **~wissenschaft** *f* musicology
musisch *Adj Person*, *Begabung*: artistic: PÄD ***~e Fächer*** fine arts (subjects)
musizieren I *v/i* make music **II** *v/t* play
Muskat *m* nutmeg **Muskatblüte** *f* mace
Muskatnuss *f* nutmeg apple
Muskel *m* muscle: ***die ~n spielen lassen*** flex one's muscles **~faser** *f* muscular fibre (*Am* fiber) **~kater** *m* F stiffness, sore muscles *Pl*: ***~ haben*** feel stiff and aching **~paket** *n*, **~protz** *m* F muscleman **~riss** *m* MED muscle rupture, torn muscle: ***sich e-n ~ zuziehen*** rupture a muscle **~schwund** *m* MED muscular dystrophy **~zerrung** *f* MED pulled muscle
Muskulatur *f* muscular system, muscles *Pl* **muskulös** *Adj* muscular
Müsli *n* muesli
Muslim *n*, **Muslimin** *f* Muslim **muslimisch** *Adj* Muslim
Muss *n* ***es ist ein ~*** it is a must
Muße *f* leisure: ***mit ~*** at leisure
müssen *v/i u. v/hilf* have to: ***ich muss*** I

M

must, I have (got) to; ***ich musste*** I had to; ***ich müsste*** (***eigentlich***) I ought to; ***du musst nicht hingehen*** you needn't (*od* don't have to) go; ***sie ~ bald kommen*** they are bound to come soon; ***der Zug müsste längst hier sein*** the train is (long) overdue; ***ich musste*** (***einfach***) ***lachen*** I couldn't help laughing; ***muss das sein?*** is that really necessary?, do you have to?; ***wenn es unbedingt sein muss*** if it can't be helped

Mußestunde *f* leisure hour

müßig *Adj* idle, (*sinnlos*) *a.* pointless, useless, futile: ***~es Gerede*** idle talk

Müßiggang *m* idleness

Müßiggänger(in) idler

Muster *n* **1.** (***nach e-m ~ arbeiten*** work from a) pattern **2.** (*Probe*) sample, specimen **3.** (*Stoff*2 *etc*) pattern, design **4.** (*Vorbild*) model: ***sie ist das ~ e-r guten Hausfrau*** she's a model housewife **~beispiel** *n* classic example (***für*** of) **~betrieb** *m* model plant **~exemplar** *n* **1.** sample, specimen **2.** BUCHDRUCK specimen copy **3.** *bes iron* perfect example **~gatte** *m*, **~gattin** *f bes iron* model husband (wife)

mustergültig, musterhaft *Adj* exemplary, model: *Adv* ***sich ~ benehmen*** behave perfectly

Muster|haus *n* show house **~knabe** *m bes iron* paragon, *pej* prig **~koffer** *m* WIRTSCH sample case **~kollektion** *f* WIRTSCH sample collection

mustern *v/t* **1.** study, scrutinize, *neugierig*: eye, look *s.o.* up and down, *abschätzend*: size *s.o.* up **2.** MIL (*Truppen*) inspect, (*Wehrpflichtigen*) examine: ***gemustert werden*** F have one's medical **3.** pattern: → ***gemustert***

Muster|prozess *m* JUR test case **~schüler(in)** model pupil, *pej* swot

Musterung *f* **1.** scrutiny **2.** MIL *der Truppe*: review, *e-s Wehrpflichtigen*: medical examination (for military service)

Mut *m* courage, F pluck, (*Wage*2) daring: ***~ fassen*** (*od* ***schöpfen***) pluck up courage; ***j-m den ~ nehmen*** discourage s.o.; ***den ~ sinken lassen*** (*od* ***verlieren***) lose heart, despair; ***nur ~!*** cheer up!; ***guten ~es sein*** be in good spirits; ***zu ~e*** → ***zumute***

Mutation *f* BIOL mutation

mutieren *v/i* mutate

mutig *Adj* courageous, brave **mutlos** *Adj* discouraged, disheartened, (*verzagt*) despondent **Mutlosigkeit** *f* discouragement, (*Verzagtheit*) despondency

mutmaßen *v/t* speculate, conjecture **mutmaßlich** *Adj* probable, *Täter, Vater etc*: presumed **Mutmaßung** *f* (***über*** *Akk* about) conjecture, speculation

Mutprobe *f* test of courage

Mutter[1] *f* mother: ***werdende ~*** expectant mother; ***e-e ~ von vier Kindern*** a mother of four **Mutter**[2] *f* TECH nut

Mütterberatungsstelle *f* child welfare centre, *Am* maternity center

Mutter|boden *m*, **~erde** *f* LANDW topsoil **~gesellschaft** *f* WIRTSCH parent company

Muttergottes *f* (Virgin) Mary

Muttergottesbild *n* madonna

Mutterhaus *n* REL mother house

Mutterherz *n* mother's heart

Mutter|instinkt *m* maternal instinct **~komplex** *m* mother fixation **~kuchen** *m* MED placenta **~leib** *m* womb

mütterlich *Adj* motherly, (*a. von der Mutter her*) maternal

mütterlicherseits *Adv* on one's mother's side: ***Onkel ~*** maternal uncle

Mütterlichkeit *f* motherliness

Mutter|liebe *f* motherly love **~mal** *n* MED birthmark **~milch** *f* mother's milk: ***mit ~ genährt*** breastfed

Muttermund *m* ANAT uterine orifice

Mutterschaft *f* maternity, motherhood

Mutterschafts|geld *n* maternity benefit **~urlaub** *m* maternity leave **~vertretung** *f* maternity cover

Mutterschutz *m* legal (job) protection for expectant and nursing mothers

mutterseelenallein *Adj präd u. Adv* all alone

Mutter|söhnchen *n* F mummy's darling **~sprache** *f* mother tongue, first language

Muttersprachler(in) native speaker

Mutterstelle *f* ***bei j-m ~ vertreten*** be like a (second) mother to s.o.

Muttertag *m* Mother's Day

Muttertier *n* mother, dam

Mutterwitz *m* common sense, (*Schlagfertigkeit*) natural wit

Mutti *f* F mummy, mum, *Am* mom

mutwillig *Adj* wilful, wanton
Mütze *f* cap
MWSt., MwSt. (= ***Mehrwertsteuer***) VAT
Myrr(h)e *f* myrrh
mysteriös *Adj* mysterious
Mystik *f* mysticism **Mystiker(in)** mystic
mystisch *Adj* **1.** *Symbol, Lehre etc*: mystic, (*die Mystik betreffend*) mystical **2.** (*geheimnisvoll*) mysterious
Mythe *f* myth **mythisch** *Adj* mythical
Mythologie *f* mythology
mythologisch *Adj* mythological
Mythos *m*, **Mythus** *m* myth

N

N, n *n* N, n
na *Interj* F well, *erstaunt, empört*: hey: ***~, ~!*** come on (now)!; ***~ also!*** there you are!; ***~ schön!*** all right then!; ***~, so was!*** just fancy that!; → ***und, warten***[1] I
Nabe *f* TECH hub
Nabel *m* navel: *fig* ***der ~ der Welt*** the hub of the world
Nabelschnur *f* umbilical cord
nach I *Präp* (*Dat*) **1.** *Richtung*: to, toward(s), for: ***~ England gehen*** go to England; ***~ England abreisen*** leave for England; ***der Zug ~ London*** the train for London; *das Schiff* ***fährt ~ Singapur*** ... is bound for Singapore; ***der Balkon geht ~ Süden*** the balcony faces south **2.** (*hinter*) after: ***e-r ~ dem anderen*** one after the other, one by one; ***bitte, ~ Ihnen!*** after you, please! **3.** (*später*) after, (*binnen*) within, in (*three days etc*): ***zehn Minuten ~ drei*** ten minutes past three **4.** (*gemäß*) according to, by, from: ***diesem Brief ~*** by (*od* according to) this letter; ***~ deutschem Recht*** under German law; ***die Uhr ~ dem Radio stellen*** set the clock by the radio; ***~ e-m Roman von Balzac*** after a novel by Balzac; ***wenn es ~ mir ginge*** if I had my way; → ***Ansicht*** 1, ***Natur, Uhr*** *etc* **5.** *Ziel, Absicht*: for: ***~ Gold graben*** dig for gold; ***~ j-m fragen*** ask for s.o. **II** *Adv* **6.** after: ***mir ~!*** after me!, follow me! **7.** *zeitlich*: ***~ und ~*** little by little; ***~ wie vor*** (now) as ever
nachäffen *v/t* F ape
nachahmen *v/t* imitate, copy, (*parodieren*) take off
nachahmenswert *Adj* exemplary
Nachahmung *f allg* imitation
Nachbar *m* neighbo(u)r: ***die ~n*** *a.* the people next door, *weit. S.* the neighbo(u)rhood **Nachbarhaus** *n* neighbo(u)ring house: ***im ~*** next door
Nachbarin *f* neighbo(u)r
Nachbarland *n* neighbo(u)ring country
nachbarlich *Adj* **1.** *a.* ***gut~*** neighbo(u)rly **2.** *Garten etc*: next-door
Nachbarschaft *f* neighbo(u)rhood, (*die Nachbarn*) *a. the* neighbo(u)rs *Pl*
Nachbau *m* TECH reproduction, copying
nachbauen *v/t* reproduce, copy
Nachbeben *n* aftershock
Nachbehandlung *f* TECH subsequent treatment, *a.* MED aftertreatment, aftercare
nachbessern I *v/t* touch up, (*Gesetz Beschluss*) amend **II** *v/i* make improvements
nachbestellen *v/t* order some more, WIRTSCH place a repeat order for **Nachbestellung** *f* WIRTSCH repeat order (*Gen* for)
nachbeten *v/t* parrot
nachbilden *v/t* copy, reproduce
Nachbildung *f* copy, replica
nachdatieren *v/t* postdate
nachdem *Konj* **1.** *zeitlich*: after, when **2.** → ***je*** 4 **3.** (*da, weil*) since
nachdenken I *v/i* think (***über*** *Akk* about): ***denk mal nach!*** think a little! **II** ♀ *n* reflection: ***ich brauche Zeit zum*** ♀ I need time to think (it over)
nachdenklich *Adj* thoughtful, pensive: ***j-n ~ machen*** set s.o. thinking; ***es macht e-n ~*** it makes you think
Nachdruck[1] *m* stress, emphasis: ***mit ~*** **a)** emphatically, **b)** energetically; ***~ legen auf*** (*Akk*), (*Dat*) ***~ verleihen*** stress, emphasize

N

Nachdruck² *m* reprint: **~ *verboten!*** all rights reserved! **nachdrucken** *v/t* reprint: ***unerlaubt ~*** pirate
nachdrücklich I *Adj* emphatic, *Forderung etc*: forceful **II** *Adv* emphatically: ***etw ~ betonen*** emphasize s.th. (strongly); ***etw ~ empfehlen*** recommend s.th. strongly; **~ *verlangen*** insist on
Nachdrucksrecht *n* right of reproduction
nacheifern *v/i* ***j-m ~*** emulate s.o.
nacheinander *Adv* **1.** one after another, *zeitlich*: *a.* in succession **2.** (*abwechselnd*) by turns
nachempfinden *v/t* **1.** → ***nachfühlen*** **2.** ***e-r Sache nachempfunden sein*** be model(l)ed on s.th.
nacherzählen *v/t* retell
Nacherzählung *f* PÄD reproduction
Nachfahr(e) *m* descendant
nachfahren *v/i* ***j-m ~*** follow s.o.
Nachfass|schreiben *n* follow-up letter **~werbung** *f* follow-up advertising
Nachfeier *f* after-celebration
Nachfolge *f* succession: ***j-s ~ antreten*** → **nachfolgen** *v/i* ***j-m*** (***im Amt***) **~** succeed s.o. (in office) **nachfolgend** *Adj* following **Nachfolger(in)** successor
Nachforderung *f* additional claim
nachforschen *v/i* (*Dat*) investigate
Nachforschung *f* investigation: ***~en anstellen*** (***über*** *Akk*) investigate
Nachfrage *f* **1.** WIRTSCH demand (***nach*** for) **2.** inquiry **nachfragen** *v/i* inquire, ask
Nachfrist *f* WIRTSCH extension of time, respite
nachfühlen *v/i* ***j-m etw ~*** (***können***) feel with s.o, understand s.o.'s feelings about s.th. **nachfüllen** *v/t* **1.** fill up, refill, top up **2.** (*Wasser etc*) add **Nachfüllpack** *m* refill pack
nachgeben *v/i* **1.** *Sache*: give, *völlig*: give way, WIRTSCH *Kurse*, *Preise*: drop **2.** *Person*: (*Dat* to) give in, yield
Nachgebühr *f* WIRTSCH surcharge
Nachgeburt *f* MED afterbirth
nachgehen *v/i* **1.** *j-m*, *e-r Spur etc*: follow **2.** *e-m Vorfall etc*: look into, *e-m Hinweis etc*: follow, check up on **3.** *Geschäften etc*: attend to, *e-m Beruf*: pursue: ***s-r Arbeit ~*** go about one's work **4.** *s-n Neigungen etc*: indulge in, *s-m Vergnügen*: seek, pursue **5.** *Uhr*: be slow, lose: ***m-e Uhr geht*** (***e-e Minute***) ***nach*** my watch loses (a minute) **6.** ***j-m ~*** *Worte*, *Erlebnis etc*: haunt s.o.
nachgemacht *Adj* **1.** (*gefälscht*) forged, (*unecht*) fake **2.** (*künstlich*) artificial, imitation (*leather etc*)
nachgerade *Adv* **1.** (*geradezu*) really **2.** (*allmählich*) by now
Nachgeschmack *m a. fig* aftertaste
nachgiebig *Adj* **1.** *Boden etc*: yielding, soft, *Material*: *a.* pliable **2.** *Person*: compliant, soft **3.** WIRTSCH *Kurse etc*: soft
Nachgiebigkeit *f* **1.** pliability, *des Bodens etc*: softness **2.** compliance
nachgießen *v/t* **1.** → ***nachfüllen*** 2 **2.** → ***nachschenken***
nachhaken *v/i* F follow (it) up
nachhaltig I *Adj Wirkung etc*: lasting, *Bemühungen etc*: sustained, *Entwicklung*, *Wachstum*: sustainable, (*wirkungsvoll*) effective, (*stark*) strong **II** *Adv* **~ *wirken*** have a lasting effect; **~ *beeinflussen*** influence strongly
nachhause *Adv österr.*, *schweiz.* → ***Haus***
nachhelfen *v/i* help: ***e-r Sache ~*** help s.th. along
nachher *Adv* afterward(s), (*später*) later (on): ***bis ~!*** see you later!, so long!
Nachhilfe *f* private lessons *Pl* **~lehrer(in)** (private) tutor **~stunde** *f* **1.** private lesson **2.** *Pl* → **~unterricht** *m* private lessons *Pl*
Nachhinein *Adv* ***im ~*** after the event
nachhinken *v/i fig* lag behind
Nachholbedarf *m bes* WIRTSCH backlog demand, *fig* deficit
nachholen *v/t* **1.** make up for (*lost time etc*): ***er hat viel nachzuholen*** he has a lot to catch up on **2.** (*später holen*) fetch later
Nachhut *f* MIL rearguard: ***die ~ bilden*** *a. fig* bring up the rear
nach|impfen *v/t* MED revaccinate **~jagen** *v/i* (*Dat*) chase after, *a. fig* pursue
Nachklang *m fig* echo, reminiscence
Nachkomme *m* descendant, offspring (*a. Pl*): ***ohne ~n*** JUR without issue
nachkommen *v/i* **1.** come later **2.** (*folgen*) follow **3.** (*Schritt halten*) *a. fig* keep up (***mit*** with) **4.** *e-r Bitte*, *e-m Befehl*:

comply with, *e-r Pflicht*: meet, *e-m Versprechen*: keep
Nachkommenschaft *f* descendants *Pl*, JUR issue **Nachkömmling** *m* **1.** → ***Nachkomme*** **2.** (*Kind*) late arrival
Nachkriegs... post-war ...
Nachkur *f* MED after-treatment
Nachlass *m* **1.** estate: ***literarischer ~*** unpublished works *Pl* **2.** (*Preis*≗ *etc*) reduction: ***e-n ~ gewähren*** allow a discount (***auf*** *Akk* on)
nachlassen I *v/i* **1.** decrease, weaken, (*schlechter werden*) deteriorate (*a. Gesundheit, Sehkraft etc*), *Eifer, Interesse etc*: flag, slacken, *Wind*: drop, *Sturm, Regen etc*: let up, *Lärm etc*: subside, *Schmerz*: ease, *Kräfte*: wear off, *Leistung, Nachfrage etc*: drop (off) **2. a)** *gesundheitlich*: grow weaker, **b)** *leistungsmäßig*: go off, be slowing down, *Sportler, beim Lauf etc*: wilt, **c)** *geistig*: lose one's grip; ***nicht ~!*** hang on! **II** *v/t* **3.** leave (behind): ***nachgelassene Werke*** unpublished works **4.** ***etw ~*** (***von***) → ***Nachlass*** 2 **III** ≗ *n* **5.** decrease, weakening (*etc*), deterioration, dropping off, let-up; → 1
Nachlassgericht *n* JUR probate court
nachlässig *Adj* careless, negligent, (*schlampig*) sloppy **Nachlässigkeit** *f* carelessness, negligence, sloppiness
nachlaufen *v/i* ***j-m ~*** run after s.o.; ***den Mädchen ~*** chase (after) the girls
Nachlese *f fig* epilog(ue *Br*) (***zu*** to)
nachlesen *v/t* read up, look *s.th.* up
nach|liefern *v/t* supply *s.th.* subsequently (*zusätzlich*: in addition) **~lösen** *v/i u. v/t* (***e-e Fahrkarte***) **~** buy a ticket en route (*od* on arrival) **~machen** *v/t allg* imitate, copy, (*fälschen*) forge: ***j-m etw ~*** copy s.th. s.o. does; ***das soll ihm erst mal e-r ~!*** I'd like to see anyone do better! **~messen** *v/t* check
Nachmittag *m* (***am ~*** in the) afternoon; ***heute ~*** this afternoon **nachmittags** *Adv* in the afternoon **Nachmittagsvorstellung** *f* THEAT *etc* matinée
Nachnahme *f* ***etw als*** (*od* ***mit, per, gegen***) **~ *schicken*** send s.th. cash (*Am* collect) on delivery (C.O.D.)
Nachnahmegebühr *f* C.O.D. charge
Nachnahmesendung *f* C.O.D. parcel
Nachname *m* surname, last (*od* second) name: ***e-n gemeinsamen ~n führen*** have the same surname (*od* second name)
nachplappern *v/t* parrot
Nachporto *n* surcharge
nachprüfbar *Adj* verifiable **nachprüfen** *v/t* **1.** check **2.** *bes* PÄD re-examine, (*später prüfen*) examine at a later date
Nachprüfung *f* **1.** check(ing) **2.** PÄD, UNI examination at a later date
nachrechnen *v/i u. v/t* check
Nachrede *f* ***üble ~*** defamation
nachreichen *v/t* (*Papiere*) hand in later
Nachricht *f* (***e-e ~*** a piece of) news *Sg*, (*Mitteilung*) message, (*Zeitungs*≗) news (item) *Sg*: ***~en*** *Pl* RADIO, TV news *Sg*, newscast; ***~ erhalten von*** hear from; ***j-m ~ geben*** let s.o. know; ***e-e ~ hinterlassen*** leave a message
Nachrichten|agentur *f*, **~büro** *n* press agency **~dienst** *m* **1.** RADIO, TV news service **2.** MIL intelligence service **~satellit** *m* communications satellite **~sendung** *f* RADIO, TV newscast, news broadcast **~sperre** *f* POL news blackout **~sprecher(in)** news reader, newscaster **~technik** *f* (tele)communication(s) (engineering) **~wesen** *n* communications *Pl*
nachrücken *v/i* **1.** (*aufrücken*) *a. fig* move up **2.** MIL follow on
Nachruf *m* obituary
nachrüsten *v/i* **1.** MIL, POL close the armament gap **2.** *a. v/t* TECH retrofit, (*Computer etc*) upgrade
Nachrüstsatz *m* TECH add-on kit
nachsagen *v/t* **1.** repeat **2.** ***j-m etw ~*** say s.th. of s.o.; ***man sagt ihr nach, dass sie ...*** she is said to *be arrogant etc*
Nachsaison *f* off season **Nachsatz** *m* **1.** postscript **2.** LING final clause
nachschauen → ***nachsehen***
nachschenken *v/t u. v/i* ***j-m*** (***etw***) **~** top s.o. up (with s.th.)
nachschicken → ***nachsenden***
Nachschlag *m* (*Essen*) second helping
nachschlagen I *v/t* **1.** (*Wort etc*) look *s.th.* up **II** *v/i* **2.** ***im Lexikon ~*** consult a dictionary **3.** F *fig* ***j-m ~*** take after s.o.
Nachschlagewerk *n* reference book
Nachschlüssel *m* duplicate key
Nachschub *m* (***an*** *Dat* of) supply (*a. fig*), *Koll* supplies *Pl* **~weg** *m* supply line

N

Nachschuss *m Fußball*: follow-up shot
nachsehen I *v/i* **1.** gaze after **2.** (*nach etw sehen*) have a look: ***~ ob ...*** (go and) see whether ... **II** *v/t* **3.** (*prüfen*) inspect, check, (*Schulhefte etc*) correct **4.** → ***nachschlagen*** 1 **5.** ***j-m etw ~*** forgive s.o. s.th. **Nachsehen**: ***das ~ haben*** be the loser, be left out
nachsenden *v/t* forward
Nachsicht *f* forbearance, (*Milde*) leniency: ***~ üben*** be lenient; ***mit j-m ~ haben*** be lenient towards s.o.
nachsichtig *Adj* lenient, forbearing
Nachsilbe *f* LING suffix
nachsinnen *v/i* reflect (***über*** *Akk* on)
nachsitzen *v/i* ***~ müssen*** be kept in
Nachsommer *m* late (*od* Indian) summer **Nachsorge** *f* MED aftercare
Nachspeise *f* → ***Nachtisch***
Nachspiel *n* **1.** MUS postlude **2.** THEAT epilog(ue *Br*) **3.** (*sexuelles ~*) afterplay **4.** *fig* sequel **nachspielen** *v/i* SPORT play (***~ lassen*** allow) extra time
nächst I *Sup von* ***nahe*** **II** *Adj* **1.** *örtlich*: nearest (*a. fig Verwandtschaft etc*), (*kürzest*) *a.* shortest: ***die ~e Umgebung*** the immediate vicinity; ***aus ~er Entfernung*** at close range **2.** *zeitlich, Reihenfolge*: next: ***am ~en Tage*** the next day; ***in den ~en Tagen*** in the next few days; ***Mittwoch ~er Woche*** Wednesday week; ***in ~er Zeit*** in the near future; ***bei ~er Gelegenheit*** at the first opportunity; ***im ~en Augenblick*** the next moment **III** *Adv* **3.** ***am ~en*** (*Dat* to) next, nearest, closest; *fig* ***j-m am ~en stehen*** be closest to s.o.; (*Dat*) ***am ~en kommen*** come closest to **4.** ***fürs* 2*e*** for the time being **IV** *Präp* **5.** (*Dat*) *örtlich, Reihenfolge*: next to
nächstbest *Adj* **1.** (*beliebig*) first **2.** *in Qualität*: second-best
Nächstbeste 1. *m, f the* next best, *the* first person **2.** *n the* next best (thing)
Nächste 1. *m, f* **a)** neighbo(u)r, *one's* fellow: ***jeder ist sich selbst der ~*** charity begins at home, **b)** *the* next (one): ***der ~, bitte!*** next (one) please! **2.** *n the* next (*od* first) thing: ***was kommt als ~s?*** what comes next?
nach|stehen *v/i* ***j-m ~*** (***in*** *od* ***an*** *Dat*) be inferior to s.o. (in); ***j-m in nichts ~*** be in no way inferior to s.o. **~stehend I** *Adj* following **II** *Adv* in the following
nachstellen I *v/t* **1.** (*Uhr*) put back **2.** TECH (re)adjust **II** *v/i* **3.** ***j-m ~*** **a)** be after s.o., **b)** persecute s.o.
Nachstellung *f* **1.** TECH (re)adjustment **2.** LING postposition **3.** *fig* persecution
Nächstenliebe *f* charity
nächstens *Adv* (very) soon
nächstliegend *Adj* nearest: *fig* ***das* 2*e*** the obvious thing
nachsuchen *v/i* apply (***um*** for)
Nacht *f* (***bei ~*** at) night: ***gute ~!*** *a. iron* good night!; ***heute ~*** tonight; *fig* ***die ~ zum Tage machen*** turn night into day; ***es wird ~*** it is getting dark; ***zu ~ essen*** have supper; ***bis spät*** (*od* ***tief***) ***in die ~*** till late in the night; ***über ~*** *a. fig* overnight; ***die ganze ~*** (***hindurch*** *od* ***lang***) all night (long); ***im Schutze*** (*od* ***Dunkel***) ***der ~, bei ~ und Nebel*** under the cover of night, *weit. S.* secretly
nachtanken *v/t u. v/i* refuel
Nacht|arbeit *f* nightwork **2blind** *Adj* night-blind **~creme** *f* night cream **~dienst** *m* (***~ haben*** be on) night duty
Nachteil *m* disadvantage, (*Mangel*) *a.* drawback, *Sport, a. fig* handicap: ***zum ~ von*** (*od Gen*) to the disadvantage of; ***im ~ sein*** be at a disadvantage
nachteilig I *Adj* disadvantageous, detrimental (***für*** to): ***nichts* 2*es*** nothing unfavo(u)rable **II** *Adv* ***~ beeinflussen*** affect adversely
nächtelang I *Adj* taking up several nights **II** *Adv* night after night
Nachtessen *n* (***beim ~*** at) supper
Nachtfrost *m* night frost **Nachthemd** *n* (*Herren*2) nightshirt, (*Damen*2, *Kinder*2) nightdress, F nightie
Nachtigall *f* ZOOL nightingale
Nachtisch *m* dessert, sweet, F afters *Pl*
Nachtklub *m* nightclub
Nachtleben *n* nightlife
nächtlich *Adj* nocturnal, (*bes all~*) nightly: ***der ~e Park*** the park at night
Nacht|lokal *n* nightclub **~portier** *m* night porter **~quartier** *n* place for the night, MIL night quarters *Pl*
Nachtrag *m* supplement **nachtragen** *v/t* **1.** ***j-m etw ~*** *fig* bear s.o. a grudge for s.th. **2.** *schriftlich*: add **nachtragend** *Adj* unforgiving **nachträglich I** *Adj* additional, supplementary, (*verspätet*) belated, (*später*) later **II** *Adv* subsequently, later: ***~ herzlichen Glück-***

wunsch! belated best wishes!
Nachtragshaushalt *m* supplementary budget
nachtrauern *v/i* (*Dat*) mourn (*s.o., s.th.*)
Nachtruhe *f* sleep
nachts *Adv* at (*od* during the) night
Nachtschicht *f* (**~ *haben*** be on) night shift
nachtschlafend *Adj* ***zu ~er Zeit*** in the middle of the night
Nachtschwärmer(in) night owl
Nacht|schwester *f* night nurse **~sichtgerät** *n* infra-red binoculars *Pl.* (*od* telescope) **~speicherofen** *m* night storage heater **~strom** *m* ELEK night current **~tarif** *m* off-peak rates *Pl* **~tisch** *m* bedside table **~tischlampe** *f* bedside lamp **~topf** *m* chamber pot
Nachttresor *m* night safe
Nacht-und-Nebel-Aktion *f* undercover operation **Nachtwache** *f* night watch
Nachtwächter *m* **1.** night watchman **2.** F *pej* dope
nachtwandeln *v/i* sleepwalk **nachtwandlerisch** *Adj* somnambulistic: ***mit ~er Sicherheit*** with uncanny sureness
Nachtzug *m* night train
Nachuntersuchung *f* checkup
nachvollziehen *v/t* understand, duplicate **nachwachsen** *v/i* grow again
Nachwahl *f* PARL by-election, *Am* special election **Nachwehen** *Pl fig* aftermath *Sg* **nachweinen** *v/t u. v/i* → ***nachtrauern, Träne***
Nachweis *m* **1.** proof, evidence, (*Zeugnis*) certificate: ***den ~ führen*** (*od* ***erbringen***) prove, show **2.** (*Feststellung*) detection
nachweisbar *Adj* demonstrable, detectable: ***... sind ~ a.*** ... can be proved
nachweisen *v/t* prove, establish: ***man konnte ihm nichts ~*** nothing could be proved against him; ***j-m e-n Fehler ~*** show that s.o. has made a mistake
nachweislich **I** *Adj* demonstrable **II** *Adv* demonstrably, as can be proved
Nachwelt: ***die ~*** posterity
Nachwirkung *f* after-effect: ***~en*** *Pl fig a.* aftermath *Sg*
Nachwort *n* epilog(ue *Br*)
Nachwuchs *m* **1.** *the* young generation, (*Berufs*~) young talent (*a. Sport*), F new blood, WIRTSCH junior staff, trainees *Pl*, (*Polizei*~ *etc*) recruits *Pl*: ***der ärztliche ~*** the new generation of doctors **2.** F offspring, (*Baby*) addition to the family
Nachwuchs... talented, young ..., up-and-coming ..., junior **~kraft** *f* junior employee **~schauspieler(in)** up-and-coming young actor (actress)
Nachwuchssorgen *Pl* **~ *haben*** have difficulty (in) finding young talent
nach|zahlen *v/t u. v/i* pay extra, pay later **~zählen** *v/t* check **~zahlung** *f* additional (*od* extra) payment **~zeichnen** *v/t* copy, (*pausen*) trace **~ziehen** **I** *v/t* **1.** drag (*od* pull) behind one, (*Fuß*) drag **2.** (*Strich etc*) trace, (*Augenbrauen*) pencil: ***die Lippen ~*** touch up one's lips **3.** TECH (*Mutter etc*) tighten **II** *v/i* **4.** follow, *fig* follow suit
Nachzügler(in) straggler, *a. fig* latecomer, *hum* (*Kind*) late arrival
Nacken *m* (nape of the) neck: ***j-m im ~ sitzen*** **a)** *Verfolger etc*: be hard on s.o.'s heels, **b)** *fig* be breathing down s.o.'s neck; → ***steifen*** **~schlag** *m fig* blow **~stütze** *f* MOT headrest **~wirbel** *m* ANAT cervical vertebra
nackt *Adj* naked, (*bloß*) bare (*a. fig Leben, Wand etc*), *bes* KUNST nude: ***völlig ~*** stark naked; **~ *baden*** swim in the nude; ***sich ~ ausziehen*** strip; ***~e Tatsachen*** hard facts; ***die ~e Wahrheit*** the plain truth
Nacktbadestrand *m* nudist beach
Nacktheit *f* nakedness, *fig a.* bareness
Nacktkultur *f* nudism
Nadel *f allg* needle, *e-s Plattenspielers*: stylus, (*Steck*~, *Haar*~, *Ansteck*~ *etc*) pin **~baum** *m* conifer(ous tree) **~öhr** *n* **1.** eye of a needle **2.** *fig* bottleneck **~stich** *m* (*fig* pin)prick **~streifen** *m* ***Anzug*** *etc* ***mit ~*** pinstripe(d) suit *etc*
Nadelwald *m* coniferous forest
Nagel *m allg* nail: *fig* ***etw an den ~ hängen*** give s.th. up; ***Nägel mit Köpfen machen*** do things properly; ***den ~ auf den Kopf treffen*** hit the nail on the head; ***er ist ein ~ zu m-m Sarg*** he is a nail in my coffin **~bett** *n* ANAT nail bed **~bürste** *f* nail brush **~feile** *f* nail file **~haut** *f* cuticle
Nagellack *m* nail varnish (*Am* enamel) **~entferner** *m* nail-varnish remover
nageln *v/t* nail (***an*** *Akk*, ***auf*** *Akk* to)
nagelneu *Adj* brand-new

Nagelschere *f* (pair of) nail scissors *Pl* **Nagelteppich** *m* carpet of nails
nagen *v/t u. v/i* gnaw (*a. fig*): ***~ an*** (*Dat*) gnaw (*od* nibble) at **nagend** *Adj Hunger*: gnawing, *Zweifel etc*: nagging
Nager *m*, **Nagetier** *n* rodent
Nahaufnahme *f* FILM *etc* close-up
nahe I *Adj allg* near, close (*beide a. fig*), (*~ gelegen*) nearby, (*bevorstehend*) *a.* approaching, *Tod etc*: imminent: ***der*** ♀ ***Osten*** the Middle East; ***den Tränen ~*** on the verge of tears; ***in ~r Zukunft*** in the near future **II** *Adv* near, close, nearby: ***~ bei*** near (to), close to; ***~ beieinander*** close together; *fig* ***j-m etw ~ bringen*** make s.o. appreciate s.th.; *fig* ***j-m ~ gehen*** affect s.o. deeply; ***~ gelegen*** nearby; *fig* ***~ kommen*** come close (*Dat* to); ***sich*** (*od* ***einander***) ***~ kommen*** become close; *fig* ***j-m etw ~ legen*** suggest s.th. to s.o.; ***j-m ~ legen, etw zu tun*** urge s.o. to do s.th.; *fig* ***~ liegen*** seem (very) likely, *stärker*: be the obvious thing; ***die Vermutung liegt ~, dass …*** it is fair to assume that …; ***~ liegend*** obvious; *fig* ***j-m ~ stehen*** be close to s.o. ***~ verwandt*** closely related; ***von nah und fern*** from far and near; ***von ~m*** up close, at close range; ***j-m zu ~ treten*** offend s.o.; ***ich war ~ daran, ihn zu ohrfeigen*** I very nearly slapped his face **III** *Präp* (*Dat*) *a. fig* near, close (to)
Nähe *f allg* nearness (*a. fig*), (*Umgebung*) vicinity, neighbo(u)rhood: (***ganz***) ***aus der ~*** at close range; ***ganz in der ~*** quite near; ***in d-r ~*** near you; ***in greifbare ~ gerückt*** near at hand
nahebei *Adv* nearby
nahen *v/i* approach, *zeitlich*: draw near
nähen I *v/t* sew, *a.* MED stitch: ***sich ein Kleid ~*** make a dress for o.s **II** *v/i* sew
näher I *Komp von* **nahe II** *Adj* **1.** nearer, closer: ***die ~e Umgebung*** the (immediate) vicinity **2.** *Angaben etc*: further, more detailed: ***bei ~er Betrachtung*** on closer inspection **III** *Adv* **3.** (***an*** *Dat*, ***bei*** to) nearer, closer: ***~ kommen*** come (*zeitlich*: draw) nearer **4.** more closely: ***ich kenne ihn ~*** I know him quite well; ***sich mit e-r Sache ~ befassen*** go into a matter (more closely); ***etw ~ erläutern*** explain s.th. at greater detail; *fig* ***j-m etw ~ bringen*** make s.th. accessible to s.o.; ***Menschen einander ~ bringen*** bring people closer together; ***~ kommen*** get (*od* be) nearer (*Dat* to); *fig* ***j-m ~ kommen*** become closer to s.o.; ***jetzt kommen wir der Sache schon ~!*** now we're getting somewhere!; *fig* ***~ liegen*** be more obvious
Nähere: ***das ~*** the details *Pl*, (further) particulars *Pl*: ***ich weiß nichts ~s*** I don't know any details
Näherei *f* sewing
Naherholungsgebiet *n* recreation area in the immediate vicinity of a big city
nähern I *v/refl* ***sich ~*** approach, *zeitlich*: *a.* draw near; ***sich j-m ~*** approach s.o. **II** *v/t* bring *s.th.* nearer (*Dat* to)
Näherungswert *m* MATHE approximate value
nahezu *Adv* almost, nearly, next to
Nähgarn *n* sewing thread
Nahkampf *m* **1.** MIL close combat **2.** *Boxen*: infighting
Nähkasten *m* sewing box
Nähmaschine *f* sewing machine
Nähnadel *f* (sewing) needle
Nährboden *m* **1.** *für Bakterien*: culture medium **2.** *fig* breeding ground
Nährcreme *f* nutrient cream
nähren I *v/t* feed, *fig* (*Hoffnung etc*) nourish, (*Hass etc*) *a.* harbo(u)r: ***sich ~ von*** live on **II** *v/i* be nourishing
nahrhaft *Adj* nutritious, nourishing
Nährstoff *m* nutrient
Nahrung *f* food, (*Kost*) diet: ***geistige ~*** food for the mind
Nahrungsaufnahme *f* food intake
Nahrungskette *f* BIOL food chain
Nahrungsmangel *m* lack of food
Nahrungsmittel *n* food(stuff), *Pl* foodstuffs *Pl* **~chemiker(in)** food chemist
Nährwert *m* nutritional value
Nähseide *f* sewing silk
Naht *f allg* seam, TECH *a.* joint: F ***aus den*** (*od* ***allen***) ***Nähten platzen*** *a. fig* be bursting at the seams **nahtlos** *Adj* **1.** *a.* TECH seamless **2.** *fig* smooth
Nahverkehr *m* local traffic
Nahverkehrszug *m* commuter train
Nähzeug *n* sewing kit
Nahziel *n* immediate objective
naiv *Adj* naive: ***~er Maler*** primitive
Naivität *f* naivety
Name *m allg* name, (*Ruf*) *a.* reputation: ***wie ist Ihr ~?*** what is your name?; ***im***

~n (*Gen*), **in** *j-s* **~n** → **namens** II; (**nur**) **dem ~n nach** by name (only); **sich e-n ~n machen** make a name for o.s.; *fig* **das Kind beim rechten ~n nennen** call a spade a spade; → **hergeben**
namenlos *Adj* **1.** nameless, (*unbekannt*) *a.* anonymous **2.** *fig* unspeakable
namens I *Adv* by the name of, called **II** *Präp* (*Gen*) in the name of, on behalf of
Namens|aktie *f* registered share (*Am* stock) **~patron(in)** patron saint **~schild** *n* **1.** *aus Metall od Plastik*: nameplate **2.** *an der Kleidung*: name tag **~schwester** *f* namesake **~tag** *m* name day **~vetter** *m* namesake
namentlich I *Adj* **1.** by name: **~e Abstimmung** roll-call vote **II** *Adv* **2.** by name **3.** *fig* (e)specially
namhaft *Adj* **1.** (*beträchtlich*) considerable **2.** (*berühmt*) well-known **3. ~ machen** name, *weit. S.* identify
nämlich I *Adj* (very) same **II** *Adv* namely, that is (to say); ..., you know
nanu *Interj* hey
Napalm *n* CHEM, MIL napalm
Napf *m* bowl
Napfkuchen *m* deep-dish cake
Nappa(leder) *n* nap(p)a (leather)
Narbe *f* **1.** MED scar: *fig* **~n hinterlassen** leave a scar **2.** BOT stigma **3.** LANDW topsoil
narbig *Adj* scarred
Narkose *f* (**in ~** under) an(a)esthesia
Narkose(fach)|arzt *m*, **~ärztin** *f* an(a)esthetist
Narkotikum *n*, **narkotisch** *Adj* narcotic
narkotisieren *v/t* an(a)esthetize
Narr *m* fool: F **e-n ~en gefressen haben an** (*Dat*) be crazy about; **j-n zum ~en halten** → **narren** *v/t* **j-n ~** make a fool of s.o., fool s.o. **Narrenfreiheit** *f* fool's licen/ce (*Am* -se) **narrensicher** *Adj* F foolproof **Narrheit** *f* tomfoolery, folly **Närrin** *f* fool **närrisch** *Adj* foolish, (*verrückt*) mad, (*sonderbar*) odd
Narzisse *f* BOT narcissus: **Gelbe ~** daffodil
Narzissmus *m* PSYCH narcissism
narzisstisch *Adj* narcissistic
nasal *Adj* nasal **nasalieren** *v/t* nasalize **Nasallaut** *m* nasal (sound)
naschen *v/i u. v/t* nibble (**an** *Dat*, **von** at): **sie nascht gern** she has a sweet tooth
Nascherei *f mst Pl* sweets *Pl*, F goodies *Pl* **naschhaft** *Adj* sweet-toothed **Naschkatze** *f* nibbler
Nase *f* nose (*a. fig u.* TECH): F **pro ~ e-n Dollar** one dollar each; *fig* **e-e gute** (*od* **feine**) **~ haben für** have a good nose for; **in der ~ bohren** pick one's nose; F *fig* **auf die ~ fallen** come a cropper; **j-m etw auf die ~ binden** tell (s.th. to) s.o.; **j-n an der ~ herumführen** lead s.o. up the garden path; **j-m auf der ~ herumtanzen** do what one likes with s.o.; **auf der ~ liegen** be laid up; **man sieht es dir an der ~ an** it's written all over your face; **immer der ~ nach** follow your nose; **es j-m unter die ~ reiben** rub it in; **s-e ~ in alles hineinstecken** poke one's nose into everything; **die ~ voll haben** be fed up (**von** with); **die ~ vorn haben** be one step ahead (of one's competitors); **j-m etw vor der ~ wegschnappen** take s.th. away from under s.o.'s nose; **der Zug fuhr mir vor der ~ weg** I missed the train by an inch; **j-m die Tür vor der ~ zuschlagen** slam the door in s.o.'s face; → **zuhalten** 2
näseln I *v/i* speak through one's nose **II** ♀ *n* (nasal) twang **näselnd** *Adj* nasal
Nasen|bein *n* nasal bone **~bluten** *n* nosebleed **~flügel** *m* nostril **~länge** *f* **um e-e ~ gewinnen** win by a whisker **~loch** *n* nostril **~rücken** *m* bridge of the nose **~scheidewand** *f* nasal septum **~schleimhaut** *f* nasal mucous membrane **~spitze** *f* tip of the nose **~spray** *m, n* nose spray **~tropfen** *Pl* nose drops *Pl*
naseweis *Adj* saucy, cheeky
Nashorn *n* ZOOL rhinoceros, F rhino
nass *Adj* wet: **~ machen** wet (**sich** o.s.); **~ werden** get wet; **durch und durch ~, ~ bis auf die Haut** wet through, wet to the skin; → **triefen**
nassauern *v/i* F sponge (**bei** on)
Nässe *f* wet(ness): **„vor ~ schützen!"** "keep dry!" **nässen I** *v/t* wet, (*anfeuchten*) moisten **II** *v/i Wunde*: weep
nasskalt *Adj* damp and cold, *Hand etc*: clammy **Nassrasur** *f* wet shave **Nasszelle** *f* (prefab) bathroom unit
Nastuch *n schweiz.* handkerchief
Nation *f* nation **national** *Adj* national
National|feiertag *m* national holiday

~flagge *f* national flag **~gericht** *n* national dish **~held(in)** national hero (heroine) **~hymne** *f* national anthem
nationalisieren *v/t* nationalize
Nationalisierung *f* nationalization
Nationalismus *m* nationalism
Nationalist(in) nationalist
nationalistisch *Adj* nationalist(ic)
Nationalität *f* nationality
National|mannschaft *f* SPORT national team **~park** *m* national park **~rat¹** *m* **1.** *österr.* Austrian Parliament **2.** *schweiz.* Swiss Parliament **~rat²** *m*, **~rätin** *f* **1.** *österr.* member of the Austrian Parliament **2.** *schweiz.* member of the Swiss Parliament **~sozialismus** *m* National Socialism **~sozialist(in)**, **≈sozialistisch** *Adj* National Socialist, *pej* Nazi **~spieler(in)** SPORT international (player)
Natrium *n* CHEM sodium
Natron *n* bicarbonate of soda
Natter *f* ZOOL adder, *a. fig* viper
Natur *f allg* nature: ***in der freien ~*** in the open country; ***nach der ~ zeichnen*** draw from nature (*od* life); ***von ~ (aus)*** by nature; ***Fragen grundsätzlicher ~*** fundamental questions; ***die Sache ist ernster ~*** it's a serious matter; ***er hat e-e gesunde ~*** he has a healthy constitution **Naturalien** *Pl* natural produce *Sg*: ***in ~ zahlen*** pay in kind
naturalisieren *v/t* naturalize
Naturalismus *m allg* naturalism
naturalistisch *Adj* naturalist(ic)
Naturbursche *m* nature-boy
Naturdenkmal *n* natural monument
Naturell *n* disposition, temperament
Natur|ereignis *n*, **~erscheinung** *f* natural phenomenon **~forscher(in)** naturalist **~forschung** *f* natural science **~freund(in)** nature lover **≈gemäß** *Adj* natural **~geschichte** *f* natural history **~gesetz** *n* law of nature **≈getreu** *Adj* true to nature, lifelike **~gewalt** *f mst Pl* force of nature **~heilkunde** *f* naturopathy **~heilkundige** *m, f* naturopath **~katastrophe** *f* natural disaster **~kost** *f* health food(s) **~kostladen** *m* health food shop (*od* store) **~lehrpfad** *m* nature trail
natürlich **I** *Adj allg* natural (*a. echt, angeboren, ungekünstelt, a.* JUR *Kind, Person, Tod*): ***~e Größe*** actual size; ***e-s ~en Todes sterben*** die a natural death **II** *Adv* naturally, *Interj a.* of course, *Am* sure
Natürlichkeit *f allg* naturalness
Natur|park *m* wildlife park **~schutz** *m* conservation: ***unter ~ stehen*** be protected, *Tier, a.* F *fig Person*: be a protected animal **~schützer(in)** conservationist **~schutzgebiet** *n* nature reserve **~talent** *n* (*Person*) natural **~volk** *n* primitive race **~wissenschaft** *f mst Pl* (natural) science **~wissenschaftler(in)** (natural) scientist **≈wissenschaftlich** *Adj* scientific **~wunder** *n* **1.** natural wonder **2.** (*Person*) prodigy **~zustand** *m* natural state, (***im ~*** in a) state of nature
Nautik *f* navigation
nautisch *Adj* nautical
Navigation *f* navigation
navigieren *v/t u. v/i* navigate
Nazi *m pej* Nazi **Nazismus** *m pej* Nazism **nazistisch** *Adj pej* Nazi
Neapel *n* Naples
Nebel *m* **1.** fog (*a. fig*), mist, *leichter*: haze: ***stellenweise ~*** fog in patches **2.** ASTR nebula **nebelhaft** *Adj fig* nebulous, hazy **nebelig** *Adj* foggy, misty
Nebel|krähe *f* ZOOL hooded crow **~leuchte** *f*, **~scheinwerfer** *m* MOT fog lamp **~schlussleuchte** *f* MOT rear fog lamp
neben *Präp* (*Dat*) **1.** (*a. Akk*) *örtlich*: beside, by (*od* at) the side of, by, (*dicht ~*) close to, near, next to: ***setzen Sie sich ~ mich*** sit beside (*od* next to) me **2.** (*außer*) besides, apart from: ***~ anderen Dingen*** among other things **3.** (*verglichen mit*) compared with (*od* to) **4.** (*gleichzeitig mit*) simultaneously with
nebenamtlich *Adj* part-time (*job etc*)
nebenan *Adv* **a)** (*im Haus ~*) next door, **b)** (*im Zimmer ~*) in the next room
Neben|anschluss *m*, **~apparat** *m* TEL extension **~arbeit** *f* **1.** extra work **2.** minor job **~ausgaben** *Pl* incidentals *Pl*, extras *Pl*
Nebenausgang *m* side exit
Nebenbedeutung *f* connotation
nebenbei *Adv* **1.** besides, in addition, as well, on the side **2.** (*beiläufig*) in passing: ***~ bemerkt*** incidentally
Nebenberuf *m* sideline: ***im ~*** → ***nebenberuflich*** II **nebenberuflich** **I** *Adj*

sideline **II** *Adv* as a sideline
Nebenbeschäftigung *f* sideline
Nebenbuhler(in) rival (in love)
nebeneinander I *Adv* side by side: **~** ***wohnen*** live next door to each other; **~** ***bestehen*** coexist; **~** ***stellen*** **a)** put (*od* place) side by side (*od* next to each other), **b)** (*vergleichen*) compare **II** ♀ *n* coexistence
Neben|eingang *m* side entrance **~einkünfte** *Pl*, **~einnahmen** *Pl* incidental earnings *Pl*, extra income *Sg* **~erscheinung** *f* side effect (MED symptom) **~fach** *n* PÄD subsidiary subject, *Am* minor (subject) **~fluss** *m* tributary **~gebäude** *n* **1.** adjoining building **2.** (*Anbau*) annex(e) **~gedanke** *m* secondary objective **~geräusch** *n* background noise, RADIO interference **~gleis** *n* BAHN siding, *Am* sidetrack **~handlung** *f* subplot
nebenher *Adv* **1.** → ***nebenbei*** 1 **2.** by his (*od* her) side, beside
Neben|kosten *Pl* extras *Pl* **~linie** *f* **1.** BAHN branch line **2.** *im Stammbaum*: collateral line **~mann** *m* ***mein*** (***sein*** *etc*) **~** the person next to me (him *etc*) **~produkt** *n* by-product, spin-off **~rolle** *f* THEAT minor part (*fig* role)
Nebensache *f* minor matter: ***das ist ~!*** that's quite unimportant (here)!
nebensächlich *Adj* minor, unimportant, (*belanglos*) irrelevant
Nebensaison *f* low season
Nebensatz *m* LING subordinate clause
nebenstehend I *Adj* in the margin **II** *Adv* **~** (***abgebildet***) opposite
Neben|stelle *f* branch (office), TEL extension **~straße** *f* side street, byroad **~tisch** *m* (***am*** **~** at the) next table **~verdienst** *m* extra earnings *Pl* (*od* income) **~wirkung** *f* side effect **~zimmer** *n* next (*od* adjoining) room
neblig *Adj* foggy, misty
nebst *Präp* (*Dat*) together (*od* along) with, (*einschließlich*) including
Necessaire *n* **1.** (*Reise*♀) toilet bag **2.** (*Nagel*♀) manicure set
necken *v/t* tease **neckisch** *Adj* playful, *Bemerkung etc*: *a.* teasing
Neffe *m* nephew
Negation *f* negation **negativ** *Adj*, **Negativ** *n* MATHE, FOTO, PHYS negative
Neger *m* **1.** *a. pej* Negro (*wird heutzutage mst als abwertend empfunden*) **2.** F *fig* **a)** ghostwriter, **b)** TV idiot card **Negerin** *f a. pej* Negress (*wird heutzutage mst als abwertend empfunden*); → *Info bei* ***politically correct***
negieren *v/t* negate, deny
Negligé, **Negligee** *n* négligé
nehmen *v/t allg* take (*a.* ***an sich*** **~**, *a. den Bus etc, ein Hindernis, e-e Kurve*, MIL *e-e Stellung etc*), (*an~*) *a.* accept, (*weg~*) take away (*Dat* from), (*kaufen*) *a.* buy, (*Preis*) *a.* charge, (*anstellen*) *a.* engage, hire: ***etw zu sich*** **~** have s.th. to eat, eat s.th.; (***sich***) ***e-n Anwalt*** **~** retain counsel; *fig* ***auf sich*** **~** take upon o.s., (*Amt etc*) assume, (*Verantwortung*) accept; ***es sich nicht ~ lassen zu*** *Inf* insist on *Ger*; ***er versteht es, die Kunden zu*** **~** he has a way with the customers; ***wie mans nimmt!*** that depends!; F ***er ist hart im*** ♀ he can take a lot (of punishment); → ***Angriff, Anspruch, Beispiel***
Nehrung *f* spit, sand bar
Neid *m* envy (***auf*** *Akk* of), jealousy: ***aus*** **~** out of envy; ***der pure*** **~** sheer envy; ***grün vor ~ sein*** be green with envy; ***das muss ihm der ~ lassen*** you have to hand it to him **neiden** *v/t* ***j-m etw*** **~** envy s.o. s.th. **Neider** *m* ***viele ~ haben*** be envied by many people **Neidhammel** *m pej* dog in the manger
neidisch I *Adj* (***auf*** *Akk* of) envious, jealous **II** *Adv* enviously, with envy
neidlos *Adj u. Adv* without envy
Neige *f* **1.** ***zur ~ gehen*** *Leben etc*: draw to its close, *Vorräte etc*: run out **2.** *im Glas etc*: rest, dregs *Pl*: ***bis zur ~ leeren*** drain to the dregs; *fig* ***bis zur bitteren*** **~** to the bitter end **neigen I** *v/t* **1.** bend, incline, (*senken*) lower, (*beugen*) bow, (*kippen*) tilt **II** *v/refl* ***sich*** **~** **2.** bend, incline, (*sich verbeugen*) bow (***vor*** *Dat* to), *Gelände*: slope **3.** *fig Jahr etc*: be drawing to its close **III** *v/i* **4.** **~** ***zu*** have a tendency to, be inclined to, tend towards, *e-r Krankheit etc*: be prone to; ***ich neige zu der Ansicht, dass ...*** I am inclined to think that ... **Neigung** *f* **1.** *allg* inclination, (*Gefälle*) slope, gradient, dip **2.** *fig* (*Hang*) (***zu***) inclination, tendency (to, towards), *a.* POL *etc* trend (to), *e-r Krankheit etc*: proneness (to) **3.** *fig* (*Vorliebe*) (***zu***) liking (for, of),

penchant, predilection (for) **4.** *fig* (*Zu*≗) (***zu***) affection (for), love (of)
Neigungswinkel *m* angle of inclination
nein *Adv* no: ***~ und abermals ~!*** for the last time, no!; ***aber ~!*** of course not!, certainly not!; ***~, so etwas!*** well, I never!
Nein *n* no: ***mit*** (***e-m***) ***~ antworten*** answer in the negative, *a. weit. S.* say no
Neinstimme *f* no (*Pl* noes), *Am* nay
Nektar *m* nectar
Nektarine *f* BOT nectarine
Nelke *f* **1.** BOT carnation **2.** (*Gewürz*≗) clove
nennen I *v/t* **1.** *allg* call, (*a. be~*) name: ***das nenne ich ...*** that's what I call ... **2.** (*angeben*) name, (*erwähnen*) mention, (*Beispiele, s-n Namen*) give, (*Kandidaten*) nominate: SPORT ***j-n ~ für*** enter s.o. for **II** *v/refl* ***sich ~*** **3.** call o.s. (*a. iron*), be called: *iron* ***und das nennt sich Fachmann!*** and he (*od* she) is supposed to be an expert!
nennenswert *Adj* worth mentioning
Nenner *m* MATHE (*a. fig* ***etw auf e-n gemeinsamen ~ bringen*** reduce s.th. to a common) denominator; *fig* ***e-n gemeinsamen ~ finden*** reach an agreement (on the matter)
Nennung *f* naming, mention, *von Kandidaten*: nomination, *Sport etc*: entry
Nennwert *m* WIRTSCH nominal (*od* face) value: ***zum ~*** at par; ***unter dem ~*** below par
Neofaschismus *m* neo-fascism
Neofaschist(in), **neofaschistisch** *Adj* neo-fascist
Neologismus *m* neologism
Neon *n* neon
Neonazi *m*, **neonazistisch** *Adj* neo-nazi
Neonleuchte *f*, **Neonlicht** *n* neon light
Neopren® (*Synthesekautschuk*) Neoprene® **~anzug** *m* neoprene suit
Nepp *m* F rip-off
neppen *v/t* F fleece, rip *s.o.* off
Nepplokal *n* clip (*Am* gyp) joint
Nerv *m* nerve, BOT *a.* vein: ***die ~en behalten*** (***verlieren***) keep (lose) one's head; F ***j-m auf die ~en fallen*** (*od* ***gehen***), F ***j-m den ~ töten*** get on s.o.'s nerves; ***er hat ~en wie Drahtseile*** he's got nerves of steel; ***sie ist mit den ~en am Ende*** (F ***völlig fertig***) she's a nervous wreck; ***~en zeigen*** get nervy; F ***du hast vielleicht ~en!*** you've got a nerve!
nerven *v/t* F ***j-n ~*** get on s.o.'s nerves
Nerven|arzt *m*, **~ärztin** *f* neurologist **≗aufreibend** *Adj* nerve-racking **~belastung** *f* (nervous) strain **~bündel** *n* F *fig* ***sie ist ein ~*** she is a bundle of nerves **~entzündung** *f* neuritis **~gas** *n* MIL nerve gas **~kitzel** *m fig* thrill **~klinik** *f* mental hospital, psychiatric clinic **≗krank** *Adj* mentally ill **~krankheit** *f* nervous disease **~krieg** *m fig* war of nerves **~sache** *f* F ***das ist reine ~!*** that's just a question of nerves! **~säge** *f* F pain in the neck **~schmerz** *m* neuralgia **~schwäche** *f* weak nerves *Pl* **≗stark** *Adj* strong-nerved **~stärke** *f* strong nerves *Pl*: ***~ beweisen*** remain cool **~system** *n* nervous system **~zentrum** *n a. fig* nerve cent/re (*Am* -er) **~zusammenbruch** *m* nervous breakdown
nervig *Adj* F pesky
nervlich *Adj* nervous
nervös *Adj allg* nervous: ***~ werden*** get nervous; ***j-n ~ machen*** make s.o. nervous, *stärker*: get on s.o.'s nerves
Nervosität *f* nervousness
nervtötend *Adj* F nerve-racking
Nerz *m* **1.** ZOOL mink **2.** → **Nerzmantel** *m* mink (coat)
Nessel *f* BOT nettle: F *fig* ***sich in die ~n setzen*** get o.s. into trouble
Nessessär *n* → ***Necessaire***
Nest *n* **1.** *allg* nest: *fig* ***das eigene ~ beschmutzen*** foul one's own nest; F ***das ~ war leer*** the bird(s) had flown **2.** F small place, (*Kaff*) dump
Nesthäkchen *n* pet of the family
Nestwärme *f fig* warmth and security
nett *Adj allg* nice (*a. iron*): ***sei so ~ und hilf mir*** be so kind as to help me; (***das ist***) ***~ von dir*** that's nice of you
netto *Adv* WIRTSCH net, clear
Nettobetrag *m* net amount **Nettoeinkommen** *n* net income **Nettogewicht** *n* net weight **Nettolohn** *m* take-home pay **Nettopreis** *m* net price
Netz *n* **1.** *allg* net (*a. Sport u. fig*), (*Gepäck*≗) rack: *fig* ***j-m ins ~ gehen*** walk into s.o.'s net **2.** (*Verkehrs*≗, *Versorgungs*≗) network (*a.* TEL, RADIO, TV *etc*), (*Strom*≗) mains *Pl*: ***ans ~ gehen*** *Kraftwerk*: go into operation **3.** IT net-

work **4.** (*Internet*) net, Net: ***im ~*** on the net **~anschluss** *m* ELEK mains connection **~ball** *m Tennis*: net (ball) **~betreiber** *m* TEL carrier, IT network operator **~empfänger** *m* ELEK mains receiver **~haut** *f* ANAT retina **~hemd** *n* string vest **~plan** *m* network **~plantechnik** *f* network analysis **~provider** *m* IT Internet Service Provider, ISP **~schalter** *m* ELEK power switch **~strumpf** *m* net (*od* mesh) stocking **~teil** *n* ELEK power supply unit **~werk** *n allg* network **~zugang** *m* IT (Inter)net access, access to the (Inter)net

neu I *Adj allg* new, (*frisch*) *a.* fresh (*a. fig*), (*~artig*) *a.* novel, (*~zeitlich*) recent, modern, (*erneut*) renewed: ***ganz ~*** brand-new; ***wie ~*** as good as new; ***ein ~er Anfang*** a fresh start; ***~eren Datums*** of recent date; ***~e Schwierigkeiten*** more problems; ***~ere Sprachen*** modern languages; ***~este Nachrichten*** latest news; ***das ist mir ~!*** that's new to me! **II** *Adv* newly, (*kürzlich*) recently, (*erneut*) anew, afresh: ***~ anfangen*** start anew; ***~ beleben*** revive; ***~ entdeckt*** **a)** recently discovered, **b)** rediscovered; ***~ eröffnen*** reopen; ***~ gestalten*** reorganize, TECH remodel, redevelop; ***~ schreiben*** rewrite

neuartig *Adj* novel, new (type of)

Neuauflage *f* **1.** BUCHDRUCK **a)** new edition, **b)** → ***Neudruck*** **2.** *fig* repeat (performance) **Neuausgabe** *f* new edition

Neubau *m* new building

Neubaugebiet *n* new housing estate

Neubearbeitung *f* **1. a)** revised edition, **b)** revision **2.** THEAT *etc* adaptation

Neubildung *f* **1.** (new) formation, reorganization **2. a)** PHYSIOL regeneration, **b)** MED tumo(u)r **3.** LING neologism

Neudruck *m* reprint

Neue I *n* **1.** s.th. new: ***das ~ daran*** what's new about it; ***das ~ste*** (*Nachricht, Mode etc*) the latest thing; ***was gibts ~s?*** what's new?; ***das ist mir nichts ~s*** that's no news to me **2.** ***aufs ~, von ♀m*** afresh, anew; ***seit ♀m*** of late **II** *m, f* **3.** new man (woman)

Neueinstellung *f* **1.** taking on (new) labo(u)r **2.** new employee

neuerdings *Adv* recently, of late

Neuerer *m*, **Neuerin** *f* innovator

Neuerscheinung *f* new publication

Neuerung *f* innovation

neuestens *Adv* quite recently, lately

Neufassung *f* **a)** revised version, **b)** (*Vorgang*) revision

Neufundland *n* Newfoundland

neugeboren *Adj* newborn: *fig* ***ich fühle mich wie ~*** I feel a different person

Neugeborene *n* newborn (child)

Neugestaltung *f* reshaping, reorganization, TECH remodel(l)ing

Neugier *f* (***aus ~*** out of) curiosity

neugierig *Adj* (***auf*** *Akk*) curious (about, of), *stärker*: inquisitive (after, about): ***ich bin ~, ob …*** I wonder if …

Neugliederung *f* reorganization

neugotisch *Adj* neo-Gothic

Neugründung *f* (new) foundation, re-establishment

Neuguinea *n* New Guinea

Neuheit *f* newness, novelty (*a. Erfindung*), TECH *a.* innovation

Neuigkeit *f* (***e-e ~*** a piece of) news *Sg*

Neujahr *n* New Year('s Day): ***Prosit ~!*** Happy New Year! **Neujahrstag** *m* New Year's Day **Neujahrswunsch** *m mst Pl* good wishes *Pl* for the New Year

Neuland *n fig* ***~ erschließen*** break new ground; ***das ist ~ für mich*** that is new territory to me

neulich *Adv* the other day, recently

Neuling *m* (***in*** *Dat*, ***auf e-m Gebiet***) newcomer (to), novice (at)

neumodisch *Adj pej* newfangled

Neumond *m* new moon

neun I *Adj* nine: ***alle ~e!*** strike! **II** ♀ *f* (number) nine **neunhundert** *Adj* nine hundred **neunjährig** *Adj* **1.** nine-year-old **2.** nine-year, of nine years

neunmal *Adv* nine times

neunmalklug *Adj iron* smart-alecky

neunt *Adj* **1.** ninth **2.** ***zu ~*** (the) nine of us (*od* them *etc*) **Neunte** *m, f, n* ninth **Neuntel** *n* ninth **neuntens** *Adv* ninth(ly) **neunzehn** *Adj* nineteen **neunzehnt** *Adv* nineteenth

neunzig I *Adj* **1.** ninety; ***er ist Anfang ~*** he is in his early nineties **II** ♀ *f* **2.** (number) ninety **neunziger** *Adj* ***in den ~ Jahren*** *e-s Jhs.*: in the nineties **Neunziger(in)** man (woman) of ninety, nonagenarian **Neunzigerjahre** → ***neunziger***

Neuordnung *f* reorganization

Neuphilologe *m*, **Neuphilologin** *f*

teacher (*od* student) of modern languages
Neuphilologie *f* modern languages *Pl*
Neuralgie *f* MED neuralgia
neuralgisch *Adj* MED neuralgic: *fig* ***~er Punkt*** critical point, POL trouble spot
Neuregelung *f* revision
Neureiche *m*, *f* parvenue: ***die ~n*** the nouveaux riches *Pl*
Neurochirurg(in) neurosurgeon
Neurologe *m*, **Neurologin** *f* neurologist
Neurose *f* MED neurosis **Neurotiker(in)**, **neurotisch** *Adj* neurotic
Neuschnee *m* fresh (*Am* new) snow
Neuseeland *n* New Zealand
neusprachlich *Adj* modern-language
neutral *Adj* (*Adv* ***sich ~ verhalten*** remain) neutral **neutralisieren** *v/t* neutralize **Neutralität** *f* neutrality
Neutron *n* neutron
Neutronenbombe *f* neutron bomb
Neutrum *n* LING neuter
Neuverfilmung *f* remake **Neuwahl** *f* new election **neuwertig** *Adj* practically new **Neuzeit** *f* modern times *Pl* **neuzeitlich** *Adj* modern
nicht *Adv* not: ***~ besser*** (***länger***) no better (longer); ***~*** (***ein***)***mal*** not even; ***~ mehr*** no longer, not any more; (***bitte***) ***~!*** (please) don't!; ***~ wenige*** quite a few; ***~ existent*** nonexisting; ***~ rostend*** rustproof, *Stahl*: stainless; ***~, dass ich wüsste!*** not that I know of!; ***er ist krank, ~ wahr?*** he is ill, isn't he?; ***du tust es doch, ~ wahr?*** you will do it, won't you?; → ***auch, gar²***, ***nur***
Nichtangriffspakt *m* POL nonaggression treaty **Nichtbeachtung** *f* (***von*** *od Gen* of) *e-r Warnung etc*: disregard, *der Vorschriften etc*: nonobservance
Nichte *f* niece
Nicht|einhaltung *f* noncompliance (*Gen* with) **~einmischung** *f* POL noninterference, nonintervention **~erfüllung** *f* JUR nonperformance **~erscheinen** *n* nonappearance, JUR *a.* default
nichtig *Adj* **1.** (*belanglos*) trivial, (*wertlos*) vain: ***~er Vorwand*** flimsy excuse **2.** JUR (***null und***) ***~*** (null and) void
Nichtigkeit *f* **1.** triviality, vanity: ***~en*** *Pl* trifles *Pl* **2.** JUR nullity
Nichtmitglied *n* nonmember **Nichtraucher(in)** nonsmoker **Nichtraucher…** non-smoking …, no-smoking …
nichts *Indefinitpron* nothing, not … anything: ***~ ahnend*** unsuspecting; ***~ sagend*** *Worte etc*: empty, meaningless, *Antwort*: vague, (*farblos*) colo(u)rless; ***~ als Ärger*** nothing but trouble; ***~ weniger als das*** anything but that; ***~ da!*** nothing doing!, that's out!; ***so gut wie ~*** next to nothing; ***das ist ~ für mich!*** that's not my thing!; ***mir ~, dir ~*** just like that, (*frech*) quite coolly; ***weiter ~?*** is that all?; F ***wie ~*** (*blitzschnell*) in a flash; F ***~ wie hin!*** let's go (there fast)!; → ***dergleichen, gar²***, ***machen, Nähere*** *etc* **Nichts** *n* **1.** nothing(ness), (*Leere*) void: ***aus dem ~*** **a)** (*erscheinen etc*) from nowhere, **b)** (*schaffen etc*) out of nothing; ***vor dem ~ stehen*** be left with nothing **2.** ***ein ~*** **a)** a trifle, (a mere) nothing, **b)** *pej* a nobody
Nichtschwimmer(in) nonswimmer
nichtsdesto|trotz *Adv* F, **~weniger** *Adv* nevertheless, none the less
Nichtskönner(in) incompetent person, F washout **nichtsnutzig** *Adj* worthless, good-for-nothing
Nichtstuer(in) idler, loafer
Nichtstun *n* idling, loafing: ***s-e Zeit mit ~ verbringen*** idle away one's time
Nichtswisser(in) ignoramus
Nicht|vorhandensein *n* nonexistence, lack **~wissen** *n* ignorance **~zahlung** *f* WIRTSCH ***bei ~*** in default of payment
Nichtzutreffende *n* ***~s streichen!*** delete where inapplicable!
Nickel *n* nickel
Nickelbrille *f* steel-rimmed spectacles *Pl*
nicken *v/i* nod (one's head) **Nickerchen** *n* F (***ein ~ machen*** have a) nap
nie *Adv* never: ***fast ~*** hardly ever; ***noch ~*** never (before); ***~ wieder*** never again; ***~ und nimmer*** never ever
nieder I *Adj* low (*a. fig gemein*), *Wert*, *Rang*: inferior, *Dienststelle etc*: lower **II** *Adv* low, (*herab*) down: ***~ mit …!*** down with …! **~brennen** *v/t u. v/i* burn down **~brüllen** *v/t* ***j-n ~*** shout s.o. down **~deutsch** *Adj* Low German **~drücken** *v/t* **1.** press down, (*Taste, Hebel*) press **2.** *fig* depress
Niederfrequenz *f* ELEK low frequency
Niedergang *m* decline **niedergehen** *v/i* go down (*a.* FLUG), *Gewitter*: burst
niedergeschlagen *Adj fig* depressed,

N

dejected, downcast
Niedergeschlagenheit *f* dejection
niederholen *v/t* (*Flagge, Segel*) haul down, lower **niederknien** *v/i* kneel down **niederkommen** *v/i* be confined
Niederkunft *f* delivery, confinement
Niederlage *f* **1.** defeat: ***e-e ~ erleiden*** be defeated **2.** WIRTSCH **a)** depot, warehouse, **b)** → ***Niederlassung*** 2
Niederlande *Pl the* Netherlands *Pl*
Niederländer *m* Dutchman, Netherlander: ***die ~*** the Dutch **Niederländerin** *f* Dutch woman, Netherlander
niederländisch *Adj* Dutch
niederlassen I *v/t* **1.** lower, let *s.th.* down **II** *v/refl* ***sich ~*** **2.** sit down **3.** (***in*** *Dat*) make one's home (at), take up residence (at), *a. als Siedler etc*: settle (in, at) **4.** set up in business (*od* as doctor, as a lawyer, *etc*), establish o.s. (***als*** as) **Niederlassung** *f* **1.** establishment, settling **2.** WIRTSCH **a)** place of business, **b)** (*Filiale*) branch (office)
niederlegen I *v/t* lay down, (*Amt*) resign from: ***die Waffen ~*** lay down one's arms; ***die Arbeit ~*** (go on) strike, walk out; ***etw schriftlich ~*** put s.th. down in writing **II** *v/refl* ***sich ~*** lie down
Niederlegung *f* (*Gen*) laying down (of), *e-s Amtes*: resignation (from)
niedermachen *v/t* **1.** slaughter, massacre **2.** → (***j-n***) ***fertig*** (***machen***) II 6
niederreißen *v/t* pull down (*a. fig*)
Niedersachsen *n* Lower Saxony
niederschießen *v/t* shoot *s.o.* down
Niederschlag *m* **1.** METEO precipitation, rain(fall) **2.** CHEM precipitate, (*Ablagerung*) sediment: ***radioaktiver ~*** fallout; *fig* ***s-n ~ finden in*** (*Dat*) be reflected in **3.** *Boxen*: knockdown, *bis zehn*: knockout **niederschlagen I** *v/t* **1.** ***j-n ~*** knock s.o. down, *Boxen*: (*a. bis zehn*) knock s.o. out **2.** (*Augen*) cast down **3.** *fig* (*unterdrücken*) suppress, (*Aufstand*) put down **4.** JUR (*Verfahren*) quash **II** *v/refl* ***sich ~*** **5.** CHEM precipitate **6.** *fig* be reflected (***in*** *Dat* in)
niederschlagsreich *Adj* rainy, wet
niederschmettern *v/t* ***j-n ~*** knock s.o. down, *fig* shatter s.o.
niederschmetternd *Adj fig* shattering
niederschreiben *v/t* write down, record
Niederschrift *f* **1.** writing down **2.** notes *Pl*, record, minutes *Pl*
Niederspannung *f* ELEK low tension
Niedertracht *f* **1.** baseness **2.** (*Handlung*) perfidy, F dirty trick
niederträchtig *Adj* low, perfidious
Niederung *f* lowland(s *Pl*)
niederwerfen I *v/t* **1.** *fig* ***j-n ~*** *Krankheit*: lay s.o. low **2.** → ***niederschlagen*** 3 **II** *v/refl* ***sich ~*** **3.** throw o.s. down: ***sich vor j-m ~*** throw o.s. at s.o.'s feet
niedlich *Adj* sweet, cute
niedrig *Adj allg* low (*a. Adv*), *Herkunft etc*: *a.* lowly, humble, (*gemein*) *a.* base, *Qualität*: inferior, *Strafe*: light: ***~ fliegen*** fly low; (*Preise etc*) ***~ halten*** keep down
Niedrigkeit *f allg* lowness
niemals → ***nie***
niemand I *Indefinitpron* nobody, no one: ***ich habe ~(en) gesehen*** I didn't see anybody; ***~ anders*** nobody else; ***~ anders als er*** none other than he; ***es war sonst ~ da*** nobody else was present **II** ♀ *m pej* ***er ist ein*** ♀ he is a nobody
Niemandsland *n a. fig* no man's land
Niere *f* ANAT kidney: MED ***künstliche ~*** kidney machine; F *fig* ***das geht mir an die ~n*** that really gets me down
Nierenbeckenentzündung *f* pyelitis
nierenförmig *Adj* kidney-shaped
Nierenspender(in) kidney donor
Nieren|stein *m* MED kidney stone **~verpflanzung** *f* kidney transplant
nieseln *v/i*, **Nieselregen** *m* drizzle
niesen *v/i* sneeze
Niespulver *n* sneezing powder
Niete *f* **1.** (***e-e ~ ziehen*** draw a) blank **2.** F (*Reinfall, Versager*) flop, washout
nieten *v/t u. v/i* TECH rivet
Nietenhose *f* jeans *Pl* (with studs)
Nigeria *n* Nigeria
Nihilismus *m* nihilism **Nihilist(in)** nihilist **nihilistisch** *Adj* nihilist(ic)
Nikolaustag *m* St. Nicholas' Day
Nikotin *n* nicotine **♀arm** *Adj* low-nicotine **♀frei** *Adj* nicotine-free **~vergiftung** *f* nicotine poisoning
Nilpferd *n* ZOOL hippopotamus
Nimbus *m* nimbus, halo, *fig a.* aura
Nimmerwiedersehen *n* ***auf ~*** for good
Nippel *m* TECH nipple
nippen *v/t u. v/i* sip (***an*** *Dat* at)
Nippsachen *Pl* knick-knacks *Pl*
nirgends *Adv* nowhere **nirgendwo (-hin)** *Adv* nowhere, not … anywhere

N

Nische *f* niche, recess
nisten *v/i* nest
Nistplatz *m* nesting place
Nitrat *n* CHEM nitrate
Nitroglyzerin *n* CHEM nitroglycerine
Niveau *n* level, (*Bildungs*♀ *etc*) *a.* standard: ***unter dem*** ~ not up to standard; ~ ***haben*** have class; ***ein hohes*** ~ ***haben*** have high standards; ***das ist unter m-m*** ~ that's beneath me; ***geistiges*** ~ level of intelligence **niveaulos** *Adj* dull, mediocre
nivellieren *v/t a. fig* level
Nixe *f* water nymph
Nizza *n* Nice
nobel *Adj* **1.** noble(-minded) **2.** F (*großzügig*) generous **3.** (*vornehm*) high-class, F posh, ritzy
Nobelherberge *f* F posh hotel
Nobelpreis *m* Nobel prize **Nobelpreisträger(in)** Nobel prize winner
noch I *Adv* **1.** still: ***immer*** ~ still; ~ ***nicht*** not yet; ~ ***nie*** never before; ~ ***gestern*** only yesterday; ~ ***heute*** even today; ~ ***lange nicht*** not by a long chalk; ~ ***im 18. Jh.*** as late as the 18th century; ***wie heißt sie ~?*** what's her name again?; F ~ ***und*** ~ **a)** oodles of, piles of, **b)** (*sehr*) awfully **2.** (*mehr*) more: ~ ***einer*** one more, another; ~ ***einmal*** once more; ~ ***einmal so viel*** as much again; ~ ***etwas!*** and another thing!; ~ ***etwas?*** anything else?; ~ ***besser*** (***mehr***) even better (more); ***nur*** ~ ***5 Minuten*** only five minutes more **3.** ***sei es*** ~ ***so klein*** no matter how small (it is) **II** *Konj* → ***weder***
nochmalig *Adj* repeated, second, new
nochmals *Adv* once more
Nocke *f* TECH cam
Nockenwelle *f* MOT camshaft
Nomade *m*, **Nomadin** *f* nomad **Nomaden...**, **nomadisch** *Adj* nomadic
Nominativ *m* LING nominative (case)
nominell *Adj* nominal
nominieren *v/t* nominate, name
No-Name-Produkt *n* no-name product
Nonne *f* nun
Nonnenkloster *n* nunnery, convent
Nonsens *m* nonsense
nonstop *Adv* nonstop
Non-Stop-Flug *m* nonstop flight
Noppe *f*, **noppen** *v/t* nap
Nord *inv* North **Nordatlantikpakt** *m* North Atlantic Treaty
Norden *m* north, North: ***nach*** ~ to (*od* towards) the north; ***im*** ~ ***von*** (*od Gen*) north of **nordisch** *Adj* northern, (*skandinavisch*) Nordic: *Skisport*: ***~e Kombination*** Nordic Combined
Nordirland *n* Northern Ireland; → *Info bei* ***Britain***
nördlich I *Adj* northern, northerly **II** *Adv* ~ ***von*** (*od Gen*) (to the) north of
Nord|licht *n* **1.** northern lights *Pl* **2.** Northerner **~ost(en)** *m*, **♀östlich** *Adj u. Adv* northeast **~pol** *m* North Pole **~polarkreis** *m* Arctic Circle
Nordrhein-Westfalen *n* North Rhine-Westphalia
Nordsee *f the* North Sea
Nord|west(en) *m*, **♀westlich** *Adj u. Adv* northwest **~wind** *m* north wind
Nörgelei *f* grumbling, niggling **nörgeln** *v/i* (***an*** *Dat* about) grumble, niggle
Nörgler(in) grumbler, niggler
Norm *f* norm, standard **normal** *Adj* normal, TECH standard **Normalbenzin** *n* regular (grade) petrol (*Am* gasoline)
normalerweise *Adv* normally
Normalfall *m* ***im*** ~ normally **Normalgewicht** *n* normal (*od* average) weight
normalisieren I *v/t* normalize **II** *v/refl* ***sich*** ~ return to normal
Normalisierung *f* normalization
Normalverbraucher(in) average consumer: F ***Otto*** ~ Mr. Average
normen, **normieren** *v/t* standardize
Norwegen *n* Norway
Norweger(in), **norwegisch** *Adj* Norwegian
Nostalgie *f* nostalgia
nostalgisch *Adj* nostalgic
Not *f* **1.** need, (*Elend*) misery: ~ ***leiden*** suffer want; ***in*** ~ ***geraten*** become destitute (→ 3) **2.** (*Notwendigkeit*) necessity: ~ ***macht erfinderisch*** necessity is the mother of invention; ***aus der*** ~ ***e-e Tugend machen*** make a virtue of necessity; ***zur*** ~, F ***wenn*** ~ ***am Mann ist*** if need be; ***es tut*** ~, ***dass ...*** it is necessary that ... **3.** (*Bedrängnis*) distress (*a.* SCHIFF), (*Schwierigkeit*) difficulty, trouble: ***in*** ~ ***sein*** be in trouble: ***in*** ~ ***geraten*** run into difficulties (→ 1); ***~leidend*** needy; F ***s-e*** (***liebe***) ~ ***haben mit*** really have problems with; → ***knapp*** 2

Notar(in) notary **Notariat** *n* notary's office **notariell** *Adj* notarial: *Adv* ~ ***beglaubigt*** attested by a notary
Not|arzt *m*, **~ärztin** *f* doctor on call **~arztwagen** *m* emergency ambulance **~aufnahme** *f* (*Krankenhaus*) casualty (department) **~aufnahmelager** *n* transit camp **~ausgang** *m* emergency exit **~behelf** *m* makeshift **~bremse** *f* emergency brake **~dienst** *m* (~ ***haben*** be on) emergency duty
notdürftig *Adj* scanty: *Adv* ***etw ~ reparieren*** patch s.th. up
Note *f* **1.** PÄD mark, *Am* grade **2.** MUS note: ***ganze ~*** semibreve; ***halbe ~*** minim; ***nach ~n singen*** *etc* sing *etc* from music **3.** POL note, memorandum **4.** *fig* (***persönliche ~*** personal) touch: ***e-r Sache e-e besondere ~ verleihen*** add a special touch to s.th. **5.** → ***Banknote***

⚠ Note ≠ **note**	
(*Unterricht*)	
Note	= mark, *Am* grade
note	= **1.** *Br* Geldschein **2.** Musiknote

Notebook *n* (*Computer*) notebook
Noten|bank *f* bank of issue **~blatt** *n* sheet of music **~heft** *n* music book **~pult** *n* music stand **~system** *n* PÄD marking (*Am* grading) system
Notepad *n* (*Computer*) notepad
Notfall *m* emergency: ***für den ~*** (just) in case; ***im ~*** → **notfalls** *Adv* if necessary, if need be, in an emergency
notgedrungen *Adv* of necessity: ***~ musste er gehen*** he had no choice but to go **Notgroschen** *m* nest egg
notieren I *v/t* **1.** make a note of **2.** (*Kurse*) quote (***zu*** at) **II** *v/i* **3.** WIRTSCH be quoted (***mit*** at, with)
Notierung *f* WIRTSCH quotation
nötig *Adj* necessary: ***etw*** (***dringend***) ***~ haben*** need s.th. (badly); ***das habe ich nicht ~!*** I don't have to stand for that!; *iron* ***du hast es*** (***gerade***) ***~!*** you of all people!; ***mit dem ~en Respekt*** with due respect; (***nur***) ***das ≈ste*** (just) what is absolutely necessary; ***es ist nicht ~, dass du kommst*** there is no need for you to come **nötigen** *v/t* force, compel, urge, (*e-n Gast*) press: ***lassen Sie sich nicht ~!*** help yourself!; ***er ließ sich nicht lange ~*** he needed no coaxing
Nötigung *f* coercion, JUR *a.* duress
Notiz *f* **1.** note: ***sich ~en machen*** take notes; *fig* ***k-e ~ nehmen von*** take no notice of, ignore **2.** (*Presse≈*) (news) item **Notizblock** *m* notepad, *Am* memo pad **Notizbuch** *n* notebook
Notlage *f* predicament, plight
Notlager *n* shakedown
notlanden *v/i* make a forced landing
Notlandung *f* forced landing
notleidend → ***Not*** 3
Notlösung *f* temporary solution
Notlüge *f* white lie
Notmaßnahme *f* emergency measure
notorisch *Adj* notorious
Notruf *m* TEL emergency call **~nummer** *f* emergency number **~säule** *f* emergency telephone

Notrufnummer

Die Notrufnummer in Großbritannien lässt sich leicht merken: **999 (nine, nine, nine)**. Wählt man sie, wird man nach der gewünschten Notdienststelle gefragt: **police** (Polizei), **ambulance** (Krankenwagen/Notarzt) oder **fire brigade** (Feuerwehr).
Die entsprechende einheitliche Notrufnummer in den USA ist **911 (nine, one, one)**.

Notrutsche *f* FLUG escape chute
Notschrei *m a. fig* cry for help
Notsignal *n* distress signal **Notsitz** *m* jump seat **Notstand** *m* **1.** → ***Notlage*** **2.** POL state of emergency
Notstandsgebiet *n* **1.** WIRTSCH depressed area **2.** (*Katastrophengebiet*) disaster area
Notstromaggregat *n* emergency generator **Notunterkunft** *f* provisional accommodation **Notwehr** *f* (***aus ~, in ~*** in) self-defen/ce (*Am* -se)
notwendig *Adj* necessary (***für*** to, for): ***unbedingt ~*** imperative
notwendigerweise *Adv* of necessity
Notwendigkeit *f* necessity

N

Nougat *m, n* → ***Nugat***
Novel Food *n* novel foods *Pl*
Novelle *f* **1.** novella **2.** PARL amendment
November *m* (***im*** ~ in) November
Novum *n* s.th. new, novelty
Nu *m* ***im*** ~ in no time, F in a jiffy
Nuance *f* nuance, shade
nüchtern *Adj* **1.** with an empty stomach: → ***Magen*** **2.** (*Ggs. betrunken*) sober: ***wieder*** ~ ***werden*** sober up **3.** *Essen*: bland **4.** (*sachlich*) sober, matter-of--fact, *Gebäude etc*: austere, functional, (*leidenschaftslos*) unemotional
Nudel *f* **1.** noodle **2.** F ***sie ist e-e ulkige*** ~ she is a funny bird
Nugat *m, n* chocolate nut cream
nuklear *Adj* nuclear
null *Adj* nought, *bes Am od* PHYS, TECH *etc* zero, TEL 0 (*Aussprache*: əʊ), *Am* zero, *Fehlanzeige*, *a.* SPORT nil, *bes Am* zero: ~ ***Grad*** zero degrees; F ***in*** ~ ***Komma nichts*** in a jiffy; ~ ***Komma drei*** (nought) point three; ~ ***Fehler*** no (*Am* zero) mistakes; SPORT ***zwei zu*** ~ two (to) nothing, two-nil; *Tennis*: ***15:0*** fifteen love; ***das Spiel endete 0:0*** the match was a scoreless draw; F ***er hat*** ~ ***Ahnung*** (***davon***) he doesn't know a thing about it; ***ich habe*** ~ ***Bock darauf*** I'm not a bit keen on that; → ***nichtig*** 2 **Null** *f* nought, *bes Am od* PHYS, TECH *etc* zero: F *fig* ***er ist e-e*** ~ he's a cipher (*od* nobody); ***gleich*** ~ ***sein*** be nil
nullachtfünfzehn *Adj* F run-of-the-mill
Nulldiät *f* no-calorie (*od* crash) diet
Nulllösung *f* zero option **Nullmenge** *f* MATHE null set **Nullpunkt** *m* zero, ELEK, TECH neutral point: ***auf dem*** ~ *a. fig* at zero **Nullrunde** *f* agreement on a wage freeze **Nullsummenspiel** *n* zero-sum game **Nulltarif** *m* **a)** free transport, **b)** free admission: ***zum*** ~ free **Nullwachstum** *n* WIRTSCH zero growth
numerisch *Adj* numerical
Nummer *f* **1.** number (*a. Programm*≗ *etc*), *e-r Zeitung*: *a.* issue, (*Größe*) *a.* size: F ***auf*** ~ ***Sicher gehen*** play it safe **2.** V (*Koitus*) trick **num(m)erieren** *v/t* number **Num(m)erierung** *f* numbering
Nummernblock *m* number block
Nummernkonto *n* numbered account
Nummernscheibe *f* TEL Dialekt
Nummernschild *n* MOT number plate

nun I *Adv* **1.** (*jetzt*) now, (*dann*) then: ***von*** ~ ***an*** from now on, (*seitdem*) from that time (onward) **2.** well: ~ ***ja*** well(, you see); ~ ***gut!*** all right!; ***was*** ~***?*** what now (*od* next)?; ***es geht*** ~ ***mal nicht!*** it's just not on! **II** *Konj* **3.** ~ (***da***) now that, since
nur *Adv* only, just, simply, (*nichts als*) nothing but, (*ausgenommen*) except: ~ ***einmal*** just once; ~ ***noch*** only; ~ ***dass*** except (that); ~ ***weil*** just because; ***wenn*** ~ if only; ***nicht*** ~ ***..., sondern auch ...*** not only ..., but also ...; ~ ***zu!*** go on!; ***warum hast du das*** ~ ***gesagt?*** F why on earth did you say that?; ***was meint sie*** ~***?*** whatever does she mean?; ~ ***das nicht!*** anything but that!; ***du weißt*** ~ ***zu gut, dass ...*** you know very well that ...; ***so viel ich*** ~ ***kann*** as much as I possibly can; ***ohne auch*** ~ ***zu lächeln*** without so much as a smile
Nürnberg *n* Nuremberg
nuscheln *v/i u. v/t* mumble
Nuss *f* nut: *fig* ***e-e harte*** ~ a hard nut to crack **Nussbaum** *m* walnut tree, (*Holz*) walnut **nussbraun** *Adj* hazel
Nussknacker *m* nutcracker
Nussschale *f* nutshell
Nüster *f* ZOOL nostril
Nut *f* TECH groove
Nutte *f* F tart, *Am* hooker
Nutzanwendung *f* practical application **nutzbar** *Adj* usefull: ~ ***machen*** utilize, LANDW cultivate **Nutzbarkeit** *f* usefulness **Nutzbarmachung** *f* utilization, *von Bodenschätzen*: exploitation, LANDW cultivation
nutzbringend *Adj* profitable, useful: ~ ***anwenden*** turn *s.th.* to good account
nütze *Adj* ***zu etw*** ~ ***sein*** be useful, be of use; ***zu nichts*** ~ ***sein*** be (of) no use
Nutzeffekt *m* efficiency
nutzen, nützen I *v/i* be of use, be useful (***zu*** for, ***j-m*** to s.o.), (*vorteilhaft sein*) be of advantage (***j-m*** to s.o.), benefit (***j-m*** s.o.): ***das nützt nichts*** that's no use; ***das nützt wenig*** that doesn't help much; ***was nützt das?*** what good is that?; ***was nützt es, dass du weinst?*** what is the use of your crying? **II** *v/t* use, make use of **Nutzen** *m* use, (*Gewinn*) profit, (*Vorteil*) advantage, *a.* JUR benefit: ~ ***ziehen aus*** profit (*od* benefit) from; ***von*** ~ ***sein*** → ***nutzen*** I

Nutzer(in) VERW user
Nutz|fahrzeug *n* utility vehicle **~fläche** *f* usable area (WIRTSCH floor space) **~holz** *n* timber **~last** *f* payload **~leistung** *f* effective output (*od* power)
nützlich *Adj* useful, (*hilfreich*) helpful
Nützlichkeit *f* usefulness
nutzlos *Adj* useless
Nutzlosigkeit *f* uselessness
Nutznießer(in) beneficiary
Nutzpflanze *f* useful plant
Nutzung *f* use, utilization
Nutzungsrecht *n* usufruct, right to use
Nylon® *n* nylon® **~strümpfe** *Pl* nylons *Pl*
Nymphe *f* nymph
Nymphomanin *f* nymphomaniac

O

O, o *n* O, o
o *Interj* oh: ***o ja!*** oh yes!
Oase *f* oasis
ob *Konj* whether, if: ***als ~*** as if; ***so tun als ~*** make as if; F (***na***) ***und ~!*** you bet!; ***~ er wohl kommt?*** I wonder if he will come
OB *m* (= ***Oberbürgermeister***) Mayor
o. B. (= ***ohne Befund***) negative
Obacht *f* ***~ geben auf*** (*Akk*) pay attention to; ***~!*** look out!
Obdach *n* shelter **obdachlos** *Adj* (***~ werden*** be left) homeless **Obdachlose** *m, f* homeless person **Obdachlosenasyl** *n* shelter for the homeless
Obduktion *f* postmortem (examination), autopsy **obduzieren** *v/t* ***j-n ~*** carry out an autopsy on s.o.
O-Beine *Pl* bandy legs *Pl*, bow legs *Pl*
O-beinig *Adj* bandy-legged, bow-legged
oben *Adv* above, (*an der Spitze*) at the top, *im Hause*: upstairs: ***ganz ~*** *a. fig* right at the top; ***hier ~*** up here; ***hoch ~*** high up; ***nach ~*** up(wards), *im Hause*: upstairs; ***von ~*** *a. fig* from above; ***von ~ bis unten*** from top to bottom; ***von ~ herab*** *behandeln etc* condescendingly; F ***~ ohne*** topless; ***~ erwähnt*** above, above-mentioned **obenan** *Adv* at the top (*od* head) **obenauf** *Adv* on top, uppermost, on the surface: F *fig* ***~ sein*** be fit and well, be on top of the world
obendrein *Adv* on top of it (all), *nachgestellt*: into the bargain
obenhin *Adv* **1.** (*flüchtig*) superficially **2.** (*beiläufig*) casually
Oben-ohne-... topless (*dress, bar, etc*)
ober *Adj* upper; → ***oberst***
Ober *m* waiter
Ober|arm *m* upper arm **~arzt** *m*, **~ärztin** *f* assistant medical director **~aufsicht** *f* superintendence, supervision **~befehl** *m* supreme command (***über*** *Akk* of) **~befehlshaber(in)** commander-in-chief **~begriff** *m* generic term **~bekleidung** *f* outer garments *Pl* **~bürgermeister(in)** (*Br* Lord) Mayor **~deck** *n* SCHIFF upper deck
Oberfläche *f allg* surface: ***an*** (*od* ***auf***) ***der ~*** on the surface; ***an die ~ kommen*** (come to the) surface
oberflächlich *Adj allg* superficial, *fig a.* shallow, *Bekanntschaft*: casual: *Adv* ***~ betrachtet*** on the face of it
Oberflächlichkeit *f* superficiality
Ober|geschoss *n* upper floor **~grenze** *f* upper limit, ceiling
oberhalb *Präp* (*Gen*) above
Ober|hand *f* ***die ~ gewinnen*** get the upper hand (***über*** *Akk* of) **~haupt** *n* head, chief **~haus** *n* PARL upper house, *Br* House of Lords **~haut** *f* epidermis **~hemd** *n* shirt **~herrschaft** *f* supremacy **~hoheit** *f* sovereignty
Oberin *f* **1.** REL Mother Superior **2.** *im Krankenhaus*: matron
oberirdisch *Adj u. Adv* overground, ELEK overhead
Ober|kellner(in) head waiter (waitress) **~kiefer** *m* upper jaw **~körper** *m* upper part of the body: ***den ~ freimachen*** strip to the waist **~landesgericht** *n* regional court of appeal **~lauf** *m e-s Flusses*: upper course (*od* reaches *Pl*) **~leder** *n* upper **~leitung** *f* **1.** supervision, overall control **2.** ELEK overhead

cable **~licht** *n* skylight, *über e-r Tür*: fanlight **~liga** *f* SPORT top German amateur league **~lippe** *f* upper lip **~priester(in)** high priest (priestess)
Obers *n österr.* cream, (*Schlagsahne*) whipped cream
Ober|schenkel *m* thigh **~schicht** *f* SOZIOL upper class(es *Pl*) **~schwester** *f* senior nurse **~seite** *f* upper side, top (side)
oberst *Adj* uppermost, top(most), (*höchst*) *a.* highest, *fig a.* supreme, chief: ***das* ⁓*e zuunterst kehren*** turn everything upside down
Oberst *m* colonel
Oberstaats|anwalt *m*, **~anwältin** *f* senior public prosecutor
Oberstimme *f* MUS upper part
Oberstudien|direktor *m* headmaster, *Am* principal **~direktorin** *f* headmistress, *Am* principal **~rat** *m* senior assistant master **~rätin** *f* senior assistant mistress
Oberstufe *f* PÄD upper school (*Am* grades *Pl*), *Universität*: advanced level
Oberteil *m*, *n* top
Oberwasser *n fig* (***wieder***) ***~ bekommen*** (*od* ***haben***) be on top (again)
obgleich *Konj* (al)though, even though
Obhut *f* care: ***j-n*** (***etw***) ***in s-e ~ nehmen*** take care (*od* charge) of s.o. (s.th.)
obig *Adj* above
Objekt *n* object (*a.* LING *u.* KUNST), WIRTSCH (*Haus etc*) *a.* property **objektiv** *Adj* objective, (*unparteiisch*) *a.* impartial **Objektiv** *n* OPT (object) lens **objektivieren** *v/t* objectify **Objektivität** *f* objectiveness **Objektträger** *m* slide
Oblate *f* wafer, REL *a.* host
obliegen *v/i* ***j-m ~*** be s.o.'s duty, *bes* JUR be incumbent on s.o.
obligat *Adj* obligatory, indispensable, *iron* inevitable **Obligation** *f* WIRTSCH bond, debenture **obligatorisch** *Adj* (***für***) obligatory (on), compulsory (for)
Obmann *m*, **Obmännin** *f* **1.** chief **2.** *Schiedsgericht*: umpire, *der Geschworenen*: foreman (forewoman)
Oboe *f* oboe **Oboist(in)** oboist
Obrigkeit *f* authorities *Pl*, government
Observatorium *n* observatory
observieren *v/t* put under surveillance
Obsession *f* PSYCH obsession
obsiegend *Adj* JUR prevailing
obskur *Adj allg* obscure, (*fragwürdig*) dubious, F shady
Obst *n* fruit **~bau** *m* fruit-growing
Obst|baum *m* fruit tree **~ernte** *f* fruit-gathering, (*Ertrag*) fruit crop **~garten** *m* orchard **~händler(in)** fruiterer, *Am* fruit seller **~konserven** *Pl* tinned (*od* canned) fruit **~kuchen** *m* fruit tart **~messer** *n* fruit knife
Obstruktion *f* obstruction
Obst|saft *m* (fruit) juice **~salat** *m* fruit salad **~wasser** *n* fruit brandy
obszön *Adj* obscene, filthy
Obszönität *f* obscenity
Obus *m* trolley bus
obwohl → ***obgleich***
Ochse *m* **1.** ox (*Pl* oxen), *eng. S.* bullock **2.** F (*Person*) ass
ochsen *v/t u. v/i* F cram, swot
Ochsenschwanzsuppe *f* oxtail soup
Ocker *m* ochre, *Am* ocher
Ode *f* ode
öde *Adj* **1.** (*verlassen*) deserted, desolate, (*unfruchtbar*) barren, waste **2.** *fig* (*langweilig*) dreary, dull, (*eintönig*) monotonous **Öde** *f* **1.** desert, waste, wasteland **2.** *fig* dreariness, monotony
Ödem *n* MED (o)edema
oder *Konj* or: **~** (***aber***) (or) else, otherwise, *drohend*: or else; F ***du kommst doch, ~?*** you are coming, aren't you? → ***entweder***
Ödipuskomplex *m* Oedipus complex
Ödland *n* wasteland
Odyssee *f a. fig* odyssey
Ofen *m* **1.** stove, (*Back*⁓) oven, (*Hoch*⁓) furnace, (*Brenn*⁓ *etc*) kiln: F ***jetzt ist der ~ aus!*** it's curtains (for us *etc*)! **2.** F ***heißer ~*** (big motor)bike
ofenfest *Adj* ovenproof
Ofen|heizung *f* stove heating **~kartoffel** *f* jacket potato, baked potato **~rohr** *n* stovepipe
offen I *Adj allg* open (*a. fig Brief, Geheimnis, Hass, Markt etc*), *Stelle*: *a.* vacant, (*aufrichtig*) *a.* frank, outspoken, (*unentschieden*) *a.* undecided: ***~e Rechnung*** outstanding account; ***~er Wein*** wine served by the glass; ***die ~e See*** the open (sea); ***zu j-m ~ sein*** be open with s.o.; ***für Vorschläge ~ sein*** be open to suggestions; *a. fig* ***~ bleiben*** remain open; *a. fig* ***~ halten*** keep s.th. open; *a. fig* ***~ lassen*** leave s.th. open; **~**

stehen **a)** be open (*fig* ***j-m*** to s.o.): ***es steht ihm ~ zu gehen*** he is free to go, **b)** *Rechnungen*: be outstanding **II** *Adv* ***s-e Meinung ~ sagen*** speak one's mind freely; ***~ gestanden, ~ gesagt*** frankly (speaking); ***~ schwul*** F openly gay; → ***Handelsgesellschaft, Straße*** 1, ***Tür***

offenbar I *Adj* → ***offensichtlich*** I **II** *Adv* apparently, evidently: ***~ ist er krank*** he seems to be ill **offenbaren** *v/t* reveal

Offenbarung *f* revelation (*a.* F *fig*)

Offenbarungseid *m a. fig* declaration of bankruptcy

Offenheit *f* openness, frankness

offenherzig *Adj* **1.** open-hearted, candid, frank **2.** *Kleid etc*: revealing

offenkundig *Adj Lüge, Irrtum etc*: obvious, *stärker*: blatant

offensichtlich I *Adj* evident, obvious, apparent **II** *Adv* → ***offenbar*** II

offensiv *Adj* offensive **Offensive** *f* (***die ~ ergreifen*** take the) offensive

öffentlich *Adj allg* public (*a. Dienst, Recht etc*): ***~e Mittel*** public funds; ***~e Schulen*** state (*Am* public) schools; JUR ***in ~er Sitzung*** in open court; *Adv* ***~ auftreten*** appear in public; ***~ bekannt machen*** make public, publicize; → ***Ärgernis*** *etc*

Öffentlichkeit *f the* (general) public, (*Öffentlichsein, a.* JUR) publicity: ***an die ~ treten*** appear before the public; ***etw an die ~ bringen*** bring s.th. before the public; ***in die ~ flüchten*** resort to publicity; ***in aller ~*** publicly, openly; → ***Ausschluss***

Öffentlichkeitsarbeit *f* public relations *Pl*

öffentlich-rechtlich *Adj* under public law, public

offerieren *v/t*, **Offerte** *f* offer

offiziell *Adj* official

Offizier(in) (commissioned) officer

Offiziersanwärter(in) officer cadet

Offizierskasino *n* officers' mess

offiziös *Adj* semiofficial

offline *Adv* IT offline: ***~ arbeiten*** work offline

Offline-Betrieb *m* offline operation

öffnen *v/t* (*a.* ***sich ~***) open (*a. fig*)

Öffner *m* opener **Öffnung** *f allg* opening, (*Lücke*) *a.* gap, (*Schlitz*) *a.* aperture

Öffnungszeiten *Pl* business (*od* office) hours *Pl*

Offsetdruck *m* offset (printing)

oft, des Öfteren, öfters, oftmals *Adv* often, frequently

OHG *f* (= ***offene Handelsgesellschaft***) general partnership

Ohm *n* ELEK ohm **ohmsch** *Adj* ohmic: ***~es Gesetz*** Ohm's law

ohne I *Präp* (*Akk*) without: ***~ s-e Verletzung hätte er gewonnen*** but for his injury he would have won; F ***~ mich!*** count me out!; ***nicht ~*** not half bad; → ***Frage*** 1 *etc* **II** *Konj* without: ***~ ein Wort (zu sagen)*** without (saying) a word

ohnegleichen *Adj* unparallel(l)ed: ***e-e Frechheit ~*** (an) incredible impudence

ohnehin *Adv* anyhow, anyway

Ohnmacht *f* **1.** powerlessness **2.** MED unconsciousness, faint: ***in ~ fallen*** faint

ohnmächtig *Adj* **1.** powerless, helpless **2.** MED unconscious: ***~ werden*** faint

Ohr *n* ear: ***ein ~ haben für*** have an ear for; ***ganz ~ sein*** be all ears; ***nur mit halbem ~ zuhören*** listen only with half an ear, only half-listen; F ***j-m in den ~en liegen*** pester s.o. (***mit*** for, with); ***viel um die ~en haben*** have a lot on one's plate; ***sich aufs ~ legen*** get some shuteye; ***schreib dir das hinter die ~en!*** now don't forget that!; ***ich traute m-n ~en nicht!*** I couldn't believe my ears!; ***j-n übers ~ hauen*** cheat s.o.; ***j-m zu ~en kommen*** come to s.o.'s ears; ***halt die ~en steif!*** chin up; ***bis über die ~en verliebt*** (***verschuldet*** *etc*) up to the ears in love (in debt *etc*); → ***faustdick, spitzen, taub*** 1

Öhr *n* eye

Ohren|arzt *m*, **~ärztin** *f* ear specialist **~beichte** *f* REL auricular confession **≈betäubend** *Adj* deafening **~leiden** *n* ear complaint **~sausen** *n* buzzing in one's ears **~schmalz** *n* MED earwax **~schmerzen** *Pl* earache **~schützer** *Pl* earmuffs *Pl* **≈zerreißend** *Adj* ear-splitting **~zeuge** *m*, **~zeugin** *f* earwitness

Ohrfeige *f a. fig* slap in the face: ***j-m e-e ~ geben*** → **ohrfeigen** *v/t* ***j-n ~*** slap s.o.('s face)

Ohrhörer *Pl* earphones *Pl* **Ohrläppchen** *n* ANAT earlobe **Ohrmuschel** *f*

O

ANAT external (*od* outer) ear **Ohrring** *m* earring **Ohrwurm** *m* **1.** ZOOL earwig **2.** F catchy tune
Okkultismus *m* occultism
Okkupation *f* occupation
okkupieren *v/t* occupy
Ökobilanz *f* eco-balance
Ökologe *m* ecologist **Ökologie** *f* ecology **Ökologin** *f* ecologist **ökologisch** *Adj* ecological
Ökonom(in) economist
Ökonomie *f* economy, (*Wissenschaft*) economics *Sg*
ökonomisch *Adj* economical
Öko|steuer *f* WIRTSCH ecotax, ecological tax **~system** *n* ecosystem **~tourismus** *m* ecotourism
Oktaeder *m* MATHE octahedron
Oktan *n* CHEM octane
Oktanzahl *f* octane number
Oktave *f* MUS octave
Oktober *m* (***im ~*** in) October
Okular *n* OPT eyepiece
Ökumene *f* REL ecumenical movement
ökumenisch *Adj* ecumenical
Okzident *m* occident
Öl *n* oil: ***nach ~ bohren*** drill for oil; ***auf ~ stoßen*** strike oil; ***in ~ malen*** paint in oils; *fig* ***~ ins Feuer gießen*** add fuel to the flames; ***~ auf die Wogen gießen*** pour oil on troubled waters **Ölbaum** *m* olive tree **Ölberg** *m* BIBEL Mount of Olives **Ölbild** *n* oil painting **Ölbohrung** *f* oil drilling **Öldruck** *m* **1.** MALEREI oleograph **2.** TECH oil pressure
Oldtimer *m* **1.** veteran car (*od* plane *etc*) **2.** F (*Person*) old-timer
Oleander *m* BOT oleander
ölen *v/t* oil, TECH *a.* lubricate: F ***wie ein geölter Blitz*** like greased lightning
Ölfarbe *f* oil colo(u)r, oil paint **Ölfeld** *n* oilfield **Ölfilter** *m, n* oil filter **Ölförderland** *n* oil-producing country **Ölgemälde** *n* oil painting **Ölgewinnung** *f von Erdöl*: oil production, *aus Samen*: oil extraction **Ölgötze** *m* F ***wie ein ~*** like a stuffed dummy **ölhaltig** *Adj* oily, oil-containing, oleaginous **Ölhaut** *f* oilskin **Ölheizung** *f* oil heating
ölig *Adj a. fig* oily, *bes fig* unctuous
oliv *Adj* olive(-colo[u]red) **Olive** *f* olive **Olivenbaum** *m* olive tree **Olivenöl** *n* olive oil **olivgrün** *Adj* olive-green
Ölkanne *f* oil can **Ölkatastrophe** *f* oil disaster **Ölkrise** *f* oil crisis **Ölkuchen** *m* TECH oil cake **Öllampe** *f* oil lamp **Ölleitung** *f* TECH oil pipe, oil line, *über Land*: pipeline **Ölmalerei** *f* oil painting **Ölmessstab** *m* MOT (oil) dipstick **Ölofen** *m* oil furnace **Ölpest** *f* oil catastrophe **Ölproduzent(in)** oil producer **Ölquelle** *f erbohrte*: oil well, *natürliche*: oil spring, *Am* gusher **Ölsardine** *f* sardine **Ölschiefer** *m* oil shale **Ölschwemme** *f* WIRTSCH oil glut **Ölstandsanzeiger** *m* oil-level ga(u)ge **Öltank** *m* oil tank **Öltanker** *m* (oil) tanker, oiler **Ölteppich** *m* oil slick
Ölung *f* **1.** oiling, TECH *a.* lubrication **2.** REL ***die Letzte ~*** the Extreme Unction
ölverschmiert *Adj* oily, oiled: ***~es Gefieder*** oily feathers
Ölverschmutzung *f* oil pollution
ölverseucht *Adj* oil-contaminated, oil-polluted
Ölvorkommen *n* oil deposit, *Koll* oil resources *Pl* **Ölwanne** *f* MOT oil sump **Ölwechsel** *m* MOT oil change **Ölzeug** *n* oilskins *Pl* **Ölzweig** *m* olive branch
Olymp *m* GEOG, MYTH Olympus
Olympia... SPORT Olympic
Olympiade *f* SPORT Olympic Games *Pl*, Olympics *Pl*
olympisch *Adj* **1.** Olympian **2.** SPORT Olympic: ***2e Spiele → Olympiade***
Oma *f* F grandma, granny
Ombuds|frau *f*, **~mann** *m* POL ombudsman (ombudswoman)
Omelett *n*, **Omelette** *f* omelet(te)
Omen *n* omen **ominös** *Adj* ominous, (*anrüchig*) F shady
Omnibus(...) → ***Bus(...)***
onanieren *v/i* masturbate
Onkel *m* uncle
Onkologie *f* MED oncology
online *Adv* IT online: ***~ ordern*** order *s.th.* online; ***~ arbeiten*** work online
Online|bank *f* online bank **~-Banking** *n* online banking **~datenbank** *f* online database **~dienst** *m* online service, content provider **~shop** *m* online store
Onyx *m* MIN onyx
Opa *m* F grandad, grandpa
Opal *m* MIN opal
Op-Art *f* KUNST op art
Open-Air-Festival *n* open-air festival
Open-Air-Gelände *n* open-air venue
Open-Air-Konzert *n* open-air concert

Open-End-Diskussion *f* open-end(ed) discussion
Oper *f* (***in die ~ gehen*** go to the) opera
operabel *Adj* MED (***nicht ~*** in)operable
Operateur(in) (operating) surgeon
Operation *f* operation
Operations|basis *f* MIL base of operations **~narbe** *f* postoperative scar **~radius** *m* MIL operating radius, range **~saal** *m* operating theatre (*Am* room) **~schwester** *f* theatre sister, *Am* operating-room nurse **~tisch** *m* operating table
operativ *Adj* **1.** MED surgical, operative: ***~er Eingriff*** operation; *Adv* ***etw ~ entfernen*** remove s.th. surgically (*od* by surgery) **2.** MIL operational
Operator(in) IT operator
Operette *f* operetta
operieren *v/t u. v/i allg* operate: ***j-n ~*** operate on s.o. (***wegen*** for); ***sich ~ lassen*** undergo an operation; ***ich muss*** (***am Magen***) ***operiert werden*** I have to have an (a stomach) operation
Opern|arie *f* operatic aria **~ball** *m* opera ball **~führer** *m* opera guidebook **~glas** *n* opera glass(es *Pl*) **~haus** *n* opera house **~komponist(in)** opera composer **~musik** *f* operatic music **~sänger(in)** opera singer
Opfer *n* **1.** sacrifice (*a. fig*), (*~gabe*) offering: ***~ bringen*** make sacrifices; ***j-m etw zum ~ bringen*** *bes fig* sacrifice s.th. for (*od* to) s.o. **2.** (*Unfall*~ *etc*) victim: *j-m* (*od e-r Sache*) ***zum ~ fallen*** fall victim to, *e-m Betrüger etc*: *a.* be victimized by **opferbereit** *Adj* ready to make sacrifices **Opfergabe** *f* offering **opfern** *v/t u. v/i* sacrifice (*a. fig*), (*hingeben*) *a.* give **Opferstock** *m* REL offertory **Opfertier** *n* sacrificial animal **Opferung** *f* sacrifice
Opiat *n* PHARM opiate
Opium *n* opium: *fig* ***~ fürs Volk*** opiate for the people **~höhle** *f* opium den **~raucher(in)** opium smoker
Opossum *n* ZOOL opossum
Opponent(in) opponent
opponieren *v/i* (***gegen j-n*** *od* ***etw***) **~** oppose (s.o. *od* s.th.)
opportun *Adj* opportune
Opportunist(in), **opportunistisch** *Adj* opportunist
Opposition *f* opposition (***gegen*** to)
Oppositions|führer(in) POL opposition leader **~partei** *f* opposition (party)
Optativ *m* LING optative (mood)
optieren *v/i* opt (***für*** for)
Optik *f* **1.** optics *Pl* (*mst Sg konstr*): *fig* ***nur der ~ wegen*** for (optical) effect only **2.** FOTO lens system
Optiker(in) optician
optimal *Adj* optimal: ***~e Bedingungen*** optimum conditions
optimieren *v/t* optimize
Optimismus *m* optimism
Optimist(in) optimist
optimistisch *Adj* optimistic(ally *Adv*)
Optimum *n* optimum
Option *f allg* option
optisch *Adj* optical
Opus *n* (*Pl* ***Opera***) work: MUS ***~ 12*** opus 12
Orakel *n*, **Orakelspruch** *m* oracle
oral I *Adj* oral **II** *Adv* orally, by mouth
orange *Adj* orange(-colo[u]red)
Orange *f* orange
Orangeade *f* orangeade
Orangeat *n* candied orange peel
Orangen|baum *m* orange tree **~marmelade** *f* (orange) marmalade
Orangensaft *m* orange juice
Orang-Utan *m* ZOOL orang-utan
Oratorium *n* MUS oratorio
Orchester *n* orchestra, (*Tanz*~ *etc*) *a.* (big) band **~graben** *m* (orchestra) pit **~musik** *f* orchestral music **~sitz** *m* stall
orchestrieren *v/t* orchestrate
Orchidee *f* BOT orchid
Orden *m* **1.** REL (***in e-n ~ eintreten*** join an) order **2.** order, decoration, medal
Ordensband *n* (medal) ribbon
Ordensbruder *m* (brother) member (of an order), REL friar
Ordensschwester *f* REL sister, nun
ordentlich I *Adj* **1.** tidy, orderly, neat **2.** (*anständig*) decent, good, respectable: ***~e Leute*** decent (*od* respectable) people **3.** F (*richtig*) good, sound, proper, (*anständig*) decent: ***~e Ausbildung*** proper training; ***e-e ~e Leistung*** a good job; ***ein ~es Frühstück*** a decent breakfast **4.** *Mitglied, Professor*: full **II** *Adv* **5.** tidily, properly (*etc*): ***sich ~ benehmen*** behave properly; ***s-e Sache ~ machen*** do a good job **6.** F (*richtig*) properly, soundly: ***j-m ~ die Meinung sagen*** give s.o. a good piece of one's

mind; ***ich habs ihm mal ~ gegeben*** I really let him have it
Ordentlichkeit *f* orderliness, neatness
Order *f*, **ordern** *v/t* WIRTSCH order
Ordinalzahl *f* MATHE ordinal (number)
ordinär *Adj* **1.** (*vulgär*) vulgar, common: ***sie ist sehr ~*** she is very common; ***sie sieht ordinär aus*** *sl* she looks like a tart **2.** (*alltäglich*) ordinary

⚠ **ordinär**	≠	**ordinary**
ordinär	=	common, vulgar
ordinary	=	normal, alltäglich

Ordinariat *n* **1.** UNI (full) professorship **2.** REL diocesan authorities *Pl*
Ordinarius *m* UNI (full) professor
ordnen *v/t* **1.** put *s.th.* in order, (*Akten*) file, (*an~, sortieren*) arrange, sort (out) **2.** (*regeln*) order, organize, (*Angelegenheit*) settle, arrange **Ordner** *m* **1.** (*Akten*~ *etc*) file **2.** COMPUTER folder
Ordnung *f allg* order (*a. Disziplin, Grad, Kategorie, Größen*~, *Reihenfolge, a.* BIOL, MATHE *etc*), (*An*~) *a.* arrangement, (*Vorschriften*) *a.* rules *Pl*, (*System*) *a.* system: *fig* ***erster ~*** of the first order; ***Straße erster ~*** primary road; ***der ~ halber*** → ***ordnungshalber***; (***das ist***) ***in ~!*** all right!, okay!, o.k.!; ***es*** (F ***er***) ***ist in ~*** it's (he's) all right; ***nicht in ~ sein*** be out of order, *fig a.* be wrong, *gesundheitlich*: be out of sorts; ***etw ist nicht in ~*** (***damit***) s.th. is wrong (with it); ***in ~ bringen*** put *s.th.* right, *fig a.* straighten *s.th.* out, (*Zimmer etc*) tidy up, (*reparieren*) repair, F fix; ***~ halten*** keep order; ***etw in ~ halten*** keep s.th. in order; ***~ schaffen*** establish order; PARL ***j-n zur ~ rufen*** call s.o. to order
ordnungsgemäß I *Adj* regular, orderly **II** *Adv* duly
ordnungshalber *Adv* (only) as a matter of form, WIRTSCH *a.* for your information
ordnungsliebend *Adj* orderly
Ordnungsruf *m* PARL call to order
Ordnungsstrafe *f* fine
ordnungswidrig *Adj* irregular
Ordnungszahl *f* ordinal (number)
Organ *n allg* organ (*a. fig Zeitung, Körperschaft, Stimme*), (*Behörde*) *a.* authority: ***ausführendes ~*** executive body **~bank** *f* MED organ bank **~empfänger(in)** MED organ receiver **~erkrankung** *f* MED organic disease
Organisation *f* organization
Organisationstalent *n* ***er hat*** (*od* ***er ist ein***) ~ he has organizing ability
Organisator(in) organizer
organisatorisch *Adj* organizational: ***~e Fähigkeit(en)*** organizing ability
organisch *Adj allg* organic(ally *Adv*)
organisieren *v/t* **1.** organize: (***nicht***) ***organisierter Arbeiter*** (non)unionist; ***organisierte Kriminalität*** organized crime **2.** F (*sich beschaffen*) commandeer
Organismus *m allg* organism
Organist(in) organist
Organ|spende *f* MED organ donation **~spender(in)** MED organ donor **~transplantation** *f*, **~verpflanzung** *f* MED organ transplant(ation)
Orgasmus *m* orgasm, climax
Orgel *f* organ **~bauer(in)** organ builder **~konzert** *n* organ recital **~pfeife** *f* organ pipe **~register** *n* organ stop
Orgie *f* orgy: ***~n feiern*** have orgies
Orient *m* East, Orient: ***der Vordere ~*** the Near East **Orientale** *m*, **Orientalin** *f*, **orientalisch** *Adj* oriental
orientieren I *v/t* **1.** orient(ate) (***nach*** according to) **2.** inform (***über*** *Akk* about, of): ***gut orientiert sein*** be well informed **II** *v/refl* ***sich ~*** **3.** (***nach***, *fig* ***an*** *Dat* by) orient(ate) o.s., be guided: SPORT ***sich nach vorn ~*** go forward **4.** (***über*** *Akk*) inform o.s. (of, about), find out (about)
Orientierung *f* **1.** orientation: ***die ~ verlieren*** lose one's bearings **2.** information: ***zu Ihrer ~*** for your guidance
Orientierungs|punkt *m* point of reference **~sinn** *m* sense of direction **~stufe** *f* PÄD orienteering term
original *Adj* original: *Adv* ***~ französisch*** genuine French; ***etw ~ übertragen*** broadcast s.th. live
Original *n allg* original, F (*Person*) *a.* character: ***ein Buch im ~ lesen*** read a book in the original **Originalfassung** *f* original version: ***in der deutschen ~*** in the original German version
originalgetreu *Adj* faithful
Originalität *f a. fig* originality

Original|kopie *f* FILM *etc* master copy **~verpackung** *f* original packing
originell *Adj* original, (*komisch*) funny
Orkan *m* hurricane, *fig a.* storm
orkanartig *Adj Sturm etc*: violent: *fig* ***~er Beifall*** thunderous applause
Orkanstärke *f* gale force
Ornament *n* ornament
ornamental *Adj* ornamental
Ornat *m allg* robe(s *Pl*), vestments *Pl*
Ornithologe *m*, **Ornithologin** *f* ornithologist
ornithologisch *Adj* ornithologic(al)
Ort[1] *m allg* place (→ *a.* ***Ortschaft***), (*Stelle*) spot, (*Örtlichkeit*) locality, (*Schauplatz*) scene: (***hier***) ***am ~*** (here) in this place; ***~ und Zeit*** place and time; ***~ der Handlung*** scene (of action); ***an ~ und Stelle*** (*a. fig sofort*) on the spot; ***höheren ~s*** at high quarters
Ort[2] *n* ***vor ~*** **a)** BERGB at the pit face, **b)** *fig* on the scene (of action); ***Besichtigung vor ~*** on-site inspection
orten *v/t* SCHIFF *etc* locate
orthodox *Adj* orthodox
Orthographie, **Orthografie** *f* orthography
orthographisch, **orthografisch** *Adj* orthographic(al): *Adv* ***~ richtig schreiben*** spell correctly
Orthopäde *m* orthop(a)edist
Orthopädie *f* orthop(a)edics *Pl* (*a. Sg konstr*) **Orthopädin** *f* orthop(a)edist
orthopädisch *Adj* orthop(a)edic
örtlich *Adj a.* MED local: ***~e*** (*Adv* ***~***) ***Regenschauer*** isolated rainshowers; *Adv* ***~ beschränken*** localize (***auf*** *Akk* to)
Örtlichkeit *f* locality
Ortsangabe *f* statement of place, *auf Brief*: (name of) town **ortsansässig** *Adj*, **Ortsansässige** *m, f* resident, local **Ortsbehörde** *f* local authorities *Pl*
Ortschaft *f* place, (*Stadt*) (small) town, (*Dorf*) village
ortsfremd *Adj* nonlocal
Ortsgespräch *n* TEL local call
Ortskenntnis *f* knowledge of a place: ***~ besitzen*** → **ortskundig** *Adj* ***~ sein*** know (one's way around) the place
Orts|name *m* place name **~netz** *n* TEL local network **~netzkennzahl** *f* area code **~schild** *n* place-name sign **~sinn** *m* sense of direction **~teil** *m* district **2üblich** *Adj* customary in a place **~veränderung** *f* change of place (*od* scenery) **~verkehr** *m allg* local traffic **~zeit** *f* local time **~zulage** *f*, **~zuschlag** *m* WIRTSCH local bonus
Ortung *f* SCHIFF *etc* location
Öse *f* eye
Osmose *f* osmosis
osmotisch *Adj* osmotic
Ossi *m, f* F Ossi, East German
Ost *m* **1.** East **2.** east wind **Ostblock** *m* POL Eastern bloc **ostdeutsch** *Adj*, **Ostdeutsche** *m, f* East German
Osten *m* east, *e-r Stadt*: East End, GEOG, POL *the* East: ***der Ferne*** (***Mittlere, Nahe***) ***~*** the Far (Middle, Near) East; ***im ~*** in the east; ***nach ~*** (to the) east, eastward(s); ***von ~, aus ~*** *Wind*: easterly
ostentativ *Adj* pointed: ***~er Beifall*** demonstrative applause; *Adv* ***er wandte sich ~ ab*** he pointedly turned away
Osteoporose *f* MED osteoporosis
Osterei *n* Easter egg **Osterfest** *n* → ***Ostern*** **Osterglocke** *f* BOT (yellow) daffodil **Osterhase** *m* Easter bunny
österlich *Adj* (of) Easter
Ostermontag *m* Easter Monday
Ostern *n od Pl* (***an ~*** at) Easter
Österreich *n* Austria
Österreicher(in), **österreichisch** *Adj* Austrian
Ostersonntag *m* Easter Sunday
Osterweiterung *f* POL eastern expansion
Osteuropäer(in), **osteuropäisch** *Adj* East European
östlich **I** *Adj* eastern, easterly **II** *Adv* ***~ von*** (to the) east of
Östrogen *n* BIOL (o)estrogen
Ostsee *f the* Baltic (Sea)
ostwärts *Adv* east(wards)
Ostwind *m* east wind
OSZE *f* (= ***Organisation für Sicherheit und Zusammenarbeit in Europa***) OSCE
Oszillograph *m* oscilloscope, oscillograph
Otter[1] *m* ZOOL otter
Otter[2] *f* ZOOL (*Schlange*) viper
out *Adj* F out
outen *v/t* out
outsourcen *v/t* outsource
Outsourcing *n* outsourcing
Ouvertüre *f* overture (***zu*** to)
oval *Adj*, **Oval** *n* oval

Ovation *f* (***j-m ~en bereiten*** give s.o. an) ovation
Overall *m* (*Arbeitsanzug*) overalls *Pl*, boilersuit, (*modischer ~*) jumpsuit
Overheadfolie *f* transparency
Overheadprojektor *m* overhead projector
Overkill *m* overkill
Ovulation *f* BIOL ovulation **Ovulationshemmer** *m* MED anovulant
Oxid, Oxyd *n* CHEM oxide **Oxidation** *f* oxidation **oxidieren** *v/t u. v/i* oxidize
Oxidierung *f* oxidation
Oxygen *n* oxygen
Ozean *m* ocean
Ozeandampfer *m* ocean liner
ozeanisch *Adj* oceanic
Ozeanographie *f* oceanography
Ozelot *m* ZOOL ocelot
Ozon *n* ozone **~alarm** *m* ozone alert **2haltig** *Adj* ozonic **~loch** *n* ozone hole, hole in the ozone layer **~schicht** *f* ozone layer **~werte** *Pl* ozone levels *Pl*

P

P, p *n* P, p
paar *Indefinitpron* ***ein ~*** a few, some, F a couple of; ***ein ~ Mal*** several (*od* a few, F a couple of) times **Paar** *n* pair, (*bes Mann u. Frau*) couple: ***ein ~ (neue) Schuhe*** a (new) pair of shoes **paaren** *v/t* **1.** (*a.* ***sich ~***) ZOOL pair, couple, mate **2.** SPORT match **3.** *fig* (*a.* ***sich ~***) combine
Paarlaufen *n Eiskunstlauf*: pair skating
Paarung *f* **1.** ZOOL pairing, mating **2.** SPORT matching, (*Spiel, Kampf*) match
Paarungszeit *f* ZOOL mating season
paarweise *Adv* in pairs, two by two
Pacht *f* lease, (*~geld*) rent: ***in ~ geben*** → ***verpachten***; ***in ~ nehmen*** → **pachten** *v/t* (take on) lease: *iron* ***er meint, er habe es (für sich) gepachtet*** he thinks he has got a monopoly on that
Pächter(in) lessee, leaseholder, (*Land2*) *a.* tenant (farmer) **Pachtung** *f* leasing
Pachtvertrag *m* lease
Pack[1] *m* pack, (*Paket*) parcel, (*Bündel*) bundle: → ***Sack*** 1
Pack[2] *n* (*Lumpen2*) riffraff
Päckchen *n* small parcel (*a.* POST), (*a. Zigaretten2*) packet, *bes Am* pack
Packeis *n* pack ice
packen I *v/t* **1.** (*Koffer, Sachen etc*) pack, (*Paket*) make up: F ***pack dich!*** beat it! **2.** (**an** *Dat* by) grab, seize **3.** *fig* ***j-n ~*** **a)** *Furcht etc*: seize s.o., **b)** (*mitreißen*) grip s.o., thrill s.o. **4.** F *fig* (*Problem etc*) lick: ***es ~*** **a)** (*schaffen*) make it, manage, **b)** (*verstehen*) get it **II** *v/i* **5.** pack (up)
Packen *m* pack, (*Haufen*) pile (*a. fig*)
packend *Adj fig* gripping, thrilling
Packer(in) packer
Packesel *m* pack mule, *fig* packhorse
Packpapier *n* wrapping paper, (*Papiersorte*) brown paper
Packpferd *n* packhorse
Packung *f* **1.** (*Päckchen, a. Zigaretten2*) packet, *bes Am* pack **2.** MED pack **3.** TECH packing, gasket **4.** F *fig* SPORT ***e-e ~ bekommen*** take a hammering
Packungsbeilage *f* MED patient information leaflet
Packwagen *m* luggage van, *Am* baggage car
Pädagoge *m*, **Pädagogin** *f* **a)** teacher, **b)** education(al)ist **Pädagogik** *f* pedagogics *Sg*, education
pädagogisch *Adj* pedagogical, educational: ***~e Hochschule*** college of education
Paddel *n* paddle **Paddelboot** *n* canoe
paddeln *v/t u. v/i* paddle
paffen *v/i u. v/t* F puff (away) (at *one's pipe etc*), smoke
Page *m* **1.** *hist* page **2.** (*Hotel2*) page (boy), bellboy, *Am* bellhop
Pagenkopf *m* (*Frisur*) page-boy cut
Pagode *f* pagoda
Paket *n* package (*a. fig* POL *etc*), *kleines*: packet, (*Post2*) parcel, bes *Am* a. package: ***ein ~ Aktien*** a parcel (*od* block) of shares **~annahme** *f* parcel counter **~bombe** *f* parcel bomb **~karte** *f* parcel

registration card **~post** *f* parcel post **~schalter** *m* parcel counter **~zustellung** *f* parcel delivery

Pakistan *n* Pakistan **Pakistaner(in), pakistanisch** *Adj* Pakistani

Pakt *m* pact, agreement

paktieren *v/i* make a deal (***mit*** with)

Palast *m* palace

palastartig *Adj* palatial

Palästina *n* Palestine

Palästinenser(in), palästinensisch *Adj* Palestinian

Palatschinke *f österr.* GASTR pancake

Palaver *n*, **palavern** *v/i* F palaver

Palette *f* **1.** MALEREI palette **2.** *fig* range **3.** TECH pallet: ***auf ~n stapeln*** → **palettieren** *v/t* TECH palletize

paletti: F ***(es ist) alles ~*** everything's just fine (*bes Am* hunky dory)

Palisade *f* palisade

Palme *f* palm (tree): F ***j-n auf die ~ bringen*** drive s.o. up the wall

Palmsonntag *m* REL Palm Sunday

Palmtop *m* (*Computer*) palmtop

Palm|wedel *m*, **~zweig** *m* palm branch

Pampe *f* F mush

Pampelmuse *f* BOT grapefruit

Pamphlet *n* lampoon

pampig *Adj* F **1.** (*breiig*) mushy **2.** (*frech*) stroppy

Pandabär *m* panda

panieren *v/t* GASTR bread(crumb): ***paniert*** breaded

Paniermehl *n* breadcrumbs *Pl*

Panik *f* panic: ***in ~*** panic-stricken, F panicky; ***(e-e) ~ brach aus*** panic broke out; ***in ~ geraten (versetzen)*** panic; F ***nur k-e ~!*** don't panic! **Panikmache** *f* scaremongering **panisch** *Adj* panic: ***von ~er Angst erfasst*** panic-stricken; ***e-e ~e Angst haben vor*** be terrified of

Panne *f* **1.** breakdown, (*Reifen*~) puncture: ***ich hatte e-e ~*** **a)** my car broke down, **b)** I had a puncture **2.** *fig* (*Missgeschick*) mishap, (*Fehler*) F slip-up: ***böse ~*** foul-up **Pannendienst** *m* MOT breakdown service

Panorama *n* panorama **~fenster** *n* picture window

Pant(h)er *m* ZOOL panther

Pantoffel *m* slipper: *fig* ***unter dem ~ stehen*** be henpecked

Pantoffelheld *m* henpecked husband

Pantomime[1] *f* (panto)mime, dumb show **Pantomime**[2] *m*, **Pantomimin** *f* mime

pantomimisch *Adj* pantomimic: *Adv* ***~ darstellen*** mime

pantschen **I** *v/i* splash (about) **II** *v/t* (*Wein etc*) water down, adulterate

Panzer *m* **1.** *hist* armo(u)r **2.** MIL tank **3.** ZOOL shell **Panzerabwehr...** MIL antitank (*rocket, gun, etc*)

Panzer|faust *f* MIL antitank grenade launcher **~glas** *n* bulletproof glass **~kreuzer** *m* SCHIFF, MIL armo(u)red cruiser

panzern *v/t* armo(u)r: *fig* ***sich ~*** arm o.s.; → ***gepanzert***

Panzerplatte *f* armo(u)r-plate

Panzer|schrank *m* safe **~tür** *f* armo(u)red door

Panzerung *f* (*Schutz*) armo(u)r

Panzerwagen *m* armo(u)red car

Papa *m* F daddy, dad, pa

Papagei *m* ZOOL parrot

Papageienkrankheit *f* psittacosis

Paparazzi *m/Pl* paparazzi *Pl*

Papaya *f* BOT papaya

Papier *n* paper (*a. Schriftstück*): ***~e*** *Pl* **a)** (*Ausweis*) (identity) papers *Pl*, **b)** WIRTSCH securities *Pl*, papers *Pl*: ***(nur) auf dem ~*** on paper (only); ***zu ~ bringen*** commit to paper; ***s-e ~e bekommen*** (*entlassen werden*) get one's cards

Papiereinzug *m* paper feed

papieren *Adj* **1.** (of) paper **2.** *fig* prosy

Papier|fabrik *f* paper mill **~geld** *n* paper money **~korb** *m* waste-paper basket **~kram** *m* (annoying) paperwork **~krieg** *m* F red tape **~schlange** *f* paper streamer **~schnipsel** *m*, **~schnitzel** *m* scrap of paper **~taschentuch** *n* tissue **~tiger** *m iron* paper tiger **~vorschub** *m* paper feed

Papierwaren *Pl* stationery *Sg*

Papierwarengeschäft *n* stationer's (shop, *bes Am* store)

Papp *m* (*Brei*) pap, (*Kleister*) paste

Pappband *m* **1.** pasteboard (binding) **2.** (*Buch*) paperback **Pappbecher** *m* paper cup **Pappdeckel** *m* pasteboard

Pappe *f* cardboard, pasteboard: F *fig* ***nicht von ~*** *Leistung etc*: quite something, *Person*: quite formidable

Pappel *f* BOT poplar

Pappenstiel *m* F *fig* trifle: ***etw für e-n ~***

kaufen buy s.th. for a song
pappig *Adj* sticky
Pappkarton *m* cardboard box
Pappmaché, **Pappmaschee** *n* papier-mâché
Pappschachtel *f* cardboard box
Pappteller *m* paper plate
Paprika *m* **1.** (*Gewürz*) paprika **2.** → **~schote** *f* green (*od* sweet) pepper
Papst *m* pope **päpstlich** *Adj* papal
Papsttum *n* papacy
Parabel *f* **1.** (*Gleichnis*) parable **2.** MATHE parabola
Parabolantenne *f* TV parabolic aerial (*Am* antenna), F dish
parabolisch *Adj* parabolic(ally *Adv*)
Parade *f* **1.** MIL parade (*a. fig*), review: F ***j-m in die ~ fahren*** cut s.o. short **2.** *Boxen, Fechten*: parry, *Fußball*: save
Paradebeispiel *n* classic example
Paradeiser *m österr.* tomato
Paradies *n* (***im ~*** in) paradise **paradiesisch** *Adj* paradisiac(al), *fig* heavenly
paradox *Adj* paradoxical
Paradox *n*, *a* **Paradoxon** *n* paradox
paradoxerweise *Adv* paradoxically
Paraffin *n* CHEM paraffin
Paragraph *m* **1.** section, article **2.** (*Absatz*) paragraph **3.** (*~zeichen* §) section mark
parallel *Adj u. Adv* parallel (***mit, zu*** to)
Parallele *f* parallel (line): *fig* ***e-e ~ ziehen*** draw a parallel (***zu*** to)
Parallelogramm *n* MATHE paralellogram
Paralympics *Pl* SPORT Paralympics
paralysieren *v/t a. fig* paralyse
Parameter *m* MATHE parameter
paramilitärisch *Adj* paramilitary
paranoid *Adj* MED paranoid **Paranoiker(in)**, **paranoisch** *Adj* paranoiac
Paranuss *f* BOT Brazil nut
paraphieren *v/t* POL initial
Parapsychologie *f* parapsychology
Parasit *m* BIOL *u. fig* parasite
parasitisch *Adj a. fig* parasitic(al)
parat *Adj* ***~ haben*** have *s.th.* ready
Pärchen *n* (courting) couple, twosome
Parcours *m* SPORT course
Pardon *m* ***kein ~ kennen*** be merciless; ***~!*** sorry!
Parfüm *n* perfume, scent
Parfümerie *f* perfumery
Parfümfläschchen *n* scent bottle
parfümieren **I** *v/t* perfume, scent **II** *v/refl* ***sich ~*** put on perfume
Paria *m* pariah
parieren **I** *v/t* **1.** (*Schlag etc*) parry, *fig a.* counter (***mit*** with) **2.** (*Pferd*) pull up **II** *v/i* **3.** parry **4.** F (*gehorchen*) obey
Pariser(in) Parisian
Parität *f* parity
paritätisch *Adj* proportional, pro rata
Park *m* park
Park-and-ride-System *n* park-and-ride
Parkbucht *f* MOT lay-by **Parkdeck** *n* MOT parking level **parken** *v/t u. v/i* park: ***♀ verboten!*** no parking!; ***schräg ~*** angle-park; ***in zweiter Reihe ~*** double-park; ***~de Autos*** parked cars
Parkett *n* **1.** parquet **2.** (*Tanz♀*) (dance) floor **3.** THEAT stalls *Pl*, *Am* parquet
Park|gebühr *f* parking fee **~(hoch)haus** *n* multistor(e)y car park, *Am* parking garage
parkinsonsch *Adj*: ***~e Krankheit*** Parkinson's disease
Park|kralle *f* wheel clamp **~licht** *n* parking light **~lücke** *f* parking space **~platz** *m* car park, *Am* parking lot, *einzelner*: parking space **~scheibe** *f* parking disc **~scheinautomat** *m* ticket machine **~sünder(in)** parking offender **~uhr** *f* parking meter **~verbot** *n* ***hier ist ~*** there's no parking here; ***im ~ stehen*** be parked illegally **~wächter(in)** **1.** park keeper **2.** MOT car park attendant
Parlament *n* (***im ~ sitzen*** be *od* sit in) parliament
parlamentarisch *Adj* parliamentary
Parlaments|ausschuss *m* parliamentary committee **~ferien** *Pl* recess **~mitglied** *n* member of parliament **~sitzung** *f* sitting (of parliament) **~wahlen** *Pl* parliamentary elections *Pl*
Parmesan(käse) *m* Parmesan (cheese)
Parodie *f* parody, F take-off
parodieren *v/t* parody, F take *s.o.* off
Parodontose *f* MED periodontosis
Parole *f* MIL password, *fig* watchword, POL *a.* slogan
Paroli *n fig* ***j-m ~ bieten*** stick up to s.o.
Parsing *n* IT parsing
Partei *f* party (*a.* POL *u.* JUR), SPORT side, (*Miet♀*) tenant: ***die vertragschließenden ~en*** the contracting parties; ***j-s ~ ergreifen, für j-n ~ nehmen*** side with

s.o.; ***gegen j-n ~ ergreifen*** take sides against s.o.; ***~ sein*** be a party, be biassed; ***über den ~en stehen*** remain impartial **~apparat** *m* party machine **~basis** *f* rank and file (of a party) **~buch** *n* party membership book **~disziplin** *f* party discipline: ***sich der ~ beugen*** follow the party line **~freund(in)** fellow-member (of a party) **~führer(in)** party leader **~führung** *f* **1.** party leadership **2.** *Koll* party leaders *Pl* **~gänger(in)** partisan, party man **~genosse** *m*, **~genossin** *f* party member

parteiisch, **parteilich** *Adj* partial

Parteilichkeit *f* partiality

parteilos *Adj* independent, nonparty

Parteilose *m*, *f* nonparty member

Parteimitglied *n* party member

Parteinahme *f* partisanship

Partei|politik *f* party politics *Pl* **Ձpolitisch** *Adj* party-political **~programm** *n* (party) platform **~spende** *f* party donation **~tag** *m* party conference (*Am* convention) **~versammlung** *f* party meeting **~vorsitzende** *m*, *f* party leader **~vorstand** *m* executive committee (of a party) **~zugehörigkeit** *f* party membership

Parterre *n* **1.** ground (*Am* first) floor **2.** THEAT pit, *Am* orchestra circle

Partie *f* **1.** (*Teil*) part **2.** WIRTSCH (*Warenmenge*) lot **3.** THEAT *etc* part, rôle **4.** (*Spiel*) game, SPORT *a.* match **5.** F ***ich bin mit von der ~!*** count me in! **6.** F ***e-e gute ~ sein*** be a good match (*od* catch); ***e-e gute ~ machen*** marry a fortune

partiell *Adj* partial

Partikel *f* LING, PHYS particle

Partisan(in) partisan, guerilla

Partitur *f* MUS score

Partizip *n* LING participle: ***~ Präsens/Perfekt*** present/past participle

Partner(in) partner **Partnerschaft** *f* partnership: ***eingetragene ~*** registered partnership (*von Paaren*) **partnerschaftlich** *Adj u. Adv* as (equal) partners, joint(ly)

Partnerstadt *f* twin town

Partnervermittlung *f* dating agency, (*Ehe*) marriage bureau

Party *f* party **~raum** *m* party room **~service** *m* catering service **~zelt** *n* party tent, *bes Br* marquee

Parzelle *f* plot, *bes Am* lot

parzellieren *v/t* parcel out

Pascha *m* pasha

Pass *m* **1.** (*Gebirgs*Ձ) pass **2.** (*Reise*Ձ) passport **3.** SPORT pass

passabel *Adj* passable

Passage *f allg* passage (*a.* MUS, *e-s Buches etc*), (*Einkaufs*Ձ) arcade

Passagier(in) passenger: ***blinder ~*** deadhead, SCHIFF stowaway **~liste** *f* passenger list **~schiff** *n* passenger ship

Passant(in) passer-by (*Pl* passers-by)

Passat(wind) *m* trade wind

Passbild *n* passport photo(graph)

passé *Adj* F ***das ist ~*** **a)** that went out long ago, **b)** that's a thing of the past

passen I *v/i* **1.** *a. fig* fit (***j-m, auf j-n*** s.o., ***für*** *od* ***zu etw*** s.th.): ***die Beschreibung passt auf ihn*** the description fits him; ***~ zu*** *farblich etc*: go well with, match; *fig* ***sie ~ (gut) zueinander*** they are well suited to each other; ***das passt (nicht) zu ihm!*** that's just like him (not like him)! **2.** ***j-m ~*** (*recht sein, zusagen*) suit s.o.; ***passt es dir morgen?*** would tomorrow suit you (*od* be all right [with you])?; ***das passt mir gut*** that suits me fine; ***das (er) passt mir gar nicht!*** I don't like it (him) at all!; F ***das könnte dir so ~!*** nothing doing! **3.** *Kartenspiel*, *a.* SPORT (*abspielen*) pass: ***ich passe!*** pass!; *fig* ***da muss ich ~!*** I must pass there! **II** *v/t* **4.** → ***einpassen*** **5.** SPORT ***den Ball ~ zu*** pass (the ball) to

passend *Adj* **1.** fitting (*a. Kleidung u. fig*), *farblich etc*: matching: ***e-e dazu ~e Krawatte*** a (neck)tie to match **2.** (*geeignet, zeitlich ~*) suitable, right: ***die ~en Worte*** the right words; ***bei ~er Gelegenheit*** at the right moment **3.** F ***haben Sie es ~?*** *beim Bezahlen*: have you got the right money?

Passepartout *n* mount

Passform *f* fit

passierbar *Adj* passable, practicable

passieren I *v/i* **1.** pass **2.** (*sich ereignen*) happen, take place: ***was ist passiert?*** what's happened?; ***mir ist nichts passiert*** I'm all right; ***j-m ~*** happen to s.o. **II** *v/t* **3.** pass (by *od* through) **4.** GASTR pass (through a sieve *etc*), strain

Passierschein *m* pass, permit

Passion *f* **1.** passion **2.** REL, MUS *etc* Pas-

sion **passioniert** *Adj* enthusiastic, keen **Passionsspiel** *n* Passion play
passiv *Adj allg* passive: ***~es Mitglied*** nonactive member; ***~er Wortschatz*** recognition vocabulary; → ***Bestechung*** **Passiv** *n* LING passive (voice)
Passiva *Pl* WIRTSCH liabilities *Pl*
Passivität *f* passiveness, inaction
Passivposten *m* WIRTSCH debit item
Passivrauchen *n* passive smoking
Passivseite *f* WIRTSCH liability side
Passkontrolle *f* passport control
Passstraße *f* (mountain) pass
Passstück *n* TECH fitting piece, adapter
Passus *m* passage
Passwort *n a.* IT password
Paste *f* paste
Pastell *n* (*Bild, Farbe, Malerei*) pastel **~farbe** *f* pastel **~stift** *m* crayon
Pastete *f* pie, *feine*: pâté
pasteurisieren *v/t* pasteurize
Pastille *f* lozenge
Pastor(in) pastor, minister
Pate *m* **a)** godfather, **b)** → ***Patin***, **c)** → ***Patenkind***: ***~ stehen bei*** be godfather (*od* godmother) to, *fig* sponsor, *weit. S.* be behind **Patenkind** *n* godchild, godson, goddaughter **Patenonkel** *m* godfather **Patenschaft** *f* sponsorship: *fig* ***die ~ übernehmen für*** sponsor
patent *Adj* F ingenious, clever
Patent *n* **1.** patent (***auf*** *Akk* for): ***ein ~ anmelden*** apply for a patent; **(*zum*)** ***~ angemeldet*** patent pending **2.** (*Offiziers*≗) commission **~amt** *n* patent office **~anmeldung** *f* patent application
Patentante *f* godmother
Patent|anwalt *m*, **~anwältin** *f* patent attorney
patentfähig *Adj* patentable
patentieren *v/t* patent: ***etw ~ lassen*** take out a patent for s.th.
Patent|inhaber(in) patentee **~lösung** *f* ready-made solution **~recht** *n objektives*: patent law, *subjektives*: patent right **≗rechtlich** *Adj u. Adv* under patent law: ***~ geschützt*** patented **~rezept** *n fig* magic formula, panacea **~schutz** *m* protection by patent **~verletzung** *f* patent infringement
Pater *m* (*Pl* ***Patres***) father
pathetisch *Adj* lofty, emotional, *pej* pompous
Pathologie *f* pathology
pathologisch *Adj* pathological
Pathos *n* emotion(al style): ***falsches ~*** bathos
Patience *f* patience, *Am* solitaire
Patient(in) patient
Patin *f* godmother
Patina *f a. fig* patina
Patriarch *m* patriarch
patriarchalisch *Adj* patriarchal
Patriarchat *n* patriarchate
Patriot(in) patriot
patriotisch *Adj* patriotic(ally *Adv*)
Patriotismus *m* patriotism
Patrizier(in) *hist* Patrician
Patron *m* **1.** patron **2.** REL patron saint **3.** F fellow: *pej* ***übler ~*** nasty customer **Patronat** *n* patronage
Patrone *f allg* cartridge
Patronengurt *m* cartridge belt
Patronenhülse *f* cartridge case
Patronin *f* **1.** patroness **2.** REL patron saint
Patrouille *f*, **patrouillieren** *v/i* MIL patrol
patsch *Interj* splat!, *bei Schlag*: smack!
Patsche *f* F ***in der ~ sitzen*** be in a scrape; ***j-m aus der ~ helfen*** help s.o. out of a (tight) spot **patschen** *v/i u. v/t im Wasser*: splash, (*schlagen*) smack
patschnass *Adj* soaking wet
Patt *n Schach*: stalemate (*a. fig* POL), *fig a.* deadlock
patzen *v/i*, **Patzer** *m* F blunder, boob
patzig *Adj* F snotty, stroppy
Pauke *f* **a)** bass drum, **b)** (*Kessel*≗) kettledrum: F *fig* ***auf die ~ hauen*** *allg* go to town; ***mit ~n und Trompeten*** gloriously **pauken** *v/i* **1.** play the kettledrum(s) **2.** F PÄD (*a. v/t*) cram, swot
Paukenschlag *m* drumbeat: *fig* ***wie ein ~*** like a bombshell
Pauker(in) **1.** MUS drummer **2.** F teacher
pausbäckig *Adj* chubby
pauschal **I** *Adj* **1.** *Preis etc*: all-in(clusive) **2.** *fig* sweeping, wholesale **II** *Adv* **3.** in a lump sum **4.** *fig* wholesale
Pauschalbetrag *m*, **Pauschale** *f* lump sum, *im Hotel etc*: all-in price, *Am* American plan
Pauschal|gebühr *f* flat rate **~reise** *f* package tour **~urlaub** *m* package holiday **~urteil** *n fig* sweeping judg(e)ment
Pause[1] *f* rest (*a.* MUS), (*Arbeits*≗, *Schul*≗) break, *Am* recess, *bes* THEAT,

P

SPORT interval, *Am* intermission, (*Sprech*≈) pause: ***e-e ~ machen*** **a)** take a break, **b)** *beim Sprechen*: pause
Pause² *f* TECH tracing, copy, blueprint
pausen *v/t* trace
pausenlos *Adj* uninterrupted, nonstop
pausieren *v/i* pause, take a break
Pauspapier *n* tracing paper
Pavian *m* ZOOL baboon
Pavillon *m* ARCHI, WIRTSCH pavilion
Pay-TV *n* pay TV
Pazifik *m the* Pacific (Ocean)
Pazifismus *m* pacifism
Pazifist(in), **pazifistisch** *Adj* pacifist
PC *m* (= ***Personalcomputer***) PC **PC-Arbeitsplatz** *m* computer workplace
Pech *n* **1.** pitch: *fig* ***wie ~ und Schwefel zs.-halten*** be as thick as thieves **2.** F *fig* bad luck: ***~ haben*** be unlucky (***bei*** with); ***~ gehabt!*** tough luck! **≈schwarz** *Adj* jet-black, *Nacht*: pitch-dark **~strähne** *f* run of bad luck **~vogel** *m* F *fig* unlucky fellow (*od* girl)
Pedal *n* pedal
Pedant(in) pedant, stickler
Pedanterie *f* pedantry
pedantisch *Adj* pedantic(ally *Adv*)
Pediküre *f* pedicure
Peepshow *f* peep show
Pegel *m a. fig* level
Pegelstand *m* water level
peilen I *v/t* take the bearings of: *fig* ***die Lage ~*** see how the land lies; → ***Daumen*** **II** *v/i* take the bearings **Peilfunk** *m* directional radio **Peilgerät** *n* radio direction finder **Peilung** *f* **a)** locating, **b)** (*Ergebnis*) bearing
Pein *f* pain, agony **peinigen** *v/t* torment **Peiniger(in)** tormentor
peinlich I *Adj* **1.** embarrassing, *Situation, Stille etc*: *a.* awkward: ***es ist mir sehr ~*** I feel awful about it **2.** (*~ genau*) meticulous, scrupulous **II** *Adv* **3.** *~* (***genau***) meticulously; ***~ sauber*** scrupulously clean; ***j-n ~ berühren*** pain s.o.; ***~ berührt*** embarrassed, pained; ***etw ~st vermeiden*** take great care to avoid s.th. **Peinlichkeit** *f* **1.** awkwardness **2.** awkward situation (*od* remark)
Peitsche *f* whip **peitschen** *v/i u. v/t* whip, *a. fig Regen etc*: lash
Peitschenhieb *m* (whip)lash
Pekinese *m* (*Hund*) Pekin(g)ese
pekuniär *Adj* financial, pecuniary
Pelikan *m* ZOOL pelican
Pelle *f*, **pellen** *v/t* skin, peel; → ***Ei*** 1
Pellkartoffeln *Pl* potatoes *Pl* boiled in their skins
Pelz *m* fur (*a. Kleidung*), *unbearbeitet*: skin, hide: ***j-m auf den ~ rücken*** **a)** (*bedrohen*) come at s.o., **b)** (*bedrängen*) press s.o. hard **pelzgefüttert** *Adj* fur-lined **Pelzhandel** *m* fur trade **Pelzhändler(in)** furrier
pelzig *Adj* **1.** furry **2.** MED *Zunge*: furred, coated, *Gefühl*: numb
Pelz|kragen *m* fur collar **~mantel** *m* fur coat **~mütze** *f* fur cap, fur hat
Pelztier *n* fur-bearing animal **~farm** *f* fur farm **~jäger(in)** trapper **~zucht** *f* fur farming
Pendel *n* pendulum
pendeln *v/i* **1.** swing, oscillate **2.** BAHN *etc* shuttle, *Person*: commute
Pendel|tür *f* swing door **~uhr** *f* pendulum clock **~verkehr** *m* **1.** BAHN *etc* shuttle service **2.** commuter traffic
Pendler(in) commuter
penetrant *Adj* **1.** *Geruch etc*: penetrating **2.** F *fig Person*: pushy
penibel *Adj* fussy
Penis *m* penis
Penizillin *n* penicillin
Penne *f* F **1.** school **2.** *pej* (*Nachtasyl*) dosshouse, *Am* flophouse
pennen *v/i pej* F kip, sleep (*a. fig*)
Penner(in) F *pej* **1.** dosser, bum **2.** sleepyhead
Pension *f* **1.** (old-age) pension: ***in ~ gehen*** retire; ***in ~ sein*** be retired **2.** (*Fremden*≈) boarding-house, private hotel **3.** (*Verpflegung*) board
Pensionär(in) pensioner
Pensionat *n* boarding-school
pensionieren *v/t* pension (off): ***sich ~ lassen*** retire
pensioniert *Adj* retired, in retirement
Pensionierung *f* retirement
Pensions|alter *n* retirement age **≈berechtigt** *Adj* eligible for a pension
Pensionsgast *m* boarder
pensionsreif *Adj* F due for retirement
Pensum *n* (allotted) task, *weit. S.* workload: ***großes ~*** a great deal of work
Penthouse *n* penthouse
Peperoni *Pl* GASTR chil(l)i peppers *Pl*
Pepsin *n* CHEM, MED pepsin
per *Präp* per, by: ***~ Adresse*** care of (*Abk*

c/o); ~ ***Bahn*** by train; → ***du***
Perestroika *f* POL perestroika
perfekt *Adj* **1.** perfect **2.** *Vertrag etc*: settled, F in the bag: ***etw ~ machen*** settle (*od* clinch) s.th. **Perfekt** *n* LING perfect (tense) **Perfektion** *f* perfection
perfektionieren *v/t* (make) perfect
Perfektionist(in) perfectionist
perforieren *v/t* perforate
Pergament *n* parchment **Pergamentpapier** *n* greaseproof paper
Periode *f allg* period (*a. der Frau*), ELEK cycle: → ***ausbleiben*** I
periodisch *Adj* periodic(al): ***~er Dezimalbruch*** recurring decimal
Peripherie *f* periphery, *e-r Stadt*: *a.* outskirts *Pl*, IT peripherals *Pl*
Peripheriegerät *n* peripheral
Periskop *n* periscope
perkutan *Adj* MED percutaneous
Perle *f* **1.** pearl, (*Glas*≈ *etc*, *a. Schweiß*≈) bead: ***~n vor die Säue werfen*** cast (one's) pearls before swine **2.** *fig* (*a. Person*) jewel, gem
perlen *v/i* **1.** *Getränk*: sparkle **2.** *Schweiß, Wasser*: trickle (down)
Perlenkette *f* pearl necklace
Perlhuhn *n* ZOOL guinea fowl
Perlmuschel *f* pearl oyster
Perl|mutt *n*, **~mutter** *f* mother-of-pearl
permanent *Adj* permanent
Perpetuum mobile *n* perpetual motion machine
perplex *Adj* bewildered
Perron *m schweiz*. platform
Persenning *f* tarpaulin
Perser(in) Persian
Perser(teppich) *m* Persian carpet
Persianer *m* **1.** Persian lamb(skin) **2.** → **~mantel** *m* Persian lamb coat
Persilschein *m* F **1.** *hist* denazification certificate **2.** *fig* clean bill of health
persisch *Adj* Persian: ***der ≈e Golf*** the Persian Gulf
Person *f* person, THEAT character: LING ***erste ~*** first person; ***in eigener ~*** personally; ***ich für m-e ~*** I for my part; ***pro ~*** each; ***ein Tisch für sechs ~en*** a table for six; ***sie ist die Güte in ~*** she is kindness personified; → ***juristisch***
Personal *n* personnel, staff: ***zu wenig ~ haben*** be understaffed **~abteilung** *f* personnel department **~akte** *f* personal file **~ausweis** *m* identity card **~chef(in)** personnel manager **~computer** *m* personal computer
Personalien *Pl* particulars *Pl*, personal data *Pl*
Personalpronomen *n* personal pronoun
personell *Adj* personal, (*das Personal betreffend*) personnel
Personen|aufzug *m* lift, *Am* elevator **~beförderung** *f* passenger transport(ation *Am*) **~beschreibung** *f* personal description **~gesellschaft** *f* WIRTSCH partnership **~kraftwagen** *m* motor car, *Am a.* auto(mobile) **~kreis** *m* circle **~kult** *m* personality cult **~schaden** *m* personal injury **~stand** *m* marital status **~wagen** *m* → ***Personenkraftwagen*** **~zug** *m* slow train
personifizieren *v/t* personify
persönlich I *Adj* personal **II** *Adv* personally, (*selbst*) *a.* in person
Persönlichkeit *f* personality, (*bedeutender Mensch*) *a.* personage: ***e-e ~ des öffentlichen Lebens*** a public figure
Perspektive *f* **1.** KUNST *etc* perspective **2.** *fig* perspective, (*Aussicht*) *a.* prospect, (*Standpunkt*) point of view: ***das eröffnet neue ~n*** that opens up new vistas **perspektivisch** *Adj* perspective, *Zeichnung etc*: in perspective
Peru *n* Peru
Peruaner(in), **peruanisch** *Adj* Peruvian
Perücke *f* wig
pervers *Adj* perverse **Perversität** *f* perversity **pervertiert** *Adj* perverted
Pessar *n* MED pessary
Pessimismus *m* pessimism
Pessimist(in) pessimist
pessimistisch *Adj* pessimistic(ally *Adv*)
Pest *f* plague: ***j-n hassen wie die ~*** hate s.o.'s guts; F ***stinken wie die ~*** stink to high heaven
Pestizid *n* pesticide
Petersilie *f* BOT parsley
Petition *f* petition
Petrochemie *f* petrochemistry
petrochemisch *Adj* (*a.* ***~es Produkt***) petrochemical
Petrodollar *m* petrodollar
Petroleum *n* **1.** → ***Erdöl*** **2.** (*Leucht*≈)

P

paraffin, *bes Am* kerosene **~lampe** *f* paraffin (*od* kerosene) lamp
petto: ***etw in ~ haben*** have s.th. up one's sleeve
Petze *f* F telltale, sneak **petzen** *v/i* F sneak (***gegen j-n*** on s.o.)
Pfad *m a.* COMPUTER *u. fig* path **~finder** *m* boy scout **~finderin** *f* girl guide, *Am* girl scout
Pfahl *m* stake, (*Pfosten*) post, ARCHI pile, (*Mast*) pole **Pfahlbau** *m* pile dwelling
Pfahlwurzel *f* BOT tap root
Pfand *n* security, (*Gegenstand*) pawn, pledge, *im Spiel*: forfeit, (*Flaschen*~ *etc*) deposit: ***als*** (*od* ***zum***) ***~ geben*** pawn, *a. fig* pledge; ***für etw ~ zahlen*** pay a deposit on s.th. **pfändbar** *Adj* distrainable **Pfandbrief** *m* WIRTSCH bond
pfänden *v/t* (*etw*) seize, (*a. j-n*) distrain (up)on: ***j-n ~*** levy a distress on s.o.; ***den Lohn ~*** garnish wages
Pfänderspiel *n* (game of) forfeits *Pl*
Pfandflasche *f* bottle with deposit
Pfandhaus *n*, **Pfandleihe** *f* pawnshop
Pfandleiher(in) pawnbroker
Pfandschein *m* pawn ticket
Pfändung *f* (*Gen*) seizure (of), distraint (upon)
Pfanne *f* **1.** pan: F *fig* ***j-n in die ~ hauen*** **a**) (*besiegen*) clobber s.o., **b**) (*kritisieren*) give s.o. a roasting **2.** ANAT socket **3.** (*Dach*~) pantile
Pfannkuchen *m* pancake: ***Berliner ~*** doughnut
Pfarramt *n allg* rectory **Pfarrbezirk** *m* parish **Pfarrei** *f* rectory, vicarage
Pfarrer *m* pastor, minister, (*katholischer* ~) (parish) priest
Pfarrerin *f* woman pastor
Pfarrgemeinde *f* parish
Pfarrhaus *n* rectory, vicarage
Pfarrkirche *f* parish church
Pfau *m* ZOOL peacock
Pfauenauge *n* ZOOL peacock (butterfly)
Pfauenfeder *f* peacock feather
Pfeffer *m* **1.** pepper: → ***Hase*** **2.** F (*Schwung*) pep **~gurke** *f* GASTR gherkin **~kuchen** *m* gingerbread **~minz** *n* peppermint (drop) **~minze** *f* BOT peppermint **~mühle** *f* pepper mill
pfeffern *v/t* **1.** *a. fig* pepper: → ***gepfeffert*** **2.** F (*werfen*) chuck
Pfefferstreuer *m* pepper caster
Pfeife *f* **1.** (*Signal*~) whistle, (*Orgel*~ *etc*) pipe: *fig* ***nach j-s ~ tanzen*** dance to s.o.'s tune **2.** (*Tabaks*~) pipe: ***~ rauchen*** **a**) smoke a pipe, **b**) be a pipe smoker **3.** F idiot, dope
pfeifen I *v/i* **1.** whistle (***j-m*** to s.o.), *Schiedsrichter etc*: blow the whistle, *Zuschauer*: boo: F ***ich pfeife auf das Geld*** I don't give a damn about the money **II** *v/t* **2.** (*Lied etc*) whistle: F ***ich werd dir was ~!*** to hell with you! **3.** SPORT ***ein Spiel ~*** referee a match
Pfeifen|kopf *m* bowl **~raucher(in)** pipe smoker **~reiniger** *m* pipe cleaner
Pfeifkonzert *n* (hail of) catcalls *Pl*
Pfeil *m* arrow, (*Wurf*~, *Blas*~) dart: ***mit ~ und Bogen*** with bow and arrow
Pfeiler *m* pillar (*a. fig*), (*Brücken*~) pier
pfeilförmig *Adj* V-shaped **pfeilgerade I** *Adj* (as) straight as an arrow **II** *Adv* straight **Pfeilgift** *n* arrow poison
pfeilschnell *Adj u. Adv* (as) quick as lightning, *Adv a.* like a shot
Pfeilspitze *f* arrowhead
Pfennig *m hist* pfennig, *fig* penny, *Am* cent: ***jeden ~ umdrehen*** count every penny; ***es ist k-n ~ wert*** it's not worth a thing
Pfennigabsatz *m* stiletto heel
Pfennigfuchser(in) F penny pincher
Pferch *m* pen, fold **pferchen** *v/t* (*Tiere*) pen, (*Menschen*) cram
Pferd *n* **1.** horse: ***zu ~e*** on horseback; *fig* ***das beste ~ im Stall*** the number one; F *fig* ***aufs falsche ~ setzen*** back the wrong horse; ***das ~ beim Schwanze aufzäumen*** put the cart before the horse; ***mit ihr kann man ~e stehlen*** she's a good sport **2.** *Turnen*: (vaulting) horse **3.** *Schach*: knight
Pferde|äpfel *Pl* horse droppings *Pl* **~fleisch** *n* horse-meat **~fuhrwerk** *n* horse-drawn vehicle **~fuß** *m des Teufels*: cloven foot, *fig* snag **~koppel** *f* paddock **~länge** *f* SPORT ***um zwei ~n*** by two lengths **~rennbahn** *f* race course **~rennen** *n* horse racing, *einzelnes*: horse race **~schwanz** *m* **1.** horse's tail **2.** (*Frisur*) ponytail **~stall** *m* stable **~stärke** *f* horsepower (*Abk* H.P.) **~zucht** *f* horse breeding, (*Gestüt*) stud farm
Pfiff *m* **1.** whistle **2.** F *fig* (*Schwung*) pep: ***mit ~*** *Film etc*: with a difference; ***der***

Mantel hat ~ the coat's got real style; ***das gibt der Sache erst den richtigen ~*** that gives it that extra something
Pfifferling *m* BOT chanterelle: *fig* ***k-n ~ wert*** not worth a damn
pfiffig *Adj* smart, clever, F *fig* peppy
Pfiffigkeit *f* smartness, cleverness
Pfiffikus *m hum* smart fellow
Pfingsten *n* (***an ~*** at) Whitsun
Pfingstfest *n* → ***Pfingsten***
Pfingstmontag *m* Whit Monday
Pfingstrose *f* BOT peony
Pfingstsonntag *m* Whitsunday
Pfirsich *m* peach
Pflanze *f* **1.** plant: ZOOL ***~n fressend*** herbivorous **2.** F type, character
pflanzen *v/t a. fig* plant
Pflanzen|faser *f* plant (*od* vegetable) fibre (*Am* fiber) **~fett** *n* vegetable fat **~fresser** *m* ZOOL herbivore **~kost** *f* vegetable foodstuffs *Pl* **~kunde** *f* botany **~öl** *n* vegetable oil **~reich** *n* vegetable kingdom, flora **~schutzmittel** *n* pesticide **~welt** *f* flora
Pflanzer(in) planter **pflanzlich** *Adj* plant, vegetable **Pflanzung** *f* plantation
Pflaster *n* **1.** (*Straßen*~) pavement, (*Kopfstein*~) cobbles *Pl*: *fig* ***ein heißes*** (***teures***) ~ a dangerous (an expensive) place **2.** MED (sticking) plaster, *bes Am* band-aid **~maler(in)** pavement artist
pflastern *v/t* **1.** (*Straße*) pave **2.** F MED plaster (*a. fig kleben*)
Pflasterstein *m* paving stone
Pflaume *f* **1.** plum, (*Dörr*~) prune **2.** F (*Person*) dope
Pflaumen|baum *m* plum (tree) **~kuchen** *m* plum tart **~mus** *n* plum jam
Pflege *f allg* care, (*Kranken*~) nursing, TECH maintenance, servicing, *e-s Gartens*, *fig der Künste*, *von Beziehungen*: cultivation: ***in ~ geben*** (***nehmen***) put (take) into care; ***ein Kind in ~ geben*** (***nehmen***) foster a child **~bedürftig** *Adj* in need of (*od* needing) care **~eltern** *Pl* foster-parents *Pl* **~fall** *m* nursing case **~geld** *n* nursing allowance **~heim** *n* nursing home **~kind** *n* foster-child **~leicht** *Adj* easy-care, (*Mensch*) easy to handle; **~mutter** *f* foster-mother
pflegen I *v/t* look after, care for, (*Kind*, *Kranke*) *a.* nurse, (*Blumen*, *Garten etc*) tend, (*Kleidung*, *sein Äußeres*) groom, (*instand halten*) keep *s.th.* in good condition, TECH *a.* service, (*Daten*) maintain, *fig* (*Künste*, *Beziehungen*, *Freundschaft*) cultivate: → ***gepflegt***, ***Umgang*** 1 **II** *v/i* (***etw***) ***zu tun ~*** be in the habit of doing (s.th.); ***sie pflegte zu sagen*** she used to say, she would say; ***solche Aktionen ~ fehlzuschlagen*** such actions usually (*od* tend to) fail **III** *v/refl* ***sich ~*** **a)** take care of one's appearance, **b)** look after o.s., F take things easy
Pflegepersonal *n* MED nursing staff
Pfleger *m* **1.** MED (male) nurse **2.** JUR curator **Pflegerin** *f* MED nurse
Pflege|sohn *m* foster-son **~stelle** *f* foster home **~tochter** *f* foster-daughter **~vater** *m* foster-father **~versicherung** *f* nursing care insurance
pfleglich *Adj* careful: *Adv* ***~ behandeln*** take good care of
Pflegschaft *f* JUR curatorship
Pflicht *f* **1.** duty: ***die ~ ruft!*** duty calls! **2.** → ***Pflichtübung*** **~bewusst** *Adj* conscientious, dutiful **~bewusstsein** *n* sense of duty **~eifer** *m* zeal **~eifrig** *Adj* zealous **~erfüllung** *f* performance of one's duty **~fach** *n* PÄD compulsory subject **~gefühl** *n* sense of duty **~gemäß I** *Adj* dutiful, due **II** *Adv* duly **~getreu** *Adj* dutiful **~lektüre** *f* required reading, set books *Pl*
pflichtschuldig *Adj u. Adv* as (it) is my *etc* duty, *Adv mst* **~st** *a.* duly
Pflicht|teil *m*, *n* JUR legal portion **~treue** *f* dutifulness, loyalty **~übung** *f* SPORT compulsory (*od* set) exercise: *fig* ***e-e reine ~*** purely a matter of duty **~vergessen** *Adj* derelict of duty **~versäumnis** *n* dereliction of duty **~verteidiger(in)** JUR assigned counsel
Pflock *m* peg, (*Pfahl*) stake
pflücken *v/t* pick
Pflug *m*, **pflügen** *v/t u. v/i* plough, *Am* plow
Pforte *f* gate, door, *fig* gateway
Pförtner|(in) gatekeeper, porter, *Am* doorman **~haus** *n* lodge **~loge** *f* porter's office (*od* lodge)
Pfosten *m* post, (*Tür*~, *Fenster*~) jamb
Pfote *f* ZOOL paw (*a.* F *Hand*)
Pfropf *m* MED clot, thrombus

P

pfropfen *v/t* **1.** stopper **2.** F (*hinein~*) cram **3.** LANDW graft
Pfropfen *m* stopper, cork, (*Stöpsel, Watte℘ etc*) plug
Pfropf|messer *n* grafter **~reis** *n* graft
Pfründe *f* **1.** REL prebend, (*Kirchenamt*) benefice, living **2.** *fig* sinecure
pfui *Interj* (for) shame!, *Sport etc*: boo!, *angeekelt*: ugh!, *zum Kind od Hund*: no!; → ***Teufel***
Pfund *n* **1.** pound (*Abk* lb.): ***3 ~ Mehl*** three pounds of flour **2.** ~ (***Sterling***) pound (sterling) (*Abk* £)
pfundweise *Adj u. Adv* by the pound
Pfusch *m*, **Pfuscharbeit** *f* **1.** F bad job, botch-up **2.** *österr.* (*Schwarzarbeit*) illicit work, moonlighting **pfuschen** *v/i u. v/t* F bungle: → ***Handwerk***
Pfuscher(in) F bungler
Pfuscherei *f* F bungling
Pfütze *f* puddle
Phallus *m* phallus
Phallussymbol *n* phallic symbol
Phänomen *n a. fig* phenomenon
phänomenal *Adj* phenomenal
Phantasie *etc* → ***Fantasie***
Phantom *n* phantom **Phantombild** *n* identikit picture **Phantomschmerzen** *Pl* phantom limb pains *Pl*
Pharisäer(in) *fig* pharisee, hypocrite
pharisäisch *Adj* pharisaic(al)
Pharmaindustrie *f* pharmaceutical industry
Pharmakologe *m*, **Pharmakologin** *f* pharmacologist
Pharmakologie *f* pharmacology
Pharmakonzern *m* pharmaceutical company
Pharmazeut(in) pharmacist
Pharmazeutik *f* pharmaceutics *Sg*
pharmazeutisch *Adj* pharmaceutical
Pharmazie *f* pharmacy
Phase *f allg, a.* ELEK phase
Philanthrop(in) philanthropist
Philanthropie *f* philanthropism
philanthropisch *Adj* philanthropic(ally *Adv*)
Philatelie *f* philately
Philatelist(in) philatelist
Philharmonie *f* philharmonic orchestra (*od* society)
Philippinen *Pl the* Philippines
Philister *m*, **philisterhaft** *Adj* Philistine
Philologe *m*, **Philologin** *f* teacher (*od* scholar) of language and literature, *Am* philologist **Philologie** *f* study of language and literature, *Am* philology
philologisch *Adj* language and literature ..., *Am* philological
Philosoph(in) philosopher
Philosophie *f* philosophy
philosophieren *v/i* philosophize
philosophisch *Adj* philosophic(al)
Phlegma *n* phlegm
Phlegmatiker(in) phlegmatic person
phlegmatisch *Adj* phlegmatic(ally *Adv*)
pH-neutral *Adj* pH-balanced
Phobie *f* PSYCH *u. fig* phobia
Phon *n* PHYS phon
Phonem *n* LING phoneme
Phonetik *f* phonetics *mst Sg*
Phonetiker(in) phonetician
phonetisch *Adj* phonetic(ally *Adv*)
Phonotypist(in) audio typist
Phonzahl *f* decibel level
Phosphat *n* CHEM phosphate **℘frei** *Adj* phosphate-free
Phosphor *m* CHEM phosphorus
Phosphoreszenz *f* phosphorescence
phosphoreszieren *v/i* phosphoresce: ***~d*** phosphorescent
phosphorig *Adj* CHEM phosphorous
Photo(...) → ***Foto(...)***
Photosynthese *f* photosynthesis
Phrase *f* phrase (*a.* MUS), *pej a.* cliché, platitude, POL catchphrase: F ***~n dreschen*** talk in platitudes
Phrasendrescher(in) F phrasemonger
phrasenhaft *Adj* empty, meaningless
ph-Wert *m* pH factor
Physik *f* physics *Sg* **physikalisch** *Adj* physical **Physiker(in)** physicist
Physikum *n* preliminary (medical) examination
Physiognomie *f* physiognomy
Physiologe *m*, **Physiologin** *f* physiologist
Physiologie *f* physiology
physiologisch *Adj* physiological
Physiotherapeut(in) MED physiotherapist **Physiotherapie** *f* physiotherapy
physisch *Adj* physical
Pianist(in) pianist
picheln *v/i u. v/t* F tipple
Pickel[1] *m* TECH pick(axe), (*Eis℘*) ice-pick
Pickel[2] *m* MED pimple, spot

picken *v/t u. v/i* peck, (*greifen*) pick
picklig *Adj* pimply
Picknick *n* picnic: ***ein ~ machen*** → **picknicken** *v/i* (have a) picnic
pieken *v/t u. v/i* F prick **piekfein** *Adj* F posh, *Kleidung etc*: very smart
piepen *v/i* cheep, *Maus*: squeak, ELEK bleep: F ***bei dir piepts wohl?*** are you off your rocker?; ***er*** (***es***) ***war zum ~*** he (it) was a scream **piepsen** → ***piepen***
Piepser *m* bleeper, beeper
Pier *f* SCHIFF jetty, pier
Piercing *n* body piercing
piesacken *v/t* F torment, persecute
Pietät *f* piety, reverence: ***aus ~*** out of respect (***gegenüber*** of) **pietätlos** *Adj* irreverent **pietätvoll** *Adj* reverent
Pigment *n* pigment
Pik[1] *m* F ***e-n ~ auf j-n haben*** have it in for s.o. **Pik**[2] *m* (mountain) peak
Pik[3] *n Kartenspiel*: spade(s *Pl*)
pikant *Adj a. fig* piquant, spicy
Pike *f* F ***etw von der ~ auf lernen*** learn s.th. from the bottom up
pikiert *Adj fig* piqued (***über*** *Akk* about)
Pikkolo *m* **1.** boy waiter **2.** (*Sekt*) champagne miniature **~flöte** *f* MUS piccolo
Piktogramm *n* pictogram
Pilger(in) pilgrim **Pilgerfahrt** *f* pilgrimage **pilgern** *v/i* **1.** make (*od* go on) a pilgrimage **2.** F wander
Pilgerschaft *f* pilgrimage
Pille *f* pill: F ***die ~ nehmen*** be on (*od* take) the pill; *fig* ***e-e bittere ~*** a bitter pill (to swallow)
Pillenknick *m* F sudden drop in birthrates **Pillenschachtel** *f* pillbox
Pilot(in) **1.** FLUG pilot **2.** (racing) driver
Pilotfilm *m* pilot (film)
Pilotprojekt *n* pilot project
Pilotsendung *f* pilot broadcast
Pilz *m* fungus (*a.* MED), *essbarer*: mushroom, *giftiger*: toadstool: ***~e suchen*** (***gehen***) go mushrooming; ***wie ~e aus dem Boden schießen*** mushroom (up)
Pilzkrankheit *f* mycosis, BOT fungus
Pilzvergiftung *f* mushroom poisoning
PIN *Abk* (*Geheimzahl*) PIN
pingelig *Adj*, **Pingeligkeit** *f* F nitpicking
Pinguin *m* ZOOL penguin
Pinie *f* BOT (stone) pine
pink *Adj Farbe*: shocking pink
Pinkel *m* F dope: ***feiner ~*** toff
pinkeln *v/i* F pee: ***~ gehen*** go for a pee
Pinne *f* SCHIFF helm
Pinnwand *f* pinboard
Pinscher *m* ZOOL pinscher
Pinsel *m* brush **pinseln** *v/i u. v/t* paint (*a.* MED), F (*schmieren*) daub
Pinselstrich *m* stroke of the brush
Pinzette *f* (pair of) tweezers *Pl*
Pionier(in) **1.** MIL engineer **2.** *fig* pioneer
Pionier|arbeit *f fig* pioneering work **~geist** *m fig* pioneering spirit **~leistung** *f fig* pioneering feat
Pipette *f*, **pipettieren** *v/t* CHEM pipette
Pipi *n* F wee-wee: ***~ machen*** wee
Pirat(in) pirate **Piratensender** *m* RADIO, TV pirate station **Piraterie** *f* piracy (*a. fig*)
Pirouette *f*, **pirouettieren** *v/i* pirouette
Pirsch *f* stalk, still hunt: ***auf die ~ gehen*** go (deer)stalking **pirschen** *v/i* ***~ auf*** (*Akk*) stalk **Pirschjagd** *f* → ***Pirsch***
Pisse *f*, **pissen** *v/i* V piss
Pistazie *f* BOT pistachio (*Baum u. Frucht*)
Piste *f* **1.** SPORT **a)** (racing) track, course, **b)** piste, ski-run **2.** FLUG runway
Pistenrowdy *m* terror of the slopes
Pistole *f* pistol: ***mit vorgehaltener ~*** at pistol-point; *fig* ***j-m die ~ auf die Brust setzen*** hold a pistol to s.o.'s head; ***wie aus der ~ geschossen*** like a shot
Pistolentasche *f* holster
Pixel *n* IT pixel
Pizza *f* GASTR pizza **Pizzeria** *f* pizzeria
Pkw *m* = ***Personenkraftwagen***
Placebo *n* MED placebo
Plackerei *f* F drudgery, grind
plädieren *v/i* JUR plead (***für, auf*** *Akk* for)
Plädoyer *n* final speech, *fig* plea
Plage *f* (*Mühe*) trouble, bother, (*Ärgernis*) nuisance, (*Insekten~ etc*) plague (*a.* BIBEL) **Plagegeist** *m* nuisance, pest
plagen **I** *v/t* trouble, worry, torment, (*belästigen*) harass, F plague, *mit Bitten etc*: *a.* pester: ***geplagt von*** troubled by **II** *v/refl* ***sich ~*** toil away, (*sich abmühen*) take pains (***mit*** with)
Plagiat *n* plagiarism
plagiieren *v/i u. v/t* plagiarize
Plakat *n* poster, placard
plakatieren *v/t* placard
plakativ *Adj fig* slogan-like, graphic

P

Plakette *f* badge
plan *Adj* plane, level
Plan[1] *m fig* ***j-n auf den ~ rufen*** make s.o. step in; ***auf dem ~ erscheinen*** appear on the scene
Plan[2] *m* **1.** *allg* plan, (*Zeit*≈, *Arbeits*≈ *etc*) *a.* schedule, (*Absicht*) *a.* intention, (*Vorhaben*) *a.* project, scheme (*a. pej*): ***e-n ~ fassen*** make a plan; ***Pläne schmieden*** make (*od* hatch) plans, *pej* plot, scheme; ***was steht heute auf dem ~?*** what's on today? **2.** (*Entwurf*) plan, (*Zeichnung*) *a.* design, (*grafische Darstellung*) diagram **3.** (*Karte*) map
Plane *f* tarpaulin, awning
planen *v/t allg* plan, *zeitlich*: *a.* schedule, (*vorhaben*) *a.* intend, (*entwerfen*) *a.* design **Planer(in)** planner
Planet *m* planet
planetarisch *Adj* planetary
Planetarium *n* planetarium
planieren *v/t* level, (*Gelände*) *a.* grade
Planierraupe *f* TECH bulldozer
Planke *f* plank, board
Plänkelei *f*, **plänkeln** *v/i a. fig* skirmish
Plankton *n* ZOOL plankton
planlos *Adj* without plan, aimless, unsystematic(ally *Adv*) **Planlosigkeit** *f* lack of plan (*od* system), aimlessness
planmäßig I *Adj* **1.** planned, systematic **2.** *Verkehr*: scheduled **II** *Adv* **3.** according to plan (*zeitlich*: schedule), as planned, *ankommen etc*: on schedule
Planquadrat *n* grid square
Planstelle *f* permanent post
Plantage *f* plantation
Plan(t)schbecken *n* paddling pool
plan(t)schen *v/i* splash (about)
Planung *f* **1.** → ***Plan***[2] 2 **2.** planning: ***in der ~*** → **Planungsstadium** *n* ***im ~*** in the planning stage
planvoll *Adj* methodical, systematic
Planwirtschaft *f* planned economy
Plappermaul *n* chatterbox
plappern *v/t u. v/i* chatter, babble
plärren *v/i u. v/t* (*weinen*) blubber, cry, (*schreien*) bawl, RADIO *etc* blare
Plasma *n* PHYS plasma
Plastik[1] *f* **1.** KUNST sculpture **2.** MED plastic surgery
Plastik[2] *n* plastic
Plastik|beutel *m* polythene bag **~bombe** *f* plastic bomb **~folie** *f* polythene sheet **~tüte** *f* plastic bag
plastisch *Adj* **1.** plastic **2.** *fig* (*anschaulich*) vivid, graphic(ally *Adv*) **3.** MED ***~e Chirurgie*** plastic surgery; ***Facharzt für ~e Chirurgie*** plastic surgeon
Platane *f* BOT plane (tree)
Plateau *n* plateau
Platin *n* platinum
platinblond *Adj* platinum blonde
platonisch *Adj* Platonic, *Liebe etc*: platonic(ally *Adv*)
platsch *Interj*, **platschen** *v/i* splash
plätschern *v/i Wasser*: ripple, *Bach etc*: murmur, *Wellen*: lap
platt *Adj* **1.** (*flach*) flat, (*eben*) level: ***~ drücken*** *etc* flatten; F MOT ***e-n ≈en haben*** have a flat tyre (*Am* tire) **2.** *fig Redensart etc*: trite, banal **3.** F ***~ sein*** *vor Staunen*: be flabbergasted; ***da bin ich aber ~!*** *a.* well, I'm floored!
Platt *n* Low German **plattdeutsch** *Adj*, **Plattdeutsch(e)** *n* Low German
Platte *f* **1.** (*Stein*≈) slab, (*Fliese*) flag, flagstone, (*Holz*≈) board, (*Wand*≈, *Fußboden*≈) panel, (*Keramik*≈) tile, (*Glas*≈, *Blech*≈) sheet **2.** (*Fels*≈) ledge **3.** (*Tisch*≈) table top, *ausziehbar*: leaf **4.** (*Herd*≈) hotplate **5.** (*Teller*, *a. Speise*) dish: ***kalte ~*** cold cuts *Pl*; F ***die ~ putzen*** beat it **6.** (*Schall*≈) record, disc, *Am* disk: F *fig* ***die ~ kenn ich!*** I know that line!; ***leg 'ne andere ~ auf!*** put another record on! **7.** F (*Glatze*) bald pate
Platten|hülle *f* record sleeve **~sammlung** *f* record collection **~speicher** *m* COMPUTER disk memory **~spieler** *m* record player
Plattform *f a.* POL platform
Plattfuß *m* **1.** flatfoot **2.** F MOT flat
plattfüßig *Adj* flat-footed
Plattheit *f* **1.** flatness **2.** *geistige*: triteness, (*Floskel*) platitude
Plättli *n schweiz.* tile
Platz *m* **1.** (*Raum*) room, space: ***~ machen*** (**für** for) make room, (*vorbeilassen*) make way (*a. fig*); ***~ sparen*** save space; ***~ raubend*** bulky, space-consuming; *fig* ***~ greifen*** spread, (*entstehen*) arise **2.** (*Örtlichkeit*, *Arbeits*≈, *Studien*≈ *etc*, *a.* WIRTSCH *Stadt*) place, (*Lage*, *a. Bau*≈, *Zelt*≈ *etc*) site, (*Standort*, *Stellung*) position: *fig* ***fehl am ~e sein*** *Person*: be out of place, *Bemerkung etc*: be uncalled for **3.** *öffentlicher*: square **4.** (*Sitz*≈) seat: ***ist dieser ~ noch***

P

frei? is this seat taken?; **~ *nehmen*** take a seat, sit down **5.** (*Sport*~) field, (*Tennis*~) court, (*Golf*~) course: F ***j-n vom ~ fegen*** play s.o. into the ground; ***j-n vom ~ verweisen*** send s.o. off; ***auf eigenem*** (***gegnerischem***) **~ *spielen*** play at home (out of town); → ***belegen*** 4
Platzangst *f* **1.** PSYCH agoraphobia **2.** F (*Engegefühl*) claustrophobia
Platzanweiser(in) usher (usherette)
Plätzchen *n* **1.** little place, spot **2.** (*Gebäck*) biscuit, *Am* cookie
platzen *v/i* **1.** *allg* burst, *Bombe etc*: *a.* explode, (*reißen*) crack, split: *fig* ***ins Zimmer ~*** burst into the room; → ***Kragen*** **2.** *fig* (***vor*** with) explode, burst **3.** F *fig* (*scheitern*) come to nothing, *sl* bust, go phut, *Plan etc*: fall through, *Verlobung*: be broken off, *Freundschaft etc*: break up, WIRTSCH *Wechsel*: bounce: **~ *lassen*** (*Bande etc*) bust up, (*Veranstaltung etc*) break up
Platzherren *Pl* SPORT home team *Sg*
platzieren *v/t allg* place: ***sich ~*** position o.s.; SPORT ***sich als Dritter ~*** be placed third **platziert** *Adj Schuss*: well-placed
Platzierung *f* SPORT place
Platzkarte *f* seat reservation (ticket)
Platzmangel *m* lack of space
Platzpatrone *f* blank cartridge
Platzregen *m* cloudburst
Platzverweis *m* SPORT ***e-n ~ erhalten*** be sent off
Platzwunde *f* MED laceration
Plauderei *f* chat **Plauderer** *m*, **Plauderin** *f* conversationalist **plaudern** *v/i* (have a) chat, (*aus~*) blab; → ***Schule***
Plauderton *m* ***im ~*** in a conversational tone, conversationally
plausibel *Adj* plausible: ***j-m etw ~ machen*** make s.th. clear to s.o.
plazieren *etc* → ***platzieren***
Playback *n* miming
Plebiszit *n* plebiscite
pleite *Adj* F **~ *sein*** be (dead) broke
Pleite *f* F **1.** bankruptcy: **~ *machen*** go bust **2.** *fig* flop: ***so 'ne ~!*** what a frost!
Plenar|saal *m* PARL (plenary) assembly room **~sitzung** *f* plenary session
Plenum *n* PARL plenum
Pleuelstange *f* TECH connecting rod
Plissee *n* pleats *Pl* **Plisseerock** *m* pleated skirt **plissieren** *v/t* pleat
Plombe *f* **1.** TECH (lead) seal **2.** (*Zahn*~) filling **plombieren** *v/t* **1.** seal (with lead) **2.** (*Zahn*) fill
plötzlich I *Adj* sudden **II** *Adv* suddenly, (*ganz ~*) all of a sudden: F ***aber etwas ~!*** make it snappy!
plump *Adj* **1.** (*dick*) plump **2.** (*unbeholfen*) clumsy (*a. fig*), (*taktlos*) tactless, *Lüge*, *Schmeichelei*: gross, *Ausrede*: flimsy
Plumpheit *f* **1.** plumpness **2.** clumsiness, grossness, *etc*
plumps *Interj*, **Plumps** *m* thud
plumpsen *v/i* thud, plop
plumpvertraulich *Adj* chummy: **~ *werden*** get chummy
Plunder *m a. fig* junk, rubbish
Plünderer *m*, **Plünderin** *f* looter **plündern** *v/t u. v/i* plunder, loot, (*Stadt*) *a.* pillage, F (*Kühlschrank etc*) raid
Plural *m* LING plural (number)
Pluralismus *m* pluralism
pluralistisch *Adj* pluralistic
plus *Präp* plus **Plus** *n* **1.** MATHE plus sign **2.** (*Überschuss*) surplus, (*Gewinn*) profit **3.** *fig* plus, asset, advantage
Plüsch *m* plush **~tier** *n* cuddly toy
Pluspunkt *m* **1.** credit point **2.** *fig* plus, asset
Plusquamperfekt *n* LING pluperfect (tense), past perfect
Pluszeichen *n* MATHE plus sign
Plutonium *n* plutonium
PLZ *Abk* (= ***Postleitzahl***) postcode, *Am* zip code
Pneu *m schweiz.* tyre, *Am* tire
pneumatisch *Adj* pneumatic(ally *Adv*)
Po *m* F bottom, bum
Pöbel *m* rabble **pöbelhaft** *Adj* vulgar
pochen *v/i* **1.** (***an*** *Dat* at) knock, rap, tap **2.** *Blut*, *Schläfen*: throb, *Herz*: *a.* beat **3.** *fig* **~ *auf*** (*Akk*) insist on
pochieren *v/t* GASTR poach
Pocke *f* pock: MED **~*n*** *Pl* smallpox *Sg*
Pockenimpfung *f* MED smallpox vaccination **Pockennarbe** *f* pockmark **pockennarbig** *Adj* pockmarked, pitted
Podest *n*, *m* platform, *bes fig* pedestal
Podium *n* rostrum, platform
Podiumsdiskussion *f* panel discussion
Poesie *f a. fig* poetry **Poet(in)** poet (poetess) **poetisch** *Adj* poetic(al)
Pogrom *n* pogrom
Pointe *f* point, *e-s Witzes*: *a.* punch line

pointiert *Adj* pointed
Pokal *m* cup (*a. Sport*), goblet **~endspiel** *n*, **~finale** *n* cup final **~sieger(in)** cup winner **~spiel** *n* cup tie
Pökelfleisch *n* salt meat
pökeln *v/t* pickle, salt
pokern *v/i a. fig* play poker
Pokerspiel *n a. fig* game of poker
Pol *m allg* pole, ELEK *a.* terminal: *fig* ***der ruhende ~*** the stabilizing element
polar *Adj*, **Polar...** polar
polarisieren *v/t u. v/refl* ***sich ~*** *a. fig* polarize **Polarität** *f* polarity
Polar|kreis *m* ***nördlicher*** (***südlicher***) **~** Arctic (Antarctic) Circle **~licht** *n* ***nördliches*** (***südliches***) **~** northern (southern) lights *Pl* **~stern** *m* Pole Star
Pole *m* Pole
Polemik *f* polemic(s *Sg*) **Polemiker(in)** polemicist **polemisch** *Adj* polemic **polemisieren** *v/i* polemize
polen *v/t* ELEK pole
Polen *n* Poland
Police *f* (insurance) policy
polieren *v/t a. fig* polish
Poliklinik *f* outpatients' clinic
Polin *f* Pole, Polish woman
Politbüro *n* Politburo
Politesse *f* (woman) traffic warden
Politik *f* **1.** *allg* politics *Pl* (*a. Sg konstr*): ***in der ~*** in politics; ***in die ~ gehen*** go into politics; ***über ~ reden*** talk politics **2.** (*Taktik*) policy **Politiker(in)** politician **Politikum** *n* political issue
politisch *Adj* **1.** political: ***~er Berater*** policy adviser; *Adv* ***er ist ~ tätig*** he is in politics; ***~ interessiert sein*** be politically minded; ***~ korrekt*** politically correct; → *Info bei* ***politically correct*** **2.** (*klug*) politic
politisieren I *v/i* talk politics **II** *v/t* politicize, make *s.o.* politically aware
Politisierung *f* politicalization
Politologe *m*, **Politologin** *f* political scientist
Politologie *f* political science
Politprominenz *f* political top brass, top brass politicians *Pl*
Politur *f allg* polish
Polizei *f* police *Pl*: ***die ~ rufen*** (*od* ***holen***) call the police; F ***er ist bei der ~*** he is a police officer **~aufgebot** *n* police detachment **~aufsicht** *f* ***unter ~*** under police supervision **~auto** *n* police car, patrol car **~beamte** *m*, **~beamtin** *f* police officer **~behörde** *f* police (authorities *Pl*) **~dienststelle** *f* police station **~einsatz** *m* police operation **~funk** *m* police radio **~hund** *m* police dog **~knüppel** *m* truncheon, *Am* club **~kommissar(in)** police inspector **~kontrolle** *f* police check
polizeilich *Adj u. Adv* **a)** (of the) police, **b)** by the police
Polizei|revier *n* **1.** (*Bereich*) (police) district, *Am* precinct **2.** (*Büro*) police station, *Am* station house **~schüler(in)** police cadet **~schutz** *m* police protection **~staat** *m* police state **~streife** *f* police patrol, (*Streifenpolizist*) *bes Am* patrolman **~stunde** *f* closing time **~wache** *f* police station, *Am* station house
Polizist *m* policeman, constable
Polizistin *f* policewoman
Pollen *m* BOT pollen **~flug** *m* pollen count
polnisch *Adj*, **Polnisch(e)** *n* LING Polish
Polo *n* SPORT polo
Polohemd *n* polo shirt
Polster *n* **1.** (*Sessel*♀ *etc*) upholstery, (*Kissen*) cushion **2.** *in Kleidung*: pad (-ding) **3.** (*Fett*♀) flab, layer of fat **4.** *fig* (*finanzielles ~*, *Auftrags*♀ *etc*) bolster **Polsterer** *m*, **Polsterin** *f* upholsterer
Polster|garnitur *f* three-piece suite **~möbel** *Pl* upholstered furniture *Pl*
polstern *v/t* upholster, (*Kleidung*) pad: F *fig* ***sie ist gut gepolstert*** she's well padded
Polstersessel *m* easy chair, armchair
Polsterstuhl *m* upholstered chair
Polsterung *f* **1.** upholstery **2.** padding
Polterabend *m* eve-of-the-wedding party **poltern** *v/i* **1.** make a racket, crash about **2.** (*schimpfen*) bluster
Polyamid *n* polyamide
Polyäthylen *n* polythene
Polyester *n* polyester
Polymer(e) *n* polymer
Polynesien *n* Polynesia
Polyp *m* **1.** ZOOL polyp **2.** MED polypus: ***~en*** *Pl* (*in der Nase*) adenoids *Pl* **3.** F (*Polizist*) cop
polyphon *Adj* MUS polyphonous
Polytechnikum *n* polytechnic
Pomade *f* pomade

Pommern *n* Pomerania
Pommes frites *Pl* chips *Pl*, *Am* French fries *Pl*
Pomp *m* pomp **pompös** *Adj* pompous
Pontius: ***von ~ zu Pilatus laufen*** F run from pillar to post
Ponton *m* pontoon
Pony[1] *n* ZOOL pony
Pony[2] *m* fringe, *Am* bangs *Pl*
Pop-Art *f* pop art
Popcorn *n* popcorn
Popel *m* F bogey
popelig *Adj* F piffling
Popelin(e *f*) *m* poplin
popeln *v/i* F pick one's nose
Popgruppe *f* pop group
Popmusik *f* pop music
Popo *m* F bottom, bum
populär *Adj* popular
popularisieren *v/t* popularize
Popularität *f* popularity
Populist(in), **populistisch** *Adj* POL populist
Pore *f* pore
Porno(film) *m* porn (*od* blue) movie
Pornographie *f* pornography
pornographisch *Adj* pornographic(ally *Adv*)
Pornoheft *n* porn (*od* girlie) magazine
porös *Adj* porous
Porree *m* BOT leek
Portal *n* portal (*auch im Internet*)
Portemonnaie *n* purse
Portier *m* **1.** (*Hotel*≈) porter **2.** → ***Pförtner***
Portion *f* portion, *beim Essen*: helping, *Tee*, *Kaffee*: pot: F *fig* ***halbe ~*** shrimp; ***e-e gehörige ~ Frechheit*** a good deal of impudence
Portmonee *n* → ***Portemonnaie***
Porto *n* postage **portofrei** *Adj* postage paid **Portokasse** *f* WIRTSCH petty cash
portopflichtig *Adj* liable to postage
Porträt *n* portrait **porträtieren** *v/t* ***j-n ~*** paint s.o.'s portrait, *fig* portray s.o.
Porträtmaler(in) portraitist
Portugal *n* Portugal
Portugiese *m*, **Portugiesin** *f*, **portugiesisch** *Adj* Portuguese
Portwein *m* port
Porzellan *n* porcelain, (*a. Geschirr*) china: ***unnötig ~ zerschlagen*** do a lot of unnecessary damage **Porzellanladen** *m* china shop: → ***Elefant***
Posaune *f* **1.** (***~ blasen*** play the) trombone **2.** *fig* trumpet
Posaunist(in) trombonist
Pose *f* pose, *fig a.* air, act **posieren** *v/i* pose (***als*** as) **Position** *f* **1.** *allg* position, SPORT *a.* place: *fig* ***~ beziehen*** take one's stand **2.** WIRTSCH item
positiv I *Adj allg* positive, (*bejahend*) *a.* affirmative **II** *Adv* F for certain
Positur *f* posture: ***sich in ~ setzen*** strike an attitude
Posse *f a. fig* farce, burlesque
possessiv *Adj* LING possessive
Possessiv(pronomen) *n* possessive pronoun
possierlich *Adj* droll, funny
Post *f* post, *bes Am* mail, (*~dienst*) postal service, (*~amt*) post office: ***elektronische ~*** electronic mail; ***mit der ~*** by post, *Am* by mail; ***mit gleicher*** (*od* ***getrennter***) ***~*** under separate cover; ***mit der ~ schicken*** post, *Am* mail; ***ist ~ für mich da?*** are there any letters for me? **postalisch** *Adj* postal
Post|amt *n* post office **~anschrift** *f* postal (*Am* mailing) address **~anweisung** *f* postal (*od* money) order **~bank** *f* post office girobank **~beamte** *m*, **~beamtin** *f* post-office (*Am* postal) clerk **~bote** *m* postman, *Am* mailman **~botin** *f* postwoman **~dienst** *m* postal service
Posten *m* **1.** MIL post, (*Wach*≈) guard, sentry: ***~ stehen*** be on guard, MIL stand sentry; *fig* ***auf dem ~ sein*** **a)** be on one's toes, **b)** *gesundheitlich*: be in good shape; ***nicht*** (***ganz***) ***auf dem ~ sein*** be a bit under the weather; → ***beziehen*** 3, ***verloren*** **2.** (*Stellung*, *Amt*) post, position, job **3.** WIRTSCH (*Waren*≈) lot, (*Rechnungs*≈ *etc*) item, (*Eintrag*) entry
Poster *n* poster
Postfach *n* post-office box, PO box **~nummer** *f* (PO) box number
Post|flugzeug *n* mail plane **~gebühr** *f* postage: **~en** *Pl a.* postal charges *Pl*
Postgeheimnis *n* postal secrecy
Postgiro *n* (post-office) giro **~amt** *n Br* Post Office Giro centre **~konto** *n Br* National Giro account
posthum *Adj* posthumous
postieren *v/t* place (***sich*** o.s.)
Postkarte *f* postcard, *Am* postal card
postlagernd *Adj u. Adv* poste restante,

P

Am (in care of) general delivery
Postleitzahl *f* postcode, *Am* zip code
postmodern *Adj* post-modern
Postpaket *n* parcel (sent by post): ***per ~*** by parcel post **Postscheck** *m Br* (Post-Office) Giro cheque
Postskript(um) *n* postscript
Post|sparbuch *n* Post-Office savings book **~stempel** *m* postmark
Postulat *n*, **postulieren** *v/t* postulate
postum *Adj* posthumous
postwendend *Adv* by return (of post), *Am* by return mail, F *fig* right away
Postwertzeichen *n* (postage) stamp
Postwurfsendung *f* mail circular
Postzug *m* mail train
Postzustellung *f* postal delivery
potent *Adj allg* potent, *sexuell*: *a.* virile, *fig a.* powerful, WIRTSCH *a.* financially strong
Potentat *m* potentate
Potenz *f* **1.** PHYSIOL potency, virility **2.** MATHE power: ***zweite ~*** square; ***dritte ~*** cube; ***in die* 4. *~ erheben*** raise to the power (of) four **3.** *fig* power, strength
Potenzial *n*, **potenziell** *Adj* potential
potenzieren *v/t* **1.** MATHE raise to a higher power **2.** *fig* magnify
Potpourri *n* MUS *u. fig* potpourri, medley
Pottasche *f* potash
Power *f* power: F ***ihm fehlt (die richtige) ~*** he's got no oomph
Pracht *f* splendo(u)r, pomp: F ***es war e-e wahre ~*** it was just great **~exemplar** *n* splendid specimen, *a.* beauty
prächtig *Adj* **1.** splendid, magnificent (*beide a. fig*), *Wetter*: glorious **2.** F *fig* (*großartig*) great (*a. Person*), super
Prachtkerl *m* F splendid fellow, great guy **Prachtstraße** *f* boulevard
Prachtstück *n* → ***Prachtexemplar***
prachtvoll → ***prächtig***
prädestinieren *v/t* predestine
Prädikat *n* **1.** LING predicate **2.** *beim Namen*: title **3.** (*Wertung*) rating, attribute, PÄD mark, grade
Prädikats|nomen *n* LING predicate complement **~wein** *m* quality-tested wine (with special attributes)
Präfix *n* LING prefix
Prag *n* Prague
prägen *v/t* **1.** stamp, (*Geld*) mint, (*Leder, Metall*) emboss **2.** *fig* (*Wort*) coin, (*j-n, j-s Charakter*) form, mo(u)ld, (*Sache*) set the tone of, determine, (*beeinflussen*) influence: ***ein ~der Einfluss*** a formative influence
Pragmatiker(in) pragmatist
pragmatisch *Adj* pragmatic(al)
Pragmatismus *m* pragmatism
prägnant *Adj* terse, pithy
Prägnanz *f* terseness, pithiness
Prägung *f* **1.** stamping, coining **2.** *fig* **a)** stamp, character, **b)** forming
prähistorisch *Adj* prehistoric(ally *Adv*)
prahlen *v/i* talk big: ***mit etw ~*** brag (*od* boast) about s.th., show off (with) s.th.
Prahler(in) braggart, F show-off
Prahlerei *f* **a)** showing-off, boasting, **b)** (*Äußerung*) boast(s *Pl*)
prahlerisch *Adj* boastful
Praktik *f* practice, method: *pej* ***~en*** *Pl* (sharp) practices *Pl* **Praktikant(in)** trainee **Praktiker(in)** practical person, expert **Praktikum** *n* UNI practical training (period)
praktisch I *Adj allg* practical (*a ~ veranlagt*), (*geschickt*) handy (*a. Gerät etc*): ***~er Arzt*** general practitioner; ***~e Ausbildung*** on-the-job training; ***~es Beispiel*** concrete example; ***~er Versuch*** field test **II** *Adv* practically, as good as (*done etc*), (*in der Praxis*) in practice
praktizieren *v/t u. v/i allg* practise
Praline *f*, **Pralinee** *n* chocolate
prall *Adj* **1.** *Sack, Brieftasche etc*: bulging, *Ball etc*: hard, *Segel*: full, *Früchte, Schenkel etc*: firm, *Muskeln*: taut **2.** *Sonne*: blazing **prallen** *v/i* **1.** *Ball etc*: bounce (***auf*** *Akk* against), (*stoßen*) crash (***an*** *Akk*, ***gegen*** into) **2.** *Sonne*: blaze down (***auf*** *Akk* on)
prallvoll *Adj* F (full to) bursting, bulging
Präludium *n* prelude
Prämie *f* **1.** (*Preis*) award, prize, (*Belohnung*) reward, (*Dividende, Leistungs*~) bonus **2.** (*Versicherungs*~ *etc*) premium
prämienbegünstigt *Adj* bonus-linked: ***~es Sparen*** → **Prämiensparen** *n* saving under the (Federal) bonus system
prämieren, prämiieren *v/t* **1.** award a prize to **2.** give a bonus for
Prämisse *f* premise
prangen *v/i* (***an*** *Dat*, ***auf*** *Dat* on) be resplendent, *weit. S.* be displayed

P

Pranger *m hist* stocks *Pl*: *a. fig* **an den ~ stellen** pillory
Pranke *f* ZOOL paw (*a. fig Hand*)
Präparat *n* **1.** preparation **2.** *mikroskopisches*: slide preparation, *bes* ANAT specimen **präparieren** *v/t* **1.** prepare (*a.* **sich ~, auf** *Akk* for) **2.** (*sezieren*) dissect **3.** (*konservieren*) preserve
Präposition *f* LING preposition
Prärie *f* prairie
Präsens *n* LING present (tense)
Präsent *n* present
Präsentation *f* presentation
präsentieren I *v/t allg* present (**j-m etw** s.o. with s.th.) **II** *v/i* MIL present arms **III** *v/refl* **sich ~** present o.s
Präsenz *f* presence
Präsenzbibliothek *f* reference library
Präsenzdienst *m österr.* military service
Präservativ *n* condom, sheath, *Am a.* prophylactic
Präsident(in) *allg* president, (*Vorsitzender*) chairman, PARL Speaker, JUR presiding judge **Präsidentenwahl** *f* presidential election **Präsidentschaft** *f* presidency **Präsidentschaftskandidat(in)** presidential candidate
präsidieren *v/i* preside (over)
Präsidium *n* **1.** (*Vorsitz*) presidency **2.** (*Vorstand*) (presiding) committee **3.** *Polizei*: police headquarters *Pl*
prasseln *v/i Feuer*: crackle, *Regen*, *Hagel*: patter, *Geschosse*: hail
prassen *v/i* feast, *weit. S.* live in luxury
Prasserei *f* feasting, *weit. S.* high life
Prätendent(in) pretender (**auf** *Akk* to)
Präteritum *n* LING preterite, past tense
präventiv *Adj*, **Präventiv...** preventive, MED *mst* prophylactic
Präventiv|krieg *m* preventive (*od* preemptive) war **~maßnahme** *f* preventive measure **~schlag** *m* MIL preemptive (first) strike
Praxis *f allg* practice (*a.* JUR, MED), (*Erfahrung*) *a.* experience: **in der ~** in practice; **etw in die ~ umsetzen** put s.th. into practice
Präzedenzfall *m* precedent, JUR *a.* leading case: **e-n ~ schaffen** set a precedent
präzis(e) *Adj* precise, exact **präzisieren** *v/t* specify **Präzision** *f* precision **Präzisionsarbeit** *f* precision work
predigen *v/t u. v/i a. fig* preach
Prediger(in) preacher
Predigt *f a. fig* sermon
Preis *m* **1.** price, (*Fahr*2) fare: **zum ~e von** at a price of; **im ~ steigen (fallen)** go up (drop); *fig* **um jeden ~** at all costs; **um k-n ~** not at any price **2.** *im Wettbewerb*: prize (*a. fig*), (*Film*2 *etc*) award: **e-n ~ erringen** win (*Sache*: fetch) a prize **3.** (*Belohnung*) prize, reward **4.** (*Lob*) praise **~absprache** *f* price agreement **~änderung** *f* change in price(s): **~en vorbehalten** subject to change **~angabe** *f* quotation (of prices): **ohne ~** not priced, not marked **~anstieg** *m* rise in prices **~aufschlag** *m* extra charge **~ausschreiben** *n* (prize) competition **2bewusst** *Adj* price-conscious **~bindung** *f* price maintenance **~boxer(in)** prize-fighter
Preiselbeere *f* BOT cranberry
preisen *v/t* praise; → **glücklich** I
Preis|entwicklung *f* price trend **~erhöhung** *f* price increase **~ermäßigung** *f* price reduction **~festsetzung** *f* price fixing, pricing **~frage** *f* prize question
Preisgabe *f* abandonment, *e-s Geheimnisses etc*: revelation, disclosure **preisgeben** *v/t* abandon, (*Geheimnis etc*) reveal, give away, (*aufgeben*) surrender
preisgekrönt *Adj* prize-winning
Preis|gericht *n* jury **~gestaltung** *f* price formation **~grenze** *f* price limit **2günstig** → **preiswert ~klasse** *f* price range **~lage** *f* price range: **in mittlerer (jeder) ~** medium-priced (in all prices) **~-Leistungs-Verhältnis** *n* price-performance ratio, F value for money
preislich *Adj u. Adv* in price
Preis|liste *f* price list **~nachlass** *m* discount **~politik** *f* price policy **~rätsel** *n* competition puzzle **~richter(in)** judge **~rutsch** *m* price slide **~scanner** *m* (supermarket checkout) scanner, barcode (*od* price) scanner **~schild** *n* price tag **~schwankung** *f* price fluctuation **~senkung** *f* price reduction **~steigerung** *f* rise in prices, *Pl a.* rising prices *Pl* **~stopp** *m* price freeze
Preisträger(in) prize winner
Preistreiberei *f* forcing up of prices
Preisverteilung *f* presentation (of prizes)
preiswert *Adj* cheap, low-priced: **~ sein**

P

a. be good value, be a bargain
prekär *Adj* precarious, awkward
Prellbock *m* BAHN buffer stop, *fig* buffer
prellen *v/t* **1.** MED bruise **2.** *fig* cheat (**um** of) **Prellung** *f* MED contusion, bruise
Premiere *f* THEAT *etc* first night
Premier(minister(in)) prime minister
Presse[1] *f* TECH press, (*Saft*♀) squeezer
Presse[2] *f allg the* press: ***er hatte e-e gute*** (***schlechte***) ~ he had a good (bad) press **~agentur** *f* press agency **~amt** *n* press office **~ausweis** *m* press card **~bericht** *m* press report **~büro** *n* press agency **~dienst** *m* news service **~empfang** *m* press reception **~erklärung** *f* press release **~feldzug** *m* press campaign **~fotograf(in)** press photographer **~freiheit** *f* freedom of the press **~konferenz** *f* press conference **~meldung** *f* news item
pressen *v/t allg* press (*a. v/i*), (*aus*~) squeeze
Presse|schau *f*, **~spiegel** *m* press review **~sprecher(in)** press spokesman (spokeswoman) **~stimmen** *Pl* press commentaries *Pl* **~tribüne** *f* press box (PARL gallery) **~vertreter(in)** reporter **~wesen** *n the* press **~zensur** *f* censorship of the press **~zentrum** *n* press cent/re (*Am* -er)
pressieren *v/i österr., südd.* be urgent: ***mir pressierts*** I'm in a hurry
Pressluft *f* compressed air **~bohrer** *m* pneumatic drill **~hammer** *m* pneumatic hammer
Presswehen *Pl* MED bearing-down pains *Pl*
Prestige *n* prestige **~frage** *f* matter of prestige **~verlust** *m* loss of prestige
Preußen *n* Prussia **Preuße** *m*, **Preußin** *f*, **preußisch** *Adj* Prussian
prickeln I *v/i* **1.** *Haut etc*: tingle, (*kitzeln*) tickle (***auf der Zunge*** the palate), *Sekt*: prickle, *im Glas*: sparkle **II** ♀ *n* **2.** tingling (sensation), *in den Gliedern*: *a.* pins and needles *Pl*, *von Sekt*: prickle **3.** *fig* thrill **prickelnd** *Adj* **1.** tingling, prickly **2.** *fig* thrilling
Priester *m* priest **Priesteramt** *n* priesthood **Priesterin** *f* priestess **priesterlich** *Adj* priestly **Priesterweihe** *f* ordination (of a priest)
prima *Adj* **1.** WIRTSCH first-rate, prime **2.** F (*a. Interj*) great, super
primär *Adj* primary
Primar|arzt *m*, **~ärztin** *f österr.* consultant
Primas *m* REL primate
Primat *m*, *n* primacy
Primaten *Pl* ZOOL primates *Pl*
Primel *f* BOT primrose
primitiv *Adj* primitive
Primitivität *f* primitiveness
Primzahl *f* MATHE prime number
Printmedium *n* print medium
Prinz *m* prince **Prinzessin** *f* princess
Prinzgemahl *m* Prince Consort
Prinzip *n* (***aus*** ~ on, ***im*** ~ in) principle
prinzipiell *Adj u. Adv* on principle
Prinzipienreiter(in) *pej* stickler (for principles)
Prior *m* REL prior
Priorin *f* REL prioress
Priorität *f* priority (***über, vor*** *Dat* over): ***~en setzen*** establish priorities
Prise *f* **1.** ***e-e ~ Salz*** (***Tabak***) a pinch of salt (snuff) **2.** SCHIFF prize
Prisma *n* prism **prismatisch** *Adj* prismatic(ally *Adv*) **Prismensucher** *m* FOTO prismatic viewfinder
Pritsche *f* **1.** plank bed **2.** MOT platform **3.** (*Narren*♀) slapstick
privat I *Adj* private, (*persönlich*) *a.* personal **II** *Adv* privately, in private
Privatadresse *f* home address
Privatangelegenheit *f* → ***Privatsache***
Privat|besitz *m* private (*od* personal) property: ***in*** ~ privately owned **~dozent(in)** (unsalaried) lecturer, *Am* instructor **~eigentum** *n* → ***Privatbesitz*** **~fernsehen** *n* private television **~gebrauch** *m* (***zum*** ~ for one's) private use **~gespräch** *n* private conversation (TEL call) **~initiative** *f* **1.** initiative **2.** WIRTSCH private venture
privatisieren I *v/t* WIRTSCH privatize **II** *v/i* live on one's private income **Privatisierung** *f* privatization
Privat|kunde *m* private customer **~lehrer(in)** private teacher **~mann** *m* private person ♀**rechtlich** *Adj u. Adv* under private law **~sache** *f* private matter (*od* affair): ***das ist m-e ~!*** that's my (own) business! **~schule** *f* private (*Br a.* independent, public) school; → *Info bei* ***public*** *u. bei* ***preparatory***
Privatsekretär(in) private secretary

Privatstunden *Pl*, **Privatunterricht** *m* private lessons *Pl*
Privatwirtschaft *f* private enterprise
Privileg *n*, **privilegieren** *v/t* privilege
pro *Präp* per: ***~ Jahr*** per annum, a year; ***~ Kopf*** per head, each; ***~ Stück*** a piece; ***~ Stunde*** per hour **Pro** *n* ***das ~ und Kontra*** the pros and cons *Pl*
Probe *f* **1.** (*Muster, Waren*≈, *a.* MED *Blut*≈ *etc*) sample, (*Gesteins*≈, *Erz*≈, *Schrift*≈ *etc*, *a.* TECH) specimen, *iron* (*Kost*≈) *a.* taste: ***e-e ~*** *s-s Könnens, Mutes etc* ***ablegen*** give a sample (*iron* taste) of **2.** (*Erprobung*) test, try-out, (*Überprüfung*) check: ***auf ~*** → ***probeweise***; ***j-n auf die ~ stellen*** put s.o. to the test, test s.o.; ***etw auf e-e harte ~ stellen*** put s.th. to a severe test, tax s.th. severely; ***~ fahren*** test-drive; ***~ fliegen*** test-fly; ***die ~ aufs Exempel machen*** put it to the test **3.** THEAT *etc* rehearsal: ***~n abhalten*** hold rehearsals, rehearse
Probe|abzug *m* BUCHDRUCK proof **~alarm** *m* practice alarm **~aufnahme** *f* **1.** FILM screen test: ***von j-m ~n machen*** screen-test s.o. **2.** *für Schallplatten*: test recording **~auftrag** *m*, **~bestellung** *f* trial order **~bohrung** *f* trial drill **~exemplar** *n* specimen copy **~fahrt** *f* test (*od* trial) run **~flug** *m* test (*od* trial) flight **~jahr** *n* year of probation **~lauf** *m* TECH test run
proben *v/t u. v/i allg* rehearse
Probenummer *f* specimen copy **Probepackung** *f* trial package **Probeseite** *f* specimen page **Probesendung** *f* sample sent on approval **Probestück** *n* sample, specimen **probeweise** *Adv* on a trial basis, *anstellen etc*: *a.* on probation **Probezeit** *f* trial period: ***nach e-r ~ von 3 Monaten*** at the end of three months' probation
probieren *v/t* **1.** try, (*Speisen, Wein etc*) *a.* taste, (*prüfen*) test: ***es mit j-m*** (***etw***) ***~*** try s.o. (s.th.); F ***es bei j-m ~*** try it on with s.o. **2.** → ***anprobieren***
Problem *n* problem: ***kein ~!*** no problem (at all)! **Problematik** *f* problematic nature, problems *Pl*
problematisch *Adj* problematic(al)
Problemkind *n* problem child
Problemkreis *m* complex of problems
problemlos *Adj* unproblematic(ally *Adv*), *Adv a.* without (any) difficulties
Problemstellung *f* **1.** formulation of a problem **2.** problem
Problemstück *n* THEAT thesis play
Produkt *n* product (*a.* MATHE *u. fig*), (*Natur*≈) produce
Produkthaftung *f* product liability
Produktion *f allg* production, (*Ausstoß*) *a.* output: ***in ~ gehen*** go into production
Produktions|anlage *f* production plant(s *Pl*) **~ausfall** *m* loss of production **~güter** *Pl* producer goods *Pl* **~kapazität** *f* production capacity **~kosten** *Pl* production costs *Pl* **~leiter(in)** production manager **~mittel** *Pl* means *Pl* of production **~rückgang** *m* fall in production **~stätte** *f* production site **~steigerung** *f* increase in production **~ziel** *n* production target
produktiv *Adj* productive **Produktivität** *f* productivity
Produkt|manager(in) product manager **~palette** *f* product range, range of products **~pirat** *m* product pirate **~piraterie** *f* product piracy
Produzent(in) *allg* producer, LANDW *a.* grower **produzieren I** *v/t allg* produce, LANDW *a.* grow **II** *v/refl* ***sich ~*** F show off
profan *Adj* **1.** (*weltlich*) profane **2.** (*alltäglich*) trivial
professionell *Adj* professional
Professor *m* professor
Professorin *f* (woman) professor
Professur *f* professorship, chair
Profi *m* F pro
Profi... professional (*football etc*)
Profil *n allg* profile (*a. fig*), TECH *a.* section, MOT (*Reifen*≈) tread: ***im ~*** in profile; *fig* ***~ haben*** have personality; ***an ~ gewinnen*** improve one's image
profilieren I *v/t* **1.** TECH profile, contour **2.** *fig* present in clear outline **II** *v/refl* ***sich ~*** **3.** *Politiker etc*: distinguish o.s.
profiliert *Adj fig* clear-cut, *Persönlichkeit*: distinguished
Profilneurose *f* obsession with one's image **Profilsohle** *f* profiled sole **Profilstahl** *m* TECH section steel
Profit *m* profit: ***~ schlagen aus*** profit from (*od* by) **profitabel** *Adj* profitable
profitieren *v/i u. v/t* profit (***von*** by, from)
Profitjäger(in) *pej* profiteer

pro forma *Adv* as a matter of form **Pro-forma-Rechnung** *f* pro forma invoice
profund *Adj* profound
Prognose *f* forecast, *bes* MED prognosis
Programm *n* **1.** *allg* program(me *Br*), POL *a.* platform, TV (*Kanal*) *mst* channel, (*Zeitplan*) *a.* schedule: ***was steht heute auf dem ~?*** what's the program(me) for today?; F ***das passt mir gar nicht ins ~!*** that doesn't suit me at all! **2.** COMPUTER program **3.** *e-r Waschmaschine etc*: cycle **~änderung** *f* change of program(me *Br*)
programmatisch *Adj* programmatic(ally *Adv*)
programmgemäß *Adv* according to plan
Programmgestaltung *f* program(me *Br*) planning, programming
programmgesteuert *Adj* COMPUTER program-controlled
Programm|heft *n* program(me *Br*) **~hinweis** *m* program(me *Br*) note
programmierbar *Adj* COMPUTER programmable **programmieren** *v/t* program(me *Br*): *fig* ***auf etw programmiert sein*** be conditioned to (do) s.th.
Programmierer(in) programmer
Programmier|fehler *m* bug **~sprache** *f* programming language
Programmierung *f* programming
Programm|punkt *m* item, POL plank **~steuerung** *f* IT program control **~taste** *f* program key **~vorschau** *f* program(me *Br*) roundup, FILM trailer(s *Pl*) **~wahl** *f* **1.** TV channel selection **2.** *e-r Waschmaschine etc*: cycle selection **~zeitschrift** *f* program(me *Br*) guide
Progression *f allg* progression
progressiv *Adj*, **Progressive** *m, f* progressive
Prohibition *f Am* hist. Prohibition
Projekt *n* project **Projektgruppe** *f* WIRTSCH task force **projektieren** *v/t* project
Projektion *f* projection
Projektmanager(in) project manager
Projektor *m* projector
projizieren *v/t allg* project
Proklamation *f* proclamation
proklamieren *v/t* proclaim
Pro-Kopf-Einkommen *n* per capita income
Prokura *f* WIRTSCH (power of) procuration: ***j-m ~ erteilen*** confer power of procuration on s.o. **Prokurist(in)** authorized representative, officer authorized to act and sign on behalf of the firm
Prolet(in) *pej* prole **Proletariat** *n* proletariat(e) **Proletarier(in)**, **proletarisch** *Adj* proletarian
Prolog *m* prolog(ue)
prolongieren *v/t* renew
Promenade *f allg* promenade **Promenadendeck** *n* SCHIFF promenade deck
Promille *n* per mil, F MOT blood alcohol **Promillegrenze** *f* MOT (blood) alcohol limit
prominent *Adj* prominent
Prominente *m, f* public figure, celebrity **Prominenz** *f* notables *Pl*, public figures *Pl*, celebrities *Pl*
Promotion *f* UNI doctorate
promovieren I *v/t* confer a doctorate on **II** *v/i* take one's (doctor's) degree
prompt *Adj* prompt, quick
Pronomen *n* LING pronoun
Propaganda *f* propaganda **~feldzug** *m* propaganda campaign
Propagandist(in), **propagandistisch** *Adj* propagandist
propagieren *v/t* propagate
Propan(gas) *n* propane
Propeller *m* propeller
Prophet(in) prophet(ess)
prophetisch *Adj* prophetic(ally *Adv*)
prophezeien *v/t* prophesy, predict
Prophezeiung *f* prophecy
prophylaktisch *Adj* MED prophylactic(ally *Adv*) **Prophylaxe** *f* prophylaxis
Proportion *f* proportion **proportional** *Adj* proportional: ***umgekehrt ~*** conversely proportional (***zu*** to) **Proportionalschrift** *f* proportional spacing **Proporz** *m* proportional representation
Prorektor(in) UNI vice-chancellor
Prosa *f* prose **Prosadichtung** *f* prose writing **Prosaiker(in)** **1.** prose writer, prosaist **2.** *fig* prosaic person **prosaisch** *Adj fig* prosaic(ally *Adv*), dull
prosit *Interj* your health!, cheers!
Prospekt *m* **1.** (*Werbe*~ *etc*) brochure, (*Faltblatt*) leaflet **2.** THEAT backdrop
prost → ***prosit***
Prostata *f* ANAT prostate (gland)
prostituieren *v/refl* ***sich ~*** *a. fig* prosti-

tute o.s. **Prostituierte** *f* prostitute **Prostitution** *f* prostitution
Protagonist(in) *fig* protagonist
Protégé *m* protégé **protegieren** *v/t* patronize, sponsor: ***von j-m protegiert werden*** be s.o.'s protégé
Protein *n* protein
Protektion *f* patronage
Protektionismus *m* WIRTSCH protectionism
protektionistisch *Adj* WIRTSCH protectionist
Protektorat *n* **1.** POL protectorate **2.** *fig* patronage
Protest *m* protest (*a.* WIRTSCH): ***aus (unter)*** ~ in (under) protest; ~ ***einlegen*** enter a protest (***gegen*** against)
Protestant(in), **protestantisch** *Adj* Protestant **Protestantismus** *m* Protestantism **protestieren** *v/i* protest (***gegen etw*** against s.th., *Am a.* s.th.)
Protestkundgebung *f* protest rally
Protestmarsch *m* protest march
Prothese *f* **1.** artificial limb **2.** (*Zahn*2) denture(s *Pl*)
Protokoll *n* **1.** record, (*Sitzungs*2) minutes *Pl*: ~ ***führen*** take the minutes; ***zu*** ~ ***geben*** place on record, JUR depose, state (in evidence); ***zu*** ~ ***nehmen*** take down **2.** POL protocol
protokollarisch *Adj* **1.** on record, minuted: *Adv* ~ ***festhalten*** → ***protokollieren*** **2.** POL (of) protocol
Protokoll|chef(in) POL chief of protocol **~führer(in)** keeper of the minutes, recording clerk, JUR clerk of the court
protokollieren *v/t* record, enter in the minutes, take *s.th.* down
Proton *n* PHYS proton
Protoplasma *n* BIOL protoplasm
Prototyp *m* prototype
Protz *m* F show-off **protzen** *v/i* F show off (***mit*** [with] *s.o., s.th.*)
protzig *Adj* F ostentatious, showy
Proviant *m* provisions *Pl*
Provider *m* IT (access) provider
Provinz *f* **1.** province **2.** (*Ggs. Hauptstadt*) *the* provinces *Pl*, *fig pej* backwater: ***finsterste*** (*od* ***hinterste***) ~ ***sein*** be utterly provincial **provinziell** *Adj*, **Provinzler(in)** *pej* provincial
Provision *f* WIRTSCH (***auf*** ~ on) commission
provisorisch *Adj* provisional, temporary **Provisorium** *n* **1.** provisional agreement **2.** (*Notbehelf*) makeshift
Provokateur(in) troublemaker **Provokation** *f* provocation **provozieren** *v/t* provoke: ***~d*** provocative
Prozedur *f* procedure, *iron* ritual
Prozent *n* **1.** per cent, *Am* percent: ***zu 5*** ~ at five per cent; ***zu wie viel*** ~**?** at what percentage? **2.** *Pl* F (*Gewinnanteil*) percentage, (*Rabatt*) discount *Sg*
...prozentig *in Zssgn* per cent
Prozent|punkt *m* percentage point **~satz** *m allg* percentage
prozentual *Adj* proportional: ***~er Anteil*** percentage; *Adv* ~ ***am Gewinn beteiligt sein*** receive a percentage of the profit
Prozess *m* **1.** process **2.** JUR lawsuit, (*Straf*2) trial: ***e-n*** ~ ***anstrengen gegen*** bring an action against; ***gegen j-n e-n*** ~ ***führen*** be engaged in a lawsuit with s.o.; ***e-n*** ~ ***gewinnen*** (***verlieren***) win (lose) a case; ***j-m den*** ~ ***machen*** put s.o. on trial; *fig* ***kurzen*** ~ ***machen*** make short work (***mit*** of)
Prozessakten *Pl* case files *Pl*
Prozess|gegenstand *m* matter in dispute **~gegner(in)** opposing party
prozessieren *v/i* go to court, litigate: ***gegen j-n*** ~ **a)** bring an action against s.o., **b)** be engaged in a lawsuit with s.o.
Prozession *f* procession
Prozesskosten *Pl* (legal) costs *Pl*
Prozesskostenhilfe *f* legal aid
Prozessor *m* IT processor
Prozess|ordnung *f* code of procedure **~partei** *f* party (to the action)
Prozessrechner *m* ELEK, COMPUTER process control computer
Prozesssteuerung *f* TECH process control
Prozessvollmacht *f* power of attorney
prüde *Adj* prudish: (***nicht***) ~ ***sein*** *mst* be a (no) prude **Prüderie** *f* prudery
prüfen *v/t* **1.** examine, inspect, *genau:* scrutinize, (*e-n Vorfall etc*) investigate, look into, (*e-n Vorschlag etc*) consider, (*nach~, über~*) check, WIRTSCH (*Bücher*) audit, JUR (*Entscheidung*) review, TECH (*erproben*) (put to the) test: ***~der Blick*** searching glance **2.** PÄD, UNI examine, test: → ***staatlich*** II **3.** (*heimsuchen*) afflict
Prüfer(in) PÄD, UNI examiner, TECH test-

P

er, WIRTSCH auditor
Prüfling *m* examinee, candidate
Prüfstand *m* TECH test bed: *fig* ***auf dem ~*** being tested
Prüfstein *m fig* touchstone, test
Prüfung *f* **1.** PÄD examination, test, F exam: → ***ablegen*** 4 **2.** (*Untersuchung*) examination, *genaue*: *a.* scrutiny, *e-s Vorfalls etc*: *a.* investigation, (*Nach*≗, *Über*≗) check(ing), WIRTSCH (*Buch*≗) audit, JUR review **3.** TECH (*Erprobung*) test, trial **4.** (*Heimsuchung*) trial, affliction **5.** SPORT (*Wettbewerb*) event
Prüfungs|angst *f* F exam nerves *Pl* **~arbeit** *f*, **~aufgabe** *f* examination (*od* test) paper **~ausschuss** *m* → ***Prüfungskommission*** **~gebühr** *f* examination fee **~kommission** *f* board of examiners **~ordnung** *f* examination regulations *Pl* **~zeugnis** *n* certificate
Prüfverfahren *n* method of testing
Prüfvorrichtung *f* testing apparatus
Prügel *m* **1.** (heavy) stick, cudgel **2.** *Pl* F ***~ beziehen*** get a (sound) thrashing, *a.* SPORT get clobbered
Prügelei *f* fight, brawl
Prügelknabe *m fig* scapegoat
prügeln *v/t* thrash, clobber: ***sich ~*** (have a) fight
Prügelstrafe *f* corporal punishment
Prunk *m* splendo(u)r, *pej* pomp
Prunkstück *n* F showpiece
prunkvoll *Adj* splendid, magnificent
prusten *v/i* snort (***vor*** *Dat* with)
PS *Abk* **1.** (= ***Pferdestärken***) H.P **2.** (= ***Postskriptum***) PS
Psalm *m* psalm **Psalmist(in)** psalmist
Psalter *m* psalter
Pseudo…, **pseudo…** pseudo…
Pseudokrupp *m* MED pseudo-croup
pseudonym *Adj* pseudonymous
Pseudonym *n* pseudonym, *e-s Schriftstellers*: *a.* pen name
pst *Interj* (*still*) shh!, (*horch*) psst!
Psyche *f* psyche
psychedelisch *Adj* psychedelic
Psychiater(in) psychiatrist, F shrink
Psychiatrie *f* **1.** psychiatry **2.** (*Abteilung*) psychiatric ward
psychiatrisch *Adj* psychiatric
psychisch *Adj* psychic(al), (*a ~ bedingt*) psychological, mental: ***~e Erkrankung*** mental illness
Psychoanalyse *f* psychoanalysis
Psychoanalytiker(in) psychoanalyst
Psychogramm *n* psychograph, *fig a.* profile
Psychologe *m*, **Psychologin** *f* psychologist **Psychologie** *f* psychology
psychologisch *Adj* psychological
Psychopath(in) psychopath
psychopathisch *Adj* psychopathic
Psychopharmakon *n* (*Pl* **-ka**) psychochemical
Psychose *f a. fig* psychosis
psychosomatisch *Adj* psychosomatic
Psychoterror *m* psychological intimidation
Pychotherapeut(in) psychotherapist
psychotherapeutisch *Adj* psychotherapeutic(ally *Adv*)
Psychotherapie *f* psychotherapy
psychotisch *Adj* psychotic(ally *Adv*)
Pubertät *f* puberty
pubertieren *v/i* go through puberty
publik *Adj* ***~ sein*** (***werden***) be (become) common knowledge; ***~ machen*** make *s.th.* public
Publikation *f* publication
Publikum *n the* public, audience, TV *a.* viewers *Pl*, RADIO *a.* listeners *Pl*, SPORT spectators *Pl*, (*Gäste*) customers *Pl*, (*Besucher*) visitors *Pl*
Publikums|erfolg *m* great (popular) success **~geschmack** *m* (***dem ~ entsprechen*** be in the) public taste **~liebling** *m* darling of the public
publizieren *v/t* publish
Publizist(in) publicist, journalist
Publizistik *f* journalism
publizistisch *Adj* journalistic(ally *Adv*)
Pudding *m* blancmange
Pudel *m* ZOOL poodle: F ***dastehen wie ein begossener ~*** look crestfallen **~mütze** *f* bobble hat **≗nass** *Adj* F soaking wet **≗wohl** *Adj* F ***sich ~ fühlen*** feel great
Puder *m*, F *a. n* powder **Puderdose** *f* powder compact **pudern** *v/t* powder
Puderquaste *f* puff
Puderzucker *m* icing (*Am* confectioner's) sugar
Puff[1] *m* **1.** (*Stoß*) thump, *in die Rippen*: poke, dig, *leichter*: nudge: F *fig* ***er*** (***es***) ***kann schon e-n ~ vertragen*** he (it) can stand a knock **2.** (*Knall*) pop, bang
Puff[2] *m*, *a. n* (*Bordell*) brothel
Puffärmel *m* puffed sleeve

puffen I *v/t* thump, *leicht*: nudge **II** *v/i* puff
Puffer *m* **1.** *allg* buffer **2.** → ***Kartoffelpuffer*** **Pufferstaat** *m* buffer state
Puffreis *m* puffed rice
Pulle *f* F bottle: *fig* ***volle ~*** full blast
Pulli *m* (light) sweater
Pullover *m* sweater, pullover
Pullunder *m* tank top
Puls *m* pulse: ***j-m den ~ fühlen*** feel s.o.'s pulse, *fig* sound s.o. out **Pulsader** *f* artery **pulsieren** *v/i a. fig* pulsate
Pulsschlag *m* pulse beat **Pulswärmer** *m* wristlet **Pulszahl** *f* pulse rate
Pult *n allg* desk, (*Redner*♀) lectern: MUS ***am ~ XY*** XY conducting
Pulver *n allg* powder, (*Schieß*♀) gunpowder: F *fig* ***er hat das ~ nicht erfunden*** he is no great light; → ***Schuss*** 1
Pulverfass *n a. fig* powder keg: *fig* ***wie auf e-m ~ sitzen*** be sitting on top of a volcano
pulverisieren *v/t* pulverize
Pulverkaffee *m* instant coffee
Pulverschnee *m* powdery snow
Puma *m* ZOOL puma, *Am* cougar
pummelig *Adj* F plump
Pump *m* F ***auf ~*** on tick
Pumpe *f* **1.** pump **2.** *sl* (*Herz*) ticker
pumpen *v/t u. v/i* **1.** pump **2.** F (*leihen*) lend, *bes Am* loan: ***sich etw ~*** borrow s.th. (***bei j-m*** from s.o.)
Pumpernickel *m* pumpernickel
Pumps *m* court shoe
Punker(in) punk
Punkt *m* **1.** point (*a.* MATHE, *Sport etc*), (*Tüpfelchen*) dot, LING, BUCHDRUCK full stop, *Am* period, *bei Internetadressen*: dot: ***der grüne ~*** symbol for recyclable packaging; ***nach ~en siegen*** win on points; ***~ 10 Uhr*** at ten o'clock sharp **2.** (*Stelle*) spot: *fig* ***bis zu e-m gewissen ~*** up to a point; → ***tot, wund*** **3.** *fig* (*Einzelheit*) point, item, (*Thema*) subject: ***in vielen ~en*** in many respects; F ***der springende ~*** the crux (of the matter), the whole point; ***die Sache auf den ~ bringen*** hit the nail squarely on the head, put it in a nutshell; → ***strittig***
punkten I *v/t* dot **II** *v/i* SPORT score (points)
punktieren *v/t* MED puncture
pünktlich I *Adj* punctual: ***sei ~!*** be on time!; ***sie ist selten ~*** she's a bad timekeeper **II** *Adv* punctually, on time: ***~ um 10 Uhr*** at ten o'clock sharp
Pünktlichkeit *f* punctuality
Punkt|richter(in) SPORT judge **~sieg** *m* win on points, points decision **~sieger(in)** winner on points **~spiel** *n* league match **~system** *n* points system
punktuell *Adj* selective(ly *Adv*), *Adv a.* at certain points
Punsch *m* GASTR punch
Pupille *f* pupil
Püppchen *n* dolly **Puppe** *f* **1.** doll (*a.* F *Mädchen*), (*Marionette, a. fig*) puppet, (*Kleider*♀, *a. für Crashtests*) dummy: F ***bis in die ~n schlafen*** sleep till all hours **2.** ZOOL chrysalis, pupa, *des Seidenspinners*: cocoon
Puppen|spiel *n* puppet show **~spieler(in)** puppeteer **~stube** *f* doll's house, *Am* dollhouse **~theater** *n* puppet theat/re (*Am* -er) **~wagen** *m* doll's pram, *Am* doll carriage (*od* buggy)
pur *Adj* pure, (*bloß*) *a.* sheer, *Whisky*: neat, *Am* straight
Püree *n* GASTR purée, mash
Puritaner(in) Puritan **puritanisch** *Adj hist* Puritan, *pej* puritanical
Purpur *m*, **purpurrot** *Adj* crimson
Purzelbaum *m* forward roll
purzeln *v/i* tumble
Push-up-BH *m* push-up bra
Puste *f* F breath: ***außer ~ sein*** be puffed
Pustel *f* MED pustule
pusten *v/i u. v/t* puff, (*blasen*) *a.* blow: F MOT ***er musste ~*** he was breathalyzed
Pute *f* ZOOL turkey (hen): F *fig* ***dumme ~*** silly goose **Puter** *m* ZOOL turkey (cock)
puterrot *Adj* (***~ werden*** turn) scarlet
Putsch *m* POL putsch, coup (d'état), revolt **putschen** *v/i* revolt
Putschist(in) putschist
Putte *f* putto
Putz *m* **1.** ARCHI plaster: ELEK ***unter ~*** buried, concealed; F *fig* ***auf den ~ hauen*** **a)** go to town, **b)** (*angeben*) show off **2.** F (*Krach*) row: ***~ machen*** raise hell
putzen I *v/t* clean (*a. Gemüse*), (*Schuhe*) polish, *Am* shine, (*Gefieder*) preen: ***sich die Nase ~*** blow one's nose; ***sich die Zähne ~*** brush one's teeth **II** *v/i* clean: ***~ (gehen)*** work as a cleaner **III** *v/refl* ***sich ~*** *a. fig* preen o.s
Putz|frau *f*, **~hilfe** *f* cleaning lady

P

putzig *Adj* F funny
Putz|kolonne *f* cleaning crew, cleaners *Pl* **~lappen** *m* cloth
Putzmann *m* cleaner
Putzmittel *n* cleaning agent
putzmunter *Adj* F **1.** (*wach*) wide-awake **2.** (*vergnügt*) chirpy
Putzteufel *m* dirt-obsessed housewife
Putzzeug *n* cleaning things *Pl*
puzzeln *v/i* do a (jigsaw) puzzle
Puzzle *n* jigsaw (puzzle)
Pygmäe *m*, **Pygmäin** *f* pygmy
Pyjama m (pair of) pyjamas (*Am* pajamas) *Pl*
Pyramide *f a. fig* pyramid
pyramidenförmig *Adj* pyramidal
Pyrenäen *Pl the* Pyrenees *Pl*

Q

Q, q *n* Q, q
Quacksalber(in) quack
Quacksalberei *f* quackery
Quadrant *m allg* quadrant
Quadrat *n* square: ***2 Fuß im ~*** 2 feet square; MATHE ***ins ~ erheben*** square; ***3 zum*** (*od* ***im***) ***~ ist 9*** three squared equals nine **quadratisch** *Adj* square, MATHE quadratic **Quadratmeter** *m, n* square metre (*Am* meter) **Quadratur** *f* quadrature: *fig* ***die ~ des Kreises*** the squaring of the circle **Quadratwurzel** *f* square root **quadrieren** *v/t* square
quadrophon *Adj* quadrophonic(ally *Adv*)
quaken *v/i Ente*: quack, *Frosch*: croak
quäken *v/i* squawk
Quäker(in) Quaker
Qual *f* agony, *seelische*: *a.* anguish (*beide a.* ***~en*** *Pl*), (*hartes Los, Nervenprobe*) ordeal: ***unter ~en*** in (great) pain, *fig* with great difficulty; ***es war e-e ~*** it was hell; ***die ~ der Wahl*** an embarras de richesse, the ordeal of choice
quälen I *v/t* torment, (*foltern*) torture (*beide a. fig*), *fig* (*bedrücken*) haunt, *mit Bitten etc*: pester; → ***gequält*** **II** *v/refl* ***sich ~*** (***mit***) **a)** *innerlich*: torment o.s. (with), **b)** (*sich abmühen*) struggle hard (with), **c)** *e-r Krankheit*: suffer (badly) (from) **quälend** → ***qualvoll***
Quälerei *f* **1.** tormenting (*etc*, → ***quälen*** I) **2.** torment, torture
Quälgeist *m* pest, tormentor
Qualifikation *f* qualification
Qualifikationsrunde *f* SPORT qualifying round
qualifizieren *v/t u. v/refl* ***sich ~*** qualify (***für*** for): ***qualifiziert*** *allg* qualified
Qualität *f* quality
qualitativ *Adj* qualitative
Qualitäts|arbeit *f* high-quality work **~kontrolle** *f* quality control **~management** *n* quality management **~sicherung** *f* quality assurance **~ware** *f* high-quality article, *Koll* quality goods *Pl* **~wein** *m* quality-tested wine
Qualle *f* ZOOL jellyfish
Qualm *m*, **qualmen** *v/i u. v/t* smoke
qualmig *Adj* smoky
qualvoll *Adj* very painful, *Schmerzen*: excruciating, *a. seelisch*: agonizing
Quäntchen *n* dram, *fig a.* grain
Quantenphysik *f* quantum physics *Sg*
Quantensprung *m* quantum leap
Quantentheorie *f* quantum theory
quantifizieren *v/t* quantify **Quantität** *f* quantity **quantitativ** *Adj* quantitative
Quantum *n* quantum, amount, (*Anteil*) share, quota
Quarantäne *f* (***unter ~ stellen*** put in) quarantine
Quark *m* **1.** GASTR curd cheese **2.** → ***Quatsch***
Quartal *n* quarter (year)
Quartett *n* **1.** MUS quartet(te) **2.** *fig* foursome **3.** (*Spiel*) happy families *Pl*
Quartier *n* accommodation, *bes* MIL quarters *Pl*
Quarz *m* quartz **~uhr** *f* quartz watch
quasi *Adv* as it were
quasseln → ***quatschen***
Quaste *f* **1.** tassel **2.** → ***Puderquaste***
Quatsch *m* F *allg* rubbish, rot: ***~ machen*** **a)** fool around, **b)** do s.th. stupid; ***red k-n ~!*** don't talk rubbish!, *weit. S.*

you're kidding! **quatschen** *v/i* F **1.** talk rubbish **2.** (*klatschen*) gossip **3.** (*plaudern*) chat, waffle **4.** (*ausplaudern*) blab **Quatschkopf** *m* F silly ass
Quecke *f* BOT couch grass
Quecksilber *n* quicksilver, mercury **~säule** *f* mercury column **~vergiftung** *f* mercury poisoning
Quelldatei *f* COMPUTER source file
Quelle *f* spring, (*Fluss*≈) source (*a. fig Text, Ursprung, Person etc*), (*Brunnen, Öl*≈) well: *fig* ***etw aus sicherer ~ wissen*** have s.th. on good authority
quellen *v/i* **1.** (***aus*** from) pour (*a. fig*), *Blut, Wasser*: well, gush **2.** (*anschwellen*) swell: *Erbsen etc* ***~ lassen*** soak
Quellen|angabe *f* reference: **~n** *Pl* bibliography *Sg* **~material** *n* source material **~steuer** *f* withholding tax **~studium** *n* basic research
Quellgebiet *n* headwaters *Pl*
Quellprogramm *n* COMPUTER source program
Quellwasser *n* spring water
Quengelei *f* F beefing, *e-s Kindes*: whining **quengelig** *Adj* grumpy, whining
quengeln *v/i* grumble, *Kind*: whine
Quentchen *n* → ***Quäntchen***
quer *Adv* **a)** crosswise, across, **b)** diagonally, **c)** at right angles (***zu*** to): ***~ über*** (*Akk*) across; ***~ gestreift*** horizontally striped; F *fig* ***sich ~ legen, ~ schießen*** make trouble
Quer… *mst* cross … **Querachse** *f* lateral axis **Querbalken** *m* crossbeam **Querdenker(in)** unconventional thinker
Quere *f* ***j-m in die ~ kommen*** get in s.o.'s way
querfeldein *Adv* across country **Querfeldeinlauf** *m* cross-country race
Querflöte *f* transverse flute
Querformat *n* horizontal format
Querkopf *m* F pigheaded fellow
Querlatte *f* SPORT crossbar
Querpass *m* SPORT cross pass
Querpfeife *f* MUS fife
Querschiff *n* ARCHI transept
Querschläger *m* MIL ricochet
Querschnitt *m* cross-section (*a. fig* ***durch*** of)
querschnitt(s)gelähmt *Adj*, **Querschnitt(s)gelähmte** *m, f* MED paraplegic
Querschnitt(s)lähmung *f* MED paraplegia
Querschnittzeichnung *f* sectional drawing
Querstraße *f* intersecting road: ***zweite ~ rechts*** second turning on the right
Querstreifen *m* cross stripe
Querstrich *m* horizontal line, dash
Quertreiber(in) F obstructionist
Quertreiberei *f* F obstruction(ism)
Querulant(in) troublemaker
Quer|verbindung *f* cross connection, *fig a.* link **~verweis** *m* cross reference
quetschen *v/t* squeeze (*a. fig* ***sich*** o.s.), MED bruise, (*zer~*) crush
Quetschung *f* MED bruise, contusion
Quickie *n* F *allg* quickie
quicklebendig *Adj* F lively, active, *bes ältere Person*: spry
quieken *v/i* squeak
quietschen *v/i* squeal, squeak
quietschvergnügt *Adj* F chirpy, cheerful
Quinte *f* MUS fifth
Quintessenz *f* essence
Quintett *n* MUS quintet(te)
Quirl *m* **1.** GASTR beater **2.** BOT whorl **3.** *fig* live wire **quirlen** *v/t* (*Eier etc*) whisk, beat **quirlig** *Adj fig* lively
quitt *Adj* ***mit j-m ~ sein*** (***werden***) be (get) quits with s.o.
Quitte *f* BOT quince
quittieren *v/t* **1.** give a receipt for: *fig* ***etw mit e-m Lächeln*** *etc* ***~*** meet s.th. with a smile *etc* **2.** ***den Dienst ~*** resign
Quittung *f* (***gegen ~*** on) receipt: *fig* ***das ist die ~ für d-n Leichtsinn*** *etc* that's what you get for being so careless *etc*
Quittungsblock *m* receipt book
Quittungsformular *n* receipt form
Quiz *n* quiz **Quizmaster(in)** quizmaster
Quizsendung *f* quiz program(me *Br*)
Quote *f* quota, (*Anteil*) share, rate
Quotenregelung *f* quota regime
Quotient *m* MATHE quotient
quotieren *v/t* WIRTSCH quote

R

R, r *n* R, r
Rabatt *m* (***mit 3 Prozent ~*** at a 3 percent) discount
Rabattmarke *f* trading stamp
Rabbi, Rabbiner *m* rabbi
Rabe *m* raven
Rabenmutter *f* uncaring mother
rabenschwarz *Adj* jet-black, *Nacht*: pitch-dark
rabiat *Adj* (*wütend*) furious, (*roh*) rough, brutal, (*rücksichtslos*) ruthless
Rache *f* revenge, vengeance: ***aus ~*** in revenge (***für*** for); ***~ schwören*** vow vengeance; ***~ nehmen*** (*od* ***üben***) → ***rächen*** II; ***Tag der ~*** day of reckoning
Racheakt *m* act of revenge
Rachen *m* **1.** ANAT throat **2.** (*Maul, a. fig Schlund*) jaws *Pl*, maw: F *fig* ***j-m etw in den ~ schmeißen*** cast s.th. into s.o.'s hungry maw; ***er kann den ~ nicht voll kriegen*** he can't get enough
rächen I *v/t* (***an*** *Dat* on, upon) avenge, revenge **II** *v/refl* ***sich ~*** take revenge, get one's own back; ***sich an j-m ~*** revenge o.s. (*od* take revenge) on s.o.; *fig* ***es rächte sich*** (***bitter***), ***dass er …*** he had to pay dearly for *Ger*
Rachenkatarr(h) *m* MED pharyngitis
Rachitis *f* MED rickets *Pl* (*a. Sg konstr*)
rachitisch *Adj* MED rickety
Rachsucht *f* vindictiveness
rachsüchtig *Adj* vindictive
rackern *v/i* F slave away
Rad *n* **1.** wheel: ***ein ~ schlagen*** **a**) *Pfau*: spread the tail, **b**) turn cartwheels; ***das fünfte ~ am Wagen sein*** be the fifth wheel; *fig* ***unter die Räder kommen*** go to the dogs, SPORT F take a hammering **2.** (*Fahr*~) bicycle, F bike; ***~ fahren*** **a**) cycle, (ride a) bicycle, F bike, **b**) F *pej* toady
Radar *m, n* radar **~falle** *f* MOT F radar (speed) trap **~gerät** *n* radar (set) **~kontrolle** *f* radar control **~schirm** *m* radar screen **~schirmbild** *n* radar display **~sichtgerät** *n* radarscope
Radau *m* F (***~ machen*** kick up a) row
Raddampfer *m* paddle steamer
radebrechen *v/t* ***Englisch*** *etc* ***~*** speak broken English *etc*
radeln *v/i* F cycle, pedal, bike
Rädelsführer(in) ringleader
rädern *v/t hist* break *s.o.* on the wheel; → ***gerädert***
Radfahrer(in) 1. cyclist **2.** F *pej* toady
Radfahrweg *m* cycle track
Radicchio *m* BOT radicchio
radieren *v/t u. v/i* **1.** (*aus*~) erase, rub *s.th.* out **2.** KUNST etch
Radiergummi *m* eraser, *Br a.* rubber
Radierung *f* KUNST etching
Radieschen *n* BOT radish
radikal *Adj*, **Radikale** *m, f* radical
radikalisieren *v/t* radicalize
Radikalismus *m* radicalism
Radikalkur *f* drastic cure, *fig* drastic measures *Pl*
Radio *n* radio, *Br a.* wireless: ***im ~*** on the radio; ***~ hören*** listen to the radio
radioaktiv *Adj* radioactive: ***~er Niederschlag*** fallout
Radioaktivität *f* radioactivity
Radioapparat *m* radio (set), *Br a.* wireless (set)
Radiologe *m*, **Radiologin** *f* MED radiologist
Radiorekorder *m* radio cassette recorder **Radiowecker** *m* radio alarm (clock)
Radium *n* CHEM radium
Radius *m* radius
Rad|kappe hub cap **~kasten** *m* wheel case **~rennbahn** *f* cycling track **~rennen** *n* cycle race **~sport** *m* cycling **~sportler(in)** cyclist **~tour** *f* cycle tour **~wandern** *n* cycling tour(s *Pl.*) **~weg** *m* cycle track
RAF *f* (= ***Rote Armee Fraktion***) Red Army Faction
raffen *v/t* **1.** (*auf*~) snatch up, (*Kleid etc*) gather up **2.** *fig* condense, tighten
Raffgier *f* greed
Raffinade *f* refined sugar **Raffinerie** *f* refinery **Raffinesse** *f* (*Schlauheit*) cleverness, (*Feinheit*) subtlety, sophistication, *des Geschmacks etc*: *a.* refinement **raffinieren** *v/t* refine **raffiniert** *Adj* **1.** refined, (*fig verfeinert*) *a.* subtle, sophisticated **2.** *fig* (*schlau*) clever
Rafting *n* white-water rafting

Rage *f* rage, fury: ***j-n in ~ bringen*** make s.o. furious
ragen *v/i* tower, loom: ***~ aus*** (*Dat*) rise (*horizontal*: project) from
Raglanärmel *Pl* raglan sleeves *Pl*
Ragout *n* GASTR ragout
Rahe *f* SCHIFF yard
Rahm *m* cream; → ***abschöpfen***
rahmen *v/t* frame, (*Dias*) mount
Rahmen *m allg* frame (*a.* MOT, TECH), *fig a.* framework, (*Bereich*) scope, (*Grenzen*) limits *Pl*, (*Hintergrund*) setting: ***im ~ von*** (*od Gen*) within the scope of; ***im ~ des Festes*** in the course of the festival; ***im ~ der Ausstellung finden ... statt*** the exhibition will include ...; ***im ~ des Möglichen*** within the bounds of possibility; ***in großem ~*** on a large scale; ***aus dem ~ fallen*** **a)** be unusual, be off-beat, **b)** F (*sich schlecht benehmen*) get out of line, misbehave; ***den ~ e-r Sache sprengen*** go beyond the scope of s.th.
Rahmen|abkommen *n* skeleton agreement **~bedingungen** *Pl* general conditions *Pl* **~erzählung** *f* link and frame story **~gesetz** *n* skeleton law **~handlung** *f* frame (story) **~programm** *n* fringe events *Pl*
rahmig *Adj* creamy
Rahmkäse *m* cream cheese
Rahsegel *n* square sail
Rakete *f* rocket, MIL *a.* missile
Raketen|abschussbasis *f* rocket launching site, MIL missile base **~abwehrsystem** *n* antiballistic missile defence system **~antrieb** *m* rocket propulsion: ***mit ~*** rocket-propelled, rocket-powered **~stützpunkt** *m* MIL missile base
Rallye *f* (motor) rally
RAM *n* (= ***random access memory***) RAM
rammen *v/t* ram
Rampe *f* **1.** ramp **2.** THEAT apron
Rampenlicht *n* THEAT footlights *Pl*: *fig* ***im ~ stehen*** be in the limelight
ramponieren *v/t* F *a. fig* batter
Ramsch *m* **a)** WIRTSCH rejects *Pl*, **b)** F *pej* junk, trash
ran *Interj* F let's go!; *in Zssgn* → ***heran...***
Rand *m* **1.** edge, *e-s Tellers etc*: rim, *des Hutes*: brim, *e-r Seite etc*: margin, *e-r Wunde*: lip, *e-s Abgrunds*, *a. fig* brink: ***voll bis zum ~*** brimful; ***e-n ~ lassen*** leave a margin; ***am ~e des Waldes*** (***der Stadt***) on the edge of the wood (on the outskirts of the town); *fig* ***am ~e des Ruins*** (***e-s Krieges, der Verzweiflung*** *etc*) on the brink of ruin (war, despair, *etc*); ***am ~e*** **a)** *notieren etc*: in the margin, **b)** *erwähnen etc*: in passing; (***nur***) ***am ~e*** *erleben*, *interessieren etc*: (only) marginally; ***am ~e bemerkt*** by the way **2.** (*Schmutz*♀) mark, *in der Badewanne etc*: F *a.* tidemark **3.** F ***außer ~ und Band*** **a)** *Kinder etc*: completely out of hand, **b)** *vor Freude etc*: quite beside o.s.; → ***zurande***
Randale *f* F ***~ machen*** → **randalieren** *v/i* raise hell, riot
Randalierer(in) hooligan, rioter
Randbemerkung *f* **a)** marginal note, **b)** passing remark **Randerscheinung** *f* side issue **Randgebiet** *n* borderland (*a. fig*), *e-r Stadt*: outskirts *Pl*
Randgruppe *f* fringe group
randlos *Adj Brille*: rimless
Randproblem *n* side issue
Randstein *m* → ***Bordstein***
Randstreifen *m* MOT shoulder
Rang *m* **1.** rank (*a.* MIL), (*Stand*) status, (*Stellung*) position, (*Güte*) quality: *fig* ***ersten ~es*** first-class, first-rate; ***j-m den ~ ablaufen*** outstrip s.o.; ***j-m den ~ streitig machen*** compete with s.o.; ***alles was ~ und Namen hat*** all the notables (F VIP's) **2.** THEAT ***erster ~*** dress circle, *Am* first balcony; ***zweiter ~*** upper circle, *Am* second balcony; SPORT ***die Ränge*** *Pl* the terraces *Pl* **3.** *Lotto*, *Toto*: (dividend) class
Rangabzeichen *n* badge of rank, *Pl* insignia *Pl*
rangehen *v/i* F go it
rangeln *v/i* F scuffle: *fig* ***um etw ~*** wrangle for s.th.
Rangfolge *f* order of precedence
ranghoch *Adj* high-ranking
rangieren **I** *v/t* BAHN shunt, *Am* switch **II** *v/i fig* rank (***vor j-m*** before s.o.)
Rangiergleis *n* siding
Rangliste *f* SPORT ranking list, table
Rangordnung *f* order of precedence, hierarchy
ranhalten *v/refl* ***sich ~*** F **a)** (*sich beeilen*) get on with it, **b)** (*zugreifen*) dig in
rank *Adj a.* ***~ und schlank*** slim

Ranke *f* BOT tendril **ranken** *v/i u. v/refl* ***sich ~*** climb, creep
Ranking *n Leistungseinstufung*: ranking
ranlassen *v/t* F ***j-n an etw ~*** let s.o. (have a go) at s.th.; ***lass mich mal ran!*** let me have a go!
rannehmen *v/t* F ***j-n ~*** ride s.o. hard
Ranzen *m* knapsack, (*Schul*♀) satchel
ranzig *Adj* rancid
rapid(e) *Adj* rapid
Rappe *m* black horse
Rappel *m* F ***e-n ~ haben*** be off one's rocker; ***e-n ~ kriegen*** flip (one's lid)
Rap *m*, **rappen** *v/i* rap
Rappen *m schweiz*. Swiss centime
Raps *m* BOT rape(seed)
rar *Adj* rare (*a. fig exquisit*), scarce: F ***sich ~ machen*** make o.s. scarce
Rarität *f* rarity, (*Sache*) *mst* curiosity
rasant *Adj* **1.** (*sehr schnell*) fast **2.** *fig* meteoric **3.** *Entwicklung, Fortschritt etc*: rapid
rasch *Adj* quick, *Handlung etc*: *a.* swift, speedy, *Tempo*: fast: ***mach ~!*** be quick!
rascheln *v/i* rustle
rasen *v/i* **1.** (*sich sehr schnell fortbewegen*) race (along), tear (along): ***~ gegen*** run into, *Auto*: *a.* crash into **2.** *vor Zorn etc*: rave **3.** *Sturm, Meer*: rage
Rasen *m* grass, (*~platz*) lawn
rasend I *Adj* **1.** *Person*: raving, *Schmerzen*: agonizing: ***~e Kopfschmerzen*** a splitting headache; ***~e Wut*** violent rage; ***~ werden*** (***machen***) go (drive *s.o.*) mad **2.** *Tempo*: breakneck **II** *Adv* **3.** F madly (*in love etc*): ***etw ~ gern tun*** be mad about s.th.
Rasenmäher *m* lawn mower
Rasensprenger *m* sprinkler
Raser(in) F speeder **Raserei** *f* **1.** F MOT speeding **2.** (*Wut*) fury, (*Wahnsinn*) frenzy, madness
Rasierapparat *m* safety razor: (***elektrischer ~*** electric) shaver
Rasiercreme *f* shaving cream
rasieren I *v/t* (***sich ~ lassen*** get a) shave **II** *v/refl* ***sich ~*** (have a) shave: ***sich elektrisch ~*** use an electric shaver
Rasier|klinge *f* razor blade **~messer** *n* (straight) razor **~pinsel** *m* shaving brush **~schaum** *m* shaving foam **~seife** *f* shaving stick
Rasierwasser *n* aftershave (lotion)
Rasierzeug *n* shaving things *Pl*
raspeln *v/t* grate: → ***Süßholz***
Rasse *f allg* race (*a. fig*), ZOOL (*Zucht*) breed **Rassehund** *m* pedigree dog
Rassel *f* rattle **rasseln** *v/i* rattle: F ***durch e-e Prüfung ~*** fail (in an examination), *bes Am* flunk (an exam)
Rassen... *mst* racial (*discrimination, problem, policy, etc*). **~hass** *m* race hatred **~krawall** *m* race riot **~mischung** *f* mixture of races, (*Tier*) crossbreed **~schranke** *f* colo(u)r bar **~trennung** *f* (racial) segregation, *hist in Südafrika*: apartheid **~unruhen** *Pl* race riots *Pl*
Rassepferd *n* thoroughbred (horse)
rassig *Adj* thoroughbred, *fig a.* racy
Rassismus *m* racism
Rassist(in), **rassistisch** *Adj* racist
Rast *f* rest, (*Pause*) *a.* break: (***e-e***) ***~ machen*** → ***rasten***
Rastalocken *Pl* dread locks *Pl*
Raste *f* TECH catch, (*Fuß*♀) footrest
rasten *v/i* (take a) rest
Raster *m* FOTO, BUCHDRUCK screen, TV *a.* raster, ELEK grid
Rasthaus *n* motorway restaurant
rastlos *Adj* restless
Rastplatz *m* resting place, MOT layby, *Am* rest stop
Raststätte *f* MOT service area
Rasur *f* shave
Rat *m* **1.** (piece of) advice, (*Vorschlag*) suggestion, (*Empfehlung*) recommendation, (*Ausweg*) way out: ***auf s-n ~ hin*** on his advice; ***j-n um ~ fragen*** (***j-s ~ folgen***) ask (take) s.o.'s advice; ***~ schaffen*** find a way out; ***~ suchen*** seek advice; ***~ wissen*** know what to do; ***k-n ~ mehr wissen*** be at a loss; ***zu ~e*** → ***zurate*** **2. a)** (*Versammlung*) council, board, **b)** (*Person*) council(l)or
Rate *f* **1.** instal(l)ment: ***in ~n zahlen*** pay by (*od* in) instal(l)ments **2.** (*Geburten*♀, *Zuwachs*♀ *etc*) rate
raten *v/t u. v/i* **1.** ***j-m*** (***zu etw***) ***~*** advise s.o. (to do s.th.); ***~ etw zu tun*** recommend doing s.th.; ***zur Vorsicht ~*** recommend caution; ***wozu ~ Sie mir?*** what do you advise me to do?, what would you recommend? **2.** (*er~*) guess, (*Rätsel*) *a.* solve: F ***rate mal!*** just guess!; ***falsch geraten!*** wrong guess!
Ratenzahlung *f* payment by instal(l)ments

R

Ratespiel *n* guessing (TV panel) game
Ratgeber *m* reference book
Ratgeber(in) adviser
Rathaus *n* townhall, *bes Am* city hall
Ratifikation *f*, **Ratifizierung** *f* ratification **ratifizieren** *v/t* ratify
Ration *f* (***eiserne ~*** iron) ration
rational *Adj* rational **rationalisieren** *v/t* rationalize **Rationalisierung** *f* rationalization **Rationalisierungsfachfrau** *f*, **Rationalisierungsfachmann** *m* efficiency expert **Rationalismus** *m* rationalism **rationell** *Adj* rational, (*wirtschaftlich*) efficient
rationieren *v/t* ration
Rationierung *f* rationing
ratlos *Adj* helpless: ***~ sein*** *a.* be at a loss
Ratlosigkeit *f* helplessness
ratsam *Adj* advisable, wise
Ratschlag *m* (piece of) advice: ***einige gute Ratschläge*** some good advice
Rätsel *n* riddle, puzzle (*a. fig*), (*Geheimnis*) *a.* mystery, enigma: ***es ist mir ein (völliges) ~*** it's a (complete) mystery to me, F it beats me; ***er ist mir ein ~*** I can't make him out; ***sie stehen vor e-m ~*** they are baffled
rätselhaft *Adj* baffling, puzzling, (*geheimnisvoll*) mysterious
Rätselraten *n fig* speculation
Ratte *f* ZOOL rat
Rattenfänger(in) ratcatcher, *fig* Pied Piper **Rattengift** *n* rat poison
rattern *v/i*, **Rattern** *n* rattle, clatter
rau *Adj allg* rough, *Klima*, *Behandlung*, *Stimme etc*: *a.* harsh, *Luft etc*: *a.* raw, *Hals*: sore, *Gegend*: wild, bleak, (*uneben*) rugged, (*grob*) coarse: ***~e Hände*** chapped hands; ***~e See*** stormy sea; ***~e Stimme*** hoarse (*od* husky) voice; ***~e Sitten*** rough practices; ***~, aber herzlich*** pretty rough; *fig* ***die ~e Wirklichkeit*** (the) harsh reality; F ***in ~en Mengen*** lots of
Raub *m* **1.** robbery, (*Menschen*≗) kidnap(p)ing **2.** (*Beute*) loot, (*Opfer*) prey: ***ein ~ der Flammen werden*** be destroyed by fire **Raubbau** *m* ruinous exploitation: ***~ treiben mit*** **a)** exploit ruthlessly, **b)** ***s-r Gesundheit*** ruin one's health **Raubdruck** *m* pirate edition
rauben *v/t* steal, (*Menschen*) kidnap: ***j-m etw ~*** *a. fig* rob s.o. of s.th.
Räuber(in) robber, (*Straßen*≗) highwayman **Räuberbande** *f* gang of robbers, *Am* holdup gang
räuberisch *Adj* rapacious, predatory: ***~er Überfall*** (armed) robbery, holdup
Raubfisch *m* predatory fish **Raubkopie** *f* pirate copy
Raubmord *m* murder with robbery
Raubritter *m hist* robber baron
Raubtier *n* beast of prey **Raubüberfall** *m* (armed) robbery, holdup **Raubvogel** *m* bird of prey **Raubzug** *m* raid
Rauch *m* (*fig* ***sich in ~ auflösen*** go up in) smoke **rauchen** *v/i u. v/t* smoke, CHEM *etc* fume: F ***e-e ~*** have a smoke; ***≗ verboten!*** No smoking!; → ***Pfeife*** 2
Räucher... GASTR smoked (*eel etc*)
Raucher *m* **1.** (***starker ~*** heavy) smoker **2.** → ***~abteil*** *n* smoking compartment
Raucherhusten *m* MED smoker's cough
Raucherin *f* → ***Raucher*** 1
räuchern *v/t* GASTR smoke, cure
Räucherstäbchen *n* joss stick
Rauchfahne *f* trail of smoke
rauchig *Adj* smoky (*a. fig Stimme*)
Rauch|melder *m* smoke detector **~säule** *f* column of smoke **~verbot** *n* ban on smoking: ***~!*** No smoking! **~vergiftung** *f* smoke poisoning **~waren** *Pl* **1.** (*Pelze*) furs *Pl* **2.** tobacco products *Pl*
Rauchwolke *f* cloud of smoke
Räude *f* VET mange **räudig** *Adj* mangy
rauf(...) F → ***herauf(...)***, ***hinauf(...)***
Raufasertapete *f* woodchip (wall)paper
Raufbold *m* brawler, rowdy
raufen I *v/t* ***sich die Haare ~*** tear one's hair **II** *v/i u. v/refl* ***sich ~*** brawl, fight (***um*** for) **Rauferei** *f* brawl, fight
rauh → ***rau***
Rauhaar... ZOOL wirehaired
Rauheit *f* roughness (*etc*)
Rauhreif *m* → ***Raureif***
Raum *m* **1.** room **2.** (*Platz*) room, space (*a.* PHIL, PHYS), (*Gebiet*) area, region, (*Spiel*≗) scope, room: ***im ~ (von) München*** in the Munich area; ***~ geben*** (*e-m Gedanken*) give way to, (*e-r Hoffnung etc*) indulge in; *fig* ***im ~ stehen*** *Problem etc*: be there **3.** (*Welt*≗) (outer) space
Raumanzug *m* space suit
Raumdeckung *f* SPORT zone defen/ce (*Am* -se)

R

räumen *v/t* **1.** leave, *bei Gefahr, a.* MIL evacuate, (*Wohnung*) quit, vacate, (*Saal, Straße etc, a.* WIRTSCH *Lager*) clear; → ***Feld*** **2.** (*weg~*) remove: → ***Weg***
Raumfähre *f* space shuttle
Raumfahrt *f* space travel (*od* flight), astronautics *Sg* **Raumfahrt...** space (*medicine, programme, etc*)
Räumfahrzeug *n* bulldozer, *für Schnee*: snow clearer
Raumgestalter(in) interior decorator (*od* designer)
Raumgleiter *m* space shuttle
Rauminhalt *m* volume, capacity
Raumkapsel *f* space capsule
Raumlabor *n* space lab
räumlich *Adj* spatial, (of) space, three-dimensional, *Akustik*: stereophonic, OPT stereoscopic: *Adv* **~ (*sehr*) *beengt*** cramped (for space) **Räumlichkeit** *f* room: ***~en*** *Pl* premises *Pl*
Raummaß *n* solid measure **Raummeter** *n, a. m* cubic metre (*Am* meter)
Raumordnung *f* regional policy
Raumpfleger(in) cleaner
Räumpflug *m* bulldozer
Raumschiff *n* spacecraft, *bemanntes*: spaceship **Raumsonde** *f* space probe **Raumstation** *f* space station
Räumung *f allg* clearing, *a.* WIRTSCH clearance, *bei Gefahr*: evacuation (*a.* MIL), JUR (*Zwangs*≗) eviction
Räumungs|klage *f* JUR action for eviction **~verkauf** *m* WIRTSCH clearance sale
raunen *v/i u. v/t* whisper, murmur
Raupe *f* ZOOL caterpillar
Raupen|fahrzeug *n* crawler (truck) **~kette** *f* crawler **~schlepper** *m* track-laying (*od* crawler) tractor
Raureif *m* hoarfrost
raus *Interj* F get out!
raus(...) F → ***heraus*(...), *hinaus*(...)**
Rausch *m* intoxication (*a. fig*), drunkenness, (*Drogen*≗) F high, *fig* ecstasy: ***e-n ~ haben*** be drunk; ***s-n ~ ausschlafen*** sleep it off
rauscharm *Adj* low-noise
rauschen I *v/i* **1.** *Blätter, Seide*: rustle, *Wasser, Bach etc*: rush, *Brandung etc*: roar, *Beifall*: thunder, *Tonband etc*: be noisy **2.** *Person*: sweep **II** ≗ *n* **3.** rustling (*etc*), ELEK noise **rauschend** *Adj* **1.** rustling (*etc*) **2.** *fig Fest*: grand, glittering, *Beifall*: thunderous
Rauschgift *n* drug(s *Pl coll*) **~dezernat** *n* drug squad **~fahnder** *m* anti-drug agent **~handel** *m* drug traffic **~händler(in)** drug trafficker, dealer, *sl* pusher **~sucht** *f* drug addiction **≗süchtig** *Adj* drug-addicted: **~ *sein*** *a.* be a drug addict, be on drugs **~süchtige** *m, f* drug addict
Rauschgold *n* gold foil
rausfliegen → ***hinausfliegen*** 2
rausgeben F → ***herausgeben***
räuspern *v/refl* ***sich ~*** clear one's throat
rausschmeißen *v/t* F kick *s.o.* out, (*entlassen*) *a.* fire: ***rausgeschmissen werden*** *a.* get the boot **Rausschmeißer** F **1.** *in Lokalen*: bouncer **2.** get-out dance
Rausschmiss *m* F the boot
Raute *f* **1.** lozenge, *bes* MATHE rhomb **2.** BOT rue **rautenförmig** *Adj* MATHE rhombic
Rave *m*, **~musik** *f* rave **Raver(in)** raver
Razzia *f* (police) raid (*od* round-up)
Reagenzglas *n* CHEM test tube
reagieren *v/i* (***auf*** *Akk* to) react, *fig u.* TECH *a.* respond **Reaktion** *f* (***auf*** *Akk* to) reaction, *fig a.* response
reaktionär *Adj*, **Reaktionär(in)** reactionary
Reaktions|fähigkeit *f* reactions *Pl*, CHEM reactivity **≗schnell** *Adj* **~ *sein*** have fast reactions **~zeit** *f* reaction time
Reaktor *m* PHYS reactor **~block** *m* reactor block **~kern** *m* reactor core **~sicherheit** *f* reactor safety
real *Adj* **1.** (*Ggs. ideal*) real (*a.* WIRTSCH) **2.** (*Ggs. irreal*) realistic(ally *Adv*)
Realeinkommen *n* real earnings *Pl*, real income
realisieren *v/t allg* realize
Realismus *m* realism **Realist(in)** realist **realistisch** *Adj* realistic(ally *Adv*)
Realität *f* reality, (*Gegebenheit*) *a.* fact
Reallohn *m* real wages *Pl*
Realschule *f* secondary school (leading to O-levels), *Am* junior high school
Rebe *f* (*Weinstock*) vine, (*Weinranke*) tendril
Rebell(in) *a. fig* rebel **rebellieren** *v/i a. fig* rebel **Rebellion** *f a. fig* rebellion **rebellisch** *Adj a. fig* rebellious
Rebhuhn *n* ZOOL partridge
Rebstock *m* BOT vine
Rechaud *m* spirit burner

Rechen *m* rake
Rechen|anlage *f* computer **~aufgabe** *f* (arithmetical) problem, *leichte*: sum **~fehler** *m* miscalculation, mistake **~maschine** *f* calculator, calculating machine
Rechenschaft *f* **~ *ablegen über*** (*Akk*) answer for; ***j-n zur ~ ziehen*** call s.o. to account (***wegen*** for); ***j-m ~ schuldig sein*** be answerable to s.o. (***über*** *Akk* for) **Rechenschaftsbericht** *m* **1.** statement (of accounts) **2.** report
Rechen|schieber *m*, **~stab** *m* slide rule
Rechenzentrum *n* computer centre (*Am* center)
Recherche *f* investigation
recherchieren *v/i* investigate
rechnen I *v/t* **1.** MATHE calculate, (*aus~*) work out **2.** (*veranschlagen*) estimate, (*berücksichtigen*) count, allow for: ***die Kinder nicht gerechnet*** not counting the children **3.** ***j-n ~ zu*** count s.o. among **II** *v/i* **4.** calculate, *bes* PÄD do sums: ***falsch ~*** miscalculate; ***gut ~ können*** be good at figures **5.** (*zählen*) count: *fig* **~ *zu*** count among; **~ *mit*, ~ *auf*** (*Akk*) (*bauen auf*) count on, (*erwarten*) expect, reckon with; ***mit mir kannst du nicht ~!*** count me out! **6.** (*sparen*) economize **III** *v/refl* **7.** be profitable, pay off **IV** ♀ *n* **8.** calculation, PÄD arithmetic
Rechner *m* **1.** calculator **2.** computer **Rechner(in)** calculator: ***er ist ein guter Rechner*** he is good at figures **rechnergesteuert** *Adj* computer-controlled
Rechnung *f* **1. a)** (*Be*♀) calculation, **b)** (*Aufgabe*) problem, sum: ***die ~ ging nicht auf*** *a. fig* it didn't work out; → ***Strich*** 1 **2.** WIRTSCH account, bill, (*Waren*♀) invoice, *im Lokal*: bill, *Am mst* check: ***die ~, bitte!*** can I have the bill, please!; ***auf ~*** on account; ***auf ~ kaufen*** buy on credit; ***das geht auf m-e ~!*** that's on me!; *fig* ***das geht auf s-e ~*** that's his doing; ***laut ~*** as per invoice; *fig* ***e-r Sache ~ tragen, etw in ~ ziehen*** take s.th. into account; ***j-m etw in ~ stellen*** charge s.th. to s.o.'s account; *fig* ***da hatte er die ~ ohne den Wirt gemacht*** he had reckoned without his host
Rechnungs|betrag *m* invoice total **~hof** *m* audit office, *Am* audit division, *EU*: Court of Auditors **~jahr** *n* financial year **~prüfer(in)** auditor **~prüfung** *f* audit **~wesen** *n* accountancy
recht I *Adj* **1.** right, right-hand, POL right(-wing), rightist: ***~e Hand*** right hand (*a. fig Person*); ***~er Hand*** on the right; ***~er Hand sehen Sie …*** on your right you see …; ***im ~en Winkel*** (***zu***) at right angles (to) **2.** *allg* right, (*richtig*) *a.* correct, (*geeignet*) *a.* suitable, (*gerecht*) *a.* just, fair: ***das ist nur ~ und billig*** that's only fair; ***so ists ~!*** that's it!; ***ganz ~!*** quite right!, exactly!; ***zur ~en Zeit*** at the right moment; ***mir ists ~*** that's all right with me, I don't mind; ***mir ist alles ~*** I don't care; ***ist es Ihnen ~, wenn …?*** would you mind if …?; ***schon ~!*** it's all right!; → ***Ding*** 2, ***Mittel*** 1 **3.** (*echt*) real, true, regular: ***er hat k-n ~en Erfolg*** he is not much of a success **II** *Adv* **4.** right(ly), well, correctly, (*richtig*) properly, (*sehr*) very, (*ziemlich*) rather, quite: **~ *gut*** not bad; ***es gefällt mir ~ gut*** I rather like it; ***erst ~*** all the more; (***nun***) ***erst ~ nicht*** (now) less than ever; ***wenn ich es ~ überlege*** (when I) come to think of it; ***ich weiß nicht ~*** I wonder; **~ *daran tun zu*** *Inf* do right to *Inf*; ***es geschieht ihm ~*** it serves him right; ***das kommt mir gerade ~*** that comes in handy; ***man kann es nicht allen ~ machen*** you can't please everybody; ***verstehen Sie mich ~*** don't get me wrong; ***wenn ich Sie ~ verstehe*** if I understand you rightly **III** ♀**e, das 5.** the right thing: ***nicht das*** ♀***e, nichts*** ♀***es*** not the real thing; ***nach dem*** ♀***en sehen*** look after things
Recht *n* **1.** (*Gesetz*) law, (*Gerechtigkeit*) justice: **~ *und Ordnung*** law and order; ***nach deutschem ~*** under German law; ***von ~s wegen*** by law, *fig* by rights; ***gleiches ~ für alle*** equal rights for all; **~ *sprechen*** administer justice; ***im ~ sein*** be in the right; **~ *haben*** be right; **~ *behalten*** be right in the end; ***j-m ~ geben*** agree with s.o. **2.** (*Berechtigung*) right, (*Anspruch*) *a.* claim, title (*alle*: ***auf*** *Akk* to), (*Vor*♀) privilege, (*Befugnis*) power, authority: ***mit ~, zu ~*** justly, rightly; ***das ~ haben zu*** *Inf* have the right (*od* be entitled) to *Inf*; ***zu s-m ~ kommen*** come into one's own; ***er hat es mit vollem ~ getan*** he had every right to do

so; ***alle ~e vorbehalten*** all rights reserved
Rechte *f* **1.** right (hand *od* side): ***zur ~n*** on the right (hand); ***zu s-r ~n*** on (*od* to) his right **2.** *Boxen*: right **3.** POL *the* Right
Rechteck *n* rectangle
rechteckig *Adj* rectangular
rechtfertigen *v/t* justify (***sich*** o.s.), (*verteidigen*) *a.* defend
Rechtfertigung *f* justification: ***zu m-r ~*** in my defen/ce (*Am* -se)
rechtgläubig *Adj* orthodox
rechthaberisch *Adj* dogmatic(ally *Adv*), (*stur*) self-opinionated, pigheaded
rechtlich I *Adj* legal, (*rechtmäßig*) *a.* lawful **II** *Adv* legally: ***~ verpflichtet*** bound by law
rechtlos *Adj* without rights
rechtmäßig *Adj* lawful, *Erbe etc*: legitimate: *Adv* ***das steht ihm ~ zu*** he is (legally) entitled to it **Rechtmäßigkeit** *f* lawfulness, legitimacy, legality
rechts *Adv* on the right (hand side): ***nach ~*** to the right; ***~ von ihm*** on his right; ***~ abbiegen*** turn off right; ***sich ~ halten*** keep to the right; POL ***~ stehen*** belong to the Right; POL ***~ orientiert*** right-wing **Rechtsabbieger** *m* MOT vehicle (*Pl* traffic *Sg*) turning right
Rechts|anspruch *m* legal claim (***auf*** *Akk* to) **~anwalt** *m*, **~anwältin** *f* lawyer, *Br a.* solicitor, *vor Gericht*: counsel, barrister, *Am* attorney(-at-law)
Rechtsaußen *m Fußball*: outside right
Rechts|behelf *m* legal remedy **~beistand** *m* legal adviser, *vor Gericht*: counsel **~berater(in)** legal adviser **~beratungsstelle** *f* legal aid office **~beugung** *f* perversion of justice **~bruch** *m* breach of law
rechtsbündig *Adj* flush right, right justified
rechtschaffen *Adj* honest, upright
Rechtschaffenheit *f* honesty, probity
Rechtschreib|fehler *m* spelling mistake **~programm** *n* spellchecker **~reform** *f* spelling reform
Rechtschreibung *f* spelling
Rechtsextremist(in) right-wing extremist
Rechts|fall *m* (law) case **~frage** *f* question of law **~gefühl** *n* sense of justice **~gelehrte** *m, f* jurist, lawyer **~geschäft** *n* legal transaction
rechtsgültig *Adj* legal(ly valid): ***~ machen*** validate
Rechtsgutachten *n* legal opinion
Rechtshänder(in) right-hander: ***~ sein*** be right-handed
rechtsherum *Adv* to the right
Rechtskraft *f* legal force, validity: ***~ erlangen*** become effective
rechtskräftig *Adj* legal(ly binding), *Urteil*: final, *Gesetz*: effective
Rechtskurve *f* right-hand bend
Rechts|lage *f* legal position **~mittel** *n* legal remedy: ***ein ~ einlegen*** lodge an appeal **~nachfolger(in)** successor in interest **~norm** *f* legal norm
Rechtspflege *f* administration of justice **Rechtsprechung** *f* jurisdiction, administration of justice
rechts|radikal *Adj* extreme right-wing **&radikale** *m, f* right-wing extremist **&ruck** *m* POL swing to the right
Rechtsschutz *m* legal protection **~versicherung** *f* legal costs insurance
Rechts|sicherheit *f* legal certainty **~spruch** *m* legal decision, *in Zivilsachen*: judgment, *in Strafsachen*: sentence **~staat** *m* constitutional state
rechtsstaatlich *Adj* constitutional
Rechtsstaatlichkeit *f* rule of law
Rechtssteuerung *f* right-hand drive
Rechtsstreit *m* lawsuit, action
Rechtstitel *m* legal title
rechtsunfähig *Adj* (legally) disabled
rechts|unwirksam *Adj* ineffective **~verbindlich** *Adj* (legally) binding (***für*** on)
Rechtsverfahren *n* legal procedure, (*Prozess*) (legal) proceedings *Pl*
Rechtsverkehr *m* right-hand traffic: ***in Italien ist ~*** in Italy they drive on the right
Rechtsverletzung *f* infringement
Rechtsvertreter(in) legal representative, (*Bevollmächtigter*) (authorized) agent; → *a.* ***Rechtsanwalt*** **Rechtsweg** *m* course of law: ***auf dem ~*** by legal action; ***den ~ beschreiten*** go to law
rechtswidrig *Adj* illegal **Rechtswidrigkeit** *f* **1.** illegality **2.** unlawful act
rechtswirksam → ***rechtskräftig***
Rechtswissenschaft *f* jurisprudence, law

rechtwink(e)lig *Adj* right-angled, rectangular
rechtzeitig I *Adj* punctual **II** *Adv* in time (***zu*** for), (*pünktlich*) on time: ***gerade*** (*od* ***genau***) ~ in the nick of time
Reck *n* SPORT horizontal bar
recken *v/t* stretch: ***den Hals*** ~ (***nach etw***) crane one's neck (to see s.th.)
Reckturnen *n* bar exercises *Pl*
recycelbar *Adj* recyclable
recyceln *v/t* recycle
Recycling *n* TECH recycling
Redakteur(in) (woman) editor
Redaktion *f* **1.** (*Tätigkeit*) editing **2.** (*Personal*) editorial staff **3.** (*Büro*) editorial office **redaktionell** *Adj* editorial: *Adv* ~ ***bearbeiten*** edit
Rede *f* **1.** speech, address: ***e-e ~ halten*** make a speech; F ***große ~n schwingen*** talk big **2.** (*Reden*) talk(ing), speech (*a.* LING), (*Gespräch*) conversation, talk, (*Worte*) words *Pl*, language: LING ***direkte*** (***indirekte***) ~ direct (reported *od* indirect) speech; ***die ~ kam auf*** (*Akk*) the conversation (*od* talk) turned to; (***j-m***) ~ (***und Antwort***) ***stehen*** account (to s.o.) (***über*** *Akk* for); ***j-n zur ~ stellen*** take s.o. to task (***wegen*** *Gen* for); ***wovon ist die ~?*** what are you (*od* they) talking about?; ***davon kann k-e ~ sein!*** that's out of the question!; ***es ist nicht der ~ wert*** it is not worth mentioning, *bei Dank*: don't mention it!, (*macht nichts*) never mind!; ***der langen ~ kurzer Sinn*** to cut a long story short; → ***verschlagen***[1] 4
Redefreiheit *f* freedom of speech
Redegabe *f* eloquence
redegewandt *Adj* eloquent
Redegewandtheit *f* eloquence
Redekunst *f* rhetoric
reden I *v/t u. v/i* speak, talk (*beide*: ***mit*** to, ***über*** *Akk* about, of): ***über Politik ~*** talk politics; ***von sich ~ machen*** cause a stir; ***j-m ins Gewissen ~*** appeal to s.o.'s conscience; ***ich habe mit dir zu ~*** I'd like a word with you; ***lass uns vernünftig darüber ~!*** let's talk sense!; ***sie lässt nicht mit sich ~*** she won't listen to reason; ***nicht zu ~ von ...*** not to mention ...; ***~ wir von etw anderem!*** let's change the subject!; ***du hast gut ~!*** you can talk!; ***darüber lässt sich ~!*** that's a possibility! **II** *v/refl* ***sich heiser*** (***in Wut*** *etc*) ~ talk o.s. hoarse (into a rage *etc*) **III** ♀ *n* talking: ***j-n zum ♀ bringen*** make s.o. talk
Redensart *f* phrase, (*sprichwörtliche* ~) saying, *Pl* empty talk *Sg*; ***das ist nur so e-e ~*** it's just a way of speaking
Rede|schwall *m* flood of words **~verbot** *n* ban on speaking: ***j-m ~ erteilen*** ban s.o. from speaking **~weise** *f* ***s-e*** *etc* ~ the way he *etc* talks **~wendung** *f* figure of speech, idiom
redigieren *v/t* edit
redlich *Adj* honest, upright: ***sich ~(e) Mühe geben*** do one's best
Redlichkeit *f* honesty, probity
Redner(in) speaker
Rednerbühne *f* rostrum, (speaker's) platform **Rednergabe** *f* gift of rhetoric **Rednerpult** *n* speaker's desk
redselig *Adj* talkative
Redseligkeit *f* talkativeness
reduzieren *v/t* reduce (***auf*** *Akk* to): ***sich ~*** be reduced
Reede *f* SCHIFF roadstead, road(s *Pl*): ***das Schiff liegt auf der ~*** the ship is (lying) in the roads **Reeder(in)** shipowner **Reederei** *f* shipping company
reell *Adj* **1.** (*echt*) real (*chance etc*) **2.** (*anständig*) honest, decent, *Firma*: solid, *Ware*: good, *Preis*, *Bedienung*: fair
Reep *n* SCHIFF rope
Reetdach *n* thatched roof
Referat *n* **1.** report, (*Vortrag*) *a.* lecture, PÄD, UNI (seminar) paper: ***ein ~ halten*** → ***referieren*** **2.** department
Referendar(in) 1. → ***Gerichtsreferendar(in)*** **2.** → ***Studienreferendar(in)***
Referendum *n* referendum
Referent(in) 1. official in charge: ***er ist persönlicher Referent*** he is personal assistant (*Gen* to) **2.** speaker, (*Berichterstatter*) *a.* reporter, JUR, PARL referee
Referenz *f* reference **~kurs** *m* WIRTSCH reference rate
referieren *v/t u. v/i* (***über*** *Akk* on) report, *in e-m Vortrag*: (give a) lecture, *bes* UNI give a paper
reflektieren I *v/t* PHYS reflect **II** *v/i fig* reflect (***über*** *Akk* on): F ***~ auf*** (*Akk*) have one's eye on **Reflektor** *m* reflector
Reflex *m* reflex
Reflexbewegung *f* reflex action
Reflexion *f* PHYS *u. fig* reflection

R

reflexiv *Adj* LING reflexive **Reflexivpronomen** *n* reflexive pronoun
Reflexzonenmassage *f* MED reflexology
Reform *f* reform **Reformation** *f* reformation **Reformator(in)** reformer
reformbedürftig *Adj* in need of reform
Reformbestrebungen *Pl* reformatory efforts *Pl* **Reformhaus** *n* health food shop (*Am* store)
reformieren *v/t* reform **Reformierte** *m, f* member of the Reformed Church
Reformkost *f* health food(s *Pl*)
Reformstau *m* reform jam
Refrain *m* refrain
Regal *n* shelves *Pl*
Regatta *f* regatta, boat race
rege *Adj allg* lively, *geistig, körperlich*: *a.* active, *Fantasie*: vivid, *Verkehr etc*: busy: WIRTSCH *~ **Nachfrage*** keen demand; ***~n Anteil nehmen an*** (*Dat*) show an active interest in
Regel *f* **1.** rule: ***in der ~*** as a rule, usually; ***zur ~ werden*** become a rule (*od* habit); ***es sich zur ~ machen zu*** *Inf* make it a rule to *Inf*; ***nach allen ~n der Kunst*** in style **2.** PHYSIOL period
regelbar *Adj* adjustable
Regelfall *m* ***im ~*** as a rule
regellos *Adj* irregular, (*unordentlich*) disorderly
Regellosigkeit *f* irregularity
regelmäßig *Adj* regular, *zeitlich*: *a.* periodical, (*geordnet*) *a.* regulated, orderly
Regelmäßigkeit *f* regularity
regeln *v/t allg* regulate, TECH (*einstellen*) *a.* adjust, (*Verkehr*) *a.* direct, (*Angelegenheit etc*) settle: ***das wird sich (schon) alles ~*** that will sort itself out
regelrecht **I** *Adj* **1.** proper **2.** F regular, real **II** *Adv* **3.** properly **4.** F downright
Regelstudienzeit *f* time limit for a course of study
Regelungstechnik *f* control engineering
Regelverstoß *m* SPORT foul
regelwidrig *Adj* irregular, SPORT against the rules, foul **Regelwidrigkeit** *f* irregularity, SPORT foul
regen *v/t u. v/refl* ***sich ~*** move, stir: *fig* ***sich ~*** *Gefühle etc*: stir, arise
Regen *m* rain, *fig a.* shower: ***saurer ~*** acid rain; ***ich bin in den ~ gekommen*** I was caught in the rain; F *fig* ***vom ~ in die Traufe kommen*** jump out of the frying-pan into the fire; F *fig* ***ein warmer ~*** a windfall
regenarm *Adj* with low rainfall
Regenbogen *m* rainbow **~farben** *Pl* colo(u)rs *Pl* of the rainbow **~haut** *f* ANAT iris **~presse** *f* trashy weeklies *Pl*
Regeneration *f* BIOL, MED regeneration
Regenerationsfähigkeit *f* regenerative power **regenerieren** *v/i u. v/refl* ***sich ~*** *allg* regenerate
Regen|fälle *Pl* ***starke ~*** heavy rain(fall) *Sg* **~guss** *m* heavy shower, downpour **~haut** *f* plastic mac **~mantel** *m* raincoat **≈reich** *Adj* rainy **~rinne** *f* gutter, MOT roof rail
Regenschauer *m* shower
Regenschirm *m* umbrella
Regent(in) regent
Regen|tag *m* rainy day **~tonne** *f* water butt **~tropfen** *m* raindrop **~wald** *m* rainforest **~wasser** *n* rainwater **~wetter** *n* rainy weather **~wolke** *f* raincloud **~wurm** *m* earthworm **~zeit** *f* rainy season, *tropische*: *the* rains *Pl*
Reggae *m* MUS reggae
Regie *f* **1.** THEAT *etc* direction: ***unter der ~ von*** under the direction of, directed by; ***~ führen*** (***bei***) direct (*s.th.*) **2.** (*Leitung*) management, (*Verwaltung*) administration: *fig* ***in eigener ~*** on one's own **~anweisung** *f* stage direction
Regieassistent(in) assistant director
Regiefehler *m fig* slip-up **Regieraum** *m* TV central control room
regieren **I** *v/t* govern (*a.* LING), rule, *Herrscher*: reign over, (*leiten*) manage, control **II** *v/i* rule, *Herrscher*: *a.* reign (*a. fig*) **Regierung** *f* **1.** government, administration, *e-s Herrschers*: reign: ***unter der ~ von*** (*od Gen*) under the reign of; ***an der ~ sein*** be in power; ***an die ~ kommen*** take office, come into power **2.** (*Kabinett*) Government
Regierungs|beamte *m*, **~beamtin** *f* government official **~bezirk** *m* administration district **~bildung** *f* formation of the government **~chef(in)** head of government **~erklärung** *f* policy statement **~koalition** *f* ruling coalition **~partei** *f* ruling party **~sprecher(in)** government spokesperson **~umbildung** *f* (government) reshuffle **~vorlage** *f* gov-

R

ernment bill **~wechsel** *m* change of government
Regime *n* regime
Regimekritiker(in) POL dissident
Regiment *n* **1.** (*a.* ***das ~ führen***) rule **2.** MIL regiment
Region *f* region
regional *Adj*, **Regional...** regional
Regisseur(in) THEAT, FILM director, TV producer
Register *n* register (*a.* MUS), *in e-m Buch*: index: F ***alle ~ ziehen*** pull all the stops
Registrator(in) registrar **Registratur** *f* registry **registrieren** *v/t* register (*a. fig*), record (*a.* TECH), *fig* (*bemerken*) note **Registrierkasse** *f* cash register
Reglement *n* regulation(s *Pl*)
Regler *m* TECH controller
reglos *Adj* motionless
regnen *v/Imp u. v/i a. fig* rain: ***es regnete in Strömen*** it was pouring (with rain); *fig* ***es regnete Anfragen*** there was a deluge of inquiries
regnerisch *Adj* rainy
Regress *m* WIRTSCH, JUR recourse
regresspflichtig *Adj* liable to recourse
regsam *Adj* active
Regsamkeit *f* activity
regulär *Adj* regular
regulierbar *Adj* TECH adjustable
regulieren *v/t* **1.** regulate, (*einstellen*) adjust **2.** (*Rechnung etc*) settle
Regung *f* movement, (*Gefühls*~) emotion, (*Anwandlung*) impulse
regungslos *Adj* motionless
Reh *n* **1.** ZOOL (roe) deer **2.** GASTR venison
Rehabilitation *f allg* rehabilitation
Rehabilitationszentrum *n* MED rehabilitation cent/re (*Am* -er)
rehabilitieren *v/t* rehabilitate
Rehabilitierung *f* rehabilitation
Reh|bock *m* roebuck **~braten** *m* roast venison **~geiß** *f* doe **~kalb** *n*, **~kitz** *n* fawn **~keule** *f* GASTR leg of venison
Rehrücken *m* GASTR saddle of venison
Reibach *m* F ***e-n ~ machen*** make one's pile
Reibe *f*, **Reibeisen** *n* grater
reiben I *v/t* **1.** rub: ***sich die Hände ~*** rub one's hands; → ***Nase*** **2.** (*zer*~) grate **II** *v/i* **3.** chafe: → ***wund***
Reiberei *f mst Pl* (constant) friction
Reibfläche *f* striking surface
Reibung *f a. fig* friction
reibungslos *Adj a. fig* smooth(ly *Adv*)
Reibungspunkt *m fig* cause of friction
Reibungsverlust *m* TECH friction(al) loss
Reibungswärme *f* TECH frictional heat
reich I *Adj allg* rich (***an*** *Dat* in), (*vermögend*) *a.* wealthy, (*reichlich*) *a.* abundant, copious, (*prächtig*) *a.* sumptuous: ***e-e ~e Auswahl*** a wide selection (***an*** *Dat*, ***von*** of) **II** *Adv* richly, copiously: ***~ beschenkt*** loaded with gifts
Reich *n* empire, (*König*~, *a. Pflanzen*~, *Tier*~, *a.* REL) kingdom, RHET *od fig* realm: ***das Dritte ~*** the Third Reich
reichen I *v/t* **1.** (*j-m etw*) hand (*od* pass) (*s.o. s.th.*), (*die Hand*) give, hold out to, (*dar*~) offer, (*servieren*) serve **II** *v/i* **2.** ***~ bis*** (***od an*** *Akk*) reach to, extend to, (*hinauf*~) come up to, (*hinab*~) go down to; ***so weit das Auge reicht*** as far as the eye can see **3.** (*aus*~) last (out), do, be enough: ***das reicht!*** *a. tadelnd*: that will do!; ***das Brot reicht nicht*** there isn't enough bread; ***damit ~ wir bis Mai*** it will last us till May; ***es reicht für alle*** there is enough to go round; F ***mir reichts!*** I've had enough!, I'm fed up!
reichhaltig *Adj allg* rich, *Bibliothek etc*: extensive: ***~e Auswahl*** wide selection; ***~es Programm*** varied programme
Reichhaltigkeit *f* richness, variety
reichlich I *Adj* ample, abundant, plentiful, plenty of (*time, food, etc*), *Bezahlung etc*: generous **II** *Adv* F (*ziemlich*) rather, F pretty: ***~ versehen sein mit*** have plenty of
Reichsstadt *f hist* (***freie***) ~ free imperial city **Reichstag** *m hist* Reichstag, *im Mittelalter*: Imperial Diet
Reichtum *m* (***an*** *Dat* of) riches *Pl*, *a. fig* wealth, (*Überfluss*) abundance
Reichweite *f* reach, FLUG, MIL, *Funk*: range: ***in*** (***außer***) **~** within (out of) reach
reif *Adj* ripe, *a. fig* mature: ***~ werden*** → ***reifen***
Reif[1] *m* (*Rau*~) hoarfrost **Reif**[2] *m* ring, (*Arm*~) bracelet, (*Stirn*~) circlet
Reife *f* **1.** ripeness, *bes fig* maturity **2.** ***mittlere ~*** intermediate high school certificate, *Br etwa* GCE O-levels *Pl*

R

reifen *v/i a. fig* ripen, mature: **~ *lassen*** mature

Reifen *m* **1.** MOT *etc* tyre, *Am* tire: ***die ~ wechseln*** change tyres **2.** (*Fass*~, *Kinder*~ *etc*) hoop **~panne** *f*, **~schaden** *m* puncture, blowout, *bes Am* flat **~wechsel** *m* tyre (*Am* tire) change

Reifeprüfung *f* → ***Abitur***

Reifezeugnis *n* → ***Abiturzeugnis***

Reifglätte *f* MOT slippery frost

reiflich I *Adj* ***nach ~er Überlegung*** after careful consideration **II** *Adv* **(*sich*) *etw ~ überlegen*** consider s.th. carefully

Reifrock *m* crinoline

Reigen *m* round dance: ***den ~ eröffnen*** *a. fig* lead off

Reihe *f* row, *von Bäumen etc*: range, (*Linie*) line, *hintereinander*: file, *nebeneinander*: rank, (*Sitz*~) row (of seats), (*Anzahl*) series, number, (*Aufeinanderfolge*) succession: MATHE ***geometrische ~*** geometric progression; ***sich in e-r ~ aufstellen*** line up; F ***e-e ganze ~ von*** a whole string of; ***aus den ~n*** (*Gen*) from among; ***Kritiker aus den eigenen ~n*** critics from among the own ranks; **(*immer*) *der ~ nach*** in turn, one after the other; ***außer der ~*** out of turn; ***ich bin an der ~*** it's my turn; ***warten, bis man an die ~ kommt*** wait one's turn; F *fig* ***aus der ~ sein*** be out of sorts; ***aus der ~ tanzen*** step out of line; ***wieder in die ~ bringen*** straighten *s.o., s.th.* out

Reihenfolge *f* order, sequence: ***in zeitlicher ~*** in chronological order

Reihenhaus *n* terraced (*Am* row) house

Reihenschaltung *f* ELEK series connection **Reihenuntersuchung** *f* MED mass screening

reihenweise *Adv* **1.** in rows **2.** F *fig* by the dozen

Reiher *m* ZOOL heron

Reim *m* rhyme **reimen** *v/t, v/i u. v/refl* ***sich ~*** rhyme (***auf*** *Akk* with)

rein I *Adj* **1.** *allg* pure (*a.* BIOL, CHEM, *Alkohol, Seide etc, a. fig*), (*unverdünnt*) *a.* neat, (*sauber*) clean, clear (*a. Haut, Gewissen*), *Gewinn*: net, clear, *fig* (*bloß*) mere, sheer: ***~e Wolle*** pure wool; ***~(st)e Freude*** pure joy; ***e-e ~e Formalität*** a mere formality; ***~e Mathematik*** pure mathematics; ***~er Wahnsinn*** sheer madness; ***die ~e Wahrheit*** the (plain) truth; ***durch ~en Zufall*** by pure accident; ***etw ins ~e bringen*** sort s.th. out; ***mit j-m ins ~e kommen*** get things straightened out with s.o.; ***ins ~e schreiben*** make a fair copy of; → ***Luft*** 1, ***Tisch, Wein*** 2 *etc* **II** *Adv* **2.** purely: ***~ pflanzliches Fett*** pure vegetable fat; ***~ seiden*** (of) pure silk; ***aus ~ persönlichen Gründen*** for purely personal reasons; *fig* ***~ waschen*** clear (***von*** of); → ***zufällig*** **3.** F (*völlig*) absolutely: ***~ gar nichts*** absolutely nothing

rein(...) F → ***herein(...), hinein(...)***

Reineclaude *f* → ***Reneklode***

Reinemachefrau *f* cleaning lady

Reinerlös *m*, **Reinertrag** *m* net proceeds *Pl*

Reinfall *m* F (*Misserfolg*) flop, (*Enttäuschung*) letdown, frost

reinfallen → ***hereinfallen***

Reingewicht *n* net weight

Reingewinn *m* net (*od* clear) profit

reinhängen *v/refl* F ***sich*** **(*voll*)** ~ go flat out

Reinheit *f* purity (*a. fig*), cleanness

reinigen *v/t* clean, *a.* MED cleanse (***von*** of), (*Blut etc, a. fig*) purify, (*Luft*) clear, METAL refine, *chemisch*: dry-clean

Reinigung *f* **1.** cleaning (*etc*) **2.** (*Geschäft*) dry cleaners *Pl*: ***etw in die ~ geben*** send s.th. to the cleaners

Reinigungs|milch *f Kosmetik*: cleansing milk **~mittel** *n* detergent

Reinkarnation *f* reincarnation

Reinkultur *f* F ***Kitsch in ~*** pure unadulterated trash

reinlegen → ***hereinlegen***

reinlich *Adj* (*sauber*) clean, *Person*: cleanly, (*ordentlich*) neat, tidy

Reinlichkeit *f* cleanliness, neatness

reinrassig *Adj Hund etc*: pedigree, *Pferd*: thoroughbred

Reinschrift *f* fair copy

reinseiden *Adj* (of) pure silk

Reis[1] *n* BOT twig, (*Pfropf*~) scion

Reis[2] *m* rice

Reisauflauf *m* rice pudding

Reise *f* journey, FLUG, SCHIFF voyage, *längere*: travel, (*Rund*~) tour, *mst kürzere*: trip: ***e-e ~ mit dem Auto*** **(*Zug*)** a journey by car (train); ***ich plane e-e ~ durch Amerika*** I'm planning to travel through America; ***auf ~n sein*** be travel(l)ing; ***gute ~!*** have a nice trip!, bon voyage!; → ***antreten*** 1 **~andenken** *n* souvenir

Reise|apotheke *f* first-aid kit **~begleiter(in) 1.** travel companion **2.** → ***Reiseleiter(in)*** **~bekanntschaft** *f* travel(l)ing acquaintance **~bericht** *m* (*Buch, Film, Vortrag*) travelog(ue *Br*) **~beschreibung** *f* book of travels **~büro** *n* travel agency **~bus** *m* coach **~diplomatie** *f* POL shuttle diplomacy **~erinnerungen** *Pl* reminiscences *Pl* of one's travels **≈fertig** *Adj* ready to start **~fieber** *n* F holiday fever

Reise|führer(in) 1. (*Person*) guide **2.** guide(book) **~gefährte** *m*, **~gefährtin** *f* travel companion **~gepäck** *n* luggage, *Am* baggage **~geschwindigkeit** *f* cruising speed **~gesellschaft** *f* **1.** tourist party **2.** → ***Reiseveranstalter***

Reisekosten *Pl* travel(l)ing expenses *Pl* **~zuschuss** *m* travel([l]ing) allowance

Reise|krankheit *f* travel sickness **~land** *n* tourist country **~leiter(in)** courier

reiselustig *Adj* fond of travel(l)ing

Reisemobil *n* camper, *Am* mobile home **reisemüde** *Adj* travel-weary

reisen I *v/i* (***nach*** to) travel, go, make a trip: ***zu s-n Verwandten ~*** go to visit one's relatives; ***er ist weit gereist*** he has travel(l)ed a lot; ***ins Ausland ~*** go abroad **II ≈** *n* travel, travel(l)ing **Reisende** *m*, *f* **1.** travel(l)er, *weit. S.* tourist, (*Fahrgast*) passenger **2.** → ***Handlungsreisende***

Reise|necessaire *n* toilet case **~pass** *m* passport **~prospekt** *m* travel brochure **~route** *f* route, itinerary **~ruf** *m* police message **~scheck** *m* traveller's cheque, *Am* traveler's check **~schreibmaschine** *f* portable typewriter **~tasche** *f* travel(l)ing (*od* overnight) bag, holdall **~unterlagen** *Pl* travel documents *Pl* **~veranstalter(in)** tour operator **~verkehr** *m* holiday traffic **~wecker** *m* travel(l)ing (alarm) clock **~zeit** *f* holiday season **~ziel** *n* destination

Reißaus: ***~ nehmen*** take to one's heels

Reißbrett *n* drawing-board

reißen I *v/t* **1.** *allg* tear (***in Stücke*** to pieces), (*weg~*) *a.* snatch (off), (*zerren, ab~, heraus~*) pull: ***mit sich ~*** drag, *Fluten*: sweep; ***an sich ~*** snatch, (*a. die Macht*) seize; ***sich ~*** (*verletzen*) tear o.s. (***an*** *Dat* on); F *fig* ***sich ~ um*** fight over; F ***ich reiße mich nicht darum*** I can do without; → ***Witz*** 1 **2.** SPORT **a)** (*die Latte etc*) knock down, **b)** *Gewichtheben*: snatch **3.** *Raubtier*: kill **II** *v/i* **4.** *allg* tear, (*auf~*) burst, split, MED rupture, *Kette, Saite etc*: break, snap: ***~ an*** (*Dat*) tear at; → ***Geduld*** **5.** SPORT knock down the bar **III ≈** *n* **6.** F MED rheumatism **reißend** *Adj* **1.** rapid, *Fluss etc*: torrential: → ***Absatz*** 3 **2.** *Tier*: rapacious **3.** *Schmerz*: searing

Reißer *m* F **1.** (*Buch, Film etc*) thriller **2.** (*Erfolg*) hit **reißerisch** *Adj* sensational, loud: ***~e Werbung*** *a.* ballyhoo

Reißfeder *f* drawing pen **Reißleine** *f* rip cord **Reißnagel** *m* → ***Reißzwecke***

Reißverschluss *m* zip(per): ***den ~ e-r Jacke zumachen*** (***aufmachen***) zip up (unzip) a jacket

Reißzahn *m* ZOOL fang, canine tooth

Reißzwecke *f* drawing pin, *Am* thumbtack

reiten I *v/i* ride (*a. v/t*), go on horseback **II ≈** *n* riding **Reiter** *m* **1.** rider, horseman **2.** *Kartei*: tab **Reiterei** *f* cavalry

Reiterin *f* rider, horsewoman

Reit|gerte *f* riding crop **~hose** *f* (riding) breeches *Pl* **~peitsche** *f* riding crop **~pferd** *n* saddle horse **~schule** *f* riding school **~sport** *m* riding **~stiefel** *Pl* riding boots *Pl* **~turnier** *n* horse show **~unterricht** *m* riding lessons *Pl*

Reitweg *m* bridle-path

Reiz *m* **1.** PHYSIOL, PSYCH *u. fig* stimulus (*Pl* stimuli), MED (*Reizung*) irritation **2.** (*Zauber*) charm, (*Anziehung*) appeal, attraction, (*Verlockung*) lure, (*Kitzel*) thrill: ***der ~ des Neuen*** the novelty; ***s-n ~ (für j-n) verlieren*** pall (on s.o.); ***s-e ~e spielen lassen*** display one's charms; ***das hat k-n ~ für mich*** that does not appeal to me

reizbar *Adj* irritable, touchy

Reizbarkeit *f* irritability

reizen I *v/t* **1.** irritate (*a.* MED), (*ärgern*) *a.* annoy, (*auf~*) provoke, (*ein Tier*) bait **2.** (*anregen*) stimulate, (*Gefühle, Neugier etc*) (a)rouse, (*Gaumen*) tickle **3.** (*verlocken*) tempt, (*anziehen*) appeal to: ***es reizte ihn zu gehen*** he was tempted to go; ***es würde mich ~ zu*** *Inf* I

R

wouldn't mind *Ger*; ***das reizt mich gar nicht*** that doesn't appeal to me at all **II** *v/i* **4.** *Skat*: bid **reizend** *Adj* charming, delightful, (*hübsch*) lovely, sweet
Reizgas *n* CS gas
Reizhusten *m* MED dry cough
reizlos *Adj* **1.** unattractive, *Mädchen*: *a.* plain, (*langweilig*) boring **2.** MED bland
Reizschwelle *f* stimulus threshold
Reizthema *n* emotive issue
Reizüberflutung *f* stimulus satiation
Reizung *f a.* MED irritation, stimulation
reizvoll *Adj* charming, attractive, fascinating, *Aufgabe etc*: challenging
Reizwäsche *f* sexy underwear
Reizwort *n* emotive word
rekapitulieren *v/t* recapitulate
rekeln *v/refl* ***sich ~*** loll (about)
Reklamation *f* complaint
Reklame *f* advertising, (*Anzeige*) advertisement, F ad: ***~ machen*** **(*für*)** advertise (*Akk*) **Reklame...** → ***Werbe...***
Reklamerummel *m pej* ballyhoo
reklamieren I *v/i* complain (***wegen*** about), *bes* SPORT protest (***gegen*** against) **II** *v/t* complain about
rekonstruieren *v/t* reconstruct
Rekonvaleszenz *f* convalescence
Rekord *m* record: ***e-n ~ aufstellen*** set up a record
Rekordhalter(in), **Rekordinhaber(in)** record holder **Rekordlauf** *m* record run **Rekordversuch** *m* attempt on the record **Rekordzeit** *f* record time
Rekrut(in), **rekrutieren** *v/t* recruit
rektal *Adj* MED rectal
Rektion *f* LING government: ***die ~ e-s Verbs*** the case governed by a verb
Rektor *m* **1.** PÄD headmaster, principal **2.** UNI rector **Rektorat** *n* **1.** rectorship, rectorate **2.** (*Büro*) headmaster's (*od* principal's, UNI rector's) office
Rektorin *f* PÄD headmistress, principal
Relais *n* ELEK relay
Relation *f* relation(ship): ***in k-r ~ stehen zu*** be out of all proportion to
relational *Adj a.* IT relational
relativ *Adj allg* relative, *Adv a.* comparatively **Relativität** *f* relativity **Relativitätstheorie** *f* theory of relativity
Relativsatz *m* LING relative clause
relevant *Adj* relevant (***für*** to)
Relief *n* relief
Religion *f* **1.** religion **2.** PÄD religious instruction
Religions... → ***Glaubens...*** **Religionsfreiheit** *f* freedom of worship **Religionsgemeinschaft** *f* confession, *kleinere*: religious community
Religionsunterricht *m* religious instruction **Religionszugehörigkeit** *f* religious affiliation
religiös *Adj* religious
Relikt *n* **1.** (*Rest*) relic **2.** BIOL relict
Reling *f* SCHIFF rail
Reliquie *f* relic
Reliquienschrein *m* reliquary
Remake *n* remake
Reminiszenz *f* reminiscence
Remis *n Schach*: draw
Remittenden *Pl* returns *Pl*
Remoulade *f* GASTR tartar sauce
rempeln *v/t* F jostle, bump into
Ren *n* ZOOL reindeer
Renaissance *f hist* Renaissance, *fig* renaissance
Rendezvous *n* rendezvous (*a. Raumfahrt*), date
Rendite *f* WIRTSCH (net) yield
Reneklode *f* BOT greengage
Rennbahn *f* (*Pferde*♀) racecourse, race track (*a.* MOT), (*Rad*♀) (cycling) track
Rennboot *n* speedboat
rennen I *v/i* run, rush, dash, (*wett~*) race: ***~ gegen*** run into; ***schneller ~ als*** outrun; ***sie rannten um die Wette*** they raced each other; → ***Verderben*** **II** *v/t* F ***j-m ein Messer*** *etc* ***in die Brust ~*** run a knife *etc* into s.o.'s chest; ***j-n über den Haufen ~*** knock s.o. down
Rennen *n* running (*etc*), (*Wett*♀) race, (*Einzel*♀) heat: ***totes ~*** dead heat; ***das ~ machen*** come in first, win, *fig* come out on top
Renner *m* F *fig* (great) hit
Renn|fahrer(in) racing driver, (*Rad*♀) racing cyclist **~läufer(in)** ski racer
Renn|pferd *n* racehorse **~rad** *n* racing cycle **~schi** *m* racing ski **~schuh** *m* spike(s shoe) **~sport** *m* racing **~stall** *m* **1.** (racing) stable **2.** F MOT racing team **~strecke** *f* **1.** → ***Rennbahn*** **2.** distance **~wagen** *m* racing car
Renommee *n* reputation
renommieren *v/i* (***mit*** of) boast, brag
renommiert *Adj* (***wegen*** for) famous, noted

renovieren *v/t* renovate, F do up, (*Innenraum*) redecorate **Renovierung** *f* renovation, redecoration
rentabel *Adj* profitable
Rentabilität *f* profitability
Rente *f* **1.** (*Alters*≈) (old-age) pension, (*Sozial*≈) (social insurance, *Am* Social Security) pension: F ***auf*** (*od* ***in***) ***~ gehen*** retire **2.** (*Jahres*≈) annuity

⚠ Rente	≠	rent
Rente	=	pension
rent	=	Miete

Renten|alter *n* retirement age **~anpassung** *f* index-linked adjustment of pensions **~berechnung** *f* calculation of pensions **~empfänger(in)** pensioner **~markt** *m* WIRTSCH bond market **~papiere** *Pl* fixed interest bonds *Pl* **~reform** *f* pension reform **~versicherung** *f* pension scheme **~zugangsalter** *n* pensionable age
rentieren *v/refl* ***sich ~*** be profitable, *a. weit. S.* pay, be worthwhile
Rentner(in) (old-age) pensioner
reorganisieren *v/t* reorganize
Rep *m* F → ***Republikaner(in)*** 2
reparabel *Adj* reparable, repairable
Reparation *f* reparation
Reparatur *f* repair(s *Pl*): ***in ~*** being repaired, under repair; ***zur ~ geben*** have *s.th.* repaired ≈**bedürftig** *Adj* in need of repair **~kosten** *Pl* cost *Sg* of repairs **~werkstatt** *f* workshop, MOT garage
reparieren *v/t* repair, F fix: (***nicht mehr***) ***zu ~*** repairable (beyond repair)
repatriieren *v/t* repatriate
Repertoire *n* THEAT *u. fig* repertoire
Replik *f* **1.** reply (*a.* JUR) **2.** KUNST replica
Report *m* **1.** report **2.** WIRTSCH contango
Reportage *f* coverage, (*Bericht*) report, commentary **Reporter(in)** reporter
Repräsentant(in) representative
Repräsentantenhaus *n* PARL *Am* House of Representatives
Repräsentation *f* representation: ***der ~ dienen*** be a status symbol **repräsentativ** *Adj* **1.** (*typisch*) representative (***für*** of) **2.** (*eindrucksvoll*) impressive
repräsentieren *v/t* represent
Repressalie *f* reprisal
repressiv *Adj* repressive
reprivatisieren *v/t* WIRTSCH denationalize
Reproduktion *f allg* reproduction, (*Bild*) *a.* print
reproduzieren *v/t* reproduce
Reptil *n* reptile
Republik *f* republic
Republikaner(in) **1.** republican **2.** POL ***die Republikaner*** *Pl* the Republicans (*rightist party*)
republikanisch *Adj* republican
Requiem *n* MUS requiem
requirieren *v/t* MIL requisition
Requisiten *Pl* THEAT *etc* properties *Pl*, F props *Pl*
resch *Adj österr.* crunchy, crispy
Reservat *n* **1.** (nature) reserve **2.** (*Indianer*≈ *etc*) reservation
Reserve *f* **1.** *allg* reserve (*a.* MIL *u. fig*): WIRTSCH ***stille ~n*** hidden reserves; ***in ~ halten*** keep *s.th.* in reserve; F ***j-n aus der ~*** (***heraus***)***locken*** bring s.o. out of his shell **2.** SPORT reserve team **~bank** *f* SPORT (substitutes') bench **~kanister** *m* spare (*Br a.* jerry) can **~rad** *n* MOT spare wheel **~spieler(in)** SPORT substitute
reservieren *v/t allg* (*a.* ***~ lassen***) reserve, (*vorbestellen*) *a.* book: ***j-m e-n Platz ~*** keep (*od* save) a seat for s.o.
reserviert *Adj a. fig* reserved
Reservist(in) MIL reservist
Reservoir *n a. fig* reservoir
Residenz *f* residence
residieren *v/i* reside
Resignation *f* resignation
resignieren *v/i* give up
resigniert *Adj* resigned(ly *Adv*)
resistent *Adj* resistent (***gegen*** to)
resolut *Adj* resolute, determined
Resolution *f* resolution
Resonanz *f a. fig* resonance
resorbieren *v/t* resorb
Resorption *f* resorption
resozialisieren *v/t* rehabilitate
Resozialisierung *f* rehabilitation
Respekt *m* respect (***vor*** for): ***sich ~ verschaffen*** make o.s. respected; ***bei allem ~*** with all due respect **respektabel** *Adj* respectable **respektieren** *v/t* respect **respektlos** *Adj* irreverent
respektvoll *Adj* respectful
Ressentiment *n* resentment
Ressort *n* (***das fällt nicht in mein ~*** that

is not my) department
Ressortleiter(in) head of department
Rest *m allg* rest, *a.* MATHE remainder, (*Über*≈) remnant, CHEM, JUR, TECH residue, (*Speise*≈) leftovers *Pl*, WIRTSCH balance, *fig* (*Spur*) vestige, *Pl e-r Kultur etc*: remains *Pl*: ***der letzte ~*** the last bit(s *Pl*); ***sterbliche ~e*** mortal remains; F ***das gab ihm den ~*** that finished him (off)
Restaurant *n* restaurant
restaurieren *v/t* restore
Restbestand *m* WIRTSCH remaining stock
Restbetrag *m* WIRTSCH balance
restlich *Adj* remaining, *a.* CHEM, JUR, MATHE residual: ***die ~e Zeit*** *a.* the rest of his *etc* time **restlos I** *Adj* complete, total **II** *Adv* completely, perfectly
Restrisiko *n* residual risk
Resultat *n* result, SPORT score, results *Pl*
resultieren *v/i* result (***aus*** from)
Resümee *n* summary
resümieren *v/t* sum up
Retorte *f* retort
Retortenbaby *n* test-tube baby
Retourkutsche: F ***e-e ~*** tit for tat
Retrospektive *f* **1.** (***in der ~*** in) retrospect **2.** retrospective (exhibition)
Retrovirus *n* MED retrovirus
retten I *v/t* (***aus, vor*** *Dat* from) save, rescue, (*befreien*) deliver, (*bergen*) recover, salvage (*a. fig*): ***j-m das Leben ~*** save s.o.'s life; F ***der Abend war gerettet*** the evening was saved **II** *v/i* SPORT (make a) save **III** *v/refl* ***sich ~*** escape; ***sich nicht mehr ~ können vor*** (*Dat*) be swamped with **Retter(in)** rescuer
Rettich *m* BOT radish
Rettung *f* rescue, (*Entkommen*) escape, (*Bergung*) recovery, *bes* SCHIFF salvage, REL salvation: ***das war s-e ~*** that saved him; ***es gab k-e ~ für ihn*** he was past help; ***du bist m-e einzige*** (*od* ***letzte***) ***~*** you are my last hope
Rettungs|aktion *f a. fig* rescue operation **~anker** *m* sheet anchor **~boje** *f* life buoy **~boot** *n* lifeboat **~dienst** *m* rescue service **~gerät** *n* life-saving equipment **~hubschrauber** *m* rescue helicopter
rettungslos *Adj* hopeless(ly *Adv*): *Adv* ***~ verloren sein*** be beyond all hope
Rettungs|mannschaft *f* rescue party **~ring** *m* lifebelt, *fig hum* love handles *Pl* (*Fettwulst an den Hüften*) **~schwimmer(in)** lifeguard **~trupp** *m* rescue squad **~versuch** *m* rescue attempt **~wagen** *m* ambulance
Return *m* return (*a. Tennis*)
Return-Taste *f* return key
retuschieren *v/t* touch up
Reue *f* (***über*** *Akk* for) remorse, *bes* REL repentance **reuen I** *v/t* ***s-e Tat*** (***das Geld***) ***reute ihn*** he regretted what he had done (the money) **II** *v/unpers* ***es reut mich, dass ...*** I am sorry (*od* I regret) that ... **reuevoll**, **reuig**, **reumütig** *Adj* remorseful, repentant
Revanche *f* revenge **~kampf** *m*, **~spiel** *n* SPORT return match
revanchieren *v/refl* ***sich ~*** **1.** take one's revenge (***an*** *Dat* on), get one's own back **2.** *als Dank*: return the favo(u)r, reciprocate (***mit*** with)
Revanchismus *m* POL revanchism
Revanchist(in), **revanchistisch** *Adj* revanchist
Revers *m*, *n* (*Aufschlag*) lapel
revidieren *v/t* **1.** revise **2.** check, audit
Revier *n allg* district, (*Polizei*≈) *Am a.* precinct, (*Wache*) police station, (*Bereich*) *e-s Polizisten*: beat, *e-s Briefträgers*: round, ZOOL *u. fig* territory
Revision *f* **1.** check(ing), WIRTSCH audit(ing), (*Zoll*≈) examination **2.** revision **3.** JUR (***~ einlegen*** lodge an) appeal (***bei*** with) **4.** BUCHDRUCK final proofreading
Revisor(in) WIRTSCH auditor
Revolte *f*, **revoltieren** *v/i* revolt
Revolution *f* revolution **revolutionär** *Adj*, **Revolutionär(in)** revolutionary
revolutionieren *v/t* revolutionize
Revoluzzer(in) *pej* (would-be) revolutionary
Revolver *m* revolver, F *a.* gun
Revolverblatt *n pej* sensational rag
Revolverheld(in) *pej* gunslinger
Revue *f* THEAT revue
Rezensent(in) critic, reviewer
rezensieren *v/t*, **Rezension** *f* review
Rezept *n* MED prescription, (*Koch*≈) recipe, formula (*beide a. fig*); → *Info-Fenster nächste Seite* **≈frei** *Adj* over-the-counter ... **~gebühr** *f* prescription charge

Rezept — **recipe/ prescription**

⚠ Machen Sie bitte nicht den Fehler, „Rezept" mit **receipt** gleichzusetzen: Letzteres ist die Quittung bzw. der Kassenbon. Die richtigen Übersetzungen für Rezept sind:

1. **recipe**

ein Rezept für einen Kuchen	**a recipe for a cake**

2. **prescription**

Der Arzt stellte ein Rezept aus.	**The doctor wrote out a prescription.**

Rezeption *f im Hotel*: reception, *Am* check-in desk
rezeptpflichtig *Adj* available only on prescription, prescription(-only) …
Rezession *f* WIRTSCH recession
reziprok *Adj* reciprocal
R-Gespräch *n* TEL reversed-charge call, *Am* collect call
Rhabarber *m* BOT rhubarb
Rhein *m the* Rhine
Rheinländer(in) Rhinelander
Rheinland-Pfalz *n the* Rhineland-Palatinate
Rheinwein *m* Rhine wine, *weißer*: hock
Rhesusaffe *m* rhesus (monkey)
Rhesusfaktor *m* MED rhesus factor
Rhetorik *f* rhetoric
rhetorisch *Adj* rhetorical
Rheuma *n* F MED rheumatism **rheumatisch** *Adj* MED rheumatic(ally *Adv*)
Rheumatismus *m* MED rheumatism
Rhinozeros *n* ZOOL rhinoceros
Rhodos *n* Rhodes
Rhombus *m* MATHE rhomb(us)
rhythmisch *Adj* rhythmical
Rhythmus *m* rhythm
Ribisel *f österr.* currant
Richtantenne *f* directional aerial (*Am* antenna)
richten[1] **I** *v/t* **1.** *allg* direct (***auf*** *Akk* to, ***gegen*** against): ***~ auf*** (*Akk*) (*Waffe, Kamera etc*) *a.* point (*od* level, aim) at, (*Augen etc*) *a.* turn on, (*Aufmerksamkeit, Bemühungen etc*) *a.* concentrate on; ***~ an*** (*Akk*) (*Bitte, Brief etc*) address to, (*Frage*) put to **2.** (*her~*) fix, get *s.th.* ready, (*vorbereiten*) prepare, (*in Ordnung bringen*) bring *s.th.* in order, tidy *s.th.* (up), (*Zimmer, Haare etc*) *a.* do, (*reparieren*) repair, mend, fix, (*aus~*) align, (*einstellen*) adjust, (*Segel*) trim, (*gerade biegen*) straighten (out *fig*): ***sich die Zähne ~ lassen*** have one's teeth done **II** *v/refl* **3.** ***sich ~ an*** (*Akk*) address o.s. to; ***sich ~ auf*** (*Akk*) *Aufmerksamkeit etc*: focus on; ***sich ~ gegen*** be directed against, *Bemerkung etc*: be aimed at; ***sich ~ nach*** orient(ate) o.s. by, (*j-s Wünschen etc*) comply with, (*Vorschriften*) *a.* keep to, (*j-s Urteil*) go by, (*der Mode etc*) follow, (*j-s Vorbild*) follow *s.o.'s* example, *Sache*: be model(l)ed on, (*abhängen von*) depend on, (*bestimmt werden von*) be determined by, (*übereinstimmen, a.* LING) agree with; ***ich richte mich nach Ihnen!*** I leave it to you!
richten[2] *v/t u. v/i* judge: ***über j-n ~*** *a.* pass judgment on s.o.
Richter(in) judge **Richteramt** *n* judicial office **richterlich** *Adj* judicial
Richter-Skala *f* Richter scale
Richtfest *n* topping-out ceremony
Richtfunk *m* directional radio
Richtgeschwindigkeit *f* MOT recommended speed
richtig I *Adj* **1.** (*Ggs. falsch*) right, correct, (*wahr*) true, (*genau*) accurate: (***sehr***) ***~!*** (quite) right!, exactly!; F ***er ist nicht ganz ~ im Kopf*** he is not quite right in the head **2.** (*geeignet*) right, suitable, appropriate, proper, (*gerecht*) fair, just: ***es war ~ von dir, dass du ihnen geholfen hast*** you did right to help them; ***so ists ~!*** that's it! **3.** (*echt*) real, true: ***ein ~er Engländer*** a true Englishman; ***s-e ~e Mutter*** his real mother; ***ein ~er Feigling*** a regular coward **II** *Adv* **4.** right(ly), correctly (*etc*), (*methodisch ~*) the right way, F (*völlig*) properly: ***etw ~ machen*** do s.th. right; ***~ böse*** really (F real) angry; ***~ gehend*** real, regular; ***geht d-e Uhr ~?*** is your watch right?; ***~ stellen*** put s.th. right, correct; F ***und ~, …*** and sure enough …
Richtige[1] *m, f the* right man (woman), F *zum Heiraten*: *Mr.* (*Mrs.*) Right: *iron* ***Ihr seid mir die ~n!*** a fine lot you

are!; F ***sechs ~ haben*** *im Lotto*: have six right
Richtige[2] *n the* right thing: ***er hat nichts ~s gelernt*** he hasn't really learnt anything; ***das ist für sie genau das ~*** that's just right for her
Richtigkeit *f* correctness, rightness: ***das hat schon s-e ~*** it's all right
Richtlinien *Pl* guidelines *Pl*
Richtpreis *m* WIRTSCH recommended price
Richtschnur *f fig* guiding principle
Richtstrahler *m* → ***Richtantenne***
Richtung *f* **1.** direction, (*Kurs*) course (*a.* FLUG, SCHIFF), *fig a.* line, trend: ***in ~ auf*** (*Akk*) in the direction of; ***aus allen ~en*** from all directions; *fig* ***etw in dieser ~*** s.th. along these lines **2.** (*Denkweise*) line (of thought), (*Ansicht*) views *Pl*, (*Bewegung*) movement, (*Kunst*♀ *etc*) school
richtunggebend, richtungweisend *Adj* guiding, trendsetting
Richtwert *m*, **Richtzahl** *f* index
Ricke *f* ZOOL doe
riechen I *v/i* smell (***nach*** of, ***an*** *Dat* at): ***schlecht ~*** smell (bad); ***es riecht nach Gas*** I can smell gas **II** *v/t* smell, (*wittern*) scent: F *fig* ***ich kann ihn nicht ~*** I can't stand him; ***er hat es gerochen*** he got wind of it; ***das konnte ich doch nicht ~!*** how was I to know?; → ***Braten, Lunte***
Riecher *m* F nose: *fig* ***e-n guten ~ haben für*** have a good nose for
Ried *n* reed, (*Moor*) marsh
Riefe *f*, **riefeln** *v/t* groove, flute
Riege *f Turnen*: squad, *fig* brigade
Riegel *m* **1.** bolt, bar, *zum Einhaken*: latch: *fig* ***e-r Sache e-n ~ vorschieben*** put a stop to s.th. **2.** (*~ Seife etc*) bar, (*~ Schokolade*) row, *Am* strip
Riemen[1] *m* strap, (*Gewehr*♀) sling, (TECH *Treib*♀) belt: *fig* ***sich am ~ reißen*** pull o.s. together
Riemen[2] *m* (*Ruder*) oar
Ries *n* (*Papiermaß*) ream
Riese *m* giant
rieseln *v/i* trickle, run, *Schnee*: fall softly
Riesen... giant, gigantic, enormous **~erfolg** *m* huge success, *a. Film etc*: smash hit **~felge** *f Turnen*: giant swing
riesengroß, **riesenhaft** → ***riesig*** 1
Riesenrad *n* Ferris wheel
Riesenschlange *f* boa constrictor
Riesenschritt *m* ***mit ~en*** with giant strides
Riesenslalom *m Skisport*: giant slalom
riesig I *Adj* **1.** *a. fig* gigantic(ally *Adv*), colossal, enormous, huge **2.** F tremendous, (*toll*) terrific, super **II** *Adv* **3.** F tremendously, terribly, enormously
Riesin *f* giantess
Riff *n* reef
rigoros *Adj* rigorous
Rigorosum *n* UNI viva (voce)
Rille *f* groove
Rind *n* **1.** (*Kuh*) cow, (*Stier*) bull, (*Ochse*) ox: ***~er*** *Pl* cattle *Sg* **2.** (*~fleisch*) beef
Rinde *f* **1.** bark **2.** (*Brot*♀) crust, (*Käse*♀) rind
Rinder|braten *m* roast beef **~filet** *n* fillet of beef **~wahn(sinn)** *m* mad cow disease **~zucht** *f* cattle farming **~zunge** *f* GASTR ox tongue
Rindfleisch *n* beef
Rind(s)leder *n* cowhide
Rindvieh *n* **1.** cattle **2.** F *pej* idiot
Ring *m allg* ring (*a. Turnen, Boxen*), (*Kreis, a. fig*) *a.* circle, WIRTSCH pool, *Am* combine, (*Kettenglied*) link
Ringbuch *n* ring (*od* loose-leaf) binder **~einlage** *f* loose-leaf pages *Pl*
ringeln I *v/t* curl, (*herum~*) coil (***um*** around) **II** *v/refl* ***sich ~*** curl, coil, (*schlängeln*) wind, meander
Ringelnatter *f* ZOOL grass snake
Ringelsocken *Pl* striped socks *Pl*
Ringelspiel *n österr.* roundabout, merry-go-round, *Am* carousel
Ringeltaube *f* ZOOL wood pigeon
ringen I *v/i* wrestle (*a. fig* ***mit*** *sich, e-m Problem* with), *fig* struggle (***um, nach*** for): ***nach Atem ~*** gasp for breath; ***nach Fassung ~*** try to regain one's composure; ***nach Worten ~*** struggle for words **II** *v/t* wring
Ringen *n* wrestling, *fig* struggle
Ringer(in) SPORT wrestler
Ringfinger *m* ring finger
ringförmig *Adj* ring-shaped, annular
Ringkampf *m* wrestling (match)
Ringkämpfer(in) wrestler
Ringrichter(in) *Boxen*: referee
rings *Adv* (all) around
ringsherum, ringsum, ringsumher *Adv* round about, (*überall*) everywhere
Rinne *f* (*Rille*) groove (*a.* ANAT, BOT),

(*Dach*⁀) gutter, (*Leitungs*⁀) conduit, (*Wasser*⁀) gully, (*Kanal*) channel
rinnen *v/i* **1.** run, flow, (*tröpfeln*) drip, trickle: *fig* ***das Geld rinnt ihr durch die Finger*** money just slips through her fingers **2.** (*lecken*) leak
Rinnsal *n* trickle
Rinnstein *m* gutter
Rippchen *n* GASTR rib (of pork)
Rippe *f* **1.** *allg* rib, (*Heiz*⁀, *Kühl*⁀) *a.* fin **2.** (~ *Schokolade*) row, *Am* strip
Rippenfell *n* ANAT pleura
Rippenfellentzündung *f* MED pleurisy
Rippenshirt *n* ribbed shirt
Rippenspeer *m* GASTR cured pork rib
Rippenstoß *m* dig in the ribs
Risiko *n* risk: ***auf eigenes ~*** at one's own risk; ***mit vollem ~*** at all risks; ***ein ~ eingehen*** take a risk **risikofrei** *Adj* safe **risikofreudig** *Adj* risk-taking, prepared to take a risk (*od* risks)
Risiko|gruppe *f* high-risk group **~kapital** *n* WIRTSCH risk capital, venture capital
risikoreich *Adj* risky
Risikostaat *m* POL state of concern
riskant *Adj* risky **riskieren** *v/t* risk
Rispe *f* BOT panicle
Riss *m* **1.** tear, rent, *in der Haut*: chap, (*Spalte*) cleft, crevice, *in der Freundschaft etc*: rift, split **2.** ARCHI, TECH draft
rissig *Adj* cracked, fissured, *Haut*: chappy, chapped: ***~ werden*** crack, *Haut*: chap; ***~e Hände*** chapped hands
Risswunde *f* laceration
Rist *m des Fußes*: instep, *der Hand*: back of the hand
Ritt *m* ride
Ritter *m* knight: ***j-n zum ~ schlagen*** knight s.o. **Rittergut** *n* manor
ritterlich *Adj* knightly, *fig* chivalrous
Ritterlichkeit *f* gallantry, chivalry
Ritterorden *m* order (of knights)
Rittersporn *m* BOT larkspur
rittlings *Adv* astride (***auf*** *Dat* s.th.)
Ritual *n*, **rituell** *Adj* ritual
Ritus *m* rite
Ritze *f* crack, gap, chink
Ritzel *n* TECH pinion
ritzen *v/t* scratch, (*schnitzen*) carve
Rivale *m*, **Rivalin** *f*, **rivalisieren** *v/i* rival
Rivalität *f* rivalry
Rizinusöl *n* castor oil
Robbe *f* ZOOL seal
Robe *f* gown, (*Amts*⁀) robe
Roboter *m* robot **~arm** *m* robotic arm **~technik** *f* robotics *Pl*
robust *Adj allg* robust
röcheln *v/i* breathe stertorously
Rochen *m* ZOOL ray
rochieren *v/i Schach*: castle, SPORT switch positions
Rock[1] *m* **1.** (*Damen*⁀) skirt **2.** (*Jackett*) jacket, coat
Rock[2] *m* rock (music) **~band** *f* rock group
Rocker(in) F rocker
Rockmusik *f* rock (music)
Rodel *m österr., südd.* sledge **Rodelbahn** *f* toboggan run **rodeln** *v/i* toboggan **Rodelschlitten** *m* toboggan, (*Renn*⁀) luge
roden *v/t* (*Wurzeln*) root out, (*Wald, Land*) clear, stub
Rodler(in) tobogganist
Rodung *f* clearing
Rogen *m* roe
Roggen *m* rye **~brot** *n* rye-bread
roh *Adj* **1.** *allg* raw, (*unverarbeitet*) *a.* crude, *Diamant, Entwurf etc*: *a.* rough **2.** WIRTSCH (*brutto*) gross **3.** *fig* (*primitiv*) crude, (*derb, grob*) rough, *stärker*: brutal: ***mit ~er Gewalt*** with brute force
Rohbau *m* shell **Rohbilanz** *f* WIRTSCH trial balance **Rohdiamant** *m* rough diamond **Roheisen** *n* pig iron **Roherz** *n* crude ore **Rohfaser** *f* crude fibre (*Am* fiber) **Rohfassung** *f* (*Entwurf*) rough draft **Rohgewicht** *n* gross weight **Rohgewinn** *m* gross profit **Rohgummi** *n, a. m* crude rubber
Rohheit *f* **1.** roughness, *stärker*: brutality **2.** brutal act
Rohkost *f* raw vegetables *Pl* and fruit
Rohleder *n* rawhide
Rohling *m* **1.** *aus Holz od Metall*: blank **2.** *e-r CD*: blank CD **3.** *Mensch*: brute, ruffian
Rohmaterial *n* raw material
Rohöl *n* crude oil
Rohprodukt *n* raw product
Rohr *n* **1.** (*Schilf*⁀) reed, (*Bambus*⁀, *~stock*) cane **2.** TECH tube, pipe, (*Kanal*) duct **3.** (*Geschütz*⁀) barrel: F ***volles ~*** flat out **4.** *österr.* (*Backofen*) oven
Rohrbruch *m* burst pipe
Röhrchen *n* (*Tabletten*⁀) (small) tube,

für Alkoholtest: breathalyzer: ***j-n ins ~ blasen lassen*** breathalyze s.o.
Röhre *f* **1.** *allg* tube, (*Leitungs*2) pipe **2.** ELEK, RADIO, TV valve, *bes Am* tube: F ***in die ~ gucken*** **a)** TV sit in front of the box, **b)** *fig* be left out in the cold **3.** (*Brat*2) oven **4.** JAGD gallery
röhren *v/i Hirsch*: bell
Rohrleitung *f* conduit, *im Haus*: plumbing, (*Fern*2) pipeline
Rohrmöbel *Pl* **1.** wicker furniture **2.** → ***Stahl(rohr)möbel***
Rohrnetz *n Wasser etc*: mains *Pl*
Rohrpost *f* pneumatic post
Rohrschelle *f* TECH pipe clamp
Rohrspatz *m* F ***schimpfen wie ein ~*** rant and rave
Rohrstock *m* cane
Rohrzange *f* TECH pipe wrench
Rohrzucker *m* cane sugar
Rohseide *f* raw silk **Rohstahl** *m* crude steel **Rohstoff** *m* raw material
Rohzucker *m* unrefined sugar
Rohzustand *m* (***im ~*** in the) crude state
Rollbahn *f* FLUG runway
Rolle[1] *f* **1.** *allg* roll (*a.* FLUG, *Turnen*), (*Walze*) *a.* roller, *am Flaschenzug*: pulley, *unter Möbeln*: castor, (*Spule*) reel, (*Draht*2, *Tau*2) coil: ***e-e ~ Garn*** a reel of cotton **2.** → ***Schriftrolle*** *etc*
Rolle[2] *f* THEAT *u. fig* part, role (*a.* PSYCH): ***e-e ~ spielen*** play a part (*a. fig* ***bei, in*** *Dat* in), *fig a.* figure (in); ***das spielt k-e ~*** that doesn't make any difference; ***Geld spielt k-e ~*** money is no object; ***aus der ~ fallen*** forget o.s., misbehave; *fig* ***die ~n (ver)tauschen*** reverse roles
rollen *v/i u. v/t* roll, *auf Rädern*: wheel, FLUG taxi: ***~des Material*** BAHN rolling stock; *fig* ***ins ~ kommen*** (*od* ***bringen***) get under way
Rollen|besetzung *f* THEAT casting **~lager** *n* TECH roller bearing **~spiel** *n* PSYCH role-playing **~tausch** *m fig* reversal of roles **~verteilung** *f* **1.** THEAT casting **2.** *fig* respective roles *Pl*
Roller *m* **1.** MOT (*od Kinder*~ *od Tret*~ *für Erwachsene*) scooter **2.** *Fußball*: daisy cutter
Rollfeld *n* FLUG taxiway, runway
Rollfilm *m* roll film **Rollkommando** *n* flying (*od* hit) squad **Rollkragen(pullover)** *m* polo neck (sweater)
Rollladen *m* roller blind
Rollmops *m* GASTR rollmop
Rollschuh *m* (*a.* ***~ laufen***) roller-skate
Rollschuhbahn *f* roller-skating rink
Rollschuhläufer(in) roller-skater
Rollstuhl *m* wheelchair **Rollstuhlfahrer(in)** wheelchair user **Rolltreppe** *f* escalator
Rom *n* Rome
ROM *n* (= ***read-only memory***) ROM
Roman *m* novel
Romana(salat) *m* cos (lettuce)
Romanheld(in) hero(ine) (of the novel)
Romanik *f* KUNST Romanesque (style *od* period) **romanisch** *Adj* LING Romance, *Baustil*: Romanesque
Romanist(in) student of (*od* lecturer in) Romance languages and literature
Romanschriftsteller(in) novelist
Romantik *f* romanticism, KUNST Romanticism **Romantiker(in)** Romantic, *fig* romantic **romantisch** *Adj* romantic(ally *Adv*), KUNST *etc* Romantic
romantisieren *v/t* romanticize
Romanze *f a. fig* romance
Römer *m* (*Pokal*) rummer
Römer(in) Roman
römisch *Adj* Roman: ***~-katholisch*** Roman Catholic
Rommee *n* rummy
röntgen *v/t* MED X-ray
Röntgen *n* PHYS (*Einheit*) roentgen
Röntgen|apparat *m* X-ray unit **~arzt** *m*, **~ärztin** *f* roentgenologist **~aufnahme** *f* X-ray (picture) **~bestrahlung** *f* X-ray treatment
Röntgenologe *m*, **Röntgenologin** *f* radiologist
Röntgenologie *f* radiology
Röntgenschirm *m* (fluorescent) screen
Röntgen|strahlen *Pl* X-rays *Pl* **~untersuchung** *f* X-ray examination
rosa *Adj* pink
rosarot *Adj a. fig* rose-colo(u)red
Rose *f* **1.** BOT rose **2.** MED erysipelas
Rosé *m* (*Wein*) rosé
Rosenkohl *m* Brussels sprouts *Pl*
Rosenkranz *m* REL rosary
Rosenmontag *m* Monday before Lent
Rosette *f* rosette
rosig *Adj a. fig* rosy
Rosine *f* raisin: F (***große***) ***~n im Kopf haben*** have big ideas
Rosmarin *m* BOT rosemary
Ross *n* horse, RHET steed: *fig* ***sich aufs***

hohe ~ setzen give o.s. airs
Rosshaar *n* horsehair
Rost[1] *m a. fig* rust
Rost[2] *m* (*Feuer*♀) grate, (*Brat*♀) grill
Rostbraten *m* roast joint
rosten *v/i* rust: ***nicht ~d*** → ***rostfrei***
rösten *v/t* (*Kaffee etc*) roast, (*Brot*) toast, (*Kartoffeln*) fry
rostfrei *Adj* rustproof, stainless
Rösti *Pl schweiz.* grated roast potatoes *Pl*
rostig *Adj a. fig* rusty
Röstkartoffeln *Pl* fried potatoes *Pl*
Rostschutzmittel *n* antirust agent
Roststelle *f* patch of rust
rot I *Adj* red, POL *oft* Red: ***das ♀e Kreuz*** the Red Cross; ***~ werden*** *im Gesicht*: go red, flush, (*verlegen*) blush; *fig* WIRTSCH ***~e Zahlen schreiben*** be in the red; → ***rotsehen, Faden, Tuch*** 2 **II** *Adv* ***~ glühend*** red-hot **Rot** *n* red, (*Schminke*) rouge: ***die Ampel steht auf ~*** the lights are at red; ***bei ~*** at red
Rotation *f* rotation
Rotationsdruck *m* rotary printing
rotblond *Adj* sandy-haired, *Haar*: sandy
Rotbuche *f* copper beech
Rotdorn *m* pink hawthorn
Rote *m*, *f* POL Red
Röte *f* redness, (*Scham*♀) blush
Rötel *m* red chalk
Röteln *Pl* MED German measles *Pl*
röten *v/t* redden: ***sich ~*** *Gesicht*: *a.* flush
Rotfuchs *m* (red) fox **rothaarig** *Adj* red-haired **Rothaarige** *m*, *f* redhead **Rothaut** *f* (*Indianer*) redskin
rotieren *v/i* rotate, F *fig* flip
Rotkäppchen *n* (Little) Red Riding Hood
Rotkehlchen *n* ZOOL robin (redbreast)
Rotkohl *m*, **Rotkraut** *n* red cabbage
rötlich *Adj* reddish
rotsehen *v/i* F *fig* see red
Rotstift *m* red pencil: *fig* ***den ~ ansetzen*** make cuts (***bei*** in)
Rottanne *f* spruce
Rotte *f* gang, horde
Rötung *f* reddening
Rotwein *m* red wine
Rotwild *n* red deer
Rotz *m* V snot **Rotzfahne** *f* V snotrag
rotzfrech *Adj* F snotty
Rouge *n* rouge
Roulade *f* GASTR *etwa* beef olive
Rouleau *n* roller blind
Roulett(e) *n* roulette
Route *f* route, (*Reise*♀) itinerary
Routine *f allg* routine, (*Erfahrung*) practice, experience **routinemäßig** *Adj* routine(ly *Adv*) **Routinier** *m* old hand **routiniert** *Adj* experienced
Rowdy *m* rowdy, hooligan
Rubbellos *n* scratchcard
rubbeln *v/i* rub, (*Lotterie*) buy scratchcards
Rübe *f* **1.** BOT ***Weiße ~*** turnip; ***Rote ~*** beetroot; ***Gelbe ~*** carrot **2.** F (*Kopf*) nut
Rubel *m* rouble
rüber(...) F → ***herüber(...), hinüber(...)***
rüberkommen *v/i* F **1.** come over **2.** THEAT *etc* come across **3.** ***mit*** *Geld etc* ***~*** come across with
Rubin *m* MIN ruby
Rubrik *f* heading, (*Spalte*) column, (*Klasse*) category
Ruck *m* jerk, start, jolt (*a. fig*), (*Zerren*) yank, F *fig* POL swing: ***in einem ~*** (*auf einmal*) at one go; ***sich e-n ~ geben*** pull o.s. together
Rückansicht *f* back view
Rückantwort *f* reply
ruckartig I *Adj* jerky **II** *Adv* with a jerk, (*plötzlich*) abruptly
rückbezüglich *Adj* LING reflexive
Rückblende *f* FILM flashback (***auf*** *Akk* to) **rückblenden** *v/i* FILM flash back (***auf*** *Akk* to)
Rückblick *m* review (***auf*** *Akk* of): ***im ~*** in retrospect, ***auf*** (*Akk*) looking back on
rückdatieren *v/t* backdate
rücken I *v/t allg* move, (*schieben*) *a.* shift, (*weg~*) push (away) **II** *v/i* move, (*Platz machen*) move over: ***näher ~*** *a. zeitlich*: draw near, approach; *im Rang* ***höher ~*** rise; ***an j-s Stelle ~*** take s.o.'s place; → ***Leib***
Rücken *m* back (*a. Buch*♀, *Hand*♀ *etc*), (*Berg*♀) ridge, (*Nasen*♀) bridge, GASTR saddle: ***hinter j-s ~*** behind s.o.'s back; ***j-m in den ~ fallen*** *fig* stab s.o. in the back; → ***kehren***[1] 1, ***steifen***
Rückendeckung *f fig* backing, support
rückenfrei *Adj Shirt etc*: backless, halterneck
Rücken|lehne *f* back(rest) **~mark** *n* ANAT spinal cord **~schmerzen** *Pl* back-

R

ache *Sg* **~schwimmen** *n* backstroke **~wind** *m* following wind **~wirbel** *m* ANAT dorsal vertebra
Rückeroberung *f* reconquest
rückerstatten *v/t* return, (*Geld*) refund
Rückfahrkarte *f* return (ticket), *Am* round-trip ticket
Rückfahrt *f* return journey (*od* trip): ***auf der ~*** *a.* on the way back
Rückfall *m* relapse (*a. fig*), JUR *a.* recidivism **rückfällig** *Adj* relapsing, JUR *a.* recidivist: ***~ werden*** (have a) relapse
Rückfenster *n* rear window
Rückflug *m* return flight
Rückfrage *f* checkback
rückfragen *v/i* check (***bei*** with)
Rückführung *f in die Heimat*: repatriation
Rückgabe *f* return, SPORT pass back
Rückgang *m* decline, drop, fall
rückgängig *Adj* **1.** → ***rückläufig*** **2.** ***~ machen*** undo, (*Auftrag etc*) cancel
Rückgewinnung *f* recovery
Rückgrat *n* spine, backbone (*a. fig*)
rückgratlos *Adj fig* spineless
Rückhalt *m* support **rückhaltlos I** *Adj* unreserved, (*offen*) frank **II** *Adv* without reserve: ***j-m ~ vertrauen*** have complete confidence in s.o.
Rückhand *f Tennis*: backhand
Rückhandschlag *m* backhand (stroke)
Rückkampf *m* SPORT return match
Rückkauf *m* repurchase, (*Einlösung*) redemption **Rückkaufsrecht** *n* right of repurchase (*od* redemption)
Rückkehr *f* (***bei m-r ~*** on my) return
Rückkopplung *f* ELEK feedback (*a. fig*)
Rückkunft *f* → ***Rückkehr***
Rücklagen *Pl* reserve(s *Pl*), savings *Pl*
Rücklauf *m am Bandgerät*: rewind
rückläufig *Adj* dropping, declining: ***~e Tendenz*** downward tendency
Rücklicht *n* MOT rear light, taillight
rücklings *Adv* (*nach hinten*) backwards, (*von hinten*) from behind
Rückmarsch *m* march back **Rückpass** *m* SPORT back pass **Rückporto** *n* return postage **Rückprall** *m* rebound
Rückreise *f* → ***Rückfahrt*** **Rückruf** *m* **1.** WIRTSCH recall **2.** TEL ring back
Rucksack *m* rucksack, *Am* backpack **~tourismus** *m* backpacking **~tourist(in)** backpacker
Rückschlag *m fig* setback **Rückschluss** *m* conclusion: ***Rückschlüsse ziehen aus*** (*Dat*) draw conclusions from **Rückschreiben** *n* reply **Rückschritt** *m* step back(ward) **rückschrittlich** *Adj* retrograde, POL reactionary
Rückseite *f allg* back, *e-s Hauses etc*: *a.* rear, *e-r Münze etc*: reverse, *e-r Platte*: flip side: ***siehe ~!*** see overleaf!

⚠ Rückseite ≠ *Br* backside

Rückseite	=	back, reverse
Br backside	=	Hintern

Rücksendung *f* return
Rücksicht *f* consideration: ***mit*** (*od* ***aus***) ***~ auf*** (*Akk*) out of consideration for, considering; ***ohne ~ auf*** (*Akk*) regardless of; ***(k-e) ~ nehmen auf*** (*Akk*) show (no) consideration for, make (no) allowances for **Rücksichtnahme** *f* consideration **rücksichtslos** *Adj* inconsiderate (***gegen*** of), thoughtless, *Fahren etc*: reckless, (*skrupellos*) ruthless **Rücksichtslosigkeit** *f* lack of consideration, recklessness **rücksichtsvoll** *Adj* considerate (***gegen*** of)
Rücksitz *m* backseat, (*Sozius*) pillion
Rückspiegel *m* MOT rearview mirror
Rückspiel *n* SPORT return match
Rücksprache *f* consultation: ***mit j-m ~ nehmen*** consult (with) s.o.
rückspulen *v/t u. v/i Film, Tonband etc*: rewind **Rückspultaste** *f* rewind key
Rückstand *m* **1.** CHEM residue **2.** (*Zahlungs*~) arrears *Pl*, (*Arbeits*~) *a.* backlog: ***im ~ sein mit*** be behind with, SPORT be down *one goal etc* **rückständig** *Adj* **1.** backward, *Land*: *a.* underdeveloped **2.** ***~e Miete*** arrears *Pl* of rent
Rückständigkeit *f* backwardness
Rückstau *m* MOT tailback
Rückstoß *m e-r Schusswaffe*: recoil, kick
Rückstrahler *m* rear reflector
Rücktaste *f Schreibmaschine*: back spacer, *Tonbandgerät etc*: rewind key
Rücktritt *m* **1.** (***von*** from) *e-m Amt*: resignation, *e-m Vertrag*: withdrawal: ***s-n ~ erklären*** announce (*od* tender) one's resignation **2.** F → **Rücktrittbremse** *f am Fahrrad*: backpedal brake
Rücktritts|gesuch *n* (letter of) resignation **~recht** *n* right of rescission

rückübersetzen *v/t* translate back (***in*** *Akk* into *English etc*) **Rückübersetzung** *f* retranslation **rückvergüten** *v/t*, **Rückvergütung** *f* refund
rückversichern *v/t* reinsure (***sich*** o.s.): *fig* ***sich ~*** play safe
Rückversicherung *f* reinsurance
Rückwand *f* back, back wall
rückwärtig *Adj* back, rear **rückwärts** *Adv* backwards: ***~ fahren in*** (*Akk*) (*od* ***aus*** *Dat*) back into (*od* out of)
Rückwärtsgang *m* MOT (***im ~*** in) reverse (gear) **Rückweg** *m* way back, return: ***den ~ antreten*** head for home
ruckweise I *Adj* jerky **II** *Adv* jerkily, in jerks
rückwirkend *Adj* JUR retroactive: ***~ ab*** backdated to **Rückwirkung** *f* (***auf*** *Akk* upon) reaction, repercussion
rückzahlbar *Adj* repayable
Rückzahlung *f* repayment, refund
Rückzieher *m* **1.** *Fußball*: overhead kick **2.** F ***e-n ~ machen*** back down
Rückzug *m* retreat **Rückzugsgefecht** *n a. fig* rearguard action
rüde *Adj* rude, coarse
Rüde *m* ZOOL male dog (*od* wolf, fox)
Rudel *n* pack (*a. fig*), *Rehe etc*: herd
Ruder *n* oar, (*Steuer*2) rudder (*a.* FLUG), helm: ***am ~*** at the helm (*a. fig*); *fig* ***ans ~ kommen*** come into power
Ruderboot *n* rowing boat
Ruderer *m* rower, oarsman
Ruderin *f* oarswoman
Ruderklub *m* rowing club
rudern I *v/t u. v/i* row **II** 2 *n* rowing
Ruderregatta *f* boat race, regatta
Rudersport *m* rowing
Ruf *m* **1.** call (*a.* TEL *u. fig*), (*Schrei*) cry, shout: ***e-n ~ erhalten nach*** be offered an appointment (UNI a chair) at; TEL ***~ 3721*** Tel. 3721 **2.** (*Leumund*) reputation: *Künstler etc* ***von ~*** of high repute, noted *artist etc*; ***im ~*** (*Gen*) ***stehen*** be reputed to be
rufen I *v/i* call, (*schreien*) cry, shout: ***~ nach*** call for (*a. fig*); ***um Hilfe ~*** cry for help **II** *v/t* call, (*herbei~*) *a.* summon: ***~ lassen*** send for; ***du kommst mir wie gerufen*** you're just the person I need **III** 2 *n* calling, calls *Pl*
Rüffel *m* F dressing-down
Rufmord *m* character assassination
Rufname *m* name by which one is called: ***wie ist Ihr ~?*** what name are you called by?
Ruf|nummer *f* telephone number **~umleitung** *f* TEL call forwarding (*Abk* CF)
Rufweite *f* ***in*** (***außer***) ***~*** within (out of) calling distance
Rugby *n* SPORT rugby
Rüge *f* reprimand, rebuke **rügen** *v/t* (***wegen*** for) **a)** (*j-n*) reprimand, rebuke, **b)** (*etw*) criticize, *öffentlich*: *a.* censure
Ruhe *f* rest (*a.* PHYS *u. Erholung*), (*Stille*) quiet, (*a. Schweigen*) silence, (*Frieden*) peace, (*Gemüts*2) calm(ness), composure: ***~ und Ordnung*** law and order; ***die ~ vor dem Sturm*** the calm before the storm; ***die ewige*** (*od* ***letzte***) ***~*** eternal rest; ***in aller ~*** very calmly, (*gemütlich*) leisurely; ***überlege es dir in aller ~*** take your time about it; ***~ bewahren*** keep quiet, *nervlich*: keep cool; ***sich zur ~ setzen*** retire; ***zur ~ bringen*** quieten down; ***~, bitte!*** quiet, please!; ***lass mich in ~!*** leave me alone!; ***lass mich damit in ~!*** I don't want to hear about it!; ***er möchte s-e ~ haben*** he wants to be left in peace; F ***er hat die ~ weg!*** he's (as) cool as a cucumber; ***immer mit der ~!*** take it easy!
ruhebedürftig *Adj* in need of (a) rest
Ruhebett *n* couch **Ruhegehalt** *n* pension
ruhelos *Adj* restless
ruhen *v/i allg* rest, *Arbeit*, *Verkehr etc*: be at a standstill, *Verhandlungen etc*: be suspended: ***~ auf*** (*Dat*) *Blick*, *Last*, *Verantwortung etc*: rest on; ***er ruhte nicht, bis*** he didn't rest until; ***hier ruht*** here lies; ***lass die Vergangenheit ~!*** let bygones be bygones!
Ruhe|pause *f* break, rest **~platz** *m* resting place **~stand** *m* (***vorzeitiger ~*** early) retirement: ***im ~*** retired; ***in den ~ treten*** retire; ***in den ~ versetzen*** retire, pension *s.o.* off **~stätte** *f* resting place
Ruhestörer(in) disturber of the peace
Ruhestörung *f* JUR ***öffentliche ~*** disturbance of the peace
Ruhetag *m* day of rest, (*dienstfreier Tag*) day off, *e-s Lokals etc*: closing day: ***Montag ~!*** closed on Mondays!
ruhig I *Adj* **1.** *allg* quiet (*a. Farbe*, *Gegend*, WIRTSCH *Markt*), (*still*) *a.* silent, (*bewegungslos*) still, (*friedlich*) peace-

R

ful, (*geruhsam*) restful, (*gelassen*) calm, (*gemächlich*) leisurely (*a. Adv*), (*glatt*) smooth (*a.* TECH), *Hand etc*: steady, *See*: calm: **(*sei*) *~!*** (be) quiet!; ***sei ganz ~!*** (*unbesorgt*) don't worry!; ***~ bleiben*** keep calm; ***k-e ~e Minute haben*** not to have a moment's peace **II** *Adv* **2.** quietly (*etc*): ***das Haus liegt ~*** the house is in a quiet area; ***~ verlaufen*** be uneventful **3.** F easily, very well: ***tu das ~!*** go right ahead!; ***du kannst ~ dableiben!*** (you can) stay if you want!

Ruhm *m* fame, glory: ***~ erlangen*** win fame **rühmen I** *v/t* praise (***wegen*** for) **II** *v/refl* ***sich ~*** (*Gen*) pride o.s. (on), boast (*s.th.*)

Ruhmesblatt *n* ***das ist kein ~ für ihn*** that's not exactly to his credit

rühmlich *Adj* laudable, praiseworthy: ***~e Ausnahme*** noteworthy exception

ruhmlos *Adj* inglorious

ruhmreich, **ruhmvoll** *Adj* glorious

Ruhr *f* MED dysentery

Rührbesen *m* GASTR whisk

Rühreier *Pl* scrambled eggs *Pl*

rühren I *v/t* **1.** (*Teig etc*) stir, (*bewegen*) *a.* move: *fig* ***er hat k-n Finger gerührt*** he did not lift a finger; → ***Donner, Trommel*** **2.** *fig* touch, move (***zu Tränen*** to tears) **II** *v/i* **3.** stir **4.** ***~ an*** (*Akk*) **a)** touch, **b)** *ein Thema etc*: touch (up)on **III** *v/refl* ***sich ~*** **5.** stir, move: MIL ***rührt euch!*** (stand) at ease!; ***sich nicht*** (***von der Stelle***) ***~*** not to budge (an inch) **6.** *fig* do (*od* say) s.th., *Gefühl*: make itself felt

rührend *Adj* touching, moving, (*liebevoll*) very kind

Ruhrgebiet *n the* Ruhr (area)

rührig *Adj* active, busy, enterprising

Rührlöffel *m* stirring spoon

rührselig *Adj* sentimental, mawkish: ***~e Geschichte*** F sob story

Rührung *f* emotion: ***er brachte vor ~ kein Wort heraus*** he was choked with emotion

Ruin *m* (***vor dem ~ stehen*** be on the brink of) ruin

Ruine *f* ruin(s *Pl*) **ruinieren** *v/t allg* ruin (***sich*** o.s.) **ruinös** *Adj* ruinous

rülpsen *v/i*, **Rülpser** *m* belch

Rum *m* rum

rum(...) F → ***herum(...)***

Rumänien *n* Romania **Rumäne** *m*, **Rumänin** *f*, **rumänisch** *Adj* Romanian

Rummel *m* F **1.** (*Betriebsamkeit*) (hustle and) bustle, (*Aufheben*) fuss, to-do: ***großen ~ machen um*** make a big fuss about **2. a)** fun fair, **b)** → **Rummelplatz** *m* fairground, amusement park

rumoren *v/i* rumble (around)

Rumpelkammer *f* lumber room

rumpeln *v/i* rumble

Rumpf *m* **1.** ANAT trunk, body, *e-r Statue u. fig* torso **2.** (*Schiffs*≗) hull, (*Flugzeug*≗) fuselage

rümpfen *v/t* ***die Nase ~*** turn up one's nose (***über*** *Akk* at)

Rumpsteak *n* rump steak

Run *m* run (***auf*** *Akk* on)

rund I *Adj* **1.** *allg* round (*a. fig Summe, Zahl etc*): ***Gespräche am ~en Tisch*** round-table talks; *fig* ***~e 1000 Euro*** 1,000 euros or so; ***e-e ~e Leistung*** a perfect performance **II** *Adv* **2.** (*etwa*) about, roughly: ***~ gerechnet*** in round figures **3.** ***~ um*** (a)round *the world etc*

Rundbau *m* rotunda

Rundblick *m* panorama

Runde *f* **1.** (*Gesellschaft*) circle **2.** (*Rundgang*) round: ***s-e ~ machen*** make one's rounds, *bes Polizist*: be on one's beat; ***die ~ machen*** *Geschichte etc*: go the round **3.** *Boxen, Golf etc*: round (*a. fig Verhandlungs*≗), *Renn-, Laufsport*: lap; ***über die ~n kommen*** go the distance, stay the course; F *fig* ***gerade so über die ~n kommen*** just about make it, scrape by, *a. finanziell*: get by **4.** (***~*** *Bier etc*) round: F ***e-e ~ schmeißen*** stand a round (*of beer etc*)

runden *v/refl* ***sich ~*** grow round, *fig* (*Gestalt annehmen*) take shape

runderneuern *v/t* (*Reifen*) retread

Rundfahrt *f* (sightseeing) tour (***durch*** of) **Rundflug** *m* circuit

Rundfrage *f* general inquiry, survey

Rundfunk *m* **1.** broadcasting, radio: ***im ~*** on the radio (*od* air); ***~ hören*** listen to the radio; ***im ~ übertragen*** (*od* ***senden, bringen***) broadcast; ***beim ~ sein*** work in broadcasting; *in Zssgn* → *a.* ***Funk..., Radio...*** **2.** → ***~anstalt*** *f* broadcasting company, *Am* radio corporation ***~gerät*** *n* radio (set) ***~hörer(in)*** listener ***~programm*** *n* radio program(me *Br*) ***~sender*** *m* → ***Rundfunkstation*** ***~sendung*** *f* broadcast,

radio program(me *Br*) **~sprecher(in)** (radio) announcer **~station** *f* radio station
Rundgang *m* round, tour (***durch*** of)
rundheraus *Adv* flatly, straight out
rundherum *Adv* all (a)round
rundlich *Adj* plump, chubby
Rundreise *f* tour (***durch*** of)
Rundschreiben *n* circular (letter)
Rundstrecke *f* circuit**rundum** *Adv* all (a)round
Rundung *f* curve (*Pl* F *e-r Frau*)
rundweg *Adv* flatly
Rune *f* rune
runter(...) F → ***herunter(...), hinunter(...)***
Runzel *f* wrinkle, line
runz(e)lig *Adj* wrinkled, lined
runzeln *v/t* wrinkle: ***die Stirn ~*** frown
Rüpel *m* lout **rüpelhaft** *Adj* rude
rupfen *v/t* (*Huhn etc*) pluck: F *fig* ***j-n ~*** fleece s.o.; → ***Hühnchen*** 1
ruppig *Adj* **1.** shaggy **2.** *fig* gruff
Rüsche *f* frill
Ruß *m* soot **~partikel** *m* soot particle
Russe *m* Russian
Rüssel *m* proboscis, *des Elefanten*: *a.* trunk, *des Schweins*: snout
rußen *v/i* smoke **rußig** *Adj* sooty
Russin *f*, **russisch** *Adj* Russian
Russland *n* Russia
rüsten (***für, zu*** for) **I** *v/i* MIL arm: *fig* ***gerüstet*** armed, ready **II** *v/refl* ***sich ~*** prepare, get ready
rüstig *Adj* vigorous, sprightly, fit
Rüstung[1] *f* (*Ritter*⌒) armo(u)r
Rüstung[2] *f* MIL armament
Rüstungs|ausgaben *Pl* defen/ce (*Am* -se) expenditure *Sg* **~begrenzung** *f* arms limitation **~industrie** *f* defen/ce (*Am* -se) industry **~kontrolle** *f* arms control **~stopp** *m* arms freeze **~wettlauf** *m* arms race
Rüstzeug *n fig* equipment
Rute *f* **1.** switch, (*a. Zucht*⌒) rod **2.** (*Angel*⌒) fishing rod **3.** JAGD **a)** penis, **b)** (*Schwanz*) tail, *des Fuchses*: brush
Rutengänger(in) diviner
Rutsch *m* **1.** slide, (*Erd*⌒) landslide: F ***in einem ~*** in one go; ***guten ~ (ins neue Jahr)!*** Happy New Year! **2.** F (*kleiner Ausflug*) (short) trip **Rutschbahn** *f* slide **Rutsche** *f* slide, TECH *a.* chute **rutschen** *v/i* slide, (*aus~*) slip, (*gleiten*) glide, MOT *etc* skid
rutschig *Adj* slippery
rutschsicher *Adj* nonslip, MOT nonskid
rütteln I *v/t* shake, TECH vibrate **II** *v/i* *Fahrzeug*: shake, jolt, TECH vibrate: ***~ an*** (*Dat*) **a)** *der Tür*: rattle (at), **b)** *fig* shake, (*in Frage stellen*) question; ***daran ist nicht zu ~!*** that's a fact!

S

S, s *n* S, s
Saal *m* hall
Saarland *n the* Saarland
Saat *f* (*das Säen*) sowing, (*Same*) seed (*a. fig*), (*Getreide etc*) crop(s *Pl*) **~gut** *n* seed(s *Pl*) **~kartoffel** *f* seed potato
Sabbat *m* Sabbath
sabbern *v/i* slaver, drool
Säbel *m* sabre, *Am* saber
Sabotage *f* sabotage **Sabotageakt** *m* act of sabotage **Saboteur(in)** saboteur
sabotieren *v/t a. fig* sabotage
Saccharin *n* saccharin(e)
Sachbearbeiter(in) official (WIRTSCH clerk) in charge (***für*** of) **Sachbeschädigung** *f* damage to property **sachbezogen** *Adj* pertinent **Sachbuch** *n* nonfiction book, *Pl Koll* nonfiction *Sg*
sachdienlich *Adj* relevant, pertinent, helpful
Sache *f* **1.** thing, object: F ***~n*** *Pl allg* things *Pl* (*a. Speisen etc*), (*Habseligkeiten*) *a.* belongings *Pl*; F MOT ***mit 100 ~n*** at 60 (miles per hour) **2.** (*Angelegenheit*) affair, matter, business, (*Frage, Problem*) problem, (*Thema, Gebiet*) subject, (*Fall*) case, JUR *u. weit. S.* (*Anliegen*) cause: ***e-e ~ für sich*** a matter apart; ***in ~n Umwelt*** concerning the environment; ***in eigener ~*** on one's own behalf; ***bei der ~ bleiben*** stick to the point; ***er war nicht bei der ~*** he was in-

S

attentive (*od* absent-minded); ***für e-e gute ~ kämpfen*** fight for a good cause; ***s-e ~ gut (schlecht) machen*** do a good (bad) job; **(*sich*) *s-r ~ sicher sein*** be sure of one's ground; ***zur ~ kommen*** get to the point, *weit. S.* get down to business; ***das ist s-e ~!*** that's his problem (*od* affair)!; ***es ist s-e ~ zu*** *Inf* it's his business to *Inf*; ***es ist ~ des Vertrauens*** it's a matter of trust; ***das tut nichts zur ~*** that makes no difference; ***die ~ ist die, dass …*** the point is that …; F ***j-m sagen, was ~ ist*** tell s.o. what's what; F ***mach k-e ~n!*** *erstaunt*: you're kidding!, *warnend*: no funny business!; → ***gemeinsam*** I

Sachfrage *f* factual issue **sachfremd** *Adj* irrelevant **Sachgebiet** *n* subject, field **sachgemäß, sachgerecht** *Adj* proper, appropriate **Sachkenner(in)** expert **Sachkenntnis** *f* expert knowledge, expertise

sachkundig → ***sachverständig***

Sachlage *f* state of affairs, position

sachlich *Adj* **1.** factual, (*sachbezogen*) *a.* technical, (*zweckbetont*, *a.* ARCHI, TECH) functional: ***aus ~en Gründen*** for technical (*od* practical) reasons; *Adv* ***~ richtig*** factually correct **2.** (*nüchtern*) matter-of-fact, realistic(ally *Adv*), (*emotionslos*) unemotional, (*objektiv*) objective, (*praktisch*) practical (-minded)

sächlich *Adj* LING neuter

Sachlichkeit *f* matter-of-factness, objectivity, ARCHI, TECH functionalism

Sachregister *n* (subject) index

Sachschaden *m* material damage, damage to property

Sachse *m* Saxon **Sachsen** *n* Saxony **Sachsen-Anhalt** *n* Saxony-Anhalt **Sächsin** *f*, **sächsisch** *Adj* Saxon

Sachspende *f* donation in kind

sacht I *Adj* soft, gentle **II** *Adv a.* ***~e*** softly, gently, (*vorsichtig*) cautiously, (*langsam*) slowly: ***~e!*** gently does it!; F (***immer***) ***~e!*** take it easy!

Sachverhalt *m the* facts *Pl* (of the case)

Sachverstand *m* expertise, know-how

sachverständig *Adj* expert, competent, *Person*: *a.* knowledgeable

Sachverständige *m*, *f* expert, JUR expert witness **Sachverständigengutachten** *n* expert opinion

Sachwert *m* real value: ***~e*** *Pl* material assets *Pl*

Sachzwang *m* practical constraint

Sack *m* **1.** sack, bag, ANAT, ZOOL sac: ***der gelbe ~*** the bag for recyclable waste; ***mit ~ und Pack*** with bag and baggage **2.** V (*Hoden*) balls *Pl* **sacken** *v/i* sink, give way, sag, *Person*: slump

Sackgasse *f* **1.** cul-de-sac **2.** *fig* dead end, impasse

Sackhüpfen *n*, **Sacklaufen** *n* sack race

Sadismus *m* sadism **Sadist(in)** sadist

sadistisch *Adj* sadistic(ally *Adv*)

säen *v/t u. v/i a. fig* sow: ***dünn gesät*** scarce, few and far between

Safari *f* safari **~park** *m* safari (*Am* animal) park

Safe *m*, *n* safe

Safran *m*, **safrangelb** *Adj* saffron

Saft *m allg* juice (*a.* F ELEK *Strom*), BOT sap: *fig* ***ohne ~ und Kraft*** → ***saftlos*** 2; → ***schmoren*** 1 **saftig** *Adj* **1.** juicy, BOT lush **2.** F *fig Witz etc*: juicy, spicy, *Ohrfeige*: resounding, *Preise etc*: stiff, steep, *Antwort*, *Niederlage*: crushing

saftlos *Adj* **1.** juiceless, dry **2.** *fig mst* ***saft- und kraftlos*** lame, wishy-washy

Saftpresse *f* squeezer, juice extractor

Saga *f* saga

Sage *f* **1.** legend **2.** *fig* rumo(u)r

Säge *f* saw **Sägeblatt** *n* saw blade

Sägebock *m* sawhorse **Sägefisch** *m* sawfish **Sägemehl** *n* sawdust

sagen *v/t u. v/i* say: ***j-m etw ~*** say s.th. to s.o., tell s.o. s.th.; → ***Meinung, Wahrheit*** *etc*; ***j-m etw ~ lassen*** let s.o. know s.th.; ***ich habe mir ~ lassen, dass …*** I've been told that …; ***etw*** (***nichts***) ***zu ~ haben*** have a (no) say (***bei*** in); ***das hat nichts zu ~*** that doesn't matter; ***~ Sie ihm, er soll kommen*** tell him to come; ***was sagst du zu …?*** what do you say to …?, (*wie wäre es mit?*) how about …?; ***was willst du damit ~?*** what do you mean (by that)?; *das Buch, Bild etc* ***sagt mir nichts*** doesn't mean a thing to me; ***wie sagt man … auf Englisch?*** what is the English for …?; ***ich habs dir ja gleich gesagt!*** I told you so!; ***lass dir das gesagt sein!*** put that in your pipe and smoke it!; ***man sagt, er sei krank*** they say he is ill, he is said to be ill; ***was Sie nicht ~!*** you don't say!; F ***wem ~ Sie das!*** you're telling me!; ~ ***wir*** *zehn Stück* (let's) say …; (***das***) ***sagst du!*** F says you!; ***sage und schreibe*** no less than; ***es*** (*od* ***damit***) ***ist nicht gesagt, dass …*** that doesn't necessarily mean that …; ***unter uns gesagt*** between you and me; ***gesagt, getan*** no sooner said than done; → ***schwer*** II

Sagen *n* F ***das ~ haben*** be the boss, ***bei*** (*od* ***in*** *Dat*) have the (final) say in

sägen *v/t u. v/i* saw

sagenhaft *Adj* **1.** legendary, mythical **2.** F *fig* fantastic, terrific, incredible

Sägespäne *Pl* wood shavings *Pl*

Sägewerk *n* sawmill

Sago *m* GASTR sago

Sahara *f the* Sahara

Sahne *f* cream: F *fig* ***erste ~*** really great **~bonbon** *m, n* toffee, *Am* taffy **~eis** *n* icecream **~käse** *m* cream cheese **~quark** *m* high-fat curd cheese **~torte** *f* cream gateau

sahnig *Adj* creamy

Saison *f* season **&abhängig** *Adj* seasonal **~arbeiter(in)** seasonal worker **&bedingt** *Adj* seasonal **~schlussverkauf** *m* WIRTSCH seasonal sale

Saite *f* MUS string, chord: → ***aufziehen*** 4

Saiteninstrument *n* stringed instrument

Sakko *m* (*sportlicher*: sports) jacket

Sakrament *n* REL sacrament

Sakrileg *n* sacrilege

Sakristei *f* vestry

Salamander *m* ZOOL salamander

Salami *f* GASTR salami

Salamitaktik *f* POL salami tactics *Sg*

Salat *m* salad, (*Pflanze*) lettuce: F *fig* ***da haben wir den ~!*** there you are!

Salat|besteck *n* salad servers *Pl* **~kopf** *m* (head of) lettuce **~öl** *n* salad oil **~schüssel** *f* salad bowl **~soße** *f* salad dressing

Salbe *f* ointment

Salbei *m, f* BOT sage

Salbung *f* anointing, *a. fig* unction

salbungsvoll *Adj* unctuous

Saldo *m* WIRTSCH balance: ***per ~*** *a. fig* on balance

Saline *f* saltworks *Pl* (*a. Sg konstr*)

Salmiak *m* CHEM ammonium chloride

Salmiakgeist *m* liquid ammonia

Salmonellen *Pl* salmonellae *Pl* **~erkrankung** *f* salmonellosis

Salon *m* drawing room, *Am* parlor, SCHIFF saloon, (*Kosmetik&* *etc*) salon

salonfähig *Adj* presentable, *Benehmen, Witz*: respectable: ***nicht ~*** *Witz*: risqué

salopp *Adj* casual, *Stil*: off-hand

Salpeter *m* CHEM saltpet/re (*Am* -er)

Salpetersäure *f* CHEM nitric acid

Salsa *m*, **~musik** *f* salsa

Salsasoße *f* salsa

Salto *m a. fig* somersault

Salut *m* (***~ schießen*** fire a) salute

Salve *f* (*Gewehr&*) volley (*a. fig*), (*Geschütz&*) salvo, (*Ehren&*) salute

Salz *n a. fig* salt **salzarm** *Adj* ***~e Kost*** low-salt diet **Salzbergwerk** *m* salt mine **salzen** *v/t* salt, *fig a.* season; → ***gesalzen*** **Salzfässchen** *n* salt cellar **Salzgehalt** *m* salt content **Salzgurke** *f* pickled gherkin **salzhaltig** *Adj* saline **Salzhering** *m* salted herring

salzig *Adj* salty

Salzkartoffeln *Pl* boiled potatoes *Pl*

salzlos *Adj* salt-free **Salzsäule** *f fig* ***zur ~ erstarren*** freeze **Salzsäure** *f* CHEM hydrochloric acid **Salzsee** *m* salt lake **Salzstange** *f* saltstick **Salzstreuer** *m* salt shaker **Salzwasser** *n* salt water

Samariter *m* (***barmherziger ~*** good) Samaritan

Samba *m* MUS samba

Sambia *n* Zambia

Same *m* → **Samen** *m* **1.** BOT seed (*a. fig*) **2.** PHYSIOL sperm, semen

Samen|bank *f* MED, VET sperm bank **~erguss** *m* ejaculation **~faden** *m* spermatozoon **~flüssigkeit** *f* semen **~kapsel** *f* BOT seed capsule **~leiter** *m* ANAT vas deferens **~spender** *m* (sperm) donor

Samenstrang *m* ANAT spermatic cord

Sammel|aktion *f* fund-raising campaign, (*Material&*) (salvage) collection **~band** *m* anthology **~becken** *n* reservoir (*a. fig*), GEOG catchment area **~begriff** *m* generic term **~bestellung** *f* collective order **~büchse** *f* collecting box **~fahrschein** *m* group ticket **~lager** *n* assembly camp **~mappe** *f* file

sammeln **I** *v/t* **1.** *allg* collect (*a.* TECH), (*Holz, a. fig Erfahrungen etc*) gather, (*Beeren etc*) pick, (*Kunden, Stimmen etc*) canvass for, (*an~*) accumulate; → ***gesammelt*** 1 **2.** (*ver~*) gather, *wieder*:

S

rally **3.** OPT focus **II** *v/i* **4.** (***für*** for) collect money, *bes für j-n*: pass the hat (around) **III** *v/refl* ***sich ~*** **5.** (*sich an~*) gather, accumulate **6.** (*sich ver~*) assemble, meet, rally **7.** *fig* (*a.* ***s-e Gedanken ~***) concentrate, collect one's thoughts, (*sich fassen*) compose o.s.; → ***gesammelt*** 2 **8.** OPT focus

Sammelsurium *n* omnium gatherum

Sammler(in) collector

Sammlerwert *m* collector's value

Sammlung *f* **1.** collection, (*Gedicht*☡) anthology **2.** museum **3.** *fig* concentration, (*Fassung*) composure

Samstag *m* (***am ~*** on) Saturday

samstags *Adv* on Saturdays

samt I *Adv* ***~ und sonders*** all of them, F the whole lot **II** *Präp* together with, along with

Samt *m* velvet, (*Baumwoll*☡) velveteen

samtartig *Adj* velvety

Samthandschuh *m fig* ***j-n mit ~en anfassen*** handle s.o. with kid gloves

sämtlich I *Adj* all: ***~e Anwesende(n)*** all those present; ***~e Werke*** the complete works **II** *Adv* all of them

Sanatorium *n* sanatorium, *Am* sanitarium

Sand *m* sand: F ***wie ~ am Meer*** any number of; *fig* ***im ~e verlaufen*** come to nothing; ***j-m ~ in die Augen streuen*** throw dust in s.o.'s eyes; F *ein Projekt etc* ***in den ~ setzen*** waste

Sandale *f* sandal

Sandalette *f* high-heeled sandal

Sandbahn *f* MOT dirt track **Sandbank** *f* sandbank **Sandboden** *m* sandy soil

Sanddorn *m* BOT sea buckthorn

Sandelholz *n* sandalwood

Sandgrube *f* sand pit

sandig *Adj* sandy

Sandkasten *m* sandpit, MIL sandtable

Sandkorn *n* grain of sand **Sandmännchen** *n fig* sandman **Sandpapier** *n* sandpaper **Sandplatz** *m Tennis*: clay court **Sandsack** *m* sandbag, *Boxen*: body bag **Sandstein** *m* sandstone **sandstrahlen** *v/t* sandblast **Sandstrahlgebläse** *n* sandblaster **Sandstrand** *m* sandy beach **Sandsturm** *m* sandstorm **Sanduhr** *f* hour glass

sanft *Adj allg* soft, gentle, *Tod*: easy, peaceful: ***mit ~er Gewalt*** with gentle force

Sänfte *f* sedan (chair)

Sanftheit *f* softness, gentleness

Sanftmut *f* gentleness

Sänger *m* **1.** singer **2.** (*Vogel*) songbird

Sängerfest *m* choral festival

Sängerin *f* singer

sang- und klanglos *Adv* quietly, simply

sanieren I *v/t* (*Haus*, *Stadtteil*) redevelop, (*a. Firma*) rehabilitate **II** *v/refl* ***sich ~*** **a)** WIRTSCH get back on one's feet again, **b)** F *fig* line one's own pockets

Sanierung *f* redevelopment, *a.* WIRTSCH rehabilitation **Sanierungsgebiet** *n* redevelopment area

sanitär *Adj* sanitary: ***~e Einrichtungen*** sanitary facilities

Sanitäter(in) ambulance (*od* first-aid) man (woman), *Am* paramedic, medic(al orderly)

Sankt (*Abk* **St.**) Saint (*Abk* St.)

Sanktion *f*, **sanktionieren** *v/t* sanction

Saphir *m* **1.** MIN sapphire **2.** *a* **~nadel** *f am Plattenspieler*: sapphire (needle)

Sardelle *f* anchovy

Sardellenpaste *f* anchovy paste

Sardine *f* sardine

Sardinien *n* Sardinia

Sarg *m* coffin, *Am a.* casket

Sarkasmus *m* sarcasm

sarkastisch *Adj* sarcastic(ally *Adv*)

Sarkom *n* MED sarcoma

Sarkophag *m* sarcophagus

Satan *m* Satan

satanisch *Adj* satanic(ally *Adv*)

Satellit *m allg* satellite

Satelliten|bild *n*, satellite picture **~fernsehen** *n* satellite TV **~schüssel** *f* satellite dish **~staat** *m* POL satellite (state) **~stadt** *f* satellite town **~übertragung** *f* TV satellite transmission

Satin *m* satin, (*Baumwoll*☡) sateen

Satire *f* satire (***auf*** *Akk* on) **Satiriker(in)** satirist **satirisch** *Adj* satirical

satt *Adj* **1.** satisfied, F full up: ***ich bin ~*** I've had enough; ***sich ~ essen*** eat one's fill; ***das macht ~*** that's very filling; *Adv* ***~ zu essen haben*** have enough to eat; F ***etw*** (***j-n***) (***gründlich***) ***~ haben*** be sick and tired of (*od* be fed up with) s.th. (s.o.) **2.** *fig Farbe*: deep, rich, *Klang*: full **3.** *fig* complacent **4.** F *Preis etc*: stiff, steep, *Schlag etc*: powerful

Sattel *m allg* saddle (*a. Gebirgs*≈), (*Nasen*≈) bridge: *fig* ***j-n aus dem ~ heben*** oust s.o.; ***fest im ~ sitzen*** be firmly in the saddle **sattelfest** *Adj fig* ***in e-r Sache ~ sein*** be well up in s.th.
satteln *v/t* saddle
Sattel|schlepper *m* MOT **1.** road tractor **2.** (*~zug*) articulated lorry, *Am* semitrailer (truck) **~tasche** *f* saddle bag **~zeug** *n* saddle and harness
sättigen I *v/t* **1.** satisfy (*a. fig j-s Neugier etc*), fill **2.** CHEM, *a.* WIRTSCH saturate **II** *v/i* **3.** be filling **Sättigung** *f* satiation, (*Sattsein*) satiety, CHEM *u. fig* saturation
Sättigungspunkt *m* CHEM *u. fig* saturation point
Sattler(in) saddler **Sattlerei** *f* saddlery
saturieren *v/t* saturate
Satyr *m* satyr
Satz *m* **1.** LING sentence, clause **2.** (*Lehr*≈) principle, tenet, MATHE theorem **3.** BUCHDRUCK **a)** (type)setting, composition, **b)** (*Text*) (set) matter **4.** MUS movement **5.** *Tennis etc*: set **6.** (*~ Briefmarken, Werkzeuge etc*) set **7.** (*Boden*≈) sediment, dregs *Pl*, (*Kaffee*≈) grounds *Pl* **8.** (*Preis, Tarif*) rate: ***zum ~ von*** at the rate of **9.** (*Sprung*) leap: ***e-n ~ machen*** (take a) leap
Satz|aussage *f* LING predicate **~ball** *m Tennis etc*: set point **~bau** *m* LING syntax, construction **~gefüge** *n* LING compound sentence **~gegenstand** *m* LING subject **~spiegel** *m* BUCHDRUCK type area **~teil** *m* LING part of sentence, clause
Satzung *f* statute, *mst Pl e-s Vereins etc*: statutes and articles *Pl*
satzungsgemäß *Adj* statutory, *a. Adv* in accordance with the statutes
Satzzeichen *n* punctuation mark
Sau *f* **1.** ZOOL sow: V ***unter aller ~*** lousy; ***zur ~ machen*** **a)** ***j-n*** let s.o. have it, **b)** ***etw*** wreck s.th.; F ***die ~ rauslassen*** live it up **2.** V *fig* **a)** (dirty) pig, (*Frau*) slut, **b)** *pej* swine, (*Frau*) bitch
sauber *Adj* **1.** *allg* clean (*a. fig anständig*), (*ordentlich*) neat (*a. fig Lösung etc*): ***~ machen*** clean (up), tidy (up); ***~ sein*** *Kind*: be potty-trained **2.** F (*unbewaffnet*) *sl* clean **3.** F *iron* nice, (just) great
säuberlich *Adj* clean, neat, (*sorgfältig*) careful
Saubermann *iron* ***Herr u. Frau ~*** Mr. and Mrs. Clean **säubern** *v/t* **1.** clean (up), tidy (up) **2.** (*räumen*) clear (**von** of) **3.** *fig, a.* POL purge
Säuberung *f* **1.** cleaning (*etc*) **2.** → **Säuberungsaktion** *f* POL purge
saublöd → ***saudumm***
Saubohne *f* BOT broad bean
Sauce *f* → ***Soße***
Sauciere *f* sauce boat
Saudi *m* Saudi
Saudi-Arabien *n* Saudi Arabia
saudi-arabisch *Adj* Saudi Arabian
saudumm *Adj* V damned stupid
sauer I *Adj* **1.** *allg* sour (*a. Boden, Geruch, Milch*), CHEM acid (*a. Drops, Regen*), *Gurke*: pickled: ***~ werden*** *Milch*: turn (sour), curdle; *fig* ***in den sauren Apfel beißen müssen*** have to swallow the bitter pill **2.** F *fig* (*verärgert*) sour, cross: ***~ werden*** get cross; ***j-m das Leben ~ machen*** make life miserable for s.o. **II** *Adv* **3.** ***~ verdientes Geld*** hard-earned money; F *fig* ***~ reagieren*** be annoyed (***auf*** *Akk* at)
Sauerampfer *m* BOT sorrel
Sauerei *f* → ***Schweinerei***
Sauerkirsche *f* BOT sour cherry
Sauerkraut *n* GASTR sauerkraut
säuerlich *Adj a. fig* (a bit) sour
Sauermilch *f* curdled milk
säuern *v/t* make sour, (*Teig*) leaven
Sauerstoff *m* oxygen **~flasche** *f* oxygen cylinder **~mangel** *m* MED lack of oxygen
Sauerstoffmaske *f* oxygen mask
Sauerstoffzelt *n* MED oxygen tent
Sauerteig *m* leaven
saufen *v/t u. v/i* **1.** *Tier*: drink **2.** F *Person*: booze, (*nicht Alkoholisches*) guzzle **Säufer(in)** F alcoholic, boozer
Sauferei *f* F **1.** boozing **2.** → **Saufgelage** *n* F drinking bout, booze-up
saugen *v/t u. v/i* **1.** suck (***an*** *Dat* s.th.); → ***Finger*** **2.** (*staub~*) vacuum
säugen *v/t* suckle (*a.* ZOOL), nurse, breastfeed **Sauger** *m der Babyflasche*: teat, *Am* nipple **Säugetier** *n* mammal
saugfähig *Adj* absorbent
Säugling *m* baby, *formell*: infant
Säuglingspflege *f* baby care
Säuglings|schwester *f* baby nurse **~sterblichkeit** *f* infant mortality
saukalt *Adj* V bloody cold

Satzzeichen

Zeichen	Deutsch	Englisch
,	Komma	**comma**
.	Punkt	**full stop**, *Am* **period**, *bei Internet-Adressen*: **dot**
!	Ausrufezeichen	**exclamation mark**, *Am* **exclamation point**
?	Fragezeichen	**question mark**
;	Strichpunkt, Semikolon	**semicolon**
:	Doppelpunkt	**colon**
'	Apostroph	**apostrophe**
„…“, '…'	Anführungszeichen	**quotation marks**, **inverted commas**
‚…‘, '…'	einfache Anführungszeichen	**single quotation marks**
„…“,"…"	doppelte Anführungszeichen	**double quotation marks**
(…)	(runde) Klammern	**brackets**, *bes Am* **parentheses**
[…]	eckige Klammern	**square brackets**, *Am* **brackets**
〈…〉	spitze Klammern	**angle brackets**
{…}	geschweifte Klammern	**braces**
-	Bindestrich, Trennstrich	**hyphen**
–	Gedankenstrich	**dash**
*	Sternchen	**asterisk**
/	Schrägstrich	**slash**, **oblique**
\	Backslash	**backslash**
@	at-Zeichen, „Klammeraffe“	**at sign**, **commercial at**

Säule *f* column, pillar (*a. fig*)
Säulendiagramm *n* bar chart
Säulengang *m* colonnade
Saum *m* hem(line), (*Naht*) seam
saumäßig *Adj* F awful, lousy
säumen *v/t* **1.** hem **2.** *fig* line, skirt
säumig *Adj* **1.** late, tardy **2.** WIRTSCH ***~er Zahler*** (***Schuldner***) defaulter
Sauna *f* sauna
saunieren *v/i* have a sauna
Säure *f* sourness, *a.* MED *im Magen*: acidity, CHEM acid **säurebeständig** *Adj*, **säurefest** *Adj* acid-proof
Saure-Gurken-Zeit *f* F off-season, *in der Presse*: silly season
säurehaltig *Adj* acid(ic)
Saurier *m* saurian
Saus: ***in ~ und Braus leben*** live on (*od* off) the fat of the land
säuseln *v/i u. v/t* whisper, *iron Person*: purr
sausen *v/i* **1.** F whiz, rush, dash **2.** *Wind*: rush, *a. Geschoss etc*: whistle, *Ohren*: buzz: F ***~ lassen*** (*Angebot etc*) pass up, (*Plan etc*) give *s.th.* a miss, (*j-n*) drop
Saustall *m* pigsty, F *fig a.* awful mess
Sauwetter *n* F filthy weather **sauwohl** *Adj* F ***sich ~ fühlen*** feel real good
Saxophon, **Saxofon** *n* saxophone
S-Bahn *f* suburban (fast) train(s *Pl*), *Am* rapid transit
scannen *v/t* IT scan

S

Scanner *m* IT scanner, *Strichkode*: barcode reader
Schabe *f* ZOOL cockroach
schaben *v/t u. v/i* scrape
Schabernack *m* practical joke, hoax
schäbig *Adj allg* shabby, *fig a.* mean
Schäbigkeit *f* shabbiness, *fig a.* meanness
Schablone *f* **1.** (*Mal*≈) stencil, TECH template **2.** *fig* (*Denk*≈) stereotype, cliché, (*Schema*) (fixed) routine
schablonenhaft *Adj fig* stereotyped, (*mechanisch*) mechanical, routine …
Schach *n* **1.** (*Spiel*) chess: *~ **spielen*** play (at) chess **2.** (*~stellung*) check: *~!* check!; *~ **und matt!*** checkmate!; ***j-m ~ bieten*** check s.o., *fig* stand up to s.o.; ***in ~ halten*** keep in check (*a. fig*), *mit e-r Waffe*: *a.* cover
Schachbrett *n* chessboard **Schachbrettmuster** *n* chequer, *Am* checker
Schachcomputer *m* chess computer
Schacher *m* haggling, *bes* POL horse-trading
schachern *v/i* haggle (***um*** about, over)
Schachfigur *f* chessman, piece, *fig* pawn **schachmatt** *Adj* **1.** (check)mate: *~ **setzen*** *a. fig* checkmate **2.** F (*erschöpft*) exhausted, all in **Schachpartie** *f* game of chess **Schachspiel** *n* **1.** (game of) chess **2.** chess set
Schachspieler(in) chess player
Schacht *m allg* shaft (*a.* BERGB), (*Mannloch*) manhole
Schachtel *f* **1.** box, (*Papp*≈) *a.* carton, (*Zigaretten*≈) packet, *bes Am* pack **2.** F *fig* ***alte ~*** old bag **~satz** *m* LING involved sentence
Schachzug *m a. fig* move
schade *Adj präd* (***es ist*** [***sehr***]) *~* it's a (great) pity (***um*** about, ***dass*** that), F it's too bad (*he couldn't come etc*); ***wie ~!*** what a pity!; ***dafür ist es*** (***er***) ***zu ~!*** it (he) is too good for that!; ***darum*** (***um ihn***) ***ist es nicht ~*** it (he) is no great loss
Schädel *m* skull (*a.* F *Hirn*) **~basisbruch** *m* fracture of the skull-base **~bruch** *m* fracture of the skull
Schädeldecke *f* ANAT skullpan
schaden *v/i* (*Dat*) damage, harm, be detrimental (to): ***das schadet der Gesundheit*** that's bad for your health; ***das schadet nichts*** it won't do any harm, (*das macht nichts*) it doesn't matter; *iron* ***das schadet ihm gar nichts!*** that serves him right!; ***ein Versuch kann nicht ~*** there is no harm in trying
Schaden *m allg* damage (***an*** *Dat* to), (*bes körperlicher ~*) injury, harm, (*Mangel*, *a.* TECH) defect, (*Nachteil*) disadvantage, (*Verlust*) loss: *~ **nehmen*** be damaged, *Person*: be harmed; ***durch ~ wird man klug*** once bitten twice shy
Schadenersatz *m* damages *Pl*, compensation, indemnification: *~ **erhalten*** (***fordern, leisten***) recover (claim, pay) damages; ***auf ~*** (***ver***)***klagen*** sue for damages **Schadenersatzklage** *f* action for damages **schadenersatzpflichtig** *Adj* liable for damages
Schadenfreiheitsrabatt *m* MOT no-claims bonus
Schadenfreude *f* malicious glee, gloating: ***voller ~*** → **schadenfroh** *Adj* gloating(ly *Adv*): *~ **sein*** gloat
Schadensbegrenzung *f* limiting (of) the damage
schadhaft *Adj* damaged, faulty, defective, *Zähne*: decayed
schädigen *v/t allg* damage, *gesundheitlich*: *a.* injure, harm, (*a. Ruf*) impair: ***wir sind schwer geschädigt worden*** we have suffered heavy losses **Schädigung** *f* (*Gen*) damage (to), impairment (of) **schädlich** *Adj allg* (*Dat*) harmful (to), injurious (to), (*gesundheits~*) *a.* bad (for your health), (*nachteilig*) detrimental (to), (*schlecht*) bad (for)
Schädlichkeit *f* harmfulness
Schädling *m* ZOOL pest **Schädlingsbekämpfung** *f* pest control **Schädlingsbekämpfungsmittel** *n* pesticide
schadlos *Adj* ***j-n ~ halten*** indemnify s.o. (***für*** for); ***sich ~ halten*** recoup o.s., ***an j-m*** recoup one's loss from s.o.
Schadstoff *m* harmful substance, (*Umwelt*≈) pollutant **≈arm** *Adj* low-emission **~ausstoß** *m* noxious emission **~belastung** *f* pollution level **≈frei** *Adj* emission-free, zero-emission
Schaf *n* **1.** ZOOL sheep (*a. Pl*): *fig* ***schwarzes ~*** black sheep **2.** F *fig* ninny **Schafbock** *m* ZOOL ram **Schäfchen** *n* lamb: *fig* ***sein ~ ins Trockene bringen*** feather one's nest **Schäfer** *m* shepherd **Schäferhund** *m* shepherd('s dog):

(**Deutscher**) ~ (*Rasse*) Alsatian, *bes Am* German shepherd (dog) **Schäferin** *f* shepherdess

schaffen **I** *v/t* **1.** (*er~*) create, produce, *a. fig* (*herstellen*) *a.* make, (*bewirken*) bring about, cause, (*gründen*) found, set up, establish: ***er ist zum Lehrer*** (***für den Posten***) ***wie geschaffen*** he is a born teacher (cut out for the job); → ***Ordnung*** **2.** (*hin~*) take (***in*** *Akk*, ***nach, zu*** to), (*stellen, legen*) put: → ***Hals, Weg, Welt*** **3.** (*bewältigen*) manage, F (*Bus, Zug etc erreichen*) catch, (*Rekord*) set up: ***es ~*** make it, (*Erfolg haben*) *a.* succeed; ***das hätten wir geschafft!*** we've done it!; ***~ wir es bis dorthin*** (***in 3 Stunden***)***?*** can we make it there (in three hours)? **4.** ***ich habe damit nichts zu ~*** that's no business of mine, I wash my hands of it; ***mit ihm will ich nichts zu ~ haben*** I don't want anything to do with him **5.** F ***j-n ~*** (*erschöpfen*) take it out of s.o., *nervlich*: get s.o. down; ***ich bin geschafft!*** I've had it! **II** *v/i* **6.** *Dialekt* work **7.** ***sich zu ~ machen*** potter about, ***an*** *e-r Sache*: busy o.s. with, *unbefugt*: tamper with **8.** ***j-m*** (***viel*** *od* ***schwer***) ***zu ~ machen*** give (*od* cause) s.o. (no end of) trouble, *gesundheitlich*: trouble s.o. **III** ~ *n* **9. a)** work, (creative) activity, **b)** (*Werke*) work(s *Pl*)

Schaffensdrang *m* creative urge, *weit. S.* zest for work **Schaffenskraft** *f* creative power, *weit. S.* vigo(u)r

Schaffner *m* conductor, (*Zug~*) *Br mst* guard **Schaffnerin** *f* conductress

Schaffung *f* creation, (*Gründung*) foundation, setting-up (*etc*, → ***schaffen*** 1)

Schafherde *f* flock of sheep **Schafhirt(in)** shepherd (shepherdess) **Schafleder** *n* sheepskin

Schafott *n* scaffold

Schafpelz *m* sheepskin: *fig* ***Wolf im ~*** wolf in sheep's clothing **Schafschur** *f* sheep shearing **Schafskäse** *m* GASTR sheep's milk cheese

Schaft *m allg* shaft, (*Gewehr~*) stock, (*Werkzeug~, Schlüssel~*) shank, (*Stiefel~*) leg **Schaftstiefel** *m* high boot

Schafwolle *f* sheep's wool

Schafzucht *f* sheep breeding

Schah *m hist* Shah

Schakal *m* ZOOL jackal

schäkern *v/i* joke around, (*flirten*) flirt

schal *Adj* stale, flat, *fig a.* empty

Schal *m* scarf, (*Woll~*) comforter

Schale[1] *f* **1.** (*Gefäß*) bowl, *flache*: dish **2.** (*Waag~*) (scale) pan

Schale[2] *f* **1.** (*Eier~, Nuss~*) shell, (*von Obst, Gemüse*) skin, *abgeschält*: peel (-ing), (*Hülse*) husk **2.** F ***sich in ~ werfen*** dress up

schälen **I** *v/t* (*Obst, Gemüse*) peel, (*Nüsse, Eier*) shell, (*Hülsenfrüchte*) husk, (*Tomate etc*) skin **II** *v/refl* ***sich ~*** *Haut etc*: peel off

Schalensitz *m* MOT bucket seat

Schalk *m* wag **schalkhaft** *Adj* waggish

Schall *m* **1.** sound: ***schneller als der ~*** supersonic **2.** echo **Schalldämmung** *f* sound insulation **schalldämpfend** *Adj* sound-deadening **Schalldämpfer** *m* sound absorber, MOT silencer (*a. an Schusswaffen*), *Am* muffler

schalldicht *Adj* soundproof

schallend *Adj* resounding (*a. Ohrfeige*): ***~es Gelächter*** peals of laughter; *Adv* ***er lachte ~*** he roared with laughter

Schallgeschwindigkeit *f* sonic speed, speed of sound **Schallgrenze** *f* → **Schallmauer** *f* (***die ~ durchbrechen*** break the) sound barrier

Schallplatte *f* record, disc

Schallplatten|aufnahme *f* disc recording **~musik** *f* recorded music

schallschluckend *Adj* sound-absorbing **Schalltrichter** *m* trumpet

Schallwelle *f* sound wave

Schalotte *f* shallot

schalten **I** *v/i* **1.** ELEK, TECH switch (***auf*** *Akk* to), *mit Hebel*: shift (the levers), MOT change gear(s), shift gears: ***in den dritten Gang ~*** change (*od* shift) into third (gear) **2.** F (*begreifen*) get it, catch on: ***schnell ~*** **a)** do some quick thinking, **b)** catch on quickly, *immer*: be quick on the uptake **3.** ***~ und walten*** be in charge (of things); ***j-n ~ und walten lassen*** give s.o. a free hand **II** *v/t* **4.** TECH switch, turn, (*Getriebe, Gang, a. Hebel*) shift **5.** ELEK (*um~*) switch (***auf*** *Akk* to), (*verdrahten*) wire **6.** ***e-e Anzeige ~*** place an ad

Schalter *m* **1.** (*Post~, Bank~*) counter, (*Fahrkarten~ etc*) booking (*od* ticket) office, FLUG *etc* desk **2.** ELEK switch

~beamte *m*, **~beamtin** *f* counter (*od* booking) clerk **~dienst** *m* counter duty **~halle** *f* main hall **~stunden** *Pl* business hours *Pl*
Schalt|getriebe *n* MOT gearbox **~hebel** *m* MOT (gear)shift lever, ELEK switch lever, TECH control lever: *fig* ***an den ~n der Macht sitzen*** be at the controls **~jahr** *n* leap year **~kasten** *m* ELEK switchbox **~knopf** *m* (control) button **~kreis** *m* ELEK circuit **~plan** *m* wiring diagram **~pult** *n* control desk **~sekunde** *f* leap second **~tafel** *f* ELEK switchboard **~tag** *m* leap day **~uhr** *f* timer
Schaltung *f* **1.** MOT (*Bauteil*) gearshift assembly, (*Vorgang*) gear change (*od* shift) **2.** ELEK (*Aufbau*) circuitry, (*Verbindung*) connection(s *Pl*), (*Verdrahtung*) wiring **3.** TECH (*Steuerung*) control(s *Pl*)
Scham *f* **1.** *allg* shame: ***rot vor ~*** → ***schamrot*** **2.** → ***Schamteile***
Schamane *m*, **Schamanin** *f* Shaman
Schambein *n* ANAT pubic bone
schämen *v/refl* ***sich ~*** be (*od* feel) ashamed ([***wegen***] *Gen*, ***für*** of); ***schäme dich!*** shame on you!
Schamgefühl *n* sense of shame
Schamhaare *Pl* pubic hair *Sg*
schamhaft *Adj* bashful, modest **Schamhaftigkeit** *f* bashfulness, modesty
Schamlippen *Pl* ANAT labia *Pl*
schamlos *Adj* shameless, (*unanständig*) indecent, *Lüge etc*: barefaced
Schamlosigkeit *f* shamelessness
Schamottestein *m* ARCHI firebrick
Schampon *n*, **schamponieren** *v/t* shampoo
schamrot *Adj* red with shame: ***~ werden*** blush with shame
Schamteile *Pl* private parts *Pl*, genitals *Pl*, *weibliche*: *a.* pudenda *Pl*
Schande *f* disgrace (***für*** to), (*Unehre*) a. shame: *j-m od e-r Sache* ***~ machen*** be a disgrace to; ***zu ~n*** → ***zuschanden***
schänden *v/t* dishono(u)r, *sexuell*: violate, rape, (*entweihen*) desecrate
Schandfleck *m* stain, blot, (*hässlicher Anblick*) eyesore **schändlich** *Adj* disgraceful, *Lüge etc*: scandalous
Schandtat *f* outrage **Schändung** *f* disgrace (*Gen* to), *sexuell*: violation, rape, (*Entweihung*) desecration
Schänke *f* tavern
Schankstube *f* (public) bar
Schanze *f* (*Sprung*≈) ski-jump
Schanzentisch *m* ski-jump platform
Schar *f* troop, group, crowd, flock, *von Mädchen etc*: bevy **scharen** *v/t u. v/refl* ***sich ~*** (***um***) gather (*od* rally) (round); ***e-e Menge*** *etc* ***um sich ~*** rally a crowd *etc* round one
scharenweise *Adv* in crowds, in flocks
scharf I *Adj* **1.** *allg* sharp (*a. fig Auge, Kritik, Kurve, Ohren, Wind, Zunge etc*), *fig Ton*: *a.* piercing, *Verstand, Blick etc*: *a.* keen **2.** *Munition*: live, *Bombe etc*: armed **3.** (*~ gewürzt*) hot, *Essig, Schnaps etc*: strong, *Geruch*: acrid, (*ätzend*) caustic, *fig a.* biting **4.** (*jäh*) sharp, abrupt **5.** (*genau*) sharp, exact, (*deutlich*) clear: FOTO ***ein ~es Bild*** a sharp(ly defined) picture **6.** (*streng*) sharp, severe, strict, (*hart*) hard, (*heftig*) fierce: ***~e Konkurrenz*** stiff competition; ***~er Protest*** fierce protest; ***~es Tempo*** hard pace; ***~e Bewachung*** close guard(ing); ***~er Hund*** savage dog, F *fig* tough guy **7.** F (*geil*) randy, hot, *weit. S.* sexy: ***~ sein auf*** (*Akk*) be very keen on, *sexuell*: be hot for **8.** F ***j-n ~ machen*** **a)** ***gegen*** set s.o. against, **b)** ***auf*** (*Akk*) make s.o. keen on, **c)** *sexuell*: turn s.o. on **II** *Adv* **9.** sharply (*etc*): ***~ aufpassen*** pay close attention, *vorsichtig*: watch out; ***~ bremsen*** brake hard; FOTO ***~ einstellen*** focus; ***~ nachdenken*** think hard; ***~ schießen*** shoot with live ammunition; ***~ verurteilen*** condemn severely
Scharfblick *m fig* perspicacity
Schärfe *f* **1.** *allg* sharpness, *fig a.* severity, strictness, *des Verstandes*: *a.* keenness, (*Heftigkeit*) *a.* fierceness: *fig* ***in aller ~*** very severely, in all strictness **2.** *des Geruchs, Geschmacks*: pungency **3.** (*Seh*≈, *Hör*≈) acuteness, OPT, FOTO definition, focus **4.** (*Säure*) acidity
Scharfeinstellung *f* OPT, FOTO **a)** focus(s)ing, **b)** focus(s)ing control
schärfen *v/t a. fig* sharpen
Schärfentiefe *f* FOTO depth of focus
scharfkantig *Adj* sharp-edged
Scharfmacher(in) F agitator
Scharfmacherei F agitation
Scharfrichter *m* executioner
Scharfschießen *n* live shooting

Scharf|schütze *m*, **~schützin** *f* sharpshooter, sniper
scharfsichtig *Adj fig* perspicacious
Scharfsinn *m* acumen **scharfsinnig** *Adj* sharp-witted, astute, shrewd
Scharlach *m* **1.** scarlet **2.** → **~fieber** *n* MED scarlet fever **2rot** *Adj* scarlet
Scharlatan *m* charlatan, quack, F fraud
Scharnier *n* hinge
Schärpe *f* sash
scharren *v/i* scrape (***mit den Füßen*** one's feet), *Hund, Pferd etc*: paw
Scharte *f* **1.** (*Kerbe*) nick: *fig* ***die ~ (wieder) auswetzen*** make up for it **2.** → ***Schießscharte*** **schartig** *Adj* jagged
scharwenzeln *v/i* bow and scrape: ***um j-n ~*** dance attendance on s.o.
Schaschlik *n* GASTR shashlik
schassen *v/t* (*entlassen*) kick out
Schatten *m* shadow (*a. Fleck, fig Verfolger*), (*kühlender ~, Dunkel*) shade: ***im ~*** in the shade; *fig* ***in den ~ stellen*** outshine, eclipse; ***in j-s ~ stehen*** be in s.o.'s shadow; ***er kann nicht über s-n ~ springen*** the leopard can't change its spots; ***er ist nur noch ein ~ s-r selbst*** he is but a shadow of his former self
Schatten|bild *n* silhouette, KUNST shadowgraph **~boxen** *n* shadow-boxing
Schattendasein *n* ***ein ~ führen*** live in the shadow
Schattendatei *f* shadow file
schattenhaft *Adj* shadowy
Schattenkabinett *n* POL shadow cabinet **Schattenriss** *m* silhouette
Schattenseite *f* shady (*fig* seamy) side
schattieren *v/t* shade **Schattierung** *f* shading, (*Farbton*) shade (*a. fig*)
schattig *Adj* shady
Schatulle *f* casket
Schatz *m* **1.** *a. fig* treasure **2.** F darling, love, sweetie, *Am* honey, hon: ***du bist ein ~!*** you are an angel!
Schatzamt *n* Treasury
Schatzanweisung *f* Treasury bond
schätzbar *Adj* assessable
Schätzchen *n* darling, sweetheart
schätzen *v/t* **1.** estimate, guess, (*Schaden, Wert etc*) *a.* assess (***auf*** *Akk* at): ***wie alt ~ Sie ihn?*** how old would you say he is?; ***grob geschätzt*** at a rough guess **2.** (*vermuten*) suppose, *Am* F guess **3.** (*hoch~*) esteem, think highly of, (*würdigen*) appreciate: → ***glücklich*** I
schätzenswert *Adj* commendable
Schätzer(in) *Versicherung etc*: assessor
Schatzgräber(in) treasure seeker
Schatzkammer *f* treasury
Schatzmeister(in) treasurer
Schatzsuche *f* treasure hunt
Schätzung *f* **1.** estimate, guess, WIRTSCH, JUR assessment **2.** (*Hoch2*) estimation, esteem, (*Würdigung*) appreciation
schätzungsweise *Adv* approximately
Schau *f* **1.** show, exhibition: ***zur ~ stellen*** exhibit, display, *fig a.* parade; *fig* ***nur zur ~*** only for show **2.** (*Fernseh2 etc*) show: F ***e-e ~ abziehen*** put on a show; ***j-m die ~ stehlen*** steal the show from s.o. **3.** *fig* (point of) view
Schaubild *n* chart, graph, diagram
Schaubude *f* (show) booth
Schauder *m* shudder, shiver
schauderhaft *Adj* horrible, dreadful
schaudern *v/i* (***vor*** *Dat* with, ***bei*** at) shudder, shiver; → *a.* ***grauen***
schauen *v/i* look (***auf*** *Akk* at, *als Vorbild*: upon): F ***schau, dass du ...*** mind you ...; *iron* ***schau, schau!*** well, well!
Schauer *m* **1.** (*Regen2 etc*) shower (*a. fig*) **2.** (*Schauder*) shudder, shiver, (*~ der Erregung*) thrill; → ***laufen*** 1 **schauerartig** *Adj* ***~e Regenfälle*** *Pl* showers *Pl* **schauerlich** *Adj* horrible, terrible (*a. fig*), (*unheimlich*) weird, F creepy
Schauermärchen *n* F horror story
schauern → ***schaudern***
Schaufel *f* **1.** shovel, *für Mehl, Zucker etc*: scoop, TECH *e-s Wasserrades*: paddle **2.** (*Geweih2*) palm
Schaufelgeweih *n* palmed antlers *Pl*
schaufeln *v/t u. v/i* shovel, (*graben*) dig
Schaufenster *n* shop window, *fig* showcase **~auslage** *f* window display
Schaufenster|bummel *m* ***e-n ~ machen*** go window-shopping **~dekoration** *f* window dressing
Schaugeschäft *n* show business
Schaukampf *m* exhibition bout
Schaukasten *m* showcase
Schaukel *f* swing **schaukeln** *v/t u. v/i* swing, *Wiege, Stuhl, Schiff*: rock: F *fig* ***die Sache ~*** manage (*od* swing) it
Schaukelpferd *n* rocking horse
Schaukelpolitik *f* seesaw policy

Schaukelstuhl *m* rocking chair
Schaulaufen *n* exhibition skating
schaulustig *Adj* curious **Schaulustige** *m*, *f* curious bystander, *pej* gaper
Schaum *m* foam (*a.* TECH), (*a. Bier*≈) froth, (*Gischt*) spray, (*Seifen*≈) lather: GASTR ***zu ~ schlagen*** beat (to a froth)
Schaumbad *n* bubble bath
schäumen *v/i* foam, froth: *fig* (***vor Wut***) ~ foam (with rage)
Schaumfestiger *m* (styling) mousse
Schaumgummi *m*, *n* foam rubber
schaumig *Adj* frothy
Schaumlöscher *m* foam fire extinguisher
Schaumschläger(in) *pej* hot-air artist **Schaumschlägerei** *f* hot air
Schaumstoff *m* TECH foamed (plastic) material **Schaumteppich** *m* FLUG foam carpet **Schaumwein** *m* sparkling wine
Schaupackung *f* WIRTSCH dummy
Schauplatz *m* (***am ~*** at the) scene
Schauprozess *m* JUR show trial
schaurig → ***schauerlich***
Schauspiel *n* **1.** play, drama **2.** *fig* spectacle, sight **Schauspieler** *m* actor, *fig* play-actor **Schauspielerei** *f* acting, *fig* play-acting **Schauspielerin** *f* actress **schauspielerisch** *Adj* theatrical, *Talent etc*: acting **schauspielern** *v/i fig* play-act, F put on an act
Schauspielhaus *n* theat/re (*Am* -er)
Schauspielschule *f* drama school
Schausteller(in) exhibitor, *auf Jahrmärkten etc*: showman
Schaustück *n* showpiece, exhibit
Schautanz *m* exhibition dancing
Scheck *m* (***über*** *Akk* for) cheque, *Am* check **Scheckbuch** *n*, **Scheckheft** *n* chequebook, *Am* checkbook
scheckig *Adj* piebald, dappled
Scheckkarte *f* cheque (*Am* check) card
scheel *Adv* ***~ ansehen*** look askance at
Scheffel *m* (***sein Licht unter den ~ stellen*** hide one's light under a) bushel
scheffeln *v/t* (*Geld*) rake in
Scheibe *f* **1.** disc (*a.* TECH *u.* F *Schallplatte*), TECH *a.* wheel, (*Unterleg*≈) washer **2.** (*Glas*≈) pane **3.** (*Ziel*≈) target **4.** *Eishockey*: puck **5.** (*Brot*≈ *etc*) slice: F ***da(von) kannst du dir e-e ~ abschneiden!*** you can take a leaf out of his (her *etc*) book!
Scheiben|bremse *f* MOT disc brake **~kupplung** *f* disc clutch **~schießen** *n* target practice **~waschanlage** *f* MOT windscreen (*Am* windshield) washers *Pl* **~wischer** *m* MOT windscreen (*Am* windshield) wiper
Scheich *m* sheik(h) **~tum** *n* sheik(h)-dom
Scheide *f* **1.** sheath (*a.* BOT), (*Säbel*≈) *a.* scabbard **2.** ANAT vagina
scheiden I *v/t* separate, divide, JUR (*Eheleute*) divorce, (*Ehe*) dissolve: ***sich ~ lassen***, *a.* ***geschieden werden*** get a divorce (***von*** from) **II** *v/i lit* part (***von*** from): ***aus dem Dienst ~*** retire from service, resign; ***aus e-r Firma ~*** leave a firm **III** *v/refl* ***sich ~*** separate; ***hier ~ sich die Geister*** here opinions are divided
scheidend *Adj* parting, *Jahr*: closing
Scheide|wand *f* partition, *fig* barrier **~weg** *m fig* ***am ~*** at a crossroads
Scheidung *f* **1.** separation **2.** *e-s Ehepaares*: divorce (***von*** from), *e-r Ehe*: dissolution: ***die ~ einreichen*** file a petition for divorce
Scheidungs|grund *m* ground for divorce **~klage** *f* divorce suit
Schein[1] *m* **1.** (*Licht*≈) light, *gedämpfter*: glow **2.** *fig* (*An*≈) appearance: ***etw nur zum ~ tun*** pretend to do s.th.; ***den ~ wahren*** keep up appearances; ***der ~ trügt*** appearances are deceptive
Schein[2] *m* **1.** (*Zettel*) slip, (*Bescheinigung*) certificate (*a.* UNI) **2.** (*Geld*≈) (bank) note, *Am a.* bill
Scheinangriff *m* feint (attack)
scheinbar *Adj* seeming, apparent, *Grund etc*: ostensible: *Adv* ***er ging nur ~ darauf ein*** he only pretended to agree
Scheinehe *f* fictitious marriage
scheinen *v/i* **1.** shine, (*glänzen*) gleam **2.** *fig* appear, seem: ***wie es scheint*** as it seems; ***es scheint mir*** it seems to me; ***er scheint nicht zu wollen***; ***mir scheint, er will nicht*** he doesn't seem to want to
Scheinfirma *f* dummy firm
Scheinfriede *m* hollow peace
Scheingeschäft *n* fictitious transaction
scheinheilig *Adj* hypocritical, false
Scheinheiligkeit *f* hypocrisy
Scheintod *m* suspended animation

scheintot *Adj* seemingly dead
Scheinwerfer *m* floodlight, (*Such*≈) searchlight, MOT headlight, FILM klieg light, THEAT (*a* **~licht** *n*) spotlight
Scheiß... V bloody ..., fucking ...
Scheiß(dreck) *m* → ***Scheiße*** 2
Scheiße *f* V **1.** (*Kot*) shit, crap: *fig* ***in der ~ sitzen*** be in the shit **2.** *fig* (*Mist*) (bull)shit, (*Schlamassel*) (bloody) mess: ***~!*** shit!; ***~ bauen*** foul things up
scheißen *v/i* V shit, crap
Scheißkerl *m* V shit, (bloody) bastard
Scheit *n* piece of wood, *großes*: log
Scheitel *m* parting (of the hair): ***vom ~ bis zur Sohle*** from top to toe
scheiteln *v/t* (***sich***) ***das Haar ~*** part one's hair **Scheitelpunkt** *m* MATHE apex, *fig a.* peak, ASTR zenith
Scheiterhaufen *m* (funeral) pyre, *hist* (***auf dem ~*** at the) stake
scheitern I *v/i* (***an*** *Dat*) fail (because of), *Verhandlungen*: *a.* break down, SPORT be stopped (by): ***daran ist er gescheitert*** that was his undoing **II** ≈ *n* failure, breakdown
Schelle *f* **1.** (little) bell **2.** TECH clamp, clip
schellen → ***klingeln*** 1, 3
Schellfisch *m* haddock
Schelm *m* rogue
schelmisch *Adj* roguish, impish
Schelte *f* scolding
schelten *v/t* scold, chide (*a. v/i*)
Schema *n* **1.** (*Muster*) pattern, system: ***nach e-m ~*** schematically; F ***nach ~ F*** by rote **2.** (*~bild*) diagram, scheme
schematisch *Adj* schematic(ally *Adv*), systematic(ally *Adv*), *pej* mechanical
schematisieren *v/t* schematize
Schemel *m* (foot)stool
schemenhaft *Adj* shadowy
Schenke *f* → ***Schänke***
Schenkel *m* **1.** ANAT (*Ober*≈) thigh, (*Unter*≈) shank **2.** MATHE side, leg
schenken *v/t* give (as a present), (*stiften*) donate (*a.* JUR), (*gewähren*) grant: ***j-m etw ~*** give s.o. s.th. (as a present) (***zum Geburtstag*** for his *etc* birthday); *fig* ***sich etw ~*** skip s.th., give s.th. a miss; F ***geschenkt!*** forget it!; → ***Aufmerksamkeit*** 1, ***Gehör*** 2, ***Glaube, Leben*** 1 *etc*
Schenkung *f* donation **Schenkungsurkunde** *f* deed of donation

scheppern *v/i* F rattle
Scherbe *f* fragment, broken piece
Schere *f* **1.** (***e-e ~*** a pair of) scissors *Pl*, *große*: shears *Pl* **2.** ZOOL pincer **3.** SPORT scissors *Sg* **scheren I** *v/t* **1.** trim, (*Haare*) *a.* cut, (*Schaf*) shear, (*Hecke*) clip **II** *v/refl* **2.** F ***sich nicht ~ um*** not to care about **3.** F ***sich nach Hause*** (***ins Bett*** *etc*) ***~*** go home (to bed *etc*); ***scher dich!*** beat it!
Scherenschnitt *m* silhouette
Schererei *f* F trouble: ***j-m viel ~en machen*** give s.o. no end of trouble
Scherflein *n* ***sein ~ beisteuern*** give one's mite, *weit. S.* do one's bit
Schermaus *f* **1.** *österr., südd.* (*Wühlmaus*) vole **2.** *schweiz.* (*Maulwurf*) mole
Scherz *m* joke: (***s-n***) ***~ treiben mit*** make fun of; ***im ~, zum ~*** as a joke, for fun; ***~ beiseite*** joking apart **Scherzartikel** *m* novelty **scherzen** *v/i* joke: ***damit ist nicht zu ~*** that's not to be trifled with
scherzhaft *Adj* joking, humorous
scheu *Adj* shy, timid: *ein Tier* ***~ machen*** frighten **Scheu** *f* shyness, timidity
scheuchen *v/t* chase, (*ver~*) shoo away
scheuen I *v/i Pferd etc*: shy, take fright (***vor*** *Dat* at) **II** *v/t* shun, avoid, shy away from: ***k-e Kosten*** (***Mühe***) ***~*** spare no expense (pains) **III** *v/refl* ***sich ~, etw zu tun*** be afraid of (*od* shrink from) doing s.th.; ***sich nicht ~ zu*** *Inf* not to be afraid to *Inf*, *pej* have the nerve to *Inf*
Scheuerlappen *m* floor cloth
scheuern I *v/t* **1.** scour, scrub **2.** (*die Haut*) chafe **3.** F ***j-m e-e ~*** slap s.o. (*od* s.o.'s face) **II** *v/i* **4.** chafe
Scheuklappe *f a. fig* blinker
Scheune *f* barn
Scheusal *n* monster (*a. fig*), F (*Ekel*) beast, (*bes Kind*) horror
scheußlich *Adj* horrible (*a.* F *fig*), *Aussehen, Verbrechen*: *a.* hideous, (*abstoßend*) revolting, F *Wetter*: filthy: *Adv* F ***~ kalt*** etc terribly cold *etc*
Schi(...) → ***Ski(...)***
Schicht *f* **1.** *allg* layer, (*Farb*≈) *a.* coat(-ing), GEOL stratum (*Pl* strata), bed, FOTO emulsion **2.** *fig* (*Gesellschafts*≈) class, *Pl a.* social strata: ***breite ~en der Bevölkerung*** large sections **3.** (*Arbeitszeit, Arbeiter*) shift: ***~ arbeiten*** do shift work **Schichtarbeit** *f* shift work

Schichtarbeiter(in) shift worker
schichten *v/t* pile up, (*Holz etc*) stack
Schichtwechsel *m* change of shift
schichtweise *Adv* **1.** in layers **2.** *arbeiten*: in shifts
schick *Adj* **1.** *Kleidung, Aussehen*: smart, chic, stylish, *Hotel etc*: posh, (*modebewusst, modern*) trendy **2.** F (*toll*) great, super **Schick** *m* chic, stylishness
schicken I *v/t* **1.** send (***nach, zu*** to): (***j-m***) ***etw*** **~** send s.th. (to s.o.), send (s.o.) s.th.; ***j-n einkaufen*** **~** send s.o. to do the shopping **II** *v/refl* **2.** ***sich für j-n*** **~** befit s.o.; ***es schickt sich nicht!*** that is not the done thing!
Schickeria *f the* chic set, *the* trendies *Pl*
Schickimicki *m* F trendy
schicklich *Adj* proper, fitting
Schicksal *n* fate, destiny, (*Los*) *a.* lot: ***das*** **~** ***herausfordern*** tempt fate; ***j-n s-m*** **~** ***überlassen*** leave s.o. to his fate; ***sein*** **~** ***ist besiegelt*** his fate is sealed
schicksalhaft *Adj* fateful
Schicksals|frage *f* vital question **~gefährte** *m*, **~gefährtin** *f*, **~genosse** *m*, **~genossin** *f* companion in distress **~schlag** *m* (bad) blow
Schiebedach *n* MOT sliding (*od* sunshine) roof **Schiebefenster** *n* sliding (*nach oben*: sash) window
schieben I *v/t* **1.** push, (*Fahrrad etc*) *a.* wheel, (*gleiten lassen*) slip, *in die Tasche, den Mund etc*: put: ***sich durch die Menge*** *etc* **~** push one's way through the crowd *etc*; → ***Bank***[1] 1 **II** *v/i* **2.** push **3.** F wangle: **~** (***mit***) traffic (in), profiteer (with)
Schieber *m* TECH *allg* slide, (*Absperr*≈) gate, (*Riegel*) bar, bolt
Schieber(in) F profiteer
Schiebetür *f* sliding door
Schiebung *f* F wangle, manipulation, put-up job, SPORT *a.* fix
schiech *Adj österr.* ugly
Schiedsgericht *n* court of arbitration, *Sport etc*: jury **schiedsgerichtlich** *Adj* arbitral, *a. Adv* by arbitration
Schiedsrichter(in) arbitrator, *bei Wettbewerben*: judge, *Pl* jury, SPORT umpire, referee: ***als*** **~** ***fungieren*** → ***schiedsrichtern***
schiedsrichterlich *Adj u. Adv* SPORT of (*od* by) the umpire (*od* referee)
schiedsrichtern *v/i* referee, umpire
Schiedsspruch *m* (arbitral) award
Schiedsverfahren *n* arbitration proceedings *Pl*
schief I *Adj* **1.** oblique, (*schräg*) slanting, lop-sided: ***~e Absätze*** worn-down heels; ***~e Ebene*** inclined plane; ***der ≈e Turm von Pisa*** the Leaning Tower of Pisa; *fig* ***~es Lächeln*** wry smile **2.** *fig* (*falsch*) false, wrong, distorted, warped: → ***Bahn*** 1, ***Licht*** 1 **II** *Adv* **3.** obliquely, aslant, at an angle: F **~** ***gehen*** go wrong; F *fig* ***j-n*** **~** ***ansehen*** look askance at s.o.
Schiefer *m* slate **~dach** *n* slate roof
Schieferplatte *f*, **Schiefertafel** *f* slate
schieflachen *v/refl* ***sich*** **~** F laugh one's head off
schiefwink(e)lig *Adj* oblique(-angled)
schielen *v/i* **1.** (have a) squint, be cross-eyed: ***auf dem rechten Auge*** **~** have a squint in one's right eye **2.** F *fig* (*gucken*) peer: **~** ***auf*** (*Akk*) (*od* ***nach***) steal a glance at, *begehrlich*: ogle at
Schienbein *n* ANAT shin(bone), tibia
Schiene *f* **1.** BAHN *etc* rail, *Pl a.* track *Sg* **2.** TECH bar **3.** MED splint **schienen** *v/t* MED put in a splint (*od* in splints)
Schienen|bus *m* rail bus **~fahrzeug** *n* rail vehicle **~netz** *n* railway (*Am* railroad) system
Schienenstrang *m* track, railway line
schier I *Adj* sheer, pure **II** *Adv* (*fast*) almost, nearly
Schierling *m* BOT hemlock
Schießbefehl *m* order to fire
Schießbude *f* shooting gallery
schießen I *v/i* **1.** (***auf*** *Akk* at) shoot (*a. Sport*), fire: ***gut*** **~** be a good shot **2.** (*sausen*) shoot (***durch*** through): *fig* ***ein Gedanke schoss durch m-n Kopf*** a thought flashed through my mind **3.** (*hervor~*) *Blut, Wasser etc*: shoot (*od* gush) (***aus*** from *od* out of) **4.** (*schnell wachsen*) shoot up: → ***Kraut*** 1, ***Pilz*** **5.** *sl* (*Rauschgift spritzen*) shoot, mainline **II** *v/t* **6.** *allg* shoot (*a. Sport u.* FOTO): ***ein Tor*** **~** score (a goal) **III** ≈ *n* **7.** shooting, (*Wett~*) shooting match: F *fig* ***es*** (***er***) ***ist zum*** ≈ it (he) is a scream **Schießerei** *f* **1.** gunfight **2.** (*Geknalle*) (incessant) shooting
Schießhund *m* F *fig* ***aufpassen wie ein*** **~** watch like a hawk

S

Schießplatz *m* (shooting) range
Schieß|pulver *n* gunpowder **~scharte** *f* embrasure **~scheibe** *f* target **~stand** *m* shooting-range, MIL rifle-range
schießwütig *Adj* trigger-happy
Schiff *n* **1.** (***auf dem ~*** on board) ship **2.** (*Kirchen*~) nave, (*Seiten*~) aisle
schiffbar *Adj* navigable
Schiffbau *m* shipbuilding
Schiffbruch *m* shipwreck: ***~ erleiden*** be shipwrecked, *fig* fail **Schiffbrüchige** *m, f* shipwrecked person
Schiffchen *n* **1.** little ship (*od* boat) **2.** (*Weber*~) shuttle **3.** MIL forage cap
Schiffer(in) (*Fluss*~) bargee, *Am* bargeman, (*Schiffsführer*) (ship's) captain, F skipper **~klavier** *n* accordion
Schifferknoten *m* sailor's knot
Schifffahrt *f* navigation
Schifffahrtslinie *f* shipping line
Schifffahrtsweg *m* shipping route
Schiffs|arzt *m*, **~ärztin** *f* ship's doctor
Schiffsbesatzung *f* (ship's) crew
Schiffschaukel *f* swing boat
Schiffs|eigner(in) shipowner **~junge** *m* ship's boy **~koch** *m*, **~köchin** *f* ship's cook **~küche** *f* galley **~ladung** *f* shipload, (*Fracht*) cargo, freight **~rumpf** *m* hull
Schiffs|schraube *f* screw **~verkehr** *m* shipping **~werft** *f* shipyard
Schikane *f* harassment, *Pl a.* persecution *Sg*, *Rennsport*: chicane: F *fig* ***mit allen ~n*** *ausgestattet etc* with all the trimmings **schikanieren** *v/t* harass, persecute, F pick on
schikanös *Adj* vexatious, spiteful
Schikoree *m* → ***Chicorée***
Schild[1] *m* **1.** MIL, *a.* TECH shield: *fig* ***etw im ~e führen*** be up to s.th. **2.** (*Mützen*~) peak, visor
Schild[2] *n* (*Aushänge*~) sign, (*Namens*~, *Tür*~, *Firmen*~) nameplate, (*Wegweiser*) signpost, (*Verkehrs*~) road sign, (*Straßen*~) street sign, (*Etikett*) label, (*Anhänger*) tag
Schildbürger(in) Gothamite, *weit. S.* simpleton **~streich** *m* folly
Schilddrüse *f* ANAT thyroid gland
schildern *v/t allg* describe, (*erzählen*) *a.* relate, *kurz*: outline **Schilderung** *f* description, (*Erzählung*) account
Schilderwald *m* F jungle of road signs
Schildkröte *f* (*Land*~) tortoise, (*See*~) turtle **Schildkrötensuppe** *f* turtle soup
Schildpatt *n* tortoiseshell
Schilf *n* reed, (*~gürtel*) reeds *Pl*
schilfig *Adj* reedy **Schilfmatte** *f* rush mat **Schilfrohr** *n* reed
schillern *v/i* shine in various colo(u)rs, *matt*: shimmer, (*glänzen*) sparkle
schillernd *Adj* **1.** iridescent, opalescent, *Stoff*: shot **2.** *fig Charakter etc*: (dazzling but) dubious
Schilling *m hist* (Austrian) schilling
Schimäre *f* chimera
Schimmel[1] *m* ZOOL white horse
Schimmel[2] *m* (*Pilz*) mo(u)ld, mildew
schimm(e)lig *Adj* mo(u)ldy
schimmeln *v/i* go mo(u)ldy
Schimmelpilz *m* mo(u)ld
Schimmer *m* gleam, glimmer (*a. fig Spur*): F *fig* ***k-n (blassen) ~ haben*** not to have the foggiest (idea)
Schimpanse *m*, **Schimpansin** *f* ZOOL chimpanzee
Schimpf *m* ***mit ~ und Schande*** ignominiously **schimpfen I** *v/i* **1.** scold (***mit j-m*** s.o.): ***~ auf*** (*Akk*) complain about, rail at **II** *v/t* **2.** scold **3.** ***j-n e-n Lügner*** *etc* ***~*** call s.o. a liar *etc* **Schimpfwort** *n* invective, (*Fluch*) swearword
Schindel *f* shingle **~dach** *n* shingle roof
schinden *v/t* **1.** drive *s.o.* hard, (*quälen*) maltreat: ***sich ~*** slave away **2.** (*heraus~*) F *fig* wangle: ***Eindruck ~ (wollen)*** try to impress, show off; ***Zeit ~*** play for time
Schinder(in) *fig* slave-driver **Schinderei** *f* (real) grind
Schindluder *n* F ***~ treiben mit*** play fast and loose with
Schinken *m* **1.** GASTR ham **2.** F *fig* (*Bild*) (great) daub, (*Buch*) fat tome, (*Film*) slushy film **~speck** *m* bacon
Schippe *f* shovel: F *fig* ***j-n auf die ~ nehmen*** pull s.o.'s leg
schippen *v/t u. v/i* shovel
Schirm *m* **1.** (*Regen*~) umbrella, (*Sonnen*~) parasol, (*Lampen*~) (lamp-) shade, (*Schutz*~) shield, screen, (*Mützen*~) peak **2.** (*Bild*~ *etc*) screen **3.** (*Fall*~) parachute **4.** *e-s Pilzes*: pileus **5.** *fig* protection **schirmen** *v/t* shield
Schirmherr(in) patron(ess)
Schirmherrschaft *f* patronage: ***unter der ~ von …*** under the auspices of …
Schirmmütze *f* peaked cap
Schirmständer *m* umbrella stand

S

Schiss *m* V **1.** shit **2.** *fig* **~ *haben*** be scared stiff; **~ *bekommen*** get cold feet
schizophren *Adj*, **Schizophrene** *m, f* PSYCH schizophrenic
Schizophrenie *f* PSYCH schizophrenia
Schlacht *f a. fig* battle (***bei*** of)
schlachten *v/t* kill, slaughter
Schlachtenbummler(in) SPORT fan, supporter
Schlächter(in) *a. fig* butcher
Schlächterei *f* butcher's shop
Schlacht|feld *n* battlefield **~hof** *m* slaughterhouse, abattoir **~plan** *m a.* F *fig* plan of action **~ruf** *m* war cry
Schlachtschiff *n* battleship
Schlachtung *f* slaughter(ing)
Schlachtvieh *n* meat stock
Schlacke *f* **1.** METAL dross, (*a. Vulkan*≈) slag, (*Asche*) cinders *Pl* **2.** *Pl* MED **a)** waste products *Pl*, **b)** → ***Ballaststoffe***
schlackern *v/i* F wobble, *Kleid etc*: flap, *Knie*: tremble: *fig* ***mit den Ohren ~*** be flabbergasted
Schlaf *m* sleep: ***e-n festen*** (***leichten***) **~ *haben*** be a sound (light) sleeper; F ***das kann ich im ~!*** I can do that blindfold
Schlafanzug *m* (pair of) pyjamas *Pl*, *Am* pajamas *Pl* **Schläfchen** *n* (***ein ~ machen*** take a) nap
Schlafcouch *f* studio couch
Schläfe *f* ANAT temple
schlafen *v/i* sleep (*a.* F *fig*), be asleep, F *fig* be napping: **~ *gehen, sich ~ legen*** go to bed; ***mit j-m ~*** sleep with s.o.; **~ *Sie gut!*** sleep well!; **~ *Sie darüber!*** sleep on it!
Schlafenszeit *f* bedtime
schlaff *Adj* **1.** *Seil, Segel*: slack (*a. fig nachlässig*), *Haut, Muskeln, a. Person*: flabby, *Körper, Glieder, Händedruck*: limp **2.** F lame: ***~e Leistung*** slack performance, bad show; ***~er Typ*** lame fellow **Schlaffheit** *f* slackness (*a. fig*), flabbiness, limpness, F lameness
Schlaf|gast *m* overnight guest **~gelegenheit** *f* sleeping accommodation
Schlaf|koje *f allg* berth **~krankheit** *f* sleeping sickness **~lied *n*** lullaby
schlaflos *Adj* sleepless: ***j-m ~e Nächte bereiten*** give s.o. sleepless nights
Schlaflosigkeit *f* insomnia
Schlafmittel *n* sleeping pill
Schlafmütze *f* F *fig* sleepyhead
schläfrig *Adj* sleepy, drowsy
Schläfrigkeit *f* sleepiness, drowsiness
Schlaf|rock *m* dressing gown **~saal** *m* dormitory **~sack** *m* sleeping bag
Schlaf|sofa *n* bed-couch **~stadt** *f* dormitory town **~störungen** *Pl* disturbed sleep *Sg* **~tablette** *f* sleeping pill
schlaftrunken *Adj* drowsy
Schlafwagen *m* BAHN sleeping car, sleeper
schlafwandeln *v/i* sleepwalk **Schlafwandler(in)** sleepwalker, somnambulist **schlafwandlerisch** *Adj* somnambulistic: ***mit ~er Sicherheit*** with uncanny sureness, unerringly
Schlafzimmer *n* bedroom **Schlafzimmerblick** *m hum* bedroom eyes *Pl*
Schlag *m* **1.** (*Hieb*) blow (*a. fig*), stroke, (*Faust*≈) *a.* punch (*a ~kraft*), *mit der flachen Hand*: slap, *dumpfer*: thump, thud: ***j-m e-n ~ versetzen*** deal s.o. a blow, *fig* hit s.o. hard; **~ *ins Gesicht*** *a. fig* slap in the face; ***das war ein ~ für ihn*** that was a blow to him; ***ein ~ ins Wasser*** a flop; **~ *auf ~*** in rapid succession; ***auf einen ~, mit einem ~*** in one go, (*plötzlich*) abruptly **2.** MIL (*a. Atom*≈) strike **3.** TECH impact, *a.* ELEK shock **4.** *Rudern, Schwimmen*: stroke, *Golf, Tennis*: shot **5.** (*Blitz*≈) stroke (of lightning) **6.** (*Herz*≈, *Puls*≈) beat, (*Glocken*≈) stroke **7.** F MED stroke: ***ich dachte, mich trifft der ~!*** I was floored! **8.** F (*Portion*) helping **9.** (*Wagen*≈) door **10.** race, sort, *bes* ZOOL breed: ***Leute s-s ~es*** men of his stamp (*pej* his sort) **11.** *österr.* (whipped) cream
Schlagabtausch *m* **1.** *Boxen*: exchange of punches **2. *offener ~*** *Fußball*: end to end stuff **3.** *fig* crossing of swords
Schlagader *f* artery **Schlaganfall** *m* MED stroke
schlagartig *Adj* abrupt
Schlagbaum *m* barrier
Schlagbohrer *m* TECH percussion drill
schlagen I *v/t* **1.** strike, hit, (*verprügeln*) beat, *mit der Faust*: punch, *mit der flachen Hand*: slap: ***e-n Nagel in die Wand ~*** drive a nail into the wall; ***j-m etw aus der Hand ~*** knock s.th. from s.o.'s hand; ***j-n zu Boden ~*** knock s.o. down; ***sich ~*** (have a) fight; ***sich um etw ~*** fight over s.th.; *fig* ***etw auf den Preis ~*** add s.th. on to the price;

→ ***Alarm, Brücke*** 1, ***Flucht***[1], ***geschlagen*** **2.** (*Sahne*) whip, (*Eier etc*) beat **3.** (*Bäume, Holz*) fell, cut **4.** *fig* beat, (*besiegen*) *a.* defeat: ***sich geschlagen geben*** admit defeat, give up **II** *v/i* **5.** strike, hit: ***nach j-m ~*** hit out at s.o.; ***um sich ~*** lash out **6.** ***~ an*** (*Akk*) (*od* ***gegen***) beat against; ***mit dem Kopf ~ an*** (*Akk*) strike (*od* bump) one's head against; → ***Art*** 4, ***Fach*** 2 *etc* **7.** *Herz, Puls*: beat, *heftig*: throb, *Uhr*: strike **8.** *Nachtigall etc*: sing **9.** *die Nachricht* ***ist mir auf den Magen geschlagen ...*** has affected my stomach **III** *v/refl* **10.** *fig* ***sich gut*** *etc* ***~*** give a good account of o.s **11.** ***sich auf j-s Seite ~*** side with s.o., *weit. S.* go over to s.o.

schlagend *Adj* **1.** *fig* convincing, *Beweis*: conclusive **2.** → ***Wetter*** 2

Schlager *m* **1.** popsong, (*Erfolgs*≈) hit (tune) **2.** *fig* hit, sensation, (*Verkaufs*≈) (sales) hit, moneymaker

Schläger *m* (*Kricket*≈, *Tischtennis*≈ *etc*) bat, (*Tennis*≈ *etc*) racket, (*Golf*≈) club, (*Hockey*≈) stick

Schläger(in) **1.** (*Rowdy*) tough, *Boxen*: *Am* F slugger **2.** SPORT *Baseball, Kricket*: batsman (batswoman)

Schlägerei *f* brawl, punch-up

Schlagermusik *f* pop music

Schlagersänger(in) pop singer

schlagfertig *Adj* quick-witted, quick at repartee **Schlagfertigkeit** *f* ready wit

Schlaginstrument *n* MUS percussion instrument

Schlagkraft *f* **1.** *Boxen u. fig* punch **2.** MIL combat effectiveness

schlagkräftig *Adj* **1.** powerful **2.** → ***schlagend*** 1

Schlaglicht *n*: *fig* ***ein ~ werfen auf*** (*Akk*) highlight

Schlagloch *n* pothole

Schlagmann *m beim Rudern*: stroke

Schlagobers *n österr.*, **Schlagrahm** *m* → ***Schlagsahne***

Schlag|ring *m* **1.** knuckleduster **2.** MUS plectrum, F pick **~sahne** *f* whipped cream **~seite** *f* SCHIFF list: ***~ haben*** be listing, F (*betrunken sein*) be half-seas-over **~stock** *m* **1.** *der Polizei*: truncheon, riot stick **2.** MUS drumstick

Schlagwerk *n* striking mechanism

Schlagwort *n* catchword, *fig a.* slogan, *Pl pej* platitudes *Pl* **Schlagwortkatalog** *m* subject catalog(ue *Br*)

Schlagzeile *f* headline: ***~n machen, in die ~n geraten*** make the headlines

Schlagzeug *n* MUS percussion, drums *Pl*

Schlagzeuger(in) percussionist, drummer

schlaksig *Adj* gangling, lanky

Schlamassel *m, n* F mess

Schlamm *m* mud **Schlammbad** *n* MED mud bath **schlammig** *Adj* muddy

Schlammpackung *f* MED mud pack

Schlampe *f* F slut **schlampen** *v/i* F do a sloppy job **Schlamper(in)** F slouch

Schlamperei *f* F sloppiness, (*Arbeit*) mess, sloppy work

schlampig *Adj* F slovenly, sloppy

Schlange *f* **1.** ZOOL snake **2.** (*Menschen*≈, *Auto*≈) queue, *Am* line: F ***~ stehen*** (***nach*** for) stand in a queue, queue up, *Am* stand in line, line up **3.** *fig* serpent; ***falsche ~*** snake in the grass

schlängeln *v/refl* ***sich ~*** wriggle, *fig Weg etc*: wind, *Fluss*: *a.* meander; ***sich durch die Menge*** *etc* ***~*** worm one's way through the crowd *etc*

Schlangen|biss *m* snakebite **~gift** *n* snake poison **~haut** *f*, **~leder** *n* snakeskin **~linie** *f* wavy line: ***in ~n fahren*** zigzag (along the road)

schlank *Adj* slender, slim, *fig* lean: ***auf die ~e Linie achten*** watch one's weight; ***~e Produktion*** lean production

Schlankheit *f* slimness **Schlankheitskur** *f* slimming (diet): ***e-e ~ machen*** be slimming, go (*od* be) on a diet

schlapp *Adj* **1.** → ***schlaff*** **2.** worn-out, (*lustlos*) listless **Schlappe** *f* setback, (*Niederlage*) beating, defeat **schlappmachen** *v/i* F wilt, break down

Schlappschwanz *m* F softy, sissy

Schlaraffenland *n a. fig* Cockaigne

schlau *Adj* clever, smart, (*listig*) crafty, sly: F ***~e Bücher*** clever books; ***ich werde nicht ~ daraus*** I can't make head or tail of it **Schlauberger(in)** F smartie

Schlauch *m* **1.** tube, (*Wasser*≈) hose, (*Fahrrad*≈, *Auto*≈) (inner) tube **2.** F *fig* **a)** (*Zimmer*) tunnel, **b)** (*Strapaze*) hard slog **3.** F ***auf dem ~ stehen*** be (completely) clueless **Schlauchboot** *n* rubber dinghy

schlauchen F **I** *v/t* ***j-n ~*** take it out of s.o., *seelisch*: *a.* go hard with s.o. **II**

S

v/i ***das schlaucht*** **(*ganz schön*)*!*** that's tough going!
Schläue *f* → ***Schlauheit***
Schlaufe *f* loop
Schlauheit *f* cleverness, smartness, (*Listigkeit*) slyness **Schlaukopf** *m*, **Schlaumeier(in)** F smartie
schlecht I *Adj allg* bad, *Augen, Gedächtnis, Gesundheit, Qualität, Leistung etc*: *a.* poor, *Luft*: *a.* stale, (*böse*) *a.* wicked: ***nicht ~!*** not bad!; ***~e Laune*** bad mood; ***~e Zeiten*** bad (*od* hard) times; ***~ sein in*** (*Dat*) be poor at; ***~ werden*** *Essen etc*: go off; ***~er werden*** get worse, deteriorate; ***mir ist*** (***wird***) ***~*** I feel (I'm getting) sick; F *fig* ***es kann e-m ~ dabei werden!*** it's enough to make you sick!; → ***Dienst*** 1 **II** *Adv* bad(ly): ***~ aussehen*** *allg* look bad, *Person*: *a.* look ill; ***~ und recht*** after a fashion; ***~ beraten sein*** be ill-advised; ***~ gelaunt*** in a bad mood, cross; ***~ machen*** run down, knock; ***~ reden von*** speak ill of; ***~ riechen*** smell bad; ***es steht ~ um ihn*** he's in a bad way; ***~ daran sein*** be badly off; ***es bekam ihm ~*** *Essen etc*: it didn't agree with him, *fig* it did him no good; ***er kann es sich ~ leisten zu*** *Inf* he can ill afford to *Inf*; ***heute geht es ~*** it's a bit awkward today; ***ich kann ~ ablehnen*** I can't very well refuse; ***ich staunte nicht ~*** F I wasn't half surprised **schlechterdings** *Adv* absolutely **schlechthin** *Adv* absolutely, (*an sich*) as such **Schlechtigkeit** *f* (*Bosheit*) badness, (*Gemeinheit*) baseness
Schlechtwetterfront *f* bad weather front **Schlechtwetterperiode** *f* spell of bad weather
schlecken *v/t* (*Eis*) lick
Schlehe *f* BOT sloe
schleichen *v/i* creep, sneak, crawl (*a. Auto, Zeit*): (***auf den Zehenspitzen***) ***~*** tiptoe; *fig* ***sich in j-s Vertrauen ~*** worm one's way into s.o.'s confidence
schleichend *Adj fig* **a)** *Krankheit*: lingering, (*tückisch*) insidious, **b)** *Fieber, Gift*: slow, **c)** *Inflation etc*: creeping
Schleich|handel *m* illicit trade **~weg** *m* **1.** secret path **2.** *fig* underhand means *Pl*: ***auf ~en*** *a.* surreptitiously **~werbung** *f* surreptitious advertising
Schleier *m* veil (*a. fig*), (*Dunst*☊, *Nebel*☊) haze, FOTO fog
Schleiereule *f* ZOOL barn owl
schleierhaft *Adj* mysterious: ***das ist mir ~!*** that's a mystery to me!
Schleife *f* **1.** bow, (*Haar*☊) *a.* ribbon **2.** FLUG, ELEK, COMPUTER, *e-s Flusses etc*: loop
schleifen[1] *v/t* **1.** (*schärfen*) grind, whet **2.** TECH smooth, (*Holz*) sand, (*Edelstein, Glas*) cut **3.** MIL F drill *s.o.* hard
schleifen[2] **I** *v/t* drag (along) (*a. fig j-n*), (*Rock, Schleppe etc*) trail **II** *v/i* ***~ lassen*** drag; MOT ***die Kupplung ~ lassen*** let the clutch slip
Schleifer(in) 1. TECH *allg* grinder, (*Glas*☊, *Edelstein*☊) *a.* cutter **2.** MIL F martinet
Schleif|maschine *f* grinding machine **~mittel** *n* abrasive **~papier** *n* emery paper **~ring** *m* ELEK slip ring **~stein** *m* whetstone, *drehbarer*: grindstone
Schleim *m* slime, MED, PHYSIOL mucus, *bes der Atemwege*: phlegm **~beutel** *m* ANAT bursa **~drüse** *f* mucous gland
Schleimhaut *f* mucous membrane
schleimig *Adj* slimy (*a. fig pej*), (*zähflüssig*) viscous
schleimlösend *Adj* expectorant
schlemmen *v/i* feast, gormandize **Schlemmer(in)** gormandizer, gourmand **Schlemmerei** *f* feasting, gormandizing
schlendern *v/i* stroll, saunter
Schlendrian *m* F *pej* dawdling
schlenkern *v/t u. v/i* dangle, swing (***mit den Armen*** one's arms)
schlenzen *v/t u. v/i* SPORT scoop
Schlepp *m* ***in ~ nehmen*** (***im ~ haben***) *a. fig* take (have) in tow
Schleppdampfer *m* tug
Schleppe *f am Kleid*: train, trail
schleppen I *v/t* drag (*a. fig j-n*), (*tragen*) carry, F tote, SCHIFF, FLUG, MOT tow: F (***Kunden***) ***~*** tout **II** *v/refl* ***sich ~*** drag on, *Person*: drag o.s. (along), *a. Auto, Schiff etc*: limp (along) **schleppend** *Adj* sluggish, slow (*a.* WIRTSCH), (*mühsam*) labo(u)red, *Sprache*: slow, drawling
Schlepper *m* **1.** SCHIFF tug **2.** MOT tractor
Schlepper(in) F (*Kundenwerber*) tout
Schleppflugzeug *n* towplane
Schleppkahn *m* lighter, barge (in tow)
Schlepp|lift *m* ski tow **~netz** *n* dragnet

Schleppschiff *n* tug **Schleppseil** *n* → **Schlepptau** *n* towrope: ***ins ~ nehmen*** → ***Schlepp***
Schlesien *n* Silesia
Schlesier(in), **schlesisch** *Adj* Silesian
Schleswig-Holstein *n* Schleswig-Holstein
Schleuder *f* **1.** catapult (*a.* FLUG), sling, *Am* slingshot **2.** TECH **a)** → ***Zentrifuge***, **b)** (*Wäsche*♀) spin dryer **~gefahr** *f* risk of skidding: ***Achtung ~!*** slippery road ahead **~honig** *m* strained honey
schleudern I *v/t* **1.** fling, hurl, sling, FLUG catapult **2.** TECH centrifuge, (*Honig*) strain, (*Wäsche*) spin-dry **II** *v/i* **3.** MOT skid, (*a.* ***ins ♀ geraten***) go into a skid (*a. fig*)
Schleuder|preis *m* knockdown price **~sitz** *m* FLUG ejector seat, F *fig* hot seat **~ware** *f* cut-price article(s *Pl*)
schleunig I *Adj* prompt, quick, (*hastig*) hasty **II** *Adv a* **schleunigst** promptly, quickly, (*hastig*) hastily
Schleuse *f* sluice, floodgate (*a. fig*), (*Kanal*♀) lock
schleusen *v/t* **1.** SCHIFF lock **2.** *fig* channel, (*j-n*) steer, *über die Grenze etc*: smuggle
Schleusentor *n* floodgate **Schleusenwärter(in)** lock-keeper
Schliche *Pl* tricks *Pl*: ***j-m auf die ~ kommen*** find s.o. out
schlicht I *Adj* (*einfach*) simple, plain **II** *Adv* ~ (***und einfach***) (quite) simply
schlichten I *v/t* (*Streit etc*) settle **II** *v/i* mediate (***zwischen*** *Dat* between)
Schlichter(in) mediator
Schlichtheit *f* simplicity, plainness
Schlichtung *f* settlement, *durch Schiedsspruch*: arbitration **Schlichtungsausschuss** *m* arbitration committee
Schlichtungsversuch *m* attempt at conciliation
Schlick *m* sludge
Schliere *f* streak
Schließe *f* fastening, clasp
schließen I *v/t* **1.** close (*a.* ELEK *Stromkreis*), shut, (*Fabrik etc*) *a.* shut down, (*ver~*) lock: → ***Lücke*** **2.** *fig* (*Bündnis etc*) enter into, (*Vergleich*) reach, come to: → ***Ehe, Freundschaft, Frieden*** *etc* **3.** (*Debatte, Versammlung*) close, conclude, end, (*Brief, Rede*) *a.* wind up (***mit den Worten*** by saying) **II** *v/i* **4.** shut, close, *Fabrik etc*: *a.* shut down **5.** (*enden*) (come to a) close: ***er schloss mit den Worten*** he wound up by saying **6.** (*folgern*) conclude (***aus*** from): ***von sich auf andere ~*** judge others by o.s.; ***auf etw ~ lassen*** suggest (*od* point to) s.th. **III** *v/refl* ***sich ~*** **7.** close, shut; → ***Kreis*** 1
Schließfach *n* (*Bank*♀) safe deposit box, (*Bahnhofs*♀) (left-luggage) locker
schließlich *Adv* finally, (*am Ende*) eventually, (*eigentlich*) after all
Schließmuskel *m* ANAT sphincter
Schließung *f* **1.** closing (*a. der Debatte etc*, ELEK *des Stromkreises*), shutting, *e-r Fabrik etc*: shutdown, closure **2.** *e-r Ehe, e-s Vertrages etc*: contraction
Schliff *m* **1.** (*Schleifen*) grinding, (*Schärfen*) *a.* sharpening **2.** *von Edelsteinen, Glas*: cut **3.** *fig* polish, refinement: ***e-r Sache den letzten ~ geben*** put the finishing touches to s.th.
schlimm *Adj allg* bad (*Komp.* worse, *Sup.* worst), (*böse, a. hum*) *a.* wicked, *Erkältung, Wunde etc*: *a.* nasty: ***~er Finger*** (***Hals***) sore finger (throat); ***das ist e-e ~e Sache*** that's terrible, that's a bad business; ***es sieht ~ aus*** it looks bad; ***das ist halb so ~!*** it's not as bad as all that!, *verzeihend*: it doesn't matter!, never mind!; F ***ist es ~, wenn …?*** would you mind terribly if …?; ***~er machen*** (***werden***) → ***verschlimmern***; ***es wird immer ~er*** things are going from bad to worse; ***umso ~er*** so much the worse; ***es gibt ♀eres*** things could be worse; ***am ~sten*** worst of all; ***auf das ♀ste gefasst sein*** be prepared for the worst **schlimmstenfalls** *Adv* if the worst comes to the worst
Schlinge *f* loop, noose (*a. fig*), (*Trag*♀, *a.* MED) sling, JAGD snare (*a. fig*): *fig* ***sich aus der ~ ziehen*** wriggle out of it
Schlingel *m* (young) rascal
schlingen[1] (***um*** around) **I** *v/t* tie, (*Schal etc*) wrap, wind, (*die Arme*) *a.* fling **II** *v/refl* ***sich ~*** wind, coil
schlingen[2] **I** *v/i* gobble, bolt one's food **II** *v/t* gobble (up), gulp *s.th.* down
schlingern *v/i* SCHIFF roll
Schlingpflanze *f* climbing plant
Schlips *m* tie: *fig* ***j-m auf den ~ treten*** tread on s.o.'s toes

schlitteln *v/i schweiz.* toboggan, go sledging
Schlitten *m* **1.** sledge, *Am* sled, (*bes Pferde*2) sleigh, (*Rodel*2) toboggan: ~ ***fahren*** sledge, (*rodeln*) toboggan; F *fig* ***mit j-m ~ fahren*** give s.o. hell **2.** F (*Auto*) car: ***alter ~*** crate, bus, jalopy **~fahrt** *f* sledge (*Pferde*2 sleigh) ride
schlittern *v/i* slide (***in*** *Akk* into, *a. fig*), (*ausgleiten*) *a.* slip, *Auto*: skid
Schlittschuh *m* (ice-)skate: ~ ***laufen*** skate **~bahn** *f* ice-rink **~laufen** *n* ice-skating, skating **~läufer(in)** (ice-)skater
Schlitz *m* slit (*a. im Kleid*), *am Automaten etc*: slot **~auge** *n* **1.** slit eye: ***~n haben*** be slit-eyed **2.** *pej* slit-eye
schlitzen *v/t u. v/i* slit, slash
Schloss[1] *n* castle, palace
Schloss[2] *n* (*Tür*2, *Gewehr*2) lock, *an Buch, Tasche etc*: clasp, (*Gürtel*2, *Koppel*2) (belt) buckle: ***hinter ~ und Riegel*** behind bars
Schlosser(in) locksmith **Schlosserei** *f* locksmith's trade (*od* shop)
Schlot *m* chimney (*a.* GEOL): F ***rauchen wie ein ~*** smoke like a chimney
schlottern *v/i* **1.** (***vor*** *Dat* with) shake, tremble: ***mit ~den Knien*** with shaking knees **2.** *Kleidung*: hang loosely
Schlucht *f* gorge, ravine, *große*: canyon
schluchzen I *v/i u. v/t* sob **II** 2 *n* sobbing, sobs *Pl*
Schluck *m* swallow, *großer*: gulp: ***kleiner ~*** → ***Schlückchen*** **Schluckauf** *m* (***~ haben*** have the) hiccups *Pl*
Schlückchen *n* sip
schlucken I *v/t* swallow (*a. fig Tadel etc, a.* F *glauben*), *fig* (*sich einverleiben*) swallow up (*a. Geld*), (*Licht, Schall*) absorb **II** *v/i* swallow
Schlucken *m* → ***Schluckauf***
Schlucker *m fig* ***armer ~*** poor wretch
Schluckimpfung *f* MED oral vaccination
schlud(e)rig → ***schlampig***
Schlummer *m* slumber **schlummern** *v/i* slumber, sleep, *fig a.* lie dormant
Schlund *m* **1.** ANAT (back of the) throat, pharynx **2.** ZOOL maw **3.** *fig* abyss
schlüpfen *v/i* **1.** slip (***in*** *Akk* into, ***aus*** out of) **2.** *Küken etc*: hatch (out)
Schlüpfer *m* briefs *Pl*, panties *Pl*
Schlupfloch *n* **1.** gap **2.** *fig* loophole
schlüpfrig *Adj* slippery (*a. fig*), *fig Witz etc*: risqué
Schlupfwinkel *m* hideout, *weit. S.* haunt
schlurfen *v/i* shuffle along
schlürfen *v/t u. v/i* slurp, *langsam*: sip
Schluss *m* **1.** end, *e-s Buchs, Films etc*: ending, (*Ab*2) conclusion: ~ (***damit***)***!*** stop it!; F ***~ machen*** (*die Arbeit beenden*) call it a day, (*Selbstmord begehen*) put an end to o.s.; ***~ machen mit*** **a)** ***etw*** stop s.th., **b)** ***j-m*** break up with s.o.; ***am ~*** at the end; ***zum ~*** finally **2.** (*~folgerung*) conclusion: ***zu dem ~ gelangen, dass …*** come to the conclusion that …; ***voreilige Schlüsse ziehen*** jump to conclusions **~akkord** *m* MUS final chord
Schlussakt *m* **1.** THEAT final act **2.** *e-r Veranstaltung*: closing ceremony
Schlussbemerkung *f* final comment
Schlüssel *m* **1.** key (***zu, für*** of, *fig* to) **2.** MUS clef **3.** (*Telegramm*2, ~ *für e-n Code etc*) code, (*Lösungsheft*) key **4.** (*Verteiler*2) ratio **5.** TECH spanner, *Am* wrench **~bein** *n* ANAT collarbone **~blume** *f* cowslip, primrose **~bund** *m, n* bunch of keys **~erlebnis** *n* crucial experience **~figur** *f* key figure **~industrie** *f* key industry **~kind** *n* latchkey child **~loch** *n* keyhole **~lochchirurgie** *f* keyhole surgery **~ring** *m* key ring **~roman** *m* roman-à-clef **~stellung** *f* key position **~wort** *n* code word, keyword, IT *a.* password
Schlussfeier *f* closing ceremony, PÄD speech day, *Am* commencement
Schlussfolgerung *f* → ***Schluss*** 2
schlussfolgern *v/t u. v/i* conclude (***aus*** from)
schlüssig *Adj* **1.** logical, *Beweis*: conclusive **2.** ***sich ~ werden*** (***über*** *Akk*) make up one's mind (about)
Schluss|läufer(in) *e-r Staffel*: anchor **~licht** *n* **1.** taillight **2.** *fig* SPORT tailender: ***das ~ bilden*** bring up the rear **~pfiff** *m* SPORT final whistle **~runde** *f* **1.** *Boxen*: final round **2.** → ***Endrunde*** **~satz** *m* **1.** closing sentence **2.** MUS final movement **3.** *Tennis*: final set **~strich** *m fig* ***e-n ~ unter etw ziehen*** consider s.th. closed **~verkauf** *m* (end-of-season) sale **~wort** *n* closing words *Pl*
Schmach *f lit* disgrace, shame
schmächtig *Adj* slight, thin: ***ein ~er Junge*** a slip of a boy

Schlussformeln (Brief und E-Mail)

Für Schlussformeln in **Briefen** mit offiziellem Charakter kann man sich folgende Formel merken: Schreibt man in der Anrede **Dear Sir**, **Dear Madam**, **Dear Sir or Madam** oder **Dear Sirs**, endet der Brief mit **Yours faithfully** + Unterschrift, redet man die Person, der man schreibt, mit dem Namen an, also z.B. **Dear Mr Smith**, **Dear Ms Collins**, endet der Brief mit **Yours sincerely** + Unterschrift. Allerdings wird diese starre Formel heute zunehmend aufgeweicht und man schreibt auch bei anonymer Anrede **Yours sincerely** o. Ä. Im amerikanischen Englisch findet man häufig **Sincerely yours** oder **Yours (very) truly**, ganz gleich, wie man die Person vorher angeredet hat. Kennt man die Person gut, können einige auflockernde Floskeln hinzugefügt werden, z. B. **With best wishes**, **Kind regards** o. Ä.

Bei **E-Mails** gilt etwa Folgendes: Es ist keineswegs unangemessen, eine „förmliche E-Mail" so zu beginnen und zu schließen wie dies bei Briefen üblich ist. Mit zunehmender Verbreitung von E-Mails haben sich aber andere, neue Schlussformeln herausgebildet, die der Kürze und Funktionalität dieses neuen Mediums besser Rechnung tragen. So spricht nichts dagegen, seine in Englisch verfasste Mail nur mit dem Namen oder mit **Regards** und dem Namen zu beenden, auch wenn man der betreffenden Person zum ersten Mal mailt. Auch **Best regards** und **Kind regards** sind möglich. Es ist in jedem Falle sinnvoll, seinen Vor- und Nachnamen anzuschließen, damit der Adressat weiß, ob eine Frau oder ein Mann der Sender der Nachricht ist. **Warm regards** und **All the best** klingen zu vertraut, wenn man die Person noch nicht kennt. Von der Kurzform **Rgds** ist - solange man nicht ziemlich ungezwungen miteinander kommuniziert - ebenfalls abzuraten. Zu vertraut bei der ersten Mail klingt auch **(Best) wishes** oder **With best wishes**, gefolgt von der Unterschrift. **Take care**, **All for now**, **Cheers**, **Enjoy**, **Love**, **Ciao** und **TTFN** (ta-ta for now) sollten wirklich nur für Freunde und Personen, mit denen man sehr vertraut ist, reserviert bleiben.

schmackhaft *Adj* savo(u)ry, tasty: *fig* ***j-m etw ~ machen*** make s.th. palatable to s.o.
schmal *Adj* narrow, (*dünn*) thin, slender (*a. fig*), *fig* meag/re (*Am* -er), poor
schmälern *v/t fig* (*Gewinn etc*) curtail, (*Rechte etc*) impair, (*Verdienste etc*) detract from
Schmalfilm *m* cine-film
Schmalspur *f* BAHN narrow ga(u)ge
Schmalspur… F *fig* small-time …
Schmalz[1] *n* lard
Schmalz[2] *m* F *fig* schmaltz
schmalzig *Adj* F *fig* schmaltzy
schmarotzen *v/i* sponge (***bei*** on)
Schmarotzer(in) parasite, *fig a.* sponger
Schmarotzertum *n* parasitism
Schmarrn *m österr* **1.** (*Mehlspeise*) hot cut-up pancake **2.** (*Unsinn*) rubbish
schmatzen *v/i* eat noisily
schmecken I *v/t* taste **II** *v/i* ***~ nach*** taste of, *fig* smack of; ***es schmeckt (gut)*** it tastes good; ***sich etw ~ lassen*** tuck in; ***schmeckt es (Ihnen)?*** do you like it?; *fig* ***das schmeckte ihm nicht*** he didn't like it one bit
Schmeichelei *f* flattery, *mst Pl* (flattering) compliment **schmeichelhaft** *Adj a. fig* flattering **schmeicheln** *v/i* ***j-m***

S

~ flatter s.o. (*a. fig*), *bittend, zärtlich*: coax s.o., cajole s.o.; ***sich geschmeichelt fühlen*** feel flattered (***durch*** by); ***das Bild ist geschmeichelt*** the picture is flattering **Schmeichler(in)** flatterer **schmeichlerisch** *Adj* flattering, (*bittend*) cajoling, coaxing
schmeißen F **I** *v/t* **1.** throw, chuck, (*Tür*) slam, bang **2.** (*Studium etc*) chuck up, THEAT (*Szene etc*) muff **3.** manage: ***den Laden ~*** run the show **4.** → ***Runde*** 4 **II** *v/i* **5.** ***~ mit*** throw; ***mit Geld um sich ~*** throw one's money around
Schmeißfliege *f* bluebottle
Schmelz *m* **1.** enamel (*a. Zahn*♀) **2.** *fig* mellowness, MUS melodiousness
Schmelze *f* **1.** (*Schnee*♀) melting **2.** TECH melting, molten mass **schmelzen I** *v/i* liquefy, melt (*a. fig Vorrat etc, a. Person*) **II** *v/t* liquefy, melt, (*bes Metalle*) smelt **schmelzend** *Adj fig Blick*: melting, MUS, *Stimme*: sweet
Schmelzkäse *m* soft cheese
Schmelzofen *m* melting furnace
Schmelzpunkt *m* melting point
Schmelztiegel *m a. fig* melting pot
Schmelzwasser *n* melted snow and ice
Schmerbauch *m* paunch
Schmerz *m* pain, ache, (*Kummer*) grief, sorrow, (*Qual*) agony: ***~en haben*** be in pain **schmerzen I** *v/i* hurt (*a. fig*), ache **II** *v/t* hurt (*a. fig*), pain
Schmerzensgeld *n* compensation for personal suffering, *Am* smart-money
Schmerzensschrei *m* scream of pain
schmerzfrei *Adj* free of pain
Schmerzgrenze *f a. fig* pain threshold
schmerzhaft *Adj a. fig* painful
schmerzlich I *Adj* painful, *Lächeln, Pflicht, Verlust etc*: sad **II** *Adv* (*sehr*) badly, sadly: ***j-n ~ berühren*** pain s.o.
schmerz|lindernd *Adj* soothing, (*a. **~es Mittel***) analgesic **~los** *Adj* painless **♀mittel** *n* painkiller **~stillend** *Adj* painkilling **♀tablette** *f* painkiller **♀therapie** *f* pain therapy
Schmetterball *m Tennis*: smash
Schmetterling *m* butterfly **Schmetterlingsstil** *m* butterfly (stroke)
schmettern I *v/t* **1.** smash (*a. Tennis*), slam **2.** (*Lied etc*) belt out **II** *v/i* **3.** ring (out), *Trompete*: blare, *Vogel*: warble
Schmied(in) smith, (*Grob*♀) blacksmith
Schmiede *f* forge, smithy
Schmiedeeisen *n* wrought iron
schmiedeeisern *Adj* wrought-iron
schmieden *v/t u. v/i a. fig* forge: → ***Eisen, Plan²*** 1
schmiegen *v/refl* ***sich an j-n ~*** cling (*zärtlich*: cuddle up) to s.o.
schmiegsam *Adj* pliant, flexible
Schmiere *f* **1.** TECH grease, lubricant **2.** (*klebriges Zeug*) F mess, goo **3.** F THEAT ham-acting **4.** F ***~ stehen*** keep a lookout **schmieren** *v/t* **1.** smear, (*Brot*) butter, (*Butter etc*) spread: F ***j-m e-e ~*** slap s.o.('s face); ***wie geschmiert*** like clockwork **2.** TECH *mit Fett*: grease, *mit Öl*: lubricate, oil **3.** *a. v/i* (*kritzeln*) scrawl **4.** F ***j-n ~*** grease s.o.'s palm
Schmierenkomödiant(in) ham actor (actress)
Schmiererei *f* **1.** (*Gekritzel*) scribble, scrawl **2.** (*schlechtes Bild*) daub **3.** *Pl an Wänden*: graffiti *Pl*
Schmierfett *n* TECH (lubricating) grease
Schmier|fink *m* F **1.** scrawler, *weit. S.* messy fellow **2.** muckraker **~geld** *n* F bribe (money), POL slush fund
schmierig *Adj* **1.** greasy, (*schmutzig*) messy, grimy **2.** *fig* (*unanständig*) smutty, (*ölig*) F smarmy
Schmier|mittel *n* TECH lubricant **~öl** *n* TECH lubricating oil **~papier** *n* scribbling paper **~seife** *f* soft soap
Schmierung *f* TECH lubrication, greasing
Schminke *f* make-up **schminken I** *v/t* make up: ***sich die Lippen ~*** put on lipstick **II** *v/refl* ***sich ~*** put on make-up, make one's face up
Schminkkoffer *m* vanity case
schmirgeln *v/t*, **Schmirgelpapier** *n* TECH sandpaper
Schmiss *m* **1.** (duelling) scar **2.** F *fig* (*Schwung*) pep, zip
schmissig *Adj* F zippy, *Musik*: bouncy
Schmöker *m* F **1.** old book **2.** light novel **schmökern** *v/i* do some light reading, *oberflächlich*: browse
schmollen *v/i* sulk **Schmollmund** *m* (*a. **e-n ~ machen***) pout
Schmorbraten *m* pot roast
schmoren *v/t u. v/i* **1.** GASTR braise: F ***j-n (in s-m eigenen Saft) ~ lassen*** let s.o. stew (in his own juice) **2.** F *in der Hitze*: roast **Schmortopf** *m* casserole

Schmuck *m* **1.** decoration **2.** (*~sachen*) jewel(le)ry, jewels *Pl* **schmücken I** *v/t* adorn (*a. fig*), decorate, *fig* (*Rede etc*) embroider **II** *v/refl* ***sich ~*** dress up
Schmuckkästchen *n* **1.** jewel(le)ry box **2.** *fig* (*Haus*) jewel of a house
schmucklos *Adj* plain, austere
Schmucksachen *Pl* → ***Schmuck*** 2
Schmuck|stück *n* **1.** piece of jewel(-le)ry **2.** *fig* gem **~waren** *Pl* jewel(le)ry *Sg*
schmudd(e)lig *Adj* F scruffy, grimy
Schmuggel *m* smuggling **schmuggeln** *v/t u. v/i* smuggle **Schmuggelware** *f* smuggled goods *Pl*, contraband
Schmuggler(in) smuggler
schmunzeln *v/i* smile to o.s., grin
Schmus *m* F blarney, soft soap
schmusen *v/i* F cuddle, *Liebespaar*: *a.* smooch
Schmutz *m* dirt, filth, mud, *fig a.* smut: *fig* ***in den ~ ziehen*** drag *s.o., s.th.* through the mud
schmutzen *v/i* soil, get dirty
Schmutzfink *m* F **1.** pig **2.** *fig* dirty fellow **Schmutzfleck** *m* smudge
schmutzig *Adj* **1.** dirty, filthy, *fig a.* smutty, (*beschmutzt*) soiled: ***~ machen*** dirty, soil; ***sich ~ machen, ~ werden*** get dirty; *fig* ***~e Fantasie*** dirty mind; → ***Wäsche*** 1 **2.** *fig* dirty, shabby
Schnabel *m* **1.** ZOOL bill, beak **2.** *e-r Kanne*: spout **3.** F *fig* (*Mund*) trap: ***halt den ~!*** shut up! **schnäbeln** *v/i* ZOOL bill
Schnake *f* ZOOL mosquito, midge
Schnalle *f* buckle, clasp
schnallen I *v/t* **1.** buckle, *mit Gurt etc*: strap (***an*** *Akk* to): → ***Gürtel*** **2.** F get: ***ich schnalle das nicht!*** I don't get it! **II** *v/i* **3.** F get it: ***geschnallt?*** got it?
schnalzen *v/i* ***mit der Zunge ~*** click one's tongue; ***mit den Fingern ~*** snap one's fingers
Schnäppchen *n* F (good) bargain **~jäger(in)** F bargain-hunter
schnappen I *v/t* **1.** F catch, nab: (***sich***) ***etw ~*** grab s.th.; ***Luft ~*** (***gehen***) get some fresh air **II** *v/i* **2.** snap, click **3.** ***~ nach*** grab at, *Hund*: snap at; ***nach Luft ~*** gasp for breath
Schnappschuss *m* FOTO snapshot: ***e-n ~ machen von*** take a snap of
Schnaps *m* spirits *Pl*, schnapps
Schnapsbrennerei *f* distillery
Schnäpschen *n* F snifter
Schnapsflasche *f* bottle of brandy
Schnapsglas *n* brandy glass
Schnapsidee *f* F crazy idea
schnarchen *v/i* snore
schnarren *v/i* rattle, *Klingel etc*: buzz, (*~d sprechen, a. v/t*) rasp
schnattern *v/i* **1.** *Gans*: cackle, *Ente*: quack **2.** F *fig* gabble
schnauben *v/i u. v/t* **1.** snort: ***sich*** (***die Nase***) ***~*** blow one's nose; *fig* ***vor Wut ~*** foam with rage **2.** → ***schnaufen***
schnaufen *v/i* **1.** breathe hard, puff, pant **2.** *Dialekt* breathe
Schnauz *m schweiz.* m(o)ustache
Schnauzbart *m* walrus m(o)ustache
Schnauze *f* **1.** ZOOL snout, muzzle, nose **2.** TECH nozzle, *e-r Kanne etc*: lip, F FLUG, MOT nose **3.** V (*Mund*) trap: ***halt die ~!*** shut up!; ***die ~ voll haben*** be fed up (to the teeth) (***von*** with)
schnäuzen *v/refl* ***sich ~*** blow one's nose
Schnecke *f* **1.** ZOOL snail, (*Nackt&*) slug: F ***j-n zur ~ machen*** give s.o. hell **2.** ARCHI scroll **3.** (*Gebäck*) Chelsea bun

⚠ Schnecke ≠ snake

Schnecke	=	snail
snake	=	Schlange

Schnecken|haus *n* (snail) shell **~post** *f* F snail mail **~tempo** *n* ***im ~*** at a snail's pace
Schnee *m* **1.** snow: *fig* ***~ von gestern*** old hat **2.** ***Eiweiß zu ~ schlagen*** beat white of egg until stiff **3.** *sl* (*Kokain*) snow
Schneeball *m a.* BOT snowball
Schneeballschlacht *f* snowball fight
Schneeballsystem *n* snowball system
Schnee|besen *m* GASTR egg-beater, whisk **&blind** *Adj* snow-blind **~bob** *m* snowmobile **~brille** *f* (***e-e ~*** a pair of) snow goggles *Pl* **~fall** *m* snowfall **~flocke** *f* snowflake **&frei** *Adj* free of snow **~gestöber** *n* snow flurry **~glätte** *f* packed snow **~glöckchen** *n* BOT snowdrop **~grenze** *f* snow line **~kette** *f* snow chain **~mann** *m* snowman **~matsch** *m* slush **~mobil** *n* snowmobile **~pflug** *m* snow plough, *Am* snowplow **~regen** *m* sleet **~schmelze** *f* thaw **~schuh** *m* snow-shoe **~sturm** *m* snowstorm, bliz-

zard **~treiben** *n* snow flurry **~verhältnisse** *Pl* snow conditions *Pl* **~verwehung** *f*, **~wehe** *f* snowdrift
schneeweiß *Adj* snow-white, *im Gesicht*: as white as a sheet
Schneid *m* F guts *Pl*, pluck
Schneidbrenner *m* cutting torch
Schneide *f* edge: → ***Messer*** **Schneidebrett** *n* chopping board **schneiden I** *v/t* **1.** *allg* cut (*a. e-n Ball, e-e Kurve*), (*Rasen etc*) *a.* mow, (*Braten*) carve, (*Baum*) prune, (*Hecke*) trim: ***in Stücke ~*** cut up; F *fig* ***j-n ~*** **a)** (*übersehen*) cut s.o. dead, **b)** *beim Überholen*: cut in on s.o.; → ***Grimasse, Haar*** **2.** (*Film, Tonband*) edit **II** *v/refl* ***sich ~*** **3.** cut o.s.: F *fig* ***da hast du dich aber geschnitten!*** you are very much mistaken there! **4.** *fig Linien*: intersect **schneidend** *Adj fig Schmerz etc*: sharp, *Kälte, Wind, Hohn*: biting, *Stimme*: strident
Schneider *m* tailor: F ***aus dem ~ sein*** be out of the woods
Schneiderei *f* tailoring, dressmaking
Schneiderin *f* dressmaker
schneidern I *v/i* do tailoring (*od* dressmaking) **II** *v/t* make
Schneidetisch *m* FILM *etc* editing table
Schneidezahn *m* incisor
schneidig *Adj* (*mutig*) plucky, (*forsch*) brisk (*a. Tempo*), crisp, *Person*: *a.* dashing, (*zackig, schick*) snappy
schneien I *v/unpers* ***es schneit*** it's snowing **II** *v/i* F *fig* (***j-m***) ***ins Haus ~*** drop in (on s.o.) unexpectedly
Schneise *f* **1.** (forest) lane **2.** → ***Flugschneise***
schnell I *Adj allg* quick, *Auto, Läufer, Rennbahn etc*: fast, (*sehr ~*) *a.* rapid, (*rasch*) swift, prompt, speedy, (*hastig*) hasty, (*plötzlich*) sudden, abrupt: ***in ~er Folge*** in rapid succession; ***~es Handeln*** prompt action; ***~e Fortschritte machen*** make rapid progress; ***auf dem ~sten Wege*** as quickly as possible; F ***auf die ²e*** quickly, (*schlampig*) slapdash; → ***Brüter*** **II** *Adv* fast, quick(ly), rapidly (*etc*): ***~ fahren*** (***handeln***) drive (act) fast; PHARM ***~ wirkend*** fast-acting; ***das geht ~*** that won't take long; ***das ist ~ gegangen*** that was quick; ***~er ging es nicht*** I (we *etc*) couldn't do it any faster; ***so ~ wie möglich, schnellstens*** as quickly as possible; (***mach***) ***~!*** hurry up!, F get a move on!, snappy!; ***nicht so ~!*** easy!, F hold your horses!; ***sie ist ~ beleidigt*** she is quick to take offence; ***wie ~ die Zeit vergeht!*** how time flies!
Schnellboot *n* MIL speedboat
schnellen I *v/i* bounce, pop; → *a.* ***hochschnellen*** **II** *v/t* toss, (*schnippen*) flick
Schnell|feuerwaffe *f* automatic weapon **~gang** *m* MOT overdrive **~gaststätte** *f* cafeteria
Schnellhefter *m* letter file
Schnelligkeit *f* quickness, fastness, rapidity, speediness, PHYS velocity, (*Tempo*) speed
Schnell|imbiss *m* **1.** snack **2.** → **~imbissstube** *f* snack bar **~kochtopf** *m* pressure cooker **²lebig** *Adj Zeit etc*: fast-moving, (*kurzlebig*) *Mode etc*: short-lived **~reinigung** *f* express dry cleaners **~straße** *f* motorway, *Am* expressway **~verband** *m* first-aid dressing **~verfahren** *n* **1.** JUR summary procedure (*konkret*: proceedings *Pl*) **2.** TECH high-speed process: *fig* ***im ~*** very quickly **~zug** *m* fast train
Schnepfe *f* ZOOL snipe
schneuzen → ***schnäuzen***
schniefen *v/i* F sniffle
Schnippchen *n* ***j-m ein ~ schlagen*** outwit (*od* fool) s.o.
schnippeln *v/t u. v/i* snip (away) (***an*** *Dat* at)
schnippen I *v/i* snip: (***mit den Fingern***) ***~*** snap one's fingers **II** *v/t* flick (off)
schnippisch *Adj* pert, saucy
Schnipsel *m, n* shred, (*Papier²*) scrap
Schnitt *m* **1.** (*das Schneiden*) cutting, LANDW *a.* mowing, FILM *etc* editing **2.** cut, MED *a.* incision, *großer*: gash **3.** (*Fasson, Haar² etc*) cut, style, (*Form*) *a.* shape **4.** (*~muster*) pattern **5.** MATHE intersection, TECH (*~zeichnung*) section(al view) **6.** (*a.* ***im ~ erreichen*** *etc*) average: ***im ~*** on average **7.** F (*Gewinn*) profit
Schnittblumen *Pl* cut flowers *Pl*
Schnittbohnen *Pl* French beans *Pl*
Schnitte *f* **1.** slice **2.** (open) sandwich
schnittig *Adj* racy, stylish, streamlined
Schnittlauch *m* BOT chives *Pl*
Schnittmuster *n* pattern
Schnittpunkt *m* (point of) intersection
Schnittstelle *f* IT *u. fig*: interface

Schnittwunde *f* cut, *große*: gash
Schnittzeichnung *f* TECH section(al view)
Schnitzarbeit *f* (wood)carving
Schnitzel[1] *n* GASTR cutlet: ***Wiener ~*** (Wiener) schnitzel
Schnitzel[2] *n, m* shred, (*Papier*~) scrap, (*Holz*~) chip **Schnitzeljagd** *f* paper chase **Schnitzelwerk** *n* shredder
schnitzen *v/t u. v/i* carve
Schnitzer *m* F *fig* blunder
Schnitzer(in) (wood)carver
Schnitzerei *f* (wood)carving
schnodd(e)rig *Adj* F snotty
Schnorchel *m* **1.** SCHIFF snorkel **2.** *Sporttauchen*: snorkel (mask)
schnorcheln *v/i* snorkel, go snorkelling
Schnörkel *m* **1.** ARCHI scroll **2.** *beim Schreiben*: squiggle, *a. stilistisch*: flourish: *fig* ***ohne ~*** without frills
schnorren *v/i u. v/t* scrounge (***bei j-m*** off s.o.) **Schnorrer(in)** scrounger
Schnösel *m* F snot-nose
schnuck(e)lig *Adj* F cuddly, pretty, cute
schnüffeln *v/i* **1.** sniff (***an*** *Dat* at) **2.** F *fig* snoop (around) **Schnüffler(in)** F snooper, (*Detektiv*) sleuth
Schnuller *m* comforter, dummy, *Am* pacifier
Schnulze *f* F schmaltzy song, *weit. S.* (*Buch etc*) tearjerker, sobstuff
schnulzig *Adj* soppy, schmaltzy
Schnupfen *m* cold, F *the* sniffles *Pl*
Schnupftabak *m* snuff
schnuppe → ***schnurz***
schnuppern → ***schnüffeln*** 1
Schnur *f* cord, (*Bindfaden*) (piece of) string, ELEK flex: F *fig* ***über die ~ hauen*** overdo it **Schnürchen** *n* F *fig* ***das ging wie am ~*** it went like clockwork
schnüren *v/t* tie up, (*Schuhe*) lace
schnurgerade *Adj u. Adv* F (as) straight as an arrow, dead straight
schnurlos *Adj Telefon*: cordless
Schnurrbart *m* m(o)ustache
schnurren *v/i* purr, (*surren*) *a.* whirr
Schnür|riemen *m* strap **~schuh** *m* lace-up shoe **~senkel** *m* shoelace, *für Stiefel*: bootlace **~stiefel** *m* lace-up boot
schnurstracks *Adv* F (*direkt*) straight, (*sofort*) straightaway
schnurz *Adj* F ***das ist mir ~*** I couldn't care less
Schock *m* MED *u. fig* shock: ***e-n ~ bekommen*** get a shock; ***e-n ~ haben*** be in (a state of) shock **~anruf** *m* nuisance call **~behandlung** *f* MED shock treatment
schockieren *v/t* shock, scandalize: **~d** shocking, scandalizing
Schocktherapie *f* MED (electro-)shock therapy
schofel *Adj* F shabby, (*gemein*) *a.* mean
Schöffe *m*, **Schöffin** *f* lay assessor
Schöffengericht *n* lay assessors' court
Schokolade *f*, **schokoladenbraun** *Adj* chocolate
Schokoriegel *m* chocolate bar
Scholle[1] *f* **1.** (*Erd*~) clod **2.** (*Eis*~) floe **3.** *fig* (*Heimaterde*) (native) soil
Scholle[2] *f* (*Fisch*) plaice (*a. Pl*)
schon *Adv* **1.** already, *in Fragen*: yet, (~ *einmal*) before, (*jemals*) ever, (*sogar* ~) even: ***~ damals*** even then; ***~ früher*** before; ***~ immer*** always, all along; ***~ oft*** often (enough); ***~ wieder*** again; (***nicht***) ***~ wieder!*** not again!; ***~ am nächsten Tage*** the very next day; ***~ im 16. Jh.*** as early as the 16th century; ***ist er ~ da?*** has he come yet?; ***hast du ~ (einmal) …?*** have you ever …?; ***ich habe ihn ~ einmal gesehen*** I have seen him before; ***hast du ~ mit ihm gesprochen?*** have you talked to him yet?; ***ich komme (ja) ~!*** (I'm) coming!; ***das kennen wir ~!*** that's an old story! **2.** *verstärkend*: ***er wird ~ kommen*** he is sure to come; don't worry, he'll come; ***er wird es ~ machen*** leave it to him; ***das ist ~ möglich*** that's quite possible; (***das ist***) ***~ wahr, aber …*** that's (certainly) true, but …; ***er ist ~ ein guter Spieler*** he really is a good player **3.** ***~ gar nicht*** least of all **4.** (*allein*) ***~ der Name*** (***Anblick, Gedanke***) the very name (sight, idea); ***~ deswegen*** if only for that reason; ***~ weil*** if only because **5.** *rhetorisch*: ***was macht das ~?*** what does it matter?
schön I *Adj* **1.** beautiful, *bes Mann*: handsome, good-looking: ***das ~e Geschlecht*** the fair sex; ***die ~en Künste*** the fine arts; ***~es Wetter*** good (*od* fine) weather **2.** (*gut*) good, fine, (*angenehm*) pleasant, nice: ***~!*** all right!, okay!; ***e-s ~en Tages*** one of these days; ***~en Dank!*** many thanks!, *ablehnend*: no, thank you!; ***~es Wochenende!*** have

a nice weekend!; **~er Tod** easy death; **das ist alles ~ und gut, aber ...** that's all very well, but ...; **es war sehr ~** *auf dem Fest etc* I (we *etc*) had a good time; **~ wärs!** some hope!; **das wäre ja noch ~er!** F nothing doing!; *iron* **du bist mir ein ~er Freund!** a fine friend you are! **3.** F (*beträchtlich*) handsome, fair **II** *Adv* **4.** beautifully, nicely, pleasantly: **sie war ~ braun** she had a beautiful tan **5.** F (*sehr*) very, really, pretty: **ganz ~ teuer** pretty expensive; *iron* **da wärst du ~ dumm** you'd be a fool; **sei ~ brav!** be a good boy (*od* girl) now!; **~ warm** nice and warm **III** **2e** *n* **6.** *the* beautiful: **das 2e daran** the nice thing about it; **es gibt nichts 2eres als** there's nothing nicer (*od* better) than

Schonbezug *m* loose cover

schonen I *v/t* **1.** (*j-n, j-s Leben, Gefühle*) spare **2.** (*Augen, Kräfte, Vorräte*) save, (*pfleglich behandeln*) treat *s.th.* with care, *a. Mittel*: be easy on (*the carpet etc*) **II** *v/refl* **3. sich ~** take it easy; **sich für etw ~** save one's strength for s.th.; **sich nicht ~** drive o.s. (hard)

schönen *v/t Bericht, Zahlen*: dress up

schonend *Adj* careful, gentle, *Waschmittel etc*: mild, (*rücksichtsvoll*) considerate: *Adv* **~ umgehen mit** go easy on; → **beibringen** 1

Schoner[1] *m* cover

Schoner[2] *m* SCHIFF schooner

Schöngeist *m* (a)esthete **schöngeistig** *Adj* (a)esthetical

Schönheit *f* beauty

Schönheits|chirurgie *f* cosmetic (*od* plastic) surgery **~farm** *f* beauty farm **~fehler** *m a. fig* blemish, flaw **~königin** *f* beauty queen **~operation** *f* cosmetic operation **~pflege** *f* beauty care **~salon** *m* beauty parlo(u)r **~wettbewerb** *m* beauty contest, *Am* pageant

Schonkost *f* light food

schönmachen I *v/i Hund*: sit up (and beg) **II** *v/refl* **sich ~ a)** dress up, **b)** make (o.s.) up

Schonung *f* **1.** (*Gnade*) mercy, (*Nachsicht*) forbearance **2.** (*pflegliche Behandlung*) good care, (*Schutz*) protection, (*Ruhe*) rest: **sie braucht ~** she needs a rest; **zur ~** (*Gen*) to protect (*one's hands etc*), to save (*one's eyes, strength, etc*) **3.** (young) forest plantation **schonungsbedürftig** *Adj* in need of rest **schonungslos** *Adj* merciless

Schönwetterperiode *f* period of fine (*od* good) weather, *kurz*: sunny spell

Schonzeit *f* JAGD close season

Schopf *m* mop (of hair), *der Vögel*: tuft; → **Gelegenheit** 1

schöpfen *v/t* scoop, *mit e-r Kelle*: ladle, (*Wasser*) draw: → **Hoffnung, Luft** 1, **Verdacht** *etc*

Schöpfer(in) creator, (*Gott*) *the* Creator

schöpferisch *Adj* creative

Schöpfkelle *f*, **Schöpflöffel** *m* ladle

Schöpfung *f* creation, BIBEL *the* Creation

Schöpfungsgeschichte *f* BIBEL Genesis

Schorf *m* MED scab

Schornstein *m* chimney, SCHIFF, BAHN funnel, (*Fabrik2*) smoke stack

Schornsteinfeger(in) chimney sweep

Schoß *m* lap, (*Mutterleib*) womb, *fig der Familie etc*: bosom: → **Hand**

Schössling *m* BOT shoot

Schote *f* BOT husk, pod

Schotte *m* Scot, Scotsman: **die ~n** the Scots **Schottenrock** *m* **1.** *echter*: kilt **2.** tartan (*od* plaid) skirt

Schotter *m* gravel, (*Straßen2*) *a.* (road) metal **schottern** *v/t* gravel, metal

Schottin *f* Scotswoman **schottisch** *Adj* Scottish, *Whisky etc*: Scotch

Schottland *n* Scotland; → *Info bei* **Britain**

schraffieren *v/t* hatch

schräg I *Adj* oblique, slanting (*a. Augen*), (*~ abfallend*) sloping, (*~ verlaufend*) diagonal **II** *Adv* (*~ schneiden, stellen etc*) at an angle: **~ gegenüber** diagonally opposite **Schräge** *f* slant, (*Gefälle, schräge Fläche*) incline, slope

Schrägstrich *m* oblique

Schramme *f* scratch **schrammen** *v/t* scrape, scratch, (*Haut*) *a.* graze

Schrank *m* **1.** cupboard, *bes Am* closet, (*Kleider2*) wardrobe, (*Spind*) locker **2.** F (*großer Kerl*) giant

Schranke *f* **1.** barrier, BAHN *a.* gate, JUR bar **2.** *fig* (*soziale etc ~, Handels2*) barrier, (*Grenze*) bounds *Pl*, limits *Pl*: **~n setzen** set bounds (*Dat* to); **(sich) in ~n halten** restrain (o.s.); **j-n in s-e ~n weisen** put s.o. in his place

schrankenlos *Adj fig* boundless

Schrankenwärter(in) BAHN gatekeeper
schrankfertig *Adj* washed and ironed
Schrankkoffer *m* wardrobe trunk
Schrankwand *f* wall-to-wall cupboard
Schraubdeckel *m* screw cap
Schraube *f* **1.** screw (*a.* SCHIFF), FLUG propeller: ***~ und Mutter*** bolt and nut; F ***bei ihm ist e-e ~ locker*** he has a screw loose **2.** SPORT twist, *Kunstspringen*: spiral dive
schrauben *v/t* screw, (*drehen*) twist: ***fester ~*** tighten the screw(s) of; *fig* ***niedriger ~*** lower, scale down; (***sich***) ***in die Höhe ~*** → ***hoch schrauben***; → ***geschraubt***
Schraubendreher *m* screwdriver
Schraubenschlüssel *m* wrench, spanner, *verstellbarer*: monkey-wrench
Schraubenzieher *m* screwdriver
Schraubstock *m* vice, *Am* vise
Schraubverschluss *m* screw top (*od* cap)
Schrebergarten *m* allotment
Schreck *m* fright, shock: ***die ~en des Krieges*** the horrors of war; ***e-n ~ bekommen*** get a fright (*od* shock); ***in ~en versetzen*** frighten, terrify; ***mit dem ~en davonkommen*** get off with a bad fright; ***zu m-m ~en*** to my dismay; ***~en erregend*** → ***schrecklich***
schrecken *v/t* frighten, (*auf~*) startle: ***das schreckt mich nicht*** that can't scare me
Schreckens|herrschaft *f* reign of terror **~nachricht** *f* alarming (*od* dreadful) news *Sg* **~tat** *f* atrocity
Schreckgespenst *n fig* nightmare
schreckhaft *Adj* jumpy, nervous
schrecklich I *Adj* terrible, dreadful, horrible, *Mord etc*: *a.* atrocious **II** *Adv* F awfully, terribly **Schrecknis** *n* horror
Schreckschuss *m* **1.** warning shot **2.** *fig* false alarm **Schreckschusspistole** *f* blank (cartridge) pistol
Schrecksekunde *f* MOT reaction time
Schrei *m* cry, shout, *gellender*: scream, yell, shriek: *fig* ***~ der Entrüstung*** outcry; F ***der letzte ~*** the latest rage
Schreib|arbeit *f* desk work, *bes pej* paperwork **~block** *m* writing pad
schreiben *v/t u. v/i* write (***über*** *Akk* on, about), (*Rechnung etc*) write out, TECH *Instrument*: record: ***j-m ~*** write to s.o., *Am a.* write s.o.; ***j-m etw ~*** write to s.o. about s.th.; ***mit Bleistift*** *etc* ***~*** write in pencil *etc*; ***mit der*** (***Schreib***)***Maschine ~*** type; ***sich*** (*od* ***einander***) ***~*** write (to one another), correspond; ***noch einmal ~*** rewrite; ***gut ~*** **a)** write a good hand, **b)** be a good writer; (***richtig***) ***~*** (*Wort*) spell (correctly); ***falsch ~*** misspell; ***wie schreibt er sich?*** how do you spell his name?; ***an e-m Roman ~*** be working on a novel; ***wie*** *die Zeitung etc* ***schreibt*** according to; → ***Ohr*** *etc*
Schreiben *n* **a)** writing, **b)** letter, *kurzes*: note **Schreiber(in)** writer
Schreiberling *m pej* scribbler
schreibfaul *Adj* lazy about writing letters
Schreib|feder *f* pen **~fehler** *m* spelling mistake, slip of the pen **~gerät** *n* writing utensils *Pl*, TECH recorder **2geschützt** *Adj* COMPUTER read only **~heft** *n* exercise book **~kraft** *f* (shorthand) typist **~mappe** *f* writing case **~maschine** *f* typewriter: ***~ schreiben*** type; ***mit ~ geschrieben*** typewritten, typed, in typescript **~maschinenpapier** *n* typing paper **~papier** *n* writing paper **~schutz** *m* COMPUTER write protection **~stelle** *f* cursor (*od* character) position **~tisch** *m* (writing) desk **~tischlampe** *f* desk lamp
Schreibung *f* spelling
Schreibwaren *Pl* stationery *Sg*
Schreibwaren|geschäft *n* stationer's (shop) **~händler(in)** stationer
Schreibweise *f* style, *e-s Wortes*: spelling **Schreibzeug** *n* writing things *Pl*
schreien *v/i u. v/t* shout, *gellend*: yell, scream, shriek, *Baby*: howl: ***~ nach*** cry for; F ***es*** (***er***) ***ist zum 2*** it (he) is a scream **schreiend** *Adj fig Farbe*: loud, *Unrecht*: flagrant, *Gegensatz*: glaring
Schreier(in) → **Schreihals** *m* F loudmouth, (*Krakeeler*) brawler, (*Baby*) bawler, (*Kind*) noisy brat
Schrein *m* shrine
Schreiner(in) *etc* → ***Tischler*** *etc*
schreiten *v/i* **1.** *lit* walk, (*aus~*) stride, step **2.** *fig* ***zu etw ~*** proceed to (do) s.th.; ***zur Tat ~*** set to work
Schrift *f* **1.** writing, (*Hand2*) hand(writ-

ing), *typographisch*: script, type: ***in lateinischer ~*** in Roman characters (*od* letters) **2.** (*~stück*) document, writing, (*a. Abhandlung*) paper, (*Druck*~) publication, pamphlet: ***die Heilige ~*** the Holy Scripture(s *Pl*)

Schrift|art *f* script, type, (*Schrifttyp*) font **~bild** *n* typeface **~deutsch** *n* standard German **~führer(in)** secretary **~gelehrte** *m* BIBEL scribe **~grad** *m* type size

schriftlich I *Adj* written, in writing: ***~e Prüfung*** written examination **II** *Adv* in writing, (*brieflich*) by letter: ***jetzt haben wir es ~*** now we have it in black and white; F ***das kann ich dir ~ geben!*** I can guarantee you that!

Schrift|probe *f* specimen of *s.o.'s* handwriting **~rolle** *f* scroll **~satz** *m* JUR (set of) documents *Pl*, (*Erklärung*) (written) statement **~setzer(in)** typesetter **~sprache** *f* standard language

Schriftsteller(in) author(ess), writer

Schriftstellerei *f* writing **schriftstellerisch I** *Adj* literary **II** *Adv* as a writer

Schriftstück *n* document, paper

Schriftwechsel *m* correspondence

Schriftzeichen *n* letter, character

schrill *Adj* shrill, piercing

Schritt *m* **1.** step (*a. Tanz*~), pace (*a. als Maß*), *langer*: stride, *hörbarer*: (foot-) step, (*Gangart*) gait, walk: ***~ halten mit*** keep pace with, *fig a.* keep abreast of; ***~ für ~*** *a. fig* step by step; ***auf ~ und Tritt*** at every turn, everywhere **2.** (*Tempo*) pace: ***im ~*** at a walking pace; MOT ***(im) ~ fahren!*** dead slow! **3.** *der Hose*, *a.* ANAT crotch **4.** *fig* step, (*Maßnahme*) *a.* measure, move: ***diplomatischer ~*** démarche; ***Politik der kleinen ~e*** step-by-step policy; ***den ersten ~ tun*** take the first step; ***wir sind k-n ~ weitergekommen*** we haven't made the slightest bit of progress

Schrittmacher *m* SPORT pacemaker (*a.* MED *u. fig*), *in der Mode*: *a.* trendsetter

Schrittmacherdienste *Pl* ***j-m ~ leisten*** SPORT make the pace for s.o., *fig* smooth the way for s.o.

schrittweise I *Adj* gradual, step-by--step **II** *Adv* step by step

schroff *Adj* **1.** *Felsen*: jagged, (*steil*) steep **2.** *fig* (*barsch*) gruff, curt, (*unvermittelt*) abrupt: ***~e Ablehnung*** flat refusal; ***~er Gegensatz*** glaring contrast

schröpfen *v/t* **1.** MED bleed **2.** *fig* ***j-n ~*** fleece s.o. (***um*** for)

Schrot *m, n* **1.** (*Getreide*) wholemeal **2.** JAGD (small) shot **3.** *fig* ***von echtem ~ und Korn*** true

schroten *v/t* (*Getreide, Malz*) bruise

Schrot|flinte *f* shotgun **~korn** *n*, **~kugel** *f* pellet **~säge** *f* crosscut saw

Schrott *m* **1.** scrap metal: ***zu ~ fahren*** → ***schrottreif*** **2.** F *fig* junk: ***~ reden*** talk rubbish **Schrotthändler(in)** scrap dealer **Schrotthaufen** *m* scrap heap **Schrottplatz** *m* scrapyard

schrottreif *Adj* ready for the scrap heap: ***ein Auto ~ fahren*** smash (up) a car

Schrottwert *m* scrap value

schrubben *v/t* scrub

Schrubber *m* scrubbing brush

Schrulle *f* quirk, (cranky) whim

schrullig *Adj* cranky, F crotchety

schrump(e)lig *Adj* shrivel(l)ed

schrumpfen *v/i* **1.** shrink (*a.* TECH), MED *a.* atrophy **2.** *fig* shrink, dwindle

Schrumpfung *f* shrinking, shrinkage

Schub *m* **1.** push, PHYS *a.* thrust **2.** (*Anzahl*) batch **3.** MED phase, (*Anfall*) attack, *von Adrenalin etc*: rush: ***in Schüben*** intermittent(ly)

Schubkraft *f* PHYS thrust

Schublade *f* drawer

Schubs *m*, **schubsen** *v/t* F push, shove

schubweise *Adv* in batches

schüchtern *Adj* shy, timid, (*verschämt*) bashful **Schüchternheit** *f* shyness, timidity, bashfulness

Schuft *m* scoundrel

schuften *v/i* F slave away **Schufterei** *f* drudgery, grind

Schuh *m* shoe (*a.* TECH): *fig* ***j-m etw in die ~e schieben*** put the blame for s.th. on s.o.; ***wo drückt dich der ~?*** what's the trouble? **~bürste** *f* shoe brush **~creme** *f* shoe polish **~geschäft** *n* shoe shop **~größe** *f* shoe size **~löffel** *m* shoehorn

Schuhmacher(in) shoemaker

Schuh|putzer(in) shoeblack, *Am* shoeshine (boy) **~sohle** *f* sole **~spanner** *m* shoe tree **~werk** *n* footwear

Schukostecker® *m* shockproof plug

Schul|abgänger(in) school leaver **~alter** *n* school age **~arbeit** *f mst Pl* homework *Sg* **~ausflug** *m* school outing **~bank** *f* desk: ***die ~ drücken*** go to school **~behörde** *f* education authority **~beispiel** *n* classic example (***für*** of) **~besuch** *m* (school) attendance **~bildung** *f* (***höhere ~*** secondary) education **~buch** *n* textbook, school book **~buchverlag** *m* educational publishers *Pl* **~bus** *m* school bus

Schuld *f* **1.** guilt (*a.* JUR), blame, REL sin(s *Pl*): ***ihn trifft die ~, er ist* ~ (*daran*)** he is to blame for it; ***die ~ auf sich nehmen*** take the blame; ***j-m* (*e-r Sache*) *die ~ geben*** blame it on s.o. (s.th.); ***ohne m-e ~*** through no fault of mine; ***zu ~en*** → ***zuschulden***; → ***zuschieben*** 2 **2.** *mst Pl* debt: ***~en haben, in ~en stecken*** be in debt; ***~en machen*** incur debts, run into debt; *fig* ***in j-s ~ stehen*** be indebted to s.o.

schuldbewusst *Adj Miene etc*: guilty

schulden *v/t* ***j-m etw ~*** owe s.o. s.th. (*a. fig e-e Erklärung etc*); → ***Dank***

Schuldenberg *m* F enormous debt(s *Pl*)

schuldenfrei *Adj* free of debt, *Haus etc*: unencumbered **Schuldenlast** *f* liabilities *Pl*, *auf Grundbesitz*: encumbrance

Schuldentilgung *f* liquidation of debts

Schuldforderung *f* claim, (active) debt

Schuldfrage *f* question of guilt

Schuldgefühl(**e** *Pl*) *n* guilty conscience

Schuldienst *m* ***im ~ sein*** be a teacher

schuldig *Adj* **1.** (*Gen*) *a.* JUR guilty (of), responsible (for): ***j-n für ~ befinden*** find s.o. guilty (***e-s Verbrechens*** of a crime, ***e-r Anklage*** on a charge); ***j-n ~ sprechen*** pronounce s.o. guilty; ***sich ~ bekennen*** plead guilty **2.** ***j-m etw ~ sein*** → ***schulden***; ***was bin ich Ihnen ~?*** how much do I owe you?; ***das ist man ihm ~*** that's his due; (***j-m***) ***die Antwort ~ bleiben*** give (s.o.) no answer

Schuldige *m, f* culprit, JUR guilty party, offender

Schuldigkeit *f* duty, obligation

Schuldirektor(**in**) headmaster (headmistress), *Am* principal

schuldlos *Adj* innocent (***an*** *Dat* of)

Schuldner(**in**) debtor

Schuldnerland *n* debtor nation

Schuld|schein *m* promissory note, IOU (= I owe you) **~spruch** *m* JUR verdict of guilty, conviction **~verschreibung** *f* WIRTSCH (debenture) bond **~zuweisung** *f* apportionment of blame

Schule *f allg* school: ***höhere ~*** secondary school, *Am* senior high school; ***auf*** (*od* ***in***) ***der ~*** at school; ***in die*** (*od* ***zur***) ***~ gehen*** go to school; *fig* ***aus der ~ plaudern*** tell tales out of school, blab; ***~ machen*** set a precedent, be imitated, spread; ***durch e-e harte ~ gehen*** learn the hard way; → ***besuchen*** 2, ***schwänzen***; → *Info bei* ***public*** *u. bei* ***preparatory***

schulen *v/t* train; → ***geschult***

Schulenglisch *n* school English

Schüler *m* schoolboy, *bes Br a.* pupil, *älterer, Am allg* student, (*Jünger*) disciple **~austausch** *m* school exchange

Schülerin *f* schoolgirl (*etc*, → ***Schüler***)

Schüler|lotse *m* F lollipop man **~lotsin** *f* F lollipop woman (*od* lady); → *Info bei* ***lollipop*** **~zeitung** *f* school magazine

Schul|fach *n* subject **~ferien** *Pl* holidays *Pl*, *bes Am* vacation *Sg* **~fernsehen** *n* educational television

schulfrei *Adj* ***~ haben*** have a holiday; ***heute ist ~*** there's no school today

Schul|freund(**in**) schoolfriend, F schoolmate **~funk** *m* school broadcasts *Pl* **~gelände** *n* school grounds *Pl*, *Am* campus **~geld** *n* school fees *Pl* **~heft** *n* exercise book

Schulhof *m* playground, schoolyard

schulisch *Adj* school (*affairs etc*): ***~e Leistungen*** *Pl* progress *Sg* at school

Schul|jahr *n* school year: ***m-e ~e*** my school days **~junge** *m* schoolboy **~kamerad**(**in**) schoolmate **~kenntnisse** *Pl* school knowledge *Sg* **~klasse** *f* class, *Br a.* form, *Am* grade **~leiter**(**in**) headmaster (headmistress), *Am* principal **~mädchen** *n* schoolgirl **~mappe** *f* school bag **~medizin** *f* orthodox medicine **~meinung** *f* received opinion **~ordnung** *f* school regulations *Pl*

Schulpflicht *f* compulsory education

schulpflichtig *Adj* school-age, of school age

Schulranzen *m* satchel **Schulrat** *m*, **Schulrätin** *f* school inspector (*Am* superintendent)

Schul|schiff *n* training ship **~schluss** *m* end of school (*vor den Ferien*: of term): ***nach ~*** after school; ***wann ist***

heute ~? when does school finish today?
Schulschwänzer(in) truant
Schul|speisung *f* school meals *Pl* **~sprecher(in)** head boy (girl) **~stunde** *f* lesson, class **~tasche** *f* school bag
Schulter *f* shoulder: ***~ an ~*** shoulder to shoulder; ***mit den ~n zucken*** shrug one's shoulders; ***j-m auf die ~ klopfen*** slap s.o.'s back; → ***kalt*** I, ***leicht*** 1
Schulterblatt *n* ANAT shoulder blade
schulterlang *Adj* shoulder-length
schultern *v/t* shoulder
Schulter|riemen *m* shoulder strap **~schluss** *m* closing of ranks **~sieg** *m Ringen*: win by a fall **~tasche** *f* shoulder bag
Schulung *f* training, (*Übung*) practice, POL indoctrination
Schulungskurs *m* course of training
Schulunterricht *m* lessons *Pl*, classes *Pl*
Schul|weg *m* (***auf dem ~*** on one's) way to school **~weisheit** *f* book learning
Schulwesen *n* school system
Schulzeit *f* school days *Pl* **Schulzeugnis** *n* (school) report, report card
schummeln *v/i* F cheat
schumm(e)rig *Adj* F dim
Schund *m* trash, rubbish
schunkeln *v/i* rock, sway
Schuppe *f* **1.** scale: *fig* ***es fiel mir wie ~n von den Augen*** the scales fell from my eyes **2.** *Pl* dandruff *Sg*
schuppen *v/t* scale: ***sich ~*** *Haut*: peel
Schuppen *m* **1.** shed, FLUG *a.* hangar **2.** F **a)** *pej* (*Bude*) hovel, **b)** (*Lokal*) joint
schuppig *Adj* scaly
Schur *f* **a)** shearing, **b)** (*Wolle*) fleece
schürfen I *v/i* **1.** (***nach*** for) prospect, dig: *fig* ***tiefer ~*** dig below the surface **II** *v/t* **2.** (*Erze etc*) prospect (*od* dig) for **3.** (*Haut*) scrape, graze
Schürfwunde *f* graze, abrasion
Schürhaken *m* poker
Schurke *m* scoundrel, *a.* THEAT villain
Schurkenstaat *m* POL rogue state
Schurkin *f* scoundrel, *a.* THEAT villain
Schurwolle *f* virgin (*od* new) wool
Schurz *m*, **Schürze** *f* apron **schürzen** *v/t* (*Kleid*) gather up, (*Lippen*) purse
Schürzenjäger *m* F philanderer
Schuss *m* **1.** shot (*a.* FOTO *u. Sport*), (*Munition*) round: ***ein ~ ins Schwarze*** *a. fig* a bull's-eye; ***e-n ~ abgeben*** fire (a shot); ***weit vom ~*** well out of harm's way; ***er (es) ist k-n ~ Pulver wert*** he (it) is no good; *fig* ***der ~ ging nach hinten los*** it backfired; → ***Blaue, Bug*** 1 **2.** → ***Schussverletzung*** **3.** F (*Drogeninjektion*) shot, *sl* fix: ***sich e-n ~ setzen*** give o.s. a fix **4.** *Skisport*: (*a.* ***im ~ fahren***) schuss **5.** (*Portion*) dash (*a. fig*): ***Tee mit e-m ~ Milch*** tea with a dash of milk; ***e-e Cola mit ~*** a spiked coke **6.** *fig* (***gut***) ***in*** (*od* ***im***) ***~ sein*** be in good shape; ***in ~ bringen*** knock *s.th.* into shape, bring *s.o.* up to the mark; ***in ~ halten*** keep *s.o., s.th.* in good shape **7.** *Weberei*: weft, woof
schussbereit *Adj* ready to shoot (*a.* FOTO), *Waffe*: *mst* at the ready
Schussel *m* F scatterbrain
Schüssel *f* bowl, basin, *a.* F TV dish
schusselig *Adj* F scatterbrained, klutzy
Schuss|fahrt *f Skisport*: schuss **~linie** *f* line of fire: *fig* ***in die ~ geraten*** come under fire (*Gen* from) **~verletzung** *f* gunshot wound **~waffe** *f* firearm
Schusswechsel *m* exchange of shots
Schussweite *f* (firing) range: ***in (außer) ~*** within (out of) range
Schuster(in) shoemaker, (*Flick*♀) cobbler
Schutt *m* rubble, GEOL *a.* debris: ***~ abladen verboten!*** no dumping!; ***in ~ und Asche liegen*** be in ruins
Schüttelfrost *m* MED shivering fit, F *the shivers Pl*
schütteln *v/t* shake: ***den Kopf ~*** shake one's head; ***j-m die Hand ~*** shake hands with s.o., shake s.o. by the hand; → ***Ärmel***
schütten I *v/t* (*gießen*) pour **II** *v/unpers* F ***es schüttet*** it's pouring (with rain)
schütter *Adj Haar*: thin
Schutz *m allg* protection (***gegen, vor*** against, from), (*Obdach*) shelter, (*Obhut*) care, *bes* MIL (*Feuer*♀) cover, (*Geleit*♀) escort, (*bes rechtliche Sicherung*) safeguard, (*Verteidigung*) defen/ce (*Am* -se), (*Erhaltung*) preservation: ***~ suchen*** seek refuge (***vor*** from, ***bei*** with); ***j-n in ~ nehmen*** come to s.o.'s defence, back s.o. up; ***im ~e der Nacht*** under cover of night
Schutzanzug *m* protective suit
Schutzbefohlene *m, f* charge

S

Schutzblech *n* mudguard, *Am* fender
Schutzbrille *f* (safety) goggles *Pl*
Schütze *m* **1.** shot, marksman **2.** (*Tor*2) scorer **3.** MIL (*Dienstgrad*) private **4.** ASTR (***er ist ~*** he is [a]) Sagittarius
schützen *v/t* (***gegen, vor***) *allg* protect (from, against), (*verteidigen*) defend (against), (*bewahren*) guard (against), (*abschirmen, a. fig*) shield (from), *bes* MIL (*decken*) cover (against): ***sich ~*** (***vor***) protect o.s. (from), guard (against)
schützend *Adj* protective: ***~es Dach*** shelter; *fig* ***s-e ~e Hand über j-n halten*** take s.o. under one's wing
Schutzengel *m* guardian angel
Schützen|hilfe *f fig* ***j-m ~ geben*** back s.o. up **~könig** *m* champion shot, SPORT top scorer
Schutz|gebiet *n* protectorate **~geld** *n* protection money **~gelderpressung** *f* protection racket **~haft** *f* protective custody **~heilige** *m, f* patron saint **~helm** *m* helmet **~herrschaft** *f* protectorate **~hülle** *f* protective cover, TECH sheath, *für Ausweis etc*: holder **~hütte** *f* shelter **~impfung** *f* inoculation, vaccination
Schützin *f* shot, (*Tor*2) scorer
Schutz|kappe *f* protective cap, FOTO lens cap **~kleidung** *f* protective clothing
Schützling *m* charge, protégé(e *f*)
schutzlos *Adj* unprotected, (*wehrlos*) defenceless, *Am* defenseless
Schutz|macht *f* POL protecting power **~maske** *f* (protective) mask **~maßnahme** *f* protective (*od* safety) measure, precaution **~rechte** *Pl* patent (*od* trademark) rights *Pl* **~schicht** *f* protective layer **~schild** *m* shield **~umschlag** *m e-s Buches*: (dust) jacket **~vorrichtung** *f* safety device
Schutzzoll *m* protective duty
schwabb(e)lig *etc* → ***wabb(e)lig*** *etc*
Schwabe *m* Swabian
Schwaben *n* Swabia
Schwäbin *f* Swabian (girl *od* woman)
schwäbisch *Adj* Swabian
schwach I *Adj* **1.** *allg* weak (*a.* LING), (*gehaltlos*) *a.* poor, (*matt*) faint, (*gebrechlich*) *a.* infirm: *hum* ***das ~e Geschlecht*** the weaker sex; ***~ werden*** weaken; ***schwächer werden*** weaken, *Sehkraft*: fail, *Ton, Licht*: fade, WIRTSCH *Nachfrage*: fall off; F ***nur nicht ~ werden!*** don't weaken!; *fig* ***~e Erinnerung*** faint (*od* vague) recollection; ***~e Hoffnung*** faint hope; → ***Trost*** **2.** (*leistungs~*) *allg* weak, *Gedächtnis, Gehör etc*: *a.* poor, *Batterie*: low, *Motor*: low-powered, *Puls*: slow, *Licht*: dim: ***~e Leistung*** poor performance; ***~e Seite*** → ***Schwäche*** 2, 3 **3.** CHEM *Lösung*: dilute **II** *Adv* **4.** ***~ bevölkert*** sparsely populated; ***~ besucht*** *Vorstellung etc*: poorly attended
Schwäche *f* **1.** weakness, faintness (*a. fig*) **2.** *fig allg* weakness, (*Mangel*) failing, shortcoming, weak point **3.** (*Vorliebe*) (**für** for) weakness, *für e-e Person*: *a.* F soft spot **~anfall** *m*, **~gefühl** *n* (sudden feeling of) faintness
schwächen *v/t allg* weaken (*a. fig*), (*Gesundheit*) undermine
Schwachheit *f a. fig* weakness
Schwachkopf *m* F idiot, twit
schwächlich *Adj* weakly, (*zart*) delicate, (*kränklich*) sickly
Schwächling *m a. fig* weakling
Schwachsinn *m* **1.** MED mental deficiency **2.** F *pej* idiocy, (*Quatsch*) rubbish
schwachsinnig *Adj* **1.** MED mentally deficient **2.** F *pej* idiotic **Schwachsinnige** *m, f a.* F *pej* imbecile
Schwachstelle *f* TECH *u. fig* weak point
Schwachstrom *m* ELEK low-voltage current **Schwachstromtechnik** *f* communications engineering
Schwächung *f* weakening
Schwaden *m* cloud
Schwadron *f* MIL squadron
schwafeln *v/i u. v/t* F blether
Schwager *m* brother-in-law
Schwägerin *f* sister-in-law
Schwalbe *f* **1.** ZOOL swallow **2.** F SPORT (***e-e ~ machen*** take a) dive
Schwalbennest *n* swallow's nest
Schwall *m* flood, gush, *fig a.* torrent
Schwamm *m* **1.** sponge: *fig* ***~ drüber!*** (let's) forget it! **2. a)** fungus, **b)** *Dialekt* → ***Pilz***, **c)** (*Haus*2) dry rot
Schwammerl *n österr.* mushroom
schwammig *Adj* **1.** spongy, *Körper*: flabby, *Gesicht*: puffy **2.** *fig* woolly
Schwan *m* ZOOL swan
schwanen *v/unpers* ***mir schwant*** s.th.

S

tells me, I have a feeling; ***ihm schwante nichts Gutes*** he feared the worst

Schwang *m* ***im ~(e) sein*** be in vogue

schwanger *Adj* pregnant, F expecting

Schwangere *f* pregnant woman, expectant mother **schwängern** *v/t* make *s.o.* pregnant, *a. fig* impregnate

Schwangerschaft *f* pregnancy

Schwangerschafts|abbruch *m* termination (of pregnancy), (induced) abortion: ***e-n ~ vornehmen*** terminate (a pregnancy) **~test** *m* pregnancy test

Schwank *m* anecdote, THEAT farce

schwanken I *v/i* **1.** sway, (*taumeln*) *a.* stagger, totter, *Boden*: *a.* shake, rock **2.** *fig* (***zwischen*** between) waver, vacillate: ***ich schwanke noch*** I'm still undecided **3.** *Kurse, Preise, Messwerte, a. Temperatur etc*: fluctuate, (*wechseln*) vary, alternate: ***die Preise ~ zwischen … und …*** *a.* prices range from … to … **II** ♀ *n* **4.** swaying (*etc*) **5.** *fig* (*Unentschlossenheit*) vacillation **6.** → ***Schwankung*** 2 **schwankend** *Adj* **1.** swaying (*etc*) **2.** *fig* (*unentschlossen*) undecided, wavering, (*unbeständig*) unstable **Schwankung** *f* **1.** → ***schwanken*** 4 **2.** variation, *a.* WIRTSCH fluctuation

Schwanz *m* **1.** ZOOL tail **2.** *fig* (*Schluss*) tail end **3.** V (*Penis*) cock, dick

schwänzen *v/i u. v/t* F (*Stunde*) skip: (***die Schule***) **~** play truant (*Am* hooky)

Schwanzende *n* tip of the tail, *fig* tail end **Schwanzfeder** *f* tail feather

Schwanzflosse *f* tail fin

schwanzlastig *Adj* FLUG tail-heavy

schwappen *v/i* slosh around, (*über~*) slop, spill

Schwarm *m* **1.** *allg* swarm, (*Menschen*♀) *a.* crowd, *Vögel*: flight, *Fische*: shoal, school **2.** F (*Person*) heartthrob, (*Sache*) dream, ideal

S

schwärmen *v/i* **1.** *Bienen etc*: swarm **2.** enthuse (*od* rave) (***von*** about): ***~ für*** be crazy about; ***für j-n ~*** *a.* have a crush on s.o.; ***ins ♀ geraten*** go into raptures

Schwärmer *m* **1.** *Feuerwerk*: squib **2.** ZOOL hawk moth

Schwärmer(in) enthusiast, dreamer

Schwärmerei *f* enthusiasm, passion, (*Getue*) gushing, *bes* REL fanaticism

schwärmerisch *Adj* enthusiastic(ally *Adv*), gushy, *bes* REL fanatical

Schwarte *f* **1.** (*Speck*♀) (bacon) rind **2.** F old book, tome

schwarz I *Adj* **1.** *allg* black (*a. Kaffee, Tee*), (*dunkelhäutig*) black, colo(u)red (→ *Info bei* ***political***), F (*schmutzig*) *a.* dirty: ***~er Humor*** black humo(u)r, THEAT Black Comedy; ***~e Magie*** Black Magic; ***~ auf weiß*** in black and white, in cold print; ***mir wurde ~ vor Augen*** everything went black; F ***sich ~ ärgern*** be terribly annoyed; *da kann er warten* ***bis er ~ wird*** till he's blue in the face; *fig* WIRTSCH ***~e Zahlen schreiben*** be in the black; → ***Brett, Liste, Schaf*** 1 *etc,* ***schwarzfahren*** **2.** *fig* (*düster*) black, gloomy: ***~er Tag*** black day **3.** F *fig* (*ungesetzlich*) black, illicit: ***der ~e Markt*** the black market; ***~es Konto*** black account **4.** F POL Catholic(-Conservative) **II** *Adv* **5.** *fig* ***~ sehen*** be pessimistic (***für*** about); ***ich sehe ~*** (***für dich***)***!*** things look bad (for you)! **III** ♀ *n*: ***in ♀ gehen*** be dressed in black (*zur Trauer*: in mourning)

Schwarz|arbeit *f* F illicit work, moonlighting **~arbeiter(in)** F moonlighter

schwarzbraun *Adj* brownish black

Schwarzbrot *n* brown bread

Schwarze[1] *m* **1.** (*Farbiger*) black, *a.* Black: ***die ~n*** the Blacks; → *Info bei* ***politically correct*** **2.** (*Schwarzhaariger*) black-haired man (*od* boy) **3.** F *pej* POL ***die ~n*** the Conservatives

Schwarze[2] *f* **1.** (*Farbige*) black (woman *od* girl); → *Info bei* ***politically correct*** **2.** (*Schwarzhaarige*) black-haired woman (*od* girl)

Schwarze[3] *n* **1.** (*Kleid*) black dress: ***das kleine ~*** one's (*bzw.* a) little black dress **2.** *a. fig* ***ins ~ treffen*** hit the bull's-eye

Schwärze *f* blackness, (*Dunkelheit*) darkness **schwärzen** *v/t* blacken

schwarzfahren *v/i* **a**) *im Bus etc*: go without paying, **b**) MOT drive without a licen/ce (*Am* -se)

Schwarzfahrer(in) fare dodger

schwarzhaarig *Adj* black-haired

Schwarz|handel *m* black market(eering): ***im ~*** on the black market **~händler(in)** black marketeer **~hörer(in)** (radio) licen/ce (*Am* -se) dodger

schwärzlich *Adj* blackish, swarthy

Schwarzmarkt *m* black market

Schwarzseher(in) **1.** pessimist **2.** TV pi-

rate viewer **Schwarzwald** *m the* Black Forest
Schwarzweiß... black-and-white (*film, television, etc*)
Schwatz *m* chat **schwatzen**, *Dialekt* **schwätzen I** *v/i* chat, (*ausplaudern*) blab **II** *v/t* ***dummes Zeug ~*** talk rubbish **Schwätzer(in)** blab(ber), F gasbag **schwatzhaft** *Adj* talkative, chatty
Schwebe *f* ***in der ~ sein*** be undecided, JUR be pending **~bahn** *f* cableway **~balken** *m Turnen*: (balance) beam
schweben *v/i* **1.** float, glide, sail (*alle a. fig leichtfüßig schreiten*), *über e-r Stelle*: hover (*a. fig*), (*hoch ~*) soar, (*hängen*) be suspended, hang: *fig* ***in Gefahr ~*** be in danger; *j-m* ***vor Augen ~*** → ***vorschweben***; → ***Ungewissheit*** **2.** (*unentschieden sein*) be undecided, *Prozess etc*: be pending **schwebend** *Adj* **1.** floating (*etc*, → ***schweben*** 1) **2.** *Frage, Verfahren etc*: pending
Schwede *m* Swede
Schweden *n* Sweden
Schwedin *f*, **schwedisch** *Adj* Swedish
Schwefel *m* sulphur, *Am* sulfur **~dioxid** *n* sulphur (*Am* sulfur) dioxide
schwefelhaltig *Adj* sulphur(e)ous (*Am* -f-) **schwefeln** *v/t* CHEM sulphurate (*Am* -f-), *a.* TECH sulphurize (*Am* -f-)
Schwefelsäure *f* sulphuric (*Am* -f-) acid **Schwefelwasserstoff** *m* hydrogen sulphide (*Am* sulfide)
schweflig *Adj* sulphur(e)ous (*Am* -f-)
Schweif *m* **1.** tail (*a.* ASTR) **2.** *fig* train
schweifen *v/i a. fig* wander, roam: ***den Blick ~ lassen*** let one's gaze wander
Schweigegeld *n* hush money
Schweige|marsch *m* silent protest march **~minute** *f* one minute's silence (***zu Ehren*** *Gen* in memory of)
schweigen *v/i* (***über*** *Akk*, ***zu***) be silent (on), keep mum (on, about), (*nicht antworten*) say nothing: ***ganz zu ~ von ...*** to say nothing of ..., let alone ...
Schweigen *n* (*a.* ***zum ~ bringen***) silence: ***~ bewahren*** keep silence; → ***hüllen***
schweigend *Adj* silent(ly *Adv*), *Adv a.* in silence: ***~e Mehrheit*** silent majority
Schweigepflicht *f* secrecy, professional discretion
schweigsam *Adj* quiet, silent, (*wortkarg*) *a.* taciturn
Schwein *n* **1.** ZOOL pig, *bes Am* hog, (*Sau*) sow, *a. Pl* swine **2.** GASTR pork **3.** *pej* **a)** F (filthy) pig, **b)** V (*Lump*) swine, bastard, **c)** F soul: ***kein ~*** not a (blessed) soul; ***armes ~!*** poor sod! **4.** F *fig* (*Glück*) luck: ***~ haben*** be lucky
Schweine|braten *m* roast pork **~filet** *n* fillet of pork **~fleisch** *n* pork **~hund** *m* V swine, bastard: F ***den inneren ~ überwinden*** conquer one's weaker self **~kotelett** *n* pork chop
Schweinerei *f* F **1.** (awful) mess, filth **2.** (*Gemeinheit*) dirty trick, (*Schande*) crying shame **3.** → ***Schweinigelei***
Schweinestall *m a. fig* pigsty
Schweinezucht *f* pig-breeding, *Am* hog raising
Schweinigel *m* F filthy pig
Schweinigelei *f* F dirty joke, obscenity
schweinigeln *v/i* F **1.** mess about **2.** talk smut
schweinisch *Adj* F *allg* filthy
Schweins... → ***Schweine...***
Schweinshaxe *f* GASTR knuckle of pork
Schweinsleder *n* pigskin
Schweiß *m* **1.** sweat, perspiration: ***in ~ geraten*** get into a sweat **2.** JAGD blood **~blatt** *n im Kleid etc*: shield
Schweißbrenner *m* TECH welding torch
Schweißdrüse *f* ANAT sweat gland
schweißen *v/t* TECH weld
Schweißer(in) welder
Schweiß|füße *Pl* sweaty (*od* smelly) feet *Pl* **≗gebadet** *Adj* bathed in sweat **~geruch** *m* smell of sweat, body odo(u)r
schweißig *Adj* sweaty
Schweißnaht *f* TECH (welding) seam
Schweißperle *f* bead of perspiration
Schweißstelle *f* TECH weld
schweißtreibend *Adj* (*a.* ***~es Mittel***) sudorific **schweißtriefend** *Adj* dripping with sweat **Schweißtropfen** *m* bead of perspiration
Schweiz *f die* Switzerland
Schweizer I *m* Swiss: ***die ~*** the Swiss *Pl* **II** *Adj* Swiss: ***~ Käse*** Swiss cheese
Schweizerdeutsch *n*, **schweizerdeutsch** *Adj* Swiss German
Schweizerin *f* Swiss (woman *od* girl)
schweizerisch *Adj* Swiss
schwelen *v/i a. fig* smo(u)lder
schwelgen *v/i* revel (***in*** *Dat* in)

S

Schwelle *f* **1.** *allg*, *a. fig* threshold **2.** BAHN sleeper, *bes Am* tie
schwellen *v/i u. v/t a. fig* swell
Schwellenangst *f fig* fear of the unknown
Schwellenland *n* emergent nation
Schwellenwert *m* PHYS threshold value
Schwellung *f* swelling
Schwemme *f* **1.** watering place **2.** (*Kneipe*) pub **3.** WIRTSCH glut (***an*** *Dat* of)
schwemmen *v/t* wash
Schwemmland *n* alluvial land
Schwengel *m* handle
Schwenk *m* FILM pan
Schwenkarm *m* TECH swivel arm
schwenkbar *Adj* TECH swivel(l)ing, slewing
schwenken I *v/t* **1.** swing, (*Hut, Tuch etc*) wave, (*Stock*) brandish **2.** (*Filmkamera*) pan **3.** TECH swivel, turn, slew **4.** (*spülen*) rinse **II** *v/i* **5.** turn, swing (round), *Filmkamera*: pan **6.** MIL, POL wheel (about)
Schwenkung *f* **1.** turn, swing, TECH swivel, MIL wheel(ing), *der Filmkamera*: pan **2.** *fig* change of mind (POL of front)
schwer I *Adj* **1.** *allg* heavy (*a. fig Angriff, Schritt, Unwetter, Verluste etc*), *Amt, Pflicht etc*: onerous, (*schlimm*) bad, *Arbeit, Entscheidung, Kampf etc*: hard, *Krankheit, Unfall etc*: serious, bad, *Fehler, Irrtum etc*: bad, gross, *Verbrechen*: grave: ***100 Pfund ~ sein*** weigh 100 pounds; *fig* ***~er Schock*** bad (*od* terrible) shock; JUR ***~er Diebstahl*** aggravated larceny; *fig* ***~er Gegner*** formidable opponent; ***~es Schicksal*** hard lot; ***~er Tag*** hard day; ***~e Zeit(en)*** hard times *Pl*; ***~en Herzens*** with a heavy heart, reluctantly; ***er hat es ~*** he has a hard time; → ***Begriff*** 2 *etc* **2.** *Speise*: rich, *a. Wein*: heavy, *Zigarre, Duft etc*: strong **3.** (*schwierig*) hard, difficult, F tough **II** *Adv* **4.** heavily (*etc*), F (*sehr*) very much, awfully, (*schlimm*) badly: ***~ arbeiten*** work hard; F ***~ aufpassen*** watch (out) like hell; ***~ beleidigt*** deeply offended; ***~ beladen*** heavily laden; ***~ bewaffnet*** heavily armed; ***~ erziehbar*** difficult, recalcitrant; ***~ erziehbares Kind*** *a.* problem child; ***~ fallen*** be difficult (*Dat* for): ***es fällt mir ~*** *a.* I find it hard; ***j-m etw ~ machen*** make s.th. difficult (*od* hard) for s.o.; ***j-m das Leben ~ machen*** make life difficult for s.o.; ***mach es mir nicht so ~!*** don't make it so hard for me!; ***etw ~ nehmen*** take s.th. hard; ***sich ~ tun*** have a hard time (***mit*** with); ***~ büßen*** pay dearly; ***~ hören*** be hard of hearing; ***es wird ~ halten*** it will be difficult; ***~ zu sagen*** hard to say; ***~ zu verstehen*** difficult to understand; F ***da hat er sich aber ~ getäuscht*** he's very much mistaken there; ***~ verdaulich*** indigestible (*a. fig*), heavy; ***~ verständlich*** difficult (to understand)

schwer	heavy/difficult
schwer von Gewicht	**heavy**
schwer, schwierig	**hard, difficult**

Schwer|arbeit *f* heavy labo(u)r **~arbeiter(in)** heavy labo(u)rer **~athlet(in)** heavy athlete **~athletik** *f* heavy athletics *Pl* (*a. Sg konstr*) **~behinderte** *m, f* MED severely handicapped person
Schwere *f* **1.** weight, PHYS gravity **2.** *fig* seriousness, *a. e-s Verbrechens*: gravity, *e-r Strafe, e-s Unwetters etc*: severity, (*Wichtigkeit*) weightiness
schwerelos *Adj* weightless
Schwerelosigkeit *f* weightlessness
Schwerenöter *m hum* philanderer
schwerfällig *Adj* (*unbeholfen*) awkward, clumsy, heavy, *fig Stil etc*: ponderous, *Humor*: heavy-handed, *geistig*: slow
Schwerfälligkeit *f* awkwardness, heaviness, ponderousness
Schwergewicht *n* **1.** *Boxen etc*: heavyweight (*a.* F *schwere Person od Sache*) **2.** *fig* emphasis **Schwergewichtler(in)** SPORT heavyweight
schwerhörig *Adj* hard of hearing
Schwerhörigkeit *f* partial deafness
Schwerindustrie *f* heavy industry
Schwerkraft *f* (force of) gravity
schwerlich *Adv* hardly
Schwermut *f*, **schwermütig** *Adj* melancholy
Schweröl *n* heavy oil
Schwerpunkt *m* **1.** cent/re (*Am* -er) of

S

gravity **2.** *fig* focal point, (*Nachdruck*) emphasis: ***~e bilden*** set up priorities
schwerreich *Adj* F exceedingly (*od* filthy) rich
Schwerstarbeit *f* very heavy labo(u)r
Schwert *n* sword **Schwertfisch** *m* swordfish **Schwertlilie** *f* iris
Schwer|verbrecher(in) felon, dangerous criminal **~verletzte** *m, f* seriously injured person
Schwerverwundete *m, f* seriously wounded person
schwerwiegend *Adj fig* weighty, grave
Schwester *f* **1.** *a. fig* sister **2.** (*Kranken*♀) (hospital) nurse, (*Ober*♀) sister **3.** (*Ordens*♀) sister, (*Kloster*♀) nun **4.** → **Schwesterfirma** *f* sister company
schwesterlich *Adj* sisterly
Schwesterpartei *f* POL sister party
Schwieger|eltern *Pl* parents-in-law *Pl* **~mutter** *f* mother-in-law **~sohn** *m* son-in-law **~tochter** *f* daughter-in-law **~vater** *m* father-in-law
Schwiele *f* callus
schwielig *Adj* horny, callused
schwierig *Adj* difficult, hard, F tough, (*verwickelt*) complicated
Schwierigkeit *f* difficulty, trouble: ***(j-m) ~en machen*** (*od* ***bereiten***) be a problem (to s.o.), *Person*: make things difficult (for s.o.); ***in ~en geraten, ~en bekommen*** get into trouble; ***~en haben, etw zu tun*** find it difficult to do s.th.
Schwimmbad *n* swimming pool, (*Hallen*♀) indoor pool, swimming baths *Pl*
Schwimmdock *n* floating dock
schwimmen I *v/i* **1.** swim (*a. v/t e-e Strecke, e-n Rekord*), *Sache*: float, F *Fußboden etc*: be flooded: ***~ gehen*** go swimming; *fig* ***im Geld ~*** be rolling in money **2.** F *fig* (*unsicher sein*) flounder **II** ♀ *n* **3.** swimming **4.** F *fig* ***ins ♀ kommen*** (begin to) flounder
Schwimmer *m* **1.** swimmer **2.** *Angeln*, TECH float **Schwimmerin** *f* swimmer
Schwimm|flügel *Pl* water wings *Pl* **~gürtel** *m* swimming belt **~halle** *f* indoor pool **~haut** *f* ZOOL web **~lehrer(in)** swimming instructor **~reifen** *m* rubber ring
Schwimm|sport *m* swimming **~verein** *m* swimming club **~weste** *f* life jacket
Schwindel *m* **1.** MED dizziness, vertigo: ***~ erregend*** dizzy, giddy (*a. fig*), *fig Preise, Zahlen etc*: staggering **2.** (*Betrug*) swindle, (*Lüge*) lie: F ***der ganze ~*** the whole lot
Schwindelanfall *m* MED dizzy spell
Schwindelei *f* **1.** → ***Schwindel*** 2 **2.** (*Betrügen*) cheating, (*Lügen*) lying
schwindelfrei *Adj* ***~ sein*** have a good head for heights; ***nicht ~ sein*** be afraid of heights
schwind(e)lig *Adj* giddy, dizzy (*a. fig*): ***mir ist*** (*od* ***wird***) ***~*** I feel dizzy
schwindeln *v/i* **1.** ***mir schwindelt*** I feel dizzy, my head reels **2.** lie, F tell fibs
schwindelnd *Adj* → ***Schwindel erregend***: ***in ~er Höhe*** at a giddy height
schwinden *v/i Vorrat, Kräfte etc*: dwindle, *Farbe, Licht, Schönheit etc*: fade: ***~de Hoffnung*** dwindling hope
Schwindler(in) swindler, F con man (woman), (*Lügner*) liar
Schwinge *f* wing
schwingen I *v/t* **1.** swing, (*Fahne etc*) wave, (*Waffe etc*) brandish, (*handhaben*) wield: ***er schwang sich auf sein Rad*** he swung himself on his bicycle; → ***Rede*** 1 **II** *v/i* **2.** swing **3.** PHYS oscillate, *Saite, Ton etc*: vibrate
Schwinger *m Boxen*: swing
Schwingkreis *m* ELEK resonant circuit
Schwingung *f* PHYS vibration, oscillation: *a. fig* ***etw in ~en versetzen*** set s.th. vibrating **schwingungsfrei** *Adj* free from vibration
Schwips *m* F ***e-n ~ haben*** be tipsy
schwirren *v/i* whir(r), *Insekten etc*: buzz, *Pfeil etc*: whizz (*a.* F *sausen*): ***mir schwirrte der Kopf*** my head was in a whirl; *fig* ***Gerüchte ~ durch die Stadt*** the town is buzzing with rumo(u)rs
schwitzen *v/i u. v/t* sweat (*a.* TECH), perspire: ***vor Angst ~*** sweat with fear; *a. fig* ***ins ♀ kommen*** get into a sweat
Schwof *m* F hop
schwofen *v/i* F shake a leg
schwören *v/i u. v/t* swear (***bei*** by), JUR take the oath: F *fig* ***ich schwöre auf*** (*Akk*) I swear by …; ***ich hätte geschworen, dass …*** I could have sworn that …; → ***Eid, Rache***
schwul *Adj* F gay, queer (*a. pej*)
schwül *Adj* sultry (*a. fig sinnlich*), oppressive (*a. fig*), F muggy
Schwule *m* F gay, queer (*a. pej*)

Schwüle *f a. fig* sultriness
Schwulst *m* bombast
schwülstig *Adj* bombastic(ally *Adv*)
Schwund *m* dwindling, decline, WIRTSCH, TECH shrinkage, MED atrophy, ELEK fading
Schwung *m* **1.** swing (*a. Sport*), impetus (*a. fig*), (*Tempo*) speed: ***etw* (*j-n*) *in ~ bringen*** set s.th. (s.o.) going; (***richtig***) ***in ~ kommen*** get going; ***im ~ sein*** *Party, Produktion etc*: be in full swing, *Person*: be in full stride **2.** *fig* spirit, verve, zest, drive, F pep, *der Fantasie etc*: flight **3.** F (*Menge*) batch
Schwungfeder *f* ZOOL pinion
schwunghaft *Adj* WIRTSCH brisk, roaring
schwunglos *Adj* spiritless, lifeless
Schwungrad *n* TECH flywheel
schwungvoll I *Adj* full of drive (F go), zestful, *Handschrift etc*: bold, *Melodie*: swinging **II** *Adv* with a swing
Schwur *m* (*Eid*) oath, (*Gelübde*) vow
Schwurgericht *n* jury court
sechs *Adj* six **Sechs** *f* **1.** six **2.** PÄD very poor (mark) **Sechseck** *n* hexagon **sechseckig** *Adj* hexagonal **Sechstagerennen** *n* six-day (cycling) race **sechste** *Adj* sixth **Sechstel** *n* sixth (part) **sechstens** *Adv* sixthly **Sechsundsechzig** *n* (*Kartenspiel*) sixty-six **sechzehn(te)** *Adj* sixteen(th) **Sechzehntel** *n* sixteenth (part)
sechzig I *Adj* sixty; ***sie ist Anfang ~*** she is in her early sixties **II** ② *f* sixty **sechziger** *Adj* ***die ~ Jahre*** *e-s Jhs.*: the sixties *Pl* **Sechziger(in)** sexagenarian
Sechzigerjahre → ***sechziger***
Secondhandladen *m* second-hand shop
Sediment *n* sediment
See[1] *m* lake
See[2] *f* sea, ocean: ***an der ~*** by the seaside; ***an die ~ fahren*** go to the seaside; ***auf ~*** at sea; ***auf hoher ~*** on the high seas; ***in ~ gehen*** (*od* ***stechen***) put to sea; ***zur ~ gehen*** go to sea; ***e-e schwere ~*** (*Welle*) a heavy sea
See|bad *n* seaside resort **~bär** *m hum* ***alter ~*** old salt **~beben** *n* seaquake
See-Elefant *m* ZOOL elephant seal
See|fahrer(in) seafarer **~fahrt** *f* seafaring, (*Seereise*) voyage, cruise **②fest** *Adj* seaworthy: (***nicht***) ***~ sein*** *Person*: be a good (bad) sailor **~fisch** *m* saltwater fish **~fischerei** *f* (deep-)sea fishing
Seefracht *f* sea freight, *Am* ocean freight **~brief** *m* bill of lading (B/L)
See|gang *m* ***hoher ~*** rough sea(s *Pl*); ***schwerer ~*** heavy seas *Pl* **②gestützt** *Adj* sea-based **~gras** *n* seaweed **~hafen** *m* seaport **~herrschaft** *f* naval supremacy **~hund** *m* seal **~igel** *m* sea urchin **~karte** *f* nautical chart **②klar** *Adj* ready to sail **②krank** *Adj* seasick: ***leicht ~ werden*** be a bad sailor
Seekrankheit *f* seasickness
Seekrieg(führung *f*) *m* naval war(fare)
Seelachs *m* pollack
Seele *f* **1.** *allg* soul, (*Geist, Intellekt*) mind, (*Herz*) heart: ***e-e gute*** (***treue***) ***~*** a good (faithful) soul; ***k-e ~*** not a (blessed) soul; ***zwei ~n und ein Gedanke*** two minds and but a single thought; ***aus tiefster ~*** *wünschen etc*: with all one's heart, *danken etc*: from the bottom of one's heart, *hassen*: like poison; ***er ist die ~ des Betriebs*** he is the life and soul of the firm; ***es liegt mir auf der ~*** it weighs heavily on me; ***es tat mir in der ~ weh*** it hurt me deeply; ***du sprichst mir aus der ~*** that's exactly how I feel (about it); ***sich etw von der ~ reden*** F get s.th. off one's chest; → ***Leib*** *etc* **2.** *e-s Kabels*: core, *e-r Schusswaffe*: bore
Seelen|arzt *m*, **~ärztin** *f* F mind doctor, shrink
Seelenfrieden *m* peace of mind
Seelen|größe *f* magnanimity **~heil** *n* salvation **~leben** *n* inner life
seelenlos *Adj* soulless
Seelenmassage *f* F pep talk
Seelen|not *f*, **~qual** *f* mental anguish
Seelenruhe *f* peace of mind, *weit. S.* calmness: ***in aller ~*** → **seelenruhig** *Adv* (quite) coolly **seelenverwandt** *Adj* congenial: ***~ sein*** be kindred souls
seelenvoll *Adj a. iron* soulful
Seelen|wanderung *f* transmigration of souls **~zustand** *m* emotional state
Seeleute *Pl* seamen *Pl*, sailors *Pl*
seelisch *Adj* mental, emotional, *a.* REL spiritual
Seelöwe *m* ZOOL sea lion
Seelsorge *f* pastoral care, cure of souls
Seelsorger(in) pastor

See|luft *f* sea air **~macht** *f* naval (*od* sea) power **~mann** *m* seaman, sailor
seemännisch *Adj* sailor's …, *Fertigkeit etc*: nautical **Seemannsgarn** *n* F ***ein ~ spinnen*** spin a yarn
Seemeile *f* nautical mile
Seemöwe *f* ZOOL seagull
See|not *f* distress at sea: ***Schiffe in ~*** distressed ships **~not(rettungs)dienst** *m* sea rescue service **~pferdchen** *n* ZOOL seahorse **~räuber(in)** pirate **~räuberei** *f* piracy **~recht** *n* maritime law **~reise** *f* voyage, (*Kreuzfahrt*) cruise **~rose** *f* BOT water lily **~schifffahrt** *f* **1.** ocean shipping **2.** ocean navigation **~schlacht** *f* naval battle **~stern** *m* ZOOL starfish **~streitkräfte** *Pl* naval forces *Pl* **~tang** *m* BOT seaweed **⁀tüchtig** *Adj* seaworthy **⁀wärts** *Adv* seawards **~weg** *m* sea route: ***auf dem ~*** by sea **~wind** *m* sea breeze **~zunge** *f* ZOOL sole
Segel *n* sail: ***~ setzen*** set sail; ***~ hissen*** make sail; ***die ~ streichen*** strike sail, *fig a.* give in; → ***Wind*** **~boot** *n* sailing boat, *Am* sailboat, SPORT yacht **~fliegen** *n* gliding **~flieger(in)** glider pilot
Segel|flug *m* **1.** glider flight **2.** gliding **~flugplatz** *m* gliding field **~flugzeug** *n* glider **⁀klar** *Adj* ready to sail
Segelklub *m* yachting club
segeln I *v/i u. v/t* sail (*a. fig*), FLUG glide, *Vögel*: *a.* soar **II ⁀** *n* sailing
Segelregatta *f* (sailing) regatta
Segel|schiff *n* sailing ship **~sport** *m* sailing, yachting **~tuch** *n* canvas
Segeltuchschuhe *Pl* canvas shoes *Pl*
Segen *m* **1.** blessing (*a. fig Wohltat, Glück*), REL *a.* benediction: ***s-n ~ geben*** give one's blessing (***zu*** to); ***ein wahrer ~*** a real blessing, *iron* (quite) a mercy **2.** (*Ertrag*) (rich) yield: F *fig* ***der ganze ~*** the whole lot
segensreich *Adj* beneficial: ***~ sein*** be a blessing
Segenswünsche *Pl* good wishes *Pl*
Segler *m* **1.** yachtsman **2.** → **a)** ***Segelboot, Segelschiff*, b)** ***Segelflugzeug***
Seglerin *f* yachtswoman
segnen *v/t* bless: → ***zeitlich*** 2 **Segnung** *f* blessing (*a. fig*), REL *a.* benediction
sehbehindert *Adj* partially sighted
sehen I *v/i* **1.** see, look: ***gut*** (***schlecht***) ***~*** have good (bad *od* weak) eyes; ***sieh nur!, ~ Sie mal!*** look!; ***siehe da!*** lo and behold!; ***siehe oben*** (***unten***)***!*** see above (below)!; F ***sieh mal e-r an!*** what do you know!; F ***na, siehst du!*** there you are!, what did I tell you?; ***wir werden*** (***schon***) ***~*** we shall see, let's wait and see **2.** ***~ auf*** (*Akk*) (*Wert legen auf*) set great store by **3.** ***~ nach*** (*sorgen für*) look after; ***ich muss nach dem Essen ~*** I have to see to the dinner **II** *v/t* **4.** see, (*Sendung, Spiel etc*) *a.* watch, (*betrachten*) look at, (*bemerken*) notice: ***gern ~*** like (to see); ***zu ~ sein*** (*hervor~*) show, (*ausgestellt sein*) be on show; ***es war nichts zu ~*** there was nothing to be seen; ***niemand war zu ~*** there was nobody in sight; ***man siehts*** (***kaum***)***!*** it (hardly) shows!; ***ich habe es kommen ~*** I have seen it coming; ***sich ~ lassen*** show one's face, (*auftauchen*) turn up; ***sie*** (***es***) ***kann sich ~ lassen*** she (it) isn't half bad; ***ich sehe die Sache anders*** I see it differently; ***wie ich die Dinge sehe*** as I see it; ***ich kann ihn*** (***es***) ***nicht mehr ~!*** I can't stand (the sight of) him (it) any more! **5.** (*treffen*) see, meet: ***sich*** (*od* ***einander***) ***häufig ~*** see a lot of each other **6.** ***sich gezwungen ~ zu*** *Inf* find o.s. compelled to *Inf* **III ⁀** *n* **7.** seeing: ***vom ⁀*** by sight
sehenswert, **sehenswürdig** *Adj* worth seeing, worthwhile
Sehenswürdigkeit *f* object of interest, sight, *Pl* sights *Pl*: ***die ~en besichtigen*** go sightseeing
Sehfehler *m* eye defect
Sehkraft *f* (eye)sight, vision
Sehne *f* **1.** ANAT sinew, tendon **2.** *e-s Bogens*: string **3.** MATHE chord
sehnen *v/refl* ***sich ~ nach*** long for, *stärker*: yearn for; ***er sehnte sich danach zu*** *Inf* he was longing to *Inf*
Sehnen *n* → ***Sehnsucht***
Sehnenzerrung *f* pulled tendon
Sehnerv *m* optic nerve
sehnig *Adj* sinewy, *Person*: *a.* wiry, *Fleisch*: stringy
sehnlich *Adj* ardent
Sehnsucht *f* (***nach*** for) longing, yearning **sehnsüchtig** *Adj* longing, yearning, *Blick, Stimme*: wistful
sehr *Adv* **1.** *vor Adj u. Adv* very, (*höchst*) most, extremely: ***~ gern*** with pleasure,

gladly; ~ ***viel*** much, a lot (*better etc*) **2.** *vor Verb*: (very) much: ~ ***vermissen*** miss *s.o.*, *s.th.* badly; ***so*** ~, ***dass*** so much that; ***ich freue mich*** ~ I am very glad

Sehschärfe *f* visual power, (eye)sight

Sehschwäche *f* poor (eye)sight

Sehstörung *f* impaired vision

Sehtest *m* eye test

Sehvermögen *n* (eye)sight, vision

seicht *Adj a. fig* shallow

Seide *f* (***reine*** ~ pure) silk

seiden *Adj* (of) silk

Seiden|papier *n* tissue paper **~raupe** *f* ZOOL silkworm **~raupenzucht** *f* sericulture **~strümpfe** *Pl* silk stockings *Pl*

seidenweich *Adj* (as) soft as silk, silky

seidig *Adj* silky

Seife *f*, **seifen** *v/t* soap

Seifen|blase *f* soap bubble, *fig* bubble **~kistenrennen** *n* soap-box derby **~lauge** *f* soapsuds *Pl* **~oper** *f* soap opera **~pulver** *n* soap powder **~schale** *f* soap dish **~schaum** *m* lather

seifig *Adj* soapy

seihen *v/t* strain, filter

Seil *n* rope: ~ ***springen*** skip

Seilbahn *f* cable railway

Seilschaft *f mount.* rope (team)

Seiltänzer(in) tightrope walker

sein[1] *v/i allg* be, *als v/hilf a.* have: ***bist du es?*** is that you?; ***ich bins*** that's me; ***ich bin für e-e Reform*** I am for a reform; ***mir ist nicht nach Arbeiten*** I don't feel like working; ***mir ist, als höre ich ihn*** I think I can hear him now; ***wenn er nicht gewesen wäre*** if it hadn't been for him, but for him; ***er ist aus Mexiko*** he comes from Mexico; ***ich bin bei m-m Anwalt gewesen*** I have been to see my lawyer; ***lass es ~!*** don't bother!; ***lass das ~!*** stop it!; ***muss das ~?*** do I (you *etc*) have to?; ***was soll das ~?*** what's that supposed to be?; **(*das*) *mag*** (*od* ***kann***) ~ that's possible; ***es sei denn, dass*** unless; ***nun, wie ists?*** well, what about it?; ***und das wäre?*** and what might that be?

sein[2] *Possessivpron* **1.** ~(***e***) his, her, its, *von Ländern, Schiffen: oft* her, *unbestimmt*: one's: ~ ***Glück machen*** make one's fortune; ***all ~ Geld*** what money he had; ***es kostet*** (***gut***) ***~e 100 Dollar*** it will easily cost a hundred dollars **2.** ***~er, ~e, ~(e)s, der, die, das ~e*** his, hers, its **3.** ***der, die, das ~(ig)e*** his (own), hers, her own, its (own); ***die ~(ig)en*** *Pl* his family; ***jedem das ~e*** to each his own; ***das ~(ig)e tun*** do one's share (F bit)

Sein *n* being, (*Da*≗) existence

seinerseits *Adv* as far as he is concerned

seinerzeit *Adv* then, in those days

seinesgleichen *Indefinitpron* his (her) equals *Pl*, F his (her) sort: ***er hat nicht ~*** there is no one like him

seinetwegen *Adv* **1.** (*ihm zuliebe*) for his sake **2.** (*in s-r Sache*) on his behalf **3.** (*durch s-e Schuld*) because of him

seinige → ***sein***[2] 3

Seismograph *m* seismograph

Seismologe *m*, **Seismologin** *f* seismologist

seit I *Präp* **1.** since: ~ ***wann sind Sie hier?*** how long have you been here?; ~ ***damals*** → ***seitdem*** I **2.** (*während*) for: ~ ***drei Tagen*** for (the last) three days; ~ ***langem*** for a long time **II** *Konj* **3.** since: ***es ist ein Jahr her, ~ ...*** it is a year since …, it was a year ago that …

seitdem I *Adv* since then, ever since **II** *Konj* → ***seit*** 3

Seite *f* **1.** *allg* side (*a. fig Charakterzug, Abstammung, Aspekt*), (*Richtung*) *a.* direction: ***rechte*** (***linke***) ~ *e-s Stoffes*: right (wrong) side; ***an j-s*** ~ at (*od* by) s.o.'s side; ~ ***an*** ~ side by side; ***nach allen ~n*** in all directions; ***von allen ~n*** on all sides; ***auf der e-n ~*** on the one side (*fig mst* hand); ***auf j-s ~ sein*** side with s.o.; ***j-n auf s-e ~ bringen*** (*od* ***ziehen***) win s.o. over to one's side; ***etw auf die ~ legen*** put s.th. by; ***j-m nicht von der ~ gehen*** stick to s.o. like a leech; ***von dieser ~ betrachtet*** seen from that angle (*od* in that light); ***sich von der besten ~ zeigen*** show o.s. at one's best; ***j-m zur ~ stehen*** stand by s.o.; → ***schwach*** 2, ***stark*** 1 **2.** (*Buch*≗) page **3.** ***auf ~n*** → ***aufseiten***; ***von ~n*** → ***vonseiten, seitens***

Seiten|ansicht *f* side view **~aufprallschutz** *m* MOT side impact protection **~blick** *m* sidelong glance **~eingang** *m* side entrance **~flügel** *m* ARCHI wing **~hieb** *m* (***gegen*** at) cut, F sideswipe

⁓lang *Adj* pages (and pages) of, long **⁓linie** *f* **1.** SPORT sideline **2.** → ***Nebenlinie***

seit	**since/for**
seit = for	bei Zeitdauer; meist Konstruktion mit **a/an** bzw. mit Zeitangabe im Plural (**-s**):
seit einem Monat	**for a month**
seit anderthalb Stunden	**for an hour and a half**
seit einigen Wochen	**for several weeks**
seit Jahren	**for years**
seit = since	bei Zeitpunkt; genaue Angabe der Zeit, des Tages *etc* oder eines Ereignisses *etc*:
seit gestern	**since yesterday**
seit 8 Uhr	**since 8 o'clock**
seit ich aus Irland weg bin	**since I left Ireland**
seit 1999	**since 1999**

seitens *Präp* (*Gen*) on the part of, by

Seiten|schiff *n* ARCHI aisle **⁓sprung** *m* escapade **⁓stechen** *n* (⁓ ***haben*** have a) stitch **⁓straße** *f* side street **⁓streifen** *m e-r Straße*: (hard) shoulder **⁓verkehrt** *Adj* the wrong way round **⁓wechsel** *m* SPORT change of ends **⁓wind** *m* crosswind **⁓zahl** *f* page number, (*Gesamt⁓*) number of pages

seitlich I *Adj* lateral, side **II** *Adv* at the side: FLUG ⁓ ***abrutschen*** sideslip

seitwärts *Adv* **1.** sideways **2.** at the side

Sekret *n* secretion

Sekretär *m* **1.** secretary **2.** (*Schreibschrank*) secretary, bureau

Sekretariat *n* (secretary's) office

Sekretärin *f* secretary

Sekt *m* sparkling wine, F bubbly

Sekte *f* sect

Sektglas *n* champagne glass

Sektierer(in), **sektiererisch** *Adj* sectarian

Sektion *f* **1.** (*Abteilung*) section, division **2.** MED dissection, autopsy

Sektor *m* sector, *fig a.* field

sekundär *Adj*, **Sekundär...** secondary

Sekunde *f* second (*a.* MATHE *u.* MUS): ***auf die ⁓ pünktlich kommen*** come on the dot; F (***eine***) ***⁓!*** just a second!

Sekundenzeiger *m* second hand

selb *Adj* same: ***zur ⁓en Zeit*** at the same time **selber** → ***selbst*** I

selbst I *Pron* ***ich ⁓*** I myself; ***sie will es ⁓ machen*** she wants to do it herself (*od* on her own); ***er möchte ⁓ kochen*** he wants to do his own cooking; *iron* ***⁓ ernannt*** self-styled; ***⁓ gebacken, ⁓ gemacht*** home-made; ***er war die Höflichkeit ⁓*** he was politeness itself; ***von ⁓*** (*automatisch*) (by) itself, automatically, (*von allein*) of one's own accord; → ***verstehen*** 9 **II** *Adv* even: ***⁓ wenn*** even if

Selbst *n* (one's own) self

Selbstachtung *f* self-respect

selbständig *Adj* → ***selbstständig***

Selbständigkeit *f* → ***Selbstständigkeit***

Selbstanklage *f* self-accusation

Selbstauslöser *m* FOTO selftimer

Selbstbedienung *f* self-service **⁓restaurant** *n* self-service restaurant, cafeteria

Selbstbefriedigung *f* masturbation

Selbstbehauptung *f* self-assertion

Selbstbeherrschung *f* self-control: ***die ⁓ verlieren*** *a.* lose one's temper

Selbst|bestätigung *f* ego-boost: ***zu s-r ⁓*** to prove himself **⁓bestimmungsrecht** *n* right of self-determination **⁓beteiligung** *f Versicherung*: percentage excess **⁓betrug** *m* self-deception

selbstbewusst *Adj* self-confident

Selbstbewusstsein *n* self-confidence

Selbst|bildnis *n* self-portrait **⁓darstellung** *f* promotion of one's public image, *pej* showmanship **⁓disziplin** *f* self-discipline **⁓einschätzung** *f* self-assessment **⁓erhaltungstrieb** *m* survival instinct **⁓erkenntnis** *f* self-knowledge

selbstgefällig *Adj* complacent

Selbstgefälligkeit *f* complacency

selbstgerecht *Adj* self-righteous

Selbstgespräch *n* monologue: ***⁓e führen*** talk to o.s.

selbstherrlich *Adj* high-handed
Selbst|hilfe *f* self-help **~hilfegruppe** *f* self-help group **2klebend** *Adj* (self-) adhesive **~kontrolle** *f* self-control **~kostenpreis** *m* (***zum ~*** at) cost price **~kritik** *f* self-criticism
Selbstlaut *m* LING vowel
selbstlos *Adj* selfless, unselfish
Selbst|medikation *f* MED self-medication **~mitleid** *n* self-pity **~mord** *m*, **~mörder(in)** suicide **2mörderisch** *Adj* suicidal **~mordversuch** *m* attempted suicide **~porträt** *n* self-portrait **~reinigungskraft** *f* self-purifying power
selbstsicher *Adj* self-confident
Selbstsicherheit *f* self-confidence
selbstständig I *Adj allg* independent, *beruflich*: *a.* self-employed, *Journalist etc*: freelance: ***sich ~ machen*** set up on one's own **II** *Adv* independently, on one's own: ***~ denken*** think for o.s
Selbstständigkeit *f allg* independence
Selbst|sucht *f* selfishness **2süchtig** *Adj* selfish **2tätig** *Adj* automatic(ally *Adv*) **~täuschung** *f* self-deception **~überschätzung** *f* exaggerated opinion of o.s **2vergessen** *Adj* lost in thought **~verleugnung** *f* self-denial **~verpflegung** *f* self-catering **2verschuldet** *Adj* brought about by o.s
Selbstversorger(in) self-supplier: ***Bungalows für ~*** self-catering bungalows
selbstverständlich I *Adj* self-evident, obvious, natural: ***es ist ~(, dass ...)*** it goes without saying (that ...); ***etw als ~ betrachten*** take s.th. for granted **II** *Adv* of course, naturally **Selbstverständlichkeit** *f* matter of course
Selbst|verständnis *n* self-image: ***sein ~*** *a.* the way he sees himself **~verteidigung** *f* self-defen/ce (*Am* -se) **~vertrauen** *n* self-confidence **~verwaltung** *f* self-government **~verwirklichung** *f* self-realization **~wertgefühl** *n* self-esteem, ego
selbstzufrieden *Adj* self-satisfied, complacent **Selbstzufriedenheit** *f* self-satisfaction, complacency
Selbstzweck *m* end in itself
selektiv *Adj* selective
Selen *n* CHEM selenium
selig *Adj* **1.** blessed (*a.* REL), (*überglücklich*) overjoyed, blissful **2.** (*verstorben*) late **Seligkeit** *f* **1.** REL salvation, everlasting life **2.** (*Glück*) bliss, ecstasy
Seligsprechung *f* REL beatification
Sellerie *m* BOT celeriac, (*Stangen2*) celery
selten I *Adj* rare (*a.* = *außergewöhnlich*), (*knapp*) scarce **II** *Adv* seldom, rarely: ***höchst ~*** very rarely **Seltenheit** *f* **1.** rareness, scarcity **2.** (*Sache*) rarity
Selterswasser *n* soda water
seltsam *Adj* strange, odd **seltsamerweise** *Adv* oddly enough **Seltsamkeit** *f* **1.** oddness **2.** (*Sache*) oddity
Semantik *f* semantics *Sg*
Semester *n* UNI semester
Semesterferien *Pl* vacation *Sg*
Semifinale *n* SPORT semifinal
Semikolon *n* semicolon
Seminar *n* **1.** UNI seminar, *weit. S.* institute **2.** (*Lehrer2*) (teacher) training college **3.** (*Priester2*) seminary
Semit(in) Semite **semitisch** *Adj*, **Semitisch** *n* LING Semitic
Semmel *f* roll: F ***weggehen wie warme ~n*** be selling like hot cakes
Semmelbrösel *Pl* breadcrumbs *Pl*
Senat *m* **1.** POL, UNI senate **2.** JUR division(al court) **Senator(in)** senator
Sende|bereich *m* transmission range **~bericht** *m* (*beim Fax*) journal **~folge** *f* program(me *Br*)
senden[1] *v/t u. v/i* send (*Dat*, **an** *Akk* to): ***nach j-m ~*** send for s.o.
senden[2] *v/t u. v/i Funk*: transmit, RADIO *a.* broadcast, TV *a.* telecast
Sender *m* **1.** RADIO, *Funk*: transmitter **2.** radio (*od* television) station
Sende|raum *m* studio **~reihe** *f* series
Sende|schluss *m* closedown **~zeichen** *n* call sign **~zeit** *f* broadcasting time: ***zur besten ~*** at prime time
Sendung[1] *f* **1.** (*Waren2*) consignment, *bes Am* shipment, (*Post2*) parcel **2.** *fig* mission
Sendung[2] *f* RADIO, TV transmission, (*Programm*) program(me *Br*), RADIO *a.* broadcast, TV *a.* telecast: ***auf ~ gehen*** (***sein***) go (be) on the air
Senegal *m der* Senegal
Senf *m* mustard **Senfgurke** *f* gherkin (pickled with mustard seeds)
sengen I *v/t* singe **II** *v/i* scorch: ***~de Hitze*** scorching heat
senil *Adj* senile **Senilität** *f* senility

senior *Adj* senior (*Abk* sen.) **Senior(in)** senior (*a. Sport*): **~en** *Pl* senior citizens *Pl* **Seniorchef(in)** boss
seniorengerecht *Adj Wohnung etc*: suitable for the elderly
Seniorenheim *n* (first-class) home for the aged **Seniorenpass** *m* senior citizen's rail card
Senkblei *n* plumb line, SCHIFF plummet
Senke *f* GEOG depression
senken I *v/t* **1.** sink (*a.* TECH), lower (*a. fig Stimme, Fieber, Blutdruck, Preise etc*), (*den Kopf*) bow **II** *v/refl* **sich ~ 2.** drop (*a. Stimme*), go down, sink, *Boden, Haus*: subside, *Mauer*: sag, *Straße etc*: dip **3.** *lit Stille, Dunkelheit etc*: descend (***über*** *Akk* on)
Senkfüße *Pl* MED fallen arches *Pl*
Senkfußeinlage *f* arch support
senkrecht *Adj*, **Senkrechte** *f* vertical, *bes* MATHE perpendicular
Senkrechtstarter *m* **1.** FLUG vertical take-off plane **2.** F *fig* whizz kid
Senkung *f* **1.** *allg* lowering, *e-r Mauer etc*: sag(ging), (*Neigung*) decline, dip **2.** MED *e-s Organs*: descent, *des Fiebers, Blutdrucks*: reduction, (*Blut*2) sedimentation
Sensation *f allg* sensation
sensationell *Adj* sensational
Sensations|blatt *n pej* sensational paper **~gier** *f*, **~lust** *f*, **2lüstern** *Adj* sensation-seeking **~mache** *f* sensationalism **~meldung** *f* sensational report, *sl* scoop **~presse** *f* yellow press
Sense *f* scythe: F ***damit war ~!*** that was the end of that!
sensibel *Adj* sensitive (*a. fig Problem etc*) **sensibilisieren** *v/t* sensitize **Sensibilität** *f* sensitiveness

⚠ sensibel ≠ sensible

sensibel	=	sensitive
sensible	=	vernünftig

Sensor *m* sensor
sentimental *Adj* sentimental
Sentimentalität *f* sentimentality
separat *Adj* separate
Separatismus *m* separatism
September *m* (**im ~** in) September
sequenziell *Adj* IT sequential
Serbe *m* Serbian **Serbien** *n* Serbia **Serbin** *f*, **serbisch** *Adj* Serbian
Serenade *f* MUS serenade
Serie *f* series (*a.* TV), RADIO, TV serial, (*Satz*) set, line, range: TECH ***in ~ gehen*** go into production; ***in ~ bauen*** (*od* ***herstellen***) produce in series
seriell *Adj a.* COMPUTER serial
Serienausstattung *f* standard fittings *Pl* **Serienbrief** *m* standard letter **Serienherstellung** *f* serial production **Serienkiller(in)** serial killer **serienmäßig I** *Adj* series(-produced), *Ausstattung etc*: standard **II** *Adv* **~ *herstellen*** produce in series **Serienproduktion** *f* serial production **serienreif** *Adj* ready to go into production
seriös *Adj* respectable, WIRTSCH *a.* reliable, *Absicht, Bewerber, Zeitung etc*: serious
Serpentine *f* (*Straße*) serpentine, (*Kurve*) double bend
Serum *n* MED serum
Server *m* IT server
Service[1] *n* (*Geschirr*) service
Service[2] *m* **1.** (*Bedienung*) service **2.** TECH (*Kundendienst*) (after-sales) service **3.** *Tennis etc*: service, serve
servieren I *v/t* serve: ***es ist serviert!*** dinner is served! **II** *v/i* serve (*a. Tennis*), wait at (*Am* on) table **Servierer(in)** waiter (waitress) **Serviertochter** *f schweiz.* waitress **Servierwagen** *m* trolley
Serviette *f* napkin
Servobremse *f* servo (*od* power) brake
Servolenkung *f* MOT servo(-assisted) steering
servus *Interj österr* **1.** (*Begrüßung*) hello **2.** (*Abschied*) bye
Sessel *m* easy chair, armchair, *österr.* chair
Sessellift *m* chairlift
sesshaft *Adj* settled, (*ansässig*) resident: **~ *werden*** settle (down)
Set *n*, *m* **1.** set **2.** place mat
Setup *n* IT *von Programmen*: setup
setzen I *v/t* **1.** (*hin~, hintun*) *allg* put, place, (*j-n*) *a.* seat, LANDW set, plant, (*Satzzeichen*) put, make: ***an Land ~*** put ashore; ***das Glas an die Lippen ~*** raise (*od* set) the glass to one's lips; ***s-e Unterschrift ~ unter*** (*Akk*) put one's signature to **2.** ***etw ~*** (*wetten*) stake (*od* bet) s.th. (***auf*** *Akk* on) **3.**

SPORT seed (*a player, team*): → ***gesetzt*** 2 **4.** BUCHDRUCK set **II** *v/refl* ***sich*** ~ **5.** sit down, take a seat: ***sich aufs Rad*** *etc* ~ mount (*od* get on) one's bicycle *etc*; ***sich ins Auto*** ~ get into the car; ***sich zu j-m*** ~ sit down beside s.o. **6.** *fig* sink, *Bodensatz, Staub etc*: settle, *Erlebnis etc*: sink in **III** *v/i* **7.** ~ ***über*** (*Akk*) jump (over), (*e-n Graben etc*) clear, (*e-n Fluss etc*) cross **8.** *bei Wetten*: place one's bet: ~ ***auf*** (*Akk*) bet on, back, *fig a.* bank on

Setzer(in) BUCHDRUCK compositor, typesetter

Seuche *f a. fig* epidemic **Seuchenbekämpfung** *f* epidemic control

seufzen *v/i* sigh (***über*** *Akk* at, ***vor*** with): ~***d*** with a sigh **Seufzer** *m* sigh

Sex *m* sex: F ~ ***haben*** (*od* ***machen***) have sex **Sexappeal** *m* sex appeal **Sexbombe** *f* F sexpot **Sexfilm** *m* sex film

Sexismus *m* sexism **Sexist(in), sexistisch** *Adj* sexist

sexual → ***sexuell*** **Sexual...** sexual, sex (*life etc*) **Sexualerziehung** *f* sex education **Sexualität** *f* sexuality

Sexualkunde *f* PÄD sex education

Sexualobjekt *n* sex object

Sexualverbrechen *n* sex crime

sexuell *Adj* sexual: ~***e Belästigung*** sexual harassment **sexy** *Adj* F sexy

sezieren *v/t* dissect (*a. fig*), (*Leiche*) perform an autopsy on

Shareware *f* shareware

Shetlandinseln *Pl the* Shetland Islands *Pl*

Shorts *Pl* (pair of) shorts *Pl*

Showmaster(in) TV compere, host

Shuttlebus *m* shuttle bus

Sibirien *n* Siberia

Sibirier(in), sibirisch *Adj* Siberian

sich *Reflexivpron allg* oneself, *3 Sg* himself, herself, itself, *Pl* themselves, *nach Präp* him, her, it, *Pl* them, (*statt*: *einander*) each other, one another: ~ ***ansehen*** *im Spiegel etc*: look at o.s., (*einander*) look at each other; ***sie blickte hinter*** ~ she looked behind her

Sichel *f* sickle

sicher I *Adj* **1. a)** (***vor*** *Dat* from) safe, secure, **b)** (*gesichert*) safe (*a.* TECH), *Einkommen, Existenz etc*: secure: ***in*** ~***em Abstand*** at a safe distance; ~ ***ist*** ~***!*** better safe than sorry! **2.** (*zuverlässig*) reliable, *Schütze, Torwart etc*: sure, good, *Fahrer, Methode etc*: *a.* safe **3.** *fig Geschmack, Instinkt, Urteil, Zeichen etc*: sure: ~***es Auftreten*** self-assurance; ***mit*** ~***em Blick*** (***Griff***) with a sure eye (hand) **4.** (*gewiss*) certain, sure: ***der*** ~***e Sieg*** (***Tod***) certain victory (death); ***das ist*** ~ **a)** so much is certain, **b)** that's a fact; ***ist das*** ~***?*** is that for certain?; ***der Erfolg*** (***die Stellung***) ***ist ihm*** ~ he is sure to succeed (to get the job) **5.** *präd* (*überzeugt*) sure, certain: ***sind Sie*** (***sich dessen***) ~***?*** are you sure (about that)?; → ***Sache*** 2 **II** *Adv* **6.** securely, safely (*etc*): ***er fährt sehr*** ~ he is a safe driver **7.** *a. Interj* certainly, surely, definitely: (***aber*** *od* ***ganz***) ~***!*** (but) of course!, F sure thing!; ***du hast*** ~ ***kein Geld bei dir*** I'm sure you have no money on you

sichergehen *v/i* ***um sicherzugehen*** to be on the safe side; ***er wollte ganz*** ~ he wanted to be quite sure

Sicherheit *f* **1.** safety (*a.* TECH), *bes* MIL, POL, PSYCH *etc* security: ***öffentliche*** (***soziale, innere***) ~ public (social, internal) security; ~ ***im Flugverkehr*** safety in flying; ***in*** ~ ***bringen*** get *s.o., s.th.* out of harm's way; ***sich in*** ~ ***bringen*** get out of danger, ***durch e-n Sprung*** jump to safety; ***in*** ~ ***sein*** be safe; ***zur*** ~ → ***sicherheitshalber***, → ***wiegen***[1] II 2. (*Gewissheit*) certainty: ***mit*** ~ definitely, certainly; ***man kann mit*** ~ ***sagen*** it is safe to say **3.** (*Selbst*≈) self-assurance, (*Können*) competence, skill, (*Zuverlässigkeit*) reliability **4.** WIRTSCH, JUR (***gegen*** ~ on *od* against) security: ***e-m Gläubiger*** ~ ***bieten*** secure a creditor

Sicherheits|abstand *m* safe distance ~**beamte** *m*, ~**beamtin** *f* security officer ~**dienste** *Pl* security agencies *Pl* ~**faktor** *m* factor of safety ~**glas** *n* safety glass ~**gurt** *m* safety belt, FLUG, MOT *a.* seat belt

sicherheitshalber *Adv* as a precaution, to be on the safe side

Sicherheits|kontrolle *f* security check ~**kopie** *f* backup copy ~**maßnahme** *f* safety (POL security) measure, precaution ~**nadel** *f* safety pin ~**rat** *m* POL Security Council ~**risiko** *n* (*mst Person*) security risk ~**schloss** *n* safety lock

sicherlich → ***sicher*** 7

sichern *v/t* **1.** (***vor*** *Dat*, ***gegen***) secure (*a.* TECH *u.* WIRTSCH), (safe)guard (*beide*: against), (*schützen*) protect (from): ***sich ~ vor*** (*od* ***gegen***) protect o.s. from, guard against **2.** (*Waffe*) put at safety: ***gesichert sein*** be at safety **3.** (*Spuren etc*) secure **4.** COMPUTER backup

sicherstellen *v/t* **1.** guarantee, *weit. S. a.* secure **2.** (*beschlagnahmen*) seize

Sicherung *f* **1.** securing (*etc*, → ***sichern***), protection **2.** TECH safety device, *Schusswaffe*: safety (catch) **3.** ELEK fuse **4.** COMPUTER backup

Sicherungs|diskette *f* backup disk **~kasten** *m* ELEK fuse box **~kopie** *f* backup (copy)

Sicht *f* **1.** sight, (*Aus*≗) view, (*~verhältnisse*) visibility: ***in*** (***außer***) ***~*** in (out of) sight (*a. fig*); ***in ~ kommen*** come into view; *fig* ***auf weite*** (*od* ***lange***) ***~*** on a long-term basis, (*auf die Dauer*) in the long run; ***auf kurze ~*** in the short term; ***aus s-r ~*** from his point of view, as he sees it **2.** WIRTSCH (***fällig***) ***bei ~*** (due) at sight

sichtbar *Adj allg* visible, (*offenkundig*) *a.* noticeable, evident, (*deutlich*) marked: ***~ machen*** show; ***~ werden*** become visible (*fig a.* manifest)

sichten *v/t* **1.** (*erblicken*) sight **2.** (*durchsehen*) sift, look through, sort out

sichtlich *Adj* visible, evident

Sicht|verhältnisse *Pl* (***gute, schlechte ~*** high, low) visibility *Sg* **~vermerk** *m im Pass*: visa, *auf Wechsel*: endorsement

Sichtwechsel *m* WIRTSCH sight draft

Sichtweite *f* visual range: ***in ~*** (with)in sight

sickern *v/i* seep, leak (out), ooze, trickle

sie *Personalpron Sg* she, *Sache*: it, *Pl* they, (*Akk*) her, it, *Pl* them

Sie[1] *Anrede*: you

Sie[2] *f* F she, female

Sieb *n* sieve, *für Flüssigkeiten*: strainer, *für Sand etc*: riddle, screen: *ein Gedächtnis* ***wie ein ~*** like a sieve

Siebdruck *m* silk-screen print (*Verfahren*: printing)

sieben[1] *v/t* sift, sieve

sieben[2] *Adj*, **Sieben** *f* seven

siebenjährig *Adj* seven-year(s)-old, of seven years: ***der ≗e Krieg*** the Seven Years' War **Siebenmeilenstiefel** *Pl* seven-league boots *Pl* **Siebensachen** *Pl* things *Pl*, belongings *Pl*

sieb(en)te *Adj*, **Sieb(en)tel** *n* seventh

sieb(en)tens *Adv* seventh

siebzehn *Adj* seventeen **siebzehnt** *Adj*, **Siebzehntel** *n* seventeenth

siebzig I *Adj* seventy; ***er ist Mitte ~*** he is in his mid-seventies **II** ≗ *f* seventy **siebziger** *Adj* ***die ~ Jahre*** *e-s Jhs.*: the seventies *Pl* **Siebziger(in)** septuagenarian: ***sie ist in den Siebzigern*** she is in her seventies **Siebzigerjahre** → ***siebziger***

Siechtum *n* lingering illness, invalidism

sieden I *v/i* boil, *fig a.* seethe: ***~d heiß*** boiling hot **II** *v/t* boil gently

Siedepunkt *m* (*a. fig* ***auf dem ~*** at) boiling point

Siedler(in) settler **Siedlung** *f* settlement, (*Wohn*≗) housing estate

Sieg *m* (***über*** *Akk* over) victory, *Sport etc*: win, *fig* triumph: ***den ~ davontragen*** carry (*od* win) the day

Siegel *n* seal, (*Privat*≗, *Ring*≗) signet: *fig* ***unter dem ~ der Verschwiegenheit*** under the seal of secrecy **Siegellack** *m* sealing wax **siegeln** *v/t* seal

Siegelring *m* signet ring

siegen *v/i* (***über*** *Akk*) be victorious (over), *Sport etc*: win (against), *fig* triumph (over), win (over)

Sieger(in) victor, *Sport etc*: winner

Sieger|ehrung *f* SPORT presentation ceremony **~mächte** *Pl* victorious powers *Pl* **~podest** *n*, **~treppchen** *n* F SPORT (victory) rostrum

Siegerurkunde *f* (winner's) certificate

siegesbewusst → ***siegessicher***

Sieges|göttin *f* Victory **~rausch** *m* flush of victory **≗sicher** *Adj* confident of victory, *fig* sure of one's success

Siegeszug *m fig* triumphant advance

siegreich *Adj* victorious, triumphant

siezen *v/t* ***j-n ~*** address s.o. as „Sie"

Signal *n*, **signalisieren** *v/t u. v/i* signal

Signalwirkung *f* knock-on effect

Signatar(macht *f*) *m* POL signatory power (***e-s Vertrages*** to a treaty)

Signatur *f* **1.** signature **2.** *Bücherei*: shelfmark

signieren *v/t* sign, *Autor*: autograph

Silbe *f* syllable: *fig* ***k-e ~*** not a word

Silbentrennung *f* syllabification

Silber *n allg* silver, (*Tafel*≗) *a.* silver

plate **Silberbesteck** *n* silver (cutlery)
Silberblick *m* F (slight) squint
Silberdistel *f* BOT carline thistle
Silber|hochzeit *f* silver wedding **~medaille** *f* silver medal **~medaillengewinner(in)** silver medal(l)ist
silbern *Adj* (of) silver, *fig* silvery
Silberpapier *n* tin foil **Silberpappel** *f* BOT white poplar **Silberstreifen** *m fig* ***~ am Horizont*** silver lining
Silhouette *f* silhouette
Silikat *n* silicate
Silikon *n* silicone
Silizium *n* silicon
Silo *m* silo
Silvester *m, n,* **Silvesterabend** *m* New Year's Eve
Simbabwe *n* Zimbabwe
simpel *Adj allg* simple
Sims *m, n* ledge, (*Fenster*♀) sill
Simulant(in) malingerer
Simulator *m* TECH, MIL simulator
simulieren I *v/t* sham, feign, *a.* TECH, MIL simulate **II** *v/i* malinger, sham
simultan *Adj* simultaneous
Simultan|dolmetschen *n* simultaneous translation **~dolmetscher(in)** simultaneous translator
Sinfonie *f* symphony **Sinfonieorchester** *n* symphony orchestra
sinfonisch *Adj* symphonic
singen *v/t u. v/i* sing
Single[1] *f* (*Schallplatte*) single
Single[2] *m* (*Person*) single
Single-Haushalt *m* one-person household
Singular *m* LING (***im ~*** in the) singular
Singvogel *m* songbird
sinken *v/i allg* sink (*a. fig Stimmung etc*), *Sonne*: *a.* set, *fig Preise, Temperatur etc*: drop (***auf*** *Akk* to), fall, go down: *fig* ***er ist tief gesunken*** he has sunk very low; ***~ lassen*** lower, drop (*a. Stimme*); → ***Mut, Wert*** 1 *etc*
Sinkflug *m* FLUG descent
Sinn *m* **1.** PHYSIOL sense: *fig* ***sechster ~*** sixth sense; F ***s-e fünf ~e beisammen haben*** have one's wits about one **2.** *Pl* (*Verstand*) mind, (*Bewusstsein*) consciousness: ***sie war wie von ~en*** she was quite beside herself (***vor*** with); ***bist du von ~en?*** are you out of your mind? **3.** (*Kopf*) mind: ***etw im ~ haben*** have s.th. in mind, intend (to do) s.th.; ***damit habe ich nichts im ~*** I don't want any of that; ***j-m in den ~ kommen*** occur to s.o. **4.** (***für***) (*Gefühl*) sense (of), appreciation (of), (*Neigung*) taste (for), (*Interesse*) interest (in): ***~ für Musik*** an ear for music; ***~ für das Schöne*** an eye for beauty; ***~ für Humor*** a sense of humo(u)r; ***das war ganz in m-m ~(e)*** that was just what I would have done **5.** (*Bedeutung*) sense, meaning, (*Grundgedanke*) (basic) idea: ***im weiteren (engeren) ~(e)*** in a wider (narrower) sense; ***im wahrsten ~(e) des Wortes*** literally; ***in gewissem ~*** in a sense; ***in diesem ~*** in this sense, *Äußerung*: to this effect; ***im ~e des Gesetzes*** as defined by the law; ***der ~ des Lebens*** the meaning of life; ***das ergibt*** (F ***macht***) ***k-n ~*** that makes no sense; ***dem ~ nach*** → ***sinngemäß*** II **6.** (*Zweck*) sense, purpose: ***~ und Zweck*** (aim and) object; ***das hat k-n ~*** it's no use, it's pointless; ***das ist der ~ der Sache!*** that's the idea!
Sinnbild *n* symbol
sinnbildlich *Adj* symbolic(al)
sinnen I *v/i* (***über*** *Akk* [up]on) meditate, reflect: ***~ auf*** (*Akk*) contemplate, plan, *pej* plot **II** ♀ *n* thoughts *Pl*: ***all sein ♀ und Trachten*** his every thought and wish **sinnend** *Adj* pensive, thoughtful
sinnenfroh *Adj* sensuous
Sinnenlust *f* sensual pleasure
sinnentstellend *Adj* distorting (the meaning): ***~ sein*** distort the meaning
Sinnes|art *f* mentality **~organ** *n* sense organ **~reiz** *m* sense stimulus
Sinnes|täuschung *f* hallucination **~wahrnehmung** *f* sensory perception
Sinneswandel *m* change of heart
sinnfällig *Adj* obvious, clear
sinngemäß I *Adj* giving the gist (*of s.th.*), *bes* JUR analogous **II** *Adv* ***das hat er ~ gesagt*** that was the drift of what he said
sinngetreu *Adj* faithful
sinnieren *v/i* F ruminate (***über*** *Akk* on)
sinnig *Adj mst iron* clever
sinnlich *Adj* **1.** *Eindrücke etc*: sensual, *Wahrnehmung etc*: sensory **2.** *Begierde etc*: sensual, *a. Person*: sensuous
Sinnlichkeit *f* sensuality
sinnlos *Adj* senseless, meaningless, (*unsinnig*) absurd, (*zwecklos*) useless:

S

~ ***betrunken*** blind drunk **Sinnlosigkeit** *f* senselessness (*etc*), absurdity
sinnreich *Adj* ingenious, clever
sinnverwandt *Adj* synonymous: ***~es Wort*** synonym **sinnvoll** *Adj* **1.** meaningful **2.** (*nützlich*) useful, (*vernünftig*) wise **3.** → ***sinnreich***
Sintflut *f* BIBEL *the* Flood, *the* Deluge
Sinus *m* **1.** MATHE sine **2.** ANAT sinus
Sinuskurve *f* MATHE sine curve
Siphon *m* siphon
Sippe *f* **1.** family, tribe **2.** → **Sippschaft** *f pej* clan, (*Bande*) gang, lot
Sirene *f allg* siren
Sirup *m* treacle, *Am* molasses *Sg*, (*bes Frucht*&) syrup
Sitte *f* **1.** custom, (*Gepflogenheit*) *a.* practice, habit: ***~n und Gebräuche*** manners and customs **2.** *Pl* (*Moral*) morals *Pl*, (*Benehmen*) manners *Pl*
Sittenlehre *f* ethics *Sg*
sittenlos *Adj* immoral, dissolute
Sittenlosigkeit *f* immorality
Sitten|polizei *f* vice squad **~richter(in)** moralizer **&streng** *Adj* puritanical **~strolch** *m* F sex offender **~verfall** *m* moral decline **&widrig** *Adj* immoral
Sittich *m* ZOOL parakeet
sittlich *Adj* moral, ethical
Sittlichkeit *f* morality, morals *Pl*
Situation *f* situation, position: ***sich der ~ gewachsen zeigen*** rise to the occasion; ***die ~ retten*** save the situation
Situationskomik *f* situational comedy
Sitz *m* **1.** *allg* seat (*a. fig Amts&, Familien& etc*), (*Wohn&*) (place of) residence, *e-s Unternehmens etc*: headquarters *Pl* (*a. Sg konstr*): *Firma* ***mit ~ in London*** London-based; *fig* ***die Zuschauer von den ~en reißen*** electrify the audience **2.** TECH, *a. der Kleidung*: fit
Sitz|blockade *f* sit-in **~ecke** *f* corner unit
sitzen *v/i* **1.** sit, *Vogel*: perch: ***~ bleiben*** remain seated; ***wir saßen beim Essen*** we were having lunch; ***im Parlament ~*** have a seat in Parliament; ***an e-r Arbeit (bei e-m Glas Wein) ~*** be sitting over a task (a glass of wine); F ***e-n ~ haben*** be soused; *fig* ***j-n ~ lassen*** leave s.o. in the lurch, (*Freund*[*in*]) walk out on s.o., jilt s.o.; ***das lasse ich nicht auf mir ~!*** I won't stand for that! ***~de Lebensweise*** sedentary life; → ***Patsche*** *etc* **2.** (*sich befinden*) be, *Firma etc*: have one's headquarters (***in*** *Dat* in) **3.** (*passen*) sit, fit **4.** F (***im Gefängnis***) ~ do time, be in jail; F ***~ bleiben*** **a)** have to repeat the year, **b)** *Frau*: be left on the shelf, **c)** ***~ auf*** *e-r Ware*: be left with; **5.** F *Schlag etc*, *fig Bemerkung etc*: hit home **6.** (*im Gedächtnis haften*) stick, have sunk in
Sitzgelegenheit *f* seat **Sitzgruppe** *f* three-piece suite **Sitzordnung** *f*, **Sitzplan** *m* seating plan **Sitzplatz** *m* seat
Sitzstreik *m* sit-down strike
Sitzung *f a.* PARL session, JUR *a.* hearing, (*Besprechung*) conference
Sizilianer(in), **sizilianisch** *Adj* Sicilian
Sizilien *n* Sicily
Skala *f* **1.** MUS, TECH scale **2.** *fig* range
Skalp *m*, **skalpieren** *v/t* scalp
Skandal *m* scandal, (*Schande*) *a.* disgrace, shame **Skandalblatt** *n* scandal sheet **skandalös** *Adj* scandalous
Skandinavien *n* Scandinavia
Skandinavier(in), **skandinavisch** *Adj* Scandinavian
Skateboard *n* skateboard **~fahrer(in)** skateboarder
Skelett *n a.* ARCHI, TECH skeleton
Skepsis *f* scepticism, *Am* skepticism
Skeptiker(in) sceptic, *Am* skeptic
skeptisch *Adj* sceptical, *Am* skeptical
Ski *m* ski: ***~ fahren, ~ laufen*** ski **~anzug** *m* ski suit **~ausrüstung** *f* skiing gear **~bob** *m* skibob **~brille** *f* (pair of) skiing goggles *Pl* **~fahren** *n* skiing **~fahrer(in)** skier **~fliegen** *n*, **~flug** *m* ski flying **~gebiet** *n* skiing area **~hang** *m* ski slope **~hütte** *f* ski hut (*Am* lodge) **~kurs** *m* skiing course **~langlauf** *m* cross-country skiing **~lauf** *m*, **~laufen** *n* skiing **~läufer(in)** skier **~lehrer(in)** skiing instructor **~lift** *m* ski lift **~piste** *f* ski run, piste **~schanze** *f* ski jump **~schuh** *m* ski boot **~schule** *f* ski school **~sport** *m* skiing **~springen** *n*, **~sprung** *m* ski jumping **~stiefel** *m* ski boot **~stock** *m* ski pole **~träger** *m* MOT ski rack
Skizze *f allg* sketch **Skizzenbuch** *n* sketchbook **skizzenhaft** *Adj* sketchy
skizzieren *v/t* sketch, *fig a.* outline
Sklave *m*, **Sklavin** *f* slave **Sklavenhandel** *m* slave trade **Sklaverei** *f* slavery
sklavisch *Adj* slavish (*a. fig*), servile

Sklerose *f* MED (***multiple ~*** multiple) sclerosis **sklerotisch** *Adj* sclerotic
Skonto *m*, *n* WIRTSCH (cash) discount
Skorpion *m* **1.** ZOOL scorpion **2.** ASTR (***er ist ~*** he is [a]) Scorpio
Skrupel *m* scruple
skrupellos *Adj* unscrupulous
Skulptur *f* sculpture
Skysurfing *n* sky surfing
Slalom *m*, *n* *Skisport*: slalom
Slawe *m*, **Slawin** *f*, **slawisch** *Adj* Slav
Slip *m* briefs *Pl* **~einlage** *f* panty liner
Slipper *m* (*Schuh*) loafer
Slowake *m* Slovak **Slowakei** *f die* Slovakia **Slowakin** *f*, **slowakisch** *Adj* Slovak
Slowene *m* Slovenian **Slowenien** *n* Slovenia **Slowenin** *f*, **slowenisch** *Adj* Slovenian
Smaragd *m*, **˜grün** *Adj* emerald
Smiley *m* smiley
Smog *m* smog **~alarm** *m* smog alert
Smoking *m* dinner jacket, *Am* tuxedo
SMS *m* (= ***Short Message Service***) SMS, text messaging
SMS(-Nachricht) *f* text (message): ***j-m e-e ~ schicken*** text s.o.
Snob *m* snob **Snobismus** *m* snobbery
snobistisch *Adj* snobbish
Snowboard *n* snowboard **~fahrer(in)** snowboarder
Snowrafting *n* snow rafting
so I *Adv* **1.** so, so much: ***nicht ~ einfach*** not so easy; ***das hat ihn ~ gefreut, dass …*** that pleased him so much that … **2.** (*auf diese Weise*) like this (*od* that), this (*od* that) way, thus; ***~ genannt*** socalled; ***~ viel*** so much; ***~ viel wie*** as much as; ***doppelt ~ viel*** twice as much; ***~ viel steht fest*** one thing is certain; ***~ weit sein*** be ready; ***es ist ~ weit fertig*** it's more or less finished; ***es ist ~ weit!*** **a**) it's time!, **b**) (*es geht los*) here goes!; ***~ wenig*** not more (***als*** than): ***~ wenig wie möglich*** as little as possible; ***~ ist es!*** that's how it is!; ***~ ist das Leben!*** such is life!; ***~ oder ~*** one way or another, (*ohnehin*) anyway **3.** (*solch*) such: ***~ etwas*** such a thing; ***~ ein Trottel!*** what a fool! **4.** (*ungefähr*) about: ***~ alle acht Tage*** every week or so **II** *Konj* **5.** ***~ dass*** → ***sodass***; ***~ Leid es mir tut*** however much I regret it **III** *Interj* **6.** ***~!*** (all) right!, okay!, (*fertig*) that's that!; ***~, ~!*** well, well!; ***~?*** really?; (***na***) ***~ was!*** you don't say!; ***ach ~!*** oh(, I see)!
sobald *Konj* as soon as
Söckchen *n* ankle sock, *Am* anklet
Socke *f* sock: F ***sich auf die ~n machen*** buzz off; ***von den ~n sein*** be flabbergasted, be dum(b)founded
Sockel *m* pedestal, *a.* ELEK, TECH base
Soda *n* soda **Sodawasser** *n* soda water
sodass *Konj.* so that, so as to *Inf*
Sodbrennen *n* MED heartburn
soeben *Adv* just (now)
Sofa *n* sofa, settee
sofern *Konj* if, so far as, (*wenn nur*) provided that: ***~ nicht*** unless
sofort *Adv* at once, instantly, immediately, right away: ***ab ~*** **a**) as of now, **b**) *a.* (***ab***) ***~ gültig*** effective immediately; WIRTSCH ***~ zahlbar*** spot cash; ***er war ~ tot*** he died instantaneously
Sofortbildkamera *f* instant camera
sofortig *Adj* immediate, prompt
Softie *m* F softy
Software *f* IT software **~anbieter** *m* software company **~paket** *n* software package
Sog *m* suction, FLUG, SCHIFF *a.* wake (*a. fig*)
sogar *Adv* even
sogenannt → ***so*** I, 2
Sohle *f* **1.** (*Fuß˜, Schuh˜*) sole **2.** (*Tal˜ etc*) bottom, BERGB floor
Sohn *m* son
Sojabohne *f* soybean **Sojamehl** *n* soybean flour **Sojasoße** *f* soy sauce
solang(e) *Adv* as long as
Solarenergie *f* solar energy
Solarium *n* solarium
Solarzelle *f* solar cell
solch *Pron u. Adj* such
Soldat(in) soldier
Söldner(in) mercenary
solidarisch I *Adj* solidary, WIRTSCH, JUR joint (and several): ***sich ~ erklären mit*** → ***solidarisieren*** **II** *Adv* in solidarity, WIRTSCH, JUR jointly (and severally)
solidarisieren *v/refl* ***sich ~ mit*** declare one's solidarity with, be solidly behind **Solidarität** *f* solidarity **Solidaritätszuschlag** *m* solidarity tax
solid(e) *Adj* **1.** (*haltbar*) solid **2.** *fig Arbeit, Kenntnisse, Verhältnisse etc*: solid, sound, *Firma etc*: *a.* reliable, *Preis*: rea-

S

sonable, *Beruf*: good **3.** *Person*: solid, *a. Lebensweise*: steady
Solist(in) soloist
Soll *n* **1.** *Buchhaltung*: debit: ***~ und Haben*** debit and credit **2.** (*Plan*~, *Leistungs*~) target, quota: ***sein ~ erfüllen*** reach the target, *fig* do one's bit
sollen I *v/hilf* **1.** *auffordernd, fragend*: be to: ***ich soll dir ausrichten*** I am to tell you; ***soll ich kommen?*** shall I come?; ***er soll nur kommen!*** just let him come!; ***was soll ich tun?*** what should I do?; ***was soll ich damit?*** what am I to do with it? **2.** *innere Verpflichtung*: ***ich hätte hingehen ~*** I ought to have gone; ***ich hätte es wissen ~*** I should have known; ***du hättest das nicht tun ~*** you shouldn't have done that!; ***weshalb sollte ich (auch)?*** why should I? **3.** *Absicht*: ***hier soll ein Schwimmbad entstehen*** a swimming pool is to be built here; ***es soll nicht wieder vorkommen*** it won't happen again; ***was soll das sein?*** what's that supposed to be?; ***es sollte ein Scherz sein*** it was meant as (*od* supposed to be) a joke **4.** *Gerücht*: ***er soll reich sein*** he is said to be rich; ***die Rebellen ~ die Macht übernommen haben*** the rebels are reported to have seized power **5.** *Möglichkeit*: ***sollte es wahr sein?*** could it be true; ***sollte sie kommen*** in case (*od* if) she should come **6.** *Schicksal*: ***er sollte nie mehr zurückkehren*** he was never to return again; ***es sollte alles ganz anders kommen*** things were to turn out quite differently; ***ein Jahr sollte vergehen, bis ...*** a year was to pass till ...; ***es hat nicht ~ sein*** it was not to be **II** *v/i* **7.** ***was soll ich hier?*** what am I here for?; ***soll (sollte) ich?*** shall (should) I?; ***was soll das?*** **a)** (*bedeuten*) what's the idea?, **b)** (*nützen*) what's the use?, **c)** F *a.* ***was soll's?*** so what?
solo *Adj* solo, F *fig a.* alone **Solo** *n allg* solo, SPORT solo attempt (*od* run) **Soloalbum** *n* solo album: ***ein ~ aufnehmen*** record a solo album
solvent *Adj* WIRTSCH solvent
Somalia *n* Somalia
somit *Adv* consequently, thus
Sommer *m* summer: ***im ~*** in (the) summer; ***im nächsten ~*** next summer
Sommer|fahrplan *m* summer timetable (*Am* schedule) **~ferien** *Pl* summer holidays *Pl* (*Am* vacation *Sg*), *Br a.* long vacation **~kleidung** *f* summer clothes *Pl*, *bes* WIRTSCH summer wear
sommerlich *Adj* summerly, summery
Sommer|loch *n* F *fig* silly season **~reifen** *m* MOT normal tyre (*Am* tire) **~schlussverkauf** *m* summer sales *Pl*
Sommerspiele *Pl* ***Olympische ~*** Summer Olympics *Pl*
Sommersprosse *f* freckle
Sommerzeit *f* summer time, *vorverlegte*: *a.* daylight saving time
Sonate *f* MUS sonata
Sonde *f* MED, *Raumfahrt*: probe, METEO, *Radar*: sonde
Sonder... special **~angebot** *n* special bargain, *Am* special **~ausgabe** *f* **1.** special edition **2.** *finanzielle*: extra (expenditure) **~ausstattung** *f* MOT optional extra(s *Pl*)
sonderbar *Adj* strange, odd, peculiar
sonderbarerweise *Adv* oddly enough
Sonder|beauftragte *m, f* special representative **~berichterstatter(in)** special correspondent **~bevollmächtigte** *m, f* plenipotentiary **~druck** *m* offprint **~fall** *m* special case
sonderlich I *Adj* special: ***ohne ~e Mühe*** without any great effort **II** *Adv* ***nicht ~*** not particularly, not much, not very
Sonderling *m* eccentric, crank
Sondermarke *f* special issue
Sondermaschine *f* FLUG special flight
Sondermeldung *f* special announcement **Sondermüll** *m* hazardous waste
sondern *Konj* but: ***nicht nur ..., ~ auch ...*** not only ..., but also ...
Sondernummer *f e-r Zeitung etc*: special edition **Sonderrecht** *n* privilege
Sonderregelung *f* special arrangement
Sonder|schule *f* special school (for handicapped or maladjusted children) **~sitzung** *f* special session **~stempel** *m* special postmark **~zeichen** *n* COMPUTER special character, symbol **~zulage** *f* special bonus **~zuschlag** *m* surcharge, *zum Fahrpeis*: special excess fare
sondieren I *v/t* MED *u. fig* probe, sound (out) **II** *v/i fig* put out feelers
Sondierungsgespräch *n* exploratory talk

Sonett *n* sonnet
Sonnabend *m* (**am ~** on) Saturday
sonnabends *Adv* on Saturday(s)
Sonne *f* sun: **an** (*od* **in**) **der ~** in the sun
sonnen *v/refl* **sich ~** sun o.s., bask in the sun, *fig* bask (**in** *Dat* in)
Sonnenaufgang *m* (**bei ~** at) sunrise
Sonnenbad *n* sunbath: **ein ~ nehmen** → **sonnenbaden** *v/i* sunbathe
Sonnen|bank *f* sun bed **~blende** *f* FOTO lens hood **~blume** *f* sunflower **~brand** *m* sunburn **~brille** *f* (**e-e ~** a pair of) sunglasses *Pl* **~creme** *f* sun(tan) cream **~dach** *n* sun-blind, MOT sunshine roof **~deck** *n* SCHIFF sun deck **~energie** *f* solar energy **~finsternis** *f* eclipse of the sun **~fleck** *m* sunspot **~hut** *m* sun hat **~kollektor** *m* solar panel **~kraftwerk** *n* solar power plant **~licht** *n* (**bei ~** in) sunlight **~öl** *n* suntan oil **~schein** *m* sunshine **~schirm** *m* sunshade, *für Damen*: parasol **~schutzcreme** *f* sun (filter) cream **~schutzmittel** *n* sunscreen, suntan lotion, sun cream **~seite** *f a. fig* sunny side **~stich** *m* sunstroke **~strahl** *m* sunbeam **~system** *n* solar system **~uhr** *f* sundial **~untergang** *m* (**bei ~** at) sunset **~wende** *f* solstice **~zelle** *f* solar cell
sonnig *Adj a. fig* sunny
Sonntag *m* (**am ~** on) Sunday **sonntäglich** *Adj* Sunday **sonntags** *Adv* on Sunday(s), on a Sunday
Sonntags|anzug *m* Sunday best **~arbeit** *f* Sunday working **~ausflügler(in)** weekend tripper **~beilage** *f Zeitung*: Sunday supplement **~dienst** *m* **~ haben** be on Sunday duty, *Apotheke*: be open on Sunday(s) **~fahrer(in)** MOT *pej* Sunday driver **~kind** *n* **er ist ein ~** he was born on a Sunday (*fig* under a lucky star) **~maler(in)** Sunday painter **~rede** *f fig* fancy speech
sonor *Adj* sonorous
sonst *Adv* **1.** (*andernfalls*) otherwise, or, or else **2.** usually, normally: **wie ~** as usual **3.** (*im Übrigen*) otherwise, apart from that **4.** (*außerdem*) else; F **~ jemand** somebody else, (*irgendjemand*) anybody; F **~ was** something else, (*egal was*) anything; F **~ wie** some other way; F **~ wo(hin)** somewhere else; **wer ~?** who else?; **~ noch etwas?** anything else?; **nirgends ~** nowhere else **5.** (*früher*) always: **alles war wie ~** everything was as it used to be
sonstig *Adj* other
sooft *Adv* whenever: **~ du willst** as often as you like
Sopran *m*, **Sopranist(in)** soprano
Sorge *f* **1.** worry, concern, (*Ärger*) trouble: **finanzielle** (**berufliche**) **~n** financial (professional) worries (*od* problems); **j-m ~n machen** worry s.o., cause s.o. trouble; **sich ~n machen a**) **um** be worried about, **b**) **dass** be concerned that; **mach dir k-e ~n!, k-e ~!** don't worry!; **lassen Sie das m-e ~ sein!** leave that to me!; → **gering 2.** (*Für*~) care: **~ tragen für** → **sorgen** I
sorgen I *v/i* **~ für** see to, take care of, ensure, (*betreuen*) look after, (*beschaffen*) provide: **dafür ~, dass …** see to it that …; **dafür werde ich ~** I'll see to that; **für sich selbst ~** fend for o.s.; **für ihn ist gesorgt** he's taken care of **II** *v/refl* **sich ~** (**um, wegen** about) be worried, worry **sorgenfrei** *Adj* free from care(s), carefree
Sorgenkind *n* problem child
sorgenvoll *Adj Leben etc*: full of worries, *a. Miene etc*: worried
Sorgerecht *n* custody (**für** of)
Sorgfalt *f* care: **große ~ verwenden auf** (*Akk*) take great pains over **sorgfältig** *Adj* careful, thorough **sorglos** *Adj* **1.** (*unachtsam*) careless, (*unbekümmert*) unconcerned **2.** (*sorgenfrei*) carefree
Sorglosigkeit *f* carelessness, unconcern **sorgsam** → **sorgfältig**
Sorte *f* sort, kind, type, WIRTSCH quality, (*Marke*) brand: **~n** *Pl* (*Geld*) foreign exchange *Sg*; **übelster ~** of the worst kind
sortieren *v/t a.* COMPUTER sort, *nach Qualität*: *a.* grade, *nach Größe*: *a.* size
Sortiment *n* **1.** range **2.** → **Sortimentsbuchhandel** *m* retail book trade
sosehr *Konj* **~** (**auch**) however much
Soße *f* sauce, (*Braten*~) gravy, (*Salat*~) dressing, F (*Brühe*) juice, goo
Soßenschüssel *f* sauceboat
Souffleur *m* prompter
Souffleurkasten *m* prompt box
Souffleuse *f* prompter
soufflieren *v/t u. v/i* **j-m ~** prompt s.o.
Sound *m* sound **~karte** *f* IT sound card
soundso *Adv* F so and so: **~'viel** so much; **~ viele** so and so many; **~ oft**

S

time and again; ***Herr*** ≈ Mr What's-his--name
soundsoviel *Adj* F **1.** ***am ~en*** on such and such a date **2.** (*x-te*) umpteenth
Soundtrack *m* soundtrack
Soutane *f* cassock
Souterrain *n* basement
souverän **I** *Adj* sovereign, *fig* superior, *a. Adv* in superior style **II** ≈ *m* sovereign **Souveränität** *f* sovereignty
soviel *Konj* ***~ ich weiß*** as far as I know; ***~ ich gehört habe*** from what I have heard; → ***so*** I 1
soweit *Konj* as far as (*I know etc*); → ***so*** I 1
sowenig *Konj* however little; → ***so*** I 1
sowie *Konj* **1.** as soon as **2.** as well as
sowieso *Adv* **1.** anyway, in any case **2.** F (***das***) ***~!*** that goes without saying!
Sowjet *m*, **sowjetisch** *Adj hist* Soviet
Sowjetrusse *m*, **Sowjetrussin** *f*, **sowjetrussisch** *Adj hist* Soviet-Russian
Sowjetunion *f hist the* Soviet Union
sowohl *Konj* ***~ … als*** (***auch***) ***…*** … as well as …, both … and …
sozial *Adj allg* social: ***~e Stellung*** social rank (*od* status); *Adv* ***~ denken*** be social-minded
Sozial|abbau *m* dismantling of the welfare state **~abgaben** *Pl* social contributions *Pl* **~amt** *n* social welfare office **~arbeiter(in)** welfare worker **~demokrat(in)** social democrat **~demokratie** *f* social democracy **≈demokratisch** *Adj* social-democratic **~einrichtungen** *Pl* social services *Pl* **~hilfe** *f* social security: ***~ beziehen*** be on welfare
sozialisieren *v/t* nationalize
Sozialismus *m* socialism
Sozialist(in) socialist
sozialistisch *Adj* socialist
sozialkritisch *Adj* sociocritical
Sozial|kunde *f* PÄD social studies *Pl* **~lasten** *Pl* social expenditure *Sg* **~leistungen** *Pl* social contributions *Pl*, (*freiwillige ~ e-r Firma etc*) fringe benefits *Pl* **~plan** *m* redundancy scheme **~politik** *f* social policy **≈politisch** *Adj* sociopolitical **~produkt** *n* (gross) national product **~staat** *m* welfare state **~versicherung** *f* social security **≈verträglich** *Adj* socially acceptable **~wohnung** *f* council flat
Soziologe *m*, **Soziologin** *f* sociologist
Soziologie *f* sociology
soziologisch *Adj* sociological
Sozius *m* **1.** WIRTSCH partner **2.** *a* **Soziusfahrer(in)** pillion rider **Soziussitz** *m* (***auf dem ~ mitfahren*** ride) pillion
sozusagen *Adv* so to speak, as it were
Spachtel *m* **1.** spatula **2.** *a* **~masse** *f* filler **~messer** *n* putty knife
spachteln *v/t* TECH surface
Spagat *m*, *n* (***~ machen*** do the) splits *Pl*
Spag(h)etti *Pl* spaghetti *Pl*
spähen *v/i* peer, look out (***nach*** for)
Spähtrupp *m* MIL reconnaissance patrol
Spalier *n* **1.** LANDW trellis, espalier **2.** (*Ehren≈*) guard of hono(u)r, (*Gasse*) lane, (*Reihe*) rows *Pl*: ***ein ~ bilden, ~ stehen*** form a lane **Spalierobst** *n* wall fruit
Spalt *m* crack, (*Lücke*) gap, (*Schlitz*) slit
spaltbar *Adj* PHYS fissionable: ***~es Material*** fissile material **Spalte** *f* **1.** → ***Spalt*** **2.** GEOL cleft, *große*: crevice, (*Gletscher≈*) crevasse **3.** BUCHDRUCK column
spalten *v/t* split (*a. Atom*), (*Holz*) chop, CHEM decompose, *fig allg* split (up), divide; → ***Haar*** **Spaltung** *f* splitting, BIOL, PHYS fission, *fig* split, *e-s Landes etc*: division, REL schism
Span *m* chip, *Pl* shavings *Pl*, (*Feilspäne*) filings *Pl*: ***wo gehobelt wird, da fallen Späne*** you can't make an omelette without breaking eggs
Spanferkel *n* sucking pig
Spange *f* clasp, (*Schnalle*) buckle, (*Arm≈*) bangle, (*Haar≈*) slide, (*Schuh≈*) strap, (*Zahn≈*) brace
Spanien *n* Spain
Spanier(in) Spaniard
spanisch *Adj* Spanish: ***auf*** ≈ in Spanish; ***~e Wand*** folding screen; *fig* ***das kommt mir ~ vor!*** that's strange!
Spanne *f allg* span, WIRTSCH (*Gewinn≈*) margin: ***e-e kurze ~*** a short space (of time)
spannen **I** *v/t* stretch, tighten, (*Leine etc*) put up, (*Gewehr, Kamera*) cock, (*Muskeln*) flex, tense, (*Bogen*) bend, *fig* (*Nerven*) strain: ***e-n Bogen in die Schreibmaschine ~*** insert a sheet of paper into the typewriter; → ***Folter, gespannt*** **II** *v/refl* ***sich ~*** stretch; ***sich ~ über*** (*Akk*) span **III** *v/i Kleid etc*: be

(too) tight, *Haut*: be taut
spannend *Adj* exciting, thrilling, gripping, *Buch, Film a.* suspense-packed
Spanner[1] *m für Skier, Tennisschläger*: press; → ***Schuhspanner***
Spanner[2] *m* F (*Voyeur*) peeping Tom
Spannkraft *f fig* energy, vigo(u)r
Spannung *f* **1.** TECH tension (*a.* MED), ELEK *a.* voltage, *elastische*: stress, *verformende*: strain, (*Druck, Gas*≗) pressure: ELEK ***unter*** ~ (***stehend***) live **2.** *fig* excitement, *a. e-s Buches etc*: suspense, (*nervliche* ~, *gespanntes Verhältnis, a.* POL) tension: ***mit*** (*od* ***voll***) ~ *erwarten etc*: with bated breath; ***j-n in*** ~ ***halten*** keep s.o. in suspense; ***in*** ~ ***versetzen*** thrill, excite
spannungs|geladen *Adj* **1.** → ***spannend*** **2.** *Atmosphäre etc*: (extremely) tense ≗**gebiet** *n* POL area of tension, trouble spot ≗**messer** *m*, ~**prüfer** *m* ELEK voltmeter
Spannweite *f der Flügel, a.* ARCHI span, *fig a.* scope, range
Spanplatte *f* chipboard
Spar|buch *n* savings book ~**büchse** *f* money box ~**einlage** *f* savings depot
sparen I *v/t allg* save: *fig* ***das hättest du dir*** ~ ***können!*** that was unnecessary! **II** *v/i* save (up) (***auf*** *Akk* for), (*sich einschränken*) economize (***an*** *Dat*, ***mit*** on): *fig* ***mit Lob*** *etc* ~ be sparing of praise *etc* **Sparer(in)** saver
Spargel *m* asparagus
Spar|groschen *m* F nest egg ~**guthaben** *n* savings balance ~**haushalt** *m* austerity budget ~**kasse** *f* savings bank ~**konto** *n* savings account
spärlich I *Adj* scanty, *Lob, Kenntnisse etc*: scant, (*dünn*) sparse, *a. Haarwuchs*: thin, *Besuch etc*: poor **II** *Adv* ~ ***bekleidet*** scantily dressed; ~ ***besucht*** poorly attended
Sparmaßnahme *f* economy measure
Sparpackung *f* economy size
Sparpaket *n* POL cuts package
Sparprogramm *n* **1.** POL cuts (*od* austerity) program(me *Br*) **2.** *e-r Waschmaschine*: energy-saving cycle
Sparring *n Boxen*: sparring
sparsam *Adj* (***mit***) economical (of), *a. Sache*: thrifty (of, with): *Adv* ***mit etw*** ~ ***umgehen*** use s.th. sparingly (*a. fig*)
Sparsamkeit *f* economy, thrift, *strengste*: austerity, (*Geiz*) parsimony
Sparschwein *n* F piggy bank
spartanisch *Adj* Spartan, *fig* spartan: *Adv* ~ ***leben*** lead a spartan life
Sparte *f* field, line
Sparvertrag *m* savings agreement
Spaß *m* joke, (*Vergnügen*) fun: ***aus*** (*od* ***im, zum***) ~ for fun; ***er hat nur*** ~ ***gemacht!*** he was only joking!; ***es macht*** (***k-n***) ~ it's (no) fun; ***es macht ihm*** (***viel***) ~ he (really) enjoys it; ***er versteht k-n*** ~ he can't take a joke, *weit. S.* he doesn't stand for any nonsense; ~ ***beiseite!*** joking aside!; ***viel*** ~***!*** have fun!; ***ein teurer*** ~ an expensive business
spaßen *v/i* joke: ***damit ist nicht zu*** ~***!*** that's no joking matter!; ***er lässt nicht mit sich*** ~ he doesn't stand for any nonsense **spaßeshalber** *Adv* (just) for fun
spaßhaft, spaßig *Adj* funny
Spaßverderber(in) spoilsport, killjoy
Spaßvogel *m* funster, wag
Spastiker(in) MED spastic
spastisch *Adj* (*a.* ~ ***gelähmt***) spastic
spät I *Adj* late: ***am*** ~***en Nachmittag*** late in the afternoon; ***wie*** ~ ***ist es?*** what time is it?; ***es ist*** (***wird***) ~ it's (getting) late **II** *Adv* late, at a late hour (*a. fig*): ***zu*** ~ ***kommen*** be late (***zu*** for); ***er kam 5 Minuten zu*** ~ he was five minutes late; ~ ***zu Abend essen*** have a late dinner; ***bis*** ~ ***in die Nacht*** till late at night; ***du bist*** ~ ***dran!*** you are late!
Spatel *m* MED spatula
Spaten *m* spade
Spätentwickler(in) late developer
später I *Adj* later **II** *Adv* later (***als*** than), (~*hin*) later on: ***bis*** ~***!*** see you later!; → ***früher*** II **spätestens** *Adv* at the latest
Spätfolgen *Pl* MED late sequelae *Pl*
Spätherbst *m* late autumn (*Am* fall)
Spätlese *f* late vintage (wine)
Spätsommer *m* late summer **Spätvorstellung** *f* late-night performance
Spatz *m* sparrow: F ***das pfeifen die*** ~***en von den Dächern*** that's everybody's secret **Spatzenhirn** *n* F peabrain
Spätzünder(in) F **1.** ***ein*** ~ ***sein*** be slow on the uptake **2.** → ***Spätentwickler(in)***
Spätzündung *f* MOT retarded ignition
spazieren *v/i* walk (around), stroll; ~ ***fahren*** take a ride, ***j-n*** take *s.o.* for a ride; ~ ***führen*** take *s.o.* (out) for a walk; ~ ***gehen*** *v/i* go for a walk

Spazierfahrt *f* drive, ride
Spaziergang *m* **1.** walk, stroll: ***e-n ~ machen*** go for a walk **2.** *fig* (*leichter Sieg*) walkover
Spaziergänger(in) walker, stroller
Spazierstock *m* walking stick
Specht *m* ZOOL woodpecker
Speck *m* **1.** GASTR bacon: → ***Made*** **2.** F (*Fettpolster*) flab: ***~ ansetzen*** get fat
speckig *Adj* **1.** fat **2.** *fig* greasy
Speckscheibe *f* bacon rasher
Speckschwarte *f* bacon rind
Spediteur(in) forwarding (SCHIFF shipping) agent, (*Möbel*&) (furniture) remover **Spedition** *f* **1.** forwarding (SCHIFF shipping) (business) **2.** → **Speditionsfirma** *f* forwarding (SCHIFF shipping) agency, (*Möbel*&) removal firm
Speditions|kauffrau *f*, **~kaufmann** *m* forwarding agent
Speer *m* spear, (*Wurf*&) javelin **~werfen** *n* SPORT javelin throw, *the* javelin
Speiche *f* **1.** spoke **2.** ANAT radius
Speichel *m* spittle, saliva **~drüse** *f* salivary gland **~lecker(in)** *pej* toady
Speicher *m* **1.** (*Getreide*&) granary, elevator, (*Lagerhaus*) warehouse, (*Wasser*&) reservoir **2.** (*Dachboden*) loft, attic **3.** IT store, memory **~chip** *m* IT memory chip **~erweiterung** *f* memory expansion **~kapazität** *f* IT memory capacity
speichern *v/t* store (*a.* ELEK), WIRTSCH *a.* stockpile, IT save (***auf*** *Akk* to) **Speicherung** *f* storage, storing, IT saving
speien I *v/t* spit, *fig* spew, (*Wasser*) spout **II** *v/i* (*sich erbrechen*) vomit
Speise *f* food, (*Gericht*) dish, meal **~eis** *n* ice cream **~kammer** *f* larder, pantry **~karte** *f* menu
speisen I *v/i* eat, dine: ***zu Mittag ~*** (have) lunch; ***zu Abend ~*** have dinner, dine **II** *v/t* feed (*a.* ELEK, TECH)
Speisen|aufzug *m* dumb waiter **~folge** *f* order of courses
Speise|öl *n* cooking oil **~röhre** *f* ANAT gullet, (o)esophagus **~saal** *m* dining hall (*im Hotel*: room, SCHIFF saloon) **~wagen** *m* BAHN dining car, *bes Am* diner
Speisezettel *m* menu
Speisezimmer *n* dining room
Speisung *f* feeding, TECH *a.* supply
Spektakel *m* row, racket, *fig* fuss
Spektralanalyse *f* spectrum analysis
Spektrum *n a. fig* spectrum
Spekulant(in) speculator
Spekulation *f allg* speculation
Spekulationsgeschäft *n* speculative operation, *riskantes*: gamble
spekulieren *v/i allg* speculate (***über*** *Akk* on, WIRTSCH ***mit*** in): ***~ auf*** (*Akk*) speculate on, F (*haben wollen*) have one's eye on
Spelunke *f* F dive, joint
spendabel *Adj* F generous
Spende *f* donation, contribution
spenden *v/t u. v/i* **1.** donate (*a. Blut, Organ etc*), contribute **2.** *Automat*: dispense **3.** *fig* (*Licht, Lob etc*) give
Spendenaktion *f* collection campaign
Spendenkonto *n* account for donations
Spender *m* (*Automat*) dispenser
Spender(in) donator, contributor, (*a. Blut*&, *Herz*& *etc*) donor
spendieren *v/t* F ***j-m etw ~*** treat s.o. to s.th.; ***j-m ein Bier ~*** stand s.o. a beer
Sperber *m* ZOOL sparrow hawk
Sperling *m* ZOOL sparrow
Sperma *n* sperm
Sperre *f* **1.** (*Schranke*) barrier, (*Straßen*&) barricade, road block **2.** TECH lock, stop, stoppage **3.** PSYCH mental block **4.** WIRTSCH embargo, blockade: ***e-e ~ verhängen über*** (*Akk*) impose a ban (WIRTSCH an embargo) on **5.** SPORT suspension
sperren I *v/t* **1.** (*schließen*) shut, (*Straße etc*) block, *durch Polizisten etc*: cordon off: ***e-e Straße für den Verkehr ~*** close a road to traffic **2.** TECH lock, block, stop, (*Gas, Wasser etc*) cut off **3.** (*Warenverkehr*) embargo, (*Zahlungen etc*) freeze, (*Konto*) block, (*Scheck*) stop **4.** SPORT ***j-n ~*** **a**) (*behindern*) obstruct s.o. (unfairly), **b**) (*ausschließen*) suspend s.o. **5.** BUCHDRUCK space out: ***gesperrt gedruckt*** spaced out **6.** ***j-n ~ in*** (*Akk*) lock s.o. up in **II** *v/refl* ***sich ~*** **7.** balk (***gegen*** at)
Sperr|feuer *n* MIL barrage **~frist** *f* blocking period **~gebiet** *n* prohibited zone
Sperrholz *n* plywood
sperrig *Adj* bulky
Sperrminorität *f* blocking minority
Sperr|müll *m* bulk rubbish **~sitz** *m*

THEAT orchestra stalls *Pl* **~stunde** *f* closing time **~taste** *f* TECH locking key
Sperrung *f* **1.** closing (*etc*, → ***sperren*** I), obstruction **2.** → ***Sperre*** 2, 4
Spesen *Pl* expenses *Pl* **2frei** *Adj* free of charge(s) **~konto** *n* expense account
Spezi[1] *m* F *pej* chum, buddy
Spezi[2] *n* F (*Getränk*) lemonade and cola
Spezial|ausbildung *f* specialized training **~einheit** *f* task force **~fach** *n* special subject **~gebiet** *n* special field
spezialisieren *v/refl* ***sich ~ auf*** (*Akk*) specialize in **Spezialisierung** *f* specialization **Spezialist(in)** specialist
Spezialität *f* speciality
speziell *Adj* special, specific(ally *Adv*)
Spezies *f* species
spezifisch *Adj* specific(ally *Adv*): ***~es Gewicht*** specific gravity
spezifizieren *v/t* specify
Sphäre *f* sphere **sphärisch** *Adj* spheric
Sphinx *f a. fig* sphinx
spicken *v/t* **1.** GASTR lard **2.** *fig* (*Rede etc*) interlard (***mit*** with): ***gespickt mit Fehlern*** bristling with mistakes
Spiegel *m* **1.** mirror (*a. fig*), MED speculum, OPT, TECH reflector **2.** (*Wasser2*) surface, (*a. Blutzucker2 etc*) level **~bild** *n* **1.** mirror image **2.** *fig* reflection
Spiegelei *n* GASTR fried egg
spiegel|frei *Adj Glas*: nonglare **~glatt** *Adj Wasser*: (as) smooth as glass, *Parkett etc*: like glass, *Straße*: *a.* icy
spiegeln I *v/i* shine, (*blenden*) dazzle **II** *v/t a. fig* mirror, reflect **III** *v/refl* ***sich ~*** be reflected, *fig a.* be mirrored
Spiegelreflexkamera *f* reflex camera
Spiegelschrift *f* mirror writing
Spiegelung *f* reflection, (*Luft2*) mirage
Spiel *n* **1.** play (*a. fig von Farben, der Muskeln*), MUS playing, THEAT *a.* acting, performance **2.** *allg* game, (*Wett2*) *a.* match, (*Glücks2*) *a.* gamble: ***wie steht das ~?*** what's the score?; *fig* ***gewagtes ~*** gamble; (***mit***) ***im ~ sein*** be at work, ***bei etw*** be involved in s.th.; ***etw ins ~ bringen*** bring s.th. up; ***die Hand im ~ haben*** have one's (*od* a) finger in the pie; ***ins ~ kommen*** come into play; ***auf dem ~ stehen*** be at stake; ***aufs ~ setzen*** risk; ***aus dem ~ lassen*** leave *s.o., s.th.* out of it; ***gewonnenes ~ haben*** have made it; ***leichtes ~ haben*** have little trouble (***mit*** with); ***mit j-m sein ~ treiben*** play games with s.o.; ***mit j-m ein falsches ~ treiben*** double-cross s.o.; ***das ~ ist aus!*** the game is up!; → ***abgekartet*** **3.** THEAT, TV play **4.** ~ (***Karten***) pack (*Am* deck) (of cards) **5.** *Stricknadeln etc*: set **6.** TECH play, *erwünschtes*: clearance
Spiel|anzug *m* playsuit **~art** *f* BIOL *u. fig* variety **~automat** *m* gaming machine, *mit Geldgewinn*: slot machine, F one-armed bandit **~ball** *m* **1.** ball, *Tennis*: game ball **2.** *fig* plaything **~bank** *f* (gambling) casino **~dauer** *f e-s Films etc*: duration, *e-r Kassette etc*: playing time **~dose** *f* musical (*Am* music) box
spielen I *v/i* **1.** *allg* play (*a. fig*), *Glücksspieler*: gamble: ***~ um*** play for; ***hoch ~*** play for high stakes; SPORT ***A. spielte gegen B.*** A. played B.; ***mit dem Gedanken ~ zu*** *Inf* toy with the idea of *Ger*; ***s-e Beziehungen ~ lassen*** pull a few strings; ***ins Rötliche ~*** have a reddish tinge; → ***Charme, Feuer*** 1, ***Muskel*** **2.** THEAT play, act: ***~ in*** (*Dat*) *Film, Szene etc*: be set in **II** *v/t* **3.** *allg* play: ***Klavier ~*** play the piano; → ***Geige, Hand*** **4.** THEAT *u. fig* play, act: *fig* ***den Beleidigten ~*** act all offended; ***mit gespielter Gleichgültigkeit*** with studied indifference; F *fig* ***was wird hier gespielt?*** what's going on here?; → ***Rolle***[2] **5.** (*aufführen*) play, perform: ***was wird heute Abend gespielt?*** what's on tonight?; → ***Theater*** 2
spielend *Adv fig* ~ (***leicht***) easily, effortlessly; ***es ist ~ leicht*** it's child's play; ***~ gewinnen*** win hands down
Spieler(in) *allg* player, (*Glücks2*) gambler
Spielerei *f* **1.** playing around **2.** (*Zeitvertreib*) pastime **3.** *Pl* (*Kinkerlitzchen*) gewgaws *Pl*, *technische*: gadgets *Pl*
spielerisch *Adj* **1.** SPORT playing, THEAT acting **2.** (*verspielt*) playful **3.** ***mit ~er Leichtigkeit*** effortlessly
Spiel|feld *n* SPORT field, pitch, *Tennis*: *a.* court **~film** *m* feature film **~halle** *f* amusement arcade **~hölle** *f pej* gambling den **~kamerad(in)** playmate **~karte** *f* playing card **~kasino** *n* (gambling) casino **~leiter(in)** → ***Regisseur(in)*** **~macher(in)** SPORT strategist **~marke** *f* counter, chip **~plan** *m* THEAT *etc* program(me *Br*) **~platz** *m* play-

ground **~raum** *m* **1.** *fig* elbowroom, scope, *zeitlich*: time, (*Spanne*) margin **2.** TECH clearance **~regel** *f* rule: *a. fig* ***sich an die ~n halten*** play the game **~sachen** *Pl* toys *Pl* **~salon** *m* amusement arcade **~schuld** *f* gambling debt **~stand** *m* score **~tisch** *m* card table, *für Glücksspiele*: gambling table **~trieb** *m* play instinct **~uhr** *f* musical clock **~verbot** *n* SPORT suspension **~verderber(in)** spoilsport

Spielwaren *Pl* toys *Pl* **Spielwarengeschäft** *n* toy shop (*Am* store)

Spielzeit *f Sport*, THEAT season, *e-s Spiels*: playing time, *e-s Films etc*: run

Spielzeug *n* toy(s *Pl*), *fig* toy

Spielzeugpistole *f* toy pistol

Spieß *m* spear, (*Brat*~) spit, (*Fleisch*~) skewer: ***am ~ braten*** roast on the spit; F *fig* ***den ~ umdrehen*** turn the tables (***gegen*** on); ***schreien wie am ~*** scream blue murder **Spießbürger(in)**, **spießbürgerlich** *Adj* petty bourgeois, F square **Spießer(in)**, **spießig** *Adj* petty bourgeois, F square **Spießruten** *Pl a. fig* ***~ laufen*** run the gauntlet

Spikes *Pl* **1.** SPORT spikes *Pl* **2.** MOT **a)** studs *Pl*, **b)** → **Spikesreifen** *Pl* studded tyres (*Am* tires) *Pl*

spinal *Adj* spinal: MED ***~e Kinderlähmung*** polio(myelitis)

Spinat *m* spinach

Spind *m*, *n* locker

Spindel *f* spindle (*a.* BIOL, TECH)

Spinett *n* spinet

Spinne *f* spider **spinnen I** *v/t* spin: *fig* ***Ränke ~*** hatch plots **II** *v/i* F (*verrückt sein*) be crazy, (*Unsinn reden*) talk (a lot of) rubbish **Spinnennetz** *n* cobweb

Spinner(in) 1. spinner **2.** F (*Verrückter*) nut, crackpot, *Am* screwball

Spinnerei *f* **1. a)** spinning, **b)** (*Fabrik*) spinning mill **2.** F *fig* crazy idea, *modische*: fad, (*Unsinn*) rubbish

Spinn|gewebe *n* cobweb **~rad** *n* spinning wheel **~webe** *f* cobweb

Spion *m* **1.** spy **2.** *an der Tür*: spyhole, *am Fenster*: window mirror

Spionage *f* espionage, spying **~abwehr** *f* counterespionage, counterintelligence **~netz** *n*, **~ring** *m* spy ring

spionieren *v/i* spy, *fig a.* snoop (around)

Spionin *f* spy

Spirale *f* spiral (*a. fig Preis*~ *etc*), TECH (*Draht*~ *etc*, *a.* F *Pessar*) coil

Spiralfeder *f* coil spring, *der Uhr*: mainspring **spiralförmig** *Adj* spiral

Spiritismus *m* spiritualism **Spiritist(in)**, **spiritistisch** *Adj* spiritualist

Spirituosen *Pl* spirits *Pl*, *Am* liquor *Sg*

Spiritus *m* spirit **~kocher** *m* spirit stove

Spital *n österr.*, *schweiz*. hospital

spitz *Adj* **1.** pointed, *Bleistift etc*: *a.* sharp: ***~ zulaufend*** tapering **2.** MATHE *Winkel*: acute **3.** F (*blass*, *krank*) peaky **4.** *fig* (*bissig*) pointed, *a. Person*: sarcastic: ***~e Zunge*** sharp tongue

Spitz *m* (*Hund*) Pomeranian

Spitz|bart *m* goatee **~bauch** *m* paunch

Spitze[1] *f* **1.** *allg* (*Kinn*~, *Messer*~ *etc*) point, (*spitzes Ende*, *a. Finger*~, *Nasen*~ *etc*) tip, (*Berg*~) peak, (*a. Baum*~) top, (*Turm*~) spire: *fig* ***die ~ des Eisbergs*** the tip of the iceberg; ***e-r Sache die ~ nehmen*** take the edge off s.th. **2.** *e-r Kolonne etc*: head (*a. fig*), (*Angriffs*~) (spear)head (*a. fig*), SPORT (*Führung*) lead, (*Führungs*~) leading group: *Fußball*: F ***~ spielen*** be striker; ***an der ~ der Tabelle*** at the top of the table; *a. fig* ***an der ~ liegen*** be in front; ***sich an die ~ setzen*** take the lead **3.** (*Leistungs*~, *Verkehrs*~ *etc*) peak: F ***das Auto macht 220 km ~*** the car does a maximum speed of 220 km per hour; *fig* ***etw auf die ~ treiben*** carry s.th. too far **4.** (*Spitzenposition*) top position, (*Unternehmens*~) (top) management, *Pl* (*Elite*) leading figures *Pl*, élite *Sg*: ***an der ~ der Firma*** at the head of the firm **5.** (*Anspielung*) dig (***gegen*** at) **6.** F ***das ist*** (***einsame***) ***~!*** that's super (*od* great)!

Spitze[2] *f* lace

Spitzel *m* (*Polizei*~) informer, *sl* nark, *weit. S.* (*im Betrieb*: company) spy

spitzen *v/t* point, (*Bleistift etc*) sharpen: ***die Ohren ~*** prick up one's ears, *fig a.* listen carefully

Spitzen|fabrikat *n* top-quality product (*od* make) **~gehalt** *n* top salary **~geschwindigkeit** *f* maximum (*od* top) speed **~gespräch** *n* top-level talks *Pl* **~kandidat(in)** leading candidate, front-runner **~klasse** *f* top class: ***Läufer*** (***Auto***) ***der ~*** top-class runner (car)

Spitzenkleid *n* lace dress

Spitzen|kraft *f* highly qualified worker, top-level executive, THEAT *etc* star per-

S

former **~leistung** *f* **1.** TECH maximum output, ELEK peak power **2.** SPORT top performance **3.** *der Wissenschaft etc*: great feat **~lohn** *m* top wage(s *Pl*) **~produkt** *n* top-quality product **~reiter(in)** (*Kandidat*) front-runner, SPORT leader, leading team, (*Film, Schlager etc*) (top) hit **~sport** *m* high-performance sports *Pl* **~sportler(in)** top athlete **~tanz** *m* toe-dancing **~technik** *f* leading-edge technology, hi tech **~technologie** *f* high technology **~verdiener(in)** top earner **~wein** *m* vintage wine
spitzfindig *Adj* over-subtle
Spitzfindigkeit *f* subtlety: ***das sind ~en*** that's splitting hairs
Spitzhacke *f* axe, *Am* pickax
spitzkriegen *v/t* F ***etw ~*** cotton on to s.th.
Spitzname *m* nickname
spitzwink(e)lig *Adj* MATHE acute
Spleen *m* F tic, quirk
Spliss *m* (*Haar*~) split ends *Pl*
Splitter *m* splinter, (*a. Granat*~) fragment **Splitterbruch** *m* MED chip fracture
splitterfrei *Adj* shatterproof
Splittergruppe *f* POL splinter group
splittern *v/i* splinter, *Glas*: shatter
splitternackt *Adj* stark naked
Splitterpartei *f* splinter party
Splitting *n* splitting
Spoiler *m* MOT spoiler
sponsern *v/t*, **Sponsor(in)** sponsor **Sponsoring** *n* sponsorship
spontan *Adj* spontaneous **Spontanentscheidung** *f* snap decision
sporadisch *Adj* sporadic(ally *Adv*)
Spore *f* BOT spore
Sporn *m* spur (*a.* BOT), FLUG (tail) skid: *dem Pferd* ***die Sporen geben*** spur
Sport *m* **1.** sport, *Koll* sports *Pl*, PÄD *a.* physical education: ***~ treiben*** go in for sports; ***viel ~ treiben*** do a lot of sport **2.** *fig* hobby: ***als ~*** as a hobby
Sport|abzeichen *n* sports badge **~anlage** *f* sports grounds (*od* facilities) *Pl* **~art** *f* (kind of) sport **~artikel** *m* sports article **~arzt** *m*, **~ärztin** *f* sports physician **~begeistert** *Adj* sporty **~bericht** *m* sports report **~fest** *n* sports day **~flieger(in)** amateur pilot **~geschäft** *n* sports shop (*Am* store) **~halle** *f* sports complex **~hochschule** *f* physical education college **~kleidung** *f* sportswear **~klub** *m* sports club **~lehrer(in)** P.T (= Physical Training) instructor
Sportler *m* sportsman, athlete
Sportlerin *f* sportswoman
sportlich *Adj allg* sporting, sporty, *Verhalten*: *a.* fair, *Veranstaltung etc*: *a.* sports (*meeting etc*), *Aussehen, Figur, Person*: athletic, *Kleidung*: casual
Sportmedizin *f* sports medicine
Sport|nachrichten *Pl* sports news *Pl* (*a. Sg konstr*) **~platz** *m* sports ground, athletics field, *in der Schule*: playing field(s *Pl*) **~reportage** *f* sports report, *Am* sportscast **~reporter(in)** sports reporter, *Am* sportscaster **~sendung** *f* sports broadcast, *Am* sportscast
Sportsfrau *f* sportswoman
Sportskanone *f* F (sports) ace
Sportsmann *m* sportsman
Sport|tauchen *n* skin (*mit Atemgerät*: scuba) diving **~veranstaltung** *f* sporting event, sports meeting **~verein** *m* sports club **~wagen** *m* **1.** MOT sports car **2.** *für Kinder*: pushchair, *Am* stroller **~zeitung** *f* sporting paper **~zentrum** *n* sports cent/re (*Am* -er)
Spott *m* mockery, scoff, ridicule, (*Hohn*) derision, scorn **spottbillig** *Adj* dirt-cheap **Spöttelei** *f* mockery, (*Bemerkung*) gibe **spötteln** *v/i* gibe (***über*** *Akk* at) **spotten** *v/i* (***über*** *Akk*) mock (at), scoff (at), make fun (of); → ***Beschreibung*** 1 **Spötter(in)** mocker, *weit. S.* cynic **spöttisch** *Adj* mocking, (*höhnisch*) derisive, (*bissig*) sarcastic
Spottpreis *m* ridiculous(ly low) price
Sprachausgabe *f* ELEK, IT speech (*od* voice) output, *Hardware*: audio response (unit) **Sprachbarriere** *f* language barrier
sprachbegabt *Adj* good at languages
Sprachbegabung *f* gift for languages
Sprachbox *f* IT voice mailbox
Sprache *f* **1.** (*Sprechvermögen*) speech: → ***verschlagen***[1] 4 **2.** *allg* language (*a. fig*), (*Landes*~) *a.* vernacular, (*Fach*~, *Berufs*~) *a.* jargon, (*Mundart*) idiom, (*Stil*) diction: ***heraus mit der ~!*** out with it!, ***etw zur ~ bringen*** bring s.th. up; ***ein Thema zur ~ bringen*** raise a subject; ***zur ~ kommen*** come up (for

S

discussion); → ***herausrücken*** 3
Sprachebene *f* speech level
Sprachenschule *f* language school
Sprach|erkennung *f* IT voice recognition **~fehler** *m* speech defect **~führer** *m* phrasebook
Sprachgebrauch *m* (linguistic) usage: ***im gewöhnlichen ~*** in everyday usage
Sprachgefühl *n* linguistic instinct
sprachgewandt *Adj* articulate, *fremdsprachlich*: proficient in languages
Sprachkenntnisse *Pl* knowledge *Sg* of languages (*od* of a language): ***gute englische ~ erwünscht*** good command of English desirable
sprachkundig *Adj* linguistically proficient, *in einer Sprache*: having command of French *etc*
Sprachkurs *m* language course
Sprach|labor *n* language laboratory **~lehre** *f* **1.** grammar **2.** grammar book **~lehrer(in)** language teacher
sprachlich *Adj* **a)** linguistic, **b)** grammatical, **c)** stylistic
sprachlos *Adj* speechless
Sprach|regelung *f iron* (prescribed) phraseology **~reise** *f* language trip **~rohr** *n fig* mouthpiece **~steuerung** *f* IT speech (*od* voice) control **~störung** *f* MED speech disorder **~studium** *n* language studies *Pl* **~unterricht** *m* language teaching: ***englischer ~*** English lessons *Pl* **~wissenschaft** *f* philology, linguistics *Sg* **~wissenschaftler(in)** philologist, linguist **♀wissenschaftlich** *Adj* philological, linguistic(ally *Adv*)
Spray *m, n* spray **Sprayer(in)** spray artist
Sprechanlage *f* intercom
Sprechblase *f in Comics*: balloon
Sprechchor *m* chorus: ***im ~ rufen*** chant
sprechen I *v/i* speak, (*e-e Rede halten*) *a.* give a speech, (*sich unterhalten*) talk (***mit j-m*** to s.o., ***über*** *Akk*, ***von*** about): ***~ mit*** (*konsultieren*) see (*one's doctor etc*); ***über Geschäfte*** (***Politik***) ***~*** talk business (politics); ***von etw anderem ~*** change the subject; ***j-n zum ♀ bringen*** make s.o. talk; ***~ für*** *als Vertreter*: speak on behalf of, *vermittelnd*: put in a good word for, *befürwortend*: plead for; ***das spricht für ihn*** that says s.th. for him; ***das spricht für sich selbst*** that speaks for itself; ***vieles spricht dafür*** (***dagegen***) there is much to be said for (against) it; ***alles spricht dafür, dass …*** (*weist darauf hin*) there is every indication that …; ***auf ihn ist sie nicht gut zu ~*** he's in her bad books; ***wir kamen*** (***man kam***) ***auf … zu ~*** the subject of … came up **II** *v/t* (*Sprache etc*) speak, (*Gebet etc*) say: ***j-n ~*** speak to s.o., see s.o.; ***j-n zu ~ wünschen*** wish to see s.o.; ***kann ich Sie kurz ~?*** may I have a word with you?; ***er ist nicht zu ~*** he is busy; → ***Recht*** 1, ***schuldig*** 1
sprechend *Adj fig Blick, Gesten etc*: eloquent, *Ähnlichkeit*: striking
Sprecher *m* **1.** speaker, RADIO, TV announcer **2.** spokesman (*Gen* for)
Sprecherin *f* **1.** → ***Sprecher*** 1 **2.** spokeswoman (*Gen* for)
Sprecherziehung *f* speech training
Sprechfunk *m* radiotelephony **~gerät** *n* radiotelephone, *tragbar*: walkie-talkie
Sprechstunde *f* office hours *Pl*, *e-s Arztes*: consulting hours *Pl*
Sprechstundenhilfe *f* receptionist; → ***Arzthelfer(in)***
Sprechzimmer *n* office, *e-s Arztes*: consulting room, surgery
spreizen *v/t* spread, (*die Beine*) *a.* straddle **Spreizfuß** *m* MED splayfoot
Sprengbombe *f* high-explosive bomb
sprengen[1] *v/t* sprinkle, spray
sprengen[2] *v/t* **1.** burst open, (*Tür*) force, (*Fesseln etc*) break **2.** *mit Dynamit etc*: blast, blow up **3.** *fig* (*Versammlung*) break up: ***die Bank ~*** *beim Glücksspiel*: break the bank; → ***Rahmen***
Sprengkapsel *f* detonator
Spreng|kopf *m* warhead **~körper** *m*, **~ladung** *f*, **~satz** *m* explosive charge
Sprengstoff *m* explosive, *fig* dynamite **~anschlag** *m* bomb attack
Sprengung *f* **1.** blasting, blowing up **2.** *fig e-r Versammlung etc*: breaking-up
sprenkeln *v/t* speckle, dot
Spreu *f* (*fig* ***die ~ vom Weizen trennen*** separate the wheat from the) chaff
Sprichwort *n* proverb: ***wie das ~ sagt*** as the saying goes; → *Beispiele bei* ***proverb***
sprichwörtlich *Adj a. fig* proverbial
sprießen *v/i* shoot up, sprout
Springbrunnen *m* fountain

springen **I** *v/i* **1.** *allg* jump (*a. Sport*), *weit*: leap, *Wasserspringen*: dive, *Stabhochsprung*: vault, (*hüpfen*) hop, skip, *a. Ball etc*: bounce; → ***Auge*** 1, ***Punkt*** 3 **2.** F (*rennen*) run, nip **3.** F *fig* ***etw ~ lassen*** (*Geld*) fork out, ***für j-n*** treat s.o. to s.th. **4.** (*zer~*) crack, *Saite*: break **II** Ձ *n* **5.** jumping, *Wasserspringen*: diving

Springer *m Schach*: knight

Springer(in) **1.** SPORT **a)** jumper, **b)** diver, **c)** vaulter **2.** F WIRTSCH stand-in

Spring|flut *f* spring tide **~reiten** *n* show jumping **~reiter(in)** show jumper **~seil** *n* skipping rope

Sprinkleranlage *f* sprinkler system

Sprint *m*, **sprinten** *v/i u. v/t* sprint

Sprinter(in) sprinter

Sprit *m* F **1.** (*Alkohol*) spirit **2.** (*Benzin*) juice, *Am* gas

Spritze *f* **a)** syringe, **b)** (*Injektion*) injection, F jab, *Am* shot, **c)** *fig* (*Geld*Ձ) shot-in-the-arm

spritzen **I** *v/t* **1.** (*Flüssigkeit*) squirt, (*a. Lack, Parfüm etc*) spray **2.** → ***sprengen***[1] **3.** (*Mittel, Person*) inject, F (*Rauschgift*) *sl* shoot, mainline **4.** (*Getränk*) mix with (soda) water **5.** (*Kunststoff*) inject **II** *v/i* **6.** splash, *a. Fett*: spatter, *Blut*: gush **7.** spray **8.** F (*Rauschgift ~*) *sl* mainline **Spritzer** *m* splash, (*Schuss Rum etc*) dash

Spritzguss *m* TECH die-casting, *Kunststoff*: injection mo(u)lding

spritzig *Adj* **1.** *Wein etc*: sparkling **2.** *fig* lively, F peppy, zippy, *Auto*: nippy

spritzlackieren *v/t* spray(-paint)

Spritzmittel *n* LANDW spray **Spritzpistole** *f* TECH spray gun **Spritztour** *f* F hop: MOT ***e-e ~ machen*** go for a spin

spröde *Adj* **1.** brittle (*a. Stimme*), *Haut*: rough, chapped **2.** (*abweisend*) standoffish, *bes Mädchen*: coy

Spross *m* **1.** LANDW shoot **2.** *fig* scion

Sprosse *f* **1.** *a. fig* rung **2.** JAGD tine

Sprossenfenster *n* lattice window

Sprossenwand *f Turnen*: wall bars *Pl*

Sprössling *m* **1.** → ***Spross*** 1 **2.** F child, (*Sohn*) son, junior

Sprotte *f* ZOOL sprat

Spruch *m* **1.** saying, (*a. Lehr*Ձ) dictum, (*~weisheit*) aphorism, epigram, (*Bibel*Ձ) quotation, verse: F (***große***) ***Sprüche klopfen*** talk big **2.** (*Entscheidung*) decision **Spruchband** *n* banner

spruchreif *Adj* ***die Sache ist noch nicht ~*** nothing has been decided yet

Sprudel *m* (carbonated) mineral water

sprudeln *v/i* **1.** (*hervor~*) gush (forth) **2.** *Wasser etc*: bubble, *Getränk*: *a.* fizz: *fig* ***~ vor*** *Dat* bubble (over) with

Sprühdose *f* spray can, aerosole (can)

sprühen **I** *v/t* **1.** spray, (*be~*) sprinkle **II** *v/i* **2.** spray **3.** *Funken*: fly **4.** *fig* (***vor*** *Dat* with) bubble (over), *Augen*: flash: ***vor Geist ~*** sparkle with wit **sprühend** *Adj fig Geist, Witz etc*: sparkling

Sprüh|nebel *m* mist **~regen** *m* drizzle

Sprung[1] *m allg* jump (*a. fig*), *großer*: *a.* leap, *Turnen, Stabhochsprung*: vault, *Wasserspringen*: dive: *fig* ***ein großer ~ nach vorn*** a great leap forward; F ***auf dem ~ sein zu*** *Inf* be about to *Inf*; ***j-m auf die Sprünge helfen*** help s.o. along; ***mit dem Gehalt kann er k-e großen Sprünge machen*** he can't go far on that salary

Sprung[2] *m* crack: ***e-n ~ haben*** be cracked

Sprung|becken *n* diving pool **~brett** *n* springboard (*a. fig*), *Wasserspringen*: *a.* diving board **~feder** *f* spring **~grube** *f* SPORT (jumping) pit

sprunghaft **I** *Adj* **1.** erratic **2.** (*schnell*) rapid, *Preisanstieg*: *a.* sharp **II** *Adv* **3.** rapidly: ***~ ansteigen*** go up by leaps and bounds, shoot up

Sprunghaftigkeit *f* **1.** *e-r Person*: volatility **2. a)** instability, **b)** rapidity

Sprung|latte *f* crossbar **~schanze** *f* ski jump **~tuch** *n* jumping sheet **~turm** *m* high-diving platforms *Pl*

Spucke *f* F spittle: ***da blieb mir die ~ weg*** I was flabbergasted **spucken** **I** *v/i* **1.** spit, *Motor*: splutter **2.** F (*sich erbrechen*) be sick, puke **II** *v/t* **3.** spit *s.th.* out: ***Blut ~*** spit blood; → ***Ton***[2] 1

Spuk *m* **1.** apparition, ghost, spectre, *Am* specter, *weit. S.* eerie happenings *Pl* **2.** *fig* nightmare **spuken** *v/i* ***an e-m Ort ~*** haunt a place; ***in der Burg spukt es*** the castle is haunted

Spule *f* TECH spool, reel (*a. Film*Ձ, *Tonband*Ձ), (*Garn*Ձ) bobbin coil

Spüle *f* sink unit

spulen *v/t* reel, spool, (*Film etc*) wind

spülen **I** *v/t* **1.** (*aus~*) rinse **2.** (*ab~*) wash (up): ***Geschirr ~*** → 4 **3.** ***etw ans Ufer ~*** wash s.th. ashore **II** *v/i* **4.** wash up, wash

(*od* do) the dishes **5.** flush the toilet **Spülmaschine** *f* dishwasher **Spülmittel** *n* washing-up liquid
Spülung *f* **1.** rinse, MED douche, irrigation **2.** flushing, (*Wasser*2) flush
Spulwurm *m* MED, ZOOL roundworm
Spur *f* **1.** (*Abdruck*) print, (*Fuß*2, *Räder*2 *etc*) track(s *Pl*), trace(s *Pl*), (*Fährte*, *Blut*2 *etc*) trail (*a. fig*), JAGD *a.* scent: ***e-e ~ aufnehmen*** pick up a trail; *fig j-m od e-r Sache* ***auf die ~ kommen*** get on to; ***auf der falschen ~ sein*** be on the wrong track; ***s-e ~en verwischen*** cover up one's tracks; ***(bei j-m) s-e ~en hinterlassen*** leave its mark (on s.o.) **2.** *fig* (*Anzeichen*) trace, *bes* JUR clue: ***k-e ~ von …*** not a trace of …; F ***k-e ~!*** not a bit! **3.** *fig* (*winzige Menge*) trace, GASTR dash (*of pepper etc*) **4.** BAHN (*~weite*) ga(u)ge, (*Schienen*) track(s *Pl*) **5.** *Datenträger*: track **6.** MOT **a)** (***~ halten*** keep) track, **b)** (*Fahr*2) lane: ***die ~ wechseln*** change lane
spürbar *Adj* noticeable, (*deutlich*) marked, (*beträchtlich*) considerable: ***~ sein*** be felt; ***~ werden*** make itself felt
spuren *v/i* **1.** *Skisport*: lay a track **2.** F (*sich fügen*) toe the line
spüren *v/t* feel, *intuitiv*: *a.* sense: ***etw am eigenen Leibe zu ~ bekommen*** have first-hand experience of s.th.; ***von … war nichts zu ~*** there was no sign of …
Spurenelement *n* trace element
Spürhund *m* **1.** tracker dog **2.** *hum* (*Detektiv*) sleuth
spurlos *Adv* ***~ verschwinden*** disappear without a trace; ***nicht ~ an j-m vorübergehen*** leave its mark on s.o.
Spürnase *f*, **Spürsinn** *m* (good) nose
Spurt *m*, **spurten** *v/i* sprint, spurt
Spurwechsel *m* MOT changing lane
Spurweite *f* **1.** BAHN ga(u)ge **2.** MOT track
sputen *v/refl* ***sich ~*** hurry up
Squash *n Sport* squash **~court** *m* squash court **~halle** *f* squash courts *Pl* **~schläger** *m* squash racket
Sri Lanka *n* Sri Lanka
Staat[1] *m* **1.** POL state, (*Land*, *Nation*) *a.* country, nation, (*Regierung*) government: F ***die ~en*** (*USA*) the States **2.** (*Insekten*2) colony
Staat[2] *m* (*Festkleidung*) finery: *fig* ***damit kannst du k-n ~ machen!*** that's nothing to write home about!
Staatenbund *m* confederation
staatenlos *Adj* stateless
Staatenlose *m*, *f* stateless person
staatlich I *Adj* state(-) …, government …, national, public, *Betrieb etc*: state-owned: ***~e Mittel*** government funds **II** *Adv* ***~ gefördert*** state-sponsored; ***~ gelenkt*** state-run; ***~ geprüft*** qualified, registered
Staats|akt *m* act of state, (*Feier*) state occasion **~aktion** *f* F ***e-e ~ machen aus*** (*Dat*) make a big affair out of **~angehörige** *m*, *f* national, *Br* subject, *Am* citizen **~angehörigkeit** *f* (***doppelte ~*** dual) nationality **~angestellte** *m*, *f* state (*od* government) employee **~anleihe** *f* government loan (*Wertpapier*: bond) **~anwalt** *m*, **~anwältin** *f* JUR public prosecutor, *Am* district attorney **~anwaltschaft** *f* JUR *the* public prosecutor's office, *weit. S. the* public prosecutors *Pl* **~anzeiger** *m* official gazette **~archiv** *n* Public Record Office
Staats|beamte *m*, **~beamtin** *f* civil servant **~begräbnis** *n* state funeral **~besuch** *m* state visit **~bürger(in)** citizen **2bürgerlich** *Adj* civic: ***~e Rechte*** civil rights **~bürgerschaft** *f* (***doppelte ~*** dual) citizenship **~chef(in)** head of state **~dienst** *m* civil (*bes Am* public) service **2eigen** *Adj* state-owned **~examen** *n* UNI state examination
Staats|feiertag *m* national holiday **~feind(in)** public enemy **2feindlich** *Adj* subversive **~form** *f* form of government **~gebiet** *n German etc* territory **~geheimnis** *n* state secret: F *fig* ***das ist (k)ein ~!*** that's (not) top-secret! **~grenze** *f* border, frontier **~haushalt** *m* (national) budget **~hoheit** *f* sovereignty **~kasse** *f* (public) treasury **~kosten** *Pl* ***auf ~*** at (the) public expense
Staatsmann *m* statesman
staatsmännisch *Adj* statesmanlike
Staats|minister(in) Secretary of State, *Am* Secretary **~ministerium** *n* ministry **~oberhaupt** *n* head of state **~präsident(in)** President
Staats|recht *n* constitutional law **~religion** *f* state religion **~schulden** *Pl* national debt *Sg* **~sekretär(in)** permanent secretary **~sicherheitsdienst** *m*

DDR POL *hist* State Security (Service) **~streich** *m* coup (d'état)
staatstragend *Adj* supportive of the State
Staats|trauer *f* national mourning **~verbrechen** *n* political crime **~vertrag** *m* (international) treaty **~wesen** *n* **1.** state, body politic **2.** political system **~wissenschaft(en** *Pl*) *f* political science **~wohl** *n* public weal **~zuschuss** *m* government grant, subsidy
Stab[1] *m allg* staff, (*Stock*) stick, (*Stange*) rod, bar, *Stabhochsprung*: pole, (*Zauber*~) wand, (*Marschall*~, *Dirigenten*~, *Staffel*~) baton: *fig* ***den ~ brechen über*** (*Akk*) condemn
Stab[2] *m* **1.** (*Mitarbeiter*~) staff, (*Experten*~ *etc*) team **2.** MIL staff, (*Offiziere*) staff officers *Pl*, (*Hauptquartier*) headquarters *Pl* (*a. Sg konstr*)
Stäbchen *n* (*Ess*~) chopstick
Stabhochspringer(in) pole-vaulter
Stabhochsprung *m* pole-vault(ing)
stabil *Adj* stable, (*robust*) solid, sturdy
stabilisieren *v/t* stabilize: ***sich ~*** *a.* become stabilized
Stabilisierung *f* stabilization
Stabilität *f* stability
Stabreim *m* alliteration
Stabs|arzt *m*, **~ärztin** *f* captain (Medical Corps) **~chef(in)** MIL Chief of Staff
Stabwechsel *m Staffel*: baton change
Stachel *m* **1.** prickle, ZOOL *a.* spine, (*Insekten*~) sting, (*Dorn*) thorn **2.** TECH spike
Stachelbeere *f* gooseberry
Stacheldraht *m* barbed wire
stach(e)lig *Adj* **1.** prickly, ZOOL *a.* spiny, (*dornig*) thorny **2.** *Kinn*, *Bart*: bristly
Stachelschwein *n* porcupine
Stadion *n* stadium
Stadium *n* stage, phase
Stadt *f* **1.** town, (*Groß*~) city: ***in die ~ gehen*** go to town **2.** (*~verwaltung*) municipality **~autobahn** *f* urban motorway (*Am* expressway) **~bahn** *f* city railway **~bekannt** *Adj* known all over town, notorious **~bevölkerung** *f* urban population **~bewohner(in)** city dweller **~bezirk** *m* municipal district
Stadtbild *n* townscape
Städtchen *n* small town
Städtebau *m* urban development
Städtepartnerschaft *f* (town) twinning
Städteplanung *f* town planning
Städter(in) city dweller
Stadtexpress *m* city express
Stadtgas *n* town gas
Stadtgebiet *n* municipal area
Stadtgemeinde *f* township
Stadtgespräch *n fig* ***~ sein*** be the talk of the town
Stadthalle *f* municipal hall
städtisch *Adj* town …, city …, urban, *bes verwaltungsmäßig*: municipal
Stadt|kern *m* town (*od* city) cent/re (*Am* -er) **~leben** *n* city life **~luft** *f* city air **~mauer** *f* city wall **~mensch** *m* urbanite, city person **~mitte** *f* → ***Innenstadt*** **~plan** *m* city map
Stadtplanung *f* town planning
Stadtrand *m* (***am ~*** at the) outskirts *Pl* of the town (*od* city) **~siedlung** *f* suburban estate (*od* housing development)
Stadtrat[1] *m* municipal council
Stadt|rat[2] *m*, **~rätin** *f* town (*Am* city) council(l)or
Stadtrundfahrt *f* city sightseeing tour
Stadtsanierung *f* urban renewal
Stadtstaat *m* city state
Stadtstreicher(in) city vagrant
Stadt|teil *m* district **~tor** *n* town gate **~verkehr** *m* town (*od* city) traffic **~verwaltung** *f* municipality **~viertel** *n* district **~zentrum** *n* → ***Innenstadt***
Staffel *f* **1.** SPORT relay (race *od* team) **2.** FLUG, MIL squadron
Staffelei *f* easel
Staffellauf *m* SPORT relay race
staffeln *v/t* (*Steuern*, *Löhne etc*) grade, graduate, (*Arbeitszeit etc*, *a.* TECH) stagger: → ***gestaffelt***
Staffelung *f* staggering, *von Steuern etc*: graduation, progressive rates *Pl*
Stagnation *f* stagnation
stagnieren *v/i* stagnate
Stahl *m* steel: ***Nerven*** (***wie***) ***aus ~*** nerves of steel **~arbeiter(in)** steelworker **~bau** *m* steel(-girder) construction **~beton** *m* reinforced concrete **~blau** *Adj* steel-blue **~blech** *n* sheet steel
stählen *v/t* **1.** TECH steel-face **2.** *fig* steel (***sich*** o.s.) **stählern** *Adj* **1.** (of) steel **2.** *fig* of steel, *Blick etc*: steely
Stahl|gürtelreifen *m* MOT belted-bias tyre (*Am* tire) **~hart** *Adj* (as) hard as steel, steely **~helm** *m* steel helmet **~(rohr)möbel** *Pl* tubular steel furni-

S

ture *Sg* **~stich** *m* steel engraving **~waren** *Pl* steel goods *Pl* **~werk** *n* steelworks *Pl* (*a. Sg konstr*) **~wolle** *f* steel wool

Stall *m* (*Pferde*~) stable (*a. fig Renn*~ *etc*), (*Kuh*~) cowshed: F *fig* ***e-n ganzen ~ voll*** a horde of **~bursche** *m* groom

Stallungen *Pl* stabling *Sg*, stables *Pl*

Stamm *m* **1.** BOT stem (*a.* LING), (*Baum*~) trunk **2.** (*Volks*~) race, tribe, (*Familie*) family **3.** *fig* (*Kern*) core, nucleus **4.** (*Mitarbeiter*~ *etc*) permanent staff, (*Kunden*~) regular customers *Pl*, (*Spieler*~) regular players *Pl* **5.** BIOL phylum **~aktie** *f* ordinary share, *Am* common stock **~baum** *m* family tree, ZOOL pedigree, BIOL phylogenetic tree **~buch** *n* family register **~burg** *f* ancestral castle **~datei** *f* COMPUTER master file

stammeln *v/t u. v/i* stammer

stammen *v/i* (***von, aus***) *allg* come (from), *zeitlich*: date (from), go back (to): ***der Ausspruch stammt von ihm*** the word was coined by him

Stammes... tribal ...

Stammform *f* LING principal form

Stammgast *m* regular (guest)

Stammhalter *m hum* son and heir

Stammhaus *n* WIRTSCH parent firm

stämmig *Adj* stocky, burly

Stamm|kapital *n* original share capital, *Am* common capital stock **~kneipe** *f* F local **~kunde** *m*, **~kundin** *f* regular customer, F regular **~lokal** *n* favo(u)rite haunt **~personal** *n* permanent staff, skeleton **~platz** *m* favo(u)rite seat: SPORT ***sich e-n ~*** (*in der Mannschaft*) ***erobern*** make the regular team **~tisch** *m* (table reserved for) regular guests *Pl* **~tischpolitiker(in)** armchair politician **~verzeichnis** *n* COMPUTER root directory **~wähler(in)** POL standing voter

stampfen I *v/i* stamp (***mit dem Fuß*** one's foot), *Schiff*: pitch **II** *v/t* (*zer*~) pound, crush, (*Kartoffeln etc*) mash, (*fest*~) tamp: → ***Boden*** 1

Stand *m* **1.** (***aus dem ~*** from a) standing position, (*Halt*) footing, foothold: ***k-n*** (***festen***) ***~ haben*** be wobbly, *Person*: have no firm foothold; *fig* (***bei j-m***) ***e-n schweren ~ haben*** have a hard time of it (with s.o.) **2.** (*Zu*~) state, condition, (*Lage*) position (*a.* ASTR), (*Niveau*) level (*a. Wasser*~ *etc*), standard, (*Zahl*) figure, (*Barometer*~ *etc*) reading, *e-s Wettkampfs*: score, *e-s Rennens*: standings *Pl*: SPORT ***beim ~e von 4:2*** at 4:2; ***nach dem ~ vom 1. Mai*** as of May 1st; ***den höchsten ~ erreichen*** reach its peak; ***etw auf den neuesten ~ bringen*** bring s.th. up to date, update s.th.; ***der ~ der Dinge*** the state of affairs; ***nach dem ~ der Dinge*** as matters stand; ***der neueste ~ der Technik*** (*od* ***Wissenschaft***) the state of the art **3.** social standing, rank, (*a. Rechts*~, *Familien*~) status, (*Klasse*) class, (*Berufs*~) profession **4.** (*Verkaufs*~) stall, (*a. Messe*~) booth; ***außer ~e*** → ***außerstande***; ***im ne*** → ***imstande***; ***in ~*** → ***instand***; ***zu ~e*** → ***zustande***

Standard *m* standard

standardisieren *v/t* standardize

Standardwerk *n* standard work

Standarte *f* standard

Standby-Ticket *n* standby ticket

Ständchen *n* serenade: ***j-m ein ~ bringen*** serenade s.o.

Ständer *m* **1.** stand, (*Gewehr*~, *Pfeifen*~ *etc*) rack **2.** V (*Erektion*) hard-on

Standesamt *n* registry office **standesamtlich** *Adj* ***~e Trauung*** registry office wedding **Standesbeamte** *m*, **Standesbeamtin** *f* registrar

standesgemäß *Adj u. Adv* in keeping with one's station **Standesunterschied** *m* social difference

standfest *Adj* steady, TECH stable **Standfestigkeit** *f* **1.** steadiness, TECH stability **2.** → ***Standhaftigkeit*** **Standfoto** *n* FILM still **standhaft** *Adj* steadfast, firm **Standhaftigkeit** *f* steadfastness, firmness **standhalten** *v/i* hold one's ground, stand firm, *e-m Angriff etc*: withstand, resist, *e-r Kritik etc*: stand up to: → ***Vergleich*** 1

ständig I *Adj* constant, continuous, *Personal*, *Wohnsitz etc*: permanent, *Einkommen*: fixed, regular, *Ausschuss*: standing: ***~er Begleiter*** constant companion **II** *Adv* permanently, constantly, always: ***etw ~ tun*** keep doing s.th.

Stand|leitung IT, TEL dedicated (*od* direct) line **~licht** *n* MOT parking light **~ort** *m* position (*a.* SCHIFF *u. fig*), location, *e-r Industrie etc*: site, MIL garrison, *Am* post, BIOL habitat: ***den ~*** (*Gen*) ***be-***

S

stimmen locate **~ortvorteil** *m* WIRTSCH locational advantage **~pauke** *f* F lecture: ***j-m e-e ~ halten*** lecture s.o. (***über*** *Akk* on) **~platz** *m* stand, *für Taxis*: *a.* rank
Standpunkt *m* **1.** post, point **2.** *fig* (***von s-m*** *etc* **~ *aus*** from his *etc*) point of view; ***den ~ vertreten, auf dem ~ stehen*** take the view (***dass*** that)
Stand|recht *n* martial law **⁓rechtlich** *Adj u. Adv* by order of a court martial **~spur** *f* MOT hard shoulder **~uhr** *f* grandfather clock
Stange *f* **1.** *allg* pole (*a. Sport*), (*Fahnen⁓*) *a.* staff, (*Metall⁓*) rod, bar, (*Sitz⁓*) *für Vögel*: perch, (*Zucker⁓, Sellerie⁓ etc*) stick: ***e-e ~ (Zigaretten)*** a carton (of cigarettes); *Kleidung* ***von der ~*** off the peg; F ***e-e ~ Geld*** a packet; ***bei der ~ bleiben*** stick to it, *bis zum Ende*: stick it out; ***j-n bei der ~ halten*** keep s.o. at it; ***j-m die ~ halten*** stick up for s.o. **2.** *am Geweih*: branch
Stängel *m* stalk, stem
Stangenbohne *f* runner (*Am* string) bean **Stangensellerie** *m* celery
stänkern *v/i* F *pej* stir up trouble: ***~ gegen*** rail against
Stanniol *n* tinfoil
Stanze *f* TECH stamp(ing machine) **stanzen** *v/t* (*lochen*) punch, (*prägen*) stamp
Stapel *m* **1.** pile, stack **2.** SCHIFF stocks *Pl*: ***auf ~ legen*** lay down; ***vom ~ lassen*** launch (*a. fig Projekt etc*), *fig* (*Rede*) deliver, (*Witz*) crack, (*Schlag*) uncork; ***vom ~ laufen*** be launched **Stapellauf** *m* launching **stapeln** *v/t* stack, (*a.* ***sich ~***) pile up, (*lagern*) store, stockpile
stapfen *v/i* trudge
Star[1] *m* ZOOL starling
Star[2] *m* MED ***grauer ~*** cataract; ***grüner ~*** glaucoma
Star[3] *m* FILM *etc* star **~allüren** *Pl* airs and graces *Pl* **~gast** *m* star guest
stark I *Adj* **1.** *allg* strong (*a.* LING *u. fig*), robust, (*kraftvoll*) *a.* powerful, *Hitze, Kälte etc*: great, intense, *Regen, Verkehr, Nachfrage etc*: heavy: ***ein ~es Polizeiaufgebot*** a strong force of police; ***ein 20 Mann ~er Trupp*** a group of 20; ***er ist ein ~er Raucher (Esser)*** he is a heavy smoker (big eater); *fig* ***~e Seite*** strong point; ***sich ~ machen für*** stand up for; F ***das ist ein ~es Stück!*** that's a bit thick! **2.** (*dick*) thick: ***2 cm ~e Pappe*** pasteboard two centimetres thick; ***das Buch ist 150 Seiten ~*** the book has 150 pages **3.** (*leistungs~*) *a.* OPT, TECH strong, powerful, *Motor*: *a.* high-powered: ***ein ~es Medikament*** a powerful (*od* potent) drug **4.** (*beleibt*) stout, corpulent **5.** (*schlimm*) bad, *Schmerz, Erkältung*: *a.* severe **6.** F *fig* (***echt***) ~ super, great **II** *Adv* **7.** (*sehr*) strongly, highly, very much: ***~ beschädigt*** badly damaged; ***~ übertrieben*** grossly exaggerated; → ***erkälten***
Stärke[1] *f* **1.** *allg* strength (*a.* CHEM, *a. Truppen⁓ etc*), power (*a.* OPT, TECH), (*Dicke*) thickness, (*Durchmesser*) diameter **2.** (*Intensität*) intensity, *des Regens, Verkehrs etc*: *a.* heaviness, *e-s Schmerzes*: *a.* severity, (*Wucht*) force **3.** *fig* ***j-s ~*** s.o.'s strong point (*od* forte)
Stärke[2] *f* CHEM starch
stärken[1] **I** *v/t* strengthen (*a. fig*), invigorate **II** *v/refl* ***sich ~*** fortify o.s
stärken[2] *v/t* (*Wäsche*) starch
stärkend *Adj* (*a.* ***~es Mittel***) tonic
Starkstrom *m* ELEK high-voltage (*od* heavy) current **~leitung** *f* power line **~technik** *f* heavy-current engineering
Stärkung *f* **1.** *allg* strengthening **2.** (*Erfrischung*) refreshment, F pick-me-up
Stärkungsmittel *n* tonic
starr *Adj* rigid (*a. fig*), stiff, (*reglos*) motionless: ***~er Blick*** (fixed) stare; ***ich war ~ (vor Staunen)*** I was dum(b)founded
starren[1] *v/i* stare (***auf*** *Akk* at)
starren[2] *v/i* ***~ vor*** (*od* ***von***) be full of; ***vor Schmutz ~*** be thick with dirt, be filthy
Starrheit *f* rigidity (*a. fig*), stiffness
starrköpfig *Adj* stubborn, obstinate
Starrsinn *m* obstinacy, stubbornness
Start *m* start (*a. fig*), FLUG takeoff, (*Raketen⁓*) liftoff: FLUG ***zum ~ freigeben*** clear for takeoff; SPORT ***an den ~ gehen*** **a)** *Läufer etc*: take up one's starting position, **b)** (*teilnehmen*) take part
Start|automatik *f* MOT automatic choke (control) **~bahn** *f* FLUG runway
startbereit *Adj* ready to start, FLUG ready for takeoff
starten I *v/i* **1.** SPORT start, (*teilnehmen*) *a.* take part (***in*** *Dat*, ***bei*** in) **2.** FLUG take off, *Raumfahrt*: lift off **II** *v/t* **3.** start, F

fig a. launch, COMPUTER start(-up) **Starter** *m allg* starter
Starterlaubnis *f* **1.** SPORT permission to take part **2.** FLUG clearance for takeoff
Starthilfe *f* **1.** ***j-m ~ geben*** **a)** MOT give s.o. a jump-start, **b)** *fig* give s.o. a start (in life) **2.** ***Abflug mit ~*** assisted takeoff **~kabel** *n* MOT jump leads *Pl*
Start|kapital *n* start-up capital **2klar** *Adj* → ***startbereit*** **~position** *f* starting position **~schuss** *m* SPORT starting shot **~verbot** *n* SPORT suspension, FLUG grounding: ***~ erhalten*** **a)** be suspended, **b)** be grounded **~zeichen** *n* starting signal, *fig* green light
Stasi *f* F *DDR* POL *hist* State Security (Service)
Statik *f* ARCHI, ELEK, PHYS statics *Sg*
Statiker(in) ARCHI stress analyst
Station *f* **1.** RADIO, TV *etc*: station **2.** BAHN station, (*Haltestelle*) stop: ***~ machen*** break one's journey **3.** (*Kranken2*) ward **4.** *fig* stage
stationär *Adj a.* TECH stationary: MED ***~e Behandlung*** in-patient treatment; ***~er*** (*od* ***~ behandelter***) ***Patient*** inpatient
stationieren *v/t* station, (*Raketen etc*) deploy **Stationierung** *f* stationing, MIL deployment
Stations|arzt *m*, **~ärztin** *f* ward doctor **~schwester** *f* ward sister
statisch *Adj* static(ally *Adv*)
Statist(in) THEAT, FILM extra
Statistik *f* statistics *Pl* (*als Fach Sg*) **Statistiker(in)** statistician
statistisch *Adj* statistical
Stativ *n* tripod
statt ***an j-s ~*** in s.o.'s place; ***an Kindes ~ annehmen*** adopt; → ***anstatt***
Stätte *f* place, (*Schauplatz*) scene
stattfinden *v/i* take place, be held **stattgeben** *v/i* (*e-r Bitte etc*) grant **statthaft** *Adj* admissible: ***nicht ~*** not allowed
Statthalter(in) governor
stattlich *Adj* **1.** *Haus etc*: stately, impressive **2.** *Summe etc*: large, considerable **3.** *Person*: portly: ***er ist e-e ~e Erscheinung*** he is a fine figure of a man
Statue *f* statue
Statur *f* stature (*a. fig*), build
Status *m* state, (*Rechts2*) status
Statussymbol *n* status symbol
Statuszeile *f* COMPUTER status bar
Statut *n* → ***Satzung***
Stau *m* **1.** accumulation, pile-up **2.** MED congestion **3.** (*Verkehrs2*) traffic jam (*od* congestion), (*Rück2*) tailback
Staub *m* dust: ***~ wischen*** do the dusting; ***~ saugen*** vacuum, *Br* F hoover®; ***sich aus dem ~ machen*** clear off; → ***aufwirbeln*** **Staubbeutel** *m* **1.** BOT anther **2.** *im Staubsauger*: dust bag
Stäubchen *n* dust particle
Staubecken *n* TECH reservoir
stauben *v/i* make a lot of dust: ***es staubt*** it's dusty **Staubflocke** *f* piece of fluff **Staubgefäß** *n* BOT stamen **staubig** *Adj* dusty **staubsaugen** *v/t u. v/i* vacuum, *Br* F hoover® **Staubsauger** *m* vacuum cleaner, *Br* F hoover®
Staubwolke *f* cloud of dust
stauchen *v/t* TECH jolt, upset
Staudamm *m* dam
Staude *f* herbaceous plant
stauen I *v/t* (*Wasser*) dam up, (*Blut*) stop (the flow of) **II** *v/refl* ***sich ~*** *Wasser*: build up (*a. fig Verkehr, Ärger etc*), rise, *Eis, fig Post etc*: accumulate, pile up, MED be(come) congested
Stauer(in) SCHIFF stevedore
staunen I *v/i* (***über*** *Akk* at) be astonished, be amazed, (*bewundern*) marvel **II** 2 *n* astonishment, amazement: ***in 2 versetzen*** amaze; → ***starr*** **staunenswert** *Adj* astonishing, amazing
Stausee *m* reservoir
Stauung *f* **1.** damming up **2.** → ***Stau***
Steak *n* GASTR steak
Stearin *n* stearin
stechen I *v/t* **1.** *Dorn, Nadel etc*: prick, *Wespe etc*: sting, *Mücke*: bite: ***sich ~*** prick o.s.; ***sich in den Finger ~*** prick one's finger; → ***gestochen, Hafer*** **2.** (*ab~*) (*Spargel, Torf etc*) cut, (*Schwein etc*) stick, kill **3.** (*Stechuhr*) punch **4.** (*Bild*) engrave **II** *v/i* **5.** *Dorn, Nadel etc*: prick, *Wespe etc*: sting, *Mücke*: bite **6.** ***nach j-m ~*** *mit e-m Messer etc*: stab at s.o.; ***mit etw ~ in*** (*Akk*) stick s.th. in(to) **7.** *Sonne*: burn **8.** *Schmerz*: stab, shoot **9.** SPORT jump (*od* shoot *etc*) off **10.** *Kartenspiel*: be trump, (*e-e Karte*) trump **11.** F *fig* ***j-m in die Augen ~*** catch s.o.'s eye **III** 2 *n* **12.** stabbing (*od* shooting) pain **13.** *Reitsport*: jump-off **stechend** *Adj fig Blick*: piercing, *Geruch*:

pungent, *Schmerz*: stabbing, *Sonne*: burning

Stech|karte *f* time-punch card **~mücke** *f* mosquito **~palme** *f* holly **~uhr** *f* time clock **~zirkel** *m* dividers *Pl*

Steckbrief *m* **1.** "wanted" circular **2.** *fig* description, fact file (*Gen* of)

steckbrieflich *Adv* **~ gesucht werden** be wanted for arrest

Steckdose *f* ELEK (wall) socket

stecken I *v/t* put, (*Nadel etc*) stick, (*fest~*) *mit Nadeln*: pin, *bes* TECH insert (**in** *Akk* into), *bes heimlich*: slip: *fig* **Geld ~ in** (*Akk*) put money into, invest in; **j-n ins Gefängnis** (**Bett**) **~** put s.o. in prison (to bed); F *fig* **wer hat ihm das gesteckt?** who told him?; → **Brand** 1, **Nase II** *v/i* (*festsitzen*) be stuck, *Kugel, Splitter etc*: be lodged: *a. fig* **~ bleiben** get stuck; **den Schlüssel ~ lassen** leave the key in the lock; **der Schlüssel steckt** the key is in the lock; F **wo steckst du denn** (**so lange**)**?** where have you been (all this time)?; **dahinter steckt etw** there's s.th. behind all this; **da steckt er dahinter** he's at the bottom of it; **sie steckt mitten in den Prüfungen** she's in the middle of her exams; → **Decke** 1

Stecken *m* stick: → **Dreck** 1

Steckenpferd *n* hobbyhorse, *fig mst* hobby

Stecker *m* ELEK plug

Steckkontakt *m* ELEK plug (connection)

Steckling *m* BOT cutting

Stecknadel *f* pin **~kopf** *m* pinhead

Steckschlüssel *m* TECH box spanner

Steckschuh *m* FOTO accessory shoe

Steg *m* **1.** footpath **2.** footbridge, (*Landungs*≈) landing stage, (*Lauf*≈) gangplank **3.** (*Brillen*≈, *Geigen*≈) bridge

Stegreif *m* **aus dem ~** off the cuff; **aus dem ~ spielen** *etc* improvise; **aus dem ~ sprechen** extemporize, F ad-lib

Stehaufmännchen *n* (*Spielzeug*) roly--poly, tumbler; *fig* resilient person, comeback-kid

stehen I *v/i* **1.** stand, (*sich befinden*) *mst* be: F **wie stehts? a)** how are things?, **b) mit dir?** how about you?, **c)** *a.* **wie steht das Spiel?** what's the score?; **wie stehts mit e-m Bier?** how about a beer?; **das Programm steht** the programme *Br*) is complete (*od* in the bag); **es steht zu befürchten, dass ...** it is to be feared that ...; F **mir stehts bis hier**(**her**)**!** I am fed up to here (with it)!; **gut** (**schlecht**) **mit j-m ~** (not to) get on well with s.o.; **er steht sich gut** (**dabei**) he's not doing badly (out of it); **unter Alkohol** (**Drogen**) **~** be under the influence of alcohol (drugs); **vor** *Schwierigkeiten, e-r Entscheidung etc* **~** be faced with; **er steht vor s-r Prüfung** his exam is coming up; **zu j-m ~** stand by s.o.; **zu** *e-m Versprechen etc* **~** keep; **wie stehst du dazu?** what do you think (of it)?; POL **er steht links** he belongs to the left; *das Thermometer, der Zeiger, die Ampel, der Rekord, die Aktie* **steht auf ...** is at ...; **auf Diebstahl steht e-e Freiheitsstrafe** theft is punishable by imprisonment; → **Debatte, teuer** II **2.** (*still~*) stand still, *a. Uhr etc*: have stopped: **~ bleiben a)** stop (*a. Uhr etc*), *Motor*: stall, *Herz*: stop (beating); **wo waren wir ~ geblieben?** where did we leave off?, **b)** *Schirm etc*: be left (behind): *fig* **der Satz kann so nicht ~ bleiben** the sentence cannot be left like this; **~ lassen a)** leave (behind); **alles ~ und liegen lassen** drop everything, **b)** (*Essen etc*) leave untouched, **c)** (*Fehler*) overlook; *fig* **das kann man so nicht ~ lassen** that's not quite correct, **d) j-n ~ lassen** leave s.o. standing there, **e) sich e-n Bart ~ lassen** grow a beard **3.** (*geschrieben ~*) be written, say: **in dem Brief steht** the letter says; **wo steht das?** where does it say so? **4.** *fig* **j-m ~** *Kleid etc*: suit s.o., look well on s.o. **II** *v/t* **5.** → **Mann, Modell, Posten** 1, **Wache** 2 *etc* **III** ≈ *n* **6.** (*a.* **im** ≈) standing; **zum** ≈ **bringen** (bring to a) stop, (*Blutung*) staunch; **zum** ≈ **kommen** come to a halt, stop

stehend *Adj* standing (*a. Heer, Gewässer*), (*still~, ortsfest*) stationary: **~e Redensart** stock phrase

Stehimbiss *m* stand-up snack bar

Stehkragen *m* stand-up collar

Stehlampe *f* standard (*Am* floor) lamp

stehlen *v/t u. v/i* steal: **j-m etw ~** steal s.th. from s.o.; *fig* **j-m die Zeit ~** waste s.o.'s time; F **er kann mir gestohlen bleiben!** to hell with him!

S

Stehplatz *m* standing room, *Pl im Stadion etc*: standing room (only) area(s)
Stehvermögen *n* stamina, staying power
Steiermark *f die* Styria
steif *Adj* stiff (*a. fig förmlich, linkisch*), *bes* TECH rigid: *~ vor Kälte* numb with cold; *~e Brise* (*~er Grog*) stiff breeze (grog); GASTR *~ schlagen* beat (until stiff); *Adv* F *~ und fest behaupten* insist, swear **steifen** *v/t fig j-m den Nacken* (*od Rücken*) *~* stiffen s.o.'s back
Steifheit *f a. fig* stiffness
Steigbügel *m* stirrup **Steigeisen** *n* climbing iron, *mount. a.* crampon
steigen I *v/i* **1.** (*hinauf~*) go up, climb (up), *in die Luft*: rise, FLUG climb (*auf Akk* to): *auf e-n Baum* (*Berg*) *~* climb (up) a tree (mountain); *auf ein Pferd ~* mount a horse; *vom Pferd ~* dismount; *aus e-m Bus etc ~* get out of (*od* off); *in e-n Zug etc ~* get on, board; *~ lassen* (*Drachen*) fly, (*Ballon etc*) send up; → *Kopf* 1 **2.** (*zunehmen*) increase, grow, *Fieber, Temperatur, Spannung etc*: rise, *Preise*: *a.* go up: → *Achtung* 1, *Wert* 1 **3.** F (*stattfinden*) be on, take place: *e-e Party ~ lassen* throw a party **II** *v/t* **4.** go up: *Treppen ~* climb stairs **III** ♀ *n* **5.** climbing (*etc*, → I) **6.** (*Zunahme*) rise, increase: *das ♀ und Fallen* the rise and fall; *im ♀ begriffen sein* be rising
steigend *Adj fig* rising, increasing: *~e Tendenz* upward tendency
Steiger *m* BERGB pit foreman
steigern I *v/t* **1.** increase, (*Spannung, Wirkung etc*) *a.* heighten, (*Produktion, Tempo etc*) step up, (*Angebot, Wetteinsatz etc*) raise, (*verbessern*) improve: *den Wert ~* add to the value (*Gen* of) **2.** LING compare **II** *v/refl sich ~* **3.** increase, (*wachsen*) *a.* grow, *Interesse, Spannung etc*: rise, (*sich verbessern*) improve **III** *v/i* **4.** *auf e-r Auktion*: bid, (*erhöhen*) rise the amount (*auf Akk* to)
Steigerung *f* **1.** rise, increase, improvement **2.** LING comparison
Steigfähigkeit *f* FLUG climbing power, MOT hill-climbing ability
Steigung *f* rise, ascent, gradient
steil *Adj a. fig* steep: *~e Karriere* meteoric career; *Adv ~ ansteigen* rise steeply, *Preise*: *a.* soar **Steilkurve** *f* steep turn
Steilküste *f* steep coast
Steilpass *m Fußball*: through pass
Stein *m allg* stone (*a.* BOT, MED), (*Bau♀*) *a.* brick, (*Edel♀*) (precious) stone, jewel, gem, *e-r Uhr*: ruby, *Brettspiel*: piece: *fig den ~ ins Rollen bringen* set the ball rolling; *bei j-m e-n ~ im Brett haben* be in s.o.'s good books; *mir fällt ein ~ vom Herzen* that takes a load off my mind; → *Tropfen* 1
Stein|adler *m* ZOOL golden eagle **♀alt** *Adj* ancient **~bock** *m* **1.** ZOOL ibex **2.** ASTR (*er ist ~* he is [a]) Capricorn **~bruch** *m* quarry **~butt** *m* ZOOL turbot **~druck** *m* lithography, (*Bild*) lithograph
steinern *Adj* (of) stone, *fig* stony
Stein|fraß *m* stone erosion **~frucht** *f* stone fruit **~garten** *m* rock garden **~gut** *n* earthenware
steinig *Adj* stony
Steinkohle *f* hard coal
Steinmarder *m* ZOOL beech marten
Steinmetz(in) stonemason
Steinobst *n* stone fruit
Steinpilz *m* edible boletus
steinreich *Adj* F filthy rich
Steinschlag *m* falling rocks *Pl*
Steinzeit *f* Stone Age
Steiß *m* buttocks *Pl*, rump
Steißbein *n* ANAT coccyx
Stelle *f* **1.** place, (*Punkt*) spot, point, (*Standort*) position: *an anderer ~* elsewhere; *an dieser ~* here; *an erster ~* first(ly), *weit. S.* in the first place; *fig an erster ~ stehen* come first; *an ~ von* (*od Gen*) in place of, instead of; (*ich*) *an d-r ~* if I were you; *an die ~ treten von* (*od Gen*) take the place of, *Person*: *a.* take over from, *vertretungsweise*: replace; *auf der ~* on the spot; *fig auf der ~ treten* mark time; *nicht von der ~ kommen* not to make any progress; *er rührte sich nicht von der ~* he didn't budge; *zur ~ sein* be at hand **2.** (*Abschnitt*) passage (*a.* MUS) **3.** MATHE *e-r Zahl*: digit, (*Dezimal♀*) place **4.** (*Arbeits♀*) situation, job, post: *freie* (*od offene*) *~* vacancy **5.** → *Dienststelle*
stellen I *v/t* **1.** put, place, set, (*anordnen*) arrange: → *Abrede, Antrag* 1, *Bedingung, Bein, Falle, Frage* 1, *gestellt* 1

S

2. (*Uhr etc*) set (***auf*** *Akk* at), (*ein~*) adjust: ***leiser*** (*od* ***niedriger***) ~ turn down; ***lauter*** (*od* ***höher***) ~ turn up **3.** (*zur Verfügung ~*) provide, (*a. Arbeitskräfte, Geiseln etc*) supply, (*Zeugen*) produce **4.** (*Verbrecher, Wild*) hunt down **II** *v/refl* ***sich ~*** **5.** place o.s.: ***stell dich dorthin!*** (go and) stand over there!; *fig* ***auf sich selbst gestellt sein*** be on one's own; ***gut*** (***schlecht***) ***gestellt sein*** be well (badly) off; ***sich gegen ... ~*** oppose; ***sich hinter*** (***vor***) ***j-n ~*** back s.o. up (shield s.o.); ***wie stellt er sich dazu?*** what does he say (to this)? **6.** ***sich*** (***der Polizei***) ~ give o.s. up (to the police), turn o.s. in; ***sich*** (***zum Wehrdienst***) ~ report for military service **7.** (*e-m Gegner*) take on, (*e-r Kritik etc*) face up to, (*e-r Herausforderung*) take up: ***sich der Presse ~*** be prepared to meet (*od* face) the press **8.** ***sich krank*** *etc* ~ pretend to be ill *etc*

Stellen|angebot *n* job offer: ***~e*** *Pl in der Zeitung*: vacancies *Pl* **~gesuch** *n* application (for a job): ***~e*** *Pl in der Zeitung*: situations *Pl* wanted **~markt** *m* job market **~suche** *f* (***auf ~ sein*** be) job hunting **~wechsel** *m* job change

stellenweise *Adv* in places

Stellenwert *m* rating, (relative) importance: ***e-n hohen ~ haben*** rate high

...stellig *in Zssgn* ...-digit

Stellplatz *m* MOT parking space (*Am* lot)

Stellschraube *f* TECH adjusting screw

Stellung *f* **1.** *allg, a.* MIL position: *fig* ***die ~ halten*** hold the fort; ***~ nehmen*** (***zu***) take a stand (on), give one's view (on); ***~ nehmen für*** stand up for; ***~ nehmen gegen*** oppose **2.** (*Posten*) situation, job, post, position: ***e-e leitende ~*** an executive position **3.** (*Rang*) position, (*Ansehen*) status, standing

Stellungnahme *f* (***zu*** on) opinion, comment, statement

stellungslos *Adj* unemployed, out of work, without a job, jobless

Stellungs|spiel *n* SPORT positional play **~suche** *f* search for a post (*od* job): ***auf ~ sein*** be looking for a job, be job-hunting **~suchende** *m, f* person looking for a job, job-hunter

Stellungswechsel *m* change of post (*od* job): ***häufiger ~*** job-hopping

stellvertretend *Adj* acting, deputy: ***~er Vorsitzender*** vice-chairman; ***~ für*** acting for, (*im Namen von*) on behalf of

Stellvertreter(in) representative, substitute, *e-s Arztes etc*: locum (tenens), *amtlich*: deputy, *bes* WIRTSCH, JUR proxy

Stellvertretung *f* representation, *bes* WIRTSCH, JUR proxy: ***j-s ~ übernehmen*** act as representative of s.o.

Stellwerk *n* BAHN signal box

Stelze *f* stilt **stelzen** *v/i* stalk (along)

Stemmbogen *m Skisport*: stem turn

Stemmeisen *n* TECH mortise chisel

stemmen *v/t* **1.** press: ***sich ~ gegen*** press against, *fig* resist **2.** (*hoch~*) heave up, SPORT lift

Stempel *m* **1.** stamp (*a. fig*), (*Abdruck*) *a.* seal, (*Post~*) postmark, (*Präge~*) die, (*Feingehalts~*) hallmark **2.** BOT pistil

Stempel|geld *n* F dole (money) **~kissen** *n* ink pad **~marke** *f* (duty) stamp

stempeln **I** *v/t* stamp, (*ab~*) cancel: *fig* ***j-n ~ zu*** stamp (*od* label, *pej* brand) s.o. as **II** *v/i bei Arbeitsantritt* (*-ende*): clock in (out): F ***~ gehen*** be on the dole

Stempeluhr *f* time clock

Stengel *m* → ***Stängel***

Steno *f* F → ***Stenographie***

Stenogramm *n* shorthand notes *Pl*

Stenograph(in) stenographer **Stenographie** *f* stenography, shorthand

stenographieren **I** *v/i* write shorthand **II** *v/t* take *s.th.* down in shorthand

stenographisch *Adj* (*Adv* in) shorthand

Stenotypist(in) shorthand typist

Steppdecke *f* (continental) quilt

Steppe *f* steppe

steppen[1] *v/t* backstitch

steppen[2] *v/i* tap-dance

Stepp|jacke *f* quilted jacket **~tanz** *m* tap dance

Sterbe|bett *n* (***auf dem ~*** on one's) deathbed **~fall** *m* (case of) death **~hilfe** *f* euthanasia **~klinik** *f* hospice

sterben **I** *v/i* die (***an*** *Dat* of, *fig* ***vor*** *Dat* of) **II** ~ *n* dying, death: ***im ~ liegen*** be dying; ***zum ~ langweilig*** deadly dull

Sterbens|angst *f* mortal fear (***vor*** of) **~krank** *Adj* critically ill **~müde** *Adj* ready to drop **~wort** *n*, **~wörtchen** *n* ***kein ~ sagen*** not to breathe a word

Sterbesakramente *Pl* last rites *Pl*

S

Sterbeurkunde *f* death certificate
sterblich *Adj* mortal: *iron* ***gewöhnliche ≈e*** *Pl* ordinary mortals *Pl*
Sterblichkeit *f* mortality
Stereo…, **stereo…** stereo **Stereo** *n* stereo **~anlage** *f* stereo system **~aufnahme** *f* stereo recording **~bild** *n* stereoscopic picture **~gerät** *n* stereo set
stereophon *Adj* stereophonic
stereoskopisch *Adj* stereoscopic
Stereoton *m* stereo sound
stereotyp *Adj fig* stereotyped
steril *Adj* sterile **Sterilisation** *f* sterilization **sterilisieren** *v/t* sterilize
Sterilität *f* sterility
Stern *m a. fig* star: ***unter e-m (un)glücklichen ~ stehen*** have fortune on one's side (be ill-fated); F ***~e sehen*** see stars
Sternbild *n* constellation, *des Tierkreises*: sign of the zodiac
Sternchen *n* **1.** little star, starlet (*a. fig Film≈*) **2.** BUCHDRUCK asterisk
Sternenbanner *n the* Star-Spangled Banner, *the* Stars and Stripes *Pl*
Sternenhimmel *m* starry sky
sternhagelvoll *Adj* F rolling drunk
sternhell, **sternklar** *Adj* starlit
Sternkunde *f* astronomy
Sternmarsch *m* demonstration march from different starting points
Sternschnuppe *f* shooting star
Sternstunde *f fig* great moment
Sternwarte *f* observatory
stet → ***stetig, Tropfen*** 1
stetig *Adj* continual, constant, steady
Stetigkeit *f* constancy, steadiness
Stethoskop *n* MED stethoscope
stets *Adv* always, constantly
Steuer[1] *n* SCHIFF helm, rudder, MOT (steering) wheel, FLUG controls *Pl*: ***am ~*** at the helm (*a. fig*), at the wheel
Steuer[2] *f* (***auf*** *Akk* on) tax, *indirekte*: duty, (*Kommunal≈*) rate, *Am* local tax: ***vor*** (***nach***) ***Abzug der ~n*** before (after) tax **~abzug** *m* tax deduction **~aufkommen** *n* tax yield **~ausgleich** *m* tax equalization **~befreiung** *f* tax exemption **≈begünstigt** *Adj* tax-privileged, *Sparen*: tax-linked **~belastung** *f* tax burden **~berater(in)** tax adviser **~bescheid** *m* tax assessment
Steuerbord *n*, **steuerbord(s)** *Adv* SCHIFF starboard
Steuer|delikt *n* tax offen/ce (*Am* -se) **~einnahmen** *Pl* → ***Steueraufkommen*** **~erklärung** *f* tax return **~erleichterung** *f* tax relief **~ermäßigung** *f* tax allowance **~frau** *f* → ***Steuermann*** **≈frei** *Adj* tax-free **~freibetrag** *m* tax-free allowance **~gerät** *n* RADIO tuner-amplifier, IT control unit **~hinterzieher(in)** tax dodger **~hinterziehung** *f* tax fraud **~karte** *f* (wage) tax card **~klasse** *f* tax bracket
Steuerknüppel *m* FLUG control stick, F joystick
steuerlich I *Adj* tax … **II** *Adv* ***~ günstig*** with low tax liability; ***~ veranlagen*** assess for taxation
Steuermann *m* **1.** SCHIFF helmsman (*a. fig*) **2.** *Rudern*: coxswain
Steuermarke *f* revenue stamp
steuern I *v/t allg* steer, MOT *a.* drive, FLUG, SCHIFF *a.* navigate, pilot, TECH control **II** *v/i* steer, MOT *a.* drive, SCHIFF *a.* head (***nach Süden*** southward)
Steueroase *f* tax haven
steuerpflichtig *Adj* taxable
Steuer|politik *f* fiscal policy **~progression** *f* progressive taxation
Steuerpult *n* TECH control desk
Steuerrad *n* SCHIFF, MOT (steering) wheel
Steuer|reform *f* tax reform(s) **~rückerstattung** *f* tax refund
Steuer|satz *m* tax rate **~schuld** *f* tax(es *Pl*) due **~senkung** *f* tax reduction
Steuerung *f* **1.** steering, FLUG piloting, ELEK, TECH control (*a. fig*) **2.** control system, MOT steering, FLUG controls *Pl*
Steuerungstaste *f* COMPUTER control key
Steuerveranlagung *f* assessment
Steuerzahler(in) taxpayer
Steuerzeichen *n* COMPUTER control (*od* function) character
Steward *m* steward
Stewardess *f* stewardess, air hostess
Stich *m* **1.** (*Nadel≈*) prick, (*Wespen≈ etc*) sting, (*Mücken≈*) bite, (*Messer≈*) stab, thrust: *fig* ***es gab ihr e-n ~*** it cut her to the quick **2.** (*Näh≈*) stitch **3.** (*Kupfer≈ etc*) engraving **4.** (*Schmerz*) stabbing pain, stitch **5.** *fig* (*Seitenhieb*) cut, dig **6.** ***im ~ lassen*** abandon, desert, ***j-n*** *a.* leave s.o. in the lurch, let s.o. down; *sein Gedächtnis* ***ließ ihn im ~*** failed him **7.** ***e-n ~ haben*** **a)** *Milch*

etc: be off, **b)** F *Person*: be a bit touched **8.** ***ein ~ ins Blaue*** a tinge of blue **9.** *Kartenspiel*: ***e-n ~ machen*** take (*od* win) a trick
Stichelei *f* needling, *mst Pl* gibe(s *Pl*), dig(s *Pl*) **sticheln** *v/i fig* (***gegen*** at) gibe, make snide remarks
Stichflamme *f* jet of flame, flash
stichhaltig *Adj* valid, sound: *das Argument* ***ist nicht ~*** doesn't hold water
Stichling *m* (*Fisch*) stickleback
Stichprobe *f* ***e-e ~ machen*** carry out a spot check, *bei Waren*: take a random sample, *beim Zoll etc*: make a random search **Stichsäge** *f* fret-saw **Stichtag** *m* effective day, (*letzter Tag*) deadline
Stichwahl *f* second ballot
Stichwort *n* **1.** *bes* THEAT (***auf ~*** on) cue **2.** *im Lexikon*: headword **3.** ***~e*** *Pl* notes *Pl*: ***das Wichtigste in ~en*** an outline of the main points; ***~ „Umwelt"*** à propos "Environment" **stichwortartig** *Adj u. Adv* in brief outlines
Stichwortverzeichnis *n* index
Stichwunde *f* stab wound
sticken *v/t u. v/i* embroider
Sticker *m* sticker
Stickerei *f* embroidery
Stickgarn *n* embroidery silk
stickig *Adj* stuffy, (*schwül*) close
Stickoxid *n* CHEM nitrogen oxide
Stickstoff *m* CHEM nitrogen
stickstoffhaltig *Adj* nitrogenous
Stiefbruder *m* stepbrother
Stiefel *m* boot **Stiefelette** *f* ankle boot, (*Damen*2) bootee **stiefeln** *v/i* F trudge
Stiefmutter *f a. fig* stepmother **Stiefmütterchen** *n* BOT pansy **stiefmütterlich** *Adv fig* ***~ behandeln*** neglect badly **Stiefschwester** *f* stepsister **Stiefsohn** *m* stepson **Stieftochter** *f* stepdaughter **Stiefvater** *m* stepfather
Stiege *f österr., südd.* staircase
Stieglitz *m* ZOOL goldfinch
Stiel *m* **1.** handle, *e-s Glases, e-r Pfeife*: stem, (*Besen*2) stick: ***Eis am ~*** ice lolly **2.** BOT stalk, stem
Stielaugen *Pl* F ***~ machen*** goggle
Stier *m* **1.** ZOOL bull: *fig* ***den ~ bei den Hörnern fassen*** take the bull by the horns **2.** ASTR (***er ist ~*** he is [a]) Taurus
stieren *v/i* stare (fixedly) (***auf*** *Akk* at)
Stierkampf *m* bullfight
Stierkämpfer(in) bullfighter
stiernackig *Adj* bullnecked
Stift[1] *m* **1.** pin, (*Holz*2) peg, (*Zier*2) stud **2.** (*Blei*2) pencil, (*Bunt*2) crayon **3.** *Kosmetik*: stick **4.** F apprentice
Stift[2] *n* religious foundation
stiften *v/t* **1.** (*gründen*) found **2.** (*schenken*) donate, (*spenden*) give **3.** (*bewirken*) cause: → ***Unfriede(n)*** *etc*
Stifter(in) **1.** founder **2.** donor
Stiftskirche *f* collegiate church
Stiftung *f* **1.** foundation **2.** donation
Stiftzahn *m* pivot tooth
Stil *m allg* style: ***im großen ~, großen ~s*** on a large scale, large-scale (*frauds etc*); ***das ist schlechter ~*** that's bad style (*od* form) **Stilblüte** *f* howler
Stilbruch *m* break in style
Stilebene *f* LING level of style
stilecht *Adj Möbel etc*: in period
stilisieren *v/t* stylize **Stilist(in)** *allg* stylist **Stilistik** *f* stylistics *Sg* **stilistisch** *Adj* stylistic(ally *Adv*) **Stilkunde** *f* → ***Stilistik***
still *Adj* (*ruhig*) quiet, (*~schweigend*) silent, (*regungslos*) still, (*friedlich*) peaceful, calm, (*heimlich*) secret (*a. Hoffnung, Liebe etc*): ***~e Jahreszeit*** dead season; ***~e Reserven*** hidden reserves; ***~er Teilhaber*** sleeping (*Am* silent) partner; ***~e Übereinkunft*** tacit understanding; (***sei***) ***~!*** (be) quiet!; ***im*** 2***en*** silently, (*heimlich*) secretly, (*innerlich*) *a.* inwardly; → ***Wasser***
Stille *f* silence, (*Ruhe*) quiet, calm, (*plötzliche ~*) hush: ***die ~ vor dem Sturm*** the calm before the storm; ***in aller ~*** quietly, (*heimlich*) secretly
stillen *v/t* **1.** nurse, breastfeed: ***~de Mutter*** nursing mother **2.** (*Blutung*) stop, sta(u)nch, (*Durst*) quench, (*Hunger, Verlangen*) satisfy, (*Schmerz*) soothe
Stillhalteabkommen *n* POL standstill agreement **stillhalten** *v/i* **1.** keep still **2.** *fig* keep quiet
Stillleben *n* MALEREI still life
stilllegen *v/t* (*Betrieb*) shut down, *durch Streik etc*: paralyse, (*Fahrzeug*) lay up, (*Maschine etc*) put out of operation
Stilllegung *f* shutdown, MOT laying-up
stillliegen *v/i Betrieb*: lie idle
stillos *Adj* in bad style, tasteless
stillschweigen I *v/i* be silent, be quiet, say nothing **II** 2 *n* silence: (***strengstes***) 2 ***bewahren*** maintain (absolute) si-

S

lence (***über** Akk* on) **stillschweigend** **I** *Adj* **1.** silent **2.** *fig* tacit **II** *Adv* **3.** in silence, without a word **4.** *fig* tacitly
Stillstand *m* standstill, stoppage, *fig a.* stagnation, *der Verhandlungen etc*: deadlock: ***zum ~ bringen*** stop; ***zum ~ kommen*** come to a standstill, stop, *Verhandlungen*: reach a deadlock
stillstehen *v/i* **1.** stand still, come to a standstill, stop, TECH be idle, be out of action: ***~d*** *a.* stagnant **2.** MIL stand to attention: ***stillgestanden!*** attention!
Stillzeit *f* nursing period
Stilmöbel *Pl* period furniture *Sg*
stilvoll *Adj* stylish: ***~ sein*** have style
Stimm|abgabe *f* voting **~band** *n* ANAT vocal c(h)ord **≈berechtigt** *Adj* eligible to vote **~bruch** *m* change of voice: ***er ist im ~*** his voice is breaking
Stimme *f* **1.** (***mit lauter** etc* **~** in a loud *etc*) voice **2.** MUS voice, (*Partie*, *a. Instrumental≈*) part: (***gut***) ***bei ~ sein*** be in (good) voice **3.** *fig* (*Meinung*) voice, opinion: ***die ~n mehren sich, die … fordern*** there is a growing number of people calling for … **4.** (*Wahl≈*) vote: ***entscheidende ~*** casting vote; ***s-e ~ abgeben*** (cast one's) vote; ***sich der ~ enthalten*** abstain (from voting)
stimmen **I** *v/t* **1.** (*Instrument*) tune (***nach*** to) **2.** *fig* ***j-n glücklich*** (***traurig***) **~** make s.o. happy (sad) **II** *v/i* **3.** be right, be correct, be true: ***da stimmt etw nicht*** there is s.th. wrong here, (*ist verdächtig*) there is s.th. fishy going on **4.** ***~ für*** (***gegen***) vote for (against)
Stimmenfang *m* vote catching: ***auf ~ gehen*** canvass
Stimmen|gleichheit *f* PARL (***bei ~*** in the event of a) tie **~mehrheit** *f* majority (of votes): ***einfache ~*** simple majority
Stimmenthaltung *f* abstention (from voting)
Stimmgabel *f* MUS tuning fork
stimmhaft *Adj* LING voiced
Stimmlage *f* MUS register, voice
stimmlos *Adj* LING voiceless, unvoiced
Stimmrecht *n* (right to) vote
Stimmung *f* **1.** mood (*a.* MUS, MALEREI), spirits *Pl*, *der Arbeiter*, *Truppe etc*: morale, (*Atmosphäre*) atmosphere: ***in guter*** (***gedrückter***) ***~ sein*** be in high (low) spirits; ***festliche ~*** festive mood; ***nicht in der ~ sein, etw zu tun*** not to be in the mood to do s.th., not to feel like doing s.th.; ***für ~ sorgen*** liven things up **2.** (*Meinung*) opinion
Stimmungsbarometer *n* F barometer of opinion **Stimmungsmache** *f* F *pej* propaganda **Stimmungsumschwung** *m* change of mood
stimmungsvoll *Adj* atmospheric(ally *Adv*): ***~e Musik*** mood music
Stimmvieh *n pej* herd of voters
Stimmzettel *m* ballot paper
Stimulans *n* MED *u. fig* stimulant
stimulieren *v/t* stimulate
Stinkbombe *f* stink bomb
stinken *v/i* stink (***nach*** of, *a. fig*): F ***das*** (***er***) ***stinkt mir!*** I'm sick of it (him)!; → ***Himmel***
stinkfaul *Adj* F bone-lazy
stinklangweilig *Adj* F deadly boring
stinkreich *Adj* F stinking rich
Stinktier *n* skunk **Stinkwut** *f* F ***e-e ~ haben*** be hopping mad (***auf** Akk* with)
Stipendiat(in) scholarship holder
Stipendium *n* scholarship
Stippvisite *f* F flying visit
Stirn *f* forehead: *fig* ***die ~ haben zu** Inf* have the cheek to *Inf*; ***j-m die ~ bieten*** face up to s.o. squarely; → ***runzeln***
Stirnband *n*, **Stirnbinde** *f* headband
Stirnhöhle *f* ANAT (frontal) sinus **Stirnhöhlenentzündung** *f* frontal sinusitis
Stirnrunzeln *n* frown(ing)
Stirnseite *f* front (side), face
Stirnwand *f* front (*od* end) wall
stöbern *v/i* (***nach*** for) rummage (around), *Hund*: hunt about
stochern *v/i* ***~ in*** (*Dat*) poke; ***in den Zähnen ~*** pick one's teeth; ***in s-m Essen ~*** pick at one's food
Stock *m* **1.** stick (*a. Spazier≈*, *Ski≈ etc*), (*Rohr≈*) cane, (*Billard≈*) cue, (*Takt≈*) baton **2.** (*Wurzel≈*) stock: ***über ~ und Stein*** up hill and down dale **3.** (*Bienen≈*) hive **4.** → ***Stockwerk***
stockdunkel *Adj* F pitch-dark
Stöckelschuhe *Pl* stilettos *Pl*, F high heels *Pl*
stocken **I** *v/i* **1.** *beim Sprechen etc*: falter, stop short, (*zögern*) hesitate: ***~d sprechen*** speak haltingly **2.** *Handel etc*: stagnate, slacken off, *Verhandlungen etc*: reach a deadlock, *Verkehr*: be at a standstill, be congested: *fig* ***ihm***

stockte das Herz (***der Atem***) his heart missed a beat (he caught his breath) **II** ♀ *n* **3.** ***ins*** ♀ ***geraten*** → I
Stockfisch *m* dried cod
...stöckig *in Zssgn* ...-storied
stock|konservativ *Adj* ultra-conservative **~nüchtern** *Adj* F stone-cold sober
stocksauer *Adj* F furious **stocksteif** *Adj* F (as) stiff as a poker, *Benehmen*: starchy **stocktaub** *Adj* F stone-deaf
Stockung *f* hold-up, interruption, *in Verhandlungen etc*: *a.* deadlock, *im Gespräch etc*: pause, WIRTSCH stagnation
Stockwerk *n* stor(e)y, floor: ***im ersten ~*** on the first (*Am* second) floor; → *Info bei* ***floor***
Stoff *m* **1.** *bes* CHEM substance, stuff (*a.* F *Alkohol*, *Rauschgift*), (*Wirk*♀) agent **2.** material, (*Gewebe*) fabric, (*Tuch*) cloth **3.** *fig* subject matter, (*Gesprächs*♀) topic (for discussion): ***~ zu e-m Roman*** material for a novel **Stoffmuster** *n* pattern **Stofftier** *n* soft toy
Stoffwechsel *m* MED metabolism **~krankheit** *f* metabolic disorder
stöhnen I *v/i* groan **II** ♀ *n* groaning
stoisch *Adj* stoical
Stola *f allg* stole
Stollen *m* **1.** BERGB tunnel **2.** *am Schuh*: stud **3.** GASTR fruit loaf
stolpern *v/i* (***über*** *Akk* over) *a. fig* stumble, trip
Stolperstein *m fig* stumbling block
stolz *Adj* **1.** proud (***auf*** *Akk* of) **2.** (*stattlich*) proud, splendid: *iron* ***~e Preise*** (***Summe***) steep prices (tidy sum) **Stolz** *m* pride (*a. fig Person*, *Sache*): ***voller ~***, ***mit ~*** proudly **stolzieren** *v/i* strut
stopfen I *v/t* **1.** (*Strümpfe etc*) darn, mend: → ***Loch*** 1 **2.** (*hinein~*) stuff, cram: ***gestopft voll*** crammed (full) **3.** (*Pfeife*, *Wurst*, *Loch etc*) fill: *fig* ***j-m den Mund ~*** silence s.o. **4.** (*mästen*) stuff **II** *v/i* **5.** MED cause constipation
Stopfgarn *n* darning cotton
Stopfnadel *f* darning needle
stopp *Interj* stop! **Stopp** *m* stop, (*Lohn*♀, *Preis*♀ *etc*) *a.* freeze
Stoppel *f* stubble **Stoppelbart** *m* stubbly beard **Stoppelfeld** *n* stubble field
stopp(e)lig *Adj* stubbly
stoppen *v/t* **1.** *a. v/i* stop **2.** *mit Stoppuhr*: time, clock **Stoppschild** *n* MOT stop sign **Stopptaste** *f* stop button
Stoppuhr *f* stop watch
Stöpsel *m* stopper, cork, *für Badewanne etc*, *a.* ELEK plug **stöpseln** *v/t a.* ELEK plug
Stör *m* (*Fisch*) sturgeon
Störaktion *f* disruptive action
störanfällig *Adj* TECH trouble-prone, ELEK interference-prone
Storch *m*, **Störchin** *f* ZOOL stork
Stördienst *m* TECH fault-clearing service
Store *m* net curtain
stören I *v/t* disturb, (*ärgern*, *belästigen*) bother, (*e-e Versammlung*, *den Unterricht etc*) disrupt, (*Radiosender*) jam, (*den Empfang*) interfere with: ***j-s Pläne ~*** upset s.o.'s plans; ***das*** (***Gesamt***)***Bild ~*** mar the picture; ***was mich daran*** (***an ihr***) ***stört*** what I don't like about it (her); ***lassen Sie sich nicht ~!*** don't let me disturb you!; ***darf ich Sie kurz ~?*** may I trouble you for a minute?; ***stört es Sie***(***, wenn ich rauche***)***?*** do you mind (if I smoke)?; ***das stört mich nicht*** I don't mind (that); ***er stört mich nicht*** he doesn't bother me; → ***gestört*** **II** *v/i* (*sich einmischen*) interfere, (*im Wege sein*) be in the way, (*lästig sein*) be a nuisance, (*das Gesamtbild ~*) be an eyesore, SPORT tackle: ***„Bitte nicht ~!"*** "please do not disturb!" **störend** *Adj* disturbing, (*lästig*) troublesome, annoying **Störenfried** *m* troublemaker
Störfaktor *m* disruptive element
Störfall *m* TECH breakdown, trouble, (*Unfall*) accident, (*Zwischenfall*) incident
stornieren *v/t* WIRTSCH (*Buchung*) reverse, (*Auftrag*) cancel **Stornierung** *f*, **Storno** *n* reversal, cancellation
Störrigkeit *f* stubbornness, obstinacy, restiveness **störrisch** *Adj* stubborn, obstinate, *bes Pferd*: restive
Störsender *m* jamming station
Störung *f* disturbance, MED *a.* disorder, TECH trouble, defect, breakdown, (*Unterbrechung*) interruption: ***verzeihen Sie die ~!*** sorry to disturb you!; (***atmosphärische***) ***~*** statics *Pl*, *durch Sender etc*: interference, *absichtliche*: jamming
störungsfrei *Adj* undisturbed, TECH trouble-free, RADIO, TV interference-free

Störungsstelle *f* TEL *the* engineers *Pl*
Stoß *m* **1.** push, poke, (*Tritt*) kick, (*Kopf*≈) butt, (*Rippen*≈) dig, (*Dolch*≈ *etc, a. beim Fechten*) thrust, (*Schwimm*≈, *Billard*≈) stroke, *beim Kugelstoßen*: put, (*Anprall, Ruck*) jolt, bump, (*a. Erd*≈) shock, *a.* PHYS impact, (*Explosions*≈, *Wind*≈) blast: (*Dat*) ***e-n ~ versetzen*** → ***stoßen*** 1; *fig* ***j-m e-n ~ versetzen*** shake s.o.; ***sich*** (*od* ***s-m Herzen***) ***e-n ~ geben*** make an effort; ***gib d-m Herzen e-n ~!*** be a sport! **2.** MED (*Vitamin*≈ *etc*) massive dose, (*Adrenalin*≈ *etc*) rush **3.** (*Stapel*) pile, *von Briefen etc*: *a.* batch
Stoßdämpfer *m* MOT shock absorber
Stößel *m* **1.** *im Mörser*: pestle **2.** MOT (*Ventil*≈ *etc*) tappet
stoßen I *v/t* **1.** push, poke, *mit dem Fuß*: kick, *mit den Hörnern, dem Kopf*: butt, (*rempeln*) jostle: ***von sich ~*** push away, *fig* reject; ***er stieß ihr das Messer in die Brust*** he plunged his knife into her chest **2.** SPORT ***die Kugel ~*** put the shot **3.** (*zer~*) pound **II** *v/refl* ***sich ~*** **4.** hurt o.s.: ***sich ~ an*** (*Dat*) **a)** knock (*od* bump) against, **b)** *fig* object to, take exception to **III** *v/i* **5.** push (*etc*, → 1): ***~ an*** (*Akk*) **a)** *a.* ***~ gegen*** knock against, bump into, **b)** (*grenzen an*) border on; ***er stieß mit dem Kopf an die Wand*** he bumped his head against the wall; *fig* ***~ auf*** (*Akk*) come across, stumble on, (*Ablehnung, Widerstand etc*) meet with; ***zu*** *j-m, e-r Partei etc* ***~*** join (up with); → ***Horn*** 2, ***Kopf*** 1
stoßfest *Adj* shockproof
Stoß|gebet *n* quick prayer **~kraft** *f fig* impetus, force **~seufzer** *m* deep sigh
Stoßstange *f* MOT bumper
Stoßtrupp *m* MIL assault party
Stoßverkehr *m* rush-hour traffic
stoßweise *Adv* intermittently, sporadically, by fits and starts
Stoßzahn *m* ZOOL tusk **Stoßzeit** *f* peak hours *Pl, Verkehr*: rush hour
Stotterer *m*, **Stotterin** *f* stutterer, stammerer
stottern *v/i u. v/t* stutter, stammer
Stövchen *n* warmer
Strafanstalt *f* prison, penal institution
Strafantrag *m* private application (by the injured party), *des Staatsanwalts*: sentence demanded (by the public prosecutor) **Strafanzeige** *f* ***~ erstatten*** bring a charge (***gegen*** against)
Strafarbeit *f* PÄD extra work
Strafbank *f Eishockey*: penalty box
strafbar *Adj* punishable, *stärker*: criminal: ***~e Handlung*** (criminal) offen/ce (*Am* -se); ***sich ~ machen*** make o.s. liable to prosecution **Strafbarkeit** *f* punishableness **Strafbefehl** *m* JUR order (of summary punishment)
Strafe *f allg* punishment (*a. fig*), penalty (*a. Sport*), (*Geld*≈) fine, (*Urteil*) sentence: ***bei ~ von*** on pain (*od* penalty) of; ***zur ~*** as a punishment; ***~ zahlen*** pay a fine; F *fig* ***es war e-e ~*** it was an ordeal; → ***antreten*** 1, ***verbüßen***
strafen *v/t* punish, *bes* SPORT penalize: *fig* ***~der Blick*** censorious look; → ***Lüge, Verachtung***
Strafentlassene *m, f* ex-convict
Straferlass *m* remission (of sentence), *allgemeiner*: amnesty
straff *Adj* **1.** tight, taut, *Büste*: firm, *Haltung*: erect: *Adv* ***~ anziehen*** tighten; ***~ sitzen*** fit tightly **2.** *fig* strict, tight
straffällig *Adj* → ***strafbar***: ***~ werden*** commit an offen/ce (*Am* -se)
Straffällige *m, f* offender, delinquent
straffen *v/t a. fig* tighten (up)
Straffheit *f* tightness
straffrei *Adv* ***~ ausgehen*** go unpunished **Straffreiheit** *f* immunity
Strafgebühr *f* fine **Strafgefangene** *m, f* prisoner, convict **Strafgericht** *n* **1.** criminal court **2.** *fig* punishment
Strafgesetz *n* penal law
Strafgesetzbuch *n* penal code
sträflich I *Adj* punishable, *a. fig* criminal **II** *Adv fig* badly
Sträfling *m* prisoner, convict
straflos → ***straffrei***
Strafmandat *n* ticket **Strafmaß** *n* JUR sentence **strafmildernd** *Adj* mitigating **strafmündig** *Adj* of responsible age **Strafporto** *n* surcharge
Strafprozess *m* trial, criminal case (*od* proceedings *Pl*) **~ordnung** *f* Code of Criminal Procedure
Strafpunkt *m* SPORT penalty point
Strafraum *m Fußball*: penalty area
Straf|recht *n* criminal law **≈rechtlich** *Adj* criminal, penal: *Adv* ***~ verfolgen*** prosecute **~register** *n* criminal records *Pl, e-s Täters*: criminal record

Strafstoß *m Fußball*: penalty kick
Straftat *f* (criminal) offen/ce (*Am* -se), *schwere*: crime **Straftäter(in)** (criminal) offender **Strafverfahren** *n* **1.** → ***Strafprozess*** **2.** criminal procedure
strafverschärfend *Adj* aggravating
strafversetzen *v/t*, **Strafversetzung** *f* transfer for disciplinary reasons
Strafverteidiger(in) trial lawyer; → *a.* ***Verteidiger(in)*** 2 **Strafvollzug** *m* **1.** execution of the sentence, *weit. S.* imprisonment **2.** prison system
Strafvollzugs|beamte *m*, **~beamtin** *f* prison officer
Strafzettel *m* ticket
Strafzölle *Pl* penal duties *Pl*
Strahl *m* **1.** *allg* ray (*a. fig*), (*Licht*≳) *a.* beam, (*Blitz*≳, *Feuer*≳) flash **2.** *e-r Flüssigkeit*: stream, jet **Strahlantrieb** *m* FLUG jet propulsion **strahlen** *v/i* **1.** PHYS radiate, emit radiation, be radioactive **2.** shine, sparkle: ***die Sonne strahlte*** the sun shone brightly **3.** *fig* beam (***vor*** *Dat* with): ***sie strahlte*** (***vor Glück***) she was radiant (with happiness)
Strahlenbehandlung *f* radiotherapy
Strahlen|belastung *f* level of contamination **~bündel** *n* pencil of rays
Strahlendosis *f* radiation dose
strahlenförmig *Adj* radial
Strahlen|krankheit *f* radiation sickness **~kunde** *f* radiology **~schutz** *m* radiation protection **~therapie** *f* radiotherapy **~tod** *m* death by radiation **≳verseucht** *Adj* (radioactively) contaminated
Strahler *m* **1.** (*Wärme*≳, *Heiz*≳) radiator, (*a. Kathoden*≳) heater **2.** spotlight
Strahltriebwerk *n* FLUG jet engine
Strahlung *f* radiation
strahlungsarm *Adj* low radiation
Strahlungs|energie *f* radiation energy **~wärme** *f* radiant heat
Strähne *f* strand, *farbige*: streak
strähnig *Adj* straggly
stramm I *Adj* **1.** (*straff, eng*) tight **2.** (*kräftig*) strapping, *Beine*: sturdy, *Brüste*: firm **3.** *Disziplin*: strict, *Tempo*: brisk: F ***~er Sozialist*** sta(u)nch socialist **II** *Adv* **4.** tight(ly): ***~ sitzen*** *Hose etc*: fit tightly; ***~ ziehen*** tighten; F ***~ arbeiten*** work hard **strammstehen** *v/i* stand to attention
Strampelhöschen *n* rompers *Pl*
strampeln *v/i* **1.** kick, (*sich wehren*) struggle **2.** F (*Rad fahren*) pedal (away)
Strampelsack *m* baby's sleeping bag
Strand *m* (sea) shore, (*a. Bade*≳) beach
Strandbad *n* lido, swimming area
stranden *v/i* run aground: ***gestrandet*** *a. fig* stranded
Strand|gut *n* flotsam and jetsam (*a. fig der Gesellschaft*) **~hotel** *n* seaside (*od* beach) hotel **~kleidung** *f* beachwear
Strandkorb *m* (canopied) beach chair
Strandpromenade *f* promenade
Strang *m* **1.** rope: *fig* ***an einem ~ ziehen*** pull together; ***über die Stränge schlagen*** kick over the traces; ***wenn alle Stränge reißen*** if all else fails **2.** cord (*a.* ANAT), *Wolle etc*: skein, hank
strangulieren *v/t* strangle
Strapaze *f* strain **strapazieren** *v/t* strain (*a. fig Begriff, Nerven etc*), wear *s.o.*, *s.th.* out **strapazierfähig** *Adj* hardwearing, tough **strapaziös** *Adj* strenuous, F tough, *nervlich*: stressful: ***~ sein*** be a (great) strain
Straße *f* **1.** road, *in e-r Stadt*: street: ***auf der ~*** on the road, in (*Am* on) the street; ***der Mann auf der ~*** the man in the street; ***j-n auf die ~ setzen*** turn s.o. out, (*entlassen*) sack s.o.; ***auf offener ~*** in broad daylight **2.** ***die ~*** (*Meerenge*) ***von Dover*** the Strait(s *Pl*) of Dover **3.** (*Fertigungs*≳ *etc*) (production *etc*) line
Straßen|anzug *m* lounge suit, *Am* business suit **~arbeiten** *Pl* roadworks *Pl*
Straßenbahn *f* tram, *Am* streetcar **~haltestelle** *f* tram (*Am* streetcar) stop **~linie** *f* tram (*Am* streetcar) line **~wagen** *m* tramcar, *Am* streetcar
Straßen|bau *m* road construction **~belag** *m* road surface **~beleuchtung** *f* street lighting **~benutzungsgebühr** *f* road toll **~café** *n* pavement (*Am* sidewalk) café **~fest** *n* street party **~glätte** *f* slippery road(s *Pl*) **~graben** *m* (road) ditch **~händler(in)** street vendor **~junge** *m* street urchin
Straßen|kampf *m* street fighting **~karte** *f* road map **~kehrer(in)**, **~kehrmaschine** *f* street sweeper **~kreuzung** *f* crossroads *Sg* **~lage** *f* MOT ***e-e gute ~ haben*** hold the road well **~laterne** *f* street lamp **~musikant(in)** street musician **~name** *m* street name **~netz** *n* road network **~rand** *m* (***am ~*** on the) roadside

Straße	**road/street**
Achten Sie auf unterschiedlichen Gebrauch von **road** und **street**:	
road 1. Straße mit Betonung der Fahrbahn und was sich dort abspielt. Im Vordergrund stehen der Verkehr, das Fahren, die Straßenverhältnisse, die Straßenverkehrsordnung *etc.*	
eine verkehrsreiche Straße	**a busy road**
eine holperige Straße	**a bumpy road**
Straßenverhältnisse	**road conditions**
Straßenarbeiten	**roadworks**
Glatteis auf der Straße	**ice on the road**
2. Straße als Verbindung zwischen zwei Punkten, egal ob innerhalb oder außerhalb einer Ortschaft. Der Weg nach/zum/zur …	
die Straße zum Bahnhof	**the road to the station**
die Hauptverkehrsstraße nach Köln	**the main road to Cologne**
street Nur in einer geschlossenen Ortschaft. Man assoziiert Gebäude, Bürgersteig, Fußgänger, das menschliche Treiben auf der Straße mit **street**:	
auf der Straße spielen	**play in the street**
er wohnt in der nächsten Straße	**he lives in the next street**
die Straßen von San Francisco	**the streets of San Francisco**
durch die Straßen fahren	**drive through the streets**
(*Betonung liegt auf der Ortschaft*)	

~rennen *n* SPORT road race **~schild** *n* street sign **~sperre** *f* road block **~tunnel** *m* road tunnel **~überführung** *f* flyover **~unterführung** *f* underpass **~verhältnisse** *Pl* road conditions *Pl* **~verkehr** *m* (road) traffic **~verkehrsordnung** *f* Highway Code **~verzeichnis** *n* index of streets **~zustand** *m* road condition(s *Pl*)

Stratege *m*, **Strategin** *f* strategist

Strategie *f a. fig* strategy

strategisch *Adj* strategic(al)

Stratosphäre *f* stratosphere

sträuben I *v/t* (*Federn*) ruffle (up), (*Fell, Haare*) bristle **II** *v/refl* ***sich ~*** *Haare*: stand on end, *bes Fell*: bristle up; *fig* ***sich ~ gegen*** struggle against, resist; ***sich ~ zu*** *Inf* refuse to *Inf*

Strauch *m* shrub, bush

Strauß[1] *m* bunch of flowers

Strauß[2] *m* ZOOL ostrich

Straußenfeder *f* ostrich feather

Streamer *m* COMPUTER streamer

Strebe *f*, **Strebebalken** *m* strut

streben I *v/i* **1. *~ zu, ~ nach*** move (*fig a.* tend) towards, *bes Person*: make for **2.** *fig* ***~ nach*** strive for, aim at **II** ≈ *n* **3.** *fig* (***nach***) striving (for), aspiration (for, after), efforts *Pl*

Strebepfeiler *m* ARCHI buttress

Streber(in) careerist, *gesellschaftlich*: social climber, PÄD F swot **Strebertum** *n* pushiness, PÄD F swotting

strebsam *Adj* industrious, hard-working, ambitious

Strecke *f* **1.** (*Abschnitt*) stretch, *in e-m Buch etc*: *a.* passage, (*Teil*≈) *a.* stage, leg, (*Route*) route (*a.* FLUG, SCHIFF), (*Entfernung*) distance (*a. Sport*), (*Renn*≈) course, MATHE, BAHN, TEL line, BERGB roadway: BAHN ***auf freier ~*** between stations; ***auf e-r ~ von 10 km*** for a stretch of 10 km; *fig* ***auf der ~ bleiben*** fail, come to grief **2.** JAGD bag: ***zur ~ bringen*** kill, shoot down, bag, *fig* (*Verbrecher etc*) hunt down, catch, *weit. S.* (*Gegner*) defeat

strecken *v/t* **1.** stretch: ***sich*** (*od* ***s-e Glieder***) ***~*** stretch (o.s.) (*od* one's limbs); → ***Decke*** 1, ***Waffe*** **2.** (*Suppe, Vorräte etc*) eke out, spin out

Streckennetz *n* railway network

streckenweise *Adv* in parts, in places, (*zeitweise*) now and then, at times

Streckverband *m* MED ***im ~*** in traction
Streetworker(in) street worker, community worker
Streich *m* trick, prank: ***j-m e-n*** (***bösen***) ***~ spielen*** play a (nasty) trick on s.o.
Streicheleinheiten *Pl* (love and) attention
streicheln *v/t u. v/i* stroke
streichen **I** *v/t* **1.** (*Butter, Brot etc*) spread, (*Salbe etc*) apply, put (***auf*** *Akk* on), (*an~*) paint: → ***gestrichen*** **2.** (*mit der Hand ~*) stroke **3.** cross out, delete, (*Auftrag etc*) cancel, (*Gelder*) cut: ***j-n von der Liste ~*** strike s.o. off the list **4.** (*Flagge, Segel*) strike, haul down **II** *v/i* **5.** (***mit der Hand***) ***~ über*** (*Akk*) pass one's hand over, stroke **6.** ***durch die Gegend ~*** roam the countryside; ***ums Haus ~*** prowl around the house
Streicher *Pl* MUS *the* strings *Pl*
Streichholz *n* match, *Am* F matchstick
Streichholzschachtel *f* matchbox
Streichinstrument *n* string(ed) instrument: ***die ~e*** *Pl* the strings *Pl*
Streichquartett *n* string quartet
Streichung *f* cancellation (*a. fig*), *von Geldern*: cut, BUCHDRUCK deletion
Streichwurst *f* sausage spread
Streifband *n* (postal) wrapper
Streife *f* ([***auf***] ***~ gehen*** go on) patrol
Streifen *m* **1.** stripe, *dünner*: streak **2.** *Papier*: strip **3.** (*Film*) film, *bes Am* movie **Streifenhörnchen** *n* ZOOL chipmunk
streifen **I** *v/t* **1.** touch, brush against, *Auto*: scrape against, *Geschoss*: graze: *fig* ***ein Thema ~*** touch (up)on a subject **2.** (*Kleider*) ***vom Leibe ~***, (*Ring*) ***vom Finger ~*** slip off **3.** ***mit e-m Blick ~*** glance at **II** *v/i* **4.** ***durch den Wald*** *etc* ***~*** roam the woods *etc*
Streifenwagen *m* patrol car
Streif|licht *n fig* sidelight **~schuss** *m* grazing shot **~zug** *m a. fig* excursion
Streik *m* strike: ***wilder ~*** wildcat strike; ***e-n ~ ausrufen*** (***abbrechen***) call (call off) a strike; ***in den ~ treten*** go on strike **Streikaufruf** *m* strike call **Streikbrecher(in)** strikebreaker, F blackleg, *sl* scab **streiken** *v/i* **1.** (be *od* go on) strike **2.** F refuse, *a. Magen*: rebel, *Gerät etc*: refuse to work, pack up **Streikende** *m, f* striker
Streikgeld *n* strike pay **Streikposten** *m* (*a.* ***mit ~ besetzen, ~ stehen***) picket
Streikrecht *n* right to strike
Streikwelle *f* series of strikes
Streit *m* quarrel, argument, *handgreiflicher*: brawl, fight, (*Krach*) F row, (*Kontroverse*) dispute, controversy, (*Fehde*) feud: ***in ~ geraten mit*** have an argument (*od* a fight) with; → ***suchen*** I, ***Zaun*** **streitbar** *Adj* belligerent
streiten *v/i* (*a.* ***miteinander*** *od* ***sich ~***) quarrel, have an argument (F a row), *handgreiflich*: fight: ***darüber lässt sich ~*** that's a moot point
Streiter(in) *fig* (***für***) fighter (for), champion (of) **Streiterei** *f* (constant) quarrel(l)ing, fights *Pl*, F rows *Pl*
Streitfall *m* dispute, conflict, JUR case
Streitfrage *f* (controversial) issue
Streitgespräch *n* debate
streitig *Adj* **1.** JUR contentious **2.** ***j-m*** (***das Recht auf***) ***etw ~ machen*** dispute s.o.'s right to s.th.; → ***Rang*** 1
Streitigkeit *f* → ***Streit***
Streitkräfte *Pl* armed forces *Pl*
streitlustig *Adj* belligerent
Streitpunkt *m* (point at) issue
Streitsache *f* **1.** → ***Streitpunkt*** **2.** JUR case, (*Prozess*) lawsuit
streitsüchtig *Adj* quarrelsome
Streitwert *m* JUR value in dispute
Strelitzie *f* BOT bird of paradise (flower)
streng **I** *Adj allg* severe (*a. Blick, Kälte, Kritik etc*), *Stil etc*: austere, *Person, Diät, Disziplin, Kontrolle, Vorschrift*: strict, *Geschmack*: harsh, *a. Geruch*: acrid: ***~ mit j-m sein*** be strict with s.o.; ***~es Stillschweigen*** strict secrecy **II** *Adv* severely (*etc*): ***sich ~ halten an*** (*Akk*) adhere strictly to; ***~ geheim*** top-secret; ***~ genommen*** strictly speaking; ***~ vertraulich*** strictly confidential
Strenge *f* severity, austerity, strictness, harshness
strenggläubig *Adj* orthodox
Stress *m* (***im ~*** under) stress
stressen *v/t* F ***j-n ~*** put s.o. under stress
stress|frei *Adj* stress-free **~geplagt** *Adj* stressed-out
stressig *Adj* F stressful
Stresskrankheit *f* stress disease
streuen **I** *v/t allg* scatter, (*Blumen*) *a.* strew, (*Dünger etc*) spread, (*Salz etc*) sprinkle: ***den Gehweg ~*** grit the side-

walk **II** *v/i* PHYS, *a. Waffe*: scatter
streunen *v/i* stray, roam about
streunend *Adj* stray (*dog, child*)
Streuselkuchen *m cake with crumble topping*
Strich *m* **1.** stroke, (*Linie*) line, (*Gedanken*2, *Morse*2) dash, (*Skalen*2) mark, (*Kompass*2) point, (*Pinsel*2) stroke (of the brush): *fig* ***j-m e-n ~ durch die Rechnung machen*** thwart s.o.'s plans; ***unter dem ~*** on balance; ***e-n (dicken) ~ unter etw machen*** make a clean break with s.th.; F ***auf den ~ gehen*** walk the streets, be on the game **2.** *bes bei Textilien*: nap: ***gegen den ~*** against the nap; F *fig* ***das ging mir gegen den ~*** it went against the grain with me; F ***nach ~ und Faden*** good and proper **3.** F (*Kürzung*) cut **4.** MUS (*Bogen*2) stroke, (*Bogenführung*) bowing technique
stricheln *v/t* sketch in, (*schraffieren*) hatch: ***gestrichelte Linie*** broken line
Strich|junge *m* F male prostitute **~kode** *m* bar code **~liste** *f* check list **~mädchen** *n* F streetwalker **~punkt** *m* semicolon
Strick *m* cord, rope: *fig* ***wenn alle ~e reißen*** if all else fails; ***j-m aus e-r Sache e-n ~ drehen (wollen)*** use s.th. against s.o.; F ***zum ~ greifen*** hang o.s
stricken *v/t u. v/i* knit
Strick|jacke *f* cardigan **~leiter** *f* rope ladder **~maschine** *f* knitting machine **~nadel** *f* knitting needle **~waren** *Pl* knitwear *Sg* **~wolle** *f* knitting wool **~zeug** *n* knitting (things *Pl*)
striegeln *v/t* (*Pferd*) curry(comb)
Strieme *f*, **Striemen** *m* weal
strikt *Adj* strict: *Adv* ***etw ~ ablehnen*** refuse s.th. flatly
Strip *m* F striptease
Strippe *f* F cord, string: *fig* ***an der ~ hängen*** be on the blower
strippen *v/i* F strip, do a striptease
Stripper(in) F stripper
Striptease *m* striptease **~tänzer(in)** stripper
strittig *Adj* controversial: ***der ~e Punkt*** the point at issue
Stroboskoplicht *n* strobe light
Stroh *n* straw, (*Dach*2) thatch **2blond** *Adj* flaxen(-haired) **~blume** *f* immortelle **~dach** *n* thatched roof **~feuer** *n* *fig* flash in the pan **~halm** *m* straw: *fig* ***nach e-m ~ greifen, sich an e-n ~ klammern*** clutch at a straw **~hut** *m* straw hat **~mann** *m fig* front
Strohwitwe(r *m*) *f* F grass widow(er)
Strom *m* **1.** (large) river, (*reißender ~*) torrent, (*Strömung*) stream, current (*a. fig*), *fig von Blut, Tränen etc*: flood, *von Menschen, Autos etc*: stream: ***mit dem (gegen den) ~ schwimmen*** swim with (against) the current (*fig a.* tide); ***es gießt in Strömen*** it is pouring with rain **2.** (electrical) current, *weit. S.* electricity: ***~ führend*** live; ***unter ~ stehend*** live
Stromausfall *m* power failure
strömen *v/i* stream, pour, *Gas, Luft etc*: *a.* flow, *Menschen*: *a.* throng, flock
Stromkreis *m* (electric) circuit
stromlinienförmig *Adj* streamlined
Stromnetz *n* ELEK power supply system
Stromschnelle *f* rapid
Strom|sperre *f* power cut **~stärke** *f* current intensity, *in Ampere*: amperage **~stoß** *m* **1.** impulse **2.** electric shock
Strömung *f* current, *fig a.* trend
Stromverbrauch *m* power consumption **Stromversorgung** *f* power supply **Stromzähler** *m* electric meter
Strontium *n* strontium
Strophe *f* stanza, (*bes Lied*2) verse
strotzen *v/i* ***~ von, ~ vor*** (*Dat*) be full of, *Fehlern etc*: *a.* be teeming with, *Gesundheit, Energie etc*: be bursting with; ***vor Dreck ~*** be covered with dirt
Strudel *m* **1.** *a. fig* whirlpool, maelstrom **2.** GASTR strudel
Struktur *f allg* structure **Struktur...** structural (*change, policy, etc*) **strukturell** *Adj* (*a.* ***~ bedingt***) structural
strukturieren *v/t* structure
Struktur|krise *f* structural crisis **2schwach** *Adj* structurally weak **~wandel** *m* structural change
Strumpf *m* stocking **~band** *n* garter **~halter** *m* suspender, *Am* garter **~hose** *f* (***e-e ~*** a pair of) tights *Pl*, *Am* pantyhose **~maske** *f* stocking mask
Strumpfwaren *Pl* hosiery *Sg*
struppig *Adj Haar*: unkempt, *Bart*: bristly, *Hund*: shaggy
Strychnin *n* CHEM strychnine
Stube *f* room
Stubenhocker(in) stay-at-home

stubenrein *Adj Tier*: house-broken
Stubenwagen *m* bassinet
Stuck *m* stucco
Stück *n* **1.** *allg* piece, (*Vieh*) head, (*Teil*≈) *a.* bit, (~ *Brot*) *a.* slice, (~ *Zucker*) lump, (~ *Seife*) bar, (~ *Land*) piece (of land), plot: ***im ~, am ~*** in one piece, *Käse etc*: *a.* unsliced; ***50 Cent das ~*** fifty cents each; ***50 ~ Vieh*** 50 head of cattle; ***ein ~*** (***Weges***) *begleiten etc* part of the way; ***~ für ~*** piece by piece; ***in ~e gehen*** go to pieces; ***in ~e schlagen*** smash (to bits); *fig* ***aus freien ~en*** of one's own free will; ***große ~e halten auf*** (*Akk*) think highly of; ***wir sind ein gutes ~ weitergekommen*** we have made considerable headway; ***das ist ein starkes ~!*** that's a bit thick! **2.** MUS piece (of music), THEAT play, *e-s Buches etc*: passage
Stückarbeit *f* piece work
Stückchen *n* small piece (*etc*, → ***Stück***)
Stückelung *f* WIRTSCH denomination
Stückeschreiber(in) playwright
Stück|gut *n* parcel(s *Pl*) **~kosten** *Pl* unit cost *Sg* **~liste** *f* TECH parts list **~lohn** *m* piece rate **~preis** *m* unit price
stückweise *Adv* bit by bit
Stückwerk *n pej* patchwork
Stückzahl *f* number of pieces
Student(in) student **Studentenausweis** *m* student's identity card
Studentenschaft *f the* students *Pl*
Studenten|verbindung *f* fraternity **~wohnheim** *n* students' hostel
Studie *f allg* study (*a.* MALEREI *etc*) (***über*** *Akk* on), (*Entwurf*) sketch
Studien|aufenthalt *m* study visit **~beratung** *f* student advisory service **~bewerber(in)** university applicant
Studienfach *n* subject
Studiengang *m* course of studies
studienhalber *Adv* for study purposes
Studien|jahr *n* academic year: **~e** *Pl* → ***Studienzeit*** **~platz** *m* place at a university **~rat** *m*, **~rätin** *f* master (mistress) at a secondary school **~referendar(in)** *secondary school teacher as a* ***Referendar(in)*** **~reise** *f* study trip **~zeit** *f* university (*Am* college) days *Pl*
studieren *v/i u. v/t* study (*a. weit. S. lesen, betrachten etc*), go to university: ***er studiert Medizin*** he studies medicine, he is a medical student; ***wo hat er studiert?*** which university did he go to?
Studio *n allg* studio
Studium *n* **1.** (*Universitäts*≈ *etc*) studies *Pl*: ***sein ~ aufnehmen*** begin one's studies; ***während s-s ~s*** while he is (*bzw.* was) studying; ***sie hat ihr ~ der Informatik im vorigen Jahr abgeschlossen*** she finished (*od* got) her degree in informatics last year; ***was macht dein ~?*** how are you getting on at university *etc?* **2.** (*intensive Beschäftigung*) study (*Gen* of): ***das ~ der Pflanzen*** *etc* ***the study of plants*** *etc*

⚠ **Studium**	≠	**study**
Studium	=	studies *Pl*; degree
study	=	Arbeitszimmer
jedoch:		
the study of plants *etc*		das Studium der Pflanzen, die Pflanzenforschung *etc*

Stufe *f* **1.** step: ***Vorsicht, ~!*** watch (*Br* mind) the step **2.** LING, MUS degree **3.** *fig* (*Entwicklungs*≈) stage, (*Niveau*) level, standard, (Rang≈) rank: ***j-n*** (***etw***) ***auf eine ~ stellen mit*** place s.o. (s.th.) on a level with **4.** TECH stage
Stufen|barren *m Turnen*: asymmetrical bars *Pl* **~leiter** *f fig* ladder: ***die ~ des Erfolgs*** the ladder to success
stufenlos *Adj u. Adv*: ~ (***regelbar***) infinitely variable **stufenweise I** *Adj* gradual **II** *Adv* step by step, by degrees
Stuhl *m* **1.** chair, (*Klavier*≈ *etc*) stool: REL ***der Heilige ~*** the Holy See; *fig* ***sich zwischen zwei Stühle setzen*** fall between two stools; → ***elektrisch*** I **2.** MED **a)** (*Kot*) stool, **b)** → ***Stuhlgang***
Stuhlgang *m* (***regelmäßigen ~ haben*** have regular) bowel movement
stülpen *v/t* put (***auf*** *Akk* on, ***über*** *Akk* over): ***etw nach außen ~*** turn s.th. inside out; ***er stülpte sich e-n Hut auf den Kopf*** he clapped a hat on his head
stumm *Adj* dumb, mute, *fig a.* silent (*a.* LING), speechless (***vor*** *Dat* with)
Stummel *m* (*Zahn*≈ *etc*) stump, (*Zigaretten*≈) butt, (*a. Kerzen*≈ *etc*) stub
Stumm|film *m* silent film **~schaltung** *f*

TEL muting
Stumpen *m* (*Zigarre*) cheroot
Stümper(in) bungler **Stümperei** *f* bungling, (*schlechte Arbeit*) botch
stümperhaft *Adj* bungling, clumsy
stümpern *v/i u. v/t* bungle, botch
stumpf *Adj* **1.** blunt **2.** MATHE *Winkel*: obtuse, *Kegel*: truncated **3.** (*glanzlos*) dull **4.** *fig Blick*, *Mensch*: dull, *Sinne*: dulled, (*teilnahmslos*) apathetic(ally *Adv*)
Stumpf *m allg* stump: F ***mit ~ und Stiel*** root and branch
Stumpfheit *f* **1.** bluntness **2.** *a. fig* dullness
Stumpfsinn *m* dullness, *e-r Arbeit*: *a.* mindlessness **stumpfsinnig** *Adj* dull, *Arbeit*: *a.* mindless, soul-destroying
stumpfwink(e)lig *Adj* MATHE obtuse
Stunde *f* **1.** hour: ***zur ~*** at this hour; ***bis zur ~*** as yet; MOT ***50 Meilen in der ~*** 50 miles per hour; *fig* ***die ~ der Wahrheit*** the moment of truth **2.** PÄD lesson, class, period: ***bei j-m ~n nehmen*** have lessons with s.o.
stunden *v/t* (***j-m***) ***die Zahlung ~*** extend the term of payment (to s.o.)
Stunden|geschwindigkeit *f* (average) speed per hour **~kilometer** *Pl* kilomet/res (*Am* -ers) *Pl* per hour **ℒlang** **I** *Adj* lasting (for) hours **II** *Adv* for hours (and hours) **~lohn** *m* hourly wage **~plan** *m* timetable, *Am* schedule
stundenweise *Adj u. Adv* by the hour
Stundenzeiger *m* hour hand
stündlich **I** *Adj* hourly **II** *Adv* every hour, *weit. S.* any time (now)
Stunk *m* F ***~ machen*** kick up a stink; ***das gibt ~!*** there will be trouble!
Stunt *m* stunt **~man** *m* stuntman **~woman** *f* stuntwoman
stupid(e) *Adj* dull, mindless
Stups *m*, **stupsen** *v/t* F prod
Stupsnase *f* snub nose
stur *Adj* **1.** stubborn, pigheaded, stolid **2.** → ***stumpfsinnig*** **Sturheit** *f* **1.** stubbornness (*etc*) **2.** → ***Stumpfsinn***
Sturm *m* **1.** storm (*a. fig*), gale: *fig* ***~ der Entrüstung*** outcry; ***~ im Wasserglas*** storm in a teacup, *Am* tempest in a teapot **2.** MIL storm, attack: *a. fig* ***im ~ erobern*** take by storm; ***~ laufen gegen*** attack, assail **3.** SPORT (*Stürmer*) forwards *Pl*
Sturm|angriff *m* assault **~bö** *f* squall
stürmen **I** *v/t* **1.** MIL storm: *fig* ***e-e Bank ~*** make a run on a bank **II** *v/i* **2.** MIL *u.* SPORT attack **3.** *fig* (*rennen*) rush **III** *v/unpers* **4.** ***es stürmt*** there's a gale blowing **Stürmer(in)** SPORT forward
stürmisch *Adj* stormy (*a. fig Debatte*, *Liebe etc*), *Liebhaber*: passionate, *Beifall etc*: tumultuous, *Protest*: vehement, *Zeit*: turbulent, *Entwicklung etc*: rapid: ***nicht so ~!*** easy does it!
Sturm|tief *n* cyclone **~warnung** *f* gale warning **~wolke** *f* storm cloud
Sturz *m* (sudden) fall, *tiefer*: plunge (*a. fig*), *fig* (*Temperatur*ℒ *etc*) (sudden) drop, (*Preis*ℒ, *Kurs*ℒ) *a.* slump, (*Untergang*) ruin, (down)fall, *e-r Regierung*: collapse, overthrow
stürzen **I** *v/i* **1.** fall, *a. fig* plunge, plummet: ***sie ist*** (***mit dem Fahrrad***) ***gestürzt*** she had a fall (with her bicycle) **2.** (*rennen*) rush, dash: ***er kam ins Zimmer gestürzt*** he burst into the room **II** *v/t* **3.** (*stoßen*) throw: *fig* ***j-n ins Elend ~*** plunge s.o. into misery **4.** (*umkippen*) turn *s.th.* upside down, (*Pudding etc*) turn *s.th.* out of the mo(u)ld: ***Nicht ~!*** this side up! **5.** (*Regierung etc*) bring down, overthrow **III** *v/refl* **6.** ***sich ins Wasser*** (***aus dem Fenster***) ***~*** plunge into the water (throw o.s. out of the window); *fig* ***sich ins Unglück*** (***in Schulden***) ***~*** plunge into disaster (debt); ***sich in Unkosten ~*** go to great expense **7.** ***sich ~ auf*** (*Akk*) *allg* pounce on, (*j-n*) *a.* rush at, (*e-e Arbeit etc*) throw o.s. into
Sturz|flug *m* (nose)dive **~helm** *m* crash helmet **~regen** *m* (heavy) downpour
Stuss *m* F (***~ reden*** talk) rubbish
Stute *f* mare **Stutenfohlen** *n* filly
Stützbalken *m* supporting beam
Stütze *f a. fig* support, prop, (*Person*) mainstay, F (*vom Staat*) dole money
stutzen[1] *v/t* cut, (*Bart*, *Haar*) trim, (*Baum*) lop, (*Flügel*, *Hecke*) clip, (*Ohren*) crop, (*Schwanz*) dock
stutzen[2] *v/i* (***bei***) stop short (at), *verwirrt*: be puzzled (by), *argwöhnisch*: become suspicious (at)
Stutzen *m* **1.** short rifle **2.** (*Rohr*ℒ) connecting piece, (*Einfüll*ℒ) neck **3.** (football) sock
stützen *v/t allg* support (*a. fig*), (*ab~*)

prop, *fig* (*unter~*) back (up): ***die Ellbogen auf den Tisch ~*** prop (*od* rest) one's elbows on the table; *fig* ***etw ~ auf*** (*Akk*) base s.th. on; ***sich ~ auf*** (*Akk*) rely on, *Urteil etc*: be based on
stutzig *Adj* ***j-n ~ machen*** puzzle s.o., (*Argwohn wecken*) make s.o. suspicious; ***~ werden*** → ***stutzen²***
Stütz|mauer *f* retaining wall **~pfeiler** *m* buttress **~punkt** *m* MIL *u. fig* base
stylen *v/t* F style
Styling *n* design, styling
Stylist *m* stylist
Styropor® *n* polystyrene, *Am* styrofoam
Subjekt *n* **1.** LING subject **2.** F *pej* (*Person*) fellow **subjektiv** *Adj* subjective **Subjektivität** *f* subjectivity
Subkontinent *m* subcontinent
Subkultur *f* subculture
subkutan *Adj* MED subcutaneous
sublimieren *v/t* CHEM *u. fig* sublimate
Subsidiarität *f* POL subsidiarity **Subsidiaritätsprinzip** *n* subsidiarity principle
Subskription *f* subscription **Subskriptionspreis** *m* subscription price
Substantiv *n* LING noun **substantivieren** *v/t* use as a noun **substantivisch** *Adj* substantival, *Adv a.* as a noun
Substanz *f* **1.** substance **2.** WIRTSCH (***von der ~ leben*** live on one's) capital; F *fig* ***das geht an die ~*** that really takes it out of you
substanziell *Adj* substantial
subtil *Adj* subtle
subtrahieren *v/t* subtract
Subtraktion *f* subtraction
subtropisch *Adj* subtropical
Subvention *f* subsidy
subventionieren *v/t* subsidize
Suchdienst *m* tracing service
Suche *f* (***nach*** for) search, *stärker*: hunt: ***auf der ~ nach*** in search of; ***auf der ~ sein nach*** be looking for
suchen I *v/t* look for, search for, (*Glück, Rat etc*) seek, (*Fehler, Vermisste etc*) try to trace: (***mit j-m***) ***Streit ~*** pick a quarrel (with s.o.); ***Sie haben hier nichts zu ~!*** you have no business to be here!; → ***gesucht, Rat*** 1, ***Weite²*** **II** *v/i* look, search: ***~ nach*** → I; ***nach Worten ~*** be at a loss for words
Sucher *m* FOTO view-finder

Such|funktion *f* COMPUTER search function **~gerät** *n* detector **~hund** *m* tracker dog **~lauf** *m Video etc*: scanning, (*Vorrichtung*) scanner, IT search run **~maschine** *f* IT search engine
Suchmannschaft *f* search party
Suchscheinwerfer *m* searchlight
Sucht *f* (***nach***) craving (for), (*a. Rauschgift*2 *etc*) addiction (to): ***~ erzeugend*** addictive
süchtig *Adj a. fig* addicted (***nach*** to): ***~ machen*** be addictive; *fig* ***~ sein nach*** have a craving for, (*besessen sein*) be obsessed with; → *Info bei* ***alcohol***
Süchtige, **Suchtkranke** *m, f* addict
Suchtmittel *n* addictive drug
Suchtrupp *m* search party
Suchwort *n* IT search word
Südafrika *n* South Africa **Südafrikaner(in)**, **südafrikanisch** *Adj* South African
Südamerika *n* South America **Südamerikaner(in)**, **südamerikanisch** *Adj* South American
Sudan *m the* Sudan
süddeutsch *Adj*, **Süddeutsche** *m, f* South German
Süden *m* south, *e-s Landes*: South: ***im ~*** in the south; ***im ~ von*** (*od Gen*) (to the) south of; ***nach ~*** south(ward)
Südfrüchte *Pl* tropical fruits *Pl*
Südküste *f* south(ern) coast
Südlage *f* southern exposure
Südländer(in) Mediterranean type, Latin **südländisch** *Adj* Mediterranean, *Temperament etc*: Latin
südlich I *Adj* southern, south, *Wind, Richtung*: southerly **II** *Adv* south, southwards **III** *Präp* ***~ von*** (*od Gen*) (to the) south of
Südost(en) *m* southeast **südöstlich I** *Adj* southeast(ern), *Wind*: southeasterly **II** *Adv* (to the) southeast **III** *Präp* ***~ von*** (*od Gen*) (to the) southeast of
Südpol *m* South Pole **Südpolar...** Antarctic **Südsee** *f the* South Seas *Pl*
südwärts *Adv* southward(s)
Südwest(en) *m* southwest
südwestlich I *Adj* southwest(ern), *Wind, Richtung*: southwesterly **II** *Adv* (to the) southwest **III** *Präp* ***~ von*** (*od Gen*) (to the) southwest of
Südwind *m* south wind
Sueskanal *m the* Suez Canal

Suff *m* F boozing
süffig *Adj* F pleasant (to drink)
süffisant *Adj* smug, complacent
suggerieren *v/t* suggest **Suggestion** *f* suggestion **suggestiv** *Adj* suggestive
Suggestivfrage *f* leading question
Sühne *f* atonement, (*Buße*) penance
sühnen *v/t* expiate, atone for
Suite *f allg* suite
sukzessiv *Adj* gradual
Sulfat *n* CHEM sulphate, *Am* sulfate
Sulfid *n* CHEM sulphide, *Am* sulfide
Sulfonamid *n* sulphonamide (*Am* -f-)
Sultan *m* sultan
Sultanine *f* GASTR sultana
Sülze *f* GASTR jellied meat
Sumatra *n* Sumatra
summarisch *Adj* summary
Summe *f* sum, (*Gesamt*2) (sum) total, (*Betrag*) amount, *fig* sum total
summen I *v/i* buzz, hum, drone **II** *v/t* (*Lied etc*) hum **Summer** *m* ELEK buzzer
summieren *v/t* (*a.* ***sich*** *~*) add up
Sumpf *m* **1.** swamp **2.** *fig* (quag)mire **sumpfen** *v/i* F live it up **sumpfig** *Adj* marshy **Sumpfland** *n* marshland
Sünde *f* sin
Sünder(in) sinner **sündhaft** *Adj* sinful: *Adv* F *~* ***teuer*** awfully expensive
sündig *Adj* sinful **sündigen** *v/i* **1.** sin (***gegen*** against): ***an j-m*** *~* wrong s.o. **2.** F (*zu viel essen etc*) indulge
super *Adj u. Interj* F super
Super *n* (*Benzin*) *Br* four star, *Am* super, premium
Superlativ *m* LING *u. fig* superlative
Supermacht *f* superpower
Supermarkt *m* supermarket
supermodern *Adj* ultramodern
Supersparpreis *m* supersaver
Suppe *f* soup: F ***die*** *~* ***auslöffeln müssen*** have to face the music; ***j-m*** (***sich***) ***e-e schöne*** *~* ***einbrocken*** get s.o. (o.s.) into a nice mess
Suppen|fleisch *n* meat for making soup **~grün** *n* (bunch of) herbs and vegetables *Pl* **~huhn** *n* boiling fowl
Suppen|kelle *f* soup ladle **~löffel** *m* soup spoon **~schüssel** *f* soup tureen
Suppenteller *m* soup plate
Surfbrett *n* surfboard **surfen** *v/i* do surfing, surf: ***im Internet*** *~* surf the Internet **Surfer(in)** surfer
Surrealismus *m* surrealism
surrealistisch *Adj* surrealist(ic)
surren *v/i* whirr, hum, *Insekt etc*: buzz
suspekt *Adj* suspect
suspendieren *v/t allg* suspend
Suspensorium *n* MED suspensory, SPORT jockstrap
süß *Adj a. fig* sweet **Süße** *f* **1.** sweetness **2.** F sweetie **süßen** *v/t* sweeten
Süßholz *n* liquorice: F *~* ***raspeln*** flirt
Süßigkeiten *Pl* sweets *Pl*, *Am* candy *Sg*
süßlich *dj* **1.** sweetish **2.** *fig* sugary, (*kitschig*) mawkish
süßsauer *Adj* sweet and sour: *Adv fig* *~* ***lächeln*** smile sourly, force a smile
Süßspeise *f* sweet, dessert **Süßstoff** *m* sweetener **Süßwaren** *Pl* sweets *Pl*, *Am* candy *Sg* **Süßwasser** *n* fresh water
Sweatshirt *n* sweatshirt
Symbiose *f* BIOL *u. fig* symbiosis
Symbol *n* symbol (***für*** of), CHEM, MATHE *etc a.* (conventional) sign, COMPUTER icon **~figur** *f* symbolic figure (***für*** for)
Symbolik *f* symbolism
symbolisch *Adj* symbolic(al)
Symbolleiste *f* COMPUTER toolbar
symbolträchtig *Adj* highly (*od* deeply) symbolic
Symmetrie *f* symmetry
symmetrisch *Adj* symmetric(al)
Sympathie *f* **1.** (*Zuneigung*) liking: *~* ***empfinden für*** have a liking for **2.** (*Zustimmung*) sympathy: ***sich j-s ~n verscherzen*** lose s.o.'s sympathies (*od* support) **~streik** *m* sympathetic strike
Sympathisant(in) sympathizer
sympathisch *Adj* (very) pleasant, likeable, F nice: ***er*** (***es***) ***ist mir*** (***nicht***) *~* I (don't) like him (it) **sympathisieren** *v/i* *~* ***mit*** sympathize with

⚠ **sympathisch**	≠	**sympathetic**
sympathisch	=	very pleasant, likeable, nice
sympathetic	=	**1.** mitfühlend **2.** verständnisvoll

Symptom *n* symptom **symptomatisch** *Adj* symptomatic (***für*** of)
Synagoge *f* synagogue
synchron *Adj* synchronous, LING synchronic: *Adv* *~* ***laufen*** (***gehen***) be syn-

S

chronized **Synchrongetriebe** *n* synchromesh (gear) **synchronisieren** *v/t* synchronize, (*Film*) *mst* dub
Syndikat *n* syndicate
Syndrom *n* MED syndrome
Synergie *f* synergy **~effekt** *m* synergy (*od* synergistic) effect
Synode *f* REL synod
synonym *Adj* LING synonymous
Synonym *n* LING synonym
syntaktisch *Adj* LING syntactic(al)
Syntax *f* LING, IT syntax
Synthese *f* synthesis
Synthesizer *m* MUS synthesizer
synthetisch *Adj* synthetic(ally *Adv*)
Syphilis *f* MED syphilis
Syrer(in) Syrian
Syrien *n* Syria
Syrier(in), **syrisch** *Adj* Syrian
System *n allg* system, (*Verkehrs*♀ *etc*) *a.* network
System|absturz *m* IT system crash **~analytiker(in)** systems analyst
Systematik *f* systematics *Sg*, system
systematisch *Adj* systematic(ally *Adv*)
System|ausfall *m* IT system failure **~datei** *f* system file **~fehler** *m* system fault **~kritiker(in)** dissident **~software** *f* system software **~steuerung** *f* system control **~veränderung** *f* change in the system
Szenario *n* FILM *u. fig* scenario
Szene *f* THEAT *etc* scene (*a. fig Schauplatz, Vorgang, Streit, a. Drogen*♀ *etc*): ***in ~ setzen*** THEAT *u. fig* stage; ***sich in ~ setzen*** put on a show; (***j-m***) ***e-e ~ machen*** make a scene
Szenenapplaus *m* applause during the scene **Szenenwechsel** *m* THEAT *etc* scene change
Szenerie *f allg* scenery, THEAT *a.* setting

T

T, t *n* T, t
Tabak *m* tobacco **~pflanze** *f* tobacco (plant) **~waren** *Pl* tobacco goods *Pl*
tabellarisch *Adj* tabulated, tabular
Tabelle *f* table
Tabellen|führer(in) SPORT (league) leader **~kalkulation** *f* spreadsheet **~letzte** *m, f* bottom team **~spitze** *f* (***an der ~*** at the) top of the table
tabellieren *v/t* tabulate
Tablett *n* tray
Tablette *f* tablet, pill
tabu *Adj* taboo: ***für ~ erklären*** (put under a) taboo **Tabu** *n* (***ein ~ brechen*** break a) taboo
tabuisieren *v/t* taboo
Tabulator *m* tabulator
Tacho *m* F, **Tachometer** *m, n* MOT speedometer
Tadel *m* reproof, PÄD bad mark, (*Vorwurf*) reproach, (*Kritik*) criticism: ***ohne ~*** → **tadellos** *Adj* (*fehlerlos*) faultless, blameless, flawless, (*einwandfrei*) above reproach, *a. Kleidung etc*: impeccable, (*ausgezeichnet, a.* F *fig*) perfect
tadeln *v/t* (***wegen*** for) reprimand, blame, (*kritisieren*) criticize, censure
tadelnswert *Adj* reprehensible
Tafel *f* **1.** (*Schul*♀) blackboard, (*Schiefer*♀) slate, (*Anschlag*♀) notice (*Am* bulletin) board, (*Platte, a. Bild*♀ *im Buch*) plate, (*Stein*♀) slab, (*Gedenk*♀) tablet, plaque, (*Holz*♀) panel **2.** (*~ Schokolade*) bar **3.** (dinner) table: ***die ~ aufheben*** rise from table **tafelfertig** *Adj* ready to serve **Tafelgeschirr** *n* dinner service **Tafelland** *n* GEOG tableland, plateau **tafeln** *v/i* dine
täfeln *v/t* panel
Tafelobst *n* dessert fruit
Tafelsilber *n* silver(ware)
Täfelung *f* panel(l)ing
Tafelwasser *n* mineral (*od* table) water
Tafelwein *m* table wine
Taft *m* taffeta
Tag *m* day: ***am ~e, bei ~e*** in the daytime, (*bei Tageslicht*) by daylight; ***am nächsten ~*** the day after; ***am ~ zuvor*** the day before; ***dieser ~e*** one of these days, (*neulich*) the other day; ***e-s ~es*** one day, *zukünftig*: *a.* some day; ***den gan-***

zen ~ all day long; ***~ für ~*** day after day, *get better etc* day by day; ***alle paar ~e*** every few days; ***jeden zweiten ~*** every other day; BERGB ***unter*** (***über***) ***~e*** underground (above ground); ***von e-m ~ auf den anderen*** overnight; ***guten ~!*** good morning!, good afternoon!, F hello!, *bei der Vorstellung*: how do you do!; ***j-m guten ~ sagen*** say hello to s.o.; *fig* ***an den ~ bringen*** (***kommen***) bring (come) to light; ***s-e ~e haben*** have one's period; ***an den ~ legen*** display, show; ***welchen ~ haben wir heute?*** what's (the date) today?; ***zu ~e*** → ***zutage***; → ***Abend, frei*** 1, ***heute*** I, ***heutig*** *etc*

tagaus → ***tagein***

Tagebau *m* BERGB opencast mining

Tagebuch *n* (***ein ~ führen*** keep a) diary

Tagegeld(er *Pl*) *n* daily allowance *Sg*

tagein *Adv* ***~, tagaus*** day in, day out

tagelang I *Adj* lasting for days **II** *Adv* for day (and days)

Tagelöhner(in) day labo(u)rer

tagen *v/i* have a meeting, sit (in conference), JUR be in session

Tages|anbruch *m* (***bei ~*** at) daybreak **~ausflug** *m* day trip **~creme** *f* day cream **~decke** *f* bedspread **~einnahme(n** *Pl*) *f* day's takings *Pl* **~gericht** *n* GASTR dish of the day **~gespräch** *n the* talk of the day **~karte** *f* **1.** day ticket **2.** GASTR menu for the day **~kurs** *m* **1.** WIRTSCH *Devisen*: current rate, *Effekten*: current price **2.** PÄD day course **~leistung** *f* daily output **~licht** *n* daylight: *fig* ***ans ~ bringen*** (***kommen***) bring (come) to light **~lichtprojektor** *m* overhead projetor **~mutter** *f* child minder **~ordnung** *f* (***auf der ~ stehen*** be on the) agenda: *a. fig* ***zur ~ übergehen*** proceed to the order of the day; *fig* ***an der ~ sein*** be the order of the day **~rückfahrkarte** *f* day return (ticket) **~satz** *m* daily rate, *für Verpflegung*: daily ration **~stätte** *f* day-care cent/re (*Am* -er) **~tour** *f* day trip **~zeit** *f* time of day, (*Ggs. Nachtzeit*) daytime: ***zu jeder ~*** at any time of the day

Tageszeitung *f* daily (newspaper)

tageweise *Adv* on a day-to-day basis

taggen *v/t* IT tag

taghell *Adj u. Adv* (as) light as day

...tägig ...-day

täglich I *Adj* daily, (*all~*) everyday **II** *Adv* every day, daily: ***zweimal ~*** twice a day **tags** *Adv* ***~ darauf*** (***zuvor***) the day after (before) **Tagschicht** *f* day shift

tagsüber *Adv* during the day

tagtäglich *Adv* day in, day out

Tagtraum *m* daydream

Tag-und-Nachtdienst *m* round-the--clock service

Tagung *f* conference, *Am a.* convention **Tagungsort** *m* conference venue

Taifun *m* typhoon

Taille *f* waist, *am Kleid*: *a.* waistline

tailliert *Adj* waisted

Taiwan *n* Taiwan

Takelage *f* SCHIFF rigging **takeln** *v/t* rig

Takt[1] *m* **1.** MUS (*~einheit*) bar, (*a. ~schlag*) beat, (*Walzer*~ *etc*) (*waltz etc*) time: ***3/4-~*** three-four-time; ***~ halten*** keep time; ***den ~ schlagen*** beat the time; ***aus dem ~ kommen*** lose the beat, *fig* be put off one's stroke **2.** rhythm, (*Arbeits*~ *etc*) cycle, MOT (*Hub*) stroke: ***im 15-Minuten ~*** at 15-minute intervals

Takt[2] *m* tact

Taktfahrplan *m* fixed-interval timetable

Taktgefühl *n* tact

taktieren *v/i* ***geschickt ~*** use clever tactics **Taktik** *f* tactics *Pl* (*a. Sg, fig nur Pl konstr*): ***die ~ ändern*** change tactics **Taktiker(in)** tactician

taktisch *Adj a. fig* tactical

taktlos *Adj* tactless **Taktlosigkeit** *f* tactlessness, indiscretion

Taktstock *m* baton **Taktstrich** *m* MUS bar

taktvoll *Adj* tactful

Tal *n* valley

Talent *n* **1.** talent (***für, zu*** for) **2.** talent(ed person) **talentiert** *Adj* talented, gifted **talentlos** *Adj* untalented

Talentsucher(in) talent scout

Talfahrt *f* **1.** descent **2.** WIRTSCH downswing

Talg *m* **1.** GASTR suet, *ausgelassen*: tallow **2.** PHYSIOL sebum

Talgdrüse *f* sebaceous gland

Talisman *m* (lucky) charm, mascot

Talk *m* talc(um)

Talkmaster(in) TV host

Talkshow *f* chat (*Am* talk) show

Talmi *n a. fig* pinchbeck

Talsohle *f* **1.** bottom of the valley **2.**

T

WIRTSCH low **Talsperre** *f* dam
Tamburin *n* tambourine
Tampon *m*, **tamponieren** *v/t* MED tampon
Tamtam *n* F fuss (***um*** about)
Tand *m* (worthless) trash
Tandem *n* tandem
Tandler(in) *österr* **1.** (*Händler*) junk dealer **2.** (*langsamer Mensch*) dawdler
Tang *m* BOT seaweed
Tanga(slip) *m* G-string, thongs *Pl*
Tangente *f* MATHE tangent **tangential** *Adj* tangential **tangieren** *v/t* **1.** MATHE be tangent to **2.** *fig* affect, concern
Tango *m* tango
Tank *m* tank **tanken I** *v/t* **1.** fill up with, (*auf~*) refill, refuel **2.** F *fig* (*Geld, Luft etc*) get **II** *v/i* **3.** tank up (*a.* F *saufen*), refuel **Tanker** *m* SCHIFF (oil) tanker
Tankschiff *n* → ***Tanker***
Tank|stelle *f* filling (*od* petrol, *Am* gas) station **~verschluss** *m* MOT fuel cap **~wagen** *m* MOT tanker **~wart(in)** petrol pump (*Am* gas station) attendant
Tanne *f* fir (tree)
Tannen|baum *m* fir (tree) **~nadel** *f* fir needle **~zapfen** *m* fir cone
Tansania *n* Tanzania
Tante *f* **1.** aunt: ***~ Helene*** Aunt Helen **2.** F (*Frau*) woman, bird
Tante-Emma-Laden *m* F corner shop, *Am* mom-and-pop store
Tantieme *f von Autoren etc*: royalty
Tanz *m* **1.** dance **2.** F *fig* (*Aufheben*) fuss **Tanzbein** *n* F ***das ~ schwingen*** shake a leg **tänzeln** *v/i* skip, *Pferd*: prance **tanzen** *v/t u. v/i* dance **Tänzer(in)** dancer, THEAT (ballet) dancer
Tanz|fläche *f* dance floor **~kapelle** *f* dance band **~kurs** *m* dancing course
Tanz|lehrer(in) dancing instructor **~lokal** *n* dance hall **~musik** *f* dance music **~orchester** *n* dance band **~partner(in)** dancing partner **~saal** *m* dance hall, ballroom **~schritt** *m* dance step **~schule** *f* dancing school
Tanzstunde *f* ***in die ~ gehen*** go to a dancing class **Tanztee** *m* tea dance
Tanzturnier *n* dancing contest
Tapet *n* ***aufs ~ bringen*** bring *s.th.* up
Tapete *f* wallpaper **Tapetenwechsel** *m* F *fig* change (of scenery)
tapezieren *v/t u. v/i* wallpaper
tapfer *Adj* brave **Tapferkeit** *f* bravery
tappen *v/i* **1.** (*gehen*) pad, *durch Nebel etc*: grope one's way **2.** (*tasten*) grope (*od* fumble) (about) (***nach*** for): *a. fig* ***im Dunkeln ~*** be groping in the dark
Tara *f* WIRTSCH tare
Tarantel *f* ZOOL tarantula: F ***wie von der ~ gestochen*** as if stung by an adder
Tarif *m* scale of charges, (*Einzel*♀) rate, (*Gebühr*) charge, (*Lohn*♀) pay scale, (*Zoll*♀) tariff **~abschluss** *m* wage settlement **~autonomie** *f* free collective bargaining **~konflikt** *m* pay dispute
tariflich I *Adj* tariff …, *Lohn etc*: standard … **II** *Adv* according to the tariff (*Löhne*: scale)
Tarif|lohn *m* standard wage(s *Pl*) **~partner(in)** party to a wage agreement, *Pl* union(s *Pl*) and management **~runde** *f* pay round **~satz** *m* (tariff) rate, *für Löhne*: (standard) wage rate **~verhandlungen** *Pl* wage negotiations *Pl* **~vertrag** *m* wage agreement
Tarnanzug *m* camouflage suit
tarnen *v/t* camouflage, *fig a.* disguise
Tarnfarbe *f* camouflage colo(u)r **Tarnorganisation** *f* cover organization
Tarnung *f* camouflage, *fig a.* cover
Tarot *m*, *n* tarot
Tasche *f* **1.** (*Einkaufs*♀, *Reise*♀ *etc*) bag, (*Hand*♀) (hand)bag, *Am* purse **2.** (*Hosen*♀ *etc*) pocket: ***etw aus der eigenen ~ bezahlen*** pay for s.th. out of one's own pocket; ***den Gewinn in die eigene ~ stecken*** pocket the profit; F *fig* ***j-n in die ~ stecken*** put s.o. in one's pocket; ***den Auftrag haben wir in der ~!*** the order is in the bag!; F ***j-m auf der ~ liegen*** live off s.o.; ***in die eigene ~ arbeiten*** line one's (own) pockets; ***tief in die ~ greifen*** (***müssen*** have to) fork out a lot of money
Taschen|buch *n* paperback **~dieb(in)** pickpocket **~feuerzeug** *n* pocket lighter **~format** *n* pocket size: ***im ~*** pocket-size(d) **~geld** *n* pocket money **~kalender** *m* pocket diary **~lampe** *f* torch, *Am* flashlight **~messer** *n* penknife **~rechner** *m* pocket calculator **~spiegel** *m* pocket mirror **~tuch** *n* handkerchief **~uhr** *f* fob watch **~wörterbuch** *n* pocket dictionary
Tasse *f* cup: ***e-e ~ Tee*** a cup of tea
Tastatur *f* keyboard

T

Taste *f* key, (*Druck*≗) *a.* push button
tasten I *v/t* (*er*~) touch, feel **II** *v/i* (***nach*** for) *a. fig* grope, fumble **III** *v/refl* ***sich*** ~ grope one's way
tastend *Adj* groping, *fig a.* tentative
Tasteninstrument *n* keyboard instrument **Tastentelefon** *n* push-button telephone
Taster *m* **1.** ZOOL feeler **2.** TECH key, (*Fühler*) sensor
Tastsinn *m* sense of touch
Tat *f* **1.** deed, act, (*Groß*≗) feat, achievement, (*Tun*) action: ***Mann der*** ~ man of action; → ***umsetzen*** 3 **2.** (*Straf*≗) (criminal) offen/ce (*Am* -se), crime: ***j-n auf frischer*** ~ ***ertappen*** catch s.o. red-handed **3.** ***in der*** ~ indeed
Tatar *n* GASTR steak tartare
Tatbestand *m* state of affairs, JUR facts *Pl* of the case
Tatendrang *m* thirst for action
tatenlos *Adj* inactive
Täter(in) culprit, JUR offender
tätig *Adj* active (*a. Vulkan*), busy: ~ ***sein als*** work as, (*fungieren*) act as; ~ ***sein bei*** *e-r Firma*: work for, *e-m Institut etc*: work at; ~ ***werden*** act, take action
tätigen *v/t* (*Geschäfte*) effect, transact, (*Einkäufe*) make
Tätigkeit *f* activity, (*Beruf*) occupation, job, (*Funktion*) function, PHYSIOL, TECH *etc* action: ***in*** ~ in action; ***welche*** ~ ***üben Sie aus?*** what is your job?
Tätigkeitsfeld *n* field of activity
Tatkraft *f* energy, drive, (*Initiative*) enterprise **tatkräftig** *Adj* energetic(ally *Adv*), active: ~***e Hilfe*** effective help
tätlich *Adj* violent: JUR ~***e Beleidigung*** assault and battery; ~ ***werden*** become violent; ***gegen j-n*** ~ ***werden*** assault s.o. **Tätlichkeit** *f* (act of) violence, JUR assault (and battery)
Tatort *m* scene of the crime
tätowieren *v/t*, **Tätowierung** *f* tattoo
Tatsache *f* fact: ***j-n vor vollendete*** ~***n stellen*** confront s.o. with a fait accompli; ~ ***ist, dass ...*** the fact is that ...; ***das ändert nichts an der*** ~, ***dass ...*** that doesn't alter the fact that ...; ***den*** ~***n ins Auge blicken*** face the facts
Tatsachenbericht *m* documentary
tatsächlich I *Adj* actual, real **II** *Adv* actually, really, in fact: ~***?*** really?
tätscheln *v/t* pat
tatt(e)rig *Adj* F doddery, (*zittrig*) shaky
Tattoo *m, n* tattoo **Tattoostift** *m* tattoo pen
Tatze *f* paw
Tau[1] *n* rope
Tau[2] *m* dew
taub *Adj* **1.** deaf (*fig* ***gegen, für*** to): ***auf einem Ohr*** ~ deaf in one ear **2.** *Nuss*: empty, *Gestein*: dead, *Glieder*: numb
Taube[1] *m, f* deaf person: ***die*** ~***n*** the deaf
Taube[2] *f* ZOOL pigeon, *bes symbolisch, a.* POL (*Ggs. Falke*) dove
taubengrau *Adj* dove-colo(u)red
Taubenschlag *m* dovecot
Taubheit *f* **1.** deafness **2.** numbness
taubstumm *Adj* deaf and dumb
Taubstumme *m, f* deaf-mute
Taubstummensprache *f* deaf-and-dumb language
tauchen I *v/i* dive (***nach*** for), (*sport*~) *a.* skin-dive, *U-Boot*: *a.* submerge **II** *v/t* dip, *länger*: immerse: ***j-n*** ~ duck s.o. **III** ≗ *n* diving
Taucher|(in) (*Sport*≗ skin) diver ~**anzug** *m* diving suit, SPORT *a.* wetsuit ~**brille** *f* diving goggles *Pl* ~**glocke** *f* diving bell ~**maske** *f* diving mask
Tauchsieder *m* immersion heater
tauen *v/i Eis etc*: thaw, melt: ***es taut*** **a)** it is thawing, **b)** (*Tau fällt*) dew is falling
Taufbecken *n* font **Taufe** *f a. fig* baptism, (*Kind*≗) *a.* christening: ***aus der*** ~ ***heben*** stand godfather (*od* godmother) to, *fig* launch **taufen** *v/t* baptize, christen (*beide a. fig*), (*nennen*) call
Täufling *m* child (*od* person) to be baptized **Taufname** *m* Christian name **Taufschein** *m* certificate of baptism **Taufstein** *m* font
taugen *v/i* (***zu, für*** for) be suited, be of use: ***nichts*** ~ be no good; ***taugt es was?*** is it any good? **Taugenichts** *m* good-for-nothing **tauglich** *Adj* suitable (***für, zu*** for), MIL fit (for service)
Tauglichkeit *f* suitability, MIL fitness
Taumel *m* **1.** dizziness **2.** *fig* whirl, (*Rausch*) rapture, frenzy **taum(e)lig** *Adj* dizzy **taumeln** *v/i* reel, stagger
Tausch *m* exchange, F swap, (~*handel*) barter
tauschen *v/t u. v/i* exchange (*a. Blicke, Worte etc*), (*ein*~) *a.* barter, F swap (***gegen*** for): ***ich möchte nicht mit ihr*** ~ I

wouldn't like to be in her shoes
täuschen I *v/t* mislead, deceive, (*betrügen*) cheat, fool: ***wenn mich nicht alles täuscht*** if I am not very much mistaken; ***wenn mich mein Gedächtnis nicht täuscht*** if my memory serves me right; ***sich ~ lassen*** be taken in (***von*** by) **II** *v/i* be deceptive, SPORT feint, fake a blow *etc* **III** *v/refl* ***sich ~*** be mistaken, be wrong (***in j-m*** about s.o.); ***da täuscht er sich aber!*** he's very much mistaken there!
täuschend *Adj* deceptive: *Adv* ***j-m ~ ähnlich sehen*** look remarkably like s.o.
Tausch|geschäft *n*, **~handel** *m* barter, F swap **~objekt** *n* object of exchange
Täuschung *f* deception, (*bes Selbst*☊) delusion, (*Irrtum*) mistake, JUR deceit: ***optische ~*** optical illusion
Täuschungs|manöver *n* feint, diversion **~versuch** *m* attempt to deceive
Tauschwert *m* exchange value
tausend *Adj* (a) thousand: ☊ ***und Abertausend*** thousands and thousands of; ***~ Dank!*** thanks ever so much; ***zu ~en*** by the thousand **Tausend** *n* thousand **tausendfach I** *Adj* thousandfold **II** *Adv* → ***tausendmal*** **Tausendfüß(l)er** *m* ZOOL centipede **tausendjährig** *Adj* of a thousand years, millennial **tausendmal** *Adv* a thousand times **tausendst** *Adj* thousandth
Tausendstel *n* thousandth (part)
Tautropfen *m* dewdrop
Tauwetter *n a. fig* POL thaw
Tauziehen *n a. fig* tug-of-war
Taxameter *m* taximeter
Taxe *f* **1.** (*Gebühr*) rate, fee, (*Steuer*) tax **2.** → **Taxi** *n* taxi, cab: ***~ fahren*** **a)** drive a taxi, **b)** go by taxi **taxieren** *v/t* **1.** estimate, WIRTSCH, JUR assess **2.** F (*prüfend betrachten*) size up
Taxi|fahrer(in) taxi driver **~stand** *m* taxi rank
Teak(holz) *n* teak
Teamarbeit *f* teamwork
Technik *f* engineering, (*Wissenschaft*) technology, (*Verfahren*) technique (*a.* KUNST, SPORT *etc*), (*Ausrüstung*) equipment, *e-r Maschine etc*: mechanics *Pl*
Techniker(in) (technical) engineer, (*Spezialist, a. Sportler etc*) technician
technisch *Adj allg* engineering (*process, etc*), (*bes betriebs~, a.* KUNST, SPORT *etc*) technical, (*wissenschaftlich*) technological (*a. Fortschritt, Zeitalter etc*): *Boxen*: ***~er K. o.*** technical knockout; ***~es Personal*** technical staff; ***~e Hochschule*** college of technology
technisieren *v/t* technify
Techno *m* MUS techno
Technokrat(in) technocrat
Technologie *f* technology **Technologiepark** *m* science (*od* technology) park **Technologietransfer** *m* technology transfer
technologisch *Adj* technological
Technomusik *f* techno
Teddybär *m* teddy bear
Tee *m* tea: ***e-n ~ trinken*** have a cup of tea; → ***abwarten*** II **Teebeutel** *m* teabag **Teebüchse** *f* tea caddy **Tee-Ei** *n* (tea) infuser **Teegebäck** *n* biscuits *Pl*, *Am* cookies *Pl* **Teekanne** *f* teapot **Teekessel** *m* teakettle **Teelöffel** *m* teaspoon: ***ein ~ voll*** teaspoonful **Teemaschine** *f* tea urn
Teenager *m* teenager
Teenager... teenage ...
Teer *m*, **teeren** *v/t* tar
Teesieb *n* tea strainer **Teestube** *f* tearoom **Teetasse** *f* teacup **Teewagen** *m* tea trolley **Teewärmer** *m* tea cosy
Teich *m* pond, pool
Teig *m* dough, (*Rühr*☊) batter
teigig *Adj* doughy, pasty (*a. fig*)
Teigwaren *Pl* pasta *Sg*
Teil *m, n* part (*a.* TECH), (*An*☊) share, (*Bestand*☊, *a.* TECH) component, element: *bes* JUR ***beide ~e*** both sides; ***ein ~ davon*** part of it; ***der größte ~*** the greater part (*Gen* of); ***zum ~*** partly; ***zum großen*** (*od* ***größten***) ***~*** largely, for the most part; ***zu gleichen ~en*** in equal shares; ***sein ~ beitragen*** do one's bit; ***sich sein ~ denken*** have one's own thoughts about it; ***ich für mein ~*** I for my part
teilbar *Adj* divisible
Teilbetrag *m* partial amount
Teilchen *n a.* PHYS particle
teilen I *v/t* divide, (*auf~, ver~*) distribute, share out, (*gemeinsam haben*) share: ***die Kosten ~*** share expenses; ***Freud und Leid mit j-m ~*** share s.o.'s joys and troubles **II** *v/refl* ***sich ~*** divide, *Vorhang*: part; ***sich in etw ~*** share s.th.; →

T

geteilt **Teiler** *m* MATHE divisor
Teilerfolg *m* partial success
teilhaben *v/i* (***an*** *Dat* in) participate, share **Teilhaber(in)** WIRTSCH partner, associate **Teilhaberschaft** *f* partnership
Teilkaskoversicherung *f* partial coverage insurance
Teillieferung *f* part delivery
Teilnahme *f* (***an*** *Dat*) **1.** participation (in), (*Besuch*) attendance (at) **2.** *fig* (*An*≗) interest (in), sympathy (with), (*Beileid*) condolence(s *Pl*) **teilnahmeberechtigt** *Adj* eligible **teilnahmslos** *Adj* indifferent, listless, apathetic(ally *Adv*) **Teilnahmslosigkeit** *f* indifference, listlessness, apathy **teilnahmsvoll** *Adj* sympathetic(ally *Adv*)
teilnehmen *v/i* (***an*** *Dat*) **1.** take part (in), (*besuchen*) be present (at), attend (*s.th.*) **2.** *fig* take an interest (in), *mitfühlend*: sympathize (with)
teilnehmend → ***teilnahmsvoll***
Teilnehmer(in) participant, *Sport etc*: competitor, entrant, TEL subscriber
teils *Adv* partly
Teilstrecke *f Bus etc*: (fare) stage, BAHN section, (*Etappe*) stage, *a.* SPORT leg
Teilstück *n* section
Teilung *f* division (*a.* BIOL, MATHE), *e-s Landes*: *a.* partition
teilweise I *Adj* partial **II** *Adv* partly, partially, in part
Teilzahlung *f* part payment, (*Ratenzahlung*) payment by instal(l)ments: ***auf ~ kaufen*** buy on instal(l)ment (*od* hire purchase)
Teilzeit *f* part-time: ***~ arbeiten*** work (*od* do) part-time **~arbeit** *f* part-time employment (*od* work) **≗beschäftigt** *Adj* ***~ sein*** work part-time **~beschäftigte** *m, f* part-time employee **~beschäftigung** *f* part-time employment **~job** *m* part-time job
Teint *m* complexion
Telearbeit *f* teleworking, telecommuting **Telearbeitnehmer(in)** teleworker, telecommuter
Telebanking *n* telebanking
Telefax *n*, **telefaxen** *v/t* telefax
Telefon *n* (tele)phone: ***am ~*** on the (tele)phone; ***ans ~ gehen*** answer the (tele)phone; ***~ haben*** be on the (tele-)phone **Telefonanruf** *m* (phone) call
Telefonanschluss *m* telephone connection: ***~ haben*** be on the (tele)phone
Telefonat *n* → ***Telefongespräch***
Telefon|banking *n* telephone banking **~buch** *n* phone book, telephone directory **~buchse** *f* telephone socket **~gebühr** *f* telephone charge **~gespräch** *n* telephone conversation, phone call **~hörer** *m* receiver
telefonieren *v/i* (tele)phone: ***mit j-m ~*** call (*od* ring) s.o. (up), talk to s.o. over the (tele)phone; ***sie telefoniert gerade*** she is on the phone (***mit*** to); → *Info-Fenster nächste Seite*
telefonisch *Adj* telephonic(ally *Adv*), *Adv mst* by (*od* over the) (tele)phone: ***~ übermitteln*** (tele)phone; ***sind Sie ~ zu erreichen?*** can I call you?
Telefonist(in) (telephone) operator
Telefon|karte *f* phonecard **~konferenz** *f* telephone conference, audioconference **~nummer** *f* (tele)phone number **~verbindung** *f* telephone connection **~zelle** *f* (tele)phone box (*od* booth), call box **~zentrale** *f* (telephone) exchange
Telegrafenmast *m* telegraph pole
Telegrafie *f* telegraphy: ***drahtlose ~*** radiotelegraphy **telegrafieren** *v/t u. v/i* telegraph, wire, *nach Übersee*: cable
telegrafisch *Adj* telegraphic(ally *Adv*), *Adv mst* by telegram, by wire, by cable: ***~e Überweisung*** cable transfer
Telegramm *n* telegram, *Am a.* wire, (*bes Übersee*≗) cable **~anschrift** *f* cable address
Teleheimarbeit *f* teleworking
Telekommunikation *f* telecommunications *Sg* **~sdienst** *m* telecommunications service
Telekopie *f* telecopy
Telekopierer *m* telecopier
Telematik *f* telematics *Sg*
Telemedizin *f* telemedicine
Teleobjektiv *n* telephoto lens
Telepathie *f* telepathy
telepathisch *Adj* telepathic(ally *Adv*)
Tele|prompter *m* autocue **~radiologie** *f* teleradiology. **~shopping** *n* teleshopping
Teleskop *n* telescope
teleskopisch *Adj* telescopic(ally *Adv*)
Telespiel *n* TV game
Telex *n*, **telexen** *v/t* telex

Telefonieren

Im englischsprachigen Raum meldet man sich am Telefon allgemein so:

- **Hello?** (*Betonung auf der zweiten Silbe*)
- Mit dem Ortsnamen und der Telefonnummer: **Burford 78432**
- (*seltener*) Mit dem Namen: **Ted Holland** oder **Ted Holland speaking**

Anrufe an Firmen *etc* werden etwa so beantwortet:

- **Good morning, Williams Insurance Company, Car Insurance Department, Kate Collins speaking. How can I help you?**
  Guten Morgen. Williams Versicherungsgesellschaft, Abteilung Autoversicherungen, Kate Collins am Apparat. Was kann ich für Sie tun?

Nützliche Wendungen fürs Telefonieren:

Kann ich bitte … sprechen?	**Could I speak to …, please?**
Sie haben eine Nachricht auf dem Anrufbeantworter hinterlassen.	**You left a message on my answering machine/***bes Br* **answerphone.**
Hallo Joe. Du hast vorhin angerufen.	**Hi, Joe. You rang up earlier.**
Hallo, hier spricht Mary. Ist Joan da?	**Hello, it's Mary. Is Joan around?**
Könnten Sie ihr bitte ausrichten, ...?	**Could you tell her …, please?**
Könnten Sie ihn bitten mich zurückzurufen?	**Could you get him to ring me back?**
Könnten Sie ihm etwas ausrichten?	**Could you give him/pass on a message?**
Könnten Sie ihm sagen, dass ich angerufen habe?	**Could you just tell him I called?**
Falls ich nicht da bin, kann er eine Nachricht auf meinem Anrufbeantworter hinterlassen.	**If I'm not in, he can leave a message on my answering machine.**
Ich geb dir meine Handy-Nummer, falls du mich zu Hause nicht erreichst.	**I'll give you my mobile number in case you can't get hold of me at home.**
Ich verbinde (Sie).	**I'll put you through.**
Bleiben Sie bitte dran.	**Hold on/Hold the line, please.**
Mit wem spreche ich, bitte?	**Who's calling, please?**
Ich kann Sie nicht besonders gut verstehen.	**I can't hear you very well.**
Die Verbindung ist sehr schlecht.	**The line's very bad.**
Ich rufe aus einer Telefonzelle an.	*Br* **I'm ringing from a callbox** *Am* **I'm calling from a phone booth.**
Kann ich Sie zurückrufen?	**Can I call you back?**
Wann kann ich ihn erreichen?	**When can I reach him?**
Wie kann ich ihn erreichen?	**How can I get hold of him?**
Wir sind unterbrochen worden.	**We were cut off.**

Ich muss mich verwählt haben.	**I must have dialled the wrong number.**
Ich komme nicht durch.	**I can't get through.**
Ich bekomme immer nur „Kein Anschluss unter dieser Nummer".	**I keep getting 'number unobtainable'.**

Telefon-Vokabular

(den Hörer) abnehmen	**lift/pick up (the receiver)**
Auslandsgespräch	**international call**
Ferngespräch	**long-distance call**
Gespräch auf Kreditkarte	**credit card call**
Hörer	**receiver**
Kartentelefon	**cardphone**
Landeskennzahl	**country code**
Ortsgespräch	**local call**
R-Gespräch	**reverse charge call**, *Am* **collect call**
Rufnummer	**phone number**
Telefon	**telephone, phone**
Telefonbuch	**phone book, telephone directory**
Telefonkarte	**phonecard**
Telefonnummer	**phone number**
Vorwahl/Ortsnetzkennzahl	*Br* **dialling code**, *Am* **area code**
(eine Nummer) wählen	**dial (a number)**
Weckruf (für morgen früh 6.30 Uhr)	**alarm call (for 6.30 tomorrow morning)**

Aussprache der Telefonnummer:

Eine englische Telefonnummer spricht man in einzelnen Ziffern, die rhythmisch zu Zweiergruppen zusammengefasst werden. Die Null heißt **oh** (in Amerika **zero**), und zwei gleiche Ziffern werden **double two, double three** *etc* gesprochen.

192208	spricht man:	**one nine/double two/oh eight**
01976 54197	spricht man:	**oh one/nine seven/six//five four/one nine/seven**
01228 36641	spricht man:	**oh one/double two/eight//three/double six/four one**

Teletext *m* teletext

Teller *m* **1.** plate: ***ein ~ voll*** a plateful **2.** TECH, *a. am Skistock*: disc, disk

Tempel *m* temple

Temperament *n* temperament, temper, (*Schwung*) verve, vivacity, F pep: ***hitziges ~*** hot temper **temperamentlos** *Adj* lifeless **temperamentvoll** *Adj* vivacious, (high-)spirited

Temperatur *f* (***bei e-r ~ von*** at a) temperature (of); MED ***~ haben*** have (*od* run) a temperature; ***j-s ~ messen*** take s.o.'s temperature **Temperaturanstieg** *m* rise in temperature **Temperatursturz** *m* sudden drop in temperature

temperieren *v/t a.* MUS temper

Tempo *n* tempo (*a.* MUS), speed, rate, pace: ***in langsamem ~*** at a slow pace;

das ~ bestimmen (**durchhalten, forcieren** *od* **steigern**) set (stand, force) the pace; **~!** step on it!, go! **Tempolimit** *n* MOT speed limit
temporär *Adj* temporary
Tempotaschentuch® *n* tissue
Tendenz *f* tendency, (*Entwicklungs*♀) *mst* trend (*a.* WIRTSCH), *oft pej* bias, slant
tendenziös *Adj* tendentious
tendieren *v/i* tend (**nach, zu** to)
Tennis *n* tennis **~ball** *m* tennis ball **~halle** *f* covered court **~platz** *m* tennis court **~schläger** *m* tennis racket
Tennisspieler(in) tennis player
Tennisturnier *n* tennis tournament
Tenor[1] *m* (*Inhalt*) tenor, substance
Tenor[2] *m* MUS **1.** (*a* **~stimme** *f*, **~partie** *f*) tenor (voice, part) **2.** *a* **Tenorist** *m* tenor (singer *od* player)
Tensid *n* surfactant
Teppich *m* carpet: *fig* **etw unter den ~ kehren** sweep s.th. under the carpet; F **bleib auf dem ~!** be reasonable! **~boden** *m* fitted carpet, wall-to-wall carpeting **~schaum** *m* carpet foam
Termin *m* **1.** (set) date, time limit, (*letzter* ~) deadline: **e-n ~ festsetzen** fix a date *etc*; **bis zu diesem ~** by this date **2.** (*Arzt*♀ *etc*) (**sich e-n ~ geben lassen** make an) appointment **3.** JUR hearing
Terminal *m, n allg* terminal
termingerecht *Adj u. Adv* on schedule
Terminkalender *m* appointment(s) book (*Am* diary)
Terminkontrakte *Pl* WIRTSCH futures *Pl*
Terminologie *f* terminology
Terminplan *m* schedule
Termite *f* ZOOL termite
Terpentin *n, m* CHEM turpentine
Terrain *n* (*Gelände*) terrain, (*Grundstück*) plot of land, (building) site
Terrasse *f* terrace
terrassenförmig *Adj* terraced
Terrassentür *f* French window
Territorium *n* territory
Terror *m* terror **~akt** *m* act of terrorism
Terroranschlag *m* terrorist attack
terrorisieren *v/t* terrorize **Terrorismus** *m* terrorism **Terrorist(in)**, **terroristisch** *Adj* terrorist
Terz *f* **1.** MUS third **2.** *Fechten*: tierce
Tesafilm® *m etwa* Sellotape® **Tesa®-Packband** *n etwa* packing tape
Tessin *n das* Ticino
Test *m* test
Testament *n* **1.** (last) will, JUR last will and testament: **sein ~ machen** make a will **2.** REL **Altes** (**Neues**) **~** Old (New) Testament **testamentarisch I** *Adj* testamentary **II** *Adv* by will
Testaments|eröffnung *f* opening of the will **~vollstrecker(in)** executor
Testbild *n* TV test card, *Am* test pattern
testen *v/t* test
Test|lauf *m* TECH trial run **~person** *f* (test) subject **~phase** *f* test phase **~pilot(in)** test pilot **~strecke** *f* MOT test track
Tetanus(schutz)impfung *f* MED tetanus vaccination
teuer I *Adj* expensive, *bes Br a.* dear: **wie ~ ist es?** how much is it?; **Fleisch ist teurer geworden** meat prices have gone up; *fig* **j-m ~ sein** be dear to s.o. **II** *Adv* dear(ly): **das wird ihn ~ zu stehen kommen** he will have to pay dearly for that **Teuerung** *f* high (*od* rising) prices *Pl*, high cost of living
Teuerungsrate *f* rate of price increases
Teufel *m* devil: **der ~** the Devil; **armer ~!** poor devil (*od* wretch)!; **pfui ~!** ugh!, *entrüstet*: digusting!; **wer** (**wo, was**) **zum ~?** who (where, what) the devil (*od* hell)?; **wie der ~**, F **auf ~ komm raus** like blazes; **in** (**des**) **~s Küche kommen** get into a hell of a mess; **j-n zum ~ jagen** send s.o. packing; **der ~ war los!** all hell had broken loose!; **mal den ~ nicht an die Wand!** don't tempt fate!; **scher dich zum ~!** go to hell!
Teufelskerl *m* devil of a fellow
Teufelskreis *m fig* vicious circle
teuflisch *Adj* devilish, *fig a.* hellish
Text *m* text, (*Lied*♀) words *Pl*, lyrics *Pl*
Textbaustein *m* text module
Textbuch *n* libretto
Texter(in) (*Werbe*♀) copywriter, (*Schlager*♀) songwriter
Texterfasser(in) keyboarder
Textilien *Pl* textiles *Pl*
Textmarker *m* highlighter
Textverarbeitung *f* word processing
Textverarbeitungssystem *n* word processor
TH *f* (= **Technische Hochschule**) college of technology, technical university

Thailand *n* Thailand
Theater *n* **1.** theatre, *Am* theater: ***zum ~ gehen*** go on the stage; ***ins ~ gehen*** go to the theatre **2.** *fig* play-acting, *pej* farce, (*Aufheben*) fuss: ***~ spielen*** put on an act; ***mach kein ~!*** don't make a fuss! **~abonnement** *n* theatre subscription **~besuch** *m* visit to the theatre **~besucher(in)** theatregoer **~karte** *f* theatre ticket **~kasse** *f* box office **~stück** *n* (stage) play
theatralisch *Adj* theatrical
Theke *f* bar, (*a. Laden*≈) counter
Thema *n* subject, (*Gesprächs*≈) *a.* topic, *bes* MUS theme: ***beim ~ bleiben*** stick to the point; ***kein ~ sein*** be no subject for discussion; ***das ~ wechseln*** change the subject **Thematik** *f* subject (matter)
Themenkreis *m* subject area
Themse *f the* Thames
Theologe *m*, **Theologin** *f* theologian **Theologie** *f* theology **theologisch** *Adj* theological
Theoretiker(in) theorist **theoretisch** *Adj u. Adv* theoretical(ly), *Adv a.* in theory **theoretisieren** *v/i* theorize
Theorie *f* theory
Therapeut(in) therapist
therapeutisch *Adj* therapeutic(ally *Adv*) **Therapie** *f* therapy
Thermalbad *n* thermal spa, (*Schwimmbad*) thermal baths *Pl* **Thermalquelle** *f* → **Therme** *f* thermal spring
Thermik *f* thermionics *Sg*
thermisch *Adj* thermic
Thermometer *n* thermometer: ***das ~ zeigt*** (*od* ***steht auf***) ***5 Grad über*** (***unter***) ***null*** the thermometer is at (*od* shows) 5 degrees above (below) zero
Thermosflasche *f* thermos flask
Thermostat *m* thermostat
These *f* thesis, (*Theorie*) theory
Thon *m schweiz.* tuna (fish)
Thrombose *f* MED thrombosis
Thron *m* throne **thronen** *v/i a. fig* be enthroned **Thronerbe** *m* heir to the throne **Thronerbin** *f* heiress to the throne **Thronfolge** *f* succession to the throne **Thronfolger(in)** successor to the throne
Thunfisch *m* tunny, *in Dosen*: tuna
Thüringen *n* Thuringia
Thymian *m* BOT thyme
Tibet *n* Tibet
Tibeter(in), **tibetisch** *Adj* Tibetan
Tick *m* (*Schrulle*) quirk, tic
ticken *v/i* tick
Tie-Break *m, n Tennis*: tie-break(er)
tief I *Adj allg* deep (*a. fig*), (*niedrig*) low, *fig Wissen, Erkenntnis etc*: *a.* profound: ***aus ~stem Herzen*** from the bottom of one's heart; ***im ~sten Winter*** in the dead of winter **II** *Adv* deep, (*niedrig*) low, *fig* deeply, (*weit*) far: ***~ in Gedanken*** deep in thought; ***~ betrübt*** deeply grieved, very sad; ***~ bewegt*** deeply moved; ***~ empfunden*** heartfelt; ***~ greifend*** far-reaching; ***~ liegend*** **a)** low(-lying), **b)** *Augen*: deep-set, **c)** *fig* deep, deep-seated; *fig* ***~ schürfend*** profound; ***~ enttäuscht*** badly disappointed; ***~ schlafen*** be fast asleep, sleep soundly; ***bis ~ in die Nacht hinein*** far into the night
Tief *n* METEO, *a. fig* low, depression
Tiefbau *m* civil engineering **Tiefbauingenieur(in)** construction engineer
tiefblau *Adj* deep blue
Tiefdruck *m* **1.** METEO low pressure **2.** intaglio (printing) **Tiefdruckgebiet** *n* cyclone, low-pressure area
Tiefe *f* **1.** depth, *fig* (*Tiefgründigkeit*) *a.* profundity **2.** *Pl* RADIO *etc* bass *Sg*
Tiefebene *f* lowland(s *Pl*)
Tiefenregler *m* RADIO *etc* bass control
Tiefenschärfe *f* FOTO depth of focus
tiefernst *Adj* very grave
Tiefflug *m* low-level flight
Tiefgang *m* **1.** SCHIFF draught **2.** *fig* depth
Tiefgarage *f* underground car park
tiefgefroren *Adj* deep-frozen
tiefgründig *Adj* profound, deep
Tiefkühlfach *n* freezing compartment
Tiefkühlkost *f* frozen foods *Pl*
Tiefkühltruhe *f* freezer, deep-freeze
Tiefpunkt *m fig* low: ***e-n seelischen ~ haben*** feel very depressed
Tiefschlag *m a. fig* hit below the belt
tiefschwarz *Adj* jet-black
Tiefsee *f* deep sea
tiefsinnig *Adj* profound
Tiefstand *m fig* low: ***e-n absoluten ~ erreichen*** hit an all-time low
Tiegel *m* saucepan, (*Schmelz*≈) crucible
Tier *n* animal (*a. fig*), *großes*: beast, *fig* (*Untier*) brute: F ***großes*** (*od* ***hohes***) ***~*** bigwig, big shot **~art** *f* (animal) spe-

cies **~arzt** *m*, **~ärztin** *f* veterinary surgeon, *Am* veterinarian, F vet **~freund(in)** animal lover **~garten** *m* zoological gardens *Pl*, zoo **~handlung** *f* pet shop **~heim** *n* home for animals

tierisch I *Adj* animal …, *fig* (*roh*) *a.* brutish: ***~e Fette*** animal fats **II** *Adv* F *fig* (*sehr*) awfully, terribly

Tierkreis *m* ASTR zodiac

Tierkreiszeichen *n* sign of the zodiac

Tier|kunde *f* zoology **2lieb** *Adj* fond of animals **~medizin** *f* veterinary medicine **~nahrung** *f* pet food **~pfleger(in)** keeper **~quälerei** *f* cruelty to animals **~reich** *n* animal kingdom

Tier|schutz *m* animal welfare **~schützer(in)** animal welfarist **~schutzverein** *m* Society for the Prevention of Cruelty to Animals **~transport** *m* animal transport **~versuch** *m* animal experiment **~welt** *f* animal world

Tiger *m* tiger **Tigerfell** *n* tiger skin

Tigerin *f* tigress

tigern *v/i* F traipse, trot

Tilde *f* LING tilde

tilgen *v/t* **1.** (*streichen*) wipe out (*a. fig*), (*a. fig Erinnerung etc*) blot out, BUCHDRUCK delete, (*ungültig machen*) cancel, (*auslöschen*, *a. fig*) efface, erase **2.** WIRTSCH pay off, (*Anleihe etc*) redeem

Tilgung *f* WIRTSCH repayment, redemption

Timbre *n* timbre

timen *v/t* time: ***gut*** (***schlecht***) ***getimt*** well (badly) timed

Timing *n* timing

Tinktur *f* tincture

Tinnef *m* F rubbish, (*Plunder*) *a.* junk

Tinte *f* ink: F ***in der ~ sitzen*** be in a spot

Tintenfisch *m* squid, (*Krake*) octopus

Tinten|klecks *m* inkblot **~kuli** *m* stylograph **~strahldrucker** *m* inkjet printer **~stift** *m* indelible pencil

Tipp *m allg* tip, (*Wink*) *a.* hint: ***ein sicherer ~*** a sure bet; ***j-m e-n ~ geben*** give s.o. a tip, (*warnen*) tip s.o. off

tippen I *v/i* **1. *~ an*** (*Akk*) tap **2.** F *im Lotto*: do the Lotto, *im Toto*: do the pools **3.** F ***~ auf*** (*Akk*) tip; ***ich tippe auf ihn*** my bet is on him **4.** F type **II** *v/t* **5.** F (*Brief etc*) type **Tippfehler** *m* typing error **Tippse** *f* F *pej* typist

tipptopp F **I** *Adj* first-class **II** *Adv* ***~ sauber*** spick and span; ***~ gekleidet*** immaculately dressed

Tippzettel *m* lotto (*od* pools) coupon

Tirol *n* Tyrol

Tiroler(in), **tirolerisch** *Adj* Tyrolese

Tisch *m* table: ***am ~ sitzen*** sit at the table; ***bei ~ sitzen*** sit at table; ***den ~ decken*** (***abräumen***) lay (clear) the table; *fig* ***reinen ~ machen*** make a clean sweep (*od* make tabula rasa) (***mit*** of); ***unter den ~ fallen*** fall flat; ***die Sache ist auf dem*** (***vom***) **~** the matter is on (off) the table; ***j-n über den ~ ziehen*** pull a fast one on s.o.; → ***grün*** **~dame** *f* partner at table **~decke** *f* tablecloth

tischfertig *Adj* ready(-)to(-)serve

Tischgebet *n **das ~ sprechen*** say grace

Tischkarte *f* place card

Tischkopierer *m* desktop copier

Tischler(in) joiner, (*Kunst2*) cabinetmaker **Tischlerei** *f* **1.** joinery **2.** joiner's workshop **tischlern I** *v/t* make **II** *v/i* do joiner's work

Tisch|platte *f* tabletop, *zum Ausziehen*: leaf **~rechner** *m* desk calculator **~rede** *f* after-dinner speech, toast

Tisch|tennis *n* table tennis **~tuch** *n* tablecloth **~wein** *m* table wine

Titan *n* CHEM titanium

Titel *m allg* title **Titelbild** *n e-s Buches*: frontispiece, *e-r Zeitschrift*: cover picture **Titelblatt** *n e-s Buches*: title page, *e-r Zeitschrift*: front page

Titelgeschichte *f* cover story

Titelverteidiger(in) SPORT titleholder

Titten *Pl* V tits *Pl*, boobs *Pl*

titulieren *v/t **j-n*** (***als*** *od* ***mit***) ***Idiot*** *etc* **~** call s.o. an idiot *etc*

Toast *m* **1.** (*Trinkspruch*) toast: ***e-n ~ ausbringen*** → ***toasten*** II **2.** GASTR toast **toasten I** *v/t* (*Brot*) toast **II** *v/i* propose (*od* drink) a toast (***auf*** *Akk* to)

Toaster *m* toaster

toben *v/i* **1.** *a. fig* rage **2.** *Kinder*: romp

tobsüchtig *Adj* raving mad, frantic

Tobsuchtsanfall *m* F *fig* ***e-n ~ bekommen*** fly into a tantrum

Tochter *f* **1.** daughter **2.** → **Tochtergesellschaft** *f* WIRTSCH subsidiary (company)

Tod *m* death: ***den ~ finden*** be killed; ***e-s natürlichen ~es sterben*** die a natural death; *fig* ***etw zu ~e reiten*** flog s.th. to death; F ***j-n zu ~e erschrecken*** (***lang-***

weilen) frighten (bore) s.o. to death (*od* stiff); ***auf den ~ nicht ausstehen können*** loathe, hate like poison
todernst I *Adj* deadly serious **II** *Adv* in dead earnest
Todes|angst *f* **1.** fear of death **2.** *fig* mortal fear: ***Todesängste ausstehen*** be scared to death **~anzeige** *f* obituary (notice) **~fall** *m* (***im ~*** in case of) death **~jahr** *n* year of s.o.'s death **~kampf** *m* throes *Pl* of death **~kandidat(in)** doomed man, F goner **~opfer** *Pl* casualties *Pl*, victims *Pl*: ***Zahl der ~*** *a.* death toll **~stoß** *m a. fig* death blow **~strafe** *f* death penalty, capital punishment: ***bei ~*** on penalty of death **~tag** *m* day (*weit. S.* anniversary) of s.o.'s death **~ursache** *f* cause of death **~urteil** *n* death sentence (*fig* warrant) **~verachtung** *f* defiance of death: F *fig* ***mit ~*** unflinchingly **~zelle** *f* death cell, *Pl a.* death row
Todfeind(in) deadly enemy
todgeweiht *Adj* doomed
todkrank *Adj* fatally ill
tödlich I *Adj* fatal, *a. fig* mortal (***für*** to), *Gift, Dosis etc*: lethal: ***mit ~er Sicherheit*** with deadly accuracy **II** *Adv* ***~ verunglücken*** be killed in an accident; F *fig* ***sich ~ langweilen*** be bored stiff; ***~ beleidigt*** mortally offended
todmüde *Adj* dead tired **todschick** *Adj* F snazzy: *Adv* ***~ angezogen*** *a.* dressed to kill **todsicher** F **I** *Adj* dead sure, *Methode, Tip etc*: sure-fire: ***e-e ~e Sache*** a dead certainty, a cinch **II** *Adv* for sure: ***er kommt ~*** he is sure to come
Todsünde *f* deadly (*od* mortal) sin
Töff *n schweiz.* motorbike
Tohuwabohu *n* chaos
Toilette *f* lavatory, toilet, *Am* bathroom, restroom: ***öffentliche ~n*** *Pl* public conveniences *Pl*; → *Info bei* ***bathroom***
Toiletten|artikel *m* toilet article **~frau** *f*, **~mann** *m* lavatory attendant **~papier** *n* toilet paper
toi, toi, toi *Interj* F **1.** (***unberufen***) ***toi, toi, toi!*** touch wood! **2.** (*viel Glück*) good luck!
tolerant *Adj* tolerant (***gegen*** of)
Toleranz *f allg* tolerance (***gegen*** of)
tolerieren *v/t* tolerate
toll I *Adj* **1.** (*verrückt*) crazy, mad, (*wild*) wild (*alle a.* F *fig*): ***e-e ~e Sache, ein ~es Ding*** a wild affair, *bewundernd*: a wow **2.** F (*großartig*) terrific, fantastic: ***ein ~er Kerl*** a terrific guy; ***e-e ~e Frau*** a smasher; ***er*** (***es***) ***ist nicht so ~*** he (it) is not so hot **II** *Adv* **3.** F (***wie***) ***~*** like mad; ***~ verliebt*** madly in love; ***er spielt*** (***ganz***) ***~*** he's a fantastic player, he's terrific; → ***treiben*** 5 **tollen** *v/i* romp
Tollkirsche *f* BOT deadly nightshade
tollkühn *Adj* foolhardy, daredevil
Tollpatsch *m* clumsy oaf
Tollwut *f* VET rabies
Tölpel *m* clumsy oaf
tölpelhaft *Adj* oafish, clumsy
Tomate *f* tomato **Tomatenmark** *n* tomato purée (*Am* paste) **Tomatensaft** *m* tomato juice
Tombola *f* raffle
Tomogramm *n* MED tomogram
Tomograph *m* MED tomograph
Tomographie *f* MED tomography
Ton[1] *m* GEOL clay
Ton[2] *m* **1.** tone, sound (*a.* FILM, TV, *Ggs. Bild*): F ***er hat k-n ~ gesagt*** he didn't say a word; ***in den höchsten Tönen loben*** sing the praises of; ***große Töne spucken*** talk big; ***hat man Töne?*** can you believe it? **2.** (*Redeweise*) tone: ***ich verbitte mir diesen ~!*** don't take that tone with me!; *fig* ***e-n anderen ~ anschlagen*** change one's tune; ***den ~ angeben*** call the tune, *in der Mode etc*: set the trend; ***es gehört zum guten ~ zu*** *Inf* it is good form to *Inf* **3.** LING accent, stress: ***den ~ legen auf*** (*Akk*) *a. fig* emphasize **4.** (*Farb*~) tone (*a.* FOTO), shade: ***ein rötlicher ~*** a tinge of red; ***~ in ~*** in matching colo(u)rs
Tonabnehmer *m* pickup **tonangebend** *Adj* leading, *Mode*: trend-setting **Tonarm** *m* pickup (arm) **Tonart** *f* MUS key
Tonausfall *m* TV loss of sound
Tonband *n* (recording) tape: ***auf ~ aufnehmen*** tape, record
Tonbandgerät *n* tape recorder
tönen[1] *v/i* **1.** sound **2.** F *fig* sound off
tönen[2] *v/t* tint, *dunkler*: tone down
Toner *m* toner
Tonerde *f* argillaceous earth: ***essigsaure ~*** alumin(i)um acetate
Tonerkassette *f* toner cartridge
tönern *Adj* **1.** (of) clay **2.** *Klang*: hollow
Tonfall *m* intonation: ***ausländischer ~***

foreign accent **Tonfilm** *m* sound film
Tongeschirr *n* earthenware, pottery
Tonhöhe *f* pitch
Tonikum *n* MED tonic
Toningenieur(in) sound engineer
Tonkamera *f* sound camera **Tonkassette** *f* audio cassette **Tonkopf** *m* sound head, *Video*: audio head **Tonlage** *f* pitch **Tonleiter** *f* MUS scale
tonlos *Adj fig* toneless, flat
Tonnage *f* SCHIFF tonnage
Tonne *f* **1.** barrel, cask **2.** (*Gewicht*) (metric) ton **3.** SCHIFF **a)** (*Seezeichen*) buoy, **b)** (*Register*♀) (register) ton
Tonregler *m* tone control
Tonspur *f* FILM sound track
Tonstudio *n* recording studio
Tonsur *f* tonsure
Tontaube *f* SPORT clay pigeon
Tontaubenschießen *n* trap shooting
Tontechniker(in) sound engineer
Tonträger *m* sound carrier
Tönung *f* tinge (*a. Haar*♀), shade, *a.* FOTO tone
Tonwahl *f* TEL tone dial(l)ing: ***Telefon mit*** ~ tone dial(l)ing phone
Tonwaren *Pl* → ***Töpferwaren***
Topas *m* topaz
Topf *m allg* pot: *fig* ***in einen ~ werfen*** lump together **Töpfchen** *n* pot, potty
Topfen *m österr.* quark
Töpfer(in) potter **Töpferei** *f* **1.** pottery **2.** (*Werkstatt*) potter's workshop
Töpfer|scheibe *f* potter's wheel **~waren** *Pl* earthenware *Sg*, pottery *Sg*
topfit *Adj* in top form
Topfpflanze *f* potted plant
Topographie *f* topography
Topp *m* SCHIFF top(mast) **~segel** *n* topsail
toppen *v/t* top, beat: ***das ist schwer zu ~*** it's hard to top (*od* beat)
Tor[1] *m* (*Narr*) fool
Tor[2] *n* **1.** gate, (*Garagen*♀ *etc*) door, (*~weg*) gateway (*a. fig* ***zu*** to) **2.** *Skisport*: gate **3.** *Fußball*: *allg* goal: ***im ~ stehen*** keep goal; ***ein ~ schießen*** score (a goal) **Torbogen** *m* archway
Torchance *f* SPORT chance to score
Torf *m* peat **Torfmoor** *n* peat bog
Torfmull *m* peat dust
Torfrau *f* → ***Torwart***
Torheit *f* folly
Torhüter(in) → ***Torwart***
töricht *Adj* foolish
Törin *f* (*Närrin*) fool
Torjäger(in) SPORT goalgetter
torkeln *v/i* stagger, reel
Torlatte *f* crossbar **Torlauf** *m Skisport*: slalom **Torlinie** *f* SPORT goal line
torlos *Adj* SPORT scoreless
Tormann *m* → ***Torwart***
Tornado *m* tornado, *Am* F twister
torpedieren *v/t a. fig* torpedo
Torpedo *m* torpedo
Torpfosten *m* SPORT goalpost
Torraum *m Fußball*: goal area
Tor|schuss *m* shot at goal **~schütze** *m*, **~schützin** *f* SPORT scorer
Torte *f* gateau, layer cake, (*Obst*♀) (fruit) tart **Tortendiagramm** *n* pie chart **Tortenheber** *m* cake slice
Tortur *f* torture, *fig mst* ordeal
Torverhältnis *n* SPORT goal difference
Torwart(in) SPORT goalkeeper, F goalie
tosen *v/i* roar, rage: ***~der Beifall*** thunderous applause
Toskana *f die* Tuscany
tot *Adj allg* dead (*a. fig Inventar, Kapital,* ELEK *Leitung, Saison, Sprache etc*): *fig* ***an e-m ~en Punkt ankommen*** **a)** reach a low point, **b)** *Verhandlungen etc*: reach (a) deadlock; ***den ~en Punkt überwinden*** **a)** get one's second wind, **b)** break the deadlock; ***~er Winkel*** blind spot, MOT blind angle; ***halb ~ vor Angst*** scared stiff; ***j-n für ~ erklären*** declare s.o. dead; ***~ geboren*** still born, *fig a.* abortive; ***sich ~ stellen*** play dead, F play possum; ***~ umfallen*** drop dead; → ***Gleis, Rennen***
total *Adj* total, complete
Totalausverkauf *m* clearance sale
Totale *f* FILM, TV long shot
totalitär *Adj* POL totalitarian **Totalitarismus** *m* totalitarianism
Totalschaden *m* MOT write-off
totarbeiten *v/refl* F ***sich ~*** work o.s. to death **Tote** *m, f* dead man (woman), (*Leiche*) (dead) body: ***die ~n*** *Pl* the dead **töten** *v/t a. fig* kill
Toten|bett *n* deathbed **♀blass**, **♀bleich** *Adj* deathly pale **~gräber(in)** gravedigger **~hemd** *n* shroud **~kopf** *m* death's-head (*a. Symbol*), skull, (*Giftzeichen*) skull and crossbones **~maske** *f* death mask **~messe** *f* requiem **~schein** *m* death certificate **~starre** *f* MED rigor

T

mortis **≈still** *Adj* deathly silent **~stille** *f* deathly silence
Totgeburt *f* stillbirth
totlachen *v/refl* **sich ~** laugh one's head off; ***es*** **(*er*)** ***ist zum*** **≈** it's (he's) a scream
Toto *m* (football) pools *Pl*: ***im ~ spielen*** **(*gewinnen*)** do (win) the pools
Totoschein *m* pools coupon
totschießen *v/t* F ***j-n ~*** shoot s.o. dead
Totschlag *m* JUR manslaughter, *Am* second-degree murder **totschlagen** *v/t* kill, beat *s.o.* to death: ***die Zeit ~*** kill time **Totschläger** *m* (*Waffe*) *sl* cosh, *Am* blackjack
totschweigen *v/t* hush up
Tötung *f* killing, JUR homicide
Touchscreen *f* touch screen
Toupet *n* toupee
toupieren *v/t* back-comb
Tour *f* **1.** tour (***durch England*** of England), trip, excursion, (*Fuß≈*) hike **2.** *mst Pl* TECH revolution: ***auf ~en bringen*** **a)** MOT rev up, **b)** *fig* get *s.o.*, *s.th.* going; ***auf ~en kommen*** **a)** MOT pick up, rev up, **b)** *fig* get going; ***auf vollen ~en laufen*** be going full blast; F ***in einer ~ reden*** talk incessantly **3.** F *fig* (*Trick*) ploy: ***auf die sanfte*** **(*langsame*)** **~** the sweet (slow) way; → ***krumm*** I
Touren... touring (*bicycle, ski, car, etc*)
Tourismus *m* tourism **Tourismusgeschäft** *n* tourism industry **Tourist(in)** tourist **Touristen...** tourist ... **Touristenklasse** *f* economy class
Touristik *f* tourism
touristisch *Adj* tourist(ic)
Tournee *f* (***auf ~ gehen*** go on) tour
toxikologisch *Adj* toxicological
Trab *m* trot: ***im ~*** at a trot; *fig* ***j-n auf ~ bringen*** make s.o. get a move on; ***j-n in ~ halten*** keep s.o. on the trot
Trabant *m* ASTR satellite
Trabantenstadt *f* satellite town
traben *v/i* trot **Traber** *m* (*Pferd*) trotter
Trabrennen *n* trotting race
Tracht *f* **1.** dress, attire, (*a.* traditional) costume **2.** (*Schwestern≈ etc*) uniform **3.** (*Honig*) yield **4.** F ***e-e*** **(*gehörige*)** **~ *Prügel*** a sound thrashing
trachten I *v/i* ***j-m nach dem Leben ~*** be out to kill s.o. **II** ≈ *n* → ***sinnen*** II
trächtig *Adj* ZOOL pregnant
Trackball *m* IT trackball
Tradition *f* (***nach alter ~*** by) tradition
traditionell *Adj* traditional
Trafik *f österr.* tobacconist's shop, kiosk
Trafikant(in) *österr.* tobacconist
Trafo *m* F ELEK transformer
Tragbahre *f* stretcher
tragbar *Adj* **1.** TECH portable **2.** *Kleidung*: wearable **3.** *fig Preis*, *Person*: acceptable, (*erträglich*) bearable, tolerable
Trage *f* stretcher
träg(e) *Adj* sluggish (*a.* WIRTSCH), (*faul*) lazy
tragen I *v/t* **1.** *allg* carry, (*stützen*) *a.* support (*a. fig*): *fig* ***zum ≈ kommen*** take effect; WIRTSCH ***sich*** **(*selbst*)** **~** pay its way **2.** (*Kleidung etc, sein Haar*) wear: → ***getragen*** 1, ***Trauer*** **3.** (*Früchte etc, a. Zinsen*) bear, yield: → ***Zins***[1] **4.** *fig* (*Namen, Titel, Kosten, Folgen etc*) bear: ***er trägt die Schuld*** he is to blame; ***wer trägt das Risiko?*** who takes the risk?; → ***Rechnung*** 2 **5.** (*er~*) bear, endure: ***sie trägt es tapfer*** she is bearing up well **II** *v/i* **6.** carry (*a. Schall, Stimme*), *Eis etc*: hold, *Wasser*: be buoyant: ***schwer zu ~ haben*** **(*an*** *Dat*) be loaded (*fig* weighed) down (by) **7.** (*schwanger od trächtig sein*) be pregnant **III** *v/refl* **8.** ***sich gut ~*** *Stoff etc*: wear well **9.** ***sich mit der Absicht*** (*od* ***dem Gedanken***) **~ *zu*** *Inf* be thinking of *Ger*

tragen

wear	carry
a ring	an umbrella
a skirt	a case
glasses	a child
a beard	a laptop

Träger *m* **1.** carrier (*a.* CHEM, MED), bearer (*a. e-s Namens, Titels*), (*Gepäck≈*) porter, (*Kranken≈*) stretcher-bearer, *fig e-r Idee*: upholder, (*Institution, Organisation*) body responsible (*Gen* for) **2.** *an Kleidern etc*: strap **3.** TECH support, ARCHI beam, girder **Trägerin** *f* → ***Träger*** 1 **Trägerkleid** *n* pinafore dress **trägerlos** *Adj Kleid etc*: strapless **Trägerrakete** *f* launcher rocket
Tragetasche *f* **1.** carrier (*Am* tote) bag

2. (*Baby*≈) carrycot
Tragetüte *f* carrier bag
tragfähig *Adj* **1.** TECH capable of bearing **2.** *fig* sound
Tragfähigkeit *f* TECH load capacity
Tragfläche *f* FLUG wing **Tragflächenboot** *n*, **Tragflügelboot** *n* hydrofoil
Trägheit *f* sluggishness, *a.* PHYS inertia
Tragik *f allg* tragedy **Tragikomik** *f* tragicomedy **tragikomisch** *Adj* tragicomic(ally *Adv*) **Tragikomödie** *f* tragicomedy **tragisch** *Adj* tragic(ally *Adv*): ***das ≈e daran*** the tragic thing about it; F ***nimms nicht so ~!*** don't take it to heart! **Tragödie** *f a. fig* tragedy
Tragweite *f* **1.** range **2.** *fig* significance: ***von großer ~*** of great import
Tragwerk *n* FLUG wing unit
Trailer *m* (*von Film*) trailer
Trainer(in) trainer, coach
trainieren *v/t u. v/i* train, coach
Training *n* (***im ~*** in) training: ***das ~ aufnehmen*** go into training
Trainings... training (*camp, partner, etc*)
Trainingsanzug *m* tracksuit
Trainingshose *f* tracksuit bottoms *Pl*
Trakt *m* section, wing, block
Traktor *m* tractor
trällern *v/t u. v/i* trill, *Vogel*: warble
Tram(bahn) *f* → ***Straßenbahn***
Trampel *m, n* F *pej* clod
trampeln *v/i* trample, stamp
Trampelpfad *m* beaten path **Trampeltier** *n* **1.** Bactrian camel **2.** → ***Trampel***
trampen *v/i* F hitchhike, thumb a lift (*od* ride), *mit dem Rucksack*: backpack it **Tramper(in)** F hitchhiker
Trampolin *n* trampoline
Tran *m* train oil
Trance *f* trance
tranchieren *v/t* carve, cut
Tranchiermesser *n* carving knife
Träne *f* tear: ***den ~n nahe*** on the verge of tears; ***unter ~n*** in tears; ***wir haben ~n gelacht*** we laughed till we cried; ***ihm werde ich k-e ~ nachweinen*** I won't shed any tears over him; → ***ausbrechen*** 5 **tränen** *v/i* water
Tränendrüse *f* lachrymal gland: F ***auf die ~ drücken*** be a real tear-jerker
Tränengas *n* tear gas
Tränensack *m* ANAT lachrymal sac
Trank *m* drink, MED potion
Tränke *f* watering place **tränken** *v/t* (*Vieh, Boden*) water, (*durch~*) soak
Transaktion *f* transaction
transatlantisch *Adj* transatlantic
Transfer *m*, **transferieren** *v/t* transfer
Transfersumme *f* SPORT transfer fee
Transformator *m* ELEK transformer
transformieren *v/t allg* transform
Transfusion *f* transfusion
Transistor *m* transistor
Transistorradio *n* transistor (radio)
Transit *m* transit (*a. in Zssgn goods, road, traffic, etc*) **~gebühr** *f* transit charge **~halle** *f* FLUG transit lounge
transitiv *Adj* LING transitive
Transitverkehr *m* transit (*od* through) traffic
transparent *Adj* transparent
Transparent *n* (*Spruchband*) banner
Transparenz *f a. fig* transparency
transpirieren *v/i* perspire
Transplantat *n* MED transplant, (*Gewebe*) graft **Transplantation** *f* transplantation, (*Gewebe*≈) graft(ing) **transplantieren** *v/t* transplant, (*Gewebe*) graft
Transport *m* transport(ation), conveyance, *bes Am* WIRTSCH shipment, (*Straßen*≈) haulage: ***während des ~s*** in transit **transportabel** *Adj* transportable, TECH portable, moveable
Transportband *n* conveyor belt
Transporter *m* → ***Transportfahrzeug, -flugzeug, -schiff***
transportfähig *Adj* transportable
Transportfahrzeug *n* transporter
Transportflugzeug *n* transport plane
transportieren *v/t* **1.** transport **2.** FOTO ***den Film ~*** advance the film
Transport|kosten *Pl* transport(ation) charges *Pl*, SCHIFF freight (charges *Pl*) **~mittel** *n* (means *Pl* of) transport (-ation) **~schaden** *m* damage in transit **~schiff** *n* transport ship **~unternehmen** *n* carriers *Pl*, haulage contractors *Pl* **~versicherung** *f* transport insurance
Transvestit *m* transvestite
transzendental *Adj* transcendental
Trapez *n* **1.** MATHE trapezium, *Am* trapezoid **2.** *Turnen*: trapeze
Trapezkünstler(in) trapeze artist
trappeln *v/i Pferd etc*: clatter, *Kind*: patter
Trara *n* F fuss, to-do

Trasse *f* TECH location line
trassieren *v/t* **1.** TECH trace (out) **2.** WIRTSCH (*Wechsel*) draw (***auf*** *Akk* on)
Tratsch *m*, **tratschen** *v/i* F gossip
Tratte *f* WIRTSCH draft
Traube *f* **1.** (*Wein*♀) bunch of grapes, (*Beere*) grape **2.** *fig* (*Menschen*♀) cluster **Traubensaft** *m* grape juice
Traubenzucker *m* glucose
trauen[1] *v/t* marry: ***sich*** (***kirchlich***) ***~ lassen*** get married (in church)
trauen[2] **I** *v/i* (*j-m*, *e-r Sache*) trust: ***ich traute m-n Ohren nicht*** I couldn't believe my ears; → ***Weg* II** *v/refl* ***sich ~, etw zu tun*** dare (to) do s.th.; ***sich aus dem Haus ~*** venture out of doors
Trauer *f* mourning (***um*** for), *weit. S.* grief (***um, wegen*** at, over): ***~ tragen*** be in mourning **~anzeige** *f* obituary (notice) **~fall** *m* death **~feier** *f* funeral obsequies *Pl* **~flor** *m* mourning band, crape **~kleidung** *f* mourning
Trauermarsch *m* funeral march
trauern *v/i* (***um***) mourn (for), *weit. S.* grieve (for, over)
Trauer|rede *f* funeral oration **~schleier** *m* mourning veil, weeper **~spiel** *n* F *fig* sorry affair **~weide** *f* BOT weeping willow **~zug** *m* funeral procession
Traufe *f* eaves *Pl*, gutter: → ***Regen***
träufeln *v/t u. v/i* drip, trickle
traulich *Adj* cosy, *Am* cozy
Traum *m a. fig* dream: F ***das fällt mir nicht im ~e ein!*** I wouldn't dream of (doing) it!; → ***kühn***
Trauma *n* MED, PSYCH trauma
traumatisch *Adj* traumatic(ally *Adv*)
Traumberuf *m* dream job **Traumbild** *n* dream vision, (*Wunschbild*) dream
träumen I *v/t* dream: ***das hätte ich mir nicht ~ lassen*** I never dreamt of such a thing **II** *v/i a. fig* dream (***von*** about, of), *wachend*: *a.* daydream: ***schlecht ~*** have a bad dream
Träumer(in) dreamer **Träumerei** *f* reverie (*a.* MUS), (day)dream(s *Pl*)
träumerisch *Adj* dreamy
Traumfabrik *f* FILM dream factory
Traumfrau *f* F woman of one's dreams
traumhaft *Adj* dreamlike, (*a. Adv* ***~ schön***) absolutely beautiful, a dream
Traum|haus *n* F dream house **~land** *n* dreamland **~mann** *m* F man of one's dreams **~welt** *f* world of dreams
traurig *Adj allg* sad (***über*** *Akk* at, about), (*jämmerlich*) *a.* sorry: ***~er Anblick*** sorry sight; ***~e Reste*** sad remains; ***~ stimmen*** sadden **Traurigkeit** *f* sadness
Trauring *m* wedding ring (*od* band)
Trauschein *m* marriage certificate
Trauung *f* marriage ceremony, wedding
Trauzeuge *m*, **Trauzeugin** *f* witness to a marriage
Travestie *f* travesty
Treck *m*, **trecken** *v/i* trek
Trecker *m* tractor
Treff[1] *n Spielkarten*: club(s *Pl*)
Treff[2] *m* F **a)** meeting, **b)** meeting place
treffen I *v/t* **1.** *Schlag, Schuss etc*: hit (***j-n am Arm*** s.o.'s arm): ***nicht ~*** miss; F *fig* ***er ist gut getroffen*** (***auf dem Bild***) that's a good photo (*od* painting) of him; → ***Blitz*** 1 **2.** (*be~*) concern, *nachteilig*: affect, hit *s.o.* hard, (*kränken*) hurt: ***das hat ihn hart getroffen*** he took it very hard, it's been a severe blow to him; → ***Schuld*** 1 **3.** (*Vereinbarung etc*) reach, make: → ***Anstalt*** 3, ***Entscheidung*** *etc* **4.** ***j-n ~*** meet s.o.; ***j-n zufällig ~*** come across s.o. **II** *v/i* **5.** hit: ***nicht ~*** miss **6.** ***auf j-n ~*** *a.* SPORT meet s.o. **7.** ***~ auf*** (*Akk*) meet with, (*finden*) strike (*od* hit) on **III** *v/refl* **8.** ***sich ~*** meet (***mit j-m*** s.o.) **9.** F ***das trifft sich gut*** (***schlecht***) that suits me (*od* us *etc*) fine (that's a bit awkward); ***es trifft sich gut, dass ...*** (it's a) good thing that ...; ***das trifft sich ja großartig!*** well, that's lucky! **Treffen** *n* meeting, SPORT meet **treffend** *Adj Bemerkung etc*: apt: ***kurz und ~*** short and to the point; *Adv* ***~ gesagt!*** well put!
Treffer *m* **1.** *allg* hit, *Fußball etc*: goal **2.** (*Gewinn*) win
trefflich *Adj* excellent
Treffpunkt *m* meeting place
treiben I *v/t* **1.** *allg* drive (*a. an~, ver~*): ***die Preise in die Höhe ~*** force up prices; ***j-n in den Wahnsinn*** (***Selbstmord***) ***~*** drive s.o. mad (to suicide); ***was hat sie dazu getrieben?*** what made her do that? **2.** (*Blätter etc*) sprout, (*Pflanzen*) force **3.** (*Harn, Schweiß*) produce **4.** (*Metall*) chase **5.** (*be~, tun*) *allg* do, (*Sport, Sprachen etc*) *a.* go in for: ***was treibst du*** (***zurzeit***)***?*** what are you doing (these

days)?; ***was treibst du da?*** what are you up to?; F ***es toll ~*** carry on like mad, live it up; ***es zu weit ~*** go too far; ***es mit j-m ~*** sleep with s.o.; → ***Aufwand*** 2, ***Enge*** 3, ***Spitze***[1] 3 *etc* **II** *v/i* **6.** *im Wasser*: float, *a. Schnee, Rauch etc*: drift: ***sich ~ lassen*** *a. fig* drift; ***die Dinge ~ lassen*** let things drift; → ***Kraft*** 2 **7.** BOT sprout

Treiben *n* activity, F goings-on *Pl*, (*Geschäftigkeit*) (hustle and) bustle

Treiber *m* IT driver

Treiber(in) drover, JAGD beater

Treib|gas *n* fuel gas, *in Spraydosen*: propellent **~haus** *n* hothouse **~hauseffekt** *m* METEO greenhouse effect **~hausgas** *n* greenhouse gas **~holz** *n* driftwood **~jagd** *f* **1.** battue **2.** *fig* hunt (***auf*** *Akk* for), POL witch hunt **~sand** *m* quicksand **~stoff** *m* fuel **Trend** *m* trend (***zu*** towards)

Trendwende *f* change in trend

trendy *Adj* trendy

trennbar *Adj* separable, detachable

trennen I *v/t* separate, (*teilen, a. Silben*) divide, (*ab~*) detach, cut off, ELEK, TEL *a.* disconnect, (*auf~*) undo, (*isolieren, a. Rassen*) segregate **II** *v/i* ***~ zwischen*** distinguish between **III** *v/refl* ***sich ~*** separate, *a. fig* part (***von*** with); ***getrennt leben*** *Eheleute*: be separated, live apart

Trennschärfe *f* RADIO selectivity

Trennung *f* separation (*a.* CHEM, TECH), (*Rassen*≈) segregation, (*Teilung, Silben*≈) division, ELEK, TEL disconnection: JUR ***eheliche ~*** judicial separation

Trennungslinie *f* dividing line

Trennungszeichen *n* hyphen

treppauf *Adv* ***~, treppab*** up and down the stairs

Treppe *f* staircase, (***e-e ~*** a flight of) stairs (*vor dem Hause etc*: steps) *Pl*: ***zwei ~n hoch*** on the second floor; ***die ~ hinauf*** (***hinab***) up (down) the stairs

Treppen|absatz *m* landing **~geländer** *n* banisters *Pl* **~haus** *n* staircase

Tresen *m* bar, (*Ladentisch*) counter

Tresor *m* (*~raum*) strongroom, vault, (*Panzerschrank*) safe

Tresorfach *n* safe deposit box

Tretanlasser *m* MOT kick starter

Tretauto *n* pedal car **Tretboot** *n* pedal boat **Treteimer** *m* pedal bin

treten I *v/i* step, *Radfahrer etc*: pedal: ***~ auf*** (*Akk*) step on, tread on; ***aufs Gas*** (***-pedal***) (***auf die Bremse***) ***~*** step on the gas (brake); ***ins Zimmer ~*** enter the room; ***nach j-m ~*** (take a) kick at s.o.; ***bitte ~ Sie näher!*** please come in!; ***über die Ufer ~*** overflow its banks; → ***Kraft*** 3, ***nahe*** II *etc* **II** *v/t* tread: ***j-n*** (***in den Bauch***) ***~*** kick s.o. (in the stomach); *fig* ***mit Füßen ~*** trample on

Tret|mühle *f a. fig* treadmill **~roller** *m* **1.** *für Kinder*: scooter **2.** *aus Leichtmetall für Erwachsene*: (skate) scooter

treu I *Adj* (*Dat* to) faithful (*a. fig*), loyal, (*~ ergeben*) devoted: ***sich*** (***s-n Grundsätzen***) ***~ bleiben*** remain true to o.s. (one's principles) **II** *Adv* ***~ ergeben*** loyal, devoted

Treubruch *m* JUR breach of trust

Treue *f* faithfulness (*a. fig*), loyalty, *a. eheliche*: fidelity: ***j-m die ~ halten*** remain loyal to s.o.

Treueid *m* oath of allegiance

Treuhänder(in) trustee

treuhänderisch *Adj* fiduciary: *Adv* ***etw ~ verwalten*** hold s.th. in trust

Treuhandgesellschaft *f* trust company

Treuhandschaft *f* trusteeship

treuherzig *Adj* guileless, (*naiv*) ingenuous, naive, (*gutgläubig*) trusting

treulos *Adj* disloyal (***gegen*** to)

Treulosigkeit *f* disloyalty

Triathlon *m* triathlon

Tribunal *n* tribunal

Tribüne *f* (*Redner*≈) platform, rostrum, (*Zuschauer*≈) (grand)stand, *im Stadion*: *a.* terraces *Pl*

Tribut *m fig* ***s-n ~ zollen*** pay tribute (*Dat* to)

Trichine *f* VET trichina

Trichinose *f* MED, VET trichinosis

Trichter *m* **1.** TECH funnel **2.** (*Schall*≈) flare, mouth **3.** (*Granat*≈ *etc*) crater

trichterförmig *Adj* funnel-shaped

Trick *m* trick **Trickaufnahme** *f* **1.** FILM trick shot, *Pl* trick photography *Sg* **2.** *Tonband*: trick recording

Trickbetrüger(in) trickster **Trickfilm** *m* trick film, (*Zeichen*≈) animated cartoon (film) **trickreich** *Adj* artful

Trickskilaufen *n* freestyle skiing

Trieb *m* **1.** BOT young shoot **2.** instinct, (*Geschlechts*≈) sexual drive **3.** (*An*≈) impulse, (*Drang*) urge **Triebfeder** *f fig* mainspring **triebhaft** *Adj* instinc-

T

tive, (*sexuell* ~) sexual, *Person*: *a.* highly sexed **Triebkraft** *f* **1.** TECH motive force (*od* power) **2.** *fig* driving force **Triebtäter(in)**, **Triebverbrecher(in)** sex offender **Triebwagen** *m* BAHN railcar, *Straßenbahn*: tramcar **Triebwerk** *n* (driving) mechanism, drive, FLUG power unit, (*Getriebe*) gear

triefen *v/i* drip (***von*** with), *Augen, Nase*: run: ***~d nass*** dripping wet

triftig *Adj* (*stichhaltig*) valid, sound, (*gewichtig*) weighty, convincing

Trigonometrie *f* trigonometry

Trikot 1. *m, n* (*Stoff*) tricot **2.** *n der Tänzer etc*: leotard, tights *Pl*, (*Hemd*) shirt, SPORT *a.* jersey

Trikotagen *Pl* knitwear *Sg*

Triller *m* trill **trillern** *v/t u. v/i* trill, *Vogel*: warble **Trillerpfeife** *f* whistle

Trillion *f* quintillion

Trilogie *f* trilogy

Trimester *n* PÄD, UNI trimester

trimmen I *v/t* **1.** *allg* trim (*a.* FLUG, ELEK, SCHIFF), F (*Motor etc*) tune up (***auf*** *Akk* to) **2.** (*Sportler*) train **II** *v/refl* ***sich ~*** **3.** keep fit, keep in (good) trim

Trimmpfad *m* fitness trail

trinkbar *Adj* drinkable **trinken** *v/t u. v/i* drink, (*Tee etc*) have: ***~ auf*** (*Akk*) drink to; ***was ~ Sie?*** what are you having?; ***er trinkt*** he drinks, he is a drinker

Trinker(in) drinker, alcoholic

Trinkerheilanstalt *f* institution for the cure of alcoholics

trinkfest *Adj* ***er ist ~*** he holds his liquor well

Trinkgeld *n* tip: ***j-m*** (***2 Euro***) ***~ geben*** tip s.o. (two euros)

Trink|halle *f im Kurort*: pump room **~halm** *m* (drinking) straw **~kur** *f* mineral water cure **~lied** *n* drinking song **~milch** *f* certified milk **~spruch** *m* toast **~wasser** *n* drinking water

Trio *n* MUS *u.* F *fig* trio

trippeln *v/i* trip, *affektiert*: mince

Tripper *m* MED gonorrh(o)ea, F clap

Triptychon *n* triptych

trist *Adj* dreary, bleak, dismal

Tritt *m* **1.** (*Schritt*) step, (*Geräusch*) footstep: ***~ fassen*** fall in step; ***aus dem ~ geraten*** (***sein***) fall (be) out of step; → ***Schritt*** 1 **2.** (*Fußspur*) footprint **3.** (*Fuß*♀) kick: ***j-m e-n ~ versetzen*** give s.o. a kick, kick s.o. **4.** (*Stufe*) step

Trinkgeld

Im Allgemeinen hinterlässt man in Restaurants in Großbritannien ein Trinkgeld (**tip**) von ca. 10%. Steht auf der Rechnung bzw. Speisekarte **Service included** („inkl. Bedienung"), würde man nur bei besonders gutem Service ein zusätzliches Trinkgeld geben.

In den USA ist das anders. Dort lebt die Bedienung fast ausschließlich von den Trinkgeldern, und 15% der Rechnungssumme werden mehr oder weniger automatisch draufgeschlagen.

Trittbrett *n* MOT running board **~fahrer(in)** *fig* copycat (offender)

Trittleiter *f* stepladder

Triumph *m* triumph **triumphal** *Adj* triumphant **Triumphbogen** *m* triumphal arch **triumphieren** *v/i* (***über*** *Akk* over) triumph, *hämisch*: *a.* gloat

trivial *Adj* trivial

Trivialliteratur *f* light fiction

trocken I *Adj allg* dry (*a. Wein etc, fig Bemerkung, Humor etc*), (*langweilig*) *a.* dull: F *fig* ***auf dem Trocknen sitzen*** be in a fix; → ***Schäfchen*** **II** *Adv fig* drily, dryly: ***sich ~ rasieren*** dry-shave

Trocken|dock *n* dry dock **~eis** *n* dry ice **~element** *n* ELEK dry cell **~gewicht** *n* dry weight **~haube** *f* hairdrier

Trockenheit *f* dryness (*a. fig*), (*Dürre*) drought

trockenlegen *v/t* **1.** (*Land etc*) drain **2.** ***ein Baby ~*** change a baby

Trocken|milch *f* dried milk **~obst** *n* dried fruit **~rasierer** *m* dry shaver **~schleuder** *f* spin drier **~skikurs** *m* dry skiing (course) **~zeit** *f* dry season

trocknen *v/t u. v/i* dry

Trockner *m* drier

Troddel *f* tassel

Trödel *m a. pej* junk **~laden** *m* junk shop **~markt** *m* flea market

trödeln *v/i* dawdle

Trödler(in) 1. junk dealer **2.** dawdler

Trog *m* trough

Trolley *m* (*taschenartiges Gepäckstück*

auf Rädern zum Ziehen) trolley case
Trommel *f* drum, TECH *a.* cylinder: *fig* ***die ~ rühren*** beat the drum (***für*** for)
Trommel|bremse *f* drumbrake **~fell** *n* **1.** drumskin **2.** ANAT eardrum
Trommelfeuer *n a. fig* barrage
trommeln I *v/i* (***auf*** *Akk* at, on) drum, *Regen*: beat **II** *v/t* drum, beat: F ***j-n aus dem Bett ~*** knock s.o. up
Trommel|schlägel *m*, **~stock** *m* drumstick **~wirbel** *m* drum roll
Trommler(in) drummer
Trompete *f* trumpet **trompeten** *v/t u. v/i* trumpet (*a. Elefant*)
Tropen *Pl the* tropics *Pl*
Tropen... tropical (*suit, fever, etc*)
tropenfest *Adj* MED tropicalized
Tropenhelm *m* pith helmet, topee
Tropenwald *m* tropical (rain)forest
Tropf *m* MED (***am ~ hängen*** be on the) drip
Tröpfchen *n* droplet, small drop
tröpfchenweise *Adv* drop by drop
tröpfeln *v/i* drip (*a. v/t*), trickle: F ***es tröpfelt*** it's spitting
tropfen *v/t* drip, drop **Tropfen** *m* **1.** drop, (*Schweiß*≈) *a.* bead: *fig* ***ein edler*** (*od* ***guter***) **~** a capital wine; ***ein ~ auf den heißen Stein*** a drop in the bucket; ***steter ~ höhlt den Stein*** little strokes fell big oaks **2.** *Pl* MED drops *Pl* **tropfenweise** *Adv* in drops, drop by drop
Tropfflasche *f* dropper bottle
Tropfinfusion *f* MED intravenous drip
tropfnass *Adj* dripping wet
Tropfstein *m* stalactite, stalagmite
Trophäe *f* trophy
tropisch *Adj* tropical
Trosse *f* cable, SCHIFF hawser
Trost *m* comfort, (***zum ~*** as a) consolation: ***ein schwacher ~*** cold comfort
trösten *v/t* console (***sich*** o.s.), comfort
tröstlich *Adj* comforting
trostlos *Adj* disconsolate, *fig Zustand etc*: hopeless, (*freudlos*) cheerless, (*öde*) dreary, bleak **Trostlosigkeit** *f fig* dreariness, bleakness, hopelessness
Trostpflaster *n hum* (small) consolation **Trostpreis** *m* consolation prize
trostreich *Adj* comforting
Trott *m* trot, *a. fig* jog trot
Trottel *m* F dope, idiot
trotten *v/i* trot, jog
trotz *Präp* (*Gen*) in spite of, despite: ***~ all s-r Bemühungen*** for all his efforts
Trotz *m* defiance: ***aus ~*** out of spite; ***mir zum ~*** to spite me, in defiance of me
trotzdem I *Adv* nevertheless, all the same, still, anyway **II** *Konj* although
trotzen *v/i* **1.** (*Dat*) defy (*s.o., s.th.*), (*Gefahren etc*) *a.* brave **2.** be obstinate
trotzig *Adj* defiant, (*störrisch*) obstinate
Trotzreaktion *f* act of defiance
trüb(e) *Adj* **1.** *Flüssigkeit*: cloudy (*a. Glas, Spiegel*), muddy: F *fig* ***im Trüben fischen*** fish in troubled waters **2.** (*glanzlos*) dull, *a. Licht etc*: dim, *Wetter, Himmel etc*: murky, *Tag*: dreary **3.** *Stimmung, Gedanken etc*: gloomy, *Aussichten etc*: *a.* bleak, *Erfahrung etc*: sad
Trubel *m* (hustle and) bustle
trüben I *v/t* **1.** (*Flüssigkeit, Glas etc, a. Bewusstsein, Beziehungen etc*) cloud (*a.* ***sich ~***), (*Metall, Farben, a. Verstand etc*) dull (*a.* ***sich ~***) **2.** *fig* (*Freude etc*) spoil, (*j-s Blick*) obscure, (*j-s Urteil*) warp, (*j-s Sicht, Sinn*) blur **II** *v/refl* ***sich ~*** **3.** become clouded (*etc*), *Glas, Spiegel etc*: cloud over **4.** *fig Beziehungen etc*: become strained
Trübsal *f lit* sorrow: F ***~ blasen*** mope
trübselig *Adj* gloomy, (*trist*) dreary
Trübseligkeit *f* gloominess, dreariness
Trübsinn *m* gloom, low spirits *Pl*
trübsinnig *Adj* gloomy, melancholy
trudeln *v/i* FLUG spin: ***ins ≈ kommen*** go into a spin
Trüffel *f* BOT truffle
trügen I *v/t* deceive: ***wenn mein Gedächtnis mich nicht trügt*** if my memory serves me right **II** *v/i* be deceptive: → ***Schein***[1] 2 **trügerisch** *Adj* deceptive, misleading, *Hoffnung etc*: illusive
Trugschluss *m* fallacy
Truhe *f* chest
Trümmer *Pl* ruins *Pl*, (*Schutt*) rubble *Sg*, debris *Sg*, (*Bruchstücke*) fragments *Pl*
Trümmerhaufen *m* heap of rubble
Trumpf *m* trump(s *Pl*), (**~***karte*) trump card: ***was ist ~?*** what's trumps?; *fig* ***~ sein*** be the thing; *a. fig* ***alle Trümpfe in der Hand haben*** hold all the trumps; ***e-n*** (*fig* ***s-n letzten***) ***~ ausspielen*** play a trump (*fig* play one's trump card)
Trunkenheit *f* drunkenness: ***~ am Steuer*** drink-driving, *Am* drunk-driving
Trunksucht *f* alcoholism **trunksüchtig**

T

Adj (**~ sein** be an) alcoholic
Trupp *m* troop, gang, MIL detachment
Truppe *f* **1.** MIL troops *Pl*, *Pl a.* forces *Pl*, (*Einheit*) unit **2.** THEAT company, troupe **3.** SPORT team
Truppen|abbau *m* reduction in forces **~abzug** *m* withdrawal of troops, pull-out **~übungsplatz** *m* training area
Truthahn *m* turkey (cock)
Truthenne *f* turkey-hen
Tschad *m der* Chad
Tscheche *m* Czech **Tschechien** *n* Czech Republic **Tschechin** *f*, **tschechisch** *Adj* Czech
Tschetschenien *n* Chechnia
tschüss *Interj* F bye!, see you!
T-Shirt *n* T-shirt
TU *f* (= ***Technische Universität***) technical university
Tube *f* tube: F MOT *u. fig* ***auf die ~ drücken*** step on it
tuberkulös *Adj* tubercular, tuberculous
Tuberkulose *f* tuberculosis
Tuch *n* **1.** *Textilie*: cloth, fabric **2.** cloth, (*Hals*~, *Kopf*~) scarf: ***das wirkt auf ihn wie ein rotes ~*** that's a red rag to him
Tuchfühlung *f fig* ***~ haben mit*** be in close contact with
tüchtig I *Adj* **1.** *Person*: good (***in*** *Dat* at), (*fähig*) capable, able, competent, efficient, (*fleißig*) hard-working **2.** F (*groß*, *mächtig*) good **II** *Adv* **3.** F tremendously, like hell: ***~ arbeiten*** work hard; ***~ zulangen, ~ essen*** tuck in
Tüchtigkeit *f* ability, competence, proficiency, prowess, (*Fleiß*) diligence
Tücke *f* (*Bosheit*) malice, perfidy, (*Gemeinheit*) trick: ***s-e ~n haben*** be tricky, *Fluss*, *Berg etc*: be treacherous
tückisch *Adj* malicious, insidious (*a.* MED), (*gefährlich*) treacherous
tüfteln *v/i* (***an*** *Dat*) tinker (with), *geistig*: puzzle (over) **Tüftler(in)** tinkerer
Tugend *f* virtue
tugendhaft *Adj* virtuous
Tulpe *f* tulip
tummeln *v/refl* ***sich ~*** disport o.s
Tummelplatz *m* **1.** playground **2.** *fig* stomping ground
Tumor *m* MED tumo(u)r
Tümpel *m* pool
Tumult *m* tumult, *stärker*: uproar, riot
tun *v/t u. v/i* do (→ *a.* ***machen***), (*Äußerung*, *Bitte etc*) make, (*Schritt etc*) take, (*hin~*, *legen*, *stellen*) put, F (*funktionieren*) go, work: ***höflich etc ~*** act (*od* do) the polite *etc*; ***so ~, als ob*** pretend to *Inf*; ***er tut nur so*** he's only pretending; ***was kann ich für Sie ~?*** what can I do for you?; ***was hat er dir getan?*** what has he done to you?; ***dagegen müssen wir etw ~!*** we must do s.th. about it!; ***was*** (***ist zu***) ***~?*** what's to be done?; ***wir haben zu ~*** we have work to do, we are busy; ***das tut nichts!*** never mind!, it doesn't matter!; ***was tuts!*** what does it matter!; ***das tut man nicht*** that just isn't done!; ***mit ihm*** (***damit***) ***habe ich nichts zu ~*** I have nothing to do with him (it); ***das hat nichts damit zu ~*** that's nothing to do with it; ***du wirst es mit ihm zu ~ bekommen*** you'll get into trouble with him; F ***es tut sich was!*** there is s.th. going on!; → ***daran*** 3, ***Leid***
Tun *n* doing, (*Taten*, *a.* ***~ und Treiben, ~ und Lassen***) doings *Pl*, actions *Pl*
Tünche *f* **1.** whitewash **2.** *fig* veneer
tünchen *v/t* whitewash
Tundra *f* GEOG tundra
tunen *v/t* MOT tune (up)
Tuner *m* RADIO tuner
Tunesien *n* Tunisia
Tunesier(in), **tunesisch** *Adj* Tunisian
Tunfisch *m* → ***Thunfisch***
Tunke *f* sauce **tunken** *v/t* dip
Tunnel *m* tunnel
Tüpfelchen *n*, **tüpfeln** *v/t* dot
tupfen *v/t* **1.** MED swab **2.** dot **Tupfen** *m* dot, spot **Tupfer** *m* **1.** MED swab **2.** dot
Tür *f* door: ***in der ~*** in the doorway; ***Tag der offenen ~*** Open Day; *fig* ***offene ~en einrennen*** force an open door; ***mit der ~ ins Haus fallen*** blurt it out; *fig e-r Sache* ***~ und Tor öffnen*** open the door to; ***vor der ~ stehen*** be near at hand; ***j-n vor die ~ setzen*** turn s.o. out
Turban *m* turban
Turbine *f* turbine
Turbo *m* MOT turbocharger
Turbomotor *m* MOT turbocharged engine
Turbo-Prop-Maschine *f* FLUG turboprop (engine)
turbulent *Adj* turbulent
Turbulenz *f a.* PHYS turbulence

Türke *m* Turk
Türkei *f die* Turkey
türken *v/t* F fake
Türkin *f* Turk(ish woman)
Türkis *m* turquoise
türkisch *Adj* Turkish
Tür|klingel *f* doorbell **~klinke** *f* door-handle **~klopfer** *m* knocker
Turm *m* **1.** tower (*a. fig*), (*Kirch*~) steeple **2.** (*Sprung*~) (diving) platform **3.** *Schach*: castle **Türmchen** *n* turret
türmen[1] **I** *v/t* pile (up) **II** *v/refl* ***sich ~ a. fig*** pile up
türmen[2] *v/i* F (*fliehen*) bolt, make off
Turmspitze *f* spire
Turmspringen *n* SPORT high diving
Turmuhr *f* church clock
Turnanzug *m* gymsuit
turnen I *v/i* do gymnastics **II** *v/t* (*e-e Übung*) do **III** ~ *n* gymnastics *Sg* **Turner(in)** gymnast
Turngerät *n* gymnastic apparatus
Turnhalle *f* gymnasium, F gym
Turnhose *f* gym shorts *Pl*
Turnier *n* tournament
Turnlehrer(in) gym instructor **Turnriege** *f* gym squad **Turnschuh** *m* gym shoe **Turnstunde** *f* PÄD gym lesson
Turnübung *f* gymnastic exercise
Turnus *m* rotation: ***im ~*** → ***turnusmäßig*** II **turnusmäßig I** *Adj* rotational, (*regelmäßig*) regular **II** *Adv* in turns: ***~ (aus)wechseln*** rotate
Turnverein *m* gymnastics club
Türpfosten *m* door post **Türrahmen** *m* door frame **Türschild** *n* door plate
turteln *v/i* F bill and coo
Turteltaube *f* turtledove
Tusche *f* Indian ink, (*Zeichen*~) drawing ink, (*Wimpern*~) mascara
tuscheln *v/i u. v/t* whisper
Tuschkasten *m* paintbox
Tuschzeichnung *f* Indian drawing
Tussi *f* F female, (*Freundin*) bird
Tüte *f* (paper) bag, (*Eis*~) cone
tuten *v/i* F too, MOT honk
Tutor *m*, **Tutorin** *f* UNI tutor
TÜV *m* (= ***Technischer Überwachungsverein***) safety standards authority, (*für Auto*) MOT: ***durch den ~ kommen*** pass one's MOT; ***nicht durch den ~ kommen*** fail one's MOT
Twen *m* F person in his (her) twenties, *Pl* under-thirties *Pl*
Typ *m* **1.** *allg* type, TECH *a.* model: F ***sie ist mein ~*** she is my type **2.** F (*Kerl*) fellow, chap
Type *f* **1.** BUCHDRUCK type **2.** F ***komische*** *etc* **~** queer *etc* character
Typenrad *n* daisywheel
Typenschild *n* TECH type plate
Typhus *m* MED typhoid (*a. in Zssgn epidemy, patient, etc*)
typisch *Adj* typical (***für*** of)
typisieren *v/t* typify
Typographie *f* typography
Typus *m* type
Tyrann(in) tyrant **Tyrannei** *f* tyranny
tyrannisch *Adj* tyrannical
tyrannisieren *v/t* tyrannize

U

U, u *n* U, u
U-Bahn *f* underground, *Am* subway
übel I *Adj allg* bad, (*gemein*) *a.* nasty: F ***(gar) nicht ~*** not bad (at all); ***mir ist (wird) ~*** I'm feeling (getting) sick; F *fig* ***dabei kann e-m ~ werden!*** it's enough to make you sick!; ***ein übler Kerl*** a bad lot; ***e-e üble Sache*** a bad business; ***kein übler Gedanke*** not a bad idea **II** *Adv* ***~ gelaunt*** bad-tempered; ***etw ~ nehmen*** take s.th. amiss, take offen/ce (*Am* -se) at s.th.; ***~ riechen*** smell (terrible); ***~ riechend*** foul-smelling, F smelly, *Atem*: foul
Übel *n* evil, (*Krankheit*) illness: ***ein notwendiges ~*** a necessary evil; ***das kleinere ~*** the lesser of two evils; ***zu allem ~*** to top it all
Übelkeit *f* nausea
Übeltäter(in) malefactor
üben I *v/t allg* practise (*a.* ***sich ~ in*** *Dat*), (*schulen*) train: ***Klavier ~*** practise the piano; *fig* ***Geduld ~*** have patience; → ***Nachsicht, Rache. II*** *v/i* practise

über I *Präp* **1.** over, (*oberhalb*) *a.* above, (*quer* **~**) across (*the river etc*): **~ *die Straße gehen*** cross the street; **~ *München nach Rom reisen*** go to Rome via Munich **2.** (*während*) over: **~ *Nacht*** overnight; **~ *das Wochenende*** over the weekend; **~ *die Ferien*** during the holidays; **~*s Jahr*** (this time) next year; **~ *e-m Glas Wein*** (***der Arbeit*** *etc*) over a glass of wine (one's work *etc*) **3.** (*mehr als*) over, more than, (**~** *hinaus*) beyond, VERW exceeding (*a sum, an age, etc*): ***er ist ~ siebzig*** (***Jahre alt***) he is past (*od* over) seventy; ***es geht nichts ~ Musik!*** there's nothing like music!; → ***Verstand*** **4.** (**~** *ein Thema*) about, *Aufsatz, Buch, Vortrag etc*: *a.* on: **~ *Geschäfte*** (***den Beruf, Politik***) ***reden*** talk business (shop, politics) **5.** (*im Wert von*) for: ***e-e Rechnung ~ 100 Euro*** a bill for 100 euros **6.** (*vermittels*) over, by: **~ *e-e Treppe*** over (*od* by) a staircase; **~ *e-n Makler*** through a broker; **~ *die Auskunft*** from the information **7.** ***Fehler ~ Fehler*** one mistake after the other **II** *Adv* **8. ~ *und* ~** all over; ***die ganze Zeit ~*** all along; → ***überhaben, übrig***

überall *Adv* everywhere, all over: **~ *wo*** wherever **überallher** *Adv* from everywhere **überallhin** *Adv* everywhere

überaltert *Adj Bevölkerung*: overaged

Überangebot *n* oversupply

überängstlich *Adj* overanxious

überanstrengen *v/t* overexert (***sich*** o.s.), (over)strain **Überanstrengung** *f* overexertion, (over)strain

überarbeiten I *v/t* (*Buch etc*) revise **II** *v/refl* ***sich ~*** overwork **überarbeitet** *Adj* **1.** revised **2.** overworked **Überarbeitung** *f* **1.** revision **2.** overwork

überaus *Adv* extremely

überbacken *Adj* GASTR au gratin

überbeanspruchen *v/t* **1.** TECH overload, overstress **2.** *fig* ***j-n ~*** overtax s.o.

Überbein *n* MED node, exostosis

überbelegt *Adj* overcrowded

überbelichten *v/t* FOTO overexpose

Überbelichtung *f* overexposure

überbesetzt *Adj personell*: overstaffed

überbetonen *v/t* overemphasize

überbewerten *v/t* overrate, overvalue

überbezahlen *v/t* overpay

überbieten *v/t* **1.** WIRTSCH outbid (***um*** by) **2.** *fig* outdo, (*etw*) *a.* cap, (*Rekord*) beat: ***sich*** (***gegenseitig***) **~** vie with each other (***in*** *Dat* in)

Überbleibsel *n a. fig* remnant

überblenden *v/t* FILM, RADIO fade over

Überblick *m* **1.** view (***über*** *Akk* of) **2.** *fig* overall view: ***e-n ~ gewinnen*** get a general idea (***über*** *Akk* of); ***den ~ verlieren*** lose track of things, be confused

überblicken *v/t* **1.** overlook, survey **2.** *fig* grasp, see, (*Folgen etc*) assess

überbringen *v/t* ***j-m etw ~*** deliver (*od* bring) s.th. to s.o. **Überbringer(in)** bearer **Überbringung** *f* delivery

überbrücken *v/t* span, *a. fig* bridge

Überbrückungskredit *m* bridging loan

über|buchen *v/t* (*Flug, Hotel etc*) overbook **≈buchung** *f* overbooking **~bürden** *v/t* overburden **~dacht** *Adj* roofed, covered **~dauern** *v/t* outlast, survive **~dehnen** *v/t* overstretch, (*Muskel*) pull **~denken** *v/t* ***etw ~*** think s.th. over; ***neu ~*** reconsider

überdeutlich *Adj* all too clear

überdies *Adv* besides, moreover

überdimensional *Adj* outsize(d)

Überdosis *f* overdose

überdrehen *v/t* (*den Motor*) overspeed

Überdruck *m* TECH overpressure **~kabine** *f* pressurized cabin **~ventil** *n* pressure relief valve

Überdruss *m* weariness: ***bis zum ~*** ad nauseam **überdrüssig** *Adj* **~ *sein*** be weary (*od* tired) (*Gen* of)

überdüngen *v/t* overfertilize

überdurchschnittlich *Adj* above-average, above average

Übereifer *m* overzealousness, officiousness **übereifrig** *Adj* overzealous, officious

übereignen *v/t* ***j-m etw ~*** make s.th. over to s.o. **Übereignung** *f* transfer

übereilen *v/t* rush: ***etw ~*** *a.* rush things **übereilt** *Adj* (over)hasty **Übereilung** *f* (over)haste: ***k-e ~!*** don't rush things!

übereinander *Adv* **1.** one on top of the other **2. ~ *sprechen*** talk about one another; **~ *schlagen*** (*Beine*) cross

übereinkommen I *v/i* (***über*** *Akk* on) agree, reach an agreement **II ≈** *n* agreement **Übereinkunft** *f* (***e-e ~ treffen*** reach an) agreement

übereinstimmen *v/i* **1.** *Angaben etc*: tally, correspond, *Farben, Muster etc*: match **2. *mit j-m ~*** agree with s.o. (***über***

Akk, **in** *Dat* on) **übereinstimmend** *Adj* corresponding, *Bericht, Meinung etc*: concurring, *Farben etc*: matching **Übereinstimmung** *f* agreement, correspondence, harmony: ***in ~ mit*** in accordance (*od* keeping) with
überempfindlich *Adj* hypersensitive, *bes* MED allergic (***gegen*** to)
überernährt *Adj* overfed
überfahren *v/t* (*Signal etc*) drive through: ***j-n ~*** run s.o. over, F *fig* bulldoze s.o., SPORT clobber s.o.
Überfahrt *f* SCHIFF crossing, passage
Überfall *m* **1.** (***auf*** *Akk*) attack (on), raid (on), (*Einfall*) invasion (of) **2.** (*Raub*≈) holdup, *auf der Straße*: mugging **3.** F surprise visit **überfallen** *v/t* attack, assault, (*e-e Bank etc*) hold up, raid, (*Land*) invade: F ***j-n ~*** (*besuchen*) descend on s.o.; ***j-n mit e-r Frage*** *etc* **~** pounce on s.o. with a question *etc*
überfällig *Adj* overdue
Überfallkommando *n* riot squad
Überfischung *f* overfishing
überfliegen *v/t* **1.** fly over **2.** (*Brief etc*) glance over, skim
überfließen *v/i* overflow
überflügeln *v/t* ***j-n ~*** outstrip s.o.
Überfluss *m* (***an*** *Dat* of) abundance, profusion, wealth, (*Überschuss*) surplus: ***~ haben an*** (*Dat*) abound in, have plenty of; ***zu allem ~*** to top it all
Überflussgesellschaft *f* affluent society
überflüssig *Adj* superfluous, (*unnötig*) unnecessary
überfluten *v/t a. fig* flood
überfordern *v/t* (*a. Körper etc*) overtax, (*Arbeitskräfte*) *a.* overstretch: ***j-n ~*** expect too much of s.o., *Aufgabe etc*: be too much for s.o.; ***damit war sie*** (***völlig***) ***überfordert*** this was more than she could handle
überfragt *Adj* F ***da bin ich ~!*** you've got me there!
Überfremdung *f* POL foreign infiltration
überführen *v/t* **1.** transport **2.** ***j-n ~*** (*Gen* of) find s.o. guilty, convict s.o. **Überführung** *f* **1.** transfer **2.** JUR conviction **3.** (*Straßen*≈ *etc*) flyover, *Am* overpass
überfüllt *Adj* overcrowded, *Straße*: congested, *Bus, Raum etc*: (jam-)packed
Überfunktion *f* MED hyperactivity
überfüttern *v/t* overfeed
Übergabe *f* delivery, *a. e-s Amtes etc*: handing-over, MIL surrender
Übergang *m* **1.** crossing, (*a. Stelle*) passage **2.** *fig* transition **übergangslos** *Adv* without transition, directly
Übergangs|periode *f* transitional period **~regierung** *f* caretaker government **~stadium** *n* transition(al stage) **~zeit** *f* transition(al period)
übergeben I *v/t* (***j-m etw***) **~** hand over (s.th. to s.o.), *feierlich*: present (s.o. with s.th.); ***j-m etw ~*** entrust s.o. with s.th.; ***dem Verkehr ~*** open *s.th.* to the traffic **II** *v/refl* ***sich ~*** vomit, be sick
ˈ**übergehen**[1] *v/i* pass over (***zu*** to): ***~ auf*** (*e-n Nachfolger etc*) devolve upon; ***~ in*** (*Akk*) pass (*od* turn) into; ***in j-s Besitz ~*** pass into s.o.'s possession; ***in andere Hände ~*** change hands; ***ineinander ~*** *Farben*: blend; ***zu*** *etw* **~** proceed to; ***zum*** *Feind*, ***zur*** *anderen Partei* **~** go over to
überˈ**gehen**[2] *v/t* disregard, ignore, (*auslassen*) omit, skip: ***j-n ~*** pass s.o. over; ***etw mit Stillschweigen ~*** pass s.th. over in silence
übergeordnet *Adj* **1.** *Amt etc*: higher **2.** (*vorrangig*) of overriding importance
Übergepäck *n* FLUG excess luggage (*bes Am* baggage)
übergeschnappt *Adj* F mad, off one's rocker
Übergewicht *n* **1.** (***~ haben*** be) overweight **2.** *fig* preponderance
überglücklich *Adj* overjoyed
übergreifen *v/i fig* spread (***auf*** *Akk* to)
Übergriff *m* (***in*** *Akk*) encroachment ([up]on), infringement (of)
übergroß *Adj* outsize(d)
Übergröße *f* outsize
überhaben *v/t* F ***etw ~*** be sick of s.th.
überhand *Adv* ***~ nehmen*** increase, spread
Überhang *m* **1.** FLUG, ARCHI, TECH overhang **2.** (*Geld*≈) surplus, (*Auftrags*≈ *etc*) backlog **überhängen I** *v/i* overhang, ARCHI project **II** *v/t* (*Mantel etc*) throw over one's shoulders
überhäufen *v/t* ***j-n ~ mit*** *Arbeit etc*: swamp s.o. with, *Geschenken etc*: shower s.o. with, *Ehren, Vorwürfen etc*: heap *s.th.* on s.o.
überhaupt *Adv* at all, actually, really:

U

hast du ~ geschlafen? have you slept at all?; ***was willst du ~?*** what really do you want?; ***~ nicht*** not at all; ***~ nichts*** nothing at all; ***er versteht davon ~ nichts*** he doesn't know the first thing about it; ***~ kein …*** no … whatever; ***wenn ~*** if at all
überheblich *Adj* arrogant
Überheblichkeit *f* arrogance
überhitzen *v/t a. fig* overheat
überhöht *Adj Preise etc*: excessive
überholen *v/t* **1.** MOT, SPORT pass, overtake, *fig* outstrip **2.** TECH overhaul
Überholmanöver *n* overtaking manoeuvre, *Am* passing maneuver
Überholspur *f* MOT passing lane
überholt *Adj* outdated
Überholung *f* TECH overhaul
Überholverbot *n* "No Passing" sign
überhören *v/t* not to hear, (*Worte*) miss, not to catch, *absichtlich*: ignore

⚠ **überhören ≠ overhear**		
überhören	=	miss
overhear	=	zufällig mitbekommen

überirdisch *Adj* supernatural
Überkapazität *f* overcapacity
überkleben *v/t **etw ~*** paste s.th. over
überkochen *v/i a. fig* boil over
überkommen *v/t **Furcht** etc **überkam ihn*** he was overcome by fear *etc*
überkonfessionell *Adj* interdenominational
überladen I *v/t* **1.** overload (*a.* ELEK), *mit Arbeit*: overburden, swamp **II** *Adj* **2.** overloaded **3.** *fig* cluttered, *Stil*: overladen, florid
überlagern *v/t* superimpose, *teilweise*: overlap (*a.* ***sich ~***), RADIO heterodyne, (*Sender*) jam
Überlandbus *m* long-distance coach
Überlänge *f* exceptional length
überlappen *v/t* (*a.* ***sich ~***) overlap
überlassen *v/t **j-m etw ~*** let s.o. have s.th., *a. fig* leave s.th. to s.o.; ***j-n sich selbst*** (***s-m Schicksal***) ***~*** leave s.o. to himself (to his fate); ***sich selbst ~ sein*** be left to one's own devices; ***~ Sie das mir!*** leave it to me!; ***das bleibt ihm ~!*** that's up to him!
überlasten *v/t* **1.** *a.* ELEK, TECH overload **2.** *fig* overtax, overburden, *mit Arbeit*: overwork, overstretch **Überlastung** *f* **1.** *a.* ELEK, TECH overload **2.** *fig* overburdening, (*Überanstrengung*) (over)strain
Überlaufanzeige *f* overflow indicator
'überlaufen[1] *v/i* **1.** run over **2.** (***zu*** to) desert, go over, defect **über'laufen**[2] **I** *v/t **Angst** etc **überlief mich*** I was seized with fear *etc* **II** *v/unpers **es überlief mich heiß und kalt*** I went hot and cold **III** *Adj Gegend, Beruf*: overcrowded
Überläufer(in) deserter, defector
überleben I *v/t u. v/i* survive: F ***du wirst es ~!*** you'll survive! **II** ~ *n* survival
Überlebende *m, f* survivor
Überlebens|chance *f* chance of survival **~groß** *Adj* larger(-)than(-)life **~training** *n* survival training
überlegen[1] *v/t u. v/i* think (*s.th.* over): ***ich will es mir ~*** I'll think it over; ***lassen Sie mich ~!*** let me think!; ***es sich anders ~*** change one's mind; ***sich etw genau ~*** think carefully about it; ***ohne zu ~*** without thinking, (*übereilt*) rashly, (*sofort*) F like a shot; → ***reiflich*** II
überlegen[2] **I** *Adj* (*a. weit. S. überheblich*) superior (*Dat* to, **an** *Dat* in): ***j-m weit ~ sein*** be head and shoulders above s.o. **II** *Adv* in superior style, (*herablassend*) superciliously: ***~ siegen*** win in style
Überlegenheit *f* superiority
überlegt *Adj* considered, (*durchdacht*) well thought-out **Überlegung** *f* consideration, reflection: ***~en anstellen*** **a)** ***über*** (*Akk*) think about, reflect on, **b)** ***ob*** consider if; → ***reiflich*** I
überleiten *v/i* lead over (***zu*** to)
überliefern *v/t **etw ~*** hand s.th. down (*Dat* to) **überliefert** *Adj* traditional
Überlieferung *f* tradition
überlisten *v/t* outwit, fool
Übermacht *f* superiority **übermächtig** *Adj* too strong, *fig* overpowering
übermalen *v/t **etw ~*** paint s.th. over
übermannen *v/t fig* overwhelm
Übermaß *n* excess (**an** *Dat* of): ***im ~*** in excess **übermäßig** *Adj* excessive
Übermensch *m* superman
übermenschlich *Adj* superhuman
übermitteln *v/t* (*Dat* to) transmit, convey **Übermittlung** *f* transmission
übermorgen *Adv* the day after tomorrow

übermüdet *Adj* overtired
Übermüdung *f* overtiredness
Übermut *m* high spirits *Pl* **übermütig** *Adj* high-spirited, *präd* in high spirits
übernächst *Adj the* next but one: ***~e Woche*** the week after next
übernachten *v/i* spend the night
übernächtigt *Adj* bleary-eyed
Übernachtung *f* overnight stay: ***~ und Frühstück*** bed and breakfast
Übernachtungsmöglichkeit *f* overnight accommodation
Übernahme *f* taking over, *der Macht, e-r Firma*: takeover, *e-s Amts, der Verantwortung*: assumption, *e-r Idee etc*: adoption **~angebot** *n* WIRTSCH takeover bid
übernational *Adj* supranational
übernatürlich *Adj* supernatural
übernehmen **I** *v/t* (*Macht, Führung, Amt, Firma etc*) take over, (*Waren etc*) *a.* accept, (*Arbeit, Verantwortung etc*) take on, (*Verfahren, Ideen etc*) adopt: ***es ~, etw zu tun*** take it upon o.s. to do s.th.; ***etw ~*** (*erledigen*) take care of s.th. **II** *v/refl* ***sich ~*** *mit Arbeit etc*: take on more than one can handle, *finanziell*: overreach o.s., (*sich überanstrengen*) overdo it; *iron* ***übernimm dich nur nicht!*** don't kill yourself!

⚠ **übernehmen**	≠ **overtake**
übernehmen	= take over
overtake	= überholen

überordnen *v/t* ***j-n*** (***etw***) ***j-m*** (***e-r Sache***) ~ set s.o. (s.th.) above s.o. (s.th.)
überparteilich *Adj* nonpartisan
Überproduktion *f* overproduction
überprüfen *v/t* check, inspect, test, *genau*: scrutinize, (*Person*) screen, F vet
Überprüfung *f* check(up), *genaue*: scrutiny, (*Sicherheits*⁓) F vetting
überquellen *v/i a. fig* (**von** with) overflow, brim over
überqueren *v/t* cross
über|ragen *v/t* tower above (*a. fig*): ***j-n ~*** be taller than s.o., *fig* outclass s.o. **~ragend** *Adj fig* outstanding, brilliant
überraschen *v/t* surprise: ***j-n ~*** (*überrumpeln*) take s.o. by surprise, (*ertappen*) catch s.o. (***bei*** at); ***von e-m Gewitter überrascht werden*** be caught in a thunderstorm **überraschend** *Adj* surprising, (*unerwartet*) unexpected, sudden **Überraschung** *f* surprise
Überraschungs|angriff *m* surprise attack **~moment** *n* element of surprise **~sieg** *m* SPORT unexpected win
überreagieren *v/i* overreact
überreden *v/t* ***j-n ~*** persuade s.o. (***zu*** to), ***zu etw a.*** talk s.o. round into (doing) s.th. **Überredung** *f* persuasion
Überredungskunst *f* powers *Pl* of persuasion
überregional *Adj* supraregional, *Zeitung*: national, *Sendung*: nationwide
überreich *Adj* ***~ sein an*** (*Dat*) abound in
überreichen *v/t* (***j-m***) ***etw ~*** hand s.th. over (*feierlich*: present s.th.) (to s.o.)
überreif *Adj* overripe
überreizen *v/t* overexcite **überreizt** *Adj* overwrought: ***~ sein*** *a.* be on edge
Überrest *m* remains *Pl*, *a. fig* remnant, *Pl e-r Mahlzeit*: leftovers *Pl*, *fig e-r Kultur etc*: remnants *Pl*, relics *Pl*
Überrollbügel *m* MOT rollbar
überrollen *v/t* overrun, *fig a.* steamroll
überrumpeln *v/t* ***j-n ~*** take s.o. unawares (*od* by surprise)
überrunden *v/t* SPORT lap, *fig* outstrip
übersät *Adj* littered, *fig* studded
übersättigen *v/t* oversaturate, (*den Markt*) *a.* glut, CHEM supersaturate, *fig* surfeit **Übersättigung** *f* surfeit (*a. fig*), glut, CHEM supersaturation
übersäuern *v/t a.* MED overacidify
Übersäuerung *f a.* MED hyperacidity
Überschall... supersonic **~geschwindigkeit** *f* supersonic speed: ***mit ~ fliegen*** fly faster than the speed of sound
überschatten *v/t a. fig* overshadow
überschätzen *v/t* overrate, overestimate
Überschätzung *f* overestimation
überschaubar *Adj fig* clear, easy to grasp: **~, von ~er Größe** *Betrieb etc*: of manageable size
überschauen → ***überblicken*** 2
überschäumen *v/i* **1.** froth over **2.** *fig* bubble over (***vor*** *Dat* with)
überschlafen *v/t* F ***das muss ich erst ~!*** I must sleep on it!
Überschlag *m* **1.** *Turnen*: somersault, (*Handstand*⁓) handspring **2.** (*Schät-*

zung) (rough) estimate **3.** ELEK flashover
überschlagen I *v/t* **1.** (*auslassen*) skip **2.** (*schätzen*) calculate roughly **II** *v/refl* ***sich*~ 3.** fall head over heels, MOT overturn, FLUG nose over: F *fig* ***er überschlug sich fast*** (***vor Liebenswürdigkeit***) he bent over backwards (to be nice) **4.** *Stimme*: crack **5.** *Ereignisse etc*: follow hot on each other's heels
überschnappen *v/i* **1.** F go mad, go crazy **2.** *Stimme*: crack
überschneiden *v/refl* ***sich*~** overlap (*a. fig*), *Linien*: intersect; ***sich zeitlich ~*** coincide **Überschneidung** *f* overlap (-ping), MATHE intersection
Überschreibemodus *m* overwrite (*od* overstrike) mode
überschreiben *v/t* **1.** (*Aufsatz etc*) head, title **2.** transfer (*Dat* to): JUR ***j-m etw ~*** make over s.th. to s.o. **3.** COMPUTER overwrite
überschreiten *v/t* **1.** cross **2.** *fig* (*Geschwindigkeit, Befugnisse etc*) exceed, (*Kräfte, Verstand etc*) go beyond
Überschrift *f* heading, title, (*Schlagzeile*) headline
Überschuss *m* surplus, WIRTSCH (*Gewinn*) profit **überschüssig** *Adj* surplus
überschütten *v/t fig* ***j-n ~ mit*** *Geschenken, Ehren etc*: shower s.o. with
Überschwang *m* exuberance
überschwänglich *Adj* effusive
überschwemmen *v/t* flood, *fig a.* inundate, (*den Markt*) glut **Überschwemmung** *f a. fig* flooding, inundation
überschwenglich → ***überschwänglich***
Übersee: ***in*** (***nach***) **~** overseas
überseeisch *Adj* overseas
übersehbar *Adj* **1.** *Gelände etc*: open **2.** *Folgen etc*: foreseeable, *Lage etc*: clear
übersehen *v/t* **1.** → ***überblicken*** 2 **2.** miss, overlook, *absichtlich*: ignore
'**übersetzen**[1] **I** *v/t* ferry *s.o., s.th.* over **II** *v/i* cross the river *etc*
über'setzen[2] *v/t* **1.** *a. v/i* translate **2.** TECH transmit **Übersetzer(in)** translator **Übersetzung** *f* **1.** translation (***aus*** from, ***in*** *Akk* into) **2.** TECH gear ratio, transmission **Übersetzungsprogramm** *n* translation program **Übersetzungssoftware** *f* translation software **Übersetzungsbüro** *n* translating agency **Übersetzungsfehler** *m* error in translation
Übersicht *f* **1.** (*Abriss*) survey, summary, outline **2.** → ***Überblick*** 2
übersichtlich *Adj* **1.** *Gelände etc*: open, *Kurve*: clear **2.** *fig* clear(ly arranged), lucid **Übersichtlichkeit** *f* clearness
übersiedeln *v/i* move (POL migrate) (***nach*** to)
übersinnlich *Adj* supernatural: ***~e Kräfte*** psychic forces
überspannt *Adj Ideen etc*: extravagant, *Person*: eccentric **Überspanntheit** *f* extravagance, eccentricity
überspielen *v/t* **1.** (*Tonband etc*) rerecord: ***auf Band ~*** tape, record **2.** (*Fehler, Schwächen etc*) cover *s.th.* up
überspitzen *v/t* exaggerate, carry *s.th.* too far **überspitzt** *Adj* **1.** exaggerated **2.** *Formulierung etc*: oversubtle
'**überspringen**[1] *v/i* ELEK flash over
über'springen[2] *v/t* **1.** jump over (*od* across), clear **2.** *fig* (*auslassen*) skip
überstaatlich *Adj* supranational
'**überstehen**[1] *v/i* jut out, project
über'stehen[2] *v/t allg* get over, (*überleben*) survive, (*Sturm, fig Gefahr, Krise etc*) weather, ride out: ***das wäre überstanden!*** that's that!; ***das Schlimmste ist überstanden*** the worst is over now
übersteigen *v/i* **1.** climb over **2.** *fig* go beyond, exceed
übersteuern *v/t* **1.** MOT oversteer **2.** ELEK overmodulate
überstimmen *v/t* outvote
überstrahlen *v/t fig* eclipse
überstreichen *v/t* coat (***mit*** with)
überstreifen *v/t* ***etw ~*** slip s.th. on
Überstunden *Pl* (***~ machen*** work *od* do) overtime *Sg*
überstürzen I *v/t* rush **II** *v/refl* ***sich ~*** *Ereignisse etc*: follow hot on each other's heels **überstürzt** *Adj* rash
übertariflich *Adj* in excess of the (collectively agreed) scale
überteuert *Adj* overpriced
übertönen *v/t* drown (out)
Übertrag *m* WIRTSCH carryover **übertragbar** *Adj* **1.** (***auf*** *Akk* to) *allg* transferable, *fig a.* applicable **2.** WIRTSCH *Wechsel*: negotiable **3.** MED infectious, contagious
übertragen I *v/t* **1.** (***auf*** *Akk* to) *allg* transfer, (*Besitz*) *a.* make over, (*a.*

Rechte) assign, (*Vollmachten*) give, (*Aufgabe etc*) delegate, assign: ***j-m etw ~*** (*anvertrauen*) entrust s.th. to s.o. **2.** ELEK, PHYS, TECH transmit (***auf*** *Akk* to), (*senden*) broadcast **3.** (***in*** *Akk* into) (*Stenogramm etc*) transcribe, (*übersetzen*) translate (*a. Computer*) **4.** (*Krankheit*) transmit (***auf*** *Akk* to), (*Blut*) transfuse **5.** *fig* ***etw ~ auf*** (*Akk*) apply s.th. to **II** *v/refl* ***sich ~ auf*** (*Akk*) **6.** *Krankheit*: be passed on (to) **7.** *Stimmung*, *Panik etc*: communicate itself (to) **III** *Adj* **8.** *Bedeutung etc*: figurative: ***im ~en Sinne*** in the figurative sense

Übertragung *f* **1.** (***auf*** *Akk* to) transfer (*a.* WIRTSCH, JUR), *von Rechten*, *Aufgaben etc*: assignment, *von Vollmachten*: delegation, *von Ämtern*, *Titeln*: conferment **2.** ELEK, MED, PHYS, TECH transmission (***auf*** *Akk* to), RADIO, TV *a.* broadcast **3.** (***in*** *Akk* into) *e-s Stenogramms*: transcription, (*Übersetzung*) translation

Übertragungs|fehler *m* IT, ELEK transmission error **~wagen** *m* RADIO, TV outside broadcast van (*Abk* O.B.)

übertreffen *v/t* (*j-n*) excel (***sich selbst*** o.s.), outdo, (*a. etw*) surpass, be better *etc* than, beat: ***alle Erwartungen ~*** exceed all expectations

übertreiben *v/t* **1.** ***etw ~*** overdo s.th., carry s.th. too far **2.** (*aufbauschen*) *a. v/i* exaggerate **3.** THEAT overact, F ham *s.th.* up **Übertreibung** *f* exaggeration

'übertreten[1] *v/i* **1.** (***zu*** to) POL go over, REL convert: ***zum Katholizismus ~*** *a.* F turn (Roman) Catholic **2.** SPORT foul (a jump *od* throw)

über'treten[2] *v/t* **1.** (*Gesetz etc*) violate **2.** ***sich den Fuß ~*** sprain one's ankle

Übertretung *f* JUR violation, (*Delikt*) *a.* (petty) offen/ce (*Am* -se)

übertrieben *Adj* exaggerated, excessive

Übertritt *m* (***zu, in*** *Akk* to) change, POL defection, REL conversion

übertrumpfen *v/t* trump, *fig a.* outdo

übertünchen *v/t a. fig* whitewash

Übervölkerung *f* overpopulation

übervorteilen *v/t* cheat

überwachen *v/t* supervise, (*betreuen*) look after, (*beobachten*) watch (over), *a.* MED, *wissenschaftlich*: observe, *polizeilich*: keep under surveillance, (*kontrollieren*) check, inspect, *elektronisch etc*: monitor **Überwachung** *f* supervision, (*Beobachtung*) observation, *polizeiliche*: surveillance, (*Kontrolle*) inspection, checking, monitoring **Überwachungsstaat** *m* surveillance state

überwältigen *v/t a. fig* overpower, overwhelm **überwältigend** *Adj fig* overwhelming, *Schönheit*: *a.* stunning, breathtaking: ***mit ~er Mehrheit*** with an overwhelming majority; ***nicht gerade ~!*** nothing to write home about!

überweisen *v/t* **1.** (*Geld*) transfer (***auf ein Konto*** to an account, ***j-m*** to s.o.'s account) **2.** (*Antrag*, *Fall*, *Patienten etc*) refer (***an*** *Akk* to) **Überweisung** *f* **1.** (*Geld*&) transfer, remittance **2.** *e-s Falles*, *Patienten etc*: referral (***an*** *Akk* to)

'überwerfen[1] *v/t* (*Kleid etc*) fling on

über'werfen[2] *v/refl* ***sich mit j-m ~*** fall out with s.o.

überwiegen *v/i* predominate, prevail

überwiegend I *Adj* predominant, prevailing: ***die ~e Mehrheit*** the vast majority **II** *Adv* predominantly, mainly

überwinden I *v/t* (*Angst*, *Schwäche etc*) overcome, (*Krankheit*, *Krise*, *Schwierigkeiten etc*) get over, surmount **II** *v/refl* ***sich*** (***selbst***) ***~, etw zu tun*** bring o.s. to do s.th. **Überwindung** *f* **1.** overcoming (*etc*) **2.** ***es kostete mich ~*** it cost me quite an effort

überwintern *v/i* spend the winter, ZOOL hibernate

überwuchern *v/t* overgrow

Überzahl *f* (***in der ~ sein*** be in the) majority **überzählig** *Adj* surplus

überzeugen I *v/t* (***von***) convince (of), *bes* JUR satisfy (as to) **II** *v/i Spieler etc*, *a. Spiel*, *Vortrag etc*: be convincing **III** *v/refl* ***sich ~*** satisfy o.s. (***von*** as to): ***~ Sie sich selbst!*** go and see for yourself! **überzeugend** *Adj* convincing: ***wenig ~*** (rather) unconvincing **überzeugt** *Adj* convinced (***von*** of), *Sozialist etc*: ardent: ***von sich selbst*** (***sehr***) ***~ sein*** have a high opinion of o.s **Überzeugung** *f* conviction, (*politische etc* ~) convictions *Pl*, (*fester Glaube*) persuasion: ***der*** (***festen***) ***~ sein, dass …*** be (thoroughly) convinced that …; ***zu der ~ gelangen, dass …*** come to the conclusion that ... **Überzeugungskraft** *f* powers *Pl* of persuasion

über'ziehen[1] **I** *v/t* **1.** cover, *mit e-r Schicht*: *a.* coat, *innen*: line **2.** (*Bett*) put fresh linen on **3.** (*Konto*) overdraw, (*Sendezeit*) overrun **4.** *fig* exaggerate **II** *v/i* **5.** exceed the time limit **III** *v/refl* **sich ~ 6.** become covered (**mit** with), *Himmel*: become overcast

'überziehen[2] *v/t* (*Kleid etc*) put on

Überziehung *f* WIRTSCH overdraft

Überziehungskredit *m* overdraft credit

Überzug *m* **1.** cover **2.** coat(ing)

üblich *Adj* usual, customary, normal: ***wie ~*** as usual; ***es ist bei uns (so) ~, dass ...*** it is a custom with us that ...; ***das Übliche*** the usual (thing)

U-Boot *n* submarine

übrig *Adj* remaining, left (over), (*ander*) other: ***das ≗e, alles ≗e*** the rest; ***das ~e Geld*** the rest of the money; ***die ≗en*** the others, the rest; ***im ≗en*** **a)** as for the rest, **b)** → ***übrigens***; ***~ bleiben*** be left, remain; *fig* ***es blieb mir nichts anderes ~ (, als)*** I had no choice (but); ***~ lassen*** leave; ***etw ~ haben*** have s.th. left; *fig* ***etw ~ haben für*** have a soft spot for; ***nichts ~ haben für*** not to care much for, have no time for; ***ein ≗es tun*** go out of one's way (*to do s.th.*)

übrigens *Adv* by the way, incidentally

Übung *f* **1.** practice: ***aus der ~ sein (kommen)*** be (get) out of practice; ***in der ~ bleiben*** keep one's hand in; ***~ macht den Meister*** practice makes perfect **2.** SPORT, MIL, MUS exercise

Übungs|aufgabe *f* exercise **~buch** *n* book of exercises **~hang** *m Skisport*: nursery slope **~heft** *n* exercise book

Übungssache *f* ***das ist reine ~!*** it's just a matter of practice!

UdSSR *f hist* (= ***Union der Sozialistischen Sowjetrepubliken***) USSR

Ufer *n* shore, (*Fluss≗*) bank: ***am ~, ans ~*** ashore; ***über die ~ treten*** overflow its banks

uferlos *Adj fig* boundless, *Debatte etc*: endless: ***ins ≗e gehen*** lead nowhere

Ufo *n* UFO, unidentified flying object

Uganda *n* Uganda

Uhr *f* clock, (*Taschen≗, Armband≗*) watch: ***wie viel ~ ist es?*** what time is it?; ***es ist zwei ~*** it's two o'clock (*od* 2 p.m., 14.00 hours); ***nach m-r ~*** by my watch; ***um wie viel ~?*** (at) what time?; SPORT ***ein Rennen gegen die ~*** a race against time; F ***rund um die ~*** around the clock **Uhrarmband** *n* watch strap **Uhrmacher(in)** watchmaker, clockmaker **Uhrwerk** *n* clock mechanism, works *Pl* **Uhrzeiger** *m* hand **Uhrzeigersinn** *m* ***im ~*** clockwise; ***entgegen dem ~*** anticlockwise **Uhrzeit** *f* time

Uhu *m* ZOOL eagle-owl

Ukraine *f the* Ukraine

UKW *n* (= ***Ultrakurzwelle***) FM, VHF

Ulk *m* joke, lark **ulkig** *Adj* funny

Ulme *f* BOT elm

Ultimatum *n* (***ein ~ stellen*** deliver an) ultimatum (*Dat* to)

Ultrakurzwelle *f* ELEK very high frequency (*Abk* VHF), *a.* MED ultrashort wave

Ultraschall *m* PHYS ultrasound

Ultraschall... ultrasonic, supersonic **~aufnahme** *f* scan, *Am* ultrasound **~gerät** *n* ultrasound scanner **~untersuchung** *f* MED ultrasound scan

ultraviolett *Adj* ultraviolet

um I *Präp* **1.** *räumlich*: (a)round, *zeitlich*: at, (*ungefähr*) about, around: ***~ Ostern (herum)*** some time around Easter; F ***~ sein*** be over; ***s-e Zeit ist ~*** his time is up **2.** *e-e Differenz bezeichnend*: by: ***~ die Hälfte billiger sein*** be only half the price; ***~ so*** → ***umso*** **3.** (*wegen*) for, about: ***bitten (schreien) ~*** ask (cry) for **4.** ***es steht schlecht ~ ihn*** he's in a bad way; ***schade ~ ...*** it's too bad about ... **II** *Konj* **5.** ***~ zu*** *Inf* (in order) to *Inf* **III** *Adv* **6.** (*etwa*) about, around (*100 persons etc*)

umadressieren *v/t* redirect

umarbeiten *v/t* change, (*Kleid etc*) remodel, (*Buch etc*) revise, *für den Film etc*: readapt

umarmen *v/t* embrace (*a.* ***sich ~***), hug

Umarmung *f* embrace, hug

Umbau *m* **1.** reconstruction, conversion (***in*** *Akk*, ***zu*** into), (*Gebäude*) altered section **2.** *fig* reorganization

'umbauen[1] **I** *v/t* alter, (*Maschine etc*) *a.* redesign, (*neu gestalten*) remodel, (*a. Wohnung*) convert (***in*** *Akk*, ***zu*** into) **II** *v/i* THEAT change the setting

um'bauen[2] *v/t* build round: ***umbauter***

U

Raum interior space
umbenennen *v/t* rename
umbesetzen *v/t* THEAT recast
umbiegen *v/t* bend
umbilden *v/t* reorganize, POL (*Kabinett etc*) reshuffle **Umbildung** *f* reorganization, POL reshuffle
umbinden *v/t* tie round, (*Schürze, Krawatte etc*) (*a.* ***sich ~***) put on
umblättern *v/t* turn over (*the page v/i*)
umblicken → ***umsehen***
'umbrechen[1] *v/t* break down
um'brechen[2] *v/t* make up (into pages)
umbringen I *v/t* kill: F *fig* ***nicht umzubringen*** indestructible **II** *v/refl* ***sich ~*** kill o.s.; F ***sich*** (***fast***) ***~ vor Höflichkeit*** bend over backwards to be polite
Umbruch *m* **1.** BUCHDRUCK makeup, *am Bildschirm*: formatting **2.** *fig* upheaval
umbuchen *v/t* **1.** (*Flug etc*) change one's booking for **2.** WIRTSCH transfer (***auf*** *Akk* to)
umdenken *v/i* change one's views: ***~ müssen*** have to do some rethinking
umdisponieren *v/i* change one's plans
umdrehen *v/t* turn (round) (*a.* ***sich ~***), (*Arm*) twist: ***j-m den Hals ~*** wring s.o.'s neck; → ***Spieß*** **Umdrehung** *f* turn, PHYS, TECH revolution, rotation: ***~en pro Minute*** revolutions per minute (*Abk* r.p.m.) **Umdrehungszahl** *f* speed
umeinander *Adv* ***sich ~ kümmern*** *etc* take care *etc* of each other (*mehrere*: one another)
Umerziehung *f* reeducation
'umfahren[1] *v/t* run (*od* knock) down
um'fahren[2] *v/t* drive (*od* sail) round
Umfall *m* F POL turnabout **umfallen** *v/i* **1.** fall (down *od* over), collapse: ***zum ≈ müde*** ready to drop **2.** F *fig* cave in
Umfang *m* circumference, (*Leibes≈*) girth, (*Ausdehnung, a. fig*) extent, size, *fig* (*Ausmaß*) scope, *des Verkehrs, Verkaufs etc*: volume: ***10 Zoll im~*** 10 inches round; *fig* ***in vollem ~*** fully; ***in großem ~*** on a large scale, large-scale
umfangreich *Adj* extensive, (*dick*) voluminous
umfassen *v/t fig* comprise, *zeitlich*: cover **umfassend** *Adj Kenntnisse etc*: extensive, comprehensive, *Geständnis*: complete, full, (*weit reichend*) sweeping
Umfeld *n fig* environment
umformen *v/t* reshape (*a. fig*), ELEK transform, convert **Umformer** *m* ELEK transformer, converter
Umfrage *f* inquiry, (*Meinungs≈*) (public) opinion poll, survey
umfüllen *v/t* pour *s.th.* into another container (*etc*), (*Wein*) decant
umfunktionieren *v/t* ***etw ~ in*** (*Akk*) convert (*od* turn) s.th. into
Umgang *m* **1.** *gesellschaftlicher*: social intercourse, relations *Pl*, (*Bekanntenkreis*) company, friends *Pl*: ***~ haben*** (*od* ***pflegen***) ***mit*** associate with; ***guten*** (***schlechten***) ***~ haben*** keep good (bad) company **2.** ***der ~ mit Kindern*** (***Kunden*** *etc*) dealing with children (customers *etc*); ***im ~ mit ...*** (in) dealing with ...
umgänglich *Adj* sociable, easy to get along with
Umgangs|formen *Pl* manners *Pl* **~recht** *n* right of access **~sprache** *f* colloquial language: ***die englische ~*** colloquial English **≈sprachlich** *Adj* colloquial
umgarnen *v/t fig* ensnare
umgeben *v/t a. fig* surround (***sich*** o.s.) (***mit*** with) **Umgebung** *f e-r Stadt etc*: environs *Pl*, *nähere*: neighbo(u)rhood, vicinity, *a.* BIOL, SOZIOL environment, surroundings *Pl*
Umgegend *f* environs *Pl*, vicinity
'umgehen[1] *v/i* **1.** *Krankheit, Gerücht etc*: go round, circulate **2.** *Gespenst*: walk **3.** ***~ mit*** *j-m*: associate with, (*behandeln*) treat, *a. e-r Sache, e-m Problem*: deal with, handle; ***sie kann*** (***gut***) ***mit Leuten ~*** she knows how to handle people; ***er weiß mit Pferden umzugehen*** he has a way with horses; ***kannst du mit der Maschine ~?*** do you know how to use (*od* handle) the machine?; → ***schonend, sparsam***
um'gehen[2] *v/t* **1.** *Verkehr*: bypass **2.** *fig* avoid, evade (*a. Gesetz etc*), *geschickt*: F dodge **umgehend** *Adj* immediate
Umgehung *f* **1.** bypassing **2.** *fig* avoidance, *a.* JUR evasion
Umgehungsstraße *f* bypass, (*Ring≈*) perimeter road
umgekehrt I *Adj* reverse, (*entgegengesetzt*) inverse, opposite: ***im ~en Falle*** in the reverse case; ***in ~er Reihenfolge*** in reverse order; (***genau***) ***~!*** (no,) it's exactly the other way round! **II** *Adv*

the other way round, conversely
umgestalten *v/t* reshape, *fig a.* reorganize, TECH *etc* redesign
umgraben *v/t* dig (up), turn (over)
umgrenzen *v/t fig* define
umgruppieren *v/t* regroup (*a. Sport*), POL reshuffle **Umgruppierung** *f* regrouping, POL reshuffle
Umhang *m* cape, wrap
umhängen *v/t* **1.** (*Mantel etc*) put on, (*Gewehr*) sling **2.** (*Bild*) rehang
Umhängetasche *f* shoulder bag
umhauen *v/t* **1.** fell, cut down **2.** F *fig* ***j-n ~ Alkohol etc***: knock s.o. out, *Nachricht etc*: bowl s.o. over
umher *Adv* about, (a)round **~streifen**, **~ziehen** *v/i* roam about
umhinkönnen *v/i* ***ich kann nicht umhin zu*** *Inf* I cannot help *Ger*
umhören *v/refl* ***sich ~*** keep one's ears open, ask around
umhüllen *v/t* (***mit***) wrap up (*od* envelop) (in), cover (with) (*a.* TECH)
Umhüllung *f* wrapping, cover
Umkehr *f* ***j-n zur ~ zwingen*** force s.o. (to turn) back **umkehren I** *v/i* **1.** turn back **II** *v/t* **2.** turn round (*a.* ***sich ~***), reverse (*a. fig*) **3.** → ***umkrempeln***
Umkehrfilm *m* reversal film
umkippen I *v/t* **1.** tip over, upset **II** *v/i* **2.** fall over, *Auto etc*: overturn, SCHIFF *a.* capsize **3.** F (*ohnmächtig werden*) keel over **4.** F *fig* turn, change completely, *Gewässer*: die, *Wein*: turn sour
umklammern *v/t* clutch, *Boxen*: clinch
umklappen *v/t* turn down
Umkleidekabine *f* changing cubicle
umkleiden *v/refl* ***sich ~*** change (one's clothes) **Umkleideraum** *m* changing (SPORT locker) room
umknicken *v/i* (***mit dem Fuß***) ***~*** sprain one's ankle
umkommen *v/i* die, be killed: F ***vor Hitze*** (***fast***) ***~*** (nearly) die with heat
Umkreis *m* vicinity: ***im ~ von*** within a radius of, for *three miles* round **umkreisen** *v/t* circle (ASTR revolve) round
umkrempeln *v/t* F *fig* change completely
umladen *v/t* reload
Umlage *f* distribution of cost: ***die ~ betrug ...*** each person had to pay ...
Umlauf *m* **1.** *des Geldes u. fig* circulation: ***in ~ bringen*** put *s.th.* in circulation, issue, (*Gerücht*) start; ***im ~ sein*** circulate, *Gerücht*: *a.* be going round **2.** ASTR, PHYS revolution, (*Zyklus*) cycle, (*~bahn*) orbit **3.** circular (letter)
Umlaufbahn *f* (***in s-e ~ bringen*** *od* ***gelangen*** put *od* get into) orbit
umlaufen *v/i allg* circulate
Umlaufkapital *n* WIRTSCH floating capital
Umlaufzeit *f* period (of revolution), *e-s Satelliten*: orbital period
Umlaut *m* **a**) umlaut, **b**) (vowel) mutation
umlegen *v/t* **1.** (*Getreide*) lay flat, (*Baum etc*) fell, (*Zaun etc*) tear down **2.** (*Hebel*) throw **3.** (*verlegen*) transfer (*a.* TEL), (*Kranken etc*) *a.* move, (*Termin etc*) shift (***auf*** *Akk* to) **4.** (*Kosten etc*) (***auf*** *Akk* among) apportion, divide **5.** ***j-n ~*** **a**) F (*niederschlagen*) knock s.o. down, (*erschießen*) bump s.o. off, **b**) V (*Frau*) lay s.o.
umleiten *v/t* (*Verkehr*) divert, detour
Umleitung *f* diversion, detour
Umleitungsschild *n* detour sign
umlernen *v/i* ***wir müssen sehr ~*** we have a lot of relearning to do
umliegend *Adj* surrounding, neighbo(u)ring
ummodeln *v/t fig* change
Umnachtung *f* ***geistige ~*** mental derangement
umorganisieren *v/t* reorganize
umpacken *v/t* repack
umpflanzen *v/t* replant
umpolen *v/t* **1.** ELEK reverse **2.** *fig* change
umquartieren *v/t* move
umranden *v/t*, **Umrandung** *f* border
umräumen *v/t* move *s.th.* (to another place), (*Zimmer etc*) rearrange
umrechnen *v/t* convert (***in*** *Akk* into)
Umrechnung *f* conversion
Umrechnungs|kurs *m* rate of exchange **~tabelle** *f* conversion table
'umreißen[1] *v/t* pull (*od* knock) down
um'reißen[2] *v/t fig* outline
umrennen *v/t* run (*od* knock) down
umringen *v/t* surround
Umriss *m a. fig* outline: ***in groben Umrissen*** in rough outline; ***etw in Umrissen darlegen*** outline s.th.; ***feste Umrisse annehmen*** take shape
Umrisszeichnung *f* contour drawing

U

umrühren *v/t* stir
umrüsten *v/t* TECH change *s.th.* over (***auf*** *Akk* to)
umsatteln *v/i* F change one's job (*im Studium*: subject): ***~ (von ...) auf*** (*Akk*) switch (from ...) to
Umsatz *m* WIRTSCH turnover, sales *Pl* **~beteiligung** *f* participation in sales **~steigerung** *f* sales increase **~steuer** *f* turnover tax
umschalten I *v/t, a. v/i* ELEK, TECH *u. fig* switch (*od* change) (over) (***auf*** *Akk* to) **II** *v/i* TV change channels **Umschalttaste** *f* (*auf Tastatur*) shift key
umschauen → ***umsehen***
umschichten *v/t* **1.** rearrange **2.** *fig* regroup **Umschichtung** *f fig* regrouping: ***soziale ~*** social upheaval
umschiffen *v/t* sail round, (*Kap etc*) double: → ***Klippe*** 2
Umschlag *m* **1.** (*Brief*≈) envelope, (*Schutz*≈) cover, *für Bücher*: *a.* jacket **2.** (*Ärmel*≈) cuff, (*Hosen*≈) turnup **3.** MED (***feuchter***) ***~*** compress **4.** WIRTSCH (*Güter*≈) handling, *e-s Hafens*: goods *Pl* handled, (*Umladung*) transshipment
umschlagen I *v/i* **1.** → ***umkippen*** 2 **2.** *Wetter, Wind, Stimmung etc*: change (suddenly) **3.** *Stimme*: crack **II** *v/t* **4.** (*Güter*) handle, (*umladen*) transship
Umschlag|hafen *m* port of transshipment **~platz** *m* trading cent/re (*Am* -er), SCHIFF place of transshipment
umschnallen *v/t* buckle on
'umschreiben[1] *v/t* **1.** rewrite **2.** (*Besitz*) transfer (***auf*** *Akk* to) **um'schreiben**[2] *v/t* paraphrase, circumscribe (*a.* MATHE), (*umreißen*) outline **'Umschreibung**[1] *f* **1.** rewriting **2.** WIRTSCH transfer **Um'schreibung**[2] *f* paraphrase, circumscription (*a.* MATHE)
Umschrift *f* LING transcription
Umschuldung *f* conversion (of a debt)
umschulen *v/t* **1.** *beruflich*: retrain **2.** (*Schüler*) transfer to another school
Umschulung *f* **1.** *e-s Kindes*: transfer to another school **2.** *berufliche*: retraining
umschwärmen *v/t* **1.** swarm round **2.** *fig* idolize
Umschweife *Pl* ***ohne ~*** **a)** *sagen etc*: straight out, **b)** *tun*: straightaway
umschwenken *v/i* **1.** wheel round **2.** *fig* veer round
Umschwung *m* (sudden) change, (*Meinungs*≈ *etc*) reversal, *bes* POL swing, *völliger*: about-face
umsegeln *v/t* sail round, (*Kap*) double
umsehen *v/refl* ***sich ~*** **1.** look back **2.** look (a)round (***nach*** for): ***sich in der Stadt ~*** (have a) look (a)round the city
um sein → ***um*** I 1
umseitig *Adj u. Adv* overleaf
umsetzen *v/t* **1.** move, transfer, LANDW transplant **2.** (*Ware etc*) sell, turn over **3.** ***etw ~ in*** (*Akk*) *a.* CHEM, PHYS convert (*od* transform) s.th. into; *fig* (***in die Praxis***) ***~*** realize; ***e-e Idee in Politik ~*** translate an idea into public policy; ***etw in die Tat ~*** put s.th. into action
Umsichgreifen *n* spread(ing)
Umsicht *f* circumspection
umsichtig *Adj* circumspect
umsiedeln *v/t* resettle
Umsiedlung *f* resettlement
umso *Adv* ***~ besser*** so much the better; ***~ mehr*** (***weniger***) (***als*** as, ***weil*** because) all the more (less), (so much) the more (less)
umsonst *Adv* **1.** (*gratis*) for nothing, free (of charge) **2.** (*vergebens*) in vain
umspannen *v/t a. fig* span
Umspannwerk *n* ELEK transformer station
umspielen *v/t* **1.** *Fußball etc*: dribble round **2.** *fig* play (a)round
umspringen *v/i* **1.** *Wind*: shift **2.** ***mit j-m grob*** *etc* ***~*** treat s.o. roughly *etc*
umspulen *v/t* rewind
Umstand *m* **1.** fact, circumstance **2.** *Pl* circumstances *Pl*, (*Lage*) conditions *Pl*, situation *Sg*: ***unter Umständen*** possibly, perhaps, (*notfalls*) if need be; ***unter allen Umständen*** at all events; ***unter diesen*** (***k-n***) ***Umständen*** under the (no) circumstances; F ***in anderen Umständen sein*** be in the family way; → ***mildern*** I **3.** ***ohne viel Umstände*** without much fuss; ***Umstände machen*** **a)** *Sache*: cause trouble, **b)** *Person*: make a fuss; ***machen Sie*** (***sich***) ***k-e Umstände!*** don't go to any trouble! **umständehalber** *Adv* owing to circumstances
umständlich *Adj* complicated, (*langatmig*) long-winded, (*unbequem, schwerfällig*) awkward, (*pedantisch*) fussy: ***das ist*** (***mir***) ***viel zu ~!*** that's far too much trouble (for me)! **Umständlichkeit** *f* complicatedness (*etc*), fussiness

Umstandskleid *n* maternity dress
Umstandskrämer(in) F fusspot
Umstandswort *n* LING adverb
umstehend *Adj Seite*: next, *Text*: overleaf (*a. Adv*)
Umstehende *Pl* bystanders *Pl*
umsteigen *v/i* **1.** change (***nach*** for) **2.** *fig* switch (***auf*** *Akk* to)
um'stellen¹ *v/t* surround **'umstellen² I** *v/t* change, (*Möbel etc*) rearrange, SPORT (*Mannschaft*) regroup, (*Uhr*) reset, (*Maschine etc*) change over (***auf*** *Akk* to), (*Betrieb etc*) reorganize: ***~ auf*** (*Akk*) switch to, convert to; ***auf Computerbetrieb ~*** computerize; ***s-e Lebensweise ~*** readjust one's way of life **II** *v/refl* ***sich ~*** get used to new conditions, adjust (***auf*** *Akk* to) **Umstellung** *f* change, rearrangement, TECH changeover (*od* switch) (***auf*** *Akk* to), reorganization, (*Anpassung*) adjustment (***auf*** *Akk* to): ***das war e-e große ~*** that was quite a change
umstimmen *v/t* ***j-n ~*** bring s.o. round
umstoßen *v/t* **1.** knock over (*od* down) **2.** *fig* (*Testament, Plan etc*) change, (*Urteil etc*) reverse, (*Pläne*) upset
umstritten *Adj* contested, (*strittig*) controversial
umstrukturieren *v/t* restructure
Umsturz *m* overthrow, revolution
umstürzen I *v/t* upset, knock over, POL overthrow **II** *v/i* fall down, fall over, overturn **Umstürzler(in)** revolutionary **umstürzlerisch** *Adj* subversive
umtaufen *v/t a. fig* rename
Umtausch *m* exchange
umtauschen *v/t* exchange (***gegen*** for)
umtopfen *v/t* LANDW repot
Umtriebe *Pl* activities *Pl*
UMTS-Lizenz *f* UMTS licence
umtun *v/refl* ***sich ~*** look around (***nach*** for)
U-Musik *f* light music
umwälzen *v/t* **1.** TECH circulate **2.** *fig* revolutionize **umwälzend** *Adj fig* revolutionary **Umwälzpumpe** *f* circulating pump **Umwälzung** *f* **1.** TECH circulation **2.** *fig* revolution, upheaval
umwandeln *v/t* change (***in*** *Akk*, ***zu*** into), PHYS transform, convert (*a.* WIRTSCH), JUR (*Strafe*) commute: ***sie ist wie umgewandelt*** she is a completely different person **Umwandler** *m* ELEK, TECH converter
Umwandlung *f* change, transformation, conversion, JUR commutation
Umweg *m* detour, roundabout way: ***e-n ~ machen*** make a detour; ***das ist ein ~ für mich*** that takes me out of my way; *fig* ***auf ~en*** indirectly, in a roundabout way; ***ohne ~e*** straight
Umwelt *f* environment: ***unsere ~*** *a.* the world around us
Umwelt... environmental **&belastend** *Adj* environmentally harmful **~belastung** *f* (environmental) pollution **&bewusst** *Adj* environmentally aware **~einfluss** *m* environmental impact **&feindlich** → ***umweltschädlich*** **~forscher(in)** ecologist **~forschung** *f* ecology **&freundlich** *Adj* environmentally friendly, eco-friendly, *Systeme*: *a.* non-polluting, *Stoffe*: *a.* biodegradable: ***umweltfreundliche Landwirtschaft*** environment-friendly farming **&gerecht** *Adj* environmentally-oriented **~gipfel** *m* environmental summit **~katastrophe** *f* ecocatastrophe **~kriminalität** *f* environmental crime **~krise** *f* ecological crisis, ecocrisis **~ministerium** *n* Department of the Environment **~papier** *n* recycled paper **~politik** *f* ecopolicy **&politisch** *Adj* ecopolitical **~schäden** *Pl* damage *Sg* done by pollution **&schädlich** *Adj* harmful (to the environment), polluting **~schutz** *m* conservation, care of the environment **~schützer(in)** environmentalist, conservationist **~sünder(in)** polluter **~technik** *f* environmental technology **~verbrechen** *n* environmental crime **~verschmutzung** *f* (environmental) pollution **&verträglich** *Adj* environment-friendly, environmentally compatible **~verträglichkeit** *f* environmental compatibility **~zerstörung** *f* ecocide; → *Info-Fenster nächste Seite*
umwenden *v/refl* ***sich ~*** turn round
umwerben *v/t* court, *a. fig* woo
umwerfen *v/t* **1.** → ***umstoßen*** **2.** → ***umhauen*** 2 **umwerfend** *Adj fig* fantastic, mind-blowing: *Adv* ***~ komisch*** too funny for words
umwickeln *v/t* ***etw ~ mit*** wind *s.th.* round s.th., bandage s.th. with

Umwelt: einige wichtige Begriffe

Abfall	**waste**
Abfallbeseitigung	**waste disposal**
Abholzung	**deforestation**
abgasarmes Auto	**low-emission car**
Abwasser	**sewage**
Abwasseraufbereitung	**sewage treatment**
Altglascontainer	**bottle bank**
Autoabgase	**(car) exhaust fumes/ emissions**
Bodenerosion	**soil erosion**
Brandrodung	**fire clearance**
Düngemittel	**fertilizer**
Erderwärmung	**global warming**
FCKW	**CFC**
Kläranlage	**sewage plant**
Kohlenmonoxid	**carbon monoxide**
Krebs erregend	**carcinogenic**
Luftreinhaltung	**air pollution control**
Luftverschmutzung	**air pollution**
Mülldeponie	**waste disposal site,** *Am* **sanitary (land)fill**
Ozonloch	**ozone hole**
Ozonwerte	**ozone levels**
Pestizide	**pesticides**
Regenwald	**rainforest**
saurer Regen	**acid rain**
Schwefeldioxid	**sulphur** (*Am* **sulfur**) **dioxide**
Stickoxid	**nitrogen oxide**
Treibhauseffekt	**greenhouse effect**
Treibhausgas	**greenhouse gas**
umkippen (*Gewässer*)	**die**
umweltbewusst	**environmentally aware**
umweltfreundlich	**environmentally friendly, eco-friendly**
Umweltverschmutzung	**(environmental) pollution**
Vulkan	**volcano**
Waldsterben	**forest deaths, dying forests**
wieder verwertbar	**recyclable**
Wiederverwertung	**recycling**

umziehen I *v/i* move (house) **II** *v/t* ***j-n ~*** change s.o.'s clothes **III** *v/refl* ***sich ~*** change
umzingeln *v/t* surround, encircle
Umzug *m* **1.** move **2.** procession, pageant, POL demonstration march
unabänderlich *Adj* unalterable, irrevocable: ***sich ins ~e fügen*** resign o.s. to the inevitable
unabdingbar *Adj Rechte*: inalienable
unabhängig *Adj* independent (***von*** of): ***~ von*** (*ohne Rücksicht auf*) irrespective of; ***~ davon ob*** regardless whether
Unabhängige *m, f* POL independent
Unabhängigkeit *f* independence
unabkömmlich *Adj* indispensable: ***er ist momentan ~*** he is busy at the moment
unablässig *Adj* incessant, continuous
unabsehbar *Adj* unforeseeable, *Scha-*

U

den etc: incalculable, immense: ***auf ~e Zeit*** for an indefinite period of time
unabsichtlich *Adj* unintentional
unabwendbar *Adj* unavoidable
unachtsam *Adj* inattentive, careless
Unachtsamkeit *f* carelessness
unähnlich *Adj* (*Dat*) unlike (*s.o., s.th.*)
unanfechtbar *Adj* incontestable
unangebracht *Adj* inappropriate: ***~ sein*** *a.* be out of place
unangefochten *Adj u. Adv* undisputed(ly), *Meister etc*: unchallenged, (*ungehindert*) unhindered
unangemeldet *Adj u. Adv* unannounced
unangemessen *Adj* inappropriate, inadequate, *Preis etc*: unreasonable
unangenehm *Adj* unpleasant, (*böse*) *a.* nasty, (*peinlich*) awkward: ***das ♀e dabei ist*** the unpleasant thing about it is
unangreifbar *Adj a. fig* unassailable
unannehmbar *Adj* unacceptable
Unannehmlichkeiten *Pl* trouble *Sg*: (***j-m***) ***~ bereiten*** cause (s.o.) trouble; ***~ bekommen*** get into trouble
unansehnlich *Adj* unsightly, plain
unanständig *Adj* indecent, obscene **Unanständigkeit** *f* indecency, obscenity
unantastbar *Adj* unimpeachable, *Recht*: inviolable, *bes iron* sacrosanct
unappetitlich *Adj* unappetizing, *a. fig* unsavo(u)ry
Unart *f* bad habit, bad trick **unartig** *Adj* naughty **Unartigkeit** *f* naughtiness
unästhetisch *Adj* un(a)esthetic(ally *Adv*), unpleasant
unaufdringlich *Adj* unobtrusive
unauffällig *Adj* inconspicuous, unobtrusive
unauffindbar *Adj* untraceable, *präd* not to be found
unaufgefordert *Adj u. Adv* unasked, *Adv a.* of one's own accord
unaufhaltsam *Adj* unstoppable
unaufhörlich *Adj* incessant, continuous
unauflösbar, **unauflöslich** *Adj* indissoluble, *a.* CHEM, MATHE insoluble
unaufmerksam *Adj* inattentive, (*gedankenlos*) thoughtless **Unaufmerksamkeit** *f* inattention, thoughtlessness
unaufrichtig *Adj* insincere
unaufschiebbar *Adj* urgent
unausbleiblich *Adj* inevitable
unausführbar *Adj* impracticable
unausgefüllt *Adj* **1.** *Formular etc*: blank **2.** *fig Leben, Person etc*: unfulfilled
unausgeglichen *Adj* unbalanced, unstable **Unausgeglichenheit** *f* imbalance, instability
unausgesprochen *Adj* unspoken
unauslöschlich *Adj fig* indelible
unausrottbar *Adj* ineradicable
unaussprechlich *Adj* **1.** *Wort etc*: unpronounceable **2.** *fig* unspeakable
unausstehlich *Adj* insufferable
unausweichlich *Adj* unavoidable, inevitable
unbändig *Adj* **1.** *Kind*: unruly **2.** *fig Freude, Hass, Kraft etc*: tremendous
unbarmherzig *Adj* merciless
Unbarmherzigkeit *f* mercilessness
unbeabsichtigt *Adj* unintentional
unbeachtet *Adj u. Adv* (***~ bleiben*** go) unnoticed: ***~ lassen*** disregard
unbeanstandet *Adj* unobjected: ***etw ~ lassen*** let s.th. pass
unbeantwortet *Adj* unanswered
unbebaut *Adj* LANDW untilled, *Gelände*: undeveloped
unbedacht *Adj* thoughtless, *Handlung etc*: unconsidered, (*voreilig*) rash
unbedarft *Adj* F naive, inexperienced
unbedenklich **I** *Adj* safe, harmless **II** *Adv* safely
unbedeutend *Adj* insignificant, unimportant, (*geringfügig*) *a.* negligible
unbedingt **I** *Adj* unconditional, absolute, *Gehorsam, Vertrauen etc*: implicit **II** *Adv* absolutely, at all costs: ***etw ~ brauchen*** need s.th. badly; ***nicht ~*** **a)** not necessarily, **b)** not exactly
unbefahrbar *Adj* impassable
unbefangen *Adj* **1.** (*unparteiisch*) impartial, unbias(s)ed **2.** uninhibited, free
Unbefangenheit *f* **1.** impartiality **2.** naturalness
unbefleckt *Adj fig* unsullied: REL ***♀e Empfängnis*** Immaculate Conception
unbefriedigend *Adj* unsatisfactory
unbefriedigt *Adj* unsatisfied (*a. sexuell*)
unbefristet **I** *Adj* unlimited **II** *Adv* for an unlimited period
unbefugt *Adj* unauthorized
Unbefugte *m, f* unauthorized person
unbegabt *Adj* untalented
unbegreiflich *Adj* incomprehensible: ***es ist mir völlig ~*** it's beyond me

unbegrenzt I *Adj* unlimited, boundless **II** *Adv zeitlich*: indefinitely: ***ich habe ~ Zeit*** I have unlimited time
unbegründet *Adj* unfounded, groundless
Unbehagen *n* unease **unbehaglich** *Adj* uncomfortable (*a. Gefühl, Gedanke*), *fig a.* uneasy, *präd a.* ill at ease
unbehandelt *Adj* untreated
unbehelligt *Adj u. Adv* unmolested, (*ungehindert*) unhindered
unbeherrscht *Adj* lacking self-control
Unbeherrschtheit *f* lack of self-control
unbehindert *Adj* unhindered
unbeholfen *Adj* clumsy
Unbeholfenheit *f* clumsiness
unbeirrbar *Adj* imperturbable
unbeirrt *Adj* unswerving, unperturbed
unbekannt *Adj* unknown: ***das war mir ~*** I didn't know that; ***~e Größe*** → **Unbekannte** *f* MATHE *u. fig* unknown (quantity)
unbekleidet *Adj u. Adv* undressed, (in the) nude, with nothing on
unbekömmlich *Adj* indigestible
unbekümmert *Adj* carefree: ***~ um*** unconcerned about
unbelastet *Adj* **1.** carefree: ***~ sein*** be free from worries, POL have a clean record **2.** WIRTSCH *Grundstück*: unencumbered
unbelehrbar *Adj* hopeless: ***er ist ~*** *a.* he just won't learn
unbelichtet *Adj* FOTO unexposed
unbeliebt *Adj* unpopular (***bei*** with)
Unbeliebtheit *f* unpopularity
unbemannt *Adj* unmanned, FLUG pilotless
unbemerkt *Adj u. Adv* unnoticed
unbenommen *Adj* ***es ist*** (*od* ***bleibt***) ***Ihnen ~ zu*** *Inf* you are at liberty to *Inf*
unbenutzt *Adj* unused
unbeobachtet *Adj u. Adv* unobserved
unbequem *Adj* **1.** uncomfortable **2.** *fig* inconvenient, *Frage etc*: embarrassing, *Person*: difficult
Unbequemlichkeit *f* **1.** uncomfortableness **2.** *fig* inconvenience
unberechenbar *Adj* incalculable (*a. Person*), *fig a.* unpredictable
unberechtigt *Adj* **1.** unauthorized **2.** (*ungerechtfertigt*) unjustified, unfair
unberechtigterweise *Adv* **1.** without authority **2.** without good reason
unberücksichtigt *Adj* unconsidered, *präd* not taken into account: ***etw ~ lassen*** leave s.th. out of account
unberufen *Interj* touch wood!
unberührt *Adj* untouched (*a. fig*), *Mädchen, Natur etc*: virgin: *fig* ***~ bleiben von*** not to be affected by
unbeschadet *Adj* (*Gen*) without prejudice to, (*ungeachtet*) irrespective of
unbeschädigt *Adj* intact, undamaged
unbeschäftigt *Adj* idle, unemployed
unbescheiden *Adj* immodest
Unbescheidenheit *f* immodesty
unbescholten *Adj* blameless: JUR ***~ sein*** have no police record
unbeschränkt *Adj* unrestricted, *Macht, Eigentum, Rechte*: absolute
unbeschreiblich *Adj* indescribable
unbeschrieben *Adj Papier*: blank: *fig* ***~es Blatt*** unknown quantity
unbeschwert *Adj fig* carefree, *Gewissen*: light: ***~ von*** free from
unbesehen *Adv* ***etw ~ kaufen*** buy s.th. sight unseen; ***das glaube ich dir ~*** I well believe you
unbesetzt *Adj Stelle*: vacant, *Platz etc*: *a.* unoccupied, free
unbesiegbar *Adj* invincible
unbesiegt *Adj* undefeated
unbesonnen *Adj* imprudent, rash **Unbesonnenheit** *f* imprudence, rashness
unbesorgt I *Adj* unconcerned (***wegen*** about): ***seien Sie*** (***deswegen***) ***~!*** don't worry! **II** *Adv* (*ohne weiteres*) safely
unbespielt *Adj Kassette etc*: empty
unbeständig *Adj* unstable, unsettled, changeable, *Person, Markt*: unsteady
Unbeständigkeit *f* unstableness (*etc*)
unbestätigt *Adj* unconfirmed
unbestechlich *Adj* **1.** incorruptible **2.** *fig Urteil etc*: unerring
Unbestechlichkeit *f* incorruptibility
unbestimmt *Adj Gefühl etc*: vague, *Anzahl, Zeitraum etc*: indeterminate, indefinite: ***auf ~e Zeit*** for an indefinite period, indefinitely
Unbestimmtheit *f* vagueness
unbestreitbar *Adj* indisputable
unbestritten I *Adj* undisputed **II** *Adv* indisputably, without doubt
unbeteiligt *Adj* **1.** not involved (***an*** *Dat* in) **2.** (*innerlich ~*) indifferent
unbetont *Adj* unstressed
unbeträchtlich *Adj* negligible: ***nicht ~***

quite considerable
unbeugsam *Adj fig* uncompromising
unbewacht *Adj a. fig* unguarded
unbewaffnet *Adj* unarmed
unbewandert *Adj* (**in** *Dat* in) inexperienced, not versed
unbeweglich *Adj* immobile, *a.* JUR *Eigentum*, *Feiertag*: immovable, (*reglos*) motionless, TECH fixed, (*starr*) rigid (*a. fig*), *geistig*: inflexible: ***~e Güter*** immovables **Unbeweglichkeit** *f* immobility, *geistige*: inflexibility
unbewegt *Adj Gesicht*: expressionless, (*ungerührt*) unmoved (*a. Adv*)
unbeweisbar *Adj* unprovable
unbewiesen *Adj* unproved
unbewohnbar *Adj* uninhabitable **unbewohnt** *Adj* uninhabited, unoccupied
unbewusst *Adj* unconscious
unbezahlbar *Adj* **1.** too expensive **2.** *fig* priceless (*a.* F *komisch*)
unbezahlt *Adj* unpaid
unbezähmbar *Adj fig* indomitable
unbezwingbar *Adj* invincible
Unbildung *f* lack of education
unblutig I *Adj* bloodless, MED nonoperative **II** *Adv* without bloodshed
unbrauchbar *Adj* useless, unsuitable, *Plan etc*: impracticable, TECH unserviceable: ***etw ~ machen*** render s.th. useless
Unbrauchbarkeit *f* uselessness (*etc*)
unbrennbar *Adj* nonflammable
unbürokratisch *Adj* unbureaucratic(ally *Adv*)
unchristlich *Adj* unchristian
und *Konj* and: ***~?*** well?; F ***~ ob!*** you bet!; ***na ~?*** so what?; ***~ so weiter*** (*od* ***fort***) and so on; ***~ wenn*** (***auch***) even if
Undank *m* ingratitude: F ***~ ernten*** get small thanks for it **undankbar** *Adj* ungrateful (***gegen*** to), *fig Aufgabe etc*: thankless **Undankbarkeit** *f* ingratitude, *fig* thanklessness
undatiert *Adj* undated
undefinierbar *Adj* undefinable
undemokratisch *Adj* undemocratic
undenkbar *Adj* unthinkable
undenklich *Adj* ***seit ~en Zeiten*** from time immemorial
undeutlich *Adj allg* indistinct, *präd* not clear, *Schrift*: *a.* illegible, *Aussprache*: *a.* inarticulate, (*verwischt*) blurred, (*vage*) vague, hazy
Undeutlichkeit *f* indistinctness
undicht *Adj* leaking, *präd* not tight: ***~e Stelle*** leak (*a. fig* POL)
Unding *n* absurdity: ***es ist ein ~*** it is preposterous (*od* absurd)
undiszipliniert *Adj* undisciplined
unduldsam *Adj* intolerant
Unduldsamkeit *f* intolerance
undurchdringlich *Adj* impenetrable, *Gesicht*: inscrutable
undurchführbar *Adj* impracticable
undurchlässig *Adj* impermeable (***für*** to)
undurchsichtig *Adj* **1.** opaque **2.** *fig* mysterious, *Person*: inscrutable
uneben *Adj* uneven, *Weg etc*: rough
Unebenheit *f* unevenness, roughness
unecht *Adj* **1.** false, *präd* not genuine (*beide a. fig*), (*künstlich*) artificial, (*gefälscht*) counterfeit(ed), fake(d), F phon(e)y **2.** MATHE *Bruch*: improper
unehelich *Adj* illegitimate
unehrenhaft *Adj* dishono(u)rable
unehrlich *Adj* dishonest, *weit. S. a.* insincere **Unehrlichkeit** *f* dishonesty
uneigennützig *Adj* unselfish
uneingeschränkt *Adj* unrestricted, *Lob*: unqualified, *Vertrauen etc*: absolute
uneingeweiht *Adj* (***für* ≈*e*** for the) uninitiated
uneinheitlich *Adj* nonuniform, varied
uneinig *Adj* divided: (***sich***) ***~ sein*** *a.* be at variance, disagree **Uneinigkeit** *f* disagreement, *stärker*: discord
uneinnehmbar *Adj* impregnable
uneins *Adj* ***~ sein*** → ***uneinig***
unempfänglich *Adj* (***für*** to) insusceptible, *für Kunst etc*: *a.* unreceptive
unempfindlich *Adj* insensitive (***gegen*** to), *Material etc*: wear-resistant, durable **Unempfindlichkeit** *f* insensitiveness, resistance (***gegen*** to), durability
unendlich I *Adj* MATHE, MUS, PHYS infinite (*a. fig*), (*endlos*) endless: FOTO ***auf ~ einstellen*** focus at infinity; *fig* ***bis ins ≈e*** ad infinitum **II** *Adv* infinitely (*etc*), *fig a.* immensely: ***~ klein*** infinitesimal; ***~ lang*** endless; ***~ viel*** a tremendous amount of; ***~ viele*** no end of
Unendlichkeit *f* infinity
unenglisch *Adj* un-English
unentbehrlich *Adj* indispensable (*Dat*, ***für*** to)

unentgeltlich *Adj u. Adv* free (of charge)
unentrinnbar *Adj* inescapable
unentschieden I *Adj u. Adv* undecided (*a. Person*), *Frage etc*: *a.* open, SPORT drawn: ***~es Spiel*** *a.* draw, tie; *Adv* ***~ enden*** end in a draw; ***~ spielen*** draw **II** **&** *n* SPORT draw
unentschlossen *Adj* undecided, irresolute **Unentschlossenheit** *f* irresolution, indecision
unentschuldbar *Adj* inexcusable
unentschuldigt *Adj* ***~es Fehlen*** unexcused absence
unentwegt *Adj* steadfast, (*ständig*) incessant **Unentwegte** *m, f* POL diehard
unentwirrbar *Adj* inextricable
unerbittlich *Adj* inexorable, merciless
unerfahren *Adj* inexperienced
Unerfahrenheit *f* inexperience
unerfindlich *Adj* mysterious: ***es ist mir ~, warum*** it's a mystery to me why
unerforschlich *Adj* unfathomable
unerforscht *Adj* unexplored
unerfreulich *Adj* unpleasant
unerfüllbar *Adj* unrealizable
unerfüllt *Adj* unfulfilled
unergiebig *Adj* unproductive
unergründlich *Adj* unfathomable, *fig a.* inscrutable
unerheblich *Adj* insignificant, *bes* JUR irrelevant (***für*** to)
unerhört *Adj* **1.** (*beispiellos*) unheard-of, (*empörend*) outrageous, scandalous: ***~!*** what a cheek! **2.** F (*ungeheuer*) terrific
unerkannt *Adj* unrecognized
unerklärlich *Adj* inexplicable
unerlässlich *Adj* essential, imperative
unerlaubt *Adj* unauthorized, *präd* not allowed, (*unbefugt*) illicit **unerlaubterweise** *Adv* without permission
unerledigt *Adj* not yet dealt with, *Post*: unanswered, *Aufträge etc*: unfulfilled: ***~e Dinge*** unfinished business
unermesslich *Adj* immense
unermüdlich *Adj* indefatigable, *Bemühungen*: *a.* untiring
unerquicklich *Adj* unpleasant
unerreichbar *Adj Ort*: inaccessible, *fig Ziel etc*: unattainable: ***für j-n ~*** out of s.o.'s reach; ***er war ~*** I (we *etc*) couldn't get hold of him **unerreicht** *Adj fig* unequal(l)ed, unrival(l)ed, record …
unersättlich *Adj a. fig* insatiable
unerschlossen *Adj* undeveloped
unerschöpflich *Adj* inexhaustible
unerschrocken *Adj* undaunted, fearless
unerschütterlich *Adj* imperturbable
unerschwinglich *Adj Waren*: unaffordable, *Preis*: exorbitant: ***für j-n ~ sein*** be beyond s.o.'s means
unersetzlich *Adj* irreplaceable, *Schaden*: irreparable
unerträglich *Adj* unbearable
unerwähnt *Adj* unmentioned: ***etw ~ lassen*** make no mention of s.th.
unerwidert *Adj Liebe*: unrequited
unerwünscht *Adj* undesirable
unfähig *Adj* **1.** incapable, incompetent: ***~ zu*** *e-r Aufgabe etc*: unqualified for **2.** ***~ (etw) zu tun*** unable to do (s.th.), incapable of doing (s.th.) **Unfähigkeit** *f* **1.** incompetence **2.** inability
unfair *Adj* unfair
Unfall *m* accident **~bericht** *m* MOT accident report **~flucht** *f* → ***Fahrerflucht*** **&frei** *Adj* accident-free **~opfer** *n* accident victim **~quote** *f*, **~rate** *f* accident rate **~station** *f* first-aid station, *im Krankenhaus*: casualty ward **~stelle** *f* scene of (the) accident **~tod** *m* accidental death
unfallträchtig *Adj* hazardous
Unfall|verhütung *f* prevention of accidents **~versicherung** *f* accident insurance **~wagen** *m* **1.** car damaged in an accident **2.** FLUG crash tender
unfassbar, **unfasslich** *Adj* incomprehensible, inconceivable
unfehlbar I *Adj* infallible (*a.* REL), unerring (*a. Schütze etc*), unfailing **II** *Adv* infallibly, without fail, inevitably
Unfehlbarkeit *f* infallibility
unfein *Adj* indelicate, unrefined, *präd* not gentlemanlike, not ladylike, not nice, bad form
unfertig *Adj* **1.** unfinished **2.** *fig Person*: immature
unflätig *Adj* filthy, obscene
unfolgsam *Adj* disobedient
unförmig *Adj* shapeless, (*massig*) bulky, (*missgestaltet*) misshapen
unfrankiert *Adj Brief*: unstamped
unfrei *Adj* **1.** not free **2.** *fig* inhibited
unfreiwillig *Adj* involuntary, unintentional, *Humor*: unconscious

U

unfreundlich *Adj* unfriendly, *Klima, Wetter*: inclement, *Zimmer etc*: cheerless **Unfreundlichkeit** *f* unfriendliness, *des Klimas etc*: inclemency
Unfriede(n) *m* (**~ *stiften*** sow) discord
unfruchtbar *Adj* **1.** infertile, *a. fig* barren, sterile **2.** → ***fruchtlos*** **Unfruchtbarkeit** *f* infertility, *a. fig* barrenness
Unfug *m* mischief, (*Unsinn*) nonsense: JUR ***grober* ~** disorderly conduct; **~ *treiben*** be up to mischief
Ungar(in), **ungarisch** *Adj* Hungarian
Ungarn *n* Hungary
ungastlich *Adj* inhospitable
ungeachtet *Präp* (*Gen*) regardless of
ungeahnt *Adj* undreamt-of, unexpected
ungebeten *Adj* unasked, uninvited
ungebildet *Adj* uneducated, uncultured
ungeboren *Adj* unborn
ungebräuchlich *Adj* unusual
ungebraucht *Adj* unused
ungebunden *Adj* **1.** *Buch*: unbound, in sheets **2.** *fig* unattached, independent
ungedeckt *Adj* uncovered (*a. Scheck*), *Kredit*: unsecured, SPORT unmarked
Ungeduld *f* impatience: ***voller* ~** impatiently **ungeduldig** *Adj* impatient
ungeeignet *Adj* (***zu*** for) unsuitable, *Person*: *a.* unqualified, *Zeitpunkt*: inopportune
ungefähr I *Adj* approximate, rough **II** *Adv* approximately, about, around: ***so* ~** s.th. like that; ***wo* ~?** roughly where?
ungefährlich *Adj* harmless, not dangerous, (*sicher*) safe
ungefällig *Adj* unobliging
ungefragt *Adj u. Adv* unasked
ungehalten *Adj* annoyed (***über*** *Akk* at)
ungehemmt I *Adj* unchecked, PSYCH uninhibited **II** *Adv* without restraint
ungeheuer I *Adj* **1.** enormous, immense **2.** F (*toll*) tremendous, terrific **II** *Adv* **3.** enormously (*etc*) **Ungeheuer** *n* monster **ungeheuerlich** *Adj* monstrous, outrageous **Ungeheuerlichkeit** *f* monstrosity, outrage
ungehindert *Adj u. Adv* unhindered
ungehobelt *Adj fig* rude, uncouth
ungehörig *Adj* improper, impertinent
ungehorsam I *Adj* disobedient **II** ≈ *m* (POL ***ziviler* ~** civil) disobedience
ungeklärt *Adj* **1.** *Frage etc*: (still) open, *Fall, Problem etc*: unsolved **2.** *Abwässer*: not treated
ungekünstelt *Adj* unaffected
ungekürzt *Adj Buch*: unabridged, FILM uncut
ungeladen *Adj* **1.** *Gast*: uninvited **2.** *Waffe*: unloaded
ungelegen *Adj* inconvenient: ***das kommt mir sehr* ~!** that doesn't suit me at all! **Ungelegenheiten** *Pl* ***j-m* ~ *machen*** inconvenience s.o.
ungelenk *Adj* clumsy, (*steif*) stiff
ungelernt *Adj Arbeit(er)*: unskilled
ungemein *Adv* immensely
ungemischt *Adj* unmixed
ungemütlich *Adj* uncomfortable (*a. fig Gefühl, Lage etc*): F **~ *werden*** *Person*: get unpleasant
Ungemütlichkeit *f* uncomfortableness
ungenannt *Adj* unnamed, *Person*: *a.* anonymous
ungenau *Adj* inaccurate, inexact, *fig* vague **Ungenauigkeit** *f* inaccuracy
ungeniert I *Adj* uninhibited **II** *Adv* without inhibition, openly
ungenießbar *Adj* **1.** *Speise*: inedible, *Getränk*: undrinkable **2.** F *fig Person*: unbearable
ungenügend *Adj* insufficient, PÄD unsatisfactory, poor
ungenutzt, **ungenützt** *Adj* unused: ***e-e Gelegenheit* ~ *lassen*** let an opportunity slip
ungepflegt *Adj* unkempt, neglected
ungerade *Adj* uneven, *Zahl*: odd
ungerecht *Adj* unjust
ungerechtfertigt *Adj* unjustified
Ungerechtigkeit *f* injustice (***gegen*** to)
ungeregelt *Adj* unregulated, *Leben, Arbeitszeit etc*: irregular
ungern *Adv* unwillingly, reluctantly: ***etw* ~ *tun*** *a.* hate to do s.th.
ungerührt *Adj fig* unmoved (***von*** by)
ungesagt *Adj* (**~ *bleiben*** be left) unsaid
ungesalzen *Adj* unsalted
ungeschehen *Adj* **~ *machen*** undo
Ungeschick *n*, **Ungeschicklichkeit** *f* clumsiness **ungeschickt** *Adj* clumsy
ungeschlagen *Adj fig* undefeated
ungeschliffen *Adj* **1.** *Edelstein*: rough **2.** *fig Person, Benehmen etc*: unpolished
ungeschminkt *Adj* **1.** not made up, without makeup **2.** *fig Bericht etc*: un-

varnished, *Wahrheit etc*: *a.* plain
ungeschoren *Adj* **1.** unshorn **2.** *fig* unmolested: ***j-n ~ lassen*** leave s.o. in peace; ***~ davonkommen*** get off lightly (*ungestraft*: F scot-free)
ungeschrieben *Adj* unwritten
ungeschützt *Adj* unprotected
ungesehen *Adj u. Adv* unseen
ungesellig *Adj* unsociable
Ungeselligkeit *f* unsociableness
ungesetzlich *Adj* illegal, illicit, unlawful **Ungesetzlichkeit** *f* illegality
ungesittet *Adj* uncivilized, (*unmanierlich*) bad-mannered
ungestört *Adj u. Adv* undisturbed
ungestraft **I** *Adj* unpunished **II** *Adv* with impunity: ***~ davonkommen*** go unpunished, F get off scot-free
ungestüm *Adj* impetuous, vehement
Ungestüm *n* impetuosity, vehemence
ungesund *Adj a. fig* unhealthy
ungeteilt *Adj a. fig* undivided
ungetrübt *Adj fig* unspoilt
Ungetüm *n* monster, *fig a.* monstrosity
ungeübt *Adj* untrained
ungewaschen *Adj u. Adv* unwashed
ungewiss *Adj* uncertain: ***j-n im 2en lassen*** keep s.o. guessing; ***Sprung ins 2e*** leap in the dark
Ungewissheit *f* uncertainty: ***in ~ schweben*** be (kept) in suspense
ungewöhnlich *Adj* unusual
ungewohnt *Adj* strange, new (***für*** to)
ungewollt *Adj* unintentional, *Wirkung etc*: unintended, *Baby etc*: unwanted
ungezählt *Adj* uncounted, countless
ungezähmt *Adj* untamed
Ungeziefer *n a. fig* vermin
ungezogen *Adj* naughty
Ungezogenheit *f* naughtiness
ungezügelt *fig* **I** *Adj* unbridled **II** *Adv* unrestrainedly
ungezwungen *Adj* relaxed, informal, casual **Ungezwungenheit** *f* ease
ungiftig *Adj* nontoxic
Unglaube *m* unbelief **unglaubhaft** → ***unglaubwürdig*** **ungläubig** *Adj* incredulous, disbelieving, *a.* REL unbelieving **unglaublich** *Adj* incredible, unbelievable **unglaubwürdig** *Adj* untrustworthy, *Gründe etc*: implausible
ungleich **I** *Adj* **1.** unequal, unlike, dissimilar **II** *Adv* **2.** ***~ lang*** (***groß***) unequal in length (size); ***~ verteilt*** unevenly distributed **3.** *vor Komparativ*: far *better*
Ungleichgewicht *n* imbalance
Ungleichheit *f* **1.** dissimilarity, unlikeness **2.** inequality
ungleichmäßig *Adj* uneven, irregular
Unglück *n* misfortune, (*Pech*) bad luck, (*Missgeschick*) mishap, (*Katastrophe*) disaster: ***es ist*** (***weiter***) ***kein ~!*** it is no tragedy!; ***zu allem ~*** to crown it all; ***~ bringen*** bring ill (*od* bad) luck; ***in sein ~ rennen*** head for disaster **unglücklich** *Adj* unfortunate, (*vom Pech verfolgt*) unlucky, (*traurig, a. Ehe, Kindheit etc*) unhappy, miserable; *Adv* ***~ enden*** end badly; ***~ verliebt*** crossed in love **unglücklicherweise** *Adv* unfortunately **unglückselig** *Adj* unfortunate, *Sache*: *a.* disastrous, fatal
Unglücks|fall *m* misadventure, (*Unfall*) accident **~rabe** *m fig* unlucky fellow **~tag** *m* black day
Ungnade *f* disfavo(u)r: ***in ~ fallen*** fall out of favo(u)r (***bei*** with)
ungnädig *Adj* ungracious
ungültig *Adj* invalid, (null and) void, *Münze*: not legal tender, *Wahlstimme*: spoilt, *Tor*: disallowed: ***~ machen*** (*entwerten*) cancel; ***etw für ~ erklären*** invalidate s.th., declare s.th. null and void
Ungültigkeit *f* invalidity
Ungunst *f* ***zu j-s ~en*** to s.o.'s disadvantage **ungünstig** *Adj allg* unfavo(u)rable, *Termin etc*: inconvenient
ungut *Adj* bad: ***ein ~es Gefühl haben*** have misgivings (***bei*** about); ***nichts für ~!*** no offen/ce (*Am* -se)!
unhaltbar *Adj* **1.** *Argumente etc*: untenable **2.** *Zustände*: intolerable **3.** SPORT *Ball, Schuss etc*: unstoppable
unhandlich *Adj* unwieldy
unharmonisch *Adj a. fig* discordant
Unheil *n* (*Schaden*) harm, (*Katastrophe*) disaster: ***~ anrichten*** wreak havoc; ***~ bringend*** fatal
unheilbar *Adj* incurable: *Adv* ***~ krank*** suffering from an incurable disease
unheilvoll *Adj* disastrous, *Blick etc*: sinister
unheimlich **I** *Adj* **1.** uncanny, weird (*beide a. fig*), creepy, eerie **2.** F *fig* tremendous, terrific **II** *Adv* **3.** F *fig* (*sehr*) tremendously, awfully: ***~ gut*** terrific, fantastic; ***~ viel*** a tremendous lot of
unhöflich *Adj* impolite

Unhöflichkeit *f* impoliteness
Unhold *m* monster, fiend
unhygienisch *Adj* unhygienic(ally *Adv*)
Uni *f* F university
uniform *Adj*, **Uniform** *f* uniform
uniformiert *Adj u. Adv* in uniform
Unikum *n a. iron* unique specimen
uninteressant *Adj* uninteresting, not interesting **uninteressiert** *Adj* uninterested (***an*** *Dat* in)
Union *f* union: POL ***die ~*** the Christian-Democratic Union (*od* Party); ***Europäische ~*** European Union
universal *Adj* universal
Universal|erbe *m* sole heir **~erbin** *f* sole heiress
universell *Adj* universal
Universität *f* (***auf*** *od* ***an der ~*** at the) university; ***e-e ~ besuchen*** go to university **Universitäts...** university (*library, hospital, studies, etc*)
Universum *n* universe
unken *v/i* F *fig* croak
unkenntlich *Adj* unrecognizable
Unkenntnis *f* ignorance: ***in ~ der Gefahr*** unaware of the danger; ***j-n in ~ lassen*** keep s.o. in the dark (***über*** *Akk* about)
unklar *Adj* unclear, *präd* not clear, *fig a.* vague, obscure, (*verworren*) muddled, (*undeutlich*) indistinct, (*ungewiss*) uncertain: *fig* ***im ℒen sein*** be in the dark (***über*** *Akk* about) **Unklarheit** *f* unclearness, lack of clarity, vagueness
unklug *Adj* unwise, imprudent
unkompliziert *Adj* uncomplicated
unkontrollierbar *Adj* uncontrollable
unkontrolliert *Adj* uncontrolled
Unkosten *Pl* costs *Pl*, expenses *Pl*: ***allgemeine*** (*od* ***laufende***) ***~*** running expenses, WIRTSCH overhead *Sg*; → ***stürzen*** 6
Unkraut *n* weed(s *Pl*): *fig* ***~ vergeht nicht*** ill weeds grow apace **Unkrautvernichtung** *f* weed-killing **Unkrautvertilgungsmittel** *n* weed killer
unkritisch *Adj* uncritical
unkultiviert *Adj* uncultivated
unkündbar *Adj Stellung*: permanent, *Vertrag etc*: not terminable
unlängst *Adv* lately, recently
unlauter *Adj fig* dubious: WIRTSCH ***~er Wettbewerb*** unfair competition
unleserlich *Adj* illegible
unlieb *Adj* ***es ist mir nicht ~(, dass ...)*** it suits me quite fine (that ...)
unliebenswürdig *Adj* unamiable, unfriendly
unliebsam *Adj* unpleasant
unlini(i)ert *Adj* unruled
unlogisch *Adj* illogical
unlösbar *Adj Problem etc*: insoluble
unlöslich *Adj* CHEM insoluble
Unlust *f* listlessness, (*Widerwille*) aversion: ***mit ~*** with reluctance
unlustig *Adj* listless, reluctant
unmanierlich *Adj* ill-mannered
unmännlich *Adj* effeminate
Unmasse *f* F → ***Unmenge***
unmaßgeblich *Adj* unauthoritative: *iron* ***nach m-r ~en Meinung*** in my humble opinion
unmäßig *Adj* excessive, immoderate
Unmäßigkeit *f* immoderateness
Unmenge *f* vast amount (*od* number), F loads *Pl* (***von*** of)
Unmensch *m* monster, brute: F ***sei kein ~!*** have a heart! **unmenschlich** *Adj* **1.** inhuman, cruel **2.** F *fig* awful **Unmenschlichkeit** *f* inhumanity, cruelty
unmerklich *Adj* imperceptible
unmethodisch *Adj* unmethodical
unmissverständlich I *Adj* unmistakable **II** *Adv* unmistakably, (*offen*) plainly
unmittelbar I *Adj* immediate, direct **II** *Adv* immediately, directly: ***~ vor*** (*Dat*) right in front of, *zeitlich*: just before; ***~ bevorstehen*** be imminent
unmöbliert *Adj* unfurnished
unmodern *Adj* outmoded, dated
unmöglich I *Adj* impossible (*a.* F *fig Person, Kleid, Situation etc*): ***ℒes leisten*** (***verlangen***) do (ask) the impossible; *fig* ***~ aussehen*** look a sight; ***sich ~ machen*** **a)** compromise o.s., **b)** make a fool of o.s **II** *Adv* not possibly: ***ich kann es ~ tun*** I can't possibly do it
Unmöglichkeit *f* impossibility
unmoralisch *Adj* immoral
unmotiviert *Adj* unmotivated
unmündig *Adj* under age, minor
unmusikalisch *Adj* unmusical
Unmut *m* annoyance (***über*** *Akk* at)
unnachahmlich *Adj* inimitable
unnachgiebig *Adj* unyielding
unnachsichtig *Adj* strict, severe

unnahbar *Adj* unapproachable, standoffish
Unnahbarkeit *f* unapproachableness
unnatürlich *Adj* **1.** unnatural (*a. fig*) **2.** (*gekünstelt*) affected
unnötig *Adj* unnecessary
unnütz *Adj* useless
unordentlich *Adj* disorderly, untidy
Unordnung *f* disorder, mess: ***in ~ sein*** be in a mess; ***etw in ~ bringen*** mess s.th. up
unorganisch *Adj* inorganic
unparteiisch *Adj* impartial
Unparteiische *m, f* SPORT referee
unpassend *Adj* inappropriate, unsuitable, (*unschicklich*) improper, (*ungelegen*) untimely, inconvenient
unpassierbar *Adj* impassable
unpässlich *Adj* ***~ sein, sich ~ fühlen*** be indisposed, feel unwell
Unpässlichkeit *f* indisposition
unpatriotisch *Adj* unpatriotic(ally *Adv*)
Unperson *f* nonperson
unpersönlich *Adj* impersonal
unpolitisch *Adj* apolitical
unpopulär *Adj* unpopular
unpraktisch *Adj* impractical
unproblematisch *Adj* unproblematic
unproduktiv *Adj* unproductive, WIRTSCH nonproductive
unpünktlich *Adj* unpunctual
Unpünktlichkeit *f* unpunctuality
unqualifiziert *Adj* unqualified
unrasiert *Adj* unshaven
Unrat *m* rubbish, (*Schmutz, a. fig*) filth: F ***~ wittern*** smell a rat
unrationell *Adj* inefficient
unratsam *Adj* inadvisable
unrecht *Adj* wrong: ***zur ~en Zeit*** at the wrong time; ***etw 2es tun*** do s.th. wrong; *Adv* ***(an j-m) ~ handeln*** do (s.o.) wrong; ***j-m ~ tun*** do s.o. wrong
Unrecht *n* wrong, injustice: ***im ~ sein, ~ haben*** be (in the) wrong, (*sich irren*) *a.* be mistaken; ***j-m ~ geben*** disagree with s.o., *fig Resultat etc*: prove s.o. wrong; ***j-n ins ~ setzen*** put s.o. in the wrong; ***zu ~*** wrong(ful)ly, unjustly; ***nicht zu ~*** not without good reason
unrechtmäßig *Adj* wrongful, unlawful
unredlich *Adj* dishonest
Unredlichkeit *f* dishonesty
unreell *Adj* dishonest
unregelmäßig *Adj* irregular
Unregelmäßigkeit *f* irregularity
unreif *Adj* **1.** unripe, *Früchte*: *a.* green **2.** *fig* immature
unrein *Adj* impure (*a. fig*), *Haut*: bad
Unreinheit *f* impurity
unreinlich *Adj* unclean
unrentabel *Adj* unprofitable
unrettbar *Adj* irrecoverable: *Adv* ***~ verloren*** irretrievably lost, *Person*: beyond help
unrichtig *Adj* incorrect, wrong **Unrichtigkeit** *f* incorrectness, (*Fehler*) error
Unruh *f der Uhr*: balance
Unruhe *f* restlessness, (*Besorgnis*) uneasiness, anxiety, (*Bewegung*) commotion, *stärker*: tumult: POL ***~n*** *Pl* unrest *Sg*, disturbances *Pl* **~herd** *m* trouble spot
Unruhestifter(in) troublemaker
unruhig *Adj* **1.** restless, fidgety **2.** *fig Schlaf, Zeiten*: troubled, (*besorgt*) uneasy, worried **3.** (*laut*) noisy
unrühmlich *Adj* inglorious
uns I *Personalpron* **1.** us, to us: ***ein Freund von ~*** a friend of ours **II** *Reflexivpron* **2.** ourselves: ***wir waschen ~*** we wash (ourselves) **3.** (*einander*) each other, one another
unsachgemäß *Adj* improper
unsachlich *Adj* unobjective, irrelevant, *präd* beside the point: ***~ werden*** become personal
unsafe *Adj* unsafe: ***unsafer Sex*** unsafe sex
unsagbar, unsäglich *Adj* unspeakable
unsanft *Adj* rough: *fig* ***ein ~es Erwachen*** a rude awakening
unsauber *Adj* **1.** dirty **2.** *fig* (*unlauter*) unfair (*a. Sport*), dubious
unschädlich *Adj* harmless: ***~ machen*** render harmless, (*Gift*) neutralize, (*Gegner*) put *s.o.* out of action, (*Verbrecher*) lay *s.o.* by the heels
unscharf *Adj* blunt, *Bild*: blurred: OPT ***~ (eingestellt)*** out of focus
unschätzbar *Adj* invaluable
unscheinbar *Adj* insignificant, inconspicuous, *Äußeres*: plain
unschicklich *Adj* unseemly, improper
unschlagbar *Adj* unbeatable
unschlüssig *Adj* irresolute
Unschlüssigkeit *f* irresolution
unschön *Adj* **1.** unlovely, ugly **2.** *fig* un-

kind, *präd* not nice, (*unerfreulich*) unpleasant
Unschuld *f* innocence: ***ich wasche m-e Hände in ~*** I wash my hands of it
unschuldig *Adj* innocent (***an*** *Dat* of): JUR ***sich für ~ erklären*** plead not guilty
unschwer *Adv* easily
unselbstständig *Adj* **1.** dependent (on others), helpless **2.** (*angestellt*) employed: ***Einkünfte aus ~er Arbeit*** wage and salaries income **Unselbstständigkeit** *f* lack of independence
unselig *Adj* unfortunate, fatal
unser I *Possessivpron* our, ours: ***der*** (***die, das***) ***~e*** (*od* ***uns[e]rige***) ours; ***wir haben das ~e getan*** we have done our bit **II** *Gen von* ***wir***: of us
unsereiner, unsereins, unseresgleichen *Indefinitpron* F people like us
unser(e)twegen *Adv* for our sake, (*wegen uns*) because of us
unseriös *Adj* dubious
unsicher *Adj* **1.** unsafe, insecure, risky: F *die Gegend* ***~ machen*** *Verbrecher etc*: prowl, *hum Touristen etc*: infest **2.** (*ungewiss*) uncertain **3.** (*wacklig*) unsteady, shaky (*a. fig* ***in*** *Dat* in) **4.** insecure, unsure (of o.s.): ***j-n ~ machen*** make s.o. feel insecure **Unsicherheit** *f* **1.** unsafeness, insecurity **2.** (*Ungewissheit*) uncertainty **3.** unsteadiness **4.** *e-r Person*: unsureness (of o.s.), insecurity
Unsicherheitsfaktor *m* element of uncertainty
unsichtbar *Adj* invisible
Unsichtbarkeit *f* invisibility
Unsinn *m* **1.** (***~ reden*** talk) nonsense (*od* rubbish) **2.** ***~ machen*** fool around
unsinnig *Adj* F *fig* unreasonable, absurd, (*sehr groß*) tremendous, terrible
Unsitte *f* bad habit
unsittlich *Adj* immoral, indecent
Unsittlichkeit *f* immorality
unsolide *Adj* **1.** unsolid **2.** *Person, Leben etc*: loose **3.** *Firma etc*: dubious
unsozial *Adj* antisocial
unsportlich *Adj* **1.** *Person*: unathletic **2.** *fig* unfair, unsporting
unsterblich I *Adj* immortal **II** *Adv* F awfully: ***~ verliebt*** madly in love (***in*** *Akk* with) **Unsterblichkeit** *f* immortality
unstet *Adj* inconstant, (*ruhelos*) restless
unstillbar *Adj Durst*: unquenchable, *Hunger*: insatiable, *fig* unappeasable
Unstimmigkeit *f mst Pl* **1.** discrepancy **2.** (*Streit*) disagreement, difference
unstreitig *Adj* indisputable
Unsumme *f* enormous sum
unsymmetrisch *Adj* asymmetrical
unsympathisch *Adj* disagreeable, unpleasant: ***er ist mir ~*** I don't like him
Untat *f* atrocity, outrage
untätig *Adj* inactive, idle
Untätigkeit *f* inactivity, idleness
untauglich *Adj* unfit (*a.* MIL), unsuitable
Untauglichkeit *f* unfitness (*etc*)
unteilbar *Adj* indivisible
unten *Adv* below, *im Haus*: downstairs: ***da ~*** down there; ***nach ~*** down(wards), *im Haus*: downstairs; ***~ auf der Seite*** (***im Fass***) at the bottom of the page (barrel); ***siehe ~!*** see below!; ***von oben bis ~*** from top to bottom (*bei Personen*: to toe); F ***er ist bei mir ~ durch*** I am through with him; ***~ erwähnt, ~ genannt*** undermentioned, mentioned below
unter *Präp* **1.** under, *örtlich, rangmäßig*: *a.* below, (*weniger als*) *a.* less than: ***~ null*** below zero; ***~ sich haben*** be in charge of; ***was versteht man ~ …?*** what is meant by …?; → ***Bedingung, Hand, Träne*** *etc* **2.** (*zwischen, bei*) among: ***einer ~ hundert*** one in a hundred; ***~ anderem*** among other things; ***~ uns gesagt*** between you and me; ***wir sind ganz ~ uns*** we are quite alone **3.** (*während*) during: ***~ s-r Regierung*** under (*od* during) his reign; ***~ dem 1. Mai*** under the date of May 1st
Unter|abteilung *f* subdivision **~arm** *m* forearm **~art** *f* subspecies **~ausschuss** *m* subcommittee **~bau** *m* substructure, foundation, *fig a.* base, *bes* WIRTSCH infrastructure
unterbelichten *v/t* FOTO underexpose
Unterbelichtung *f* FOTO underexposure
unter|beschäftigt *Adj* underemployed **~besetzt** *Adj* understaffed **~bewerten** *v/t* undervalue, *fig a.* underrate
unterbewusst *Adj* subconscious
Unterbewusstsein *n the* subconscious: ***im ~*** subconsciously
unterbezahlt *Adj* underpaid
unterbieten *v/t* underbid, (*Rekord*)

beat, (*Preis*) undercut, (*Konkurrenz*) undersell **unterbinden** *v/t fig* stop, (*verhindern*) prevent **unterbleiben** *v/i* be left undone, not to take place: ***das hat sofort zu ~!*** this must stop at once!
Unterbodenschutz *m* MOT underseal
unterbrechen I *v/t allg, a.* IT interrupt, TEL cut off, (*Spiel*) hold up, JUR adjourn: ***die Fahrt*** (*od* ***Reise***) ~ break one's journey **II** *v/refl* ***sich ~*** pause
Unterbrechung *f* interruption, break, *der Fahrt*: *a.* stopover
unterbreiten *v/t* submit (*Dat* to): ***j-m e-n Vorschlag ~*** make s.o. a proposal
unterbringen *v/t* **1.** (*j-n*) accommodate, (*Gast*) *a.* put *s.o.* up; ***j-n in*** *e-m Heim, Krankenhaus etc* ~ put s.o. into, JUR commit s.o. to; ***j-n ~ in*** (*od* ***bei***) *e-r Firma etc*: get s.o. a job with; F *fig* ***ich kann ihn nicht ~*** I can't place him **2.** (*lagern*) store, (*verstauen*) stow (away): ***etw ~ in*** (*Dat*) get (*od* fit) s.th. into, TECH install s.th. in **3.** *Aufträge, Kapital etc* ~ ***bei*** place *s.th.* with; ***ein Buch bei e-m Verlag ~*** have a book accepted by publishers **Unterbringung** *f* accommodation, housing, JUR committal (***in*** *Dat* to)
Unterbringungsmöglichkeit(en *Pl*) *f* accommodation *Sg*
unterbuttern *v/t* F ***j-n ~*** push s.o. under
Unterdeck *n* SCHIFF lower deck
unterderhand → ***Hand***
unterdessen *Adv* in the meantime
unterdrücken *v/t allg* suppress (*a. Veröffentlichung*), (*Gähnen, Lachen etc*) *a.* stifle, (*Aufstand*) put down, quell, (*Volk etc*) oppress **Unterdrücker(in)** oppressor **Unterdrückung** *f* suppression, oppression
unterdurchschnittlich *Adj* below average
untere *Adj* lower
'**untereinander**[1] *Adv* one below the other **unterei'nander**[2] *Adv* among one another (*od* each other, themselves, yourselves, *etc*)
unterentwickelt *Adj* underdeveloped (*a.* FOTO), *Kind, Land etc*: *a.* backward, PSYCH subnormal
unterernährt *Adj* underfed, undernourished
Unterernährung *f* malnutrition
Unterfangen *n* venture, undertaking, (*Versuch*) attempt
Unterführung *f* underpass, (*Fußgänger*2) subway
Unterfunktion *f* MED hypofunction
Untergang *m* **1.** *der Sonne etc*: setting **2.** SCHIFF sinking **3.** *fig* (down)fall, decline
Untergattung *f* subgenus
Untergebene *m, f* subordinate
untergehen *v/i* go down, go under (*beide a. fig*), SCHIFF *a.* sink, *Sonne etc*: *a.* set: *fig* ***im Lärm ~*** *Worte etc*: be drowned out (*od* lost) by the noise
untergeordnet *Adj* **1.** subordinate (*Dat* to) **2.** *Bedeutung etc*: secondary
Untergeschoss, Untergeschoß *österr. n* basement, *Br a.* lower ground floor
Untergestell *n* MOT underframe
Untergewicht *n* (***~ haben*** be) underweight
untergliedern *v/t* subdivide
untergraben *v/t a. fig* undermine
Untergrund *m* **1.** GEOL subsoil **2.** MALEREI ground(ing) **3.** POL (***in den ~ gehen*** go) underground **~bewegung** *f* POL underground movement **~kämpfer(in)** POL underground fighter
unterhalb I *Präp* (*Gen*) below, under **II** *Adv* below, underneath
Unterhalt *m* **1.** support, maintenance **2.** → ***Lebensunterhalt*** **unterhalten I** *v/t* **1.** (*Einrichtung etc*) maintain, (*Familie etc*) *a.* support, (*Beziehungen, Briefwechsel*) keep up **2.** entertain, amuse **II** *v/refl* **3.** ***sich ~*** talk (***mit*** with, to) **4.** ***sich*** (***gut***) ~ enjoy o.s., have a good time **unterhaltend** → ***unterhaltsam***
Unterhalter(in) entertainer **unterhaltsam** *Adj* entertaining, amusing
Unterhalts|beihilfe *f* maintenance grant **2berechtigt** *Adj* entitled to maintenance **~kosten** *Pl* maintenance costs *Pl* **~pflicht** *f* obligation to pay maintenance **2pflichtig** *Adj* liable for maintenance **~zahlung** *f* maintenance payment
Unterhaltung *f* **1.** entertainment **2.** conversation, talk **3.** *e-r Anlage, e-s Instituts etc*: upkeep, maintenance
Unterhaltungs... entertainment (*concert, film, industry, etc*) **~branche** *f* (***in der ~*** in) show business **~elektronik** *f* video and audio systems *Pl* **~industrie** *f* entertainment industry **~musik** *f* light music **~roman** *m* light novel

U

~wert *m* entertainment value
Unterhändler(in) negotiator **Unterhandlung** *f* negotiation: ***in ~en treten*** enter into negotiations (***mit*** with)
Unterhaus *n* PARL *Br* House of Commons
Unterhemd *n* vest, *Am* undershirt
Unterholz *n* undergrowth
Unterhose *f* (***e-e ~*** a pair of) underpants *Pl*
unterirdisch *Adj* subterranean, *a. fig* underground
unterjochen *v/t* subjugate
unterjubeln *v/t* F ***j-m etw ~*** foist s.th. (off) on s.o.
Unterkiefer *m* ANAT lower jaw
Unterkleidung *f* underwear
unterkommen *v/i* find accommodation (*od* lodgings): ***~ in*** (*Dat*) find a place in; F ***~ bei*** *e-r Firma etc*: find a job with
Unterkörper *m* lower part of the body
unterkriegen *v/t* F ***j-n ~*** get s.o. down; ***sich nicht ~ lassen*** hold one's own; ***lass dich nicht ~!*** keep your tail up!
Unterkühlung *f* MED hypothermia
Unterkunft *f* accommodation, lodging(s *Pl*), quarters *Pl*: ***~ und Verpflegung*** board and lodgings
Unterlage *f* **1.** TECH base, support **2.** *fig* basis **3.** *Pl* (*Akten etc*) documents *Pl*, records *Pl*, (*Angaben*) data *Pl*
Unterlass *m* ***ohne ~*** incessantly
unterlassen *v/t* omit: ***etw ~*** (*versäumen*) *a.* fail to do s.th., (*bleiben lassen*) refrain from (doing) s.th.; ***unterlass das!*** stop that! **Unterlassung** *f* omission
Unterlassungs|klage *f* JUR action for injunction **~sünde** *f* sin of omission
Unterlauf *m e-s Flusses*: lower course
unterlaufen I *v/t fig* (*Gesetz etc*) dodge **II** *v/i* ***mir ist ein Fehler ~*** I've made a mistake
'unterlegen[1] *v/t* lay (*od* put) *s.th.* under
unter'legen[2] *Adj* inferior (*Dat* to), (*besiegt*) losing, defeated
Unterlegene *m, f* loser
Unterlegenheit *f* inferiority
Unterleib *m* abdomen, belly
Unterleibchen *n österr., schweiz., südd.* vest
Unterleibs... abdominal
unterliegen *v/i* **1.** (*Dat*) be defeated (*od* beaten) (by), lose (to), *e-r Versuchung etc*: succumb (to) **2.** (*e-r Bestimmung etc*) be subject (to): ***es unterliegt k-m Zweifel, dass*** there is no doubt that
Unterlippe *f* lower lip
Untermalung *f* ***musikalische ~*** musical background
untermauern *v/t a. fig* underpin
untermengen *v/t* mix in
Untermensch *m* subhuman creature
Untermiete *f* **1.** subtenancy: ***in*** (*od* ***zur***) ***~ wohnen*** be a subtenant (*Am* roomer), lodge (***bei*** with) **2.** sublease: → ***untervermieten*** **Untermieter(in)** subtenant, lodger, *Am* roomer
unterminieren *v/t a. fig* undermine
unternehmen *v/t* (*Reise etc*) make, go on, (*tun*) do: ***etw ~ gegen*** **a)** ***j-n*** take action against s.o., **b)** ***etw*** do s.th. about s.th.; ***er unternahm nichts*** he did nothing **Unternehmen** *n* **1.** firm, business, enterprise, company **2.** (*Vorhaben*) undertaking, enterprise, project: (***gewagtes***) ~ venture **3.** MIL operation
Unternehmensberater(in) management consultant **Unternehmensberatung** *f* management consultancy **Unternehmensführung** *f* management
Unternehmer(in) businessman (businesswoman), entrepreneur (entrepreneuse), *vertraglich*: contractor, (*Arbeitgeber[in]*) employer, *weit. S.* industrialist

⚠ **Unternehmer**	≠	**undertaker**
Unternehmer	=	businessman, entrepreneur
undertaker	=	Leichenbestatter

unternehmerisch *Adj* entrepreneurial
Unternehmerschaft *f the* employers *Pl*, *the* management
Unternehmertum *n* **1.** entrepreneurship: ***freies ~*** free enterprise **2.** → ***Unternehmerschaft***
Unternehmungsgeist *m* (spirit of) enterprise, initiative
unternehmungslustig *Adj* enterprising
Unteroffizier(in) noncommissioned officer (*Abk* NCO), *Dienstgrad*: sergeant, FLUG corporal
unterordnen I *v/t* subordinate (*Dat* to)

II *v/refl* ***sich ~*** submit (*Dat* to)
Unterordnung *f* **1.** subordination **2.** BIOL suborder
Unterpfand *n* pledge
unterprivilegiert *Adj* underprivileged
Unterredung *f* talk, conversation
Unterricht *m* instruction, (*Stunden*) lessons *Pl*, (*Schul*2) *a.* classes *Pl*: ***~ geben*** teach, give lessons (*Dat* to)
unterrichten I *v/t u. v/i* **1.** teach, give lessons (*Dat* to) **2.** inform (***von, über*** *Akk* of): (***gut***) ***unterrichtete Kreise*** (well-) informed circles **II** *v/refl* **3.** ***sich ~*** inform o.s. (***über*** *Akk* about)
Unterrichts|einheit *f* teaching unit **~raum** *m* classroom **~stunde** *f* lesson
Unterrichtung *f* **1.** instruction **2.** information
Unterrock *m* slip
untersagen *v/t* forbid, VERW prohibit: ***j-m etw ~*** forbid s.o. (to do) s.th., prohibit s.o. from doing s.th.
Untersatz *m allg* stand, *für Gläser*: mat, *für Blumentöpfe*: saucer: F ***fahrbarer ~*** wheels *Pl*
unterschätzen *v/t* underestimate
unterscheiden I *v/t u. v/i* distinguish (***zwischen*** between, ***von*** from): ***etw ~ von*** *a.* tell s.th. apart from; ***das unterscheidet ihn von ...*** that sets him apart from ... **II** *v/refl* ***sich ~*** differ (***von*** from, ***dadurch, dass*** in *Ger*) **unterscheidend** *Adj* distinctive **Unterscheidung** *f* differentiation, (*Unterschied*) difference **Unterscheidungsmerkmal** *n* distinguishing mark
Unterschenkel *m* ANAT lower leg
Unterschicht *f* SOZIOL lower classes *Pl*
Unterschied *m* difference: ***e-n ~ machen*** (***zwischen*** between) distinguish, (*a. unterschiedlich behandeln*) discriminate; ***das macht k-n ~*** that makes no difference; ***ohne ~*** indiscriminately; ***zum ~ von*** unlike, in contrast to; ***das ist ein großer ~*** that makes a great difference **unterschiedlich** *Adj* different, varying, (*schwankend*) variable; *Adv* ***~ behandeln*** discriminate between
unterschiedslos I *Adj* indiscriminate **II** *Adv* without exception
unterschlagen *v/t* (*Geld*) embezzle, (*Brief*) intercept, (*Testament etc*) suppress, (*Tatsache etc*) *a.* hold back
Unterschlagung *f* embezzlement, interception, suppression
Unterschlupf *m* **1.** hiding place, F hideout **2.** (*Obdach*) shelter, refuge
unterschlüpfen *v/i* **1.** hide **2.** take shelter (***bei*** with)
unterschreiben *v/t u. v/i* **1.** sign **2.** *fig* subscribe (to)
Unterschrift *f* signature: → ***setzen*** 1
Unterschriftenmappe *f* signature blotting book **unterschriftsberechtigt** *Adj* authorized to sign
unterschwellig *Adj* subliminal
Unterseeboot *n* submarine
unterseeisch *Adj* submarine
Unterseite *f* underside, bottom
untersetzt *Adj* stocky
unterst *Adj* lowest: ***das* 2*e zuoberst kehren*** turn everything upside down
Unterstand *m* shelter, MIL *a.* dugout
unterstehen I *v/i* ***j-m ~*** be subordinate (*verantwortlich*: answerable) to s.o., be under s.o.'s supervision **II** *v/refl* ***sich ~ zu*** *Inf* dare to *Inf*; ***was ~ Sie sich?*** how dare you?
'unterstellen[1] **I** *v/t* ***etw ~ in*** (*Dat*) put s.th. in(to) **II** *v/refl* ***sich ~*** take shelter
unter'stellen[2] *v/t* **1.** ***j-m j-n*** (***etw***) ***~*** put s.o. in charge of s.o. (s.th.) **2.** *fig* ***j-m etw ~*** impute s.th. to s.o. **3.** (*annehmen*) suppose, assume **Unterstellung** *f* (*Behauptung*) allegation, suggestion
unterstreichen *v/t* underline, *fig* (*betonen*) *a.* emphasize
Unterstufe *f* PÄD lower grades *Pl*
unterstützen *v/t allg, a. finanziell*: support (*a. Antrag, Kandidaten etc*), back (up), (*helfen*) assist, aid, help **Unterstützung** *f* **1.** support, *finanzielle*: aid, grant, (*Subvention*) subsidy, (*Fürsorge*) welfare (payments *Pl*) **2.** *fig* (*Beistand*) support, aid, assistance, help
untersuchen *v/t* examine (*a.* MED), inspect, check, (*e-n Fall etc, a.* JUR *u. wissenschaftlich*) investigate, CHEM *u. fig* analy/se (*Am* -ze): ***etw ~ auf*** (*Akk*) test s.th. for **Untersuchung** *f* examination, MED *a.* checkup, inspection, test, *e-s Falles etc, a.* JUR *u. wissenschaftlich*: investigation, CHEM *u. fig* analysis
Untersuchungs|ausschuss *m* fact-finding committee **~gefangene** *m, f* prisoner on remand **~gefängnis** *n* remand prison **~haft** *f* detention pending trial: ***in ~ sein*** be on remand **~rich-**

ter(in) examining magistrate
Untertan(in) subject
Untertasse *f* (***fliegende ~*** flying) saucer
untertauchen *v/i* **1.** *a. v/t* duck **2.** *fig* disappear, go into hiding, *bes* POL go underground
Unterteil *m, n* lower part, base
unterteilen *v/t* subdivide
Unterteilung *f* subdivision
Untertitel *m* subtitle, FILM *a.* caption
Unterton *m a. fig* undertone
untertreiben *v/t u. v/i* understate
Untertreibung *f* understatement
untertunneln *v/t* tunnel through
untervermieten *v/t* sublet
unterversichert *Adj* underinsured
unterwandern *v/t* infiltrate
Unterwanderung *f* infiltration
Unterwäsche *f* underwear
Unterwasser… underwater (*camera, massage, etc*)
unterwegs *Adv* on the (*od* one's) way (***nach*** to), (*auf Reisen*) away: ***immer ~*** always on the move
unterweisen *v/t* instruct
Unterweisung *f* instruction
Unterwelt *f allg* underworld
unterwerfen I *v/t* **1.** (*Land, Volk*) subdue, subjugate **2.** (*e-r Prüfung, Belastung etc*) subject (to) **II** *v/refl* ***sich ~*** **3.** *a. fig* submit (*Dat* to) **Unterwerfung** *f* **1.** subjugation, subjection **2.** *fig* submission (***unter*** *Akk* to) **unterworfen** *Adj* **1.** *Land, Volk*: subdued **2.** ***e-r Sache ~ sein*** be subject to s.th.
Unterwürfigkeit *f* submissiveness
unterzeichnen *v/t u. v/i* sign **Unterzeichner(in) 1.** signer, undersigned **2.** (*Gen* to) *e-r Anleihe, Resolution etc*: subscriber, *e-s Staatsvertrages*: signatory **Unterzeichnete** *m, f* undersigned **Unterzeichnung** *f* signing
'unterziehen[1] *v/t* put on underneath
unter'ziehen[2] *v/t* subject (*Dat* to): ***sich e-r Operation ~*** undergo an operation; ***sich e-r Prüfung ~*** take an examination
Untiefe *f* shallow, shoal
Untier *n a. fig* monster
untragbar *Adj Verhalten etc*: intolerable, *Kosten, Preise etc*: prohibitive
untrennbar *Adj* inseparable
untreu *Adj* (*Dat* to) unfaithful (*a. Ehepartner*), disloyal **Untreue** *f* unfaithfulness, disloyalty, *eheliche*: infidelity
untröstlich *Adj* inconsolable
untrüglich *Adj Instinkt etc*: unerring, *Zeichen etc*: sure
untüchtig *Adj* incapable, incompetent
Untugend *f* vice, bad habit
untypisch *Adj* atypical
unüberbrückbar *Adj fig* unbridgeable
unüberlegt *Adj* ill-considered, unwise
unübersehbar *Adj* immense, vast
unübersetzbar *Adj* untranslatable
unübersichtlich *Adj Kurve etc*: blind, *in der Anordnung*: badly arranged, (*verworren*) unclear, confused
unübertrefflich *Adj* unsurpassable
unüberwindlich *Adj* invincible, *Schwierigkeit*: insurmountable, *a. Abneigung*: insuperable
unumgänglich *Adj* unavoidable: ***~ (notwendig)*** indispensable, absolutely necessary **unumkehrbar** *Adj* irreversible
unumschränkt *Adj* unlimited, POL absolute **unumstößlich** *Adj Tatsache etc*: irrefutable, *Entscheidung etc*: irrevocable **unumstritten** *Adj* undisputed
unumwunden *Adv* straight out, frankly
ununterbrochen *Adj* uninterrupted, (*unaufhörlich*) incessant
unveränderlich *Adj* unchanging, MATHE, LING invariable
unverändert *Adj* unchanged
unverantwortlich *Adj* irresponsible
unveräußerlich *Adj* inalienable
unverbesserlich *Adj* incorrigible
unverbindlich *Adj Angebot etc*: without obligation (*a. Adv*), *Antwort etc*: noncommittal
unverbleit *Adj* unleaded
unverblümt *Adj* plain, blunt
unverbraucht *Adj* unused, *fig* unspent
unverbrüchlich *Adj* sta(u)nch
unverbürgt *Adj* unconfirmed
unverdächtig *Adj* unsuspicious
unverdaulich *Adj a. fig* indigestible
unverdaut *Adj a. fig* undigested
unverdient *Adj* undeserved
unverdientermaßen *Adv* undeservedly
unverdorben *Adj* unspoilt, *fig a.* uncorrupted
unverdrossen *Adj* indefatigable, (*geduldig*) patient
unverdünnt *Adj* undiluted

unvereinbar *Adj* incompatible, *Gegensätze*: irreconcilable
unverfälscht *Adj* unadulterated, pure, *fig a.* genuine
unverfänglich *Adj* harmless
unverfroren *Adj* brazen, F cheeky
Unverfrorenheit *f* brazenness, impertinence, F cheek
unvergänglich *Adj* immortal, everlasting
Unvergänglichkeit *f* immortality
unvergessen *Adj* unforgotten
unvergesslich *Adj* unforgettable
unvergleichlich *Adj* incomparable
unverhältnismäßig *Adv* disproportionately: ***~ hoch*** excessive
unverheiratet *Adj* unmarried, single
unverhofft *Adj* unhoped-for, (*unerwartet*) unexpected
unverhohlen *Adj* undisguised, open
unverhüllt *Adj fig* undisguised
unverkäuflich *Adj* unsal(e)able, not for sale **unverkauft** *Adj* unsold
unverkennbar *Adj* unmistakable
unverletzlich *Adj fig* inviolable
unverletzt *Adj u. Adv* uninjured, unhurt
unvermeidlich *Adj* unavoidable, inevitable (*a. iron*): ***sich ins 2e fügen*** bow to the inevitable
unvermindert *Adj* undiminished
unvermittelt *Adj* abrupt
Unvermögen *n* inability, incapacity
unvermutet *Adj* unexpected
Unvernunft *f* unreasonableness, folly
unvernünftig *Adj* unreasonable, foolish
unveröffentlicht *Adj* unpublished
unverrichteterdinge → ***Ding***
unverschämt *Adj* impudent, impertinent, *Lüge*: barefaced, F *Preis, Forderung etc*: outrageous
Unverschämtheit *f* impudence, impertinence, insolence: ***die ~ haben zu*** *Inf* F have the cheek to *Inf*
unverschuldet *Adj u. Adv* through no fault of one's own
unversehens *Adv* unexpectedly, all of a sudden
unversehrt *Adj* unharmed, intact
unversichert *Adj* uninsured
unversiegbar *Adj* inexhaustible
unversöhnlich *Adj a. fig* irreconcilable
unverstanden *Adj* (***sich ~ fühlen*** feel) misunderstood **unverständig** *Adj* ignorant **unverständlich** *Adj* (*Dat* to) unintelligible, (*unbegreiflich*) incomprehensible, *Grund etc*: obscure: ***es ist mir ~, warum*** (***wie*** *etc*) I can't understand (F it beats me) why (how *etc*)
unversteuert *Adj* untaxed
unversucht *Adj* ***nichts ~ lassen*** (***um zu*** to) try everything, leave no stone unturned
unverträglich *Adj* **1.** (*zänkisch*) quarrelsome **2.** *Speise*: indigestible **3.** (*unvereinbar*) incompatible (*a.* MED)
unverwechselbar *Adj* unmistakable
unverwundbar *Adj* invulnerable
unverwüstlich *Adj* indestructible (*a. fig Person etc*), *Humor etc*: irrepressible
unverzagt *Adj* undaunted
unverzeihlich *Adj* inexcusable
unverzichtbar *Adj* unrenounceable, (*notwendig*) indispensable
unverzinslich *Adj* noninterest-bearing: ***~es Darlehen*** interest-free loan
unverzollt *Adj* duty unpaid
unverzüglich *Adj* immediate(ly *Adv*), *Adv a.* without delay
unvollendet *Adj* unfinished
unvollkommen *Adj* imperfect
Unvollkommenheit *f* imperfection
unvollständig *Adj* incomplete
unvorbereitet *Adj u. Adv* unprepared
unvoreingenommen *Adj* unbias(s)ed, unprejudiced, objective
unvorhergesehen *Adj* unforeseen
unvorschriftsmäßig *Adj* irregular, contrary to (the) regulations (*a. Adv*), (*a.* TECH *unsachgemäß*) improper
unvorsichtig *Adj* incautious, (*unklug*) imprudent, (*übereilt*) rash, (*sorglos*) careless **Unvorsichtigkeit** *f* incautiousness, imprudence, carelessness
unvorstellbar *Adj* unimaginable, unthinkable, (*unglaublich*) incredible
unvorteilhaft *Adj* **1.** *Kauf etc*: unprofitable **2.** *Kleid etc*: unbecoming
unwahr *Adj* untrue
Unwahrheit *f* untruth
unwahrscheinlich *Adj* **1.** improbable, unlikely **2.** F *fig* incredible, fantastic
Unwahrscheinlichkeit *f* improbability
unwandelbar *Adj* unchanging
unwegsam *Adj* difficult
unweiblich *Adj* unfeminine
unweigerlich I *Adj* inevitable **II** *Adv* inevitably, without fail

unweit *Präp* (*Gen*) not far from
Unwesen *n* nuisance, *stärker*: excesses *Pl*: ***sein ~ treiben*** (***in*** *Dat*) haunt (*od* trouble, *stärker*: terrorize) (*a place etc*)
unwesentlich *Adj* **1.** irrelevant, unimportant **2.** (*geringfügig*) negligible
Unwetter *n* (thunder)storm
unwichtig *Adj* unimportant, irrelevant
unwiderlegbar *Adj* irrefutable
unwiderruflich I *Adj* irrevocable **II** *Adv* irrevocably, (*ganz bestimmt*) definitely
unwiderstehlich *Adj* irresistible
Unwiderstehlichkeit *f* irresistibility
unwiederbringlich *Adj* irretrievable
Unwille *m* indignation, displeasure, anger **unwillig** *Adj* **1.** (***über*** *Akk* at) indignant, annoyed **2.** → ***widerwillig***
unwillkommen *Adj* unwelcome
unwillkürlich *Adj* involuntary, instinctive, automatic(ally *Adv*)
unwirklich *Adj* unreal
unwirksam *Adj* ineffective, JUR inoperative, (*nichtig*) null and void
unwirsch *Adj* disgruntled, cross
unwirtlich *Adj* inhospitable, *Klima*: rough
unwirtschaftlich *Adj* uneconomic(al)
unwissend *Adj* ignorant **Unwissenheit** *f* (***aus ~*** out of) ignorance
unwissenschaftlich *Adj* unscientific(ally *Adv*)
unwissentlich *Adj* unknowing
unwohl *Adj* **1.** unwell **2.** *fig* uneasy
Unwohlsein *n* indisposition, nausea
unwürdig *Adj* unworthy (*Gen* of): ***das ist s-r ~*** that is beneath him
Unzahl *f* ***e-e ~ von*** a host of
unzählbar, unzählig *Adj* countless
Unze *f* ounce (*Abk* oz.)
Unzeit *f* ***zur ~*** at the wrong time
unzeitgemäß *Adj* old-fashioned
unzerbrechlich *Adj* unbreakable
unzerstörbar *Adj* indestructible
unzertrennlich *Adj* inseparable
unzivilisiert *Adj* uncivilized
Unzucht *f* JUR sexual offen/ce (*Am* -se): ***gewerbsmäßige ~*** prostitution
unzüchtig *Adj* lewd, obscene
unzufrieden *Adj* dissatisfied, discontented **Unzufriedenheit** *f* dissatisfaction
unzugänglich *Adj* inaccessible (*Dat* to)
unzulänglich *Adj* inadequate
Unzulänglichkeit *f* inadequacy, (*Mangel*) shortcoming
unzulässig *Adj* inadmissible
unzumutbar *Adj* unreasonable: ***das ist für sie ~*** **a)** you can't expect that of her, **b)** she will never accept that
unzurechnungsfähig *Adj* irresponsible (for one's actions), insane
Unzurechnungsfähigkeit *f* JUR (***zeitweilige ~*** temporary) insanity
unzureichend *Adj* insufficient
unzusammenhängend *Adj* disconnected, *Rede etc*: incoherent
unzuständig *Adj* (***für***) incompetent (for), JUR *mst* having no jurisdiction (over)
Unzuständigkeit *f* lack of jurisdiction
unzutreffend *Adj* incorrect: ***⁓es bitte streichen!*** please delete where inapplicable!
unzuverlässig *Adj* unreliable
Unzuverlässigkeit *f* unreliability
unzweckmäßig *Adj* unsuitable
Unzweckmäßigkeit *f* inexpediency
unzweideutig *Adj* unequivocal
unzweifelhaft I *Adj* indubitable **II** *Adv* doubtless, without a doubt
Update *n* update
üppig *Adj* luxurious, *Vegetation etc*, *a. fig Fantasie etc*: luxuriant, *Gras*: lush, *Mahl*: opulent, *Figur etc*: luscious, voluptuous
Urabstimmung *f* strike ballot
Urahn(e) *m* ancestor, *eng. S.* great-grandfather **Urahne** *f* ancestress, *eng. S.* great-grandmother
Ural *m the* Ural Mountains *Pl*
uralt *Adj* ancient (*a. fig iron*), F as old as the hills, *fig Problem etc*: age-old
Uran *n* CHEM uranium
uranhaltig *Adj* uranium-bearing
uraufführen *v/t* première, (*Film*) *a.* show for the first time
Uraufführung *f* première, first night (*od* performance, FILM showing)
urbar *Adj* arable: ***~ machen*** cultivate, reclaim **Urbarmachung** *f* cultivation, reclamation
Urbevölkerung *f* → ***Ureinwohner***
urdeutsch *Adj* German to the core, *iron* very German
ureigen *Adj* ***in Ihrem ~sten Interesse*** in your own best interest
Ureinwohner *Pl* original inhabitants *Pl*,

in Australien: Aborigines *Pl*
Urenkel *m* great-grandson
Urenkelin *f* great-granddaughter
Urform *f* archetype
urgemütlich *Adj* F very cosy
Urgeschichte *f* primeval history
urgeschichtlich *Adj* prehistoric
Urgestein *n* GEOL primary rock
Urgewalt *f* elemental force
Urgroßeltern *Pl* great-grandparents *Pl*
Urgroßmutter *f* great-grandmother
Urgroßvater *m* great-grandfather
Urheber(in) author
Urheberrecht *n* copyright
urheberrechtlich *Adj* copyright ...: *Adv* ***~ geschützt*** (protected by) copyright
Urheberschaft *f* authorship
urig *Adj* F → ***urwüchsig***
Urin *m* urine **urinieren** *v/i* urinate
Urinprobe *f* urine specimen
Urinuntersuchung *f* urine test
Urknall *m* PHYS big bang
urkomisch *Adj* F extremely funny
Urkunde *f* document, (*Vertrags*≈) deed, (*Akte*) record, (*Ehren*≈, *Sieger*≈) diploma **Urkundenfälschung** *f* forgery of documents **urkundlich** *Adj* documentary: *Adv* ***etw ~ belegen*** document s.th.
Urkunds|beamte *m*, **~beamtin** *f* registrar
Urlaub *m* leave (of absence) (*a.* MIL), holiday(s *Pl*), *bes Am* vacation: ***auf ~, im ~*** on holiday (vacation, MIL leave); ***in ~ gehen*** (***sein***) go (be) on holiday (*etc*); ***~ nehmen*** go on leave; ***e-n Tag ~ nehmen*** take a day off **Urlauber(in)** holidaymaker, *Am* vacationist
Urlaubs|anspruch *m* holiday entitlement, *Am* vacation privilege **~geld** *n* holiday pay, *Am* vacation money **~reise** *f* holiday trip **~tag** *m* (a day's) holiday (*bes Am* vacation) **~zeit** *f* holiday period
Urmensch *m* primitive man
Urne *f* urn, (*Wahl*≈) *a.* ballot box
Urologe *m*, **Urologin** *f* urologist
Urologie *f* urology

urplötzlich I *Adj* sudden, abrupt **II** *Adv* all of a sudden
Ursache *f* cause, reason, (*Anlass*) occasion: ***keine ~!*** don't mention it!, *auf e-e Entschuldigung*: that's all right!
ursächlich *Adj* causal: ***~er Zusammenhang*** causality
Urschrift *f* original (text *od* copy)
Ursprung *m* origin: ***s-n ~ haben in*** (*Dat*) originate in (*od* from); ***deutschen ~s*** of German origin
ursprünglich *Adj allg* original
Ursprungsland *n* country of origin
Urteil *n* **1.** judg(e)ment, *der Geschworenen*: verdict (*a. fig*), (*Straf*≈, *Strafmaß*) sentence, (*Scheidungs*≈) decree: ***das ~ verkünden*** pronounce judg(e)ment (*od* sentence); → ***fällen*** 2 **2.** (*Ansicht*) judg(e)ment, opinion: ***sich ein ~ bilden*** form a judg(e)ment (***über*** *Akk* about, on); ***darüber kann ich mir kein ~ erlauben!*** I am no judge (of that)!
urteilen *v/i* judge: ***über j-n*** (***etw***) ***~*** judge s.o. (s.th.); ***über etw ~*** *a.* give one's opinion on s.th.; ***ich urteile darüber anders*** I take a different view (of it); ***darüber kann er nicht ~!*** he's no judge!; ***~ Sie selbst!*** judge for yourself!; ***nach s-m Aussehen*** (***s-n Worten***) ***zu ~*** judging by his looks (by what he says)
Urteils|begründung *f* opinion **≈fähig** *Adj* discerning **~kraft** *f* (power of) judg(e)ment **~spruch** *m* → ***Urteil*** 1
Urtext *m* original text
Urtrieb *m* basic instinct
urtümlich *Adj* **1.** original **2.** archaic
Uruguay *n* Uruguay
Urur... great-great(*-grandfather etc*)
Urwald *m* primeval forest, (*Dschungel*) jungle
urwüchsig *Adj* earthy, robust
Urzeit *f* primeval time: *fig* ***vor ~en*** a long, long time ago; ***seit ~en*** for ages
Urzustand *m* original state
User(in) *m* user
Utensilien *Pl* utensils *Pl*
Uterus *m* ANAT uterus
Utopie *f fig* utopia, wild dream
utopisch *Adj* utopian, fantastic

V

V, v *n* V, v
Vagabund(in) vagabond, tramp **vagabundieren** *v/i* lead a vagabond life
Vagina *f* ANAT vagina
vakant *Adj* vacant
Vakuum *n* vacuum
vakuumverpackt *Adj* vacuum-packed
Valenz *f* CHEM, LING valence
Valuta *f* WIRTSCH valuta, foreign currency
Vamp *m* vamp
Vampir *m* ZOOL *u. fig* vampire
Vandale *m etc* → ***Wandale*** *etc*
Vandalismus *m* vandalism
Vanille *f* BOT *u.* GASTR vanilla
Vanillezucker *m* vanilla sugar
variabel *Adj*, **Variable** *f* MATHE variable
Variante *f* variant, (*Lesart*) version
Variation *f* variation
Varietee(theater) *n* variety theatre, music hall, *Am* vaudeville (theater)
variieren *v/t u. v/i* vary
Vasall *m* vassal **Vasallenstaat** *m* POL *pej* satellite state
Vase *f* vase
Vaseline *f* vaseline
Vater *m* father (*a. fig*), ZOOL sire: ***er ist ~ von drei Kindern*** he is a father of three (children); ***er ist ganz der ~*** he is a chip off the old block; *hum* ***~ Staat*** the State **Vaterfigur** *f* father figure
Vaterland *n one's* native country
Vaterlandsliebe *f* love of one's country, *stärker*: patriotism
väterlich I *Adj* fatherly, paternal **II** *Adv* like a father **väterlicherseits** *Adv* on one's father's side: ***Großvater ~*** paternal grandfather
Vaterliebe *f* paternal love
vaterlos *Adj* fatherless
Vaterschaft *f bes* JUR paternity: ***Feststellung der ~*** affiliation
Vaterschafts|klage *f* JUR paternity suit **~urlaub** *m* paternity leave
Vaterstelle *f* **~ *vertreten*** act as father (***bei*** to)
Vaterunser *n* Lord's Prayer
Vati *m* F daddy, dad
Vatikan *m*, **vatikanisch** *Adj* Vatican
V-Ausschnitt *m Kleidung*: V-neck: ***mit ~*** V-necked
Veganer(in) vegan
Vegetarier(in), **vegetarisch** *Adj* vegetarian **Vegetation** *f* vegetation
vegetativ *Adj* vegetative: ***~es Nervensystem*** autonomous nervous system
vegetieren *v/i fig* vegetate
Vehikel *n* vehicle
Veilchen *n* **1.** BOT violet: F ***blau wie ein ~*** drunk as a lord **2.** F *fig* black eye
veilchenblau *Adj* violet
Vektor *m* MATHE vector
Vektorrechnung *f* vector analysis
Velo *n schweiz.* bicycle
Velours[1] *m* velour(s) **Velours**[2] *n*, **Veloursleder** *n* suede (leather)
Veloursteppich *m* velvet-pile carpet
Vene *f* ANAT vein
Venedig *n* Venice
Venenentzündung *f* MED phlebitis
Venezianer(in), **venezianisch** *Adj* Venetian
Venezolaner(in), **venezolanisch** *Adj* Venezuelan
Venezuela *n* Venezuela
venös *Adj* MED venous
Ventil *n* **1.** MUS, TECH valve **2.** *fig* outlet
Ventilation *f* ventilation
Ventilator *m* (ventilating) fan
ventilieren *v/t a. fig* ventilate
Venusmuschel *f* ZOOL hard clam
verabreden I *v/t* agree upon, arrange, (*Zeit, Ort*) *a.* appoint, fix: ***vorher ~*** prearrange **II** *v/refl* ***sich ~ (mit j-m)*** arrange to meet (s.o.), make a date (*geschäftlich*: an appointment) (with s.o.); ***ich bin leider schon verabredet*** I'm afraid I have a previous engagement **Verabredung** *f* **1.** date, engagement, *geschäftliche*: appointment **2.** (*Absprache*) agreement, arrangement
verabreichen *v/t* ***j-m etw ~*** give s.o. s.th., (*Medikament*) *a.* administer s.th. to s.o.
verabscheuen *v/t* abhor, detest
verabschieden I *v/t* **1.** say goodbye to **2.** (*entlassen*) discharge **3.** PARL (*Gesetz etc*) pass, (*den Haushalt*) adopt **II** *v/refl* **4.** ***sich ~ von*** → 1
Verabschiedung *f* **1.** (*Entlassung*) dis-

charge **2.** PARL *e-s Gesetzes*: passing, *des Haushalts*: adoption
verachten *v/t* (*j-n*) despise, (*a. etw abtun*) disdain, scorn: F ***nicht zu ~*** not to be sneezed at **verachtenswert** *Adj* contemptible, despicable **Verächter(in)** despiser **verächtlich** *Adj* **1.** contemptuous, scornful: ***~ machen*** run *s.o., s.th.* down **2.** → ***verachtenswert***
Verachtung *f* contempt, disdain: ***mit ~ strafen*** ignore
veralbern *v/t* F ***j-n ~*** pull s.o.'s leg
verallgemeinern *v/t* generalize
Verallgemeinerung *f* generalization
veralten *v/i* become (out)dated (*od* obsolete, *Ansichten etc*: antiquated)
veraltet *Adj* obsolete, (out)dated, *Methode etc*: antiquated
Veranda *f* veranda(h)
veränderlich *Adj* changeable, *a. ling*, MATHE variable: MATHE ***~e Größe*** variable **Veränderlichkeit** *f* changeability, variability
verändern I *v/t* **1.** (***an*** *Dat* on) change, alter **II** *v/refl* ***sich ~*** **2.** change, alter: ***sich zu s-m Vorteil (Nachteil) ~*** change for the better (worse); ***hier hat sich vieles verändert*** there have been many changes **3.** *beruflich*: change one's job
verändert *Adj* changed, different: ***sie ist ganz ~*** she has changed a lot
Veränderung *f* change
verängstigt *Adj* frightened
verankern *v/t* SCHIFF, TECH *u. fig* anchor: ***in der Verfassung verankert*** laid down in the constitution
veranlagen *v/t steuerlich*: assess **veranlagt** *Adj* (***zu, für*** to) (MED pre)disposed, (naturally) inclined: ***künstlerisch ~ sein*** have a bent for art; ***er ist praktisch ~*** he is practical(ly minded); ***romantisch*** *etc* ***~ sein*** have a romantic *etc* disposition **Veranlagung** *f* **1.** *steuerliche*: assessment **2.** (MED pre)disposition, (*Begabung*) talent(s *Pl*)
veranlassen *v/t* **1.** ***etw ~, ~, dass etw getan wird*** order (*od* arrange) s.th., see (to it) that s.th. is done; ***das Nötige ~*** take the necessary steps **2.** ***j-n zu etw ~, j-n ~ etw zu tun*** cause (*od* get) s.o. to do s.th., make s.o. do s.th.; ***sich veranlasst sehen zu*** *Inf* feel compelled to *Inf*; ***was hat ihn bloß dazu veranlasst?*** whatever made him do that?

Veranlassung *f* **1.** (***zu, für*** for) cause, motive: ***ohne jede ~*** without provocation **2.** ***auf ~*** *von* (*od Gen*) at the instigation (*od* request) of
veranschaulichen *v/t* illustrate: ***sich etw ~*** visualize s.th. **Veranschaulichung** *f* (***zur ~*** by way of) illustration
veranschlagen *v/t* WIRTSCH estimate (***auf*** *Akk* at): ***zu hoch ~*** overestimate; ***zu niedrig ~*** underestimate
veranstalten *v/t* organize, arrange, stage (*a.* F *fig*), (*Ball, Konzert etc*) give
Veranstalter(in) organizer, SPORT *a.* promoter **Veranstaltung** *f* **1.** arrangement, organization, *fig* staging **2.** *konkret*: event, (*öffentliche ~*) *a.* (public) function, (*Sport*2) meeting, *Am* meet, fixture **Veranstaltungskalender** *m* calendar of events **Veranstaltungsort** *m* venue
verantworten I *v/t* answer for, take the responsibility for **II** *v/refl* ***sich (j-m gegenüber) für etw ~*** answer (to s.o.) for s.th. **verantwortlich** *Adj* responsible (***für*** for): ***j-n ~ machen*** hold s.o. responsible, *weit. S.* blame s.o. (***für*** for)
Verantwortlichkeit *f* responsibility
Verantwortung *f* (***die ~ tragen*** bear [the]) responsibility; ***auf Ihre eigene ~!*** at your own risk!; ***j-n zur ~ ziehen*** call s.o. to account; → ***abwälzen***
verantwortungsbewusst *Adj* responsible 2**sein** *n* sense of responsibility
verantwortungslos *Adj* irresponsible
verantwortungsvoll *Adj* responsible
veräppeln *v/t* F ***j-n ~*** pull s.o.'s leg
verarbeiten *v/t allg, a.* IT process , (*Nahrung, fig Eindrücke etc*) digest, (*aufbrauchen*) use (*od* work) up (***in*** *Dat*, ***zu*** in, for): ***etw ~ zu*** manufacture s.th. into; ***~de Industrie*** processing industries *Pl* **Verarbeitung** *f* **1.** *allg* processing (*a. Daten*2), manufacture, *der Nahrung, fig von Eindrücken etc*: digestion, (*Behandlung*) treatment **2.** (*Ausführung, Güte*) workmanship
verargen → ***verdenken***
verärgern *v/t* annoy
verarmen *v/i* become poor
verarmt *Adj* impoverished
Verarmung *f a. fig* impoverishment
verarschen *v/t* V ***j-n ~*** take the mickey out of s.o., *satirisch*: send s.o. up

Verarschung *f* V leg-pull, *satirisch*: send-up
verarzten *v/t* F ***j-n ~*** fix s.o. up
verästeln *v/refl* ***sich ~*** *a. fig* ramify
Verästelung *f a. fig* ramification
verausgaben *v/refl* ***sich ~*** **1.** *finanziell*: overspend **2.** *fig* spend o.s
verauslagen *v/t* lay out
veräußern *v/t* sell, dispose of
Veräußerung *f* sale, disposal
Verb *n* verb **verbal** *Adj* verbal
verbalisieren *v/t* verbalize
Verband *m* **1.** MED bandage, dressing **2.** (*Vereinigung*) union, federation **3.** MIL unit, FLUG formation
Verband(s)kasten *m* MED first-aid kit
Verband(s)|material *n* MED dressing material **~mull** *m* MED surgical gauze
verbannen *v/t* (***aus*** from) exile, banish (*a. fig*) **Verbannte** *m, f* exile **Verbannung** *f* exile (*a. Ort*), banishment
verbarrikadieren *v/t* barricade (***sich*** o.s.)
verbauen *v/t* **1.** (*Aussicht, Zugang etc*) block up, obstruct, (*Gegend etc*) build up: *fig* ***j-m*** (***sich***) ***den Weg ~*** bar s.o.'s (one's) way (***zu*** to) **2.** (*Material*) use
verbeamten *v/t* ***j-n ~*** give s.o. the rank of a civil servant
verbeißen I *v/t* **1.** (*Schmerz etc*) suppress, (*Tränen, Lachen etc*) *a.* bite back: ***er konnte sich ein Lächeln nicht ~*** he couldn't keep a straight face **II** *v/refl* ***sich ~ in*** (*Akk*) **2.** *Hund etc*: sink its teeth into **3.** *fig Person*: get set on, keep grimly at
verbergen *v/t* conceal, hide
verbessern I *v/t* **1.** (*Leistung etc*) improve, (*Rekord*) better **2.** (*Fehler, Sprecher etc*) correct **II** *v/refl* ***sich ~*** **3.** improve: ***sich finanziell ~*** better o.s **4.** *Sprecher*: correct o.s
Verbesserung *f* **1.** improvement, betterment **2.** correction
verbesserungsbedürftig *Adj* in need of improvement **verbesserungsfähig** *Adj* capable of improvement
Verbesserungsvorschlag *m* suggestion for improvement
verbeugen *v/refl* ***sich ~*** bow (***vor*** *Dat* to) **Verbeugung** *f* bow (***vor*** *Dat* to)
verbeulen *v/t* batter, dent
verbiegen *v/t* twist, bend
verbieten *v/t* ***j-m das Haus*** (***das Rauchen***) ***~*** forbid s.o. the house (to smoke); → ***verboten***
verbilligen *v/t* reduce *s.th.* in price
verbilligt *Adj* reduced (*price etc*), (*tickets etc*) at reduced prices
verbinden *v/t* **1.** MED bandage: ***j-n ~*** dress s.o.'s wounds; ***j-m die Augen ~*** blindfold s.o.; → ***verbunden*** 1 **2.** (*a.* ***sich ~***) (***mit*** with) connect (*a.* MATHE, TECH, TEL *u. fig*), combine (*a.* CHEM), unite: TEL ***ich verbinde Sie*** I'll put you through (***mit*** to); ***das Angenehme mit dem Nützlichen ~*** combine business with pleasure; ***sich mit j-m ~*** associate with s.o.
verbindend *Adj fig Text, Worte etc*: connecting
verbindlich *Adj* **1.** (***für*** upon) obligatory, binding: ***~e Zusage*** definite promise **2.** (*höflich*) obliging, courteous, friendly **Verbindlichkeit** *f* **1.** obligation, binding character **2.** (*Höflichkeit*) obligingness, friendliness, *Pl* courtesies *Pl* **3.** *Pl* WIRTSCH liabilities *Pl*
Verbindung *f* **1.** *allg* connection (*a.* TECH, TEL), combination: ***in ~ mit*** (*zusammen*) in conjunction with, (*im Zs.-hang mit*) in connection with; ***in ~ bringen mit*** connect (*od* associate) *s.o., s.th.* with **2.** (*Verkehrs*2) connection: ***gibt es e-e direkte ~ nach …?*** is there a direct connection to …? **3.** (*Vereinigung*) union, association, (*Studenten*2) students' society, *Am* fraternity: ***e-e ~ eingehen*** join together (***mit*** with) **4.** (*Kontakt*) contact (*a.* MIL), *Pl* connections *Pl*: ***mit j-m ~ aufnehmen*** (*od* ***in ~ treten***) contact s.o., get in touch with s.o.; ***mit j-m in ~ stehen*** (***bleiben***) be (keep) in touch with s.o.; ***s-e ~en spielen lassen*** pull a few strings
Verbindungs… connecting (*cable, line, road, etc*) **~frau** *f*, **~mann** *m* contact **~offizier** *m* liaison officer **~stelle** *f* TECH junction, joint **~stück** *n* TECH connecting piece, ELEK connector, (*Passstück*) adaptor
verbissen *Adj* grim, (*zäh*) dogged
Verbissenheit *f* grimness, doggedness
verbitten *v/t* ***sich etw ~*** not to stand for; ***das verbitte ich mir!*** I won't have that!
verbittert *Adj* embittered, bitter
Verbitterung *f* bitterness

verblassen *v/i a. fig* fade
verbleiben *v/i* **1.** remain: ***verbleibe ich Ihr …*** *im Brief*: (I remain,) Yours faithfully … **2.** ***wir sind so verblieben, dass …*** we agreed (*od* arranged) that …
verbleit *Adj Benzin*: leaded
verblenden *v/t* **1.** ARCHI face, line **2.** *fig* blind: ***von Hass verblendet*** blind with hatred **Verblendung** *f fig* blindness
verblichen *Adj* faded
verblöden *v/i* F go dotty (***bei*** with)
verblüffen *v/t* amaze, (*verwirren*) baffle, (*sprachlos machen*) stun, F flabbergast **verblüffend** *Adj* amazing **verblüfft** *Adj* perplexed, *präd* taken aback
Verblüffung *f* amazement, (*Verwirrung*) bewilderment
verblühen *v/i a. fig* fade, wither
verbluten *v/i* bleed to death
verbocken *v/t* F bungle, botch (up)
verbohren *v/refl* ***sich ~ in*** (*Akk*) F *fig* become obsessed with **verbohrt** *Adj* F *fig* stubborn, pigheaded
verborgen[1] *v/t* lend (out)
verborgen[2] *Adj* hidden: ***~ halten*** conceal; ***sich ~ halten*** hide (o.s.); ***im 2en*** in secret, secretly
Verbot *n* prohibition, *e-r Partei*, *von Atomwaffen etc*: ban (*Gen*, ***von*** on)
verboten *Adj* forbidden, VERW prohibited, (*geächtet*) banned, (*ungesetzlich*) illegal: ***es war uns ~ zu*** *Inf* we were forbidden (*od* not allowed) to *Inf*; ***ist das etwa ~?*** F is there a law against it?; ***Rauchen ~!*** no smoking!; F *fig* ***sie sah ~ aus*** she looked a sight **verbotenerweise** *Adv* ***~ etw tun*** do s.th. although it is forbidden **Verbotsschild** *n* no parking (*od* no smoking *etc*) sign
Verbrauch *m* consumption (***an*** *Dat* of)
verbrauchen **I** *v/t* consume, use up **II** *v/refl* ***sich ~*** *fig* exhaust o.s., *stärker*: wear o.s. out
Verbraucher(in) consumer
Verbraucher|befragung *f* consumer survey **~markt** *m* → ***Supermarkt*** **~schutz** *m* consumer protection **~umfrage** *f* consumer survey **~verhalten** *n* consumer behavio(u)r **~zentrale** *f* consumer advice cent/re (*Am* -er)
Verbrauchsgüter *Pl* consumer goods *Pl*
verbraucht *Adj a. fig Person*: used(-)up, spent, worn(-)out: ***~e Luft*** stale air
verbrechen *v/t* F *fig* (*Buch etc*) perpetrate: ***was hat er verbrochen?*** what has he done? **Verbrechen** *n a. fig* crime **Verbrecher(in)** criminal
Verbrecheralbum *n* rogues' gallery
Verbrecherbande *f* gang of criminals
verbrecherisch *Adj* criminal
verbreiten *v/t u. v/refl* ***sich ~*** *allg* spread (***in*** *Dat*, ***auf*** *Dat*, ***über*** *Akk* over, through[out]), (*Ideen etc*) *a.* disseminate, (*Wärme*, *Humor etc*) *a.* diffuse
verbreitern *v/t u. v/refl* ***sich ~*** widen
Verbreitung *f* spread(ing), *von Ideen etc*: *a.* dissemination
verbrennen **I** *v/t* burn, (*Kalorien etc*) burn up, (*Leiche*) cremate, (*versengen*) scorch: ***sich den Mund ~*** burn one's mouth, *fig* put one's foot in; MIL ***verbrannte Erde*** scorched earth **II** *v/i* burn, *lebendig*: be burnt to death
Verbrennung *f* **1.** burning, TECH combustion, (*Leichen2*) cremation **2.** MED burn: → ***Grad***
Verbrennungs|motor *m* combustion engine **~ofen** *m* incinerator
verbrieft *Adj* ***~es Recht*** vested right
verbringen *v/t* spend, pass
verbrüdern *v/refl* ***sich ~*** fraternize
Verbrüderung *f* fraternization
verbrühen **I** *v/t* scald (***sich die Hand*** one's hand) **II** *v/refl* ***sich ~*** scald o.s
verbuchen *v/t* **1.** WIRTSCH book **2.** *fig* (*Sieg*, *Erfolg etc*) achieve, F notch up
verbummeln *v/t* F **1.** (*Zeit etc*) waste, idle away **2. a)** lose, **b)** clean forget
Verbund *m* network, (integrated) system: ***im ~ arbeiten*** cooperate; → ***Medienverbund, Verkehrsverbund***
Verbund… TECH compound … **Verbundbauweise** *f* sandwich construction
verbunden *Adj* **1.** *Wunde*: dressed: ***mit ~en Augen*** blindfold **2.** *fig* ***~ sein mit*** **a)** *Sache*: be connected with, entail (*difficulties*, *costs*, *etc*), **b)** *Person*: *a.* ***sich ~ fühlen mit*** be attached to; ***j-m ~ sein für*** be obliged to s.o. for
verbünden *v/refl* ***sich ~*** (***mit***) ally o.s. (with, to), form an alliance (with)
Verbundenheit *f* attachment, bond(s *Pl*), ties *Pl*, (*Solidarität*) solidarity
Verbündete *m*, *f a. fig* ally
Verbund|glas *n* laminated glass **~karte**

f, **~pass** *m Verkehr*: combi-ticket
verbürgen *v/t* guarantee: ***sich ~ für*** *a.* answer for **verbürgt** *Adj* authentic: ***~e Tatsache*** established fact
verbüßen *v/t* (*Strafe*) serve
verchromen *v/t* chromium-plate
Verdacht *m* (***~ erregen*** arouse) suspicion: ***j-n im ~ haben***(***, etw getan zu haben***) suspect s.o. (of having done s.th.); ***in ~ kommen*** be suspected; ***~ schöpfen*** become suspicious, F smell a rat; ***bei ihm besteht ~ auf Krebs*** he is suspected of having cancer; F ***auf ~*** on spec; → ***lenken*** 3
verdächtig *Adj* suspicious, suspect, (*zweifelhaft*) *a.* dubious, F fishy: ***des Diebstahls ~ sein*** be suspect(ed) of theft **Verdächtige** *m, f* suspect
verdächtigen *v/t* ***j-n ~*** cast suspicion on s.o., suspect s.o. (*Gen* of); ***j-n ~, etw getan zu haben*** suspect s.o. of having done s.th. **Verdächtigung** *f* **1.** casting suspicion (*Gen* on) **2.** suspicion
Verdachtsmoment *n* suspicious fact
verdammen *v/t* (***zu*** to) condemn, *a.* REL damn **verdammt I** *Adj* **1.** damned: ***dazu ~ zu*** *Inf* condemned (*od* doomed) to *Inf* **2.** F damn(ed), darn(ed), *Br sl a.* bloody: ***~ (noch mal)!*** damn (it)!, blast it (all)! **II** *Adv* **3.** F damn(ed), *Br sl* bloody: ***~ kalt*** *a.* beastly cold **Verdammung** *f* condemnation, *a.* REL damnation
verdampfen *v/t u. v/i* evaporate
verdanken *v/t* ***j-m etw ~*** owe s.th. to s.o., be indebted to s.o. for s.th.; ***es ist ihr zu ~, dass …*** it is due to her that …
verdattert *Adj* F dazed
verdauen *v/t a. fig* digest **verdaulich** *Adj* (***leicht ~*** easily) digestible: ***schwer ~*** hard to digest **Verdaulichkeit** *f* digestibility **Verdauung** *f* digestion
Verdauungs|apparat *m* digestive system **~beschwerden** *Pl* digestive trouble *Sg*, indigestion *Sg*
Verdeck *n* (folding) top, hood
verdecken *v/t* cover, hide, *a.* TECH conceal: ***verdeckte*** (***Polizei***)***Aktion*** undercover operation; ***verdeckter Ermittler*** undercover agent
verdenken *v/t* ***ich kann es ihm nicht ~*** (***, dass …***) I can't blame him (if …)
verderben I *v/i Nahrungsmittel*: spoil, go bad, perish **II** *v/t allg* spoil, *weit. S. a.* ruin, *moralisch*: corrupt: ***sich den Magen ~*** upset one's stomach; ***sich die Augen ~*** ruin one's eyes; ***j-m die Freude*** (***den Appetit***) ***~*** spoil s.o.'s fun (appetite); F ***es mit j-m ~*** fall out with s.o.; ***er will es mit niemandem ~*** he wants to please everybody **Verderben** *n* ruin: ***in sein ~ rennen*** rush (headlong) into disaster **verderblich** *Adj* **1.** *Ware*: perishable **2.** *fig Wirkung etc*: ruinous, *Einfluss etc*: corrupting
verdeutlichen *v/t* ***j-m etw ~*** make s.th. clear (*od* explain s.th.) to s.o.
verdichten I *v/t* **1.** TECH compress, *a.* CHEM condense **II** *v/refl* ***sich ~*** **2.** condense, *Nebel*: thicken **3.** *fig Verdacht etc*: grow stronger **Verdichtung** *f* condensation, MOT compression
verdicken *v/t u. v/refl* ***sich ~*** thicken
verdienen I *v/t* **1.** (*Geld*) earn, make: ***sich etw nebenbei ~*** make some money on the side **2.** *fig* (*Lob*, *Strafe etc*) deserve: ***er hat es nicht besser verdient!*** (it) serves him right!; → ***verdient*** **II** *v/i* **3.** ***gut ~*** earn a good salary (*od* wage); ***an e-r Sache gut ~*** make a good profit on s.th.; ***er verdient wenig*** he doesn't earn much **Verdiener(in)** (salary *od* wage) earner, breadwinner
Verdienst[1] *n fig* merit: ***es ist ihr ~, dass*** it is thanks to her that; → ***erwerben***
Verdienst[2] *m* earnings *Pl*, income, (*Lohn*) wages *Pl*, (*Gehalt*) salary
Verdienstausfall *m* loss of earning
verdienstvoll *Adj Person*: deserving, *Tat etc*: commendable
verdient *Adj fig* **1.** *Person*: deserving, *man etc* of merit: ***sich ~ machen um*** do *s.o., s.th.* a great service **2.** *Strafe etc*: well-deserved, due, *Sieg*, *Ruhe*: well-earned
verdientermaßen *Adv* deservedly
verdolmetschen *v/t* F ***j-m etw ~*** translate s.th. for s.o., *fig* explain s.th. to s.o.
verdonnern *v/t* F ***j-n ~*** condemn s.o. (***zu*** to); ***j-n ~, etw zu tun*** make s.o. do s.th.
verdoppeln *v/t u. v/refl* ***sich ~*** double
Verdopplung *f* doubling
verdorben *Adj allg* spoiled (*a. fig*), *Lebensmittel*, *fig Charakter*, *Person*: *a.* bad, *fig a.* ruined, *moralisch*: *a.* corrupt: MED ***~er Magen*** upset stomach
verdorren *v/i* dry up, wither
verdrahten *v/t* ELEK wire

verdrängen *v/t* **1.** → ***vertreiben*** 1 **2.** *fig* displace (*a.* SCHIFF, PHYS), (*ersetzen*) supersede, replace: ***j-n ~*** push s.o. out (SPORT ***vom ersten Platz*** from first place); ***j-n aus s-r Stellung ~*** oust s.o. from his position **3.** PSYCH repress, *bewusst*: suppress, *weit. S.* dismiss (*a problem etc*) **Verdrängung** *f* ousting, displacement (*a.* SCHIFF, PHYS), *fig* replacement, PSYCH repression, suppression
verdreckt *Adj* filthy, soiled
verdrehen *v/t* **1.** twist (***j-m den Arm*** s.o.'s arm): ***die Augen ~*** roll one's eyes; *fig* ***j-m den Kopf ~*** turn s.o.'s head **2.** F *fig* (*Sinn, Worte etc*) twist, distort, (*Recht*) pervert **verdreht** *Adj* F *fig* crazy, cranky, (*verwirrt*) confused
verdreifachen *v/t* treble
verdrießen *v/t* annoy **verdrießlich** *Adj* morose, sullen **verdrossen** *Adj* sullen, grumpy, (*unlustig*) listless
Verdrossenheit *f* sullenness, listlessness, POL disaffection
verdrücken F **I** *v/t* (*essen*) polish off **II** *v/refl* ***sich ~*** slip away, beat it
Verdruss *m* annoyance
verduften *v/i* F beat it, scram
verdummen I *v/t* dull *s.o.'s* mind, stultify, (*bes das Volk*) brainwash **II** *v/i* become stultified
verdunkeln *v/t* darken (*a.* ***sich~***), *völlig*: black out, *durch Wolken*: cloud (*a. fig*), *fig* obscure **Verdunklung** *f* darkening, *Luftschutz*: blackout **Verdunklungsgefahr** *f* JUR danger of collusion
verdünnen *v/t* PHYS rarefy, (*Flüssigkeit*) dilute, weaken, (*Farbe*) thin
Verdünner *m* TECH (paint) thinner **Verdünnung** *f* dilution, PHYS rarefaction
verdunsten *v/t u. v/i* evaporate
Verdunster *m* humidifier
Verdunstung *f* evaporation
verdursten *v/i* die of thirst
verdüstern *v/refl* ***sich ~*** *a. fig* darken
verdutzt *Adj* nonplus(s)ed, *präd* taken aback
veredeln *v/t* **1.** ennoble **2.** CHEM, TECH *allg* refine, (*Rohstoffe*) *a.* process, finish **3.** *fig* (*Geschmack etc*) refine, improve **4.** LANDW graft, bud **Veredelungsindustrie** *f* processing industry
verehren *v/t* revere, (*anbeten, a. fig*) worship, adore, (*bewundern*) admire: ***Verehrte Anwesende!*** Ladies and Gentlemen!
Verehrer(in) admirer, *e-s Stars*: fan
Verehrerpost *f* fan mail
Verehrung *f* (***~ zollen*** pay) reverence (*Dat* to), (*Anbetung, a. fig*) worship, adoration, (*Bewunderung*) admiration
vereidigen *v/t* JUR ***j-n~*** put s.o. under an oath, *bei Amtsantritt*: swear s.o. in
vereidigt *Adj* sworn
Vereidigung *f* swearing-in
Verein *m* **1.** club: F *pej* ***ein netter ~*** a fine bunch **2.** WIRTSCH society, association, union **3.** ***im ~ mit*** together with
vereinbar *Adj* (***mit*** with) compatible, consistent **vereinbaren** *v/t* arrange, agree (up)on: ***vorher ~*** prearrange; ***das kann ich mit m-m Gewissen nicht ~*** I cannot reconcile that with my conscience **Vereinbarkeit** *f* compatibility **vereinbart** *Adj* agreed: ***zur ~en Zeit*** at the time agreed upon **Vereinbarung** *f* agreement, arrangement: ***e-e ~ treffen*** reach an agreement; ***laut ~*** as agreed; ***Gehalt nach ~*** salary negotiable
vereinen *v/t* → ***vereinigen***: ***mit vereinten Kräften*** in a combined effort
vereinfachen *v/t* simplify
Vereinfachung *f* simplification
vereinheitlichen *v/t* standardize
Vereinheitlichung *f* standardization
vereinigen *v/t* (*a.* ***sich~***) unite (***zu*** into), combine, join (together), WIRTSCH amalgamate, (*versammeln*) assemble: ***Vereinigte Arabische Emirate*** United Arab Emirates; ***Vereinigtes Königreich von Großbritannien und Nordirland*** United Kingdom of Great Britain and Northern Ireland (→ *Info bei* ***Britain***); ***Vereinigte Staaten*** (***von Amerika***) United States (of America) (*Abk* U.S.[A.])
Vereinigung *f* **1.** uniting (*etc*), WIRTSCH merger **2.** union, association
vereinsamen *v/i* become isolated (*od* lonely) **Vereinsamung** *f* isolation
Vereinshaus *n* club(house)
Vereinskamerad(in) clubmate
Vereinskasse *f* club funds *Pl*
vereinzelt I *Adj* isolated, sporadic, *Regenschauer*: *a.* scattered **II** *Adv* sporadically, *örtlich*: here and there
vereisen I *v/t* MED freeze **II** *v/i Scheibe*

etc: ice over, FLUG *etc* ice up, (*einfrieren*) freeze over (*od* up): ***vereiste Straßen*** icy roads
vereiteln *v/t* thwart, (*Tat etc*) prevent
vereitert *Adj* MED septic
verelenden *v/i* be reduced to poverty
verenden *v/i* perish, die
verengen *v/t u. v/refl* ***sich ~*** narrow (*a. fig*), *Pupille etc*: contract **Verengung** *f* **1.** narrowing, contraction **2.** (*enge Stelle*) narrow part (***in*** *Dat* of)
vererben I *v/t* ***j-m etw ~*** leave (MED transmit) s.th. to s.o. **II** *v/refl* ***sich ~*** *a.* MED *u. fig* be passed on (*od* down) (***auf*** *Akk* to) **vererbt** *Adj* BIOL inherited, hereditary **Vererbung** *f* BIOL heredity, (hereditary) transmission
Vererbungs|gesetze *Pl* laws *Pl* of heredity **~lehre** *f* genetics *Sg*
verewigen *v/t* immortalize
verfahren[1] **I** *v/i* (***nach*** on) proceed, act: ***~ mit*** deal with, treat **II** *v/t* (*Benzin*) use up, (*Zeit, Geld etc*) spend driving (around) **III** *v/refl* ***sich ~*** get lost
verfahren[2] *Adj* muddled, tangled: ***e-e ~e Sache*** a (great) muddle
Verfahren *n* **1.** procedure, method, process, (*Behandlung*) treatment **2.** JUR procedure, (*Prozess*) proceedings *Pl*: ***ein ~ einleiten*** take (legal) proceedings (***gegen*** against)
Verfahrens|frage *f* JUR procedural question **~technik** *f* process technology **~weise** *f* → ***Verfahren*** 1
Verfall *m* **1.** *allg* decay, *e-s Gebäudes etc*: *a.* dilapidation, ruin, *körperlicher, künstlerischer etc*: *a.* decline, *moralischer*: degeneration, corruption **2.** WIRTSCH *e-s Wechsels*: maturity
verfallen I *v/i* **1.** *allg* decay, *Gebäude etc*: *a.* go to ruin, dilapidate, *fig Kultur, Reich etc*: *a.* decline, *Kranker*: waste away, *Moral etc*: degenerate **2.** *dem Alkohol etc*: become addicted: ***j-m ~*** become s.o.'s slave **3.** (***wieder***) ***~ in*** (*Akk*) fall (back) into **4.** ***~ auf*** (*Akk*) hit (up)on (*an idea etc*); ***wie ist er nur darauf ~?*** what on earth made him think (*od* do) that? **5.** (*ungültig werden*) expire, *Pfand*: become forfeited: *e-e Karte etc* ***~ lassen*** let *s.th.* go to waste **II** *Adj* **6.** *allg* decayed, *Gebäude*: *a.* dilapidated **7.** (*ungültig*) expired, *Pfand*: forfeited **8.** *dem Alkohol etc* ***~ sein*** be addicted to; ***j-m ~ sein*** be s.o.'s slave
Verfallsdatum *n* expiration date, *von Lebensmitteln etc*: best-before date, use-by date
verfälschen *v/t* **1.** (*Nahrungsmittel*) adulterate **2.** falsify, (*Bericht etc*) *a.* distort **Verfälschung** *f* **1.** adulteration **2.** falsification, distortion
verfangen I *v/i* (*wirken*) work (***bei*** with): ***das verfängt bei mir nicht*** *a.* that cuts no ice with me **II** *v/refl* ***sich ~*** *a. fig* get caught (***in*** *Dat* in)
verfänglich *Adj Frage etc*: tricky, *Lage etc*: embarrassing, compromising
verfärben *v/refl* ***sich ~*** change colo(u)r (*a. Person*), *Laub*: turn
verfassen *v/t allg* write, (*Gedicht etc*) *a.* compose, (*Resolution etc*) *a.* draw up
Verfasser(in) author(ess)
Verfassung *f* **1.** state, condition, (*Gemüts*≈) frame of mind: ***in guter ~*** in good condition (*od* shape), *Patient*: in a good state (of health) **2.** POL constitution
Verfassungs|änderung *f* constitutional amendment **~bruch** *m* breach of the constitution **≈feindlich** *Adj* anticonstitutional **~gericht** *n* constitutional court **~klage** *f* complaint of unconstitutionality **≈mäßig**, **≈rechtlich** *Adj* constitutional **~schutz** *m* ***Bundesamt für ~*** Office for the Protection of the Constitution **≈widrig** *Adj* unconstitutional
verfaulen *v/i* rot, decay
verfechten *v/t* stand up for
Verfechter(in) advocate
verfehlen *v/t* miss (***einander*** each other): ***s-n Beruf ~*** miss one's vocation; → ***Wirkung*** 1, ***Zweck*** 1
verfehlt *Adj* wrong, misguided, *Thema*: missed, (*erfolglos*) abortive
Verfehlung *f* offen/ce (*Am* -se), lapse
verfeinden *v/refl* ***sich ~*** become enemies; ***sich mit j-m ~*** make an enemy of s.o. **verfeindet** *Adj* hostile: ***~ sein*** be enemies
verfeinern *v/t* refine
Verfeinerung *f* refinement
Verfettung *f* MED adiposis
verfeuern *v/t* **1.** (*Holz etc*) use **2.** (*Munition etc*) use up
verfilmen *v/t* film, (adapt *s.th.* for the) screen **Verfilmung** *f* **1.** filming **2.** FILM

film (*od* screen) adaptation
verfilzen *v/i* **1.** felt, *Haare*: mat **2.** *fig* tangle (up)
Verfilzung *f* → ***Filz*** 3 b
verfinstern *v/t u. v/refl* ***sich ~*** darken
verflachen *v/i fig* degenerate (***zu*** into)
verflechten *v/t u. v/refl* ***sich ~*** interweave (*a. fig*), WIRTSCH *Unternehmen*: interlock: → ***verflochten***
Verflechtung *f* interweaving (*a. fig*), *fig* entanglement, WIRTSCH interlocking
verfliegen *v/i* **1.** *Aroma, Alkohol etc*: evaporate **2.** *fig* vanish, *Zeit etc*: fly
verflixt *Adj* F blasted, damn(ed): ***~!*** blast (it)!, damn (it)!
verflochten *Adj* interwoven (*a. fig*), *fig* (en)tangled, WIRTSCH interlocked
verflossen *Adj* **1.** *Zeit*: past **2.** F onetime, ex-…: ***m-e ≗e*** my ex-wife
verfluchen *v/t* curse
verflucht → ***verdammt***
verflüchtigen *v/refl* ***sich ~*** evaporate (*a. fig Hoffnung etc*)
verflüssigen *v/t u. v/refl* ***sich ~*** liquefy
Verflüssigung *f* liquefaction
verfolgen *v/t allg* pursue (*a. fig Politik, Absicht etc*), (*Spur, Entwicklung etc*) follow, (*Verbrecher, Wild*) *a.* hunt, track, chase, (*j-n*) *politisch etc*: persecute, (*beschatten*) shadow, trail: *fig* ***j-n ~*** *Gedanke etc*: haunt s.o.; ***strafrechtlich ~*** prosecute; ***j-n gerichtlich ~*** take legal steps against s.o. **Verfolger(in)** pursuer, POL *etc* persecutor **Verfolgte** *m, f* (political) persecutee **Verfolgung** *f* pursuit (*a. Radsport u. fig*), POL *etc* persecution: ***strafrechtliche ~*** (criminal) prosecution **Verfolgungswahn** *m* persecution complex
verformbar *Adj* TECH ductile, workable
verformen *v/t u. v/refl* ***sich ~*** deform
Verformung *f* deformation
verfrachten *v/t* (*Waren*) freight, SCHIFF *od Am* ship: F ***j-n in ein Taxi*** (***ins Bett***) ***~*** bundle s.o. off into a taxi (to bed)
verfranzen *v/refl* ***sich ~*** F get lost
verfremden *v/t* alienate **Verfremdungseffekt** *m* alienation effect
verfressen *Adj* F greedy
verfroren *Adj* ***~ sein*** feel the cold (very easily); ***~ aussehen*** look frozen
verfrüht *Adj* premature
verfügbar *Adj* available
Verfügbarkeit *f* availability
verfugen *v/t* TECH point
verfügen I *v/t* order: ***testamentarisch ~*** decree by will **II** *v/i* ***~ über*** (*Akk*) have *s.o., s.th.* at one's disposal, dispose of, (*besitzen*) possess, (*a. Sprachkenntnisse*) have; ***er kann über s-e Zeit frei ~*** he is master of his time **Verfügung** *f* **1.** order, VERW decree: ***laut ~*** as ordered; → ***einstweilig, letztwillig*** **2.** (***über*** *Akk* of) disposal, JUR disposition: ***zur ~ stehen*** (***stellen***) be (make) available, ***j-m*** be (place) at s.o.'s disposal; ***sich zur ~ stellen*** offer one's services, volunteer (***für*** for); ***sein Amt zur ~ stellen*** tender one's resignation **Verfügungsgewalt** *f* (***über*** *Akk* of) disposal, control
verführen *v/t* seduce **Verführer** *m* seducer **Verführerin** *f* seductress
verführerisch *Adj* seductive, *weit. S.* tempting **Verführung** *f a. fig* seduction **Verführungskünste** *Pl* powers *Pl* of seduction
verfünffachen *v/t u. v/refl* ***sich ~*** quintuple
verfüttern *v/t* feed
Vergabe *f von Aufträgen etc*: placing, *von Auszeichnungen etc*: awarding, *von öffentlichen Mitteln*: allocation
vergammeln F **I** *v/i* **1.** rot **2.** *fig Person*: go to seed **II** *v/t* **3.** (*Zeit*) laze away
vergammelt *Adj* F seedy, scruffy
vergangen *Adj* past: ***~e Woche, in der ~en Woche*** last week
Vergangenheit *f* past (*a. fig Vorleben*), LING past (tense): ***politische ~*** political background; → ***ruhen***
Vergangenheitsbewältigung *f* coming to terms with the past
vergänglich *Adj* transient, fugitive
Vergänglichkeit *f* transience
vergasen *v/t* **1.** CHEM gasify **2.** (*töten*) gas
Vergaser *m* MOT carburet(t)or
Vergasung *f* **1.** CHEM gasification **2.** (*Tötung*) gassing
vergeben I *v/t* **1.** (***an*** *Akk*) give *s.th.* away (to), (*Auftrag etc*) place (with), (*Arbeit etc*) assign (to), (*Preis etc*) award (to), (*öffentliche Mittel*) allocate (to), (*Stipendium*) grant (to) **2.** ***j-m etw ~*** forgive s.o. (for doing) s.th. **3.** ***e-e Chance ~*** *a.* SPORT miss (*od* give away) the chance **II** *v/i* **4.** ***j-m ~*** forgive s.o. **5.** SPORT give away the chance, shoot wide

III *Adj* **6.** *Stelle*: filled, *Arbeit etc*: assigned: ***noch nicht ~*** *Posten*: still vacant
vergebens *Adj präd u. Adv* in vain
vergeblich I *Adj* vain, futile **II** *Adv* in vain **Vergeblichkeit** *f* futility
Vergebung *f* **1.** (***j-n um ~ bitten*** ask s.o.'s) forgiveness **2.** → ***Vergabe***
vergegenwärtigen *v/t* ***sich etw ~*** visualize (*od* picture) s.th.
vergehen I *v/i allg* pass (away) (*a. fig*), *Zeit*: *a.* go by, (*nachlassen*) wear off: ***wie die Zeit vergeht!*** how time flies!; ***vor*** *Hunger, Ungeduld etc* ***~*** be dying with; ***er verging fast vor Angst*** he was frightened to death; ***mir ist der Appetit vergangen*** I've lost my appetite; F ***da vergeht einem alles!*** that turns you off completely! **II** *v/refl* ***sich ~*** **a)** ***an j-m*** commit indecent assault on s.o., rape s.o., **b)** ***gegen*** *ein Gesetz etc*: offend against, violate
Vergehen *n* offen/ce (*Am* -se), delict
vergelten *v/t allg* repay (***j-m etw*** s.o. for s.th.) **Vergeltung** *f* (***als ~*** in) retaliation (***für*** for, of): ***~ üben*** retaliate (***an*** *Dat* on) **Vergeltungs...** retaliatory (*measure, strike, etc*)
vergesellschaften *v/t* WIRTSCH socialize
Vergesellschaftung *f* WIRTSCH socialization
vergessen *v/t allg* forget (***sich*** o.s.), (*liegen lassen*) *a.* leave (behind): ***ich habe es ~*** *a.* it slipped my mind; ***ich habe ganz ~, wie*** I forget how; ***das vergesse ich dir nie*** I won't ever forget it; F ***das kannst du ~!*** forget it!
Vergessenheit *f* (***in ~ geraten*** fall into) oblivion
vergesslich *Adj* forgetful: ***~ sein*** *a.* keep forgetting things
Vergesslichkeit *f* forgetfulness
vergeuden *v/t* waste, squander
Vergeudung *f* waste
vergewaltigen *v/t* rape, *a. fig* violate
Vergewaltigung *f* rape, *a. fig* violation
vergewissern *v/refl* ***sich ~*** make sure (***e-r Sache*** of s.th., ***ob*** whether, ***dass*** that)
vergießen *v/t* spill, (*Blut, Tränen*) shed
vergiften I *v/t* poison (*a. fig*), (*die Umwelt*) contaminate **II** *v/refl* ***sich ~*** poison o.s
Vergiftung *f* poisoning (*a. fig*), *der Umwelt*: contamination
vergilbt *Adj* yellowed
Vergissmeinnicht *n* BOT forget-me-not
vergittern *v/t* bar, *mit Holz*: lattice
verglasen *v/t* glaze
Vergleich *m* **1.** (***im ~*** in *od* by) comparison (***zu*** with): ***e-n ~ anstellen*** draw a comparison; ***dem ~ (nicht) standhalten*** bear (no) comparison (***mit*** with); → ***hinken*** **2.** JUR settlement, *mit Gläubigern*: composition: ***gütlicher ~*** amicable arrangement; ***mit e-m Gläubiger e-n ~ (ab)schließen*** compound with a creditor **vergleichbar** *Adj* comparable (***mit*** to, with) **vergleichen I** *v/t* compare (***mit*** to, *prüfend*: with): ***... ist nicht zu ~ mit ...*** ... cannot be compared to ..., *wertmäßig*: ... cannot compare with ... **II** *v/refl* ***sich ~*** JUR come to terms, *mit Gläubigern*: compound
vergleichend *Adj* comparative
vergleichsweise *Adv* comparatively
Vergleichszahl *f Statistik*: comparative figure
verglühen *v/i Meteor, Rakete*: burn up
vergnügen *v/refl* ***sich (mit etw) ~*** enjoy o.s. (doing s.th.) **Vergnügen** *n* pleasure, (*Spaß*) fun: ***mit ~*** with pleasure; ***viel ~!*** *a. iron* have fun!; (***nur***) ***zum ~*** (just) for fun; ***vor ~*** *yell etc* with delight; ***sein ~ haben an*** (*Dat*) enjoy; ***j-m ~ machen*** amuse s.o.; ***wir wünschen Ihnen viel ~*** we hope you'll enjoy yourselves; ***es war kein (reines) ~!*** F it was no picnic!; ***es war ein teures ~*** it was a costly affair
vergnüglich *Adj* pleasant, amusing
vergnügt *Adj* cheerful: ***~ sein*** *a.* be in high spirits **Vergnügung** *f mst Pl* pleasure, amusement, (*a. Veranstaltung*) entertainment
Vergnügungs|park *m* amusement park, *bes Br* fun fair **~reise** *f* pleasure trip **~steuer** *f* entertainment tax **&süchtig** *Adj* pleasure-seeking **~viertel** *n* night-life district
vergolden *v/t a. fig* gild
vergoldet *Adj Uhr etc*: gold-plated
vergönnen *v/t* grant: ***es war ihr nicht vergönnt zu*** *Inf* it was not granted to her to *Inf*
vergöttern *v/t fig* adore, worship
vergraben *v/t a. fig* bury (***sich*** o.s.)
vergrämt *Adj* careworn

vergrätzen *v/t* vex, annoy
vergraulen *v/t* F scare off
vergreifen *v/refl* **1.** ***sich ~*** *allg* make a mistake, MUS play a wrong note: *fig* ***sich im Ton ~*** strike a false note, talk out of turn **2.** ***sich ~ an*** *fremdem Eigentum etc*: misappropriate; ***sich an j-m ~*** lay hands on s.o., (sexually) assault s.o.
vergreisen *v/i* become senile, *Bevölkerung*: age **vergreist** *Adj* senile
Vergreisung *f* senescence
vergriffen *Adj Ware*: sold(-)out, *Buch*: out(-)of(-)print
vergrößern I *v/t allg* enlarge, FOTO *a.* blow up, OPT magnify, (*ausdehnen*) expand, extend, (*vermehren, a. fig*) increase, (*Einfluss etc*) *a.* widen **II** *v/refl* ***sich ~*** enlarge, expand, increase, widen, *Organ*: become enlarged **Vergrößerung** *f allg* enlargement (*a.* FOTO), expansion, increase, widening, OPT magnification
Vergrößerungs|apparat *m* FOTO enlarger **~glas** *n* OPT magnifying glass
Vergünstigung *f* privilege, *steuerliche*: allowance, *soziale*: benefit
vergüten *v/t* **1.** **(*j-m*) *etw ~*** (*Arbeit etc*) remunerate (*od* pay) (s.o.) (for) s.th., (*Unkosten etc*) reimburse (s.o.) for s.th., (*Schaden etc*) compensate (s.o.) for s.th. **2.** TECH (*Stahl*) quench and temper **Vergütung** *f* **1.** remuneration, reimbursement, compensation **2.** TECH quenching and tempering
verhaften *v/t* arrest: ***Sie sind verhaftet!*** you are under arrest! **Verhaftete** *m, f* person arrested **Verhaftung** *f* arrest
verhallen *v/i* die away
verhalten[1] *v/refl* ***sich ~*** *allg* behave, *Person*: *a.* conduct o.s., act, *Sache*: be, CHEM *a.* react: ***sich ruhig ~*** keep quiet; ***ich weiß nicht, wie ich mich ~ soll*** I'm not sure what to do; ***wenn sich die Sache so verhält*** if that is the case
verhalten[2] **I** *Adj* **1.** restrained, *Zorn, Lachen etc*: suppressed **2.** → ***gedämpft*** 1 **II** *Adv* **3.** with restraint: ***~ fahren*** drive cautiously; SPORT ***er lief ~*** he didn't go all out; ***~ spielen*** SPORT play a waiting game, THEAT underact
Verhalten *n allg* behavio(u)r, reaction, (*Haltung*) conduct, attitude
Verhaltens|forscher(in) behavio(u)ral scientist **~forschung** *f* behavio(u)ral science **~gestört** *Adj* disturbed, maladjusted **~(maß)regeln** *Pl* instructions *Pl* **~muster** *n* behavio(u)ral pattern **~therapie** *f* behavio(u)r therapy
Verhältnis *n* **1.** proportion, relation, (*Zahlen~*) ratio: ***im ~ 1:10*** in a ratio of one to ten; ***in k-m ~ stehen*** be out of all proportion (***zu*** to) **2.** (***zu***) relations *Pl*, relationship (with), (*Einstellung*) attitude (to): ***in e-m freundschaftlichen ~ stehen*** be on friendly terms **3.** *Pl* (*Umstände*) conditions *Pl*, circumstances *Pl*, (*Mittel*) means *Pl*: ***unter diesen*** (*od* ***den gegebenen***) ***~sen*** as matters stand; ***in guten*** (***finanziellen***) ***~sen leben*** be well off; ***über s-e ~se leben*** live beyond one's means **4.** F (*Liebes~*) affair, (*Geliebte*) mistress
verhältnismäßig *Adj* comparative, relative
Verhältnis|wahl *f* PARL proportional representation **~wort** *n* preposition
verhandeln I *v/i* **1.** ***~ über*** (*Akk*) negotiate (about, on, for), (*erörtern*) discuss **2.** JUR hold a hearing (*strafrechtlich*: trial) **II** *v/t* **3.** JUR (*e-n Fall*) hear, *strafrechtlich*: try **Verhandlung** *f* **1.** negotiations *Pl* (***über*** *Akk* about, on, for): ***in ~en eintreten*** enter into negotiations **2.** JUR hearing, (*Straf~*) trial: ***zur ~ kommen*** come up (for trial)
Verhandlungs|basis *f* basis for negotiation: WIRTSCH ***~ € 5000*** €5,000 or nearest offer **~bereit** *Adj* ready to negotiate **~partner(in)** negotiating party **~runde** *f* round of negotiations **~tisch** *m* negotiating table
verhangen *Adj Himmel*: cloudy
verhängen *v/t* **1.** (***mit*** with) cover, drape **2.** (***über*** *Akk*) (*Strafe etc*) impose (on), (*Notstand etc*) declare (in *a country etc*) **3.** (*Elfmeter etc*) (***gegen*** against) give, award
Verhängnis *n* (*Schicksal*) fate, (*Katastrophe*) disaster: ***j-m zum ~ werden*** be s.o.'s undoing **verhängnisvoll** *Adj* fateful, *stärker*: disastrous, fatal
verharmlosen *v/t* ***etw ~*** play s.th. down
verhärmt *Adj* careworn
verharren *v/i* ***in s-m Schweigen*** *etc* ***~*** remain silent *etc*
verharschen *v/i* crust
verhärten *v/t a. fig* harden (***sich*** o.s.)

Verhärtung *f bes fig* hardening, induration (*a.* MED)
verhaspeln *v/refl* ***sich ~*** F *fig* get in a muddle
verhasst *Adj* hated, *Sache*: *a.* hateful: ***er hat sich bei allen ~ gemacht*** he has turned everyone against him
verhätscheln *v/t* coddle, pamper
verhauen *v/t* F **1.** beat *s.o.* up, (*bes Kind*) spank **2.** *fig* (*Prüfung etc*) muff
verheddern *v/refl* ***sich ~*** F **1.** *a. fig* tangle **2.** → ***verhaspeln***
verheerend *Adj* **1.** *Erdbeben etc*: disastrous: *fig* ***~ wirken auf*** (*Akk*) play havoc with **2.** F dreadful **Verheerungen** *Pl* (***~ anrichten*** cause) havoc *Sg*
verhehlen *v/t* → ***verheimlichen***
verheilen *v/i* heal (up)
verheimlichen *v/t* (*Dat* from) hide, conceal, keep *s.th.* a secret
verheiraten *v/t* ***j-n ~*** marry s.o. (off) (***mit, an*** *Akk* to); ***sich ~*** marry, get married; ***verheiratet sein*** be married (***mit*** to, *a.* F *fig mit dem Beruf etc*) **Verheiratete** *m, f* married man (woman)
verheißen *v/t*, **Verheißung** *f* promise
verheißungsvoll *Adj* promising
verhelfen *v/t* ***j-m ~ zu*** help s.o. (to) find (*od* get *etc*)
verherrlichen *v/t* glorify
Verherrlichung *f* glorification
verhexen *v/t* bewitch, F jinx: ***es ist wie verhext!*** there is a jinx on it!
verhindern *v/t* prevent: ***(es) ~, dass j-d etw tut*** prevent s.o. from doing s.th.
verhindert *Adj* **1.** ***~ sein*** be unable to come **2.** F *fig* would-be *artist etc*
Verhinderung *f* prevention
verhöhnen *v/t* deride, mock (at)
Verhöhnung *f* derision, mockery
verhökern *v/t* F *pej* flog
Verhör *n* JUR interrogation, questioning
verhören I *v/t* JUR interrogate, question **II** *v/refl* ***sich ~*** mishear
verhüllen *v/t* cover (up), *a. fig* veil
verhundertfachen *v/t* centuple
verhungern *v/i* die of starvation: ***j-n ~ lassen*** starve s.o. to death; F ***ich bin am ♀!*** I'm starving!
verhunzen → ***versauen***
verhüten *v/t* prevent
verhütten *v/t* TECH (*Erze*) smelt
Verhütung *f* prevention, (*Empfängnis♀*) contraception
Verhütungsmittel *n* MED contraceptive
verhutzelt *Adj* F *Gesicht etc*: wizened
verinnerlichen *v/t* PSYCH, SOZIOL internalize
verirren *v/refl* ***sich ~*** lose one's way, get lost **verirrt** *Adj Tier, Kugel*: stray
Verirrung *f fig* aberration
verjagen *v/t a. fig* chase away
verjähren *v/i* JUR come under the statute of limitation **verjährt** *Adj* statute-barred **Verjährung** *f* limitation, *e-s Besitzrechts*: (negative) prescription
Verjährungsfrist *f* period of limitation
verjubeln *v/t* F blow, blue
verjüngen I *v/t* **1.** ***j-n ~*** make s.o. (look) younger, rejuvenate s.o.; SPORT ***die Mannschaft ~*** build up a younger team **II** *v/refl* ***sich ~*** **2.** grow (*od* look) younger **3.** TECH taper **Verjüngung** *f* **1.** rejuvenation **2.** TECH taper
verkabeln *v/t* connect to a cable TV network
verkalken *v/i* calcify, *Leitung etc*: fur up, F *Arterien*: harden, *Person*: become senile **verkalkt** *Adj* F *fig* senile
verkalkulieren *v/refl* ***sich ~*** F miscalculate, make a mistake
Verkalkung *f* **1.** calcification **2.** F *fig* hardening of the arteries, senility
verkannt *Adj* unrecognized
verkappt *Adj* disguised: ***ein ~er Kommunist*** a crypto-communist
Verkauf *m* **1.** (***zum ~*** for) sale **2.** WIRTSCH sales department **verkaufen I** *v/t* (*Dat*, ***an*** *Akk* to) sell (*a.* F *fig*): ***zu ~!*** for sale! **II** *v/refl* ***sich ~*** sell *well, badly, etc*, *Person*: sell o.s **Verkäufer** *m* seller, JUR vendor, (*Vertreter*) salesman, (*Laden♀*) (shop) assistant, *Am* salesclerk **Verkäuferin** *f* (shop) assistant, saleslady, *Am* salesclerk **verkäuflich** *Adj* marketable, sal(e)able, (*zu verkaufen*) for sale: ***gut ~*** easy to sell; ***frei ~*** *Medikament*: available without prescription
Verkaufs|aktion *f* sales campaign, *Am a.* sales drive **~förderung** *f* sales promotion **~gespräch** *n* sales talk **~leiter(in)** sales manager **♀offen** *Adj* ***~er Samstag*** all-day shopping on Saturday **~preis** *m* selling price **~schlager** *m* F money-spinner **~stand** *m* stand **~wert** *m* market value **~ziffer** *f* sales figure
Verkehr *m* **1.** (*Straßen♀*) traffic: ***öffentlicher ~*** public transport(ation) **2.** *fig*

(*Verbindung*) contact, (*Umgang*) dealings *Pl*, company: ***den ~ abbrechen*** break off all contact(s) **3.** WIRTSCH trade, (*Zahlungs*2) payments *Pl*, (*Umlauf*) circulation: ***aus dem ~ ziehen*** *a.* F *fig* withdraw from circulation **4.** (*Geschlechts*2) (sexual) intercourse

verkehren *v/i* **1.** *Bus etc*: run, operate **2.** ***~ in*** (*Dat*) frequent; ***bei j-m ~*** visit s.o. regularly **3.** ***~ mit*** associate (*od* mix) with; ***geschäftlich ~ mit*** have business dealings with **4.** (***geschlechtlich***) ***~ mit*** have (sexual) intercourse with

Verkehrs|ampel *f* traffic lights *Pl* **~amt** *n* tourist office **~aufkommen** *n* volume of traffic **~behinderung** *f* holdup, delay **~beruhigung** *f* traffic calming **~betriebe** *Pl* transport services *Pl* **~chaos** *n* traffic chaos **~delikt** *n* traffic offen/ce (*Am* -se) **~dichte** *f* traffic density **~durchsage** *f* traffic announcement **~erziehung** *f* road safety education **~flugzeug** *n* airliner **~fluss** *m* flow of traffic **2frei** *Adj* ***~e Zone*** vehicle-free zone **2günstig** *Adv*: ***~ gelegen*** conveniently placed as regards transport facilities **~insel** *f* traffic island **~kontrolle** *f* vehicle spotcheck **~kreisel** *m Br* roundabout, *Am* rotary **~lage** *f* situation on the roads **~leitsystem** *n* traffic guidance (*od* routing) system **~meldungen** *Pl* traffic news *Sg* **~minister(in)** Minister of Transport **~mittel** *n* means *Pl* of transport(ation): ***öffentliche ~*** *Pl* public transport(ation) *Sg* **~netz** *n* traffic system **~opfer** *n* road casualty **~ordnung** *f* traffic regulations *Pl* **~polizei** *f* traffic police **~polizist(in)** traffic policeman (policewoman) **~regel** *f mst Pl* traffic regulation **~regelung** *f* (automatic) traffic control **2reich** *Adj* busy **~schild** *n* road sign **2sicher** *Adj* MOT roadworthy **~sicherheit** *f* road safety, MOT roadworthiness

Verkehrs|sprache *f* lingua franca **~stau** *m*, **~stockung** *f* traffic jam **~streife** *f* traffic patrol **~sünder(in)** traffic offender **~teilnehmer(in)** road user **~träger** *m* means of transport **~überwachung** *f* traffic control (*od* surveillance) **~unfall** *m* road accident, *schwerer*: (car) crash **~unterricht** *m* traffic instruction **~verbund** *m* linked transport system **~verein** *m* tourist office **~wert** *m* WIRTSCH market value **~zählung** *f* traffic census **~zeichen** *n* road sign

verkehrt I *Adj* wrong **II** *Adv* ***~ herum*** the wrong way round, (*auf dem Kopf*) upside(-)down, (*Innenseite nach außen*) inside out

verkennen *v/t* misjudge; → ***verkannt***

verketten *v/t a. fig* link

Verkettung *f fig* concatenation

verklagen *v/t* sue (***wegen, auf*** *Akk* for)

verklappen *v/t* dump into the ocean

Verklappung *f* ocean dumping

verklären *v/t fig* idealize

verklärt *Adj fig Ausdruck etc*: beatific

verkleiden I *v/t* **1.** dress *s.o.* up, disguise **2.** TECH cover, *innen*: line, (*umhüllen*) case, *mit Holz*: panel, *mit Steinen etc*: face, revet **II** *v/refl* ***sich ~*** **3.** dress (o.s.) up, disguise o.s **Verkleidung** *f* **1.** disguise **2.** TECH casing, (*Innen*2) lining, (*Holz*2) panel(l)ing, ARCHI (*Außen*2) facing, (*Kühler*2) cowling, FLUG fairing

verkleinern *v/t* **1.** make *s.th.* smaller, (*Maßstab etc*) reduce, (*vermindern*) diminish **2.** *fig* detract from, belittle

Verkleinerung *f* reduction **Verkleinerungsform** *f* LING diminutive

verklemmt *Adj* PSYCH inhibited

verklingen *v/i a. fig* die away

verknacken *v/t* F put *s.o.* inside (***zu*** for)

verknallen *v/refl* ***sich ~ in*** (*Akk*) F fall for; ***verknallt sein in*** (*Akk*) *a.* be madly in love with, have a crush on

Verknappung *f* shortage

verkneifen *v/t* F ***sich etw ~*** do (*od* go) without s.th.; ***ich konnte mir ein Lächeln nicht ~*** I couldn't help smiling

verkniffen *Adj Mund*: pinched, *Ansichten*, *Mensch*: narrow-minded

verknöchern *v/i a. fig* ossify: ***er ist total verknöchert*** F he's an old fossil

verknoten *v/t* knot, tie (up)

verknüpfen *v/t* **1.** knot (*od* tie) together **2.** *fig* connect, link: ***mit*** *Kosten, Schwierigkeiten etc* ***verknüpft sein*** involve; ***eng verknüpft sein mit*** be bound up with

verknusen *v/t* F ***ich kann ihn nicht ~*** I can't stand him

verkochen *v/i Wasser etc*: boil away: GASTR ***verkocht sein*** be overboiled

verkohlen I *v/i* char **II** *v/t* F *fig* ***j-n ~*** have

s.o. on, pull s.o.'s leg
verkommen[1] *v/i Anwesen etc*: go to rack and ruin, *Person*: *a.* go to the dogs, *Obst etc*: go to waste
verkommen[2] *Adj* (*verwahrlost*) seedy, run-down, (*verfallen*) dilapidated, *moralisch*: depraved
Verkommenheit *f* depravity
verkorken *v/t* cork (up)
verkorksen *v/t* F ***etw ~*** mess s.th. up; ***sich den Magen ~*** upset one's stomach; *fig* ***e-e verkorkste Sache*** a mess
verkörpern *v/t* personify, *bes Sache*: embody, *bes* THEAT impersonate
Verkörperung *f* personification, embodiment, THEAT impersonation
verköstigen *v/t* feed
verkrachen *v/refl* ***sich ~*** F fall out (***mit*** with) **verkracht** *Adj* F **1.** ***mit j-m ~ sein*** have fallen out with s.o. **2.** failed (*artist etc*): ***~e Existenz*** failure
verkraften *v/t* cope with, handle, *seelisch*: bear, take
verkrampfen *v/refl* ***sich ~*** *Muskeln etc*: become cramped, *Hände etc*: clench, *fig Mensch*: tense (up)
verkriechen *v/refl* ***sich ~*** *a. fig* hide
verkrümeln *v/refl* ***sich ~*** F make o.s. scarce
verkrümmt *Adj* MED curved
Verkrümmung *f* ***~ der Wirbelsäule*** curvature of the spine
verkrüppeln **I** *v/t* cripple **II** *v/i* become crippled (*Baum*: stunted)
verkrusten *v/i* become encrusted
verkühlen → ***erkälten***
verkümmern *v/i* become stunted, *a. fig* waste away, atrophy **verkümmert** *Adj* stunted, *a. fig* atrophied
verkünden *v/t* **1.** announce (*a.* F *fig sagen*), *öffentlich*: proclaim, (*Urteil*) pronounce, (*Gesetz*) promulgate **2.** *fig* herald **verkündigen** *v/t* **1.** *lit für* ***verkünden*** **2.** REL preach **Verkündigung** *f* REL preaching: ***Mariä ~*** Annunciation (Day) **Verkündung** *f* proclamation, *e-s Urteils*: pronouncement, *e-s Gesetzes*: promulgation
verkupfern *v/t* copper
verkuppeln *v/t* F ***j-n ~*** marry s.o. off (***an*** *Akk* to)
verkürzen **I** *v/t* shorten (***um*** by), abridge, (*Aufenthalt etc*) cut short: ***verkürzte Arbeitszeit*** reduced hours *Pl* **II** *v/i* ***~ auf*** (*Akk*) SPORT shorten to
verlachen *v/t* laugh at, deride
Verladebahnhof *m* shipping station
verladen *v/t* **1.** (*Güter*) load, ship, (*a. Truppen*) SCHIFF embark, FLUG emplane, BAHN entrain, MOT entruck **2.** → ***verschaukeln*** **Verladung** *f* loading (*etc*)
Verlag *m* publishing house (*od* company), publishers *Pl*: ***erschienen im ~ Longman*** published by Longman
verlagern *v/t* **1.** (*a.* ***sich ~***) (*Schwerpunkt, Interesse etc*) shift (***auf*** *Akk* to) **2.** → ***verlegen***[1] 1 **Verlagerung** *f* **1.** shift(ing) **2.** → ***Verlegung*** 1
Verlags|anstalt *f* publishing house **~buchhandel** *m* publishing trade **~buchhändler(in)** publisher **~werk** *n* publication **~wesen** *n* publishing
verlanden *v/i* silt up
verlangen **I** *v/t* **1.** ask for, demand, (*erwarten*) expect, (*beanspruchen*) claim: ***die Rechnung ~*** ask for the bill; ***er verlangt viel*** he's very demanding; ***das ist*** (***nicht***) ***zu viel verlangt*** that's (not) asking too much; ***er verlangte den Geschäftsführer*** he asked to speak to the manager; ***Sie werden am Telefon verlangt*** you are wanted on the phone **2.** (*erfordern*) require, call for **3.** (*berechnen*) charge **II** *v/i* **4.** ***~ nach*** **a)** ask for, **b)** (*sich sehnen*) long for
Verlangen *n* **1.** (***nach*** for) desire, (*Sehnsucht*) longing: ***heftiges ~*** craving **2.** (*Bitte*) request, (*Forderung*) demand: ***auf ~*** on request
verlängern *v/t* **1.** lengthen (*a.* ***sich ~***), make *s.th.* longer, *fig* (*Frist, Leben etc*) prolong, (*a. Kredit, Mitgliedschaft etc*) extend, (*Vertrag, Ausweis etc*) renew **2.** SPORT (*Ball, Pass*) touch on (***zu*** to)
Verlängerung *f* **1.** lengthening, *zeitlich*: prolongation, extension, renewal **2.** SPORT **a)** *des Balles etc*: pass, **b)** (*Spiel*2) (***in die ~ gehen*** go into) extra time (*Am* overtime)
Verlängerungsschnur *f* ELEK extension flex (*Am* cord)
verlangsamen *v/t* (*a.* ***sich ~***) (*Schritte, Tempo etc*) slacken, (*a. fig Entwicklung etc*) slow down
Verlass *m* ***es ist*** (***kein***) ***~ auf j-n*** (***etw***) s.o. (s.th.) is reliable (unreliable)

verlassen[1] **I** *v/t* leave, (*im Stich lassen*) *a.* abandon, desert: *fig* ***s-e Kräfte verließen ihn*** his strength failed him **II** *v/refl* **sich ~ auf** (*Akk*) rely (*od* count, depend) on; F ***verlass dich drauf!*** take my word for it!
verlassen[2] *Adj* deserted, *Person*: *a.* abandoned, (*einsam*) lonely, desolate
Verlassenheit *f* loneliness, desolation
verlässlich *Adj* reliable, dependable
Verlauf *m* **1.** *e-r Straße etc*: course **2.** (*Ablauf*) course, run, (*Entwicklung*) progress, development: ***im ~ von*** (*od Gen*) in the course of; ***im weiteren ~*** in the sequel **verlaufen I** *v/i* **1.** *Straße etc*: run **2.** go, run, come off: ***alles verlief wie geplant*** everything went according to plan; ***normal ~*** take its normal course; → ***ergebnislos*** **3.** *Farben*: run, bleed **4.** *Spur*: disappear: → ***Sand*** **5.** → ***zerlaufen*** **II** *v/refl* **sich ~ 6.** get lost, lose one's way
verlaust *Adj* full of lice
verlautbaren *v/t* VERW announce
verlauten *v/i* be reported: ***wie verlautet*** as reported; ***~ lassen*** give to understand, (*andeuten*) hint
verleben *v/t* spend: ***e-e schöne Zeit ~*** *a.* have a nice time **verlebt** *Adj* ravaged (*od* worn-out) (by a fast life)
verlegen[1] **I** *v/t* **1.** (**nach**, **in** *Akk* to) transfer, move **2.** *zeitlich*: (**auf** *Akk*) put off (to), postpone (until) **3.** (*Brille etc*) mislay **4.** (*Teppich*, *Gleise*, *Kabel etc*) lay **5.** (*Buch etc*) publish **6.** → ***verlagern*** 1 **II** *v/refl* **7. sich ~ auf** (*Akk*) take up, (*ein Hobby*) take to (*gardening etc*): ***sie verlegte sich aufs Bitten*** she resorted to pleading
verlegen[2] *Adj* **1.** embarrassed: ***~ machen*** embarrass **2.** (***nie***) ***~ um*** (*e-e Antwort*, *Ausrede etc*) (never) at a loss for
Verlegenheit *f* **1.** embarrassment: ***j-n in ~ bringen*** embarrass s.o. **2.** (*missliche Lage*) predicament, awkward situation: ***j-m aus der ~ helfen*** help s.o. out
Verlegenheits|lösung *f* makeshift solution **~pause** *f* (***es entstand e-e ~*** there was an) awkward silence
Verleger(in) publisher **verlegerisch** *Adj* publisher's (*risk*, *courage*, *etc*)
Verlegung *f* **1.** transfer, removal **2.** *zeitlich*: postponement **3.** TECH laying
verleiden *v/t* ***j-m etw ~*** spoil s.th. for s.o.
Verleih *m* **1.** hiring out, *von Filmen*: distribution: ***~ von Autos*** *etc* cars *etc* for hire **2.** (*~firma*) hire (*od* rental) service, (*Film*≈) distributors *Pl*
verleihen *v/t* **1.** (**an** *Akk* to) lend (out), *bes Am* loan, *gegen Gebühr*: hire (*Am* rent) out **2.** ***j-m etw ~*** (*Preis etc*) award s.o. s.th., (*Titel etc*) confer s.th. on s.o., (*Recht etc*) grant s.o. s.th. **3.** *fig* give (*Dat* to): ***s-r Dankbarkeit Ausdruck ~*** express one's gratitude **Verleiher(in)** lender, *bes Am* loaner **Verleihung** *f* **1.** lending (*etc*, → ***verleihen*** 1) **2.** award, conferment, grant(ing)
Verleihungsurkunde *f* diploma
verleimen *v/t* glue together
verleiten *v/t* ***j-n zu etw ~*** make s.o. do s.th., lead s.o. to do s.th., seduce (*od* talk) s.o. into doing s.th.; ***sich ~ lassen*** (***zu*** *Inf*) be seduced (to *Inf*), *von e-m Gefühl etc*: be carried away (into *Ger*)
verlernen *v/t* unlearn, forget
verlesen[1] **I** *v/t* read out, (*Namen*) *a.* call out: ***die Namensliste ~*** call the roll **II** *v/refl* **sich ~** make a slip (in reading)
verlesen[2] *v/t* (*Salat etc*) pick
verletzbar, **verletzlich** *Adj fig* vulnerable, touchy **verletzen I** *v/t* injure, hurt, wound, *fig a.* offend, (*Gesetz etc*) violate, (*Anstand etc*) offend against: ***er wurde tödlich verletzt*** he was fatally injured; ***j-n tief ~*** cut s.o. to the quick; ***s-e Pflicht ~*** neglect one's duty **II** *v/refl* **sich ~** hurt o.s., get hurt; ***er hat sich am Arm verletzt*** he hurt his arm **verletzend** *Adj fig* offensive
Verletzte *m, f* injured person: ***die ~n*** the injured; ***es gab viele ~*** many people were injured **Verletzung** *f* **1.** injury, wound **2.** *fig* (*Gesetzes*≈ *etc*) violation, (*Pflicht*≈ *etc*) *a.* breach
Verletzungsgefahr *f* danger of injuring o.s **Verletzungspech** *n* SPORT ***vom ~ verfolgt*** injury-ridden
verleugnen *v/t* deny, (*Glauben etc*) renounce, (*Kind*, *Freund etc*) disown: ***es lässt sich nicht ~, dass ...*** there's no denying that ...; ***sich vor j-m ~ lassen*** not to be at home to s.o.
Verleugnung *f* denial
verleumden *v/t* calumniate, JUR slander, *schriftlich*: libel **Verleumder(in)** slanderer, libel(l)er **verleumderisch** *Adj* slanderous, libel(l)ous **Verleum-**

dung *f* calumny, slander, *schriftliche*: libel
Verleumdungskampagne *f* smear campaign **Verleumdungsklage** *f* JUR action for slander (*od* libel)
verlieben *v/refl* ***sich ~*** fall in love (***in*** *Akk* with) **verliebt** *Adj* in love (***in*** *Akk* with), *Blicke etc*: amorous **Verliebtheit** *f* being in love, amorousness
verlieren I *v/t allg* lose, (*Blätter, Haare*) *a.* shed: ***kein Wort darüber ~*** not to say a word about it; F ***er hat hier nichts verloren!*** he's got no business (to be) here!; → ***Auge*** 1, ***Mut, Nerv*** **II** *v/i* lose (***gegen*** to, against): *fig* ***an Wert ~*** go down in value; → ***Reiz*** 2 **III** *v/refl* ***sich ~*** disappear
Verlierer(in) loser **Verliererseite** *f* ***auf der ~ sein*** be on the losing side
Verlies *n* dungeon
verloben *v/refl* ***sich ~*** get engaged (***mit*** to) **verlobt** *Adj* engaged (to be married) (***mit*** to)
Verlobte *m, f* fiancé(e *f*): ***die ~n*** *Pl* the engaged couple *Sg*
Verlobung *f* engagement
Verlobungs|anzeige *f* engagement announcement **~feier** *f* engagement party **~ring** *m* engagement ring
verlocken *v/t* tempt **verlockend** *Adj* tempting **Verlockung** *f* temptation
verlogen *Adj* lying, *Moral etc*: hypocritical: ***du ~er Kerl!*** you damned liar!
Verlogenheit *f* lying, hypocrisy
verloren *Adj allg* lost, *fig a.* wasted, (*einsam*) *a.* forlorn: GASTR ***~e Eier*** poached eggs; BIBEL ***der ~e Sohn*** the prodigal son; ***auf ~em Posten stehen*** fight a losing battle; ***~ gehen*** get lost, be lost; ***an ihm ist ein Lehrer ~ gegangen*** he would have made a good teacher
verlosen *v/t* draw lots for, *in e-r Tombola*: raffle (off) **Verlosung** *f* drawing lots (*Gen* for), (*Lotterie*) raffle, lottery
verlöten *v/t* TECH solder (up)
verlottern *etc* → ***verwahrlosen*** *etc*
Verlust *m allg* loss (***an*** *Dat* of, *fig* ***für*** to), (*Todesfall*) *a.* bereavement: ***~e*** *Pl* losses *Pl*, *beim Spiel*: losings *Pl*, MIL casualties *Pl*; ***mit ~*** at a loss; ***mit ~ arbeiten*** *a.* be losing money
Verlust|geschäft *n* losing deal **~meldung** *f* report of loss, MIL casualty report **~ziffer** *f* MIL casualty figure

vermachen *v/t* leave (*Dat* to)
Vermächtnis *n* JUR **1.** (*Testament*) will **2.** (*Hinterlassenschaft, a. fig*) legacy
vermählen *v/refl* ***sich ~*** get married (***mit*** to) **Vermählte** *m, f* newly(-)wed: ***die ~n*** *Pl* the newly(-)weds *Pl*, the newly-married couple *Sg* **Vermählung** *f* marriage, wedding
vermännlichen *v/t* masculinize
vermarkten *v/t* market, *a. fig* sell, *fig* commercialize **Vermarktung** *f* marketing, *fig* commercialization
vermasseln *v/t* F ***etw ~*** mess s.th. up; ***j-m die Tour ~*** queer s.o.'s pitch
Vermassung *f* depersonalization
vermehren I *v/t* **1.** (***um*** by) increase, augment, *an Zahl*: multiply **2.** BIOL propagate, ZOOL *a.* breed **II** *v/refl* ***sich ~*** **3.** → 1 **4.** BIOL reproduce, multiply, breed **Vermehrung** *f* **1.** increase **2.** BIOL reproduction, breeding
vermeidbar *Adj* avoidable
vermeiden *v/t* avoid, *schlau*: evade, *ängstlich*: shun: ***es lässt sich nicht ~*** it can't be helped
vermeintlich *Adj* supposed, alleged
vermengen *v/t* **1.** mix **2.** *fig* (*Begriffe etc*) mix up
vermenschlichen *v/t* humanize
Vermerk *m* note **vermerken** *v/t* note (down), *a. fig* make a note of
vermessen[1] *v/t* measure, (*Land etc*) survey
vermessen[2] *Adj* presumptuous
Vermessenheit *f* presumption
Vermessung *f* measuring, (*Land*♀ *etc*) survey(ing)
Vermessungsingenieur(in) surveyor
vermiesen *v/t* F ***j-m etw ~*** spoil s.th. for s.o.
vermieten *v/t* (***an*** *Akk* to) let, JUR lease, *bes Am* rent (out), (*Auto etc*) hire (*Am* rent) out: ***zu ~*** *Haus*: to let, *Auto*: for hire, *beide bes Am* for rent
Vermieter *m* **1.** (*Hauswirt*) landlord **2.** *von Sachen*: lessor **Vermieterin** *f* landlady **Vermietung** *f* letting, leasing, *bes Am* renting, (*Verleih*) hiring (out)
vermindern → ***verringern***
verminen *v/t* MIL mine
vermischen *v/t* (*a.* ***sich ~***) mix, mingle
vermischt *Adj* mixed, *Nachrichten etc*: miscellaneous
Vermischung *f* mixing, mingling

vermissen *v/t* miss: ***vermisst werden*** be missing; ***ich vermisse m-e Uhr*** my watch is missing; ***ich vermisse ihn sehr*** I miss him badly; ***~ lassen*** lack
Vermisste *m, f* missing person
vermitteln I *v/t* **1.** ***j-m etw ~*** get (*od* find) s.o. s.th.; ***j-n ~ an*** (*Akk*) find s.o. a place with (*a firm etc*) **2.** (*zustande bringen*) arrange, mediate **3.** (*Dat* to) (*Wissen etc*) impart, (*Eindruck etc*) convey **II** *v/i* **4.** (***zwischen*** *Dat* between, ***in*** *Dat* in) mediate, (*~d eingreifen*) intervene
Vermittler(in) (*Schlichter*) mediator, (*Mittelsmann*) go-between, WIRTSCH agent
Vermittlung *f* **1.** (*Beschaffung*) procurement, *e-s Geschäfts etc*: negotiation, *e-s Arbeitsplatzes*: placement, *e-s Treffens etc*: arrangement: ***durch ~ von*** (*od Gen*) through **2.** *von Wissen etc*: imparting, *e-s Eindrucks etc*: conveyance **3.** (*Schlichtung*) mediation, (*Eingreifen*) intervention **4.** (*Büro*) agency, office **5.** TEL exchange
Vermittlungsgebühr *f* WIRTSCH agent's commission **Vermittlungsversuch** *m* attempt at mediation
vermöbeln F → ***verprügeln***
vermodern *v/i* mo(u)lder, rot
Vermögen *n* **1.** fortune (*a.* F *fig*), (*Besitz*) property, WIRTSCH assets *Pl*: ***sie hat ~*** she is wealthy; ***ein ~ erben*** (***kosten***) come into (cost) a fortune **2.** (***nach bestem ~*** to the best of one's) ability
vermögend *Adj* wealthy, well(-)to(-)do
Vermögens|bildung *f* wealth formation **~steuer** *f* wealth tax, property tax **~verhältnisse** *Pl* (financial) circumstances *Pl* **~verwalter(in)** custodian **~werte** *Pl* assets *Pl* **≈wirksam** *Adj* ***~e Leistung*** (employer's) capital-forming payment under the employees' saving scheme
vermummen *v/t* disguise
Vermummungsverbot *n* ban on disguising o.s. during demonstrations
vermurksen *v/t* F ***etw ~*** mess s.th. up
vermuten *v/t* suppose, assume, think, *Am* F guess, (*erwarten*) expect, (*argwöhnen*) suspect **vermutlich I** *Adj* → ***mutmaßlich*** **II** *Adv* probably: ***~!*** I suppose so! **Vermutung** *f* supposition, guess, (*Argwohn*) suspicion, (*Theorie*) conjecture, speculation: ***s-e ~ war richtig*** his guess was right; ***die ~ liegt nahe, dass …*** it is highly probable that …; ***wir sind auf*** (***bloße***) ***~en angewiesen*** we have to rely on (mere) guesswork
vernachlässigen *v/t* neglect
Vernachlässigung *f* neglect
vernageln *v/t* ***mit Brettern*** *etc* **~** board up **vernagelt** *Adj* F *fig* dense, thick: ***ich war wie ~*** my mind was a blank
vernähen *v/t* sew up
vernarben *v/i* scar over
vernarbt *Adj* scarred
vernarrt *Adj* ***~ sein in*** (*Akk*) F be wild about, (*ein Kind etc*) dote on
vernaschen *v/t* **1.** spend on sweets **2.** F *fig* **a)** *sexuell*: lay, love *s.o.* up, **b)** SPORT clobber
vernebeln *v/t* **1.** TECH atomize **2.** MIL screen **3.** *fig* obscure
vernehmbar *Adj* audible **vernehmen I** *v/t* **1.** (*hören*) hear, *fig* (*erfahren*) *a.* learn **2.** JUR interrogate, examine: ***als Zeuge vernommen werden*** be called into the witness box (*Am* stand) **II** ≈ *n* **3.** ***dem ≈ nach*** from what one hears; ***sicherem ≈ nach*** according to reliable reports **vernehmlich** *Adj* audible, distinct **Vernehmung** *f* JUR interrogation, examination **vernehmungsfähig** *Adj* fit to be examined
verneigen *v/refl* ***sich ~*** bow (***vor*** *Dat* to)
Verneigung *f* bow (***vor*** *Dat* to)
verneinen *v/t* **1.** *a. v/i* answer in the negative **2.** (*leugnen*) deny, (*ablehnen*) reject **verneinend** *Adj a.* LING negative
Verneinung *f* **1.** *a.* LING negation **2.** denial, (*Ablehnung*) rejection
vernetzen *v/t* connect (***mit*** up to), COMPUTER link up to a network **vernetzt** *Adj* networked, COMPUTER *a.* interlinked: ***nicht ~*** standalone
Vernetzung *f* connecting up, COMPUTER networking
vernichten *v/t* **1.** *allg* destroy, *stärker*: annihilate, (*ausrotten, a. fig*) exterminate, wipe out **2.** *fig* (*Hoffnung etc*) dash, shatter **vernichtend** *Adj fig Blick, Kritik etc*: scathing, devastating, *Schlag, Niederlage etc*: crushing: *Adv* ***j-n ~ schlagen*** SPORT beat s.o. hollow
Vernichtung *f* destruction, annihilation, (*Ausrottung, a. fig*) extermination

Verneinen

Ich glaube nicht, dass das eine gute Idee ist.	**I don't think that's a very good idea.**
Ich habe jetzt keine Lust mehr schwimmen zu gehen.	**I've gone off the idea of going swimming.**
Vielleicht sollten wir das einfach vergessen.	**Maybe we should just forget it.**
Nein, ich glaube nicht, danke.	**No, I don't think so, thank you.**
Das ist nicht unbedingt mein Fall.	**I'm not really into that.**
Das ist eigentlich nicht so mein Ding.	**It's not really my kind of thing.**
Snowboarden? Kannst du vergessen!	**Snowboarding? No way!**

Vernichtungs|lager *n* extermination camp **~potential** *n* destructive potential **~waffe** *f* destructive weapon
vernickeln *v/t* nickel(-plate)
verniedlichen *v/t* play *s.th.* down
vernieten *v/t* TECH rivet
Vernissage *f* MALEREI vernissage
Vernunft *f* reason: ***~ annehmen*** listen to reason; ***j-n zur ~ bringen*** bring s.o. to his senses; ***wieder zur ~ kommen*** come back to one's senses **~ehe** *f* marriage of convenience **~gründe** *Pl* ***aus ~n*** for reasons of common sense
vernünftig I *Adj* **1.** sensible, reasonable, (*besonnen*) level-headed: ***sie war ~ genug, Nein zu sagen*** she had the good sense to say no; ***sei*** (***doch***) ***~!*** be sensible! **2.** F (*angemessen*) reasonable, decent: ***e-n ~en Beruf ergreifen*** take up a proper career **II** *Adv* **3.** sensibly, reasonably: ***~ reden*** *a.* talk sense; F ***~ essen*** eat properly
veröden I *v/t* MED (*Gefäße*) obliterate **II** *v/i Land*: become desolate, *Dörfer etc*: become deserted **Verödung** *f* **1.** MED obliteration **2.** desolation
veröffentlichen *v/t* publish
Veröffentlichung *f* publication
verordnen *v/t* **1.** MED order, (*verschreiben*) prescribe (***j-m*** for s.o.) **2.** VERW decree
Verordnung *f* **1.** MED prescription **2.** VERW ordinance, decree
verpachten *v/t* lease (*Dat*, ***an*** *Akk* to)
Verpächter(in) lessor
Verpachtung *f* lease, leasing
verpacken *v/t* pack (up), *bes maschinell*: package, (*einwickeln*) wrap up: → ***Geschenk***
Verpackung *f* **1.** pack(ag)ing **2.** wrapping, package, (*Material*) packing (material): WIRTSCH ***zuzüglich ~*** plus packing
Verpackungsautomat *m* automatic packaging machine **Verpackungskosten** *Pl* packing cost *Sg* **Verpackungsmaterial** *n* packing (material) **Verpackungsmüll** *m* packaging waste
verpassen *v/t* **1.** (*Zug*, *Bus etc*) miss, (*Gelegenheit etc*) *a.* lose, waste **2.** F ***j-m e-e Uniform ~*** fit s.o. with a uniform; ***j-m ein Ding ~*** land s.o. one, zap s.o.
verpatzen *v/t* F ***etw ~*** mess s.th. up, *bes* SPORT muff s.th.
verpesten *v/t* pollute: F *fig* ***die Luft ~*** stink the place out
verpetzen *v/t* F ***j-n ~*** sneak on s.o.
verpfänden *v/t* pawn, (*a. fig sein Wort etc*) pledge, *hypothekarisch*: mortgage
verpfeifen *v/t* F ***j-n ~*** squeal on s.o.; ***etw ~*** let s.th. out
verpflanzen *v/t* BOT, MED, *fig* transplant
Verpflanzung *f* transplant(ation)
verpflegen *v/t* feed, MIL supply with rations: ***sich selbst ~*** cook for o.s
Verpflegung *f* **1.** catering, food supply **2.** food, MIL rations *Pl*
verpflichten I *v/t* **1.** ***j-n ~*** oblige (*vertraglich*: obligate, bind) s.o. (***zu etw*** to do s.th.); ***j-n zum Schweigen ~*** bind s.o. to silence; → ***verpflichtet*** **2.** (*Künstler*) engage, (*Sportler*) sign on **II** *v/refl* **3.** ***sich ~, etw zu tun*** commit o.s. to do(ing) s.th., engage (o.s.) (*od* bind o.s.) to do s.th. **4.** ***sich vertraglich ~*** *Künstler*, *Sportler*: sign on **verpflichtet** *Adj* ***gesetzlich ~*** bound by law; ***j-m zu***

V

Dank ~ sein be indebted to s.o.; ***ich fühle mich ~, ihr zu helfen*** I feel obliged to help her **Verpflichtung** *f moralische*: obligation, duty, *übernommene*: commitment, engagement, WIRTSCH, JUR liability
verpfuschen *v/t* F botch, mess *s.th.* up, (*a. fig Leben etc*) ruin
verplanen *v/t* (*Geld*) budget, (*Urlaub, Freizeit*) plan, (*Zeit*) book up
verplappern *v/refl* ***sich ~*** F blab (it out)
verplempern *v/t* F waste, fritter away
verpönt *Adj* disapproved-of: (***streng***) ***~ sein*** *a.* be frowned upon
verprassen *v/t* squander, F blow
verprügeln *v/t* thrash, beat *s.o.* up
verpuffen *v/i* **1.** CHEM detonate, blow up **2.** *fig* fizzle out, fall flat
verpulvern *v/t* F (*Geld*) blow
verpumpen *v/t* F (***an*** *Akk* to) lend, *bes Am* loan
verpuppen *v/refl* ***sich ~*** ZOOL pupate
verpusten *v/refl* ***sich ~*** F get one's breath back
verputzen *v/t* **1.** ARCHI plaster, roughcast **2.** F (*aufessen*) put away, polish off
verqualmt *Adj* smoke-filled, *präd* full of smoke
verquollen *Adj Augen*: puffed, swollen
verrammeln *v/t* F barricade
verramschen *v/t* F sell *s.th.* off dirt-cheap, (*Bücher*) remainder
Verrat *m* (***an*** *Dat*) betrayal (of), *a.* JUR, MIL treason (to), (*Treubruch*) treachery (to): ***~ begehen an*** (*Dat*) betray
verraten **I** *v/t allg* betray (*a. fig*), give *s.o., s.th.* away, *fig a.* show, reveal: F ***kannst du mir*** (***mal***) ***~, warum?*** can you tell me why?; ***nicht ~!*** don't tell!; ***~ und verkauft*** sold down the river **II** *v/refl* ***sich ~*** betray o.s., give o.s. away **Verräter** *m* traitor (*fig* ***an*** *Dat* to) **Verräterin** *f* traitress
verräterisch *Adj* **1.** treasonable, (*treulos*) treacherous, traitorous **2.** *fig* revealing, *Blick, Spur etc*: telltale
verrauchen *v/i fig Zorn etc*: blow over
verräuchert *Adj* smoky

verrechnen **I** *v/t* charge (to account), (*e-n Scheck*) clear: ***etw ~ mit*** offset s.th. against **II** *v/refl* ***sich ~*** *a. fig* make a mistake; ***sich um 10 Euro ~*** be out by ten euros; *fig* ***da hast du dich aber leider verrechnet!*** you are sadly mistaken there!
Verrechnung *f* offset, clearing: ***nur zur ~*** *Scheck*: for account only
Verrechnungs|einheit *f* clearing unit **~konto** *n* offset account **~scheck** *m* collection-only cheque (*Am* check) **~verfahren** *n* clearing (system)
verrecken *v/i* F *Tier*: perish, die, *Person*: *sl* croak, *fig Motor etc*: conk out
verregnet *Adj* rainy
verreiben *v/t* spread *s.th.* by rubbing: ***auf der Haut ~*** rub *s.th.* into the skin
verreisen *v/i* go away: ***~ nach*** go to; ***sie sind verreist*** they are away
verreißen *v/t* F (*vernichtend kritisieren*) tear *s.o., s.th.* to pieces, slate, pan
verrenken *v/t* contort, MED dislocate (***sich den Arm*** one's arm): F *fig* ***sich den Hals ~ nach*** crane one's neck for **Verrenkung** *f* contortion, MED dislocation
verrennen *v/refl* ***sich ~ in*** (*Akk*) get stuck on
verrichten *v/t* (*Arbeit etc*) do, carry out, (*Gebet etc*) say
verriegeln *v/t* bolt, bar
verringern *v/t* reduce, (*a.* ***sich ~***) diminish, decrease, lessen: ***das Tempo ~*** slow down **Verringerung** *f* reduction, diminution, decrease
verrinnen *v/i fig Zeit etc*: pass
verrohen *v/i* become brutalized
Verrohung *f* brutalization
verrosten *v/i* rust **verrostet** *Adj* rusty
verrotten *v/i a. fig* rot
verrücken *v/t* move, disarrange
verrückt *Adj a.* F *fig* mad, crazy, insane, *Plan etc*: *a.* wild: ***~ sein*** *a.* be out of one's mind; *fig* ***~ sein nach*** (*od* ***auf*** *Akk*) be wild about; ***j-n ~ machen*** drive s.o. mad; ***mach dich doch nicht ~!*** don't get all worked up!; F ***~ spielen*** act up; ***wie ~*** like mad; ***ich werd ~!*** I'll be blowed!; ***es ist zum 2werden!*** it's enough to drive you mad!
Verrückte *m, f a.* F *fig* lunatic, maniac, madman (madwoman)
Verrücktheit *f* madness, (*verrückter Einfall*) *a.* folly, (*Modetorheit*) craze
Verruf *m* ***in ~ bringen*** (***kommen***) bring (fall) into disrepute
verrufen *Adj* disreputable, notorious
verrutschen *v/i* slip, get out of place

Vers *m* verse, (*~zeile*) line
versachlichen *v/t* de-emotionalize
versagen I *v/t* ***j-m etw ~*** refuse (*od* deny) s.o. s.th.; ***sich etw ~*** deny o.s. s.th., forgo s.th.; → ***Dienst*** 1 **II** *v/i allg* fail (*a. Person, Stimme, Herz etc*), TECH *a.* break down, *Schusswaffe*: misfire: ***ihr versagten die Knie*** her knees failed her
Versagen *n* failure: ***menschliches ~*** human error **Versager(in)** failure, F flop
versalzen *v/t* **1.** oversalt **2.** F *fig* spoil: ***j-m die Suppe ~*** spoil s.o.'s fun
versammeln *v/t* convene, (*a.* ***sich ~***) assemble (*a.* MIL), gather **Versammlung** *f* assembly, gathering, meeting: ***gesetzgebende ~*** legislative assembly
Versammlungs|freiheit *f* freedom of assembly **~ort** *m* assembly point **~raum** *m* assembly room
Versand *m* WIRTSCH **1.** dispatch, forwarding, shipment **2.** → **Versandabteilung** *f* forwarding (*od* shipping) department
versanden *v/i* **1.** silt up **2.** *fig Gespräche etc*: peter out
versandfertig *Adj* ready for dispatch
Versand|geschäft *n*, **~handel** *m* mail-order business **~haus** *n* mail-order firm **~kosten** *Pl* forwarding (*od* shipping) costs *Pl* **~papiere** *Pl* shipping documents *Pl*
versauen *v/t* F *a. fig* ***etw ~*** ruin s.th., mess (*sl* louse) s.th. up
versauern *v/i* F *fig* rot (away)
versaufen *v/t* F spend on booze
versäumen *v/t* **1.** → ***verpassen*** 1 **2.** (*Pflicht etc*) neglect: ***(es) ~, etw zu tun*** fail to do s.th. **Versäumnis** *n* omission, neglect **Versäumnisurteil** *n* JUR judg(e)ment by default
verschachern *v/t* F flog
verschachtelt *Adj* interlocked, LING *Satz*: involved
verschaffen *v/t* **1.** ***j-m etw ~*** get (*od* find) s.o. s.th. (*od* s.th. for s.o.) **2.** ***sich etw ~*** get, obtain, secure, (*Geld*) raise; → ***Respekt***
verschalen *v/t* ARCHI board, (*Beton*) shutter **Verschalung** *f* boarding, *konkret*: form(s *Pl*)
verschämt *Adj* bashful
verschandeln *v/t* F disfigure, spoil
verschanzen *v/refl* ***sich ~*** *a. fig* entrench (***hinter*** *Dat* behind, ***in*** *Dat* in)
verschärfen *v/t* (*a.* ***sich ~***) (*verstärken*) heighten, increase, intensify, (*Gesetze, Kontrolle, Maßnahmen etc*) tighten up, (*verschlimmern*) aggravate: ***das Tempo ~*** increase the pace; POL ***die Spannungen ~ sich*** tension is mounting
Verschärfung *f* (*Verstärkung*) increase, heightening, intensification, *von Kontrollen, e-s Gesetzes etc*: tightening up, (*Verschlimmerung*) aggravation
verscharren *v/t* bury (hurriedly)
verschätzen *v/refl* ***sich ~*** be out (***um*** by)
verschaukeln *v/t* F ***j-n ~*** take s.o. for a ride, outtrick s.o.
verschenken *v/t a. fig* give away
verscherzen *v/t* ***sich etw ~*** forfeit s.th.
verscheuchen *v/t a. fig* chase away
verscheuern *v/t* F flog
verschicken *v/t* **1.** → ***versenden*** **2.** ***j-n ~*** *zur Kur etc*: send s.o. away
verschiebbar *Adj* mov(e)able
verschieben I *v/t* **1.** (re)move, shift (*a.* LING), *weit. S.* disarrange, COMPUTER move **2.** *zeitlich*: postpone (***auf später*** to a later date): ***etw (von e-m Tag zum anderen) ~*** put s.th. off (from one day to the next) **3.** F WIRTSCH ***etw ~*** sell s.th. underhand **II** *v/refl* ***sich ~*** **4.** shift, get out of place **5.** *zeitlich*: be postponed, be put off
Verschiebung *f* **1.** *a.* LING *u. fig* shift **2.** *zeitliche*: postponement
verschieden I *Adj* **1.** different (***von*** from): ***~ sein*** *a.* differ, vary; ***die beiden Brüder sind sehr ~*** the two brothers are quite unlike; ***das ist ganz ~!*** it depends! **2. *~e ...*** *Pl* various ..., several ...; ***&es*** various things *Pl*; ***aus den ~sten Gründen*** for a variety of reasons **II** *Adv* **3. *~ groß sein*** vary in size; ***die Lage ~ beurteilen*** judge the situation differently
verschiedenartig *Adj* different (kinds of) ..., various **Verschiedenartigkeit** *f* difference, (*Vielfalt*) variety
Verschiedenheit *f* difference (*Gen* of, in), (*Unähnlichkeit*) dissimilarity, (*Vielfalt*) diversity, variety
verschiedentlich *Adv* several times, repeatedly, (*gelegentlich*) occasionally
verschießen I *v/t* **1.** shoot (off) **2.** (*Elfmeter etc*) miss **II** *v/i* **3.** *Farbe*: fade:

→ ***verschossen*** 1

verschimmeln *v/i* go mo(u)ldy

verschlafen[1] **I** *v/i* **1.** oversleep **II** *v/t* **2.** sleep through **3.** F *fig* (*Gelegenheit etc*) miss, (*Verabredung etc*) forget

verschlafen[2] *Adj a. fig* sleepy

Verschlafenheit *f a. fig* sleepiness

Verschlag *m* (*Bretter*≈) partition, (*Bude*) shed

verschlagen[1] *v/t* **1.** (*Ball*) mishit **2.** (*Seite im Buch*) lose **3.** *fig* ***es hat mich nach X*** ~ I ended up in X **4.** *fig* ***j-m die Stimme*** (*od* ***Rede, Sprache***) ~ leave s.o. speechless; ***es verschlug mir den Atem*** it took my breath away

verschlagen[2] *Adj* cunning, sly, crafty

Verschlagenheit *f* cunning, craftiness

verschlammen *v/i* silt up

verschlampen F **I** *v/t* **a)** go and lose, **b)** clean forget **II** *v/i* go to seed

verschlechtern *v/t u. v/refl* ***sich*** ~ worsen, make (*refl* get) worse, deteriorate: ***sich*** (***finanziell***) ~ earn less

Verschlechterung *f* deterioration, *e-s Zustands*: *a.* change for the worse

verschleiern *v/t* veil, *fig a.* disguise

verschleifen *v/t* LING, MUS slur

verschleimt *Adj* MED ~ ***sein*** be blocked with phlegm

Verschleiß *m* wear and tear (*a. fig*), TECH *a.* attrition **verschleißen I** *v/t* (*a.* ***sich*** ~) wear out: *fig* ***sich*** ~ wear o.s. out **II** *v/i* wear (out), become worn

Verschleiß|erscheinung *f a. fig* sign of wear **≈fest**, **≈frei** *Adj* wear-resistant **~teil** *n* TECH working (*od* expendable) part

verschleppen *v/t* **1.** (*Menschen*) carry off, POL displace, (*entführen*) kidnap **2.** (*Prozess, Verhandlungen etc*) delay, protract **3.** MED (*Seuche etc*) spread, (*Krankheit*) protract, neglect: ***verschleppte Grippe*** protracted flu

Verschleppte *m, f* POL displaced person

Verschleppung *f* **1.** POL displacement, (*Entführung*) kidnap(p)ing **2.** *zeitliche*: protraction, delay(ing) **3.** MED *e-r Seuche etc*: spreading, *e-r Krankheit*: protraction (through neglect)

Verschleppungstaktik *f* delaying tactics *Pl*, PARL obstructionism

verschleudern *v/t* **1.** waste, squander (away) **2.** WIRTSCH sell at a loss, dump

verschließbar *Adj* lockable

verschließen I *v/t* shut, (*Öffnung, Gefäß, Brief*) close, seal, (*abschließen*) lock (up), (*einschließen*) put *s.th.* under lock and key: *fig* ***die Ohren*** ~ ***vor*** (*Dat*) turn a deaf ear to; → ***Auge*** 1 **II** *v/refl* ***sich*** ~ (*Dat*) *fig* shut o.s. off (from); ***sich j-s Argumenten*** *etc* ~ remain inaccessible to s.o.'s arguments *etc*

verschlimmern *v/t* (*a.* ***sich*** ~) make (*refl* get) worse, deteriorate

Verschlimmerung *f* deterioration, *e-s Zustands*: change for the worse

verschlingen[1] *v/t* (*Essen*) wolf (down), *a. fig* devour, swallow, *Dunkelheit, Wellen etc*: *a.* engulf: ***ein Buch*** (***j-n mit den Augen***) ~ devour a book (s.o. with one's eyes); ***e-e Menge Geld*** ~ swallow up a lot of money

verschlingen[2] *v/t* (*a.* ***sich*** ~) intertwine

verschlossen *Adj* **1.** locked (up), closed, shut: ***hinter ~en Türen*** behind closed doors **2.** *fig Mensch*: reserved, withdrawn **Verschlossenheit** *f* reserve

verschlucken I *v/t* swallow **II** *v/refl* ***sich*** ~ swallow the wrong way

verschlungen *Adj fig Muster etc*: intricate, *Pfad etc*: tortuous

Verschluss *m* **1.** fastener, *an Gürtel, Tasche etc*: clasp, (*Schnapp*≈) catch, (*Flaschen*≈) stopper, TECH lock, seal, FOTO shutter, *e-r Waffe*: breech (block): ***unter*** ~ under lock and key, *Zoll*: in bond **2.** MED occlusion

verschlüsseln *v/t* (en)code: ***verschlüsselter Text*** code(d) text **Verschlüsselung** *f* coding

Verschlusslaut *m* LING (ex)plosive

Verschlusssache *f* POL classified matter

verschmähen *v/t* disdain, scorn

verschmelzen *v/t u. v/i* (***mit, zu*** into) merge, fuse (*beide a.* WIRTSCH, POL), (*Farben, Töne*) blend **Verschmelzung** *f* fusion, WIRTSCH, POL *a.* merger

verschmerzen *v/t* ***etw*** ~ get over s.th.

verschmieren *v/t* smear

verschmitzt *Adj* roguish, arch

verschmutzen *v/t* dirty, soil, (*Wasser, Luft*) pollute **Verschmutzung** *f* soiling, (*Wasser*≈, *Luft*≈) pollution

verschnaufen *v/i* F have a breather

Verschnaufpause *f* F breather

verschneiden *v/t* (*Rum etc*) blend

verschneit *Adj* snow-covered, snowy

Verschnitt *m* blend
verschnörkelt *Adj a. fig* ornate
verschnupft *Adj* **~ sein** have a cold, F *fig* be in a huff
verschnüren *v/t* tie up
verschollen *Adj* missing, JUR presumed dead, *weit. S.* (long-)lost, forgotten
verschonen *v/t* spare: ***von etw verschont bleiben*** be spared s.th.; ***verschone mich damit!*** spare me that!
verschönen *v/t* embellish **verschönern** *v/t* embellish, *a. fig* brighten
Verschönerung *f* embellishment
verschossen *Adj* **1.** *Farbe*: faded **2.** F *fig* ***in j-n ~ sein*** have a crush on s.o.
verschränken *v/t* **1.** (*Arme*) fold, (*Beine*) cross **2.** TECH cross, stagger
verschrauben *v/t* bolt, screw up
verschreiben I *v/t* **1.** ***j-m etw ~*** **a)** MED prescribe s.th. for s.o., **b)** JUR make s.th. over to s.o. **II** *v/refl* ***sich ~*** **2.** make a slip (of the pen) **3.** *fig e-r Aufgabe etc*: devote o.s. to
Verschreibung *f* MED prescription
verschreibungspflichtig *Adj* MED obtainable on prescription only
verschroben *Adj* eccentric, odd
Verschrobenheit *f* eccentricity
verschrotten *v/t* scrap, (*Auto*) *a.* junk
verschrumpeln *v/i* F shrivel (up)
verschüchtert *Adj* intimidated, shy
verschulden I *v/t* (*Unfall etc*) be responsible (*od* to blame) for, *weit. S.* be the cause of **II** *v/i u. v/refl* ***sich ~*** get into debt **III** ≗ *n* fault: ***ohne mein ≗*** through no fault of mine; ***uns trifft kein ≗*** it's not our fault
verschuldet *Adj* **(*völlig*) *~ sein*** *Person*: be (heavily) indebted (***bei*** to), *Besitz*: be encumbered (with debts) **Verschuldung** *f* indebtedness, encumbrance
verschütten *v/t* **1.** (*Tee etc*) spill **2.** (*j-n*) bury *s.o.* alive, (*Straße*) block
verschwägert *Adj* related by marriage
verschweigen *v/t* (*Dat* from) conceal, hide, keep *s.th.* a secret
verschweißen *v/t* weld together
verschwenden *v/t* (**an** *Akk*, ***für, mit*** on) waste, squander: *fig* ***du verschwendest d-e Worte!*** you are wasting your breath! **Verschwender(in)** spendthrift, squanderer **verschwenderisch** *Adj* wasteful, extravagant, lavish: *Adv* ***~ umgehen mit*** be lavish with; ***~ dekoriert*** lavishly decorated
Verschwendung *f* waste, extravagance
Verschwendungssucht *f* extravagance, squandermania
verschwiegen *Adj* **1.** *Person*: discreet **2.** *Ort*: secret, secluded **Verschwiegenheit** *f* discretion, secrecy: → ***Siegel***
verschwimmen *v/i a. fig* become blurred: ***die Farben ~ (ineinander)*** the colo(u)rs merge (into each other)
verschwinden I *v/i* **1.** disappear, vanish: ***spurlos ~*** vanish into thin air; ***~d klein*** infinitely small; → ***Erdboden*** **2.** F make o.s. scarce: ***verschwinde!*** beat it! **II** ≗ *n* **3.** disappearance
verschwitzen *v/t* **1.** → ***durchschwitzen*** **2.** F *fig* ***etw ~*** clean forget about s.th.
verschwitzt *Adj* sweaty
verschwollen *Adj* swollen, puffed
verschwommen *Adj* **1.** *a.* FOTO blurred **2.** *fig Begriff etc*: vague, *Erinnerung etc*: hazy, dim: *Adv* ***sich nur ~ erinnern*** remember only dimly
Verschwommenheit *f fig* vagueness
verschwören *v/refl* **1.** ***sich* (*mit j-m*) *~*** conspire (*od* plot) (with s.o.) (***gegen*** against) **2.** *fig* ***sich*** *e-r Aufgabe etc* **~** devote o.s. to
Verschwörer(in) plotter, conspirator
versehen I *v/t* **1.** ***~ mit*** provide (*od* furnish, equip) *s.o., s.th.* with; ***mit Ratschlägen ~*** armed with advice; ***j-n mit Vollmacht ~*** authorize s.o. **2.** (*Pflichten, Dienst*) perform, discharge, (*ein Amt*) *a.* hold: ***er versieht auch das Amt des Richters*** *a.* he acts as judge as well **II** *v/refl* ***sich ~*** **3.** make a mistake **4.** provide (*od* equip) o.s. (***mit*** with) **5.** ***ehe man sichs versieht*** F before you can say Jack Robinson
Versehen *n* oversight, mistake: ***aus ~*** → **versehentlich** *Adv* by mistake
versehrt *Adj* disabled
Versehrte *m, f* disabled person
versenden *v/t* send, forward, ship
Versendung *f* dispatch, shipment
versengen *v/t* scorch, singe
versenken I *v/t* sink, (*Kabel*) submerge **II** *v/refl* ***sich ~ in*** (*Akk*) *fig* become absorbed in **Versenkung** *f* **1.** sinking **2.** THEAT trapdoor: F *fig* ***in der ~ verschwinden*** disappear from the scene **3.** *geistige*: absorption
versessen *Adj* ***~ auf*** (*Akk*) mad about;

darauf ~ sein zu *Inf* be desperate to *Inf*
versetzen I *v/t* **1.** (*etw*) remove, displace, shift, LANDW transplant **2.** (*j-n*) transfer (***in, auf*** *Akk*, ***nach*** to), PÄD move *s.o.* up, *Am* promote: → ***Ruhestand*** **3.** (*verpfänden*) pawn, (*verkaufen*) sell **4.** F ***j-n ~*** **a)** stand s.o. up, **b)** *bes* SPORT outtrick s.o. **5.** ***j-n in die Lage ~ zu*** *Inf* put s.o. in a position (*od* enable s.o.) to *Inf*; ***j-n in Unruhe ~*** disturb s.o.; ***etw in Schwingungen ~*** set s.th. vibrating; → ***Angst*** **6.** F ***j-m e-n Schlag*** *etc* **~** give (*od* deal) s.o. a blow *etc* **7.** (*vermischen*) mix (***mit*** with) **8.** TECH stagger **II** *v/refl* **9.** ***sich in j-n*** (***j-s Lage***) **~** put o.s. in s.o.'s place (*od* position)
Versetzung *f* **1.** removal, LANDW transplanting **2.** transfer (***in, auf*** *Akk*, ***nach*** to) **3.** PÄD remove, *Am* promotion
Versetzungs|zeichen *n* MUS accidental **~zeugnis** *n* PÄD end-of-year report
verseuchen *v/t a. radioaktiv*: contaminate (*a. fig*)
Verseuchung *f* contamination
Versicherer *m* WIRTSCH insurer, (*Schiffs*♀) underwriter **versichern** *v/t* **1.** WIRTSCH insure (***sich*** o.s.) (***bei*** with, ***gegen*** against) **2.** (*behaupten*) declare, protest: ***ich kann dir ~, dass ...*** I (can) assure you that ...
Versicherte *m, f the* insured (party)
Versicherung *f* **1.** WIRTSCH **a)** insurance: ***e-e ~ abschließen*** take out an insurance (policy), **b)** → ***Versicherungsgesellschaft*** **2.** assurance, *a.* JUR affirmation
Versicherungs|anstalt *f* insurance company **~betrug** *m* insurance fraud **~dauer** *f* time insured **~gesellschaft** *f* insurance company **~karte** *f* ***grüne ~*** green card **~mathematiker(in)** actuary **~nehmer(in)** insurant, *the* insured **~nummer** *f* insurance policy number **~police** *f* insurance policy **~prämie** *f* insurance premium **~schutz** *m* insurance cover(age) **~summe** *f* sum insured **~vertreter(in)** insurance agent **~wesen** *n* insurance (business)
versickern *v/i* trickle away
versiegeln *v/t* seal
versiegen *v/i* dry up, run dry
versiert *Adj* (***in*** *Dat* in) experienced
versilbern *v/t* **1.** TECH silverplate **2.** F *fig* ***etw ~*** turn s.th. into cash, sell s.th.
versinken *v/i a. fig* sink (***in*** *Akk* into)
versinnbildlichen *v/t* symbolize
Version *f* version
versklaven *v/t a. fig* enslave
verslumen *v/i* become a slum
Versmaß *n* metre, *Am* meter
versnobt *Adj* snobbish
versoffen *Adj* F boozy
versöhnen I *v/t a. fig* reconcile (***mit*** to, with) **II** *v/refl* ***sich*** (***wieder***) **~** be(come) reconciled; ***sich wieder mit j-m ~*** *a.* make it up with s.o. **versöhnlich** *Adj* conciliatory; ***~ stimmen*** placate **Versöhnung** *f* reconciliation
versonnen *Adj* pensive, dreamy
versorgen *v/t* **1.** (***mit*** with) supply, provide **2.** (*Familie etc*) provide for, keep **3.** look after, take care of, (*Vieh*) tend **4.** (*Wunde*) see to, (*Verletzten*) attend to
Versorgung *f* **1.** *allg* supply **2.** (*Unterhalt*) support, *von Hinterbliebenen*: provision (*Gen* for) **3.** care
Versorgungs|betrieb *m* public utility **~empfänger(in)** pensioner **~güter** *Pl* supplies *Pl* **~leitung** *f* supply line **~lücke** *f* supply gap **~netz** *n* supply system **~technik** *f* utilities engineering
verspannen *v/t* TECH stay, brace
verspannt *Adj Muskeln*: cramped, tense
verspäten *v/refl* ***sich ~*** be late
verspätet I *Adj* late, *Glückwünsche etc*: belated **II** *Adv* belatedly, late
Verspätung *f* delay: ***bitte entschuldigen Sie m-e ~*** please excuse my being late; (***e-e Stunde***) ***~ haben*** be (an hour) late; ***mit*** (***e-r Stunde***) ***~ abfahren*** leave (an hour) behind schedule
verspeisen *v/t* eat, consume
versperren *v/t* bar, block (up), (*a. die Sicht*) obstruct
verspielen I *v/t* lose (at play), *a. fig* gamble away **II** *v/i* lose: *fig* ***bei mir hat er verspielt!*** I'm through with him!
verspielt *Adj* playful
verspotten *v/t* make fun of, ridicule
versprechen I *v/t* **1.** *a. fig* promise: ***das Wetter verspricht gut zu werden*** the weather looks promising **2.** ***sich etw ~ von*** expect s.th. of; ***ich hatte mir mehr davon versprochen*** I had expected better of it **II** *v/refl* ***sich ~*** **3.** make a slip (of the tongue) **Versprechen** *n* (***ein ~ geben, halten, brechen***

make, keep, break a) promise **Versprecher** *m* slip (of the tongue) **Versprechung** *mst Pl* promises *Pl*: ***j-m große ~en machen*** promise s.o. the earth
verspritzen, **versprühen** *v/t* spray
verspüren *v/t* feel, sense
verstaatlichen *v/t* nationalize
Verstaatlichung *f* nationalization
verstädtern *v/i* become urbanized
Verstädterung *f* urbanization
Verstand *m* (*Denkvermögen*) intellect, mind, (*Vernunft*) reason, (common) sense, (*Intelligenz*) brain(s *Pl*), intelligence: ***scharfer ~*** keen mind; ***klarer*** (***kühler***) ***~*** clear (cool) head; ***den ~ verlieren*** go mad; F ***hast du den ~ verloren?*** are you out of your mind?; F ***das geht über m-n ~!*** that's beyond me!; ***all s-n ~ zs.-nehmen*** keep all one's wits about one **verstandesmäßig** *Adj* intellectual, rational
Verstandesmensch *m* matter-of-fact person, rationalist
verständig *Adj* intelligent, (*vernünftig*) reasonable, sensible, understanding
verständigen I *v/t* inform (***von*** about, of), (*Arzt, Polizei etc*) call **II** *v/refl* ***sich mit j-m ~*** **a)** make o.s. understood by s.o., **b)** (*absprechen*) come to an agreement with s.o. (***über*** *Akk* on)
Verständigung *f* **1.** information **2.** *sprachliche, geistige*: communication: TEL ***die ~ war schlecht*** the line was bad **3.** (*Übereinkunft*) agreement, understanding **Verständigungsschwierigkeiten** *Pl* communication problems *Pl*: ***ich hatte ~*** I had problems to make myself understood **verständlich** *Adj* **1.** (*deutlich*) distinct, clear, audible **2.** (*fassbar*) intelligible, understandable: ***schwer ~*** difficult to understand; ***j-m etw ~ machen*** explain s.th. to s.o.; ***sich j-m ~ machen*** make o.s. understood (*im Lärm*: heard) by s.o. **verständlicherweise** *Adv* understandably
Verständnis *n* **1.** (*Gen* of) understanding, comprehension: ***zum besseren ~ des Textes*** in order to understand the text better **2.** (*Einfühlungsvermögen*) understanding, insight, (*Sinn*) appreciation (***für*** of), (*Mitgefühl*) sympathy (***für*** with): (***viel***) ***~ haben für*** (fully) understand, ***j-n*** show (great) understanding for s.o.; ***dafür fehlt mir jedes ~*** that's beyond me
verständnisinnig *Adj* understanding, *Blick*: *a.* meaningful
verständnislos *Adj* uncomprehending: ***~e Blicke*** blank looks; *Adv* ***e-r Sache ~ gegenüberstehen*** have no understanding (*od* appreciation) of s.th.
Verständnislosigkeit *f* lack of understanding (*od* appreciation)
verständnisvoll *Adj* understanding, *Blick etc*: *a.* knowing, sympathetic
verstärken *v/t* strengthen, *a.* MIL reinforce (*beide a.* TECH), CHEM concentrate, ELEK amplify, (*steigern*, *a.* ***sich ~***) increase, intensify (*a.* FOTO) **Verstärkung** *f* strengthening, reinforcement(s *Pl* MIL), ELEK amplification, (*Steigerung*) increase, intensification (*a.* FOTO)
verstauben *v/i* gather dust **verstaubt** *Adj* **1.** dusty **2.** *fig* antiquated
verstauchen *v/t* MED sprain (***sich die Hand*** one's wrist)
verstauen *v/t* stow away
Versteck *n* hiding place, hideaway: *a. fig* ***~ spielen*** play hide-and-seek
verstecken *v/t* (*a.* ***sich ~***) hide (***vor*** *Dat* from): *fig* ***sich ~ hinter*** hide behind
Versteckspiel *n a. fig* hide-and-seek
versteckt *Adj a. fig* hidden: ***sich ~ halten*** lie low; ***~e Kamera*** candid camera
verstehen I *v/t* **1.** (*Sprecher*) hear, get, (*Worte*) *a.* catch **2.** (*begreifen*) understand, comprehend, (*Sinn etc*) *a.* grasp, catch, F get, (*Kunstwerk*) *a.* appreciate, (*einsehen*) see, realize: ***Spaß ~*** take (*od* see) a joke; ***falsch ~*** misunderstand; ***verstehe mich recht!*** don't misunderstand me! **3.** (*auslegen*) understand, read, take: ***was ~ Sie unter …?*** what do you understand by …?; ***wie ~ Sie das?*** what do you make of it? **4.** (*können*) know: ***er versteht es zu*** *Inf* he knows how to *Inf*; ***sein Handwerk ~*** know one's job; ***er versteht e-e Menge von …*** he knows a great deal about …; ***davon versteht er gar nichts*** he doesn't know the first thing about it **5.** ***j-m zu ~ geben*** give s.o. to understand **6.** ***sich*** (*od* ***einander***) ***~*** get along (*od* on) (with each other) **II** *v/refl* ***sich ~*** **7.** get on (*od* along) (***mit*** with) **8.** ***auf*** (*Akk*) be (very) good at *Ger* **9.** ***es versteht sich von selbst, dass …*** it goes without saying that … **III** *v/i* **10.** ***~ Sie?***

you see?, F get me?; ***ich verstehe!*** I see!; ***verstanden?*** F got it?; ***wenn ich recht verstanden habe, willst du kommen?*** I take it that you will come?

versteifen *v/t* (*a.* **sich ~**) stiffen: *fig* ***sich ~ auf*** (*Akk*) insist on *Ger*

Versteigerer *m*, **Versteigerin** *f* auctioneer

versteigern *v/t* auction (off)

Versteigerung *f* auction: ***zur ~ kommen*** be put up for (*Am* at) auction

versteinern *v/i* (*a.* **sich ~**) petrify (*a. fig*): ***sie war vor Schreck wie versteinert*** she was petrified with terror

Versteinerung *f* petrifaction, fossil

verstellbar *Adj* adjustable **verstellen I** *v/t* **1.** move, shift **2.** (*Schrift*, *Stimme*) disguise: ***mit verstellter Stimme*** in a disguised voice **3.** (*falsch einstellen*) misadjust: ***wer hat den Wecker verstellt?*** who has tampered with the alarm? **4.** (*versperren*) obstruct, block **II** *v/refl* **5. *sich ~*** *fig* put on an act, *weit. S.* hide one's feelings

Verstellung *f* **1.** *fig* **a)** disguise, **b)** play--acting **2.** TECH adjustment

versteppen *v/i* GEOG turn into steppe

versteuern *v/t* pay tax on: ***zu ~(d)*** taxable **versteuert** *Adj* tax-paid

Versteuerung *f* payment of taxes (*Gen*, ***von*** on)

verstiegen *Adj* F *fig* high-flown

verstimmen *v/t* **1.** MUS put *s.th.* out of tune **2.** ELEK detune **3. *j-n ~*** annoy s.o., put s.o. in a bad mood **verstimmt** *Adj* **1.** MUS out of tune **2.** ELEK off-tune **3.** annoyed (***über*** *Akk* at), in a bad mood **4.** MED ***~er Magen*** upset stomach

Verstimmung *f* **1.** ill humo(u)r, ill feeling **2.** MED (*Magen*~) upset

verstockt *Adj* stubborn, *Sünder*: impenitent

verstohlen *Adj* furtive, surreptitious

verstopfen *v/t* **1.** stop (up), plug **2.** (*versperren*) block (up), obstruct, (*Straße*) congest, jam **3.** MED clog, occlude, (*Darm*) constipate: ***m-e Nase ist verstopft*** my nose is plugged up; ***verstopft sein*** be constipated **Verstopfung** *f* **1.** block(age), jam **2.** MED (*Stuhl*~) constipation: ***an ~ leiden*** *a.* be constipated

verstorben *Adj* late, deceased

Verstorbene *m, f* the deceased

verstört *Adj* badly upset, distracted, dismayed, *Blick etc*: wild **Verstörtheit** *f* distraction, dismay, confusion

Verstoß *m* (***gegen***) offen/ce (*Am* -se) (against), violation (of)

verstoßen I *v/t* (*j-n*) reject: ***j-n ~ aus*** expel s.o. from, cast s.o. out of **II** *v/i* ***~ gegen*** offend against, violate

verstrahlt *Adj* (radioactively) contaminated

verstreben *v/t*, **Verstrebung** *f* TECH strut

verstreichen I *v/i Zeit*: pass, *Frist*: expire **II** *v/t* (*Butter, Farbe etc*) spread

verstreuen *v/t* scatter

verstricken I *v/t* **1.** use (up) **2. *j-n ~ in*** (*Akk*) involve s.o. in **II** *v/refl* **3. *sich ~ in*** (*Akk*) get entangled

verstümmeln *v/t* mutilate, *fig* (*Text etc*) *a.* garble

Verstümmelung *f* mutilation

verstummen *v/i* become silent, *Menschen*: *a.* stop talking, *Gespräch*, *Geräusch*, *fig Gerüchte etc*: stop, cease, *allmählich*: die down

Versuch *m* **1.** attempt (*a.* JUR), trial (*beide a. Sport*), F try, (*Bemühung*) effort: ***e-n ~ machen mit*** try, give *s.o.*, *s.th.* a trial (*od* try), F have a go at *s.th.*; ***beim ersten ~*** at the first attempt; ***es käme auf e-n ~ an*** we might as well try **2.** CHEM, MED, PHYS experiment, *a.* TECH test, trial: ***~e anstellen*** experiment **3.** (*literarischer* ~) essay (***über*** *Akk* on) **versuchen** *v/t* **1.** try, attempt (*a.* JUR): ***etw ~*** **a)** try s.th., **b)** experiment with s.th.; ***es ~ mit*** try, ***j-m*** give s.o. a try; ***versuchs doch mal!*** just (have a) try!; ***versuchter Mord*** attempted murder **2.** *fig* tempt: ***ich war versucht zu*** *Inf* I was tempted to *Inf* **3.** (*kosten*) try, taste

Versucher(**in**) tempter (temptress)

Versuchs|anstalt *f* research institute **~bedingung** *f* test condition **~bohrung** *f* trial drilling **~gelände** *n* testing ground **~ingenieur**(**in**) research engineer **~kaninchen** *n* F guinea pig **~objekt** *n* test object **~person** *f* test subject (*od* person) **~projekt** *n* pilot project **~reihe** *f* series of tests **~stadium** *n* experimental stage **~tier** *n* experimental animal

versuchsweise *Adv* by way of trial, (*auf Probe*) on trial **Versuchszwecke** *Pl* ***zu ~n*** for experimental purposes
Versuchung *f* (***j-n in ~ führen*** lead s.o. into) temptation: ***in ~ sein*** (*od* ***kommen***) be tempted
versumpfen *v/i* **1.** become marshy **2.** F *fig* get bogged down
versündigen *v/refl* ***sich ~*** sin (***an*** *Dat* against)
versunken *Adj fig* ***~ in*** (*Akk*) absorbed in, lost in
Versunkenheit *f fig* absorption
versüßen *v/t fig* sweeten
vertagen *v/t* (*a.* ***sich ~***) adjourn (***auf*** *Akk* till, until) **Vertagung** *f* adjournment
vertäuen *v/t* SCHIFF moor
vertauschen *v/t* **1.** exchange (***mit, gegen*** for): *fig* ***mit vertauschten Rollen*** with reversed roles **2.** confuse, mix up
verteidigen I *v/t allg* defend (***sich*** o.s.) (***gegen*** against, from), *weit. S.* (*eintreten für*) stand up for: ***sich*** (***vor Gericht***) ***selbst ~*** conduct one's own defen/ce (*Am* -se) **II** *v/i* SPORT defend
Verteidiger(in) 1. *allg* defender, *fig a.* advocate, *Fußball*: *a.* fullback **2.** *im Strafprozess*: counsel for the defence, *Am* defense counsel
Verteidigung *f allg* defen/ce (*Am* -se)
Verteidigungs... defen/ce (*Am* -se) (*budget, policy, etc*) **~ausgaben** *Pl* defence expenditure *Sg* **~beitrag** *m* defence contribution **~bereitschaft** *f* preparedness for defence **~bündnis** *n* defensive alliance **~fall** *m* ***im ~e*** in case of defence **~krieg** *m* defensive war **~minister(in)** Minister of Defence, *Am* Secretary of Defense **~ministerium** *n* Ministry of Defence, *Am* Department of Defense **~rede** *f* (speech for the) defence, *weit. S.* apology **~waffe** *f* defensive weapon
verteilen I *v/t* **1.** distribute, hand out, share out (*alle*: ***an*** *Akk* to, ***unter*** among), (*zuteilen*) allocate (*a.* THEAT *Rollen*): ***unter sich ~*** share; ***... mit verteilten Rollen lesen*** do a play reading of ... **2.** (***auf, über*** *Akk* over) distribute, spread (*a. fig* ***über e-n Zeitraum*** over a period), *weit. S.* scatter **II** *v/refl* ***sich ~* 3.** spread (***auf, über*** *Akk* over, *a. fig über e-n Zeitraum*), *Personen*: scatter, *a.* MIL spread out
Verteiler *m* **1.** distributor (*a.* WIRTSCH, ELEK, MOT) **2.** *Bürowesen*: distribution list **~kasten** *m* ELEK distributing box **~netz** *n* **1.** ELEK distribution system **2.** WIRTSCH distributing network **~schlüssel** *m* WIRTSCH **1.** distribution key **2.** → ***Verteiler*** 2 **~tafel** *f* ELEK distribution switchboard
Verteilung *f* distribution, allocation
verteuern I *v/t* raise the price of **II** *v/refl* ***sich ~*** go up (in price)
Verteuerung *f* rise in price(s) (*od* cost)
verteufeln *v/t fig* denounce, (*j-n*) *a.* make a bog(e)yman of
verteufelt *Adj* F devilish, tricky: *Adv* ***~ schwer*** damned difficult
vertiefen I *v/t* (*a.* ***sich ~***) deepen (*a. fig*), *fig* heighten, intensify, PÄD (*Lernstoff*) consolidate **II** *v/refl* ***sich ~ in*** (*Akk*) become absorbed (*od* engrossed) in
Vertiefung *f* **1.** deepening (*a. fig*), PÄD consolidation **2.** (*Mulde*) depression **3.** *geistige*: absorption
vertikal *Adj* vertical
Vertikale *f* vertical (line)
vertilgen *v/t* **1.** (*Ungeziefer, Unkraut*) exterminate **2.** → ***verdrücken*** I
Vertilgung *f* extermination
vertippen *v/refl* ***sich ~*** make a (typing) mistake
vertonen *v/t* ***etw ~*** set s.th. to music
Vertonung *f* setting
vertrackt *Adj* F tricky, complicated
Vertrag *m* contract, agreement, POL treaty, pact: ***mündlicher ~*** verbal agreement; ***e-n ~ (ab)schließen*** make (*od* enter into) a contract; *Sport etc*: ***j-n unter ~ nehmen*** sign s.o. on
vertragen I *v/t* **1.** (*aushalten, a.* F *fig*) endure, bear, stand, F take, (*Speisen etc*) be able to eat (*od* drink), (*Medikament*) tolerate: ***ich vertrage k-n Kaffee*** coffee doesn't agree with me; ***sie verträgt das Klima nicht*** she can't stand the climate; ***er kann e-e Menge ~*** he can take a lot, (*Alkohol*) he can hold his drink; ***kannst du Kritik ~?*** can you take criticism?; F ***ich könnte e-e Tasse Tee ~*** I could do with a cup of tea **2.** ***sich*** (***miteinander***) ***~* a)** *Personen*: get on (*od* along) together, **b)** *Farben etc*: go well together **II** *v/refl* **3.** ***sich ~ mit* a)** ***j-m*** get on (well) with s.o., **b)**

(*passen zu*) go well with
vertraglich I *Adj* contractual **II** *Adv* by contract: ***sich ~ (zu etw) verpflichten*** contract (for s.th. *od* to do s.th.)
verträglich *Adj* **1.** *Person*: sociable: ***~ sein*** *a.* be easy to get along with **2.** *Speise*: (easily) digestible, light, *Medikament*: (*a.* ***gut ~***) well-tolerated
Vertragsabschluss *m* conclusion of a contract: ***bei ~*** on entering into the contract **Vertragsbedingungen** *Pl* terms *Pl* of the contract
Vertragsbruch *m* breach of contract
vertragsbrüchig *Adj* defaulting: ***~ werden*** commit a breach of contract
vertragschließend *Adj* contracting
Vertragsentwurf *m* draft agreement
vertragsgemäß *Adv* as stipulated
Vertrags|gemeinschaft *f* POL contractual union **~händler(in)** authorized dealer **~partei** *f*, **~partner(in)** party to an agreement **~punkt** *m* article of a contract **~spieler(in)** SPORT player under contract **~strafe** *f* (contractual) penalty **~werkstatt** *f* authorized repairer **~widrig** *Adj* contrary to (the terms of) the contract
vertrauen *v/i* (*Dat*) trust: ***~ auf*** (*Akk*) trust in, rely upon; ***ich vertraue auf d-e Hilfe*** I trust you to help me
Vertrauen *n* (***in, auf*** *Akk* in) trust, faith, confidence: (***ganz***) ***im ~*** (***gesagt***) (strictly) confidentially, F between you and me; ***im ~ auf*** (*Akk*) trusting in, relying on; ***~ haben zu*** have confidence in, trust; ***er hat wenig ~ zu Ärzten*** he has little faith in doctors; ***j-n ins ~ ziehen*** confide in s.o.; ***der Regierung das ~ aussprechen*** pass a vote of confidence **vertrauenerweckend** *Adj* inspiring confidence: *Adv* (***wenig***) ***~ aussehen*** inspire (little) confidence
Vertrauens|arzt *m*, **~ärztin** *f* (health insurance) medical examiner **~beweis** *m* mark of confidence **~bruch** *m* breach of trust, indiscretion **~frage** *f* POL ***die ~ stellen*** propose a vote of confidence **~frau** *f*, **~mann** *m* representative, (*Sprecher*) spokesperson **~person** *f* reliable person
Vertrauenssache *f* confidential matter: ***das ist ~*** that's a matter of confidence
vertrauensselig *Adj* (too) confiding, gullible **Vertrauensseligkeit** *f* blind confidence, gullibility
Vertrauens|stellung *f* position of trust **~verlust** *m* loss of confidence
vertrauensvoll *Adj* trustful, trusting
Vertrauensvotum *n* vote of confidence
vertrauenswürdig *Adj* trustworthy
vertraulich *Adj* **1.** confidential: ***~e Mitteilung*** *a.* confidence; ***~ behandeln*** treat confidentially **2.** friendly, (*a. allzu ~*) familiar **Vertraulichkeit** *f* **1.** confidence **2.** (*a. übertriebene ~*) familiarity: ***plumpe ~*** chumminess
verträumt *Adj* dreamy
vertraut *Adj* **1.** close, intimate **2.** (*bekannt*) familiar (*Dat* to): ***~ sein mit*** be familiar with; ***sich ~ machen mit*** acquaint (*od* familiarize) o.s. with; ***sich mit dem Gedanken ~ machen*** get used to the idea
Vertraute *m*, *f* confidant(e *f*)
Vertrautheit *f* familiarity
vertreiben *v/t* **1.** drive *s.o.*, *s.th.* away: ***j-n ~ aus*** drive s.o. out of, expel s.o. from **2.** *fig* (*Sorgen etc*) banish, drive away: (***sich***) ***die Zeit ~*** while away the time **3.** WIRTSCH sell, distribute
Vertreibung *f* expulsion
vertretbar *Adj* justifiable, acceptable
vertreten[1] *v/t* **1.** (*j-n*) substitute for, stand in for, *a.* JUR act for **2.** (*Firma, Land etc*) represent, (*Interessen etc*) look after: *a. fig* ***j-s Sache ~*** plead s.o.'s cause **3.** (*verfechten*) support, advocate, (*Meinung, Standpunkt etc*) hold, take: ***e-e andere Ansicht ~*** take a different view (***als*** from) **4. *sich den Fuß ~*** sprain one's ankle; F ***sich die Beine ~*** stretch one's legs
vertreten[2] *Adj* ***~ sein*** **a)** be represented, **b)** be present, *bes Dinge*: be found
Vertreter(in) **1.** substitute, stand-in, deputy **2.** *e-r Firma etc*: representative, WIRTSCH *a.* agent, (*Handels~*) sales representative, (*Bevollmächtigte*) agent, proxy **3.** exponent, (*Verfechter*) advocate
Vertretung *f* **1.** *a.* WIRTSCH, POL representation, WIRTSCH *a.* agency: ***in ~ von*** (*od Gen*) as representative of; ***er hat die ~ der Firma X*** he represents the firm of X; ***diplomatische ~*** diplomatic mission **2. a)** substitution, **b)** (*Person*) substitute, stand-in: ***j-s ~ übernehmen*** substitute (*od* stand in)

V

for s.o. **Vertretungsstunde** *f* PÄD replacement lesson
Vertrieb *m* **1.** sale, distribution **2.** (*Abteilung*) sales department
Vertriebene *m, f* expellee
Vertriebsabteilung *f* sales department
Vertriebskosten *Pl* marketing costs *Pl*
Vertriebs|leiter(in) sales manager **~organisation** *f* marketing organization **~weg** *m* channel of distribution
vertrimmen *v/t* F thrash, beat *s.o.* up
vertrinken *v/t* spend on drink
vertrocknen *v/i* dry up
vertrödeln *v/t* dawdle away, waste
vertrösten *v/t* ***j-n ~*** feed s.o. with hopes (***auf*** *Akk* of); ***j-n auf später ~*** put s.o. off until later
vertrottelt *Adj* F senile: ***~ sein*** be gaga
vertun *v/t* waste
vertuschen *v/t* cover up, hush up
verübeln *v/t* ***j-m etw ~*** take s.th. amiss; ***j-m ~, dass …*** take it badly that …; ***ich kann es ihr nicht ~(, wenn …)*** I can't blame her (if …)
verüben *v/t* commit, perpetrate
verulken *v/t* F make fun of
verunglimpfen *v/t* revile, disparage
verunglücken *v/i* **1.** have an accident: ***tödlich ~*** be killed in an accident; ***mit dem Auto ~*** have a car accident **2.** F go wrong, be a flop **Verunglückte** *m, f* injured person, casualty
verunreinigen → ***verschmutzen***
verunsichern *v/t* ***j-n ~*** make s.o. feel insecure, F rattle s.o.
verunstalten *v/t* disfigure
veruntreuen *v/t* embezzle
Veruntreuung *f* embezzlement
verursachen *v/t* cause, create, give rise to, (*nach sich ziehen*) entail
Verursacher(in) perpetrator, (*von Umweltverschmutzung*) polluter **Verursacherprinzip** *n* polluter pays principle
verurteilen *v/t* (***zu*** to) JUR sentence, *bes fig* condemn **Verurteilte** *m, f* convict
Verurteilung *f a. fig* condemnation
vervielfältigen *v/t* **1.** (*a.* ***sich ~***) multiply **2.** duplicate, copy **Vervielfältigung** *f* **1.** multiplication **2.** duplication, (*Kopie*) duplicate **Vervielfältigungsapparat** *m* duplicator
vervierfachen *v/t* (*a.* ***sich ~***) quadruple
vervollkommnen *v/t* perfect
Vervollkommnung *f* perfection
vervollständigen *v/t* complete
Vervollständigung *f* completion
verwachsen[1] *v/i* (***miteinander***) ***~*** grow together, *Knochen*: unite, *Organe*: fuse: *fig* ***~ mit*** *s-r Arbeit etc*: become bound up with, *e-r Stadt etc*: feel at home in
verwachsen[2] *Adj* deformed, crippled
verwackeln *v/t* F FOTO blur
verwählen *v/refl* ***sich ~*** F dial the wrong number
verwahren I *v/t* keep (***sicher*** in a safe place) **II** *v/refl* ***sich ~*** protest (***gegen*** against)
verwahrlosen *v/i* be neglected, *a. Person*: F go to seed: ***~ lassen*** neglect
verwahrlost *Adj* neglected, run-down, *Person*: seedy, *moralisch*: dissolute, *bes Kind*: wayward **Verwahrlosung** *f* neglect, *moralische*: dissolution
Verwahrung *f* safekeeping, (*Obhut*) custody: ***in ~ nehmen*** take charge of; ***(j-m) etw in ~ geben*** deposit s.th. (with s.o.)
verwaisen *v/i* be orphaned
verwaist *Adj* **1.** orphaned **2.** *fig* (*menschenleer*) deserted, (*unbesetzt*) vacant
verwalten *v/t* administer, manage, (*führen*) conduct, run, (*Amt*) hold
Verwalter *m* administrator, (*Guts*≈ estate) manager, (*Haus*≈) caretaker, (*Vermögens*≈) trustee **Verwalterin** *f* manageress **Verwaltung** *f allg* administration, (*Behörde*) *a.* administrative authority, *bes* WIRTSCH management
Verwaltungsangestellte *m, f* employee in the administration
Verwaltungs|apparat *m* administrative machinery **~beamte** *m*, **~beamtin** *f* civil servant **~bezirk** *m* administrative district **~dienst** *m* civil service **~gebäude** *n* administration building **~gebühr** *f* administrative fee **~gericht** *n* JUR administrative tribunal **~rat** *m* WIRTSCH governing board **≈technisch** *Adj* administrative **~weg** *m* ***auf dem ~e*** through (the) administrative channels
verwandeln *v/t* (***in*** *Akk* into) change (*a.* ***sich ~***), transform, turn, *Fußball*: convert: *fig* ***sie ist wie verwandelt*** she is completely changed **Verwandlung** *f* change, transformation, conversion
verwandt *Adj a. fig* related (***mit*** to), kindred: ***~e Wörter*** cognate words
Verwandte *m, f* relative, relation: ***der***

nächste ~ the next of kin
Verwandtschaft *f* **1.** relationship, kinship, *fig a.* congeniality, affinity **2.** (*die Verwandten*) relations *Pl*
verwandtschaftlich *Adj* relational: ***welche ~en Beziehungen bestehen zwischen Ihnen?*** what is your relation(ship)? **Verwandtschaftsgrad** *m* degree of relationship
verwanzt *Adj* buggy
verwarnen *v/t* warn, *a.* SPORT caution
Verwarnung *f* warning, *a.* SPORT caution: → ***gebührenpflichtig***
verwaschen *Adj* **1.** washed(-)out, *Farbe etc*: *a.* faded **2.** *fig* vague, wool(l)y
verwässern *v/t a. fig* water down
verweben *v/t* interweave
verwechseln *v/t* (***mit*** with) confuse, mix up: ***j-n*** (***mit j-m***) ***~*** take s.o. for s.o. else; ***sie sehen sich zum ≈ ähnlich*** they are as like as two peas **Verwechslung** *f* confusion, (*Irrtum*) mistake, F mix-up, (*Personen≈*) case of mistaken identity
verwegen *Adj* (*kühn*) bold, daring, (*unbekümmert*) reckless, (*keck*) rakish
Verwegenheit *f* boldness, daring
verwehen *v/t* blow *s.th.* away, scatter, (*Spuren etc*) cover (up)
verwehren *v/t* refuse: ***j-m den Zutritt ~*** refuse s.o. admittance (***zu*** to)
verweichlichen I *v/t* ***j-n ~*** make s.o. soft **II** *v/i* go soft
verweichlicht *Adj* soft, effeminate
verweigern I *v/t* refuse: ***j-m etw ~*** refuse (*od* deny) s.o. s.th.; ***e-n Befehl ~*** disobey an order; ***die Nahrung ~*** refuse to eat **II** *v/i Pferd*: refuse **Verweigerung** *f* refusal (*a. Reitsport*), denial
Verweildauer *f* length of stay
verweilen *v/i* **1.** stay **2.** *fig Blick etc*: rest (***auf*** *Dat* on) **3.** ***~ bei*** *e-m Thema etc*: dwell on
verweint *Adj Gesicht*: tear-stained, *Augen*: red from crying
Verweis *m* **1.** reprimand, rebuke: ***j-m e-n ~ erteilen*** reprimand s.o. (***wegen*** for) **2.** (*Hinweis*) reference (***auf*** *Akk* to)
verweisen *v/t* **1.** → ***vorhalten*** b **2.** refer (***an, auf*** *Akk* to): ***man hat mich an Sie verwiesen*** I was referred to you **3.** ***j-n von der Schule ~*** expel s.o. from school; ***j-n des Landes ~*** expel s.o. (from the country); → ***Platz*** 5
verwelken *v/i a. fig* wither
verwendbar *Adj* usable, suitable
Verwendbarkeit *f* usability, suitability
verwenden I *v/t* **1.** *allg* use, employ, (*verwerten*) *a.* make use of, utilize **2.** (*aufwenden*) (***auf*** *Akk*) spend (on), (*Mühe, Zeit etc*) *a.* devote (to) **II** *v/refl* **3.** ***sich*** (***bei j-m***) ***für j-n ~*** use one's influence (with s.o.) on s.o.'s behalf
Verwendung *f* use, employment: ***k-e ~ haben für*** have no use for; ***~ finden*** be used (***bei*** in)
Verwendungs|bereich *m* range of use **~möglichkeit** *f* use: ***vielseitige ~en haben*** have a wide range of use **~zweck** *m* use, (intended) purpose
verwerfen I *v/t allg* reject, (*ablehnen*) *a.* turn down, (*aufgeben*) *a.* give up, drop, JUR (*Berufung*) dismiss, (*Antrag*) overrule **II** *v/refl* ***sich ~*** **a)** GEOL fault, **b)** *Holz*: warp
verwerflich *Adj* reprehensible
Verwerfung *f* **1.** rejection, JUR dismissal **2. a)** GEOL fault, **b)** *des Holzes*: warping
verwertbar *Adj* usable, WIRTSCH realizable
Verwertbarkeit *f* usability
verwerten *v/t* use, utilize, make use of, (*Patent etc*) exploit, WIRTSCH (*zu Geld machen*) realize **Verwertung** *f* use, utilization, exploitation, WIRTSCH realization
verwesen *v/i* rot, decay: ***halb verwest*** putrefying
Verwesung *f* decay, putrefaction
verwetten *v/t* bet, spend *s.th.* on betting
verwickeln I *v/t* **1.** tangle *s.th.* (up) **2.** *fig* ***j-n ~ in*** (*Akk*) involve s.o. in, (*e-n Skandal etc*) *a.* drag s.o. into **II** *v/refl* ***sich ~*** **3.** tangle up **4.** ***sich ~ in*** (*Akk*) *fig* get caught in, (*Widersprüche*) get tangled up in **verwickelt** *Adj fig* **1.** complicated, complex, intricate **2.** ***~ sein*** (***werden***) ***in*** (*Akk*) be (get) involved (*e-n Skandal etc*: mixed up) in
Verwicklung *f fig* **1.** involvement (***in*** *Akk* in) **2.** entanglement, complication
verwildern *v/i allg, a. fig* run wild, *Sitten etc*: degenerate **verwildert** *Adj allg, a. fig* wild, *Sitten etc*: degenerate
Verwilderung *f fig* degeneration
verwinden *v/t* **1.** get over **2.** TECH twist
verwirken *v/t* forfeit

V

verwirklichen I *v/t* realize **II** *v/refl* ***sich*** **~** be realized, come true: ***sich (selbst)*** **~** *Person*: fulfil(l) o.s
Verwirklichung *f* realization
verwirren I *v/t* **1.** (*Fäden etc*) tangle *s.th.* (up) **2.** *fig allg* confuse, (*j-n*) *a.* bewilder, (*j-s Geist etc*) *a.* muddle **II** *v/refl* ***sich*** **~ 3.** get tangled up **4.** *fig Geist etc*: become muddled **verwirrt** *Adj fig allg* confused, *Person*: *a.* bewildered, *Geist*: *a.* muddled **Verwirrung** *f allg* confusion, muddle, *e-r Person*: *a.* bewilderment: ***es herrschte allgemeine*** **~** there was general confusion; ***in*** **~** ***bringen*** → ***verwirren*** 2
verwischen *v/t* (*a.* ***sich*** **~**) blur, *fig a.* cover (up); → ***Spur*** 1
verwittert *Adj* weather-beaten
verwitwet *Adj* widowed
verwöhnen *v/t* spoil, pamper
verwöhnt *Adj* spoilt, (*wählerisch*) fastidious, (*anspruchsvoll*) demanding
Verwöhnung *f* spoiling, pampering
verworfen *Adj* depraved
verworren *Adj* confused, muddled
Verworrenheit *f* confusion, muddle
verwundbar *Adj a. fig* vulnerable
Verwundbarkeit *f a. fig* vulnerability
verwunden *v/t a. fig* wound
verwunderlich *Adj* surprising, astonishing **verwundern I** *v/t* surprise, astonish **II** *v/refl* ***sich*** **~** (***über*** *Akk* at) be surprised, be astonished **verwundert** *Adj* surprised, astonished: *Adv* ***j-n*** **~** ***ansehen*** look at s.o. in surprise **Verwunderung** *f* surprise, astonishment
Verwundete *m, f* wounded person, casualty **Verwundung** *f* wound
verwunschen *Adj* enchanted
verwünschen *v/t* curse
verwünscht *Adj* cursed, confounded
Verwünschung *f* curse
verwurzelt *Adj fig* (deeply) rooted
verwüsten *v/t* devastate, *a. fig* ravage
Verwüstung *f* devastation, ravage(s *Pl*)
verzagen *v/i* despair (***an*** *Dat* of), lose heart **verzagt** *Adj* disheartened, despondent **Verzagtheit** *f* despondency
verzählen *v/refl* ***sich*** **~** miscount
verzahnt *Adj* TECH toothed: ***miteinander*** **~** *a. fig* interlocked
verzapfen *v/t* **1.** TECH mortise **2.** F dish out: ***Unsinn*** **~** talk nonsense
verzärteln *v/t* (molly)coddle
verzaubern *v/t* cast a spell on, *fig a.* enchant: ***j-n*** **~** ***in*** (*Akk*) turn s.o. into
verzehnfachen *v/t* (*a.* ***sich*** **~**) increase tenfold
Verzehr *m* consumption **verzehren I** *v/t* consume (*a. fig*), eat: ***verzehrt werden von*** → **II** *v/refl* ***sich*** **~** ***vor*** *Gram, Liebe etc*: be consumed with
verzeichnen *v/t* **1.** note (*od* write) down, register, record: ***in e-r Liste*** **~** list; *fig* ***er konnte e-n großen Erfolg*** **~** he achieved a great success; ***Fortschritte sind nicht zu*** **~** no progress has been made **2.** *fig* (*verzerren*) distort
Verzeichnis *n* list, catalog(ue *Br*), register, record, (*Inhalts*≈) index, (*Bestands*≈) inventory, COMPUTER directory
verzeihen I *v/t* forgive, excuse, pardon: ***j-m etw*** **~** forgive s.o. s.th., excuse (*od* pardon) s.o. (for) s.th.; **~** ***Sie die Störung*** excuse my interrupting you **II** *v/i* ***j-m*** **~** forgive s.o.; **~** ***Sie!*** (I beg your) pardon!, sorry!, *Am* excuse me!
verzeihlich *Adj* pardonable
Verzeihung *f* pardon: ***j-n um*** **~** ***bitten*** **a)** ask s.o.'s forgiveness, **b)** (*sich entschuldigen*) apologize to s.o.; **~!** (I beg your) pardon!, sorry!, *Am* excuse me!
verzerren I *v/t a. fig* distort **II** *v/refl* ***sich*** **~** become distorted
verzetteln I *v/t* (*Zeit, Kräfte etc*) fritter away **II** *v/refl* ***sich*** **~** waste one's time (*od* energy) (***in*** *Dat*, ***mit*** on)
Verzicht *m* (***auf*** *Akk* of) renunciation, JUR *a.* waiver **verzichten** *v/i* **~** ***auf*** (*Akk*) do without, F cut out, *weit. S.* give up, JUR renounce, waive; ***zu j-s Gunsten*** **~** stand aside for s.o.'s benefit
Verzichterklärung *f* JUR renunciation, waiver
verziehen I *v/i* **1.** → ***umziehen*** I **II** *v/t* **2.** distort, (*Mund etc*) twist (***zu*** into): ***das Gesicht*** **~** (make a) grimace, pull a face; → ***Miene*** **3.** (*j-n*) spoil: → ***verzogen*** **III** *v/refl* ***sich*** **~ 4.** *Mund, Gesicht etc*: twist (***zu*** into) **5.** *Holz*: warp **6.** *Wolken, Rauch etc*: disperse, *Sturm, Gewitter etc*: blow over **7.** F make o.s. scarce: ***verzieht euch!*** beat it!
verzieren *v/t* decorate
Verzierung *f* decoration
verzinken *v/t* TECH galvanize

verzinnen *v/t* TECH tin(-plate)
verzinsen I *v/t* pay interest on: ***e-e Summe mit 5 % ~*** pay 5 % interest on a sum **II** *v/refl* ***sich*** (***mit 5 %***) **~** yield (*od* bear) (5 %) interest
verzinslich *Adj* interest-bearing: ***~ anlegen*** put out at interest **Verzinsung** *f* **1.** (***von***, *Gen* on) payment of interest, (*Ertrag*) interest yield **2.** → ***Zinssatz***
verzogen *Adj fig* spoilt
verzögern I *v/t* delay, (*verlangsamen*) slow down, (*hinziehen*) protract **II** *v/refl* ***sich ~*** be delayed
Verzögerung *f* delay **Verzögerungstaktik** *f* delaying tactics *Pl*
verzollen *v/t* pay duty on: ***haben Sie etw zu ~?*** have you anything to declare?
verzollt *Adj* duty-paid
Verzollung *f* payment of duty (*Gen* on)
verzückt *Adj* enraptured, ecstatic(ally *Adv*) **Verzückung** *f* rapture, ecstasy: ***in ~ geraten*** go into raptures (*od* ecstasies) (***über*** *Akk* over, about)
Verzug *m* **1.** delay: ***ohne ~*** without delay, forthwith; WIRTSCH ***im ~ sein*** (***mit***) default (on), be in arrear(s) (for) **2.** ***es ist Gefahr im ~*** there is danger ahead
Verzugszinsen *Pl* interest *Sg* on arrears
verzweifeln *v/i* despair (***an*** *Dat* of): ***es ist zum*** ♀ it's enough to drive you to despair; ***ich bin am*** ♀ I'm desperate
verzweifelt *Adj Blick*, *Stimme etc*: despairing, *Kampf*, *Plan etc*: desperate
Verzweiflung *f* (***j-n zur ~ bringen*** *od* ***treiben*** drive s.o. to) despair
Verzweiflungstat *f* act of desperation
verzweigen *v/refl* ***sich ~*** *a. fig* ramify, branch out
verzweigt *Adj a. fig* branched: ***weit ~ sein*** branch (out) widely
verzwickt *Adj* F tricky, complicated
Veteran *m* **1.** MIL ex-serviceman, *Am u. fig* veteran **2.** MOT vintage car
Veterinär(in) veterinary surgeon, *Am* veterinarian, F vet
Veto *n* veto: (***s***)***ein ~ einlegen*** put a veto on, veto **Vetorecht** *n* veto (power)
Vetter *m* cousin
Vetternwirtschaft *f* nepotism
VHS *f* = ***Volkshochschule***
Viadukt *m* viaduct
Vibration *f* vibration
vibrieren *v/i* vibrate
Video *n* video
Video... video (*camera*, *film*, *system*, *etc*) **~aufnahme** *f*, **~aufzeichnung** *f* video recording **~band** *n* video tape **~clip** *m* video clip **~gerät** *n* video recorder **~kamera** *f* camcorder **~kassette** *f* video cassette **~rekorder** *m* video recorder **~spiel** *n* video game **~technik** *f* video technology **~text** *m* teletext
Videothek *f* video-tape library
Vieh *n* **1.** cattle, livestock **2.** F (*Tier*) animal, beast **Viehbestand** *m* livestock
Viehfutter *n* fodder
viehisch *Adj* bestial, brutal
Viehmarkt *m* cattle market **Viehwagen** *m* BAHN cattle wag(g)on, *Am* stockcar
Viehzucht *f* stockbreeding
Viehzüchter(in) stockbreeder
viel *Adj u. Adv* a lot (of), plenty (of), F lots of, *bes fragend*, *verneint u. nach too*, *so*, *as*, *how*, *very*: much: (***sehr***) ***~e*** (a great) many; ***sehr ~ Geld*** a great deal (*od* plenty) of money; ***ziemlich ~*** quite a lot (of); ***ziemlich ~e*** quite a few; ***das kommt vom ~en Rauchen*** that comes from all that smoking; ***ich halte nicht ~ davon*** I don't think much of it; ***~e hundert ...*** hundreds and hundreds of; **~** (*od* ***um ~es***) ***besser*** much better; ***~ lieber*** much rather; ***~ zu viel(e)*** far too much (many); ***~ zu wenig*** not nearly enough; ***in ~em*** in many ways; ***~ beschäftigt*** very busy; ***~ diskutiert*** much-discussed; ***~ geliebt*** much-loved; *a. iron* ***~ gepriesen*** much-vaunted; ***~ gereist*** much-travel(l)ed; ***~ sagend*** meaningful, knowing; ***~ versprechend*** (very) promising: ***nicht*** (***gerade***) ***~ versprechend*** unpromising
vieldeutig *Adj* ambiguous
Vieleck *n* MATHE polygon
vielerlei *Adj* various, all sorts of
vielerorts *Adv* in many places
vielfach I *Adj* multiple: ***er ist ~er Millionär*** he is a millionaire many times over; ***auf ~en Wunsch*** by popular request **II** *Adv* in many cases, (*oft*) frequently
Vielfalt *f* (great) variety
vielfältig *Adj* varied, manifold
Vielflieger *m* frequent flyer
Vielfraß *m* ZOOL *u.* F *fig* glutton
vielköpfig *Adj Familie*: large
vielleicht *Adv* perhaps, maybe, possibly: ***hast du ihn ~ gesehen?*** have

you seen him by any chance?; *~ **kommen sie noch*** they may yet come; ***es ist ~ besser*** it might be better; ***könnten Sie ~ das Fenster schließen?*** would you mind closing the window?; F ***das ist ~ ein Trottel!*** he really is an idiot!; ***ich war ~ aufgeregt!*** what a state I was in!; ***das ist ~ ein Auto!*** that's some car!

vielmals *Adv* many times: ***danke ~*** many thanks; ***sie lässt (dich) ~ grüßen*** she sends you her best regards; ***ich bitte ~ um Entschuldigung*** I'm terribly sorry

vielmehr *Adv* rather

vielschichtig *Adj fig* complex, multi-layered

vielseitig I *Adj* many-sided, *Person*: *a.* versatile **II** *Adv* ***sie ist ~ begabt*** she has many talents; ***er ist ~ interessiert*** he has varied interests; ***~ verwendbar*** multipurpose, versatile

Vielseitigkeit *f* versatility

vielsprachig *Adj* polyglot **vielstimmig** *Adj* MUS many-voiced, polyphonic

Vielvölkerstaat *m* multiracial state

Vielweiberei *f* polygamy

Vielzahl *f* multitude

vier *Adj* four: ***unter ~ Augen*** in private; ***Gespräch unter ~ Augen*** private talk; F ***auf allen ~en*** on all fours

Vier *f* four: PÄD ***e-e ~ bekommen*** be given the mark (of) fair

Vieraugengespräch *n* four-eye conversation

Vierbeiner *m* F quadruped

vierbeinig *Adj* four-legged

vierblätt(e)rig *Adj* four-leaved

Viereck *n bes* MATHE quadrangle

viereckig *Adj* quadrangular

Vierer *m Rudern*: four, *Golf*: foursome

Viererbob *m* four-seater bob

vierfach *Adj* fourfold

Vierfarbendruck *m* four-colo(u)r printing (*Bild*: print)

Vierfüßer *m* ZOOL quadruped **vierfüßig** *Adj* four-footed, ZOOL quadruped

Vierganggetriebe *n* MOT four-speed gear unit

vierhändig *Adj* four-handed, for four hands: ***~ spielen*** play a duet

vierhundert *Adj* four hundred

vierjährig *Adj* **1.** *Abwesenheit etc*: of four years, four-year **2.** *Kind etc*: four-year-old, of four

Vierjährige *m, f* four-year-old (child)

Vierkant *m, n,* **vierkantig** *Adj* square

Vierlinge *Pl* quadruplets *Pl*

viermal *Adv* four times

viermotorig *Adj* four-engined

Vierrad... four-wheel (*drive, brake*)

vierräd(e)rig *Adj* four-wheeled

vierschrötig *Adj* square(-built), thick-set, burly **vierseitig** *Adj* four-sided, MATHE quadrilateral **viersilbig** *Adj* four-syllable **Viersitzer** *m,* **viersitzig** *Adj* four-seater **vierspurig** *Adj Straße*: four-lane **vierstellig** *Adj* MATHE four-digit

vierstimmig *Adj* MUS four-part, for four voices: *Adv* ***~ singen*** sing in four voices

vierstöckig *Adj* four-storeyed, *Am* four-storied **vierstündig** *Adj* of four hours, four-hour

viert *Adj* fourth: ***sie waren zu ~*** there were four of them

Viertaktmotor *m* four-stroke engine

viertausend *Adj* four thousand

Vierte *m, f* fourth

Viertel *n* **1.** fourth (part) **2.** (*Maß, Stadt♀, Mond♀, ~stunde*) quarter: ***es ist ~ vor eins*** it is a quarter to one

Viertelfinale *n* SPORT quarter finals *Pl*

Vierteljahr *n* three months *Pl*

vierteljährlich *Adj u. Adv* quarterly: ***~e Kündigung*** three months' notice

Viertelliter *m, n* quarter of a litre (*Am* liter)

vierteln *v/t* quarter

Viertel|note *f* MUS crotchet **~pause** *f* MUS crotchet rest **~pfund** *n* quarter of a pound **~stunde** *f* quarter of an hour

viertelstündlich *Adj u. Adv* every quarter of an hour, every fifteen minutes

viertens *Adv* fourthly

vierzehn *Adj* fourteen: ***~ Tage*** a fortnight, *Am* fourteen days; ***in ~ Tagen*** in two weeks' time, in a fortnight

vierzehntägig *Adj* two-week

Vierzehnte *m, f* fourteenth

Vierzeiler *m* quatrain

vierzig I *Adj* forty; ***sie ist Anfang ~*** she is in her early forties **II** ♀ *f* forty **vierziger** *Adj* ***die ~ Jahre*** *e-s Jhs.*: the forties *Pl* **Vierziger(in)** man (woman) of forty (*od* in his [her] forties): ***sie ist in den Vierzigern*** she is in her forties **Vierzi-**

V

gerjahre → ***vierziger***
Vierzimmerwohnung *f* four-room flat (*Am* apartment)
Vietnam *n* Vietnam
Vietnamese *m*, **Vietnamesin** *f*, **vietnamesisch** *Adj* Vietnamese
Vignette *f* motorway permit
Villa *f* villa
Villenviertel *n* residential area
Viola *f* MUS viola
violett *Adj* purple, *heller*: violet
Violine *f* MUS violin **Violinist(in)** violinist **Violinschlüssel** *m* violin (*od* treble, G) clef
Violoncello *n* MUS violoncello
Viper *f* ZOOL viper, adder
Virensuchprogramm *n* virus scanner
Virologie *f* MED virology
virtuell *Adj* IT virtual
virtuos *Adj*, **Virtuose** *m*, **Virtuosin** *f* virtuoso **Virtuosität** *f* virtuosity
virulent *Adj* virulent
Virus (*Pl* ***Viren***) *m*, *n* MED, IT virus
Virusinfektion *f* virus (*od* viral) infection
Visage *f* F mug **Visagist(in)** make-up artist
Visier *n* **1.** *am Helm*: visor **2.** *am Gewehr*: sight **visieren I** *v/i* take aim **II** *v/t schweiz.* certify
Vision *f* vision
visionär *Adj*, **Visionär(in)** visionary
Visite *f* (doctor's) round
Visitenkarte *f* (visiting, *Am* calling) card
visuell *Adj* visual
Visum *n* **1.** visa **2.** *schweiz.* signature
vital *Adj* **1.** vigorous, fit **2.** (*lebenswichtig*) vital **Vitalität** *f* vigo(u)r, vitality
Vitamin *n* vitamin(e) **vitaminarm** *Adj* poor in vitamin(e)s **Vitamingehalt** *m* vitamin(e) content **vitaminhaltig** *Adj* containing vitamin(e)s
Vitamin|mangel *m* vitamin(e) deficiency **~präparat** *n* vitamin(e) preparation **2reich** *Adj* rich in vitamin(e)s **~stoß** *m* massive dose of vitamin(e)s
Vitrine *f* glass cupboard, WIRTSCH showcase
Vize... vice-(*admiral, chancellor, president, etc*) **Vizemeister(in)** SPORT runner-up (***hinter*** *Dat* to)
Vlies *n* fleece
Vogel *m* **1.** bird: F *fig* ***e-n ~ haben*** have a screw loose; ***den ~ abschießen*** take the cake; ***j-m den ~ zeigen*** tap one's forehead at s.o., give the finger to s.o. **2.** F *fig* (*Kerl*) bird, fellow: ***er ist ein komischer ~*** he's a queer customer
Vogel|bauer *n* birdcage **~beerbaum** *m* rowan (tree) **~beere** *f* rowanberry **~futter** *n* birdseed **~grippe** *f* bird flu **~haus** *n* aviary **~käfig** *m* birdcage **~kunde** *f* ornithology **~mist** *m* bird droppings *Pl*
vögeln *v/t u. v/i* V fuck, screw, bang
Vogel|nest *n* bird's nest **~perspektive** *f* ***Berlin aus der ~*** a bird's-eye view of Berlin **~scheuche** *f a. fig* scarecrow
Vogelschutzgebiet *n* bird sanctuary
Vogel-Strauß-Politik *f* ostrich policy
Vogelwarte *f* ornithological station
Vogerlsalat *m österr.* lamb's lettuce
Vokabel *f* word
Vokabelheft *n* vocabulary book
Vokabular *n* vocabulary
Vokal *m* vowel
Vokalmusik *f* vocal music
Volant *m am Kleid*: flounce
Volk *n* **1.** people, nation, (*Masse*) *the* masses *Pl*, crowd, *pej* (*Pöbel*) mob, rabble: ***ein Mann aus dem ~*** a man of the people; ***sich unters ~ mischen*** mingle with the crowd **2.** (*Bienen2*) swarm **3.** JAGD covey
Völker|kunde *f* ethnology **~mord** *m* genocide **~recht** *n* international law **2rechtlich** *Adj* relating to (*Adv* under) international law **~verständigung** *f* international understanding
Völkerwanderung *f* **1.** migration of (the) peoples **2.** *fig* exodus
Volks|abstimmung *f* plebiscite, referendum **~aufstand** *m* national uprising, revolt **~befragung** *f* public opinion poll **~begehren** *n* petition for a referendum **~bildung** *f* national education **~bücherei** *f* public library **~charakter** *m* national character **~demokratie** *f* people's democracy
Volksdeutsche *m*, *f* ethnic German
volkseigen *Adj hist* state-owned
Volkseigentum *n* national property
Volks|einkommen *n* national income **~feind(in)** public enemy **~fest** *n* (public) festival **~gruppe** *f* ethnic group **~held(in)** folk hero(ine *f*) **~hochschule** *f* (*Institution*) adult education program(me), (*Kurse*) adult evening

classes *Pl* **~kammer** *f DDR hist* People's Chamber **~kunde** *f* folklore **~lauf** *m* SPORT open cross-country race **~lied** *n* folk song
Volksmund *m* (***im ~*** in the) vernacular
Volksmusik *f* folk music
volksnah *Adj* popular, people-oriented, grassroots (*politician*)
Volks|polizist(in) *hist* member of the people's police **~redner(in)** popular speaker, *pej* stump orator **~republik** *f* people's republic **~schicht** *f* social class **~sport** *m* popular sport **~sprache** *f* vernacular (language) **~stamm** *m* tribe, race **~stück** *n* THEAT folk play **~tanz** *m* folk dance **~tracht** *f* national costume **~trauertag** *m* day of national mourning
Volkstum *n* folklore
volkstümlich *Adj* folkloristic, LING vernacular, (*herkömmlich*) traditional, (*einfach, beliebt*) popular: *a. pej* ***sich ~ geben*** act folksy
Volksvermögen *n* national wealth
Volksversammlung *f* public meeting
Volksvertreter(in) people's representative **Volksvertretung** *f* representation of the people, parliament
Volks|wirt(in) WIRTSCH (political) economist **~wirtschaft** *f* **1.** political economy **2.** → **~wirtschaftslehre** *f* economics *Pl* (*mst Sg konstr*) **~zählung** *f* census
voll I *Adj* **1.** (*Ggs. leer*) *allg* full, (*gefüllt*) *a.* filled, (*~ besetzt*) full up: **~(er), ~ *von, ~ mit,*** ~ (*Gen*) full of (*a. fig*), filled with, (*beladen mit*) loaded with; ***e-e Kanne*** (~) ***Tee*** a pot of tea; *fig* ***aus dem Ꙩen schöpfen*** draw on plentiful resources; F ***~ sein*** **a)** (*satt*) be full up, **b)** (*betrunken*) be tight **2.** (*füllig*) full, round, *Haar*: thick, rich: ***~er werden*** *a.* fill out **3.** *fig Ton, Stimme, Aroma etc*: full, rich **4.** (*~ständig*) full, whole: ***der Mond ist ~*** the moon is full; ***e-e ~e Stunde*** a full (*od* solid) hour; ***~e drei Tage*** fully three days; ***etw in ~er Höhe bezahlen*** pay the full amount, pay the amount in full; ***mit ~er Lautstärke*** (at) full blast; ***aus ~er Brust, aus ~em Halse*** at the top of one's voice; ***aus ~em Herzen*** from the bottom of one's heart; ***~es Vertrauen*** complete confidence; ***die ~e Wahrheit*** the whole truth **II** *Adv* **5.** fully, (*~ständig*) *a.* in full: ***~ und ganz*** completely, wholly; ***~ arbeiten*** work full time; ***~ beschäftigt*** fully occupied; ***~ besetzt sein*** be full (up); ***Sie müssen ~ bezahlen*** you have to pay the full price; ***~ füllen, ~ gießen*** fill (up); F ***~ machen*** fill (up); *fig* ***um das Unglück ~ zu machen*** to make things worse; ***~ packen*** pack *s.th.* full (***mit*** of); ***sich ~ saugen mit*** become saturated with; ***~ schlagen*** *Uhr*: strike the full hour; ***sich ~ schlagen*** fill one's belly; ***~ schreiben*** (*Heft etc*) fill, (*Tafel etc*) cover; *a. fig* ***~ stopfen*** stuff, cram; ***~ tanken*** fill up; ***~ gepackt, ~ gepfropft*** crammed (full), F (jam)packed; ***j-n nicht für ~ nehmen*** not to take s.o. seriously; F ***in die Ꙩen gehen*** go flat out
vollauf *Adv* quite, perfectly
Vollautomatik *f* fully automatic system
vollautomatisch *Adj* fully automatic
Vollautomatisierung *f* full automation
Vollbad *n* full bath
Vollbart *m* full beard
vollbeschäftigt *Adj* employed full-time
Vollbeschäftigung *f* full employment
Vollbesitz *m* ***im ~*** (*Gen*) in full possession of; ***im ~ s-r geistigen Kräfte sein*** be in full possession of one's mental faculties
Vollblut(pferd) *n*, **Vollblüter** *m* thoroughbred
Vollbremsung *f* emergency stop: ***e-e ~ machen*** F slam on the brakes
vollbringen *v/t* accomplish, achieve, (*Wunder*) perform
vollbusig *Adj* full-bosomed, F bosomy
Volldampf *m* ***mit ~*** at full steam, *fig* at full blast
vollelektronisch *Adj* fully electronic
vollenden *v/t* **1.** (*Arbeit etc*) finish, (*a. Lebensjahr, Dienst, Studien*) complete **2.** perfect **vollendet** *Adj* perfect, accomplished: *Adv* ***~ schön*** of perfect beauty; → ***Tatsache*** **vollends** *Adv* completely **Vollendung** *f* **1.** finishing, completion: ***nach ~*** (*Gen*) on completion of **2.** perfection
voller → ***voll*** 1
Völlerei *f* gluttony
Volley *m Tennis etc*: volley
Volleyball(spiel) *n* volleyball
vollführen *v/t* perform
Vollgas *n* MOT full throttle: ***mit ~*** F full

tilt; ~ ***geben*** F step on the gas
Vollgefühl *n* ***im*** ~ (*Gen*) *fig* fully conscious of
Vollgummi *m*, *n* solid rubber
völlig I *Adj* total, absolute, complete: ***~e Gleichberechtigung*** full equality; ***~er Unsinn*** utter (*od* perfect) nonsense; ***ein ~er Versager*** a complete failure **II** *Adv* quite, fully (*etc*): ~ ***richtig*** absolutely right; ~ ***am Ende sein*** be completely run down; ***das ist mir ~ gleichgültig*** I don't give a damn
volljährig *Adj* of (full legal) age, major: ~ ***sein*** (***werden***) be (come) of age; ***noch nicht*** ~ under age
Volljährigkeit *f* full legal age, majority
Volljurist(in) fully qualified lawyer
Vollkaskoversicherung *f* comprehensive insurance
vollkommen I *Adj* perfect, total, *Macht etc*: absolute **II** *Adv* F → ***völlig*** II
Vollkommenheit *f* perfection
Vollkorn|brot *n* wholemeal bread **~nudeln** *Pl* wholemeal pasta *Sg*
Vollmacht *f* full power(s *Pl*), authority, JUR power of attorney, (*Urkunde*) proxy: ~ ***haben*** be authorized; ***j-m ~ erteilen*** authorize s.o.
Voll|matrose *m*, **~matrosin** *f* able-bodied seaman
Vollmilch *f* full-cream milk **Vollmilchschokolade** *f* milk chocolate
Vollmond *m* full moon: ***heute ist*** ~ there is a full moon tonight
vollmundig *Adj* **1.** *Wein*: full-bodied **2.** *fig iron* high-sounding, orotund
Vollnarkose *f* general an(a)esthesia
Vollpension *f* (full) board and lodging
vollschlank *Adj* ~ ***sein*** have a full figure
vollständig I *Adj* complete, whole, entire: ***~e Anschrift*** full address **II** *Adv* → ***völlig*** II
Vollständigkeit *f* completeness
vollstreckbar *Adj* JUR enforceable
vollstrecken I *v/t* **1.** execute, JUR *a.* enforce **2.** SPORT (*Strafstoß etc*) convert **II** *v/i* **3.** SPORT score **Vollstreckung** *f* JUR exe-cution **Vollstreckungsbefehl** *m* JUR writ of execution
Volltextsuche *f* COMPUTER full-text search
Volltreffer *m* direct hit, *a. fig* bull's-eye
volltrunken *Adj* completely drunk
Vollversammlung *f* plenary assembly
Vollwaise *f* orphan
Vollwaschmittel *n* all-purpose washing powder
vollwertig *Adj* full, adequate, of high value **Vollwertkost** *f* whole foods *Pl*
vollzählig *Adj* **1.** ~ ***sein*** be present in full number; *Adv* ~ ***erscheinen*** assemble in full strength **2.** (*vollständig*) complete
vollziehen I *v/t* execute, carry out, (*Trauung etc*) perform, (*die Ehe*) consummate: ***~de Gewalt*** executive **II** *v/refl* ***sich*** ~ take place **Vollzieher(in)** executor **Vollziehung** *f*, **Vollzug** *m* execution, *der Trauung etc*: performance, *der Ehe*: consummation
Vollzugs|anstalt *f* penal institution, prison **~beamte** *m*, **~beamtin** *f* prison officer
Volontär(in) unpaid trainee
Volt *n* ELEK volt **Voltmeter** *n* voltmeter
Voltzahl *f* voltage
Volumen *n allg* volume, (*Größe*) *a.* size, (*Inhalt*) *a.* capacity
voluminös *Adj* voluminous
von *Präp* **1.** *allg* from: ~ ***der Seite*** from the side; ~ ***morgen an*** from (VERW as of) tomorrow **2.** *Genitiv*: of, *Urheberschaft*, *Passiv*: by: ***e-e Freundin ~ ihr*** a friend of hers; ***ein Bild ~ Picasso*** a painting by Picasso; ***sie nahm ~ dem Kuchen*** she had some of the cake; ***9 ~ 10 Leuten*** 9 out of (*Statistik*: in) 10 people; → ***selbst*** I **3.** *Eigenschaft*: of: ~ ***Gold*** (made) of gold; ***ein Mann ~ Bildung*** a man of culture **4.** (*über*) of, about: ***ich habe ~ ihm gehört*** I have heard of him; ***weißt du ~ der Sache?*** do you know about this affair?
voneinander *Adv* from each other
vonseiten *Adv* ~ ***von*** on the part of, by
vonstatten *Adv* ~ ***gehen*** **a)** take place, **b)** *gut, zügig etc*: go, proceed
vor *Präp* **1.** *räumlich*: before, in front (*Dat* of), (*außerhalb*) outside, (*in Gegenwart von*) in the presence (*Dat* of): ~ ***der Klasse*** in front of the class; ~ ***der Tür*** at the door; ~ ***dem Gesetz*** before the law **2.** *zeitlich*: before, ago: ~ ***10 Jahren*** (***ein paar Tagen***) ten years (a few days) ago; ~ ***dem Essen*** before dinner; ***5 Minuten ~ 12*** five minutes to (*Am* of) 12, *fig* at the eleventh hour; ~

j-m liegen be (*od* lie) ahead of s.o.; ***etw ~ sich haben*** have s.th. ahead of one, *pej* be in for s.th.; ***das haben wir noch ~ uns*** that's still to come **3.** (*wegen*) for, with: ***~ Angst*** for fear; ***~ Kälte*** with cold; ***~ lauter Arbeit*** for all the work **4.** *Rang*: above, before: ***~ allem, ~ allen Dingen*** above all **5.** (*gegen*) from, against: ***j-n warnen ~*** warn s.o. against
vorab *Adv* (*zunächst*) first, to begin with, (*im Voraus*) in advance
Vorabend *m* (***am ~*** on the) eve (*Gen* of)
Vorahnung *f* premonition, *böse*: foreboding
voran *Adv* before, at the head, in front: ***mit dem Kopf ~*** head first **vorangehen** *v/i* **1.** lead the way, walk at the front (*od* head) (*Dat* of): ***j-n ~ lassen*** let s.o. go first; → ***Beispiel*** **2.** *zeitlich*: precede **3.** *fig Arbeit etc*: get on, get ahead **vorankommen** *v/i* make progress (*od* headway): ***beruflich*** (***im Leben***) ~ get on in one's job (in life)
Vorankündigung *f* previous notice
Voranmeldung *f* booking: TEL ***Gespräch mit ~*** person-to-person call
vorantreiben *v/t fig* press ahead with
Voranzeige *f* preannouncement, FILM trailer
Vorarbeit *f* preparatory work, preparations *Pl* **vorarbeiten** *v/i u. v/t* work in advance: ***j-m ~*** pave the way for s.o.
Vorarbeiter(in) foreman (forewoman)
voraus *Adv a. fig* ahead (*Dat* of): ***im*** ♀ in advance
vorausahnen *v/t* anticipate **vorausberechnen** *v/t* precalculate **vorausbezahlen** *v/t* prepay, pay *s.th.* in advance **vorausdenken** *v/i* look ahead
Vorausexemplar *n* advance copy
vorausfahren *v/i* drive ahead (*Dat* of)
voraus|gehen *v/i* **1.** go ahead (*Dat* of) **2.** *zeitlich*: precede **~gesetzt** *Konj* ***~, dass*** provided (that) **~haben** *v/t* ***j-m etw an Erfahrung*** *etc* ***~*** have the advantage of greater experience *etc* over s.o.
vorauslaufen *v/i* run on ahead (*Dat* of)
vorausplanen *v/t u. v/i* plan *s.th.* ahead
Vorausplanung *f* forward planning
Voraussage *f*, **Voraussagung** *f* prediction, forecast, prognosis
voraussagen *v/t* predict, forecast
vorausschauend *Adj fig* foresighted
vorausschicken *v/t* **1.** send on ahead **2.** *fig* ***~, dass ...*** first mention that ...
voraussehen *v/t* foresee, expect: ***das war vorauszusehen*** that was to be expected
voraussetzen *v/t* **1.** (*erfordern*) require **2.** (*annehmen*) assume, expect: ***etw stillschweigend ~*** take s.th. for granted; ***ich setze diese Tatsachen als bekannt voraus*** I assume that these facts are known; → ***vorausgesetzt***
Voraussetzung *f* **1.** condition, prerequisite: ***unter der ~, dass ...*** on condition that ...; ***die ~en erfüllen*** meet the requirements **2.** (*Annahme*) assumption
Voraussicht *f* (***in weiser ~*** with wise) foresight; ***aller ~ nach*** in all probability
voraussichtlich **I** *Adj* prospective, expected **II** *Adv* probably: ***er kommt ~ a.*** he is likely (*od* expected) to come
Vorauszahlung *f* advance payment
Vorbau *m* front part (of a building), (*Vorhalle*) porch
vorbauen **I** *v/t* build *s.th.* in front (*od* out) **II** *v/i fig* take precautions
Vorbedingung *f* condition
Vorbehalt *m* reservation, proviso: ***unter dem ~, dass ...*** provided (that) ...; ***ohne ~*** without reservation
vorbehalten *v/t* reserve: ***Änderungen ~*** subject to change (without notice); ***Irrtümer ~*** errors excepted; ***alle Rechte ~*** all rights reserved; ***sich*** (***das Recht***) ***~ zu*** *Inf* reserve the right to *Inf*; ***j-m ~ sein*** (*od* ***bleiben***) be left to s.o.
vorbehaltlich *Präp* (*Gen*) subject to
vorbehaltlos *Adj* unreserved
vorbehandeln *v/t* pretreat
Vorbehandlung *f* pretreatment
vorbei *Adv* **1.** *a.* ***~ an*** (*Dat*) past, by: ***~!*** missed! **2.** *zeitlich*: over, finished, (*vergangen*) gone, *nach Uhrzeit*: past: ***5 Uhr ~*** past five (o'clock); ***es ist aus und ~*** it's all over and done with
vorbeifahren *v/i* ***~ an*** (*Dat*) drive past
vorbeigehen *v/i* **1.** ***~ an*** (*Dat*) pass by, *fig* miss, pass *s.th.* by: ***im*** ♀ in passing **2.** → ***vorübergehen*** **3.** *Schuss etc*: miss (the mark) **vorbeikommen** *v/i* **1.** ***~ an*** (*Dat*) pass by, *e-m Hindernis etc*: get past (*od* round), pass **2.** F (*besuchen*) drop in (***bei*** on) **vorbeilassen** *v/t* let *s.o., s.th.* pass **vorbeimarschieren** *v/i* ***~ an*** (*Dat*) march past **vorbeireden**

v/i ***aneinander ~*** talk at cross-purposes; ***am Thema ~*** miss the point
vorbeischießen *v/i* miss: (***am Tor***) ~ shoot wide **vorbeischrammen** *v/i* scrape past (***an etw*** *Dat* s.th.) **vorbeiziehen** *v/i* ***an j-m ~*** SPORT overtake s.o., *fig Erinnerungen etc*: go through s.o.'s mind
vorbelastet *Adj* ***erblich ~ sein*** have a hereditary handicap
Vorbemerkung *f* preliminary remark
vorbereiten *v/t* (*a.* ***sich ~***) prepare (***für, auf*** *Akk* for): *fig* ***bereite dich auf das Schlimmste vor!*** prepare (yourself) (*od* be prepared) for the worst!
vorbereitend *Adj* preparatory
Vorbereitung *f* preparation (***für, zu, auf*** *Akk* for): ***~en treffen*** (***für***) make preparations (*od* prepare) (for); ***in ~*** in preparation, being prepared
Vorbericht *m* preliminary report
Vorbesprechung *f* preliminary discussion (*od* talk)
vorbestellen *v/t* (*Karten, Zimmer etc*) book in advance, reserve **Vorbestellung** *f* advance booking, reservation
vorbestraft *Adj* ***~ sein*** have a police record
vorbeugen I *v/i* ***e-r Sache ~*** prevent (*od* guard against) s.th. **II** *v/refl* ***sich ~*** bend forward **vorbeugend** *Adj* preventive, MED (*a.* ***~es Mittel***) prophylactic
Vorbild *n* model, example: ***leuchtendes ~*** shining example; ***sich j-n zum ~ nehmen*** follow s.o.'s example; (***j-m***) ***ein ~ sein*** set an example (to s.o.)
vorbildlich *Adj* exemplary, model: *Adv* ***er benahm sich ~*** he behaved in an exemplary manner
Vorbildung *f* (previous) training, education(al background)
Vorbote *m*, **Vorbotin** *f fig* herald, forerunner
vorbringen *v/t* (*Argument etc*) bring forward, (*Wunsch, Forderung etc*) express, state, (*Gründe, Entschuldigung etc*) offer, (*Einwand*) raise, (*Protest*) enter, JUR (*Klage*) prefer
Vordach *n* canopy
vordatieren *v/t* (*vorausdatieren*) postdate, (*zurückdatieren*) antedate
Vordenker(in) thinker, brain
vorder *Adj* front
Vorder|achse *f* front axle **~ansicht** *f* front view **~bein** *n* ZOOL foreleg **~deck** *n* SCHIFF foredeck **~fuß** *m* ZOOL forefoot, *von Hund, Katze etc*: front paw
Vordergrund *m* foreground: *fig* ***in den ~ rücken*** come to the fore; ***etw in den ~ stellen*** give s.th. special emphasis
vordergründig *Adj* (*Adv* on the) surface
Vorder|haus *n* front building **~lauf** *m* JAGD foreleg **~mann** *m* ***mein ~*** the person in front of me; F *fig* ***auf ~ bringen*** **a)** ***j-n*** make s.o. pull his socks up, **b)** ***etw*** bring s.th. up to scratch **~rad** *n* front wheel **~rad...** front-wheel (*brake, drive, etc*) **~reihe** *f* front row **~seite** *f* front, ARCHI, TECH *a.* face, *e-r Münze*: obverse **~sitz** *m* front seat
vorderst *Adj* front
Vorder|teil *m, n* front (part) **~tür** *f* front door **~zahn** *m* front tooth
vordrängen *v/refl* ***sich ~*** push forward, *in e-r Schlange*: jump the queue, *fig* put o.s. forward
vordringen *v/i* push (*od* forge) ahead: ***~ in*** (*Akk*) *a. fig* penetrate into; ***~*** (***bis***) ***zu*** *a. fig* work one's way through to
vordringlich *Adj* urgent, priority (*task etc*): *Adv* ***~ behandelt werden*** be given priority
Vordruck *m* form, *Am* blank
vorehelich *Adj* premarital
voreilig *Adj* hasty, rash: ***~e Schlüsse ziehen*** jump to conclusions
voreinander *Adv* ***Achtung ~*** respect for each other; ***sie haben Angst ~*** they are afraid of each other
voreingenommen *Adj* (***gegenüber*** against) prejudiced, bias(s)ed
Voreingenommenheit *f* prejudice, bias
vorenthalten *v/t* ***j-m etw ~*** withhold (*od* keep) s.th. from s.o.
Vorentscheidung *f* preliminary decision
vorerst *Adv* for the time being
Vorexamen *n* preliminary examination
Vorfahr(in) ancestor
vorfahren *v/i* drive up (***vor*** *Dat* before) **Vorfahrt** *f* priority, right of way: ***~ beachten!*** give way!, *Am* yield! **vorfahrt(s)berechtigt** *Adj* having the right of way **Vorfahrt(s)schild** *n* sign regulating priority **Vorfahrt(s)straße** *f* priority road
Vorfall *m* **1.** incident, occurrence **2.** MED

V

prolapse **vorfallen** *v/i* happen, occur
Vorfeld *n* **1.** FLUG apron **2.** *fig* **im ~** (*Gen*) in the run-up to
Vorfilm *m* supporting film
vorfinanzieren *v/t* prefinance
vorfinden *v/t* find
vorformulieren *v/t* preformulate
Vorfreude *f* anticipation
vorfristig *Adj u. Adv* ahead of time
Vorfrühling *m* early spring
vorfühlen *v/i* ***bei j-m ~*** sound s.o. out
vorführen *v/t* **1.** show, (*Film*) *a.* present, (*Gerät etc*) demonstrate, (*Kunststück*) perform **2.** ***j-n*** *dem Richter, e-m Arzt etc* **~** bring s.o. before **3.** F ***j-n ~*** make s.o. look like a fool
Vorführer(in) (*Film*≗) projectionist
Vorführraum *m* projection room
Vorführung *f* **1.** showing, *e-s Films*: *a.* presentation, *e-s Geräts etc*: demonstration, *e-s Kunststücks etc*: performance **2.** (*Aufführung*) show
Vorführwagen *m* MOT demonstration car, demonstrator
Vorgabe *f* **1.** SPORT start, handicap, (*Kurven*≗) stagger **2.** (*Bedingung*) precondition, stipulation, (*Ziel*≗) target, (*Daten etc*) given (*od* set) data *Pl* **3.** → **Vorgabezeit** *f* TECH allowed time
Vorgang *m* **1.** (*Ablauf*) proceedings *Pl*, BIOL, CHEM, TECH process **2.** (*Ereignis*) event, occurrence **3.** (*Akte*) file, record
Vorgänger(in) predecessor
Vorgarten *m* front garden, *Am* frontyard
vorgeben *v/t* **1.** SPORT give, allow **2.** (*behaupten*) allege, claim, pretend **3.** (*festlegen*) prescribe, stipulate, (*Daten etc*) give, set
Vorgebirge *n* foothills *Pl*
vorgefasst *Adj* preconceived
vorgefertigt *Adj a. fig* prefabricated
Vorgefühl *n* → ***Vorahnung***
vorgehen *v/i* **1.** go forward, go up (***zu*** to), MIL advance, F (*vorangehen*) lead the way: ***m-e Uhr geht*** (***e-e Minute***) ***vor*** my watch is (one minute) fast; F ***geh schon mal vor!*** you go on ahead! **2.** (*handeln*) act: **~ *gegen*** take action against; ***gerichtlich gegen j-n ~*** proceed against s.o.; ***hart ~ gegen*** crack down on **3.** happen, go on: ***was geht hier vor?*** what's going on here? **4.** (*Vorrang haben*) come first **Vorgehen** *n* (line of) action, (*Verfahren*) procedure
vorgelagert *Adj* ***~e Inseln*** offshore islands
vorgerückt *Adj* ***zu ~er Stunde*** at a late hour; ***in ~em Alter*** **a**) *person* well advanced in years, **b**) at an advanced age
Vorgeschichte *f* **1.** prehistory, early history **2.** *e-r Sache*: (past) history, *e-r Person*: past life, background **vorgeschichtlich** *Adj* prehistoric(ally *Adv*)
Vorgeschmack *m* foretaste (***auf*** *Akk*, ***von*** of)
Vorgesetzte *m, f* superior, F boss
Vorgespräche *Pl* preliminary talks *Pl*
vorgestern *Adv* the day before yesterday: F ***von ~*** → **vorgestrig** *Adj* **1.** *Zeitung etc*: of the day before yesterday **2.** *fig Ansicht etc*: antiquated
vorgreifen *v/i* ***j-m*** (***e-r Sache***) **~** anticipate s.o. (s.th.) **Vorgriff** *m* (***im ~*** in) anticipation (***auf*** *Akk* of)
vorhaben *v/t* **~, *etw zu tun*** plan (*od* have in mind, intend) to do s.th.; ***e-e Reise ~*** plan to go on a journey; ***was habt ihr heute vor?*** what are your plans for today?; ***haben Sie heute Abend etw vor?*** have you got anything planned for tonight?; ***morgen habe ich e-e Menge vor*** I've got a lot to do tomorrow; ***was hast du mit ihm*** (***damit***) ***vor?*** what are you going to do with him (it)?; ***was hast du jetzt wieder vor?*** what are you up to now? **Vorhaben** *n* intention, plan(s *Pl*), (*a. Bau*≗ *etc*) project: ***sein ~ durchführen*** carry out one's plans
Vorhalle *f* (entrance) hall, vestibule
Vorhalt *m* MUS suspension **vorhalten** *v/t* ***j-m etw ~*** **a**) hold s.th. (up) in front of s.o., **b**) *fig* reproach s.o. with s.th.; ***mit vorgehaltener Pistole*** at pistol point
Vorhaltung *f mst Pl* reproach: ***j-m ~en machen*** remonstrate with s.o. (***über*** *Akk* about)
Vorhand *f Tennis etc*: forehand
vorhanden *Adj* existing, (*verfügbar*) available, WIRTSCH in stock: **~ *sein*** exist; ***es ist nichts mehr ~*** there is nothing left
Vorhandensein *n* existence
Vorhang *m* curtain (*a.* THEAT), drapes *Pl*: POL ***der Eiserne ~*** the Iron Curtain
Vorhängeschloss *n* padlock

Vorhaut *f* ANAT foreskin, prepuce
vorher *Adv* before: ***am Abend ~*** the evening before, the previous evening
vorherbestimmen *v/t* predetermine
vorhergehen *v/i* ***e-r Sache ~*** precede s.th. **vorhergehend, vorherig** *Adj* preceding, previous
Vorherrschaft *f* predominance, supremacy **vorherrschen** *v/i* predominate, prevail **vorherrschend** *Adj* predominant, *Meinung etc*: prevailing
Vorhersage *f* prediction, *a.* METEO forecast **vorhersagen** *v/t* predict
vorhersehen *v/t* foresee
vorhin *Adv* a (short) while ago
Vorhut *f* MIL van(guard)
vorig *Adj* former, previous: ***~e Woche*** last week
vorindustriell *Adj* preindustrial
Vorjahr *n* previous (*od* last) year
vorjährig *Adj* of last year
Vorkämpfer(in) champion
vorkauen *v/t* F *fig* ***j-m etw ~*** spoon-feed s.th. to s.o.
Vorkaufsrecht *n* right of preemption: ***das ~ haben*** *a.* have the refusal
Vorkehrung *f mst Pl* measure, (*Vorsichtsmaßregel*) precaution: ***~en treffen*** **a)** take precautions (***gegen*** against), **b)** make arrangements (***für*** for)
Vorkenntnisse *Pl* previous knowledge (*od* experience) *Sg*
vorknöpfen *v/t* F ***sich j-n ~*** take s.o. to task
vorkommen *v/i* **1.** (*sich finden*) be found, occur **2.** (*geschehen*) happen, occur: ***so etw ist mir noch nicht vorgekommen!*** F well, I never!; ***das darf nicht wieder ~!*** that must not (*od* don't let it) happen again! **3.** (*scheinen*) seem: ***es kommt mir so vor, als ob*** it seems to me as if; ***sich dumm ~*** feel silly; ***er kommt sich sehr klug vor*** he thinks he is very clever; ***sie kommt mir bekannt vor*** she looks familiar; ***das kommt dir nur so vor*** you are just imagining it; ***es kommt mir merkwürdig vor*** it strikes me as (rather) strange **Vorkommen** *n* **1.** occurrence **2.** BERGB deposit(s *Pl*)
Vorkommnis *n* incident: ***k-e besonderen ~se*** no unusual occurrence(s)
Vorkriegs… prewar …
vorladen *v/t* JUR summon
Vorladung *f* (writ of) summons *Sg*
Vorlage *f* **1.** model, pattern, (*Zeichen*2) copy: ***etw als ~ benutzen*** copy s.th. **2.** (***gegen ~*** on) presentation (*Gen* of): WIRTSCH ***zahlbar bei ~*** *a.* payable at sight **3.** (*Gesetzes*2) bill **4.** *Fußball*: pass
vorlassen *v/t* ***j-n ~*** **a)** let s.o. go first, **b)** let s.o. pass, **c)** admit s.o. (***bei*** to)
Vorlauf *m* **1.** SPORT (preliminary) heat **2.** *am Magnetband*: forward run
Vorläufer(in) *a. Skisport*: forerunner
vorläufig **I** *Adj* temporary, provisional **II** *Adv* (*fürs Erste*) for the time being
Vorlaufzeit *f* lead time
vorlaut *Adj* pert, cheeky: ***~e Art*** pertness
Vorleben *n* former life, past
vorlegen **I** *v/t* **1.** (*Zeugnis, Ausweis etc*) present, produce, submit, (*zeigen*) show, (*herausbringen*) bring out, publish: ***j-m etw ~*** present (*od* submit) s.th. to s.o.; POL ***den Haushalt ~*** present the budget **2.** (*Speisen*) serve **3.** (*Schloss, Kette etc*) put *s.th.* on **4.** F ***ein schnelles Tempo ~*** set a fast pace **II** *v/refl* ***sich ~*** **5.** lean forward
Vorleger *m* rug, mat
vorlehnen *v/refl* ***sich ~*** lean forward
Vorleistung *f* **1.** WIRTSCH advance (payment) **2.** POL advance concession
vorlesen **I** *v/t* (***j-m***) ***etw ~*** read s.th. (out) (to s.o.) **II** *v/i* ***j-m ~*** read to s.o. (***aus*** *Dat* from, out of) **Vorleser(in)** reader
Vorlesung *f* (***e-e ~ halten*** give a) lecture (***über*** *Akk* on, ***vor*** to): ***~en halten*** lecture (***über*** *Akk* on); ***~en hören*** go to lectures **Vorlesungsverzeichnis** *n* program(me *Br*) of lectures
vorletzt *Adj* last but one: ***~e Woche*** the week before last
vorlieb *Adv* ***~ nehmen*** make do (***mit*** with)
Vorliebe *f* (***für*** for) preference, special liking: ***etw mit ~ tun*** love doing (*od* to do) s.th.
vorliegen *v/i* **1.** ***j-m ~*** lie before s.o.; ***der Antrag liegt vor*** the application has been submitted; ***es liegen k-e Beschwerden vor*** there are no complaints; ***liegt sonst noch etw vor?*** is there anything else? **2.** (*existieren*) be, exist: ***es liegen Gründe vor*** there are reasons; ***es lag Notwehr vor*** it was a case of self-defen/ce (*Am* -se); ***da***

V

muss ein Irrtum ~ there must be a mistake **3.** (*verfügbar sein*) be available, be out: ***das Ergebnis liegt noch nicht vor*** the result is not yet known **vorliegend** *Adj* existing, present, (*verfügbar*) available: ***die ~en Probleme*** the problems at issue; ***im ~en Falle*** in the present case
vorlügen *v/t* ***j-m etw ~*** lie to s.o.
vormachen *v/t* F ***j-m etw ~*** **a)** show s.o. how to do s.th., **b)** (*täuschen*) fool s.o.; ***sich (selbst) etw ~*** fool o.s
Vormacht(stellung) *f* supremacy
vormalig *Adj* former
vormals *Adv* formerly
Vormarsch *m* advance: ***im*** (*od* ***auf dem***) ***~ sein*** be advancing, *fig* be on the march
vormerken *v/t* make a note of: ***sich ~ lassen*** put one's name down (***für*** for)
Vormieter(in) previous tenant
vormittag *Adv* ***heute*** (***gestern***) ♀ this (yesterday) morning **Vormittag** *m* (***am ~*** in the) morning **vormittags** *Adv* in the morning: ***Montag ~, montags ~*** every Monday morning
Vormund *m* guardian
Vormundschaft *f* guardianship
vorn *Adv* in front, before, ahead: ***ganz ~*** **a)** right in front, up front, **b)** at the beginning; ***nach ~*** to the front, forward; ***von ~*** from the front; ***von ~ anfangen*** **a)** begin at the beginning, **b)** (***noch mal***) start (all over) again; ***von ~ bis hinten*** **a)** from front to back, **b)** from beginning to end; ***noch einmal von ~*** all over again
Vorname *m* Christian name, first name
vornehm *Adj* **1.** (*edel*) noble (*a. fig*), (*adlig*) *a.* aristocratic, of noble birth: ***~e Gesinnung*** high-mindedness **2.** distinguished, (*elegant*) elegant, fashionable, exclusive: ***e-e ~e Dame*** a distinguished lady; ***e-e ~e Gegend*** a fashionable quarter; ***~e Gesellschaft*** polite society; F ***~ tun*** give o.s. airs
vornehmen *v/t* **1.** (*Arbeiten etc*) carry out, (*Änderungen etc*) make, (*Messungen etc*) take **2.** ***sich ~, etw zu tun*** decide to do s.th.; ***sich*** *ein Buch*, *e-e Arbeit etc* ***~*** get busy on; ***sich zu viel ~*** take on too much; F ***sich j-n ~*** take s.o. to task (***wegen*** about)
Vornehmheit *f* **1.** nobility **2.** distinction, (*Eleganz*) elegance, refinement, exclusiveness: ***ihre ~*** her distinguished appearance
vornherein *Adv* ***von ~*** from the start
vornüber *Adv* forward
Vorort *m* suburb
Vorort(s)... suburban **~bewohner(in)** suburbanite **~zug** *m* suburban (*od* local, commuter) train
Vorplatz *m* forecourt, square
Vorposten *m* MIL outpost
Vorprogramm *n* FILM supporting program(me *Br*) **vorprogrammieren** *v/t* (pre)program(me *Br*), *fig a.* condition: ***vorprogrammiert sein*** *Erfolg*, *Konflikt etc*: be a foregone conclusion
Vorprüfung *f* preliminary examination
vorragen *v/i* project, protrude
Vorrang *m* precedence, priority: ***den ~ haben vor*** (*Dat*) take (*od* have) priority (*od* precedence) over
vorrangig *Adj* priority: *Adv* ***etw ~ behandeln*** give s.th. priority treatment
Vorrangstellung *f* preeminence
Vorrat *m* (***an*** *Dat* of) stock (*a. fig an Witzen etc*), store, supply, *bes an Lebensmitteln*: provisions *Pl*, *an Waffen etc*: stockpile: ***e-n ~ anlegen*** lay in a stock (***von*** of); ***solange der ~ reicht*** while stocks last
vorrätig *Adj* available, WIRTSCH in stock: ***nicht*** (***mehr***) ***~*** out of stock; ***wir haben ... nicht mehr ~*** we are out of ...
Vorratskammer *f* pantry, larder
Vorraum *m* anteroom
vorrechnen *v/t* ***j-m etw ~*** calculate s.th. for s.o.
Vorrecht *n* privilege, prerogative
Vorredner(in) previous speaker: ***mein(e) ~*** the speaker before me
Vorrichtung *f* device, F gadget
vorrücken I *v/t* move *s.th.* forward **II** *v/i* move on, MIL advance
Vorruhestand *m* early retirement: ***im ~ sein*** have taken early retirement
Vorrunde *f* SPORT preliminary round
vorsagen I *v/t* ***j-m etw ~*** tell s.o. s.th. **II** *v/i* ***j-m ~*** tell s.o. the answer
Vorsaison *f* early season
Vorsatz *m* resolution, (*Absicht*) intention, JUR (criminal) intent: ***mit ~*** with intent, wil(l)fully; ***mit dem ~ zu töten*** with intent to kill **vorsätzlich** *Adj* in-

Vorschläge unterbreiten

Warum fragst du ihn nicht?	**Why don't you ask him?**
Soll ich das für dich tun?	**Shall I do it for you?**
Möchtest du, dass ich mir das mal anschaue?	**Do you want me to have a look?**
Wie wärs, wenn wir in die Stadt gehen/fahren?	**How about/What about going into town?**
Hättest du Lust zum Abendessen zu kommen?	**Would you like to come round for dinner?**
Hast du Lust ins Kino zu gehen?	**How do you fancy going to see a film?**
Ich würde gern ein Eis essen. Du auch?	**I feel like an ice cream. How about you?**
Wenn du mit ihr redest, könntest du sie fragen, ob sie mitkommen möchte.	**If you speak to her, you could ask her if she wants to come.**
Ich könnte dich hinbringen, wenn du willst.	**I could take you if you like.**
Nehmen wir mal an, wir würden nächste Woche gehen/fahren.	**Say we were to go next week.**
Angenommen, ich spreche mit deinen Nachbarn.	**Suppose I speak to your neighbours.**
Vielleicht könnten wir ihr einen Brief schreiben.	**Perhaps we could write her a letter.**

tentional, deliberate, JUR wil(l)ful: ***~er Mord*** premeditated murder

Vorsatzlinse *f* FOTO ancillary lens

Vorschau *f* preview (***auf*** *Akk* of), FILM, TV trailer(s *Pl*)

Vorschein *m* ***zum ~ bringen*** produce, *fig* bring to light; ***zum ~ kommen*** come to light, appear, emerge

vorschieben *v/t* **1.** advance, (*Riegel*) shoot: → ***Riegel*** 1 **2.** *fig* ***etw ~*** use s.th. as an excuse; ***j-n ~*** use s.o. as a dummy

vorschießen *v/t* (*Summe etc*) advance

Vorschlag *m* suggestion, proposal (*a.* PARL), (*Empfehlung*) recommendation: ***darf ich e-n ~ machen?*** may I offer a suggestion?; ***auf ~ von*** (*od Gen*) at the suggestion of **vorschlagen** *v/t* suggest, (*a. Kandidaten*) propose: ***j-m etw ~*** suggest (*od* propose) s.th. to s.o.; ***ich schlage vor, nach Hause zu gehen*** I suggest going (*od* that we go) home

vorschnell *Adj* hasty, rash

vorschreiben *v/t fig* prescribe, dictate: ***ich lasse mir nichts ~!*** I won't be dictated to!; ***das Gesetz schreibt vor, dass …*** the law provides that …

Vorschrift *f* rule(s *Pl*), regulation(s *Pl*), (*Anweisung*) direction, instruction: ***nach ärztlicher ~*** according to doctor's orders; ***Dienst nach ~*** work-to-rule; ***streng nach ~ arbeiten*** work to rule

vorschriftsmäßig I *Adj* correct, (as) prescribed, regulation … **II** *Adv* correctly, according to the regulations

vorschriftswidrig *Adj u. Adv* contrary to the regulations

Vorschub *m* **1.** TECH feed **2.** *fig* ***e-r Sache (j-m) ~ leisten*** encourage s.th. (s.o.)

Vorschulalter *n* preschool age

Vorschule *f* preschool **Vorschulerziehung** *f* preschool education

Vorschuss *m* advance (payment) (***auf*** *Akk* on)

vorschützen *v/t* ***etw ~*** plead s.th. (as an excuse)

vorschweben *v/i* ***mir schwebt … vor*** I'm thinking of …

vorsehen I *v/t* **1.** plan, schedule: ***das***

war nicht vorgesehen that was not planned **2.** (*bestimmen*) intend, designate, (*bes Geld*) earmark: ***j-n für e-n Posten ~*** designate s.o. for a post **II** *v/refl* **3. *sich ~*** be careful, watch out (***vor*** *Dat* against)

Vorsehung: ***die ~*** Providence

vorsetzen *v/t* ***j-m etw ~*** set s.th. before s.o., *a. fig* offer s.o. s.th.

Vorsicht *f* caution, care: ***~!*** watch out!, careful!, (*Aufschrift*) (handle) with care!; ***~, Stufe!*** mind the step!; ***zur ~*** as a precaution; ***mit äußerster ~*** with the utmost caution **vorsichtig** *Adj* cautious, careful, *Schätzung*: conservative: (***sei***) ***~!*** be careful!; *Adv* ***~ anfassen*** (***fahren***) handle (drive) carefully

vorsichtshalber *Adv* as a precaution, to be on the safe side

Vorsichtsmaßnahme *f* precaution(ary measure): ***~n treffen*** take precautions

Vorsilbe *f* LING prefix

vorsingen I *v/t* ***j-m etw ~*** sing s.th. to s.o. **II** *v/i* (*a. j-n* ***~ lassen***) audition

vorsintflutlich *Adj* F *fig* antediluvian

Vorsitz *m* presidency, chair(manship): ***bei e-r Versammlung den ~ haben*** (*od* ***führen***) preside over (*od* chair, be in the chair at) a meeting; ***unter dem ~ von ...*** with ... in the chair

Vorsitzende *m, f* **1.** president, chairman (chairwoman) **2.** JUR presiding judge

Vorsorge *f* provision, precaution: ***~ treffen*** take precautions (***dass*** that), provide (***gegen*** against) **vorsorgen** *v/i* (***für*** for) make provisions, provide

Vorsorgeuntersuchung *f* (preventive) medical checkup

vorsorglich I *Adj* precautionary **II** *Adv* as a precaution, to be on the safe side

Vorspann *m* **1.** (*Einleitung*) introduction **2.** FILM (title and) credits *Pl*, *mit Szene*: pretitle sequence

Vorspeise *f* hors d'oeuvre, starter: ***als ~*** *a.* for starters

vorspiegeln → ***vortäuschen***

Vorspiegelung *f* ***unter*** (***wegen***) ***~ falscher Tatsachen*** under (for) false preten/ces (*Am* -ses)

Vorspiel *n* **1.** (***zu*** to) *a. fig* **a)** MUS prelude, **b)** THEAT curtain raiser, prolog(ue *Br*) **2.** *sexuelles*: foreplay **vorspielen I** *v/t* play: ***j-m etw ~*** play s.th. to s.o., *fig* put on an act for s.o.'s benefit **II** *v/i* play, (*a. j-n* ***~ lassen***) audition

vorsprechen I *v/t* **1. *j-m etw ~*** pronounce s.th. for s.o. to repeat **2.** recite **II** *v/i* **3.** THEAT (*a. j-n* ***~ lassen***) audition **4.** (*besuchen*) call (***bei*** at)

vorspringen *v/i* **1.** leap forward **2.** project, jut (out) **vorspringend** *Adj* projecting, *a. Nase etc*: prominent

Vorsprung *m* **1.** ARCHI projection, (*Sims*, *a. Fels*~) ledge **2.** (*Vorgabe*) *a.* SPORT start, (*Abstand*) lead: ***ich gebe dir 5 Minuten ~*** I'll give you a start of five minutes; ***sein ~ beträgt 30 Sekunden*** he has a lead of 30 seconds (***vor*** on); ***mit großem ~*** by a wide margin; ***e-n ~ haben*** *a. fig* be ahead (***vor*** *Dat* of)

vorspulen *v/t* wind on (*od* forward)

Vorstadt *f* suburb

Vorstadtbewohner(in) suburbanite

vorstädtisch *Adj* suburban

Vorstand *m* **1.** WIRTSCH board of directors: ***im ~ sitzen*** be on the Board **2.** *e-s Vereins*: managing committee **3.** (*Person*) head

Vorstandsetage *f* executive floor

Vorstands|mitglied *n* member of the board **~sitzung** *f* board meeting

Vorstandsvorsitzende *m, f* chairman (chairwoman) (of the Board)

Vorstandswahl *f* board elections *Pl*

vorstehen *v/i* **1.** project, jut out, *Augen*: protrude **2.** *e-m Institut etc*: direct, be at the head of, run **vorstehend** *Adj* projecting, *a. Zähne, Augen etc*: protruding: ***~e Zähne*** *a.* buckteeth

Vorsteher(in) manager, director, head

Vorsteherdrüse *f* ANAT prostate gland

vorstellbar *Adj* conceivable, imaginable

vorstellen I *v/t* **1.** move (*Uhr, Zeiger*: put) *s.th.* forward **2. *j-n j-m ~*** introduce s.o. to s.o.; ***darf ich Ihnen Herrn X ~?*** may I introduce you to Mr. X, I'd like you to meet Mr. X **3.** WIRTSCH (*ein neues Produkt etc*) present, introduce **4.** (*darstellen*) represent, (*bedeuten*) mean: ***was soll das Bild ~?*** what's that picture supposed to be?; F ***er stellt etw vor*** he's quite somebody **5. *sich etw ~*** fancy, imagine, picture, (*denken an*) have *s.th.* in mind; F ***stell dir vor!*** fancy!, just imagine!; ***du kannst dir gar nicht ~ ...*** you've no idea ...; ***man kann sich ihre Enttäuschung ~***

you can picture her disappointment; ***so stelle ich mir ... vor*** that's my idea of ...; ***stellt euch das nicht so leicht vor!*** don't think it's so easy!; ***darunter kann ich mir nichts ~*** it doesn't mean anything to me **II** *v/refl* **6.** ***sich ~*** introduce o.s. ([***bei***] ***j-m*** to s.o.), ***bei*** *e-r Firma etc*: go for an interview with
vorstellig *Adj* ***~ werden bei*** apply to
Vorstellung *f* **1.** introduction, *bei Bewerbung*: interview (***bei*** with), WIRTSCH *e-s Produkts etc*: presentation **2.** THEAT *etc* performance (*a. fig Leistung*), show, (*Film*2) show(ing) **3.** (*Begriff*) idea, notion, concept: ***falsche ~*** wrong idea, misconception; ***sich e-e ~ machen*** form an idea (*od* a picture) (***von*** of); F ***du machst dir k-e ~!*** you've no idea!; ***das entspricht nicht m-n ~en*** that's not what I expected (*od* had in mind) **4.** (*Fantasie*) imagination
Vorstellungsgespräch *n* interview
Vorstopper(in) *Fußball*: centre (*Am* center) half
Vorstoß *m* MIL advance, SPORT attack (*a. fig*), POL *u. fig* démarche **vorstoßen** *v/i* MIL advance, SPORT attack: *fig* ***~ in*** (*Akk*) venture into; ***~ zu*** reach
Vorstrafe *f* previous conviction **Vorstrafen**(**register** *n*) *Pl* police record
vorstrecken *v/t* **1.** stretch (*Kopf*: stick) out **2.** (*e-e Summe*) advance
Vorstufe *f* preliminary stage
Vortag *m* previous day, day before
vortasten *v/refl* ***sich ~*** grope one's way (***bis zu*** to)
vortäuschen *v/t* feign, simulate, fake, pretend: ***Interesse ~*** pretend to be interested
Vorteil *m* advantage (*a. Tennis*), (*Nutzen*) benefit: ***die Vor- und Nachteile e-r Sache abwägen*** consider the pros and cons; ***im ~ sein*** have the advantage (***gegenüber*** over); ***auf s-n eigenen ~ bedacht sein*** have an eye to the main chance; ***~ ziehen aus*** profit by; ***sich zu s-m ~ verändern*** change for the better
vorteilhaft *Adj* advantageous, profitable, *Farbe, Kleid etc*: becoming: ***~ aussehen*** look attractive; *Adv* ***sich ~ auswirken*** have a favo(u)rable effect (***auf*** *Akk* on)
Vortrag *m* **1.** (***über*** *Akk* on) lecture, TV, RADIO talk, (*Bericht*) report: ***e-n ~ halten*** (***vor*** *Dat* to) give a lecture (*od* talk), read a paper; F ***j-m e-n ~ halten*** lecture s.o. **2.** performance, *e-s Gedichts etc*: recitation, MUS (*Solo*2) recital, (*Spiel, Technik*) execution **3.** WIRTSCH carry-over
vortragen *v/t* **1.** (*darlegen*) state, express, (*unterbreiten*) submit, present **2.** perform, play, (*Lied*) sing, (*Gedicht etc*) recite **3.** WIRTSCH carry forward
Vortragende *m, f* **1.** lecturer, speaker **2.** MUS *etc* performer
Vortrags|reihe *f* series of lectures **~reise** *f* lecture tour **~saal** *m* lecture hall
vortrefflich *Adj* excellent, splendid
vortreten *v/i* **1.** step (*od* come) forward **2.** → ***vorstehen*** 1 **Vortritt** *m* (***den ~ haben*** take) precedence (***vor*** *Dat* over): ***j-m den ~ lassen*** let s.o. go first
vorüber *Adv* ***~ sein*** *a. fig* be over
vorübergehen *v/i* pass, *fig Kummer etc*: *a.* go away **vorübergehend I** *Adj* temporary, passing **II** *Adv* temporarily, for a short time **Vorübergehende** *m, f* passer-by, *Pl* passers-by
Vorübung *f* preliminary exercise
Voruntersuchung *f* JUR, MED preliminary examination
Vorurteil *n* prejudice
vorurteilsfrei, vorurteilslos *Adj* unprejudiced, unbias(s)ed
Vorvergangenheit *f* LING past perfect, pluperfect
Vorverhandlung *f* JUR preliminary trial, *Pl* WIRTSCH, POL preliminaries *Pl*
Vorverkauf *m* advance sale (THEAT booking) **Vorverkaufskasse** *f*, **Vorverkaufsstelle** *f* (advance) booking office
vorverlegen *v/t* advance
Vorverstärker *m* ELEK preamplifier
Vorvertrag *m* precontract
vorverurteilen *v/t* condemn in advance, presentence
vorvorig *Adj* (***~es Jahr*** the year) before last
Vorwahl *f* **1.** POL preliminary election, *Am* primary (election) **2.** → **Vorwahlnummer** *f* TEL dialling (*Am* area) code, *Br a.* STD code
Vorwand *m* pretext, excuse: ***unter dem ~ von*** (*od* ***dass***) on the pretext of (*od* that)
vorwärmen *v/t* warm, TECH preheat
Vorwarnung *f* (advance) warning

V

vorwärts *Adv* forward, onward, on: *~!* let's go!; ***~ gehen*** F *fig* progress; ***~ kommen*** → ***vorankommen***
Vorwärtsgang *m* MOT forward speed
Vorwäsche *f*, **Vorwaschen** *n* prewash
vorweg *Adv* beforehand **Vorwegnahme** *f* anticipation **vorwegnehmen** *v/t* anticipate: ***um es gleich vorwegzunehmen*** to come to the point
vorweihnachtlich *Adj* pre-Christmas
Vorweihnachtszeit *f* Advent season
vorweisen *v/t* produce, show
vorwerfen *v/t* **1.** ***e-m Tier etw ~*** throw s.th. to an animal **2.** *fig* ***j-m Faulheit*** *etc* ***~*** reproach s.o. with laziness (*od* for being lazy *etc*); ***ich habe mir nichts vorzuwerfen*** I have nothing to blame myself for
vorwiegend *Adj* predominant(ly *Adv*), *Adv a.* mainly, chiefly, mostly
Vorwort *n* foreword, *bes des Autors*: preface
Vorwurf *m* reproach: ***j-m Vorwürfe machen*** reproach (*od* blame) s.o. (***wegen*** for) **vorwurfsvoll** *Adj* reproachful
vorzählen *v/t* ***j-m etw ~*** count s.th. out to s.o.
Vorzeichen *n* **1.** omen **2.** MUS accidental **3.** MATHE sign: *fig* ***mit umgekehrtem ~*** the other way round
vorzeichnen *v/t* ***j-m etw ~*** draw (*fig* trace out) s.th. for s.o.
vorzeigbar *Adj* presentable
vorzeigen *v/t* show
Vorzeit *f* ***der Mensch der ~*** prehistoric man; *fig* ***in grauer ~*** ages and ages ago
vorzeitig *Adj* premature
Vorzensur *f* precensorship: ***e-r ~ unterziehen*** precensor
vorziehen *v/t* **1.** pull out **2.** ***die Vorhänge ~*** pull the curtains **3.** (*Termin etc*) advance, (*Arbeit etc*) deal with *s.th.* first **4.** (*lieber mögen*) prefer (*Dat* to): ***ich ziehe es vor zu gehen*** I prefer to go; ***j-n ~*** favo(u)r s.o.
Vorzimmer *n* anteroom, *e-s Büros*: outer office **~dame** *f* receptionist
Vorzug *m* **1.** (*Vorrang*) (**vor** *Dat* over) priority, preference **2.** (*Vorteil*) advantage, merit **3.** (*Vorrecht*) privilege
vorzüglich *Adj* excellent, (*erlesen*) exquisite, (*erstklassig*) first-rate
Vorzugsaktien *Pl* preference shares *Pl*, *Am* preferred stock *Sg* **Vorzugspreis** *m* special (*od* preferential) price
vorzugsweise *Adv* preferably, (*vor allem*) chiefly, mainly
votieren *v/i*, **Votum** *n* vote
Voyeur *m* voyeur
vulgär *Adj* vulgar
Vulkan *m a. fig* volcano **Vulkanausbruch** *m* (volcanic) eruption
vulkanisch *Adj* GEOL volcanic
vulkanisieren *v/t* TECH vulcanize, MOT *a.* recap

W

W, w *n* W, w
Waage *f* **1.** (pair of) scales *Pl*, balance (*a. fig*), (*Wasser*⁲) spirit level: SPORT ***... auf die ~ bringen*** weigh in (*od* go to scale) at ...; *fig* ***sich die ~ halten*** balance each other; → ***Zünglein*** **2.** ASTR (***er ist ~*** he is [a]) Libra
waagerecht *Adj* horizontal
Waagschale *f* scale, pan: *fig* ***etw in die ~ werfen*** bring s.th. to bear; ***s-e Worte auf die ~ legen*** weigh one's words
wabb(e)lig *Adj* flabby
wabbeln *v/i* wobble
Wabe *f* honeycomb
Wabenhonig *m* comb honey
wach *Adj* **1.** awake: ***~ werden*** *a. fig* wake up, awake; ***~ liegen*** lie awake **2.** *fig* alert, wide-awake; ***etw ~ halten*** keep s.th. alive
Wachablösung *f* **1.** MIL changing of the guard **2.** POL change of power
Wache *f* **1.** guard: ***~ halten*** → ***wachen*** 2 **2.** MIL guard, (*Posten*) *a.* sentry, (*Wachlokal*) guardroom: ***auf ~*** on guard, on duty; ***~ stehen***, F ***~ schieben*** be on guard **3.** (*Polizei*⁲) police station
wachen *v/i* **1.** ***~ über*** (*Akk*) watch (over), guard; ***darüber ~, dass ...*** see

(to it) that ... **2. bei j-m ~** sit up with s.o.
Wachhabende *m, f* MIL commander of the guard
Wachhund *m a. fig* watchdog
Wachmann *m österr.* policeman
Wachmannschaft *f* guard
Wachzimmer *n österr.* police station
Wacholder *m* **1.** BOT juniper **2.** → **Wacholderschnaps** *m* gin
Wachposten *m* guard, MIL *a.* sentry
wachrufen *v/t fig* rouse
wachrütteln *v/t a. fig* rouse (**aus** from)
Wachs *n* wax
Wachsabdruck *m* wax impression
wachsam *Adj* watchful, vigilant: **~ sein** *a.* be on one's guard; ***ein ~es Auge haben auf*** (*Akk*) keep a sharp eye on
Wachsamkeit *f* vigilance, watchfulness
wachsen[1] *v/i* grow, *fig a.* increase (**an** *Dat* in): → **Bart** 1, **gewachsen**
wachsen[2] *v/t* (*a. Ski*) wax
wächsern *Adj* wax, *fig* waxen
Wachsfigur *f* wax figure, *Pl a.* waxwork *Sg* **Wachsfigurenkabinett** *n* waxworks *Pl* (*mst Sg konstr*)
Wachstuch *n* oilcloth
Wachstum *n* growth (*a.* WIRTSCH), *fig a.* increase, expansion: *a. fig* (**noch**) ***im ~ begriffen sein*** be still growing
wachstumshemmend *Adj* growth-retarding
Wachstums|industrie *f* growth industry **~rate** *f* rate of (economic) growth
wachsweich *Adj* **1.** *a. fig* (as) soft as wax **2.** *Ei*: medium boiled
Wachtel *f* ZOOL quail **~hund** *m* spaniel
Wächter(in) watcher, guard, (*Wärter*) attendant, (*bes Nacht*~) watchman
Wachtmeister(in) MIL **1.** constable, F policeman (policewoman): ***Herr ~*** officer **2.** sergeant
Wachtraum *m* daydream
Wachturm *m* watchtower
Wach- und Schließgesellschaft *f* Security Corps
wack(e)lig *Adj* wobbly, shaky (*beide a.* F *fig schwach*), rickety, *Schraube, Zahn*: loose: *a. fig* ***auf ~en Beinen stehen*** stand on shaky legs, be shaky
Wackelkontakt *m* ELEK loose contact
wackeln *v/i allg* wobble, *Schraube, Zahn etc*: *a.* be loose, (*wanken*) totter, F *fig Stellung, Regierung etc*: be shaky: ***mit den Ohren ~*** waggle one's ears

wacker *Adj* **1.** (*bieder*) honest, *a. iron* worthy **2.** (*tapfer*) brave: *Adv* ***sich ~ schlagen*** *a. fig* put up a brave fight
Wade *f* calf
Wadenkrampf *m* cramp in the leg
Waffe *f* weapon (*a. fig*), *Pl* arms *Pl*: ***~n tragen*** bear arms; ***zu den ~n greifen*** take up arms; ***die ~n strecken*** surrender; ***j-n mit s-n eigenen ~n schlagen*** beat s.o. at his own game
Waffel *f* waffle, (*bes Eis*~) wafer
Waffeleisen *n* waffle iron
Waffen|appell *m* arms inspection **~fabrik** *f* arms factory **~gattung** *f* arm, branch (of the service) **~gewalt** *f* (***mit ~*** by) force of arms **~handel** *m* arms trade **~händler(in)** arms dealer
Waffen|kammer *f* armo(u)ry **~lager** *n* MIL ordnance depot, *geheimes*: cache
Waffenlieferungen *Pl* arms supplies *Pl*
waffenlos *Adj* weaponless, unarmed
Waffen|ruhe *f* truce, cease-fire **~schein** *m* firearm certificate, *Am* gun license
Waffenschmuggel *m* gun-running
Waffenstillstand *m* armistice, cease-fire, truce (*a. fig*)
Waffensystem *n* weapons system
Wagemut *m*, **wagemutig** *Adj* daring
wagen *v/t* venture (*a.* **sich ~**), risk, (*a. sich erdreisten*) dare: ***es ~*** take the plunge; ***es ~ mit*** try; ***sich an e-e schwere Aufgabe ~*** venture on a difficult task; ***ich wagte mich nicht aus dem Haus*** I didn't venture out of the house; ***wie können Sie es ~(, das zu sagen)?*** how dare you (say that)?; ***wer nicht wagt, der nicht gewinnt*** nothing ventured, nothing gained
Wagen *m* **1.** vehicle, (*Kraft*~) car, (*Last*~) lorry, *Am* truck, (*Möbel*~) van **2.** (*Pferde*~) wag(g)on, (*Hand*~) cart, (*Kutsche*) carriage: F *fig* ***j-m an den ~ fahren*** tread on s.o.'s toes **3.** BAHN carriage, *Am* car **4.** ASTR ***der Große ~*** the Great Bear, *Am* the Big Dipper **5.** *der Schreibmaschine*: carriage
Wagenheber *m* MOT (lifting) jack
Wagen|kolonne *f* column (*od* line) of cars **~ladung** *f* (cart)load, *Am* truckload, BAHN waggonload, *Am* carload
Wagen|park *m* fleet (of cars) **~pflege** *f* (car) maintenance **~typ** *m* model
Wagenwäsche *f* car wash

Waggon *m* **1.** (railway) carriage, *Am* (railroad) car, (*Güter*≈) goods waggon, *Am* freight car **2.** (*~ladung*) waggonload, *Am* carload
waghalsig *Adj* daredevil, daring
Wagnis *n* venture, risk
Wagon → ***Waggon***
Wahl *f* **1.** choice, (*~möglichkeit*) alternative, (*Aus*≈) selection: WIRTSCH ***erste ~*** top quality; ***zweite ~*** second-rate quality, (*Waren*) seconds *Pl*; ***die ~ haben*** have one's choice; ***k-e*** (***andere***) ***~ haben*** have no choice (*od* alternative) (***als*** but); ***vor der ~ stehen zu*** *Inf* be faced with the choice of *Ger*; ***s-e ~ treffen*** make one's choice; ***e-e gute ~ treffen*** choose well; ***wer die ~ hat, hat die Qual*** the wider the choice, the greater the trouble **2.** POL election, (*~akt*) poll(ing): ***~en abhalten*** hold elections; ***zur ~ gehen*** go to the polls; ***in die engere ~ kommen*** *Kandidat etc*: be short-listed **Wahlalter** *n* voting age
wählbar *Adj* eligible (for election)
wahlberechtigt *Adj* entitled to vote
Wahlbeteiligung *f* turnout (at the election): ***hohe*** (***geringe***) ***~*** heavy (poor) polling **Wahlbezirk** *m* constituency, *Am* electoral district
wählen I *v/t* **1.** choose, (*aus~*) *a.* select **2.** *bes* POL elect, vote for: ***j-n zum Präsidenten ~*** elect s.o. president; ***j-n in den Vorstand ~*** vote s.o. on the board **3.** TEL Dialekt **II** *v/i* **4.** choose, make one's choice **5.** POL vote, (*a.* ***~ gehen***) go to the polls **Wähler(in)** voter
Wahlergebnis *n* election results *Pl*
Wählerinitiative *f* voters' initiative
wählerisch *Adj* particular, choosy: *iron* ***nicht gerade ~*** not too particular (***in*** *Dat*, ***mit*** about)
Wählerschaft *f* electorate, *in e-m Bezirk etc*: constituency, voters *Pl*
Wahl|fach *n* PÄD optional subject, *Am a.* elective **≈frei** *Adj* PÄD optional, *Am* elective **~gang** *m* (***im ersten ~*** at the first) ballot **~geschenk** *n* F campaign goodie **~heimat** *f* adopted country **~helfer(in)** campaign assistant **~jahr** *n* election year **~kabine** *f* polling booth **~kampf** *m* electoral battle, *a. e-s Kandidaten, e-r Partei*: election campaign **~kreis** *m* → ***Wahlbezirk*** **~liste** *f* electoral register **~lokal** *n* polling station **~lokomotive** *f* F *fig* (great) vote-catcher
wahllos *Adj* indiscriminate
Wahlniederlage *f* election defeat
Wahl|plakat *n* election poster **~programm** *n* election platform **~recht** *n aktives*: right to vote, franchise, *passives*: eligibility: ***allgemeines ~*** universal suffrage **~rede** *f* electoral address
Wahlredner(in) election speaker
Wählscheibe *f* TEL Dialekt
Wahl|sieg *m* election victory **~spende** *f* election (campaign) contribution
Wahlspruch *m* motto
Wahlstimme *f* vote **Wahltag** *m* election day **Wahlurne** *f* ballot box: ***zur ~ gehen*** go to the polls
Wahlversammlung *f* election meeting
Wahlversprechen *n* campaign promise
Wahlvorschlag *m* election proposal
wahlweise *Adv* alternatively: ***es gab ~ Fisch oder Fleisch*** there was a choice of fish or meat
Wahlwiederholung *f* TEL redial
Wahlzettel *m* voting paper, ballot
Wahn *m* delusion, (*Besessenheit*) mania: ***in e-m ~ befangen sein*** be under a delusion **Wahnbild** *n* hallucination
Wahnsinn *m a.* F *fig* insanity, madness
wahnsinnig I *Adj* **1.** mad, insane **2.** F *fig* mad, crazy, *Angst, Schmerzen etc*: terrible, (*toll*) terrific **II** *Adv* **3.** F *fig* terribly, awfully: ***~ verliebt*** madly in love
Wahnsinnige *m, f* lunatic, madman (madwoman) **Wahnvorstellung** *f* delusion, idée fixe, hallucination
wahnwitzig *Adj* mad, crazy
wahr *Adj* true, (*wirklich*) *a.* real, (*echt*) genuine: ***ein ~er Freund*** a true friend; ***~e Liebe*** true love; ***ein ~es Wunder*** a real wonder; ***so ~ ich lebe!*** as sure as I live!; ***so ~ mir Gott helfe!*** so help me God!; ***~ werden*** come true; F ***das darf doch nicht ~ sein!*** I can't believe it!; ***das ist nicht das ≈e*** that's not the real thing; → ***nicht***
wahren *v/t* preserve, maintain, (*a. ein Geheimnis*) keep, (*Interessen etc*) protect, safeguard: → ***Form*** 1, ***Schein***[1] 2
währen → ***dauern***
während I *Präp* (*Gen*) during, in the course of **II** *Konj* while, (*wohingegen*) *a.* whereas; → *Info-Fenster nächste Seite*

während	**while/during**
while + Verb	
while we were watching TV, while he fed the baby, while you work	
during + Substantiv	
during the programme, during school, during the night, during winter	

wahrhaben *v/t* ***etw nicht ~ wollen*** refuse to believe s.th.
wahrhaft **I** *Adj* true, real **II** *Adv* → **wahrhaftig** *Adv* truly, really, indeed
Wahrheit *f* truth: ***in ~*** in fact, in reality; ***um die ~ zu sagen*** to tell the truth; F ***j-m mal die ~ sagen*** give s.o. a piece of one's mind
Wahrheitsgehalt *m* truth(fulness)
wahrheitsgemäß, **wahrheitsgetreu** **I** *Adj* truthful, true **II** *Adv* truthfully, in accordance with the facts
Wahrheitsliebe *f* veracity **wahrheitsliebend** *Adj* truthful, veracious
wahrlich *Adv* truly, *Bibel*: verily
wahrnehmbar *Adj* perceptible, noticeable **wahrnehmen** *v/t* **1.** perceive, notice, (*sehen*) *a.* see, (*hören*) *a.* hear **2.** (*Gelegenheit, Vorteil etc*) use, seize, (*Interessen, Rechte etc*) protect, safeguard, (*Termin*) observe **Wahrnehmung** *f* **1.** (***sinnliche ~*** sense) perception, (*Beobachtung*) observation: → ***außersinnlich*** **2.** ***j-n mit der ~ s-r Geschäfte*** (***Interessen***) ***beauftragen*** entrust s.o. with the care of one's business (the safeguarding of one's interests) **Wahrnehmungsvermögen** *n* perceptive faculty
wahrsagen **I** *v/t* prophesy **II** *v/i* tell fortunes: ***j-m ~*** tell s.o.'s fortune
Wahrsager(in) fortune-teller
wahrscheinlich **I** *Adj* probable, likely **II** *Adv* probably: ***er wird ~*** (***nicht***) ***kommen*** he is (not) likely to come
Wahrscheinlichkeit *f* (***aller ~ nach*** in all) probability (*od* likelihood)
Wahrscheinlichkeitsrechnung *f* theory of probabilities
Wahrung *f* maintenance, *von Interessen etc*: safeguarding, protection, (*Beachtung*) observance
Währung *f* currency
Währungs|abkommen *n* monetary agreement **~block** *m* monetary bloc **~einheit** *f* unit of currency **~korb** *m* currency basket **~krise** *f* monetary crisis **~politik** *f* monetary policy **~reform** *f* currency reform **~system** *n* monetary system **~umstellung** *f* currency conversion
Währungsunion *f* monetary union
Wahrzeichen *n* symbol, emblem, *e-r Stadt etc*: landmark
Waise *f* orphan: (***zur***) ***~ werden*** be orphaned **Waisenhaus** *n* orphanage
Waisenkind *n* orphan
Waisenknabe *m fig* ***gegen ihn sind wir die reinsten ~n*** we are mere babes compared to him
Wal *m* whale
Wald *m* wood, *großer*: forest (*a. fig*): ***er sieht den ~ vor lauter Bäumen nicht*** he can't see the wood for the trees
Waldbestand *m* forest stand
Wald|brand *m* forest fire **~gebiet** *n*, **~gegend** *f* wooded area, woodland
Waldhorn *n* MUS French horn
waldig *Adj* wooded
Waldlauf *m* cross-country race
Waldmeister *m* BOT woodruff
Wald|rand *m* (***am ~*** on the) edge of the forest **~schäden** *Pl* forest damage *Sg*
Waldsterben *n* forest deaths *Pl*, dying forests *Pl*
Walfang *m* whaling **Walfänger** *m* whaler (*a. Schiff*) **Walfisch** *m* F whale
Waliser *m* Welshman: ***die ~*** *Pl* the Welsh **Waliserin** *f* Welshwoman
walisisch *Adj* Welsh
walken *v/t* TECH mill, *weit. S.* knead
Walkie-Talkie *n* walkie-talkie
Walkman® *m* personal stereo
Wall *m* rampart, *fig a.* bulwark
wallfahren *v/i* (go on a) pilgrimage
Wallfahrer(in) pilgrim
Wallfahrt *f* pilgrimage
Wallfahrtsort *m* place of pilgrimage
Wallung *f* (*Hitze*~ hot) flush: *fig* ***j-n in ~ bringen*** make s.o.'s blood boil
Walnuss *f* BOT walnut
Walross *n* ZOOL walrus
walten *v/i* be at work: ***s-s Amtes ~*** do one's duty; ***Gnade ~ lassen*** show

mercy; → ***schalten*** 3
Walze *f* TECH roll, roller, cylinder, *der Schreibmaschine*: platen, *der Drehorgel*: barrel **walzen** *v/t* TECH roll
wälzen I *v/t* **1.** roll **2.** F *fig* (*Bücher etc*) pore over, (*Problem etc*) turn *s.th.* over in one's mind **II** *v/refl* ***sich ~*** **3.** roll, *im Schmutz etc*: *a.* wallow: ***sich hin und her ~*** toss about, toss and turn
walzenförmig *Adj* cylindrical
Walzer *m* (*a.* ***~ tanzen***) waltz
Wälzer *m* F (*Buch*) huge tome
Walzertakt *m* waltz time
Walz|maschine *f* rolling machine **~stahl** *m* rolled steel **~straße** *f* (rolling) mill train **~werk** *n* (rolling) mill
Wampe *f* F paunch
Wand *f* wall (*a. fig*), (*Seiten*≈) side, (*Fels*≈) (rock) face: ***~ an ~*** wall to wall; ***in s-n vier Wänden*** within one's own four walls; F *fig* ***j-n an die ~ drücken*** drive s.o. to the wall; ***j-n an die ~ spielen*** play s.o. into the ground; F ***j-n an die ~ stellen*** execute s.o.; ***es ist, um die Wände hochzugehen*** it's enough to drive you mad
Wandale *m*, **Wandalin** *f hist* Vandal, *fig* vandal
Wandalismus *m* vandalism
Wandbehang *m* wall hanging
Wandel *m* change: ***der ~ der Zeit*** the changing times; ***sich im ~ befinden*** be changing **wandelbar** *Adj* changeable
Wandelhalle *f im Kurbad*: pump room
wandeln *v/t* (*a.* ***sich ~***) change
Wander|ausstellung *f* touring exhibition **~bücherei** *f* travel(l)ing library, *Am a.* bookmobile **~bühne** *f* touring company **~düne** *f* shifting sand dune
Wanderer *m*, **Wanderin** *f* wanderer, *bes sportlich*: hiker, rambler
Wanderkarte *f* hiking map
Wanderleben *n* vagrant life
wandern I *v/i* **1.** walk, *sportlich*: hike, tramp, *ziellos, a. fig Blicke, Gedanken etc*: wander, *Völker, Tiere etc*: migrate: ***~ gehen*** go hiking, go on a ramble **2.** F *fig* ***~ in*** (*Akk*) end up in, go (in)to **II** ≈ *n* **3.** hiking (*etc*), ZOOL migration
Wanderpokal *n* challenge cup
Wanderschaft *f* travels *Pl*: ***auf ~ sein*** (***gehen***) be on (take to) the road
Wanderschuh *m* walking shoe
Wandertag *m* PÄD school outing
Wanderung *f* walking tour, hike, ramble, *von Völkern, Tieren etc*: migration
Wanderverein *m* rambling club
Wanderweg *m* walk, (foot)path, *hügeliger*: hiking trail
Wanderzirkus *m* travel(l)ing circus
Wand|gemälde *n* mural **~kalender** *m* wall calendar **~karte** *f* wall map
Wandleuchte *f* wall lamp
Wandlung *f* change
wandlungsfähig *Adj* flexible, versatile
Wand|malerei *f* mural painting, (*Gemälde*) mural **~schmierereien** *Pl* graffiti *Pl* **~schrank** *m* wall cupboard (*Am* closet) **~spiegel** *m* wall mirror **~tafel** *f* blackboard **~teppich** *m* tapestry **~uhr** *f* wall clock
Wange *f a.* TECH cheek: ***~ an ~*** cheek to cheek
Wankelmotor *m* Wankel engine
wankelmütig *Adj* fickle
wanken I *v/i* **1.** → ***schwanken*** 1 **2.** *fig* falter, waver **3.** → ***weichen***[1] 2 **II** ≈ *n* **4.** ***ins*** ≈ ***geraten*** begin to rock, *fig* begin to falter (*od* waver)
wann *Adv* when, (at) what time: ***seit ~?*** (for) how long?, since when?; ***bis ~?*** till when?
Wanne *f* tub, (*Bade*≈) bath(tub)
Wanst *m* F paunch
Wanze *f* **1.** ZOOL bug, *Am* bedbug **2.** (*Abhör*≈) *sl* bug: ***~n anbringen in*** (*Dat*) bug *a room etc*
Wappen *n* coat of arms (*Pl* coats of arms) **~kunde** *f* heraldry
Wappentier *n* heraldic animal
wappnen *v/refl* ***sich ~*** (***gegen***) arm (against), prepare (*od* brace) o.s. (for); → ***gewappnet***
Ware *f* product, article, *Koll a.* merchandise *Sg*, *Pl a.* goods *Pl*, commodities *Pl*
Warenangebot *n* range of goods
Waren|bestand *m* stock (on hand) **~börse** *f* commodity exchange **~haus** *n* department store

⚠ Warenhaus ≠ warehouse

Warenhaus	=	department store
warehouse	=	Warenlager

Waren|korb *m* shopping basket, sample

of goods **~lager** *n* **1.** stock (on hand) **2.** warehouse **~probe** *f* sample **~sendung** *f* consignment, POST trade sample **~zeichen** *n* trademark

warm I *Adj* warm (*a. fig*), *bes Speisen*: hot: ***mir ist ~*** I feel warm; ***etw ~ halten*** keep s.th. warm; ***sich ~ halten*** keep warm; F *fig* ***sich j-n ~ halten*** keep in with s.o.; ***den Motor ~ laufen lassen*** run the engine up; ***etw ~ machen*** warm s.th. up; ***~ werden*** warm up; ***es wird wärmer*** it's getting warmer; F ***ich kann mit ihr nicht ~ werden*** I can't warm to her **II** *Adv* warmly (*a. fig*): F ***die Wohnung kostet ~ ...*** the rent for the flat is ... including heating

Warmblüter *m* warm-blooded animal

Wärme *f* warmth (*a. fig*), METEO, PHYS heat: ***zehn Grad ~*** ten degrees above zero **~behandlung** *f* **1.** TECH heat treatment **2.** MED thermotherapy **2beständig** *Adj* heat-resistant **~dämmung** *f* heat insulation **~einheit** *f* thermal unit **~grad** *m* degree above zero **~kraftwerk** *n* thermoelectric power plant **~lehre** *f* thermodynamics *Sg* **~leiter** *m* heat conductor

wärmen I *v/t* warm (up), (*Essen etc*) *a.* heat (up): ***sich die Füße ~*** warm one's feet **II** *v/i Kleidung etc*: be warm: ***Wolle wärmt*** wool keeps you warm **III** *v/refl* ***sich ~*** warm o.s. (up)

Wärme|pumpe *f* heat pump **~schutz** *m* lagging **~technik** *f* heat engineering **~verlust** *m* heat loss

Wärmflasche *f* hot-water bottle

Warmhalteplatte *f* plate warmer

warmherzig *Adj* warm-hearted

Warmluftfront *f* METEO warm front

Warmmiete *f* rent including heating

Warmstart *m* COMPUTER warm start

Warmwasser|bereiter *m* water heater **~heizung** *f* hot-water heating

Warmwasser|speicher *m* hot-water tank **~versorgung** *f* hot-water supply

Warnanlage *f* warning device **Warnblinkanlage** *f* MOT warning flasher

Warndreieck *n* MOT warning triangle

warnen *v/t u. v/i* warn (***vor*** against): ***davor ~ zu*** *Inf* warn against *Ger*; ***vor ... wird gewarnt!*** beware of ...!

Warn|leuchte *f*, **~licht** *n* warning light

Warn|schild *n* danger sign **~schuss** *m* warning shot **~signal** *n* warning signal **~streik** *m* token strike

Warnung *f* warning: ***lass dir das e-e ~ sein!*** let that be a warning to you!

Warte *f fig* ***von s-r ~ aus gesehen*** from his point of view

Warte|häuschen *n* bus-shelter **~liste** *f* (***auf der ~ stehen*** be on the) waiting list

warten[1] I *v/i* wait (***auf*** *Akk* for): ***j-n ~ lassen*** keep s.o. waiting; ***lange auf sich ~ lassen*** be a long time in coming; ***nicht lange auf sich ~ lassen*** not to be long in coming; ***warte (mal)!*** wait a minute!; ***na, warte!*** you just wait!; ***da kannst du lange ~!*** you've got a long wait coming!; ***das kann ~!*** that'll keep!; *iron* ***auf ihn (darauf) haben wir gerade noch gewartet!*** he (that) is all we needed! **II** 2 *n* wait(ing): ***nach langem 2*** after a long wait

warten[2] *v/t* TECH service

Wärter(in) attendant, keeper

Warte|saal *m* BAHN waiting room **~schlange** *f* queue, *Am* line **~schleife** *f* FLUG stack **~zeit** *f* waiting period **~zimmer** *n* waiting room

Wartung *f* TECH maintenance, servicing

Wartungsanleitung *f* service manual

wartungsfrei *Adj* maintenance-free

warum *Adv* why

Warze *f* **1.** MED wart **2.** → ***Brustwarze***

was I *Interrogativpron* **1.** what (*a.* F *für* ***wie bitte?, nanu!, nicht wahr?***): ***~ gibts?*** what is it?, F what's up?; ***~ gibts zum Mittagessen?*** what's for lunch?; ***~ kostet das?*** how much is it?; ***~ für (ein) ...?*** what sort of ...?; ***~ für e-e Farbe (Größe)?*** what colo(u)r (size)?; ***~ für ein Unsinn!*** what nonsense! **2.** F **a)** ~ (*warum*) ***musste er auch lügen?*** why did he have to lie?, **b)** ~ (*wozu*) ***fährt er auch so e-n großen Wagen?*** what does he need such a big car for? **II** *Relativpron* **3.** what: ***~ auch immer*** whatever; ***alles, ~ ich habe (brauche)*** all I have (need); ***ich weiß nicht, ~ ich tun soll*** I don't know what to do **4.** *auf e-n Satz bezogen*: which: *er lachte nur*, ***~ mich ärgerte*** which made me angry **III** *Indefinitpron* **5.** F (*etwas*) something (*bad, better, etc*): ***ich will dir ~ sagen!*** I'll tell you what!; ***sonst noch ~?*** anything else?; ***ist ~?*** (is) anything wrong?

Waschbrettbauch

Viele Menschen besuchen als Ausgleich zu ihrer sitzenden Tätigkeit oder zur körperlichen Stärkung überhaupt ein Fitnessstudio. Manche betreiben Fitness auch zu Hause. Dabei muss ihr Ziel nicht gleich ein Waschbrettbauch sein. Den bekommt man nämlich gar nicht so einfach: Neben gezielten intensiven Bauchmuskelübungen ist für einen Waschbrettbauch auch ein ausgiebiges Ausdauerprogramm notwendig, bei dem die über den Bauchmuskeln liegenden Fettreserven verbrannt und so die Muskeln erst sichtbar werden.
Im Englischen gibt es neben den gängigen Bezeichnungen **washboard stomach**, **washboard belly**, **washboard abs** (abs steht für abdominal muscles = Bauchmuskeln), **rippling abs** usw. auch einen einprägsamen bildhaften Ausdruck: **six-pack**. **Six-pack** bedeutet ursprünglich **Sechserpack** - eine aus sechs Dosen oder Flaschen (Bier) bestehende Getränkepackung. Übertragen auf den Waschbrettbauch wird mit diesem Ausdruck Bezug genommen auf die insgesamt sechs sichtbaren oberen, mittleren und unteren Bauchmuskeln (drei auf jeder Seite des Bauches).

Waschanlage *f* MOT car wash **Waschanleitung** *f* washing instructions *Pl* **Waschautomat** *m* washing machine **waschbar** *Adj* washable **Waschbär** *m* ZOOL racoon **Waschbecken** *n* washbasin **Waschbenzin** *n* benzine **Waschbrett** *n* washboard **Waschbrettbauch** *m* washboard stomach, washboard abs *Pl*, F six-pack

Wäsche *f* **1.** wash(ing), laundry: ***in der ~*** in the wash; *fig* ***schmutzige ~ waschen*** wash one's dirty linen in public **2.** (*Bett*≗, *Tisch*≗) linen **3.** (*Unter*≗) (***die ~ wechseln*** put on fresh) underwear **Wäschebeutel** *m* laundry bag

waschecht *Adj* **1.** washable, nonshrink, (*farbecht*) fast **2.** F *fig* true, genuine

Wäsche|geschäft *n* lingerie shop **~klammer** *f* clothes peg **~korb** *m* laundry basket **~leine** *f* clothesline

waschen I *v/t allg* wash (***sich die Hände*** *etc* one's hands *etc*), (*Wäsche*, *a.* F *Geld*) launder, (*Haar*) *a.* shampoo: ≗ ***und Legen*** shampoo and set **II** *v/refl* ***sich ~*** wash (o.s.)

Wäscherei *f* laundry: ***in der ~*** at the laundry; ***etw in die ~ bringen*** take s.th. to the laundry

Wäscheschleuder *f* spin drier

Wäsche|schrank *m* linen cupboard **~ständer** *m* clotheshorse **~tinte** *f* marking ink **~trockner** *m* drier

Wasch|gang *m* wash **~gelegenheit** *f* washing facilities *Pl* **~küche** *f* **1.** washhouse **2.** F *fig* (*Nebel*) pea soup **~lappen** *m* **1.** flannel, *Am* washcloth **2.** F *fig* (*Person*) sissy, wimp **~lauge** *f* lye **~leder** *n* chamois (leather) **~maschine** *f* washing machine **≗maschinenfest** *Adj* machine washable **~mittel** *n*, **~pulver** *n* washing powder **~raum** *m* washroom **~salon** *m* launderette, *Am* laundromat **~schüssel** *f* washbowl

Waschstraße *f* car wash

Waschwasser *n* washing water

Waschzettel *m e-s Buches*: blurb

Wasser *n* water (*a.* PHYSIOL): ***fließendes*** (***stehendes***) ***~*** running (stagnant) water; ***zu ~ und zu Land*** by land and by water; ***~ lassen*** pass water; ***sich über ~ halten*** *a. fig* keep one's head above water; ***unter ~ setzen*** flood; *fig* ***ins ~ fallen*** fall flat; ***das ist ~ auf s-e Mühle*** that's grist to his mill; ***da läuft e-m das ~ im Munde zusammen*** it makes your mouth water; ***er kann ihr nicht das ~ reichen*** he's not a patch on her; ***er ist mit allen ~n gewaschen*** he knows all the tricks (of the trade); ***das ~ steht ihm bis zum Hals*** he is in bad trouble; ***er ist ein stilles ~*** he's a deep one; → ***Schlag*** 1 **wasserarm** *Adj* dry, arid

Wasser|aufbereitungsanlage *f* water-

-recycling plant **~bad** *n* **1.** CHEM, FOTO water bath **2.** GASTR bain-marie **~ball** *m* **1.** beach ball **2.** → **~ballspiel** *n* water polo **~bau** *m* hydraulic engineering **~behälter** *m* water container (TECH tank) **~bett** *n* water bed **~blase** *f* MED blister **~bombe** *f* depth charge

Wässerchen *n* ***er sah aus, als könne er kein ~ trüben*** he looked as though butter would not melt in his mouth

Wasser|dampf *m* steam **2dicht** *Adj* waterproof, SCHIFF, TECH *a.* watertight **~enthärter** *m* water softener **~fahrzeug** *n* watercraft (*a. Pl*), vessel **~fall** *m* waterfall, *großer*: falls *Pl*: F ***reden wie ein ~*** talk nineteen to the dozen **~farbe** *f* water colo(u)r **2fest** *Adj* waterproof **~flasche** *f* water bottle **~flugzeug** *n* seaplane **~gehalt** *m* water content **2gekühlt** *Adj* water-cooled **~glas** *n* **1.** CHEM water glass **2.** water glass, tumbler: → ***Sturm*** 1 **~graben** *m* ditch, SPORT water jump **~hahn** *m* tap, *Am* faucet

wasserhaltig *Adj* CHEM hydrous

Wasserhaushalt *m* **1.** water supply **2.** BIOL, MED water balance

wässerig *Adj* watery, CHEM *Lösung*: aqueous: *fig* ***j-m den Mund ~ machen*** make s.o.'s mouth water (***nach*** for)

Wasser|kessel *m* **1.** kettle **2.** TECH boiler **~klosett** *n* water closet (*Abk* W.C.) **~knappheit** *f* water shortage **~kocher** *m* electric kettle, *hohe Form*: jug kettle

Wasserkraft *f* water power **Wasserkraftwerk** *n* hydroelectric power plant

Wasser|kühlung *f* water cooling (system) **~lauf** *m* watercourse **~leitung** *f* water pipe(s *Pl*) **~lilie** *f* BOT waterlily

Wasserlinie *f* SCHIFF water line

wasserlöslich *Adj* water-soluble

Wassermangel *m* water shortage

Wassermann *m* ASTR (***er ist~*** he is [an]) Aquarius

Wassermelone *f* water melon

wassern *v/i* FLUG touch down, *Raumkapsel*: splash down

wässern *v/t* (*be~*) water, irrigate, (*einweichen*) soak

Wasser|pfeife *f* water pipe **~pflanze** *f* water plant, aquatic (plant) **~pistole** *f* water pistol **~ratte** *f* **1.** ZOOL water rat **2.** F *fig* enthusiastic swimmer **~rohr** *n* water pipe **~rutschbahn** *f* water chute **~schaden** *m* water damage **~scheide** *f* watershed, *Am a.* divide **2scheu** *Adj* afraid of water **~schildkröte** *f* turtle

Wasser|ski *n* water skiing: ***~ laufen*** go water-skiing, water-ski **~speier** *m* ARCHI gargoyle **~spiegel** *m* **1.** surface of the water **2.** water level **~sport** *m* water (*od* aquatic) sports *Pl*, aquatics *Pl* **~spülung** *f* flush, (*Anlage*) cistern

Wasserstand *m* water level **Wasserstandsanzeiger** *m* water ga(u)ge

Wasserstoff *m* CHEM hydrogen

Wasserstoff... hydrogenous **2blond** *Adj*, **~blondine** *f* F peroxide blond(e) **~bombe** *f* hydrogen bomb

Wasserstoff|peroxid *n*, **~superoxid** *n* hydrogen peroxide

Wasser|strahl *m* jet of water **~straße** *f* waterway **~sucht** *f* MED dropsy **~tier** *n* aquatic (animal) **~tropfen** *m* drop of water **~turm** *m* water tower

Wasserung *f* FLUG touchdown on water, *e-r Raumkapsel*: splashdown

Wasser|verbrauch *m* water consumption **~verschmutzung** *f* water pollution **~versorgung** *f* water supply **~vogel** *m* water bird, *Pl a.* waterfowl **~waage** *f* spirit level **~weg** *m* waterway: ***auf dem ~*** by water **~welle** *f* (*Frisur*) water wave **~werfer** *m* water cannon **~werk(e** *Pl*) *n* waterworks *Pl* (*oft Sg konstr*) **~zähler** *m* water meter **~zeichen** *n* watermark

waten *v/i* wade

Watsche *f österr.* slap round the face

watscheln *v/i* waddle

watschen *v/t österr.* ***j-n ~*** slap s.o.'s face

Watt[1] *n* GEOL mud flats *Pl*

Watt[2] *n* ELEK watt

Watte *f* cotton wool, *Am* cotton

Wattebausch *m* cotton-wool swab

Wattenmeer *n* mud flats *Pl*

Wattestäbchen *n* cotton bud

wattieren *v/t* pad, wad

Wattierung *f* padding, wadding

Wattstunde *f* ELEK watt-hour

Wattzahl *f* wattage

WC *n* toilet, *Am* bathroom, restroom

Webdesigner(in) web designer

weben *v/t u. v/i* weave **Weber(in)** weaver **Weberei** *f* **a)** weaving, **b)** (*Fabrik*) weaving mill **Weberknecht** *m* ZOOL daddy longlegs *Pl* (*a. Sg konstr*)

Webfehler *m* flaw

Website *f* IT (web)site
Webstuhl *m* loom
Webwaren *Pl* woven goods *Pl*
Wechsel *m* **1.** change, (*Abwechslung*, *a.* LANDW *Frucht*&) rotation **2.** (*Geld*&) exchange **3.** WIRTSCH bill (of exchange), draft, (*Monats*&) allowance: ***e-n ~ (auf j-n) ziehen*** draw a bill (on s.o.) **4.** SPORT (*Stab*&) (baton) change, (*Seiten*&) change of ends **5.** → ***Wildwechsel***
Wechsel|bäder *Pl* MED alternating hot and cold baths **~bank** *f* discount house **~beziehung** *f* interrelation
Wechselfälle *Pl* vicissitudes *Pl*, F *the* ups and downs *Pl* (*of life etc*)
Wechselgeld *n* (small) change
wechselhaft *Adj* changeable
Wechseljahre *Pl* PHYSIOL menopause *Sg*
Wechselkurs *m* rate of exchange
wechseln I *v/t* **1.** *allg* change, (*Briefe*, *Blicke*, *Ringe*, *Worte etc*) exchange, (*ab~*) vary, (*ab~ lassen*) alternate, *turnusmäßig*: *a.* rotate: ***den Arbeitsplatz*** (***Arzt*** *etc*) ~ change jobs (doctors *etc*); → ***Besitzer***(***in***) **II** *v/i* **2.** change: ***~ mit*** vary **3.** *Wild*: cross
wechselnd *Adj* changing, varying
Wechsel|rahmen *m* interchangeable picture frame **~schuld** *f* WIRTSCH bill debt
wechselseitig *Adj* mutual, reciprocal
Wechselsprechanlage *f* intercom
Wechselstrom *m* ELEK alternating current (*Abk* A.C.) **~motor** *m* A.C. motor
Wechselstube *f* exchange office
Wechselwähler(in) floating voter
wechselweise *Adv* alternately, by turns
Wechselwirkung *f* interaction
Weckdienst *m* alarm call service
Wecken *m österr.* (*Brot*) loaf, (*Gebäck*) Viennese roll, *südd.* (*Brötchen*) bread roll
wecken *v/t* wake (up), F call, (*auf~*, *a. fig*) rouse **Wecker** *m* alarm (clock): F ***j-m auf den ~ gehen*** get on s.o.'s nerves **Weckruf** *m* TEL alarm call
Wedel *m* BOT frond **wedeln** *v/i* **1.** (***mit dem Schwanz***) ~ wag (its tail) **2.** *Skisport*: wedel **3.** ***mit etw ~*** wave s.th.
weder *Konj* ***~ … noch*** neither … nor
weg *Adv* F **1.** gone, (*außer Haus*) not in, (*verreist etc*) away: ***~ (da)!*** get away!, beat it!; ***~ damit!*** take it away!, *weit. S.* off with it!; ***Finger*** (*od* ***Hände***) ***~!*** hands off!; ***ich muss ~!*** I must be off!; ***nichts wie ~!*** let's get out of here! **2.** ***~ sein*** **a)** (*bewusstlos*) be out cold, **b)** (*begeistert*) go into raptures (***über*** *Akk*, ***von*** over)
Weg *m* way (*a. fig*), (*Pfad*) path, (*Reise*&) route, F (*Besorgung*) errand: *fig* ***der ~ zum Erfolg*** the road to success; ***auf dem ~(e) der Besserung*** on the road to recovery, F on the mend; ***auf diesem ~e*** this way; ***auf diplomatischem ~e*** through diplomatic channels; ***auf friedlichem*** (***legalem***) ***~e*** by peaceful (legal) means; ***auf dem besten ~e sein zu*** *Inf* be well on the way to *Ger*; ***auf dem richtigen ~e sein*** be on the right track; ***sich auf den ~ machen*** set off; ***j-m aus dem ~(e) gehen*** get out of s.o.'s way; *fig* ***etw auf den ~ bringen*** get s.th. under way (*od* off the ground); (*Dat*) ***aus dem ~e gehen*** steer clear of; ***aus dem ~e räumen*** (*od* ***schaffen***) get rid of; ***s-e eigenen ~e gehen*** go one's own way; ***den ~ ebnen*** pave the way (*Dat* for); ***etw in die ~e leiten*** initiate s.th., start s.th. off; ***ich traue ihm nicht über den ~*** I don't trust him an inch; ***im ~(e) stehen*** (*od* ***sein***) **a)** ***j-m*** be in s.o.'s way, **b)** ***e-r Sache*** be an obstacle to s.th.; ***dem steht nichts im ~e*** there are no obstacles to that, F that's all right; ***zu ~e*** → ***zuwege***; → ***bahnen***, ***halb*** I
wegbekommen *v/t* F get *s.th.* off, move
wegblasen *v/t* blow *s.th.* away: *fig* ***wie weggeblasen sein*** be clean gone
wegbleiben *v/i* F **1.** stay away **2.** TECH fail, *sl* conk out: → ***Luft*** 2, ***Spucke***
wegbringen *v/t* take *s.o.*, *s.th.* away
wegen *Präp* (*Gen*, F *Dat*) **1.** because of, on account of: ***~ Diebstahls*** for larceny; → ***Amt*** 1, ***Recht*** 1 **2.** for the sake of: ***er hat es ~ s-r Kinder getan*** he did it for his children's sake **3.** (*infolge*) due to **4.** F ***von ~*** that's what you think!; ***von ~ hübsch!*** pretty, my foot!
Wegerich *m* BOT plantain
wegfahren *v/i* leave, drive away
Wegfahrsperre *f* MOT (electronic) engine immobiliser
wegfallen *v/i* → ***entfallen*** 2
Weggang *m* leaving, departure

weggeben *v/t* give *s.th.* away
weggehen *v/i* **1.** go away, leave: F ***geh weg!*** leave me alone!; ***von Berlin*** (***der Firma***) ~ leave Berlin (the firm) **2.** F *fig Schmerz etc*: go away, disappear **3.** F *fig Ware*: sell: → ***Semmel***
weghaben *v/t* F **1.** ***sein Teil*** *etc* ~ have got one's share *etc* **2.** ***etw*** ~ **a**) (*können*) have got the hang of it, **b**) (*wissen*) be good (***in*** *Dat* at)
wegjagen *v/t* ***j-n*** ~ chase s.o. away
wegkommen *v/i* F **1.** *a.* SPORT get away **2.** (*abhanden kommen*) get lost **3.** *fig* ***gut*** (***schlecht***) ~ come off well (badly) (***bei*** at) **4.** *a. fig* ~ ***über*** get over
weglassen *v/t* **1.** ***j-n*** ~ let s.o. go **2.** ***etw*** ~ leave s.th. out, omit s.th.
Weglassung *f* omission
weglaufen *v/i* run away
weglegen *v/t* ***etw*** ~ put s.th. aside
wegmüssen *v/i* F ***ich muss weg*** I must be off; *etw, j-d* ***muss weg!*** … must go!
wegnehmen *v/t* remove, *fig* (*Platz, Zeit etc*) take up: (***j-m***) ***etw*** ~ take s.th. away (from s.o.); → ***Gas***
wegrationalisieren *v/t* ***Arbeitsplätze*** ~ kill jobs (by rationalization)
wegräumen *v/t* clear *s.th.* away, *a. fig* remove **wegreißen** *v/t* tear *s.o., s.th.* away
wegschaffen *v/t* remove
wegscheren *v/refl* ***sich*** ~ F clear off
wegschicken *v/t* send *s.o., s.th.* away (*od* off)
wegschleppen *v/t* drag *s.o., s.th.* off
wegschließen *v/t* lock *s.th.* away
wegschmeißen *v/t* F throw *s.th.* away
wegschnappen *v/t* F (***j-m***) ***etw*** ~ snatch s.th. away (from s.o.)
wegsehen *v/i* **1.** look away, *a. fig* look the other way **2.** → ***hinwegsehen***
wegsetzen *v/refl* ***sich*** ~ **1.** move away **2.** → ***hinwegsetzen***
wegspülen *v/t* wash *s.th.* away
wegstecken *v/t* ***etw*** ~ (*a.* F *fig Schlag, Niederlage etc*) put s.th. away
wegtreten *v/i* step aside, MIL break (the) ranks: ~ ***lassen*** dismiss; ***weggetreten!*** dismiss(ed *Am*)!
wegtun *v/t* F ***etw*** ~ put s.th. away
Wegweiser *m* signpost, (road) sign, *im Gebäude*: directory
wegwerfen I *v/t a. fig* throw *s.th.* away **II** *v/refl* ***sich*** ~ throw o.s. away (***an*** *Akk* on) **wegwerfend** *Adj* disparaging
Wegwerf… disposable … **~flasche** *f* throwaway bottle **~gesellschaft** *f* throwaway society
wegwischen *v/t* **1.** ***etw*** ~ wipe s.th. off **2.** *fig* (*Einwand etc*) brush *s.th.* off
wegzaubern *v/t* spirit *s.th.* away
wegziehen I *v/t* pull *s.o., s.th.* away **II** *v/i* (*umziehen*) move
weh *Adj* sore: → ***wehtun***
wehe *Interj* ~ (***dir***), ***wenn du das tust!*** you'll be sorry if you do that!
Wehe[1] *f* (*Schnee*~, *Sand*~) drift
Wehe[2] *f mst Pl* MED pains *Pl*, labo(u)r *Sg*
wehen *v/i u. v/t Wind etc*: blow, *Duft, Töne etc*: drift, waft, *Fahne etc*: wave
Wehgeschrei *n a. fig* wailing
Wehklage *f* lament **wehleidig** *Adj* snivel(l)ing, *Stimme*: whining
Wehmut *f* melancholy, (*Sehnsucht*) wistfulness, nostalgia
wehmütig *Adj* melancholy, (*sehnsüchtig*) wistful, nostalgic(ally *Adv*)
Wehr[1] *f* ***sich zur*** ~ ***setzen*** → ***wehren*** I
Wehr[2] *n* weir, dam
Wehr|beauftragte *m, f* ombudsman (ombudswoman) (for the Armed Forces) **~bereich** *m* military district
Wehrdienst *m* (***s-n*** ~ ***ableisten*** do one's) military service **Wehrdienstverweigerer** *m* conscientious objector
wehren I *v/refl* ***sich*** ~ defend o.s. (***gegen*** against); ***sich gegen etw*** ~ resist (*od* fight) s.th., (*ablehnen*) refuse to accept s.th. **II** *v/i* ***den Anfängen*** ~ nip things in the bud
Wehrersatzdienst *m* alternative military service **wehrfähig** *Adj* fit for military service, able-bodied
wehrlos *Adj* defen/celess (*Am* -se-), helpless **Wehrlosigkeit** *f* defen/celessness (*Am* -se-)
Wehrmacht *f hist* (German) Armed Forces *Pl*, Wehrmacht
Wehrpass *m* service record (book)
Wehrpflicht *f* (***allgemeine***) ~ (universal) compulsory military service, (universal) conscription **wehrpflichtig** *Adj* liable for military service, *Alter*: recruitable **Wehrpflichtige** *m, f* **1.** person liable for military service **2.** conscript, *Am* draftee
Wehrsold *m* (service) pay
Wehrübung *f* reserve duty training

wehtun *v/i* hurt: ***j-m ~*** hurt s.o., *fig* hurt s.o.'s feelings; ***sich*** (***am Kopf*** *etc*) **~** hurt o.s. (one's head *etc*); ***mir tut der Knöchel weh*** my ankle hurts
Weib *n* **1.** *oft pej* woman **2.** (*Ehe*♀) wife **Weibchen** *n* ZOOL female
Weiber|feind *m* woman-hater, misogynist **~geschichten** *Pl* womanizing *Sg*, affairs *Pl* **~held** *m* ladykiller
weibisch *Adj* effeminate **weiblich** *Adj* female, feminine (*a.* LING), womanly
Weibsbild *n* F *pej* female, woman
weich *Adj allg* soft (*a.* LING, FOTO *u. fig*), *Obst, Wein, a. fig Farbe, Klang etc*: mellow, (*zart*) tender: ***~es Ei*** soft-boiled egg; *Ei*: ***~ gekocht*** soft-boiled; ***~ machen*** soften; ***~ werden*** soften, *fig a.* give in
Weiche[1] *f* ANAT flank, side
Weiche[2] *f* BAHN points *Pl*, *Am* switch: *fig* ***die ~n stellen*** set the course (***für*** for)
Weichei *n* F *fig* wimp
weichen[1] *v/i* **1.** (*Dat* to) *a. fig* give way, yield **2.** go (away): ***j-m nicht von der Seite ~*** not to leave s.o.'s side; ***er wich und wankte nicht*** he didn't budge
weichen[2] *v/i u. v/t* (*a.* ***~ lassen***) soak
Weichheit *f* softness (*etc*, → ***weich***)
weichherzig *Adj* soft-hearted
Weichkäse *m* soft cheese
weichlich *Adj fig* soft, effeminate
Weichling *m* weakling, F softie, sissy
Weichmacher *m* CHEM softener, softening agent
Weichsel *f österr.* sour cherry
Weichspüler *m* (fabric) softener
Weichteile *Pl* ANAT soft parts *Pl*
Weichtier *n* mollusc
Weichzeichner *m* FOTO soft-focus lens
Weide[1] *f* BOT willow
Weide[2] *f* pasture: ***auf der*** (***die***) **~** at (to) pasture **Weideland** *n* pasture(land)
weiden I *v/i* graze **II** *v/t a.* ***~ lassen*** put out to pasture **III** *v/refl* ***sich ~ an*** (*Dat*) **a)** *e-m Anblick etc*: feast one's eyes on, **b)** *schadenfroh*: gloat over
Weidenkätzchen *n* BOT catkin
Weidenkorb *m* wicker basket
weidlich *Adv* thoroughly
weidmännisch I *Adj* huntsmanlike **II** *Adv* in a huntsmanlike manner
Weidmannsheil *n* ***~!*** good sport!
weigern *v/refl* ***sich ~*** refuse
Weigerung *f* refusal
Weihbischof *m* suffragan (bishop)
Weihe *f* **1.** REL consecration, (*Priester*♀) ordination **2.** *fig* (*Feierlichkeit*) solemnity **weihen** *v/t* **1.** REL consecrate, *zum Priester*: ordain **2.** (*Dat* to) devote, dedicate (*beide a.* ***sich*** o.s.): ***dem Tode*** (*od* ***Untergang***) ***geweiht*** doomed
Weiher *m* pond
Weihnacht *f* → **Weihnachten** *Pl* (***an ~***, ***zu ~*** at) Christmas (F Xmas); ***Fröhliche ~!*** Merry Christmas! **weihnachtlich** *Adj* Christmas, F Christmassy
Weihnachts... Christmas (*business, card, present, etc*) **~abend** *m* Christmas Eve **~baum** *m* Christmas tree **~einkäufe** *Pl* Christmas shopping *Sg* **~feiertag** *m* Christmas Day (*Pl* holidays *Pl*): ***zweiter ~*** *Br* Boxing Day **~fest** *n* Christmas **~geld** *n*, **~gratifikation** *f* Christmas bonus **~lied** *n* Christmas carol **~mann** *m* **1.** Father Christmas, Santa Claus **2.** F *pej* dope **~markt** *m* Christmas fair **~stern** *m* BOT poinsettia **~zeit** *f* Christmas (season); → *Info bei* ***Christmas***
Weihrauch *m* incense
Weihwasser *n* holy water
weil *Konj* **1.** because **2.** (*da*) since, as
Weilchen *n* ***ein ~*** a little while
Weile *f* ***e-e ~*** a while, a time
Wein *m* **1.** BOT vine **2.** wine: *fig* ***j-m reinen ~ einschenken*** tell s.o. the truth
Wein|bau *m* winegrowing, viticulture **~bauer** *m* winegrower **~baugebiet** *n* winegrowing area **~beere** *f* grape **~berg** *m* vineyard **~bergschnecke** *f* (edible) snail **~blatt** *n* vine leaf
Weinbrand *m* brandy
weinen *v/i u. v/t* weep (***um*** over), *laut*: cry: ***j-n zum*** ♀ ***bringen*** make s.o. cry; ***es ist zum*** ♀ it's a (crying) shame
weinerlich *Adj* tearful, F weepy, *Kind, Stimme, Ton*: whining
Wein|essig *m* wine vinegar **~fass** *n* wine cask **~flasche** *f* winebottle **~geist** *m* spirit(s *Pl*) of wine **~glas** *n* wineglass **~gut** *n* winegrowing estate **~händler(in)** wine merchant **~handlung** *f* wine shop **~karte** *f* wine list **~keller** *m* wine cellar **~kelter** *f* winepress
Weinkenner(in) wine connoisseur
Weinkrampf *m* crying fit
Wein|lese *f* grape harvest **~lokal** *n* wine

tavern **~probe** *f* wine tasting **♀rot** *Adj* wine-red **♀selig** *Adj* tipsy, vinous **~stein** *m* (wine) lees *Pl* **~stock** *m* BOT vine **~stube** *f* wine tavern **~traube** *f* bunch of grapes, *Pl* (*Beeren*) grapes *Pl*
weise *Adj* wise
Weise[1] *m, f* wise man (woman), sage
Weise[2] *f* **1.** (*Art*) way: ***auf diese ~*** (in) this way; ***auf jede ~*** in every way; ***auf die gleiche ~*** the same way; ***auf die e-e oder andere ~*** (in) one way or another; ***auf m-e*** (***s-e***) ***~*** my (his) way; ***in k-r ~*** in no way; ***jeder auf s-e ~*** everyone after his own fashion **2.** MUS tune
weisen I *v/t* **1.** ***j-m den Weg ~*** show s.o. the way **2.** → ***verweisen* 3.** ***etw*** (***weit***) ***von sich ~*** repudiate s.th. (emphatically) **II** *v/i* → ***zeigen*** II
Weisheit *f* wisdom: ***mit s-r ~ am Ende sein*** be at one's wits' end
Weisheitszahn *m* wisdom tooth
weismachen *v/t* ***j-m etw ~*** tell s.o. a yarn; ***j-m ~, dass …*** make s.o. believe that …; ***mir kannst du nichts ~!*** you can't fool me!; ***lass dir nichts ~!*** don't be fooled!
weiß I *Adj* **1.** white: ***~ machen*** whiten; ***~ werden*** turn (*im Gesicht*: go) white; ***~ gekleidet*** dressed in white; POL ***das ♀e Haus*** the White House **2.** *fig* (*leer*) blank **II** *Adv* ***~ glühend*** white-hot
Weiß *n a. Schach etc*: white
weissagen *v/t* prophesy, foretell
Weissager(in) prophet(ess)
Weissagung *f* prophecy
Weiß|bier *n* weissbier, wheat beer **~blech** *n* tinplate **~brot** *n* white bread **~buch** *n* POL white paper (*Am* book)
Weißdorn *m* BOT whitethorn
Weiße *m, f* white man (woman): ***die ~n*** *Pl* the whites pl, the white man *Sg*
weißen *v/t* whiten, (*tünchen*) whitewash
Weißglut *f* white heat: F ***j-n zur ~ bringen*** make s.o. see red
weißhaarig *Adj* white-haired
Weiß|kohl *m*, **~kraut** *n* white cabbage
weißlich *Adj* whitish
Weißmacher *m* whitener
Weißrussland *n* White Russia, Byelorussia
Weißwandtafel *f* whiteboard
Weißwein *m* white wine
Weisung *f* instruction, order(s *Pl*)

weit I *Adj* **1.** (*Ggs. eng*) wide, *Rock etc*: *a.* full, (*lose*) loose (*a.* TECH) **2.** (*ausgedehnt*) wide, extensive, *stärker*: vast, immense **3.** *fig Begriff, Auslegung etc*: broad: ***im ~esten Sinne*** in the widest sense **4.** (*Ggs. nah*) long: ***auf ~e*** (*od* ***aus ~er***) ***Entfernung*** at a great distance **II** *Adv* **5.** wide(ly): ***~ offen*** wide open; ***~ reichend*** far-reaching, MIL long-range; ***~ verbreitet*** widespread, common; ***~ verzweigt*** widely ramified **6.** far (*a. zeitlich u. fig sehr*): ***sie ist ~ über 60*** she is well over sixty; ***~ gereist*** widely travel(l)ed; ***er ist ~ gereist*** he has got around a good deal; ***~*** (*od* ***bei ~em***) ***das Beste*** by far the best; ***bei ~em nicht so gut*** *etc* not nearly so good *etc*; ***~ gefehlt!*** far from it!; *fig* ***~ hergeholt*** far-fetched; F ***es ist nicht ~ her mit ihm*** he is not up to much; ***~ blickend*** farsighted, farseeing; ***es ~ bringen*** (***im Leben***) go far; ***zu ~ gehen*** go too far; ***das geht zu ~*** that's going too far; ***ich bin so ~*** I'm ready; ***wie ~ bist du?*** how far have you got?; ***wenn es so ~ ist*** when the time comes; → ***entfernt, kommen*** 1, 10
weitab *Adv* far away (***von*** from)
weitaus *Adv* far *better etc*
Weitblick *m* farsightedness
Weite[1] *f* **1.** *a.* TECH width, (*Breite*) breadth: → ***licht*** 3 **2.** (*weite Fläche*) vastness, expanse **3.** *bes* SPORT distance
Weite[2]: ***das ~ suchen*** take to one's heels
weiten *v/t* (*a.* ***sich ~***) widen (a. *fig*), (*Schuhe etc*) stretch
weiter I *Komp von* ***weit*** **II** *Adj* further: ***nach e-r ~en Woche*** after another week **III** *Adv* ***~!*** go on!; ***halt, nicht ~!*** stop, no further!; ***immer ~*** on and on; ***nichts ~*** nothing else; ***~ niemand*** no one else; ***und so ~*** and so on (*Abk etc*); ***das ist nicht ~ schlimm*** that's no tragedy; ***das stört mich ~nicht*** that doesn't really bother me; ***~ bestehen*** → ***fortbestehen***; → ***weiterhin*** I
weiterarbeiten *v/i* go on working
weiterbilden → ***fortbilden***
Weiterbildung *f* → ***Fortbildung***
weiterbringen *v/t* ***das bringt mich*** (***uns*** *etc*) ***nicht weiter*** that's not much help
Weitere *n* the rest: ***bis auf ♀s*** for the

time being, VERW until further notice; ***ohne 2s*** without further ado, easily
weiter|empfehlen *v/t* recommend (to others) **~entwickeln** *v/t* (*a.* ***sich ~***) develop (further) **~erzählen** *v/t* tell others, repeat **~fahren** *v/i allg* go on, MOT *a.* drive on, *Zug etc*: *a.* continue **~führen** *v/t* (*fortführen*) continue, carry on **~geben** *v/t* ***etw ~*** pass s.th. on **~gehen** *v/i* **1.** go on, walk on **2.** *fig* go on, continue: ***das kann so nicht ~!*** things can't go on like this! **~helfen** *v/t* ***j-m ~*** help s.o. (on)
weiterhin I *Adv* ***~ etw tun*** continue doing (*od* to do) s.th., go on doing s.th. **II** *Konj* (*ferner*) further(more), moreover
weiter|kämpfen *v/i* continue fighting **~kommen** *v/i* get on, *fig a.* make headway, get somewhere: ***nicht ~ a.*** be stuck; ***so kommen wir nicht weiter*** this won't get us any further **~leben I** *v/i* live on, *fig a.* survive **II** 2 *n* (***nach dem Tode***) life after death **~leiten** *v/t* (***an*** *Akk* to) pass *s.th.* on, forward, (*Antrag etc*) refer **~lesen** *v/t u. v/i* go on (reading), continue to read **~machen** *v/i u. v/t* continue, carry (*od* go) on with **~sagen** *v/t* ***etw ~*** pass s.th. on
weiterverarbeiten *v/t* process
Weiterverarbeitung *f* processing
Weiterverkauf *m* resale
weiterverkaufen *v/t* resell
weitgehend I *Adj* extensive, far-reaching, *Unterstützung, Vollmacht*: wide: ***es herrschte ~e Übereinstimmung*** there was a large degree of consent **II** *Adv* to a great extent
weither *Adv* from afar
weithergeholt → ***weit*** II
weitherzig *Adj* broad-minded
weithin *Adv* **1.** far **2.** to a large extent
weitläufig I *Adj* **1.** extensive, vast, (*geräumig*) spacious **2.** (*ausführlich*) detailed, *pej* long-winded **3.** *Verwandte*: distant **II** *Adv* **4.** at great length **5.** ***~ verwandt*** distantly related
weitmaschig *Adj* wide-meshed
weitreichend → ***weit*** II
weitschweifig *Adj* long-winded
weitsichtig *Adj* long-sighted, *a. fig* far-sighted **Weitsichtigkeit** *f* long-sightedness, *a. fig* farsightedness
Weitspringer(in) longjumper, *Am* broadjumper **Weitsprung** *m* long (*Am* broad) jump
weitverbreitet → ***weit*** II
Weitwinkelobjektiv *n* wide-angle lens
Weizen *m* wheat: *fig* ***sein ~ blüht*** he is in clover **Weizenbier** *n* wheat beer
welch I *Interrogativpron* what, which: ***~er (von beiden)?*** which (of the two)?; ***~ ein Anblick!*** what a sight! **II** *Relativpron* who, which, that **III** *Indefinitpron* some, any: *haben Sie Geld?* ***ja, ich habe ~es*** yes, I have some; ***brauchen Sie ~es?*** do you need any?
welk *Adj* faded (*a. fig*), *Haut*: wrinkled
welken *v/i* fade (*a. fig*), wither
Wellblech *n* corrugated iron
Welle *f* **1.** *allg, a. fig* wave: *fig* (***hohe***) ***~n schlagen*** cause quite a stir **2.** TECH shaft
wellen I *v/t* (*Haar*) wave **II** *v/refl* ***sich ~*** *Haar*: be (*od* go) wavy
Wellen|bad *n* swimming pool with artificially produced waves **~band** *n* ELEK wave band **~bereich** *m* RADIO wave range **~brecher** *m* SCHIFF breakwater
wellenförmig *Adj* wavy
Wellen|länge *f* RADIO (*fig* ***die gleiche ~ haben*** be on the same) wavelength **~linie** *f* wavy line **~reiten** *n* surfing
Wellensittich *m* ZOOL budgerigar
wellig *Adj* wavy
Wellpappe *f* corrugated board
Welpe *m* ZOOL puppy, pup
Welt *f a. fig* world: ***die Dritte ~*** the Third World; ***die große ~*** **a)** the big wide world, **b)** high society; ***alle ~*** everybody; ***auf der ganzen ~*** all over the world; ***der längste Fluss der ~*** the longest river in the world, the world's longest river; ***was in aller ~ ...?*** what on earth ...?; ***nicht um alles in der ~*** not on your life; ***aus der ~ schaffen*** get rid of, (*Problem, Streit etc*) settle; ***in die ~ setzen*** (*Kinder*) put into the world, (*Gerüchte*) start; ***zur ~ bringen*** give birth to; ***zur ~ kommen*** be born; ***das kostet doch nicht die ~!*** it won't cost the earth!
weltabgeschieden *Adj* secluded
Weltall *n* universe
weltanschaulich *Adj* ideological
Weltanschauung *f* philosophy (of life), world view, (*Ideologie*) ideology
Weltausstellung *f* World Fair

Weltbank *f* World Bank
weltbekannt, **weltberühmt** *Adj* world-famous **Weltberühmtheit** *f* (*~ erlangen* gain) worldwide fame **Weltbevölkerung** *f* world('s) (*od* global) population
weltbewegend *Adj* worldshaking: *iron nichts* ℒ*es* nothing to write home about
Weltbild *n* world view **Weltbürger(in)** citizen of the world, cosmopolitan
Weltenbummler(in) globetrotter
Weltereignis *n* event of worldwide importance
Welterfolg *m* worldwide success
Weltergewicht *n Boxen*: welterweight
welterschütternd → ***weltbewegend***
weltfremd *Adj* naive, unworldly, *Gelehrter etc*: ivory-towered
Weltfriede(n) *m* world peace
Weltgeltung *f* worldwide reputation
Weltgeschichte *f* world history
Weltgesundheitsorganisation *f* World Health Organization
weltgewandt *Adj* urbane
Welthandel *m* international trade
Weltherrschaft *f* world domination
Weltkarte *f* map of the world
Weltkrieg *m* world war: ***der Zweite ~*** World War II, the Second World War
Weltkulturerbe *n* Cultural Heritage of the World
Weltlage *f* international situation
weltlich *Adj* worldly, (*Ggs. geistlich*) secular
Weltliteratur *f* world literature
Weltmacht *f* world power
weltmännisch *Adj* man-of-the-world
Weltmarkt *m* world market
Weltmeer *n* ocean
Weltmeister(in) world champion
Weltmeisterschaft *f* world championship, *bes Fußball*: World Cup
Weltöffentlichkeit *f* world public
Weltpolitik *f* international (*od* world) politics *Pl* (*a. Sg konstr*)
Weltpresse *f* international press
Weltraum *m* (outer) space
Weltraum... space ...; → *a.* ***Raum...*** **~müll** *m* space debris **~schrott** *m* space junk
Weltreich *n* (world) empire
Weltreise *f* world trip
Weltreisende *m*, *f* globetrotter
Weltrekord *m* world record **Weltrekordler(in)** world-record holder
Weltreligion *f* world religion **Weltruf** *m* (***von ~*** of) worldwide renown **Weltschmerz** *m* world-weariness, weltschmerz **Weltsicherheitsrat** *m* U.N. Security Council
Weltstadt *f* metropolis **Weltstadt...**, **weltstädtisch** *Adj* metropolitan
weltumspannend *Adj* global
Weltuntergang *m* end of the world
Welt|verbesserer *m*, **~verbesserin** *f* world changer
Weltwährungsfonds *m* International Monetary Fund
weltweit *Adj* worldwide, global
Weltwirtschaft *f* world economy
Weltwirtschaftskrise *f* worldwide economic crisis
Weltwunder *n* wonder of the world
wem *Pron* (to) whom: ***von ~*** of whom, by whom **wen** *Pron* whom, *mst* F who
Wende *f* **1.** *a.* SPORT turn **2.** (*Änderung*) change, POL change of power **Wendekreis** *m* **1.** GEOG tropic **2.** MOT turning circle
Wendeltreppe *f* spiral staircase
wenden I *v/t* **1.** turn, (*Braten*, *Seite etc*) turn over, (*Auto etc*) turn around **II** *v/i* **2.** turn (around), SPORT turn: ***bitte ~!*** please turn over **III** *v/refl* ***sich ~*** **3.** turn (***nach*** to, ***gegen*** against, on): ***sich ~ gegen*** oppose; *fig* ***sich zum Guten ~*** take a turn for the better **4.** ***sich an j-n ~*** ask (*od* see, consult, contact) s.o.; ***sich um Rat an j-n ~*** turn to s.o. for advice
Wendepunkt *m a. fig* turning point
wendig *Adj* **1.** *fig* nimble, agile, (*geistig ~*) *a.* flexible, versatile **2.** *Auto etc*: manoeuvrable, *Am* maneuverable
Wendigkeit *f* **1.** *fig* agility, flexibility **2.** MOT manoeuvrability, *Am* maneuverability
Wendung *f* **1.** turn, *fig* (*Änderung*) *a.* change: ***e-e unerwartete ~ nehmen*** take an unexpected turn **2.** (*Rede*ℒ) expression, phrase: ***fest(stehend)e ~*** set expression
wenig *Indefinitpron u. Adv* little, not much: ***~e*** *Pl* few, not many, *s.* few (people); ***nur ~e*** only few; (***nur***) ***einige ~e*** (only) a few; ***~er*** less, MATHE minus; ***immer ~er*** less and less; ***~er als*** less than;

nicht ~er als no less than, *Pl* no fewer than; ***nichts ~er als*** anything but; ***~er werden*** decrease; ***das ~e*** the little; ***das ~ste*** the least; ***am ~sten*** least of all; ***ein ~*** a little; ***nicht ~*** quite a lot; ***~ beliebt*** not very popular; ***~ bekannt*** little known; ***~ begeistert*** (rather) unenthusiastic; ***~ hilfreich*** unhelpful

Wenigkeit *f* F ***m-e ~*** yours truly

wenigstens *Adv* at least: ***wenn sie ~ zuhörte*** if only she would listen

wenn *Konj* **1.** when, (*sooft*) whenever, (*sobald*) as soon as: ***~ man ihn so reden hört*** to hear him (talk) **2.** *konditional*: if: ***~ sie doch*** (*od* ***nur***) ***käme*** if only she would come; ***~ du nicht bezahlst*** unless you pay; ***~ ich das gewusst hätte*** had I (but) known **3.** *konzessiv*: ***~ auch, ~ schon, und ~*** even if

wenn **when/if**

wenn = when

Es steht fest, dass etwas geschehen wird:

when I die ...
when you get here ...

wenn, falls = if

Es ist nicht sicher, ob etwas geschehen wird:

if you decide to go ...
if he rings ...

Wenn *n* ***ohne ~ und Aber*** no ifs or buts

wennschon *Adv* F ***na, ~!*** so what!; ***~ – dennschon!*** if we do it at all, let's do it properly!

wer I *Interrogativpron* who, which: ***~ von euch?*** which of you? **II** *Relativpron* who, which: ***~*** (***auch immer***) whoever **III** *Indefinitpron* **a)** who, VERW any person who, **b)** F somebody, anybody: ***er ist jetzt ~*** he really is somebody now

Werbe|abteilung *f* publicity department **~agentur** *f* advertising agency **~clip** *m* (TV) ad, (TV) advert: ***e-n ~ abdrehen*** shoot an ad **~fachfrau** *f*, **~fachmann** *m* advertising expert **~fernsehen** *n* commercial television, (*Werbespots*) television (*od* TV) commercials *Pl* **~film** *m* promotion(al) film **~funk** *m* commercial radio, (*Werbespots*) radio ads (*Am* commercials) *Pl* **~geschenk** *n* promotional gift **~grafik** *f* commercial art **~grafiker(in)** commercial artist **~kampagne** *f* publicity (*od* advertising) campaign **~kosten** *Pl* advertising costs *Pl* **~leiter(in)** publicity manager **~mittel** *Pl* advertising media (*Geld*: funds) *Pl*

werben I *v/t* **1.** (*Mitglieder etc*) enlist, (*Mitarbeiter etc*) *a.* recruit, (*Kunden, Stimmen etc*) canvass, attract: ***j-n für e-e Sache ~*** win s.o. over to a cause **II** *v/i* **2.** ***~ für*** advertise, promote, F plug, POL campaign (*od* canvass) for **3.** ***~ um*** *a. fig* court, woo

Werbe|prospekt *m* publicity brochure **~spot** *m* commercial (spot), spot **~spruch** *m* (advertising) slogan **~texter(in)** (advertising) copywriter **~trommel** *f fig* ***die ~ rühren*** → ***werben*** 2 **≈wirksam** *Adj* effective

Werbung *f* **1.** enlisting (*etc*, → ***werben*** 1), recruitment **2.** (*Reklame*) advertising, publicity: *fig* ***das ist e-e gute ~ für ...*** that is good publicity for ... **3.** → ***Werbeabteilung*** **Werbungskosten** *Pl steuerlich*: professional outlays *Pl*

Werdegang *m* development, *a. fig u.* TECH history, *e-r Person*: professional background, *weit. S.* career

werden I *v/i* become, get, *allmählich*: grow, (*sich wandeln*) turn, go, (*ausfallen*) turn out: ***blind*** (***verrückt***) ***~*** go blind (mad); ***blass ~*** turn pale; ***böse ~*** get angry; ***gesund ~*** get well; ***was will er*** (***einmal***) ***~?*** what does he want to be?; ***was soll nun ~?*** what are we going to do now?; ***was ist aus ihm*** (***daraus***) ***geworden?*** what has become of him (it)?; ***daraus wird nichts!*** **a)** nothing will come of it!, **b)** (*es kommt nicht in Frage*) nothing doing!; F ***es*** (***er***) ***wird schon*** (***wieder***) ***~!*** it (he) will be all right!; ***wie sind die Fotos geworden?*** how have the photos turned out?; F ***wirds bald?*** get a move on!; → ***Mutter***[1] **II** *v/hilf* **a)** ***ich werde fahren*** I will (*od* I'll) drive, I am going to drive; ***es wird gleich regnen*** it's going to rain; ***es ist uns gesagt worden*** we have been told, **b)** *passivisch*: ***geliebt ~*** be loved; ***gebaut ~*** be (being) built

Werden *n* development, growth, (*Fort-*

schreiten) progress: ***im ~ sein*** be in the making
werfen I *v/t* **1.** *allg* throw (*a. fig u.* ZOOL), (*a. Anker, Blick, Schatten*) cast: (*v/i* ***mit***) ***etw ~ nach*** throw s.th. at; ***Bomben ~*** drop bombs; → ***Blick*** 1, ***Handtuch*** *etc* **II** *v/i* **2.** throw **3.** → ***schmeißen*** 5 **III** *v/refl* ***sich ~*** **4.** TECH buckle, *Holz:* warp **5.** ***sich ~ auf*** (*Akk*) throw o.s. on (*fig* into); → ***Hals***
Werfer(in) SPORT thrower
Werft *f* **1.** shipyard **2.** FLUG hangar
Werftarbeiter(in) shipyard worker
Werg *n* tow
Werk *n* **1.** (*Arbeit, Buch, Kunst*2) *allg* work, (*Gesamt*2) works *Pl*, (*Ergebnis*) *a.* result, (*Tat*) *a.* deed: ***am ~ sein*** be at work; ***ans ~ gehen*** set to work; ***ein gutes ~ tun*** do a good deed; ***vorsichtig zu ~e gehen*** go about it cautiously; *pej* ***es war sein ~*** it was his work (*od* doing) **2.** (*Fabrik*) works *Pl* (*mst Sg konstr*), plant, factory, (*Unternehmen*) company: WIRTSCH ***ab ~*** ex works **3.** TECH works *Pl*, mechanism
Werk... works ..., factory ... **Werkangehörige** *m, f* (works) employee **Werkarzt** *m*, **Werkärztin** *f* works doctor **Werkbank** *f* (work)bench **werkeigen** *Adj* works ..., company(-owned)
werkeln *v/i* potter about
werken I *v/i* work, PÄD do handicrafts **II** 2 *n* PÄD handicrafts *Sg*
Werkkantine *f* works canteen
Werkleiter(in) works manager
Werks... → ***Werk...***
Werkschutz *m* factory security officers *Pl*, Security (*ohne Artikel*)
Werkspionage *f* industrial espionage
Werkstatt *f*, **Werkstätte** *f* workshop
Werkstoff *m* material
Werkstück *n* workpiece
Werktag *m* workday, working day
werktags *Adv* on weekdays, during the week **werktätig** *Adj* working
Werktätige *m, f* working person: ***die ~n*** the working population
Werkunterricht *m* → ***werken*** II
Werkzeug *n* tool (*a. fig*), *Koll* tools *Pl* **~bau** *m* toolmaking **~kasten** *m* tool box, tool kit **~macher(in)** toolmaker **~maschine** *f* machine tool **~schlosser(in)** toolmaker **~tasche** *f* tool bag

Wermut *m* **1.** BOT wormwood **2.** (*Wein*) vermouth **Wermutstropfen** *m fig* drop of bitterness
wert *Adj* worth: ***etw ~ sein*** be worth s.th.; ***e-n Versuch*** (***e-e Reise***) ***~*** worth a try (a trip); ***e-r Sache ~ sein*** be worthy of s.th.; ***viel ~*** worth a lot, (very) valuable; ***nicht viel ~*** not up to much; ***nichts ~*** worthless, no good; ***~, getan zu werden*** worth doing; ***das ist es*** (***mir***) ***nicht ~*** it's not worth it; ***er ist es nicht ~, dass man ihm hilft*** he doesn't deserve to be helped
Wert *m* **1.** *allg* value (*a.* CHEM, MATHE, PHIL, PHYS, TECH), *fig a.* merit(s *Pl*), (*Bedeutung*) importance, F (*Nutzen*) use: ***im ~(e) von*** to the value of; ***Waren im ~(e) von 400 Dollar*** 400 dollars worth of goods; ***im ~ sinken*** (***steigen***) lose (go up) in value; ***e-r Sache große ~ beimessen*** attach great importance to s.th.; (***großen***) ***~ legen auf*** (*Akk*) set (great) store by; ***k-n besonderen ~ legen auf*** (*Akk*) not to care much for; *fig* ***sich unter ~ verkaufen*** sell o.s. short; F ***es hat k-n ~!*** that's no use! **2.** ***~e*** *Pl* **a**) (*Messwerte*) data *Pl*, readings *Pl*, levels *Pl*, **b**) WIRTSCH (*Aktiva*) assets *Pl*, (*~papiere*) securities *Pl*, stocks *Pl*
Wertangabe *f* **a**) declaration of value, **b**) declared value **Wertarbeit** *f* (high-class) workmanship **wertbeständig** *Adj* stable, of stable (*fig* lasting) value
Wertbrief *m* insured letter
werten *v/t* (*be~*) assess, judge, *a.* SPORT rate: ***als Erfolg ~*** rate *s.th.* as a success
wertfrei *Adj u. Adv* value-free
Wertgegenstand *m* article of value, *Pl* valuables *Pl*
Wertigkeit *f* CHEM valency
wertlos *Adj* worthless (*a. fig*), valueless, (*nutzlos*) useless, *präd* (of) no use, no good **Wertlosigkeit** *f* worthlessness
Wertmaßstab *m* standard (of value)
Wertminderung *f* depreciation
Wertpaket *n* insured parcel
Wertpapiere *Pl* securities *Pl*
Wertsachen *Pl* valuables *Pl*
Wertschätzung *f* esteem (*Gen* for)
Wertschöpfung *f* WIRTSCH value added
Wertsteigerung *f* WIRTSCH increase in value
Wertstoff *m* reusable material **~hof** *m* recycling centre (*Am* center)

Wertung *f* (*Be*♀) assessment, *a.* SPORT rating, SPORT score, points *Pl*
Werturteil *n* value judgement
Wertverlust *m* WIRTSCH loss of value
wertvoll *Adj* valuable
Wertvorstellungen *Pl* values *Pl*
Wertzuwachs *m* WIRTSCH increase in value
Wesen *n* **1.** (*Lebe*♀) being, creature **2.** (*Wesensart*) nature, character: ***ihr heiteres ~*** her cheerful disposition **3.** PHIL essence **4.** F ***viel ~s von etw machen*** make a great fuss about s.th.
Wesens|art *f* nature, character **♀fremd** *Adj* alien to one's nature **♀gleich** *Adj* identical in character **~zug** *m* (characteristic) trait
wesentlich I *Adj* essential (***für*** to), (*a. beträchtlich*) substantial: ***das ♀e*** the essence, the essential point; ***nichts ♀es*** nothing (very) important; ***im ♀en*** in essence, essentially, on the whole; ***der ~e Inhalt*** *e-s Buches etc*: the substance **II** *Adv* essentially, considerably, a great deal, much: ***~ besser*** far better
weshalb I *Interrogativpron* why **II** *Konj* and so, which is why
Wespe *f* ZOOL wasp
Wespennest *n* wasps' nest: *fig* ***in ein ~ stechen*** stir up a hornet's nest
Wespenstich *m* wasp sting
wessen *Interrogativpron* **1.** *Gen von wer*: whose **2.** *Gen von was*: ***~ beschuldigt man dich?*** what are you accused of?
Wessi *m*, *f* F Wessi, West German
West *m* **1.** West **2.** (*~wind*) west wind
westdeutsch *Adj*, **Westdeutsche** *m*, *f* West German
Weste *f* waistcoat, *Am* vest: F *fig* ***e-e weiße ~ haben*** have a clean record
Westen *m* west, *e-s Landes*: West, *e-r Stadt*: *a.* West End, POL *the* West: ***von ~*** from the west; ***nach ~*** west (-wards)
Westentasche *f* waistcoat (*Am* vest) pocket: F ***etw wie s-e ~ kennen*** know s.th. like the back of one's hand
Westentaschenformat *n* ***im ~*** pocket-size (*camera etc*)
Westfale *m* Westphalian **Westfalen** *n* Westphalia **Westfälin** *f*, **westfälisch** *Adj* Westphalian
westlich I *Adj* western, *Wind, Richtung*: west(erly), POL West(ern) **II** *Adv* (to the) west (***von*** of) **III** *Präp* (*Gen*) (to the) west of
Westmächte *Pl* POL Western powers *Pl*
westwärts *Adv* west(wards)
Westwind *m* west wind
weswegen → ***weshalb***
Wettannahme *f* betting office
Wettbewerb *m* competition (*a.* WIRTSCH), SPORT (*Einzel*♀) *a.* event: ***freier (unlauterer) ~*** free (unfair) competition; ***in ~ stehen*** be competing (***mit*** with)
Wettbewerber(in) competitor
wettbewerbs|fähig *Adj* competitive **♀nachteil** *m* competitive disadvantage **♀vorteil** *m* competitive advantage
Wettbüro *n* betting office
Wette *f* bet: ***e-e ~ eingehen*** (*od* ***abschließen***) make a bet; ***was gilt die ~?*** what do you bet?; ***mit j-m um die ~ laufen*** (*od* ***fahren***) race s.o.
Wetteifer *m* rivalry **wetteifern** *v/i* (***mit*** with, ***um*** for) vie, compete
wetten *v/t u. v/i* bet: ***(mit j-m) um etw ~*** bet (s.o.) s.th.; ***ich wette zehn zu eins, dass …*** I bet you ten to one that …; ***~ auf*** (*Akk*) bet on, put one's money on, *Rennsport*: *a.* back; F ***~, dass … ?*** want to bet?
Wetter(in) better
Wetter *n* **1.** weather, (*Un*♀) storm: ***bei diesem ~*** in a weather like this; → ***Wind*** **2.** BERGB ***schlagende ~*** *Pl* firedamp *Sg* **~amt** *n* meteorological office
Wetter|aussichten *Pl* weather outlook *Sg* **~bedingungen** *Pl* weather conditions *Pl* **~bericht** *m* weather report
wetterbeständig *Adj* weatherproof
Wetter|dienst *m* weather service **~fahne** *f* weather vane **♀fest** *Adj* weatherproof **~frosch** *m hum* weatherman
wetterfühlig *Adj* ***~ sein*** be sensitive to changes in the weather
Wetter|hahn *m* weathercock **♀hart** *Adj* weather-beaten **~karte** *f* weather map
Wetter|kunde *f* meteorology **~lage** *f* weather situation **~leuchten** *n* sheet lightning: *fig* ***~ am politischen Horizont*** clouds on the political horizon
wettern *v/i* F ***~ gegen*** storm at
Wetter|seite *f* weather side **~station** *f* weather station **~sturz** *m* sudden drop

in temperature **~umschwung** *m* (sudden) change in weather
Wettervorhersage *f* weather forecast
wetterwendisch *Adj fig* fickle
Wettfahrt *f* race **Wettkampf** *m* contest, competition, SPORT *a.* (*Einzel*2) event **Wettkämpfer(in)** competitor, contestant **Wettlauf** *m* race (*fig* ***mit der Zeit*** against time) **Wettläufer(in)** runner
wettmachen *v/t* make up for
Wettrennen *n a. fig* race **Wettrüsten** *n* arms race **Wettspiel** *n* match, game
Wettstreit *m* contest
wetzen I *v/t* (*Sense etc*) sharpen, whet: ***s-n Schnabel ~*** *Vogel*: rub its beak **II** *v/i* F whiz(z), scoot
WG *f* = ***Wohngemeinschaft***
Whirlpool *m* whirlpool (bath)
Whisky *m* whisky, *irischer, amerikanischer*: whiskey
wichsen I *v/t* polish **II** *v/i* V (*onanieren*) wank, *bes Am* jerk off
Wichtel *m* **1.** (*Pfadfinderin*) brownie **2.** *a* **Wichtelmännchen** *n* goblin
wichtig *Adj* important (***für j-n*** to s.o., ***für etw*** for s.th.): ***~ tun, sich ~ machen*** be self-important; *Adv* ***etw ~ nehmen*** take s.th. seriously; ***2eres zu tun haben*** have more important things to do; ***das 2ste*** the most important thing; ***das 2ste zuerst!*** first things first! **Wichtigkeit** *f* importance **Wichtigtuer(in)** pompous ass **Wichtigtuerei** *f* pomposity **wichtigtuerisch** *Adj* pompous
Wicke *f* BOT vetch, (*Garten*2) sweet pea
Wickel *m* **1.** MED compress **2.** F ***am ~ haben*** **a)** ***j-n*** give s.o. a good talking to, **b)** *fig* (*ein Thema etc*) hold forth about
Wickelkommode *f* (baby's) changing table
wickeln I *v/t* **1.** (***um*** [a]round) wind, (*Tuch, Schnur etc*) tie, (*Decke, Schal etc*) wrap: ***etw in Papier ~*** wrap s.th. (up) in paper; → ***Finger* 2. *ein Baby ~*** change a baby's nappies (*Am* diapers) **II** *v/refl* **3.** ***sich ~ um*** wind (*od* coil) itself around; ***sich in e-e Decke ~*** wrap o.s. up in a blanket
Wickelrock *m* wraparound skirt
Wickler *m* (*Locken*2) curler
Wicklung *f* TECH winding
Widder *m* **1.** ZOOL ram **2.** ASTR (***er ist ~*** he is [an]) Aries

wider *Präp* against, contrary to: ***~ Erwarten*** contrary to expectation(s); → ***für*** II, ***Wille*** **widerfahren** *v/i* ***j-m ~*** happen to s.o., *Unglück etc*: *a.* befall s.o.; ***j-m Gerechtigkeit ~ lassen*** do justice to s.o., *weit. S.* give s.o. his due
Widerhaken *m* barb
Widerhall *m* echo, *fig a.* resonance: ***k-n ~ finden*** meet with no response **widerhallen** *v/i* (***von*** with) echo, resound
widerlegbar *Adj* refutable
widerlegen *v/t* refute, disprove
widerlich *Adj* revolting, disgusting
widernatürlich *Adj* unnatural, perverse
widerrechtlich *Adj* illegal, unlawful: *Adv* ***~ betreten*** trespass (up)on; ***sich*** *etw* ***~ aneignen*** misappropriate
Widerrede *f* contradiction(s *Pl*): ***ohne ~*** without protest; ***k-e ~!*** no argument!
Widerruf *m* revocation, withdrawal: (***bis***) ***auf ~*** until revoked
widerrufen *v/t* revoke, withdraw
Widersacher(in) adversary, opponent
Widerschein *m* reflection
widersetzen *v/refl* ***sich ~*** put up resistance; ***sich j-m*** (***e-r Sache***) ***~*** oppose (*od* resist) s.o. (s.th.) **widersetzlich** *Adj* refractory, insubordinate
widersinnig *Adj* absurd
widerspenstig *Adj* rebellious, *a. fig Haar etc*: unruly **Widerspenstigkeit** *f* rebelliousness, *a. fig* unruliness
widerspiegeln I *v/t a. fig* reflect **II** *v/refl* ***sich ~*** be reflected
widersprechen *v/i* contradict (***j-m*** s.o., ***sich*** o.s.), (*e-m Vorschlag etc*) oppose: ***sich*** (*od* ***einander***) ***~*** *Meinungen etc*: be contradictory **Widerspruch** *m* contradiction (***in sich*** in terms), (*Protest*) protest, opposition: ***im ~ zu*** in contradiction to; ***im ~ stehen zu*** be inconsistent with, contradict; ***auf ~ stoßen*** meet with protest (***bei*** from)
widersprüchlich *Adj* contradictory, inconsistent, *Gefühle etc*: conflicting
Widerspruchsgeist *m* spirit of contradiction **widerspruchslos** *Adj u. Adv* without contradiction (*od* protest)
Widerstand *m* **1.** (***gegen*** to) resistance (*a.* PHYS, POL), opposition: ***~ leisten*** offer resistance, fight back; ***auf*** (***heftigen***) ***~ stoßen*** meet with (stiff) opposition; ***den ~ aufgeben*** give in; ***den Weg des geringsten ~es wählen*** take the

W

line of least resistance **2.** ELEK resistance, (*Bauteil*) resistor

Widerstands|bewegung *f* POL resistance movement **⁓fähig** *Adj* resistant (***gegen*** to), robust (*a.* TECH) **⁓fähigkeit** *f* resistance (***gegen*** to), robustness **⁓kämpfer(in)** resistance fighter **⁓kraft** *f* (powers *Pl* of) resistance

widerstandslos *Adv* without resistance

widerstehen *v/i* ***j-m*** (***e-r Sache***) **⁓** resist s.o. (s.th.)

widerstreben I *v/i* be repugnant (*Dat* to): ***es widerstrebt mir zu*** *Inf* I hate to *Inf* **II ⁓** *n* reluctance

widerstrebend *Adv* reluctantly

widerwärtig *Adj* repulsive, disgusting, F nasty **Widerwille** *m* (***gegen***) aversion (to), (*Ekel*) disgust (at) **widerwillig** *Adj* unwilling, reluctant

widmen (*Dat* to) **I** *v/t* **1.** (*Buch etc*) dedicate **2.** (*Zeit, Aufmerksamkeit etc*) devote, give **II** *v/refl* ***sich*** **⁓ 3.** devote o.s., (*sich kümmern um*) attend: ***sich ganz j-m*** (***e-r Sache***) **⁓** give one's undivided attention to s.o. (s.th.)

widrig *Adj* adverse **widrigenfalls** *Adv* failing which, JUR in default of which

wie I *Adv fragend* **1.** how: ***⁓ macht man das?*** how is that done?; ***⁓ ist er*** (***es***)***?*** what is he (it) like?; ***⁓ nennt man das?*** what do you call that?; ***⁓ sagten Sie?*** (sorry,) what did you say?; ***⁓ wäre*** (*od* ***steht***) ***es mit …?*** what about …?; ***⁓ viel*** how much; ***⁓ viel***(***e***) *Pl* how many **2.** ***⁓ schön!*** how beautiful!; ***⁓ gut, dass er da war!*** lucky for me (you *etc*) that he was there!; ***und ⁓!*** and how!, F you bet!; → ***bitte*** 3 **II** *Konj* **3.** *im Vergleich*: as, like: ***stark ⁓ ein Bär*** (as) strong as a bear; ***ein Mann ⁓ er*** a man like him; ***dumm ⁓ er ist*** fool that he is; ***⁓ gesagt*** as I said **4.** ***⁓*** (***zum Beispiel***), ***⁓ etwa*** such as **5.** *zeitlich*: F as, when **6.** ***ich sah, ⁓ er weglief*** I saw him running away; ***ich hörte, ⁓ er es sagte*** I heard him say so **7.** *verallgemeinernd*: ***⁓*** (***auch***) ***immer*** however, no matter how; ***⁓ dem auch sei*** be that as it may; ***⁓ sie auch heißen mögen*** whatever they are called

Wiedehopf *m* ZOOL hoopoe

wieder *Adv* again, *bei Verben oft* re…: ***⁓ gesund*** well again; ***immer ⁓*** again and again, time and again; ***schon ⁓?*** not again!; ***ich bin gleich ⁓ da!*** I'll be back in a minute!; ***⁓ e-e Gelegenheit vertan!*** another chance lost!; *fig* ***⁓ anknüpfen*** renew; ***⁓ aufführen*** (*Film etc*) rerun; ***⁓ aufleben*** (*a.* ***lassen***) revive; ***⁓ aufnehmen*** resume; ***⁓ aufrüsten*** rearm; ***⁓ auftauchen*** re-emerge, SCHIFF *a.* resurface, *fig* reappear, turn up again; ***⁓ auftreten*** reappear; ***⁓ beleben*** resuscitate, *a. fig* revive; ***⁓ einführen*** **a)** reintroduce, (*Brauch etc*) revive, **b)** (*Waren*) reimport; ***⁓ einsetzen*** *allg* reinstate (***in*** *Akk* in); ***⁓ einstellen*** reemploy; ***⁓ entdecken*** rediscover; ***⁓ erkennen*** recognize: ***nicht ⁓ zu erkennen*** unrecognizable; ***⁓ eröffnen*** reopen; *fig* ***⁓ erwecken*** revive; ***⁓ finden*** find again; ***⁓ gutmachen*** make up for, (*Schaden etc*) compensate for; ***nicht ⁓ gutzumachen***(***d***) irreparable; ***⁓ vereinigen*** (*a.* ***sich***) reunite; ***⁓ verwerten*** (*Abfälle*) recycle; ***⁓ wählen*** re-elect

Wieder|annäherung *f* POL rapprochement **⁓aufbau** *m* reconstruction, *wirtschaftlich*: recovery **⁓aufbereitung** *f* reprocessing **⁓aufbereitungsanlage** *f* reprocessing plant

Wiederaufnahme *f* resumption **⁓verfahren** *n* JUR new hearing, retrial

Wiederaufrüstung *f* rearmament

Wiederausfuhr *f* reexportation

Wiederbeginn *m* recommencement, *der Schule etc*: reopening

wiederbekommen *v/t* get *s.th.* back

Wiederbelebung *f* resuscitation, *fig* revival **Wiederbelebungsversuch** *m* attempt at resuscitation

wiederbeschaffen *v/t* replace

wiederbringen *v/t* bring *s.o., s.th.* back, return

Wiedereinführung *f* **1.** reintroduction, revival **2.** WIRTSCH reimportation

Wiedereingliederung *f* reintegration (***in*** *Akk* into), *soziale od berufliche*: rehabilitation **Wiedereinsetzung** *f* reinstatement

Wiedereintritt *m* re-entry (***in*** *Akk* into)

Wiederergreifung *f* recapture

wiedererlangen *v/t* recover, regain

Wiedereröffnung *f* reopening

wiedererstatten *v/t* (*Kosten*) refund

Wiedergabe *f* **1.** (*Bericht*) account **2.** MUS rendering, interpretation **3.** reproduction (*a.* TECH), (*Ton*≈) playback **~gerät** *n* playback unit **~qualität** *f* fidelity of reproduction

wiedergeben *v/t* **1.** → ***zurückgeben*** 1 **2.** (*schildern*) describe, (*wiederholen*) repeat, (*zitieren*) quote **3.** MUS render, interpret **4.** reproduce (*a.* TECH), (*Ton*) *a.* play back

Wiedergeburt *f a. fig* rebirth

wiedergewinnen *v/t* regain, recover (*a.* TECH), TECH reclaim, COMPUTER (*Daten*) retrieve **Wiedergewinnung** *f* recovery, TECH *a.* reclamation, COMPUTER (*von Daten*) retrieval

Wiedergutmachung *f* reparation

wiederhaben *v/t* F have *s.o., s.th.* back

wiederherstellen *v/t allg* restore, MED *a.* cure, (*Verbindung etc*) *a.* re-establish, (*Text, Datei etc*) undelete

Wiederherstellung *f* restoration, re-establishment, MED recovery

wiederholbar *Adj* repeatable

wiederholen[1] **I** *v/t* repeat, say (*od* do) *s.th.* (over) again, (*zs.-fassen*) sum up, F recap **II** *v/refl* ***sich ~*** repeat itself (*Person*: o.s.), *regelmäßig*: recur

wiederholen[2] *v/t* fetch (*od* get) back

wiederholt *Adj* repeated(ly *Adv*)

Wiederholung *f* repetition, RADIO, TV *etc* repeat, TV *Fußball etc*: replay

Wiederholungs|fall *m* ***im ~*** if this should happen again **~impfung** *f* booster (shot) **~kurs** *m* refresher course **~prüfung** *f* resit **~spiel** *n* SPORT replay **~taste** *f* repeat key

Wiederhören: ***auf ~!*** goodby(e)!

wiederkäuen I *v/i* ZOOL ruminate **II** *v/t fig* rehash **Wiederkäuer** *m* ruminant

Wiederkehr *f* return, *regelmäßige*: recurrence **wiederkehren** *v/i* **1.** return, come back **2.** (*sich wiederholen*) recur: (***regelmäßig***) **~d** recurrent

wiederkommen *v/i* come again, come back, return **Wiederkunft** *f* return

wiedersehen see *s.o., s.th.* again: ***sich ~*** meet again

Wiedersehen *n* reunion: ***~ mit London*** London revisited; ***auf ~!*** goodby(e)!, see you again!, F so long!, bye!

wiederum *Adv* **1.** again **2.** (*andererseits*) on the other hand

Wiedervereinigung *f* reunion, POL *a.* reunification

Wiederverheiratung *f* remarriage

Wiederverkäufer *m* reseller

Wiederverkaufswert *m* resale value

Wiederverwendung *f* reuse

Wiederverwertung *f* recycling

Wiederwahl *f* re-election

Wiederzulassung *f* **1.** readmission **2.** MOT relicensing

Wiege *f a. fig* cradle: ***von der ~ bis zur Bahre*** from the cradle to the grave

wiegen[1] **I** *v/t* rock, (*Kopf*) shake, (*Hüften*) sway: *fig* ***j-n in Sicherheit ~*** lull s.o. into a false sense of security **II** *v/refl* ***sich ~*** rock; ***sich in den Hüften ~*** sway one's hips; *fig* ***sich in Sicherheit ~*** believe o.s. safe

wiegen[2] **I** *v/t u. v/i* weigh: ***was ~ Sie?*** how much do you weigh?; ***mehr ~ als*** outweigh; *fig* ***schwer ~*** carry (a lot of) weight **II** *v/refl* ***sich ~*** weigh o.s

wiegen[3] *v/t* GASTR chop, mince

Wiegenlied *n* lullaby

wiehern *v/i* neigh: **~(*d lachen*)** heehaw

Wien *n* Vienna

Wiener[1] *f mst Pl* GASTR wiener(wurst)

Wiener[2] *m*, **Wienerin** *f*, **wienerisch** *Adj* Viennese

wienern *v/t* F polish

Wiese *f* meadow

Wiesel *n* ZOOL weasel

wieso → ***warum***

wieviel → ***wie*** I, 1 **wievielmal** *Adv* how many times, how often **wievielt** *Adj* ***der*** (***die, das***) ***~e*** which; ***zum ~en Male?*** how many times?; ***den ≈en haben wir heute?*** what's the date today?

wieweit → ***inwieweit***

Wikinger(in) (*a. in Zssgn*) Viking

wild I *Adj* **1.** *allg* wild (*a.* BOT, ZOOL, *fig Gegend, Sitten etc*), (*unzivilisiert*) *a.* savage: MED ***~es Fleisch*** proud flesh; *fig* ***~e Vermutungen*** *Pl* wild speculation *Sg*; *Adv* ***~ wachsen*** grow wild **2.** (*Ggs. sanft*) wild, *Kind*: *a.* unruly, (*heftig*) violent, fierce: ***das ist halb so ~!*** it's not all that bad! **3.** F *fig* (*wütend*) wild, mad: ***wie ~*** *arbeiten etc* like mad; ***j-n ~ machen*** make s.o. mad; ***~ werden*** get mad, see red; ***den ~en Mann spielen*** go berserk **4.** F ***ganz ~ sein auf*** (*Akk*) be wild (*od* crazy) about **5.** *Parken, Zelten etc*: unauthorized; → ***Streik*** **II** *Adv* ***~ lebend, ~ wachsend*** wild

Wild *n* game, GASTR venison

Wildbach *m* torrent
Wildbahn *f* ***in freier ~*** in the wild
Wildbret *n* game, venison
Wilddieb(in) poacher
Wilde *m, f* savage
Wildente *f* ZOOL wild duck
Wilderer *m*, **Wild(r)erin** *f* poacher **wildern** *v/i* poach
wildfremd *Adj* completely strange (*Dat* to): ***~er Mensch*** complete stranger
Wildgans *f* ZOOL wild goose
Wildgehege *n* game preserve
Wildheit *f* wildness (*a. fig*), savagery, fury, *von Kindern*: *a.* unruliness
Wildhüter(in) gamekeeper
Wildkatze *f* ZOOL wild cat
Wildleder *n*, **wildledern** *Adj* suede
Wildnis *f* wilderness (*a. fig*), wild
Wildpark *m* game park
Wildsau *f* wild sow
Wildschwein *n* wild boar
Wildwasser *n* torrent, *a. Sport u. in Zssgn* wildwater
Wildwechsel *m* game runway
Wildwestfilm *m* western
Wille *m* will, PHIL *a.* volition, (*Absicht*) *a.* intention: ***böser ~*** ill will; ***guter ~*** good will (*od* intention); ***letzter ~*** (last) will, JUR last will and testament; ***aus freiem ~n*** of one's own free will; ***gegen m-n ~n*** against my will; ***j-m s-n ~n lassen*** let s.o. have his (own) way; ***ich kann Ihnen beim besten ~n nicht helfen*** I can't help you, much as I should like to; ***ich kann mich beim besten ~n nicht erinnern*** I can't remember for the life of me; ***wenn es nach ihrem ~n ginge*** if she had her way; ***sie musste wider ~n lachen*** she couldn't help laughing; → ***durchsetzen***[1] I
Willen *m* → ***Wille*** **willenlos** *Adj* weak, weak-willed: ***j-s ~es Werkzeug sein*** be s.o.'s slave **willens** *Adj* ***~ sein zu*** *Inf* be willing (*od* prepared) to *Inf*
Willens|akt *m* act of volition **~anstrengung** *f* effort of will **~äußerung** *f* expression of one's will **~erklärung** *f* JUR declaration of intention **~freiheit** *f* freedom of will **~kraft** *f* willpower, *weit. S.* strong will **≈schwach** *Adj* weak, weak-willed **≈stark** *Adj* strong-willed **~stärke** *f* strong will
willentlich *Adv* deliberately
willfährig *Adj* compliant
willig *Adj* willing
willkommen *Adj a. fig* welcome (*Dat*, ***in*** *Dat* to): ***j-n ~ heißen*** welcome s.o.
Willkommen *n* welcome, reception
Willkür *f* arbitrariness: ***j-s ~ ausgeliefert sein*** be at s.o.'s mercy **Willkürakt** *m* arbitrary act **Willkürherrschaft** *f* arbitrary rule, despotism
willkürlich *Adj* arbitrary, *Auswahl etc*: random, PHYSIOL voluntary
wimmeln *v/i* ***~ von*** *Menschen, Fehlern etc*: be teeming (F crawling) with
wimmern *v/i* whimper
Wimpel *m* pennant
Wimper *f* eyelash: ***ohne mit der ~ zu zucken*** without batting an eyelid
Wimpernbürste *f* eyelash brush
Wimperntusche *f* mascara
Wind *m* (***günstiger ~*** fair) wind: ***sanfter ~*** (gentle) breeze; *fig* ***ein frischer ~*** a breath of fresh air; ***gegen den ~*** into the wind; ***mit dem ~*** down the wind; ***bei ~ und Wetter*** in rain or storm; *fig* ***~ bekommen von*** get wind of; F ***viel ~ machen*** **a)** make a great fuss (***um*** of, about, over), **b)** (*angeben*) act big, talk big; ***j-m den ~ aus den Segeln nehmen*** take the wind out of s.o.'s sails; ***in alle ~e zerstreut*** scattered to the four winds; ***in den ~ reden*** waste one's breath; ***in den ~ schlagen*** cast to the wind; ***wissen, woher der ~ weht*** know how the wind blows; → ***Mantel*** 1
Windbeutel *m* GASTR cream puff
Winde[1] *f* TECH winch, hoist
Winde[2] *f* BOT bindweed
Windei *n* wind egg
Windel *f* nappy, *Am* diaper
windelweich *Adj* F ***j-n ~ schlagen*** beat s.o. to a pulp
winden **I** *v/t* **1.** wind (***um*** round) **2.** (*Kranz*) make, bind **II** *v/refl* ***sich ~*** **3.** wriggle, squirm: ***sich vor Schmerzen ~*** writhe with pain **4.** ***sich ~ durch*** *Fluss, Straße etc*: wind its way through **5.** ***sich ~ um*** wind (*od* coil) itself round
Windenergie *f* wind power (*od* energy)
Windeseile *f* ***in ~*** at lightning speed, in no time; ***sich mit ~ verbreiten*** *Gerücht etc*: spread like wildfire
windgeschützt *Adj* sheltered (from the wind) **Windhose** *f* METEO whirlwind
Windhund *m* **1.** ZOOL greyhound **2.** F *fig* freewheeler

windig *Adj* **1.** windy **2.** F *fig Person*: shady, *Sache*: fishy, *Ausrede*: lame
Wind|jacke *f* windcheater **~jammer** *m* SCHIFF windjammer **~kanal** *m* TECH wind tunnel **~kraft** *f* wind power **~kraftanlage** *f* wind power plant **~licht** *n* storm lantern **~mühle** *f* windmill **~pocken** *Pl* MED chickenpox *Sg*
Wind|richtung *f* direction of the wind **~rose** *f* compass card (*od* rose) **~sack** *m* wind sock **~schatten** *m* SCHIFF lee, FLUG sheltered zone, SPORT slipstream
wind|schief *Adj* F cockeyed **~schlüpfig**, **~schnittig** *Adj* streamlined
Wind|schutzscheibe *f* windscreen, *Am* windshield **~stärke** *f* wind force **≗still** *Adj* calm **~stille** *f* calm, *kürzere*: *a.* lull
Windstoß *m* gust (of wind)
Windsurfbrett *n* windsurfing board **Windsurfen** *n* windsurfing **Windsurfer(in)** windsurfer
Windung *f* winding, *a.* ANAT convolution, *e-s Weges*, *Flusses etc*: bend, *e-r Spirale*, *Muschel*: whorl, *e-r Schraube*: worm, thread
Wink *m* sign, *fig* hint, tip, *warnender*: tip-off, warning: → ***Zaunpfahl***
Winkel *m* **1.** MATHE angle: ***im rechten ~*** at right angles (***zu*** to); → ***tot*** **2.** (*Ecke*) corner **3.** MIL chevron **4.** TECH square, (*Knie*) knee, elbow **~eisen** *n* TECH angle iron **~funktion** *f* MATHE goniometric function **~halbierende** *f* MATHE bisector of an angle
winkelig *Adj Haus etc*: full of corners
Winkelmaß *n* TECH square **Winkelmesser** *m* MATHE protractor, *Landvermessung*: goniometer
Winkelzug *m* F dodge: ***Winkelzüge machen*** prevaricate
winken I *v/i* ***j-m ~*** **a)** wave to s.o., **b)** *fig Belohnung etc*: be in store for s.o.; ***mit dem Taschentuch ~*** wave one's handkerchief; ***e-m Taxi ~*** hail a taxi **II** *v/t* ***j-n zu sich ~*** beckon s.o. (to come)
Winter *m* (***im ~*** in) winter
Winter... winter (*coat*, *fashion*, *holiday*, *month*, *semester*, *etc*) **~ausrüstung** *f* MOT winter equipment **~fahrplan** *m* winter timetable schedule) **~ferien** *Pl* winter holidays (*Am* vacation *Sg*) **≗fest** *Adj* winterproof, BOT hardy: ***~ machen*** winterize **~garten** *m* conservatory **~getreide** *n* winter crop **~halbjahr** *n* winter
winterlich *Adj* wintry
Winter|pause *f* winter break **~reifen** *m* MOT winter tyre (*Am* tire) **~schlaf** *m* ZOOL hibernation: ***~ halten*** hibernate
Winterschlussverkauf *m* winter sales *Pl*
Winterspiele *Pl* ***Olympische ~*** Winter Olympic Games *Pl* **Wintersport** *m* winter sport(s *Pl*) **Wintersportler(in)** person doing winter sports
Winzer(in) winegrower
winzig *Adj* tiny, minute
Winzling *m* F mite, (*a. Sache*) midget
Wipfel *m* (tree) top
Wippe *f* seesaw, *Am* teeter-totter **wippen** *v/i* seesaw, rock, *Rock etc*: bob
wir *Personalpron* we: ***~ beide*** (***alle***) both (all) of us; ***~ drei*** we three, the three of us
Wirbel *m* **1.** PHYS whirl, eddy, *stärker*: vortex, turbulence **2.** *fig* (*Trubel*) whirl, turmoil, (*Getue*) F fuss, to-do (***um*** about): ***e-n ziemlichen ~ verursachen*** cause quite a stir **3.** ANAT vertebra (*Pl* vertebrae) **4.** *im Haar*: cowlick **5.** (*Trommel≗*) (drum) roll **6.** (*Violin≗*) peg **wirbellos** *Adj* ZOOL (*a.* ***wirbelloses Tier***) invertebrate
wirbeln *v/i* **1.** whirl, swirl **2.** *Trommel*: roll
Wirbelsäule *f* spine, spinal column
Wirbelsturm *m* cyclone, tornado
Wirbeltier *n* vertebrate
wirken I *v/i* **1.** take (*od* have) effect, be effective, work, act: ***~ auf*** (*Akk*) have a *depressing etc* effect on, affect, MED, TECH act on; ***~ gegen*** be effective against; ***etw auf sich ~ lassen*** take s.th. in; F ***das wirkt immer!*** it never fails (to work)!; ***das hat gewirkt!*** that did the trick!, (*hat gesessen*) that hit home! **2.** (*tätig sein*) work (***an*** *Dat* at) **3.** (*scheinen*) seem, look: ***jünger ~*** look younger; ***er wirkt schüchtern*** he seems shy; ***überzeugend ~*** be convincing **II** *v/t* **4.** → ***bewirken, hinwirken, Wunder*** **5.** TECH knit **III** ≗ *n* **6.** activity, work, (*Ein~*) MED, TECH action **7.** knitting
wirkend *Adj* active: ***stark ~*** potent, strong; ***langsam ~*** slow-acting
wirklich I *Adj allg* real, (*tatsächlich*) *a.*

actual, (*echt*) *a.* true **II** *Adv* really, actually: ***~?*** really?, *a. iron* is that so?
Wirklichkeit *f* (***die rauhe ~*** harsh) reality; ***in ~*** in reality, actually; ***~ werden*** come true
wirklichkeits|fremd *Adj* unrealistic(ally *Adv*), starry-eyed **~getreu** *Adj* realistic(ally *Adv*), *Nachbildung etc*: faithful
wirksam *Adj* effective: ***sehr ~*** *a.* powerful, drastic; ***~ gegen*** good for; ***~ werden*** take effect, JUR come into force
Wirksamkeit *f* effectiveness
Wirkstoff *m* active substance
Wirkung *f* **1.** (***auf*** *Akk* on) effect, operation, (*Aus*~, *Ein*~, *Nach*~) impact: ***mit ~ vom ...*** with effect from ..., as from ..., as of ...; ***mit sofortiger ~*** as of now; ***~ erzielen*** have an effect, *a.* ***s-e ~ tun*** work; ***s-e ~ verfehlen, ohne ~ bleiben*** have no effect, prove ineffective; ***~ zeigen*** *Boxer*: be shaken, be groggy; ***Ursache und ~*** cause and effect **2.** PHYS action **3.** *fig* appeal (***auf*** *Akk* to)
Wirkungs|bereich *m* sphere of activity **~grad** *m* TECH efficiency **~kraft** *f* efficacy
Wirkungskreis *m* sphere of activity
wirkungslos *Adj* ineffective: ***~ bleiben*** have no effect, prove ineffective
Wirkungslosigkeit *f* ineffectiveness
wirkungsvoll *Adj* effective
Wirkungsweise *f* (mode of) operation, function, MED *e-s Mittels*: action, effect
wirr *Adj* **1.** *Haar*: dishevel(l)ed, *Gestrüpp*: tangled **2.** *fig allg* confused, (*~köpfig*) *a.* muddleheaded, *Gerücht etc*: wild, *Rede*: incoherent: ***~es Zeug reden*** talk wild; ***mir ist ganz ~ im Kopf*** my head is spinning **Wirren** *Pl* turmoil *Sg*, confusion *Sg* **Wirrkopf** *m* muddlehead
Wirrwarr *m* muddle, chaos, F jumble
Wirsing(kohl) *m* BOT savoy
Wirt *m* host (*a.* BIOL), (*Haus*~, *Gast*~) landlord; → ***Rechnung*** 2 **Wirtin** *f* hostess, (*Haus*~, *Gast*~) landlady
Wirtschaft *f* **1.** → ***Wirtshaus*** **2.** WIRTSCH, POL economy, *gewerbliche*: trade and industry **3.** (*~sführung*) management **4.** (*Haus*~) housekeeping: ***j-m die ~ führen*** keep house for s.o. **5.** F *pej* mess
wirtschaften *v/i* **1.** manage (one's affairs): ***sparsam ~*** economize, be economical (***mit*** with); ***schlecht ~*** mismanage **2.** be busy
Wirtschafter(in) housekeeper
wirtschaftlich *Adj* **1.** economic(ally *Adv*), (*finanziell*) financial, (*geschäftlich*) business **2.** (*rationell, sparsam*) economical, efficient: ***ein ~es Auto*** an economical car **3.** (*rentabel*) profitable
Wirtschaftlichkeit *f* **1.** (*Rentabilität*) profitability, economic efficiency **2.** (*Sparsamkeit*) economy
Wirtschafts... economic (*aid, crisis, geography, system, war, etc*) **~abkommen** *n* economic (*od* trade) agreement **~berater(in)** economic adviser **~faktor** *m* economic factor **~flüchtling** *m* economic refugee (*od* migrant) **~geld** *n* housekeeping money **~gemeinschaft** *f* ***Europäische ~*** European Economic Community (*Abk EEC*) **~gipfel** *m* economic summit **~güter** *Pl* economic goods *Pl* **~jahr** *n* financial year **~kriminalität** *f* white-collar crime **~macht** *f* economic power **~minister(in)** minister for economic affairs **~ministerium** *n* economics ministry **~politik** *f* economic policy **~politisch** *Adj* (politico-)economic(ally *Adv*) **~prüfer(in)** chartered (*Am* certified public) accountant **~spionage** *f* industrial espionage **~teil** *m e-r Zeitung*: business section **~union** *f* economic union **~verband** *m* trade association **~verbrechen** *n* business offen/ce (*Am* -se) **~wachstum** *n* economic growth
Wirtschafts|wissenschaft *f* economics *Sg* **~wissenschaftler(in)** economist **~wunder** *n* economic miracle **~zeitung** *f* business paper **~zweig** *m* branch of industry
Wirtshaus *n* public house, F pub, *Am* saloon, *mst ländliches*: inn
Wirtsleute *Pl* landlord and landlady
Wirtstier *n* BIOL host
Wisch *m pej* scrap of paper
wischen *v/t* **1.** wipe (***sich den Mund*** *etc* one's mouth *etc*), (*auf~*) mop (up) **2.** *schweiz.* sweep
Wischer *m* MOT wiper
Wischlappen *m*, **Wischtuch** *n* cloth
Wisent *m* ZOOL bison
wispern *v/t u. v/i*, **Wispern** *n* whisper

Wissbegier(de) *f* thirst for knowledge, (*Neugier*) curiosity **wissbegierig** *Adj* eager for knowledge, curious
wissen *v/t u. v/i* know (***von*** about): ***man kann nie*** ~ you never know; ***weder ein noch aus*** ~ be at one's wits' end; ***ich weiß nicht recht*** I'm not so sure; ***nicht, dass ich wüsste*** not that I know of; ***woher weißt du das?*** how do you know (that)?; ***was weiß ich!*** how should I know?; ***weißt du noch?*** (do you) remember?; ***ich weiß nicht mehr*** I don't remember; ***ich will davon nichts*** ~ I don't want anything to do with it; ***sie will von ihm nichts mehr*** ~ she is through with him; → ***Bescheid***
Wissen *n* knowledge, learning, (*Fach*≈) know-how: ***ohne mein*** ~ without my knowing; ***m-s ~s*** as far as I know; ***nach bestem ~ und Gewissen*** to the best of one's knowledge and belief; ***wider besseres*** ~ against one's better judgement
wissend *Adj Blick etc*: knowing
Wissenschaft *f* science **Wissenschaftler(in)** scientist **wissenschaftlich** *Adj* scientific(ally *Adv*), (*geistes*~) academic
Wissens|drang *m*, **~durst** *m* thirst for knowledge **~gebiet** *n* province, field of knowledge **~lücke** *f* gap in one's knowledge **~management** *n* knowledge management **~stand** *m* level of knowledge: ***auf dem neuesten*** ~ up (-)to(-)date
wissenswert *Adj* worth knowing: ≈***es*** interesting facts *Pl*
wissentlich I *Adj* conscious, deliberate **II** *Adv* knowingly, deliberately
wittern *v/t* scent, smell, *fig* (*Gefahr, Verrat etc*) *a.* sense, (*e-e Chance*) see
Witterung[1] *f* JAGD scent
Witterung[2] *f* (***bei dieser*** ~ in this) weather: ***bei jeder*** ~ in all weathers
witterungsbeständig *Adj* weatherproof **Witterungseinflüsse** *Pl* influence *Sg* of the weather
Witwe *f* widow **Witwenrente** *f* widow's pension **Witwer** *m* widower
Witz *m* **1.** joke, (*Wort*≈) quip: ***~e machen*** (*od* ***reißen***) crack jokes; F *fig* ***das ist der ~ an der Sache*** that's the funny thing about it, *weit. S.* that's the whole point; F ***mach k-e ~e!*** you're joking! **2.** (*Geist*) wit **Witzbold** *m* F joker **Witzelei** *f* silly jokes *Pl* **witzeln** *v/i* joke (***über*** *Akk* about), quip **witzig** *Adj* witty, funny: *a. iron* ***sehr ~!*** very funny!, big joke!
witzlos *Adj* **1.** unfunny **2.** F (*sinnlos*) pointless, (of) no use
wo I *Adv fragend u. relativisch* where **II** *Konj* ~ ... (***doch***) when, F although **III** F *unbestimmtes Adv* (*irgend*~) somewhere **IV** F *Interj* ***i ~!, ach ~!*** nonsense!, nothing of the kind! **woanders** *Adv* somewhere else, anywhere else **wobei I** *Adv fragend* ~ ***bist du gerade?*** what are you doing right now? **II** *Adv relativisch* in doing so: ~ ***mir einfällt*** which reminds me
Woche *f* week: ***in e-r*** ~ in a week('s time); ***zweimal die*** ~ twice a week; ***auf ~n hinaus ausverkauft*** sold out for weeks (to come); ~ ***für*** ~ week after week; F ***unter der*** ~ during the week
Wochenarbeitszeit *f* working week
Wochenbett *n* childbed
Wochenend... weekend (*edition etc*)
Wochenende *n* (***am*** ~ at the) weekend: ***übers*** ~ over the weekend
Wochenendseminar *n* weekend seminar
Wochenkarte *f* weekly season ticket
wochenlang I *Adj* lasting several weeks: ***nach ~em Warten*** after weeks of waiting **II** *Adv* for weeks
Wochenlohn *m* weekly wages *Pl*
Wochenmarkt *m* weekly market
Wochentag *m* weekday
wochentags *Adv* on weekdays
wöchentlich *Adj u. Adv* weekly
Wochenzeitung *f* weekly (paper)
Wöchnerin *f* woman in childbed
Wodka *m* vodka
wodurch I *Adv fragend* how **II** *Adv relativisch* by which, through which, whereby
wofür I *Adv fragend* what for **II** *Adv relativisch* for which, which ... for
Woge *f a. fig* wave, surge: *fig* ***die ~n glätten*** pour oil on troubled waters
wogegen I *Adv fragend* against what, what ... against **II** *Adv relativisch* against which, which ... against **III** *Konj* → ***wohingegen***
wogen *v/i* surge (*a. fig Menge*), heave (*a. Busen*), *Getreide*: sway
woher I *Adv fragend u. relativisch* where

(...) from: → ***wissen*** **II** *Interj* F ***~ denn!*** nonsense!
wohin *Adv fragend u. relativisch* where (... to): ***~ auch immer*** wherever
wohingegen *Konj* whereas
wohl *Adv* **1.** well: ***~ bekannt*** well-known, *pej* notorious; ***~ durchdacht*** well-thought-out; ***~ gemeint*** well-meant; ***sich ~ fühlen*** feel fine, feel good, be happy; ***ich fühle mich nicht ~*** I don't feel well; ***sich bei j-m ~ fühlen*** feel at home with s.o.; F *fig* ***mir ist nicht ~ dabei*** I don't feel happy about it; ***j-m ~ tun*** do s.o. good; ***das tut ~*** that does you good; ***~ überlegt*** well-considered; ***~ unterrichtet*** (well-)informed; ***~ oder übel*** willy-nilly, whether you *etc* like it or not; → ***bekommen*** II **2.** ***sehr ~*** very well; ***ich bin mir dessen sehr ~ bewusst*** I am well aware of that; ***das kann man ~ sagen!*** you can say that again! **3.** (*vermutlich*) probably, I suppose: ***das ist ~ möglich*** that's quite possible; ***ob er es ~ weiß?*** I wonder if he knows (that); ***~ kaum*** hardly **4.** (*ungefähr*) about
Wohl *n* welfare, good, well-being: ***auf j-s ~ trinken*** drink to s.o.'s health; ***zum ~!*** to your health!, F cheers!
wohlauf *Adj* ***~ sein*** be well, be in good health **Wohlbefinden** *n* well-being
wohlbehalten *Adj* safe (and sound), *Sache*: safe, undamaged
Wohlergehen *n* well-being
wohlerzogen *Adj* well-behaved
Wohlfahrt *f* welfare
Wohlfahrts|marke *f* charity stamp **~organisation** *f* charitable institution **~staat** *m* welfare state
wohlgeformt *Adj* well-shaped, shapely
Wohlgefühl *n* sense of well-being
wohlgemerkt *Interj* mind you! **wohlgemut** *Adj* cheerful **wohlgenährt** *Adj* well-fed
wohlgeraten *Adj* well-turned-out
Wohl|geruch *m* fragrance, pleasant smell **~geschmack** *m* pleasant taste
wohlgesinnt *Adj* well-meaning: ***j-m ~ sein*** be well disposed towards s.o.
wohlhabend *Adj* well-to-do, prosperous, affluent: ***~ sein*** be well off
wohlig *Adj* pleasant, cosy
Wohlklang *m* melodiousness
wohlmeinend *Adj* well-meaning
wohlriechend *Adj* fragrant
wohlschmeckend *Adj* tasty
Wohlsein: ***zum ~!*** F cheers!
Wohlstand *m* prosperity, affluence
Wohlstandsgesellschaft *f* affluent society
Wohltat *f* **1.** good deed **2.** (*Erleichterung*) relief, (*Segen*) blessing
Wohltäter(in) benefactor (benefactress)
wohltätig *Adj* charitable **Wohltätigkeit** *f* charity **Wohltätigkeits...** charity (*od* benefit) (*ball, concert, match, etc*)
wohltuend *Adj* pleasant, (*lindernd*) soothing **wohltun** → ***wohl*** 1
wohlüberlegt → ***wohl*** 1
wohlunterrichtet → ***wohl*** 1
wohlverdient *Adj* well-deserved
Wohlverhalten *n* good behavio(u)r
wohlweislich *Adv* wisely, for good reason: ***etw ~ tun*** be careful to do s.th.
Wohlwollen *n* goodwill, favo(u)r
wohlwollend *Adj* kind, benevolent: ***e-r Sache ~ gegenüberstehen*** take a favo(u)rable view of s.th.
Wohn|anlage *f* housing area **~bezirk** *m* residential district **~block** *m* residential block **~dichte** *f* housing density **~einheit** *f* housing (*od* dwelling) unit
wohnen *v/i* (***in*** *Dat* in, at, ***bei*** with) live, reside, *vorübergehend*: stay
Wohn|fläche *f* living space **~gebäude** *n* residential building **~gebiet** *n* residential area **~geld** *n* housing subsidy **~gemeinschaft** *f* flat-sharing community: ***in e-r ~ leben*** share a flat with s.o. (*od* several other people)
wohnhaft *Adj* resident (***in*** *Dat* in, at)
Wohnhaus *n* dwelling house **Wohnheim** *n* hostel, *Am* rooming house
wohnlich *Adj* comfortable, cosy
Wohnmobil *n* camper, *Am* RV
Wohnort *m* (place of) residence
Wohnraum *m* **1.** housing, accommodation **2.** → ***Wohnfläche*** **3.** → ***Wohnzimmer*** **Wohn-Schlafzimmer** *n* bed-sitter
Wohnsiedlung *f* housing estate **Wohnsitz** *m* (place of) residence
Wohnung *f* flat, *Am* apartment
Wohnungsbau *m* house building **~minister(in)** housing minister **~programm** *n* housing scheme
Wohnungs|einbruch *m* house (*od* domestic) burglary **~inhaber(in)** occu-

pant **℗los** *Adj* homeless **~markt** *m* housing market **~not** *f* housing shortage **~schlüssel** *m* key (to the flat) **~suche** *f* flat-hunting **~tür** *f* front door **~wechsel** *m* change of residence

Wohn|verhältnisse *Pl* housing conditions *Pl* **~viertel** *n* residential area **~wagen** *m* caravan, *Am* trailer **~zimmer** *n* sitting (*od* living) room

Wok *m* wok

wölben *v/t* (*a.* ***sich*** **~**) arch: → ***gewölbt***

Wölbung *f* arch, (*Gewölbe*) vault

Wolf *m* **1.** ZOOL wolf: *fig* ***mit den Wölfen heulen*** howl with the wolves; → ***Schafpelz*** **2.** (*Fleisch*℗) mincer **3.** MED intertrigo: ***sich e-n ~ laufen*** get sore

Wölfin *f* ZOOL she-wolf

Wolfram *n* CHEM tungsten

Wolfsmilch *f* BOT spurge

Wolfsrachen *m* MED cleft palate

Wolke *f a. fig* cloud: ***aus allen ~n fallen*** be thunderstruck; ***in den ~n schweben*** have one's head in the clouds

Wolken|bruch *m* cloudburst **~decke** *f* cloud cover **~kratzer** *m* skyscraper

wolkenlos *Adj* cloudless, clear

Wolkenwand *f* bank of clouds

wolkig *Adj* cloudy (*a.* CHEM, FOTO *etc*), clouded

Wolldecke *f* wool(l)en blanket

Wolle *f* wool: F ***sich in die ~ kriegen*** have a fight **wollen**[1] *Adj* wool(l)en

wollen[2] *v/t u. v/i* want, (*verlangen*) *a.* demand, (*gewillt sein*) be willing (*od* prepared) to, (*beabsichtigen*) want to: ***etw haben ~*** want (to have) s.th.; ***lieber ~*** prefer; ***ich will lieber*** I'd rather; ***etw unbedingt ~*** insist on s.th.; ***etw tun ~*** want (*eben*: be going) to do s.th.; ***ich will nicht*** I don't want to; ***er will es nicht tun*** he refuses to do it; ***das Auto will nicht anspringen*** the car refuses to start; ***sie will, dass ich komme*** she wants me to come; ***was ~ Sie von mir?*** what do you want?; ***was ~ Sie damit sagen?*** what do you mean (by that)?; ***was willst du mit e-m Regenschirm?*** what do you want an umbrella for?; ***Verzeihung, das wollte ich nicht!*** sorry, that was unintentional!; ***ob er will oder nicht*** whether he likes it or not; ***du weißt nicht, was du willst!*** you don't know your own mind!; ***mach, was du willst!*** do what you like!; ***du hast es ja so gewollt!*** you asked for it!; ***was*** (***wann***) ***du willst*** whatever (whenever) you like; ***wie du willst*** as you like, suit yourself; ***er will dich gesehen haben*** he says he saw you; ***ich wollte, ich wäre*** (***hätte***) ***...*** I wish I were (had) ...; F ***hier ist nichts zu ~*** nothing doing; → ***heißen***[1] 3 *etc*

wollig *Adj* wool(l)y

Woll|jacke *f* cardigan **~knäuel** *m, n* ball of wool **~sachen** *Pl* wool(l)ens *Pl* **~socken** *Pl* wool(l)en socks *Pl* **~stoff** *m* wool(l)en fabric, (*feiner*: broad-) cloth

Wollust *f* voluptuousness, sensuality

wollüstig *Adj* voluptuous, sensual

Wollwaren *Pl* wool(l)ens *Pl*

womit I *Adv fragend* what (...) with: ***~ kann ich dienen?*** what can I do for you?; ***~ hab ich das verdient?*** what did I do to deserve that? **II** *Adv relativisch* with which: ***~ ich nicht sagen will*** by which I don't mean to say

womöglich *Adv* if possible, possibly

wonach I *Adv fragend* after what: ***~ fragt er?*** what is he asking about? **II** *Adv relativisch* what, after which, according to which

Wonne *f* delight, bliss: ***e-e wahre ~*** a real treat; F ***mit ~*** with relish

wonnig *Adj* lovely, sweet

woran I *Adv fragend* ***~ denken Sie?*** what are you thinking about?; ***~ arbeitet er?*** what is he working on (*od* at)?; ***~ liegt es, dass ...?*** how is it that ...?; ***~ hast du ihn erkannt?*** how did you recognize him?; ***~ sieht man, welche*** (***ob***) ***...?*** how can you tell which (if) ...? **II** *Adv relativisch* ***ich weiß nicht, ~ ich bin*** I don't know where I stand, ***mit ihm*** I don't know what to make of him; ***~ ich dich erinnern möchte*** what I want to remind you of; ***~ man merkte, dass ...*** which showed that ...

worauf I *Adv fragend* what: ***~ wartest du noch?*** what are you (still) waiting for? **II** *Adv relativisch* ***etw, ~ ich bestehe*** s.th. (which *od* that) I insist (up)on; ***~ er sagte*** upon which he said; ***~ alle gingen*** whereupon everybody left

woraus I *Adv fragend* ***~ ist es*** (***gemacht***)***?*** what is it made of?; ***~ schließt du das?*** what makes you

think that? **II** *Adv relativisch* **~ *zu entnehmen war, dass ...*** from which we understood that ...
worin I *Adv fragend* **~ *liegt der Unterschied?*** what (*od* where) is the difference? **II** *Adv relativisch* in which
Workshop *m* workshop
Wort *n* **1.** (*Pl* **Wörter**) word **2.** (*Pl* **Worte**) word, REL Word, (*Ausspruch*) saying: ***geflügelte ~e*** familiar quotations; ***in ~en*** *bei Zahlenangaben*: in letters; **~ *für* ~** word for word; ***ein ernstes ~ mit j-m reden*** have a good talk with s.o.; ***ein gutes ~ einlegen*** put in a good word; ***das ~ ergreifen*** (begin to) speak, PARL *a.* take the floor; ***mir fehlen die ~e*** words fail me; ***das ~ führen*** do the talking; ***das große ~ führen*** do all the talking, (*angeben*) talk big; ***das ~ hat Herr X*** the word is with Mr. X; ***das letzte ~*** the last word (***in*** *Dat* on); ***das letzte ~ haben*** have the final say; ***du willst*** (*od* ***musst***) ***immer das letzte ~ haben*** you always have to have the last word; ***kein ~ darüber!*** not a word of it!; ***kein ~ mehr!*** not another word!; F ***hast du ~e?*** would you believe it?; ***ein ~ gab das andere*** one thing led to another; → ***abschneiden*** 1, ***entziehen*** 1 **3.** (*Ehren*2) word (of hono[u]r): ***sein ~ geben*** (***brechen, halten***) give (break, keep) one's word; → **Mann 4.** *mit Präpositionen*: ***aufs ~ gehorchen*** (***glauben***) obey (believe) implicitly; ***j-n beim ~ nehmen*** take s.o. at his word; ***j-m ins ~ fallen*** cut s.o. short; ***in ~e fassen*** put into words, word, formulate; ***mit anderen ~en*** in other words, ***mit einem ~*** in a word; ***zu ~e kommen*** have one's say; ***nicht zu ~e kommen*** not to get a word in edgeways
Wortart *f* LING part of speech
Wortbildung *f* word formation
wortbrüchig *Adj* **~ *werden*** break one's word
Wörtchen *n* → ***mitreden***
Wörter|buch *n* dictionary **~verzeichnis** *n* list of words, vocabulary
Wortführer(in) spokesperson **Wortgefecht** *n* battle of words, argument
wortgetreu *Adj* literal, word-for-word
wortgewandt *Adj* eloquent
wortkarg *Adj* taciturn
Wortklauberei *f* hairsplitting
Wortlaut *m* wording, (*Inhalt*) text: *der Brief* ***hat folgenden ~*** runs as follows
wörtlich *Adj* literal, word-to-word
wortlos *Adj* wordless
Wortmeldung *f* request to speak
Wort|schatz *m* vocabulary **~schöpfung** *f* coinage, neologism **~schwall** *m* torrent of words **~spiel** *n* play on words, pun **~stellung** *f* word order
Wortwechsel *m* argument, dispute
wortwörtlich → ***wörtlich***
worüber I *Adv fragend* **~ *lachst du?*** what are you laughing about (*od* at)? **II** *Adv relativisch* ***etw, ~ ich sehr verärgert war*** s.th. I was very angry about (*od* at); **~ *er ärgerlich war*** which annoyed him
worum I *Adv fragend* **~ *handelt es sich?*** what is it about? **II** *Adv relativisch* ***etw, ~ ich dich bitten möchte*** s.th. (which *od* that) I want to ask you
worunter I *Adv fragend* what ... under **II** *Adv relativisch* ***etw, ~ ich mir nichts vorstellen kann*** s.th. which doesn't mean anything to me; **~ *ich leide*** what I suffer from (*od* under)
wovon I *Adv fragend* **~ *leben sie?*** what do they live on?; **~ *sprecht ihr?*** what are you talking about? **II** *Adv relativisch* ***etw, ~ ich nur zu träumen wage*** s.th. I can only dream about (*od* of)
wovor I *Adv fragend* **~ *hast du Angst?*** what are you afraid of? **II** *Adv relativisch* **~ *du dich hüten musst, ist ...*** what you must be careful of is ...
wozu I *Adv fragend* **1. ~ *hat er sich entschlossen?*** what did he decide upon? **2.** (*warum*) why **II** *Adv relativisch* **3. ~ *er bereit ist*** what he is prepared to do
Wrack *n a. fig* wreck
Wucher *m* usury **Wucherer** *m*, **Wucherin** *f* usurer **Wuchermiete** *f* rack rent **wuchern** *v/i* **1.** BOT grow rampant, *a.* MED *u. fig* proliferate, *fig a.* be rampant **2.** practise usury **Wucherpreis** *m* exorbitant price **Wucherung** *f* MED excrescence, tumo(u)r, (*Gewebs*2) proliferation: ***~en*** *Pl im Rachen*: adenoids *Pl*
Wucherzinsen *Pl* usurious interest *Sg*
Wuchs *m* **1.** growth **2.** (*Gestalt*) build, physique
Wucht *f* force, *e-s Schlages etc*: *a.* impact: ***mit voller ~*** with full force; F *fig* ***das ist 'ne ~!*** it's terrific! **wuchten** *v/t* **1.** heave

2. Räder ~ balance wheels

wuchtig *Adj* heavy (*a. Schlag*), (*massig*) massive, (*kraftvoll*, *a. fig*) powerful

Wühlarbeit *f fig* subversive activity

wühlen **I** *v/i* **1.** dig, *Tier*: burrow, *Schwein*: root, grub: ***~ in*** (*Dat*) *suchend*: rummage in, *fig Hass etc*: gnaw at **2.** POL agitate **II** *v/refl* **3.** ***sich ~ in*** (*Akk*) burrow (o.s.) into

Wühlmaus *f* ZOOL vole

Wühltisch *m* WIRTSCH rummage counter

Wulst *m* **1.** roll, *zum Ausstopfen*: pad, (*Verdickung*) bulge **2.** (*Reifen*2) bead

wulstig *Adj* bulging, *Lippen*: thick

wund *Adj* sore, raw: ***~ reiben*** chafe; ***~e Stelle*** sore; *fig* ***~er Punkt*** sore point; ***sich die Füße ~ laufen*** get sore feet, *fig* run from pillar to post; ***sich ~ liegen*** get bedsores

Wundbrand *m* MED gangrene

Wunde *f* wound, (*Schnitt*2) cut, *klaffende*: gash: *fig* ***alte ~n wieder aufreißen*** open old sores; ***die Zeit heilt alle ~n*** time is a great healer

Wunder *n* miracle: ***~ der Technik*** engineering marvel; (***es ist***) ***kein ~***(***, dass***) no wonder (that); ***~ tun, ~ wirken*** perform miracles, *fig* work wonders; ***es grenzt an ein ~*** it borders on the miraculous; F ***er wird sein blaues ~ erleben*** he's in for a shock; ***wie durch ein ~*** miraculously; ***~ was*** (***wer, wie***) goodness knows what (who, how); ***er glaubt ~ was er getan hat*** he thinks he's done goodness knows what; → ***Zeichen*** 2

wunderbar *Adj* **1.** *Rettung etc*: miraculous **2.** wonderful, marvel(l)ous

wunderbarerweise *Adv* miraculously

Wunderding *n* wonder

Wunderdoktor *m iron* miracle doctor

Wunderglaube *m* belief in miracles

wunderhübsch *Adj* lovely

Wunderkerze *f* sparkler

Wunderkind *n* child prodigy

Wunderland *n* wonderland

wunderlich *Adj* strange, peculiar

Wundermittel *n* wonder drug

wundern **I** *v/t* surprise: ***es wundert mich*** I'm surprised; ***es würde mich nicht ~, wenn*** I shouldn't be at all surprised if **II** *v/refl* ***sich ~*** (***über*** *Akk* at) be surprised, wonder; ***du wirst dich ~!*** you'll be surprised!; ***ich muss mich doch sehr ~!*** I'm surprised at you!

⚠ sich wundern ≠ wonder	
sich wundern	= be surprised
wonder	= sich fragen

wundernehmen → ***wundern*** I

wunderschön *Adj* beautiful, wonderful, lovely

Wundertäter(in) miracle worker

wundervoll → ***wunderbar*** 2

Wunderwaffe *f* wonder weapon **Wunderwerk** *n fig* wonder, marvel

Wundfieber *n* wound fever

wundliegen → ***wund***

Wundmal *n* REL stigma (*Pl* stigmata)

Wundpflaster *n* adhesive plaster

Wundrose *f* MED erysipelas

Wundsalbe *f* antiseptic ointment

Wundschmerz *m* traumatic pain

Wundstarrkrampf *m* MED tetanus

Wunsch *m* **1.** wish, desire, request: ***auf allgemeinen ~*** by popular request; ***auf j-s ~*** (***hin***) at s.o.'s request; ***auf eigenen ~*** at one's own request; (***je***) ***nach ~*** as desired; ***es ging alles nach ~*** everything went as planned; ***haben Sie noch e-n ~?*** is there anything else I can do for you?; ***dein ~ ist mir Befehl*** your wish is my command; ***der ~ war der Vater des Gedankens*** the wish was father to the thought; → ***ablesen***[2] 3, ***fromm*** 1 **2.** (*Glück*2) wish: ***mit allen guten*** (***den besten***) ***Wünschen*** with all good (the best) wishes

Wunschbild *n* ideal

Wunschdenken *n* wishful thinking

Wünschelrute *f* divining rod **Wünschelrutengänger(in)** (water) diviner

wünschen **I** *v/t* wish, want: ***sich etw ~*** wish (*stärker*: long) for s.th.; ***was ~ Sie?*** what can I do for you?; ***du darfst dir etw ~*** you can make a wish; ***ich wünsche mir …*** I'd like to have … **II** *v/i* ***Sie ~?*** what can I do for you?; ***wie Sie ~*** as you wish (*od* like), *iron* suit yourself; ***viel zu ~ übrig lassen*** leave much to be desired

wünschenswert *Adj* desirable

wunschgemäß *Adv* as requested

Wunschkind *n* planned child **Wunschkonzert** *n* request program(me *Br*)

wunschlos *Adv* ~ ***glücklich*** perfectly happy
Wunschtraum *m* (*iron* pipe) dream
Wunschzettel *m* list of presents
Würde *f allg* dignity, (*Ehre*) *a.* hono(u)r, (*Rang*) *a.* rank, (*Titel*) *a.* title: ***akademische ~*** academic degree; ***unter aller ~*** beneath contempt; ***es ist unter m-r ~*** it is beneath my dignity **würdelos** *Adj* undignified **Würdenträger(in)** dignitary **würdevoll I** *Adj* dignified **II** *Adv* with dignity **würdig** *Adj* **1.** dignified **2.** (*Gen* of) worthy, deserving: ***ein ~er Nachfolger*** a worthy successor; ***er ist dessen nicht ~*** he doesn't deserve it
würdigen *v/t* **1.** appreciate, acknowledge, (*ehren*) hono(u)r, pay tribute to **2.** ***j-n k-s Blickes*** (***k-r Antwort***) ~ not to deign to look at s.o. (to answer s.o.)
Würdigung *f* appreciation, acknowledgement: ***in ~ s-r Verdienste*** in recognition of his merits
Wurf *m* **1.** throw: *fig* ***glücklicher ~*** lucky strike; ***großer ~*** great success **2.** ZOOL (*Junge*) litter
Wurfdisziplin *f* SPORT throwing event
Würfel *m* cube (*a. Eis*& *etc*), (*Spiel*&) dice: ***die ~ sind gefallen*** the die is cast
Würfelbecher *m* (dice) shaker
würfelförmig *Adj* cubic, cube-shaped
würfeln I *v/i* **1.** play dice: ***um etw ~*** throw dice for s.th. **II** *v/t* **2.** throw **3.** GASTR dice **Würfelspiel** *n* game of dice
Würfelzucker *m* lump (*od* cube) sugar
Wurf|geschoss *n* projectile **~kreis** *m* SPORT (throwing) circle **~pfeil** *m* dart **~sendung(en** *Pl*) *f* unaddressed advertising matter, *pej* junk mail **~spieß** *m* javelin **~taube** *f* SPORT clay pigeon
Würgegriff *m a. fig* stranglehold
würgen I *v/t* strangle, throttle, *Kragen, Krawatte etc*: choke **II** *v/i* choke, *beim Erbrechen*: retch: ~ ***an*** (*Dat*) choke on
Wurm[1] *m* ZOOL worm (*a. fig*), (*Made*) maggot: MED ***Würmer haben*** suffer from worms; F *fig* ***j-m die Würmer aus der Nase ziehen*** drag it out of s.o.; ***da ist der ~ drin*** s.th. is wrong (with it)
Wurm[2] *n*, **Würmchen** *n* F (little) mite
wurmen *v/t* ***j-n ~*** gall s.o., get s.o.
Wurmfortsatz *m* ANAT (vermiform) appendix **Wurmkur** *f* MED deworming
Wurmmittel *n* MED vermifuge
wurmstichig *Adj* wormy, worm-eaten
Wurst *f* sausage: F ***es ist mir*** (***völlig***) ***~!*** I don't care (a damn)!; ***jetzt gehts um die ~!*** now or never!
Würstchen *n* **1.** small sausage: ***Wiener ~*** wiener(wurst); ***Frankfurter ~*** frankfurter **2.** F *fig* nobody: ***armes ~*** poor soul **~bude** *f*, **~stand** *m* hot-dog stand
wursteln *v/i* F *fig* muddle along
Wursthaut *f* sausage skin
Wurstigkeit *f* F couldn't-care-less attitude
Wurstwaren *Pl* sausages *Pl*
Würze *f* **1.** spice (*a. fig*), seasoning, (*Aroma*) flavo(u)r **2.** (*Bier*&) wort
Wurzel *f* **1.** *allg* root (*a. fig*), MATHE *a.* radical: MATHE ***zweite*** (***dritte***) ~ square (cubic) root; ***die ~*** (***aus***) ***e-r Zahl ziehen*** extract the (square) root of a number; *a. fig* ***~n schlagen*** take root **2.** *Dialekt* carrot **~behandlung** *f* MED root treatment **~gemüse** *n* root vegetables *Pl*
wurzellos *Adj a. fig* rootless
wurzeln *v/i* take root: *fig* ~ ***in*** (*Dat*) be rooted in, have its roots in
Wurzelverzeichnis *n* root directory
Wurzelzeichen *n* MATHE radical sign
Wurzelziehen *n* MATHE root extraction
würzen *v/t a. fig* spice
würzig *Adj* spicy, *fig Luft*: fragrant
Würzkräuter *Pl* (pot) herbs *Pl*
Wuschelkopf *m* F mop of fuzzy hair
Wust *m* tangled mass, (*Kram*) trash, (*Durcheinander*) jumble
wüst *Adj* **1.** (*öde*) desert, waste **2.** (*wirr*) wild, (*liederlich*) dissolute, (*roh*) rude, (*gemein*) vile: ~ ***aussehen*** look a real mess
Wüste *f* desert, *fig a.* waste: F ***j-n in die ~ schicken*** send s.o. into the wilderness
Wüsten… desert (*sand, wind, etc*)
Wüstling *m* libertine, rake
Wut *f* rage, fury: ***e-e ~ bekommen*** (F ***kriegen***), ***in ~ geraten*** get furious (F mad), fly into a rage; ***j-n in ~ bringen*** enrage (*od* infuriate) s.o.; ***vor ~ kochen*** (*od* ***schäumen***) seethe with rage, fume; ***e-e ~ auf j-n haben*** F be mad at s.o.; ***s-e ~ an j-m auslassen*** take it out on s.o. **Wutanfall** *m* fit (*od* outburst) of rage: ***e-n ~ bekommen*** blow one's top

wüten *v/i* rage (*a. Feuer, Seuche, Sturm etc*): **~ *gegen*** rage at (*od* against); **~ *unter*** create havoc among **wütend** *Adj* furious, F mad: ***auf* (*od über*) *j-n* ~ *sein*** be furious with (F mad at) s.o.; ***über etw* ~ *sein*** be furious at (F mad about) s.th.; ***j-n* ~ *machen*** infuriate (*od* enrage) s.o.
wutentbrannt *Adj* furious
Wutschrei *m* yell of rage
WWW (= ***World-Wide Web***) WWW, www, World Wide Web

X

X, x *n* X, x: F *fig* ***j-m ein X für ein U vormachen*** fool s.o.; ***ich habe x Leute gefragt*** I've asked umpteen people
x-Achse *f* MATHE x-axis
Xanthippe *f* F *fig* shrew, battle-ax(e)
X-Beine *Pl* knock-knees *Pl*
X-beinig *Adj* knock-kneed
x-beliebig *Adj* any (… you like): ***jeder x-Beliebige*** anybody; any Tom, Dick and Harry
X-Chromosom *n* X chromosome
Xenon *n* CHEM xenon
x-fach *Adv* ever so often
x-förmig *Adj* x-shaped
x-mal *Adv* F umpteen times
x-te *Adj* F ***zum ~n Mal*** for the umpteenth time
Xylophon *n* MUS xylophone

Y

Y, y *n* Y, y
y-Achse *f* MATHE y-axis
Yak *n* ZOOL yak
Y-Chromosom *n* Y chromosome
Yen *m* WIRTSCH yen
Yeti *m* yeti
Yoga *m, n* yoga **Yogi** *m* yogi
Ypsilon *n* **1.** (letter) y **2.** *im griechischen Alphabet*: upsilon
Yucca *f* BOT yucca

Z

Z, z *n* Z, z: → ***A***
Zack: F ***auf ~ sein*** be on the ball; ***auf ~ bringen*** bring *s.o., s.th.* up to scratch
Zacke *f* (sharp) point, jag, TECH tooth, indentation, (*Spitze*) prong, tine
zacken *v/t* indent, jag, (*Papier, Stoff*) pink, (*zähnen*) tooth
Zacken *m Dialekt* → ***Zacke***: F ***du brichst dir k-n ~ aus der Krone, wenn du ihm hilfst*** it won't kill you to help him
Zackenfrisur *f* spike
Zackenschere *f* pinking shears *Pl*
zackig *Adj* **1.** indented, jagged, (*gezähnt*) toothed **2.** F *fig* (*schneidig*) snappy
zaghaft *Adj* timid, cautious, gingerly
zäh *Adj allg* tough (*a. fig*), *Flüssigkeit*: viscous, *fig* tenacious, (*hartnäckig*) stubborn, (*schleppend*) slow, sluggish, *Verkehr*: slow-moving: ***ein ~er Bursche*** a tough fellow; *Adv* **~ *festhalten an*** (*Dat*) stick doggedly to
zähflüssig *Adj* **1.** viscous **2.** *fig* sluggish, *Verkehr*: slow-moving
Zähflüssigkeit *f* viscosity

Zähigkeit *f* toughness, *fig a.* tenacity
Zahl *f allg* number (*a.* LING), (*Ziffer*) figure (*a. Betrag*), numeral, *arabische*: cipher, (*Stelle*) digit: ***römische ~en*** Roman numerals; ***sechsstellige ~*** six-digit number; ***genaue ~en*** exact figures; *fig* ***in großer ~*** in large numbers; ***an ~ übertreffen*** outnumber; → ***rot***
zahlbar *Adj* payable (***an*** *Akk* to, ***bei*** at, with): ***~ nach Erhalt*** payable (up)on receipt; → ***Lieferung*** 1
zählbar *Adj* countable
zählebig *Adj* tough, *fig Ideen etc*: tenacious **Zählebigkeit** *f* tenacity of life
zahlen *v/t u. v/i* pay: (***Herr Ober,***) ***~, bitte!*** the bill (*Am* check), please!; ***wenn es ans ♀ geht*** if (*od* when) it comes to paying
zählen **I** *v/t* count, SPORT score: *fig* ***s-e Tage sind gezählt*** his days are numbered; ***ich zähle ihn zu m-n Freunden*** I count him as a friend **II** *v/i* count (***bis zehn*** up to ten): *fig* ***er*** (***es***) ***zählt nicht*** he (it) doesn't count; ***~ auf*** (*Akk*) count on; ***~ zu*** *den Besten etc* rank with, belong to; ***er zählt zu m-n Freunden*** he is a friend (of mine); → ***drei*** I
Zahlen|angaben *Pl* numerical data *Pl*, figures *Pl* **~folge** *f* order of numbers **~gedächtnis** *n good, bad* memory for figures **~lotto** *n* → ***Lotto*** 2
zahlenmäßig *Adj* numerical: *Adv* ***j-m ~ überlegen sein*** outnumber s.o.
Zahlen|material *n* → ***Zahlenangaben*** **~schloss** *n* combination lock
Zahlenverhältnis *n* (numerical) ratio
Zahler(in) payer
Zähler *m* **1.** counter, ELEK *a.* meter **2.** MATHE numerator **3.** SPORT point
Zählerablesung *f* ELEK meter reading
Zählerstand *m* ELEK count
Zahlgrenze *f* fare stage
Zahlkarte *f* WIRTSCH paying-in slip
zahllos *Adj* countless, innumerable
Zahlmeister(in) SCHIFF purser, MIL paymaster
zahlreich *Adj* numerous, (*viele*) many, (*groß*) large: *Adv* ***~ versammelt sein*** be present in large numbers
Zahltag *m* payday
Zahlung *f* (***e-e ~ leisten*** make a) payment: ***etw in ~ geben*** trade s.th. in; ***etw in ~ nehmen*** take s.th. in part exchange; ***er wurde zur ~ von 100 Euro an das Rote Kreuz verurteilt*** he was sentenced to pay 100 euros to the Red Cross
Zählung *f* count, (*Volks♀*) *a.* census
Zahlungs|abkommen *n* payments agreement **~anweisung** *f* order to pay, (*Überweisung*) money order **~aufforderung** *f* request for payment **~aufschub** *m* respite **~bedingungen** *Pl* terms *Pl* of payment
Zahlungsbefehl *m* → ***Mahnbescheid***
Zahlungs|bilanz *f* balance of payments **~einstellung** *f* suspension of payment **~empfänger(in)** payee **~erleichterungen** *Pl* easy terms *Pl* (for payment) **♀fähig** *Adj* able to pay, solvent **~fähigkeit** *f* ability to pay, solvency **~frist** *f* term of payment **♀kräftig** *Adj* F potent, wealthy **~mittel** *n* means *Pl* of payment, (*Geld*) currency: ***gesetzliches ~*** legal tender
zahlungspflichtig *Adj* liable to pay
Zahlungsschwierigkeiten *Pl* financial difficulties *Pl*
Zahlungstermin *m* date of payment
zahlungsunfähig *Adj* unable to pay, insolvent **Zahlungsunfähigkeit** *f* inability to pay, insolvency
Zahlungs|verkehr *m* monetary transactions *Pl* **~verpflichtung** *f* liability (to pay): ***s-n ~en pünktlich nachkommen*** be punctual in one's payments **~verzug** *m* default (of payment): ***in ~ geraten*** default **~weise** *f* mode of payment **~ziel** *n* date of payment
Zählwerk *n* counter
Zahlwort *n* LING numeral
Zahlzeichen *n* figure, numeral
zahm *Adj* tame (*a. fig Antwort, Witz etc*), domesticated, *fig* (*gefügig*) tractable **zähmbar** *Adj* tam(e)able
zähmen *v/t* **1.** *a. fig* tame, domesticate **2.** (*be~*) control, restrain (***sich*** o.s.)
Zahmheit *f a. fig* tameness **Zähmung** *f* taming (*a. fig*), domestication
Zahn *m* **1.** tooth (*a.* TECH), ZOOL (*Reiß♀ etc*) *a.* fang, (*Stoß♀*) tusk: ***Zähne bekommen*** → ***zahnen*** I; *hum* ***die dritten Zähne*** (a set of) false teeth; *fig* ***der ~ der Zeit*** the ravages *Pl* of time; ***bis an die Zähne bewaffnet*** armed to the teeth; ***sich e-n ~ ziehen lassen*** have a tooth out; (F *fig* ***j-m***) ***die Zähne zeigen*** show one's teeth (to s.o.); F *fig*

sich an e-r Sache die Zähne ausbeißen find s.th. too hard a nut to crack; ***j-m auf den ~ fühlen*** sound s.o. out; F ***etw für den hohlen ~*** precious little; → ***fletschen, Haar, knirschen, putzen*** I **2.** F (*Tempo*) speed: ***er hatte e-n ziemlichen ~ drauf*** he was going at a terrific lick; ***e-n ~ zulegen*** step on it

Zahnarzt *m*, **Zahnärztin** *f* dentist, dental surgeon **Zahnarzthelfer(in)** dentist's assistant **zahnärztlich** *Adj* dental **Zahnarztpraxis** *f* dental practice

Zahnbehandlung *f* dental treatment

Zahnbelag *m* plaque **Zahnbett** *n* ANAT tooth socket **Zahnbürste** *f* toothbrush **Zahncreme** *f* toothpaste

zähnefletschend *Adj u. Adv* snarling

zähneklappernd *Adj u. Adv* with chattering teeth **zähneknirschend** *Adv fig* gritting one's teeth

zahnen I *v/i* teethe, cut one's teeth **II** *a* **zähnen** *v/t* TECH tooth

Zahn|ersatz *m* dentures *Pl* **~fäule** *f* tooth decay, caries **~fleisch** *n* gums *Pl*: *hum* ***auf dem ~ gehen*** be on one's last legs **~fleischbluten** *n* bleeding of the gums **~füllung** *f* filling **~hals** *m* neck of a tooth **~klinik** *f* dental clinic

Zahnkranz *m* TECH gear rim, *am Fahrrad*: sprocket (wheel)

Zahn|krone *f* MED crown **~labor** *n* dental laboratory **~laut** *m* dental (sound)

zahnlos *Adj* toothless

Zahnlücke *f* gap (in one's teeth)

Zahn|medizin *f* dentistry **~mediziner(in)** **1.** dentist **2.** dental student

Zahnnerv *m* nerve of a tooth

Zahn|pasta *f* toothpaste **~pflege** *f* dental hygiene **~prothese** *f* dentures *Pl*

Zahnrad *n* TECH gearwheel, toothed wheel **~antrieb** *m* gearwheel drive **~bahn** *f* rack railway (*Am* railroad) **~getriebe** *n* toothed gearing

Zahnschmelz *m* (dental) enamel

Zahn|schmerzen *Pl* (***~ haben*** have [a]) toothache *Sg* **~schutz** *m Boxen*: gumshield **~seide** *f* dental floss **~spange** *f* brace **~stange** *f* TECH rack **~stein** *m* MED tartar, scale **~stocher** *m* toothpick **~stummel** *m* stump **~technik** *f* dentistry **~techniker(in)** dental technician

Zahnwechsel *m* second dentition

Zahnweh *n* → ***Zahnschmerzen***

Zahnwurzel *f* root (of a tooth)

Zahnzement *m* (dental) cement

Zaire *n hist* Zaire

Zander *m* ZOOL zander, pike-perch

Zange *f allg* nippers *Pl*, tongs *Pl*, *kleine*: pliers *Pl*, (*Kneif*≈) pincers *Pl* (*a.* ZOOL), MED, ZOOL forceps: ***e-e ~*** a pair of tongs *etc*; F *fig* ***j-n in die ~ nehmen*** put the screws on s.o.; ***den*** (***das***) ***würde ich nicht mit der ~ anfassen!*** I wouldn't touch him (it) with a bargepole!

Zangenentbindung *f* forceps delivery

Zank *m* quarrel

Zankapfel *m* bone of contention

zanken *v/i* **1.** (*a.* ***sich ~***) quarrel (***über*** *Akk* about, ***um*** about, over): ***hört auf*** (***euch***) ***zu ~!*** stop quarrel(l)ing! **2.** *Dialekt* (***mit j-m***) **~** scold (s.o.) **Zankerei** *f* bickering **zänkisch** *Adj* quarrelsome

Zäpfchen *n* **1.** ANAT uvula **2.** MED suppository

zapfen *v/t* **1.** (*Bier etc*) tap, draw **2.** TECH mortise

Zapfen *m* **1.** BOT cone **2.** (*Fass*≈) tap, spigot, *Am* faucet **3.** TECH (*Lager*≈) journal, (*Dreh*≈) pivot, *Tischlerei*: tenon, (*Pflock*) peg **Zapfenlager** *n* TECH journal (*Dreh*≈ pivot) bearing

Zapfenstreich *m* MIL tattoo

Zapfenverbindung *f* TECH mortise joint

Zapfer(in) tapster

Zapfhahn *m* **1.** tap, *Am* faucet **2.** → **Zapfpistole** *f* MOT nozzle **Zapfsäule** *f* MOT petrol (*Am* gasoline) pump

Zappelei *f* F fidgets *Pl* **zapp(e)lig** *Adj* F fidgety: ***du machst mich ganz ~!*** you give me the fidgets! **zappeln** *v/i* **1.** struggle, wriggle: F *fig* ***j-n ~ lassen*** keep s.o. on tenterhooks **2.** F fidget (***vor Aufregung*** with excitement)

Zappelphilipp *m* F fidget

zappen *v/i* TV zap, graze

Zar *m* czar, tsar

Zarge *f* TECH **1.** (*Nut*) notch, groove **2.** (*Tür*≈, *Fenster*≈) frame, case

Zarin *f* czarina, tsarina

zart *Adj* tender (*a. fig Alter*, *a. zärtlich*), delicate (*a. fig Gesundheit*, *Kind*, *Haut*, *Farbe etc*), (*schwach*, *zerbrechlich*) frail (*a. fig*), (*duftig*) *Stoff etc*: filmy, (*sanft*) gentle, soft, (*empfindlich*) sensitive: ***das ~e Geschlecht*** the gentle sex;

ein ~er Wink a gentle hint; ***nicht für ~e Ohren*** not for tender (*od* sensitive) ears; *Adv* (***nicht gerade***) ***~ umgehen mit*** handle *s.o.*, *s.th.* (none too) gently; ***~ besaitet*** highly sensitive; ***~ fühlend*** **a**) sensitive, **b**) tactful, discreet
zartbitter *Adj Schokolade*: plain
zartblau *Adj* pale-blue
Zartgefühl *n* **1.** delicacy (of feeling), sensitivity **2.** tact
Zartheit *f* tenderness (*a. fig*), (*Feinheit*) delicacy, delicateness, (*Sanftheit*) softness, gentleness
zärtlich *Adj* tender, (*liebevoll*) affectionate (***zu*** with), caressing: ***~e Mutter*** fond mother **Zärtlichkeit** *f* **1.** tenderness, (*Liebe*) affection, fondness **2.** *mst Pl* endearment, (*Liebkosung*) *a.* caress
Zaster *m* F (*Geld*) dough, *Br a.* lolly
Zäsur *f* **1.** *metr.*, MUS c(a)esura, break **2.** *fig* turning point
Zauber *m* **1.** (***wie durch ~*** as if by) magic: F *pej* ***fauler ~*** mumbo-jumbo **2.** *fig* (*Reiz*) charm, magic, (*Bann*) spell **3.** F *pej* (*Aufheben*) fuss, (*dummes Zeug*) nonsense: ***der*** (***den***) ***ganze***(***n***) ***~*** the whole bag of tricks
Zauberei *f* **1.** magic, witchcraft **2.** → ***Zauberkunststück***
Zauberer *m* **1.** magician, sorcerer, *a. fig* wizard **2.** → ***Zauberkünstler***
Zauberformel *f* spell, charm, *fig* magic formula
zauberhaft *Adj* charming, enchanting
Zauberin *f* sorceress, *fig a.* enchantress
Zauber|kraft *f* magic power **~kunst** *f* magic (art) **~künstler(in)** conjurer, magician **~kunststück** *n* conjuring trick
zaubern I *v/t* produce *s.th.* by magic, conjure up **II** *v/i* perform magic, *weit. S.* conjure, do conjuring tricks, *Fußball etc*: put on a brilliant show: ***ich kann doch nicht ~!*** I can't perform miracles!
Zauber|spruch *m* charm, spell **~stab** *m* (magic) wand **~trank** *m* magic potion
Zauberwort *n* magic word, spell
Zauderer *m*, **Zauderin** *f* waverer **zaudern** *v/i* hesitate, waver: ***ohne*** ⁓ without hesitation
Zaum *m* (*a. fig* ***im ~e halten***) bridle
Zaumzeug *n* headgear, bridle
Zaun *m* fence, (*Bau*⁓, *Bretter*⁓) hoarding: *fig* ***vom ~ brechen*** **a**) ***e-n Streit*** pick a quarrel, **b**) ***e-n Krieg*** start a war
Zaungast *m* onlooker **Zaunkönig** *m* ZOOL wren **Zaunpfahl** *m* pale: F ***ein Wink mit dem ~*** a broad hint
z. B. *Abk* (= ***zum Beispiel***) e.g.
Zebra *n* ZOOL zebra
Zebrastreifen *m* zebra crossing, *Am* pedestrian crosswalk
Zeche[1] *f* BERGB pit, colliery, (coal) mine
Zeche[2] *f* bill, *Am* check: ***die ~ prellen*** leave without paying; *fig* ***die ~ zahlen müssen*** F have to pay the piper
Zechpreller(in) bilk
Zechprellerei *f* bilking
Zechtour *f* F pub crawl
Zecke *f* ZOOL tick
Zeder *f* BOT cedar
Zedernholz *n* cedar(wood)
Zeh *m* → ***Zehe*** 1 **Zehe** *f* **1.** ANAT, ZOOL toe: ***große*** (***kleine***) ***~*** big (little) toe; ***j-m auf die ~n treten*** *a.* F *fig* tread on s.o.'s toes; ***auf*** (***den***) ***~n gehen*** *od* ***schleichen*** tiptoe **2.** (*Knoblauch*⁓) clove (of garlic)
Zehennagel *m* toenail **Zehensandale** *f* flip-flop **Zehenspitze** *f* tip of one's toe: ***auf*** (***den***) ***~n*** on tiptoe
zehn *Adj* ten **Zehn** *f* (number) ten
Zehncentstück *n* ten-cent piece
Zehneck *n* MATHE decagon
Zehner *m* **1.** MATHE ten **2.** F **a**) → ***Zehncentstück***, **b**) ***Zehneuroschein***
Zehnerkarte *f Bus etc*: ten-trip ticket
Zehnerpackung *f* pack(et) of ten
Zehnerstelle *f* MATHE tens digit
Zehneuroschein *m* ten-euro note (*Am* bill), F tenner
zehnfach I *Adj u. Adv* tenfold **II** ⁓***e*** *n* ten times the amount: ***um das*** ⁓***e*** tenfold
Zehnfingersystem *n* touch system
zehnjährig *Adj* **1.** ten-year-old, *präd* ten years old: ***ein ~er Junge*** *a.* a boy of ten **2.** ***~es Jubiläum*** *etc* ten-year (*od* tenth) anniversary *etc* **3.** ***nach ~er Abwesenheit*** *etc* after an absence *etc* of ten years
Zehnkampf *m* SPORT decathlon
Zehnkämpfer(in) decathlete
zehnmal *Adv* ten times
zehnt *Adj* tenth
zehntausend *Adj* ten thousand: *fig* ***die oberen ~*** the upper ten (thousand); ***~e von ...*** tens of thousands of ...
Zehntel *n* tenth **Zehntelsekunde** *f* (***mit***

e-r ~ Vorsprung by a margin of a) tenth of a second
zehntens *Adv* tenthly
zehren *v/i* **1.** ***~ von*** live on (*a. fig von Erinnerungen etc*); ***von s-m Kapital ~*** live off one's capital **2.** ***~ an*** (*Dat*) weaken, undermine; ***an j-s Kräften ~*** sap s.o.'s energy
Zeichen *n* **1.** *allg* sign, (*Merk*~) *a.* mark, (*Kenn*~) *a.* characteristic, (*Signal*) signal, (*Symbol*) symbol, COMPUTER character: ***chemisches ~*** chemical symbol; ***j-m ein ~ geben*** give s.o. a sign (*od* signal), signal to s.o.; ***er gab das ~ zum Aufbruch*** he gave the sign to leave **2.** *fig* (*An*~) *allg* sign, (*Beweis*) *a.* mark, token, (*Vor*~) *a.* omen, (*Symptom*) symptom: ***ein ~ für*** (*od* ***von***) a sign of; ***zum ~ dass*** as a proof that; ***als*** (*od* ***zum***) ***~ m-r Dankbarkeit*** as a token of my gratitude; ***es ist ein ~ der Zeit*** it's a symptom of our times; ***es geschehen noch ~ und Wunder*** wonders never cease **3.** (*Satz*~) punctuation mark **4.** (*Stern*~) sign: ***im ~ des Löwen*** under the sign of Leo; *fig* ***im ~ stehen von*** (*od Gen*) be marked by **5.** (*Akten*~ *etc*) reference (number): WIRTSCH ***unser*** (***Ihr***) ***~*** our (your) reference **6.** (*Waren*~) brand, trademark
Zeichen|block *m* sketch pad **~brett** *n* drawing board **~kode** *m* COMPUTER character code **~dreieck** *n* MATHE set square **~erklärung** *f* key (***für, zu*** to), *auf Landkarten etc*: legend, *in Lehrbüchern etc*: signs and symbols *Pl* **~gerät** *n* COMPUTER plotter **~heft** *n* drawing book **~kunst** *f* drawing **~lehrer(in)** art teacher **~papier** *n* drawing paper **~programm** *n* COMPUTER drawing program **~saal** *m* art room
Zeichensetzung *f* punctuation
Zeichen|sprache *f* sign language **~stift** *m* pencil, crayon **~trickfilm** *m* (animated) cartoon
zeichnen I *v/t* **1.** draw (*a. fig*), (*skizzieren*) sketch, *a. fig* delineate, (*entwerfen*) design **2.** (*kenn~*) mark: *fig* ***sein Gesicht war von Kummer gezeichnet*** his sorrows had left their mark on his face **3.** (*unter~*) sign **4.** (*e-n Betrag*) subscribe (***für Aktien*** *etc* for shares *etc*, ***für e-n Fonds*** to a fund) **II** *v/i* **5.** draw (***nach der Natur*** from nature) **6.** (*unter~*) sign: ***ich zeichne ...*** I remain ...; ***verantwortlich ~ für*** be responsible for
Zeichner(in) 1. drawer, draughtsman (-woman), *Am* draftsman (-woman) **2.** WIRTSCH subscriber (*Gen* for, to)
zeichnerisch *Adj* graphic: ***~e Begabung haben***, *Adv* ***~ begabt sein*** have (a) talent for drawing **Zeichnung** *f* **1.** drawing, TECH *a.* design, diagram, (*Skizze*) sketch, (*Illustration*) illustration **2.** (*Kenn*~) marking(s *Pl*) (*a.* ZOOL), (*Muster*) pattern(ing) **3.** WIRTSCH *e-s Betrages etc*: subscription: ***e-e Anleihe zur ~ auflegen*** invite subscriptions for a loan
zeichnungsberechtigt *Adj* authorized to sign, having signatory power
Zeigefinger *m* forefinger, index finger
zeigen I *v/t allg* show (*a. fig*), (*e-n Film etc*) *a.* present, (*zur Schau stellen, a. fig*) display, exhibit, (*an~*) *a.* indicate, (*darlegen*) *a.* demonstrate, point out: ***j-m die Stadt ~*** show s.o. (around) the town; ***er will nur s-e Macht ~*** he just wants to demonstrate his power; ***großen Mut ~*** display great courage; F *fig* ***dem werd ichs ~!*** I'll show him! **II** *v/i* (***mit dem Finger***) ***~ auf*** (*Akk*) point (one's finger) at; ***nach Norden ~*** point (to the) north; ***die Uhr zeigte*** (***auf***) ***12*** the clock said twelve **III** *v/refl* ***sich ~*** show (o.s.), appear, *plötzlich*: turn up; *fig* ***sie zeigte sich sehr großzügig*** she was very generous; ***sich von s-r besten Seite ~*** present o.s. to best advantage; ***er zeigte sich der Aufgabe nicht gewachsen*** it became obvious that he wasn't equal to the task **IV** *v/unpers* turn out, prove: ***es zeigte sich, dass er Recht gehabt hatte*** (***es richtig gewesen war***) he (it) turned out to have been right; ***es wird sich ~, wer Recht hat*** we'll see who is right in the end
Zeiger *m* hand, TECH *a.* index, pointer, *e-r Waage, des Tachos etc*: needle
Zeigestock *m* pointer
Zeile *f* **1.** line: ***j-m ein paar ~n schreiben*** drop s.o. a line **2.** (*Reihe*) row
Zeilen|abstand *m* **1.** spacing **2.** TV line advance **~drucker** *m* COMPUTER line printer **~eingabe** *f* COMPUTER line entry **~raster** *m* TV line-scanning pattern

~schalter *m Schreibmaschine*: line spacer
Zeilenvorschub *m* COMPUTER line feed
zeilenweise *Adv* by the line
Zeisig *m* ZOOL siskin
Zeit *f* **1.** *allg* time, (*~raum*) *a.* period, space (of time), (*~alter*) *a.* era, age, (*Jahres*&) season: ***~ und Raum*** space and time; ***freie ~*** spare time; ***schwere*** (*od* ***harte***) ***~en*** hard times; F ***das waren*** (***noch***) ***~en!*** those were the days!; ***die gute alte ~*** the good old days; ***... aller ~en ...*** of all time; ***seit dieser ~*** since then; (***für***) ***einige ~*** (for) some time; (***für***) ***längere ~*** for quite some time, *formell*: for a prolonged period; ***lange ~*** for a long time; ***e-e ~ lang*** for some time; ***seit einiger*** (*od* ***längerer***) ***~*** for quite some time (now); ***die ganze ~*** (***hindurch***) all the time, all along; ***in kurzer ~*** in a short time; ***in kürzester ~*** in no time at all; ***in letzter ~*** lately, recently; ***mit der ~*** in course of time, with time; ***mit der ~ gehen*** move with the times; ***in nächster ~*** shortly, soon, presently; ***die ~ ist um!*** time's up!; ***um diese ~ bin ich schon im Bett*** I'll be in bed already by that time; ***morgen um diese ~*** this time tomorrow; ***von ~ zu ~*** from time to time, now and then; ***in der ~ von ... bis ...*** in the time between ... and ...; ***vor der ~*** prematurely; ***vor langer ~*** a long time ago; ***vor nicht allzu langer ~*** not so long ago; ***zur ~*** (*Gen*) at the time of; ***zu ~en der Römer*** in the days of the Romans; ***zu m-r ~*** in my time; ***alles zu s-r ~!*** there's a time for everything!, (*nach und nach*) one thing after another!; ***es ist*** (***höchste***) ***~ zu gehen*** it is (high) time to leave; ***ich habe k-e ~*** I'm busy, I'm in a hurry; ***das hat ~*** there's no hurry, ***bis morgen*** that can wait till tomorrow; ***lass dir ~!*** take your time!; ***j-m ~ lassen*** give s.o. time; ***sich ~ nehmen für*** take (the) time for (*od* to do) *s.th.*; SPORT ***j-s ~ nehmen*** time s.o.; ***die ~ nutzen*** make the most of one's time; SPORT ***auf ~ spielen*** play for time; F ***es wurde aber auch ~!*** about time too!; ***~ ist Geld*** time is money; ***andere ~en, andere Sitten*** other times, other manners; ***kommt ~, kommt Rat*** time will bring an answer; F (***ach,***) ***du liebe ~!*** good heavens!; → ***schinden*** 2, ***totschlagen, vertreiben*** 2, ***Wunde, zurzeit*** **2.** LING tense
Zeitabschnitt *m* period (of time), era
Zeit|abstand *m* interval: ***in regelmäßigen Zeitabständen*** at regular intervals, periodically **~alter** *n* age, era, epoch **~angabe** *f* exact (date and) time, (*Datum*) date: ***ohne ~*** undated **~ansage** *f* time check, TEL speaking-clock announcement **~arbeit** *f* temporary work **~aufwand** *m* time spent (***für*** on): ***mit großem ~ verbunden sein*** take (up) a great deal of time

Zeitangaben

jetzt	**now**
später	**later**
gerade eben	**just now**
zurzeit	**at the moment**
manchmal	**sometimes**
Tag	**day**
tagsüber	**during the day**
Vormittag, Morgen	**morning**
am Vormittag	**in the morning**
heute Vormittag	**this morning**
gestern Vormittag	**yesterday morning**
morgen Vormittag	**tomorrow morning**
am nächsten Vormittag	**the following** *bzw.* **next morning**
Mittag	**midday, noon**
heute Mittag	**at noon today**
Abend	**evening**
am Abend	**in the evening, at night**
heute Abend	**this evening, tonight**
gestern Abend	**yesterday evening, last night**

morgen Abend	**tomorrow evening, tomorrow night**
am nächsten Abend	**the following** *bzw.* **next evening**
Nacht	**night**
in der Nacht	**at night**
bald	**soon**
früh	**early**
früher: Früher habe ich in dem Haus gewohnt.	**I used to live in that house.**
neulich	**recently**
vorher	**before**
vorläufig	**for the time being**
(zu) spät	**(too) late**
später	**later**
rechtzeitig	**in time**
pünktlich: pünktlich um zehn	**on time, punctual: at ten o'clock sharp**
Sekunde	**second**
Minute	**minute**
Stunde	**hour**
jede Stunde	**every hour**
alle zwei Stunden	**every second hour, every two hours**
eine halbe Stunde	**half an hour,** *Am* **a half hour**
in (ungefähr) einer halben Stunde	**in (about) half an hour (***Am* **a half hour)**
Viertelstunde	**quarter of an hour**
in ungefähr einer Viertelstunde	**in (about) a quarter of an hour**
heute	**today**
gestern	**yesterday**
morgen	**tomorrow**
vorgestern	**the day before yesterday**
übermorgen	**the day after tomorrow**
vor kurzem	**recently**
vor einer Woche	**a week ago**
vor einem Monat	**a month ago**
vor einem Jahr	**a year ago**
vorige Woche	**last week**
voriges Jahr	**last year**
nächste Woche	**next week**
nächstes Jahr	**next year**
in einer Woche (= nächste Woche)	**in a week's time**
in einer Woche (= innerhalb einer Woche)	**within a week**
seit gestern	**since yesterday**
seit einer Woche	**since last week**
seit einem Monat	**since last month**
seit einem Jahr	**since last year**
seit zwei Wochen (= *zwei Wochen lang*)	**for two weeks**
seit drei Minuten (= *drei Minuten lang*)	**for three minutes**
jede Woche/ jedes Jahr *etc*	**every week/ every year** *etc*

zeitaufwändig *Adj* time-consuming
Zeitbegriff *m* conception of time
Zeit|bombe *f a. fig* time bomb **~dauer** *f* **1.** length of time **2.** period, duration, term **~differenz** *f* time difference **~do-**

kument *n* document of the times **~druck** *m* (time) pressure: ***unter ~ stehen*** be pressed for time
Zeiteinteilung *f* organization of (one's) time: ***sie hat k-e ~*** she doesn't know how to organize her time
Zeitenfolge *f* LING sequence of tenses
Zeit|ersparnis *f* saving of time **~faktor** *m* time factor **~folge** *f* chronological order **~form** *f* LING tense **~frage** *f* **1.** ***es ist e-e ~*** it is a question of time **2.** topic of the day **~gefühl** *n* sense of time
Zeitgeist *m* spirit of the age, zeitgeist
zeitgemäß *Adj* modern, up(-)to(-)date, (*aktuell*) current, topical
Zeit|genosse *m*, **~genossin** *f* contemporary: F *fig* ***er ist ein übler ~*** he's a nasty customer
zeitgenössisch *Adj* contemporary
Zeitgeschehen *n* current events *Pl*
Zeitgeschichte *f* contemporary history
Zeitgeschmack *m* taste (*od* fashion) of the time(s) **Zeitgewinn** *m* time gained: ***das bedeutet e-n ~ von 3 Stunden*** that saves three hours
zeitgleich *Adj* SPORT with the same time: *Adv* ***~ ins Ziel kommen*** be clocked at the same time
Zeitguthaben *n Gleitzeit*: time credit
zeitig *Adj u. Adv* early
zeitigen *v/t* produce, bring forth
Zeitkarte *f* season (*Am* commutation) ticket **Zeitkarteninhaber(in)** season--ticket holder, *Am* commuter
zeitkritisch *Adj* topical
Zeitlang → **Zeit** 1
zeitlebens *Adv* all one's life
zeitlich I *Adj* **1.** time, *Reihenfolge etc*: chronological: ***~e Abstimmung*** (*od* ***Berechnung***) timing **2.** *a.* REL temporary, transitory: ***das ≈e segnen*** depart this life **II** *Adv* **3.** ***~ abstimmen*** time, synchronize; ***~ begrenzt*** limited in time; ***~ günstig*** well-timed; ***es passt mir ~ nicht*** I can't fit it in(to my timetable); ***ich schaffe es ~ nicht*** **a)** I don't have the time to do it, **b)** I can't make it in time; ***~ zs.-fallen*** coincide
zeitlos *Adj* timeless, ageless
Zeitlupe *f* **1.** slow-motion camera **2.** → ***Zeitlupentempo*** **Zeitlupenaufnahme** *f* slow-motion shot **Zeitlupentempo** *n* (***im ~*** *a. fig* in) slow motion

Zeitmangel *m* (***aus ~*** for) lack of time
Zeitmaß *n* tempo, MUS *a.* time
Zeitmesser *m* TECH timekeeper, timer
Zeitmessung *f* timing
zeitnah *Adj* topical, current
Zeitnehmer(in) *allg* timekeeper, TECH *a.* time-study person
Zeitnot *f* ***in ~ sein*** (***geraten***) be (become) pressed for time **Zeitplan** *m* schedule, timetable **Zeitpunkt** *m* time, moment: ***zum richtigen ~*** at the right moment; ***zu e-m späteren ~*** at a later date; ***der ~ für den Angriff war gut gewählt*** the attack was well timed **Zeitraffer...** time-lapse, quick-motion (*camera etc*)
zeitraubend *Adj* time-consuming
Zeitraum *m* period, space (of time)
Zeitrechnung *f* chronology: ***unserer ~*** of our time **Zeitschalter** *m*, **Zeitschaltwerk** *n* TECH time switch, timer
Zeitschrift *f* magazine, periodical
Zeitspanne *f* period, space (of time)
zeitsparend *Adj* time-saving
Zeit|strafe *f* SPORT time penalty **~strömung** *f* trend **~stück** *n* THEAT period play **~studien** *Pl* time(-and-motion) studies *Pl* **~tafel** *f* chronological table
Zeitumstände *Pl* prevailing circumstances *Pl*
Zeitung *f* (news)paper, journal, *amtliche*: gazette: ***in der ~ steht, dass ...*** it says in the paper that …
Zeitungs|abonnement *n* newspaper subscription **~anzeige** *f* (newspaper) advertisement, F ad **~artikel** *m* newspaper article **~ausschnitt** *m* newspaper clipping **~austräger(in)** newspaper deliverer **~beilage** *f* newspaper supplement **~ente** *f* F *fig* hoax, canard **~frau** *f* F **1.** (*Austrägerin*) paperwoman **2.** (*Journalistin*) news agent, *Am* news dealer **3.** *auf der Straße*: news vendor **~händler(in)** news agent, *Am* news dealer **~inserat** *n* → ***Zeitungsanzeige*** **~junge** *m* paperboy; → *Info bei* ***paperboy*** **~kiosk** *m* newsstand **~leser(in)** newspaper reader **~mädchen** *n* papergirl; → *Info bei* ***papergirl*** **~mann** *m* F **1.** (*Austräger*) paperman **2.** (*Journalist*) news agent, *Am* news dealer **~meldung** *f*, **~notiz** *f* press item **~papier** *n* newspaper, *Qualität a.*: newsprint **~redakteur(in)** newspaper editor **~roman**

m novel serialized in a newspaper **~stand** *m* newsstand **~ständer** *m* magazine (*od* newspaper) rack **~stil** *m* journalese **~verkäufer(in)** newspaper seller **~verleger(in)** newspaper publisher **~wesen** *n* journalism, *the* press
Zeitungswissenschaft *f* journalism
Zeitunterschied *m* time difference, FLUG time lag **Zeitverlust** *m* loss of time: ***den ~ aufholen*** make up for lost time
Zeitverschwendung *f* waste of time
Zeitvertreib *m* pastime: ***zum ~*** as a pastime, to pass the time
zeitweilig **I** *Adj* temporary, (*gelegentlich*) occasional **II** *Adv* → **zeitweise** *Adv* for a time, (*gelegentlich*) from time to time, at times, occasionally
Zeitwert *m* WIRTSCH time (*od* current) value
Zeitwort *n* verb **Zeitzeichen** *n* RADIO time signal **Zeitzone** *f* time zone
Zeitzünder *m* time fuse
zelebrieren *v/t* celebrate
Zell... cellular **Zellatmung** *f* BIOL vesicular breathing **Zellbau** *m* cell structure **Zellbildung** *f* cell formation
Zelle *f* **1.** *allg* cell **2.** FLUG airframe **3.** (*Telefon*2) booth
Zellgewebe *n* BIOL cell tissue
zellig *Adj*, *a* **...zellig** BIOL cellular
Zellkern *m* BIOL nucleus
Zellstoff *m* cellulose, *Papier*: pulp
Zellstoffwatte *f* cellucotton®
Zellteilung *f* BIOL cell division
zellular *Adj* cellular
Zellulitis *f* MED cellulitis
Zelluloid *n* celluloid
Zellulose *f* cellulose
Zellwand *f* BIOL cell wall
Zellwolle *f* rayon staple fib/re (*Am* -er)
Zelt *n* tent, (*Zirkus*2) *a.* big top, (*Fest*2) marquee: ***ein ~ aufschlagen*** (***abbrechen***) pitch (strike) a tent; F *fig* ***s-e ~e aufschlagen*** pitch one's tent, settle down; ***s-e ~e abbrechen*** pack up
Zeltbahn *f* **1.** tent square **2.** → ***Zeltplane*** **Zeltdach** *n* **1.** tent roof **2.** ARCHI pyramid-type roof
zelten *v/i* camp, tent: ***~ gehen*** go camping; 2 ***verboten!*** no camping!
Zelt|lager *n* (tent) camp **~leine** *f* guy line **~leinwand** *f* canvas **~pflock** *m* tent peg **~plane** *f* tarpaulin **~stadt** *f* tent city **~stange** *f* tent pole
Zement *m* cement **zementieren** *v/t* cement (*a. fig*), METAL carburize
Zementsack *m* cement bag
Zen *n* Zen
Zenit *m a. fig* (***im ~*** at the) zenith
zensieren *v/t* **1.** PÄD mark, *Am* grade **2.** censor **Zensor(in)** censor **Zensur** *f* **1.** PÄD mark, *Am* grade: ***gute ~en haben*** *a.* have a good report **2.** censorship: ***der ~ unterliegen*** be censored
Zensus *m* census
Zentaur *m* MYTH centaur
Zentimeter *m, n* centimet/re (*Am* -er)
Zentner *m* **1.** (metric) hundredweight (*Abk* cwt.), centner (*50 kg*) **2.** *österr., schweiz.* 100 kilograms **~last** *f fig* heavy burden: ***mir fiel e-e ~ vom Herzen*** it was a great weight off my mind
zentnerschwer *Adj fig* very heavy: *Adv* ***es liegt mir ~ auf der Seele*** it weighs very heavily on my mind
zentral *Adj* central: *Adv* ***~ gelegen sein*** be centrally located; *fig* ***das ~e Problem*** the crucial problem
Zentralbahnhof *m* central station
Zentralbank *f* central bank
zentralbeheizt *Adj* centrally heated
Zentrale *f* **1.** central office, (*a. Polizei*2, *Taxi*2 *etc*) headquarters *Pl* (*oft Sg konstr*) **2.** (*Telefon*2) telephone exchange, *e-r Firma*: switchboard **3.** TECH control room **4.** *fig* cent/re (*Am* -er)
Zentraleinheit *f* IT central processing unit (*Abk* CPU)
Zentralheizung *f* central heating
zentralisieren *v/t* centralize
Zentralisierung *f* centralization
Zentralismus *m* POL centralism
zentralistisch *Adj* POL centralist(ic)
Zentral|komitee *n* POL central committee **~massiv** *n* GEOG Massif Central **~nervensystem** *n* central nervous system **~organ** *n* (*Zeitung*) official party organ **~rechner** *m* mainframe, central computer **~verband** *m* WIRTSCH *etc* central association **~verriegelung** *f* MOT central locking (system)
zentrieren *v/t* centre, *Am* center
Zentrifugalkraft *f* centrifugal force
Zentrifuge *f* centrifuge
zentripetal *Adj* centripetal
zentrisch *Adj* centric(al)
Zentrum *n a. fig* centre, *Am* center: ***im~***

von New York *Am a.* (in) downtown New York; ***sie stand im ~ des Interesses*** she was the centre of interest
Zeppelin *m* zeppelin
Zepter *n* sceptre, *Am* scepter: *hum* ***das ~ schwingen*** rule the roost
zerbeißen *v/t* bite to pieces, crunch
zerbeult *Adj* battered
zerbomben *v/t* bomb
zerbombt *Adj* bomb-wrecked
zerbrechen I *v/t* break, crack, smash: → ***Kopf*** 2 **II** *v/i* break (*fig* up): *fig* ***~ an*** (*Dat*) be crushed (*od* broken) by
zerbrechlich *Adj* breakable, *a. fig* frail, delicate, fragile: ***Vorsicht, ~!*** fragile, handle with care! **Zerbrechlichkeit** *f a. fig* fragility, frailness
zerbröckeln *v/t u. v/i* crumble
zerdrücken *v/t allg* crush, (*Kartoffeln etc*) *a.* mash, (*Kleidung*) *a.* crumple
zerebral *Adj*, **Zerebral...** cerebral
Zeremonie *f* ceremony
zeremoniell I *Adj* ceremonial **II** ♀ *n* ceremonial, *fig a.* ritual
zeremoniös *Adj* ceremonious
zerfahren[1] *Adj Straße etc*: rutted
zerfahren[2] → ***zerstreut***
Zerfall *m* disintegration, decay (*beide a.* KERNPHYSIK), *a. fig* ruin, CHEM decomposition
zerfallen[1] *v/i* **1.** disintegrate (***in*** *Akk*, ***zu*** into), decay (*beide a.* KERNPHYSIK), CHEM decompose, *Gebäude etc*: fall to pieces, crumble (*a. fig Reich etc*) **2.** *fig* ***~ in*** (*Akk*) be divided into
zerfallen[2] *Adj* **1.** decayed, in ruins **2.** *fig* ***mit j-m ~ sein*** be at odds with s.o.; ***mit sich und der Welt ~ sein*** be disgusted with life
Zerfalls|erscheinung *f* sign of decay **~produkt** *n* KERNPHYSIK decay product **~reihe** *f* KERNPHYSIK family, decay chain **~zeit** *f* KERNPHYSIK decay period (*od* time)
zerfetzen *v/t* tear *s.th.* (in)to pieces, shred, slash, (*Arm, Bein etc*) mangle
zerfleddern *v/t* tatter
zerfleischen I *v/t* mangle, (*in Stücke reißen*) tear *s.o., s.th.* to pieces: *fig* ***einander ~*** tear each other apart **II** *v/refl* ***sich ~*** *fig* torment o.s
zerfließen *v/i Farbe etc*: run, (*schmelzen*) melt: *fig* ***sie zerfloss vor Mitleid*** she was melting with pity
zerfressen[1] *v/t* **1.** *Motten etc*: eat (holes into), *Mäuse etc*: gnaw *s.th.* to pieces **2.** CHEM, TECH corrode
zerfressen[2] *Adj* ***von Motten ~*** moth-eaten; ***vom Rost ~*** corroded; *fig* ***vom Neid ~*** eaten up with envy
zerfurcht *Adj a. fig* furrowed
zergehen *v/i* dissolve, melt: ***auf der Zunge ~*** melt in one's mouth
zergliedern *v/t fig* analy/se (*Am* -ze), (*e-n Satz*) *a.* parse, *ganz genau*: dissect
zerhacken *v/t* chop (*a.* ELEK), mince
zerhauen *v/t* ***etw ~*** cut s.th. to pieces
zerkauen *v/t* chew (well)
zerkleinern *v/t* reduce *s.th.* to small pieces, crush, cut *s.th.* up, *fein*: mince
zerklüftet *Adj* jagged, rugged
zerknautschen *v/t* F crumple
zerknirscht *Adj* contrite: ***~ sein*** feel remorse (***über*** *Akk* at)
Zerknirschung *f* contrition
zerknittern *v/t u. v/i* crumple, crease
zerknüllen *v/t* crumple up
zerkochen *v/t u. v/i* overcook
zerkratzen *v/t* scratch
zerkrümeln *v/t u. v/i* crumble
zerlassen *v/t* (*Butter etc*) melt
zerlaufen *v/i Eis, Fett*: melt, *Farbe*: bleed
zerlegbar *Adj* dismountable, *bes Möbel*: knock-down: ***... ist ~*** ... can be taken apart **zerlegen** *v/t* **1.** take *s.th.* apart, TECH *a.* dismantle, knock down **2.** (*zerschneiden*) cut *s.th.* up, dissect, (*Braten*) carve **3.** MATHE reduce, *a.* CHEM decompose, OPT disperse: MATHE ***in Faktoren ~*** factorize **4.** → ***zergliedern***
Zerlegung *f* **1.** dismantling **2.** dissection (*a. fig*) **3.** MATHE reduction, *a.* CHEM decomposition, OPT dispersion
zerlesen *Adj Buch etc*: well-thumbed
zerlöchert *Adj* full of holes
zerlumpt *Adj* ragged, tattered
zermahlen *v/t* grind, *fein*: pulverize
zermalmen *v/t a. fig* crush
zermartern *v/t fig* ***sich den Kopf ~*** rack one's brain (***über*** *Akk* over)
zermürben *v/t* wear *s.o.* down, MIL soften up: ***~d*** trying, gruel(l)ing
Zermürbungskrieg *m* war of attrition
zernagen *v/t* gnaw *s.th.* to pieces
zerpflücken *v/t* ***etw ~*** *a. fig* pick s.th. to pieces

zerplatzen *v/i a. fig* burst, explode
zerquetschen *v/t* crush (*a.* TECH), *zu Brei*: squash, mash: F ***50 Euro und ein paar Zerquetschte*** just over 50 euros
Zerrbild *n bes fig* caricature, distorted picture, *fig a.* travesty
zerreden *v/t* ***etw ~*** flog s.th. do death
zerreiben *v/t* crush, grind, *zu Pulver*: pulverize: ***etw zwischen den Fingern ~*** rub s.th. between one's fingers
zerreißen I *v/t* tear *s.th.* up, tear (*od* rend) *s.th.* to pieces (*od* apart), rip up, (*Faden, Fesseln etc, fig Bindungen etc*) break: ***er hat sich die Hose zerrissen*** he tore his pants; *fig* ***es zerriss ihr das Herz*** it broke her heart; F *fig* ***in der Luft ~*** **a)** tear *s.o.* limb from limb, **b)** (*heftig kritisieren*) tear *s.o., s.th.* to pieces **II** *v/i* tear, *Faden, Nebel, Wolken etc*: break, *Sack etc, Gefäß etc*: burst **III** *v/refl* ***sich*** (***fast***) ***~*** F *fig* bend over backwards; ***ich kann mich doch nicht ~!*** I can't be in two places at once!; ***ich könnte mich vor Wut ~!*** I could kick myself!
Zerreißfestigkeit *f* tear resistance
Zerreißprobe *f* **1.** TECH tension test **2.** *fig* ordeal
zerren I *v/t* **1.** drag, haul: ***j-n hinter sich her ~*** drag s.o. along **2.** MED pull, strain (***sich e-n Muskel*** a muscle) **II** *v/i* **3.** ***~ an*** (*Dat*) pull at, tug at; ***der Hund zerrte an der Leine*** the dog strained at its leash; *fig* ***der Lärm zerrt an m-n Nerven*** the noise is nerve-wracking
zerrinnen *v/i* melt away (*a. fig Geld etc*), *fig Träume etc*: fade, vanish, *Pläne etc*: come to nothing: ***wie gewonnen, so zerronnen*** easy come, easy go
zerrissen *Adj a. fig* torn: ***er ist innerlich ~*** he is torn by inner conflicts **Zerrissenheit** *f* (***innere***) ***~*** inner conflicts *Pl*
Zerrung *f* MED strain, overstretching
zerrütten *v/t* (*Ordnung etc*) disrupt, (*a. Ehe, Gesundheit etc*) ruin, wreck, (*den Geist*) unhinge, derange: ***ihre Nerven sind zerrüttet*** her nerves are shattered; ***zerrüttete Ehe*** (***Familienverhältnisse***) broken marriage (home)
Zerrüttung *f* disruption, ruin, ruinous state: JUR (***unheilbare***) ***~ der Ehe*** (irretrievable) breakdown of a marriage
zersägen *v/t* saw *s.th.* up
zerschellen *v/i* be smashed to pieces, smash, FLUG crash, SCHIFF be wrecked
zerschießen *v/t* bombard, batter
zerschlagen[1] **I** *v/t* **1.** smash (*s.th.* to pieces), shatter **2.** *fig* (*Organisation etc*) smash, (*Besitz etc*) split up **II** *v/refl* ***sich ~*** **3.** *fig Pläne, Hoffnungen etc*: come to nothing
zerschlagen[2] *Adj* F *fig* dead-beat, whacked: ***sich wie ~ fühlen*** *a.* feel washed out
zerschlissen *Adj* worn-out, threadbare
zerschmettern *v/t* smash, shatter
zerschneiden *v/t* cut (*s.th.* up), *in Scheiben*: slice, *klein*: shred, (*Braten*) carve
zerschrammen *v/t* scratch
zersetzen I *v/t* **1.** CHEM decompose **2.** *fig* (*Moral, Ordnung etc*) corrupt, undermine **II** *v/refl* ***sich ~*** **3.** *bes* CHEM decay, decompose, (*sich auflösen*) disintegrate **zersetzend** *Adj fig* subversive
Zersetzung *f* **1.** decay, *bes* CHEM decomposition, disintegration **2.** *fig* corruption, POL subversion
zersiedeln *v/t* spoil (by uncontrolled development)
Zersied(e)lung *f* urban sprawl
zerspanen *v/t* TECH machine
zersplittern I *v/t* (*Glas*) shatter, *a. fig* split (up), splinter: ***s-e Kräfte ~*** → III a **II** *v/i* shatter, *a. fig* splinter **III** *v/refl* ***sich ~*** *fig* **a)** dissipate one's energies, **b)** do too many things at once
zersprengen *v/t* blow up, blast, burst
zerspringen *v/i* shatter, *Saite*: break
zerstampfen *v/t* **1.** crush, *im Mörser*: pound **2.** (*zertreten*) trample (down)
zerstäuben *v/t* **1.** (*Flüssigkeit*) spray, atomize **2.** (*Pulver*) dust, sprinkle
Zerstäuber *m* atomizer, sprayer
zerstechen *v/t* **1.** ***j-n ~*** *Insekten*: bite s.o. all over **2.** puncture, pierce: ***sich die Finger ~*** prick one's fingers
zerstörbar *Adj* destructible **zerstören** *v/t a. fig* destroy, (*a. Gesundheit etc*) ruin, (*a. Ehe*) wreck: ***j-s Hoffnungen ~*** shatter s.o.'s hopes **Zerstörer** *m a.* MIL destroyer **zerstörerisch** *Adj* destructive **Zerstörung** *f* **1.** destruction (*a. fig*), devastation **2.** *Pl* ravages *Pl*
Zerstörungs|trieb *m* PSYCH destruction instinct **~werk** *n* work of destruction **~wut** *f* destructive frenzy, vandalism
zerstoßen → ***zerstampfen*** 1

zerstreuen **I** *v/t* **1.** *allg* disperse, scatter, (*Licht*) *a.* diffuse, (*Menschenmenge*) *a.* break up **2.** *fig* (*Bedenken etc*) dispel, dissipate **3.** *fig* ***j-n ~*** amuse s.o. **II** *v/refl* ***sich ~*** **4.** → 1 **5.** amuse o.s
zerstreut *Adj fig* absent-minded
Zerstreutheit *f fig* absent-mindedness
Zerstreuung *f* **1.** *e-r Menge etc*: dispersion, scattering, *des Lichts*: *a.* diffusion **2.** *fig e-s Verdachts etc*: dissipation **3.** *fig* (*Ablenkung*) (***zur ~*** as a) diversion **4.** → ***Zerstreutheit***
zerstückeln *v/t* cut *s.th.* up, (*Leiche*) dismember **Zerstück(e)lung** *f* cutting up, dismemberment
zerteilen *v/t* **1.** (*a.* ***sich ~***) divide (*od* split) (***in*** *Akk* into) **2.** → ***zerlegen*** 2 **3.** (*a.* ***sich ~***) (*Nebel, Wolken etc*) disperse, break up **4.** MED (*e-n Tumor*) resolve
Zertifikat *n* certificate
zertrampeln *v/t* trample under foot
zertrennen *v/t* **1.** take *s.th.* apart, separate, sever **2.** (*Naht*) undo
zertreten *v/t* crush (*a. fig*), (*Feuer, Kippe etc*) stamp out
zertrümmern *v/t* demolish, wreck, smash, MED (*Stein etc*) crush
Zertrümmerung *f* demolition, smashing, MED crushing
Zervelatwurst *f* saveloy
zerwühlen *v/t* (*Boden*) root up, churn up, (*Haar*) dishevel, (*a. Bett*) rumple
Zerwürfnis *n* quarrel, (*Bruch*) split, rupture
zerzausen *v/t* ruffle, (*Haar*) tousle, rumple, dishevel: ***zerzaust aussehen*** look dishevel(l)ed (*od* untidy)
Zeter: F ***~ und Mord(io) schreien*** cry blue murder
zetern *v/i* F (*jammern*) wail, (*schimpfen*) (put up a) squawk, (*keifen*) nag
Zettel *m* slip (of paper), (*Notiz*♀, *kurze Mitteilung*) note, (*Klebe*♀, *Anhänge*♀) label, *Am* sticker, (*Hand*♀) leaflet, (*Kartei*♀) card **~kartei** *f* card index
Zettelkasten *m* card index (box)
Zettelkatalog *m* card catalog(ue *Br*)
Zeug *n* **1.** (*Sachen*) things *Pl*, (*Handwerks*♀) tools *Pl*, *zum Essen, Trinken etc*: stuff, *pej* (*Plunder, Quatsch*) rubbish: ***dummes ~ reden*** talk nonsense, drivel **2.** (*Stoff*) fabric, stuff: *fig* ***er hat das ~ zum Arzt*** he has the makings of a doctor; ***sie hat das ~ dazu*** she's got what it takes; F ***was das ~ hält*** like mad; ***sich ins ~ legen*** put one's back into it, go all out (***für*** for); ***j-m am ~ flicken*** find fault with s.o.
Zeuge *m* witness (***der Anklage*** for the prosecution): ***vor ~n*** in the presence of witnesses; *fig* ***~n der Vergangenheit*** relics of the past
zeugen[1] *v/t* **1.** BIOL procreate, (*Kind*) father **2.** *fig* generate, create, produce
zeugen[2] *v/i* JUR give evidence: *fig* ***~ von*** bespeak, be a sign of, show
Zeugen|aussage *f* testimony, evidence, *zu Protokoll gegebene, eidliche*: deposition **~bank** *f* witness box (*Am* stand)
Zeugen|geld *n* witness expenses *Pl* **~vernehmung** *f* hearing of witnesses
Zeugin *f* (female) witness
Zeugnis *n* **1.** PÄD report (card), (*Prüfungs*♀) certificate, diploma: ***er hat ein gutes ~*** he was given a good report **2.** (*Führungs*♀) reference, (*~papiere*) credentials *Pl*: ***sie hat gute ~se*** she has good references; ***j-m ein gutes ~ ausstellen*** *a. fig* give s.o. a good character **3.** (*Bescheinigung*) certificate **4.** JUR *u. fig* testimony (*Gen* to), (*Beweis*) evidence: ***zum ~*** (*Gen*) in witness of; *fig* ***~ ablegen*** (*od* ***geben***) bear witness (***für*** to, ***von*** of) **~konferenz** *f* PÄD reports conference **~verweigerungsrecht** *n* JUR right to refuse to give evidence
Zeugung *f* BIOL procreation
Zeugungsakt *m* progenitive act
zeugungsfähig *Adj* fertile, *weit. S.* potent **Zeugungsfähigkeit** *f* fertility, procreative capacity, (*Potenz*) potency
zeugungsunfähig *Adj* impotent, sterile
Zeugungsunfähigkeit *f* impotence, sterility
z. H(d). *Abk* (= ***zu Händen***) attn.
Zichorie *f* BOT chicory
Zicke *f* → ***Ziege*** **Zicken** *Pl* F (***mach k-e ~*** none of your) silly tricks *Pl*
zickig *Adj* F bitchy
Zicklein *n* ZOOL kid
Zickzack *m* (*a.* ***im ~ gehen*** *od* ***fahren***) zigzag
Ziege *f* **1.** ZOOL (she-)goat **2.** F *fig* (***dumme*** *od* ***blöde ~*** silly) bitch

Ziegel *m* brick, (*Dach*⁓) tile **Ziegeldach** *n* tiled roof **Ziegelei** *f* brickworks *Pl* (*oft Sg konstr*) **ziegelrot** *Adj* brick-red **Ziegelstein** *m* brick

Ziegen|bock *m* he-goat **⁓fell** *n* goatskin **⁓käse** *m* goat's cheese

Ziegenleder *n* goatskin, kid (leather)

Ziegenmilch *f* goat's milk

Ziegenpeter *m* F MED mumps *Sg*

ziehen I *v/t* **1.** draw, pull, (*zerren*) drag, tug, (*schleppen*) haul: ***j-n mit sich ⁓*** drag s.o. with one; ***j-n am Ärmel*** (***Ohr***) ⁓ pull s.o. by the sleeve (ear); ***j-n an den Haaren ⁓*** pull s.o.'s hair; ***Zigaretten aus e-m Automaten ⁓*** get some cigarettes from a machine; ***sie zog den Ring vom Finger*** she pulled the ring off (her finger); MOT ***er zog den Wagen nach links*** he pulled the car to the left; ***j-n an sich ⁓*** draw s.o. close (to one); ***die Aufmerksamkeit*** (***alle Blicke***) ***auf sich ⁓*** attract attention (every eye); ***Blasen ⁓*** blister; ***auf Flaschen ⁓*** bottle; ***den Hut ⁓*** *a. fig* take off one's hat (***vor j-m*** to s.o.); ***Perlen auf e-e Schnur ⁓*** thread beads; → ***Betracht, Bilanz, Erwägung, Fell*** 2, ***Länge*** 1 *etc* **2.** ***nach sich ⁓*** have (*consequences etc*), (*Kosten etc*) involve, entail **3.** (*heraus*⁓) draw, pull, (*Zahn*) *a.* extract, MED (*Fäden*) take out, remove: ***er zog s-e Brieftasche*** he took out his wallet; ***er zog die Pistole*** he drew his pistol; ***j-n aus dem Wasser ⁓*** pull s.o. from the water; → ***Affäre, Gewinn*** 1, ***Los*** 1, ***Nutzen, Wurzel*** 1, ***Zahn*** 1 **4.** (*Linie, Kreis etc*) draw: → ***Parallele, Schlussstrich*** **5.** TECH draw, (*recken*) stretch, (*Gewehrlauf*) rifle, (*Graben etc*) cut, run, dig, (*Mauer, Zaun etc*) build, erect, (*e-e Leine, Leitung etc*) put up: → ***Leine*** **6.** (*züchten*) BOT cultivate, ZOOL rear, breed **II** *v/i* **7.** ***⁓ an*** (*Dat*) pull at, *heftig*: tug at, *e-r Zigarette etc*: F (have a) drag at; ***der Hund zog an der Leine*** the dog strained at its leash; F ***lass mich mal ⁓!*** give me a drag! **8.** *Ofen, Pfeife etc, a. Kaffee, Tee*: draw: ***den Tee drei Minuten ⁓ lassen*** *a.* let the tea stand for three minutes **9.** (*sich bewegen*) move, *Wolken etc*: drift, (*gehen*) go, (*herum*⁓) wander, rove, (*marschieren*) march, *Zugvögel*: fly, migrate: ***s-s Weges ⁓*** go one's way; ***in den Krieg ⁓*** go to war; → ***Feld*** **10.** (*um*⁓) (re)move: ***aufs Land ⁓*** move to the country; ***zu j-m ⁓*** move in with s.o. **11.** (*schmerzen*) hurt, ache: ***⁓der Schmerz*** twinge **12.** F *fig Ausrede etc*: work, *Reklame etc*: pull, (*ankommen*) go down (well): ***das zieht*** (***bei ihm***) ***nicht!*** that won't work (with him)!; ***das zieht immer!*** that sort of thing always goes down well (***bei*** with); ***das zog!*** that did the trick! **13.** *Schach*: move: ***wer zieht?*** whose move is it?; ***mit dem König ⁓*** move the king (***auf*** *Akk* to) **14.** *zum Schießen*: draw (one's pistol), pull a gun **15.** *Sport u. fig* set the pace **III** *v/refl* ***sich ⁓*** **16.** (*a.* ***sich ⁓ lassen***) stretch: → ***Länge*** 1 **17.** → ***verziehen*** 5 **18.** (*sich erstrecken*) stretch, extend, (*verlaufen*) run (*a. Motiv etc*, ***durch*** through): F ***der Weg zieht sich*** the way seems endless **IV** *v/unpers* **19.** ***es zieht*** there is a draught (*Am* draft) **20.** ***es zieht j-n zu*** s.o. feels attracted (*od* drawn) to; ***es zog ihn nach Hause*** he felt an urge to return home **V** ⁓ *n* **21.** (*Schmerz*) twinge, ache

Ziehharmonika *f* MUS accordion

Ziehung *f allg* drawing, (*Los*⁓) *a.* draw

Ziel *n* **1.** (*Reise*⁓ *etc*) destination **2.** SPORT finish(ing line): ***als Sieger*** (***Zweiter***) ***durchs ⁓ gehen*** finish first (second); ***sich ins ⁓ werfen*** lunge into the tape **3.** *bes* MIL mark, aim, (*a.* ⁓*scheibe*) target, *taktisches*: objective: ***das ⁓ verfehlen*** miss; ***über das ⁓ hinausschießen*** *a. fig* overshoot the mark **4.** *fig* aim, goal, end, objective, target (*a.* WIRTSCH): ***sein ⁓ erreichen*** reach one's goal, F get there; (***nicht***) ***zum ⁓ führen*** succeed (fail); ***sich das ⁓ setzen zu*** *Inf* aim to *Inf*, aim at *Ger*, make it one's objective to *Inf*; F ***auf sein ⁓ zusteuern*** head straight for one's goal; ***sein ⁓ aus dem Auge verlieren*** (***im Auge behalten***) lose (keep) sight of one's goal **Zielanflug** *m* approach run **Zielband** *n* SPORT tape

zielbewusst → ***zielstrebig***

Zieleinlauf *m* SPORT finish

zielen *v/i* (***auf*** *Akk* at) (take) aim, level, *fig Kritik etc*: be aimed: → ***gezielt***

Ziel|fernrohr *n* telescopic sight **⁓flug** *m* homing **⁓foto** *n* SPORT photo of the finish **⁓gerade** *f* SPORT home stretch

zielgerichtet *Adj* goal-directed
Zielgruppe *f* target group **Zielkamera** *f* SPORT photo-finish camera
Zielkurve *f* SPORT home bend
Ziellinie *f* SPORT finishing line
ziellos *Adj* aimless
Zielrichter(in) SPORT judge (at the finish) **Zielscheibe** *f* target, *fig a.* butt: ***~ des Spottes*** laughing-stock
Zielsetzung *f* objective, target
zielsicher *Adj* unerring: *Adv* ***~ zugehen auf*** (*Akk*) make straight for
Zielsprache *f* target language
zielstrebig *Adj* purposeful, single-minded, determined **Zielstrebigkeit** *f* determination, single-mindedness
Ziel|vorgabe *f* objective **~vorstellung** *f* objective
ziemlich I *Adj* **1.** F considerable, quite a: ***er wird mit ~er Sicherheit kommen*** he's fairly certain to come; ***das ist e-e ~e Frechheit*** that's rather a cheek **II** *Adv* **2.** rather, quite: ***~ gut*** F pretty good; ***~ ausführlich*** in some detail; ***~ viel*** quite a lot (of); ***~ viele*** quite a few; ***ich bin ~ sicher*** F I'm pretty sure **3.** (*fast*) almost, just about, F pretty well: ***ich bin so ~ fertig*** I've more or less finished; ***so ~ alles*** practically everything; ***es ist so ~ dasselbe*** F it's pretty much the same thing
Zierde *f* **1.** (***zur ~*** for) decoration **2.** *fig* credit (*Gen od* **für** to)
zieren I *v/t* adorn, decorate **II** *v/refl* ***sich ~*** make a fuss, *bes Frau*: play coy: ***er zierte sich nicht lange*** he didn't need much pressing; ***komm, zier dich nicht!*** come on!
Zierfisch *m* ornamental fish
Ziergarten *m* ornamental garden
Zierleiste *f* border (*a.* BUCHDRUCK), ornamental mo(u)lding, MOT trim
zierlich *Adj* (*zart*) delicate, dainty, (*graziös*) graceful, gracile, *Frau*: *a.* petite
Zierlichkeit *f* delicateness, daintiness
Zierpflanze *f* ornamental plant
Ziffer *f* **1.** figure, number, (*Stelle*) digit: ***in ~n*** in figures **2.** *bei Illustrationen*: figure (*Abk* Fig.) **3.** JUR subparagraph, *in e-m Vertrag etc*: item
Zifferblatt *n* dial, face
zig *Adj* F umpteen
Zigarette *f* cigarette, *Am a.* cigaret
Zigaretten|anzünder *m* MOT cigarette lighter **~automat** *m* cigarette machine **~etui** *n* cigarette case **~marke** *f* brand of cigarettes **~packung** *f* cigarette packet (*Am* pack) **~pause** *f* F (***e-e ~ machen*** have a) smoke **~raucher(in)** cigarette smoker **~schachtel** *f* cigarette packet (*Am* pack) **~spitze** *f* cigarette holder **~stummel** *m* cigarette end, stub, butt
Zigarillo *m* cigarillo
Zigarre *f* cigar: F *fig* ***j-m e-e ~ verpassen*** give s.o. a rocket
Zigarrenabschneider *m* cigar cutter
Zigarrenraucher(in) cigar smoker
Zigarrenstummel *m* cigar end, butt
Zigeuner(in) *a. fig* gypsy, *Br a.* gipsy
zigeunerhaft *Adj* gypsy-like
Zigeunerleben *n fig* gypsy life
zigeunern *v/i* gad about
zigst *Adj* F umpteenth
Zikade *f* ZOOL cicada
Zimmer *n* room **~antenne** *f* indoor aerial (*Am* antenna) **~einrichtung** *f* furnishing, (*Möbel*) furniture, (*Innenausstattung*) interior (decoration)
Zimmerflucht *f* suite of rooms
Zimmerhandwerk *n* carpentry
...zimm(e)rig ...-roomed
Zimmer|kellner(in) room waiter (waitress) **~lautstärke** *f* household noise level: ***das Radio auf ~ stellen*** turn one's radio down to moderate volume **~mädchen** *n im Hotel*: chambermaid
Zimmermann *m* carpenter
zimmern *v/t* carpenter (*a. v/i*), *weit. S.* build (*od* make) (of wood), *fig* shape
Zimmernachweis *m* accommodation office **Zimmerpflanze** *f* indoor plant
Zimmer|reservierung *f* room reservation(s *Pl*) **~schlüssel** *m* room key **~service** *m im Hotel*: room service **~suche** *f* (***auf ~ sein*** be) room-hunting **~temperatur** *f* room temperature **~theater** *n* small theat/re (*Am* -er) **~vermittlung** *f* → ***Zimmernachweis***
zimperlich *Adj* (*wehleidig*) soft, oversensitive, (*überempfindlich*) squeamish, (*prüde*) prim, prissy: ***sei nicht so ~!*** don't be a softie!; *Adv* F ***nicht gerade ~, wenig ~*** none too gently, *in s-n Methoden*: not exactly scrupulous
Zimperlichkeit *f* softness, oversensitiveness
Zimt *m* **1.** cinnamon **2.** F *pej* (***rede nicht***

solchen ~ don't talk) rubbish: ***der ganze ~*** the whole business
Zink *n* zinc **Zinkblech** *n* sheet zinc, *grobes*: zinc plate
Zinke *f* prong, *e-s Kammes*: tooth
zinken *v/t* (*Karten*) mark **Zinken** *m* **1.** → ***Zinke*** **2.** F (*Nase*) beak, nozzle
Zinksalbe *f* zinc ointment
Zinn *n* tin, (*Legierung, Geschirr*) pewter
Zinne *f* ARCHI pinnacle, *Pl* battlement *Sg*
Zinngeschirr *n* pewter
Zinnober *m* **1.** MIN cinnabar **2.** F (*Unsinn*) rubbish, (*Getue*) fuss
zinnoberrot *Adj* vermilion
Zinnsoldat *m* tin soldier
Zins[1] *m mst Pl* interest: ***~en tragen*** bear interest; ***ohne ~en*** ex interest; ***zu 4 % ~en*** at 4 % interest; → ***Zinseszins***
Zins[2] *m Dialekt* (*Miete*) rent
zinsbringend *Adj* interest-bearing
Zinseinnahme *f* income from interest
Zinsendienst *m* interest payment
Zinsenlast *f* burden of interest
Zinsertrag *m* interest yield
Zinseszins *m mst Pl* compound interest: *fig* ***j-m etw mit Zins und ~ zurückzahlen*** repay s.th. to s.o. with interest
Zinsfuß *m* interest rate
zinsgünstig *Adj* low-interest
Zinsgutschrift *f* interest credited
zinslos *Adj* interest-free
Zins|politik *f* interest rate policy **~rechnung** *f* calculation of interest, *konkret*: interest account **~satz** *m* interest rate **~senkung** *f* lowering of interest rates **~verlust** *m* loss of interest
Zionismus *m* Zionism
Zionist(in), **zionistisch** *Adj* Zionist
Zipfel *m* tip, point, (*Wurst*≗) end, (*Ecke*) corner **Zipfelmütze** *f* pointed cap
Zirbeldrüse *f* ANAT pineal gland
zirka *Adv* about, approximately
Zirkapreis *m* WIRTSCH approximate price
Zirkel *m* **1.** (***ein ~*** a pair of) compasses *Pl*, (*Stech*≗) dividers *Pl* **2.** (*Kreis*) *a. fig* circle
Zirkelkasten *m* compasses case
Zirkelschluss *m* PHIL circular argument
Zirkeltraining *n* SPORT circuit training
Zirkulation *f* circulation **zirkulieren** *v/i* (*a.* ***~ lassen***) circulate
Zirkumflex *m* LING circumflex (accent)
Zirkus *m* **1.** circus (*a.* F *Tennis*≗ *etc*) **2.** F (*Getue*) fuss, carry-on
zirpen I *v/t u. v/i* chirp (*a. fig*) **II** ≗ *n* chirp(ing)
Zirrhose *f* MED cirrhosis
Zirrus(wolke *f*) *m* cirrus (cloud)
zischeln I *v/t u. v/i* hiss, whisper **II** ≗ *n* hiss(ing), whisper(ing)
zischen I *v/i* **1.** hiss (*a. fig*), *Fett*: sizzle, *Geschoss*: whiz(z) **II** *v/t* **2.** (*Worte etc*) hiss **3.** F ***e-n ~*** knock one back **III** ≗ *n* **4.** hiss(ing), sizzle, (*Missfallensäußerung*) hisses *Pl* **Zischlaut** *m* sibilant
ziselieren *v/t* chase
Zisterne *f* cistern, tank
Zitadelle *f* citadel
Zitat *n* quotation
Zither *f* MUS zither
zitieren *v/t* **1.** cite, quote: ***falsch ~*** misquote **2.** (*vorladen*) summon, cite
Zitronat *n* candied lemon peel
Zitrone *f* lemon
Zitronenfalter *m* ZOOL brimstone
Zitronen|limonade *f* lemonade, *Am* lemon soda **~presse** *f* lemon squeezer **~saft** *m* lemon juice **~säure** *f* citric acid **~schale** *f* lemon peel
Zitrusfrucht *f* citrus fruit
zitt(e)rig *Adj allg* shaky
zittern I *v/i* (***vor*** with) tremble, shake, quiver: ***mir ~ die Knie*** my knees are shaking; *fig* ***~ um*** tremble for; ***vor j-m ~*** be terrified of s.o. **II** ≗ *n* tremble, shake, vibration: *fig* ***mit ≗ und Zagen*** trembling; F ***das große ≗ kriegen*** get the willies
Zitterpappel *f* BOT (quaking) aspen
Zitze *f* teat, dug
Zivi *m* F → ***Zivildienstleistende***
zivil *Adj* **1.** civil, (*Ggs. militärisch*) civilian **2.** *fig* (*anständig*) decent, (*annehmbar*) reasonable
Zivil *n* (*Ggs. Uniform*) civilian dress, *Polizei etc*: plain clothes *Pl*: ***in ~*** F *a.* in mufti; ***Kriminalbeamter in ~*** plain-clothes man **~beruf** *m* civilian profession (*od* trade) **~bevölkerung** *f* civilian population, *the* civilians *Pl*
Zivilcourage *f* courage of one's convictions
Zivildienst *m* civilian service (*in lieu of military service*) **Zivildienstleistende** *m* person doing civilian service

Zivilehe *f* civil marriage **Zivilfahnder(in)** plain-clothes policeman
Zivilfahndung *f* plain-clothes search
Zivilgericht *n* civil court
Zivilisation *f* civilization **Zivilisationskrankheit** *f* civilization disease
zivilisieren *v/t* civilize
Zivilist(in) civilian
Zivilkammer *f* JUR civil division
Zivilklage *f* JUR civil suit **Zivilkleidung** *f* → ***Zivil*** **Zivilluftfahrt** *f* civil aviation **Zivilperson** *f* civilian
Zivilprozess *m* JUR civil action **~ordnung** *f* code of civil procedure
Zivilrecht *n* civil law
zivilrechtlich *Adj* (*Adv* under) civil law
Zivilschutz *m* civil defen/ce (*Am* -se)
Zivilstand *m Swiss* civil (*od* marital) status **Ziviltrauung** *f* civil marriage
Zivilverteidigung *f* → ***Zivilschutz***
Zobel *m* **1.** ZOOL sable **2.** *a.* **~fell** *n* sable-skin **3.** *a.* **~pelz** sable (fur)
zocken *v/i* F gamble
Zocker(in) F gambler
Zoff *m* F trouble
zögerlich *Adj* → ***zögernd*** **zögern I** *v/i* hesitate, (*schwanken*) waver: ***ohne*** (***lange***) ***zu ~*** without (much) hesitation; ***er zögerte mit der Antwort*** he was slow to answer; ***sie zögerten mit der Entscheidung*** they deferred their decision; ***nicht ~ zu*** *Inf* lose no time in *Ger* **II** ♀ *n* (***ohne*** ♀ without) hesitation
zögernd *Adj* hesitating, (*langsam*) slow
Zögling *m* pupil
Zölibat *n*, REL *m* celibacy
Zoll[1] *m* (*Maß*) inch
Zoll[2] *m* **1.** (customs) duty **2.** (*~behörde*) customs *Sg*
Zollabfertigung *f* customs clearance
Zollamt *n* customs office **Zollbeamte** *m*, **Zollbeamtin** *f* customs officer **Zollbehörde** *f* customs authorities *Pl* **Zollbestimmungen** *Pl* customs regulations *Pl*
Zollbreit *m fig* ***k-n ~ nachgeben*** not to yield an inch
zollen *v/t* ***Anerkennung ~*** pay tribute (*Dat* to); ***j-m Beifall ~*** applaud s.o.
Zollerklärung *f* customs declaration
Zollfahnder(in) customs investigator
Zollfahndung *f* **1.** customs investigation **2.** → **Zollfahndungsstelle** *f* customs-investigation office **Zollformalitäten** *Pl* customs formalities *Pl*
zollfrei *Adj u. Adv* duty-free
Zollfreiheit *f* exemption from duty
Zollgebiet *n* customs territory
Zollkontrolle *f* customs examination
Zöllner(in) **1.** customs officer **2.** BIBEL publican
Zollpapiere *Pl* customs documents *Pl*
zollpflichtig *Adj* liable to duty, dutiable
Zollschranke *f* customs barrier
Zollstock *m* TECH folding rule
Zolltarif *m* (customs) tariff **Zollunion** *f* customs union **Zollvergehen** *n* customs offen/ce (*Am* -se)
Zombie *m* zombie
Zone *f* **1.** zone **2.** (*Fahrpreis*♀) fare stage
Zoo *m* F zoo
Zoobesucher(in) F visitor to the zoo
Zoodirektor(in) F zoo director
Zoologe *m*, **Zoologin** *f* zoologist **Zoologie** *f* zoology **zoologisch** *Adj* zoologic(al): ***~er Garten*** zoological garden(s *Pl*)
Zoom(objektiv *n*) *m* FOTO zoom lens
Zopf *m* **1.** plait, pigtail: F *fig* ***ein alter ~*** an antiquated custom **2.** GASTR twist
Zorn *m* anger (***auf*** *Akk* at), rage, temper, fury: ***in ~ geraten*** fly into a rage; (***der***) ***~ packte ihn*** he was seized with anger
Zornausbruch *m* fit of anger
zornentbrannt *Adj* incensed, furious
zornig *Adj* (***auf, über*** *Akk* at) angry, furious, F mad; → *a.* ***wütend***
Zornröte *f* flush of anger
Zote *f* dirty joke: ***~n reißen*** talk smut
Zottel *f* F *mst Pl Haar*: straggly hair
zott(e)lig *Adj* F *Haar*: straggly, unkempt **zottig** *Adj* shaggy
zu I *Präp* **1.** (*wo*) at, (*wohin*) to, towards: ***~ m-n Füßen*** at my feet; ***~m Friseur gehen*** go to the hairdresser; ***komm ~ mir!*** come to me!; ***sich ~ j-m setzen*** sit with s.o.; ***~ Wasser und ~ Lande*** on land and sea; *fig* **von Mann ~ Mann** between men **2.** *zeitlich*: at, *Anlass*: for: ***~ Ostern*** at Easter; ***~ Beginn*** at the beginning; ***ein Geschenk ~m Geburtstag*** a present for his *etc* birthday; → ***bis*** 1 **3.** (*für*) for: ***Stoff ~m Kleid*** material for a dress; ***etw ~m Essen*** s.th. to eat; ***der Schlüssel ~m Schrank*** the key to the cupboard; ***~m Preis von 100 Euro*** at a price of 100 euros; ***aus***

Liebe ~ j-m out of love for s.o. **4.** (*als*) as: ***~m Vergnügen*** for fun; ***j-n ~m Freund haben*** have s.o. as a friend; ***j-n ~m Präsidenten wählen*** elect s.o. president **5.** (*zs. mit*) with: ***~m Essen Wein trinken*** drink wine with one's dinner; ***ich nehme k-n Zucker ~m Tee*** I don't take sugar with (*od* in) my tea; ***Lieder ~r Laute*** songs to the lute **6.** *bei Zahlen*: ***~ 3 € das Pfund*** at €3 the pound; ***sie gewannen 7:5*** they won 7 (to) 5; ***wir sind ~ dritt*** there are three of us; ***~m ersten Mal*** for the first time; → ***bis*** 3 **7.** *Veränderung*: in(to): ***werden ~*** turn into, *Mensch*: *a.* become; ***~ Asche verbrennen*** burn to ashes; ***er hat ihn sich ~m Feind gemacht*** he made him his enemy **II** *Adv* **8.** (*allzu*) too: ***~ sehr*** too much, overmuch; ***~ sehr betonen*** overemphasize; ***~ viel*** too much; ***eine(r) ~ viel*** one too many; ***viel ~ viel*** far too much; ***~ viel des Guten*** too much of a good thing; ***was ~ viel ist, ist ~ viel!*** there's a limit to everything!; ***~ wenig*** too little, *vor Pl* too few; ***das ist ~ wenig*** that's not enough; ***du schläfst ~ wenig*** you don't get enough sleep; ***~ dumm!*** too bad!, what a nuisance! **9.** *Richtung*: to, towards: ***er ging dem Ausgang ~*** he went towards the exit **10.** (*Ggs. offen*) shut, closed: (***mach die***) ***Tür ~!*** shut the door! **11.** F ***immer ~!, nur ~!*** go on!; → ***zumachen*** 3 **III** *Konj* **12.** *mit Inf* to: ***j-n bitten ~ kommen*** ask s.o. to come; ***ich habe ~ arbeiten*** I have work to do; ***du bist ~ beneiden*** you are to be envied; ***nicht ~ gebrauchen*** useless; ***ohne es ~ wissen*** unknowingly **IV** *Adj* **13.** F **a)** closed, shut: ***~ sein*** be closed, **b)** (*überfüllt*) chock-a-block, **c)** *fig* (*betrunken*) bombed

zuallererst *Adv* first of all

zuallerletzt *Adv* last of all

zubauen *v/t* (*Gelände*) build *s.th.* up, (*versperren*, *a. Blick*) block

Zubehör *n* accessories *Pl*: *Wohnung etc* ***mit allem ~*** with all conveniences

Zubehörteil *n* fitting, accessory

zubeißen *v/i* bite, *Hund*: snap

zubekommen *v/t* F ***etw ~*** get s.th. shut

Zuber *m* tub

zubereiten *v/t allg* prepare, make

Zubereitung *f* preparation

zubilligen *v/t* grant, concede, *a.* JUR allow (*alle*: ***j-m etw*** s.o. s.th.), (*zusprechen*) award (*Dat* to)

zubinden *v/t* tie (*od* bind) *s.th.* up

zubleiben *v/i* F stay closed, stay shut

zublinzeln *v/t* ***j-m ~*** wink at s.o.

zubringen *v/t* (*Zeit*) spend, pass

Zubringer *m* → ***Zubringerbus, -dienst, -linie, -straße*** **~bus** *m* feeder bus **~dienst** *m* feeder service **~linie** *f allg* feeder line **~straße** *f* feeder (road)

Zucchini *f* courgette, *Am* zucchini

Zucht *f* **1.** breeding, rearing, raising, *von Pflanzen*: cultivation, growing, *von Bienen*, *Bakterien etc*: culture **2.** (*Rasse*) breed **3.** (*a.* ***~ und Ordnung***) discipline

Zuchtbuch *n* studbook

Zuchtbulle *m* breeding bull

züchten *v/t allg* breed (*a. fig*), (*Tiere*) *a.* rear, raise, (*Pflanzen*) *a.* cultivate, grow, (*Bakterien*, *Perlen etc*) culture

Züchter(in) *allg* breeder, *von Pflanzen*: *a.* grower **Züchterverband** *m* breeders' association

Zuchthaus *n* prison; → *a.* ***Gefängnis***

Zuchthengst *m* stud horse, stallion

züchtig *Adj* virtuous, (*keusch*) chaste

züchtigen *v/t* punish, flog **Züchtigung** *f* (***körperliche ~*** corporal) punishment

zuchtlos *Adj* undisciplined, disorderly

Zuchtperle *f* culture(d) pearl

Zuchtstier *m* breeding bull **Zuchtstute** *f* stock mare **Zuchttier** *n* breeding animal: **~e** *Pl a.* breeding stock *Sg*

Züchtung *f* → ***Zucht*** 1, 2

Zuchtvieh *n* breeding cattle

Zuchtwahl *f* BIOL selection

zucken *v/i* **1.** jerk, twitch, move convulsively, *vor Schmerz*: wince: → ***Achsel, Schulter, Wimper*** **2.** *Blitz etc*: flash, *Flammen*: flicker

zücken *v/t* (*Messer etc*) draw, F (*Börse*, *Brieftasche etc*) pull out, produce

Zucker *m* **1.** sugar **2.** F MED (***er hat ~*** he is suffering from) diabetes **~brot** *n* F *fig* ***mit ~ und Peitsche*** with a stick and a carrot **~dose** *f* sugar bowl **~erbse** *f* BOT sugar pea **~fabrik** *f* sugar factory **~guss** *m* icing, frosting: ***mit ~ überziehen*** ice, frost **~hut** *m* sugar loaf

zuck(e)rig *Adj* sugary

zuckerkrank *Adj*, **Zuckerkranke** *m*, *f* diabetic **Zuckerkrankheit** *f* diabetes

Zuckerlecken *n* F *fig* ***das ist kein ~*** that's no picnic
zuckern *v/t* sugar
Zucker|mais *m* BOT sweetcorn **~rohr** *n* BOT sugar cane **~rübe** *f* BOT sugar beet
zuckersüß *Adj* (as) sweet as sugar, *fig* honeyed, sugary
Zuckerwatte *f* candy floss, *Am* cotton candy
Zuckerzange *f* sugar tongs *Pl*
Zuckung *f* twitch(ing), jerk, (*Krampf*) convulsion, spasm
zudecken *v/t* cover (up): ***sich ~*** cover o.s. (up); F *fig* ***j-n mit Arbeit*** (***Fragen***) ~ swamp s.o. with work (questions)
zudem *Adv* besides, moreover
zudrehen *v/t* **1.** (*Hahn*) turn off **2.** ***j-m den Rücken ~*** turn one's back on s.o.
zudringlich *Adj* obtrusive, F pushy: *e-r Frau* ***gegenüber ~ werden*** make advances to, F make a pass at
Zudringlichkeit *f* **1.** obtrusiveness, F pushiness **2.** *oft Pl* advances *Pl*, F pass
zudrücken *v/t* close, (press) shut: → ***Auge*** 1
zueignen *v/t* (*Buch etc*) dedicate (*Dat* to) **Zueignung** *f* dedication
zueilen *v/i* ***~ auf*** (*Akk*) rush up to
zueinander *Adv* to each other, to one another: ***Vertrauen ~ haben*** trust each other; F ***~ halten*** stick together
zuerkennen *v/t* (*Dat* to) award, adjudge
zuerst *Adv* **1.** first: ***~ muss ich etw essen*** first of all I've got to eat s.th.; ***wer ~ kommt, mahlt ~*** first come, first served **2.** (*anfangs*) at first, at the beginning **3.** (*zum ersten Mal*) for the first time, first
Zufahrt *f* **1.** access **2.** → **Zufahrtsstraße** *f* access road
Zufall *m* chance, accident, (*Zs.-treffen*) coincidence: ***durch ~*** by chance; ***reiner ~*** pure chance; ***glücklicher ~*** lucky coincidence, F fluke; ***unglücklicher ~*** bit of bad luck; ***was für ein ~!*** what a coincidence!; ***wie es der ~ wollte*** as luck would have it; ***es ist kein ~, dass*** it's no accident that; ***etw dem ~ überlassen*** leave it to chance
zufallen *v/i* **1.** *Augen etc*: close, *Tür etc*: slam (shut): ***mir fallen die Augen zu*** I can't keep my eyes open **2.** ***j-m ~*** *Erbe etc*: fall to s.o., *Preis etc*: be awarded to s.o., *Aufgabe etc*: be assigned to s.o.; *fig* ***ihm fällt alles nur so zu*** everything comes quite naturally to him
zufällig I *Adj* accidental, chance: ***~es Zs.-treffen*** chance encounter, *von Umständen*: coincidence; ***jede Ähnlichkeit*** (***mit …***) ***ist rein ~*** any resemblance (to …) is purely coincidental **II** *Adv* by chance, accidentally: ***er war ~ zu Hause*** he happened to be at home; ***wir trafen uns ~*** we met by chance, F we bumped into each other; ***~ stoßen auf*** (*Akk*) chance (up)on; ***rein ~*** by sheer chance; ***weißt du ~, wo er ist?*** do you know by any chance where he is?
Zufälligkeit *f* **1.** coincidence, accidentalness **2.** *oft Pl* fortuity, contingency
Zufalls|auswahl *f Statistik*: random selection **~bekanntschaft** *f* chance acquaintance **~generator** *m* random generator **~treffer** *m* lucky (F fluke) hit, SPORT (*Tor*) *a.* lucky goal
zufassen *v/i* **1.** take hold of it, grasp it **2.** F *fig* (*helfen*) give a hand, help
zufliegen *v/i* **1.** F *Tür etc*: slam (shut) **2.** ***~ auf*** (*Akk*) fly toward(s) **3.** ***j-m ~*** **a)** *Vogel*: fly into s.o.'s home, **b)** *fig Ideen, Kenntnisse etc*: come easily to s.o.
zufließen *v/i a. fig* flow into
Zuflucht *f* **1.** refuge, shelter: ***~ suchen*** (***finden***) seek (find) refuge (***bei*** with, *fig* in) **2.** *fig* (***m-e letzte ~*** my last) resort: ***s-e ~ nehmen zu*** resort to
Zufluchtsort *m* place of refuge, retreat
Zufluss *m* **1.** influx, inflow **2.** *zum Meer*: inlet, (*Nebenfluss*) tributary
zuflüstern *v/t* whisper (*Dat* to)
zufolge *Präp* (*Dat*) according to
zufrieden *Adj* (***mit*** with) content(ed), *mit e-r Leistung etc*: satisfied, pleased: ***ein ~es Gesicht machen*** look pleased; ***ein ~es Lächeln*** a contented smile; ***mit wenig ~*** easily satisfied; ***danke, ich bin völlig ~!*** thanks, I'm quite happy!; ***sie ist nie ~*** she is always discontented, there is no pleasing her; *iron* ***bist du nun ~?*** are you satisfied now?; ***sich ~ geben*** (***mit*** with) be content, content o.s.; ***j-n ~ lassen*** leave s.o. alone (*od* in peace); ***~ stellen*** satisfy, please; ***sie sind leicht*** (***schwer***) ***~ zu stellen*** they are easy (hard) to please; ***~ stellend*** satisfactory; *Adv* ***~ lächeln*** smile contentedly
Zufriedenheit *f innere*: contentment,

(***zu m-r*** *etc* **~** to my *etc*) satisfaction
Zufriedenstellung *f* satisfaction
zufrieren *v/i* freeze up (*od* over)
zufügen *v/t* **1.** add (*Dat* to) **2.** ***j-m e-n Schaden*** **~** harm s.o.; ***j-m Verluste*** (***e-e Niederlage***) **~** inflict losses (defeat) on s.o.; ***j-m*** (***ein***) ***Unrecht*** **~** wrong s.o.
Zufuhr *f* supply, METEO influx: ***die ~ abschneiden*** cut off supplies
zuführen I *v/t* (*Dat* to) carry, bring, lead, TECH feed, supply: ***dem Körper Nahrung ~*** feed the body; ***e-r Partei neue Mitglieder ~*** bring new members to a party; ***etw seiner eigentlichen Bestimmung ~*** devote s.th. to its proper purpose; ***j-n s-r*** (***gerechten***) ***Strafe ~*** punish s.o. (as he deserves) **II** *v/i* **~ *auf*** (*Akk*) *a. fig* lead to **Zuführung** *f* **1.** TECH conveyance, feeding, delivery **2.** ELEK lead
Zug[1] *m* (***mit dem ~ fahren*** go by) train: ***im ~*** on the train; ***wir brachten sie zum ~*** we saw her off at the station; F *fig* ***im falschen ~ sitzen*** be on the wrong track; ***der ~ ist abgefahren!*** it's too late for that now!
Zug[2] *m* **1.** (*Ziehen*) draw(ing), pull(ing), traction, (*Ruck*) jerk, tug, TECH (*Spannung*) tension, (*~kraft*) tensible force **2.** (*Luft*≈ *etc*) *allg* draught, *Am* draft, (*Atem*≈) *a.* breath, *beim Trinken*: *a.* gulp, F swig, *beim Rauchen*: drag, puff: ***in einem ~*** *a. fig* in one go; ***in den letzten Zügen liegen*** **a)** (*sterben*) be breathing one's last, **b)** *hum Sache*: be on its last legs; ***etw in vollen Zügen genießen*** enjoy s.th. to the full **3.** *Schach*: move: ***wer ist am ~?*** who is to move?; ***~ um ~*** step by step, (*sofort*) without delay, WIRTSCH concurrently; ***er kam nicht zum ~(e)*** he didn't get a look-in **4.** (*Arm*≈, *Feder*≈) stroke, (*Schrift*≈) writing: *fig* ***in groben Zügen*** in broad outline, roughly **5.** *allg* procession (*a. Fest*≈), (*Kolonne*) column, MIL *etc* platoon: ***endlose Züge von Flüchtlingen*** an endless procession of refugees **6.** *der Vögel etc*: passage, migration, *der Wolken etc*: movement, (*Schwarm*) flight **7.** *fig* ***im ~e*** (*Gen*) in the course of; ***im besten ~e sein*** *Sache*: be well under way, *Person*: be going strong **8.** F (*Disziplin*, *Schwung*) ***~ bringen in*** (*Akk*) bring *a class*, *team*, *etc* up to scratch; ***da ist kein ~ drin*** it's a slow show, they lack the real drive **9.** *e-r Heizung*: flue, *am Gewehrlauf*: groove, *Pl* rifling: → ***Gummizug***, ***Flaschenzug*** **10.** PÄD *neusprachlicher etc*: stream
Zug[3] *m* (*Gesichts*≈) feature, (*Ausdruck*) line, look, (*Wesens*≈) characteristic, trait, *bes pej* streak, (*Hang*) bent (***zu*** for): ***das war kein schöner ~ von ihr*** that wasn't nice of her; *fig* ***der ~ der Zeit*** the trend of the times
Zugabe *f* **1.** extra, (*Prämie*) bonus **2.** addition, TECH (*Gewichts*≈) makeweight **3.** *bes* MUS encore
Zugang *m* **1.** access (*a. fig*), (*Tor*) gate (-way) (*a. fig*), (*Weg*) approach, access road: *fig* ***ich finde k-n ~ zur modernen Musik*** I'm unable to appreciate modern music **2.** (*Zuwachs*) increase, *mst Pl* (*Neuerwerbung*) accession, *Pl* (*Patienten*) admissions *Pl*, (*Schüler etc*) intake *Sg*
zugänglich *Adj a. fig* accessible (***für*** to), get-at-able, (*verfügbar*) available: ***etw*** (***der Allgemeinheit***) ***~ machen*** open s.th. (to the public); ***~ für*** open to *arguments etc*; ***er war für neue Methoden ~*** he was quite willing to try out new methods; ***sie war k-n Vernunftgründen*** (***Schmeicheleien***) ***~*** she wasn't amenable to reason (flattery); ***allmählich wurde sie ~er*** gradually she unbent **Zugänglichkeit** *f* (***für*** to) accessibility, *fig a.* amenability
Zugangsstraße *f* access road
Zugbrücke *f* drawbridge
zugeben *v/t* **1.** add (*Dat* to), WIRTSCH give as an extra, F throw in, MUS give *s.th.* as an encore **2.** *allg* admit, (*einräumen*) *a.* grant, concede, (*gestehen*) *a.* confess: ***er gab zu, es getan zu haben*** he admitted (*od* confessed) having done it; ***zugegeben, er hat Recht, aber …*** I grant you he's right but … **3.** allow
zugegebenermaßen *Adv* admittedly
zugegen *Adj* ***~ sein*** be present (***bei*** at)
zugehen I *v/i* **1.** ***~ auf*** (*Akk*) go up to, go (*od* walk) towards, *zielstrebig*: head for; *fig* ***er geht auf die Achtzig zu*** he's getting on for eighty; ***dem Ende ~*** be drawing to a close; ***man muss auf die Leute ~*** you have to talk to people

(openly) **2.** ***j-m ~*** reach s.o.; ***j-m etw ~ lassen*** have s.th. sent to s.o. **3.** F walk faster: ***geh zu!*** get a move on! **4.** F *Tür, Koffer etc*: shut **5.** → ***zulaufen*** 4 **II** *v/unpers* **6.** ***es geht auf 8 Uhr zu*** it's getting on for eight (o'clock); ***es geht dem Winter zu*** winter is drawing near (*od* is on its way) **7.** (*sich abspielen*) happen, go: ***wie geht es zu, dass ...?*** how is it that ...?, F how come ...?; ***bei ihnen gehts vielleicht lebhaft*** (***hektisch, wild***) ***zu!*** things are pretty lively (hectic, wild) with them!; → ***Ding*** 2

zugehörig → ***dazugehörig***: TECH ***~e Teile*** accessory parts **Zugehörigkeit** *f* (***zu***) *e-m Verein etc*: membership (in), *e-r Konfession*: affiliation (to, with)

zugeknöpft *Adj* F *fig* reserved, silent

Zügel *m* rein: *fig* ***die ~*** (***fest***) ***in der Hand halten*** have things (firmly) under control; ***die ~ lockern*** loosen the reins; *der Fantasie etc* ***die ~ schießen lassen*** give free rein to **zügellos** *Adj fig* unrestrained, (*ausschweifend*) licentious **Zügellosigkeit** *f* lack of restraint, (*Ausschweifung*) licentiousness

zügeln I *v/t* **1.** rein (up) **2.** *fig* curb, check, bridle **II** *v/i* **3.** *schweiz*. move house

Zugereiste *m, f* newcomer

Zugeständnis *n* concession (***an*** *Akk* to)

zugestehen *v/t* **1.** (*Dat* to) concede, grant **2.** (*zugeben*) admit

zugetan *Adj* (*Dat*) ***~ sein*** be fond of

Zugewinn *m* gain(s *Pl*)

Zugfeder *f* TECH tension spring, *e-r Uhr*: main spring

Zugfestigkeit *f* TECH tensile strength

Zugführer(in) 1. BAHN guard, *Am* train conductor **2.** MIL platoon leader

Zugfunk *m* BAHN train radio

zugießen *v/t* add

zugig *Adj* draughty, *Am* drafty

zügig *Adj* quick, speedy: *Adv* ***j-n ~ abfertigen*** deal with s.o. briskly; ***~ vorankommen*** make rapid progress

Zugkraft *f* **1.** TECH tractive (*od* tensile) force **2.** *fig* attraction, appeal, *e-r Person*: magnetism

zugkräftig *Adj fig* powerful, *Schlagwort etc*: catchy, *Film, Schauspieler etc*: crowd-pulling, POL *Kandidat etc*: vote-getting: ***~ sein*** *a.* have appeal

zugleich *Adv* at the same time

Zugluft *f* draught, *Am* draft

Zugmaschine *f* MOT tractor

Zugmittel *n fig* draw, attraction

Zugpersonal *n* BAHN train staff

Zugpferd *n fig* draw, THEAT *etc* crowd-puller, POL *a.* (great) vote-getter

Zugpflaster *m* MED blistering plaster

zugreifen *v/i* **1.** → ***zufassen*** **2.** *bei Tisch*: help o.s.: ***greifen Sie bitte zu!*** please help yourself! **3.** *fig* seize (*od* jump at) the opportunity: ***du brauchst nur zuzugreifen!*** you may have it for the asking! **4.** *fig* (*einschreiten*) intervene

Zugriff *m* **1.** intervention: ***er entzog sich dem ~ der Polizei*** he escaped the police **2.** COMPUTER access

Zugriffs|berechtigung *f* COMPUTER (access) authorisation **~geschwindigkeit** *f* speed of access **~kode** *m* access code **~möglichkeit** *f* COMPUTER access (mode) **~zeit** *f* COMPUTER access time

zugrunde *Adv* **1.** ***~ gehen*** (***an*** *Dat*) **a)** perish (of), die (of), **b)** be ruined (by) **2.** *e-r Sache* ***etw ~ legen*** base s.th. on **3.** *e-r Sache* ***~ liegen*** form the basis of, be based on **4.** ***~ richten*** ruin, wreck

Zugsalbe *f* MED blistering ointment

Zugschaffner(in) BAHN ticket inspector

Zugseil *n* TECH traction rope

Zugstück *n* THEAT *etc* draw, hit

Zugtelefon *n* telephone on the train

Zugtier *n* draught (*Am* draft) animal

zugucken F → ***zusehen*** 1, 2

Zugunglück *n* train accident

zugunsten *Präp* (*Gen*) in favo(u)r of

zugute *Adv* **1.** ***j-m etw ~ halten*** give s.o. credit for s.th., (*verzeihen*) pardon s.o. s.th.; ***sie hielten ihm s-e Unerfahrenheit ~*** they made allowances for his lack of experience **2.** ***~ kommen*** (*Dat*) **a)** *Spenden etc*: go to, be for the benefit of, **b)** (*nützen*) be of advantage to, stand *s.o.* in good stead **3.** ***sich etw ~ halten*** (*od* ***tun***) ***auf*** (*Akk*) pride o.s. on

Zugverbindung *f* BAHN train connection

Zugverkehr *m* BAHN railway (*Am* railroad) traffic

Zugvogel *m* bird of passage

Zugzwang *m fig* ***in ~ geraten*** be forced to make a move; ***unter ~ stehen*** be un-

der pressure to act
zuhaben *v/i* F be closed
zuhalten I *v/t* **1.** keep *s.th.* closed **2.** (*Ohren, Augen*) put (*od* hold) one's hand(s) over: ***sich die Nase ~*** hold one's nose **II** *v/i* **3.** ***~ auf*** (*Akk*) make for, head for
Zuhälter *m* pimp
Zuhälterei *f* procuring, pimping
zuhause *Adv österr., schweiz.* → ***Haus***
Zuhause *n* home
Zuhilfenahme *f* ***unter*** (***ohne***) ***~ von*** (*od Gen*) with (without) the aid of
zuhinterst *Adv* at the very end
zuhören *v/i* listen (*Dat* to)
Zuhörer(in) listener: ***die Zuhörer*** *Pl a.* the audience *Sg* **Zuhörerraum** *m* auditorium **Zuhörerschaft** *f* audience, RADIO *a.* listeners *Pl*
zujauchzen, zujubeln *v/i* (*Dat*) cheer
zukaufen *v/t* buy (some) more
zuklappen *v/t u. v/i* shut, close *s.th.* with a snap
zukleben *v/t* (*Umschlag etc*) seal
zuknallen *v/t* F slam *s.th.* (shut)
zuknöpfen *v/t* button (up): → ***zugeknöpft***
zukommen *v/i* **1.** ***~ auf*** (*Akk*) approach, come up to; *fig* ***auf j-n ~*** *Ereignis etc*: be in store for s.o.; VERW ***wir werden auf Sie ~*** we'll contact you; ***die Sache auf sich ~ lassen*** let the matter take its course, wait and see **2.** ***j-m etw ~ lassen*** send (*od* give) s.o. s.th. **3.** ***j-m ~*** **a**) (*sich schicken*) befit s.o., **b**) (*zustehen*) be due to s.o.; ***e-e derartige Kritik an ihm kommt dir nicht zu*** you have no right to criticize him like that
zukriegen → ***zubekommen***
Zukunft *f* **1.** (***in ~*** in) future: ***in naher*** (***nächster***) ***~*** in the near (immediate) future; ***in die ~ blicken*** look ahead; ***dieser Beruf hat k-e ~*** there is no future in this profession; F ***das hat k-e ~!*** that has no future!; ***abwarten, was die ~ bringt*** wait and see what the future has in store for us **2.** LING future (tense) **zukünftig I** *Adj* future, *Person*: *a.* prospective, *nachgestellt*: to be: F ***m-e ≈e, mein ≈er*** my intended **II** *Adv* in (the) future
Zukunfts|aussichten *Pl* future prospects *Pl* **≈bezogen I** *Adj* forward-looking **II** *Adv* with a view to the future **~forscher(in)** futurologist **~forschung** *f* futurology **~glaube** *m* faith in the future **~musik** *f fig* ***das ist alles noch ~*** that's all still up in the air **≈orientiert** *Adj* future-oriented **~pläne** *Pl* plans *Pl* for the future **≈reich** *Adj* with a great future, promising **~roman** *m* science fiction novel
zukunftsweisend *Adj* forward-looking, (*fortschrittlich*) advanced
zulächeln *v/i* ***j-m ~*** smile at s.o.
Zulage *f* (additional) allowance, extra pay, (*Prämie*) bonus, (*Gehalts≈*) rise, *Am* raise
zulangen *v/i* **1.** F → ***zugreifen*** 2 **2.** → ***zupacken***
zulassen *v/t* **1.** F (*Tür etc*) leave *s.th.* shut **2.** (*j-n*) admit (***zu*** to), *behördlich*: license, (*Auto etc*) *a.* register: ***amtlich ~*** authorize; ***staatlich ~*** register; ***j-n als Rechtsanwalt ~*** call (*od* admit) s.o. to the bar **3.** (*gestatten*) allow, permit, (*Deutung, Zweifel etc*) admit (of)
zulässig *Adj* admissible, permissible, allowable: ***~e*** (***Höchst***)***Belastung*** maximum permissible (*od* safe) load; ***~e Höchstgeschwindigkeit*** speed limit; ***das ist*** (***nicht***) ***~*** that is (not) allowed
Zulassung *f* **1.** admission (***zu*** to) **2.** MOT **a**) registration, **b**) (*Dokument*) licen/ce (*Am* -se)
Zulassungs|beschränkung *f* restriction on admissions **~nummer** *f* MOT registration number **~papiere** *Pl* registration papers *Pl*
zulasten *Präp* (*Gen od* **von**) to the debit of
Zulauf *m* **1.** *von Kunden etc*: run, (*Kundschaft*) custom, (*Anklang*) approval: ***großen ~ haben*** be much sought after, *Film etc*: be very popular, draw large crowds **2.** TECH supply **zulaufen** *v/i* **1.** ***~ auf*** (*Akk*) run up to **2.** ***j-m ~*** **a**) *Tier*: stray to s.o., **b**) *Kunden etc*: flock to s.o.; ***zugelaufener Hund*** stray dog **3.** *Wasser etc*: flow in: ***~ lassen*** add, run *hot water* in **4.** ***spitz ~*** taper to a point **5.** F hurry: ***lauf zu!*** hurry up!
zulegen I *v/t* **1.** F ***sich ein Auto*** *etc* ***~*** buy (*od* get) o.s. a car *etc*; *fig* ***er hat sich e-e neue Freundin*** (***e-n Bart***) ***zugelegt*** he has got himself a new girlfriend (he has grown a beard) **2.** add (*Dat* to): → ***Zahn*** 2 **II** *v/i* **3.** F *an Gewicht*: put on weight,

an Tempo: increase the pace, (*Gewinne erzielen*) score gains
zuleide *Adv* ***j-m etw ~ tun*** harm (*od* hurt) s.o.; → ***Fliege*** 1
zuleiten *v/t* **1.** TECH feed, supply, (*Wasser*) *a.* let in **2.** (*zustellen*) pass *s.th.* on (*Dat* to)
Zuleitung *f* **1.** TECH supply (*od* feeding) pipe **2.** ELEK feeder, *am Gerät*: lead
zuletzt *Adv* **1.** last: ***du kommst immer ~*** you are alway the last (to arrive); ***ganz ~*** last of all **2.** ***bis ~*** to the (very) end **3.** finally, in the end **4.** (*zum letzten Mal*) last: ***wann haben Sie ihn ~ gesehen?*** when did you see him last? **5.** ***nicht ~ e-e Frage des Geldes*** *etc* not least a question of money *etc*
zuliebe *Adv* ***mir*** (***ihr*** *etc*) ***~*** for my (her *etc*) sake
Zulieferbetriebe *Pl* subcontractors *Pl*, ancillary industries *Pl*
Zulieferer *m*, **Zulieferin** *f* subcontractor
zumachen F **I** *v/t* **1.** (*Tür etc, a. Geschäft etc*) shut, close, (*Loch*) stop up, (*Jacke etc*) button up, do up, (*Schirm*) put down, (*Umschlag etc*) seal: ***ich habe kein Auge zugemacht*** I didn't sleep a wink **II** *v/i* **2.** *Geschäft etc*: close, shut, *für immer*: close down **3.** hurry: ***mach zu!*** hurry up!
zumal **I** *Konj* ***~*** (***da*** *od* ***weil***) particularly since **II** *Adv* particularly, above all
zumessen *v/t* **1.** (*Dat* to) apportion, allot **2.** → ***beimessen***
zumindest *Adv* at least
zumute *Adv* ***wie ist dir ~?*** how do you feel?; ***mir ist jämmerlich ~*** I feel miserable; ***mir ist nicht nach Essen ~*** I don't feel like eating; ***mir ist bei dieser Sache gar nicht wohl ~*** I don't feel at all happy about it
zumuten *v/t* ***j-m etw ~*** expect s.th. of s.o.; ***sich zu viel ~*** overdo things, F bite off more than one can chew **Zumutung** *f* unreasonable demand, (*Unverschämtheit*) cheek: ***das ist e-e ~!*** that's asking a bit much!, *stärker*: what a nerve!
zunächst *Adv* **1.** (*vor allem*) first (of all), above all **2.** (*erstens*) to begin with, in the first place **3.** (*vorläufig*) for the present, for the time being
zunageln *v/t* (*Kiste etc*) nail up
zunähen *v/t* sew up
Zunahme *f* increase (*Gen od* ***an*** *Dat* in)
Zuname *m* surname, last name
Zündeinstellung *f* MOT ignition timing
zündeln *v/i österr., südd.* play with fire
zünden **I** *v/t* **1.** MOT ignite, (*Sprengladung*) detonate, (*Rakete etc*) fire **II** *v/i* **2.** catch fire, ELEK, MOT ignite, fire **3.** *fig* arouse enthusiasm, *Idee etc*: catch on
zündend *Adj fig Rede*: rousing, stirring
Zunder *m* (***brennen wie ~*** burn like) tinder: F *fig* ***j-m ~ geben*** give s.o. hell
Zünder *m* TECH fuse, *Am* fuze, ELEK igniter
Zünd|funke *m* MOT (ignition) spark **~holz** *n*, **~hölzchen** *n* match **~kabel** *n* MOT ignition cable **~kerze** *f* MOT spark(ing) plug **~punkt** *m* CHEM ignition point **~satz** *m* primer **~schloss** *n* MOT ignition lock **~schlüssel** *m* MOT ignition key **~schnur** *f* fuse, (*Lunte*) slow match wick **~spule** *f* MOT ignition coil
Zündstoff *m* **1.** inflammable matter **2.** *fig* dynamite
Zündung *f* MOT ignition
zunehmen **I** *v/i* **1.** increase, (*wachsen*) grow: ***an Wert ~*** increase in value; ***an Bedeutung ~*** gain in importance **2.** *Mond*: wax **3.** (***sehr*** *od* ***stark***) ***~*** put on (a lot of) weight **II** *v/t* **4.** ***sie hat 10 Pfund zugenommen*** she has put on (*od* gained) ten pounds
zunehmend **I** *Adj* **1.** increasing, growing: ***mit ~em Alter*** as one gets older; ***in ~em Maße*** → 3 **2.** *Mond*: waxing: ***bei ~em Mond*** when the moon is waxing **II** *Adv* **3.** increasingly, more and more
zuneigen *v/refl* ***sich j-m ~*** lean towards s.o.; *fig* ***sich dem Ende ~*** draw to a close
Zuneigung *f* affection (***für, zu*** for): ***zu j-m ~ fassen*** take (a liking) to s.o.
Zunft *f hist* guild
zünftig *Adj* F proper (*a. tüchtig*), good
Zunge *f allg* tongue: ***mit der ~ anstoßen*** (have a) lisp; ***sich auf die ~ beißen*** bite one's tongue (*fig* lips); (***j-m***) ***die ~ herausstrecken*** put one's tongue out (at s.o.); *fig* ***es lag mir auf der ~*** I had it on the tip of my tongue; ***sie hat e-e lose*** (***scharfe***) ***~*** she has a loose (sharp) tongue; → ***zergehen***

Zungen|belag *m* MED coat(ing) of the tongue **~brecher** *m* F tongue twister
zungenfertig *Adj* glib
Zungenkuss *m* French (*od* deep) kiss
Zungenlaut *m* lingual (sound)
Zungenspitze *f* tip of the tongue
Zünglein *n fig* ***das ~ an der Waage sein*** tip the scales
zunichte *Adv* ***~ machen*** destroy, ruin; ***~ werden*** come to nothing
zunicken *v/i* ***j-m ~*** nod to s.o.; ***j-m freundlich ~*** give s.o. a friendly nod
zunutze *Adv* ***sich*** *etw* ***~ machen*** make (good) use of, *a. pej* take advantage of
zuoberst *Adv* (right) at the top
zuordnen *v/t* **1.** (*Dat*) assign (to) (*a.* MATHE), class (with) **2.** COMPUTER allocate
zupacken *v/i* work hard
zupackend *Adj* energetic
zupfen I *v/t* pull, pick, (*a. Saite*) pluck: ***j-n am Ärmel ~*** tug at s.o.'s sleeve **II** *v/i* ***~ an*** (*Dat*) pull at, tug at
Zupfinstrument *n* plucked instrument
zuprosten *v/i* raise one's glass (*Dat* to)
zurande *Adv* ***mit j-m*** (***etw***) ***~ kommen*** be able to cope with s.o. (s.th.)
zurate *Adv* ***~ ziehen*** consult
zuraten I *v/i* ***j-m ~, etw zu tun*** advise s.o. to do s.th. **II** ♀ *n* ***auf mein*** (***sein*** *etc*) ♀ on my (his *etc*) advice
zurechnungsfähig *Adj* sane, of sound mind, *bes* JUR responsible
Zurechnungsfähigkeit *f* (*bes* JUR ***verminderte ~*** diminished) responsibility
zurechtbiegen *v/t* **1.** bend *s.th.* into shape **2.** F *fig* straighten *s.o., s.th.* out
zurechtfinden *v/refl* ***sich ~*** find one's way (around), *fig* cope, manage: ***findest du dich darin zurecht?*** can you make sense of it all?
zurechtkommen *v/i* **1.** arrive in time **2.** *fig* (***mit*** with) manage, cope: ***mit j-m*** (***gut***) ***~*** get on (well) with s.o.
zurechtlegen *v/t* **1.** lay *s.th.* ready, arrange **2.** *fig* ***sich*** *etw* ***~*** work (*od* figure) out, (*Entschuldigung*) have *s.th.* ready
zurechtmachen F **I** *v/t allg* get *s.th.* ready, (*bes Speisen*) prepare, make, *Am a.* fix, (*Zimmer*) tidy (up), (*Bett*) make up **II** *v/refl* ***sich ~*** do o.s. up, (*sich schminken*) make up
zurecht|rücken *v/t* adjust, *a. fig* put *s.th.* straight **~setzen** *v/t* adjust: → ***Kopf*** 1 **~stutzen** *v/t a. fig* trim
zurechtweisen *v/t*, **Zurechtweisung** *f* rebuke, reprimand
zureden I *v/i* ***j-m ~*** (***, etw zu tun***) encourage (*stärker*: persuade, urge) s.o. (to do s.th.) **II** ♀ *n* (***auf mein*** *etc* ♀ [***hin***] upon my *etc*) encouragement: ***alles*** ♀ ***war umsonst*** all persuasion was in vain
zureiten I *v/t* (*Pferd*) break in **II** *v/i* ***~ auf*** (*Akk*) ride up to
Zureiter(in) roughrider, trainer
Zürich *n* Zurich
zurichten *v/t* **1.** *bes* TECH finish, (*beschneiden*) shape **2.** BUCHDRUCK make ready **3.** ***übel ~*** injure *s.o.* badly, (*a. etw*) batter
zürnen *v/i* ***j-m ~*** be angry with s.o.
Zurschaustellung *f* exhibition, display, *fig a.* parading
zurück *Adv* back: ***~ sein*** **a)** be back, have come back, **b)** F *fig in der Schule*: lag behind, *in der Entwicklung*: be retarded, be late, be backward, **c)** ***mit*** *der Arbeit*, *Zahlungen etc*: be behind (*od* in arrears) with
Zurück *n* ***es gibt kein ~*** (***mehr***) there's no turning back (now)
zurück|behalten *v/t* keep *s.th.* back, retain **~bekommen** *v/t* get *s.th.* back **~beordern** *v/t* order *s.o.* back **~beugen** *v/t* (*a.* ***sich ~***) bend back **~bilden** *v/refl* ***sich ~*** recede, BIOL regress
zurückbleiben *v/i* **1.** stay (*od* be left) behind **2.** (*übrig bleiben*) be left **3.** lag behind, SPORT *a.* drop back **4.** *fig in der Schule etc*: lag behind, *in der Entwicklung*: be retarded: ***hinter den Erwartungen ~*** fall short of expectations
zurück|blicken *v/i* look back (***auf*** *Akk* at, *fig* on) **~bringen** *v/t* bring (*od* take) *s.o., s.th.* back, return: *fig* ***j-n ins Leben ~*** bring s.o. back to life **~datieren** *v/t* backdate **~denken** *v/i* (***an*** *Akk*) think back (to), recall **~drängen** *v/t* **1.** push *s.o.* back **2.** *fig* repress **~drehen** *v/t* turn (*od* put) back **~dürfen** *v/i* be allowed back **~eilen** *v/i* hurry back **~erobern** *v/t* recapture, *fig* win back **~erstatten** *v/t* refund, reimburse **~erwarten** *v/t* expect *s.o.* back
zurückfahren I *v/i* **1.** drive (*od* travel, go) back, return **2.** *fig* recoil (***vor*** *Dat* from) **II** *v/t* **3.** drive *s.o., s.th.* back
zurückfallen *v/i* **1.** fall back **2.** (*zurück-*

bleiben) fall behind (*a.* PÄD), SPORT *a.* drop back (***auf den dritten Platz*** to third place) **3.** *fig* **~ in** *e-n Fehler, e-e Gewohnheit etc*: relapse (*od* fall back) into **4.** *fig* **~ auf** (*Akk*) reflect on

zurück|finden *v/i* find one's way back (***zu*** to) **~fließen** *v/i a. fig* flow back **~fordern** *v/t* reclaim, demand *s.th.* back **~führen** *v/t* **1.** lead *s.o.* back: (***in die Heimat***) **~** repatriate **2.** *fig* (***auf*** *Akk* to) reduce, trace *s.th.* (back), attribute **~geben** *v/t* **1.** give *s.th.* back, return **2.** SPORT ***den Ball*** **~** pass the ball back

zurückgeblieben *Adj fig* retarded, backward

zurückgehen *v/i* **1.** go back, return, retreat: *fig* ***etw*** **~** ***lassen*** send s.th. back, return s.th.; ***bis ins 19. Jh.*** **~** go (*od* date) back to the 19th century **2.** *fig* go down (*a.* MED *Schwellung etc*), fall of, decrease: ***das Geschäft geht zurück*** business is falling off **3.** *fig* **~ auf** (*Akk*) go back to, have its origin in

zurückgezogen *Adj* retired, secluded: *Adv* **~** ***leben*** lead a secluded life

Zurückgezogenheit *f* seclusion

zurückgreifen *v/i fig* **~ auf** (*Akk*) fall back on, *zeitlich*: go back to

zurückhalten I *v/t* **1.** *allg* hold *s.o., s.th.* back, withhold, *fig* (*Tränen, Lachen etc*) *a.* suppress, restrain **II** *v/refl* ***sich*** **~ 2.** restrain o.s.: ***sich*** **~ *mit*** *Essen, Trinken etc*: go easy on **3.** be reserved, keep (o.s.) to o.s., *Käufer*: hold back: ***er hat sich sehr zurückgehalten*** he kept very much in the background **III** *v/i* **4. ~ *mit*** keep back; ***mit s-r Meinung*** **~** reserve judgement

zurückhaltend *Adj* reserved (*a.* WIRTSCH), (*vorsichtig*) guarded, cautious, (*schweigsam*) reticent, (*unaufdringlich*) unobtrusive: ***mit*** *Lob, Kritik etc* **~ *sein*** be sparing in (*od* with); *Adv* ***er reagierte sehr*** **~** his reaction was very cool

Zurückhaltung *f fig* reserve, (*Vorsicht*) caution, discretion

zurück|holen *v/t* fetch *s.o., s.th.* back, (*j-n*) call *s.o.* back (*a. fig*) **~kehren** *v/i* come back, return **~kommen** *v/i* **1.** come back, return **2.** *fig* **~ *auf*** (*Akk*) come back to, *ein Schreiben*: refer to; ***auf j-s Angebot*** **~** take s.o. up on his offer **~können** *v/i* F be able to go back: *fig* ***jetzt kann ich nicht mehr zurück!*** I can't go back on my word (*od* decision *etc*) now! **~lassen** *v/t* **1.** *allg, a. fig* leave *s.o., s.th.* behind **2.** F allow *s.o.* back **~laufen** *v/i* run back

zurücklegen I *v/t* **1.** ***etw*** (***an s-n Platz***) **~** put s.th. back (in its place) **2.** put *s.th.* aside, (*Geld*) save, put by, lay aside: ***können Sie mir den Mantel bis morgen ~?*** would you keep the coat for me till tomorrow? **3.** (*e-e Strecke etc*) cover, *zu Fuß*: *a.* walk: ***zurückgelegte Strecke*** distance covered, MOT *a.* mileage **II** *v/refl* ***sich*** **~ 4.** lie back

zurück|lehnen *v/t u. v/refl* ***sich*** **~** lean back **~liegen** *v/i* ***das liegt zwei Jahre zurück*** that was two years ago; ***5 Punkte*** (***3 Meter*** *etc*) **~** be five points down (be three metres *etc*) behind **~melden** *v/refl* ***sich*** **~** report back (***bei*** to) **~müssen** *v/i* F have to go back

Zurücknahme *f* taking back, JUR (*Widerruf*) *a.* withdrawal, retraction

zurücknehmen *v/t allg* take *s.th.* back (*a. fig*), (*Klage, Truppen etc*) withdraw, (*widerrufen*) revoke, retract, (*Angebot etc*) cancel

zurück|prallen *v/i* **1.** rebound **2.** *fig* (***vor*** *Dat* from) recoil, start back **~rechnen** *v/i* reckon back **~reichen I** *v/t* hand *s.th.* back, return **II** *v/i* **~ *bis*** go (*od* date) back to **~reisen** *v/i* travel back, return **~rufen I** *v/t* call *s.o.* back (*a.* F TEL), (*a. defekte Autos etc*) recall: *fig* ***ins Gedächtnis*** **~** recall **II** *v/i* TEL call back **~schalten** *v/i* MOT change (*Am* shift) down **~schaudern** *v/i* shrink back (***vor*** *Dat* from)

zurückschauen → ***zurückblicken***

zurückscheuen *v/i* shrink (back) (***vor*** *Dat* from): *fig* ***er scheut vor nichts zurück*** F he sticks at nothing

zurück|schicken *v/t* send *s.o., s.th.* back, return **~schlagen I** *v/t* **1.** hit *s.o.* back **2.** (*Angriff, Feind etc*) repulse, beat off **3.** (*Decke, Schleier etc*) fold back, (*Kragen*) turn down **4.** (*Ball*) return **II** *v/i* **5.** hit back **6.** *Flamme*: flare back **~schrauben** *v/t* F *fig* (*Ansprüche etc*) cut down, reduce **~schrecken** *v/i* **1.** (***vor*** *Dat* from) recoil, start back **2.** → ***zurückscheuen*** **~sehnen** *v/refl* ***sich*** **~** long to be back

zurücksetzen I *v/t* **1.** put *s.th.* back,

(*Auto*) back (up) **2.** *fig* ***j-n ~*** treat s.o. unfairly, (*kränken*) slight s.o. **II** *v/i* **3.** MOT back (up) **Zurücksetzung** *f fig* unfair treatment, slight

zurück|spielen *v/t u. v/i* pass (the ball) back **~springen** *v/i* **1.** jump back **2.** ARCHI recess **~spulen** *v/t u. v/i* rewind **~stecken I** *v/t* put *s.th.* back **II** *v/i* F *fig* come down a peg **~stehen** *v/i* **1.** stand back **2.** *fig* take second place (***hinter j-m*** behind s.o.), (*verzichten*) stand down (*od* aside) **~stellen** *v/t* **1.** (*a. Uhr, Zeiger*) put *s.th.* back **2.** MIL defer **3.** (*verschieben*) postpone, defer **4.** (*hintansetzen*) put *s.th.* aside (*od* last) **~stoßen I** *v/t* push *s.o., s.th.* back **II** *v/i* MOT back (up) **~stufen** *v/t* downgrade

zurücktreten *v/i* **1.** step (*od* stand) back, *Ufer, Berge etc*: recede **2.** *Regierung etc*: resign, step down: ***von s-m Posten ~*** resign one's post; ***~ von*** *e-m Vertrag, Kauf etc*: withdraw from, back out of **3.** *fig* be of secondary importance (***gegenüber*** in comparison with)

zurücktun *v/t* F put *s.th.* back

zurück|verfolgen *v/t fig* trace *s.th.* back (***zu*** to) **~versetzen** *v/t* **1.** (*Schüler*) move *s.o.* down, (*Beamten etc*) transfer *s.o.* back **2.** *fig* take *s.o.* back (***in*** *Akk* to): ***wir fühlten uns ins Mittelalter zurückversetzt*** we felt to have stepped back into the Middle Ages **~verwandeln** *v/t* (*a.* ***sich ~***) change back (***in*** *Akk* to) **~verweisen** *v/t* refer *s.o., s.th.* back (***an*** *Akk* to) **~weichen** *v/i* **1.** step back, MIL fall back **2.** *fig* **~ *vor*** (*Dat*) yield to, *erschreckt*: shrink back from

zurückweisen *v/t* **1.** *allg* refuse, reject, (*Vorwurf etc*) repudiate **2.** ***j-n ~*** turn s.o. back, refuse s.o. entry

Zurückweisung *f* refusal, rejection

zurückwerfen *v/t* **1.** *allg* throw *s.o., s.th.* back, (*Licht*) *a.* reflect, (*Schall*) *a.* reverberate **2.** *fig in der Entwicklung, Arbeit etc*: set *s.o., s.th.* back (***um 10 Jahre*** [by] ten years)

zurückwollen *v/i* F want to go back

zurückzahlen *v/t a. fig* pay back, repay

zurückziehen I *v/t* pull (*od* draw) *s.th.* back, MIL *u. fig* withdraw **II** *v/refl* ***sich ~*** (***aus, von*** from) retire, withdraw, MIL *a.* retreat; ***sich ~ von*** *e-r Tätigkeit etc*: *a.* give up, ***j-m*** dissociate o.s. from s.o.; ***sich zur Beratung ~*** retire for deliberation **III** *v/i* move back

Zurückziehung *f* withdrawal

zurückzucken *v/i* flinch (***vor*** *Dat* at)

Zuruf *m* shout, *anfeuernder*: cheer: ***durch ~*** by acclamation **zurufen** *v/t* ***j-m etw ~*** shout s.th. to s.o.

zurzeit *Adv* at the moment

Zusage *f* **1.** promise, word **2.** *auf e-e Einladung*: acceptance **3.** (*Einwilligung*) assent, consent **zusagen I** *v/t* **1.** promise (***sein Kommen*** to come) **2.** F ***j-m etw auf den Kopf ~*** tell s.o. s.th. to his face **II** *v/i* **3.** accept an invitation, promise to come **4.** (*einwilligen*) agree **5.** ***j-m ~*** **a)** *Klima etc*: agree with s.o., **b)** (*gefallen*) be to s.o.'s liking

zusammen *Adv* together, (*gemeinschaftlich*) *a.* jointly: ***~ mit*** together (*od* along) with; ***alle ~*** all of them; ***wir alle ~*** all of us; ***alles ~*** all together, (all) in all; ***wir haben ~ 100 Euro*** we have one hundred euros between us; ***das macht ~ …*** that amounts to (*od* totals) …

Zusammenarbeit *f* cooperation, *bes mit dem Feind*: collaboration, *e-r Gruppe*: teamwork: ***in ~ mit*** in cooperation with

zusammenarbeiten *v/i* (***mit*** with) cooperate, *bes mit dem Feind*: collaborate, *im Team*: work together

zusammenballen I *v/t* form into a ball **II** *v/refl* ***sich ~*** mass, gather

Zusammenbau *m* TECH assembly

zusammenbauen *v/t* TECH assemble

zusammen|beißen *v/t a. fig* ***die Zähne ~*** clench one's teeth **~bekommen** *v/t* get *s.th.* together, (*Geld*) raise **~binden** *v/t* bind (*od* tie) *s.th.* together **~brauen** *v/t* concoct (*a. fig*): *fig* ***sich ~*** be brewing **~brechen** *v/i allg* break down, collapse, *Verkehr*: come to a standstill **~bringen** *v/t* **1.** bring (*od* get) *s.o., s.th.* together, (*Geld*) raise **2.** F *fig* manage, bring off, (*Gedicht etc*) remember

Zusammenbruch *m* breakdown, collapse

zusammen|drängen *v/t* **1.** (*a.* ***sich ~***) crowd (*od* huddle) together **2.** *fig* compress, condense **~drücken** *v/t* compress **~fahren** *v/i* **1.** → ***zusammenstoßen*** 1 **2.** *fig* (give a) start (***bei*** at) **~fallen** *v/i* **1.**

fall in, collapse (*a. fig*) **2.** *zeitlich*: coincide **3.** (*abmagern*) waste away **~falten** *v/t* fold up

zusammenfassen *v/t* **1.** unite, combine: ***in Gruppen ~*** group **2.** (*a. v/i*) summarize, sum up **zusammenfassend** *Adj* summary: *Adv* ***~ kann man sagen*** to sum it up it can be said

Zusammenfassung *f* **1.** combination **2.** summary, résumé, synopsis

zusammen|finden *v/refl* ***sich ~*** meet **~flicken** *v/t a.* F *fig* patch up

zusammenfließen *v/i* flow together, meet **Zusammenfluss** *m* confluence

zusammenfügen *v/t* join (together), TECH assemble **zusammenführen** *v/t* bring *persons* together: ***wieder ~*** reunite

zusammengehen *v/i fig* (***mit*** with) go together, make common cause

zusammengehören *v/i* belong together, *Schuhe etc*: *a.* be a pair **zusammengehörig** *Adj* belonging together, *Gegenstände*: *a.* matching, *fig a.* related **Zusammengehörigkeit** *f* unity

Zusammengehörigkeitsgefühl *n* (feeling of) solidarity

zusammengesetzt *Adj* MATHE composite, *a.* LING compound: ***~ sein aus*** be composed of; ***~es Wort*** compound (word)

zusammengewürfelt *Adj* (***bunt ~***) motley: ***~e Mannschaft*** scratch team

Zusammenhalt *m* **1.** *a.* TECH cohesion **2.** *fig* bond, *in e-r Mannschaft etc*: team spirit **zusammenhalten I** *v/i* hold (F *Freunde*: stick) together, cohere **II** *v/t* hold *s.th., persons* together

Zusammenhang *m* coherence, connection, (*Text*≈) context: ***in diesem ~*** in this connection; ***etw in ~ bringen mit*** connect s.th. with; ***im ~ stehen mit*** be connected with; ***nicht im ~ stehen mit*** have no connection with; ***etw aus dem ~ reißen*** divorce s.th. from its context

zusammenhängen *v/i fig* be connected (***mit*** with): ***wie hängt das zusammen?*** how is that linked up? **zusammenhängend** *Adj* coherent (*a. Gedanken, Rede etc*), connected, related

zusammenhang(s)los *Adj* incoherent, disconnected

zusammen|hauen *v/t* **1.** smash *s.th.* to pieces: F ***j-n ~*** beat s.o. up **2.** F *fig* knock *s.th.* together **~kauern** *v/refl* ***sich ~*** squat, *ängstlich*: cower

Zusammenklang *m a. fig* harmony

zusammen|klappbar *Adj* folding, collapsible **~klappen I** *v/t* fold up, (*Messer etc*) shut **II** *v/i* F *fig* break down, collapse **~kleben** *v/t u. v/i* stick together **~knüllen** *v/t* crumple up

zusammenkommen *v/i* **1.** come (*od* get) together, meet, assemble **2.** *fig Umstände etc*: combine: ***heute kommt mal wieder alles zusammen!*** it never rains but it pours! **3.** (*sich ansammeln*) accumulate, mount up, *Geld*: be collected: F ***da kommt ganz schön was zusammen*** it comes to quite a lot in the end **Zusammenkunft** *f* get-together, meeting, gathering, assembly

zusammenläppern *v/refl* ***sich ~*** F add up **zusammenlaufen** *v/i* **1.** *Leute*: gather **2.** *Linien, Straßen etc*: meet, converge **3.** (*gerinnen*) curdle

zusammenleben I *v/i* live together: ***mit j-m ~*** live with s.o. **II** ≈ *n* living together: ***das ≈ mit …*** life with …

zusammenlegen I *v/t* **1.** fold up **2.** put *things* in one place, put *persons* together (in one room) **3.** (*Betriebe etc*) fuse, (*a. Veranstaltungen etc*) combine, (*Verwaltungen*) centralize **II** *v/i* **4.** club together (***für ein Geschenk*** for a present) **Zusammenlegung** *f* WIRTSCH fusion

zusammennehmen I *v/t* gather (up): *fig* ***alles zusammengenommen*** all things considered; ***ich musste all m-n Mut ~*** I had to muster up all my courage **II** *v/refl* ***sich ~*** control o.s., (*a. sich konzentrieren*) pull o.s. together

zusammen|packen *v/t* pack up **~passen I** *v/i* harmonize (with each other), *Dinge, Farben*: *a.* go well together, *Partner*: *a.* be well matched: ***sie passen nicht zusammen*** they are mismatched **II** *v/t* TECH adjust, match **~pferchen** *v/t* herd (*fig a.* crowd) together

Zusammen|prall *m a. fig* collision, clash **≈prallen** *v/i a. fig* collide, clash

zusammen|pressen *v/t* compress **~raffen** *v/t* **1.** gather up **2.** *fig* amass **~rechnen** *v/t* add (*od* sum) *s.th.* up **~reimen**

v/t fig ***sich etw ~*** work (*od* figure) s.th. out, put two and two together **~reißen** *v/refl* ***sich ~*** F pull o.s. together **~rollen** **I** *v/t* roll up **II** *v/refl* ***sich ~*** coil up, *Tier*: curl (itself) up **~rotten** *v/refl* ***sich ~*** gang up, *Aufrührer*: form a mob

Zusammenrottung *f* riot(ing), *konkret*: riotous mob, JUR riotous assembly

zusammen|rücken **I** *v/t* move *things* together (*od* closer) **II** *v/i* move up, make room **~rufen** *v/t* call *persons* together, *formell*: convene **~sacken** *v/i* (***in sich***) **~** slump (down) **~scharen** *v/refl* ***sich ~*** flock together

zusammen|scharren *v/t* scrape *s.th.* together **~schiebbar** *Adj* TECH telescopic, sliding **~schieben** *v/t* push *things* together, TECH (*a.* ***sich ~ lassen***) telescope **~schlagen** **I** *v/t* **1.** (*Hände*) clap, (*Hacken etc*) click **2.** F smash *s.th.* to pieces: ***j-n ~*** beat s.o. up **II** *v/i* **3.** ***~ über*** (*Dat*) close over, *a. fig* engulf

zusammenschließen **I** *v/t* **1.** lock (*mit e-r Kette*: chain) together **2.** unite, WIRTSCH merge **II** *v/refl* ***sich ~*** **3.** unite, join forces, *zu e-r Gruppe*: team up

Zusammenschluss *m* union (*a.* POL), WIRTSCH merger, (*Bündnis*) alliance

zusammen|schnüren *v/t* tie *s.th.* up: *fig* ***der Anblick schnürte ihr das Herz zusammen*** the sight made her heart bleed **~schrauben** *v/t* screw (*mit Bolzen*: bolt) *s.th.* together **~schreiben** *v/t* **1.** write *s.th.* in one word: ***wird das zusammengeschrieben?*** is that one word? **2.** *pej* scribble **~schustern** *v/t* F *pej* cobble together **~schweißen** *v/t a. fig* weld (together)

Zusammensein *n* gathering, meeting

zusammensetzen **I** *v/t* **1.** put *s.th.* together, TECH *a.* compose, *a.* CHEM, LING compound **2.** seat *persons* together **II** *v/refl* ***sich ~*** **3.** sit together, (*zs.-kommen*) get together **4.** ***sich ~ aus*** consist of, be composed of

Zusammensetzung *f* composition (*a. e-r Mannschaft etc*), CHEM, LING compound, (*Bestandteile*) ingredients *Pl*

zusammensinken *v/i* collapse: ***in sich ~*** slump (down)

Zusammenspiel *n* SPORT teamwork

zusammen|stauchen *v/t* F ***j-n ~*** haul s.o. over the coals **~stecken** **I** *v/t* put *things* together **II** *v/i* F ***immer ~*** be as thick as thieves **~stehen** *v/i* stand (*fig* stick) together

zusammenstellen *v/t* **1.** put *things* together **2.** combine, (*Katalog etc*) compile, (*Programm etc*) draw up, make, (*e-e Mannschaft etc*) make up, form, (*anordnen*) arrange: ***in e-r Liste ~*** list; ***ein Menü ~*** compose a menu

Zusammenstellung *f* **1.** combination, arrangement **2.** (*Übersicht*) survey, synopsis, (*Tabelle*) table, (*Liste*) list

zusammenstoppeln *v/t* F throw *s.th.* together

Zusammenstoß *m* **1.** MOT collision, crash **2.** F *fig* clash

zusammenstoßen *v/i* **1.** *Fahrzeuge*: collide (***mit*** with): **~** ***mit*** *a.* run (*od* crash) into **2.** F *fig* ***mit j-m ~*** clash with s.o.

zusammen|streichen *v/t* F (*Text*, *Rede etc*) shorten **~strömen** *v/i fig* flock together **~suchen** *v/t* gather, (*sammeln*) collect **~tragen** *v/t* collect (*a. fig*), *fig* (*Fakten etc*) compile

zusammentreffen **I** *v/i* **1.** ***mit j-m ~*** meet s.o. **2.** *Umstände*, *Ereignisse etc*: coincide **II** ♀ *n* **3.** meeting, *unangenehmes*: encounter **4.** *von Umständen*, *Ereignissen etc*: concurrence, coincidence

zusammen|treiben *v/t* round up **~treten** *v/i* meet, PARL *a.* convene **~trommeln** *v/t* F call *persons* together **~tun** *v/refl* ***sich ~*** (***mit*** with) team up, join forces **~wachsen** *v/i a. fig* grow together **~wirken** **I** *v/i Kräfte*, *Faktoren etc*: combine **II** ♀ *n* combination, interplay **~zählen** *v/t* add up, sum up

zusammenziehen **I** *v/t* **1.** pull *s.th.* together, *a.* MED contract **2.** (*Truppen etc*) concentrate, mass **II** *v/i* **3.** ***mit j-m ~*** move in (together) with s.o., go to live with s.o. **III** *v/refl* ***sich ~*** **4.** contract **5.** *Gewitter etc*, *a. fig Unheil etc*: be brewing

zusammenzucken *v/i* wince (***bei*** at)

Zusatz *m allg* addition, *zu Nahrungsmitteln etc*: additive, (*Beimischung*) admixture, *schriftlicher*: *a.* addendum, (*~klausel*) rider **~abkommen** *n* supplementary agreement **~batterie** *f* MED booster battery **~frage** *f* additional question **~gerät** *n* TECH attachment

zusätzlich **I** *Adj* additional, extra, (*ergänzend*) supplementary, (*Hilfs…*)

auxiliary **II** *Adv* in addition (***zu*** to)
Zusatz|stoff *m* CHEM additive **~versicherung** *f* supplementary insurance
zuschanden *Adv* **~** ***machen*** ruin, wreck, (*a. Hoffnungen etc*) destroy, (*Pläne etc*) thwart; **~** ***werden*** be ruined
zuschanzen *v/t* ***j-m etw*** **~** line s.o. up with s.th.
zuschauen → ***zusehen***
Zuschauer(in) onlooker, *Sport*, THEAT *etc* spectator, TV viewer: ***die Zuschauer*** *Pl a.* the audience *Sg*
Zuschauer|raum *m* auditorium **~reaktion** *f* audience (TV viewer) response **~sport** *m* spectator sport
zuschicken *v/t* ***j-m etw*** **~** send (*per Post*: mail *od* post) s.th. to s.o.
zuschieben *v/t* **1.** close, shut **2.** ***j-m etw*** **~** push s.th. over to s.o.; *fig* ***j-m die Schuld*** (***Verantwortung***) **~** put (*od* shift) the blame (responsibility) on s.o.
zuschießen I *v/t* F (*Geld*) contribute **II** *v/i* **~** ***auf*** (*Akk*) rush towards
Zuschlag *m* **1.** extra charge, *zum Fahrpreis*: supplementary fare, (*Sondervergütung*) extra pay **2.** *Auktion etc*: award: ***er erhielt den*** **~ a)** *bei e-r Auktion*: the object went to him, **b)** *bei e-r Ausschreibung*: he was awarded the contract **zuschlagen I** *v/t* **1.** (*Tür etc*) slam (shut), (*Buch*) shut, close **2.** ***j-m etw*** **~ a)** *bei e-r Auktion*: knock s.th. down to s.o., **b)** *bei e-r Ausschreibung*: award s.th. to s.o. **II** *v/i* **3.** *Tür etc*: slam shut **4.** strike (*a. fig Feind, Schicksal etc*), hit **5.** F (***schwer***) **~** *beim Einkaufen etc*: really go to town (***bei*** on), *beim Essen*: tuck in mightily
zuschließen *v/t* lock (up)
zuschnallen *v/t* buckle (up)
zuschnappen *v/i* **1.** *Falle, Taschenmesser etc*: snap shut **2.** *Hund*: snap
zuschneiden *v/t* **1.** (*Kleid etc*) cut out (***nach e-m Schnittmuster*** from a pattern): *fig* ***zugeschnitten auf*** (*Akk*) tailored to **2.** TECH cut up, (cut *s.th.* to) size
Zuschneider(in) cutter
Zuschnitt *m* cut, *a. fig* style
zuschnüren *v/t* (*Schuhe etc*) lace up, (*Paket etc*) tie *s.th.* up: *fig* ***Angst schnürte ihr die Kehle zu*** she was choked with fear
zuschrauben *v/t* screw *s.th.* shut
zuschreiben *v/t* ***j-m etw*** **~** ascribe (*od* attribute) s.th. to s.o.; ***das Bild wird Dürer zugeschrieben*** the painting is ascribed to Dürer; ***sie schrieben ihm die Schuld dafür zu*** they blamed him for it; ***das hast du dir selbst zuzuschreiben!*** you've only yourself to blame! **Zuschrift** *f* letter, *auf e-e Anzeige etc*: reply
zuschulden *Adv* ***sich etw*** **~** ***kommen lassen*** do (s.th.) wrong
Zuschuss *m* contribution, *regelmäßiger*: allowance, *staatlicher*: subsidy, grant **~betrieb** *m* subsidized enterprise
zuschütten *v/t* fill *s.th.* up
zusehen *v/i* **1.** look on, watch: ***j-m bei der Arbeit*** **~** watch s.o. work(ing) (*od* at work) **2.** (***untätig***) **~** sit back and watch **3.** **~**, ***dass*** see (to it) that; ***ich werde mal ~!*** I'll see what I can do!
zusehends *Adv* **1.** visibly **2.** rapidly
zusein → ***zu*** 13
zusenden → ***zuschicken***
zusetzen I *v/t* **1.** add (*Dat* to) **2.** ***Geld*** **~** ***bei*** lose money on; F *fig* ***er hat nichts mehr zuzusetzen*** he has used up all his reserves **II** *v/i* **3.** F ***j-m*** **~ a)** press s.o. (hard), **b)** *fig Hitze, Krankheit etc*: take it out of s.o.; ***j-m mit Fragen*** (***Bitten***) **~** pester s.o. with questions (requests)
zusichern *v/t* ***j-m etw*** **~** assure s.o. of s.th.
Zusicherung *f* assurance
Zuspätkommende *m, f* latecomer
Zuspiel *n* SPORT pass(es *Pl*) **zuspielen** *v/t* **1.** ***j-m den Ball*** **~** pass the ball to s.o. **2.** ***j-m etw*** **~** play s.th. into s.o.'s hands
zuspitzen *v/refl* ***sich*** **~** *fig* come to a head
zusprechen I *v/t* **1.** ***j-m Trost*** **~** comfort s.o.; ***j-m Mut*** **~** encourage s.o., cheer s.o. up **2.** ***j-m etw*** **~** award s.th. to s.o.; JUR ***die Kinder wurden der Mutter zugesprochen*** the mother was granted custody of the children **II** *v/i* **3.** ***j-m freundlich*** *etc* **~** speak gently *etc* to s.o. **4.** (*dem Essen, dem Wein etc*) partake of
zuspringen *v/i* **~** ***auf*** (*Akk*) rush up at
Zuspruch *m* **1.** (*Trost*) (words *Pl* of) comfort, (*Ermutigung*) encouragement **2.** → ***Zulauf*** 1
Zustand *m* **1.** condition, state (*a.* PHYS),

Zustimmen

Das ist eine tolle Idee!	**That's a great idea.**
Ich bin ganz deiner Meinung.	**I totally agree with you.**
Ich glaube, du hast Recht.	**I think you're right.**
Ich glaube, es war richtig, dass du das gesagt hast.	**I think you were right to say that.**
Ich fand es gut, wie du es gesagt hast.	**I liked the way you put it.**

F shape: ***ihr seelischer ~*** her mental state; ***das Haus ist in gutem ~*** the house is in good condition (*od* repair); ***in betrunkenem ~*** while under the influence (of alcohol); F ***da kann man ja Zustände kriegen!*** it's enough to drive you up the wall! **2.** (*Lage*) state of affairs, situation: ***es herrschen katastrophale Zustände*** conditions are catastrophic; F ***das ist doch kein ~!*** that's intolerable!

zustande *Adv* **1.** ***etw ~ bringen*** bring s.th. off, achieve s.th., succeed in doing s.th. **2.** ***~ kommen*** come off, be achieved, *Einigung etc*: be reached, *Vertrag*: be signed, (*stattfinden*) take place

zuständig *Adj* competent, (*verantwortlich*) responsible: ***~e Behörde*** competent authority; ***der ~e Beamte*** the official in charge; JUR ***~ sein*** have jurisdiction (***für*** over); ***dafür ist er ~*** that's his job **Zuständigkeit** *f* competence, responsibility, (*Befugnisse*) powers *Pl*, JUR jurisdiction (***für*** over): ***das fällt nicht in s-e ~*** that's not within his province

Zuständigkeitsbereich *m* (sphere of) responsibility, JUR jurisdiction

zustatten *Adv* ***j-m*** (***sehr***) ***~ kommen*** (*nützlich sein*) stand s.o. in good stead, come in (very) handy to s.o.

zustecken *v/t* ***j-m etw ~*** slip s.o. s.th.

zustehen *v/i* **1.** ***etw steht j-m zu*** s.o. is entitled to s.th. **2.** ***es steht j-m nicht zu zu*** *Inf* s.o. has no right to *Inf*; ***darüber steht mir kein Urteil zu*** it's not for me to judge that

zusteigen *v/i* get on *a bus etc*

zustellen *v/t* deliver: JUR ***j-m e-e Ladung ~*** serve s.o. with a summons

Zusteller(in) postman (postwoman)

Zustellgebühr *f* postal delivery fee

Zustellung *f* delivery, JUR service

zusteuern I *v/t* F contribute **II** *v/i* ***~ auf*** (*Akk*) **a)** SCHIFF, *a. Person*: make (*od* head) for, **b)** *fig e-e Krise etc*: be heading for, *ein Thema etc*: be driving at

zustimmen *v/i* (*Dat*) agree (to *s.th.*, with *s.o.*), (*einwilligen*) consent (to), (*billigen*) approve (of): ***~d nicken*** nod in approval; ***er stimmte mir in diesem Punkt nicht zu*** he disagreed with me on this point **Zustimmung** *f* agreement, consent, approval: ***sein Vorschlag fand allgemeine ~*** his suggestion met with universal approval

zustopfen *v/t* **1.** (*Loch etc*) plug **2.** (*Loch im Strumpf etc*) mend

zustöpseln *v/t* stopper

zustoßen I *v/t* **1.** (*Tür etc*) push *s.th.* shut **II** *v/i* **2.** *mit e-m Messer etc*: thrust, stab **3.** ***j-m ~*** happen to s.o.; ***ihr muss etw zugestoßen sein*** she must have had an accident

zustreben *v/i* (*Dat*) make for, head for

Zustrom *m* influx, (*Andrang*) rush: METEO ***~ kühler Meeresluft*** inflow of fresh sea air **zuströmen** *v/i* (*Dat* towards) stream, *fig* throng

zustürzen *v/i* ***~ auf*** (*Akk*) rush up to

zutage *Adv* ***~ bringen, ~ fördern*** *a. fig* bring *s.th.* to light; ***~ kommen*** come to light; *fig* ***~ treten* a)** *Eigenschaft etc*: be revealed, show, **b)** *mst* ***klar ~ treten*** *Schuld etc*: be evident, be obvious

Zutaten *Pl* **1.** GASTR ingredients *Pl* **2.** *Schneiderei*: accessories *Pl*

zuteil *Adv* ***j-m ~ werden*** be given to s.o.; ***j-m etw ~ werden lassen*** grant s.o. s.th.

zuteilen *v/t* ***j-m etw ~*** allot (*od* allocate, apportion) s.th. to s.o.; ***j-m e-e Aufgabe*** *etc* ***~*** assign s.o. a task *etc*

Zuteilung *f* allotment, allocation, assignment, (*Kontingent*) quota

zutiefst *Adv* deeply, most: *fig* ***~ verletzt*** cut to the quick

zutragen **I** *v/t* (*Dat* to) **1.** carry **2.** *fig* (*Gerücht etc*) tell, report **II** *v/refl* ***sich* ~ 3.** happen, take place
Zuträger(in) informer, talebearer
zuträglich *Adj* (*Dat*) good (for), conducive (***der Gesundheit*** to health): ***j-m nicht ~ sein*** disagree with s.o.
zutrauen *v/t* ***j-m etw ~*** **a)** (*Tat etc*) think s.o. capable of s.th., **b)** (*Talent etc*) credit s.o. with s.th.; ***das hätte ich dir nie zugetraut!*** I never knew you had it in you!; ***ihm ist alles zuzutrauen!*** he stops at nothing!; ***das ist ihr glatt zuzutrauen!*** I wouldn't put it past her!
Zutrauen *n* (***~ fassen*** begin to have) confidence (***zu*** in)
zutraulich *Adj* trusting, confiding, *a. Tier*: friendly **Zutraulichkeit** *f* confidingness, friendliness
zutreffen *v/i* be right, be correct: ***~ auf*** (*Akk*), ***~ für*** be true of, apply to; ***die Beschreibung trifft auf ihn zu*** the description fits him **zutreffend** *Adj* right, true, correct, *Bemerkung etc*: apt: ***♀es bitte unterstreichen!*** please underline where applicable!
zutrinken *v/i* ***j-m ~*** drink (*od* raise one's glass) to s.o.
Zutritt *m* access, admission: ***~ verboten!*** no entry!; ***sich gewaltsam ~ verschaffen*** force one's way (***zu*** into)
zutun *v/t* shut, close: → ***Auge*** 1
Zutun *n* ***ohne mein ~*** **a)** without any help from me, **b)** (*ohne m-e Schuld*) through no fault of mine; ***es geschah ohne mein ~*** I had nothing to do with it
zuungunsten *Präp* (*Gen*) to the disadvantage of
zuunterst *Adv* right at the bottom
zuverlässig *Adj allg* reliable (*a.* TECH), (*sicher*) safe (*a.* TECH), (*treu*) loyal, faithful: ***aus ~er Quelle*** from a reliable source
Zuverlässigkeit *f* reliability, safety (*beide a.* TECH), loyalty **Zuverlässigkeitsprüfung** *f* MOT reliability test
Zuversicht *f* confidence: ***voll(er) ~ sein*** be quite confident (***dass*** that)
zuversichtlich *Adj* confident, optimistic(ally *Adv*): *Adv* ***~ hoffen, dass …*** be quite confident that … **Zuversichtlichkeit** *f* confidence, optimism
zuviel → ***zu*** II 8
zuvor *Adv* **1.** (***kurz ~*** shortly) before: ***am Tag ~*** the day before, (on) the previous day **2.** (*zunächst*) first
zuvorderst *Adv* right at the front
zuvorkommen *v/i* (*j-m, e-r Sache*) anticipate, forestall: ***j-m ~*** F *a.* beat s.o. to it
zuvorkommend *Adj* obliging, courteous **Zuvorkommenheit** *f* obligingness, courtesy
Zuwachs *m* **1.** (***an*** *Dat* in) increase, growth (*a.* WIRTSCH): F *ein Kleidungsstück* ***auf ~ kaufen*** buy *s.th.* on the big side **2.** F addition to the family, baby
zuwachsen *v/i* **1.** *Garten etc*: become overgrown **2.** *Wunde*: heal up, close
Zuwachsrate *f* WIRTSCH growth rate
Zuwanderer *m*, **Zuwanderin** *f* immigrant
zuwandern *v/i* immigrate
Zuwanderung *f* immigration
zuwege *Adv* **1. *~ bringen*** bring *s.th.* off, manage to do, succeed in doing, *weit. S.* (*Erfolg haben*) get results **2.** F (***noch***) ***gut ~ sein*** be (still) very fit
zuwehen *v/t mit Schnee, Sand*: block
zuweilen *Adv* at times, occasionally
zuweisen *v/t* assign (*Dat* to)
zuwenden **I** *v/t* **1.** turn (*Dat* towards): ***j-m den Rücken ~*** turn one's back on s.o.; ***j-m das Gesicht ~*** face s.o. **2. *j-m etw ~*** *allg* give s.o. s.th., *fig* (*Liebe etc*) *a.* bestow s.th. on s.o. **II** *v/refl* ***sich* ~ 3.** turn to, *fig e-r Aufgabe etc*: *a.* devote o.s. to **Zuwendung** *f* **1.** (*Geld♀*) grant, *regelmäßige*: allowance, (*Schenkung*) donation **2.** (*Liebe*) love, (loving) care, (*Aufmerksamkeit*) attention
zuwenig → ***zu*** II 8
zuwerfen *v/t* **1.** (*Tür etc*) slam *s.th.* (shut) **2. *j-m etw ~*** throw (*od* toss) s.th. to s.o.; *fig* ***j-m e-n Blick ~*** dart (*wütend*: flash) s.o. a look; → ***Kusshand***
zuwider **I** *Adj* ***j-m ist … ~*** s.o. hates (*od* detests) … **II** *Präp* (*Dat*) contrary to, against **zuwiderhandeln** *v/i* (*Dat*) act against, act contrary to, (*e-m Gesetz etc*) violate, contravene **Zuwiderhandelnde** *m, f* JUR offender **Zuwiderhandlung** *f* JUR (***gegen***) offen/ce (*Am* -se) (against), contravention (of)
zuwiderlaufen *v/i* (*Dat*) run counter to
zuwinken *v/i* ***j-m ~*** wave to s.o.
zuzahlen *v/t* pay *s.th.* extra

zuzählen *v/t* **1.** add **2.** (*Dat*) count among
zuziehen I *v/t* **1.** (*Schlinge etc*) pull *s.th.* tight, tighten, (*Vorhänge*) draw **2.** ***sich** etw* **~ a)** (*Krankheit etc*) contract, catch, **b)** (*j-s Neid, Hass etc*) incur **3.** → ***hinzuziehen*** **II** *v/i* **4.** *Mieter*: move in, (*sich niederlassen*) settle (down)
Zuzug *m* **1.** move **2.** → ***Zuwanderung***
Zuzügler(in) newcomer
zuzüglich *Präp* (*Gen*) plus
zuzwinkern *v/i* ***j-m* ~** wink at s.o.
Zwang *m* compulsion (*a.* PSYCH), constraint, (*Druck*) pressure, (*Gewalt*) force: ***etw ohne ~ tun*** do s.th. without being forced to; ***unter ~ handeln*** *bes* JUR act under duress; **~ *ausüben*** exert pressure (***auf*** *Akk* on); ***gesellschaftliche Zwänge*** social constraints; ***... ist ~*** ... is compulsory; *iron* ***tu dir k-n ~ an!*** don't force yourself
zwängen *v/t* squeeze (***sich*** o.s.)
zwanghaft *Adj* compulsive, (*neurotisch*) obsessive
zwanglos *Adj* informal, casual (*a. Kleidung*), unconstrained, *Benehmen*: *a.* free and easy: ***in ~er Folge erscheinen*** *Zeitschrift etc*: appear at irregular intervals; *Adv* ***er unterhielt sich ganz ~*** he talked quite at ease; ***es geht bei ihnen sehr ~ zu*** things are very informal with them **Zwanglosigkeit** *f* informality, casualness
Zwangsanleihe *f* compulsory loan
Zwangs|arbeit *f* forced labo(u)r **~arbeiter(in)** forced labo(u)rer **~aufenthalt** *m* enforced stay, detention **~bewirtschaftung** *f* (economic) control: ***die ~ von*** (*od Gen*) ***aufheben*** decontrol **~einweisung** *f* (***in*** *e-e Heilanstalt etc*) committal (to)
zwangsernähren *v/t* force-feed
Zwangsernährung *f* force feeding
Zwangs|handlung *f* compulsive act **~herrschaft** *f* despotism, tyranny **~jacke** *f* (*a.* ***in e-e ~ stecken***) straitjacket (*a. fig*) **~lage** *f* predicament
zwangsläufig *Adj fig* inevitable: *Adv* ***sie musste ~ davon erfahren*** she was bound to hear of it
Zwangs|maßnahme *f* coercive measure, POL sanction **~neurose** *f* obsessional neurosis **~neurotiker(in)** obsessional neurotic **~pause** *f* enforced break **~prostitution** *f* forced prostitution **~räumung** *f* eviction **~umsiedler(in)** displaced person
zwangsversteigern *v/t* put *s.th.* up for compulsory auction **Zwangsversteigerung** *f* compulsory auction
Zwangsverwaltung *f* sequestration
Zwangsvollstreckung *f* execution
Zwangsvorstellung *f* PSYCH obsession: ***er ist von der ~ befallen, dass ...*** he is obsessed with the idea that ...
zwangsweise I *Adj* compulsory **II** *Adv* compulsorily, by force
Zwangswirtschaft *f* government control, controlled economy
zwanzig I *Adj* (**~ [*Jahre alt*] *sein*** be) twenty; ***sie ist Mitte ~*** she is in her mid-twenties **II** ≈ *f* twenty **zwanziger** *Adj* ***die goldenen ~ Jahre*** the roaring twenties **Zwanziger(in)** man (woman *od* girl) of twenty (*od* in his [her] twenties) **Zwanzigerjahre** → ***zwanziger***
zwanzigjährig *Adj* **1.** twenty-year-old, of twenty **2.** *Jubiläum etc*: twentieth
Zwanzigjährige *m, f* twenty-year-old (person): ***die ~n*** *Pl* the twenty-year-olds *Pl*
zwar *Adv* **1. *~ ..., aber ...*** it is true ..., but ...; ***es ist ~ verboten, aber ...*** *a.* it may be forbidden, but ... **2. *und ~*** **a)** *erklärend*: namely, **b)** *verstärkend*: in fact
Zweck *m* **1.** purpose, (*Ziel*) object, aim, end, (*Verwendungs*≈) use: ***zu diesem ~*** **a)** for that purpose, **b)** to this end; ***ein Mittel zum ~*** a means to an end; ***der ~ heiligt die Mittel*** the end justifies the means; ***s-n ~ erfüllen*** (***verfehlen***) serve (not to fulfil) its purpose; ***für wohltätige ~e*** for charity **2.** (*Sinn*) point, use: ***es hat k-n ~ zu warten*** it's no use waiting; ***es hat wenig ~, dass ich hingehe*** there's little point in my going; F ***das ist ja*** (***gerade***) ***der ~ der Übung!*** that's the whole point (of the exercise)!
Zweckbau *m* functional building
Zweckbindung *f von Geldern*: earmarking for specific purposes
Zweckdenken *n* pragmatism
zweckdienlich *Adj* relevant, useful: ***~e Hinweise*** relevant information
Zwecke *f* drawing pin, *Am* thumbtack
zweckentfremden *v/t* use *s.th.* for a purpose not intended, misuse, (*Gelder*) misappropriate **zweckentsprechend**

Adj appropriate, suitable **zweckfrei** *Adj* nonutility **zweckfremd** *Adj* foreign to the purpose **zweckgebunden** *Adj Gelder*: earmarked
zweckgemäß *Adj* appropriate
zwecklos *Adj* useless, pointless, futile: **~ *sein*** *a.* be no use; ***es ist ~, dass ich hingehe*** there's no point in my going
Zwecklosigkeit *f* uselessness, futility
zweckmäßig *Adj* **1.** practical, ARCHI, TECH functional **2.** expedient, advisable
Zweckmäßigkeit *f* **1.** practicality, ARCHI, TECH functionality **2.** advisability
Zweckoptimismus *m* calculated optimism **Zweckpessimismus** *m* calculated pessimism
zwecks *Präp* (*Gen*) for the purpose of, with a view to
Zwecksparen *n* target saving
zweckwidrig *Adj* inappropriate
zwei I *Adj* **1.** two: ***wir ~*** we two, the two of us; ***dazu gehören ~*** it takes two **II** ♀ *f* **2.** (number) two **3.** PÄD (*Note*) B
zweiachsig *Adj* **1.** MATHE biaxial **2.** MOT two-axle **zweiatomig** *Adj* CHEM diatomic **zweibändig** *Adj* two-volume
Zweibeiner *m hum* man
Zweibettzimmer *n* twin-bedded room
zweideutig *Adj* ambiguous, equivocal, *pej* suggestive, *Witz*: off-colo(u)r
Zweideutigkeit *f* **1.** ambiguity, equivocality, *pej* suggestiveness **2.** *mst Pl* **a)** suggestive remark, **b)** risqué joke
Zweidrittelmehrheit *f* two thirds majority
zweieiig *Adj* BIOL binovular: ***~e Zwillinge*** fraternal twins
Zweier *m Rudern*: pair: **~ *mit* (*Steuermann*)** coxed pair
Zweierbeziehung *f* partnership
Zweierbob *m* two-man bob
zweierlei *Adj* two different (kinds of): ***mit ~ Maß messen*** apply double standards
Zweieurostück *n* two-euro piece
zweifach *Adj* double, *Adv a.* doubly: ***in ~er Ausfertigung*** in duplicate
Zweifamilienhaus *n* two-family (*Am* duplex) house
zweifarbig *Adj* two-colo(u)red
Zweifel *m* doubt (***an*** *Dat*, ***wegen*** about): ***ohne ~*** → ***zweifellos***; ***im ~ sein über*** (*Akk*) be doubtful (*od* in two minds) about; ***ihm kamen ~*** he was beginning to have doubts; ***es bestehen berechtigte ~ an s-r Ehrlichkeit*** there is good reason to doubt his honesty; ***sie ließen k-n ~ daran, dass …*** they made it quite plain that … **zweifelhaft** *Adj* doubtful, *stärker*: dubious, (*fragwürdig*) *a.* questionable, F shady: ***ein ~es Vergnügen*** a dubious pleasure; ***von ~em Wert*** of debatable value (*od* merit); ***es erscheint ~, ob …*** it seems doubtful whether … **zweifellos** *Adv* undoubtedly, doubtless, without (a) doubt
zweifeln *v/i* doubt: ***an e-r Sache ~*** doubt (*od* question) s.th.; ***daran ist nicht zu ~*** there's no doubt about it
Zweifelsfall *m* ***im ~*** in case of doubt
Zweifler(in) doubter, sceptic, *bes Am* skeptic **zweiflerisch** *Adj* doubting, sceptical, *bes Am* skeptical
Zweig *m* branch (*a. fig*), *dünner*: twig: → ***grün*** **Zweigbetrieb** *m* branch
Zweigbüro *n* branch (office)
zweigeschlechtig *Adj* BOT bisexual
zweigeteilt *Adj* divided in(to) two
Zweiggeschäft *n* branch
zweigleisig *Adj* **1.** BAHN double-track(ed) **2.** *fig Verhandlungen etc*: two-track: *Adv* **~ *fahren*** leave both one's options open
Zweigniederlassung *f* (***~ im Ausland*** foreign) branch
Zweigstelle *f* branch (office)
zweihändig I *Adj* two-handed, MUS for two hands **II** *Adv* with both hands
Zweihundertjahrfeier *f* bicentenary
zweijährig *Adj* **1.** two-year, lasting two years **2.** two-year-old
Zweijährige *m*, *f* two-year-old (child)
Zweikampf *m* duel
Zweikanal… ELEK two-channel **~ton** *m* TV ***mit ~*** F with two language channels
zweimal *Adv* twice: *fig* ***das ließ sie sich nicht ~ sagen*** she didn't wait to be told twice **zweimalig** *Adj* (twice) repeated
zweimotorig *Adj* twin-engined
Zweiparteiensystem *n* two-party system
Zweiphasen…, **zweiphasig** *Adj* ELEK two-phase **zweipolig** *Adj* ELEK two-pole, bipolar, *Stecker*: two-pin
Zweirad *n* bicycle, F bike
zweirädrig *Adj* two-wheeled

Zweireiher *m* double-breasted suit
zweireihig *Adj* **1.** in two rows **2.** *Anzug etc*: double-breasted
zweischneidig *Adj a. fig* double-edged
zweiseitig *Adj* **1.** *Vertrag*: bilateral **2.** *Brief*: two-page, *Anzeige*: double-page
zweisilbig *Adj* two-syllable, disyllabic
Zweisitzer *m* MOT *etc* two-seater
zweispaltig *Adj* two-column(ed): *Adv* ~ ***gedruckt*** printed in two columns
zweisprachig *Adj* bilingual, *Dokument etc*: in two languages
Zweisprachigkeit *f* bilingualism
zweispurig *Adj* **1.** BAHN double-tracked **2.** *Fahrbahn*: two-lane
zweistellig *Adj Zahl*: two-digit, *Dezimalbruch*: two-place **zweistimmig** *Adj* MUS for (*od* in) two voices **zweistöckig** *Adj* two-storeyed, *bes Am* two-storied **zweistrahlig** *Adj* FLUG twin-jet **zweistufig** *Adj* TECH two-stage **zweistündig** *Adj* two-hour, lasting two hours
zweit *Adj* second: ***der ~e Band*** volume two; ***~er Mai*** May 2nd, *Am* May 2; ***ein ~er Mozart*** another Mozart; ***zu ~*** in twos, in pairs; ***sie waren zu ~*** there were two of them; ***~er Klasse*** *a. fig* second-class; → ***Geige, Hand, Ich, Wahl*** 1
Zweitakter *m*, **Zweitaktmotor** *m* two--stroke engine
zweitältest *Adj*, **Zweitälteste** *m, f* second eldest
zweitausend *Adj* two thousand
zweitbest *Adj*, **Zweitbeste** *m, f* second best
Zweite *m, f* second: SPORT ***sie wurde ~ hinter …*** she came in second behind …, she was runner-up to …; ***jeder ~*** every other person; *fig* ***wie kein ~r*** like nobody else
Zweiteiler *m* F **1.** *Mode*: two-piece (suit) **2.** FILM, TV two-parter **zweiteilig** *Adj* in two parts, *Mode*: two-piece
zweitens *Adv* secondly
Zweitfrisur *f* wig
zweitgrößt *Adj* second largest **zweithöchst** *Adj* second highest **zweitklassig** *Adj* second-class, *pej* second-rate **zweitletzt** *Adj* last but one, second to last **zweitrangig** *Adj* secondary: ***~ sein*** be of secondary importance
Zweitschlüssel *m* spare key
Zweitschrift *f* duplicate
Zweitstimme *f* POL second vote
Zweitstudium *n* ***ein ~ beginnen*** begin a second course of studies
zweitürig *Adj* MOT two-door
Zweitwagen *m* second car
Zweitwohnung *f* second home
zweiwertig *Adj* CHEM bivalent
zweiwöchig *Adj* two-week, lasting two weeks **zweizeilig** *Adj* double-spaced: *Adv* ~ ***schreiben*** double-space
Zweizimmerwohnung *f* two-room(ed) flat (*Am* apartment) **Zweizylindermotor** *m* two-cylinder engine
Zwerchfell *n* diaphragm **~atmung** *f* abdominal breathing **≈erschütternd** *Adj fig* sidesplitting
Zwerg(in) dwarf, gnome (*nur m*), *fig a.* midget **zwergenhaft** *Adj* dwarfish
Zwergpudel *m* miniature poodle
Zwergwuchs *m* BIOL, MED dwarfism, BOT dwarf growth
zwergwüchsig *Adj* dwarfish
Zwetsch(g)e *f* plum
Zwetsch(g)enbaum *m* plum tree
Zwetsch(g)enwasser *n* plum brandy
Zwetschke *f österr.* plum
Zwickel *m* **1.** *Schneiderei*: gusset **2.** ARCHI spandrel
zwicken *v/t u. v/i* pinch
Zwickmühle *f* F *fig* (***in e-r ~ sein*** *od* ***sitzen*** be on the horns of a) dilemma
Zwieback *m* rusk
Zwiebel *f* onion, (*Blumen≈*) bulb
Zwiebel|kuchen *m* onion gateau **~ringe** *Pl* GASTR onion rings *Pl* **~schale** *f* onion skin **~suppe** *f* onion soup **~turm** *m* onion spire
Zwiegespräch *n* dialog(ue *Br*)
Zwielicht *n* twilight: *fig* ***ins ~ geraten*** lay o.s. open to suspicion
zwielichtig *Adj fig* dubious, F shady
Zwiespalt *m* conflict
zwiespältig *Adj* conflicting: ***mein Eindruck war ~*** I came away with mixed impressions; ***er ist ein ~er Mensch*** he has a conflicting personality
Zwiesprache *f* → ***Zwiegespräch***: *fig* ***~ halten mit*** commune with
Zwietracht *f* → ***Unfriede(n)***
Zwilling *m* **1.** twin **2.** *Pl* ASTR Gemini *Pl*: ***er ist ~*** he is (a) Gemini
Zwillings|bruder *m* twin brother **~paar** *n* pair of twins **~reifen** *m* MOT dual (*od* double, twin) tyres (*Am* tires) *Pl*

~schwester *f* twin sister
Zwinge *f* TECH clamp, cramp
zwingen I *v/t* force, compel: ***j-n ~, etw zu tun*** force (*od* compel) s.o. to do s.th., make s.o. do s.th.; ***j-n zum Rücktritt ~*** force s.o. to resign; ***ich sehe mich gezwungen zu verkaufen*** I find myself compelled to sell; → *a.* ***gezwungen*** **II** *v/i* **~ *zu*** necessitate; ***die Lage zwingt zu e-r schnellen Entscheidung*** the situation calls for a quick decision **III** *v/refl* ***sich ~*** force o.s. (***etw zu tun*** to do s.th.); ***er zwang sich zu e-m Lächeln*** he forced a smile; ***ich musste mich dazu ~*** it cost me an effort (to do that) **zwingend** *Adj Grund etc*: compelling, *Notwendigkeit etc*: absolute, urgent, *Beweis*, *Argument etc*: cogent, conclusive: ***es besteht k-e ~e Notwendigkeit*** it is not imperative
Zwinger *m* (*Hunde*≈) kennels *Pl*, (*Käfig*) cage, *e-r Burg*: ward
zwinkern *v/i* (***mit den Augen***) **~** blink, *listig*, *vergnügt etc*: wink
zwirbeln *v/t* twist, twiddle
Zwirn *m* twine, twist
zwischen *Präp* (*Dat*, *Akk*) between (*a. zeitlich*), (*inmitten*) among
Zwischenablage *f* COMPUTER clipboard
Zwischenakt *m*, **~musik** *f* entr'acte
Zwischen|aufenthalt *m* stop(over) **~bemerkung** *f* interjection **~bericht** *m* interim report **~bescheid** *m* provisional reply **~bilanz** *f* interim balance sheet: *fig* ***e-e ~ ziehen*** take stock in between **~blutung** *f* MED bleeding between periods, intermenstrual bleeding **~deck** *n* SCHIFF between decks *Sg* **~ding** *n* cross between … and …: ***es ist ein ~*** it's a bit of both
zwischendurch *Adv* in between, (*inzwischen*) in the meantime, (*ab und zu*) now and then
Zwischenergebnis *n* provisional result, SPORT interim results *Pl* (*od* score)
Zwischenfall *m* incident: ***ohne Zwischenfälle*** without a hitch
Zwischen|finanzierung *f* intermediate financing, bridging **~frage** *f* (interposed) question **~futter** *n Schneiderei*: interlining **~gericht** *n* GASTR entrée **~geschoss** *n* ARCHI mezzanine **~glied** *n* link **~größe** *f* intermediate size
Zwischen|handel *m* intermediate trade **~händler(in)** intermediary **~hoch** *n* METEO ridge of high pressure **~lager** *n* KERNPHYSIK intermediate storage site ≈**lagern** *v/t* KERNPHYSIK temporarily store **~lagerung** *f* KERNPHYSIK interim storage
zwischenlanden *v/i* make an intermediate landing, stop
Zwischenlandung *f* intermediate landing, stop(over): ***ohne ~*** nonstop
Zwischen|lauf *m* SPORT intermediate heat **~lösung** *f* interim solution **~mahlzeit** *f* snack (between meals)
zwischenmenschlich *Adj* interpersonal: ***~e Beziehungen*** human relations
Zwischen|prüfung *f* intermediate examination (*od* test) **~raum** *m allg* space, distance, TECH clearance, (*Lücke*) gap, (*Zeilenabstand*) spacing: ***e-e Zeile ~ lassen*** leave a space **~ruf** *m* interruption: ***~e*** *Pl* heckling *Sg* **~rufer(in)** heckler **~runde** *f* SPORT intermediate round ≈**schalten** *v/t* ELEK connect *s.th.* in series, insert **~schalter** *m* ELEK intermediate switch **~schaltung** *f* ELEK insertion
Zwischen|speicher *m* COMPUTER buffer store (*od* storage) **~spiel** *n* interlude **~spurt** *m* SPORT (sudden) spurt: ***e-n ~ einlegen*** put in a burst of speed
zwischenstaatlich *Adj* international, intergovernmental, (*zwischen Bundesstaaten*) interstate
Zwischen|stadium *n* intermediate stage **~stand** *m* SPORT interim score **~station** *f* stopover, (*a. Ort*) stop **~stecker** *m* ELEK adapter **~stück** *n* TECH intermediary, ELEK adapter **~stufe** *f* intermediate stage **~summe** *f* subtotal **~text** *m* (inserted) caption **~tief** *n* METEO ridge of low pressure **~töne** *Pl fig* overtone *Sg*, nuances *Pl* **~wand** *f* dividing wall, *bewegliche*: partition **~zeit** *f* **1.** time in between: ***in der ~*** → ***zwischenzeitlich*** II **2.** SPORT intermediate time ≈**zeitlich I** *Adj* intermediate, interim **II** *Adv* (in the) meantime, meanwhile **~zeugnis** *n* intermediate report
Zwist *m*, **Zwistigkeit** *f mst Pl* quarrel
zwitschern I *v/t u. v/i* twitter, chirp: F *fig* ***e-n ~*** down one **II** ≈ *n* twitter(ing), chirp(ing)
Zwitter *m* BIOL hermaphrodite
Zwitterding *n* → ***Zwischending***

zwo → ***zwei***
zwölf *Adj* twelve: ***um ~ (Uhr)*** at twelve (o'clock), *mittags: a.* at noon, *nachts: a.* at midnight; *fig* ***fünf Minuten vor ~*** at the eleventh hour
Zwölffingerdarm *m* ANAT duodenum **~geschwür** *n* MED duodenal ulcer
Zwölfkampf *m* SPORT twelve events *Pl*
zwölft *Adj*, **Zwölfte** *m, f* twelfth
Zwölftonmusik *f* twelve-tone music
Zyankali *n* CHEM potassium cyanide
zyklisch *Adj* cyclic(al)
Zyklon *m* (*Wirbelsturm*) cyclone
Zyklone *f* METEO (*Tief*) cyclone
Zyklop *m* MYTH Cyclops
Zyklotron *n* PHYS cyclotron
Zyklus *m allg* cycle, *von Vorträgen etc*: series
Zylinder *m* **1.** top hat **2.** CHEM, MATHE, MOT cylinder
Zylinderkopf *m* MOT cylinder head **~dichtung** *f* MOT cylinder-head gasket **~schraube** *f* MOT cylinder-head stud
zylindrisch *Adj* cylindric(al)
Zyniker(in) cynic **zynisch** *Adj* cynical
Zynismus *m* cynicism
Zypern *n* Cyprus
Zypresse *f* BOT cypress
Zypriot(in) Cypriote
zyprisch *Adj* Cyprian
Zyste *f allg* cyst
Zystoskopie *f* MED cystoscopy
zytologisch *Adj* cytologic(al)
Zytostatikum *n* MED cytostatic agent
zzgl. *Abk* (= ***zuzüglich***) plus
zz(t). *Abk* = ***zurzeit***

Anhang

Geographische Namen (Deutsch)
Geographical Names (German)

A

Aachen Aachen, Aix-la-Chapelle
Aargau Argovia, Argovie
Adria, *das* **Adriatische Meer** *the* Adriatic Sea
Afghanistan Afghanistan
Afrika Africa
Ägäis, *das* **Ägäische Meer** *the* Aegean Sea
Ägypten Egypt
Albanien Albania
Algerien Algeria
Algier Algiers
Alpen *the* Alps
Amazonas *the* Amazon
Amerika America
Anden *the* Andes
Andorra Andorra
Angola Angola
Antarktis Antarctica
Antillen *the* Antilles
Antwerpen Antwerp
Apenninen *the* Apennines
Appenzell Appenzell
Äquatorialguinea Equatorial Guinea
Arabien Arabia
Argentinien Argentina, the Argentine
Ärmelkanal *the* English Channel
Armenien Armenia
Aserbaidschan Azerbaijan
Asien Asia
Athen Athens
Äthiopien Ethiopia
Atlantik, *der* **Atlantische Ozean** *the* Atlantic (Ocean)
Ätna Mount Etna
Australien Australia
Azoren *the* Azores

B

Bahrain Bahrain
Balearen *the* Balearic Islands
Balkan *the* Balkan States, the Balkans; *the* Balkan Peninsula
Baltikum *the* Baltic States
Bangladesch Bangladesh
Basel Basel, Basle, Bâle
Baskenland *the* Basque Provinces
Bayern Bavaria
Bayerische(r) Wald *the* Bavarian Forest
Beijing Beijing
Belarus Belarus
Belgien Belgium
Belgrad Belgrade
Belize Belize
Beneluxstaaten *the* Benelux countries
Benin Benin
Beringstraße *the* Bering Strait
Berlin Berlin
Bermudainseln *the* Bermudas
Bern Bern(e)
Bhutan Bhutan
Birma Burma
Biskaya, Golf von Biskaya *the* Bay of Biscay
Bodensee Lake Constance
Böhmen Bohemia
Böhmerwald *the* Bohemian Forest
Bolivien Bolivia
Borneo Borneo
Bosnien Bosnia
Bosporus *the* Bosporus
Botswana Botswana
Brandenburg Brandenburg
Bremen Bremen
Brasilien Brazil
Brüssel Brussels
Bukarest Bucharest
Bulgarien Bulgaria
Bundesrepublik Deutschland *the* Federal Republic of Germany
Burgund Burgundy
Burkina Faso Burkina Faso
Burundi Burundi

C

Calais Calais
Capri Capri
Chile Chile
China China
Costa Rica Costa Rica
Côte d'Ivoire Côte d'Ivoire

D

Dänemark Denmark
Den Haag The Hague
Delhi Delhi
Deutsche Demokratische Republik *hist* *the* German Democratic Republic; East Germany
Deutschland Germany
Dolomiten *the* Dolomites
Dominikanische Republik *the* Dominican Republic
Donau *the* Danube
Dünkirchen Dunkirk

E

Ecuador Ecuador
Elfenbeinküste Côte d'Ivoire, *the* Ivory Coast
El Salvador El Salvador
Elsass Alsace, Alsatia
Engadin *the* Engadine
England England
Eritrea Eritrea
Estland Est(h)onia
Euphrat *the* Euphrates
Eurasien Eurasia
Europa Europe

F

Falklandinseln *the* Falkland Islands
Färöer *the* Fa(e)roe Islands, *the* Fa(e)roes
Fidschi Fiji
Fidschiinseln *the* Fiji Islands
Finnland Finland
Florenz Florence
Franken Franconia
Frankfurt Frankfurt
Frankreich France
Freiburg Fribourg (*Stadt u. Kanton in der Schweiz*)
Friesische(n) Inseln *the* Frisian Islands
Fudschijama Mount Fuji

G

Gabun Gabon
Galiläa Galilee
Gambia *the* Gambia
Ganges *the* Ganges
Genf Geneva
Genfer See Lake Geneva
Genua Genoa
Ghana Ghana
Gibraltar Gibraltar
Graubünden Grisons
Grenada Grenada
Griechenland Greece
Grönland Greenland
Großbritannien Great Britain
Große(n) Antillen *the* Greater Antilles
Guinea(-Bissau) Guinea(-Bissau)
Guayana Guayana

H

Haiti Haiti
Hamburg Hamburg
Hannover Hanover
Havanna Havana
Hebriden *the* Hebrides
Helgoland Heligoland
Hessen Hesse
Himalaja *the* Himalaya(s)
Holland Holland
Hongkong Hong Kong

I

Indien India
Indische(r) Ozean *the* Indian Ocean
Indochina Indochina
Indonesien Indonesia
Innerasien Central Asia
Ionische(s) Meer *the* Ionian Sea
Irak Iraq
Iran Iran
Irische Republik *the* Republic of Ireland
Irische See *the* Irish Sea
Irland Ireland
Island Iceland
Israel Israel
Italien Italy

J

Jalta Yalta
Jamaika Jamaica
Japan Japan
Java Java

Jemen Yemen
Jerusalem Jerusalem
Jordanien Jordan
Jugoslawien Yugoslavia

K

Kairo Cairo
Kalifornien California
Kambodscha Cambodia
Kamerun Cameroon
Kanada Canada
Kanalinseln *the* Channel Islands
Kanaren, *die* **Kanarischen Inseln** *the* Canaries, *the* Canary Islands
Kap der Guten Hoffnung *the* Cape of Good Hope
Kap Hoorn Cape Horn, the Horn
Kapstadt Cape Town
Karibik *the* Caribbean
Kärnten Carinthia
Karpaten *the* Carpathian Mountains, *the* Carpathians
Kasachstan Kazakhstan
Kaschmir Kashmir, Cashmere
Kaspische(s) Meer, *der* **Kaspisee** *the* Caspian Sea
Kaukasus *the* Caucasus (Mountains)
Kenia Kenya
Kiew Kiev
Kilimandscharo Mount Kilimanjaro
Kirgis(is)tan Kirgyzstan
Kiribati Kiribati
Kleinasien Asia Minor
Kleine(n) Antillen *the* Lesser Antilles, *the* Caribbees
Köln Cologne
Kolumbien Colombia
Komoren *the* Comoros
Kongo *the* Congo
Konstanz Constance
Kopenhagen Copenhagen
Korea Korea
Korfu Corfu
Korsika Corsica
Kosovo Kosovo
Kreml *the* Kremlin
Kreta Crete
Krim *the* Crimea
Kroatien Croatia
Kuba Cuba
Kuwait Kuwait

L

Laos Laos
Lappland Lapland
Lateinamerika Latin America
Lesotho Lesotho
Lettland Latvia
Libanon (*the*) Lebanon (*meist ohne bestimmten Artikel gebraucht*)
Liberia Liberia
Libyen Libya
Liechtenstein Liechtenstein
Ligurische(s) Meer *the* Ligurian Sea
Lissabon Lisbon
Litauen Lithuania
London London
Lothringen Lorraine
Lüneburger Heide *the* Lüneburg Heath
Luxemburg Luxembourg
Luzern Lucerne

M

Madagaskar Madagascar
Madeira, Madera Madeira
Mailand Milan
Malawi Malawi
Malaysia Malaysia
Malediven *the* Maldives
Mali Mali
Mallorca Majorca
Malta Malta
Marokko Morocco
Mauretanien Mauritania
Mauritius Mauritius
Mazedonien Macedonia
Mecklenburg-Vorpommern Mecklenburg-Western Pomerania
Mekka Mecca, Mekka
Menorca Minorca
Mexiko Mexico
Mittelamerika *weit. S., inklusive Mexiko*: Middle America; *eng. S.*: Central America
Mitteleuropa Central Europe
Mittelmeer *the* Mediterranean (Sea)
Moldawien Moldavia, Moldova
Monaco, Monako Monaco
Mongolei Mongolia
Mosambik Mozambique
Mosel *the* Moselle
Moskau Moscow
München Munich
Myanmar Myanmar

N

Nahe(r) Osten *the* Middle East
Namibia Namibia
Nauru Nauru
Neapel Naples
Nepal Nepal
Neufundland Newfoundland
Neuguinea New Guinea
Neuseeland New Zealand
Nicaragua, Nikaragua Nicaragua
Niederlande *the* Netherlands
Niederösterreich Lower Austria
Niedersachsen Lower Saxony
Niger Niger
Nigeria Nigeria
Nil *the* Nile
Nizza Nice
Nordamerika North America
Nordirland Northern Ireland
Nordkap *the* North Cape
Nordkorea North Korea
Nord-Ostsee-Kanal *the* Kiel Canal
Nordrhein-Westfalen North Rhine--Westphalia
Nordsee *the* North Sea
Normandie Normandy
Norwegen Norway
Nürnberg Nuremberg

O

Oberösterreich Upper Austria
Olymp Mount Olympus
Oman Oman
Oslo Oslo
Ostasien East Asia
Ostende Ostend
Osterinsel *the* Easter Island
Österreich Austria
Ostsee *the* Baltic Sea
Ozeanien Oceania

P

Pakistan Pakistan
Palästina *hist* Palestine
Papua-Neuguinea Papua New Guinea
Paraguay Paraguay
Paris Paris
Pazifik, *der* **Pazifische Ozean** *the* Pacific (Ocean)
Peking Peking
Persien Persia
Persische(r) Golf *the* Persian Gulf
Peru Peru
Pfalz *the* Palatinate
Philippinen *the* Philippines
Piemont Piedmont
Polen Poland
Polynesien Polynesia
Pommern Pomerania
Portugal Portugal
Prag Prague
Preußen Prussia
Puerto Rico Puerto Rico
Pyrenäen *the* Pyrenees

R

Rhein *the* Rhine
Rheinland-Pfalz Rhineland-Palatinate
Rhodos Rhodes
Rom Rome
Rote(s) Meer *the* Red Sea
Ruanda Rwanda
Ruhrgebiet *the* Ruhr
Rumänien Romania
Russland Russia

S

Saarland *the* Saarland
Sachsen Saxony
Sachsen-Anhalt Saxony-Anhalt
Sahara *the* Sahara
Salzburg Salzburg
Sambia Zambia
Samoa Samoa
San Marino San Marino
Sardinien Sardinia
Saudi-Arabien Saudi Arabia
Schlesien Silesia
Schleswig-Holstein Schleswig-Holstein
Schottland Scotland
Schwaben Swabia
Schwarze(s) Meer *the* Black Sea
Schwarzwald *the* Black Forest
Schweden Sweden
Schweiz Switzerland
Senegal Senegal
Serbien Serbia
Seychellen *the* Seychelles

Shetland-Inseln Shetland, *the* Shetland Islands
Sibirien Siberia
Sierra Leone Sierra Leone
Simbabwe Zimbabwe
Singapur Singapore
Sizilien Sicily
Skandinavien Scandinavia
Slowakei Slovakia
Slowenien Slovenia
Somalia Somalia
Sowjetunion *hist the* Soviet Union
Spanien Spain
Spitzbergen Spitsbergen
Sri Lanka Sri Lanka
Steiermark Styria
Stille(r) Ozean → ***Pazifik***
Stockholm Stockholm
Straßburg Strasbourg
Südafrika South Africa
Südamerika South America
Sudan *the* Sudan
Südkorea South Korea
Südsee *the* South Pacific
Sueskanal *the* Suez Canal
Sumatra Sumatra
Surinam Suriname
Swasiland Swaziland
Syrien Syria

T

Tadschikistan Tadzhikistan
Tahiti Tahiti
Taiwan Taiwan
Tanganjika Tanganyika
Tansania Tanzania
Tasmanien Tasmania
Teheran Teh(e)ran
Tessin Ticino
Thailand Thailand
Themse *the* Thames
Thüringen Thuringia
Tibet Tibet
Tirol Tyrol, Tirol
Tokio Tokyo
Toskana Tuscany
Trinidad und Tobago Trinidad and Tobago
Tschad Chad
Tschechien, Tschechische Republik *the* Czech Republic
Tschechoslowakei *hist* Czechoslovakia
Tschetschenien Chechnia
Tunesien Tunisia
Türkei Turkey
Turkmenistan Turkmenistan
Tyrrhenische(s) Meer *the* Tyrrhenian Sea

U

Uganda Uganda
Ukraine *the* Ukraine
Ungarn Hungary
Union der Sozialistischen Sowjetrepubliken *hist the* Union of Soviet Socialist Republics
Ural *the* Ural Mountains, *the* Urals
Uruguay Uruguay
Usbekistan Uzbekistan

V

Vatikan(stadt) *the* Vatican (City)
Venedig Venice
Venezuela Venezuela
Vereinigte(n) Arabische(n) Emirate *the* United Arab Emirates
Vereinigte(s) Königreich (von Großbritannien und Nordirland) *the* United Kingdom (of Great Britain and Northern Ireland)
Vereinigte(n) Staaten (von Amerika) *the* United States (of America)
Vesuv Vesuvius
Vietnam Vietnam, Viet Nam
Volksrepublik China *the* People's Republic of China

W

Warschau Warsaw
Weichsel *the* Vistula
Weißrussland White Russia, B(y)elorussia
Westfalen Westphalia
Westindische(n) Inseln *the* West Indies
Wien Vienna

Z

Zaire *hist* Zaire
Zentralafrikanische Republik *the* Central African Republic
Zimbabwe Zimbabwe
Zürich Zurich
Zypern Cyprus

Die Länder der Bundesrepublik Deutschland
The Countries of the Federal Republic of Germany

Baden-Württemberg Baden-Württemberg
Bayern Bavaria
Berlin Berlin
Brandenburg Brandenburg
Bremen Bremen
Hamburg Hamburg
Hessen Hesse
Mecklenburg-Vorpommern Mecklenburg-Western Pomerania, Mecklenburg and Western Pomerania
Niedersachsen Lower Saxony
Nordrhein-Westfalen North Rhine-Westphalia
Rheinland-Pfalz Rhineland-Palatinate
Saarland Saarland
Sachsen Saxony
Sachsen-Anhalt Saxony-Anhalt
Schleswig-Holstein Schleswig-Holstein
Thüringen Thuringia

Die Länder der Republik Österreich
The Countries of the Republic of Austria

Burgenland Burgenland
Kärnten Carinthia
Niederösterreich Lower Austria
Oberösterreich Upper Austria
Salzburg Salzburg
Steiermark Styria
Tirol Tyrol
Vorarlberg Vorarlberg
Wien Vienna

Die Kantone der Schweizerischen Eidgenossenschaft
The Cantons of the Swiss Confederation

Aargau Aargau
Appenzell (Inner-Rhoden; Außer-Rhoden) Appenzell (Inner Rhodes; Outer Rhodes)
Basel Basel, Basle
Bern Bern, Berne
Freiburg Fribourg
Genf Geneva
Glarus Glarus
Graubünden Graubünden, Grisons
Jura Jura
Luzern Lucerne
Neuenburg Neuchâtel
St. Gallen St Gallen, St Gall
Schaffhausen Schaffhausen
Schwyz Schwyz
Solothurn Solothurn
Tessin Ticino
Thurgau Thurgau
Unterwalden (Obwalden; Nidwalden) Unterwalden (Obwalden; Nidwalden)
Uri Uri
Waadt Vaud
Wallis Valais, Wallis
Zug Zug
Zürich Zurich

Deutsche Abkürzungen
German Abbreviations

A

AA *das* ***Auswärtige Amt*** Foreign Office
Abb. ***Abbildung*** ill(us)., illustration; fig., figure
Abf. ***Abfahrt*** dep., departure
Abk. ***Abkürzung*** abbr., abbreviation
ABM ***Arbeitsbeschaffungsmaßnahme*** job creation measure
Abo ***Abonnement*** subscription
Abs. ***Absatz*** par., paragraph; ***Absender*** sender
ABS ***Antiblockiersystem*** ABS, anti--lock braking system
Abschn. ***Abschnitt*** section; ch., chapter
Abt. ***Abteilung*** dept, department
abzgl. ***abzüglich*** less, minus
a.D. ***außer Dienst*** ret., retired; ***an der Donau*** on the Danube
ADAC ***Allgemeiner Deutscher Automobil-Club*** General German Automobile Association
Adr. ***Adresse*** address
AG ***Aktiengesellschaft*** *Br* PLC, Plc, public limited company; *Am* (stock) corporation
AKW ***Atomkraftwerk*** nuclear power station
allg. ***allgemein*** gen., general
a.M. ***am Main*** on the Main
am., amer(ik). ***amerikanisch*** Am., American
amtl. ***amtlich*** off., official
Anh. ***Anhang*** app., appendix
Ank. ***Ankunft*** arr., arrival
Anl. ***Anlage(n)*** (*im Brief*) enc(l)., enclosure(s)
Anm. ***Anmerkung*** note
anschl. ***anschließend*** foll., following
a.o. Prof. ***außerordentlicher Professor*** *Br* senior lecturer; *Am* associate professor
APO *hist* ***Außerparlamentarische Opposition*** extraparliamentary opposition
App. ***Apparat*** TEL ext., extension; telephone
ARD ***Arbeitsgemeinschaft der öffentlich-rechtlichen Rundfunkanstalten der Bundesrepublik Deutschland*** *Working Pool of the Broadcasting Corporations of the Federal Republic of Germany*
a.Rh. ***am Rhein*** on the Rhine
Art. ***Artikel*** art., article
A(S)U ***Abgas(sonder)untersuchung*** exhaust-emission check
Aufl. ***Auflage*** ed., edition
Az. ***Aktenzeichen*** file number

B

b. ***bei*** at; with; *räumlich*: nr, near; *Adresse*: c/o, care of
BAföG ***Bundesausbildungsförderungsgesetz*** student financial assistance scheme, Federal law for the promotion of training
Bd. ***Band*** (*Buch*) vol., volume
Bde. ***Bände*** (*Bücher*) vols, volumes
beil. ***beiliegend*** encl., enclosed
BENELUX ***Belgien, Niederlande, Luxemburg*** Benelux countries, Belgium, the Netherlands, and Luxembourg
bes. ***besonders*** esp., especially
Best.-Nr. ***Bestellnummer*** ord. no., order number
Betr. ***Betreff, betrifft*** (*in Briefen*) re
betr. ***betreffend, betreffs*** conc., concerning; regarding
Bev. ***Bevölkerung*** pop., population
Bez. ***Bezeichnung*** mark; (*Name*) name, designation; ***Bezirk*** dist., district
BGB ***Bürgerliches Gesetzbuch*** Civil Code
BGH ***Bundesgerichtshof*** Federal Supreme Court
BH ***Büstenhalter*** bra
Bhf. ***Bahnhof*** Sta., station
BLZ ***Bankleitzahl*** bank code number
BND ***Bundesnachrichtendienst*** Federal Intelligence Service
BRD ***Bundesrepublik Deutschland*** FRG, Federal Republic of Germany; *hist* West Germany
brit. ***britisch*** Br(it)., British
BRT ***Bruttoregistertonnen*** GRT, gross register tons
bes. ***besonders*** esp., especially

BSE ***bovine spongiforme Enzephalopathie*** BSE, bovine spongiform encephalopathy
Btx ***Bildschirmtext*** viewdata
Bw. ***Bundeswehr*** Federal Armed Forces
b.w. ***bitte wenden*** PTO, p.t.o., please turn over
BWL ***Betriebswirtschaftslehre*** business administration, business economics
bzgl. ***bezüglich*** with reference to
bzw. ***beziehungsweise*** resp., respectively

C

C ***Celsius*** C, Celsius, centigrade
ca. ***circa, ungefähr, etwa*** c, ca, circa; about; approx., approximately
cand. ***candidatus, Kandidat*** (*Prüfungsanwärter*) candidate
CD ***Compact Disc*** CD
CDU ***Christlich-Demokratische Union*** Christian Democratic Union
Co. (*veraltet*) ***Compagnie*** (*Handelsgesellschaft*) co., company; ***Compagnon*** (*Mitinhaber*) partner
CSU ***Christlich-Soziale Union*** Christian Social Union
CVJF ***Christlicher Verein junger Frauen und Mädchen*** YWCA, Young Women's Christian Association
CVJM ***Christlicher Verein Junger Männer*** YMCA, Young Men's Christian Association; ***Christlicher Verein Junger Menschen*** Young People's Christian Association

D

d.Ä. ***der Ältere*** Sen., sen., Snr, Sr, senior
DAX® ***Deutscher Aktienindex*** German Stock Index
DB ***Deutsche Bahn AG*** German Railways, Plc; ***Deutsche Bundesbank*** German Federal Bank
DDR ***Deutsche Demokratische Republik*** *hist* GDR, German Democratic Republic; East Germany
DFB ***Deutscher Fußballbund*** German Football Association
DGB ***Deutscher Gewerkschaftsbund*** Federation of German Trade Unions
dgl. ***dergleichen, desgleichen*** the like
d.Gr. ***der*** *od* ***die Große*** the Great
d.h. ***das heißt*** i.e., that is
DHH ***Doppelhaushälfte*** semi
d.i. ***das ist*** i.e., that is
DIN ***Deutsches Institut für Normung*** German Institute for Standardization; ***Deutsche Industrienormen*** German Industrial Standards
Dipl ***Diplom(...*** with a) diploma (in ...)
Dipl-Ing. ***Diplomingenieur(in)*** *etwa*: graduate engineer
Dir. ***Direktor*** Dir., dir. director; ***Direktion*** *the* directors *Pl*
d.J. ***der Jüngere*** Jun., jun., Jnr, Jr, junior; ***dieses Jahres*** of this year
DJH ***Deutsches Jugendherbergswerk*** German Youth Hostel Association
DM ***Deutsche Mark*** German Mark(s), Deutschmark(s)
d.M. ***dieses Monats*** inst., instant
d.O. ***der*** (***die, das***) ***Obige*** the abovementioned
Doz. ***Dozent(in)*** lecturer
dpa ***Deutsche Presseagentur*** German Press Agency
Dr. ***Doktor*** Dr, Doctor: **~ jur.** ***Doktor der Rechte*** LLD, Doctor of Laws; **~ med.** ***Doktor der Medizin*** MD, Doctor of Medicine; **~ phil.** ***Doktor der Philosophie*** DPhil, PhD, Doctor of Philosophy; **~ rer. nat.** ***Doktor der Naturwissenschaften*** DSc, ScD, Doctor of Science; **~ theol.** (*evangelisch*: **D. theol.**) ***Doktor der Theologie*** DD, Doctor of Divinity
dt. ***deutsch*** Ger., German
DTP ***Desktop-Publishing*** DTP
Dtzd. ***Dutzend*** doz., dozen(s)
DV ***Datenverarbeitung*** DP, data processing

E

ebd. ***ebenda*** ib(id)., ibidem, in the same place
EBK ***Einbauküche*** fitted kitchen
Ed. ***Edition, Ausgabe*** ed., edition
ed. ***edidit, hat herausgegeben*** ed., edited by, published by
EDV ***elektronische Datenverarbeitung*** EDP, electronic data processing
EEG ***Elektroenzephalogramm*** EEG, electroencephalogram
EG ***Europäische Gemeinschaft*** *hist* EC, European Community
e.h. ***ehrenhalber*** hon., honorary

eh(e)m. ***ehemals*** formerly; ***ehemalig*** former
eidg. ***eidgenössisch*** (= *schweizerisch*) fed., federal, confederate, Swiss
eigtl. ***eigentlich*** actual(ly), real(ly), *Adv a.* strictly speaking
einschl. ***einschließlich*** incl., inclusive (-ly), including; ***einschlägig*** relevant
EKD ***Evangelische Kirche in Deutschland*** Protestant Church in Germany
EKG ***Elektrokardiogramm*** ECG, electrocardiogram
engl. ***englisch*** Eng., English
entspr. ***entsprechend*** corr., corresponding
EPA ***Europäisches Patentamt*** EPO, European Patent Office
erb. ***erbaut*** built, erected
Erw. ***Erwachsene*** *Pl* adults
ESZB ***Europäisches System der Zentralbanken*** ESCB, European System of Central Banks
EU ***Europäische Union*** EU, European Union
EuGH ***Europäischer Gerichtshof*** ECJ, European Court of Justice
EUR ***Euro*** EUR, euro (*ISO-Währungscode*)
ev. ***evangelisch*** Prot., Protestant
e.V. ***eingetragener Verein*** registered society *od* association
evtl. ***eventuell*** poss., possibly; perhaps
EWS ***Europäisches Währungssystem*** EMS, European Monetary System
EWU ***Europäische Währungsunion*** EMU, European Monetary Union
exkl. ***exklusive*** exc., except(ed); excl., exclusive, excluding
ExPl ***Exemplar*** sample, copy
EZB ***Europäische Zentralbank*** ECB, European Central Bank

F

F ***Fahrenheit*** F, Fahrenheit
Fa. ***Firma*** firm; (*auf Adressen*) Messrs
Fam. ***Familie*** family; (*auf Adressen*) Mr (and family)
FC ***Fußballclub*** FC, Football Club
FCKW ***Fluorchlorkohlenwasserstoff*** CFC, chlorofluorocarbon
FDGB ***Freier Deutscher Gewerkschaftsbund*** (*DDR*) *hist* Free Federation of German Trade Unions
FDP ***Freie Demokratische Partei*** Liberal Democratic Party
FH ***Fachhochschule*** *etwa*: (advanced) technical college
Fig. ***Figur*** fig., figure; diag., diagram
fig. ***figurativ, figürlich, bildlich*** fig., figurative(ly)
FKK ***Freikörperkultur*** nudism
folg. ***folgend***(***e*** *etc*) foll., following
Forts. ***Fortsetzung*** continuation; **Forts. f.** ***Fortsetzung folgt*** to be contd, to be continued
Fr. ***Frau*** Mrs; Ms (*Familienstand nicht erkennbar*)
Frl. ***Fräulein*** Miss
frz. ***französisch*** Fr., French

G

GAP *EU*: ***gemeinsame Agrarpolitik*** CAP, common agricultural policy
GAU ***größter anzunehmender Unfall*** MCA, maximum credible accident
GB, Gbyte ***Gigabyte*** GB
geb. ***geboren*** b., born; ***geborene ...*** née; ***gebunden*** bd, bound
Gebr. ***Gebrüder*** Bros., Brothers
gegr. ***gegründet*** founded; est(ab)., established
gek. ***gekürzt*** (*Buch, Text*) abr., abridged
Ges. ***Gesellschaft*** assoc., association; co., company; soc., society; ***Gesetz*** law
gesch. ***geschieden*** div., divorced
ges. gesch. ***gesetzlich geschützt*** regd, registered
gest. ***gestorben*** d., died, deceased
Gew. ***Gewicht*** w., wt, weight
ggf(s). ***gegebenenfalls*** should the occasion arise; if necessary; if applicable
gez. ***gezeichnet*** (*vor der Unterschrift*) sgd, signed
GmbH ***Gesellschaft mit beschränkter Haftung*** limited liability company
GUS ***Gemeinschaft Unabhängiger Staaten*** CIS, Commonwealth of Independent States

H

Hbf. ***Hauptbahnhof*** cent. sta., central station; main sta., main station
h.c. ***honoris causa, ehrenhalber*** hon., honorary

hins. ***hinsichtlich*** with regard to, regarding, as to
HIV ***human immunodeficiency virus*** HIV
HP ***Halbpension*** half board
Hr(n). ***Herr(n)*** Mr
H(rs)g. ***Herausgeber*** ed., editor
h(rs)g. ***herausgegeben*** ed., edited

I

i. ***im, in*** in (the)
i.A. ***im Auftrag*** p.p., per pro
i. Allg. ***im Allgemeinen*** in general, gen., generally, (*im Ganzen*) on the whole
i.B. ***im Besonderen*** in particular
IC ***Intercity*** intercity (train)
ICE ***Intercity-Express*** high-speed train
i.D. ***im Dienst*** on duty; ***im Durchschnitt*** on av., on average
i.H. ***im Hause*** on the premises
IHK ***Industrie- und Handelskammer*** Chamber of Industry and Commerce
Ing. ***Ingenieur(in)*** eng., engineer
Inh. ***Inhaber(in)*** prop., propr, proprietor; ***Inhalt*** cont., contents
inkl. ***inklusive*** incl., including, included; inclusive of
i.R. ***im Ruhestand*** ret., retd, retired
IRK ***Internationales Rotes Kreuz*** IRC, International Red Cross
ISBN ***Internationale Standardbuchnummer*** ISBN, international standard book number
i.V. ***in Vertretung*** p.p., by proxy, on behalf of; ***in Vorbereitung*** in prep., in preparation
IWF ***Internationaler Währungsfonds*** IMF, International Monetary Fund

J

Jh. ***Jahrhundert*** c, cent., century
jhrl. ***jährlich*** yearly, ann., annual(ly)
jr., jun. ***junior*** Jun., jun., Jnr, Jr, junior
jur. ***juristisch*** leg., legal
J2K ***Jahr 2000*** Y2K, year 2000

K

K ***Kilobyte*** k, kilobyte
Kap. ***Kapitel*** ch(ap)., chapter
kath. ***katholisch*** C(ath)., Catholic
KB, Kbyte ***Kilobyte*** KB, kilobyte
Kfm. ***Kaufmann*** merchant; businessman; trader; dlr, dealer; agt, agent
kfm. ***kaufmännisch*** com(m)., commercial
Kfz. ***Kraftfahrzeug*** motor vehicle
KG ***Kommanditgesellschaft*** limited partnership
KI ***künstliche Intelligenz*** AI, artificial intelligence
Kl. ***Klasse*** cl., class
KP ***Kommunistische Partei*** CP, Communist Party
Kripo ***Kriminalpolizei*** *Br* CID, criminal investigation department
KST ***Kernspintomographie*** MRT, magnetic resonance tomography
Kto. ***Konto*** acct, a/c, account

L

l. ***links*** l., left
led. ***ledig*** single, unmarried
lfd. ***laufend*** current, running
lfd. Nr. ***laufende Nummer*** ser. no., serial number
Lf(r)g. ***Lieferung*** dely, delivery
Lkw, LKW ***Lastkraftwagen*** *Br* HGV, heavy goods vehicle; *Br* lorry; *Am* truck
LP ***Langspielplatte*** LP, long-playing record
lt. ***laut*** acc. to, according to; as per
ltd. ***leitend*** man., managing
Ltg. ***Leitung*** direction; mangt, management
luth. ***lutherisch*** Luth., Lutheran

M

M ***Mark*** *hist* mark(s) (*DDR-Währung*)
MA ***Mittelalter*** MA, Middle Ages
MAD ***Militärischer Abschirmdienst*** Military Counter-Intelligence Service
max. ***maximal*** max., maximum
MB ***Megabyte*** MB, megabyte
mbH ***mit beschränkter Haftung*** with limited liability
Mbyte ***Megabyte*** MB, megabyte
MdB ***Mitglied des Bundestages*** Member of the Bundestag
MdL ***Mitglied des Landtages*** Member of the Landtag
mdl. ***mündlich*** verbal, oral
m.E. ***meines Erachtens*** in my opinion

MEZ ***mitteleuropäische Zeit*** CET, Central European Time
MFV TEL ***Mehrfrequenzwahlverfahren*** MFC, multifrequency code
MG ***Maschinengewehr*** MG, machine gun
Mill. ***Million(en)*** m, million
Min., min. ***Minute(n)*** min., minute(s)
min. ***minimal*** min., minimum
Mio. ***Million(en)*** m, million
Mitw. ***Mitwirkung*** assistance, participation, cooperation
MKS ***Maul- und Klauenseuche*** FMD, foot-and-mouth (disease)
möbl. ***möbliert*** furn., furnished
mod. ***modern*** mod., modern
MP ***Maschinenpistole*** submachine gun
Mrd. ***Milliarde(n)*** bn, billion; *Br a.* thousand million
MS ***multiple Sklerose*** MS, multiple sclerosis
mtl. ***monatlich*** monthly
m.W. ***meines Wissens*** as far as I know
MwSt., MWSt. ***Mehrwertsteuer*** VAT, value-added tax

N

N ***Nord(en)*** N, north
n. ***nach*** after
N(a)chf. ***Nachfolger*** successor
nachm. ***nachmittags*** p.m., pm, in the afternoon
näml. ***nämlich*** viz, i.e., namely, that is to say
n. Chr. ***nach Christus*** AD, anno domini
N.N. ***nomen nominandum*** name hitherto unknown
NO ***Nordost(en)*** NE, northeast
NPD ***Nationaldemokratische Partei Deutschlands*** National-Democratic Party of Germany
Nr. ***Nummer*** No., no., number
NW ***Nordwest(en)*** NW, northwest

O

O ***Ost(en)*** E, east
o. ***oben*** above; ***oder*** or; ***ohne*** w/o, without
o.ä. ***oder ähnlich*** or the like
o.Ä. ***oder Ähnliche(s*** *etc*) or the like
OB ***Oberbürgermeister*** mayor, *in GB*: Lord Mayor
o.B. ***ohne Befund*** results negative
Obb. ***Oberbayern*** Upper Bavaria
od. ***oder*** or
OHG ***offene Handelsgesellschaft*** general partnership
o. Prof. ***ordentlicher Professor*** Prof., prof., (full) professor
Orig. ***Original*** orig., original
orth. ***orthodox*** Orth., Orthodox (*Religion*)
österr. ***österreichisch*** Aus., Austrian
OSZE ***Organisation für Sicherheit und Zusammenarbeit in Europa*** OSCE, Organisation for Security and Cooperation in Europe

P

p. A(dr). ***per Adresse*** c/o, care of
PC ***Personalcomputer*** PC, personal computer
pers. ***persönlich*** pers., personal; personally, in person
Pf ***Pfennig*** pf., pfennig
Pfd. ***Pfund*** (*Gewicht*) German pound(s)
PID ***Präimplantationsdiagnostik*** PGD, preimplantation (genetic) diagnosis (*od* diagnostics)
Pkt. ***Punkt*** pt, point
Pkw, PKW ***Personenkraftwagen*** (motor) car
Pl ***Platz*** Sq., Square
PLZ ***Postleitzahl*** postcode, *Am* zip code
pp(a). ***per Prokura*** p.p., per pro(c)., by proxy
Priv.-Doz. ***Privatdozent*** unsalaried lecturer
Prof. ***Professor*** Prof., Professor
PS ***Pferdestärke(n)*** HP, hp, horsepower; ***Postskriptum*** PS, postscript

Q

qkm (*veraltet*) ***Quadratkilometer*** sq.km, square kilometre
qm (*veraltet*) ***Quadratmeter*** sq.m, square metre

R

® ***eingetragenes Warenzeichen, Marke*** registered (trademark)
r. ***rechts*** r., right
RA ***Rechtsanwalt*** lawyer; *Br* sol., solr,

solicitor; bar., barrister; *Am* att., atty, attorney
RAF ***Rote-Armee-Fraktion*** Red Army Faction
RAM ***random access memory*** RAM
rd. ***rund*** (= *ungefähr*) roughly
Reg.-Bez. ***Regierungsbezirk*** administrative district
Rel. ***Religion*** rel., religion
Rep. ***Republik*** Rep., Republic
resp. ***respektive*** resp., respectively
RH ***Reihenhaus*** terrace
RIAS ***Rundfunk im amerikanischen Sektor*** (*von Berlin*) *hist* Radio in the American Sector (*of Berlin*)
rk., r.-k. ***römisch-katholisch*** RC, Roman Catholic
ROM ***read-only memory*** ROM
röm. ***römisch*** Rom., Roman

S

S ***Süd(en)*** S, south; ***Schilling*** S, schilling
S. ***Seite*** p., page
s. ***siehe*** v., vide; see
S-Bahn ***Schnellbahn, Stadtbahn*** suburban (fast) train(s), suburban railway
Sek., sek. ***Sekunde(n)*** sec., second(s)
sen. ***senior*** Sen., sen., Snr, Sr, senior
SO ***Südost(en)*** SE, southeast
s.o. ***siehe oben*** see above
sog. ***so genannt(e, -es*** *etc*) so-called
SPD ***Sozialdemokratische Partei Deutschlands*** Social Democratic Party of Germany
SS ***Sommersemester*** summer semester *od* (*Br*) term
St. ***Sankt*** St, Saint; ***Stück*** pc., *Pl* pcs., piece(s)
Std. ***Stunde(n)*** h., *Pl a.* hrs, *Sg a.* hr, hour(s)
stdl. ***stündlich*** hourly, every hour
Stdn. ***Stunden*** h., hrs, hours
stellv. ***stellvertretend*** asst, assistant
StGB ***Strafgesetzbuch*** penal *od* criminal code
Str. ***Straße*** St, Street; Rd, Road
stud. ***studiosus, Student*** student
StVO ***Straßenverkehrsordnung*** (road) traffic regulations; *Br* Highway Code
s.u. ***siehe unten*** see below
SW ***Südwest(en)*** SW, southwest

T

t(ä)gl. ***täglich*** daily, a *od* per day
Tel. ***Telefon*** tel., telephone
TH ***Technische Hochschule*** college of technology, technical university
TOP ***Tagesordnungspunkt*** agenda item
TU ***Technische Universität*** technical university
TÜV ***Technischer Überwachungsverein*** *etwa*: Association for Technical Inspection; Technical Control Board

U

U-Bahn ***Untergrundbahn*** *Br* underground; *Am* subway
u. ***und*** and
u.a. ***und andere(s)*** and others (other things); ***unter anderem (anderen)*** among other things, inter alia (among others)
u.Ä. ***und Ähnliche(s)*** and the like
u.A.w.g. ***um Antwort wird gebeten*** RSVP, please reply
u.dgl.(m.) ***und dergleichen (mehr)*** and so on; and the like
ü.d.M. ***über dem Meeresspiegel*** above sea level
UdSSR ***Union der Sozialistischen Sowjetrepubliken*** *hist* USSR, Union of Soviet Socialist Republics
UKW ***Ultrakurzwelle*** ultrashort wave; FM, frequency modulation
U/min. ***Umdrehungen pro Minute*** r.p.m., revolutions per minute
urspr. ***ursprünglich*** orig., original(ly)
usw. ***und so weiter*** etc., and so on
u.U. ***unter Umständen*** poss., possibly; perh., perhaps; if need be
UV ***Ultraviolett*** UV, ultraviolet

V

v. ***von, vom*** of; from; by
V ***Volt*** V, volt(s)
V. ***Vers*** v., verse; l., line
VB ***Verhandlungsbasis*** (*Preis*) guide price, … o.n.o., … or near(est) offer
v.Chr. ***vor Christus*** BC, before Christ
v.D. ***vom Dienst*** on duty, in charge
VEB ***volkseigener Betrieb*** (*DDR*) *hist* state-owned enterprise
Verf. ***Verfasser*** author

verh. ***verheiratet*** mar., married
Verl. ***Verlag*** publishing house *od* company, publishers *Pl*
verw. ***verwitwet*** widowed
vgl. ***vergleiche*** cf., confer; cp., compare
v.H. ***vom Hundert*** pc, per cent
VHS ***Volkshochschule*** *Institution*: adult education program(me); *Kurse*: adult evening classes
v.J. ***vorigen Jahres*** of last year
v.M. ***vorigen Monats*** of last month
vorm. ***vormittags*** a.m., am, in the morning; ***vormals*** formerly
Vors. ***Vorsitzende*** chair; chm., chairman *bzw.* chw., chairwoman
VP ***Vollpension*** full board; board and lodging
v.T. ***vom Tausend*** per thousand

W

W ***West(en)*** W, west; ***Watt*** W, watt(s)
Wdh(lg). ***Wiederholung*** repetition; *TV etc* repeat
WEZ ***westeuropäische Zeit*** GMT, Greenwich Mean Time
WG ***Wohngemeinschaft*** flat share; people sharing a flat (*bes Am* an apartment) *od* a house
Whg. ***Wohnung*** *Br* flat, *bes Am* apt., apartment
WS ***Wintersemester*** winter semester *od* (*Br*) term
WWU ***Wirtschafts- und Währungsunion*** EMU, Economic and Monetary Union
WWW ***World Wide Web*** *Internet*: WWW, www

Z

Z. ***Zeile*** l., line; ***Zahl*** number
z. ***zu, zum, zur*** at; to
z. B. ***zum Beispiel*** e.g., for example, for instance
ZDF ***Zweites Deutsches Fernsehen*** Second Channel *od* Program(me) of German Television Broadcasting
zeitgen. ***zeitgenössisch*** contemporary
z.H(d). ***zu Händen*** attn, attention (of)
Zi. ***Zimmer*** rm (no.), room (number); ***Ziffer*** fig., figure; No., no., number; JUR subparagraph; *in Vertrag etc*: item
z.T. ***zum Teil*** partly
Ztg. ***Zeitung*** (news)paper
zur. ***zurück*** back
zus. ***zusammen*** tog., together
z(u)zgl. ***zuzüglich*** plus
zw. ***zwischen*** bet., between; among
zz(t). ***zurzeit*** (*jetzt, gegenwärtig*) at present, for the time being
z.Z(t). ***zur Zeit*** (*rückblickend*) at the time of

Zahlen – Numbers

Kardinalzahlen / Cardinal Numbers

Kardinalzahlen		Cardinal Numbers
null	**0**	nought, *bes Am* zero
eins	**1**	one
zwei	**2**	two
drei	**3**	three
vier	**4**	four
fünf	**5**	five
sechs	**6**	six
sieben	**7**	seven
acht	**8**	eight
neun	**9**	nine
zehn	**10**	ten
elf	**11**	eleven
zwölf	**12**	twelve
dreizehn	**13**	thirteen
vierzehn	**14**	fourteen
fünfzehn	**15**	fifteen
sechzehn	**16**	sixteen
siebzehn	**17**	seventeen
achtzehn	**18**	eighteen
neunzehn	**19**	nineteen
zwanzig	**20**	twenty
einundzwanzig	**21**	twenty-one
zweiundzwanzig	**22**	twenty-two
dreißig	**30**	thirty
einunddreißig	**31**	thirty-one
vierzig	**40**	forty
fünfzig	**50**	fifty
sechzig	**60**	sixty
siebzig	**70**	seventy
achtzig	**80**	eighty
neunzig	**90**	ninety
hundert	**100**	a *od* one hundred
hundert(und)eins	**101**	a hundred and one
zweihundert	**200**	two hundred
dreihundert	**300**	three hundred
fünfhundert(und)-zweiundsiebzig	**572**	five hundred and seventy-two
(ein)tausend	**1000**	a *od* one thousand
(ein)tausend(und)zwei	**1002**	a *od* one thousand and two

1 000 000 eine Million
2 000 000 zwei Millionen
1 000 000 000 eine Milliarde

1,000,000 a *od* one million
2,000,000 two million
1,000,000,000 a *od* one billion

NB: Das *and* in Zahlen über hundert kann im amerikanischen Englisch entfallen: *five hundred (and) twenty.*

Jahreszahlen / Years

Jahreszahlen		Years
tausendsechsundsechzig	**1066**	ten sixty-six
zweitausend	**2000**	two thousand
zweitausend(und)acht	**2008**	two thousand and eight

Ordinalzahlen / Ordinal Numbers

erste	1st	first
zweite	2nd	second
dritte	3rd	third
vierte	4th	fourth
fünfte	5th	fifth
sechste	6th	sixth
siebte	7th	seventh
achte	8th	eighth
neunte	9th	ninth
zehnte	10th	tenth
elfte	11th	eleventh
zwölfte	12th	twelfth
dreizehnte	13th	thirteenth
vierzehnte	14th	fourteenth
fünfzehnte	15th	fifteenth
sechzehnte	16th	sixteenth
siebzehnte	17th	seventeenth
achtzehnte	18th	eighteenth
neunzehnte	19th	nineteenth
zwanzigste	20th	twentieth
einundzwanzigste	21st	twenty-first
zweiundzwanzigste	22nd	twenty-second
dreiundzwanzigste	23rd	twenty-third
dreißigste	30th	thirtieth
einunddreißigste	31st	thirty-first
vierzigste	40th	fortieth
fünfzigste	50th	fiftieth
sechzigste	60th	sixtieth
siebzigste	70th	seventieth
achtzigste	80th	eightieth
neunzigste	90th	ninetieth
hundertste	100th	(one) hundredth
hundertunderste	101st	hundred and first
zweihundertste	200th	two hundredth
dreihundertste	300th	three hundredth
tausendste	1000th	(one) thousandth
(ein)tausendneunhundertfünfzigste	1950th	nineteen hundred and fiftieth
zweitausendste	2000th	two thousandth

Bruchzahlen und Rechenvorgänge / Fractions and other Mathematical Functions

ein halb	$^1/_2$	one *od* a half
anderthalb	$1\,^1/_2$	one and a half
zweieinhalb	$2\,^1/_2$	two and a half
ein Drittel	$^1/_3$	one *od* a third
zwei Drittel	$^2/_3$	two thirds
ein Viertel	$^1/_4$	one *od* a quarter, one fourth
drei Viertel	$^3/_4$	three quarters, three fourths
ein Fünftel	$^1/_5$	one *od* a fifth
drei vier Fünftel	$3\,^4/_5$	three and four fifths
fünf Achtel	$^5/_8$	five eighths
fünfundsiebzig Prozent	75 %	seventy-five per cent, *Am* percent

null Komma vier fünf	0.45	(nought [nɔːt]) point four five
zwei Komma fünf	2.5	two point five
sieben und *od* plus acht ist fünfzehn	7 + 8 = 15	seven and *od* plus eight are fifteen
neun minus *od* weniger vier ist fünf	9 − 4 = 5	nine minus *od* less four is five
zwei mal drei ist sechs	2 × 3 = 6	twice three is *od* makes six
zwanzig dividiert *od* geteilt durch fünf ist vier	20 : 5 = 4	twenty divided by five is four

Bei Rechenaufgaben:

ein mal	1 ×	once
zwei mal	2 ×	twice
drei mal	3 ×	three times
vier mal	4 ×	four times

Bei Aufzählungen:

erstens	1.	firstly, in the first place
zweitens	2.	secondly, in the second place
drittens	3.	thirdly, in the third place

Nullen als Ziffern:

There are three noughts (Am *zeros*) *in 1,000.*

Telefonnummern, Kontonummern etc.:

The number is 308399 (three 0 [əʊ]/zero eight three double nine).

Sportergebnisse:

Our team won three-nil (Am *three–zero*) (*3–0*)

NB: Beim Tennis wird *null* als *love* bezeichnet, im Tie-break auch als *zero*.

Deutsche Maße und Gewichte
German Weights and Measures

Längenmaße

1 mm ***Millimeter*** millimetre
= 0.039 inches

1 cm ***Zentimeter*** centimetre
= 0.39 inches

1 dm ***Dezimeter*** decimetre
= 3.94 inches

1 m ***Meter*** *metre*
= 1.094 yards
= 3.28 feet
= 39.37 inches

1 km ***Kilometer*** *kilometre*
= 1,093.637 yards
= 0.621 British or Statute Miles

1 sm ***Seemeile*** (*internationales Standardmaß*) nautical mile
= 1,852 metres

Flächenmaße

1 mm² ***Quadratmillimeter*** square millimetre
= 0.0015 square inches

1 cm² ***Quadratzentimeter*** square centimetre
= 0.155 square inches

1 m² ***Quadratmeter*** square metre
= 1.195 square yards
= 10.76 square feet

1 ha ***Hektar*** hectare
= 11,959.90 square yards
= 2.47 acres

1 km² ***Quadratkilometer*** square kilometre
= 247.11 acres
= 0.386 square miles

Raummaße

1 cm³ ***Kubikzentimeter*** cubic centimetre
= 0.061 cubic inches

1 dm³ ***Kubikdezimeter*** cubic decimetre
= 61.025 cubic inches

1 m³ ***Kubikmeter*** cubic metre
= 1.307 cubic yards
= 35.31 cubic feet

1 RT ***Registertonne*** register ton
= 100 cubic feet

Hohlmaße

1 l ***Liter*** litre
= 1.76 pints (*Br*)
= 0.88 quarts (*Br*)
= 0.22 gallons (*Br*)
= 2.11 pints (*Am*)
= 1.06 quarts (*Am*)
= 0.26 gallons (*Am*)

1 hl ***Hektoliter*** hectolitre
= 22.009 gallons (*Br*)
= 26.42 gallons (*Am*)

Gewichte

1 Pfd ***Pfund*** pound (German)
= ½ kilogram(me)
= 500 gram(me)s
= 1.102 pounds (avdp.*)
= 1.34 pounds (troy)

1 kg ***Kilogramm, Kilo*** kilogram(me)
= 2.204 pounds (avdp.*)
= 2.68 pounds (troy)

1 Ztr. ***Zentner*** centner
= 100 pounds (German)
= 50 kilogram(me)s
= 110.23 pounds (avdp.*)
= 0.98 British hundredweights
= 1.102 U.S. hundredweights

1 t ***Tonne*** ton
= 0.984 British tons
= 1.102 U.S. tons
= 1.000 metric tons

* **NB: avdp. = *avoirdupois*** Handelsgewicht *n*

Temperatur-Umrechnungstabellen
Temperature Conversion Tables

Celcius ˚C	Kelvin K	Fahrenheit ˚F	Réaumur ˚R
1000	1273	1832	800
800	1073	1472	640
500	773	932	400
400	673	752	320
300	573	572	240
250	523	482	200
200	473	392	160
150	423	302	120
100	373	212	80
95	368	203	76
90	363	194	72
85	358	185	68
80	353	176	64
75	348	167	60
70	343	158	56
65	338	149	52
60	333	140	48
55	328	131	44
50	323	122	40
45	318	113	36
40	313	104	32
35	308	95	28
30	303	86	24
25	298	77	20
20	293	68	16
15	288	59	12
10	283	50	8
+ 5	278	41	+ 4
0	273.15	32	0
– 5	268	23	– 4
– 10	263	14	– 8
– 17.8	255.4	0	– 14.2
– 20	253	– 4	– 16
– 30	243	– 22	– 24
– 50	223	– 58	– 40
– 100	173	– 148	– 80
– 200	73	– 328	– 160
– 273.15	0	– 459.4	– 218.4

Fieberthermometer

Celcius ˚C	Fahrenheit ˚F	Réaumur ˚R
42.0	107.6	33.6
41.8	107.2	33.4
41.6	106.9	33.3
41.4	106.5	33.1
41.2	106.2	33.0
41.0	105.8	32.8
40.8	105.4	32.6
40.6	105.1	32.5
40.4	104.7	32.3
40.2	104.4	32.2
40.0	104.0	32.0
39.8	103.6	31.8
39.6	103.3	31.7
39.4	102.9	31.5
39.2	102.6	31.4
39.0	102.2	31.2
38.8	101.8	31.0
38.6	101.5	30.9
38.4	101.1	30.7
38.2	100.8	30.6
38.0	100.4	30.4
37.8	100.0	30.2
37.6	99.7	30.1
37.4	99.3	29.9
37.2	99.0	29.8
37.0	98.6	29.6
36.8	98.2	29.4
36.6	97.9	29.3

Land, *country*, Telefonvorwahl, Länderkennung (Internet), Autokennzeichen, Zeitunterschied zu Mitteleuropäischer (Winter)Zeit

Für ein internationales Ferngespräch von Deutschland aus muss vor der Landeskennzahl (Telefonvorwahl) grundsätzlich 00 gewählt werden. Die Zeitunterschiede in der Spalte ±MEZ beziehen sich auf Mitteleuropäische (Winter)Zeit. Sie können je nach Abweichung der einzelnen Länder bei der Umstellung auf Sommer- und Winterzeit geringfügig differieren. Trotz sorgfältiger Prüfung kann für die Richtigkeit der Angaben keine Garantie übernommen werden.

Land	***country***	**Telefonvorwahl**	**Länderkennung (Internet)**	**Autokennzeichen**	**± MEZ**
Afghanistan	Afghanistan	93	AF	AFG	+3,5
Ägypten	Egypt	20	EG	ET	+1
Algerien	Algeria	213	DZ	DZ	±0
Argentinien	Argentina	54	AR	RA	–4
Armenien	Armenia	7	AM	ARM	+3
Aserbaidschan	Azerbaijan	994	AZ	ASE	+3
Äthiopien	Ethiopia	251	ET	ETH	+2
Australien	Australia	61	AU	AUS	+7 bis +9
Bangladesch	Bangladesh	880	BD	BD	+5
Belarus (Weißrussland)	Belarus (White Russia)	7	BY	BY	+1
Belgien	Belgium	32	BE	B	±0
Bolivien	Bolivia	591	BO	BOL	–5
Bosnien-Herzegowina	Bosnia and Herzegovina	387	BA	BiH	±0
Brasilien	Brazil	55	BR	BR	–4 bis –6
Bulgarien	Bulgaria	359	BG	BG	+1
Chile	Chile	56	CL	RCH	–5
China	China	86	CN	VRC	+7

Land	*country*	Telefon-vorwahl	Länder-kennung (Internet)	Auto-kenn-zeichen	± MEZ
Costa Rica	Costa Rica	506	CR	CR	–7
Côte d'Ivoire	Côte d'Ivoire	225	CI	CI	–1
Dänemark	Denmark	45	DK	DK	±0
Deutschland	Germany	49	DE	D	±0
Dominikanische Republik	Dominican Republic	1809	DO	DOM	–6
Ecuador	Ecuador	593	EC	EC	–6
Elfenbeinküste (→ Côte d'Ivoire)	Ivory Cost	225	CI	CI	–1
England	England	44	UK	GB	–1
Estland	Estonia	372	EE	EW	+1
Finnland	Finland	358	FI	FIN	+1
Frankreich	France	33	FR	F	±0
Georgien	Georgia	995	GE	GO	+3
Griechenland	Greece	30	GR	GR	+1
Großbritannien	Great Britain, Britain	44	UK	GB	–1
Guatemala	Guatemala	502	GT	GCA	–7
Haiti	Haiti	509	HT	RH	–6
Indien	India	91	IN	IND	+4,5
Irak	Iraq	964	IQ	IRQ	+2
Iran	Iran	98	IR	IR	+2,5
Irland	Ireland	353	IE	IRL	–1
Island	Iceland	354	IS	IS	–1
Israel	Israel	972	IL	IL	+1
Italien	Italy	390	IT	I	±0
Jamaika	Jamaica	1809	JM	JA	–6
Japan	Japan	81	JP	J	+8
Jordanien	Jordan	962	JO	JOR	+1

Land	*country*	**Telefon-vorwahl**	**Länder-kennung (Internet)**	**Auto-kenn-zeichen**	**± MEZ**
Jugoslawien (Serbien und Montenegro)	Yugoslavia (Serbia and Montenegro)	381	YU	YU	±0
Kanada	Canada	001	CA	CDN	−4,5 bis −9
Kasachstan	Kazakhstan	7	KZ	KAS	+3 bis +5
Kenia	Kenya	254	KE	EAK	+2
Kolumbien	Colombia	57	CO	CO	−6
Kongo	Congo	242	CG	RCB	±0 bis +1
Kroatien	Croatia	385	HR	HR	±0
Kuba	Cuba	53	CU	C	−6
Kuwait	Kuwait	956	KW	KWT	+2
Lettland	Latvia	371	LV	LV	+1
Libanon	Lebanon	961	LB	RL	+1
Liberia	Liberia	231	LR	LB	−1
Libyen	Libya	218	LY	LAR	+1
Liechtenstein	Liechtenstein	41	LI	FL	±0
Litauen	Lithuania	370	LT	LT	+1
Luxemburg	Luxembourg	352	LU	L	±0
Madagaskar	Madagascar	261	MG	RM	+2
Marokko	Morocco	212	MA	MA	−1
Mazedonien	Macedonia	389	MK	MK	±0
Mexiko	Mexico	52	MX	MEX	−7 bis −9
Monaco	Monaco	33	MC	MC	±0
Mongolei	Mongolia	976	MN	MNG	+6 bis +8
Neuseeland	New Zealand	64	NZ	NZ	+11
Nicaragua	Nicaragua	505	NI	NIC	−7
Niederlande	Netherlands	31	NL	NL	±0
Nigeria	Nigeria	234	NG	WAN	±0

Land	*country*	Telefon-vorwahl	Länder-kennung (Internet)	Auto-kenn-zeichen	± MEZ
Norwegen	Norway	47	NO	N	±0
Österreich	Austria	43	AT	A	±0
Pakistan	Pakistan	92	PK	PAK	+4
Panama	Panama	507	PA	PA	–6
Peru	Peru	51	PE	PE	–6
Philippinen	Philippines	63	PH	RP	+7
Polen	Poland	48	PL	PL	±0
Portugal	Portugal	351	PT	P	–1
Rumänien	Romania	40	RO	RO	+1
Russland	Russia	7	RU	RUS	+1 bis +11
Saudi-Arabien	Saudi Arabia	966	SA	SA	+2
Schweden	Sweden	46	SE	S	±0
Schweiz	Switzerland	41	CH	CH	±0
Senegal	Senegal	221	SN	SN	–1
Singapur	Singapore	65	SG	SGP	+7
Slowakei	Slovakia	42	SK	SQ	±0
Slowenien	Slovenia	386	SL	SLO	±0
Spanien	Spain	34	ES	E	±0
Südafrika	South Africa	27	ZA	ZA	+1
Sudan	Sudan	249	SD	SUD	+1
Syrien	Syria	963	SY	SYR	+1
Tansania	Tanzania	255	TZ	EAT	+2
Thailand	Thailand	66	TH	T	+6
Tschechische Republik	Czech Republic	42	CS	CZ	±0
Tunesien	Tunisia	216	TN	TN	±0
Türkei	Turkey	90	TR	TR	+1

Land	*country*	Telefon-vorwahl	Länder-kennung (Internet)	Auto-kenn-zeichen	± MEZ
Turkmenistan	Turkmenistan	7	TM	TUR	+4
Uganda	Uganda	256	UG	EAU	+2
Ukraine	Ukraine	7	UA	UA	+1
Ungarn	Hungary	36	HU	H	±0
Uruguay	Uruguay	598	UY	ROU	–4
USA	US, USA	1	US	USA	–6 bis –11
Usbekistan	Uzbekistan	7	UZ	USB	+4
Venezuela	Venezuela	58	VE	YV	–5
Vietnam	Vietnam, Viet Nam	84	VN	VN	+6
Weißrussland (→ **Belarus**)	B(y)elorussia, White Russia	7	BY	BY	+1
Zimbabwe	Zimbabwe	263	ZW	ZW	+1

Bitte beachten Sie: Obige Angaben unterliegen z.T. häufigen Änderungen. Deshalb kann für die künftige Richtigkeit keine Garantie übernommen werden.

Buchstabieralphabete
Phonetic Alphabets

	Deutsch	Britisches Englisch	Amerikanisches Englisch	International	Zivil-Luftfahrt (ICAO)
A	Anton	Andrew	Abel	Amsterdam	Alfa
Ä	Ärger	–	–	–	–
B	Berta	Benjamin	Baker	Baltimore	Bravo
C	Cäsar	Charlie	Charlie	Casablanca	Charlie
CH	Charlotte	–	–	–	–
D	Dora	David	Dog	Danemark	Delta
E	Emil	Edward	Easy	Edison	Echo
F	Friedrich	Frederick	Fox	Florida	Foxtrot
G	Gustav	George	George	Gallipoli	Golf
H	Heinrich	Harry	How	Havana	Hotel
I	Ida	Isaac	Item	Italia	India
J	Julius	Jack	Jig	Jérusalem	Juliett
K	Kaufmann	King	King	Kilogramme	Kilo
L	Ludwig	Lucy	Love	Liverpool	Lima
M	Martha	Mary	Mike	Madagaskar	Mike
N	Nordpol	Nellie	Nan	New York	November
O	Otto	Oliver	Oboe	Oslo	Oscar
Ö	Ökonom	–	–	–	–
P	Paula	Peter	Peter	Paris	Papa
Q	Quelle	Queenie	Queen	Québec	Quebec
R	Richard	Robert	Roger	Roma	Romeo
S	Samuel	Sugar	Sugar	Santiago	Sierra
Sch	Schule	–	–	–	–
T	Theodor	Tommy	Tare	Tripoli	Tango
U	Ulrich	Uncle	Uncle	Upsala	Uniform
Ü	Übermut	–	–	–	–
V	Viktor	Victor	Victor	Valencia	Victor
W	Wilhelm	William	William	Washington	Whiskey
X	Xanthippe	Xmas	X	Xanthippe	X-Ray
Y	Ypsilon	Yellow	Yoke	Yokohama	Yankee
Z	Zacharias	Zebra	Zebra	Zürich	Zulu

Hinweise zur amerikanischen Rechtschreibung
American spelling

Die amerikanische Rechtschreibung weicht von der britischen hauptsächlich in folgenden Punkten ab:

- Für **...our** steht oft **...or**, z. B. *Am* col*or* = *Br* colour; *Am* hum*or* = *Br* humour; *Am* fav*or* = *Br* favour; *Am* hon*or*able = *Br* honourable.

- **...re** wird meist zu **...er**, z. B. *Am* cent*er* = *Br* centre, *Am* meag*er* = *Br* meagre. Eine Ausnahme von dieser Abweichung ist z. B. *Br*, *Am* massac*re*.

- Statt **...ce** steht oft **...se**, z. B. *Am* defen*se* = *Br* defence, *Am* licen*se* = *Br* licence.

- Bei den meisten Ableitungen der Verben auf **...l** und einigen wenigen auf **...p** wird der entsprechende Endkonsonant nicht verdoppelt, also **travel** – *Am* trave*l*ed = *Br* travelled; *Am* trave*l*er = *Br* traveller; **worship** – *Am* worshi*p*ed = *Br* worshipped; *Am* worshi*p*er = *Br* worshipper.
  Auch bei einigen anderen Wörtern wird der Doppelkonsonant durch einen einfachen ersetzt, z. B. *Am* woo*l*en = *Br* woollen; *Am* carbure*t*or = *Br* carburettor.

- Ein stummes **e** wird mitunter weggelassen, z. B. *Am* ax = *Br* ax*e*; *Am* goodby = *Br* goodby*e*.

- Der Schreibung **ae** und **oe** wird im amerikanischen Englisch oft diejenige mit **e** vorgezogen, z. B. *Am* an*e*mia = *Br* anaemia; *Am* diarrh*e*a = *Br* diarrhoea.

- Vom Französischen abgeleitete stumme Endsilben werden im amerikanischen Englisch meist verkürzt wiedergegeben, z. B. *Am* catalog = *Br* catalog*ue*; *Am* program = *Br* program*me*, *aber Computer*: *Am*, *Br* program; *Am* prolog = *Br* prolog*ue*.

- Darüber hinaus gibt es zahlreiche Einzelfälle von abweichender Rechtschreibung des amerikanischen Englisch gegenüber dem britischen Englisch. Diese können Sie dem Teil Englisch-Deutsch des Taschenwörterbuchs bzw. einem guten einsprachigen Wörterbuch entnehmen. Zu solchen Fällen gehören:
  Am st*a*nch = *Br* staunch; *Am* m*o*lt = *Br* moult; *Am* gr*a*y = *Br* grey; *Am* pl*ow* = *Br* plough; *Am* ski*ll*ful = *Br* skilful; *Am* t*i*re = *Br* tyre; *Am umgangssprachlich* thru = *Am*, *Br* through.

Verzeichnis der Info-Fenster – Info Boxes

aktuell ≠ actual 35
Allee ≠ alley 35
Angst haben ≠ be anxious 44
Apostroph 55
Guten **Appetit** 56
Brieftasche ≠ briefcase 127
bringen – bring/take 128
Chef 134
Chips ≠ *Br* chips 135
City ≠ city 135
Rund um den **Computer** 136
Datumsangabe 141
Dom ≠ dome 151
engagiert ≠ engaged 184
Britisches und amerikanisches **Englisch** 185
Entschuldigung 191
eventuell ≠ eventually 207
Fahrkarten 210
Fantasie ≠ fantasy 213
Farben 214
Fax 217
Freund(in) 238
früher (= used to) 240
Glück – happiness/luck 276
Gymnasium ≠ gymnasium 285
Handy ≠ handy 294
Karton ≠ carton 345
laut – loud/noisy 389
leihen – borrow/lend 395
lernen – learn/study 398
machen – do/make/take/go 410
Mappe ≠ map 414
Marmelade ≠ marmalade 414
Menü ≠ menu 421
Note ≠ note 449
Notrufnummer 449
ordinär ≠ ordinary 456
Rente ≠ rent 496
Rezept ≠ recipe/prescription 498
Rückseite ≠ *Br* backside 503
Satzzeichen 511
Schlussformeln (Brief und E-Mail) 525
Schnecke ≠ snake 527
schwer – heavy/difficult 538
seit – since/for 543
sensibel ≠ sensible 545
Straße – road/street 575
Studium ≠ study 578
sympathisch ≠ sympathetic 581
Telefonieren 588
tragen 595
Trinkgeld 599
überhören ≠ overhear 605
übernehmen ≠ overtake 606
Umwelt: einige wichtige Begriffe 614
Unternehmer ≠ undertaker 625
Verneinen 647
Vorschläge unterbreiten 670
während – while/during 676
Warenhaus ≠ warehouse 677
Waschbrettbauch 679
wenn – when/if 687
sich **wundern** ≠ wonder 700
Zeitangaben 707
Zustimmen 730

Wichtige Abkürzungen und Hinweise in diesem Wörterbuch

a., a.	auch – *also*
Abk	Abkürzung – *abbreviation*
Adj	Adjektiv, Eigenschaftswort; adjektivisch – *adjective*; *adjectival*
Adv	Adverb, Umstandswort; adverbial – *adverb*; *adverbial*
Akk	Akkusativ, 4. Fall – *accusative* (*case*)
allg	allgemein – *generally*
Am	(ursprünglich) amerikanisches Englisch – (*originally*) *American English*
amer.	amerikanisch – *American*
ANAT	Anatomie – *anatomy*
ANTIKE	Antike – *antiquity*
ARCHI	Architektur – *architecture*
Artikel	Artikel, Geschlechtswort – *article*
ASTR	Astronomie – *astronomy*
attr	attributiv, beifügend – *attributive*(*ly*)
BAHN	Eisenbahn – *railway*
BERGB	Bergbau – *mining*
bes	besonders – *particularly*
BIBEL	Bibel, biblisch – *bible*, *biblical*
BIOL	Biologie – *biology*
BOT	Botanik, Pflanzenkunde – *botany*
Br	(nur) britisches Englisch – *British English* (*only*)
BUCHDRUCK	Buchdruck, Typographie – *printing*, *typography*
CHEM	Chemie – *chemistry*
COMPUTER	Computer – *computer*
Dat	Dativ, 3. Fall – *dative* (*case*)
Demonstrativpron	Demonstrativpronomen, hinweisendes Fürwort – *demonstrative pronoun*
Eigenn	Eigenname – *proper name*
ELEK	Elektrotechnik – *electrical engineering*; Elektronik – *electronics*
eng. S.	im engeren Sinn – *in the narrower sense*
etc	etc., et cetera, usw. – *etc.*, *et cetera*
etw, *etw*	etwas – *something*
euph	euphemistisch, beschönigend – *euphemistically*
F	familiär – *familiar*, Umgangsssprache – *colloquial language*
f	feminin, weiblich – *feminine*
fig	figurativ, bildlich, im übertragenen Sinn – *figuratively*
FILM	Film – *cinema*, *film*, *movie*
FISCH	Fischerei, Angeln, Fischkunde – *fishing*, *ichthyology*
FLUG	Luftfahrt – *aviation*
FOTO	Fotografie – *photography*
Fr	französisch – *French*
FUNKVERKEHR	Funkverkehr – *radio communication*
GASTR	Gastronomie, Kochkunst – *gastronomy*, *cooking*
GB	Großbritannien – (*Great*) *Britain*
Gen	Genitiv, 2. Fall – *genitive* (*case*)
GEOG	Geographie – *geography*
GEOL	Geologie – *geology*
Ger	Gerundium – *gerund*
Ggs.	Gegensatz, Antonym – *antonym*
hist	historisch, inhaltlich veraltet – *historical*
hum	humorvoll, scherzhaft – *humorously*
Imp	Imperativ, Befehlsform – *imperative* (*mood*)
Ind	Indikativ, Wirklichkeitsform – *indicative* (*mood*)
Indefinitpron	Indefinitpronomen, unbestimmtes Fürwort – *indefinite pronoun*
Inf	Infinitiv, Nennform – *infinitive* (*mood*)
Interj	Interjektion, Ausruf – *interjection*
Interrogativpron	Interrogativpronomen, Fragefürwort *interrogative pronoun*
iron	ironisch – *ironically*
IT	Informationstechnologie – *information technology*
JAGD	Jagd – *hunting*
Jh.	Jahrhundert – *century*
JUR	Rechtswesen – *law*
KERNPHYSIK	Kernphysik – *nuclear physics*
Koll	Kollektivum, Sammelwort – *collective noun*
Komp	Komparativ, Höherstufe – *comparative*
Konj	Konjunktion, Bindewort – *conjunction*
Konjunktiv	Konjunktiv, Möglichkeitsform – *subjunctive* (*mood*)
konstr	konstruiert – *construed*
KUNST	Kunst – *art*
LANDW	Landwirtschaft – *agriculture*
LING	Linguistik, Sprachwissenschaft – *linguistics*
lit	literarisch bzw. nur in der Schriftsprache vorkommend – *literary*
LITERATUR	Literatur – *literature*

A B C D E F G H I J K L M N O P Q R S T U V W Z